令和 6 年11月改訂

資産税の取扱いと
申告の手引

譲渡所得・山林所得／相続税・贈与税・財産評価

井上　浩二・信永　　弘 編

公益財団法人　納税協会連合会

令和6年11月改訂

資産税の取扱いと申告の手引

譲渡所得・山林所得／相続税・贈与税・財産評価

共土 浩二・信泉 弘 編

公益財団法人 納税協会連合会

ま　え　が　き

　税制は、その時代の社会・経済情勢を反映するものといわれています。なかでも、資産税（譲渡所得、相続税及び贈与税など）関係の税制は、近年においては住宅問題、景気対策問題、金融税制の見直しなどとも関連して毎年のように改正が行われ、その仕組みも複雑なものになっています。また、関係法令等も、税法、政令、省令、告示、通達のほか民法や土地収用法など多岐にわたるため、これらを体系的に整理した上、理解するにはかなりの苦労が伴うものと思われます。

　本書は、税務の専門家の方々のみならず一般の方々にもより正確に、より広く理解していただくために、譲渡所得、山林所得、相続税及び贈与税並びに財産評価に関する取扱いの全容を平易かつ体系的に取りまとめております。

　発刊に当たりましては、令和6年4月1日に施行された「所得税法等の一部を改正する法律」等による資産税関係の税制改正に関する事項を原則として令和6年9月30日現在の法令通達により織り込んでいます。

　本書が皆様の資産税の取扱いについての御理解の一助となり、お役に立つことができましたら幸いです。

　なお、本書は大阪国税局課税第一部資産課税課及び資産評価官に勤務する者が休日等を使って執筆したものであり、本文中意見にわたる部分については、執筆者の個人的見解であることをお断りしておきます。

　　令和6年10月

　　　　　　　　　　　　　　　　　　　　　　　　井上　浩二
　　　　　　　　　　　　　　　　　　　　　　　　信永　　弘

凡　　例

1　**本書の内容は、令和6年9月30日現在です。**

2　本書において引用した法令や通達はそれぞれ次の略語を用いました。

所　　　法…………所得税法

所　　　令…………所得税法施行令

所　　　規…………所得税法施行規則

所　基　通…………所得税基本通達

措　　　法…………租税特別措置法

措　　　令…………租税特別措置法施行令

措　　　規…………租税特別措置法施行規則

措　　　通…………租税特別措置法（山林所得・譲渡所得関係）の取扱いに
　　　　　　　　　　ついて、租税特別措置法に係る所得税の取扱い《源泉所得税
　　　　　　　　　　関係》について、租税特別措置法（株式等に係る譲渡所得等
　　　　　　　　　　関係）の取扱いについて、租税特別措置法（相続税法の特例
　　　　　　　　　　のうち延納の特例関係以外）の取扱いについて

特定転用通達………農地等の特定転用に係る相続税の納税猶予等の適用に関する
　　　　　　　　　　取扱いについて

旧特定農業生産　…旧特定農業生産法人に対し農地等につき使用貸借による権利
法人通達　　　　　　の設定をした場合における贈与税の納税猶予等に関する取扱
　　　　　　　　　　いについて

消所通達…………消費税法等の施行に伴う所得税の取扱いについて

特　例　法…………国有農地等の売払いに関する特別措置法

特例法令…………国有農地等の売払いに関する特別措置法施行令

相　　　法…………相続税法

相　　　令…………相続税法施行令

相　　　規…………相続税法施行規則

相　基　通…………相続税法基本通達

負　担　通…………負担付贈与又は対価を伴う取引により取得した土地等及び家
　　　　　　　　　　屋等に係る評価並びに相続税法第7条及び第9条の規定の適
　　　　　　　　　　用について

評　基　通…………財産評価基本通達

災　免　法…………災害被害者に対する租税の減免、徴収猶予等に関する法律

災　免　令…………災害被害者に対する租税の減免、徴収猶予等に関する法律の
　　　　　　　　　　施行に関する政令

通　則　法…………国税通則法

通 則 法 令…………国税通則法施行令

　　復帰措置法…………沖縄の復帰に伴う特別措置に関する法律

　　復 帰 政 令…………沖縄の復帰に伴う国税関係法令の適用の特別措置等に関する

　　　　　　　　　　　　政令

　　復 帰 省 令…………沖縄の復帰に伴う国税関係法令の適用の特別措置等に関する

　　　　　　　　　　　　省令

3　引用の方法は、例えば、次のとおりです。

　　「所法33②一」とあるのは「所得税法第33条第2項第1号」のことです。

＜目　　　次＞

令和6年度　資産税関係税制改正事項

第一編　譲渡所得

第一章　譲渡所得のあらまし …………………………………… 3

第一節　譲渡所得のあらまし ……………………………………… 3

第二節　譲渡所得の沿革 …………………………………………… 3

第二章　課税される譲渡所得 ………………………………… 14

第一節　譲渡所得の意義 …………………………………………… 14

第二節　譲渡所得に含まれない資産の譲渡による所得 ………… 15

1　棚卸資産及び棚卸資産に準ずる 資産の譲渡による所得 …………… 15	5　法律の規定に基づかない区画形 質の変更に伴う土地の交換分合 … 16
2　少額の減価償却資産又は一括償 却資産の譲渡による所得 ………… 15	6　宅地造成契約に基づく土地の交 換等による所得 …………………… 17
3　山林の伐採又は譲渡による所得 … 15	7　金 銭 債 権 …………………………… 18
4　営利を目的として継続的に行わ れる資産の譲渡による所得 ……… 16	

第三節　譲渡所得となる場合 ……………………………………… 19

1　譲渡所得の基因となる資産の範 囲 …………………………………… 19	4　代償分割による資産の移転 ……… 19
2　譲渡担保に係る資産の移転 ……… 19	5　配偶者居住権等の消滅による所 得 …………………………………… 20
3　財産分与による資産の移転 ……… 19	

第四節　譲渡所得とみなされる場合 ……………………………… 20

1　資産を贈与や遺贈、限定相続、 低額譲渡した場合 ………………… 20	3　契約などにより資産が消滅する ことにより補償金などを受け取 った場合 …………………………… 26
2　借地権や地役権などを設定して 権利金などを受け取った場合 …… 22	4　信託法の改正に伴う所要の整備 … 26

第五節　国外転出をする場合の譲渡所得の特例等 ……………… 28

1　国外転出をする場合の譲渡所得 の特例 ……………………………… 28	2　贈与、相続又は遺贈により非居 住者に有価証券等が移転する場 合の特例 …………………………… 30

第六節　譲渡所得が課税されない場合 …………………………… 30

1　所得税法により非課税とされる 譲渡所得 …………………………… 31	2　租税特別措置法により非課税と される譲渡所得 …………………… 31

第三章　譲渡所得の計算方法 33

第一節　譲渡所得の算式 33

1　譲渡所得の特別控除額 33
2　2分の1課税の取扱い 33
3　課税所得の計算 34

第二節　収　入　金　額 35

1　総収入金額の収入すべき時期 36
2　譲渡資産のうちに短期保有資産
　と長期保有資産とがある場合の
　収入金額等の区分 36
3　借地権等を消滅させた後、土地
　を譲渡した場合等の収入金額の
　区分 36
4　借地権者が底地を取得した後、
　土地を譲渡した場合等の収入金
　額の区分 37

第三節　取　　得　　費 37

1　取　得　時　期 38
2　昭和28年1月1日以後に取得し
　た資産の取得費 40
3　昭和27年12月31日以前に取得し
　た資産の取得費 49
4　減耗資産の取得費の計算 50
5　借地権等又は底地の取得費 51
6　土地建物等以外の資産の概算取
　得費 54
7　配偶者居住権等の取得費 54
8　譲渡に要した費用 55

第四節　消費税等と譲渡所得の計算 55

1　免税事業者、非事業者及び非業
　務用資産の譲渡等の場合の譲渡
　所得の計算 56
2　消費税課税事業者の行う業務用
　資産の譲渡の場合の所得計算 56

第五節　資産の譲渡代金が回収不能となった場合等の所得計算の特例 57

1　譲渡代金が回収不能となった場
　合 57
2　保証債務を履行するために資産
　を譲渡した場合 58
3　更正の請求の特例 62

第四章　損益通算と損失の繰越し 63

第一節　譲渡損失が生じた場合 63

第二節　資産損失が生じた場合 63

1　事業用固定資産の災害損失 63
2　非事業用資産の災害損失 63

第三節　損益通算ができない譲渡損失 65

1　土地建物等の譲渡による譲渡損
　失 65
2　株式等の譲渡による譲渡損失 65
3　譲渡所得が課税されない資産の
　譲渡損失 65
4　低額譲渡による損失 65
5　生活に通常必要でない資産の災
　害による損失 65
6　昭和27年12月31日以前に取得し
　た資産の譲渡損失 66

第四節　損益通算の方法 66

| 1 | 譲渡所得の損失の損益通算の順序⋯⋯⋯⋯⋯⋯⋯⋯ 66 | 2 | 譲渡所得以外の所得の損失の損益通算の順序⋯⋯⋯⋯⋯⋯⋯⋯ 66 |

第五節　損失の繰越し⋯⋯⋯⋯⋯⋯⋯⋯⋯⋯⋯⋯⋯⋯⋯⋯⋯⋯⋯⋯⋯⋯⋯⋯⋯⋯ 67

| 1 | 純損失の繰越控除の順序⋯⋯⋯ 67 | 2 | 雑損失の繰越控除⋯⋯⋯⋯⋯⋯ 68 |

第五章　有価証券の譲渡による所得⋯⋯⋯⋯⋯⋯⋯⋯⋯ 69

第一節　株式等に係る譲渡所得等の課税の特例⋯⋯⋯⋯⋯⋯⋯⋯⋯⋯⋯⋯⋯⋯⋯ 69

1	株式等の範囲⋯⋯⋯⋯⋯⋯⋯ 69	7	特定中小会社が発行した株式の取得費控除の特例⋯⋯⋯⋯⋯ 86
2	貸付信託の受益権等の譲渡による所得の課税の特例⋯⋯⋯⋯ 74	8	特定新規中小企業者がその設立の際に発行した株式の取得に要した金額の控除等⋯⋯⋯⋯⋯⋯ 91
3	株式等の譲渡の対価の受領者等の告知義務⋯⋯⋯⋯⋯⋯⋯ 75	9	特定中小会社が発行した株式に係る譲渡損失の繰越控除等⋯⋯⋯⋯ 92
4	株式等の譲渡の対価の支払調書⋯⋯ 77	10	株式等を対価とする株式の譲渡に係る譲渡所得等の課税の特例⋯ 95
5	株式交換等に係る譲渡所得の特例⋯⋯⋯⋯⋯⋯⋯⋯⋯⋯⋯ 80	11	組織再編成による国際的租税回避に関する措置⋯⋯⋯⋯⋯⋯ 95
6	特定の取締役等が受ける新株予約権の行使による株式の取得に係る経済的利益の非課税等の特例⋯⋯⋯⋯⋯⋯⋯⋯⋯⋯⋯ 82		

第二節　一般株式等に係る譲渡所得等の課税の特例⋯⋯⋯⋯⋯⋯⋯⋯⋯⋯⋯⋯ 96

1	申告分離課税制度⋯⋯⋯⋯⋯⋯ 96	3	確定申告書への一般株式等に係る譲渡所得等の計算明細書の添付⋯⋯⋯⋯⋯⋯⋯⋯⋯⋯⋯ 99
2	損益通算⋯⋯⋯⋯⋯⋯⋯⋯⋯ 99		

第三節　上場株式等に係る譲渡所得等の課税の特例⋯⋯⋯⋯⋯⋯⋯⋯⋯⋯⋯⋯ 100

1	申告分離課税制度⋯⋯⋯⋯⋯⋯ 100	3	上場株式等に係る譲渡損失の繰越控除⋯⋯⋯⋯⋯⋯⋯⋯⋯ 107
2	上場株式等に係る譲渡損失と上場株式等に係る配当所得との損益通算⋯⋯⋯⋯⋯⋯⋯⋯ 105	4	特定管理株式等が価値を失った場合の株式等に係る譲渡所得等の特例⋯⋯⋯⋯⋯⋯⋯⋯⋯ 109

第四節　特定口座内保管上場株式等の譲渡等に係る課税の特例⋯⋯⋯⋯⋯⋯ 111

1	特定口座内保管上場株式等に係る所得計算等の特例⋯⋯⋯⋯ 111	3	確定申告を要しない上場株式等の譲渡による所得⋯⋯⋯⋯⋯ 115
2	特定口座内保管上場株式等の譲渡による所得等に対する源泉徴収等の特例⋯⋯⋯⋯⋯⋯⋯ 114		

第五節　非課税口座内の少額上場株式等に係る譲渡所得等の非課税等⋯⋯ 115

1	非課税口座内の少額上場株式等に係る譲渡所得等の非課税措置⋯ 115	2	未成年者口座内の少額上場株式等に係る譲渡所得等の非課税措置⋯⋯⋯⋯⋯⋯⋯⋯⋯⋯⋯ 119

第六節　金融商品先物取引による所得⋯⋯⋯⋯⋯⋯⋯⋯⋯⋯⋯⋯⋯⋯⋯⋯⋯⋯ 123

第七節　ゴルフ場等の施設利用権の譲渡に類似する有価証券の譲渡による所得⋯⋯⋯ 123

第六章　延払条件付譲渡に係る所得税額の延納⋯⋯⋯⋯⋯⋯⋯ 124

第一節　延納申請ができる要件⋯⋯⋯⋯⋯⋯⋯⋯⋯⋯⋯⋯⋯⋯⋯⋯⋯⋯⋯⋯⋯⋯⋯⋯⋯⋯⋯ 124

第二節　延納の手続等⋯⋯⋯⋯⋯⋯⋯⋯⋯⋯⋯⋯⋯⋯⋯⋯⋯⋯⋯⋯⋯⋯⋯⋯⋯⋯⋯⋯⋯⋯⋯ 128

1　延納の手続⋯⋯⋯⋯⋯⋯⋯⋯ 128	4　延納の取消し⋯⋯⋯⋯⋯⋯⋯⋯ 129
2　延納の許可、却下及び通知⋯⋯⋯ 128	5　延納に係る利子税⋯⋯⋯⋯⋯⋯ 129
3　延納条件の変更⋯⋯⋯⋯⋯⋯ 129	

第三節　収用等の場合の延払条件付譲渡の利子税の免除⋯⋯⋯⋯⋯⋯⋯⋯⋯⋯⋯ 130

第七章　同族会社等の行為又は計算の否認等⋯⋯⋯⋯⋯⋯⋯⋯⋯⋯ 131

第八章　固定資産の交換の場合の課税の特例⋯⋯⋯⋯⋯⋯⋯⋯⋯ 131

第 二 編　譲渡所得等の課税の特例

第一章　長期譲渡所得の課税の特例⋯⋯⋯⋯⋯⋯⋯⋯⋯⋯⋯⋯⋯⋯⋯ 135

第一節　長期譲渡所得の課税の特例⋯⋯⋯⋯⋯⋯⋯⋯⋯⋯⋯⋯⋯⋯⋯⋯⋯⋯⋯⋯⋯⋯ 135

1　長期譲渡所得の意義⋯⋯⋯⋯⋯ 135	4　長期譲渡所得に対する所得税額
2　長期譲渡所得の金額⋯⋯⋯⋯⋯ 136	の計算⋯⋯⋯⋯⋯⋯⋯⋯⋯⋯⋯ 140
3　課税長期譲渡所得金額⋯⋯⋯⋯ 139	5　長期譲渡所得の概算取得費控除⋯ 140

第二節　優良住宅地の造成等のために土地等を譲渡した場合の
　　　　長期譲渡所得の課税の特例⋯⋯⋯⋯⋯⋯⋯⋯⋯⋯⋯⋯⋯⋯⋯⋯⋯⋯⋯⋯⋯⋯ 142

1　優良住宅地の造成等のための土	5　他の譲渡所得の課税の特例の適
地等の譲渡の範囲⋯⋯⋯⋯⋯⋯ 142	用を受ける場合の適用除外⋯⋯⋯ 160
2　課税上の取扱い⋯⋯⋯⋯⋯⋯⋯ 149	6　特定非常災害の場合の確定優良
3　確定申告書に添付する書類⋯⋯⋯ 157	住宅地等予定地のための譲渡の
4　確定優良住宅地等予定地のため	予定期間の延長の特例⋯⋯⋯⋯⋯ 160
の譲渡に対する特例の適用⋯⋯⋯ 157	

〔別表〕優良住宅地等のための譲渡に関する証明書類等の区分一覧表⋯⋯⋯⋯⋯ 161

第三節　居住用財産を譲渡した場合の長期譲渡所得の課税の特例⋯⋯⋯⋯⋯⋯⋯ 206

1　特例の内容⋯⋯⋯⋯⋯⋯⋯⋯⋯ 206	3　申告書添付書類⋯⋯⋯⋯⋯⋯⋯ 214
2　特例による税額計算⋯⋯⋯⋯⋯ 213	

第二章　短期譲渡所得の課税の特例⋯⋯⋯⋯⋯⋯⋯⋯⋯⋯⋯⋯⋯⋯ 215

第一節　短期譲渡所得⋯⋯⋯⋯⋯⋯⋯⋯⋯⋯⋯⋯⋯⋯⋯⋯⋯⋯⋯⋯⋯⋯⋯⋯⋯⋯⋯⋯⋯ 215

1　短期譲渡所得（一般所得分）の 意義················· 215	3　短期譲渡所得に対する所得税額 の計算················· 216
2　短期譲渡所得の金額············· 215	

第二節　土地類似株式等の譲渡に係る短期譲渡所得·································· 218

1　土地類似株式等の範囲············· 218	4　譲渡株式数に含まれないもの····· 221
2　事業等の譲渡に類すると認めら れる株式等の譲渡················· 219	5　所得の計算方法················· 221
	6　有価証券の取得日の判定········· 222
3　募集株式の割当て等があった場 合における譲渡株式数の割合····· 221	

第三節　軽減税率が適用される短期譲渡所得······································· 223

1　軽減税率が適用される短期譲渡 所得に対する所得税額の計算····· 223	2　軽減税率の適用要件············· 223

第三章　損益通算と損失の繰越し ·· 225

第一節　土地建物等の譲渡所得の損失の損益通算の禁止······················· 225

1　土地建物等の譲渡所得の計算上 生じた損失と他の所得との通算·· 225	2　他の所得の金額の計算上生じた 損失と土地建物等の譲渡所得と の通算························· 225

第二節　土地建物等の譲渡所得の計算上生じた損失の繰越し··················· 226

1　純損失の繰越控除の禁止·········· 226	2　雑損失の繰越控除の適用·········· 226

第四章　収用等の場合の課税の特例 ··· 227

第一節　収用等の場合の課税の特例のあらまし······························· 227

第二節　課税の特例が適用される譲渡等の範囲等····························· 227

1　土地収用法に規定する事業のた めに収用等された場合············· 228	5　特定非常災害の場合の代替資産 の取得指定期間の延長の特例···· 239
2　都市計画事業のために収用等さ れた場合······················· 233	6　仮換地等が土地収用法等の規定 に基づいて使用され補償金等を 取得する場合の収用等の場合の 課税の特例の適用について······· 240
3　その他の法律により収用等され た場合························· 237	
4　土地等が公共事業に使用される 場合··························· 238	7　特定駐留軍用地等を譲渡した場 合の譲渡所得の課税の特例······· 241

第三節　収用等のあった日··· 242

第四節　各種補償金の区分とその取扱い····································· 243

1　各種補償金の課税上の区分······· 243	3　補償金に関するその他の取扱い··· 246
2　課税上の特殊な取扱い············· 243	

第五節　代替資産を取得した場合の課税の特例······························· 250

1　代替資産の範囲················· 250	2　代替資産の取得の時期··········· 252

－目次5－

3　短期保有資産と長期保有資産と
　　　がある場合等の買換差金の区分‥253
　　4　譲渡所得の計算方法‥‥‥‥‥253

　　5　代替資産の取得価額とされる金
　　　額の計算等‥‥‥‥‥‥‥‥‥255
　　6　申告手続等‥‥‥‥‥‥‥‥‥256

第六節　交換処分等の場合の課税の特例‥‥‥‥‥‥‥‥‥‥‥‥‥‥‥‥‥‥‥‥‥257

　　1　交換処分等の場合の課税の特例
　　　が適用される範囲‥‥‥‥‥‥257

　　2　補償金等の交付を受けた場合‥‥258
　　3　申告手続等‥‥‥‥‥‥‥‥‥259

第七節　換地処分により土地等を譲渡した場合の課税の特例‥‥‥‥‥‥‥‥‥‥‥‥260

　　1　特例が適用される範囲‥‥‥‥260

　　2　清算金等の交付を受けた場合‥‥262

第八節　収用交換等の場合の譲渡所得等の特別控除‥‥‥‥‥‥‥‥‥‥‥‥‥‥‥263

　　1　特例の概要‥‥‥‥‥‥‥‥‥263
　　2　特例の適用要件‥‥‥‥‥‥‥264
　　3　一の収用交換等に係る事業につ
　　　き譲渡した資産のうちに権利取
　　　得裁決による譲渡資産と明渡裁
　　　決による譲渡資産がある場合の
　　　取扱い‥‥‥‥‥‥‥‥‥‥‥266

　　4　収用交換等により譲渡した資産
　　　のうちに土地建物等、土地建物
　　　等以外の資産及び立木がある場
　　　合の「5,000万円控除の特例」の
　　　適用方法‥‥‥‥‥‥‥‥‥‥266
　　5　譲渡所得の計算方法‥‥‥‥‥267
　　6　申　告　手　続‥‥‥‥‥‥‥268

第九節　公共事業の施行者が行う手続‥‥‥‥‥‥‥‥‥‥‥‥‥‥‥‥‥‥‥‥‥268

　　1　資産について最初に買取り等の
　　　申出を行った場合‥‥‥‥‥‥268

　　2　資産の買取り等をした場合‥‥269

　〔別表1〕公共用地の取得に伴う損失補償基準要綱による各種の補償金の課税上の区分一覧表‥‥‥278
　〔別表2〕収用証明書の区分一覧表‥‥‥‥‥‥‥‥‥‥‥‥‥‥‥‥‥‥‥‥‥‥‥‥‥‥300

第五章　特定事業の用地買収等の場合の
　　　　譲渡所得の特別控除‥‥‥‥‥‥‥‥‥‥‥‥‥‥‥‥335

第一節　特定土地区画整理事業等のために土地等を譲渡した場合の譲渡所得の
　　　　特別控除（2,000万円の特別控除）‥‥‥‥‥‥‥‥‥‥‥‥‥‥‥‥‥335

　　1　特例の内容‥‥‥‥‥‥‥‥‥335
　　2　課税上の取扱い‥‥‥‥‥‥‥335
　　3　譲渡所得の計算方法‥‥‥‥‥336
　　4　一の事業の用地として二以上の
　　　年にわたって土地等を譲渡した
　　　場合の重複適用の制限‥‥‥‥337

　　5　特例を適用するための手続‥‥‥337
　　6　事業施行者の支払調書の提出義
　　　務‥‥‥‥‥‥‥‥‥‥‥‥‥337
　　7　特定土地区画整理事業等に関す
　　　る証明書の区分一覧表‥‥‥‥‥338

第二節　特定住宅地造成事業等のために土地等を譲渡した場合の
　　　　譲渡所得の特別控除（1,500万円の特別控除）‥‥‥‥‥‥‥‥‥‥‥‥351

　　1　特例の内容‥‥‥‥‥‥‥‥‥351
　　2　課税上の取扱い‥‥‥‥‥‥‥351
　　3　譲渡所得の計算方法‥‥‥‥‥357
　　4　一の事業の用地として二以上の
　　　年にわたって土地等を譲渡した
　　　場合の重複適用の制限‥‥‥‥357

　　5　この特例を適用するための手続‥358
　　6　事業施行者の支払調書の提出義
　　　務‥‥‥‥‥‥‥‥‥‥‥‥‥358
　　7　特定住宅地造成事業等に関する
　　　証明書の区分一覧表‥‥‥‥‥359

第三節　農地保有の合理化等のために農地等を譲渡した場合の譲渡所得の
特別控除（800万円の特別控除）……………………………………… 396

1　特例の内容……………………… 396
2　譲渡の範囲……………………… 396
3　譲渡所得の計算方法…………… 397
4　この特例を適用するための手続‥ 397
5　農地保有の合理化等に関する証
明書の区分一覧表……………… 398

第六章　居住用財産の譲渡所得の特別控除（3,000万円の特別控除）…… 420

第一節　特例の概要……………………………………………………………… 420

第二節　特例の適用を受けるための要件…………………………………… 421

1　居住用財産の範囲等…………… 421
2　譲渡の範囲……………………… 426

第三節　特別控除額の計算方法……………………………………………… 428

1　居住用財産の譲渡に係る所得の
全部が長期譲渡所得である場合‥ 428
2　居住用財産の譲渡に係る所得の
全部が短期譲渡所得（一般所得
分）である場合………………… 428
3　居住用財産の譲渡に係る所得の
全部が短期譲渡所得（軽減所得
分）である場合………………… 428
4　居住用財産の譲渡に係る所得に
長期譲渡所得と短期譲渡所得
（一般所得分）及び短期譲渡所
得（軽減所得分）がある場合…… 429
5　同一年中に自己の居住用財産と
被相続人の居住用財産の譲渡が
あった場合の3,000万円控除の
適用……………………………… 429

第四節　この特例の適用を受けるための手続……………………………… 429

第五節　被相続人の居住用家屋に係る譲渡所得の特別控除制度の特例……… 430

1　特例の概要……………………… 430
2　特例の対象となる被相続人居住
用家屋及び被相続人居住用家屋
の敷地等………………………… 430
3　本特例の適用を受けられる者…… 434
4　本特例の対象となる譲渡……… 435
5　既に本特例の適用を受けている
場合の本特例の不適用………… 441
6　対象譲渡の対価の額と適用前譲
渡又は適用後譲渡の対価の額と
の合計額が1億円を超える場合
の本特例の不適用……………… 441
7　他の居住用家屋取得相続人への
通知等…………………………… 443
8　本特例の適用を受ける場合の手
続等……………………………… 444

第七章　特定期間に取得をした土地等を譲渡した場合の
長期譲渡所得の特別控除（1,000万円の特別控除）……………… 447

1　特例の内容……………………… 447
2　適用対象となる土地等の譲渡の
範囲……………………………… 447
3　この特例の適用を受けるための
手続……………………………… 448

第八章　低未利用土地等を譲渡した場合の
長期譲渡所得の特別控除（100万円の特別控除）………………… 449

1　特例の内容……………………… 449
2　適用対象となる土地等の譲渡の
範囲……………………………… 449

－目次7－

3　この特例の適用を受けるための
　　手続‥‥‥‥‥‥‥‥‥‥‥‥ 450

第九章　譲渡所得の特別控除適用上の制限‥‥‥‥‥‥‥‥‥ 451

第十章　特定の居住用財産の買換え等の場合の　長期譲渡所得の課税の特例‥‥‥‥‥‥‥‥ 454

第一節　特例の適用要件‥‥‥‥‥‥‥‥‥‥‥‥‥‥‥‥‥‥‥‥‥‥‥‥‥‥‥‥ 454

　1　譲渡資産の範囲‥‥‥‥‥‥‥ 454
　2　買換資産の範囲等‥‥‥‥‥‥ 458
　3　譲渡及び取得の範囲‥‥‥‥‥‥ 462
　4　譲渡価額が1億円を超える場合‥ 464

第二節　譲渡所得の計算‥‥‥‥‥‥‥‥‥‥‥‥‥‥‥‥‥‥‥‥‥‥‥‥‥‥‥‥ 465

第三節　この特例の適用を受けるための申告手続‥‥‥‥‥‥‥‥‥‥‥‥‥‥ 465

第四節　更正の請求と修正申告‥‥‥‥‥‥‥‥‥‥‥‥‥‥‥‥‥‥‥‥‥‥‥‥ 467

　1　災害等により買換資産を取得で
　　きなかった場合の3,000万円控
　　除の適用‥‥‥‥‥‥‥‥‥‥ 467
　2　修正申告をしなければならない
　　場合‥‥‥‥‥‥‥‥‥‥‥‥ 467
　3　更正の請求ができる場合‥‥‥‥ 468

第五節　買換資産を譲渡した場合の取得価額の計算等‥‥‥‥‥‥‥‥‥‥ 469

　1　買換資産の取得の時期‥‥‥‥ 469
　2　買換資産の取得価額‥‥‥‥‥‥ 469

第六節　交換の場合の特例の適用‥‥‥‥‥‥‥‥‥‥‥‥‥‥‥‥‥‥‥‥‥‥ 471

　1　特例の適用を受けることができ
　　る場合‥‥‥‥‥‥‥‥‥‥‥ 471
　2　譲渡所得の計算‥‥‥‥‥‥‥ 471
　3　交換により取得した資産の取得
　　価額の計算等‥‥‥‥‥‥‥‥‥ 471
　4　この特例の適用を受けるための
　　手続‥‥‥‥‥‥‥‥‥‥‥‥‥ 471

第十一章　特定の事業用資産の買換え等の場合の　課税の特例‥‥‥‥‥‥‥‥‥‥‥‥‥‥‥‥ 473

第一節　特例の適用要件‥‥‥‥‥‥‥‥‥‥‥‥‥‥‥‥‥‥‥‥‥‥‥‥‥‥‥‥ 476

　1　事業用資産の範囲‥‥‥‥‥‥ 476
　2　譲渡資産の譲渡の態様‥‥‥‥ 480
　3　買換資産の取得の態様‥‥‥‥ 481
　4　買換資産の取得期限‥‥‥‥‥ 482
　5　買換資産を事業の用に供した時
　　期の判定‥‥‥‥‥‥‥‥‥‥ 483
　6　譲渡資産及び買換資産の所在地、
　　種類、用途等‥‥‥‥‥‥‥‥‥ 486
　7　買換資産の面積の制限‥‥‥‥‥ 487
　8　短期所有土地等の譲渡の場合の
　　適用除外規定の適用停止‥‥‥‥ 488
　9　特定非常災害の場合の取得指定
　　期間の延長の特例‥‥‥‥‥‥‥ 489

　■　特定の事業用資産の買換え等の特例が適用できる区域等の一覧表‥‥‥‥‥ 490

第二節　譲渡所得の計算‥‥‥‥‥‥‥‥‥‥‥‥‥‥‥‥‥‥‥‥‥‥‥‥‥‥‥‥ 499

　1　通　　則‥‥‥‥‥‥‥‥‥‥ 499
　2　特殊な場合の譲渡所得の計算‥‥ 501

第三節　この特例の適用を受けるための申告手続 ……………………………………… 502

第四節　更正の請求と修正申告 ………………………………………………………… 503

1　修正申告をしなければならない
　　場合 ………………………… 503

2　更正の請求ができる場合 ……… 503

第五節　買い換えた特定の事業用資産の譲渡の場合の取得価額の計算等 …………… 504

1　買換資産の取得の時期 ………… 504
2　買換資産の取得価額 …………… 504
3　買換資産を譲渡等した場合の譲
　　渡所得の計算 ………………… 508

4　買換資産についての特別償却等
　　の不適用 …………………… 508

第六節　特定の事業用資産を交換した場合の課税の特例 ……………………………… 509

1　特例の適用を受けることができ
　　る場合 ……………………… 509
2　特定の事業用資産を交換した場
　　合の譲渡所得の計算 ………… 510

3　交換により取得した特定の事業
　　用資産の取得価額の計算等 ……… 510
4　この特例の適用を受けるための
　　手続 ………………………… 510

■特定の事業用資産の買換えの特例に関する指定地域等一覧表
第1号《航空機騒音障害区域の内から外への買換え》関係 ……………………………… 513
第2号《土地等が土地の計画的かつ効率的な利用に資する施策の実施に伴って取得され
　　　る場合の既成市街地等内での買換え》関係 ……………………………………… 528

第十二章　既成市街地等内にある土地等の中高層耐火建築物等の建設のための買換え等の場合の課税の特例 …………………………… 534

第一節　特例の適用要件 ………………………………………………………………… 535

1　特定民間再開発事業の場合の要
　　件 …………………………… 535
2　中高層耐火共同住宅の建設の場
　　合の要件 …………………… 537
3　譲渡資産及び買換資産の範囲に
　　関する具体的取扱い ………… 538
4　譲渡及び取得の範囲 …………… 540

5　事業の用、居住の用の範囲 ……… 541
6　譲渡した年の翌年以後に買換資
　　産を取得する見込みの場合の特
　　例の適用 …………………… 541
7　特定非常災害の場合の取得指定
　　期間の延長の特例 …………… 542

第二節　譲渡所得の計算 ………………………………………………………………… 542

1　通　　　則 …………………… 542

2　特殊な場合の譲渡所得の計算 …… 543

第三節　この特例の適用を受けるための申告手続 ……………………………………… 543

第四節　更正の請求と修正申告 ………………………………………………………… 545

1　修正申告をしなければならない
　　場合 ………………………… 545

2　更正の請求ができる場合 ……… 545

－目次9－

第五節　買換資産の譲渡の場合の取得価額の計算等……………………………………545

1　買換資産の取得の時期…………546
2　買換資産の取得価額……………546

3　買換資産についての特別償却等
の不適用………………………546

第六節　交換の場合の特例の適用……………………………………………………………546

1　特例の適用を受けることができ
る場合…………………………546
2　譲渡所得の計算…………………547
3　交換により取得した資産の取得
価額の計算等…………………547

4　この特例の適用を受けるための
手続……………………………547

第七節　特定民間再開発事業の場合に買換資産の取得を困難とする特別な事情
がある場合の特例………………………………………………………………………547

1　特例の内容………………………547
2　特例の適用要件…………………548

3　特例の適用手続…………………548

第十三章　特定の交換分合により土地等を取得した場合の課税の特例………………549

1　特例の適用がある場合の譲渡所
得の金額の計算………………550
2　交換取得資産の取得時期及び取
得価額…………………………551

3　この特例の適用を受けるための
申告手続………………………551

第十四章　特定普通財産とその隣接する土地等の交換の場合の課税の特例………………552

第一節　特例の適用要件………………………………………………………………………552

1　所有隣接土地等…………………552

2　特例の対象となる交換…………552

第二節　譲渡所得の計算………………………………………………………………………553

第三節　特例の適用手続………………………………………………………………………553

第四節　交換により取得した特定普通財産の取得価額等…………………………………553

1　特定普通財産の取得価額の計算‥554

2　二以上の特定普通財産がある場
合………………………………554

第十五章　相続財産に係る譲渡所得の課税の特例………………………………………555

1　特例の適用要件…………………555
2　取得費に加算される金額………556

3　確定申告後に相続税額が確定又
は異動した場合………………559
4　この特例の適用を受けるための
申告手続………………………560

第十六章　国、地方公共団体又は公益法人に対して財産を寄附した場合の特例……………562

1　国又は地方公共団体に財産を寄附した場合……………562

2　公益法人に財産を寄附した場合……562

第十七章　国等に対して重要文化財を譲渡した場合の特例……………582

第十八章　物納による譲渡所得等の特例……………582

第十九章　債務処理計画に基づき資産を贈与した場合の課税の特例……………583

第二十章　固定資産の交換の場合の課税の特例……………584

第一節　この特例の適用を受けるための要件……………584

第二節　交換の特例適用上の留意事項……………585

1　交換の対象となる土地の範囲……585
2　交換の対象となる耕作権の範囲……585
3　交換の対象となる建物附属設備等……………586
4　二以上の種類の資産を交換した場合……………586
5　交換により取得した二以上の同種類の資産のうちに同一の用途に供されないものがある場合……586
6　譲渡資産の譲渡直前の用途……586
7　取得資産を譲渡資産の譲渡直前の用途と同一の用途に供する時期……………586
8　資産の一部分を交換として他の部分を売買とした場合の交換の特例の適用……………587
9　交換費用の区分……………587
10　借地権等の設定の対価として土地等を取得した場合……………587
11　交換資産の時価……………587

第三節　譲渡所得の計算方法等……………587

1　譲渡所得の計算……………587

2　交換取得資産の取得費の計算……587

第四節　申　告　手　続……………588

第二十一章　居住用財産の買換え等の場合の譲渡損失の損益通算及び繰越控除の特例……………589

第一節　居住用財産の譲渡損失の損益通算及び繰越控除……………589

1　損益通算の特例……………589
2　繰越控除の特例……………590
3　特例の適用がない場合……………590
4　特定非常災害の場合の取得期限の延長の特例……………591

第二節　用語の意義·····························591

　　1　居住用財産の譲渡損失の金額······ 591
　　2　住宅借入金··························· 596
　　3　純損失の金額························· 597
　　4　通算後譲渡損失の金額··············· 597

第三節　特例の適用手続·····························598

　　1　損益通算の特例の申告要件······· 598
　　2　繰越控除の特例の申告要件······· 600

第四節　純損失の繰越控除及び繰戻し還付制度との調整·····························600

　　1　特定純損失の金額がある場合の
　　　純損失の繰越控除··················· 600
　　2　特定純損失の金額がある場合の
　　　純損失の繰戻し還付··············· 600

第五節　修正申告等·····························600

　　1　損益通算の特例の適用を受けた
　　　者の義務的修正申告··············· 600
　　2　繰越控除の特例の適用を受けた
　　　者の義務的修正申告··············· 601
　　3　修正申告書の提出がない場合の
　　　税務署長の更正··················· 601
　　4　所得控除を適用する場合の所得
　　　要件の判定··················· 601

第二十二章　特定居住用財産の譲渡損失の損益通算及び繰越控除の特例·····························602

第一節　特定居住用財産の譲渡損失の損益通算及び繰越控除·····························602

　　1　損益通算の特例··················· 602
　　2　繰越控除の特例··················· 603
　　3　特例の適用がない場合··········· 603

第二節　用語の意義·····························604

　　1　特定居住用財産の譲渡損失の金
　　　額··················· 604
　　2　住宅借入金等··················· 606
　　3　純損失の金額··················· 606
　　4　通算後譲渡損失の金額··········· 606

第三節　特例の適用手続·····························607

　　1　損益通算の特例の申告要件······· 607
　　2　繰越控除の特例の申告要件······· 608

第四節　純損失の繰越控除及び繰戻し還付制度との調整·····························608

　　1　特定純損失の金額がある場合の
　　　純損失の繰越控除··················· 608
　　2　特定純損失の金額がある場合の
　　　純損失の繰戻し還付··············· 608

第二十三章　譲渡所得の内訳書等の書き方·····························609

　　1　収用等の課税の特例（代替資産
　　　を取得した場合）を受ける場合
　　　の記載例··················· 609
　　2　特定の事業用資産の買換えの課
　　　税の特例を受ける場合で、買換
　　　資産を譲渡の日の属する年の翌
　　　年の12月31日までに取得する予
　　　定であるとして買換資産の明細
　　　書を提出する場合の記載例······· 613

3　相続財産を譲渡した場合の記載
　　　　例‥‥‥‥‥‥‥‥‥‥‥‥‥‥ 617

　　4　保証債務の履行のために資産を
　　　　譲渡した場合の記載例‥‥‥‥ 621

■　令和6年分所得税の速算表‥‥‥‥‥‥‥‥‥‥‥‥‥‥‥‥‥‥‥‥‥‥‥‥‥‥‥ 625
■　令和6年分山林所得の所得税の速算表‥‥‥‥‥‥‥‥‥‥‥‥‥‥‥‥‥‥‥‥ 625
■　印紙税額一覧表‥‥‥‥‥‥‥‥‥‥‥‥‥‥‥‥‥‥‥‥‥‥‥‥‥‥‥‥‥‥‥‥ 626
■　機械及び装置以外の有形減価償却資産の耐用年数表（抜粋）‥‥‥‥‥‥‥ 630
■　減価償却資産の償却率表等‥‥‥‥‥‥‥‥‥‥‥‥‥‥‥‥‥‥‥‥‥‥‥‥‥ 637
■　登録免許税の課税範囲、課税標準及び税率の表‥‥‥‥‥‥‥‥‥‥‥‥‥‥ 640

第三編　山　林　所　得

第一章　山林所得のあらまし‥‥‥‥‥‥‥‥‥‥‥‥‥‥‥‥‥‥‥‥ 645

第二章　山林所得の計算方法‥‥‥‥‥‥‥‥‥‥‥‥‥‥‥‥‥‥ 646

第一節　山林所得の範囲‥‥‥‥‥‥‥‥‥‥‥‥‥‥‥‥‥‥‥‥‥‥‥‥‥‥‥‥ 646

　　1　造材業者が自己の所有する山林
　　　　について、伐木、造材、運材を
　　　　行った場合‥‥‥‥‥‥‥‥‥‥ 646
　　2　土地付きで立木を譲渡した場合‥‥ 646

　　3　分収造林契約又は分収育林契約
　　　　に係る収入金額‥‥‥‥‥‥‥‥ 646
　　4　法人への贈与等の場合の山林所
　　　　得の計算‥‥‥‥‥‥‥‥‥‥‥ 649

第二節　山林所得の金額‥‥‥‥‥‥‥‥‥‥‥‥‥‥‥‥‥‥‥‥‥‥‥‥‥‥‥‥ 650

第三節　収　入　金　額‥‥‥‥‥‥‥‥‥‥‥‥‥‥‥‥‥‥‥‥‥‥‥‥‥‥‥‥ 650

　　1　総収入金額の収入すべき時期‥‥ 650
　　2　山林所得の収入金額とされる保
　　　　険金等‥‥‥‥‥‥‥‥‥‥‥‥ 650
　　3　自家消費の場合の総収入金額算
　　　　入‥‥‥‥‥‥‥‥‥‥‥‥‥‥ 650

　　4　国庫補助金等の総収入金額不算
　　　　入‥‥‥‥‥‥‥‥‥‥‥‥‥‥ 651
　　5　条件付国庫補助金等の総収入金
　　　　額不算入‥‥‥‥‥‥‥‥‥‥‥ 651
　　6　移転等の支出に充てるための交
　　　　付金の総収入金額不算入‥‥‥‥ 652

第四節　必　要　経　費‥‥‥‥‥‥‥‥‥‥‥‥‥‥‥‥‥‥‥‥‥‥‥‥‥‥‥‥ 653

　　1　山林の取得の時期‥‥‥‥‥‥‥ 653
　　2　植林費、取得費‥‥‥‥‥‥‥‥ 653
　　3　管理費、育成費‥‥‥‥‥‥‥‥ 655
　　4　伐採費、譲渡のために要した経
　　　　費、その他の経費‥‥‥‥‥‥‥ 657

　　5　租税特別措置法の規定による必
　　　　要経費及び控除額‥‥‥‥‥‥‥ 660

第五節　消費税等と山林所得の計算‥‥‥‥‥‥‥‥‥‥‥‥‥‥‥‥‥‥‥‥‥ 663

　　1　課税事業者の山林所得の計算‥‥ 664
　　2　非事業者・免税事業者の山林所
　　　　得の計算‥‥‥‥‥‥‥‥‥‥‥ 665

　　3　山林所得の概算経費控除の取扱
　　　　い‥‥‥‥‥‥‥‥‥‥‥‥‥‥ 665

第六節　資産の譲渡代金が回収不能となった場合等の所得計算の特例‥‥‥‥‥‥‥ 666

1	譲渡代金が回収不能となった場合 …………………………… 666		3	山林所得を生ずる事業を営む者について発生した貸倒れ等との関係 …………………………… 666
2	保証債務を履行するために資産を譲渡した場合 ………………… 666		4	資産の譲渡代金が回収不能となった場合等の手続 …………… 667

第七節　損　益　通　算 ………………………………………… 667

1	損益通算の順序の原則 ………… 667		6	被災事業用資産の損失の金額の意義 ・ ……………………… 669
2	山林所得の金額の計算上生じた損失に被災事業用資産の損失とその他の損失がある場合の損益通算の順序 …………………… 667		7	災害等関連費用の必要経費算入の時期 …………………………… 669
3	損益通算できない損失の金額 … 668		8	免責許可の決定等により債務免除を受けた場合の経済的利益の総収入金額不算入 …………… 670
4	純損失の繰越控除 ……………… 668			
5	被災事業用資産の損失等の繰越控除 ………………………… 669			

第八節　同族会社等の行為又は計算の否認等 ……………………… 670

第四編　相　続　税

第一章　相続税のあらまし ………………………………………… 675

第一節　相続税の課税根拠 …………………………………………… 675

第二節　贈与税との関係 ……………………………………………… 675

第三節　所得税その他の租税との関係 …………………………… 675

第二章　相続税の課税の原因 ……………………………………… 677

第一節　相　　　　　続 ……………………………………………… 677

1	相続の開始 ……………………… 677		4	相　続　分 ……………………… 679
2	相　続　人 ……………………… 677		5	相続の承認と放棄 ……………… 681
3	相続財産（遺産）………………… 678		6	相続人の不存在 ………………… 681

第二節　遺　　　　　贈 ……………………………………………… 682

1	遺　　　言 ……………………… 682		2	包括遺贈と特定遺贈 …………… 682

第三節　死　因　贈　与 ……………………………………………… 683

第三章　納税義務者 ………………………………………………… 688

第一節　個　　　　　人 ……………………………………………… 688

1	無制限納税義務者 ……………… 688		2	制限納税義務者 ………………… 689

3	特定納税義務者 ……………… 689		5	住所の判定 ………………… 690
4	国外転出時課税制度に係る納税 義務者 ……………………… 689			

第二節　個人以外の納税義務者 …………………………………………………………… 690

1	人格のない社団又は財団 ……… 690		3	個人以外の納税義務者の住所 …… 691
2	持分の定めのない法人 ………… 691		4	特定一般社団法人等 …………… 691

第三節　財　産　の　所　在 ……………………………………………………………… 691

1	動産、不動産、不動産の上に存 する権利 …………………… 692		10	工業所有権（特許権、実用新案 権、意匠権、これらの実施権、 商標権）、回路配置利用権、育成 者権 ……………………… 693
2	鉱業権、租鉱権、採石権 ……… 692			
3	漁業権、入漁権 ……………… 692			
4	預金、貯金、積金、寄託金 …… 692		11	著作権、出版権、著作隣接権 …… 694
5	保険金 ……………………… 692		12	低額譲受 …………………… 694
6	退職手当金等 ………………… 693		13	営業上等の権利（1〜12以外の もの） ……………………… 694
7	貸付金債権 ………………… 693			
8	社債、株式、法人に対する出資 …… 693		14	国債、地方債 ………………… 694
9	集団投資信託、法人課税信託に 関する権利 ………………… 693		15	その他の財産 ………………… 694

第四章　相続税の課税財産 ……………………………………………………………… 695

第一節　相続又は遺贈によって取得する本来の相続財産 …………………………………… 695

第二節　相続又は遺贈によって取得したものとみなされる財産 …………………………… 696

1	生命保険金等 ………………… 696		5	保証期間付定期金に関する権利 … 703
2	退職手当金、功労金等 ………… 700		6	契約に基づかない定期金に関す る権利 ……………………… 704
3	生命保険契約に関する権利 …… 703			
4	定期金に関する権利 ………… 703			

第三節　遺贈により取得したものとみなす場合 …………………………………………… 704

1	特別縁故者が受ける財産 ……… 704		2	特別寄与料 ………………… 705

第四節　その他の規定で相続又は遺贈により取得したものとみなされるもの ……………… 706

1	みなし遺贈財産 ……………… 706		3	非上場株式等についての贈与税 の納税猶予の特例を受けた株式 等 ………………………… 708
2	農地についての贈与税の納税猶 予の特例の適用を受けた農地等 … 706			

第五節　相続開始前7年以内に被相続人から贈与を受けた財産 …………………………… 708

第五章　相続税の非課税財産 …………………………………………………………… 711

第一節　相続税法上の非課税財産 ………………………………………………………… 711

1	皇室経済法の規定によって皇位 とともに皇嗣が受けた物 ……… 711		2	墓所、霊びょう及び祭具並びに これらに準ずるもの ………… 711
			3	公益事業用財産 ……………… 711

—目次15—

4	私立幼稚園及び幼保連携型認定こども園の教育用財産‥‥‥‥ 712	6	相続人が取得した生命保険金等でその合計額のうち一定額までの金額‥‥‥‥‥‥‥‥‥‥ 714
5	心身障害者共済制度に基づく年金受給権‥‥‥‥‥‥ 713	7	相続人が取得した退職手当金等の合計額のうち一定額までの金額‥‥‥‥‥‥‥‥‥‥‥‥ 715

第二節　租税特別措置法上の非課税財産‥‥‥‥‥‥‥‥‥‥‥‥‥‥‥‥‥‥ 715

1	相続税の申告期限までに国等に贈与した相続財産‥‥‥‥‥ 715	3	相続税の申告期限までに認定特定非営利活動法人に贈与した財産‥‥‥‥‥‥‥‥‥‥‥‥ 720
2	特定公益信託の信託財産とするために支出した金銭‥‥‥‥ 717		

第六章　相続税の課税価格及び税額の計算‥‥‥‥‥‥‥‥ 722

第一節　相続税の課税価格とその計算‥‥‥‥‥‥‥‥‥‥‥‥‥‥‥‥‥‥‥ 722

1	相続税の課税方式‥‥‥‥‥ 722	5	特定土地等及び特定株式等に係る相続税の課税価格の計算の特例‥‥‥‥‥‥‥‥‥‥‥‥ 753
2	相続税の課税価格‥‥‥‥‥ 723		
3	小規模宅地等についての相続税の課税価格の特例‥‥‥‥ 726	6	債　務　控　除‥‥‥‥‥ 754
4	特定計画山林についての相続税の課税価格の計算の特例‥‥‥‥ 747		

第二節　相続税の税額とその計算等‥‥‥‥‥‥‥‥‥‥‥‥‥‥‥‥‥‥‥‥ 757

1	相続税の総額とその計算‥‥‥‥ 757	2	各相続人等が納付する相続税額とその計算‥‥‥‥‥‥‥‥ 763
	○遺産に係る基礎控除‥‥‥‥‥‥ 757		

第七章　相続時精算課税‥‥‥‥‥‥‥‥‥‥‥‥‥‥‥‥ 776

第一節　適用対象者・選択の届出‥‥‥‥‥‥‥‥‥‥‥‥‥‥‥‥‥‥‥‥‥ 776

1	適用対象者‥‥‥‥‥‥‥‥ 776	2	選択の届出‥‥‥‥‥‥‥‥ 777

第二節　贈与税の課税‥‥‥‥‥‥‥‥‥‥‥‥‥‥‥‥‥‥‥‥‥‥‥‥‥‥ 779

1	課税価格、基礎控除及び特別控除‥‥‥‥‥‥‥‥‥‥‥ 779	2	税　　　　率‥‥‥‥‥‥‥ 779

第三節　相続税の課税価格及び税額の計算‥‥‥‥‥‥‥‥‥‥‥‥‥‥‥‥‥ 780

1	課税価格‥‥‥‥‥‥‥‥‥ 780	3	贈与税額の控除及び還付‥‥ 787
2	税額の計算‥‥‥‥‥‥‥‥ 786		

第四節　納税の権利・義務の承継‥‥‥‥‥‥‥‥‥‥‥‥‥‥‥‥‥‥‥‥‥ 790

1	特定贈与者よりも先に相続時精算課税適用者が死亡した場合‥‥ 790	2	受贈者が相続時精算課税選択届出書の提出前に死亡した場合‥‥‥ 791

第五節　申告及び還付等‥‥‥‥‥‥‥‥‥‥‥‥‥‥‥‥‥‥‥‥‥‥‥‥‥ 792

1	申　　　　告‥‥‥‥‥‥‥ 792	3	延納及び物納の取扱い‥‥‥ 792
2	還　　　　付‥‥‥‥‥‥‥ 792	4	贈与税の申告内容の開示‥‥‥ 793

第八章　農地等についての相続税の納税猶予及び免除等の特例 ·········· 794

第一節　農地についての相続税の納税猶予及び免除等の特例 ·········· 794

1　この特例の適用を受けるための要件 ·········· 795
2　申告手続 ·········· 800
3　特例の適用を受ける場合の相続税の計算 ·········· 802
4　納税猶予分の相続税に係る納税猶予とその猶予の打切り等 ·········· 805

5　納税猶予分の相続税に係る利子税の納付 ·········· 827
6　納税猶予分の相続税の免除 ·········· 828
7　農業委員会の通知義務 ·········· 829
8　山林・非上場株式等についての相続税の納税猶予制度との調整規定 ·········· 829

第二節　山林についての相続税の納税猶予及び免除の特例 ·········· 831

1　特例の内容 ·········· 831
2　特例の適用を受けるための手続 ·········· 833
3　納税猶予分の相続税額の計算 ·········· 835
4　林業経営困難時に推定相続人に経営委託を行った場合の納税猶予の継続 ·········· 837

5　納税猶予期間中の継続届出書の提出 ·········· 838
6　納税猶予の打切り ·········· 839
7　納税猶予税額の免除 ·········· 840
8　納税猶予の打切り等があった場合の利子税の納付 ·········· 841

第三節　特定の美術品についての相続税の納税猶予及び免除 ·········· 842

1　制度の概要 ·········· 842
2　特例の適用を受けるための手続等 ·········· 842
3　納税猶予分の相続税の計算 ·········· 843
4　納税猶予期間中の継続届出書の提出 ·········· 844

5　納税猶予の打切り ·········· 845
6　納税猶予税額の免除 ·········· 846
7　納税猶予分の相続税額に係る担保の提供 ·········· 846

第四節　個人の事業用資産についての相続税の納税猶予及び免除 ·········· 847

1　特例適用の要件 ·········· 847
2　用語の意義 ·········· 848
3　納税猶予の相続税額の計算 ·········· 850
4　適用を受けるための手続 ·········· 851
5　納税猶予期間中の継続届出書の提出 ·········· 852

6　担保の変更の命令に応じない場合等の納税猶予期限の繰上げ ·········· 853
7　納税猶予の打切り ·········· 854
8　納税猶予税額の免除 ·········· 857

第五節　個人の事業用資産の贈与者が死亡した場合の相続税の課税の特例 ·········· 865

1　特例適用の要件 ·········· 865
2　物納財産の不適格 ·········· 866

第九章　非上場株式等についての相続税の納税猶予及び免除 ·········· 867

第一節　非上場株式等を相続した場合の相続税の納税猶予及び免除 ·········· 867

1　制度の概要 ·········· 867
2　適用を受けるための手続 ·········· 871
3　納税猶予分の相続税額の計算 ·········· 874

4	納税猶予期間中の継続届出書の提出……………………875	7	経営承継期間後の納税猶予の打切り……………………880
5	担保の変更の命令に応じない場合等の納税猶予期限の繰上げ……877	8	納税猶予税額の免除…………882
		9	利子税の納付…………………886
6	経営承継期間内の納税猶予の打切り……………………877	10	その他の規定…………………887

第二節　非上場株式等の贈与者が死亡した場合の相続税の課税の特例………………889

1	非上場株式等の贈与者が死亡した場合の相続税の課税の特例……889	2	非上場株式等の贈与者が死亡した場合の相続税の納税猶予及び免除……………………………890

第十章　非上場株式等についての相続税の納税猶予及び免除の特例……………………………………894

第一節　非上場株式等についての相続税の納税猶予及び免除の特例………………894

1	制度の概要……………………894	3	納税猶予税額の免除…………896
2	納税猶予期限が確定する場合（猶予税額の全部又は一部の納付）……………………………896		

第二節　非上場株式等の特例贈与者が死亡した場合の相続税の課税の特例……………901

1	非上場株式等の特例贈与者が死亡した場合の相続税の課税の特例………………………………901	2	非上場株式等の特例贈与者が死亡した場合の相続税の納税猶予及び免除の特例………………901

第十一章　医療法人の持分に係る相続税の納税猶予及び免除………………………903

第一節　医療法人の持分についての相続税の納税猶予及び免除………………………903

1	特例適用の要件………………903	4	納　　付……………………906
2	担保の提供……………………905	5	利子税の納付…………………907
3	免除規定………………………905	6	納税義務の承継………………907

第二節　医療法人の持分についての相続税の税額控除………………………………908

1	適用の要件……………………908	3	申告手続………………………908
2	放棄相当相続税額……………908		

第十二章　相続税の申告と納税………………………910

第一節　申告書の提出………………………910

1	申告書の提出義務者…………910	5	相続時精算課税適用者の還付申告 912
2	申告書の提出期限……………910	6	申告書の共同提出……………912
3	申告書の提出先………………912	7	申告書の添付書類……………912
4	申告書の記載事項……………912	8	申告義務の承継………………913

9　未分割遺産の申告……………913　　10　贈与税の申告内容の開示…………914

第二節　期限後申告 …………………………………………………………914

第三節　修正申告 ……………………………………………………………915

第四節　更正の請求 …………………………………………………………916

1　一般の場合の更正の請求………917　　2　特別の事由が生じた場合の更正
　　　　　　　　　　　　　　　　　　　　の請求 …………………………917

第五節　税額の納付 …………………………………………………………918

第六節　連帯納付の義務 ……………………………………………………919

第七節　納税等についての特例 ……………………………………………920

1　納期限の延長………………… 920　　3　災害により被害を受けた場合の
2　納税の猶予…………………… 920　　　相続税の軽減・免除 …………921

第八節　延　　　納 …………………………………………………………921

1　延納の要件…………………… 921　　7　計画伐採に係る相続税の延納の
2　担　　保……………………… 924　　　特例 …………………………934
3　延納期間……………………… 925　　8　特別緑地保全地区等内の土地に
4　延納許可申請の手続………… 926　　　係る相続税の延納利子税の特例… 935
5　延納税額に対する利子税…… 929　　9　不動産等の割合が4分の3以上
6　延納条件の変更、取消し…… 932　　　の場合の相続税の延納の特例… 935

第九節　物　　　納 …………………………………………………………940

1　物納の要件…………………… 940　　4　物納の撤回・物納許可の取消し… 953
2　物納できる財産・できない財産… 942　5　特定物納………………………953
3　物納許可申請の手続………… 948　　6　利子税等………………………954

第十三章　相続税の更正及び決定 ……………………………………956

第一節　更　　　　　正 ……………………………………………………956

第二節　決　　　　　定 ……………………………………………………956

第三節　特別な場合の更正、決定 …………………………………………957

第四節　再　更　　正 ………………………………………………………958

第五節　更正、決定等の期間制限 …………………………………………958

第六節　更正又は決定があった場合の通知と納税 ………………………958

第七節　同族会社等の行為又は計算の否認等 ……………………………958

1　同族会社等の行為又は計算の否　　　2　組織再編法人の行為又は計算の
　認…………………………………958　　　否認…………………………………959

—目次19—

第十四章　更正や決定に不服がある場合等 ……………………………960

1　再調査の請求・審査請求 ………960
2　国税不服審判所の役割 …………960
3　国税不服審判所長の審査請求についての裁決に不服がある場合　960

第十五章　相続税の申告書等の書き方 ……………………961

第一節　相続税の申告書及び添付書類 ……………………………961

1　申　告　書 ……………………961
2　本人確認書類の写し …………963
3　添　付　書　類 ………………963

第二節　相続税の申告書の書き方 …………………………………971

1　第9表　生命保険金などの明細書 …………………………973
2　第10表　退職手当金などの明細書 …………………………973
3　第11・11の2表の付表1　小規模宅地等についての課税価格の計算明細書 …………………973
4　第11・11の2表の付表2　小規模宅地等の特例、特定計画山林の特例又は個人の事業用資産の納税猶予の適用にあたっての同意及び特定計画山林についての課税価格の計算明細書 …………975
5　第11・11の2表の付表3　特定受贈同族会社株式等である選択特定事業用資産についての課税価格の計算明細 …………976
6　第11・11の2表の付表3の2　特定受贈同族会社株式等について会社分割等があった場合の特例の対象となる価額等の計算明細 ……………………976
7　第11・11の2表の付表4　特定森林経営計画対象山林又は特定受贈森林経営計画対象山林である選択特定計画山林についての課税価格の計算明細 …………976
8　第11表の付表1　相続税がかかる財産の明細書（土地・家屋用）……………………976
9　第11表の付表2　相続税がかかる財産の明細書（有価証券用）……………………977

10　第11表の付表3　相続税がかかる財産の明細書（現金・預貯金等用）……………………978
11　第11表の付表4　相続税がかかる財産の明細書（事業（農業）用財産・家庭用財産・その他の財産用）……………………978
12　第12表　農地等についての納税猶予の適用を受ける特例農地等の明細書 …………………980
13　第8の2表の付表1　非上場株式等についての相続税の納税猶予及び免除の適用を受ける対象非上場株式等の明細書（一般措置用）…………………980
14　第8の2表の付表2　非上場株式等についての相続税の納税猶予及び免除の適用を受ける対象非上場株式等の明細書 …………981
15　第8の2表の付表3　非上場株式等についての相続税の納税猶予及び免除の適用を受ける対象相続非上場株式等の明細書（一般措置用）………………984
16　第8の2表の付表4　非上場株式等についての相続税の納税猶予及び免除の適用に係る会社が災害等により被害を受けた場合の明細書（一般措置用）………985
17　第8の2の2表の付表1　非上場株式等についての相続税の納税猶予及び免除の特例の適用を受ける特例対象非上場株式等の明細書（特例措置用）…………985

18 第8の2の2表の付表2　非上場株式等についての相続税の納税猶予及び免除の特例の適用を受ける特例対象相続非上場株式等の明細書（特例措置用）……… 987

19 第8の2の2表の付表3　非上場株式等についての相続税の納税猶予及び免除の特例の適用に係る会社が災害等により被害を受けた場合の明細書（特例措置用）…………………… 988

20 第8の3表　山林納税猶予税額の計算書………………………… 988

21 第8の3表の付表　山林についての納税猶予の適用を受ける特例山林及び特例施業対象山林の証明書……………………… 989

22 第8の4表　医療法人持分納税猶予税額・税額控除額の計算書 989

23 第8の4表の付表　医療法人の持分の明細書・基金拠出型医療法人へ基金を拠出した場合の医療法人持分税額控除額の計算明細書……………… 990

24 第8の5表　美術品納税猶予額の計算書…………………… 991

25 第8の5表の付表　特定の美術品についての納税猶予の適用を受ける特定美術品の明細書……… 991

26 第8の6表　事業用資産納税猶予税額の計算書………………… 992

27 第8の6表の付表1　個人の事業用資産についての相続税の納税猶予及び免除の適用を受ける特定事業用資産の明細書……… 992

28 第8の6表の付表2　個人の事業用資産についての相続税の納税猶予及び免除の適用を受ける特例受贈事業用資産の明細書（一般用）……………………… 994

29 第8の6表の付表2の2　個人の事業用資産についての相続税の納税猶予及び免除の適用を受ける特例受贈事業用資産の明細書（株式等用）……………… 995

30 第8の6表の付表3　個人の事業用資産についての相続税の納税猶予及び免除の適用に係る宅地等及び建物の明細書………… 996

31 第8の6表の付表4　個人の事業用資産についての相続税の納税猶予及び免除の適用に係る特定債務額の計算明細書………… 997

32 第8の7表　納税猶予税額等の調整計算書…………………… 997

33 第13表　債務及び葬式費用の明細書……………………………… 998

34 第14表　純資産価額に加算される暦年課税分の贈与財産価額及び特定贈与財産価額・出資持分の定めのない法人などに遺贈した財産・特定の公益法人などに寄附した相続財産・特定公益信託のために支出した相続財産の明細書……………………… 999

35 第11の2表　相続時精算課税適用財産の明細書・相続時精算課税分の贈与税額控除額の計算書 1000

36 第15表　相続財産の種類別価額表……………………………… 1001

37 第11表　相続税がかかる財産の合計表……………………… 1001

38 第1表・第1表続　相続税の申告書（課税価格・相続税額の計算書）…………………… 1001

39 第2表　相続税の総額の計算書 1003

40 第3表　財産を取得した人のうちに農業相続人がいる場合の各人の算出税額の計算書………… 1003

41 第8の2表　株式等納税猶予額の計算書（一般措置用）…… 1004

42 第4表　相続税額の加算金額の計算書……………………… 1004

43 第4表の付表　相続税額の加算金額の計算書付表………… 1005

44 第4表の2　暦年課税分の贈与税額控除額の計算書………… 1005

45 第5表　配偶者の税額軽減額の計算書……………………… 1006

46 第6表　未成年者控除額・障害者控除額の計算書………… 1006

47 第7表　相次相続控除額の計算書…………………………… 1007

48 第8表　外国税額控除額・農地等納税猶予税額の計算書……… 1007

49 第8表の8　税額控除額及び納税猶予税額の内訳書………… 1007

第三節　相続税の延納申請書について……………………………………………1009

1　申請期限及び申請書の提出先…1009
2　延納を申請することができる場合……………………………………1009
3　延納の期間……………………1009
4　担保の種類……………………1009
5　利　子　税……………………1009
6　担保提供関係書類……………1010

第四節　相続税の物納申請書について……………………………………………1011

1　申請期限及び申請書の提出先…1011
2　物納を申請することができる場合……………………………………1011
3　物納に充てることができる財産の種類及び順位………………1011
4　物納手続関係書類（例示：更地の場合）………………………1011
5　物納申請の却下………………1011

第五節　物納の撤回・特定物納……………………………………………………1012

1　物納の撤回……………………1012
2　特定物納………………………1012
■　遺産分割協議書の記載例………………………………………………………1013
■　相続税申告書の記載例………………………………………………………1014

第五編　贈　与　税

第一章　贈与税のあらまし……………………………………………………1089

第一節　相続税との関係……………………………………………………………1089

第二節　所得税との関係……………………………………………………………1090

第二章　納税義務者………………………………………………………………1091

第一節　納税義務者の区分…………………………………………………………1091

1　無制限納税義務者……………1091
2　制限納税義務者………………1092
3　国外転出時課税制度に係る納税義務者………………………1092

第二節　財産の取得の時期…………………………………………………………1093

第三節　個人とみなされて納税義務者となるもの………………………………1093

1　人格のない社団又は財団………1093
2　公益法人等……………………1094
3　税額の計算方法………………1095

第三章　贈与税の課税財産………………………………………………………1096

第一節　課税財産の範囲……………………………………………………………1096

1　無制限納税義務者の場合………1096
2　制限納税義務者の場合…………1096

第二節　本来の贈与により取得した財産…………………………………………1096

1　財産の名義変更があった場合で
　　　贈与とされる場合·················　1097
　　2　財産の名義変更があった場合で
　　　も贈与とされない場合·········　1097
　　3　負担付贈与の取扱い·············　1099

　　4　共有持分の取扱い··············　1100
　　5　婚姻の取消し又は離婚により財
　　　産をもらった場合の取扱い······　1100
　　6　共稼ぎ夫婦の間における住宅資
　　　金等の贈与の取扱い············　1100

　第三節　贈与によって取得したものとみなされる財産·················　1100

　　1　保険金受取人以外の者が保険料
　　　を負担していた生命保険金又は
　　　損害保険金·····················　1100
　　2　定期金受取人以外の者が掛金を
　　　負担していた定期金·············　1103

　　3　著しく低い対価で譲り受けた財
　　　産·····························　1104
　　4　債務免除等による利益··········　1105
　　5　その他の利益··················　1106
　　6　信託に関する課税の特例········　1113
　　7　特別の法人から受けた利益······　1116

第四章　贈与税の非課税財産·················　1119

　第一節　贈与税の非課税財産·····························　1119

　　1　法人から贈与を受けた財産······　1119
　　2　扶養義務者から生活費又は教育
　　　費として贈与を受けた財産で、
　　　通常必要と認められるもの······　1119
　　3　公益事業を行う者が贈与を受け
　　　た財産で、公益事業の用に供す
　　　ることが確実なもの·············　1120
　　4　特定公益信託から交付される金
　　　品·····························　1120

　　5　心身障害者共済制度に基づく給
　　　付金の受給権··················　1121
　　6　公職選挙法に基づく選挙におい
　　　て、候補者が選挙運動のため贈
　　　与を受けた金品などで同法の規
　　　定により報告がなされたもの···　1121
　　7　社交上必要と認められる香典な
　　　ど·····························　1121
　　8　相続があった年に被相続人から
　　　贈与により取得した財産········　1121

　第二節　特定障害者の信託受益権に係る非課税制度·················　1122

　　1　制度の概要····················　1122
　　2　特定障害者扶養信託契約········　1123

　　3　非課税の適用を受けるための手
　　　続·····························　1123

　第三節　直系尊属から教育資金の一括贈与を受けた場合の贈与税の非課税制度·······　1124

　第四節　直系尊属から結婚・子育て資金の一括贈与を受けた場合の贈与税の非
　　　　　課税制度···　1138

第五章　贈与税の課税価格及び税額の計算·················　1148

　第一節　課税価格の計算·····························　1148

　　1　納税義務者が個人の場合········　1148
　　2　納税義務者が人格のない社団、
　　　財団又は公益法人の場合········　1149
　　3　課税価格の計算についての留意
　　　事項····························　1150

　　4　特定土地等及び特定株式等に係
　　　る贈与税の課税価格の計算の特
　　　例····························　1150

第二節　贈与税の基礎控除·· 1151

第三節　贈与税の配偶者控除·· 1151

1	制度の概要··················· 1151	4	適用を受けるための手続········ 1153
2	婚姻期間の取扱い··············· 1152	5	相続税の課税価格との関係······ 1154
3	居住用不動産の範囲············· 1152		

第四節　暦年課税の場合の贈与税額の計算····································· 1155

第五節　直系尊属から贈与を受けた場合の贈与税の税率の特例················ 1156

第六節　在外財産に対する贈与税額の控除······································ 1158

第六章　相続時精算課税と住宅取得等資金の贈与の 特例·· 1159

第一節　適用対象者・選択の届出·· 1159

1	適用対象者··················· 1159	2	選択の届出··················· 1159

第二節　贈与税の課税··· 1162

1	課税価格····················· 1162	4	税　　　　　率··············· 1163
2	基礎控除····················· 1162	5	申　　　　　告··············· 1165
3	特別控除····················· 1162		

第三節　相続税の課税価格及び税額の計算······································ 1165

1	課税価格及び税額の計算········ 1165	2	贈与税額の控除及び還付········ 1166

第四節　納税の権利・義務の承継·· 1167

1	特定贈与者よりも先に相続時精 算課税適用者が死亡した場合··· 1167	2	受贈者が相続時精算課税選択届 出書の提出前に死亡した場合··· 1167

第五節　相続税の申告及び還付等·· 1167

1	申　　　　　告··············· 1167	3	贈与税の申告内容の開示········ 1167
2	還　　　　　付··············· 1167		

第六節　特定の贈与者から住宅取得等資金の贈与を受けた場合の相続時精算課
　　　　税の特例··· 1168

第七節　直系尊属から住宅取得等資金の贈与を受けた場合の贈与税の非課税制度····· 1177

第七章　農地等についての贈与税の納税猶予及び免除 の特例·· 1185

第一節　農地についての贈与税の納税猶予及び免除の特例···················· 1185

1	この特例の適用を受けるための要件……………… 1186	7	農業委員会等の通知義務……… 1212
2	申告手続………………… 1189	8	一定の農業生産法人に対し農地等につき使用貸借による権利の設定をした場合の納税猶予の継続（平成7年度改正に伴う経過措置）……………………………… 1213
3	特例の適用を受ける場合の贈与税の計算……………… 1190		
4	納税猶予分の贈与税に係る納税猶予とその打切り等……… 1191	9	一定の農業生産法人に対し特例適用農地等につき使用貸借による権利の設定をした場合の納税猶予の継続……………… 1219
5	納税猶予分の贈与税に係る利子税の納付…………… 1210		
6	納税猶予を受けている贈与税の免除………………… 1212		

第二節　個人の事業用資産についての贈与税の納税猶予及び免除………………………… 1224

1	特例適用の要件………… 1224	6	納税猶予の打切り………… 1231
2	用語の意義……………… 1225	7	納税猶予税額の免除……… 1235
3	適用を受けるための手続……… 1229	8	個人の事業用資産についての贈与税の納税猶予及び免除に係る相続時精算課税適用者の特例… 1242
4	納税猶予期間中の継続届出書の提出……………… 1230		
5	担保の変更の命令に応じない場合等の納税猶予期限の繰上げ… 1231		

第八章　非上場株式等についての贈与税の納税猶予及び免除…………………………………… 1244

1	制度の概要………………… 1244	6	経営贈与承継期間内の納税猶予の打切り……………… 1254
2	適用を受けるための手続……… 1248	7	経営贈与承継期間後の納税猶予の打切り……………… 1257
3	納税猶予分の贈与税額の計算… 1252		
4	納税猶予期間中の継続届出書の提出……………… 1252	8	納税猶予税額の免除……… 1258
5	担保の変更の命令に応じない場合等の納税猶予期限の繰上げ… 1254	9	利子税の納付……………… 1264
		10	その他の規定…………… 1265

第九章　非上場株式等についての贈与税の納税猶予及び免除の特例………………………………… 1267

1	制度の概要………………… 1267	4	非上場株式等についての贈与税の納税猶予及び免除の特例に係る相続時精算課税適用者の特例………………………………… 1274
2	納税猶予期限が確定する場合（猶予税額の全部又は一部の納付）……………………… 1270		
3	納税猶予税額の免除………… 1270		

第十章　医療法人の持分に係る経済的利益についての贈与税の納税猶予及び免除………………… 1275

第一節　医療法人の持分に係る経済的利益についての贈与税の納税猶予及び免除…… 1275

1	適用の要件……………… 1275	2	担保の提供……………… 1277

3 免 除 規 定……………… 1277
4 納　　　　　付……………… 1278
5 利子税の納付……………… 1279

6 納税義務の承継……………… 1279
7 ７ 年 加 算……………… 1279

第二節　医療法人の持分に係る経済的利益についての贈与税の税額控除……………… 1279

1 適用の要件……………… 1279
2 放棄相当贈与税額……………… 1280

3 申 告 手 続……………… 1281
4 ７ 年 加 算……………… 1281

第三節　個人の死亡に伴い贈与又は遺贈があったものとみなされる場合の特例……… 1281

1 制度の概要……………… 1281
2 認定医療法人である場合の経済
的利益……………… 1282

3 申告書の記載……………… 1282

第四節　医療法人の持分の放棄があった場合の贈与税の課税の特例……………… 1282

1 制度の概要……………… 1282
2 持ち戻し課税……………… 1282

3 適用手続……………… 1283

第十一章　贈与税の申告と納税 ……………… 1284

第一節　申告書の提出及び期限内申告……………… 1284

1 申告書を提出しなければならな
い者……………… 1284

2 申告書の提出期限……………… 1285
3 申告書に記載すべき事項……………… 1285

第二節　期 限 後 申 告 ……………… 1285

第三節　修 正 申 告 ……………… 1287

第四節　更 正 の 請 求 ……………… 1287

1 更正の請求ができる場合……… 1288
2 更正の請求の手続……………… 1288

3 更正の請求があった場合の税務
署長の処理……………… 1288

第五節　税 金 の 納 付 ……………… 1289

第六節　納税についてのその他の特例……………… 1289

1 納期限の延長……………… 1289
2 納税の猶予……………… 1289

3 災害により被害を受けた場合の
贈与税の軽減・免除……………… 1289

第七節　連帯納付の義務 ……………… 1290

1 財産を贈与した者の連帯納付の
義務……………… 1290

2 贈与税を課税された財産を贈与
等により取得した者の連帯納付
の義務……………… 1291

第八節　延　　　　　納 ……………… 1291

1 延納の要件……………… 1291

2 延納の申請手続……………… 1292

第十二章　贈与税の更正及び決定 ……………… 1293

1 更正又は決定……………… 1293

2 特別な場合の更正、決定……… 1293

－目次26－

3　更正、決定等の期間制限の特則
　　　　　　　　　　　　　　　　　　　　　1293

第十三章　贈与税の申告書の書き方 1295

　　1　贈与税の申告書の書き方…… 1295
　　2　農地等の贈与税の納税猶予税額
　　　　の計算書の書き方………… 1297

■　贈与税申告書の記載例 1299

第六編　相続税、贈与税の財産評価

第一章　土地及び土地の上に存する権利 1311

第一節　通　　　　則 1311

　　1　土地の評価上の区分………… 1311
　　2　地目及び地積の判定………… 1311
　　3　土地の上に存する権利の評価上
　　　　の区分……………………… 1311
　　4　たな卸資産である土地……… 1312
　　5　国外にある財産の邦貨換算…… 1312

　　6　基準年利率の適用…………… 1312
　　7　国外財産の評価……………… 1313
　　8　負担付贈与又は低額譲渡により
　　　　取得した土地等又は家屋等の贈
　　　　与税の評価の特例………… 1313

第二節　宅　　　　地 1313

　　1　評価の単位…………………… 1313
　　2　評価の方式…………………… 1314

　　3　利用状況などに応じた評価額の
　　　　修正………………………… 1334
　　4　貸宅地・貸家建付地………… 1337

第三節　地　　上　　権 1342

第四節　借地権、定期借地権等、区分地上権及び区分地上権に準ずる地役権 1343

　　1　借　地　権………………… 1343
　　2　定期借地権等………………… 1344
　　3　区分地上権…………………… 1346
　　4　区分地上権に準ずる地役権…… 1348
　　5　土地の上に存する権利が競合す
　　　　る場合の借地権等…………… 1348

　　6　貸家建付借地権等…………… 1348
　　7　転貸借地権…………………… 1349
　　8　転借権（転借借地権）……… 1349
　　9　借家人の有する宅地等に対する
　　　　権利………………………… 1350
　　10　使用貸借に係る土地の評価…… 1350

第五節　農地及び農地の上に存する権利 1351

　　1　評価の単位…………………… 1351
　　2　農　　　地…………………… 1351
　　3　貸し付けられている農地…… 1355
　　4　土地の上に存する権利が競合す
　　　　る場合の農地………………… 1356
　　5　耕　作　権………………… 1356

　　6　永　小　作　権…………… 1356
　　7　農地に係る区分地上権及び区分
　　　　地上権に準ずる地役権……… 1357
　　8　土地の上に存する権利が競合す
　　　　る場合の耕作権又は永小作権… 1357
　　9　農業投資価格………………… 1357

第六節　山林及び山林の上に存する権利 1357

　　1　評価の単位…………………… 1357
　　2　山　　　林…………………… 1358

　　3　貸し付けられている山林……… 1358

4	土地の上に存する権利が競合する場合の山林……………1359	7	山林に係る区分地上権及び区分地上権に準ずる地役権…………1360
5	分収林契約に基づいて貸し付けられている山林……………1359	8	山林に係る賃借権……………1360
6	山林に係る地上権……………1359	9	土地の上に存する権利が競合する場合の賃借権又は地上権……1360

第七節　原野、牧場、池沼及び鉱泉地……………………………………………1360

第八節　雑種地及び雑種地の上に存する権利……………………………………1361

1	評価の単位……………1361	9	雑種地に係る区分地上権及び区分地上権に準ずる地役権………1364
2	雑種地の評価……………1361		
3	ゴルフ場の用に供されている土地……………1361	10	土地の上に存する権利が競合する場合の賃借権又は地上権……1364
4	遊園地等の用に供されている土地……………1362	11	占　用　権……………1365
5	鉄軌道用地……………1363	12	占用権の目的となっている土地 1365
6	貸し付けられている雑種地……1363	13	都市公園の用地として貸し付けられている土地……………1365
7	土地の上に存する権利が競合する場合の雑種地……………1363	14	特定市民農園の用地として貸し付けられている土地…………1366
8	雑種地に係る賃借権…………1364		

第二章　家屋、借家権及び構築物……………………………………………1370

第一節　家屋及び借家権……………………………………………………………1370

1	家　　　　屋……………1370	2	借　家　権……………1371

第二節　構　　築　　物……………………………………………………………1371

第三章　果　樹　等……………………………………………………………1372

1	評価の単位……………1372	3	屋敷内にある果樹等…………1372
2	果樹等の評価……………1372		

第四章　立　竹　木……………………………………………………………1372

第一節　評　価　の　単　位………………………………………………………1372

第二節　立　木　の　評　価………………………………………………………1372

1	森林の主要樹種の立木の評価… 1372	6	分収林契約に係る造林者の有する立木の評価及び費用負担者、土地所有者の分収期待権の評価… 1375
2	森林の主要樹種以外の立木の評価……………1375		
3	森林の立木以外の立木の評価… 1375	7	相続税の課税対象となる立木の評価……………1376
4	保安林等の立木……………1375		
5	立竹の評価……………1375		

第五章　動　　産 1378

第一節　一　般　動　産 1378

  1　評価の単位 .... 1378　　　　2　一般動産の評価 1378

第二節　た な 卸 商 品 等 1378

  1　たな卸商品等 .... 1378　　　　2　評価の方法 1379

第三節　牛　　馬　　等 1379

第四節　書画、骨とう品 1379

第五節　船　　　　舶 1379

第六章　無体財産権 1380

  1　特許権及びその実施権 .... 1380　　　　5　電話加入権 1380
  2　実用新案権、意匠権及びそれら　　　　　6　営　業　権 1381
    の実施権 .... 1380　　　　7　漁　業　権 1381
  3　商標権及びその使用権 .... 1380　　　　8　鉱業権、租鉱権及び採石権 1382
  4　著作権、著作隣接権及び出版権 1380

第七章　株式及び出資 1384

  ○　株式の評価上の区分 1384

第一節　上　場　株　式 1385

  1　原則的評価方法 .... 1385　　　　3　最終価格の特例 1385
  2　負担付贈与等により取得した上　　　　　4　月平均額の特例 1387
    場株式の評価 1385

第二節　気配相場等のある株式 1390

  1　登録銘柄及び店頭管理銘柄 ..... 1390　　　　4　気配相場等のある株式の取引価
  2　公開途上にある株式 .... 1390　　　　　　格の特例——課税時期に取引価
  3　気配相場等のある株式の取引価　　　　　　格がない場合 1390
    格の特例——課税時期が権利落　　　　　5　気配相場等のある株式の評価の
    等の日から株式の割当て等の基　　　　　　特例（3及び4により取引価格
    準日までの間にある場合 .... 1390　　　　　が算定できないもの） 1391
    　　　　　　　　　　　　　　　　　　　6　登録銘柄及び店頭管理銘柄の取
    　　　　　　　　　　　　　　　　　　　　引価格の月平均額の特例 1391

第三節　取引相場のない株式 1392

  1　評価上の区分 .... 1392　　　　5　株式等保有特定会社の株式の評
  2　評価の方式 .... 1395　　　　　　価 1405
  3　計　算　要　領 .... 1400　　　　6　土地保有特定会社の株式の評価 1409
  4　比準要素数1の会社の株式の評　　　　　7　開業後3年未満の会社等の株式
    価 .... 1404　　　　　　の評価 1410

8　開業前又は休業中の会社の株式の評価……………1411

9　清算中の会社の株式の評価……1411

10　新株引受権等の発生している特定の評価会社の株式の価額の修正………………………………1411

11　計算上の参考事項……………1411

〔計算例〕　○大会社の同族株主等（少数株式所有者に該当しない。）の場合（1412）

　　　　　○中会社の同族株主等（少数株式所有者に該当しない。）で純資産価額の特例計算の適用を受ける場合（1436）

　　　　　○中会社の同族株主等で土地保有特定会社のために純資産価額方式の適用を受ける場合（1444）

　　　　　○小会社の同族株主等（少数株式所有者に該当しない。）で純資産価額の特例計算の適用を受けない場合（1452）

　　　　　○小会社の同族株主等以外の株主の場合（1460）

　　　　　○大会社（株式等保有特定会社）の同族株主等の場合（1467）

第四節　株式の割当てを受ける権利等の評価………………………………………1480

1　株式の割当てを受ける権利の評価………………………………1480

2　株主となる権利の評価………1480

3　株式無償交付期待権の評価……1480

4　配当期待権の評価……………1480

5　ストックオプションの評価……1480

6　上場新株予約権の評価………1481

第五節　持分会社及び協同組合の出資の評価………………………………………1481

第六節　医療法人の出資の評価………………………………………………………1481

第八章　公社債…………………………………………………………1483

1　公社債………………1483

2　貸付信託受益証券……………1486

3　証券投資信託受益証券…………1486

4　個人向け国債…………………1487

第九章　居住用の区分所有財産の評価………………………1488

1　居住用の区分所有財産の評価方法………………………………1488

2　区分所有補正率の計算方法……1489

3　居住用の区分所有財産の評価額の計算例……………………1490

第十章　配偶者居住権等の評価……………………………1492

1　配偶者居住権の価額…………1492

2　居住建物の価額………………1493

3　居住建物の敷地の用に供される土地を使用する権利の価額……1493

4　居住建物の敷地の用に供される土地の価額…………………1494

5　配偶者居住権の設定後に相続若しくは遺贈又は贈与により取得したその居住建物及びその建物の敷地の用に供される土地のその取得の時の価額……………1494

第十一章　定期金に関する権利……………………………1499

1　定期金給付事由が発生しているもの……………………………1499

2　定期金給付事由が発生していないもの……………………………1500

第十二章　生命保険契約に関する権利 ……… 1502

第十三章　信託受益権 ……… 1502

　　1　元本と収益との受益者が同一人
　　　である場合 …………………… 1502
　　2　元本と収益との受益者が元本及
　　　び収益の一部を受ける場合 …… 1502
　　3　元本の受益者と収益の受益者が
　　　異なる場合 …………………… 1502

第十四章　その他の財産 ……… 1503

　　1　預　貯　金 …………………… 1503
　　2　貸付金債権 …………………… 1503
　　3　受取手形等 …………………… 1504
　　4　無尽又は頼母子に関する権利 … 1504
　　5　未収法定果実 ………………… 1504
　　6　未収天然果実 ………………… 1504
　　7　ゴルフ会員権 ………………… 1504
　　8　抵　当　証　券 ……………… 1505
　　9　不動産投資信託証券等 ……… 1505
　　10　受益証券発行信託証券等 …… 1506

第十五章　特定非常災害発生時の財産評価関係 ……… 1507

　　1　特定非常災害の発生直後の価額
　　　 ………………………………… 1507
　　2　特定非常災害発生日以後に相続
　　　等により取得した財産の評価 … 1511

別表1　イ　令和6年分農業投資価格 …………………………………………… 1516
　　　　　ロ　複利表 ……………………………………………………………… 1517

別表2　類似業種比準価額計算上の業種目及び業種目別株価等（令和6年分） ……… 1522

〔**参考**〕国外財産調書制度 …………………………………………………………… 1550

様式目次

〔譲渡所得等の課税の特例関係〕

株式等に係る譲渡所得等の金額の計算明細書‥‥‥‥‥‥‥‥‥‥‥‥‥‥‥‥ 78

優良宅地認定申請書‥‥‥‥‥‥‥‥‥‥‥‥‥‥‥‥‥‥‥‥‥‥‥‥‥‥ 194

優良宅地証明申請書‥‥‥‥‥‥‥‥‥‥‥‥‥‥‥‥‥‥‥‥‥‥‥‥‥‥ 196

優良住宅認定申請書‥‥‥‥‥‥‥‥‥‥‥‥‥‥‥‥‥‥‥‥‥‥‥‥‥‥ 197

確定優良住宅地等予定地に関する認定申請書‥‥‥‥‥‥‥‥‥‥‥‥‥‥‥‥ 200

公共事業用資産の買取り等の申出証明書‥‥‥‥‥‥‥‥‥‥‥‥‥‥‥‥‥‥ 270

公共事業用資産の買取り等の証明書‥‥‥‥‥‥‥‥‥‥‥‥‥‥‥‥‥‥‥‥ 271

不動産等の譲受けの対価の支払調書‥‥‥‥‥‥‥‥‥‥‥‥‥‥‥‥‥‥‥‥ 272

不動産の使用料等の支払調書‥‥‥‥‥‥‥‥‥‥‥‥‥‥‥‥‥‥‥‥‥‥‥ 273

不動産等の売買又は貸付けのあっせん手数料の支払調書‥‥‥‥‥‥‥‥‥‥‥‥ 274

収用証明書‥‥‥‥‥‥‥‥‥‥‥‥‥‥‥‥‥‥‥‥‥‥‥‥‥‥‥‥‥‥‥ 275

住宅施設用地買収証明書‥‥‥‥‥‥‥‥‥‥‥‥‥‥‥‥‥‥‥‥‥‥‥‥‥ 277

特定土地区画整理事業等のための土地等の買取り証明書‥‥‥‥‥‥‥‥‥‥‥‥ 347

第一種市街地再開発事業のための土地等の買取証明書‥‥‥‥‥‥‥‥‥‥‥‥‥ 348

特定住宅地造成事業等のための土地等の買取り証明書（措法34の2②一号関係）‥ 391

特定住宅地造成事業等のための土地等の買取り証明書（措法34の2②十四号関係）‥ 392

開発保全整備事業計画に関する証明申請書‥‥‥‥‥‥‥‥‥‥‥‥‥‥‥‥‥‥ 393

特定住宅地造成事業等のための土地等の買取り証明書（措法34の2②十九号関係）‥‥ 394

特定住宅地造成事業等のための土地等の買取り証明書（措法34の2②二十四号関係）‥ 395

農地売買等事業のため土地等を買い入れた旨の証明願‥‥‥‥‥‥‥‥‥‥‥‥‥ 404

農地中間管理機構に該当する旨の証明願‥‥‥‥‥‥‥‥‥‥‥‥‥‥‥ 405・416

譲渡所得（所得）の特別控除に係る土地等についての証明願

‥‥‥‥‥‥‥‥‥‥‥ 406・407・409・411・413・415・417・418・419

買入協議に基づき農用地を買い取った旨の証明願‥‥‥‥‥‥‥‥‥‥‥ 408・410

地域農業経営基盤強化促進計画の特例に基づく所有者等の申出により農用地を買い取った旨の証明願‥ 412

農用地利用規程の特例に基づく所有者等の申出により農用地を買い取った旨の証明願‥‥‥ 414

特定の事業用資産の買換えの特例の適用に関する届出書‥‥‥‥‥‥‥‥‥‥‥‥ 474

先行取得資産に係る買換えの特例の適用に関する届出書‥‥‥‥‥‥‥‥‥‥‥‥ 485

譲渡所得の内訳書（確定申告書付表兼計算明細書）――土地・建物用‥‥‥ 610〜623

買換（代替）資産の明細書‥‥‥‥‥‥‥‥‥‥‥‥‥‥‥‥‥‥‥‥‥‥‥‥ 613

相続財産の取得費に加算される相続税の計算明細書‥‥‥‥‥‥‥‥‥‥‥‥‥‥ 620

保証債務の履行のための資産の譲渡に関する計算明細書‥‥‥‥‥‥‥‥‥‥‥‥ 624

〔山林所得関係〕

山林所得収支内訳書（計算明細書）‥‥‥‥‥‥‥‥‥‥‥‥‥‥‥‥‥‥‥‥ 671

〔相続税関係〕

申告期限後3年以内の分割見込書‥‥‥‥‥‥‥‥‥‥‥‥‥‥‥‥‥‥‥‥‥ 743

遺産が未分割であることについてやむを得ない事由がある旨の承認申請書‥‥‥‥ 744

災害により被害を受けた場合の相続時精算課税に係る土地又は建物の価額の特例に関する承認申請書‥ 784

－目次32－

森林計画伐採立木に係る相続税の延納の明細書 ································· 937

特別緑地保全地区等内の土地に係る相続税の延納の明細書 ··················· 939

遺産分割協議書 ··· 1013

相続税の申告書（一般の場合）

相続税の申告書 ··· 1014

相続税の総額の計算書 ··· 1016

相続税額の加算金額の計算書 ··· 1017

暦年課税分の贈与税額控除額の計算書 ··· 1018

配偶者の税額軽減額の計算書 ··· 1019

未成年者控除額・障害者控除額の計算書 ······································· 1020

相次相続控除額の計算書 ··· 1021

外国税額控除額・農地等納税猶予税額の計算書 ································· 1022

（特例）株式等納税猶予税額の計算書 ···································· 1023・1028

非上場株式等についての相続税の納税猶予及び免除の適用を受ける対象非上場株式等の明細書··· 1024

非上場株式等についての相続税の納税猶予及び免除の適用を受ける対象相続非上場株式等の明

細書 ··· 1026

非上場株式等についての相続税の納税猶予及び免除の適用に係る会社が災害等により被害を受

けた場合の明細書 ··· 1027

非上場株式等についての相続税の納税猶予及び免除の特例の適用を受ける特例対象非上場株式

等の明細書 ··· 1029

非上場株式等についての相続税の納税猶予及び免除の特例の適用を受ける特例対象相続非上場

株式等の明細書 ··· 1030

非上場株式等についての相続税の納税猶予及び免除の特例の適用に係る会社が災害等により被

害を受けた場合の明細書 ··· 1031

山林納税猶予税額の計算書 ··· 1032

山林についての納税猶予の適用を受ける特例山林及び特例施業対象山林の明細書 ··············· 1033

医療法人持分納税猶予税額・税額控除額の計算書 ······························· 1034

医療法人の持分の明細書・基金拠出型医療法人へ基金を拠出した場合の医療法人持分税額控除

額の計算明細書 ··· 1035

事業用資産納税猶予税額の計算書 ··· 1036

個人の事業用資産についての相続税の納税猶予及び免除の適用を受ける特定事業用資産の明細

書 ··· 1037

個人の事業用資産についての相続税の納税猶予及び免除の適用を受ける特例受贈事業用資産の

明細書 ·· 1038・1039

個人の事業用資産についての相続税の納税猶予及び免除の適用に係る宅地等及び建物の明細書··· 1040

個人の事業用資産についての相続税の納税猶予及び免除の適用に係る特定債務額の計算明細書··· 1041

納税猶予税額等の調整計算書 ··· 1042

税額控除額及び納税猶予税額の内訳書 ··· 1043

生命保険金などの明細書 ··· 1044

退職手当金などの明細書 ··· 1045

－目次33－

相続税がかかる財産の明細書……………………………………………………… 1046

相続時精算課税適用財産の明細書、相続時精算課税分の贈与税額控除額の計算書……………… 1051

小規模宅地等についての課税価格の計算明細書…………………………………… 1052

特定事業用宅地等についての事業規模の判定明細…………………………………… 1055

小規模宅地等の特例、特定計画山林の特例又は個人の事業用資産の納税猶予の適用にあたって
の同意及び特定計画山林についての課税価格の計算明細書……………………… 1056

特定事業用資産等についての課税価格の計算明細書……………………………… 1057

債務及び葬式費用の明細書………………………………………………………… 1058

純資産価額に加算される暦年課税分の贈与財産価額及び特定贈与財産価額・出資持分の定めの
ない法人などに遺贈した財産・特定の公益法人などに寄附した相続財産・特定公益信託のた
めに支出した相続財産の明細書……………………………………………………… 1059

相続財産の種類別価額表…………………………………………………………… 1060

代替農地等の取得又は都市営農農地等該当に関する承認申請書（納税猶予事案用）……………… 1062

買取りの申出等に伴う代替農地等の取得価額等に関する明細書……………………… 1063

都市営農農地等該当に関する明細書………………………………………………… 1064

相続税延納申請書…………………………………………………………………… 1065

金銭納付を困難とする理由書……………………………………………………… 1067

延納申請書別紙（担保目録及び担保提供書）……………………………………… 1069

相続税物納申請書…………………………………………………………………… 1073

物納財産目録………………………………………………………………………… 1074

相続税の納税猶予の継続届出書…………………………………………………… 1077

特例農地等に係る農業経営に関する明細書………………………………………… 1078

特例農地等の異動の明細書………………………………………………………… 1081

代替農地等の取得等に関する承認申請書………………………………………… 1082

代替農地等の取得価額等の明細書………………………………………………… 1083

納税猶予の適用を受けている農地等について収用交換等による譲渡を行った場合の利子税の特例
の適用に関する届出書……………………………………………………………… 1084

相続税の免除届出書………………………………………………………………… 1085

〔贈与税関係〕

借地権の使用貸借に関する確認書………………………………………………… 1117

借地権者の地位に変更がない旨の申出書………………………………………… 1118

教育資金非課税申告書……………………………………………………………… 1136

追加教育資金非課税申告書………………………………………………………… 1137

結婚・子育て資金非課税申告書…………………………………………………… 1146

追加結婚・子育て資金非課税申告書……………………………………………… 1147

相続時精算課税選択届出書………………………………………………………… 1161

特例農地等についての使用貸借による権利の設定に関する届出書……………… 1203

贈与税の申告書………………………………………………………………… 1299・1301

相続時精算課税の計算明細書……………………………………………………… 1302

－目次34－

住宅取得等資金の非課税の計算明細書………………………………………………………… 1303

農地等の贈与税の納税猶予税額の計算書……………………………………………………… 1304

〔評価関係〕

土地及び土地の上に存する権利の評価明細書（第1表）……………………………………… 1367

土地及び土地の上に存する権利の評価明細書（第2表）……………………………………… 1368

市街地農地等の評価明細書……………………………………………………………………… 1369

営業権の評価明細書……………………………………………………………………………… 1383

上場株式の評価明細書…………………………………………………………………………… 1389

取引相場のない株式（出資）の評価明細書

評価上の株主の判定及び会社規模の判定の明細書………………… 1414・1438・1445・1454・1461・1470

特定の評価会社の判定の明細書……………………………………… 1424・1440・1447・1456・1463・1472

一般の評価会社の株式及び株式に関する権利の価額の計算明細書…………… 1426・1441・1457・1464

類似業種比準価額等の計算明細書…………………………………… 1428・1442・1448・1458・1465・1473

1株当たりの純資産価額（相続税評価額）の計算明細書……… 1432・1445・1449・1459・1466・1474

特定の評価会社の株式及び株式に関する権利の価額の計算明細書…………………………… 1450・1475

株式等保有特定会社の株式の価額の計算明細書……………………………………………… 1476

株式等保有特定会社の株式の価額の計算明細書（続）……………………………………… 1478

居住用の区分所有財産の評価に係る区分所有補正率の計算明細書…………………………… 1491

配偶者居住権等の評価明細書…………………………………………………………………… 1498

令和6年度　資産税関係税制改正事項

一　譲渡所得関係の改正事項

改正事項	改正の内容
1　贈与等の場合の譲渡所得等の特例の改正 （所法59、所法67の3）	（1）　贈与等の場合の譲渡所得等の特例について、対象となる資産の移転の事由に「公益信託の受託者である個人に対する贈与又は遺贈（その信託財産とするためのものに限ります。）」が追加され、譲渡所得の基因となる資産等について公益信託の受託者に対する贈与又は遺贈があった場合には、受託者の主体の属性（個人・法人）にかかわらず、その贈与又は遺贈によるみなし譲渡課税を行うこととされました。 （2）　公益信託の委託者である居住者がその有する資産を信託した場合には、その資産を信託した時において、その委託者である居住者からその公益信託の受託者に対して贈与又は遺贈によりその資産の移転が行われたものとして取り扱うこととされ、公益信託に譲渡所得の基因となる資産等を信託した場合には、上記（1）のみなし譲渡課税が行われることが明確化されました。 《適用時期》　上記（1）及び（2）の改正は、公益信託に関する法律の施行の日から施行されます。
2　相続、遺贈又は個人からの贈与により取得する財産等の非課税の改正 （所法9）	所得税を課さないこととされる相続、遺贈又は個人からの贈与により取得する財産等のうち個人からの贈与により取得する財産の範囲から、公益信託から給付を受けた財産に該当するものを除くこととされました。 《適用時期》　上記の改正は、公益信託に関する法律の施行の日から施行されます。
3　1の改正に伴う所要の整備 （所法60、60の2）	上記1の改正に伴い、みなし譲渡課税の対象となる事由を基準にその適用対象等が定められている措置（贈与等により取得した資産の取得費等）について、所要の整備が行われました。 《適用時期》　上記の改正は、公益信託に関する法律の施行の日から施行されます。
4　特定の取締役等が受ける新株予約権の行使による株式の取得に係る経済的利益の非課税等の改正 （措法29の2）	（1）　権利行使価額の年間の限度額である1,200万円の判定について、特定新株予約権に係る付与決議の日において、その特定新株予約権に係る契約を締結した株式会社が、その設立の日以後の期間が5年未満のものである場合には権利行使価額を2で除して計算した金額とし、その設立の日以後の期間が5年以上20年未満であること等の要件を満たすものである場合には権利行使価額を3で除して計算した金額として、その判定を行うこととされました。 （2）　適用対象となる新株予約権の行使により取得をする株式の管理の方法について、改正前の要件に代えて、「新株予約権の行使により交付をされるその株式会社の株式（譲渡制限株式に限ります。）の管理に関する取決めに従い、その取得後直ちに、その株式会社により管理がされること」との要件を選択適用できることとされました。 （3）　株式会社に提出する書面について、その書面の提出に代えて、電磁的方法によるその書面に記載すべき事項の提供を行うことができることとされました。また、その書面に記載すべき事項の提供を受けた株式会社は、各人別に整理し、その書面に記載すべき事項を記録した電磁的記録をその提供を受けた日の属する年の翌年から5年間保存しなければならないこととされました。

改正事項	改正の内容
	（4）　付与会社等により管理がされている特定株式について、その管理に係る契約の解約又は終了等の事由によりその特定株式の全部又は一部の返還又は移転があった場合には、その返還又は移転があった特定株式については、その事由が生じた時に、その時における価額に相当する金額による譲渡があったものとみなして、株式等に係る譲渡所得等の課税の特例その他の所得税に関する法令の規定を適用すること等とされました。 （5）　「特定新株予約権の付与に関する調書」及び「特定株式等の異動状況に関する調書」の記載事項の見直しが行われました。 （6）　認定新規中小企業者等及び社外高度人材の要件の見直しが行われました。 《適用時期》　上記（1）及び（2）の改正は、令和6年分以後の所得税について適用されます。（3）の改正は、令和6年4月1日以後に株式会社に対して行う電磁的方法による書面に記載すべき事項の提供について適用されます。（4）の改正は、①株式会社による管理に係る契約の解約又は終了の場合は、令和6年4月1日以後に管理に係る契約の解約又は終了により特定株式の全部又は一部の変換がある場合について適用され、②贈与又は相続若しくは遺贈の場合は、公益信託に関する法律の施行の日以後適用され、③管理に関する取り決めに従ってされる譲渡以外の譲渡でその譲渡の時における価額より低い価額によりされるものの場合は、令和6年4月1日以後に譲渡により特定株式の全部又は一部の移転がある場合に適用されます。（5）の改正は、特定新株予約権でその付与をした日が令和6年4月1日以後であるものについて適用されます。（6）の改正は、令和6年4月1日から施行されます。
5　特定中小会社が発行した株式の取得に要した金額の控除等の改正 （措法37の13）	（1）　一定の新株予約権の行使により取得をした控除対象特定株式にあっては、その控除対象特定株式の取得に要した金額に、その新株予約権の取得に要した金額を含むこととされました。 （2）　同一年中に複数銘柄の控除対象特定株式の取得をした場合において、特例の適用を受けた年の翌年以後の各年分におけるその控除対象特定株式に係る同一銘柄株式の取得価額又は取得費から控除する金額の計算方法が明確化されました。 （3）　都道府県知事等の確認をした旨を証する書類について、その特定株式が一定の新株予約権の行使により取得をしたものである場合には、その新株予約権と引換えに払い込むべき額及びその払い込んだ金額の記載があるものに限ること等とされました。 （4）　適用対象に、居住者等が受益者となった一定の信託の財産として特定株式の取得をする方法が追加されました。 《適用時期》　上記（1）の改正は、個人が令和6年4月1日以後に払込みにより取得する新株予約権の行使により取得をする特定株式について適用されます。（2）の改正は、個人が令和6年4月1日以後に払込みにより取得する特定株式について適用されます。（4）の改正は、令和6年4月1日に施行されています。
6　非課税口座内の少額上場株式等に係る配当所得及び譲渡所得等の非課税措置の改正 （措法37の14）	（1）　受入期間内に受け入れた上場株式等の取得対価の額の合計額が240万円を超えないこと等の要件を満たすことにより特定非課税管理勘定に受け入れることができる上場株式等の範囲に、非課税口座内上場株式等について与えられた一定の新株予約権の行使により取得する上場株式等その他の一定のもので金銭の払込みにより取得するものが追加されました。 （2）　非課税管理勘定又は特定非課税管理勘定に受け入れることができる非課税口座内上場株式等の分割等により取得する上場株式等の範囲から、非課税口座内上場株式等について与えられた一定の新株予約権の行使により取得する上場株式等その他の一定のものでその取得に金銭の払込み

(2)

改正事項	改正の内容
	を要するものが除外されました。 （3）　累積投資上場株式等の要件のうち上場株式投資信託の受益者に対する信託報酬等の金額の通知に係る要件が廃止されるとともに、公募株式投資信託の受益権については、特定非課税管理勘定においてその受益権が振替口座簿への記載等がされている期間を通じて、その特定非課税管理勘定に係る非課税口座が開設されている金融商品取引業者等が、その受益者に対して、その公募株式投資信託に係る信託報酬等の金額を通知することとされているもののみが、上記（1）の特定非課税管理勘定に受け入れることができる上場株式等に該当することとされました。 《適用時期》　上記（1）の改正は、令和6年4月1日以後に取得をする上場株式等について適用されます。（2）の改正は、令和6年4月1日以後に行使又は取得事由の発生により取得する上場株式等について適用されます。（3）の改正は、令和6年4月1日から適用されます。
7　特定口座内保管上場株式等の譲渡等に係る所得計算等の特例の改正 （措法37の11の3）	上場株式等保管委託契約に基づき特定口座に受入れ可能な上場株式等の範囲に、次の上場株式等が追加されました。 ①　金融商品取引業者等に特定口座を開設する居住者等がその金融商品取引業者等に開設されているその居住者等の非課税口座に係る非課税口座内上場株式等について与えられた一定の新株予約権の行使により取得する上場株式等その他の一定のものでその取得に金銭の払込みを要するものの全てを、その行使等の時に、その特定口座に係る振替口座簿に記載等をする方法により受け入れるもの ②　居住者等が開設する非課税口座に係る非課税口座内上場株式等及びその非課税口座が開設されている金融商品取引業者等にその居住者等が開設する特定口座に係るその非課税口座内上場株式等と同一銘柄の特定口座内保管上場株式等について生じた株式の分割等の事由により取得する上場株式等（非課税口座に受け入れることができるもの及び特定口座に受け入れることができるものを除きます。）で、その上場株式等のその特定口座への受入れを振替口座簿に記載等をする方法により行うもの 《適用時期》　上記の改正は、令和6年4月1日以後に上記①の行使等又は②の事由により特定口座に受け入れる上場株式等について適用されます。
8　収用等に伴い代替資産を取得した場合の課税の特例等の改正 （措法33）	適用対象に、土地収用法に規定する事業の施行者が行うその事業の施行に伴う漁港水面施設運営権の消滅により補償金を取得する場合及び漁港管理者が漁港及び漁場の整備等に関する法律の規定に基づき公益上やむを得ない必要が生じた場合に行う漁港水面施設運営権を取り消す処分に伴う資産の消滅等により補償金を取得するときが追加されました。 《適用時期》　上記の改正は、令和6年4月1日から施行されます。
9　特定土地区画整理事業等のために土地等を譲渡した場合の2,000万円特別控除の改正 （措法34）	（1）　適用対象に、古都保存法又は都市緑地法の規定により対象土地が都市緑化支援機構に買い取られる場合（一定の要件を満たす場合に限ります。）が追加されました。 （2）　適用対象から、都市緑地法の規定により土地等が緑地保全・緑化推進法人に買い取られる場合が除外されました。 《適用時期》　上記（1）の改正は、都市緑地法等の一部を改正する法律の施行の日から施行されます。（2）の改正は、個人の有する土地等が都市緑地法等改正法の施行の日以後に買い取られる場合について適用されます。

改正事項	改正の内容
10 特定住宅地造成事業等のために土地等を譲渡した場合の1,500万円特別控除の改正 （措法34の2）	適用対象となる特定の民間住宅地造成事業のために土地等が買い取られる場合について、その適用期限が令和8年12月31日まで3年延長されました。
11 特定の居住用財産の買換え及び交換の場合の長期譲渡所得の課税の特例の改正 （措法36の2、36の5）	適用期限が令和7年12月31日まで2年延長されました。
12 居住用財産の買換え等の場合の譲渡損失の損益通算及び繰越控除の改正 （措法41の5）	本特例の適用を受けようとする個人が買換資産に係る住宅借入金等の債権者に対し、住宅ローン税額控除制度における「住宅取得資金に係る借入金等の年末残高等調書制度」に係る適用申請書を提出している場合には、買換資産に係る住宅借入金等の残高証明書の納税地の所轄税務署長への提出及び確定申告書への添付を不要とした上で、その適用期限が令和7年12月31日まで2年延長されました。 《適用時期》 上記の改正は、個人が令和6年1月1日以後に行う譲渡資産の特定譲渡について適用されます。
13 特定居住用財産の譲渡損失の損益通算及び繰越控除の改正 （措法41の5の2）	適用期限が令和7年12月31日まで2年延長されました。
14 新たな公益信託制度の創設に伴う租税特別措置法等の整備 （措法40）	（1） 国等に対して財産を寄附した場合の譲渡所得等の非課税について、次の措置が講じられました。 ① 本非課税制度の対象となる公益法人等の範囲に、公益信託に関する法律の公益信託（以下「公益信託」といいます。）の受託者（非居住者又は外国法人に該当するものを除きます。）が追加されるとともに、対象となる贈与又は遺贈の範囲について、公益信託の受託者（改正前から本非課税制度の対象となっている公益法人等に該当する法人を除きます。）に対する贈与又は遺贈は公益信託の信託財産とするためのものに限る等の整備が行われました。 ② 非課税承認要件である贈与者等の所得税等を不当に減少させる結果とならないことを満たすための条件について、その贈与又は遺贈が公益信託の信託財産とするためのものである場合における公益信託が満たすべき条件の整備が行われました。 ③ 非課税承認の取消しにより公益信託の受託者に課税する場合において、その受託者が2以上あるときは、その主宰受託者を、贈与等を行った個人とみなして所得税を課することとする等、公益信託の受託者に課税がされる場合の取扱いの整備が行われました。 ④ 特定贈与等を受けた公益信託の受託者（以下「当初受託者」といいます。）が、任務終了事由等により特定贈与等に係る財産等を新受託者等（以下「引継受託者」といいます。）に移転しようとする場合において、当初受託者が、新受託者の選任等の認可又は届出の日の前日までに、一

改正事項	改正の内容

定の事項を記載した書類を納税地の所轄税務署長を経由して国税庁長官に提出したときは、本非課税制度を継続して適用することができることとされました。

⑤　特定贈与等を受けた公益信託（以下「当初公益信託」といいます。）の受託者が、公益信託の終了により特定贈与等に係る財産等を他の公益法人等に移転し、又は類似の公益事務をその目的とする他の公益信託の信託財産としようとする場合において、当初公益信託の受託者が、公益信託の終了の日の前日までに、一定の事項を記載した書類を納税地の所轄税務署長を経由して国税庁長官に提出したときは、本非課税制度を継続して適用することができることとされました。

⑥　公益法人等が解散する場合及び公益法人等が公益法人認定法の公益認定の取消処分を受けた場合における非課税制度の継続の特例措置について、適用対象に、次に掲げる場合が追加されました。

イ　特定贈与等を受けた公益法人等が、解散による残余財産の分配又は引渡しにより、特定贈与等に係る財産等を類似の公益事務をその目的とする公益信託の信託財産としようとする場合

ロ　当初法人が、公益法人認定法の定款の定めに従い、引継財産を類似の公益事務をその目的とする公益信託の信託財産としようとする場合

⑦　他の公益法人等が特定贈与等を受けた公益法人等から資産の移転を受けた場合における非課税制度の継続の特例措置について、次の措置が講じられました。

イ　引継受託者が当初受託者の任務終了事由等により資産の移転を受けた場合において、引継受託者が、その移転を受けた資産が特定贈与等に係る財産等であることを知った日の翌日から2月を経過した日の前日までに、一定の書類を納税地の所轄税務署長を経由して国税庁長官に提出したときは、本非課税制度を継続して適用することができることとされました。

ロ　引継法人が当初法人から資産の贈与を受けた場合の措置について、適用対象に、類似の公益事務をその目的とする公益信託の受託者が当初法人から引継財産を公益信託の信託財産として受け入れた場合が追加されました。

⑧　非課税承認申請書の記載事項等について、上記①又は②の改正に伴う所要の整備が行われました。

（2）　特定寄附信託の利子所得の非課税措置等について、次の措置が講じられました。

①　特定寄附信託の利子所得の非課税措置の対象となる対象特定寄附金の範囲について、一定の特定公益信託の信託財産とするために支出した金銭（旧所得税法の規定により特定寄附金とみなされたもの）に代えて、特定寄附金のうち公益信託の信託財産とするために支出した寄附金（所得税法第78条第2項第4号に掲げる特定寄附金）とされました。なお、一定の特定公益信託の信託財産とするために支出した金銭については、引き続き対象特定寄附金とする経過措置が講じられました。

②　信託の計算書制度について、上記①の改正に伴う記載事項の整備が行われました。

（3）　公益信託の受託者である個人に対する贈与又は遺贈（その信託財産とするためのものに限ります。）をみなし譲渡課税の対象となる事由に追加する改正が行われたことに伴い、租税特別措置法等の特例のうちみなし譲渡課税の対象となる事由を基準にその適用対象等が定められている措置について、所要の整備が行われました。

《適用時期》　上記の改正は、公益信託に関する法律の施行の日から施行されます。

（5）

改正事項	改 正 の 内 容
15 山林所得に係る森林計画特別控除制度の改正 （措法30の2）	適用期限が令和8年まで2年延長されました。

二 相続税・贈与税関係の改正事項

改正事項	改 正 の 内 容
1 公益信託に係る相続税・贈与税の見直し （相法12、21の3、措法70）	（1） 公益信託の受託者が遺贈又は贈与により取得した財産（その信託財産として取得したもの）の価額は、相続税又は贈与税の課税価格に算入しないことが明確化されました。 （2） 公益信託から給付を受けた財産については、贈与税の課税価格に算入しないこととされました。 （3） 相続財産を公益信託の信託財産とするために支出した場合の相続税の非課税措置の対象となる相続財産を金銭に限定しないこととされました。また、この措置の適用を受けた財産の価額を遡って相続税の課税価格の計算の基礎に算入することとなる事由についても見直しが行われました。 《適用時期》 上記（1）及び（2）の改正は、公益信託に関する法律の施行の日から施行されます。（3）の改正は、公益信託に関する法律の施行の日以後に支出をする財産について適用されます。
2 直系尊属から住宅取得等資金の贈与を受けた場合の贈与税の非課税措置等の改正 （措法70の2、70の3、震災特例法38の2）	（1） 直系尊属から住宅取得等資金の贈与を受けた場合の贈与税の非課税措置及び特定の贈与者から住宅取得等資金の贈与を受けた場合の相続時精算課税の特例の適用期限が令和8年12月31日まで3年延長されるとともに、東日本大震災の被災者が直系尊属から住宅取得等資金の贈与を受けた場合の贈与税の非課税措置の適用期限が見直されました。 （2） 住宅資金非課税限度額の上乗せ措置の適用対象となる住宅用の家屋の要件のうち、新築等をした住宅用の家屋の省エネ基準が引き上げられました。 《適用時期》 上記の改正は、令和6年1月1日以後に贈与により取得をする住宅取得等資金に係る贈与税について適用されます。
3 次世代システムへの対応 （相規8、31）	国税庁長官は、相続税法施行規則に規定する申告書又は調書の書式について必要があると認めるときは、所要の事項を付記すること又は一部の事項を削除することができることとされました。 　また、この付記や削除に併せて、その書式の大きさについても、産業標準化法第20条第1項に規定する日本産業規格に適合する大きさに変更することができることとされました。 《適用時期》 上記の改正は、令和8年9月1日から施行されます。
4 調書の電磁的提出基準の見直し （相法59）	調書の電子情報処理組織（e-Tax又は認定クラウド）を使用する方法等による提出義務制度について、提出義務の対象となるかどうかの判定基準となるその年の前々年に提出すべきであった調書の枚数が、30枚以上（改正前：100枚以上）に引き下げられました。 《適用時期》 上記の改正は、令和9年1月1日以後に提出すべき調書について適用されます。

改正事項	改正の内容
5　相続税法の規定に基づく更正の請求の対象となる事由の拡充 （相法32、相令8）	更正の請求の特則の対象となる事由の範囲に、「民法第778条の4の規定による請求があったことにより弁済すべき額が確定したこと」が追加されました。 《適用時期》　上記の改正は、令和6年4月1日から施行されます。
6　直系尊属から結婚・子育て資金の一括贈与を受けた場合の贈与税の非課税措置の見直し （措法70の2の3）	本特例の適用対象となる結婚・子育て資金の支払先である施設の範囲に、児童福祉法に規定する子育て世帯訪問支援事業又は親子関係形成支援事業に係る施設が追加されました。 《適用時期》　上記の改正は、令和6年4月1日から施行されます。
7　非上場株式等についての贈与税・相続税の納税猶予の特例制度等の改正 （措法70の7の5、70の7の6、70の6の8、70の6の10）	特例承継計画及び個人事業承継計画の提出期限（令和6年3月31日）が2年延長されました。

三　令和6年分における所得税の特別控除等の実施

改正事項	改正の内容
令和6年分における所得税額の特別控除	①　居住者の令和6年分の所得税については、その年分の所得税の額から、令和6年分特別税額控除額を控除することとされました。ただし、その者のその年の合計所得金額が1,805万円を超える場合には、控除できません。 ②　上記①の令和6年分特別税額控除額は、次の合計額とされています。 　イ　3万円 　ロ　居住者の一定の同一生計配偶者又は一定の扶養親族1人につき……3万円

（7）

第一編
譲 渡 所 得

第一篇

概述

第一章　譲渡所得のあらまし

第一節　譲渡所得のあらまし

　土地や家屋などを譲渡することにより生じた利益のことを譲渡所得といいます。

　譲渡所得は、事業所得などのように利潤を目的として商品を仕入れ、これを販売するような営利性や継続性に乏しいのが普通です。したがって、山林、棚卸資産、棚卸資産に準ずる資産、その他営利を目的として継続的に譲渡の行われる資産は、すべて譲渡所得の対象となる資産から除かれます。

　そして、この営利性、継続性の乏しい資産を譲渡した場合の利益、つまり譲渡益については、貨幣価値の下落や、経済情勢の変化に伴って生じた利益が多分に含まれており、かつ、過去何年かに蓄積された値上がり益を累進税率により一度に課税されるという不利益等がありますので、その担税力をどのように評価すべきかは幾多の議論のあるところですが、税制面では、これらの点を考慮して特別な措置（特別控除制度や総合課税方式が適用される場合の長期保有資産の譲渡益に対する2分の1課税方式等）が講じられています。

　また、土地の供給と投機的取引の規制を税制の面から促進しようとする目的で、土地税制の改正（租税特別措置法）が昭和44年に行われ、土地等の譲渡所得に対して分離比例税率が導入されました。すなわち、土地、土地の上に存する権利、又は建物及びその付属設備若しくは構築物（一定の要件に該当する有価証券も含まれます。）の譲渡益には、いわゆる分離課税方式が適用され、また、これらの財産以外の財産の譲渡益に対しては所得税法の本則である総合課税方式を適用して、所得税額の計算を行うこととされています。

　このほか、租税特別措置法には土地収用法等に基づいて収用等された場合、居住用財産を譲渡した場合、特定の事業用資産を買い換えた場合等についても特別な措置が講じられています。

　なお、このような特別措置については、第二編に収録してあります。

第二節　譲渡所得の沿革

　現在の譲渡所得の課税体系は昭和27年の税制改正により特別控除制度が設けられたこと及び昭和28年の税制改正により2分の1課税方式が採られたことにその基礎が置かれています。

　譲渡所得に関する過去5年間の主な税制改正事項を、略記すると次のようになります。

令和元年　①　株式交換等に係る譲渡所得等の特例について、対象株式に、株式交換完全親法人との間にその株式交換完全親法人の発行済株式等の全部を間接に保有する関係がある法人の株式以外の資産が交付されない場合のその法人の株式が加えられた。

　　　　　②　国外転出をする場合の譲渡所得等の特例の適用がある場合の納税猶予等について、経過措置が講じられた上、民法の「時効の中断」の見直しに伴う所要の整備が行われた。

　　　　　③　特定の取締役等が受ける新株予約権の行使による株式の取得に係る経済的利益の非課税等について、次の改正が行われた。

　　　〈イ〉　適用対象者の範囲に、中小企業等経営強化法第13条に規定する認定新規中小企業者等が同法に規定する認定社外高度人材活用新事業分野開拓計画に従って行う社外高度人材活用新事業分野開拓に従事する社外高度人材で、取締役及び使用人等以外の者（その認定社外高度人材活用新事業分野開拓計画の実施時期の開始

等の日から新株予約権の行使の日まで引き続き居住者であること等の要件を満たす者に限ります。以下「特定従事者」という。）が加えられた。

〈ロ〉 特定従事者が本特例の適用を受けて取得をした株式を相続等により取得をした個人は、承継特例適用者に該当しないこととされた。

〈ハ〉 特定従事者が、国外転出の時に有する一定の特定株式については、その国外転出の時に権利行使時価額による譲渡があったものとみなされるほか、所要の措置が講じられた。

④ 一般株式等（上場株式等）に係る譲渡所得等の課税の特例について、一般株式等（上場株式等）の譲渡所得等に係る収入金額とみなして課税する事由から、次に掲げるものが除外された。

〈イ〉 法人の株主等がその法人の合併により合併法人との間にその合併法人の発行済株式等の全部を間接に保有する関係がある法人の株式以外の資産が交付されない場合のその法人の合併

〈ロ〉 法人の株主等がその法人の分割により分割承継法人との間にその分割承継法人の発行済株式等の全部を間接に保有する関係がある法人の株式以外の資産が交付されない場合のその法人の分割

⑤ 特定口座内保管上場株式等の譲渡等に係る所得計算等の特例について、特定口座に受け入れることができる上場株式等の範囲に、居住者等が発行法人等に対して役務の提供をした場合に発行法人等から取得する上場株式等で、その役務の提供の対価として居住者等に生ずる債権の給付と引換えに居住者等に交付されるものが加えられた。

⑥ 特定中小会社が発行した株式の取得に要した金額の控除等及び特定中小会社が発行した株式に係る譲渡損失の繰越控除等について、次の改正が行われた。

〈イ〉 適用対象となる特定株式の範囲から、内国法人のうち認可金融商品取引業協会の規則においてその事業の成長発展が見込まれるものとして指定を受けている銘柄の株式を発行する等の要件を満たす株式会社により発行される株式が除外された。

〈ロ〉 適用対象となる沖縄振興特別措置法の指定会社に係る同法の規定に基づく指定期限が令和3年3月31日まで2年延長された。

⑦ 非課税口座内の少額上場株式等に係る譲渡所得等の非課税措置（NISA）について、次の改正が行われた。

〈イ〉 非課税口座を開設している居住者等が一時的な出国により居住者等に該当しないこととなる場合の特例措置が次のとおり講じられた。

ⅰ 非課税口座を開設している居住者等が出国により居住者等に該当しないこととなる場合にはこれまでその非課税口座は廃止されていたが、給与等の支払者からの転任の命令その他これに準ずるやむを得ない事由に基因して出国をする場合には、その出国の日の前日までにその非課税口座が開設されている金融商品取引業者等の営業所の長に継続適用届出書の提出をしたときは、引き続き非課税措置が適用されることとされた。

ⅱ 継続適用届出書の提出をした者が帰国をした後、再び非課税口座において上場株式等の受入れを行わせようとする場合には、その継続適用届出書の提出をした日から起算して5年を経過する日の属する年の12月31日までに、その継続適用届出書の提出をした金融商品取引業者等の営業所の長に、帰国届出書の提出をしなければならないこととされた。

〈ロ〉　非課税口座を開設している居住者等が、その非課税口座が開設されている金
　　　　融商品取引業者等の営業所の長に対して非課税口座異動届出書を提出すること
　　　　で、その非課税口座にその年に設けられた勘定を変更できることとされた。
　　〈ハ〉　居住者等が非課税口座を開設することができる年齢要件をその年1月1日に
　　　　おいて18歳以上（改正前：20歳以上）に引き下げられた。
⑧　未成年者口座内の少額上場株式等に係る譲渡所得等の非課税措置（ジュニアNI
　SA）について、居住者等が未成年者口座の開設並びに非課税管理勘定及び継続管
　理勘定の設定をすることができる年齢要件がその年1月1日において18歳未満（改
　正前：20歳未満）に引き下げられた。
⑨　優良住宅地の造成等のために土地等を譲渡した場合の長期譲渡所得の課税の特例
　について、用対象に、所有者不明土地の利用の円滑化等に関する特別措置法の規定
　により行われた裁定に係る裁定申請書に記載された事業を行う事業者に対する次に
　掲げる土地等の譲渡（その裁定後に行われるものに限る。）で、その譲渡に係る土地
　等がその事業の用に供されるものが加えられた。
　　〈イ〉　その裁定申請書に記載された特定所有者不明土地又はその土地の上に存する
　　　　権利
　　〈ロ〉　その裁定申請書に添付された事業計画書に係る計画に記載がされた特定所有
　　　　者不明土地以外の土地又はその土地の上に存する権利（一定の事業に該当する場
　　　　合におけるものを除く。）
⑩　収用等に伴い代替資産を取得した場合の課税の特例等について、所有者不明土地
　の利用の円滑化等に関する特別措置法に規定する土地収用法の特例の規定に基づい
　て資産が収用され、補償金を取得する場合が適用対象に追加された。
⑪　特定土地区画整理事業等のために土地等を譲渡した場合の2,000万円特別控除に
　ついて、次の場合が適用対象に加えられた。
　　〈イ〉　重要文化財等として指定された土地が文化財保護法に規定する文化財保存活
　　　　用支援団体（一定のものに限る。）に買い取られる一定の場合
　　〈ロ〉　農業経営基盤強化促進法の農用地利用規程の特例の規定により定められた農
　　　　用地利用規程に係る農用地利用改善事業の実施区域内にある農用地が、その農用
　　　　地の所有者等の申出に基づき農地中間管理機構（一定のものに限る。）に買い取ら
　　　　れる場合
⑫　農地保有の合理化等のために農地等を譲渡した場合の800万円特別控除について、
　経過措置が講じられた上、その適用対象から、農用地区域内にある農地等を農業経
　営基盤強化促進法に規定する農地利用集積円滑化事業のために農地利用集積円滑化
　団体に対して譲渡した場合が除外された。
⑬　居住用財産の譲渡所得の特別控除について、適用対象となる被相続人居住用家屋
　及び被相続人居住用家屋の敷地等の範囲に、被相続人の居住の用に供することがで
　きない一定の事由（以下「特定事由」という。）により相続の開始の直前においてそ
　の被相続人の居住の用に供されていなかった場合（一定の要件を満たす場合に限
　る。）におけるその特定事由により居住の用に供されなくなる直前にその被相続人の
　居住の用に供されていた家屋及びその家屋の敷地の用に供されていた土地等が追加
　されるとともに、その適用期限が令和5年12月31日まで4年延長された。
⑭　国等に対して重要文化財を譲渡した場合の譲渡所得の非課税措置について、適用
　対象に、重要文化財を文化財保護法に規定する文化財保存活用支援団体（一定のも
　のに限る。）に譲渡した一定の場合が加えられた。

⑮　債務処理計画に基づき資産を贈与した場合の課税の特例について、内国法人につ
いて策定された債務処理計画が平成28年4月1日以後に策定されたものである場合
において、その内国法人が同日前に株式会社地域経済活性化支援機構法の再生支援
決定等の対象となった法人に該当しないものであることとの要件を満たすときは、
一部の適用要件を満たすことを不要とした上、その適用期限が令和4年3月31日ま
で3年延長された。

令和2年　①　非課税口座内の少額上場株式等に係る譲渡所得等の非課税措置等について、次の
改正が行われた。

〈イ〉　非課税口座内の少額上場株式等に係る譲渡所得等の非課税措置（一般NIS
A及びつみたてNISA）の改正

ⅰ　つみたてNISAの口座開設可能期間が令和24年12月31日まで5年延長され
た。

ⅱ　一般NISA投資期限終了後の令和6年からの措置として特定非課税累積投
資契約に係る非課税措置（新NISA）を創設し、つみたてNISAと選択し
て適用できることとされた。

ⅲ　金融商品取引業者等の営業所に新たに非課税口座を開設しようとする場合の
手続について、非課税適用確認書の交付申請書の提出等の手続を廃止し、非課
税口座開設届出書の提出の際に非課税適用確認書の添付を要しない簡易開設手
続に一本化された。

〈ロ〉　未成年者口座内の少額上場株式等に係る譲渡所得等の非課税措置（ジュニア
NISA）の改正

未成年者口座又は課税未成年者口座内の上場株式等又は預貯金等をこれらの口
座から払い出した場合には、その払出しによる未成年者口座の廃止の際、その未
成年者口座内の上場株式等の譲渡があったものとしてジュニアNISAの非課税
措置を適用し、居住者等はその払出し時の金額をもってその上場株式等と同一銘
柄の株式等を取得したものとみなすこととされた。この場合において、その未成
年者口座の廃止までの間の当該未成年者口座内の上場株式等の譲渡等について
は、源泉徴収を行わないこととされた。

②　特定中小会社が発行した株式の取得に要した金額の控除等及び特定中小会社が発
行した株式に係る譲渡損失の繰越控除等について、次の改正が行われた。

〈イ〉　特定中小会社が発行した株式の取得に要した金額の控除等及び特定中小会社
が発行した株式に係る譲渡損失の繰越控除等の改正

適用対象となる特定株式の範囲に、内国法人のうちその設立の日以後10年を経
過していない中小企業者に該当する一定の株式会社により発行される株式で、認
定少額電子募集取扱業者が行う少額電子募集取扱業務により取得されるものが追
加された。

〈ロ〉　特定新規中小会社が発行した株式を取得した場合の課税の特例の改正

ⅰ　適用対象となる特定新規株式の範囲に、次に掲げる株式が追加された。

a　内国法人のうちその設立の日以後5年を経過していない中小企業者に該当
する一定の株式会社により発行される株式で、認定組合に係る投資事業有限
責任組合契約に従って取得されるもの

b　内国法人のうちその設立の日以後5年を経過していない中小企業者に該当
する一定の株式会社により発行される株式で、認定少額電子募集取扱業者が
行う少額電子募集取扱業務により取得されるもの

ⅱ　適用対象となる国家戦略特別区域法に規定する特定事業を行う株式会社により発行される株式の発行期限が令和4年3月31日まで2年延長された。

　　ⅲ　適用対象となる地域再生法に規定する特定地域再生事業を行う株式会社により発行される株式の発行期限が令和4年3月31日まで2年延長された。

　　ⅳ　特定新規株式の取得に要した金額として寄附金控除の適用を受けることができる限度額が800万円（改正前：1,000万円）に引き下げられた。

③　特定口座内保管上場株式等の譲渡等に係る所得計算等の特例等について、上場株式等保管委託契約に基づき特定口座に受入れ可能な上場株式等の範囲に、居住者等が有する上場株式等以外の株式等につき取得請求権付株式の請求権の行使、取得条項付株式の取得事由の発生又は全部取得条項付種類株式の取得決議により取得する上場株式等で、その取得する上場株式等の全てを、当該上場株式等の取得の日に特定口座に係る振替口座簿に振替記載等をする方法により受け入れるものが追加された。

④　個人が、都市計画区域内にある土地基本法に規定する低未利用土地又はその低未利用土地の上に存する権利（低未利用土地等）で、その年1月1日において所有期間が5年を超えるものの譲渡（その対価の額が500万円を超えるものを除く。）を令和2年7月1日から令和4年12月31日までの間にした場合には、その年中の低未利用土地等の譲渡に係る長期譲渡所得の金額から100万円を控除することができることとされた。

⑤　短期所有土地の譲渡等をした場合の土地の譲渡等に係る事業所得等の課税の特例について、適用停止期間が令和5年3月31日まで3年延長された。

⑥　優良住宅地の造成等のために土地等を譲渡した場合の長期譲渡所得の課税の特例について、適用対象から、次に掲げる土地等の譲渡が除外された上、適用期限が令和4年12月31日まで3年延長された。

〈イ〉　都市再生特別措置法による民間都市再生整備事業計画の認定を受けた一定の要件を満たす都市再生整備事業の認定整備事業者に対する土地等の譲渡

〈ロ〉　都市計画区域内において行われる一団の宅地の造成（開発許可又は土地区画整理法の認可を受けて行われるものであること等の要件を満たすものに限ります。）を行う者に対する土地等の譲渡

⑦　収用等に伴い代替資産を取得した場合の課税の特例等について、適用対象に配偶者居住権の目的となっている建物又は配偶者居住権の目的となっている建物の敷地の用に供される土地等が収用等をされたことに伴い配偶者居住権及び配偶者敷地利用権の消滅等に伴い補償金等を取得する場合が追加された。

⑧　特定の居住用財産の買換え及び交換の場合の長期譲渡所得の課税の特例について、適用期限が令和3年12月31日まで2年延長された。

⑨　居住用財産の買換え等の場合の譲渡損失の損益通算・繰越控除及び特定居住用財産の譲渡損失の損益通算・繰越控除について、適用期限が令和3年12月31日まで2年延長された。

⑩　特定の事業用資産の買換えの場合等の譲渡所得の課税の特例等について、次の見直しが行われた上で、適用期限が令和5年12月31日（過疎地域の外から内への買換え及び次の〈ニ〉に係る買換えについては、令和3年3月31日）まで延長された。

〈イ〉　既成市街地等の内から外への買換えに係る措置について、譲渡資産から工場等が相当程度集積している区域内にある建物又はその敷地の用に供されている土地等が除外された。

第一章《譲渡所得のあらまし》

〈ロ〉　航空機騒音障害区域の内から外への買換えに係る措置について譲渡資産が次の区域内にある場合の課税の繰延べ割合が70%（改正前：80%）に引き下げられた。

ⅰ　令和2年4月1日前に特定空港周辺航空機騒音対策特別措置法の航空機騒音障害防止特別地区となった区域又は公共用飛行場周辺における航空機騒音による障害の防止等に関する法律の第二種区域となった区域

ⅱ　防衛施設周辺の生活環境の整備等に関する法律の第二種区域

〈ハ〉　都市機能誘導区域の外から内への買換えに係る措置が、制度の対象から除外された。

〈ニ〉　防災再開発促進地区内にある土地等の買換えについて、建築基準法に規定する耐火建築物又は準耐火建築物を建築するために譲渡をされるものであることとする譲渡資産の要件における耐火建築物又は準耐火建築物の範囲に耐火建築物又は準耐火建築物と同等以上の延焼防止性能を有する一定の建築物が加えられた。

〈ホ〉　日本船舶から日本船舶への買換えに係る措置について、次の見直しが行われた。

ⅰ　譲渡資産のうち建設業又はひき船業の用に供されている船舶の船齢要件における船齢が、35年（改正前：40年）に引き下げられた。

ⅱ　買換資産のうち海洋運輸業の用に供される船舶及び沿海運輸業の用に供される船舶について、船齢が耐用年数以下であることとの要件が追加された。

令和3年　①　一般株式等に係る譲渡所得等の課税の特例について、同族会社が発行した社債の償還金等で、その同族会社の判定の基礎となる株主である法人がその交付を受ける個人（以下「対象者」という。）と特殊の関係のある法人である場合におけるその対象者及び対象者の親族等が交付を受けるものについて、本特例（分離課税）の対象となる一般株式等に係る譲渡所得等に係る収入金額とみなされる金額から除外された。

②　特定管理株式等が価値を失った場合の株式等に係る譲渡所得等の課税の特例について、次の改正が行われた。

〈イ〉　特例の適用対象から特定保有株式が除外された。

〈ロ〉　特定管理口座開設届出書の書面による提出に代えて行う電磁的方法によるその届出書に記載すべき事項の提供の際に併せて行うこととされていた「その者の住所等確認書類の提示又はその者の特定署名用電子証明書等の送信」が不要とされた。

③　優良住宅地の造成等のために土地等を譲渡した場合の長期譲渡所得の課税の特例について、次の改正が行われた。

〈イ〉　マンション敷地売却事業を実施する者に対する土地等の譲渡の特例の改正

適用対象となるマンション敷地売却事業について、その認定買受計画に決議特定要除却認定マンション（改正前：決議要除却認定マンション）を除却した後の土地に新たに建築されるマンションに関する事項等の記載があるマンション敷地売却事業とされた。

〈ロ〉　都市計画法の改正に伴う所要の規定の整備

優良な建築物の建築をする事業を行う者に対する土地等の譲渡の特例及び特定の民間再開発事業の施行者に対する土地等の譲渡の特例の対象となる譲渡について、地区施設の範囲を都市計画法の改正前と同様とするための所要の規定の整備が行われた。

－8－

④　収用等に伴い代替資産を取得した場合の課税の特例について、電気事業法に特定の配電エリアにおいて電気を供給する配電事業の類型が新たに設けられたことに伴い、簡易証明制度の対象とされている送電施設又は変電施設に係る部分について、その配電事業の用に供するために設置される送電施設又は使用電圧５万ボルト以上の変電施設が追加された。

⑤　換地処分等に伴い資産を取得した場合の課税の特例等の改正について、次の改正が行われた。

〈イ〉　換地処分等に伴い資産を取得した場合の課税の特例の改正

　　個人が、その有する資産につき敷地分割事業が実施された場合において、その資産に係る敷地権利変換により分割後資産を取得したときは、譲渡所得の金額の計算については、その敷地権利変換により譲渡した資産の譲渡がなかったものとみなすこと等とされた。

〈ロ〉　収用交換等により取得した代替資産等の取得価額の計算の改正

　　上記〈イ〉の特例の適用を受けた者が、その敷地権利変換によって取得した分割後資産をその取得の日以後に譲渡、贈与などをした場合において、譲渡所得の金額を計算するときは、敷地権利変換により譲渡した資産の取得の時期をもってその分割後資産の取得の時期とし、敷地権利変換により譲渡した資産の取得価額並びに設備費及び改良費の額の合計額のうち、分割後資産に対応する部分の金額をその分割後資産の取得価額とすること等とされた。

⑥　特定住宅地造成事業等のために土地等を譲渡した場合の1,500万円特別控除について、次の改正が行われた。

〈イ〉　特定の民間住宅地造成事業のための土地等の譲渡の特例の改正

　　適用対象となる特定の民間住宅地造成事業のための土地等の譲渡について、次の見直しが行われた上、その適用期限が令和５年12月31日まで３年延長された。

ⅰ　適用対象から開発許可を受けて行われる一団の宅地造成事業に係る土地等の譲渡が除外された。

ⅱ　適用対象となる土地区画整理事業として行われる一団の宅地造成事業に係る土地等の譲渡について、施行地区の全部が市街化区域に含まれる土地区画整理事業として行われる一団の宅地造成事業に係る土地等の譲渡に限定された。

〈ロ〉　マンション敷地売却事業が実施された場合の譲渡の特例の改正

　　適用対象となるマンション敷地売却事業について、通行障害既存耐震不適格建築物に該当する決議特定要除却認定マンション（改正前：決議要除却認定マンション）の敷地の用に供されている土地等につき実施されたマンション敷地売却事業とされた。

⑦　特定の事業用資産の買換えの場合の譲渡所得の課税の特例等について、過疎地域の外から内への買換えに係る措置及び防災再開発促進地区のうち危険密集市街地内における防災街区整備事業に関する都市計画の実施に伴う買換えに係る措置は、その適用期限（令和３年３月31日）の到来をもって制度の対象から除外された。

令和４年　①　特定中小会社が発行した株式の取得費控除の特例について、適用対象となる沖縄振興特別措置法に規定する指定会社の申請手続において必要な添付書類が一部削減された上、その指定期限が令和７年３月31日まで３年延長された。

②　非課税口座内の少額上場株式等に係る譲渡所得等の非課税等について、特定非課税管理勘定に受け入れることができる上場株式等から除外される特定非課税管理勘定に上場株式等を受け入れようとする日以前６か月以内で、かつ、同日の属する年

と同一年にその者のその年分の特定累積投資勘定において特定累積投資上場株式等を受け入れていない場合に取得をしたものについて、同日以前6か月以内にその者の特定累積投資勘定において特定累積投資上場株式等を受け入れていない場合に取得をしたものとすることとされた。

③　収用等に伴い代替資産を取得した場合の課税の特例について、収用等のあった日の属する年の前年以前に取得した資産について収用等に伴い代替資産を取得した場合の課税の特例等の適用があることが明確化された。

④　特定土地区画整理事業等のために土地等を譲渡した場合の2,000万円特別控除について、次の改正が行われた。

〈イ〉　農業経営基盤強化促進法の農用地利用規程の特例に係る措置が、同法の地域計画の特例に係る区域内にある農用地がその農用地の所有者等の申出に基づき農地中間管理機構（一定のものに限ります。）に買い取られる場合の措置に改組された。

〈ロ〉　適用対象となる重要文化財、史跡、名勝又は天然記念物として指定された土地が地方独立行政法人に買い取られる場合におけるその地方独立行政法人の範囲が、博物館法に規定する公立博物館又は指定施設に該当する博物館又は植物園の設置及び管理を行うことを主たる目的とする地方独立行政法人とされた。

⑤　特定住宅地造成事業等のために土地等を譲渡した場合の1,500万円特別控除について、適用対象となる農用地区域内にある農用地が農業経営基盤強化促進法の協議に基づき農地中間管理機構（一定のものに限る。）に買い取られる場合について、その農用地が同法に規定する地域計画の区域内にある場合に限定された。

⑥　農地保有の合理化等のために農地等を譲渡した場合の800万円特別控除について、次の改正が行われた。

〈イ〉　農業経営基盤強化促進法の農用地利用集積計画に係る措置が、農用地区域内にある土地等を農地中間管理事業の推進に関する法律の規定による公告があった同法の農用地利用集積等促進計画の定めるところにより譲渡した場合の措置に改組された。

〈ロ〉　適用対象となる農地中間管理機構（一定のものに限る。）に対し農用地区域内にある農地等を譲渡した場合から、上記〈イ〉の農用地区域内にある土地等を農地中間管理事業の推進に関する法律の規定による公告があった同法の農用地利用集積等促進計画の定めるところにより譲渡した場合に該当する場合が除外された。

〈ハ〉　適用対象から、次に掲げる場合が除外された。

　i　特定農山村地域における農林業等の活性化のための基盤整備の促進に関する法律の規定による公告があった同法の所有権移転等促進計画の定めるところにより土地等の譲渡をした場合

　ii　林業経営基盤の強化等の促進のための資金の融通等に関する暫定措置法の規定による都道府県知事のあっせんにより、同法の認定を受けた者に山林に係る土地の譲渡をした場合

　iii　土地等につき集落地域整備法の事業が施行された場合において清算金を取得するとき

令和5年　①　非課税口座内の少額上場株式等に係る配当所得及び譲渡所得等の非課税措置について、次の改正が行われた。

〈イ〉　非課税累積投資契約に係る非課税措置（つみたてNISA）の勘定設定期間等が令和5年12月31日までとされた。

－10－

〈ロ〉 特定非課税累積投資契約に係る非課税措置（新ＮＩＳＡ）が改組され、勘定
設定期間及び非課税期間の期限が廃止されるとともに、特定累積投資勘定（つみ
たて投資枠）にその勘定が設けられた日から同日の属する年の12月31日までの期
間内に受け入れられる上場株式等の取得対価の額の合計額が120万円までに、特定
非課税管理勘定（成長投資枠）にその勘定が設けられた日から同日の属する年の
12月31日までの期間内に受け入れられる上場株式等の取得対価の額の合計額が
240万円までに拡充された。また、特定累積投資勘定及び特定非課税管理勘定に受
け入れられる上場株式等の取得対価の額の合計額等は1,800万円までと、特定非課
税管理勘定に受け入れられる上場株式等の取得対価の額の合計額等は1,200万円
までとされた。

〈ハ〉 非課税口座年間取引報告書の記載事項が簡素化された。

② 未成年者口座内の少額上場株式等に係る配当所得及び譲渡所得等の非課税措置に
ついて、未成年者口座が開設されている金融商品取引業者等の営業所の長は、非課
税管理勘定が設けられた日の属する年の１月１日から５年を経過する日の翌日にお
いてその未成年者口座に継続管理勘定が設けられる場合には、その継続管理勘定に
移管しないことを依頼する旨の書類に記載された未成年者口座内上場株式等を除
き、同日にその非課税管理勘定に係る未成年者口座内上場株式等をその継続管理勘
定に移管することとされた。

③ 特定新規中小企業者がその設立の際に発行した株式の取得に要した金額の控除等
の特例が次のとおり創設された。

〈イ〉 令和５年４月１日以後に、特定株式会社の設立特定株式を払込みにより取得
をした居住者等（その特定株式会社の発起人であることその他の要件を満たすも
のに限る。）は、その年分の一般株式等に係る譲渡所得等の金額又は上場株式等に
係る譲渡所得等の金額からその設立特定株式の取得に要した金額の合計額（その
一般株式等に係る譲渡所得等の金額及びその上場株式等に係る譲渡所得等の金額
の合計額を限度）を控除することとされた。なお、その年中の適用額が20億円を
超える場合には、その適用を受けた年の翌年以後、その適用を受けた設立特定株
式に係る同一銘柄株式の取得価額を一定の計算により圧縮することとされた。

〈ロ〉 特定中小会社が発行した株式に係る譲渡損失の繰越控除等の適用対象となる
株式の範囲に、上記〈イ〉の居住者等が取得をした設立特定株式が追加された。

④ 特定中小会社が発行した株式の取得に要した金額の控除等について、次の改正が
行われた。

〈イ〉 特定中小会社が発行した株式の取得に要した金額の控除等及び特定中小会社
が発行した株式に係る譲渡損失の繰越控除等の適用対象となる特定株式の範囲
に、中小企業等経営強化法施行規則の一部改正により追加された特定新規中小企
業者に該当する株式会社により発行される株式が追加された。

〈ロ〉 特定中小会社が発行した株式の取得に要した金額の控除等の適用を受けた特
例控除対象特定株式に係る同一銘柄株式の取得価額については、適用額が20億円
を超えたときに適用額から20億円を控除した残額を控除することとされた。

⑤ 優良住宅地の造成等のために土地等を譲渡した場合の長期譲渡所得の課税の特例
について、適用期限が令和７年12月31日まで３年延長されるとともに、次の措置が
講じられた。

〈イ〉 適用対象から、特定の民間再開発事業の施行者に対する土地等の譲渡が除外
された。

〈ロ〉 開発許可を受けて行う一団の住宅地造成の用に供するための土地等の譲渡に
係る開発許可について、次に掲げる区域内において行われる開発行為に係るもの
に限定された。

　　i　市街化区域と定められた区域

　　ii　市街化調整区域と定められた区域

　　iii　区域区分に関する都市計画が定められていない都市計画区域のうち、用途地
域が定められている区域

〈ハ〉 都市再生特別措置法による民間都市再生事業計画の認定を受けた一定の要件
を満たす都市再生事業の認定事業者に対する土地等の譲渡について、都市開発事
業の規模要件を都市再生特別措置法施行令の改正前と同様とするための所要の規
定の整備が行われた。

⑥　空き家に係る居住用財産の譲渡所得の3,000万円特別控除の特例について、適用期
限が令和9年12月31日まで4年延長されるとともに、次の措置が講じられた。

〈イ〉 適用対象に、相続若しくは遺贈により取得をした被相続人居住用家屋の譲渡
又はその被相続人居住用家屋とともにするその相続若しくは遺贈により取得をし
た被相続人居住用家屋の敷地等の譲渡をした場合（これらの譲渡の時からこれら
の譲渡の日の属する年の翌年2月15日までの間に、次に掲げる場合に該当するこ
ととなったときに限る。）が加えられた。

　　i　その被相続人居住用家屋が耐震基準に適合することとなった場合

　　ii　その被相続人居住用家屋の全部の取壊し若しくは除却がされ、又はその全部
が滅失をした場合

〈ロ〉 相続又は遺贈による被相続人居住用家屋及び被相続人居住用家屋の敷地等の
取得をした相続人の数が3人以上である場合における特別控除額が2,000万円と
された。

⑦　低未利用土地等を譲渡した場合の長期譲渡所得の100万円特別控除について、その
譲渡をした低未利用土地等が次に掲げる区域内にある場合における低未利用土地等
の譲渡の対価の額の要件が800万円以下（改正前：500万円以下）に引き上げられた
上で、その適用期限が令和7年12月31日まで3年延長された。

　　i　市街化区域と定められた区域

　　ii　区域区分に関する都市計画が定められていない都市計画区域のうち、用途地
域が定められている区域

　　iii　所有者不明土地対策計画を作成した市町村の区域（i及びiiの区域を除く。）

⑧　特定の事業用資産の買換えの場合の譲渡所得の課税の特例等について次の見直し
が行われた上で、その適用期限が令和8年12月31日（一部は同年3月31日）まで3
年延長された。

〈イ〉 既成市街地等の内から外への買換えに係る措置が、制度の対象から除外され
た。

〈ロ〉 航空機騒音障害区域の内から外への買換えに係る措置について、譲渡資産か
ら次の区域内にある土地等、建物及び構築物が除外された。

　　i　令和2年4月1日前に特定空港周辺航空機騒音対策特別措置法の航空機騒音
障害防止特別地区となった区域

　　ii　令和2年4月1日前に公共用飛行場周辺における航空機騒音による障害の防
止等に関する法律の第二種区域となった区域

〈ハ〉 所有期間が10年を超える国内にある土地等、建物又は構築物から国内にある

-12-

一定の土地等、建物又は構築物への買換えに係る措置について、課税の繰延べ割合が次のとおり見直された。

i　譲渡をした譲渡資産が集中地域のうち特定業務施設の集積の程度が著しく高い一定の地域内にある主たる事務所資産に該当し、取得をした又は取得をする見込みである買換資産が集中地域以外の地域内にある主たる事務所資産に該当する場合には、課税の繰延べ割合が90％（改正前：80％）に引き上げられた。

ii　譲渡をした譲渡資産が集中地域以外の地域内にある主たる事務所資産に該当し、取得をした又は取得をする見込みである買換資産が集中地域のうち特定業務施設の集積の程度が著しく高い一定の地域内にある主たる事務所資産に該当する場合には、課税の繰延べ割合が60％（改正前：70％）に引き下げられた。

〈二〉　日本船舶の買換えに係る措置について、次の見直しが行われた。

i　譲渡船舶のうち建設業及びひき船業の用に供される船舶から平成23年1月1日以後に建造されたものが除外されるとともに、譲渡船舶の船齢要件における船齢が次の船舶の区分に応じそれぞれ次の期間に見直された。

　a　海洋運輸業の用に供されている船舶……20年（改正前：25年）

　b　沿海運輸業の用に供されている船舶……23年（改正前：25年）

　c　建設業又はひき船業の用に供されている船舶……30年（改正前：35年）

ii　買換資産について、譲渡をした船舶に係る事業と同一の事業の用に供される船舶に限定されるとともに、海洋運輸業の用に供される船舶及び沿海運輸業の用に供される船舶の環境負荷低減に係る要件の見直しが行われた。

⑨　既成市街地等内にある土地等の中高層耐火建築物等の建設のための買換え及び交換の場合の譲渡所得の課税の特例について、適用対象となる買換資産の範囲から、特定民間再開発事業の施行される地区内で行われる特定の民間再開発事業の施行により建築された中高層の耐火建築物等が除外された。

第二章　課税される譲渡所得

第一節　譲渡所得の意義

　譲渡所得とは、簡単にいいますと資産の譲渡による値上り益による所得のことです（所法33①）。

　それでは資産とはなにかといいますと、税法ではこの資産について特別に定義はしておりません。したがって、土地や建物などの不動産をはじめ、車両、機械装置、備品などの減価償却資産、株式、公社債などの有価証券、発明による特許権や著作に係る著作権などの無形のもののほか、借家権又は行政官庁の許可、認可、割当て等により発生した事実上の権利も含まれることになります。

　次に譲渡ということですが、これのいちばん一般的なものが売買です。そして譲渡にはこの売買のほか、交換、競売、公売、収用、代物弁済、物納、法人に対する現物出資、更にあとで述べる贈与、遺贈など無償による譲渡も含まれます。つまり、所有権その他の財産権を移転する一切の行為をいうことになります。

　こういいますと、「資産の譲渡」ということが非常に広範囲なものとなり、それでは商工業などによる所得も譲渡所得なのかということになりますが、前章第一節で述べましたように譲渡所得とは、営利性、継続性の乏しい資産の譲渡による所得ですから、「資産の譲渡による所得」を、その本来の譲渡所得の範囲までしぼる必要が生じます。

　そこで所得税法は、「棚卸資産（棚卸資産に準ずる資産を含みます。）の譲渡その他営利を目的として継続的に行われる資産の譲渡による所得及び山林の伐採又は譲渡による所得は、譲渡所得に含まれないものとする」と規定しています（所法33②）。

（注）　共有に係る土地をその持分に応じて分割したときは、その分割による土地の譲渡はなかったものとして取り扱われます。この場合、分割後の土地の面積比が共有持分の割合に一致することは必ずしも必要でなく、分割後の土地の価額の比が共有持分の割合におおむね等しいときは、その分割は共有持分に応じた分割と認められます。なお、分割に要した費用の額は、その土地の取得費に算入されます（所基通33－1の7）。

第二節　譲渡所得に含まれない資産の譲渡による所得

1　棚卸資産及び棚卸資産に準ずる資産の譲渡による所得

棚卸資産とは、事業所得を生ずべき事業に係る商品、製品、半製品、仕掛品、主要原材料、補助原材料及び消耗品で貯蔵中のもの等をいいますが、この棚卸資産の譲渡による所得は譲渡所得に含まれず事業所得になります（所法33②一、所令3）。

不動産取引を業とする者が、販売を目的として所有している土地等は棚卸資産に該当します。この場合、不動産取引業廃止後に譲渡した土地等については、事業の廃止に伴う残務処理の一環として譲渡した土地等に係る所得は事業所得又は雑所得となりますが、その後に処分した土地等に係る所得は譲渡所得として取り扱われます。

このほか、不動産所得、山林所得又は雑所得を生ずべき業務に係る棚卸資産に準ずる資産を譲渡したことによる所得も譲渡所得に含まれないものとされています（所令81一）。

2　少額の減価償却資産又は一括償却資産の譲渡による所得

次の①又は②に掲げる資産（少額の減価償却資産）については、その取得価額の全額を取得年分の事業所得などの計算上必要経費に算入し、③に掲げる資産（一括償却資産）については、その取得価額の3分の1相当額を取得年以後3年分の事業所得などの計算上必要経費に算入することとされていますので（所令81二、三）、譲渡した場合もその所得は譲渡所得に含まれないで、事業所得などの雑収入として取り扱われます（所令138、139）。

① 減価償却資産で取得価額が10万円未満のもの（貸付け（主要な業務として行われるものを除きます。）の用に供したものを除きます。）
② 減価償却資産で使用可能期間が1年未満のもの
③ 減価償却資産で所得税法施行令第139条第1項（一括償却資産の必要経費算入）の規定の適用を受けたもの

ただし、上記①又は③の資産であってもその業務の性質上基本的に重要であると認められる資産（少額重要資産）は譲渡所得として課税されます（所令81二かっこ書、三かっこ書）。

なお、少額重要資産であっても、貸衣装業における衣装類、パチンコ店におけるパチンコ器、養豚業における繁殖用又は種付用の豚のように事業の用に供された後において反復継続して譲渡することがその事業の性質上通常である少額重要資産の譲渡による所得は、譲渡所得に該当せず、事業所得に該当します（所基通27－1、33－1の2）。

しかし、中小企業者の少額減価償却資産の取得価額の必要経費算入の特例（措法28の2）の適用を受ける取得価額が30万円未満のもの（取得価額の合計額が300万円を限度）を譲渡した場合の所得は、譲渡所得とされます。

3　山林の伐採又は譲渡による所得

この山林とは立木のことです。山林の伐採による所得とは、山林を伐採して譲渡したことによって生じた所得（所法32①）をいい、山林の譲渡による所得とは、山林を伐採しないで譲渡したことによって生じた所得をいいます。

これらの所得は原則として山林所得となります。したがって、土地付きで山林を譲渡した場合には、土地の部分の所得だけが譲渡所得となります（所基通32－1、32－2）。

なお、保有期間が5年以下の山林の伐採又は譲渡による所得は、山林所得に含まれないものとされ（所法32②）、その実態に応じ事業所得又は雑所得とされます。

第二章第二節《譲渡所得に含まれない資産の譲渡による所得》

4 営利を目的として継続的に行われる資産の譲渡による所得

固定資産として保有している不動産、例えば不動産取引業者が販売以外の目的で取得した不動産（不動産取引業者が事務所の用若しくは住宅の用として保有している土地、家屋等）又は不動産の取引を業務としない一般の人が保有している不動産の譲渡による所得は、通常の場合は譲渡所得として取り扱われます。しかし、固定資産として保有している不動産であっても、相当の期間にわたって継続して譲渡している場合には、その譲渡による所得は譲渡所得とされないで、その実態に応じ事業所得又は雑所得とされます。

ただし、上記の場合においても極めて長期間（おおむね10年以上とされています。）引き続き所有していた固定資産である不動産（販売の目的で取得したものを除きます。）の譲渡による所得は、譲渡所得とされることになっています（所基通33－3）。

そこで、不動産の譲渡による所得であっても、その不動産の取得又は譲渡の形態により事業所得又は雑所得とされる場合があります。また、一の不動産の譲渡による所得であっても、その所得のうちに譲渡所得に相当するものと事業所得又は雑所得に相当するものとから成り立っている場合があります。例えば、固定資産である林地その他の土地に区画形質の変更を加え、若しくは水道その他の施設を設け宅地等として譲渡した場合、又は固定資産である土地に建物を建設して譲渡した場合には、その土地は、その時において固定資産から棚卸資産又は棚卸資産に準ずる資産に転化したと考えられるところから、これらの譲渡による所得は棚卸資産又は雑所得の基因となる棚卸資産に準ずる資産の譲渡による所得としてその全部が事業所得又は雑所得とされます。

ただし、区画形質の変更を加えたり、水道その他の施設を設けて宅地等とした土地の面積が小規模（おおむね3,000平方メートル以下をいいます。）のものであるとき又は区画形質の変更を加えたり、水道その他の施設を設けたことが土地区画整理法、土地改良法等の法律の規定に基づいて行われたものであるときは、土地の譲渡による所得の全部を譲渡所得として差し支えありません（所基通33－4）。

また、その区画形質の変更若しくは施設の設置又は建物の建設に係る土地が極めて長期間（おおむね10年以上とされています。）引き続き所有されていたものであるときは、土地の譲渡による所得のうち、区画形質の変更等による利益に対応する部分は事業所得又は雑所得とされ、その他の部分は譲渡所得として差し支えないこととされています。

この場合において、譲渡所得に係る収入金額は区画形質の変更等の着手直前における土地の価額によります（所基通33－5）。

（注1） この土地建物等の譲渡に要した費用の額は、すべて事業所得又は雑所得の金額の計算上の必要経費とされます。

（注2） 区画形質の変更を加えた土地に借地権を設定した場合で、借地権の設定の対価が、その土地の価額の2分の1を超えるときは、その対価の全部が譲渡所得の収入金額として取り扱われます（所基通33－4の2）。

5 法律の規定に基づかない区画形質の変更に伴う土地の交換分合

一団の土地の区域内に土地（土地の上に存する権利を含みます。以下同じ。）を有する二以上の者が、その一団の土地の利用の増進を図るために行う土地の区画形質の変更に際し、相互にその区域内に所有する土地の交換分合（土地区画整理法、土地改良法等の法律の規定に基づいて行うものを除きます。）を行った場合には、その交換分合がその区画形質の変更に必要最小限の範囲内で行われるものである限り、その交換分合による土地の譲渡はなかったものとして取り扱われます（所基通33－6の6）。

この場合において、その区域内にある土地の一部がその区画形質の変更に要する費用に充てるために譲渡されたときは、その二以上の者がその区域内に有していた土地の面積の比その他合理的な基準によりそれぞれその有していた土地の一部を譲渡したものとされます。

なお、交換分合により取得した土地の取得の日及び取得費は譲渡がなかったものとされる土地の取

－16－

得の日及び取得費によることになりますが、その区画形質の変更に要した費用の額は、その取得費とされる金額に加算することになります。

（注1）　土地区画整理法、都市再開発法等の法律の規定に基づいて行われるものは、措法第33条の３の規定により譲渡がなかったものとされます。

（注2）　この取扱いは、その交換分合が、一団の土地の区画形質の変更に伴い行われる道路その他の公共施設の整備、不整形地の整理等に基因して行われるもので、四囲の状況からみて必要最小限の範囲内であると認められる場合についてだけ適用されます。

6　宅地造成契約に基づく土地の交換等による所得

宅地の造成等土地の区画形質の変更に関する事業（土地区画整理法、土地改良法等の規定に基づくものを除きます。）が施行される場合において、その事業の施行者とその施行区域内に土地を有する者（以下「従前の土地の所有者」といいます。）との間に締結された契約に基づき、従前の土地の所有者の有する土地をその事業の施行のためにその事業施行者に移転し、その事業完了後に区画形質の変更が行われたその区域内の土地の一部を従前の土地の所有者が取得するときは、その従前の土地の所有者が有する土地とその取得する土地との位置が異なるときであっても、その土地の異動が事業の施行上必要最小限の範囲内のものであると認められるときは、その従前の土地の所有者の有する土地（金銭等とともに土地を取得するときは、従前の土地の所有者の有する土地のうちその金銭等に対応する部分を除きます。以下「従前の土地」といいます。）のうちその取得する土地（その取得する土地につき、金銭等の支払があるときは、その取得する土地のうちその金銭等で取得したと認められる部分を除きます。以下「換地」といいます。）の面積に相当する部分は譲渡がなかったものとして取り扱われます（「必要最小限」の意味については、前記５の（注2）に準じます。）。

この場合において、換地の面積が従前の土地の面積に満たないときにおけるその満たない面積に相当する従前の土地（以下「譲渡する土地」といいます。）の譲渡に係る譲渡所得の収入金額は、取得した換地について行われる区画形質の変更に要する費用の額に相当する金額によります。ただし、事業の施行に関する契約において譲渡する土地の面積が定められている場合には、課税上弊害のない限り、譲渡する土地の契約時における価額によることもできます（所基通33－6の7）。

（注1）　「区画形質の変更に要する費用の額」は、業者との契約において定められた金額がある場合にはその金額によりますが、その定めがないときは、事業の施行者が支出する区画形質の変更に要する工事の原価の額とその工事に係る通常の利益の額との合計額によります。

（注2）　契約により取得した換地の取得の日及び取得費は、従前の土地（譲渡がなかったものとされる部分に限ります。）の取得の日及び取得費（従前の土地のうち譲渡があったものとされる部分があるときは、その取得費に譲渡があったものとされた土地（前述の「譲渡する土地」）の譲渡所得の収入金額とされた金額に相当する金額を加算した金額）となります。

〔計算例〕

①　交換により譲渡する土地（農地で長期保有資産）　　　1,980㎡

②　同上の土地の交換時の価額　　6,000万円（3.3㎡当たり10万円）

③　交換取得資産

　　イ　金銭　　3,000万円（990㎡の譲渡土地の対価）

　　ロ　造成後の宅地　　330㎡

④　長期譲渡所得の金額（譲渡した土地の取得費は概算取得費によるものとします。）

　　（3,000万円＋2,000万円）－（3,000万円＋2,000万円）×0.05＝4,750万円　　（課税長期譲渡所得金額）

（注）　交換により取得した宅地330㎡と譲渡した農地1,980㎡のうち取得した金銭に対応する部分990㎡以外の部分（990㎡）との差660㎡は交換により減歩した土地なので、譲渡所得が発生することになりますが、この660

㎡の土地の譲渡収入金額は、上記の計算では譲渡時（契約時）の時価によっています。

⑤　交換により取得した宅地330㎡の取得費

　　従前の土地のうち330㎡に対応する部分の取得費＋2,000万円（減歩した660㎡の譲渡収入金額）＝
取得費

7　金　銭　債　権

　例えば、預金、貸付金、売掛金などのように債権の目的が金銭であるものや、手形、小切手のように、通貨と同様の流通性のある資産の譲渡による所得は譲渡所得に含まれません（所基通33－1）。

第三節　譲渡所得となる場合

1　譲渡所得の基因となる資産の範囲

　譲渡所得の基因となる資産は、第二節で述べた立木や販売目的で所有する物的流動資産、金銭債権などの資産以外の一切の資産をいうことになります。例えば、個人が一般的に所有する土地や家屋はもちろん、事業用の固定資産（土地、建物、機械、器具、備品等）、販売以外の目的で飼育する牛馬等の家畜、果樹、ゴルフ会員権（所基通33－6の2）、株式等のほか借地権、耕作権、特許権、著作権、借家権又は行政官庁の許可、認可、割当て等により発生した事実上の権利も含まれます。

　したがって、これらの資産の譲渡による所得が譲渡所得となります。

　また、土地の所有者がその土地の地表又は地中の土石、砂利等を譲渡（営利を目的として継続的に行われるものを除きます。）した場合の譲渡対価の額も譲渡所得の収入金額となります（所基通33－6の5）。（この場合の譲渡所得の計算上控除する取得費については第三章第三節（37ページ）を参照）

2　譲渡担保に係る資産の移転

　債務者が債務の弁済の担保としてその有する資産を譲渡した場合、その契約書に次の全ての事項を明らかにしており、かつ、その譲渡が債権担保のみを目的として形式的にされたもの（いわゆる譲渡担保）である旨の債務者及び債権者の連署した申立書を提出したときは、譲渡がなかったものとして取り扱われます（所基通33－2）。

（1）　その担保に係る資産を債務者が従来どおり使用収益すること。

（2）　通常支払うと認められるその債務に係る利子又はこれに相当する使用料の支払に関する定めがあること。

　なお、この場合において、その後その要件のいずれかを欠くに至ったとき又は債務不履行のためその弁済に充てられたときは、これらの事実の生じた時に譲渡があったものとされます。

3　財産分与による資産の移転

　民法第768条《財産分与》（同法第749条及び第771条で準用する場合を含みます。）の規定による財産の分与として資産の移転があった場合には、分与をした者が、その分与をした時においてその時の価額により資産を譲渡したものとされます。

　この場合、財産分与による資産の移転は、財産分与義務の消滅という経済的利益を対価とする譲渡であって、贈与とは異なりますから、個人に対する贈与の場合のみなし譲渡課税の適用除外規定（所法59①）の適用対象とはされません（所基通33－1の4）。

（注）　財産分与として譲渡した資産が居住用財産であった場合には、「居住用財産の譲渡所得の3,000万円控除」（措法35①）の適用対象となります（措通31の3－23、35－6…第二編第六章第二節の2の（1）の（注3）（426ページ）参照）。

4　代償分割による資産の移転

　遺産の分割について代償分割の方法がとられた場合には、その遺産の分割に関する協議の成立、審判の確定等により、共同相続人のうち特定の者は他の共同相続人の全部又は一部の者に対して債務を負担することとなります。その債務が資産の給付を目的とする債務であり、その債務の履行として資産の移転が行われた場合には、その資産の移転により債務は消滅し、その資産を移転した者（債務を負担した者）は、債務の消滅による経済的な利益を享受することとなります。

　この経済的な利益は、資産の移転に伴って生じたもので資産の移転の対価としての性質を有してい

ます。その経済的利益の価額は、債務の目的である資産のその債務の履行の時における価額となります（所法36）。

したがって、代償分割により資産を他の共同相続人に移転すべき債務を負担した者が、その債務の履行として資産を移転した場合には、その資産の移転は、移転の時における資産の価額に相当する金額を対価とする有償譲渡となり、譲渡所得が発生します（所基通33－1の5）。

5　配偶者居住権等の消滅による所得

配偶者居住権又は当該配偶者居住権の目的となっている建物の敷地の用に供される土地（土地の上に存する権利を含みます。）を配偶者居住権に基づき使用する権利の消滅につき対価の支払を受ける場合におけるその対価の額は、所得税法施行令第95条に規定する譲渡所得に係る収入金額に該当することとなります（所基通33－6の8）。

第四節　譲渡所得とみなされる場合

先に述べましたが、譲渡所得とは資産の譲渡による所得をいい、ここでいう「譲渡」とは、売買などの有償譲渡のほか法人に対する贈与などの無償譲渡も含まれます。

そして、本来は資産の譲渡ではありませんが、実質的には資産の譲渡による所得と同様の効果をもつもので、譲渡所得とすることがより合理的と認められる場合、すなわち、借地権などの設定により権利金などを受け取った場合、あるいは契約などにより資産が消滅したことに伴って補償金などを受け取った場合などは譲渡所得として課税されます。

また、時価に比して著しく低い価額で法人に資産を譲渡した場合も、その時の価額（時価）によってその資産を譲渡したものとみなされて譲渡所得が課税されることになっています。

1　資産を贈与や遺贈、限定相続、低額譲渡した場合

その時における価額により譲渡したものとみなして課税されるのは、譲渡所得の基因となる資産が次の事由によって移転した場合です（個人間の贈与や低額譲渡に対するみなし課税は行わないことになっています。）（所法59①）。

(1)　法人に対する贈与（公益法人に対する贈与で一定の条件に該当する場合を除きます。第二編第十六章2参照）

(2)　相続（限定承認に係るものに限ります。）

(3)　遺贈（法人に対するもの及び個人に対する包括遺贈のうち限定承認に係るものに限ります。）

(4)　法人に対する低額譲渡（(注)参照）

(注)　上記(1)から(4)までについては、公益信託に関する法律（令和6年法律第30号）の施行の日（公布の日（令和6年5月22日）から起算して2年を超えない範囲内において政令で定める日）以後、次のように改められます（令6改所法等附1九イ）。

> (1)　法人に対する贈与（公益法人に対する贈与で一定の条件に該当する場合を除きます。第二編第十六章2参照）及び公益信託の受託者である個人に対する贈与（その信託財産とするためのものに限ります。）
>
> (2)　相続（限定承認に係るものに限ります。）
>
> (3)　遺贈（法人に対するもの並びに公益信託の受託者である個人に対するもの（その信託財産とするためのものに限ります。）及び個人に対する包括遺贈のうち限定承認に係るものに限ります。）
>
> (4)　法人に対する低額譲渡（(注)参照）

なお、贈与等による「譲渡所得の基因となる資産の移転」には、借地権の設定による土地使用権の移転は含まれないものとされますが、既に借地権が設定されている土地の地主への返還は借地権の譲

渡としてこれに含まれることとされていますので、法人から個人が借りている土地を無償又は著しく低い立退料の支払を受けて法人に返還したときは、その返還が次のような理由に基づくものである場合を除き、みなし譲渡課税の適用を受けます（所基通59－5）。

イ　借地権等の設定に係る契約書において、将来借地を無償で返還することが定められていること。

ロ　土地の使用の目的が、単に物品置場、駐車場等として土地を更地のまま使用し、又は仮営業所、仮店舗等の簡易な建物の敷地として使用していたものであること。

ハ　借地上の建物が著しく老朽化したことその他これに類する事由により、借地権が消滅し、又はこれを存続させることが困難であると認められる事情が生じたこと。

(注1)　低額譲渡とは、譲渡資産の譲渡の時における時価の2分の1未満の金額とされています（所令169）。ただし、時価の2分の1以上の対価による法人に対する譲渡であってもその譲渡が同族会社の行為又は計算の否認（第七章参照）の規定に該当するものである場合には、時価により譲渡したものとみなされることがあります（所基通59－3）。なお、譲渡の対価が時価の2分の1未満かどうかは、一の契約によって二以上の資産の譲渡があった場合には、その二以上の資産の時価の合計額と譲渡対価の合計額を比較して判定します（所基通59－4）。

(注2)　1の規定の適用に当たって、譲渡所得の基因となる資産が株式（株式の引受けによる権利及び新株引受権を含みます。以下（注2）において「株式等」といいます。）である場合の1に規定する「その時における価額」は、所得税基本通達23～35共－9《株式等を取得する権利の価額》（※参照）に準じて算定した価額によります。この場合、同通達の（4）のニ（※の（ニ）の〈ニ〉）に定める「1株又は1口当たりの純資産価額等を参酌して通常取引されると認められる価額」については、原則として、次によることを条件に、第六編第七章第三節の取引相場のない株式の評価の例により算定した価額によります（所基通59－6）。

イ　財産評価基本通達178《取引相場のない株式の評価上の区分》（1392ページ参照）、188《同族株主以外の株主等が取得した株式》（1395ページ参照）、188－6《投資育成会社が株主である場合の同族株主等》（1394ページの（注4）参照）、189－2《比準要素数1の会社の株式の評価》（1405ページ参照）、189－3《株式等保有特定会社の株式の評価》（1406ページ参照）及び189－4《土地保有特定会社の株式又は開業後3年未満の会社等の株式の評価》（1410ページ参照）中「取得した株式」とあるのは「譲渡又は贈与した株式」と、同通達185《純資産価額》（1401ページ参照）、189－2、189－3及び189－4中「株式の取得者」とあるのは「株式を譲渡又は贈与した個人」と、同通達188中「株式取得後」とあるのは「株式の譲渡又は贈与直前」とそれぞれ読み替えるほか、読み替えた後の同通達185ただし書、189－2、189－3又は189－4において株式を譲渡又は贈与した個人とその同族関係者の有する議決権の合計数が評価する会社の議決権総数の50％以下である場合に該当するかどうか及び読み替えた後の同通達188の（1）から（4）までに定める株式に該当するかどうかは、株式の譲渡又は贈与直前の保有株式数により判定すること。

ロ　財産評価基本通達179《取引相場のない株式の評価の原則》（1395ページ参照）の例により株式の価額を算定する場合において、その株式等を譲渡又は贈与した個人がその譲渡又は贈与直前にその株式の発行会社にとって財産評価基本通達188の（2）に定める「中心的な同族株主」（1396ページ参照）に該当するときは、その発行会社は常に「小会社」に該当するものとしてその例によること。

ハ　その株式の発行会社が土地（土地の上に存する権利を含む。）又は上場有価証券を有しているときは、財産評価基本通達185《純資産価額》（1401ページ参照）の本文に定める「1株当たりの純資産価額（相続税評価額によって計算した金額）」の計算に当たり、これらの資産については、その譲渡又は贈与の時における価額によること。

ニ　財産評価基本通達185《純資産価額》（1401ページ参照）の本文に定める「1株当たりの純資産価額（相続税評価額によって計算した金額）」の計算に当たり、「評価差額に対する法人税額等に相当する金額」（1402ページの（注2）参照）は控除しないこと。

※　所得税基本通達23－35－9に定める株式等の価額は次のとおり。（編者要約）

（イ）　その株式等が上場されている場合　金融商品取引所における最終の価格

（ロ）　その株式等が上場されていない場合においてその株式等に係る旧株等が上場されている場合　旧株等の金融商品取引所における最終の価格を基準として合理的に計算した価額

（ハ）　（イ）の株式等及び（ロ）の旧株等が上場されていない場合において、気配相場の価格があるとき

（イ）又は（ロ）の最終の価格を気配相場の価格と読み替えて（イ）又は（ロ）により求めた価額
（ニ）　（イ）から（ハ）までに掲げる場合以外の場合　次の区分に応じ、それぞれに掲げる価額
　〈イ〉　売買実例のあるもの　最近において売買の行われたもののうち適正と認められる価額
　〈ロ〉　公開途上にある株式で、上場等に際し株式の公募等が行われるもの（〈イ〉に該当するものを除く。）　金融商品取引所等の公募等の価格等を参酌して通常取引されると認められる価額
　〈ハ〉　売買実例のないものでその株式等の発行法人と事業の種類、規模、収益の状況等が類似する他の法人の株式の価額があるもの　その価額に比準して推定した価額
　〈ニ〉　〈イ〉から〈ハ〉までに該当しないもの　権利行使日等又は権利行使日等に最も近い日におけるその株式等の発行法人の1株又は1口当たりの純資産価額等を参酌して通常取引されると認められる価額

2　借地権や地役権などを設定して権利金などを受け取った場合

（1）　資産の譲渡とみなされる場合

　借地権（建物若しくは構築物の所有を目的とする地上権又は賃借権をいいます。）や地役権（特別高圧架空電線〔特別高圧とは電圧が7,000ボルトを超えるものをいいます。〕の架設、特別高圧地中電線の敷設、ガス事業法第2条第12項《定義》に規定するガス事業者が供給する高圧のガスを通ずる導管の敷設、飛行場の設置、モノレールなどの敷設、砂防法に規定する砂防設備である導流堤（火山泥流又は土石流の流下方向を人為的に制御するための施設をいいます。）及び遊砂地（流失した土砂、土石又は泥流が下流域に流失することを防止するために設置される施設で、当該土砂等を捕そくし、かつ、当該施設の区域内において人為的に当該土砂等をはん濫させるものをいいます。）（以下「導流堤等」といいます。）の設置、都市計画法第4条第14項《定義》に規定されている公共施設の設置若しくは同法第8条第1項第4号《地域地区》の特定街区内における建物の建築のために設定されたもので、建造物の設置を制限するものに限られます。）などの設定（借地権に係る土地の転貸等を含みます。）に際して、その対価として支払を受ける金額は、その所得の性格上本来、不動産所得の総収入金額に算入されるべきものですが、次のイ又はロの金額の2分の1に相当する金額を超える場合には、譲渡所得として取り扱うこととされています（所令79①、所規19の2）。

　ただし、不動産の売買を継続的に行う者がその所有する土地に借地権の設定等をして権利金収入等を得た場合には、その金額が次のイ又はロの金額の2分の1に相当する金額を超える場合であっても、その土地が事業所得又は雑所得の基因となる棚卸資産等である限り、その権利金収入等も、譲渡所得の収入金額とはならず、事業所得又は雑所得の収入金額として扱われます（所令94②）。

イ　その設定が建物若しくは構築物の全部の所有を目的とする借地権又は地役権の設定である場合（ハの場合を除きます。）には、その土地（借地権の転貸にあっては、借地権。次のロについても同様です。）の価額

　　ただし、その設定が地下又は空間について上下の範囲を定めた借地権若しくは地役権の設定である場合又は導流堤等若しくは河川法第6条第1項第3号《河川区域》に規定する遊水地その他これに類するものの設置を目的とした地役権の設定である場合には、その価額の2分の1に相当する金額

ロ　その設定が建物又は構築物の一部の所有を目的とする借地権の設定である場合には、その土地等の価額に、その建物又は構築物の床面積（その対価の額が建物又は構築物の階その他利用の効用の異なる部分ごとにその異なる効用に係る適正な割合を勘案して算定されているときは、その割合による調整後の床面積）のうちにその借地権に係る建物又は構築物の一部の床面積の占める割合を乗じて計算した金額

　　これを算式で示すと次のとおりです。

$$土地や借地権の価額 \times \frac{建物や構築物の所有部分の床面積}{建物や構築物の総床面積}$$

第二章第四節《譲渡所得とみなされる場合》

　したがって、地下鉄に係る借地権や空中に及ぶ地役権などの設定の場合には、上記イのただし書によりその設定の対価が、その土地の価額（時価）の4分の1を超えていれば、譲渡所得として取り扱われることになります。

ハ　その設備が大深度地下の公共的使用に関する特別措置法の規定により大深度地下の使用の認可を受けた事業と一体的に施行される事業としてその認可を受けた事業に係る事業計画書に記載されたものにより設置される施設又は工作物のうち一定のものに該当する施設又は工作物の全部の所有を目的とする地下について上下の範囲を定めた借地権の設定である場合には、その土地の価額の2分の1に相当する金額に、その土地における地表から大深度までの距離のうちに借地権の設定される範囲のうち最も浅い部分の深さからその大深度までの距離の占める割合を乗じて計算した金額

　なお、その土地や借地権の価額が明らかでないため、権利金などの金額がその2分の1を超えているかどうか判明しないような場合には、権利金などの金額が借地権などの設定により支払を受ける年間地代の20倍に相当する金額以下であるときは、原則として譲渡所得でないと推定されます（所令79③）。

（注1）　借地権の設定により受け取った権利金等が土地や借地権の時価の2分の1以下となったため譲渡所得として取り扱われない場合には、その設定の対価の額は不動産所得（臨時所得の平均課税に注意）とされます。

（注2）　所有者の異なる二以上の土地の上に、その所有者が共同で建物を建築してその建物を区分所有し、又は共有することとした場合には、次のように取り扱われます（所基通33－15の2）。

イ　各人の所有する土地の面積又は価額の比（以下「土地の所有割合」といいます。）と各人の区分所有する部分の建物の床面積（当該建物の階その他の部分ごとに利用の効用が異なるときは、当該部分ごとに、その異なる効用に係る適正な割合を勘案して算定した床面積）の比又は共有持分の割合（以下「建物の所有割合」といいます。）とがおおむね等しい場合……相互に借地権の設定はなかったものとして取り扱われます。

ロ　イ以外の場合……建物の所有割合が土地の所有割合に満たない者のその満たない割合に対応する部分の土地についてのみ貸付けが行われたものとして取り扱われます。

（2）　特別な経済的利益を受ける場合

　借地権又は地役権の設定及び借地権の転貸などに伴い、特別な経済的利益を受けるときは、その特別な経済的利益の額を権利金等の額に加算した金額をもって、借地権設定などの対価として取り扱われます（所令80①）。

　特別な経済的利益とは、通常の場合の貸付けの条件に比し特に有利な条件による金銭の貸付け（名目のいかんにかかわらずこれと同様の経済的利益を含みます。）及び敷金、保証金などの名目による金銭の差し入れを受けた場合であっても、特別の経済的な利益を受けるものとして取り扱われるほか、特に低い賃貸料による資産の貸付けその他利益の種類のいかんにかかわらず、すべて含まれます。ただし、保証金、敷金等の名目による金銭を受け入れた場合においても、その受け入れた金額がその地域において通常収受される程度の保証金等の額（不明の場合は地代の3か月分相当額とされます。）以下の場合は、その受け入れた金額は特に有利な条件による金銭の貸付けにはならないこととされています（所基通33－15）。

　なお、金銭の貸借が、単に名目の違いだけで、実質は権利金であると認められるもの、例えば、保証金という名目を使っているが、実質は権利金であって返済する必要がないというようなものは、借入元本がそのまま権利金収入になることはいうまでもありません。

　また、金銭の無利息又は低利率による貸付けを受けたことによる経済的利益の額は、その貸付けを受けた金額から貸付期間に応じその金額について通常の利率（財産評価基本通達の基準年利率《第六編第一章第一節6参照》とし、利息を付する約定がある場合にはその約定利率を基準年利率から控除した利率とします。）の2分の1の利率によって計算した複利現価の額を控除して計算することになっています（所令80②）。この場合において、貸付けを受ける期間は1年を単位として計算した期間（1年未満の端数は切り捨てて計算します。）とし、複利現価率は小数点以下第3位まで計算した率（第4

－23－

位は切り上げます。）により計算することになっています（所基通33－14）。

（**注**）　金銭の貸付けを受けた日を含む月の基準年利率が公表されていない場合は最も近い月の利率とします。

（基準年利率による複利表は次ページを参照）

〔**計算例**〕

① 借地権設定の対象となる土地の更地価額　　5,000万円
② 借地権設定契約の内容
　イ　収受した権利金の額　　2,000万円
　ロ　借入金額　　2,500万円（無利息）
　　　　　　　　　　　　（約定期間50年）

適用すべき複利現価率

　基準年利率2％×1/2＝1％の利率で期間50年の複利現価率……0.608※

経済的利益の額

　25,000,000円×（1－0.608）＝9,800,000円

借地権設定の対価

　20,000,000円＋9,800,000円＝29,800,000円

　50,000,000円×1/2＜29,800,000円

　したがって、9,800,000円は権利金2,000万円と合わせて譲渡所得の収入金額に算入されることとなります。

※金銭の貸付けを受けた金額の貸付期間に応じた短・中・長期のそれぞれの基準年利率のうち、その貸付けを受けた日を含む月に適用される基準年利率の2分の1の複利現価率の計算は次によります。

$$（1＋基準年利率の1/2）^{-期間}＝（1＋0.01）^{-50}＝0.608038…$$
$$\longrightarrow 0.608$$

（小数点以下3位まで計算）

金銭の貸付けを受ける期間が、借地権の存続期間に比し著しく短い期間として約定されている場合がありますが、その場合であっても、長期間にわたって地代を据え置く旨の約定がなされていることその他その土地の上に存する建物又は構築物の状況、地代に関する条件等に照らして、その金銭の貸付けを受けた期間が将来更新されるものと推測できる事実があるときは、金銭の貸付けが継続されるものと合理的に推定される期間をもってその金銭の貸付期間と推定し、複利現価額を求めることとされています（所令80②）。

第二章第四節《譲渡所得とみなされる場合》

〔参考〕

複利表（令和6年1月分）

区分	年数	年0.01%の複利年金現価率	年0.01%の複利現価率	年0.01%の年賦償還率	年1.5%の複利終価率	区分	年数	年1%の複利年金現価率	年1%の複利現価率	年1%の年賦償還率	年1.5%の複利終価率
短期	1	1.000	1.000	1.000	1.015		36	30.108	0.699	0.033	1.709
	2	2.000	1.000	0.500	1.030		37	30.800	0.692	0.032	1.734
区分	年数	年0.1%の複利年金現価率	年0.1%の複利現価率	年0.1%の年賦償還率	年1.5%の複利終価率		38	31.485	0.685	0.032	1.760
中期	3	2.994	0.997	0.334	1.045		39	32.163	0.678	0.031	1.787
	4	3.990	0.996	0.251	1.061		40	32.835	0.672	0.030	1.814
	5	4.985	0.995	0.201	1.077		41	33.500	0.665	0.030	1.841
	6	5.979	0.994	0.167	1.093		42	34.158	0.658	0.029	1.868
区分	年数	年1%の複利年金現価率	年1%の複利現価率	年1%の年賦償還率	年1.5%の複利終価率		43	34.810	0.652	0.029	1.896
	7	6.728	0.933	0.149	1.109		44	35.455	0.645	0.028	1.925
	8	7.652	0.923	0.131	1.126		45	36.095	0.639	0.028	1.954
	9	8.566	0.914	0.117	1.143		46	36.727	0.633	0.027	1.983
	10	9.471	0.905	0.106	1.160		47	37.354	0.626	0.027	2.013
	11	10.368	0.896	0.096	1.177		48	37.974	0.620	0.026	2.043
	12	11.255	0.887	0.089	1.195		49	38.588	0.614	0.026	2.074
	13	12.134	0.879	0.082	1.213		50	39.196	0.608	0.026	2.105
	14	13.004	0.870	0.077	1.231		51	39.798	0.602	0.025	2.136
長期	15	13.865	0.861	0.072	1.250		52	40.394	0.596	0.025	2.168
	16	14.718	0.853	0.068	1.268	長	53	40.984	0.590	0.024	2.201
	17	15.562	0.844	0.064	1.288		54	41.569	0.584	0.024	2.234
	18	16.398	0.836	0.061	1.307		55	42.147	0.579	0.024	2.267
	19	17.226	0.828	0.058	1.326		56	42.720	0.573	0.023	2.301
	20	18.046	0.820	0.055	1.346	期	57	43.287	0.567	0.023	2.336
	21	18.857	0.811	0.053	1.367		58	43.849	0.562	0.023	2.371
	22	19.660	0.803	0.051	1.387		59	44.405	0.556	0.023	2.407
期	23	20.456	0.795	0.049	1.408		60	44.955	0.550	0.023	2.443
	24	21.243	0.788	0.047	1.429		61	45.500	0.545	0.022	2.479
	25	22.023	0.780	0.045	1.450		62	46.040	0.540	0.022	2.517
	26	22.795	0.772	0.044	1.472		63	46.574	0.534	0.021	2.554
	27	23.560	0.764	0.042	1.494		64	47.103	0.529	0.021	2.593
	28	24.316	0.757	0.041	1.517		65	47.627	0.524	0.021	2.632
	29	25.066	0.749	0.040	1.539		66	48.145	0.519	0.021	2.671
	30	25.808	0.742	0.039	1.563		67	48.659	0.513	0.021	2.711
	31	26.542	0.735	0.038	1.586		68	49.167	0.508	0.020	2.752
	32	27.270	0.727	0.037	1.610		69	49.670	0.503	0.020	2.793
	33	27.990	0.720	0.036	1.634		70	50.169	0.498	0.020	2.835
	34	28.703	0.713	0.035	1.658						
	35	29.409	0.706	0.034	1.683						

(注)　1　複利年金現価率、複利現価率及び年賦償還率は小数点以下第4位を四捨五入により、複利終価率は小数点以下第4位を切捨てにより作成している。

2　複利年金現価率は、定期借地権等、著作権、営業権、鉱業権等の評価に使用する。

3　複利現価率は、定期借地権等の評価における経済的利益（保証金等によるもの）の計算並びに特許権、信託受益権、清算中の会社の株式及び無利息債務等の評価に使用する。

4　年賦償還率は、定期借地権等の評価における経済的利益（差額地代）の計算に使用する。

5　複利終価率は、標準伐期齢を超える立木の評価に使用する。

第二章第四節《譲渡所得とみなされる場合》

3 契約などにより資産が消滅することにより補償金などを受け取った場合

契約に基づき、又は資産の消滅を伴う事業でその消滅に対する補償を約して行うものの遂行により、譲渡所得の基因となる資産が消滅したことに伴い、その消滅について一時に受ける補償金その他これに類するものの額は、譲渡の収入金額として、譲渡所得の課税が行われることになります（所令95）。

なお、「資産が消滅する」ということには、価値が減少する場合も含まれます。

この「契約に基づき」とは、通常の契約のほか、土地収用法などの規定によって、漁業権などの消滅のため収用される場合において、その収用前に当事者の協議により、これらの資産を消滅させる場合も含まれることに取り扱われています。

資産が消滅する場合とは、本来の資産の譲渡ではありませんが、例えば、公有水面埋立法に基づく埋立工事などにより漁業権などが永久に失われることをいいます。また、価値が減少する場合とは、資産の価値の一部が永久に失われることをいい、一部について資産の利用が制限されるためにその価値が一時的に減少する場合は含まれません。

また、借家人が借家から立ち退く際支払を受けるいわゆる立退料のうち、借家権の消滅の対価の額に相当する部分の金額は、譲渡所得（総合課税）の収入金額となります（所基通33－6）。

4 信託法の改正に伴う所要の整備

（1） 信託財産に属する資産・負債及び信託財産に帰せられる収益・費用の帰属

信託（集団投資信託、退職年金等信託及び法人課税信託を除きます。）の受益者は信託財産に属する資産及び負債を有するものとみなし、かつ、その信託財産に帰せられる収益及び費用はその受益者の収益及び費用とみなして、所得税法を適用するとともに、受益者とみなされる者が定められています（所法13）。

（注1） 集団投資信託（※）及び退職年金等信託は受益者段階課税（信託収益を現実に受領した時に受益者に課税）、法人課税信託は信託段階法人課税（信託段階において受託者を納税義務者として法人税を課税）とされており、上記の受益者段階課税（信託収益の発生時に受益者等に課税）とは別の課税方式とされています。

※ 集団投資信託とは、合同運用信託、投資信託（投資信託及び投資法人に関する法律第2条第3項に規定する投資信託（同条第4項に規定する証券投資信託等一定の投資信託に限ります。））、外国投資信託、国内公募等投資信託及び特定受益証券発行信託をいいます（所法13③一、法法2二十九ロ）。

（注2） 受益者が二以上ある場合における所得税法第13条第1項の適用については、信託財産に属する資産及び負債の全部をそれぞれの受益者がその有する権利の内容に応じて有するものとし、当該信託財産に帰せられる収益及び費用の全部がそれぞれの受益者にその有する内容に応じて帰せられるものとされています（所令52④）。

（2） 法人課税信託の受託者に関する所得税法の適用

法人課税信託（注）の受託者は、各法人課税信託の信託資産等（信託財産に属する資産及び負債並びに当該信託財産に帰せられる収益及び費用をいいます。）及び固有資産等（法人課税信託の信託資産等以外の資産及び負債並びに収益及び費用をいいます。）ごとに、それぞれ別の者とみなして所得税法の規定を適用します（所法6の2）。

（注） 法人課税信託とは、次に掲げる信託（集団投資信託、退職年金等信託及び特定公益信託等を除きます。）をいい（所法2①八の三）、信託段階において受託者を納税義務者として法人税が課税されるものをいいます。

イ 受益権を表示する証券を発行する旨の定めのある信託（特定受益証券発行信託（※1）は集団投資信託となることから除かれます。）

ロ 受益者等（受益者としての権利を現に有する受益者及び受益者とみなされる者（信託の変更権限を現に有し、かつ、その信託財産の給付を受けることとされている者）をいいます。）が存しない信託

ハ 法人（公共法人又は公益法人等を除きます。）が委託者となる信託のうち、次の要件のいずれかに該当するもの

－26－

① その信託の効力発生時において、委託者である法人の重要な事業が信託されたもので、その法人の株主等が受益権の50％超を取得することが見込まれていたこと（金銭以外の信託財産の種類がおおむね同一である場合等を除きます。）

② その信託の効力発生時等において、自己信託等（※2）であり、かつ、その存続期間が20年を超えるものとされていたこと（信託財産に属する主たる資産が減価償却資産の場合において、その減価償却資産の耐用年数が20年を超えるとき等を除きます。）

③ その信託の効力発生時において、委託者である法人の特殊関係者を受益者とする自己信託等で、その特殊関係者に対する収益の分配割合の変更が可能であること

ニ 投資信託（受益者段階課税で受領時に課税される投資信託（証券投資信託、国内公募等投資信託等）以外のもの）

ホ 特定目的信託

※1 信託法の受益証券発行信託のうち、次の要件のすべてに該当するものを特定受益証券発行信託といい（所法2①十五の五）、その信託収益を受益者が現実に受領した時にその受益者に対して課税されるものです（配当控除の適用はありません。）。

　　① 税務署長の承認を受けた法人が引き受けたものであること

　　② 各計算期間終了の時における利益留保割合が1,000分の25を超えない旨の信託行為における定めがあること

　　③ 各計算期間開始の時において、その時までに到来した各算定時期の利益留保割合が1,000分の25を超えていないこと

　　④ その計算期間が1年を超えないこと

　　⑤ 受益者が存しない信託に該当したことがないこと

※2 委託者である法人が受託者である場合又は委託者である法人との間に一定の特殊の関係のある者（特殊関係者）が受託者である場合のいずれかの信託をいいます。

（3）　受託法人等に関する所得税法の適用

委託者がその有する資産を法人課税信託(受益者が存しない信託に限ります。)に信託した場合には、その受託法人（**注**）に対する贈与による資産の移転があったものとみなす等法人課税信託の受託法人等に対する所要の整備が行われています（所法6の3）。

（**注**）　受託法人とは、法人課税信託の受託者である法人（その受託者が個人である場合にあっては、当該受託者である個人）について、所得税法第6条の2の規定により、その法人課税信託に係る信託資産等が帰属する者として所得税法を適用する場合におけるその受託者である法人をいいます。

（4）　信託に係る所得の金額の計算

① 居住者が受益者の存しない信託の受益者となった場合には、その受益者がその受託法人の信託財産に属する資産等の引継ぎを受けたものとし、その引継ぎにより生じた収益の額は、その受益者の各種所得の金額の計算上、総収入金額に算入しない等の所要の整備が行われています（所法67の3①②）。

② 信託の委託者がその有する資産を信託した場合において、適正な対価を負担せずに受益者等となる者（法人に限ります。）があるときは、その受益者等に対して贈与により資産の移転が行われたものとする等信託の委託者等に対する所要の整備が行われています（所法67の3③〜⑥）。

（**注**）　公益信託に関する法律（令和6年法律第30号）の施行の日（公布の日（令和6年5月22日）から起算して2年を超えない範囲内において政令で定める日）以後、次の③が加えられます（令6改所法等附1九イ）。

> ③ 公益信託の委託者（居住者に限ります。）がその有する資産を信託した場合には、その資産を信託した時において、その公益信託の委託者からその公益信託の受託者に対して贈与又は遺贈によりその資産の移転が行われたものとして、その公益信託の委託者の各年分の各種所得の金額を計算します。（法67の3⑧）

第五節　国外転出をする場合の譲渡所得の特例等

1　国外転出をする場合の譲渡所得の特例

　国外転出（国内に住所及び居所を有しないこととなることをいいます。以下同じ。）をする居住者が、所得税法に規定する有価証券若しくは匿名組合契約の出資の持分（以下「有価証券等」（注）といいます。）を有する場合又は決済していないデリバティブ取引、信用取引若しくは発行日取引（以下「未決済デリバティブ取引等」といいます。）に係る契約を締結している場合には、その者の譲渡所得の金額の計算上、その国外転出の時に、次の①又は②の区分に応じそれぞれ次の①又は②に定める金額により、その有価証券等の譲渡又はその未決済デリバティブ取引等の決済があったものとみなされます（所法60の2①、所令170）。

①	その国外転出の日の属する年分の確定申告書の提出時までに国税通則法第117条第2項の納税管理人の届出をした場合、納税管理人の届出をしないでその国外転出をした日以後にその年分の確定申告書を提出する場合又はその年分の所得税につき決定がされる場合には、その国外転出の時におけるその有価証券等の価額に相当する金額又はその未決済デリバティブ取引等の決済をしたものとみなして算出した利益の額若しくは損失の額に相当する金額
②	上記①に掲げる場合以外の場合には、その国外転出の予定日の3か月前の日におけるその有価証券等の価額に相当する金額又はその未決済デリバティブ取引等の決済をしたものとみなして算出した利益の額若しくは損失の額に相当する金額

（注）　次に掲げる有価証券で国内源泉所得を生ずべきものを除きます（所令170①）。
　　イ　特定譲渡制限付株式等で譲渡についての制限が解除されていないもの
　　ロ　株式を無償又は有利な価額により所得することができる一定の権利で、その権利を行使したならば経済的な利益として課税されるものを表示する有価証券

（1）　特例の対象者

　1の特例は、次の①及び②に掲げる要件を満たす居住者について適用されます（所法60の2⑤、所令170③、所規37の2⑥⑦））。

①	1の①又は②の場合に応じそれぞれ1の①又は②に定める金額の合計額が1億円以上である者
②	原則として、国外転出の日前10年以内に、国内に住所若しくは居所を有していた期間として一定の期間の合計が5年超である者

（2）　国外転出後5年を経過する日までに帰国等をした場合の取扱い

　特例の適用を受けるべき者が、その国外転出の日から5年を経過する日までに帰国等をした場合において、その者がその国外転出の時において有していた有価証券等又は契約を締結していた未決済デリバティブ取引等でその国外転出の時以後引き続き有しているもの又は決済をしていないものについては、1による譲渡又は決済がなかったものとすることができます（所法60の2⑥）。

　ただし、その有価証券等又は未決済デリバティブ取引等に係る所得の計算につきその計算の基礎となるべき事実の全部又は一部の隠蔽又は仮装があった場合には、その隠蔽又は仮装があった事実に基づくその所得については、この限りでありません。

（注）　（2）は、帰国等の日から4か月を経過する日までに、更正の請求をすることにより適用を受けることができます（所法153の2①）。

（3） 納税猶予制度

　国外転出をする居住者でその国外転出の時において有する有価証券等又は契約を締結している未決済デリバティブ取引等につき本特例の適用を受けたものが、その国外転出の日の属する年分の確定申告書に納税猶予を受けようとする旨の記載をし、かつ、一定の事項を記載した書類を添付した場合には、その国外転出の日の属する年分の所得税のうち本特例によりその有価証券等の譲渡又は未決済デリバティブ取引等の決済があったものとされた所得に係るものについては、その国外転出の日から満了基準日（その国外転出の日から５年を経過する日又は帰国等の場合に該当することとなった日のいずれか早い日をいいます。）の翌日以後４か月を経過する日まで、その納税が猶予されます（所法137の２、所令266の２）。

　なお、納税猶予に係る期限の到来により所得税を納付する場合には、その納税猶予がされた期間に係る利子税を納付しなければなりません。

（注１）　この納税猶予は、国外転出の時までに納税管理人の届出をし、かつ、その所得税に係る確定申告期限までに納税猶予分の所得税額に相当する担保を供した場合に適用できます。

（注２）　納税猶予に係る期限は、国外転出の日から５年を経過する日（同日前に帰国等することとなった場合には、その該当することとなった日の前日）までに延長の届出をすれば、（３）中「５年」とあるのは「10年」とすることができます。（所法137の２②）。

〈納税猶予期間中の取扱い〉

　納税猶予を受ける者は、国外転出の日の属する年分の所得税に係る確定申告期限から納税猶予に係る期限までの間の各年の12月31日において有し、又は契約を締結しているその納税猶予に係る有価証券等又は未決済デリバティブ取引等について、引き続き納税猶予を受けたい旨等を記載した届出書（継続適用届出書）を、同日の属する年の翌年３月15日までに、税務署長に提出する必要があります。その届出書を提出期限までに提出しなかった場合には、その提出期限から４か月を経過する日をもって、納税猶予に係る期限とされます（所法137の２⑥）。

（4）　納税猶予に係る期限までに有価証券等の譲渡等があった場合の取扱い

　１の特例の適用を受けた者で納税猶予を受けているものが、その納税猶予に係る満了基準日までに、特例の対象となった有価証券等又は未決済デリバティブ取引等の譲渡又は決済等をした場合には、その納税猶予に係る所得税のうちその譲渡又は決済等があった有価証券等又は未決済デリバティブ取引等に係る部分については、その譲渡又は決済等があった日から４か月を経過する日をもって納税猶予に係る期限とされます（所法60の２⑧、137の２⑤、153の２①②）。

　この場合、これらの事由が生じた有価証券等又は未決済デリバティブ取引等に係る種類、銘柄、数量及び納税猶予の期限が確定する所得税の金額に関する明細等を記載した書類を、同日までに、税務署長に提出する必要があります。

　また、１の特例の適用を受けた者で納税猶予を受けているものが、その納税猶予に係る期限までに、特例の対象となった有価証券等又は未決済デリバティブ取引等の譲渡又は決済等をした場合において、その譲渡又は決済等に係る譲渡価額又は利益の額に相当する金額が国外転出の時に課税が行われた額を下回るとき等は、その譲渡又は決済等があった日から４か月を経過する日までに、更正の請求をすることにより、その国外転出の日の属する年分の所得金額又は所得税額の減額をすることができます。

（5）　納税猶予に係る期限が到来した場合の取扱い

　１の特例の適用を受けた者で納税猶予を受けているものが、納税猶予に係る期限の到来に伴いその納税猶予に係る所得税の納付をする場合において、その期限が到来した日における有価証券等の価額又は未決済デリバティブ取引等の決済による利益の額に相当する金額が国外転出の時に課税が行われた額を下回るとき等は、その到来の日から４か月を経過する日までに、更正の請求をすることにより、その国外転出の日の属する年分の所得金額又は所得税額の減額をすることができます（所法60の２⑩、

137の2、153の2①③)。

（6） 二重課税の調整

① 外国転出時課税の規定の適用を受けた場合の譲渡所得等の特例

　居住者が特例に相当する外国の法令の規定（以下「外国転出時課税の規定」といいます。）の適用を受けた有価証券等又は未決済デリバティブ取引等の譲渡又は決済をした場合における譲渡所得の金額の計算については、その外国転出時課税の規定により課される外国所得税の額の計算において収入金額に算入することとされた金額をその有価証券等の取得に要した金額とし、又はその未決済デリバティブ取引等の決済損益額からその外国所得税の額の計算において算出された利益の額若しくは損失の額に相当する金額の減算若しくは加算をすることになります（所法60の4、95の2、所令226の2）。

② 国外転出時課税に係る外国税額控除の特例

　特例の適用を受けた者で納税猶予を受けているものが、その納税猶予に係る満了基準日までに本特例の対象となった有価証券等又は未決済デリバティブ取引等の譲渡又は決済等をした場合において、その所得に係る外国所得税を納付することとなるとき（その外国所得税に関する法令において、その外国所得税の額の計算に当たって特例の適用を受けたことを考慮しないものとされている場合に限ります。）は、その外国所得税を納付することとなる日から4か月を経過する日までに、更正の請求をすることにより、その外国所得税の額のうちその有価証券等又は未決済デリバティブ取引等の譲渡又は決済等により生ずる所得に対応する部分の金額として計算した金額は、その者が国外転出の日の属する年において納付することとなるものとみなして、外国税額控除を適用することができます。

2　贈与、相続又は遺贈により非居住者に有価証券等が移転する場合の特例

　次に掲げる要件を満たす居住者が有する有価証券等又は締結している未決済デリバティブ取引等に係る契約が、贈与、相続又は遺贈（以下「贈与等」といいます。）により非居住者に移転した場合には、その者の譲渡所得の金額の計算上、その贈与等の時に、その時におけるその有価証券等の価額に相当する金額又はその未決済デリバティブ取引等の決済をしたものとみなして算出した利益の額若しくは損失の額に相当する金額により、その有価証券等の譲渡又は未決済デリバティブ取引等の決済があったものとみなされます（所法60の3、137の3、153の3）。

①	その贈与等の時において有している有価証券等及び契約を締結している未決済デリバティブ取引等のその贈与等の時における有価証券等の価額並びに未決済デリバティブ取引等の決済をしたものとみなして算出した利益の額又は損失の額に相当する金額の合計額が1億円以上である者
②	原則として、その贈与等の日前10年以内に、国内に住所又は居所を有していた期間として一定の期間の合計が5年超である者

第六節　譲渡所得が課税されない場合

　先の契約に基づき資産の消滅に伴う補償金を受けた場合のように、本来の資産の譲渡でないにもかかわらず譲渡所得として課税される場合がありますが、その反対に本来は資産の譲渡でありながら、譲渡所得が非課税とされる場合があります。

　その非課税とされる理由は、その所得の性質その他課税目的上の理由から所得税を課税しないことを適当としているからであると考えられます。

－30－

1 所得税法により非課税とされる譲渡所得

（1） 生活に通常必要な家庭用動産の譲渡による所得

　自己又はその配偶者その他の親族が生活の用に供する家具、じゅう器、衣服などの生活に通常必要な家庭用動産の譲渡による所得については非課税とされています（所法9①九）。

　ただし、生活に必要なものであっても、次のもののうち1個又は1組の価額が30万円を超えるものは譲渡所得の課税対象となります（所令25）。

イ　貴石、半貴石、貴金属、真珠及びこれらの製品、べっこう製品、さんご製品、こはく製品、ぞうげ製品並びに七宝製品

ロ　書画、骨とう及び美術工芸品

（2） 資力喪失の場合の強制換価手続による資産の譲渡による所得

　資力を喪失して債務を弁済することが著しく困難である場合における強制換価手続による資産の譲渡があったとき又は資力を喪失して債務を弁済することが著しく困難であり、かつ、強制換価手続を執行されることが避けられないと認められる場合における資産の譲渡で、その譲渡の対価をもって債務を弁済したときは、その譲渡所得は非課税とされます（所法9①十、所令26）。

イ　「資力を喪失して債務を弁済することが著しく困難」である場合とは、債務者の債務超過の状態が著しく、その者の信用、才能等を活用しても、現にその債務の全部を弁済するための資金を調達することができないのみならず、近い将来においても調達することができないと認められる場合をいい、これに該当するかどうかはこれらの規定に規定する資産を譲渡した時の現況により判定することとなります（所基通9－12の2）。

ロ　強制換価手続による資産の譲渡とは、滞納処分、強制執行、担保権の実行としての競売、企業担保権の実行手続、破産手続により資産を譲渡することをいいます。

　なお、「その譲渡の対価をもって債務を弁済したとき」にはその債務に係る債権者から清算金を収受しない代物弁済によりその債務を弁済した場合、及び清算金を取得したが、その清算金の全額を代物弁済した債務以外の債務の弁済に充当した場合が含まれます（所基通9－12の5）。

ハ　「その譲渡に係る対価が当該債務の弁済に充てられた」かどうかは、その資産の譲渡の対価（その資産の譲渡に要した費用がある場合には、その費用に相当する部分を除きます。）の全部が、譲渡の時において有する債務の弁済に充てられたかどうかにより判定します（所基通9－12の4）。

（3） 有価証券の一般的な譲渡による所得

　有価証券のうち、株式等の譲渡による所得は平成元年4月1日以後譲渡分から原則として課税されることとされています。なお、平成26年1月1日以後の非課税口座内の少額上場株式等に係る譲渡による所得などは、非課税とされています。

2 租税特別措置法により非課税とされる譲渡所得

　国又は地方公共団体に財産を寄附した場合や公益法人に財産を寄附した場合、公益法人等（**注**）の設立に際し財産を提供し、このことについて国税庁長官の承認を受けた場合（措法40）、国等に対して重要文化財（土地等を除きます。）を譲渡した場合（措法40の2）、相続税を納めるため財産を物納した場合（措法40の3）には、租税特別措置法において、その譲渡所得は非課税とされています。

　租税特別措置法には以上のほかに、譲渡所得の課税についての特例が設けられています。これらは非課税規定ではありませんが、例えば、居住用財産の買換えあるいは交換などのように、譲渡資産の取得価額を引き継ぐことを条件に課税が繰り延べられ、事実上その時には課税されないことになっています。租税特別措置法のほかに所得税法にも譲渡所得の課税についての特例が設けられています。

　これらの特例の適用については、その適用を受けるための要件や計算方法、申告手続などについて、それぞれの規定がありますから、「第二編　譲渡所得等の課税の特例」で詳述することにします。

－31－

（注） 平成20年12月1日以後にされる財産の贈与又は遺贈については公益財団法人、特定一般法人（法人税法別表第2に掲げる一般社団法人及び一般財団法人で同法第2条9号の2のイに掲げるものをいいます。）その他の公益を目的とする事業を行う法人（外国法人に該当するものを除きます。）をいいます。

第三章　譲渡所得の計算方法

第一節　譲渡所得の算式

　資産の譲渡による収入金額から、その資産の取得費（取得価額・設備費・改良費）と譲渡のために直接要した経費との合計額を控除した残額を譲渡益といいます。譲渡所得の金額は、この譲渡益の金額から、次に述べる譲渡所得の特別控除額を控除して計算します（所法33③）。

　更に、その譲渡所得が長期譲渡所得である場合には、譲渡所得の特別控除額を控除した残額の2分の1が課税される所得金額となります（所法22②二）。

> 　この章は、所得税法の定めによる譲渡所得の計算について述べています。土地建物等の譲渡所得については租税特別措置法により分離課税方式が採用されております。この場合の特別控除や計算方法などについては「第二編　譲渡所得等の課税の特例」を御覧ください。

1　譲渡所得の特別控除額

　譲渡所得の特別控除額は、昭和50年の所得税法の改正により、一律50万円とされました。譲渡益の金額が50万円に満たない場合には、その金額が特別控除額となります。したがって、譲渡益の金額が50万円までであれば課税されないことになります。

　なお、この譲渡所得の特別控除額は、その年分の譲渡益の合計額から控除し（所法33③）、譲渡益にあとで述べる短期と長期の譲渡益がある場合には、まず短期の譲渡益から控除することとされています（所法33⑤）。

2　2分の1課税の取扱い

　以上述べましたように、譲渡所得については、その譲渡益から上記の特別控除を行いますが、その譲渡資産の保有期間が5年を超えるものについては、更にその残額の2分の1に対して課税されます（所法22②二）。

　譲渡所得の対象となる資産は、販売目的以外の資産であるために、通常の場合相当長期間所有してから譲渡されます。つまり、長期間にわたる値上がり益が譲渡したことにより一度に実現することになります。そのために年々回帰的、継続的に発生する事業所得などに比べ、一般的に所得が大きい上に、累進税率により高い税率が適用される関係上、税負担が重くなります。そこでこれらの税負担の権衡と累進税率の緩和を図るため、2分の1課税という特別の考慮が払われているわけです。

　しかし、販売目的以外の資産であっても、その全部が長期間保有されるとは限りません。なかには取得してから1年か2年で譲渡される場合もあります。この場合の資産の譲渡による所得も譲渡所得であることには変わりはありませんが、その保有期間は短く、先に述べたように、長期間にわたる値上がりによる所得が一度に実現したものとはいえないわけですから、2分の1課税を適用して負担の緩和を図ることは、かえって他の所得との負担の権衡を欠くこととなります。

　そこで、①取得した日から5年以内に譲渡されたときは短期譲渡所得となり、②取得した日から5年を経過した後に譲渡されたときは長期譲渡所得となり、短期譲渡所得は、2分の1課税の取扱いは適用されないことになっています。

-33-

なお、この保有期間は、「第二節　1　総収入金額の収入すべき時期（譲渡の時期）」と「第三節　1　取得時期」の期間をいいます。

（注）　土地建物等分離課税方式が適用される場合の長期譲渡所得、短期譲渡所得の区分は、「第二編第一章第一節 1」（135ページ）によりますから注意してください。

しかし、次に掲げるような権利は、それを取得するまでには通常相当の期間を必要とすることなどに着目して、これらの権利の取得後5年以内になされた譲渡による所得であっても、これを短期譲渡所得の範囲から除外して2分の1課税の適用を認めることとされています（所令82）。

（1）　自己の研究の成果である特許権、実用新案権その他の工業所有権

自己の研究の成果である特許権、実用新案権その他の工業所有権とは、自己が研究し、又は考案した成果に基づいて取得した特許権、意匠権又は商標権のほか、実用新案権、これらの権利に係る出願権（特許法第34条《特許を受ける権利》第4項に規定する特許出願後における特許を受ける権利又は出願後における登録を受ける権利に限られます。）も含めて取り扱われますが、これらの権利であっても他から承継した出願権に基づいて取得したものは含まれません。

なお、次に掲げるものは「自己が研究し、又は考案した成果」に含めることとされています。

イ　使用人の現在又は過去の職務に属する発明に基づく成果

ロ　あらかじめ自己が条件を指定し、かつ、自己が費用を負担して研究又は考案を委託した場合の成果で自己に帰属するもの

ハ　他人と協同して研究し又は考案した成果で自己に係るもの

（2）　自己の育成の成果である育成者権

（3）　自己の著作に係る著作権

（4）　自己の探鉱により発見した鉱床に係る採掘権

自己の探鉱により発見した鉱床に係る採掘権には、最初にその鉱床を発見した個人がその鉱床について設定を受けた採掘権のほか、試掘権の譲渡を受け、又は試掘出願人の名義の変更を受けて試掘をし、その結果に基づいて取得した採掘権も含められています。

（5）　相続又は遺贈により取得した配偶者居住権の消滅（配偶者居住権を取得した時に配偶者居住権の目的となっている建物を譲渡したとしたならばその建物を取得した日とされる日以後5年を経過する日後の消滅に限ります。）

（6）　相続又は遺贈により取得した配偶者居住権の目的となっている建物の敷地の用に供される土地（土地の上に存する権利を含みます。）を配偶者居住権に基づき使用する権利の消滅（その権利を取得した時にその土地を譲渡したとしたならばその土地を取得した日とされる日以後5年を経過する日後の消滅に限ります。）

3　課税所得の計算

譲渡所得の計算方法については、この章のはじめに、簡単にふれましたが、2で述べましたように、譲渡所得が短期譲渡所得と長期譲渡所得とに区分され、それぞれの課税方式も違っていますから、その年分の譲渡所得についての計算の方法については、かなり複雑となっています。

そこで、各種の場合の課税所得の算式について、例をあげて説明すると次のとおりです。

① 短期譲渡所得だけの場合

（収入金額）－（取得費＋譲渡に要した費用）＝（譲渡益）

（譲渡益）－（譲渡所得の特別控除額）＝（譲渡所得金額）………（課税される所得金額）

（例）　短期譲渡益…………100万円

100万円－50万円（特別控除額）＝50万円

② 長期譲渡所得だけの場合

（収入金額）－（取得費＋譲渡に要した費用）＝（譲渡益）

－34－

（譲渡益）－（譲渡所得の特別控除額）＝（譲渡所得金額）

（譲渡所得金額）×$\frac{1}{2}$＝（課税される所得金額）

（例）　長期譲渡益…………100万円

{100万円－50万円（特別控除額）}×$\frac{1}{2}$＝25万円

③　短期譲渡所得と長期譲渡所得がある場合

　この場合、特別控除についてはまず短期譲渡所得から控除することになっていますが、短期譲渡所得の金額が特別控除額よりも多いか、少ないかによって課税所得の計算方法は次のようになります。

＜イ＞　短期譲渡所得の金額が特別控除額よりも多いとき

　長期譲渡……（収入金額）－（取得費＋譲渡に要した費用）＝（長期譲渡益）

　短期譲渡……（収入金額）－（取得費＋譲渡に要した費用）＝（短期譲渡益）

　{（短期譲渡益）－（譲渡所得の特別控除額）}＋{（長期譲渡益）×$\frac{1}{2}$}＝（課税される所得金額）

　（例）　　短期譲渡益……100万円　　　長期譲渡益……60万円

　（100万円－50万円）＋60万円×$\frac{1}{2}$＝80万円

＜ロ＞　短期譲渡所得が特別控除額よりも少ないとき

　長期譲渡……（収入金額）－（取得費＋譲渡に要した費用）＝（長期譲渡益）

　短期譲渡……（収入金額）－（取得費＋譲渡に要した費用）＝（短期譲渡益）

　〔{（短期譲渡益）＋（長期譲渡益）}－（譲渡所得の特別控除額）〕×$\frac{1}{2}$＝（課税される所得金額）

　（例）　　短期譲渡益……20万円　　　長期譲渡益……100万円

　{（20万円＋100万円）－50万円}×$\frac{1}{2}$＝35万円

なお、譲渡所得について原則的なことを次に述べておきます。

①　同一人が１年間に二以上の資産を譲渡した場合には、各資産ごとに譲渡益を計算し譲渡益の計算上損失を生じた資産があるときは、その損失が短期保有資産の譲渡によるものである場合には、まず他の短期譲渡益から控除し、控除しきれない金額は長期譲渡益から控除します。

　次に、その損失が長期保有資産の譲渡によるものである場合には、まず他の長期譲渡益、つぎに短期譲渡益の順に控除します。

②　２人以上で共有している資産を譲渡した場合には、その持分に応じて各人ごとに譲渡所得を計算し、それぞれの譲渡所得から特別控除を行います。

　例えば、３人が同じ持分を有していた共有財産を600万円で売ったときは、各人の収入金額は３分の１、つまり200万円がその資産の譲渡による１人当たりの収入金額となり、それからその資産の取得費と譲渡経費の合計額の３分の１を差し引き、更に各人別に特別控除をして譲渡所得を計算することになります。もし３人のうちの１人が、そのほかにも譲渡所得があった場合には特別控除はその譲渡益の合計額から１回だけ控除することになります。

第二節　収　入　金　額

　所得税法は、収入金額について、その年において収入すべき金額、そしてその収入すべき金額が金銭以外の物又は権利その他経済的な利益をもって収入する場合には、その金銭以外の物又は権利その他経済的な利益の価額とすると規定し（所法36①）、金銭以外の物や権利その他経済的な利益の価額については、その物や権利を取得し、若しくは経済的な利益を享受する時の時価とする旨を規定しています（所法36②）。収入すべき金額とは、収入する権利の確定した金額をいうものとされています。

　したがって、譲渡所得における収入金額とは、資産の譲渡により収入すべき金額となります。そして、収入すべき金額が金銭以外の物や権利その他経済的利益である場合は、その物や権利の時価その

他経済的利益の価額、又は金銭とこれら権利等である場合は、金銭とその物や権利の時価その他経済的利益の価額の合計額が収入すべき金額となります。例えば、現物出資により資産を譲渡した場合には、現物出資により取得した株式の時価に相当する金額（相続税評価額ではありません。）が、また、資産の譲渡に関連し無利息の借入契約がなされた場合には、その経済的利益の価額と対価として受け取った譲渡代金との合計額が収入金額となります。

　また、収入すべき金額とは、収入する権利が確定した金額であると述べましたが、譲渡代金の一部しか受け取っていない場合であっても、譲渡代金の全部が収入金額となります。例えば、令和４年中に譲渡した資産の代金の一部しか受け取っておらず、その残額が未収となっている場合であっても、譲渡代金の全額が令和４年分の収入金額であるということになります。

　さて、それでは譲渡所得の総収入金額の収入すべき時期はいつかということが問題となります。

1　総収入金額の収入すべき時期（譲渡の時期）

　譲渡所得の総収入金額の収入すべき時期は、譲渡所得の基因となる資産の引渡しがあった日によります。しかし、譲渡に関する契約の効力発生の日に譲渡所得が発生したものとしても差し支えありません。

　また、農地法の規定により権利の移転について農業委員会又は都道府県知事の許可を受けなければならない農地若しくは採草放牧地（以下「農地等」といいます。）の譲渡又は届出をしてする農地等の譲渡については、農地等の引渡しがあった日の年分の総収入金額に算入して申告するのが原則ですが、農地等の譲渡に関する契約が締結された日の年分の総収入金額に算入して申告しても差し支えありません（所基通36－12）。

　また、譲渡代金の追加払いがあった場合の所得区分は、原則として、一時所得としますが、公簿面積と実測面積との開差を理由として取得する一時金その他資産の譲渡の対価であることが明らかな一時金は、譲渡所得として取り扱います。この場合の一時所得の課税時期は、一時金が具体的に確定した日によります。

(注)　譲渡所得の総収入金額の収入すべき時期は、その資産の引渡しがあった日によることになりますが、その収入すべき時期は、原則として譲渡代金の決済を了した日より後にはならないことに注意する必要があります。

2　譲渡資産のうちに短期保有資産と長期保有資産とがある場合の収入金額等の区分

　一の契約で譲渡した資産のうちに短期保有資産と長期保有資産とがある場合で、それぞれの資産の譲渡価額が明らかでないときは、それぞれの譲渡資産の収入金額は、その譲渡に係る収入金額の合計額をそれぞれの譲渡資産の譲渡の時の価額の比によってあん分して計算します。また、譲渡費用についても、個々の譲渡資産との対応関係が明らかでないものがあるときは、その譲渡費用の額をそれぞれの資産に係る収入金額の比であん分するなど合理的な方法によってそれぞれの資産に係る譲渡費用の額を計算します。この場合において、当事者の契約によりそれぞれの譲渡資産に対応する収入金額が区分されており、その区分がおおむね時価の比によって適正に区分されているときは、それによります（所基通33－11）。

3　借地権等を消滅させた後、土地を譲渡した場合等の収入金額の区分

　借地権等の設定されている土地の所有者が、借地権等を消滅させた後にその土地を譲渡し、又はその土地に新たな借地権等の設定（その設定による所得が譲渡所得とされる場合に限ります。）をした場合には、土地のうち借地権等の消滅時に取得したものとされる部分（以下「旧借地権部分」といいます。）及びその他の部分（以下「旧底地部分」といいます。）をそれぞれ譲渡し、又はそれぞれの部分について借地権等の設定をしたものとして取り扱われます。この場合における旧借地権部分及び旧底地部分に係る収入金額は、それぞれ次に掲げる算式により計算した金額によります（所基通33－11の２）。

第三章第三節《取得費》

（1） 旧借地権部分に係る収入金額

$$
\text{土地の譲渡の対価の額又は新たに設定した借地権等の対価の額} \times \frac{\text{旧借地権等の消滅時の旧借地権等の価額}}{\text{旧借地権等の消滅時の当該土地の更地価額}}
$$

（注） 「旧借地権等の消滅時の旧借地権等の価額」は、その借地権等の消滅につき対価の支払があった場合において、その対価の額が適正であると認められるときは、その対価の額（手数料その他の付随費用の額を含みません。）によることができます。

（2） 旧底地部分に係る収入金額

$$
\text{土地の譲渡の対価の額又は新たに設定した借地権等の対価の額} - \text{（1）の金額}
$$

（注） 借地権等を消滅させた後、土地を譲渡した場合等における譲渡所得の金額の計算上控除する取得費の額の区分については、第三節の5の(9)（53ページ）参照。

4 借地権者が底地を取得した後、土地を譲渡した場合等の収入金額の区分

借地権等を有する者が、借地権等に係る底地を取得した後にその土地を譲渡し、又はその土地に借地権等の設定（その設定による所得が譲渡所得とされる場合に限ります。）をした場合には、その土地のうちその取得した底地に相当する部分（以下「旧底地部分」といいます。）及びその他の部分（以下「旧借地権部分」といいます。）をそれぞれ譲渡し、又はそれぞれの部分について借地権等の設定をしたものとして取り扱われます。この場合における旧底地部分及び旧借地権部分に係る収入金額は、それぞれ次に掲げる算式により計算した金額によります（所基通33－11の3）。

（1） 旧底地部分に係る収入金額

$$
\text{土地の譲渡の対価の額又は設定した借地権等の対価の額} \times \frac{\text{旧底地の取得時の旧底地の価額}}{\text{旧底地の取得時の当該土地の更地価額}}
$$

（注） 「旧底地の取得時の旧底地の価額」は、その底地の取得につき対価の支払があった場合において、その対価の額が適正であると認められるときは、その対価の額（手数料その他の付随費用の額を含みません。）によることができます。

（2） 旧借地権部分に係る収入金額

$$
\text{土地の譲渡の対価の額又は設定した借地権等の対価の額} - \text{（1）の金額}
$$

（注） 底地を取得した後、土地を譲渡した場合等における譲渡所得の金額の計算上控除する取得費の額の区分については、第三節の5の(10)（54ページ）参照。

第三節 取 得 費

譲渡所得の金額の計算上控除する取得費は、原則として、その資産の取得に要した金額、設備費及び改良費の金額の合計額とされています(所法38①)。なお、譲渡資産が家屋その他使用又は期間の経過により減価する資産である場合には、償却費相当額を控除した金額が取得費とされます(所法38②)。

（注） 償却費の計算については「4 減耗資産の取得費の計算」（50ページ）を参照してください。

取得に要した金額とは、資産を取得した時の購入代金や製作原価にその資産を取得するために、直接要した費用などを加えた金額をいいます。設備費とは、資産を取得した後で付加した設備の費用をいい、改良費とは、資産を取得した後で加えた改良の費用で通常の修繕費以外のものをいいます。

つまり、取得費は、譲渡した資産の原価ともいうべきもので、譲渡所得を計算する上において、重要な役割をもっています。

なお、取得費は、譲渡した資産の取得時期が、「昭和28年1月1日以後」であるか「昭和27年12月31

－37－

日以前」であるかの別に応じ、後で述べるように、その計算方法が異なりますから御注意ください。

1 取 得 時 期

先に述べましたように、資産を取得した日から5年以内に譲渡された資産の譲渡所得、つまり短期譲渡所得については長期譲渡所得と異なり2分の1課税が行われません。したがって、譲渡所得が短期譲渡所得か長期譲渡所得かということで、譲渡者の税負担が異なってきますので、譲渡資産をいつ取得したかという、いわゆる取得時期の判定が重大な問題となってきます。そこで、税務上では、取得時期の判定について、取得原因や方法などにより、次のように取り扱うこととされています。

（注）　資産を「取得した日から5年以内」とは、その取得の日以後同日の5年目の応当日の前日までの期間をいいます。

（1）　購入資産の取得時期

資産が他から購入したものである場合には、原則として、資産の引渡しを受けた日によります。ただし、その資産の譲渡に関する契約の効力発生の日（農地法の規定による許可を受けなければならない農地等又は同法の規定による届出を要する農地等については、その農地等の譲渡に関する契約が締結された日）を取得の日として申告があったときは、その日が取得の日とされます(所基通33－9（1）、36-12)。

（2）　建設等により取得した資産の取得時期

自分で建設、製作又は製造をした資産である場合には、その建設等が完了した時とします。他に請け負わせて、建設等をした資産である場合は、その資産の引渡しを受けた時とします（所基通33－9（2）、（3））。

（3）　代替資産等の取得時期

譲渡所得の計算に当たって、所得税法や租税特別措置法の規定により特例の適用を受けた交換取得資産、代替資産、又は昭和44年の改正前の規定による特定の事業用資産の買換えの特例の適用を受けた買換取得資産の取得時期は、その代替資産等に係る交換譲渡資産又は買換譲渡資産の取得の時とします。

ただし、次に掲げる買換え又は交換の場合の課税の特例を適用した場合の買換取得資産又は交換取得資産については、それらの資産を実際に取得した時を取得時期とします。

イ　特定の居住用財産の買換え等の場合の長期譲渡所得の課税の特例（第二編第十章）

ロ　特定の事業用資産の買換え等の場合の課税の特例（第二編第十一章）

ハ　既成市街地等内にある土地等の中高層耐火建築物等の建設のための買換え等の場合の課税の特例（第二編第十二章）

ニ　特定普通財産とその隣接する土地等の交換の場合の特例（第二編第十四章）

（4）　相続、遺贈、個人からの贈与等により取得した資産の取得時期（次ページの表参照）

イ　昭和48年1月1日以降の取得の場合

相続、遺贈又は個人からの贈与により取得した資産の取得時期は、その被相続人、遺贈者又は贈与者が取得した時となります。

ただし、限定承認した相続及び限定承認した包括遺贈により取得した資産の取得時期は、その相続、遺贈を受けた時となります。

ロ　昭和47年12月31日以前の取得の場合

（イ）　相続や包括遺贈（ともに昭和40年4月1日以後の限定承認に係るものを除きます。）、相続人に対する特定遺贈又は贈与（相続人に対するもので被相続人である贈与者の死亡により効力を生じるものに限られます。）により取得した資産の取得時期は、その被相続人、遺贈者又は贈与者が取得した時。

－38－

第三章第三節《取得費》

贈与等による場合の取得時期一覧表 （所基通60−1〔表4〕）

贈与等の区分		昭25.4.1〜昭26.12.31	昭27.1.1〜昭28.12.31	昭29.1.1〜昭32.12.31	昭33.1.1〜昭36.12.31	昭37.1.1〜昭40.3.31	昭40.4.1〜昭47.12.31	昭48.1.1〜
贈与	① 被相続人からの死因贈与							
	② ①以外の贈与					(有) (無)	(有) (無)	
相続	③ 限定承認に係る相続						(有) (無)	
	④ ③以外の相続							
遺贈 包括遺贈	⑤ 限定承認に係る包括遺贈						(有) (無)	
	⑥ ⑤以外の包括遺贈							
遺贈 特定遺贈	⑦ 被相続人からの特定遺贈							
	⑧ ⑦以外の特定遺贈					(有) (無)	(有) (無)	
低額譲渡	譲渡の対価が取得費・譲渡費用の合計額以上のもの					(有) (無)	(有) (無)	
	譲渡の対価が取得費・譲渡費用の合計額未満のもの					(有) (無)	(有) (無)	

（**注1**）　━━━━━ の期間内に取得した資産は、その取得の時の時価に相当する金額により、当該取得の時において取得したものとみなされることを示します。

　　　　　 ……………… の期間内に取得した資産は、贈与者等がその資産を保有していた期間を含めて引き続き所有していたとみなされることを示します。

　　　　　 〜〜〜〜〜 の期間内に取得した資産は、実際の譲受けの対価をもって、当該取得の時において取得したものとされることを示します。

（**注2**）　「(有)」は、贈与者等について、所得税法の一部を改正する法律（昭和48年法律第8号）による改正前の所得税法第59条第1項《みなし譲渡課税》の規定の適用があったことを示します。「(無)」は、同条第2項の規定による書面《贈与等に関する明細書》を提出したことにより、贈与者等について、同条第1項の規定の適用がなかったことを示します。

第三章第三節《取得費》

（ロ）　（イ）以外の相続や遺贈又は贈与により取得した資産の取得時期は、その相続、遺贈、贈与を受けた時。ただし、相続、遺贈、贈与を受けたときにみなし譲渡の課税を受けないための「贈与等に関する明細書」が提出されている場合には、その被相続人、遺贈者、贈与者が取得した時。

（5）　個人からの低額譲渡により取得した資産の取得時期（前ページの表参照）

　低額譲渡により取得した資産の取得時期は、原則として**(1)**によるわけですが、個人から時価の2分の1より低い価額で譲り受けたときの取得価額が、その低額譲渡に係る譲渡所得の金額の計算上控除される取得費及び譲渡費用の合計額に満たない場合（低額で譲り受けたのが昭和47年12月31日以前である場合には、みなし譲渡の課税を受けないための「贈与等に関する明細書」が提出されているものに限ります。）は、低額譲渡を行った者が取得した日、取得費及び譲渡費用の合計額以上の場合は、低額で譲り受けた日となります。

（6）　借地権者が取得した底地の取得時期等

　借地権（その他土地の上に存する権利を含みます。以下「借地権等」といいます。）を有する者がその権利の設定されている土地（以下「底地」といいます。）を取得した場合には、その土地の取得の日は、底地に相当する部分とその他の部分を別々に判定することになっています。

　また、底地を有する者が、その土地に係る借地権等を取得した場合も同様です（所基通33－10）。

（7）　リース資産の売買があったものとされた場合のリース物件の取得時期

　リース取引（平成20年4月1日以後に締結された契約に係るリース取引に限ります。）をした場合には、そのリース資産の賃貸人から賃借人への引渡しの時にそのリース資産の売買があったものとされますので、取得時期はその引渡しの時となります（所法67の2①）。

　なお、譲受人から譲渡人に対する賃貸（リース取引に該当するものに限ります。）を条件に資産の売買を行った場合において、その資産の種類、その売買及び賃貸に至るまでの事情その他の状況に照らし、これら一連の取引が実質的に金銭の貸借であると認められるときは、その資産の売買はなかったものとし、その譲受人から譲渡人に対する金銭の貸付けがあったものとされます（所法67の2②）。

（注）　上記のリース取引とは、資産の賃貸借で、次の要件を満たすものをいいます（所法67の2③）。

　　（イ）　その賃貸借に係る契約が、賃貸借期間の中途においてその解除をすることができないものであること又はこれに準ずるものであること。

　　（ロ）　その賃貸借に係る賃借人がその賃貸借に係る資産からもたらされる経済的な利益を実質的に享受することができ、かつ、その資産の使用に伴って生ずる費用を実質的に負担すべきこととされているものであること。

2　昭和28年1月1日以後に取得した資産の取得費

（1）　取得価額（資産の取得に要した金額）

　譲渡した資産を取得したときの態様の別に応じ、それぞれ次の金額になります。

イ　他から買い入れた資産

（イ）　買入代金のほか買入手数料、登録免許税、登録に要する費用、不動産取得税、土地の取得に対して課される特別土地保有税、引取運賃、荷役費、運送保険料、関税、搬入費、据付費など、その資産の購入のために要した費用及びその資産を使用するために直接要した費用の金額の合計額によります。

（ロ）　土地を建物付きで取得した場合等で、その建物等を取得後おおむね1年以内に取り壊すなど当初からその土地を利用する目的であることが明らかである場合には、その建物等の取得に要した金額及び取壊しに要した費用の合計額（発生資材がある場合はその処分価額を差し引いた額）は、土地の取得価額に算入されます（所基通38－1）。

（ハ）　土地建物等の取得の際、その土地建物等を使用していた者に支払う立退料などはその土地、建物等の取得価額に算入されます。

（ニ）　一括して購入した土地の一部を譲渡した場合には、土地全体の取得価額を面積の比により配

－40－

分して計算した金額によりますが、譲渡した部分の土地の時価と残部分の土地の時価の比により配分して計算した金額によることもできます（所基通38－1の2）。

（注）　業務の用に供される資産に係る固定資産税、登録免許税（登録に要する費用を含み、その資産の取得価額に算入されるものを除きます。）、不動産取得税、特別土地保有税、事業所税、自動車取得税等は、当該業務に係る各種所得の金額の計算上、必要経費に算入されます（所基通37－5）。

（業務の用に供される資産には、相続等又は贈与により取得した資産を含みます。）

ロ　自分で製作や建設などをした資産

　その資産の製作や建設などのために要した材料費、労務費及び経費のほか、その資産の登録免許税、登録に要する費用、不動産取得税などの間接的な費用並びにその資産を使用するために直接要した費用の金額の合計額によります。

ハ　相続、遺贈、個人からの贈与等により取得した資産（39ページの表参照）

（イ）　昭和48年1月1日以後の取得の場合

　相続、遺贈及び個人からの贈与により取得した場合は、相続人などがその資産を引き続き有していたものとみなされて、その被相続人、遺贈者又は贈与者がその資産を取得した時の価額が取得費となります（所法60①一）。

　ただし、限定承認した相続及び限定承認した包括遺贈により取得した場合は、その相続、遺贈を受けた時にその資産の時価により譲渡されたものとみなされますから、その時の価額がその資産の取得費となります（所法60②）。

（ロ）　昭和47年12月31日以前の取得の場合

〈イ〉　相続や包括遺贈（ともに昭和40年4月1日以後の限定承認に係るものを除きます。）、相続人に対する特定遺贈又は死因贈与（相続人に対する被相続人である贈与者の死亡により効力を生じるものに限られます。）により取得した場合には、相続人などがその資産を引き続き有していたものとみなされて、その被相続人、遺贈者又は贈与者がその資産を取得した時の取得費となります。

〈ロ〉　〈イ〉以外の相続や遺贈又は個人からの贈与により取得した場合には、その相続や遺贈、贈与を受けた時に、その資産の時価により譲渡されたものとみなされますから、その時の価額がその資産の取得費となります。ただし、みなし譲渡課税を受けないための「贈与等に関する明細書」が提出されている場合は〈イ〉によります。

（注）　贈与等（上記(イ)の贈与、相続又は遺贈）により譲渡所得の基因となる資産を取得した場合には、その受贈者等がその資産を取得するために通常必要と認められる費用（例：不動産登記費用、名義書換手数料など）は、その費用のうちその資産に対応する金額については、イの(注)などの取扱いの適用のあるものを除き、その資産の取得費に算入することができます（所基通60－2）。

（贈与等以外の事由により非業務用の固定資産を取得した場合の登録免許税等は、(7)参照）

ニ　財産分与により取得した資産

　民法第768条《財産分与》（同法第749条及び第771条で準用する場合を含みます。）の規定による財産の分与により取得した資産は、その取得した者が分与を受けた時の価額で取得したことになります（所基通38－6）。

ホ　個人からの低額譲渡により取得した資産

（イ）　昭和48年1月1日以後の取得の場合

　個人に対する低額譲渡（負担付き贈与を含みます。）については、贈与税が課税されたかどうかにかかわらず、所得税のみなし譲渡課税の制度がありませんので、実際に買った価額又は負担した債務の額が取得費となります。ただし、時価の2分1に満たない金額により資産を譲り受けた場合で、実際に支払った金額又は負担した債務の額が、その資産の譲渡人又は贈与者の取得費及び譲渡に要した費用の合計額に満たないときには、譲受人がその資産を引き続き有していたものとみなして、譲渡人又は贈与者がはじめに取得した時の取得費が、その資産の取得費となります（所法60①二）。

－41－

（ロ）　昭和47年12月31日以前の取得の場合

　　　昭和47年以前は、低額譲渡の場合には、譲渡を受けた時の資産の価額で譲渡されたものとみなされて譲渡所得の課税が行われていましたから、その時の価額がその資産の取得費となります。

　　　ただし、昭和37年１月１日以後の低額譲渡については、譲渡人がみなし譲渡所得の課税を受けないための「贈与等に関する明細書」が提出されている場合には、みなし譲渡所得が課税されないことになりますので、実際に買った価額が取得費となります。

　　　この場合、実際に支払った金額が、その資産の譲渡人の取得費及び譲渡に要した費用の合計額よりも少ないときには、譲受人がその資産を引き続き有していたものとみなして、譲渡人がはじめに取得した時の取得費が、その資産の取得費となります。

ヘ　交換や買換えなどにより取得し課税の特例の適用を受けた資産

　　譲渡所得にはいろいろな特例が設けられていますが、そのほとんどが、非課税規定でなく譲渡した資産の取得費を取得した資産に引き継がせることにより、課税を繰り延べることとする特例です。

　　したがって、この場合の取得費はいろいろな特例によりその計算の方法が異なりますので、詳しいことは第二編で説明することとし、ここでは、簡単に述べておきます。なお、次ページに次のＡ、Ｂ、Ｃの各場合の消費税の経理方式に応じた計算例を掲げておきます。

Ａ　一般の交換や買換えの場合（下記のＢに該当する場合を除きます。）

　①　交換や買換えにより譲渡した資産の譲渡価額〈Ａ〉が、交換により取得した資産の価額や買換資産の取得費〈Ｂ〉以上のとき………

$$\left(\begin{array}{l}\text{交換、買換えにより譲}\\\text{渡した資産の取得費}\end{array}\langle C\rangle+\begin{array}{l}\text{これらの資産}\\\text{の譲渡費用}\end{array}\langle D\rangle\right)\times\dfrac{\langle B\rangle}{\langle A\rangle}=\text{取得費}$$

　②　〈Ａ〉が〈Ｂ〉より少ないとき………（〈Ｃ〉＋〈Ｄ〉）＋（〈Ｂ〉−〈Ａ〉）＝取得費

Ｂ　特定事業用資産の買換えの場合

　①　旧資産の譲渡価額〈Ａ〉が、買換えにより取得した資産の取得価額（又は交換取得資産の価額）〈Ｂ〉以上のとき………

$$\left(\begin{array}{l}\text{旧資産の}\\\text{取得費}\end{array}\langle C\rangle+\begin{array}{l}\text{旧資産の}\\\text{譲渡費用}\end{array}\langle D\rangle\right)\times\dfrac{\langle B\rangle\times 0.8}{\langle A\rangle}+\langle B\rangle\times 0.2=\text{取得費}$$

　②　〈Ａ〉が〈Ｂ〉より少ないとき………（〈Ｃ〉＋〈Ｄ〉）×0.8＋〈Ａ〉×0.2＋（〈Ｂ〉−〈Ａ〉）＝取得費

（注）　上記算式中の「0.2」及び「0.8」は、買換資産が次に掲げる資産に該当する場合は、それぞれに定めるとおり読み替えて適用します。

　　イ　平成15年改正前の租税特別措置法第37条第１項の表の第19号の下欄に掲げる資産（特定のものに限ります。）　「0.2」→「0.1」、「0.8」→「0.9」

　　ロ　平成13年改正前の租税特別措置法第37条第１項の表の第11号の下欄に掲げる資産　「0.2」→「0.1」、「0.8」→「0.9」

　　ハ　平成13年改正前の租税特別措置法第37条第１項の表の第20号の下欄に掲げる資産　「0.2」→「0.4」、「0.8」→「0.6」

Ｃ　収用などの場合

　①　補償金などで買った代替資産

　　イ　譲渡資産の補償金などから譲渡費用（譲渡費用を補てんするための補償金などを受け取っている場合は、その補償金などで補てんされる部分の費用を除きます。）を差し引いた金額〈Ａ〉が、代替資産の取得価額〈Ｂ〉以上であるとき………

$$\text{旧資産の取得費}\langle C\rangle\times\dfrac{\langle B\rangle}{\langle A\rangle}=\text{取得費}$$

　　ロ　〈Ａ〉が〈Ｂ〉より少ないとき………〈Ｃ〉＋（〈Ｂ〉−〈Ａ〉）＝取得費

② 換地処分などで取得した交換取得資産

イ　交換取得資産〈A〉だけを受け取り、清算金〈B〉などを受け取らないとき………
　　　旧資産の取得費〈C〉＋譲渡費用〈D〉＝取得費

ロ　〈A〉と〈B〉とを受け取ったとき………

$$(\langle C\rangle+\langle D\rangle)\times\frac{\text{交換取得資産の価額}}{\langle A\rangle+\langle B\rangle}=\text{取得費}$$

ハ　〈A〉を受け取り、〈B〉を支払ったとき………〈C〉＋〈D〉＋〈B〉＝取得費

消費税及び地方消費税の経理方式と引継取得価額　　　　　　　（1万円未満の端数については切り捨てて計算しています。）

	内　容		交換・買換えなどにより取得した資産の引継ぎ取得価額の計算	
	譲　渡　内　容　等	買換（代替）等の内容	税込経理方式による場合（万円）	税抜経理方式による場合（万円）
上記のAの場合／上記のBの場合	〈A〉譲渡価額8,150万円（内消費税等150万円）	イ　取得価額4,100万円（内消費税等100万円）	$(\langle B\rangle500+\langle C\rangle300)\times\dfrac{4,100}{8,150}=402$	$(\langle B\rangle500+\langle C\rangle285)\times\dfrac{4,000}{8,000}=392$
	〈B〉取得費500万円（消費税法施行前に取得）	イ　取得価額10,250万円（内消費税等250万円）	$(\langle B\rangle500+\langle C\rangle300)+$ $(10,250-8,150)=2,900$	$(\langle B\rangle500+\langle C\rangle285)+$ $(10,000-8,000)=2,785$
	〈C〉譲渡費用300万円（内消費税等15万円）	イ　取得価額4,100万円（内消費税等100万円）	$(\langle B\rangle500+\langle C\rangle300)\times$ $\dfrac{4,100\times0.8}{8,150}+4,100\times0.2=1,141$	$(\langle B\rangle500+\langle C\rangle285)\times$ $\dfrac{4,000\times0.8}{8,000}+4,000\times0.2=1,114$
		ロ　取得価額10,250万円（内消費税等250万円）	$(\langle B\rangle500+\langle C\rangle300)\times0.8+8,150$ $\times0.2+(10,250-8,150)$ $=4,370$	$(\langle B\rangle500+\langle C\rangle285)\times0.8+8,000$ $\times0.2+(10,000-8,000)=4,228$
上記Cの場合	①　補償金による代替資産 〈A〉補償金8,000万円（消費税等0円）	イ　代替資産の取得価額4,100万円（内消費税等100万円）	$\langle B\rangle500\times\dfrac{4,100}{8,000}=256$	$\langle B\rangle500\times\dfrac{4,000}{8,000}=250$
	〈B〉取得費500万円（消費税法施行前に取得） 〈C〉譲渡費用0円	ロ　代替資産の取得価額10,250万円（内消費税等250万円）	$\langle B\rangle500+(10,250-8,000)$ $=2,750$	$\langle B\rangle500+(10,000-8,000)$ $=2,500$
	②　換地処分による交換取得資産 〈A〉交換譲渡資産価額8,000万円 （消費税等0円）	イ　交換取得資産価額8,000万円（消費税等0円）	$\langle B\rangle500$	$\langle B\rangle500$
	〈B〉取得費500万円（消費税法施行前に取得）	ロ　交換取得資産価額5,000万円（消費税等0円）受け取った清算金3,000万円	$\langle B\rangle500\times\dfrac{5,000}{5,000+3,000}=312$	$\langle B\rangle500\times\dfrac{5,000}{5,000+3,000}=312$
	〈C〉譲渡費用0円	ハ　交換取得資産価額10,000万円（消費税等0円）支払った清算金2,000万円	$\langle B\rangle500+2,000=2,500$	$\langle B\rangle500+2,000=2,500$

(注)「税込経理方式による場合」とは、消費税の免税事業者やサラリーマンなどの非事業者及び消費税の課税事業者のうち、譲渡資産を業務の用に供していた各種所得を生ずべき業務について消費税及び地方消費税の税込経理方式を採用している場合をいいます。

（2）設備費
資産を取得した後に付加した設備の費用をいい、上記（1）の「イ」か「ロ」に準じて計算した額です。

（3）改良費
資産を取得した後に加えた改良の費用で通常の修繕費（壁の塗り替え、床の取替えなど）以外のものをいい、上記（1）の「イ」か「ロ」に準じて計算した額ですが、実際には修繕費との区別の判定が非常に難しい場合があるようです。

　所得税法では、特に譲渡所得の金額の計算上控除する改良費について規定していませんが、支出がその資産の使用可能期間を延長させることとなる場合、あるいはその資産の価値を増加させることとなる場合、いわゆる資本的支出と認められる場合のその支出した金額は改良費と考えられます（所令181）。

（4）所有権等を確保するために要した訴訟費用等
取得に関して争いのある資産についてその所有権等を確保するために直接要した訴訟費用、和解費用等の額は、その支出した年分の各種所得の金額の計算上必要経費に算入されたものを除き、資産の

取得に要した金額になります（所基通38－2）。

（5）　代償分割に係る資産の取得費

遺産の代償分割に係る資産の取得費については、次に掲げるところにより取り扱うこととされています（所基通38－7）。

イ　代償分割により共同相続人のうち特定の者が他の共同相続人の全部又は一部の者に対して負担した債務に相当する金額は、その債務を負担した者がその代償分割に係る相続により取得した資産の取得費には算入されません。

ロ　代償分割により他の共同相続人に対して債務を負担した者から、その債務の履行として取得した資産は、その履行があった時においてその時の価額により取得したこととなります。

（6）　取得費等に算入する借入金の利子等

固定資産の取得のために借り入れた資金の利子（賦払の契約により購入した固定資産に係る購入代価と賦払期間中の利子及び賦払金の回収費用等に相当する金額とが明らかに区分されている場合の利息及び回収費用等に相当する金額を含みます。）のうち、その資金の借入れの日から固定資産の使用開始の日（固定資産を取得後、使用しないで譲渡した場合には、譲渡の日とします。以下同じ。）までの期間に対応する部分の金額（業務の用に供される資産でその業務に係る所得金額の計算上必要経費に算入されたものを除きます。）は、取得費又は取得価額に算入されます。

また、この資金を借り入れる際に支出した公正証書作成費用、抵当権設定登記費用、借入れの担保として締結した保険契約に基づき支払う保険料その他の費用で通常必要と認められるものについても取得費又は取得価額に算入されます（所基通38－8）。

イ　「使用開始の日」は、次により判定します（所基通38－8の2）。

　（イ）　土地等については、その使用の状況に応じ、それぞれ次に定める日によります。

　　　A　新たに建物・構築物等の敷地の用に供する土地等の場合又は既に建物・構築物等の存する土地等の場合

　　　　その建物・構築物等を居住の用、事業の用その他そのものの本来の目的の用途に供した日（その建物・構築物等が土地等の取得の日前からその者の居住の用などに供されている場合には、その土地等の取得の日）

　　　B　建物・構築物等の施設を設けない場合

　　　　そのものの本来の目的のための使用を開始した日。ただし、その土地等が取得の日前から取得者によって使用されていた土地等であるときは、その取得の日によります。

　（ロ）　建物・構築物・機械装置等（（ハ）に該当するものは除きます。）については、そのものの本来の目的のための使用を開始した日によります。ただし、その建物等がその取得の日前から取得者によって使用されていた場合にはその取得の日によります。

　（ハ）　書画・骨とう・美術工芸品などその資産の性質上、取得の時が使用開始の時であると認められる資産については、その取得の日によります。

ロ　借入金により取得した資産を使用した後に譲渡した場合には、使用開始があった日後、譲渡の日までの間に使用しなかった期間があるときであっても、使用開始があった日後譲渡の日までの期間に対応する部分の借入金の利子は、取得費等に算入されません（所基通38－8の3）。

ハ　固定資産を取得するために要した借入金を借り換えた場合には、借換え前の借入金の額（借換え時までの当該借入金に係る未払利子を含みます。）と借換え後の借入金の額とのうちいずれか低い金額は、借換え後もその固定資産の取得資金に充てられたものとして取り扱われます（所基通38－8の4）。

ニ　固定資産を取得するために借り入れた資金が購入手数料その他の固定資産の取得費に算入される費用に充てられた場合にも、その借入金の利子については、取得費等に算入されます。

ホ　借入金により取得した固定資産の一部を譲渡した場合には、次のように借入金を譲渡した固定資

産とその他の固定資産に取得時の価額の比であん分し、譲渡した固定資産の取得費に算入する借入金の利子を計算します（所基通38−8の5）。

$$\text{譲渡した固定資産の借入金}=\text{借入金}\times\frac{\text{譲渡した固定資産の取得時の価額}}{\text{借入対象とした固定資産の取得時の価額}}$$

ヘ　借入金により取得した固定資産を譲渡し、その譲渡代金をもって他の固定資産を取得した場合には、次のうち最も低い金額に相当する額が、その譲渡の日において、新たに取得した固定資産の取得のために借り入れた借入金とされます（所基通38−8の6）。

（イ）　譲渡の日における借入金の残存額（譲渡した固定資産が借入金により取得した固定資産の一部である場合は、上記「ホ」により計算した譲渡資産に対応する借入金の残存額とします。）

（ロ）　譲渡資産の譲渡価額

（ハ）　新たに取得した固定資産の取得価額

　　なお、その譲渡につき租税特別措置法に規定する課税の繰延べの特例（第二編第四章第五節及び第六節並びに第十章〜第十二章に述べる収用交換等の特例並びに買換えの特例をいいます。）の規定を受ける場合には、上記により新たに取得した固定資産のために借り入れたものとされる借入金の利子は、代替資産又は買換資産（以下トまでにおいて「代替資産等」といいます。）の取得価額の計算上、次のように区分して取り扱うことができます。

（1）　譲渡資産の譲渡の日から代替資産等の取得の日までの期間に対応する部分の利子の額……課税の繰延べの特例を適用するに当たり計算する代替資産等の取得に要した金額に算入する。

（2）　代替資産等の取得の日後、使用開始の日までの期間に対応する部分の利子の額……課税の繰延べの特例を適用した後に代替資産等の取得価額とされる金額（圧縮された取得価額）に加算する。

ト　租税特別措置法の規定により課税の繰延べの特例（第二編第四章第五節及び第六節及び第十章〜第十二章に述べる収用交換等の特例並びに買換えの特例をいいます。）の規定の適用を受ける場合に、代替資産等を借入金によって取得したときの借入金利子は、次の二つの場合以外には取得費又は取得価額に算入されません（所基通38−8の8）。

（イ）　譲渡資産の譲渡に先立って代替資産等を取得した場合には、借入れの日から譲渡資産の譲渡の日（代替資産等の使用開始の日の方が早いときは、使用開始の日）までの期間に対応する部分の借入金の利子は代替資産等の取得費又は取得価額に算入されます。

（ロ）　代替資産等の取得価額が譲渡資産の譲渡収入金額を超える場合には、借入れの日から代替資産等の使用開始の日までの期間について、代替資産等の取得価額のうち譲渡資産の譲渡収入金額を超える部分の金額に対応する部分の借入金の利子は、代替資産等の取得費又は取得価額に算入されます。

チ　借入金によって取得した固定資産を交換により譲渡した場合には、次のうちいずれか低い金額に相当する額が、その交換の日において、交換取得資産を取得するために借り入れた借入金の額とされます（所基通38−8の7）。

（イ）　交換の日におけるその借入金の残存額（ヘの（イ）に同じ。）

（ロ）　交換取得資産の価額

　　租税特別措置法に規定する交換処分等又は換地処分等（措法33の2①、33の3）があった場合についても同様に扱います。

　　なお、固定資産の交換に際して、交換差金を支払うために借り入れた資金は、交換取得資産の取得のために借り入れたものとして取り扱われます。

リ　被相続人が借入金により取得し、かつ、いまだ使用していなかった固定資産を、相続人が相続又は遺贈により取得するとともに、その借入金をも承継した場合には、次の金額のうちいずれか低い

−45−

金額に相当する借入金は、その相続人が相続開始の日において、当該固定資産の取得のために借り入れたものとされます（所基通38-8の9）。

（イ）　相続人が承継した借入金の額

（ロ）　相続開始の日における、次の算式により計算した金額

$$被相続人の借入金残存額 \times \frac{当該固定資産のうち相続人が取得した部分の価額}{当該固定資産の価額}$$

　なお、被相続人の借入れの日から相続開始の日までの期間に対応する部分の借入金の利子は、相続に係る固定資産の取得費又は取得価額に算入されて、相続人に承継されることになります（所法60①）。

（7）　非業務用の固定資産に係る登録免許税等

　固定資産（業務の用に供されるものを除きます。）に係る登録免許税（登録に要する費用を含みます。）、不動産取得税等固定資産の取得に伴い納付することとなる租税公課は、その固定資産の取得費に算入します（所基通38-9）。

（注1）　贈与等による取得に伴い納付することとなる登録免許税等については、（1）のハの（注）参照。

（注2）　業務の用に供される資産に係る登録免許税等については、（1）のイの（注）及び所基通49-3《減価償却資産に係る登録免許税等》参照。

（8）　契約解除に伴う違約金

　いったん固定資産の取得に関する契約を締結したが、更に有利な条件の固定資産を取得することなどのために違約金を支払って解約し、改めて別個の契約をした場合、その違約金は各種所得金額の計算上必要経費に算入されたものを除き、新たに取得する固定資産の取得費又は取得価額に算入します（所基通38-9の3）。

（9）　土地についてした防壁、石垣積み等の費用

　土地の埋立て、土盛り、地ならし、切土、防壁工事その他土地の造成又は改良のために要した費用の額は、その土地の取得費に算入します。ただし、次のような場合は次のように取り扱います（所基通38-10）。

イ　防壁、石垣積み等であっても、その規模、構造等からみて土地と区分することが適当と認められるものの費用の額は、構築物の取得費とすることができます。

ロ　地質調査、地盤強化、土盛り、特殊な切土などで専ら建物、構築物の建設のために行うものであって、土地の改良のためのものでない工事に要した費用の額は、その建物又は構築物の取得費に算入します。

ハ　上下水道の工事費についても、上記イ又はロと同様に扱います。

ニ　土地の測量費は、各種所得の金額の計算上必要経費に算入されたものを除き、土地の取得費に算入します。

（10）　リース資産の売買があったものとされた場合のリース物件の取得費

　1の（7）の規定によりリース資産の売買があったものとされた場合において、賃借人におけるそのリース資産の取得価額は、原則として、そのリース期間中に支払うべきリース料の額の合計額によります。ただし、そのリース料の額の合計額のうち利息相当額から成る部分の金額を合理的に区分することができる場合には、そのリース料の額の合計額からその利息相当額を控除した金額をそのリース資産の取得価額とすることができます。（所基通49-30の10）。

（注1）　再リース料の額は、原則として、リース資産の取得価額に算入しません。ただし、再リースをすることが明らかな場合には、その再リース料の額は、リース資産の取得価額に含まれます。

（注2）　リース資産を業務の用に供するために賃借人が支出する付随費用の額は、リース資産の取得価額に含まれます。

（注3）　（10）のただし書によりリース料の額の合計額から利息相当額を控除した金額をそのリース資産の取得価額とする場合には、その利息相当額はリース期間の経過に応じて利息法又は定額法により必要経費の額

に算入します。

(11) 消費税等の課された物件の取得費

建物などの消費税課税物件の取得価額には、平成元年4月1日以後は消費税が、平成9年4月1日以後は消費税及び地方消費税（以下「消費税等」といいます。）が含まれていますが、消費税の免税事業者、非事業者及び消費税課税事業者の非業務用資産（住宅等）については、その消費税等の額も取得費に含めることになります。また、消費税課税事業者が取得した業務用資産についても、消費税等の経理処理で税込処理方式を採用している場合には、同様に消費税等込みの取得価額が取得費となります。税抜経理方式を採用している場合には、消費税等抜きの取得価額が取得費となります。

資産に係る控除対象外消費税額等を資産の取得価額に算入した場合のその消費税等の額も取得費又は取得価額に算入されます（第四節参照）。

(12) 借地権の取得費

借地権の取得費には、土地の賃貸借契約又は転貸借契約（これらの契約の更新及び更改を含みます。以下「借地契約」といいます。）に当たり、借地権の対価として土地所有者又は借地権者に支払った金額のほかに次に掲げるような金額を含みます。ただし、イに掲げる金額については建物等の購入代価のおおむね10%相当額以下の金額であるときは、建物等の取得費に含めることができます（所基通38-12）。

イ　土地の上に存する建物等を取得した場合の建物等の購入代価のうち借地権の対価と認められる部分の金額

ロ　賃借した土地の改良のためにした土盛り、地ならし、埋立て等の整地に要した費用の額

ハ　借地契約に当たり支出した手数料その他の費用の額

ニ　建物等を増改築するに当たり土地の所有者又は借地権者に対して支出した費用の額

(13) 治山工事等の費用

天然林を人工林に転換するために必要な地ごしらえ又は治山の工事のために支出した金額は、構築物の取得費に算入されるものを除いて、林地の取得費に算入します（所基通38-13）。

(14) 土石等の譲渡に係る取得費

土地の地表又は地中にある土石等の譲渡による所得は譲渡所得となりますが、土地そのものの譲渡ではないので、本来譲渡所得の金額の計算上控除する取得費の額はないことになります。しかし、土石等の譲渡後の土地の価額がその土地の取得費に相当する金額に満たない状態になる場合もありますので、土石等を譲渡した場合の譲渡所得の計算上控除する取得費は次の区分に応じて取り扱われます（所基通38-13の2）。

イ　土石等の譲渡後における土地の価額が、その土地の取得費に相当する金額以上である場合は、土石等に係る取得費はないものとします。

ロ　土石等の譲渡前における土地の価額が、その土地の取得費に相当する金額以上であるときに、土石等の譲渡後の土地の価額がその土地の取得費に満たなくなる場合は、土地の取得費が土石等の譲渡後の土地の価額を超える部分を、土石等の取得費とします。

ハ　土石等の譲渡前における土地の価額が、既にその土地の取得費に満たないものとなっていた場合には、土石等の譲渡前における価額が土石等の譲渡後の土地の価額を超える部分を、土石等の取得費とします。

以上の場合において、土石等の譲受者が、土石等の採取後その土地について原状回復を行う場合には、「土石等の譲渡後の土地の価額」は原状回復後の土地の価額によります。また、土地の所有者が原状回復等を行う場合には、その原状回復等に要した費用の額はその土地自体の取得費に算入します。

(15) 一括取得した土地・建物を譲渡した場合の取得価額の計算

過去に一括取得した土地・建物を譲渡した場合の取得価額の区分計算は、通常次の3つの方法のいずれかによることになります。

第三章第三節《取得費》

イ 取得時の契約において土地と建物の価額が区分されている場合は、その価額によります。

ロ 契約上建物の価額が明らかでない場合であっても、建物に課された消費税等の額が明らかなときは、その消費税等の額を基に建物の取得価額を算定します。

ハ 購入時の契約において土地と建物の価額が区分されていない場合は、購入価額の総額を購入時のそれぞれの時価で合理的に按分して計算します。

なお上記ハの場合においては、建物の建築年と木造、鉄骨造等の構造別に1㎡当たりの標準的な建築価額を定めた次の「建物の標準的な建築価額」表を目安にして建物の取得価額を算定することが認められます。

(注1) 「建物の標準的な建築価額」表による場合は、譲渡建物の建築年に対応する同表の建築単価（年別・構造別）にその建物の床面積を乗じた金額をその建物の取得価額とします。

なお、建物がマンション等である場合の床面積は、その者が有する専有部分の床面積によっても差し支えありません。

(注2) 中古の建物を取得している場合には、その建物が建築された年に対応する「建物の標準的な建築価額」表の単価に床面積を乗じて求めた建築価額を基に、その建築時から取得時までの経過年数に応じた償却費相当額を控除した残額を取得価額として計算して差し支えありません。

「建物の標準的な建築価額」表

(千円／㎡)

建築年＼構造	木 造・木骨モルタル造	鉄骨鉄筋コンクリート造	鉄 筋コンクリート造	鉄骨造
昭和34	8.7	34.1	20.2	13.7
35	9.1	30.9	21.4	13.4
36	10.3	39.5	23.9	14.9
37	12.2	40.9	27.2	15.9
38	13.5	41.3	27.1	14.6
39	15.1	49.1	29.5	16.6
40	16.8	45.0	30.3	17.9
41	18.2	42.4	30.6	17.8
42	19.9	43.6	33.7	19.6
43	22.2	48.6	36.2	21.7
44	24.9	50.9	39.0	23.6
45	28.0	54.3	42.9	26.1
46	31.2	61.2	47.2	30.3
47	34.2	61.6	50.2	32.4
48	45.3	77.6	64.3	42.2
49	61.8	113.0	90.1	55.7
50	67.7	126.4	97.4	60.5
51	70.3	114.6	98.2	62.1
52	74.1	121.8	102.0	65.3
53	77.9	122.4	105.9	70.1
54	82.5	128.9	114.3	75.4
55	92.5	149.4	129.7	84.1
56	98.3	161.8	138.7	91.7
57	101.3	170.9	143.0	93.9
58	102.2	168.0	143.8	94.3
59	102.8	161.2	141.7	95.3
60	104.2	172.2	144.5	96.9
61	106.2	181.9	149.5	102.6

－48－

第三章第三節《取得費》

昭和62	110.0	191.8	156.6	108.4
63	116.5	203.6	175.0	117.3
平成元	123.1	237.3	193.3	128.4
2	131.7	286.7	222.9	147.4
3	137.6	329.8	246.8	158.7
4	143.5	333.7	245.6	162.4
5	150.9	300.3	227.5	159.2
6	156.6	262.9	212.8	148.4
7	158.3	228.8	199.0	143.2
8	161.0	229.7	198.0	143.6
9	160.5	223.0	201.0	141.0
10	158.6	225.6	203.8	138.7
11	159.3	220.9	197.9	139.4
12	159.0	204.3	182.6	132.3
13	157.2	186.1	177.8	136.4
14	153.6	195.2	180.5	135.0
15	152.7	187.3	179.5	131.4
16	152.1	190.1	176.1	130.6
17	151.9	185.7	171.5	132.8
18	152.9	170.5	178.6	133.7
19	153.6	182.5	185.8	135.4
20	156.0	229.1	206.1	158.3
21	156.6	265.2	219.0	169.5
22	156.5	226.4	205.9	163.0
23	156.8	238.4	197.0	158.9
24	157.6	223.3	193.9	155.6
25	159.9	256.0	203.8	164.3
26	163.0	276.2	228.0	176.4
27	165.4	262.2	240.2	197.3
28	166.0	308.4	254.2	204.1
29	166.7	350.4	265.5	214.6
30	168.5	304.2	263.1	214.1
令和元	170.1	369.3	285.6	228.8
2	172.0	279.2	277.0	230.2
3	172.2	338.4	288.3	227.3
4	176.2	434.4	277.5	241.5
5	204.1	366.7	314.3	281.1

(注) 「建築統計年報（国土交通省）」の「構造別：建築物の数、床面積の合計、工事費予
定額」表の1㎡当たりの工事費予定額による。

3 昭和27年12月31日以前に取得した資産の取得費（土地建物等を除く）

取得してから相当の期間が経過している資産、例えば、戦前から所有している資産の取得費がはっ
きり記録されている場合は少なく、仮に明らかになったとしても、その金額は戦後のインフレによる
貨幣価値の下落により、現在の物価水準から考えますとかなり低い金額であり、その資産を譲渡しこ
の金額を譲渡所得計算上取得費として控除することになれば、いわゆる名目的所得が発生し、この名
目的所得について課税されるということになります。

そこで税法では、譲渡した資産が、昭和27年12月31日以前から引き続いて所有されていた資産であ
る場合には、昭和28年1月1日現在の相続税評価額と同日以後に支出した設備費及び改良費の合計額

－49－

をもって、その資産の取得費とすることとされています（所法61②）。

この場合、この相続税評価額よりも、①実際の取得費に昭和28年1月1日前に支出した設備費や改良費を加算した金額が大きい場合で、かつ、そのことを譲渡者が証明したとき、又は②資産再評価法により任意再評価した資産の再評価額の方が大きいときには、①と②のうちの大きい方の金額を、昭和28年1月1日現在の取得費とすることとされています（所法61、所令172）。

つまり、昭和27年12月31日以前から引き続き持っていた資産を譲渡した場合の取得費は、次のようになります。

$$\left(\begin{array}{l}\text{昭和28年1月1日現在の相続税評価額、実際の取得}\\ \text{費又は再評価額のうちいずれか多い方の金額}\end{array}\right)+（\text{同日以後に支出した設備費・改良費}）$$

　（注）　相続税評価額というのは、相続税及び贈与税の課税価格の計算に用いるために、国税庁長官が定めて公表した方法によって計算した価額をいいます。

なお、昭和27年12月31日以前から引き続き有していた土地建物等の譲渡所得を計算する場合の取得費は、昭和28年1月1日の相続税評価額によらず、その譲渡収入金額の5％相当額となります（措法31の4）（土地建物等以外の資産についても、取得費を譲渡収入金額の5％相当額とすることができます（**6**（54ページ）参照）。）。また、相続税の課税価格計算の基礎に算入された資産を相続税の申告書の提出期限後3年以内に譲渡した場合にはその譲渡資産に係る相続税額（平成26年12月31日までに開始する相続により取得した資産（土地等に限ります。）を譲渡する場合は、相続した土地等に係る相続税額）に相当する金額を取得費に加算して控除することができることとされています（措法39）。このことについては第二編第一章第一節5及び第十五章で詳しく説明していますから御参照ください。

4　減耗資産の取得費の計算

以上2及び3において、譲渡所得の対象となる資産の取得費の取扱いについて述べましたが、この取得費がそのまま譲渡所得を計算する際の取得費となるわけではなく、御承知のように、土地のような資産を除いて、大部分の資産は使用又は期間の経過とともにその価値が減少します。

したがって、譲渡した資産の取得費を計算する場合には、その資産の当初の取得費から譲渡時までの減価の額を差し引かなければなりません（所法38②）。なお、この減価の額の計算は、その資産が業務の用に供されている場合とそうでない場合とでは、計算が違いますから御注意ください。

また、譲渡資産が業務の用と業務以外の用とに併せ供されていた場合は、業務の用に供している部分と、業務の用に供していない部分とに区分して減価の額を計算することになりますが、その所有期間を通じ、業務以外の用に供されていた部分が90％以上であるときは、その資産全部が業務以外の用に供されていたものとして計算しても差し支えないことになっています（所基通38-3）。

（1）　業務の用に供されている償却資産

業務の用に供されている償却資産については、取得費から譲渡時までの事業所得や不動産所得を計算する際に必要経費とされる減価償却費の累計額を差し引いた残額が、譲渡所得を計算する際の取得費となります（所法38②一）。

減価償却費というのは、財務省令で固定資産の種類ごとに定められている耐用年数（630ページ参照）を基にして一定の方法（定額法や定率法など）により毎年償却する金額をいいます。

例えば、定額法による減価償却費の累計額は、次の算式により計算します。

《平成19年3月31日以前に取得した資産》

　取得費（※）×0.9×その資産の耐用年数に応ずる旧定額法の年償却率×経過年数
　　＝減価償却費の累計額

《平成19年4月1日以後に取得する資産》

　取得費×その資産の耐用年数に応ずる定額法の年償却率×経過年数＝減価償却費の累計額
　※取得費＝取得に要した金額＋設備費＋改良費

第三章第三節《取得費》

　（注）　経過年数に１年未満の端数がでるときは月割計算を行います。償却率は637ページ参照。

　事業用の牛馬や果樹についても、同じように財務省令で定められている耐用年数を基として計算した譲渡時までの減価償却費の額の累計額を、当初の取得費から差し引いた金額が、譲渡所得計算上の取得費となります。なお、昭和27年12月31日以前から持っていた事業用の固定資産などを譲渡した場合の減価償却費や減価の額は、その資産の昭和28年１月１日現在の相続税評価額と同日以後に支出した設備費及び改良費の合計額を取得価額とし、財務省令で定められている耐用年数を基として計算した、同日から譲渡時までの合計額になります。

（２）　非業務用の減耗資産

　業務の用に供していない資産で、家屋などのように使用や保存によって減耗する資産、例えば専用住宅、別荘、趣味又は保養目的で建造したヨットなどの場合には、これと同じ種類の事業用固定資産の**法定耐用年数の1.5倍**の年数によって旧定額法により譲渡した時までの減価の額を計算し、これを当初の取得費から差し引いた金額が、譲渡したときの取得費となります（所法38②二、所令85）。

　例えば、居住用の木造家屋を譲渡した場合の譲渡所得計算上の取得費は、財務省令で定められている同種の建物の耐用年数22年を1.5倍した33年を、その耐用年数として、旧定額法により計算します。

　この減価の額は、次の算式により計算します。

$$取得費（※）×0.9×\left(\begin{array}{l}その資産と同種の事業用資産の耐用年数を1.5\\倍した耐用年数に応ずる旧定額法の年償却率\end{array}\right)×経過年数＝減価の額$$

　　　　　※取得費＝取得に要した金額＋設備費＋改良費

（注１）「その資産と同種の事業用資産の耐用年数を1.5倍した耐用年数」に１年未満の端数がでるときは、端数を切り捨てて計算します。「経過年数」に１年未満の端数がでるときは、６か月以上の端数は１年とし、６か月未満の端数は切り捨てて計算します。

（注２）　平成10年度の改正で建物の耐用年数の短縮が行われ、平成10年分以後の所得税について適用されていますが、（２）の規定により減価の額を計算する場合の耐用年数は、平成９年以前に取得した建物であっても、平成10年以後に譲渡したものについては、改正後の耐用年数によります。

（３）　借家権の譲渡所得の計算上控除する取得費

　借家権の消滅の対価の額に相当する部分の金額について、譲渡所得を計算する場合の控除する取得費は、借家権の取得に当たり支払った権利金の額から、次の償却費相当額を控除した残額となります（所基通38－15）。

$$権利金の額×\frac{借家権を取得した日から譲渡するまでの期間の月数（A）}{支出の効果の及ぶ期間の月数（B）}＝償却費の額$$

（注１）　$\frac{（A）}{（B）}$が１を超えるときは１として計算します。

（注２）　この場合の「支出の効果の及ぶ期間」は、次によります（１年未満の端数切捨て）。

　　①　建物の新築に際しその所有者に対して支払った権利金等で、その権利金等の額がその建物の賃借部分の建設費の大部分に相当し、かつ、実際上その建物の存続期間中賃借できる状況にあると認められるものである場合……その建物の耐用年数の70％に相当する年数

　　②　建物の賃借に際して支払った①以外の権利金等で、契約、慣習等によってその明渡しに際して借家権として転売できることになっているものである場合……その建物の賃借後の見積残存耐用年数の70％に相当する年数

　　③　その他のもの……５年（賃借期間が５年未満で契約の更新に際し再び権利金等の支払を要することが明らかなときは、その賃借期間）

5　借地権等又は底地の取得費

　先に述べましたが、借地権等の設定の行為が資産の譲渡とみなされ、その所得について譲渡所得の課税が行われる場合の譲渡所得の金額の計算上控除する取得費及び借地権の設定されている土地の底地及び上地部分の取得費については、それぞれの場合に応じ、次のように計算します。

　なお、（４）までの算式中の符号は次によります。

－51－

〈A〉＝借地権等を設定した土地の取得費

〈B〉＝その借地権等の設定の対価として支払を受ける金額

〈C〉＝その土地の底地としての価額

〈D〉＝現に設定している借地権等若しくは先に設定した借地権等について、次の（1）の算
式により計算して取得費とされた金額

（1） 初めて借地権を設定した場合

この場合の取得費は、次の算式により計算した金額となります（所令174①）。

$$〈A〉\times \frac{〈B〉}{〈B〉+〈C〉}=取得費$$

つまり、借地権を設定した場合には、土地の価額は、借地権の価額と底地の価額とからなるものと
みて、土地の取得費のうち借地権の価額に対応する部分を、借地権の取得費とするわけです。

なお、〈C〉の価額が明らかでなく、かつ、その借地権等の設定により支払を受ける地代があるとき
は、その地代の年額の20倍に相当する金額が〈C〉とされます。

（2） 現に借地権等を設定している土地について更に借地権等を設定した場合

現に借地権等を設定している土地について、更に他の者に対して借地権等を設定した場合には、そ
の取得費は次のようにして計算します（所令174②）。

$$(〈A〉-〈D〉)\times \frac{〈B〉}{〈B〉+〈C〉}=取得費$$

つまり、この場合は、当初の土地の取得費から、現に設定されている借地権の対価につき、譲渡所
得として課税される際に取得費とされた金額を差し引いた金額を、土地の取得費（これはその土地の
底地部分の取得に要した金額となります。）として、その借地権の価額に対応する取得費を計算するわ
けです。

（3） 改めて借地権等を設定した場合の取得費

先に借地権等の設定をして、その対価について譲渡所得の課税を受けたが、借地権等の期間満了な
どにより借地権等が消滅し、現に借地権等を設定していない土地について、改めて他の者に対して借
地権等を設定した場合（（9）に該当する場合を除きます。）には、その取得費は、次のようにして計算
します（所令174③）。

$$〈A〉\times \frac{〈B〉}{〈B〉+〈C〉}-〈D〉=取得費$$

（注） この算式により計算した金額が赤字となる場合は、0とします。

（4） 借地権等の設定をした土地の底地の取得費

借地権等を設定し、その設定の対価について譲渡所得の課税を受けた土地をその借地権等を設定し
たままで譲渡した場合には、その底地に相当する部分の譲渡があったものとなりますが、その底地の
取得費は、次の算式によって計算した金額となります（所令175①）。

$$〈A〉-〈D〉=取得費$$

（5） 特別な経済的利益を返還した場合

借地権等の設定に伴い受けた特別な経済的利益を借地権設定の対価に加算されて譲渡所得として課
税された者が、その設定の対価の額に加算された特別な経済的利益の全部又は一部の返還をした場合
において、その返還により、その借地権等に係る土地の地代の引上げやその土地の上の建物、構築物
の除去その他土地の底地の価値の増加があったときは、その返還をした利益の額に相当する金額は、
その設定をした土地の取得に要した金額及び改良費の額の合計額に加算することとされています（所
令175②）。

（6） 借地権を転貸した場合

借地権等を設定した借地を他に転貸（その土地を他人に使用させる行為を含みます。）し、その転貸

の対価として支払を受ける権利金などが譲渡所得として課税される場合の譲渡所得の金額の計算上控除する取得費は、次の算式によって計算します（所令176①）。

$$\left(\begin{array}{l}\text{転貸などをした}\\\text{借地権の取得費}\end{array}\right) \times \frac{\left(\text{転貸などの対価として支払を受けた金額}\right)}{\left(\begin{array}{l}\text{転貸などの対価とし}\\\text{て支払を受けた金額}\end{array}\right) + \left(\begin{array}{l}\text{転貸直後におけるその}\\\text{土地の借地権の価額}\end{array}\right)} = \text{取得費}$$

なお、先に借地権の転貸の対価について譲渡所得を課税されたが、転貸などの期間満了などにより対価を支払わないでその転貸に係る権利が消滅し、現に転貸していない借地権を改めて他の者に転貸した場合の取得費は、（3）の算式に準じて計算します（所令176②）。

（7）　転貸などをした借地権を譲渡した場合

借地権者が、その借地を転貸し、その転貸の対価として支払を受ける権利金などが譲渡所得として課税された借地権を譲渡した場合の譲渡所得の計算上控除する借地権の取得費は、次の算式によって計算します（所令177①）。

$$\left(\text{借地権の取得費}\right) - \left(\begin{array}{l}\text{(6)の算式により先の転貸に係る譲}\\\text{渡所得の計算上取得費とされた金額}\end{array}\right) = \text{取得費}$$

（8）　借地権の転貸に関しての特別な経済的利益を返還した場合

借地権の転貸につき受けた特別な経済的利益をその転貸の対価の額に加算されて譲渡所得として課税された者が、その転貸の対価の額に加算された特別な経済的利益の全部又は一部の返還をした場合において、その返還によりその転貸に係る使用料の引上げやその土地の上の建物、構築物の除去、その他その転貸をした借地権の価値の増加があったときは、その返還をした利益の額に相当する金額は、その転貸をした借地権の取得に要した金額及び改良費の額の合計額に加算することとされています（所令177②）。

（9）　土地所有者が借地権等を消滅させて土地を譲渡した場合等の取得費

借地権等の設定されている土地の所有者が、対価を支払ってその借地権等を消滅させ、又はその借地権等の贈与を受けたことによってその借地権等が消滅した後に、その土地を譲渡し、又はその土地に新たな借地権等の設定をした場合は旧借地権部分と旧底地部分に分けて譲渡所得の金額を計算することになります（第二節の「3」参照）が、その場合の取得費は次によります（所基通38-4の2）。

イ　その土地を譲渡した場合

（イ）　旧借地権部分の取得費

$$\left(\begin{array}{l}\text{旧借地権等の消滅につき}\\\text{支払った対価の額（A）}\end{array}\right) \times \frac{\text{当該土地のうち譲渡した部分の面積（N）}}{\text{当該土地の面積（M）}}$$

（注）　「旧借地権等の消滅につき支払った対価の額（A）」は、所得税法第60条第1項《贈与等により取得した資産の取得費等》の規定の適用がある場合には、同項の規定により引き継いだ旧借地権等の従前の取得費によることになります。

（ロ）　旧底地部分の取得費

$$\left(\begin{array}{l}\text{譲渡又は借地権等}\\\text{の設定をした土地}\\\text{の取得費（B）}\end{array} - \begin{array}{l}\text{先に設定した借地}\\\text{権等につき取得費}\\\text{とされた金額（C）}\end{array}\right) \times \frac{\text{N}}{\text{M}}$$

（注）　（C）の金額については、（1）を参照。

ロ　その土地につき新たに借地権等の設定をした場合

土地の取得費に借地権割合を乗じ、旧借地権部分と旧底地部分にあん分することになります。

（イ）　旧借地権部分の取得費

$$\{(\text{B}-\text{C})+\text{A}\} \times \frac{\begin{array}{l}\text{新たに設定した借地}\\\text{権等の対価の額（H）}\end{array}}{\begin{array}{l}\text{新たに借地権等を設定した時}\\\text{のその土地の更地価額（I）}\end{array}} \times \frac{\text{A}}{(\text{B}-\text{C})+\text{A}}$$

（ロ）　旧底地部分の取得費

$$\{(B-C)+A\} \times \frac{H}{I} \times \frac{B-C}{(B-C)+A}$$

　なお、先に設定した借地権の存続期間が満了するなどして、対価を支払うことなく借地権が消滅した土地につき、新たに借地権が設定された場合は、（3）（所令174③）が適用されます。

(10)　借地権者が底地を取得した後、土地を譲渡した場合等の取得費

　借地権者が、その借地権等に係る底地を取得した後にその土地を譲渡し、又はその土地に借地権等の設定をした場合は旧底地部分と旧借地権部分に分けて譲渡所得の金額を計算することになりますが、その場合の取得費は次によります（所基通38－4の3）。

イ　その土地を譲渡した場合

（イ）　旧底地部分の取得費

$$\text{底地の取得のため}\atop\text{に要した金額(D)} \times \frac{\text{当該土地のうち譲渡した部分の面積(N)}}{\text{当該土地の面積(M)}}$$

　　（注）　「底地の取得のために要した金額（D）」は、所得税法第60条第1項《贈与等により取得した資産の取得費等》の規定の適用がある場合には、同項の規定により引き継いだ底地の従前の取得費によることになります。

（ロ）　旧借地権部分の取得費

$$\text{旧借地権等の設定又は}\atop\text{取得に要した金額(E)} \times \frac{N}{M}$$

ロ　その土地につき借地権等の設定をした場合

　上記（9）のロと同様の考え方によります。

（イ）　旧底地部分の取得費

$$(D+E) \times \frac{\text{借地権等の設定の対価の額(H)}}{\text{借地権等の設定をした時の}\atop\text{その土地の更地価額(I)}} \times \frac{D}{D+E}$$

（ロ）　旧借地権部分の取得費

$$(D+E) \times \frac{H}{I} \times \frac{E}{D+E}$$

6　土地建物等以外の資産の概算取得費

　土地建物等以外の資産（通常、譲渡所得の金額の計算上控除する取得費がないものとされる土地の地表又は地中にある土石等並びに借家権及び漁業権等を除きます。）を譲渡した場合における譲渡所得の金額の計算上収入金額から控除する取得費について5までで説明したところにより計算した金額とその譲渡収入金額の5％相当額のうち、いずれかの金額によることができます（所基通38－16）。

7　配偶者居住権等の取得費

　配偶者居住権又はその配偶者居住権の目的となっている建物の敷地の用に供される土地をその配偶者居住権に基づき使用する権利（「配偶者居住権等」といいます。）が消滅した場合における譲渡所得の金額の計算上収入金額から控除する取得費は、所得税法第60条第3項の規定により計算した金額となるのですが、その収入金額の100分の5に相当する金額を取得費として譲渡所得の金額を計算しているときは、これを認めて差し支えないものとされています（所基通60－5）。

8 譲渡に要した費用

（1）　譲渡費用の範囲

譲渡に要した費用とは、資産の譲渡に係る次に掲げる費用で資産の取得費とされるもの以外のものをいいます（所基通33－7）。

なお、消費税等の取扱いは2の(11)の取得費の場合と同様です。

イ　資産の譲渡に際して支出した仲介手数料、運搬費、登記若しくは登録に要する費用（相続による所有権移転登記の費用は含まれません。）その他その譲渡のために直接要した費用

ロ　イに掲げる費用のほか、借家人等を立ち退かせるための立退料、土地を譲渡するためその土地の上にある建物等の取壊しに要した費用、既に売買契約を締結している資産を更に有利な条件で他に譲渡するため、その売買契約を解除したことに伴い支出する違約金その他その資産の譲渡価額を増加させるためその譲渡に際して支出した費用

　（注）　譲渡資産の修繕費、固定資産税その他その資産の維持又は管理に要した費用は、譲渡費用には含まれません。

（2）　譲渡に関連する資産損失

土地の譲渡に際してその土地の上にある建物等を取り壊したり、除却したような場合において、その取壊し、又は除却が譲渡のために行われたものであることが明らかであるときは、取壊し又は除却により生じた資産損失の金額（発生資材がある場合には、発生資材の価額を控除した残額）に相当する金額は、譲渡に要した費用とされます（所基通33－8）。

（3）　民事事件に関する費用

譲渡契約の効力に関する紛争においてその契約が成立することとされた場合の費用は、その資産の譲渡に係る所得の金額の計算上譲渡に要した費用とされます（所基通37－25）。

第四節　消費税等と譲渡所得の計算

消費税の課税事業者が業務用資産（土地や借地権等の消費税非課税資産を除きます。）を譲渡した場合には、消費税及び地方消費税が課税されます（地方消費税は、平成9年4月1日以後に消費税額を課税標準として課されています。以下消費税及び地方消費税を併せて「消費税等」といいます。）。したがって、その譲渡収入金額には消費税等の額が含まれており、一方消費税等の課税仕入れに該当する建物等の建築・取得価額及び不動産の売買手数料の支払額には、仕入消費税額等が含まれています。

譲渡所得の計算に当たって、これらの消費税等の額相当部分をどう取り扱うかが問題となるところですが、具体的には、次のような問題点が生ずると思われます。

【消費税等が譲渡所得の計算上問題となる場合】

イ　消費税課税事業者が業務用資産を譲渡した場合……………譲渡収入金額を税込価額とするか税抜価額とするか。

ロ　土地建物等の譲渡に際して支払った仲介手数料等に消費税等が含まれている場合……………譲渡費用を税込金額とするか、税抜金額とするか、また譲渡費用の按分基準となる譲渡資産の譲渡価額を税込み、税抜きのいずれの価額によるか。

ハ　建物等の建築・取得価額に消費税等が含まれている場合……………買換資産の取得価額及び引継取得価額の計算に当たって、税込金額、税抜金額のいずれを基礎とするか。

ニ　土地建物等の取得に際して支払った仲介手数料等に消費税等が含まれている場合……………買換資産・取得資産の取得価額に算入する仲介手数料の額を税込み、税抜きのいずれの金額によるか。またその各資産への按分基準である取得価額を税込み、税抜きのいずれの金額によるか。

ホ　長期譲渡所得の概算取得費控除（収入金額の5%）の計算……………税込収入金額によるか

税抜収入金額によるか。

へ　固定資産の交換の特例（所法58）の適用……………譲渡資産の価額と取得資産の価額との差額が、これらの資産の価額のうちいずれか高い方の価額の20%以下であるかどうかを判定する場合、譲渡資産、取得資産の価額を税込み、税抜きのいずれで計算するか。

これについては、「消費税法等の施行に伴う所得税の取扱いについて」通達（以下、「**消所通達**」といいます。）において、その取扱いが定められています。以下、その概要を説明します。

1　免税事業者、非事業者及び非業務用資産の譲渡等の場合の譲渡所得の計算

通達によれば、まず、次のいずれかに該当する資産の譲渡については、すべて消費税等込みの取引金額により譲渡所得の金額を計算することになり、消費税等の額を考慮しないで従来の計算と全く同様の計算をすればよいことになります（消所通達2及び5）。

① 　消費税の納税義務を免除される個人事業者の行う資産の譲渡

② 　消費税課税事業者が行う非業務用資産（住宅等）の譲渡

③ 　事業を営まないサラリーマン等が行う資産の譲渡

④ 　消費税課税事業者のうち、譲渡資産をその用に供していた事業所得、不動産所得、雑所得及び山林所得を生ずべき業務に係る消費税等の経理方法として「税込経理方式」を採用している者の資産の譲渡

2　消費税課税事業者の行う業務用資産の譲渡の場合の所得計算

消費税課税事業者である個人が、譲渡所得の基因となる資産を譲渡し、その譲渡につき消費税等が課税される場合には、譲渡資産をその用に供していた事業所得、不動産所得、雑所得及び山林所得を生ずべき業務に係る消費税等の経理方法として「税抜経理方式」を採用している場合に限り、譲渡所得の計算に際しても、消費税等の額を除いた譲渡価額、取得価額及び仲介手数料等の支払額により、上記イからホの問題を処理することになります。つまり消費税等抜きの所得計算をすることになり、仮受消費税等や仮払消費税等の清算及び納付消費税等や還付消費税等の必要経費及び収入金額算入等は、その譲渡資産を業務の用に供していた各種所得の金額の中で行うことになります（消所通達6及び12）。

したがって長期譲渡所得の概算取得費控除については、消費税等について税抜経理方式を採用している個人事業者は税抜譲渡収入の5%相当額によります。

なお、上記への交換の特例の適用については、個人事業者が事業所得等の消費税等の経理方式につき税抜経理方式を採用している場合においても、交換取引は税込金額を基として成立していると認められますから、税込価額の20%以下かどうかで判定することになります。

なお、参考のために付け加えますと、消費税等の経理方式として税込経理方式、税抜経理方式のいずれによるかは、事業所得、不動産所得、雑所得及び山林所得を生ずべき業務の二以上の業務を営んでいる個人については、その業務ごとにいずれの経理方式を採用するかを選択できます。

また、事業所得等の消費税等の経理方式としては、売上げ等の収入に係る取引につき税抜経理方式を適用している場合においても、固定資産等の取得に係る取引又は販売費・一般管理費等の経費の支出に係る取引のいずれか一方の取引について税込経理方式を採用することができます（消所通達2の2）。したがって、たとえば、事業所得等の経理方式が、売上：税抜、仕入れ：税抜、必要経費：税抜、固定資産の取得：税込とした場合、譲渡所得は、譲渡価額：税抜、取得費：税抜、譲渡費用：税抜、買換え資産の取得：税込として計算することになります。

参考のために税抜経理方式を採用している場合と税込経理方式を採用している場合の「事業用資産の買換えの特例」（措法37）の計算例を次に掲げておきます（買換資産の引継取得価額の計算については、43ページの表も参照してください。）。

—56—

―――――― 〔**事業用資産の買換えの特例の計算例**〕――――――

〔事例〕　①　譲渡資産の譲渡価額
　　　　　　　土地　　　　　　10,000万円
　　　　　　　建物　　　　　　 5,000万円　　　計　　15,000万円〈A〉
　　　　　　　建物消費税等　　　 400万円　　収入計　15,400万円〈B〉
　　　　②　譲渡資産の取得費　7,500万円（消費税法施行前に取得）　　＊譲渡費用はないも
　　　　③　買換資産の取得価額　　　　　　　　　　　　　　　　　　　　　　のとします。
　　　　　　　土地　　　　　　10,000万円
　　　　　　　建物　　　　　　 5,000万円　　　計　　15,000万円
　　　　　　　建物消費税等　　　 400万円

〔譲渡所得等の計算〕
● 税抜経理方式の場合
　イ　収入金額　　　　譲渡価額〈A〉15,000万円×20％＝3,000万円
　ロ　取得費　　　　　取得費　　　 7,500万円×20％＝<u>1,500万円</u>
　ハ　譲渡所得の金額　　　　　　　　　　　　　　　　 1,500万円
　ニ　買換資産の引継取得価額　7,500万円×0.8＋〈A〉15,000万円×0.2＝9,000万円
● 税込経理方式の場合
　イ　収入金額　　　　譲渡価額〈B〉15,400万円×20％＝3,080万円
　ロ　取得費　　　　　取得費　　　 7,500万円×20％＝<u>1,500万円</u>
　ハ　譲渡所得の金額　　　　　　　　　　　　　　　　 1,580万円
　ニ　買換資産の引継取得価額　7,500万円×0.8＋〈B〉15,400万円×0.2＝9,080万円

第五節　資産の譲渡代金が回収不能となった場合等の所得計算の特例

1　譲渡代金が回収不能となった場合

（1）　譲渡代金が回収不能となった場合の計算

　その年分の譲渡所得の計算の基礎となった収入金額の全部又は一部を回収することができなくなった場合、又は返還すべきこととなった場合は、その回収不能額等のうち、次のいずれか低い金額に達するまでの金額は、収入がなかったものとみなされます（所法64①、所令180②）。（後掲**計算例**参照）
　イ　貸倒れ又は求償権が行使不能となった金額
　ロ　回収不能等の事実が生じた時の直前において確定しているその回収不能等が生じた年分の総所
　　得金額（申告分離課税の各種所得を含みます。）、山林所得金額及び退職所得金額の合計額
　ハ　ロの金額の計算の基礎とされた譲渡所得の金額

（2）　回収不能額を計算する場合の譲渡所得金額

　資産の譲渡代金が回収不能となった場合等の所得計算の特例の規定を適用する場合における譲渡所得の金額については、次に掲げる金額をこれらの規定による各種所得の金額として計算します。
　譲渡所得については、総合課税に係る短期譲渡所得の金額と長期譲渡所得の金額（2分の1する前の金額）に相当する金額及び分離課税に係る短期譲渡所得の金額と長期譲渡所得の金額並びに申告分離課税の株式等に係る譲渡所得（第五章第一節参照）の合計額

（3）　譲渡所得に関する買換え等の規定との関係

　譲渡所得の金額の計算について、固定資産の交換の場合の譲渡所得の特例（所法58）又は収用等に伴い代替資産を取得した場合の課税の特例（措法33）、交換処分等に伴い資産を取得した場合の課税の

―57―

特例（措法33の2②）、特定の居住用財産の買換え又は交換の場合の長期譲渡所得の課税の特例（措法36の2、36の5）、特定の事業用資産の買換えの場合の譲渡所得の課税の特例（措法37）、特定の事業用資産を交換した場合の譲渡所得の課税の特例（措法37の4）、既成市街地等内にある土地等の中高層耐火建築物等の建設のための買換え及び交換の場合の譲渡所得の課税の特例（措法37の5）、特定の交換分合により土地等を取得した場合の課税の特例（措法37の6）若しくは特定普通財産とその隣接する土地等の交換の場合の譲渡所得の課税の特例（措法37の8）の規定（以下「**買換え等の規定**」といいます。）の適用と、この規定（所法64）の適用を受ける場合には、まず、買換え等の規定を適用し、次にこの規定を適用します（所基通64－3の2）。

（4）　買換え等の規定の適用を受ける場合の回収不能額の限度

前記(3)の場合において、買換え等の規定の適用を受ける譲渡資産に係る譲渡対価のうち回収することができなくなった部分の金額がある場合には、その買換え等の規定の適用をした残りの譲渡があったものとされる部分の収入金額を限度として、超える部分の金額は、「回収不能額等」には含まれないこととされています（所基通64－3の3）。

（5）　概算取得費によっている場合の取得費等の計算

分離課税の譲渡所得の計算をする場合の概算取得費（措法31の4）については、回収不能額等が生じなかったものとした譲渡収入金額を基として計算することとされています（所基通64－3の5）。

（6）　二以上の譲渡資産に係る回収不能額等の各資産への配分

回収不能額等が二以上の譲渡資産の譲渡収入金額について発生し、その回収不能額等がいずれの資産の譲渡収入について生じたものか明らかでないときは、その回収不能額等は、原則として各資産の譲渡収入金額の比によりあん分してそれぞれの資産に係る回収不能額等を計算します。ただし納税者の選択するいずれか一の資産又は二以上の資産に係る譲渡収入金額について発生したものとして上記(1)及び次の2の特例を適用することもできます（所基通64－3の4）。……〔**計算例2**〕参照。

2　保証債務を履行するために資産を譲渡した場合

保証債務を履行するために資産の譲渡（譲渡所得の対象となる借地権などの設定を含みます。）があった場合において、その履行に伴う求償権の全部又は一部を行使することができないこととなったときは、その行使できないこととなった金額を回収不能等の金額とみなし、前記1の規定を適用することとされています（所法64②）。

（1）　保証債務の履行があった場合とは、民法第446条《保証人の責任等》に規定する保証人の債務又は第454条《連帯保証の場合の特則》に規定する連帯保証人の債務の履行があった場合のほか、次に掲げる債務の履行等があった場合にもその債務の履行等に伴い求償権を生ずることとなる場合には、これに当たるものとして取り扱われます（所基通64－4）。

①　不可分債務の債務者の債務の履行があった場合

②　連帯債務者の債務の履行があった場合

③　合名会社又は合資会社の無限責任社員による会社の債務の履行があった場合

④　身元保証人の債務の履行があった場合

⑤　他人の債務を担保するため質権若しくは抵当権を設定した者がその債務を弁済し、又は質権若しくは抵当権を実行された場合

⑥　法律の規定により連帯して損害賠償の責任がある場合において、その損害賠償金の支払があったとき

（2）　保証債務を履行するために資産の譲渡があった場合とは、主たる債務等の弁済に充てるために自己の資産を譲渡した場合であれば足りるものとされ、その譲渡の目的となった資産がその弁済されるべき主たる債務等の担保に供されていたものである場合はもちろん、そうでないものである場合もこれに含まれることとされています。

なお、主たる債務に関する利息、違約金、損害賠償その他主たる債務に従たるものは、特約がな

第三章第五節《資産の譲渡代金が回収不能となった場合等の所得計算の特例》

い限り、すべて主たる債務に包含されることになります。

（注1） 他人のために農業協同組合等から借入れを行い、その借入金を返済するために資産を譲渡した場合で、その譲渡が次のいずれにも該当するときは、保証債務を履行するために譲渡があったものとして取り扱われます。ただし、この場合、当初から名目上の債務者が、実質上の債務者に貸し付けた資金の回収を意図していないと認められるようなときには、適用がないので御注意ください（昭和54年直審5-22）。

① 資金の借入れをしようとする者（以下「実質上の債務者」という。）が農業協同組合等の組合員でないため、当該組合から資金の借入れができないので、当該組合の組合員（以下「名目上の債務者」という。）がその資格を利用して当該組合から資金を借り入れて、これを実質上の債務者に貸し付けた場合のように、その借入れ及び貸付けが債務を保証することに代えて行われたものであること。

② 実質上の債務者が、その貸付けを受ける時において資力を喪失した状態にないこと。

③ 名目上の債務者が借り入れた資金は、その借入れを行った後直ちに実質上の債務者に貸し付けられており、その資金が名目上の債務者において運用された事実がないこと。

④ 名目上の債務者が、その貸付けに伴い実質上の債務者から利ざやその他の金利に相当する金銭等を収受した事実がないこと。

（注2） 相続人が被相続人の保証債務を承継したため、その債務が相続税の債務控除の対象となった場合においても、その保証債務を履行するために相続人が自己の資産を譲渡した場合には、「保証債務を履行するため資産の譲渡があった場合」に該当します（所基通64-5の3）。

（3） 保証債務の履行を借入金で行い、その借入金（その借入金に係る利子を除きます。）を返済するために資産を譲渡した場合においても、資産の譲渡が実質的に保証債務を履行するためのものであると認められるときは、「保証債務を履行するため資産の譲渡があった場合」に該当するものとします（所基通64-5）。

被相続人が借入金で保証債務を履行した後にその借入金を承継した相続人がその借入金（その借入金に係る利子を除きます。）を返済するために資産を譲渡した場合も同様です。

（注） この場合の借入金を返済するために行った資産の譲渡が保証債務を履行した日からおおむね1年以内に行われているときは、実質的に保証債務を履行するために資産の譲渡があったものとされます。

（4） 保証債務を履行するために二以上の資産を譲渡し、それぞれの資産についてこの規定を適用した結果、譲渡損失（株式等に係る譲渡所得計算上の損失を除く。）の生ずるものがある場合には、他の資産の譲渡益と通算することができます。なお、総合課税の譲渡所得と分離課税の譲渡所得との損益通算はできません。

（5） 求償権を行使することができないこととなったときでその行使できないこととなった金額とは、その求償の相手方である主たる債務者等について次のような事実があった場合でそれぞれ次に掲げる金額がこれに当たるものとされています（所基通64-1、51-11）。

なお、求償権を放棄したような場合であってもその主たる債務者等に支払能力があると認められる場合にはこれに当たらないものとされます。

① 会社更生法若しくは金融機関等の更生手続の特例等に関する法律の規定による更生計画認可の決定又は民事再生法の規定による再生計画認可の決定があった場合で、その決定により切り捨てられることになった部分の金額

② 会社法の規定による特別清算に係る協定の認可の決定があった場合で、これらの決定により切り捨てられることとなった部分の金額

③ 法令の規定による整理手続によらない関係者の協議決定で、次により切り捨てられる場合で、その切り捨てられることとなった部分の金額

（イ） 債権者集会の協議決定で合理的な基準により債務者の負債整理を定めているもの

（ロ） 金融機関、行政機関等の第三者のあっせんによる当事者間の協議により締結された契約でその内容が（イ）に準ずるもの

④ 債務者の債務超過の状態が相当期間継続し、その貸金等の弁済を受けることができないと認められる

-59-

場合において、その債務者に対し債務免除額を書面により通知した場合で、その通知した債務免除額

（注）　「その貸金等の弁済を受けることができないと認められる場合」であるかどうかについての判定は、その法人の債務超過の状態が相当期間継続し、その求償権を放棄（債務免除）することによっても、その法人はなお債務超過の状態にあるかどうかを基本としますが、細部としては次によります。

①　その判定の時期は、書面により債務免除した時点となること。このため、求償権の放棄後において、法人が存続し、売上高の増加や債務額の減少等があったとしても、この判定には影響しないこととなります。

②　債務超過かどうかの判定に当たっては、土地等及び上場株式等の評価は時価ベースにより行うこと。これは、その法人が債務超過かどうかの判定は時価ベースの純資産価額により行う趣旨が簡記されたものであり、一般に評価差損益が著しく生じる土地等と上場株式等とされたもので、評価替えは必ずしもこれらの資産に限るものではありません。

③　取引先の倒産等により短期間で相当の債務を背負ったような場合でも、求償権を行使することができない場合に当たること。

（6）　譲渡所得に関する買換え等の規定との関係

譲渡所得の金額の計算について、買換え等の規定（第五節の1の**（3）**（57ページ）参照）の適用と、この規定（所法64）の適用を受ける場合には、まず、買換え等の規定を適用し、次にこの規定を適用します。

（7）　買換え等の規定の適用を受ける場合の回収不能額等の限度

前記（6）の場合において、買換え等の規定の適用を受ける譲渡資産に係る譲渡対価のうち求償権を行使することができなくなった部分の金額がある場合には、その買換え等の規定の適用をした残りの譲渡があったものとされる部分の収入金額を限度として、超える部分の金額は、「回収不能額等」には含まれないこととされています。

（8）　概算取得費によっている場合の取得費等の計算

分離課税の譲渡所得の計算をする場合の概算取得費（措法31の4）については、回収不能額等が生じなかったものとした譲渡収入金額を基として計算することとされています。

（9）　この特例の適用を受けるためには、確定申告書、修正申告書又は更正請求書にこの規定の特例を受ける旨（確定申告書の場合、特例適用条文欄に「所法第64条第2項適用」と記載）及び次の事項を記載（計算明細書に記載し添付することになります。）し、提出する必要があります（所法64③、所規38）。

①　保証債務を履行するために譲渡した資産の種類、数量、及び譲渡金額並びに保証債務の履行に伴う求償権の全部又は一部を行使することができないこととなった金額

②　主たる債務者及び債権者の氏名又は名称及び住所若しくは居所又は本店若しくは主たる事務所の所在地

③　保証債務の履行に伴う求償権の全部又は一部を行使することができないこととなった年月日

④　保証債務を履行するために譲渡した資産の譲渡年月日及び取得年月日

⑤　求償権の行使ができないこととなった事情の説明

⑥　その他参考となるべき事項

〔計算例1〕各種所得金額の計算上なかったものとみなされる金額

設例　1　令和6年分の各種所得の金額（所法第64条適用前の金額）

（1）　事業所得の金額……………………………………300万円

（2）　給与所得の金額……………………………………200万円

（3）　譲渡所得の金額（長期保有資産の土地）……900万円

①　総収入金額……………1,200万円

②　取得費・譲渡費用………300万円

第三章第五節《資産の譲渡代金が回収不能となった場合等の所得計算の特例》

　　　③　所得金額……………………900万円
　　2　令和6年分の課税標準の合計額……1,400万円
　　（1）　総所得金額………………500万円
　　（2）　長期譲渡所得の金額………900万円
　　3　回収不能額等……………………600万円
　　（1の（3）の譲渡所得の総収入金額について生じたもの）

譲渡所得の計算
　1　譲渡所得の金額の計算上なかったものとみなされる金額………次の金額のうち最も低い金額
　　（1）　回収不能額等……………600万円
　　（2）　課税標準の合計額……1,400万円　　……600万円
　　（3）　譲渡所得の金額…………900万円
　2　令和6年分の各種所得の金額
　　（1）　事業所得の金額…………300万円
　　（2）　給与所得の金額…………200万円
　　（3）　譲渡所得の金額…………300万円

　　　（64条適用　）　　（なかったものと）
　　　　前の金額　　　　　みなされる金額
　　　900万円　－　　600万円　＝　300万円

　3　令和6年分の課税標準
　　（1）　総所得金額………………500万円
　　（2）　長期譲渡所得の金額……300万円

〔計算例2〕二以上の譲渡資産に係る回収不能額等の各資産への配分

設例　1　令和6年分の譲渡所得の金額

	短期保有資産の土地	長期保有資産の土地	合　計
（1）　総収入金額	2,000万円	2,000万円	4,000万円
（2）　取得費、譲渡費用	900万円	800万円	1,700万円
（3）　所得金額	1,100万円	1,200万円	2,300万円

　　2　令和6年分の課税標準の合計額……2,500万円（所法第64条適用前の金額）
　　3　回収不能額等……………………1,000万円
　　　（1の（1）の総収入金額について生じたもので短期保有資産の土地と長期保
　　　有資産の土地のいずれの収入金額について生じたものか明らかでない。）

譲渡所得の計算
　1　譲渡所得の金額の計算上なかったものとみなされる金額………次の金額のうち最も低い金額
　　（1）　回収不能額等……………1,000万円
　　（2）　課税標準の合計額………2,500万円　　……1,000万円
　　（3）　譲渡所得の金額…………2,300万円
　2　令和6年分の譲渡所得の金額（所法第64条適用後の金額）………1,300万円
　　　（64条適用　）　　（なかったものと）
　　　　前の金額　　　　　みなされる金額
　　　2,300万円　－　1,000万円　＝　1,300万円
　3　令和6年分の譲渡所得の金額（所法第64条適用後の金額）の構成
　　（1）　回収不能額等の配分（所基通64－3の4ただし書）
　　　①　短期保有資産の収入金額に係る回収不能額等………1,000万円

－61－

第三章第五節《資産の譲渡代金が回収不能となった場合等の所得計算の特例》

　② 長期保有資産の収入金額に係る回収不能額等………<u>0</u>
（２）譲渡所得の金額（所法第64条適用後の金額）の構成
　① 短期保有資産の譲渡所得…………100万円

$$\underset{\substack{（64条適用\\前の金額）}}{1,100万円} - \underset{\substack{（なかったものと\\みなされる金額）}}{1,000万円} = \underline{100万円}$$

　② 長期保有資産の譲渡所得………1,200万円

$$\underset{\substack{（64条適用\\前の金額）}}{1,200万円} - \underset{\substack{（なかったものと\\みなされる金額）}}{0円} = \underline{1,200万円}$$

（**注**）　回収不能額は、税負担の重い短期保有資産の譲渡収入金額について生じたものとして計算したのが上記計算例です。もし、その回収不能額が、二以上のいずれの譲渡資産に係る収入金額について生じたものであるか明らかでないときは、所基通64－3の4本文により回収不能額を譲渡収入金額の比によりあん分計算すると、次のように短期譲渡所得の金額は600万円となります。

$$\underset{\substack{（回収不能額）}}{1,000万円} \times \frac{\overset{（短期保有資産の譲渡収入金額）}{2,000万円}}{\underset{（譲渡収入金額の合計額）}{2,000万円＋2,000万円}} ＝500万円$$

$$\underset{\substack{（64条適用\\前の金額）}}{1,100万円} - \underset{\substack{（なかったものと\\みなされる金額）}}{500万円} = \underset{\substack{（短期譲渡\\所得の金額）}}{600万円}$$

3　更正の請求の特例

　1の譲渡代金の回収不能や2の保証債務を履行するために資産を譲渡し、申告又は更正決定の後に主たる債務者に対してその履行に伴う求償権の全部又は一部の行使ができないこととなった場合には、その事実が生じた日の翌日から2か月以内に限って、更正の請求をすることができます（所法152）。

－62－

第四章　損益通算と損失の繰越し

第一節　譲渡損失が生じた場合

　資産を譲渡した場合には、常に譲渡益が生じるとは限っていません。例えば、500万円で取得した自動車が100万円でしか売れなかったということもあるでしょう。この場合は、譲渡益ではなく損失が生じたことになりますが、資産を譲渡して損失が生じた場合も所得が生じる場合と同様にして損失額を計算します。つまり、資産の譲渡による損失は、資産の譲渡による収入金額から取得費や譲渡に関する経費を差し引いて、控除不足が生じることとなる場合の、その控除不足額をいいます。

　この場合、二以上の資産を譲渡し、それぞれの資産についての譲渡益の計算上、一の資産については損失が、他の資産については利益が生じている場合には、その損益は資産ごとに計算した上で通算します（所法33③）。

　そこでこの通算をした上でなお譲渡損失となった場合には、他の所得、例えば事業所得や給与所得などがあれば、それらに所得と総合の段階で損益通算を行うことになります（所法69①）。

　しかし、同じように資産を譲渡したことによる譲渡損失であっても、他の所得と損益通算できない譲渡損失や特別な方法によって損失額を計算する場合があります。

　そこで、この章ではこれらのことに係る具体的な計算の方法について説明することにします。

　また、譲渡所得の課税の特例が適用される所得についての「損益通算と損失の繰越し」は、第二編第三章を参照してください。

第二節　資産損失が生じた場合

　資産について災害などにより損失を生じた場合のこの損失は譲渡損失ではないので、譲渡所得としての損失額の計算はできませんが、資産についての損失ですから個人の資産がそれだけ減少することには違いありません。そこで所得税法では、その損失を受けた資産が事業用資産である場合には事業所得等の計算上必要経費として控除され、その資産が非事業用資産である場合には、雑損控除が適用されるなど、その損失について考慮されています。

1　事業用固定資産の災害損失

　災害により事業用固定資産が損失を受けた場合は、その損失額（保険金や損害賠償金などで補てんされた部分の金額を除きます。）は、事業所得等の必要経費として控除されます（所法51①）。

　なお、この損失額の計算は、その資産の取得費とされる金額を基礎として（所令142）、①滅失や損壊又は価値が減少したことによるその資産の取壊し又は除去の費用、②原状回復のために支出した修繕費、土砂その他の障害物の除去に要する費用及び③被害の拡大又は発生を防止するために支出する費用などを含むこととされています（所令203）。

　そして、この損失額がその年分の事業所得等で控除しきれなかった場合には、青色申告者でなくても翌年以降3年間の繰越控除ができることとされています（所法70②）。

2　非事業用資産の災害損失

（1）　生活に通常必要でない資産が損失を受けた場合

　災害又は盗難若しくは横領により、生活に通常必要でない資産（第三節3のなお書を参照してくだ

-63-

さい。）について受けた損失の金額（保険金や損害賠償金で補てんされた金額があれば、これを差し引いた損失の金額とされます。）は、その者の損失を受けた日の属する年分又はその翌年分の譲渡所得の金額の計算上控除することができます（所法62①）。

　この損失額は、損失を受けた資産の譲渡所得の計算に用いる取得費を基にして計算します（所令178③）。

　なお、この損失額は、まずその損失が生じた年分の譲渡所得のうち短期譲渡所得の金額から控除し、控除しきれない場合はその年分の長期譲渡所得の金額から控除します。それでもなお控除しきれないときは、その翌年分の譲渡所得のうち短期譲渡所得の金額から控除し、なお控除しきれないときは、翌年分の長期譲渡所得の金額から控除します（所令178②）。

（注）　上記の譲渡所得には、分離課税の土地建物等の譲渡所得の金額及び株式等に係る譲渡所得等の金額を含みません。

（2）　その他の非事業用資産が損失を受けた場合

　災害又は盗難若しくは横領により家屋や家財などの非事業用資産（上記の**（1）**の生活に通常必要でない資産は除きます。）が受けた損失の金額（保険金や損害賠償金などで補てんされた金額があれば、これを差し引いた損失の金額とされます。）が、その年分の合計所得金額（土地建物等の分離課税の譲渡所得については、特別控除額控除前の金額）の合計額の10分の1に相当する金額を超える場合又はその損失の金額のうち災害関連支出の金額が5万円を超える場合には、これらの超える部分の金額のうちいずれか多い方の金額がその年分の各種所得金額（土地建物等に係る分離課税の譲渡所得については特別控除額控除後の金額により、申告分離課税の株式等に係る譲渡所得等の金額及び先物取引に係る雑所得等の金額を含みます。以下同じ。）の合計額から控除されます（所法72①）。この控除を雑損控除といいます（所法72③）。

（注）　「災害関連支出の金額」とは非事業用資産について支出した1の①～③に掲げた支出の金額をいいます（所令206②）。

　その年分の所得から控除しきれない場合には、翌年以降3年間の繰越控除をすることができます（所法71①）。

　なお、これらの場合の損失額は、その資産が損失を生じた時の直前における価額（時価）を基礎として計算することとされています（平成26年分以後の所得税については、その資産が家屋等の使用又は期間の経過により減価するものである場合には、その資産の損失が生じた時の直前におけるその資産の価額を基礎として計算する方法のほか、その資産の取得価額から減価償却費累積額相当額を控除した金額を基礎として計算する方法が追加されました。）（所令206③）。これは、いままで述べたものとは異なりますから御注意ください。

　また、住宅、家財について受けた災害による損失額（保険金や損害賠償金で補てんされた部分を除きます。）が、その災害直前の価額（時価）の2分の1以上に及ぶ場合で、その年分の各種所得金額の合計額が1,000万円以下である場合には、上記の雑損控除を適用することに代え、次により災害減免法による所得税の減免を受けることもできます（災免法2）。

区　　　　　分	減　免　税　額
合計所得金額が500万円以下であるとき	所得税の額の全部
合計所得金額が750万円以下であるとき	所得税の額の10分の5
合計所得金額が750万円を超えるとき	所得税の額の10分の2.5

第三節　損益通算ができない譲渡損失

1　土地建物等の譲渡による譲渡損失

　土地建物等の譲渡による譲渡損失の金額については、他の所得との損益通算ができません（措法31①、32①）。

2　株式等の譲渡による譲渡損失

　株式等の譲渡による譲渡損失の金額については、他の所得との損益通算ができません（措法37の10①、37の11①）。

　ただし、上場株式等の譲渡による譲渡損失の金額については、一定の要件に該当すると、上場株式等に係る配当所得との損益通算ができます。

　（注）　第五章第三節の2（105ページ）を参照してください。

3　譲渡所得が課税されない資産の譲渡損失

　生活用動産などの譲渡については、譲渡所得が生じた場合であっても課税されないことになっています。したがって、このような資産を譲渡して損失が生じた場合であっても、その損失はないものとされます（所法9②一、二）。

　（注）　譲渡所得が課税されない資産については、第二章第六節「譲渡所得が課税されない場合」を参照してください。

4　低額譲渡による損失

　個人に対して、資産を時価の2分の1未満の価額で譲渡した場合には、その譲渡価額が取得費及び譲渡費用の合計額より少ないため譲渡損失が生じても、その損失はなかったものとみなされます（所法59②）。

　個人に対する低額譲渡には、昭和48年以後みなし譲渡課税は適用されないこととされていますので、実際の譲渡価額を収入金額として譲渡所得を計算することになりますが、低額譲渡によって譲渡損失が生じても、その損失はなかったものとし、その代わりに低額により資産を譲り受けた者が譲渡者の取得費を引き継ぐこととしています（所法60①二）。

　例えば、500万円で取得し、時価800万円する資産を300万円で譲渡した場合には、実際は200万円（500万円－300万円）の譲渡損失が生じることになりますが、この200万円の譲渡損失はなかったものとされます。そして、300万円で取得した者が、後日その資産を譲渡したときの譲渡所得の計算をする場合には、その取得費は300万円ではなく500万円として計算され、先の200万円の譲渡損失はここで通算されることになります。

5　生活に通常必要でない資産の災害による損失

　生活に通常必要でない資産の災害により生じた損失の金額は、その損失を受けた年分又はその翌年分の譲渡所得の金額の計算上控除する金額とみなされますが、原則として他の所得との損益通算はできないこととされています（所法69②）。

　ただし、これらの損失のなかに競走馬（事業用の競走馬を除きます。）の災害による損失がある場合には、譲渡による所得から差し引き、引ききれない場合には競走馬を保有していることによる所得（競馬の賞金などで雑所得とされています。）がある場合に限り、その所得と損益通算することができます

（所令200②）。

なお、生活に通常必要でない資産とは、次に掲げる資産をいいます（所令178①）。

① 競走馬（事業用の競走馬を除きます。）その他射こう的行為の手段となる動産（盆栽、水石など）

② 通常自己及び自己と生計を一にする親族が居住の用に供しない家屋で主として趣味、娯楽又は保養の用に供する目的で所有するもの、その他主として趣味、娯楽、保養又は鑑賞の目的で所有する不動産（別荘、ヨットなど）

③ 生活の用に供する動産で譲渡所得について非課税とされないもの

④ 主として趣味、娯楽、保養又は鑑賞の目的で所有する不動産以外の資産（ゴルフ会員権やリゾート会員権等）

　　（注）　第二章第六節1の（1）（31ページ）を参照してください。

6　昭和27年12月31日以前に取得した資産の譲渡損失

昭和27年12月31日以前に取得した資産を譲渡した場合に、その資産の譲渡によって損失があったかどうかを判定するときは、昭和28年1月1日現在の相続税評価額を基準として、その損失を計算します。

第四節　損益通算の方法

1　譲渡所得の損失の損益通算の順序

譲渡所得の金額の計算上生じた損失額（分離課税の土地建物等の譲渡所得の金額及び株式等に係る譲渡所得等の金額の計算上生じた損失の額を除きます。）は、一定の順序により他の所得との損益通算を行います（所令198）。

一定の順序というのは、まず、①その損失額を一時所得の金額と損益通算を行い、なお損失額がある場合は、②利子（源泉分離課税分を除きます。）、配当、不動産、事業、給与及び雑所得の金額（これらの所得間で先に損益通算を済ませておきます。以下「経常所得の金額」といいます。）、③山林所得の金額、④退職所得の金額の順により損益通算を行います。そして、なお損失額がある場合（純損失の金額といいます。）には、一般の人の場合にはそれまでとなりますが、青色申告者の場合には、特典として、翌年以降3年間の繰越控除が認められます（所法70①）。

2　譲渡所得以外の所得の損失の損益通算の順序

不動産所得の金額又は事業所得の金額の計算上生じた損失の金額（損益通算できない不動産所得の損失の金額《措法41の4》、特定組合員等の組合事業による不動産所得の損失の金額《措法41の4の2》及び信託に係る不動産所得の損失《措法41の4の2》を除きます。）は、まず①経常所得の金額と損益通算を行い、次に②譲渡所得の金額及び一時所得の金額（譲渡所得・一時所得間で損益通算後）、③山林所得の金額、④退職所得の金額の順に、損益通算を行います。そして、なお損失額がある場合には、青色申告の特典として、翌年以降3年間の繰越控除が認められます。

具体例 ―総所得金額に属する各種所得間の損益通算　　　　（単位：万円）

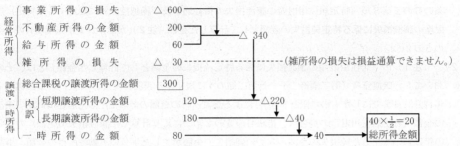

（注）　総合課税の短期譲渡所得の金額及び一時所得の金額は、それぞれ特別控除(50万円)後の金額です。

第五節　損失の繰越し

1　純損失の繰越控除の順序

（1）　青色申告者の場合

　青色申告者の場合には、純損失の金額の全額を繰り越して控除することができます。しかし、そのためには、純損失が生じた年分の所得税について、確定申告書を提出し、翌年以降に繰り越して控除を受ける年にも確定申告書を提出することが必要です（所法70①④）。

（2）　青色申告者以外の場合

　青色申告でない人の場合は、純損失の金額のうちに①変動所得の金額の計算上生じた損失の金額又は、②被災事業用資産の損失の金額がある場合に限ってその部分の損失の金額を繰り越して控除することができます（所法70②）。

　この場合も、純損失を生じた年分の所得税について確定申告書を提出し、翌年以降に繰り越して控除を受ける年にも確定申告書を提出することが必要です（所法70④）。

（3）　繰越控除の順序

①　控除する純損失の金額が前年以前3年内（令和5年4月1日以後に発生する特定非常災害について「特定非常災害に係る純損失の繰越控除の特例」の規定を受ける場合には、前年以前5年内）の二以上の年に生じたものである場合には、これらの年のうち最も古い年に生じた純損失の金額から順次控除します（所令201①一）。

②　前年以前3年内の一の年において生じた純損失の金額の控除については、次に定めるところによります（所令201①二）。

　イ　純損失の金額のうちに総所得金額の計算上生じた損失の部分の金額があるときは、これをまずその年分の総所得金額から控除します。

　ロ　純損失の金額のうちに山林所得金額の計算上生じた損失の部分の金額があるときは、これをまずその年分の山林所得金額から控除します。

　ハ　イの規定による控除をしてもなお控除しきれない総所得金額の計算上生じた損失の部分の金額は、その年分の山林所得金額から控除し、次に退職所得金額から控除します。

　ニ　ロの規定による控除をしてもなお控除しきれない山林所得金額の計算上生じた損失の部分の金額は、その年分の総所得金額から控除し、次に退職所得金額から控除します。

③　その年分の各種所得の金額の計算上生じた損失の金額があるときは、まず損益通算を行った後に所得税法第70条第1項又は第2項の規定による控除を行います。

（注1）　上記の「純損失の金額」には、その年の前年以前において繰越控除の対象とされたもの及び純損失

－67－

第四章《損益通算と損失の繰越し》

の繰戻還付（所法140②）の計算の基礎となったもののほか、青色申告者については、租税特別措置法第41条の５第８項《居住用財産の買換え等の場合の譲渡損失の損益通算及び繰越控除》及び同法第41条の５の２第８項《特定居住用財産の譲渡損失の損益通算及び繰越控除》に規定する（特定）居住用財産の譲渡損失に係る特定純損失の金額として計算した金額（**注２**）が除かれます（措法41の５⑧、41の５の２⑧）。

（注２） （**注１**）の「居住用財産の譲渡損失に係る特定純損失の金額として計算した金額」とは、その年においてした譲渡資産（第二編第二十一章第二節の１に規定する譲渡資産をいいます。）の譲渡（令和３年12月31日までにしたものに限ります。）による譲渡所得の金額の計算上生じた居住用財産の譲渡損失の金額（特定居住用財産の場合は、措法41の５の２⑦一により計算した譲渡損失の金額）のうち、その年において生じた純損失の金額からその純損失の金額が生じた年分の不動産所得の金額、事業所得の金額若しくは山林所得の金額又は譲渡所得の金額（土地・建物等の長期譲渡所得の金額及び短期譲渡所得の金額を除きます。）の計算上生じた損失の金額の合計額（その合計額が純損失の金額を超える場合には、その純損失の金額に相当する金額）を控除した金額に達するまでの金額をいいます（措令26の７⑬）。

２ 雑損失の繰越控除

雑損控除を受ける場合で、雑損失の生じた年分の所得金額から控除しきれない雑損失の金額があるときは、その金額を翌年以降（３年間（令和５年４月１日以後に発生する特定非常災害について「特定非常災害に係る純損失の繰越控除の特例」の規定を受ける場合には、５年間）に限ります。）の所得から控除することができます。

この場合も、純損失の繰越控除の場合と同じように、その雑損失の生じた年分の所得税について確定申告書を提出し、翌年以降に繰り越して控除を受ける年にも確定申告書を提出することが必要です（所法71①②、所令204）。

また、その年の前年以前３年内の各年において生じた雑損失の金額は、その年分の総所得金額、土地等に係る事業所得等の金額、短期譲渡所得の金額（一般所得分→軽減所得分）、長期譲渡所得の金額（一般所得分→特定所得分→軽課所得分）、上場株式等に係る配当所得等の金額、株式等に係る譲渡所得等の金額（一般株式等→上場株式等）、先物取引に係る雑所得等の金額、山林所得金額又は退職所得金額の計算上順次控除することとされています（所令204①二、措令19㉔、20④、21⑦、25の８⑭、26の23⑥、措通31・32共－４）。

第五章　有価証券の譲渡による所得

第一節　株式等に係る譲渡所得等の課税の特例

1　株式等の範囲

　本節において「株式等」とは、次に掲げるもの（外国法人が発行したものを含みます。）をいいますが、ゴルフ場利用株式等、土地類似株式等や先物取引により譲渡される株式等は、本節の課税制度の対象とはなりません（措法37の10②、措令25の8③、措通37の10・37の11共－19、37の10・37の11共－20）。

①	株式（株主又は投資主となる権利、株式の割当てを受ける権利、新株予約権（新投資口予約権を含みます。以下同じです。）、新株予約権の割当てを受ける権利、投資信託及び投資法人に関する法律第2条第14項に規定する投資口を含みます。）
②	特別の法律により設立された法人の出資者の持分、合名会社、合資会社又は合同会社の社員の持分、協同組合等の組合員又は会員の持分その他法人の出資者の持分（出資者、社員、組合員又は会員となる権利及び出資の割当てを受ける権利を含むものとし、③に掲げるものを除きます。）
③	協同組織金融機関の優先出資に関する法律に規定する優先出資（優先出資者となる権利及び優先出資の割当てを受ける権利を含みます。）及び資産の流動化に関する法律第2条第5項に規定する優先出資（優先出資社員となる権利及び同法第5条第1項第2号ニ（2）に規定する引受権を含みます。）
④	投資信託の受益権
⑤	特定受益証券発行信託の受益権
⑥	社債的受益権
⑦	公社債（次に掲げるものを除きます。） イ　預金保険法に規定する長期信用銀行債等 ロ　農水産業協同組合貯金保険法の対象となる農林債 ハ　イ及びロ以外の公社債で、償還差益について発行時に源泉徴収がされた割引債

（1）　株式等の取得費又は取得価額の計算

　株式等に係る譲渡所得等の金額の計算上、収入金額から控除する株式等の取得価額（取得費）は、原則として、次に掲げる区分に応じ、それぞれ次に掲げる金額です（所令109①）。

	区　　　分		取得価額（取得費）
イ	金銭の払込みにより取得した有価証券（ロに該当するものを除きます。）		その払込みをした金銭の額（新株予約権（新投資口予約権を含みます。）の行使により取得した有価証券はその新株予約権の取得価額を含むものとし、その金銭の払込みによる取得のために要した費用の額を加算した金額）
ロ	特定譲渡制限付株式又は承継譲渡制限付株式		その特定譲渡制限付株式又は承継譲渡制限付株式の譲渡についての制限が解除された日における価額
ハ	発行法人から与えられ	①　旧商法に規定する株式譲渡請求権	その権利の行使の日における価額

－69－

第五章第一節《株式等に係る譲渡所得等の課税の特例》

た右に掲げる権利の行使により取得した有価証券	② 旧商法に規定する新株の引受権	
	③ 旧商法に規定する新株予約権	
	④ 会社法に規定する新株予約権	
	⑤ 株式と引換えに払い込むべき額が有利な金額である場合のその株式を取得する権利（①～④を除く。）	その権利に基づく払込み又は給付の期日における価額
ニ	発行法人に対し新たな払込み又は給付を要しないで取得したその発行法人の株式等又は新株予約権のうち、その発行法人の株主等として与えられる場合（その発行法人の他の株主等に損害を及ぼすおそれがないと認められる場合に限る。）のその株式又は新株予約権	ゼロ
ホ	購入した有価証券（ハに該当するものを除きます。）	その購入の代価（購入手数料、その他その有価証券の購入のために要した費用がある場合には、その費用の額を加算した金額）
ヘ	イからホ以外の方法により取得した有価証券	その取得の時におけるその有価証券の取得のために通常要する価額

（注） 相続や贈与により取得した株式等の取得費（取得価額）は、原則として、被相続人や贈与をした人が取得したときから引き続き所有していたものとみなして計算します。

　2回以上にわたって取得した同一銘柄の株式等の一部を譲渡した場合の取得価額の計算は、事業所得の場合には1暦年を単位とする同一銘柄ごとの総平均法によるものとされ、移動平均法の適用は認められません。また、譲渡所得及び雑所得の場合には総平均法に準ずる方法（同一銘柄の株式等を最初に取得してから最初に譲渡するまでの期間及びその後次の譲渡をするときまでの期間をそれぞれ1暦年とみて総平均法により計算した取得費又は取得価額によります。）によります（措令25の8⑦、所法48、所令118①）。

（注）　取得日の判定

　　株式等に係る譲渡所得等の金額を計算する場合における株式等の「取得をした日」の判定の主なものは、次によります（措通37の10・37の11共－18）。

　イ　他から取得した株式等は、引渡しがあった日

　　　ただし、納税者の選択により、その株式等の取得に係る契約の効力発生の日を取得をした日として申告したときは、認められます。

　ロ　金銭の払込み等により取得した株式等は、その払込み等の期日

　ハ　取締役の報酬等（会社法第361条第1項《取締役の報酬等》に規定する報酬等をいいます。）として取得する株式等で、同法第202条の2第1項《取締役の報酬等に係る募集事項の決定の特則》の規定により払込み等を要しないものは、同項第2号の割当日によります。

　ニ　新株予約権（新投資口予約権を含みます。）の行使（新株予約権付社債に係る新株引受権の行使を含みます。）により取得した株式等は、その新株予約権を行使した日

　ホ　株式等の分割又は併合により取得した株式等及び株主割当てにより取得した株式等については、その取得の基因となった株式等の「取得した日」

　ヘ　株式無償割当てにより取得した株式等は、その取得の基因となった株式等の「取得をした日」

第五章第一節《株式等に係る譲渡所得等の課税の特例》

　　ただし、当該株式無償割当ての基因となった株式等と異なる種類の株式等が割り当てられた場合には、当
　　該株式無償割当ての効力を生ずる日によります。
　ト　新株予約権無償割当て（新投資口予約権無償割当てを含みます。）により取得した新株予約権は、その新
　　株予約権無償割当ての効力を生ずる日
　チ　法人の合併又は法人の分割により取得した株式等は、その取得の基因となった株式等の「取得をした日」
　　　ただし、合併又は分割により、株式等に係る譲渡所得等に係る収入金額とみなされることとなる金額がある
　　場合における法人の合併又は法人の分割により取得した株式等は、その契約において定めたその効力を生ずる
　　日（新設合併又は新設分割の場合は、新設合併設立会社又は新設分割設立会社の設立登記の日）によります。
　リ　株式分配により取得した株式等は、その取得の基因となった株式等の「取得をした日」
　　　ただし、株式分配により、株式等に係る譲渡所得等に係る収入金額とみなされることとなる金額がある場
　　合における株式分配により取得した株式等は、株式分配について定めたその効力を生ずる日（その効力を生
　　ずる日を定めていない場合には、株式分配を行う法人の社員総会その他正当な権限を有する機関の決議があ
　　った日）によります。
　ヌ　投資信託等の受益権に係る投資信託等の信託の併合により取得した受益権は、その取得の基因となった投
　　資信託等の受益権の「取得をした日」
　　　ただし、投資信託等の終了により交付を受ける金銭の額で株式等に係る譲渡所得等に係る収入金額とみな
　　されることとなる金額がある場合における投資信託等の信託の併合により取得した受益権は、その契約にお
　　いて定めたその効力を生ずる日によります。
　ル　特定受益証券発行信託の受益権に係る特定受益証券発行信託の信託の分割により取得した受益権は、その
　　取得の基因となった特定受益証券発行信託の受益権の「取得をした日」
　　　ただし、投資信託等の一部の解約により交付を受ける金銭の額で株式等に係る譲渡所得等に係る収入金額
　　とみなされることとなる金額がある場合における特定受益証券発行信託の信託の分割により取得した受益
　　権は、その契約において定めたその効力を生ずる日によります。
　ヲ　組織変更により取得した株式等は、その取得の基因となった株式等の「取得をした日」
　　　ただし、組織変更により、株式等に係る譲渡所得等に係る収入金額とみなされることとなる金額がある場
　　合における組織変更により取得した株式等は、組織変更において定めたその効力を生ずる日によります。
　ワ　株式交換により取得した株式等は、その契約において定めたその効力を生ずる日
　カ　株式移転により取得した株式等は、株式移転完全親法人の設立登記の日
　ヨ　株式交付により取得した株式等は、株式交付計画に定められた株式交付がその効力を生ずる日によります。
　タ　取得請求権付株式の請求権の行使の対価として交付された株式等は、その請求権の行使をした日
　レ　取得条項付株式（取得条項付新株予約権及び取得条項付新株予約権が付された新株予約権付社債を含みます。）
　　の取得対価として交付された株式等は、取得事由が生じた日（その取得条項付株式を発行する法人がその取得事
　　由の発生によりその取得条項付株式の一部を取得することとするときは、その取得事由が生じた日と取得の対象
　　となった株主等へのその株式等を取得する旨の通知又は公告の日から２週間を経過した日のいずれか遅い日）
　ソ　全部取得条項付種類株式の取得対価として交付された株式等は、全部取得条項付種類株式に係る取得決議
　　において定めた会社が全部取得条項付種類株式を取得する日
　ツ　信用取引の買建てにより取得していた株式等をいわゆる現引きにより取得した場合には、その買建ての際
　　におけるイの日
　ネ　金融商品取引法第28条第８項第３号ハ《通則》に掲げる取引による権利の行使又は義務の履行により取得
　　した株式等は、その取引の対象株式等の売買に係る決済の日
　　　ただし、納税者の選択により、その権利の行使の日又は義務の履行の日を取得をした日として申告があっ
　　たときは、これが認められます。
　＊　所得税法第60条第1項《贈与等により取得した資産の取得費等》の規定は、株式等についても適用される
　　ことになります。

【計算例】

①　事業所得の場合

（事例）

年　月　日	摘要	株　数	単　価	金　額
令和５年12月１日	取得	10,000株	1,200円	12,000,000円

第五章第一節《株式等に係る譲渡所得等の課税の特例》

令和6年1月1日	残高	10,000株	1,200円	12,000,000円
令和6年5月10日	取得	5,000株	1,500円	7,500,000円
令和6年9月3日	譲渡	3,000株	1,600円	4,800,000円
令和6年11月1日	取得	5,000株	1,980円	9,900,000円
令和6年12月25日	譲渡	2,000株	1,900円	3,800,000円

（注）　すべて同一銘柄の株式とします。

$$\frac{12,000,000円＋7,500,000円＋9,900,000円}{10,000株＋5,000株＋5,000株}＝\frac{29,400,000円}{20,000株}＝\underline{1,470円／株}$$

　　この銘柄の株式の令和6年中の譲渡益（譲渡費用等は計算外。以下同じ。）は、

　　　（4,800,000円＋3,800,000円）－（1,470円×5,000株）＝1,250,000円

② 　譲渡所得又は雑所得の場合（事例は①と同様とします。）

　イ　令和6年9月3日譲渡分の取得費

$$\frac{12,000,000円＋7,500,000円}{10,000株＋5,000株}＝\frac{19,500,000円}{15,000株}＝\underline{1,300円／株}$$

　　譲渡益＝4,800,000円－3,900,000円（1,300円／株×3,000株）＝900,000円

　　譲渡後の残高12,000株の取得費＝19,500,000円－3,900,000円＝15,600,000円（A）

　ロ　令和6年12月25日譲渡分の取得費

$$\frac{(A)15,600,000円＋9,900,000円}{12,000株＋5,000株}＝\frac{25,500,000円}{17,000株}＝\underline{1,500円／株}$$

　　譲渡益＝3,800,000円－3,000,000円（1,500円／株×2,000株）＝800,000円

　　譲渡後の残高15,000株の取得費＝25,500,000円－3,000,000円＝22,500,000円

（2）　株主割当てにより取得した株式の取得価額の計算その他

① 　金銭の払込みによる株主割当て

　　居住者の有する株式（以下「旧株」といいます。）について、その旧株の数に応じて割り当てられた株式を金銭の払込みをして取得した場合（取得した株式を「新株」といいます。）の旧株及び新株の取得費又は取得価額の計算は次の算式によります（所令111①）。

$$旧株及び新株の1株当たりの取得価額＝\frac{旧株1株の従前の取得価額＋\left\{\left(\begin{array}{l}新株1株の＋払込みによる取\\払込金額＋得に要した費用\end{array}\right)×旧株1株につき取得した新株の数\right\}}{旧株1株につき取得した新株の数＋1}$$

② 　株式無償割当て

　　旧株について、その旧株の数に応じてその旧株の発行法人の株式無償割当てにより割り当てられた株式を取得した場合（その旧株と同一の種類の株式を取得した場合に限ります。）の株式無償割当て後の所有株式の取得価額の計算は次の算式によります（所令111②）。

$$\begin{array}{c}株式無償割当て後の所有株式\\1株当たりの取得価額\end{array}＝\frac{旧株1株の従前の取得価額×旧株の数}{株式無償割当て後の所有株式の数}$$

③ 　その他

　　合併により取得した株式の取得価額、分割型分割により取得した株式の取得価額、資本の払戻し等があった場合の株式等の取得価額、組織変更があった場合の株式等の取得価額及び合併等があった場合の新株予約権等の取得価額の計算については、所得税法施行令の定めるところ（所令112〜116）によります。

－72－

第五章第一節《株式等に係る譲渡所得等の課税の特例》

（3） 信用取引等に係る所得の帰属時期

信用取引若しくは発行日取引又は先物取引の方法による株式の売買から生ずる所得の帰属年分は、その信用取引若しくは発行日取引又は先物取引の決済の日の属する年分とされます（所基通23〜35共－10）。

（4） 株式等の譲渡による所得の所得区分

株式等の譲渡（租税特別措置法第37条の10第4項各号に規定する事由に基づき収入金額とみなされる場合を含みます。）による所得が事業所得若しくは雑所得に該当するか又は譲渡所得に該当するかは、株式等の譲渡が営利を目的として継続的に行われているかどうかにより判定しますが、次の①及び②に掲げる株式等の譲渡による所得については、譲渡所得として取り扱って差し支えありません（措通37の10・37の11共－2）。

① 上場株式等で所有期間が1年を超えるものの譲渡による所得

② 一般株式等の譲渡による所得

　（注） この場合において、その者の上場株式等に係る譲渡所得等の金額の計算上、信用取引等の方法による上場株式等の譲渡による所得など上記①に掲げる所得以外の上場株式等の譲渡による所得がある場合には、その部分は事業所得又は雑所得として取り扱って差し支えありません。

（5） 信用取引に係る金利等

信用取引の方法により株式の買付け又は売付けを行った者が、その信用取引に関し、金融商品取引業者に支払い、又は金融商品取引業者から支払いを受ける金利又は品貸料に相当する金額は、株式等に係る譲渡所得等の金額の計算上、それぞれ次のように取り扱われます（所基通36・37共－22）。

① 買付けを行った者が、金融商品取引業者に支払う金利は、その買付けに係る株式の取得価額に算入し、金融商品取引業者から支払いを受ける金利又は品貸料は、その買付けに係る株式の取得価額から控除します。

② 売付けを行った者が、金融商品取引業者から支払いを受ける金利はその売付けに係る株式の譲渡による収入金額に算入し、金融商品取引業者に支払う品貸料は、その売付けに係る株式の譲渡による収入金額から控除します。

（6） 信用取引に係る配当落調整額等

信用取引に関し、株式の買付けを行った者が金融商品取引業者から支払いを受ける次に掲げる金額は、当該買付けに係る株式の取得価額から控除し、株式の売付けを行った者が金融商品取引業者に対し支払う次に掲げる金額は、その売付けに係る株式の譲渡による収入金額から控除するものとされます（所基通36・37共－23）。

① 配当落調整額（信用取引に係る株式につき配当が付与された場合において、金融商品取引業者が売付けを行った者から徴収し又は買付けを行った者に支払う配当に相当する金銭の額をいいます。）に相当する金額

② 権利処理価額（信用取引に係る株式につき株式分割、株式無償割当て及び会社分割による株式を受ける権利、新株予約権又は新株予約権の割当てを受ける権利が付与された場合において、金融商品取引業者が売付けを行った者から徴収し又は買付けを行った者に支払うその引受権に相当する金銭の額をいいます。）に相当する金額

（7） 株式を取得するために要した負債の利子

株式等に係る譲渡所得等の金額の計算上控除するその株式等を取得するために要した負債の利子の額は、株式等に係る譲渡所得等の基因となった株式等を取得するために要した負債の利子で、その年中におけるその株式等の所有期間に対応して計算された金額によります（措通37の10・37の11共－15）。したがって、株式等の譲渡の年中であってもその株式等の取得前及び譲渡後の期間に対応する負債利子は控除できません。

（8） 配当所得の収入金額等がある場合の負債の利子

その年において株式等に係る譲渡所得の他に配当所得を有する者が負債により取得した株式等を有す

—73—

る場合において、その負債を株式等に係る譲渡所得等の基因となった株式等を取得するために要したものとその他のものとに明確に区分することが困難なときは、次の算式により計算した金額を株式等に係る譲渡所得等の金額の計算上控除すべき負債の利子の額とすることができます（措通37の10・37の11共－16）。

$$\text{株式等を取得する}\atop\text{ために要した負債}\atop\text{の利子の総額} \times \frac{\text{その利子の額を差し引く前の株式等に係る譲渡所得等の金額}}{\text{配当所得の}\atop\text{収入金額} + \text{その利子の額を差し引}\atop\text{く前の株式等に係る譲}\atop\text{渡所得等の金額} + \text{その利子の額を差し引く前の}\atop\text{総合課税の株式等に係る事業}\atop\text{所得等の金額}}$$

(注) 算式中の「総合課税の株式等に係る事業所得等」とは、所得税法第22条《課税標準》又は第165条《総合課税に係る所得税の課税標準、税額等の計算》の規定の適用を受ける株式等の譲渡による所得で事業所得又は雑所得に該当するものをいいます。

（9） 負債を借り換えた場合等の負債の利子

株式等を取得するために要した負債を借り換えた場合等の負債の利子については、次の所得税基本通達24－7、24－8及び24－9の取扱いを準用して計算します（措通37の10・37の11共－17）。

（負債を借り換えた場合）

24-7　株式等を取得するために要した負債を借り換えた場合には、借換え前の負債の額と借換え後の負債の額とのうち、いずれか少ない金額を借換え後の当該株式等を取得するために要した負債の額とする。

（負債により取得した株式等の一部を譲渡した場合）

24-8　負債により取得した株式等の一部を譲渡した場合には、その譲渡後の残余の株式等に係る負債の額は、その負債によって取得した株式等の銘柄ごとに次の算式により計算した金額とするものとする。

$$\text{当該譲渡直前における当}\atop\text{該銘柄の株式等を取得す}\atop\text{るために要した負債の額} \times \frac{\text{当該譲渡直後の当該銘柄の株式等の数}}{\text{当該譲渡直前に有していた当該銘柄の}\atop\text{株式等の総数}}$$

（注）その譲渡後その負債の一部を弁済したときは、その弁済はその譲渡した株式等に係る負債から順次行われたものとする。

（負債により取得した株式等を買い換えた場合）

24-9　負債により取得した株式等の全部又は一部を譲渡し、更に他の株式等を取得した場合には、当該他の株式等を取得するために要した負債の額は、当該譲渡した株式等を取得するために要した負債の残存額（その額が当該譲渡した株式等の譲渡代金を超える場合には、当該超える部分の金額を除く。）と当該他の株式等を取得するに際し新たに借り入れた負債の額との合計額（当該合計額が当該他の株式等を取得するために要した金額を超える場合には、当該超える部分の金額を除く。）とする。

2　貸付信託の受益権等の譲渡による所得の課税の特例

償還差益につき発行時に源泉徴収の対象とされた割引債、預金保険法第2条第2項第5号に規定する長期信用銀行債等、貸付信託の受益権及び農水産業協同組合貯金保険法の対象となる農林債（「貸付信託の受益権等」といいます。）の譲渡による所得については、所得税が課されません。

また、貸付信託の受益権等の譲渡による収入金額が当該貸付信託の受益権等の所得税法第33条第3項に規定する取得費及びその譲渡に要した費用の額の合計額又はその譲渡に係る必要経費に満たない場合におけるその不足額については、所得税法の規定の適用については、ないものとみなされます（措法37の15、措令25の14の3）。

3 株式等の譲渡の対価の受領者等の告知義務

　株式等の譲渡をした者は、その譲渡による所得につきその譲渡対価の支払を受けるときまでに住民票、法人の登記事項証明書その他の確認書類をその支払者に提示して氏名又は名称、住所又は所在地及び個人番号又は法人番号を告知しなければなりません。告知の相手方は①株式等の譲渡を受ける法人（②の金融商品取引業者等を通じて譲渡を受ける法人を除きます。）、②株式等の譲渡について売委託を受けた金融商品取引業者（金融商品取引法第２条第９項に規定するもの）又は登録金融機関（同法第２条第11項に規定するもの）、③会社法の規定により１株又は１口に満たない端数の株式等の競売をした法人及び④株式等（特定信託受益権に該当するものに限ります。）の譲渡について委託を受けた電子決済手段等取引業者となっています。なお、法人税法別表第一に掲げる公共法人等についてはこの告知義務はありません。この告知に際して提示する確認書類の範囲は次のとおりです（所法224の３①、所令341〜343、337②、所規81の６）。

| ① | 国内に住所を有する個人（③に掲げる者を除く。） | その個人の次に掲げるいずれかの書類
イ　個人番号カード（提示をする日において有効なもの）
ロ　通知カード及び次の住所等確認書類（その者の氏名及び住所の記載のあるもの）
〈イ〉住民票の写し又は住民票の記載事項証明書（提示をする日前６か月以内に作成されたもの）
〈ロ〉戸籍の附票の写し又は印鑑証明書
〈ハ〉国民健康保険、健康保険、船員保険、後期高齢者医療若しくは介護保険の被保険者証、健康保険日雇特例被保険者手帳、国家公務員共済組合若しくは地方公務員共済組合の組合員証又は私立学校教職員共済制度の加入者証
〈ニ〉児童扶養手当証書、特別児童扶養手当証書、母子健康手帳、身体障害者手帳、療育手帳、精神障害者保健福祉手帳又は戦傷病者手帳
〈ホ〉運転免許証（提示をする日において有効なもの）又は運転経歴証明書
〈ヘ〉旅券（提示をする日において有効なもの）
〈ト〉在留カード又は特別永住者証明書（提示をする日において有効なもの）
〈チ〉国税若しくは地方税の領収証書、納税証明書又は社会保険料の領収証書（領収日付又は発行年月日の記載のあるもので、その日が提示をする日前６か月以内のもの）
〈リ〉官公署から発行され、又は発給された書類その他これらに類するもの（提示をする日前６か月以内に作成されたもの）
ハ　住民票の写し又は住民票の記載事項証明書で、その者の個人番号の記載のあるもの（提示をする日前６か月以内に作成されたもの）及び住所等確認書類（ロの〈イ〉に掲げるもの以外のもの） |
| ② | 国内に住所を有しない個人（③に掲げる者を除く。） | イ　個人番号を有しない個人　住所等確認書類（①のイ及びロの〈イ〉を除く。ロにおいて同じ。）
ロ　個人番号を有する個人　住所等確認書類及び通知カード及び個人番号カード |

第五章第一節《株式等に係る譲渡所得等の課税の特例》

③	番号既告知者	住所等確認書類（国内に住所を有しない個人にあっては、①のイ及びロの〈イ〉を除く。）	
④	法人番号を有する法人	その法人の次に掲げるいずれかの書類 イ　一定の法人番号通知書（提示をする日前6か月以内に作成されたもの） ロ　法人番号通知書（イ以外のもの）及び法人確認書類（④〜⑥に掲げる法人の区分に応じそれぞれに定める書類をいいます。） ハ　法人番号印刷書類（提示をする日前6か月以内に作成されたもの）及び法人確認書類	④、⑤の法人確認書類は、次の法人の区分に応じそれぞれに定める書類 A　内国法人………その内国法人の次に掲げるいずれかの書類 イ　設立の登記に係る登記事項証明書（設立の登記をしていないときは、行政機関の長の証する書類）若しくはこれらの書類の写し、印鑑証明書又は法令の規定に基づき官公署から送付を受けた許可、認可、承認に係る書類（提示をする日前6月以内に交付又は送付を受けたもの） ロ　国税若しくは地方税の領収証書、納税証明書又は社会保険料の領収証書（領収日付又は発行年月日の記載のあるもので、その日が提示をする日前6月以内のもの）
⑤	法人番号を有しない法人	その法人の法人確認書類	B　人格のない社団等………その人格のない社団等の次に掲げるいずれかの書類 イ　定款、寄附行為、規則又は規約（名称及び主たる事務所の所在地に関する事項の定めがあるもの）の写しで、その代表者又は管理人のその人格のない社団等のものである旨を証する事項の記載のあるもの ロ　国税若しくは地方税の領収証書、納税証明書又は社会保険料の領収証書（領収日付又は発行年月日の記載のあるもので、その日が提示をする日前6か月以内のもの）

		C　外国法人………その外国法人の次に掲げるいずれかの書類
		イ　登記に係る登記事項証明書又は印鑑証明書（提示をする日前6か月以内に交付又は送付を受けたもの）
		ロ　国税若しくは地方税の領収証書、納税証明書又は社会保険料の領収証書（領収日付又は発行年月日の記載のあるもので、その日が提示をする日前6か月以内のもの）
		ハ　官公署から発行され、又は発給された書類その他これらに類するもの（提示をする日前6か月以内に交付又は送付を受けたもの）
⑥	法人課税信託の受託法人	次に掲げる書類 イ　①～⑤に掲げる区分に応じそれぞれに定める書類（その受託者の氏名又は名称及び住所又は本店若しくは主たる事務所の所在地の記載のあるもの） ロ　その法人課税信託の信託約款その他これに類する書類（その法人課税信託の名称及びその法人課税信託の信託された営業所の所在地の記載のあるもの）

4　株式等の譲渡の対価の支払調書

　3により、株式等の譲渡の対価の受領者の告知を受けて対価の支払をした法人は、各人別にその年中の対価の支払金額及び銘柄別の株式等の数その他受領者の氏名又は名称、住所又は所在地及び個人番号又は法人番号を記載した支払調書を翌年1月末までに所轄税務署長に提出しなければなりません（所法225①、所規90の2①②）。

──────── 「株式等に係る譲渡所得等の金額の計算明細書」の記載例 ────────

	銘　柄	株　数	譲渡日	譲渡収入金額	取　得　日	取　得　費
上場株式等	A不動産	3,000株	3月12日	9,000,000円	平成26年1月10日	6,800,000円
一般株式等	B興産	1,000株	6月4日	200,000円	平成24年1月18日	500,000円
	C機械	1,000株	6月19日	500,000円	平成29年1月17日	400,000円

　記載例は、次ページ～次々ページ参照

第五章第一節《株式等に係る譲渡所得等の課税の特例》

1 面

【令和 6 年分】

株式等に係る譲渡所得等の金額の計算明細書

整理番号

この明細書は、「一般株式等に係る譲渡所得等の金額」又は「上場株式等に係る譲渡所得等の金額」を計算する場合に使用するものです。
なお、国税庁ホームページ【https://www.nta.go.jp】では、画面の案内に沿って収入金額などの必要項目を入力することにより、この明細書や確定申告書などを作成することができます。

住　所 （前住所）	大阪市〇〇区〇〇町（　　　　　　　　　）	フリガナ 氏　名	オオサカ　イチロウ 大阪　一郎
電話番号 （連絡先）	〇〇〇〇-〇〇〇〇　職業　**会社員**	関与税理士名 （電話）	（　　　　　　　　）

※ 譲渡した年の1月1日以後に転居された方は、前住所も記載してください。

1 所得金額の計算

			一 般 株 式 等	上 場 株 式 等
収入金額	譲渡による収入金額	①	700,000 円	9,000,000 円
	その他の収入	②		
	小計（①+②）	③	申告書第三表㋐へ 700,000	申告書第三表㋒へ 9,000,000
必要経費又は譲渡に要した費用等	取得費（取得価額）	④	900,000	6,800,000
	譲渡のための委託手数料	⑤		9,450
		⑥		
	小計（④から⑥までの計）	⑦	900,000	6,809,450
	特定管理株式等のみなし譲渡損失の金額（※1） （△を付けないで書いてください。）	⑧		
	差 引 金 額（③-⑦-⑧）	⑨	△ 200,000	2,190,550
	特定投資株式の取得に要した金額等の控除（※2） （⑨欄が赤字の場合は0と書いてください。）	⑩		
	所 得 金 額（⑨-⑩） （一般株式等について赤字の場合は0と書いてください。） （上場株式等について赤字の場合は△を付して書いてください。）	⑪	申告書第三表㋑へ 0	黒字の場合は申告書第三表㋓へ 2,190,550
	本年分で差し引く上場株式等に係る繰越損失の金額（※3）	⑫		申告書第三表㊾へ
	繰越控除後の所得金額（※4） （⑪-⑫）	⑬	申告書第三表㊿へ	申告書第三表㊿へ

（注）　租税特別措置法第37条の12の2第2項に規定する上場株式等の譲渡以外の上場株式等の譲渡（相対取引など）がある場合の「上場株式等」の①から⑨までの各欄については、同項に規定する上場株式等の譲渡に係る金額を括弧書（内書）により記載してください。なお、「上場株式等」の⑪欄の金額が相対取引などによる赤字のみの場合は、申告書第三表の㋓欄に0を記載します。

特例適用条文　措法＿＿条の＿＿＿／措法＿＿条の＿＿＿

※1　「特定管理株式等のみなし譲渡損失の金額」とは、租税特別措置法第37条の11の2第1項の規定により、同法第37条の12の2第2項に規定する上場株式等の譲渡をしたことにより生じた損失の金額とみなされるものをいいます。
※2　⑩欄の金額は、「特定中小会社が発行した株式の取得に要した金額等の控除の明細書」で計算した金額に基づき、「一般株式等」、「上場株式等」の順に、⑨欄の金額を限度として控除します。
※3　⑫欄の金額は、「上場株式等」の⑪欄の金額を限度として控除し、「上場株式等」の⑪欄の金額が0又は赤字の場合には記載しません。なお、⑫欄の金額を「一般株式等」から控除することはできません。
※4　⑬欄の金額は、⑪欄の金額が0又は赤字の場合には記載しません。また、⑬欄の金額を申告書に転記するに当たって申告書第三表の㊾欄の金額が同⑫欄の金額から控除しきれない場合には、税務署にお尋ねください。

整理欄
（令和5年分以降用）
R5.11

「上場株式等」の⑪欄の金額が赤字の場合で、譲渡損失の損益通算及び繰越控除の特例の適用を受ける方は、「所得税及び復興特別所得税の確定申告書付表」も記載してください。

> この計算明細書は、令和5年分のものです。令和6年分の計算明細書は改正されることがありますので、ご注意ください。

—78—

第五章第一節《株式等に係る譲渡所得等の課税の特例》

2 面（計算明細書）

2　申告する特定口座の上場株式等に係る譲渡所得等の金額の合計

口座の区分	取引先（金融商品取引業者等）		譲渡の対価の額（収入金額）	取得費及び譲渡に要した費用の額等	差引金額（譲渡所得等の金額）	源泉徴収税額
源泉口座・簡易口座	証券会社銀行（　　）	本店支店出張所（　　）	円	円	円	円
源泉口座・簡易口座	証券会社銀行（　　）	本店支店出張所（　　）				
源泉口座・簡易口座	証券会社銀行（　　）	本店支店出張所（　　）				
源泉口座・簡易口座	証券会社銀行（　　）	本店支店出張所（　　）				
源泉口座・簡易口座	証券会社銀行（　　）	本店支店出張所（　　）				
合　計（上場株式等（特定口座））			1面①へ	1面④へ		申告書第二表「所得の内訳」欄へ

【参考】　特定口座以外で譲渡した株式等の明細

区分	譲渡年月日（償還日）	譲渡した株式等の銘柄	数量	譲渡先（金融商品取引業者等）の名称・所在地等	譲渡による収入金額	取得費（取得価額）	譲渡のための委託手数料	取得年月日
一般株式等・**上場株式等**	・・		株（口、円）3,000	甲証券大阪支店	円9,000,000	円6,800,000	円9,450	27・1・10（・・）
一般株式等・上場株式等	6・6・4	B興産	1,000	××市○○町○山和男	200,000	500,000		25・1・18（・・）
一般株式等・上場株式等	6・6・19	C機械	1,000	同上	500,000	400,000		30・1・17（・・）
一般株式等・上場株式等	・・							・・（・・）
一般株式等・上場株式等	・・							・・（・・）
合　計	一般株式等				1面①へ700,000	1面④へ900,000	1面⑤へ	
	上場株式等（一般口座）				1面①へ9,000,000	1面④へ6,800,000	1面⑤へ9,450	

> この計算明細書の外に、ストックオプション税制（6参照）及びエンジェル税制（8参照）の対象となる株式を譲渡した場合は「株式等に係る譲渡所得等の金額の計算明細書（特定権利行使株式分及び特定投資株式分がある場合）」があります。

－79－

5 株式交換等に係る譲渡所得の特例

（1） 株式交換に係る譲渡所得等の特例

　居住者が各年において、その有する株式（以下「旧株」といいます。）につき、その旧株を発行した法人の行った株式交換（株式交換完全親法人又は株式交換完全親法人との間にその株式交換完全親法人の発行済株式若しくは出資（その株式交換完全親法人が有する自己の株式又は出資を除きます。）の全部を直接若しくは間接に保有する関係として一定の関係（**注**）がある法人の株式のうちいずれか一の法人の株式（出資を含みます。）以外の資産（その株主に対する剰余金の配当として交付された金銭その他の資産及び株式交換に反対するその株主に対するその買取請求に基づく対価として交付される金銭その他の資産を除きます。）が交付されなかったものに限ります。）によりその株式交換完全親法人に対し、旧株を譲渡し、かつ、その株式の交付を受けた場合又はその旧株を発行した法人の行った特定無対価株式交換（その法人の株主に株式交換完全親法人の株式その他の資産が交付されなかった株式交換で、当該法人の株主に対する株式交換完全親法人の株式の交付が省略されたと認められる株式交換として法人税法施行令第4条の4第18項第2号《適格組織再編成における株式の保有関係等》に規定する株主均等割合保有関係がある株式交換をいいます。）によりその旧株を有しないこととなった場合には、事業所得の金額、譲渡所得の金額、雑所得又は贈与等の場合の譲渡所得等の特例の金額の計算については、その旧株の譲渡又は贈与がなかったものとされます（所法57の4①、所令167の7①②）。

　この特例の適用を受けた居住者が株式交換により取得した株式交換完全親法人の株式又は特定無対価株式交換に係る株式交換完全親法人の株式をその後に譲渡した場合の譲渡所得等の金額の計算において収入金額から控除する取得費の計算の基礎となる株式交換完全親法人の株式取得価額は、その株式交換により株式交換完全親法人に譲渡をした旧株の取得価額（株式交換完全親法人の株式の取得に要した費用がある場合には、その費用の額を加算した金額）となります（所令167の7④⑤）。

（注） 株式交換の直前にその株式交換に係る株式交換完全親法人とその株式交換完全親法人以外の法人との間にその法人による完全支配関係がある場合のその完全支配関係をいいます（所令167の7①）。

（2） 株式移転に係る譲渡所得等の特例

　居住者が各年において、その有する株式（以下「旧株」といいます。）につき、その旧株を発行した法人の行った株式移転（株式移転完全親法人の株式以外の資産（株式移転に反対するその株主に対するその買取請求に基づく対価として交付される金銭その他の資産を除きます。）が交付されなかったものに限ります。）によりその株式移転完全親法人に対し、その旧株を譲渡し、かつ、その株式移転完全親法人の株式の交付を受けた場合には、事業所得の金額、譲渡所得の金額又は雑所得の金額の計算については、その旧株の譲渡がなかったものとされます（所法57の4②）。

　この特例の適用を受けた居住者が株式移転により取得をした株式移転完全親法人の株式をその後譲渡した場合の譲渡所得等の金額の計算において収入金額から控除する取得費の計算の基礎となる株式移転完全親法人の株式の取得価額は、その株式移転により株式移転完全親法人に譲渡をした旧株の取得価額（株式移転完全親法人の株式の取得に要した費用がある場合には、その費用の額を加算した金額）となります（所令167の7⑥）。

（3） 取得請求権付株式等に係る特例

　居住者が、各年において、その有する次表に掲げる有価証券をそれぞれに定める事由により譲渡し、かつ、その事由によりそれぞれに規定する取得をする法人の株式（出資を含みます。）又は新株予約権の交付を受けた場合（その交付を受けた株式又は新株予約権の価額がその譲渡した有価証券の価額とおおむね同額となっていないと認められる場合を除きます。）には、譲渡所得、事業所得又は雑所得の規定の適用については、その有価証券の譲渡がなかったものとみなされます（所法57の4③、所令167の7③）。

第五章第一節《株式等に係る譲渡所得等の課税の特例》

	有価証券	事由
イ	取得請求権付株式 （法人がその発行する全部又は一部の株式の内容として株主等がその法人に対してその株式の取得を請求することができる旨の定めを設けている場合のその株式をいう。）	その取得請求権付株式に係る請求権の行使によりその取得の対価としてその取得をする法人の株式のみが交付される場合のその請求権の行使
ロ	取得条項付株式 （法人がその発行する全部又は一部の株式の内容としてその法人が一定の事由（以下「取得事由」という。）が発生したことを条件としてその株式の取得をすることができる旨の定めを設けている場合のその株式をいう。）	その取得条項付株式に係る取得事由の発生によりその取得の対価としてその取得をされる株主等にその取得をする法人の株式のみが交付される場合（その取得の対象となった種類の株式のすべてが取得をされる場合には、その取得の対価としてその取得をされる株主等にその取得をする法人の株式及び新株予約権のみが交付される場合を含む。）のその取得事由の発生
ハ	全部取得条項付種類株式 （ある種類の株式について、これを発行した法人が株主総会その他これに類するものの決議（以下「取得決議」という。）によってその全部の取得をする旨の定めがある場合のその種類の株式をいう。）	その全部取得条項付種類株式に係る取得決議によりその取得の対価としてその取得をされる株主等にその取得をする法人の株式（その株式と併せて交付されるその取得をする法人の新株予約権を含みます。）以外の資産（その取得の価格の決定の申立てに基づいて交付される金銭その他の資産を除きます。）が交付されない場合のその取得決議
ニ	新株予約権付社債についての社債	その新株予約権付社債に付された新株予約権の行使によりその取得の対価としてその取得をする法人の株式が交付される場合のその新株予約権の行使
ホ	取得条項付新株予約権 （新株予約権について、これを発行した法人が一定の事由（以下「取得事由」という。）が発生したことを条件としてこれを取得することができる旨の定めがある場合のその新株予約権をいい、①その新株予約権を引き受ける者に特に有利な条件又は金額で交付されたもの及び②役務の提供その他の行為に係る対価の全部又は一部として交付されたものを除く。）	その取得条項付新株予約権に係る取得事由の発生によりその取得の対価としてその取得をされる新株予約権者にその取得をする法人の株式のみが交付される場合のその取得事由の発生
ヘ	取得条項付新株予約権＊が付された新株予約権付社債 （＊新株予約権について、これを発行した法人が一定の事由（以下「取得事由」という。）が発生したことを条件としてこれを取得する	その取得条項付新株予約権に係る取得事由の発生によりその取得の対価としてその取得をされる新株予約権者にその取得をする法人の株式のみが交付される場合のその取得事由の

ことができる旨の定めがある場合の新株予約権をいう。)	発生

　この特例の規定の適用を受けて取得した株式又は新株予約権の取得価額は、それぞれ次に掲げる金額とされます（所令167の7⑦）。

上表イの取得　　その取得請求権付株式の取得価額＋その取得をする株式の取得に要した費用の額
上表ロの取得　　株式の取得価額＝その取得条項付株式の取得価額＋その取得をする株式の取得に要した費用の額
　　　　　　　　新株予約権の取得価額＝零
上表ハの取得　　株式の取得価額＝その全部取得条項付種類株式の取得価額＋その取得をする株式の取得に要した費用の額
　　　　　　　　新株予約権の取得価額＝零
上表ニの取得　　その新株予約権付社債の取得価額＋その取得をする株式の取得に要した費用の額
上表ホの取得　　その取得条項付新株予約権の取得価額＋その取得をする株式の取得に要した費用の額
上表への取得　　その新株予約権付社債の取得価額＋その取得をする株式の取得に要した費用の額

　（注）　上表イの取得請求権付株式に係る請求権の行使又は上表ニの新株予約権の行使に際し一に満たない端数が生じた場合におけるその一に満たない端数に相当する部分は、その取得をする法人の株式に含まれるものとされます（所令167の7⑧）。

6　特定の取締役等が受ける新株予約権の行使による株式の取得に係る経済的利益の非課税等の特例（ストックオプション税制）

（1）　新株予約権の行使により株式を取得した場合の経済的利益の非課税

　会社法第238条第2項に規定する決議（同法第239条第1項の決議による委任に基づく同項に規定する募集事項の決定及び同法第240条第1項の規定による取締役会の決議を含みます。）により金銭の払込みをさせないで発行された新株予約権を与えられる者とされた決議（以下「付与決議」といいます。）のあった株式会社若しくはその株式会社がその発行済株式若しくは出資の総数等の50％超を直接若しくは間接に保有する関係にある法人の取締役、執行役若しくは使用人（その株式会社の大口株主又は大口株主の特別関係者を除きます。以下「取締役等」といいます。）若しくはその取締役等の相続人（付与決議に基づき新株予約権を行使することができることとなる者に限ります。以下「権利承継相続人」といいます。）又はその株式会社若しくはその法人の取締役、執行役及び使用人である個人以外の個人（大口株主及び大口株主の特別関係者を除き、中小企業等経営強化法第13条に規定する認定新規中小企業者等に該当するその株式会社が同法第9条第2項に規定する認定社外高度人材活用新事業分野開拓計画（当該新株予約権の行使の日以前に同項の規定による認定の取消しがあったものを除きます。）に従って行う同法第2条第8項に規定する社外高度人材活用新事業分野開拓に従事する同項に規定する社外高度人材（その認定社外高度人材活用新事業分野開拓計画に従ってその新株予約権を与えられる者に限ります。）で、その認定社外高度人材活用新事業分野開拓計画の同法第8条第2項第2号に掲げる実施時期の開始の日（その認定社外高度人材活用新事業分野開拓計画の変更により新たにその社外高度人材活用新事業分野開拓に従事することとなった社外高度人材にあっては、その変更について受けた同法第9条第1項の規定による認定の日。）からその新株予約権の行使の日まで引き続き居住者である者に限ります。以下「特定従事者」といいます。）が、その付与決議に基づきその株式会社と取締役等又は特定従事者との間に締結された契約により与えられた新株予約権（その新株予約権に係る契約において次に掲げる要件（その新株予約権がその取締役等に対して与えられたものである場合には、①から⑥までに掲げる要件）が定められているものに限ります。以下「**特定新株予約権**」といい

ます。）をその契約に従って行使することにより株式を取得した場合には、その株式の取得に係る経済的利益については、所得税を課さないこととされます。

　ただし、取締役等若しくは権利承継相続人又は特定従事者（以下「権利者」といいます。）が、特定新株予約権の行使をすることにより、その年におけるその行使に際し払い込むべき額（以下「権利行使価額」といいます。）（その特定新株予約権に係る付与決議の日において、その特定新株予約権に係る契約を締結した株式会社がその設立の日以後の期間が５年未満のものである場合にはその権利行使価額を２で除して計算した金額とし、その株式会社がその設立の日以後の期間が５年以上20年未満であること、付与決議の日において金融商品取引所に上場されている株式又は店頭売買登録銘柄として登録されている株式を発行する会社以外の会社であることなどの要件を満たすものである場合にはその権利行使価額を３で除して計算した金額とします。）とその権利者がその年において既にしたその特定新株予約権及び他の特定新株予約権の行使に係る権利行使価額の合計額が、1,200万円を超えることとなる場合には、その1,200万円を超えることとなる特定新株予約権の行使による株式の取得に係る経済的利益については、所得税が課されます（措法29の２①、措令19の３①⑤、措規11の３①②）。

①	新株予約権の行使は、付与決議の日後２年を経過した日から付与決議の日後10年を経過する日（付与決議の日において新株予約権に係る契約を締結した株式会社がその設立の日以後の期間が５年未満であることその他一定の要件を満たすものである場合には、付与決議の日後15年を経過する日）までの間に行わなければならないこと
②	新株予約権の行使に係る権利行使価額の年間の合計額が、1,200万円を超えないこと
③	新株予約権の行使に係る１株当たりの権利行使価額は、その株式会社の株式の新株予約権に係る契約を締結した時における１株当たりの価額に相当する金額以上であること
④	新株予約権については、譲渡をしてはならないこととされていること
⑤	新株予約権の行使に係る株式の交付が、その交付のために付与決議された会社法第238条第１項に定める事項に反しないで行われるものであること
⑥	新株予約権の行使により取得をする株式につき、次に掲げる要件のいずれかを満たすこと。

<table>
<tr><td rowspan="2">⑥</td><td>イ</td><td>その行使に係る株式会社と金融商品取引業者又は金融機関（以下「金融商品取引業者等」といいます。）との間であらかじめ締結される新株予約権の行使により交付をされる株式の振替口座簿への記載若しくは記録、保管の委託又は管理及び処分に係る信託（以下「管理等信託」といいます。）に関する取決め（その振替口座簿への記載若しくは記録若しくは保管の委託に係る口座又はその管理等信託に係る契約が権利者の別に開設され、又は締結されるものであること、その口座又は契約においては新株予約権の行使により交付をされるその株式会社の株式以外の株式を受け入れないことその他の一定の要件が定められるものに限ります。）に従い、その取得後直ちに、その株式会社を通じて、その金融商品取引業者等の振替口座簿に記載若しくは記録を受け、又はその金融商品取引業者等の営業所等に保管の委託若しくは管理等信託がされること。</td></tr>
<tr><td>ロ</td><td>その行使に係る株式会社とその契約によりその新株予約権を与えられた者との間であらかじめ締結される新株予約権の行使により交付をされるその株式会社の株式（譲渡制限株式に限ります。）の管理に関する取決め（その管理に係る契約が権利者の別に締結されるものであること、その株式会社が、新株予約権の行使により交付をされるその株式会社の株式につき帳簿を備え、権利者の別に、その株式の取得その他の異動状況に関する事項を記載し、又は記録することによって、その株式をその株式と同一銘柄の他の株式と区分して管理をすることその他の一定の要件が定められるものに限ります。）に従い、その取得後直ちに、その株式会社により管理がされること。</td></tr>
</table>

⑦	その契約によりその新株予約権を与えられた者は、その契約を締結した日からその新株予約権の行使の日までの間において国外転出（国内に住所及び居所を有しないこととなることをいいます。）をする場合には、その国外転出をする時までにその新株予約権に係る契約を締結した株式会社にその旨を通知しなければならないこと
⑧	その契約によりその新株予約権を与えられた者に係る中小企業等経営強化法第9条第2項に規定する認定社外高度人材活用新事業分野開拓計画につきその新株予約権の行使の日以前に同条第2項の規定による認定の取消しがあった場合には、その新株予約権に係る契約を締結した株式会社は、速やかに、その者にその旨を通知しなければならないこと

（2） 特定株式等に係るみなし譲渡課税

　次に掲げる事由により、（1）の非課税の特例の適用を受けた個人（以下「特例適用者」といいます。）が有するその適用を受けて取得をした株式及び分割等株式（(1)の⑥イに規定する取決めに従い金融商品取引業者等の振替口座簿に記載若しくは記録を受け、若しくは金融商品取引業者等の営業所等に保管の委託若しくは管理等信託がされているもの又は同⑥ロに規定する取決めに従い同⑥ロに規定する株式会社（その株式会社を法人税法第2条第11号に規定する被合併法人とする合併により同⑥ロに規定する管理に係る契約の移転を受けたその合併に係る同条第12号に規定する合併法人その他の一定の法人を含みます。）により管理がされているものに限ります。以下「**特定株式**」といいます。）の全部又は一部の返還又は移転があった場合（特例適用者から相続（限定承認に係るものを除きます。）又は遺贈（包括遺贈のうち限定承認に係るものを除きます。）により特定株式（特定従事者に対して与えられた特定新株予約権の行使により取得をした株式その他これに類する株式として政令で定めるものを除きます。以下「取締役等の特定株式」といいます。）の取得をした個人（以下「承継特例適用者」といいます。）が、その取締役等の特定株式を(1)の⑥イに規定する取決めに従い引き続きその取締役等の特定株式に係る金融商品取引業者等の振替口座簿に記載若しくは記録を受け、若しくは金融商品取引業者等の営業所等に保管の委託若しくは管理等信託をし、又はその取締役等の特定株式を同⑥ロに規定する取決めに従い引き続きその取締役等の特定株式の管理をしていた同⑥ロに規定する株式会社により管理をさせる場合を除きます。）には、その返還又は移転があった特定株式については、その事由が生じた時に、その時における価額に相当する金額による譲渡があったものと、（一）に掲げる事由による返還を受けた特例適用者については、その事由が生じた時に、その時における価額に相当する金額をもってその返還を受けた特定株式の数に相当する数のその特定株式と同一銘柄の株式の取得をしたものとそれぞれみなして、一般株式等に係る譲渡所得等の課税の特例（措法37の10）及び上場株式等に係る譲渡所得等の課税の特例（措法37の11）の規定その他の所得税に関する法令の規定を適用することとされます。

（注）　上記＿＿＿下線部については、公益信託に関する法律（令和6年法律第30号）の施行の日（公布の日（令和6年5月22日）から起算して2年を超えない範囲内において政令で定める日）以後、「又は遺贈（」の次に「公益信託に関する法律第2条第1項第1号に規定する公益信託の受託者に対するものであってその信託財産とするためのもの及び」が加えられます（令6改所法等附1九ヘ）。

　なお、次に掲げる事由により、承継特例適用者が有する承継特定株式（特例適用者から相続又は遺贈により取得をした取締役等の特定株式及びその特定株式につき有し、又は取得することとなる分割等株式で、(1)の⑥イに規定する取決めに従い引き続きその取締役等の特定株式に係る金融商品取引業者等の振替口座簿に記載若しくは記録を受け、若しくは金融商品取引業者等の営業所等に保管の委託若しくは管理等信託がされ、又は同⑥ロに規定する取決めに従い引き続きその取締役等の特定株式の管理をしていた同⑥ロに規定する株式会社により管理がされているものをいいます。以下同じ。）の全部又は一部の返還又は移転があった場合についても、上記と同様とされます（措法29の2④、措令19の3⑫）。

－84－

(一)	その金融商品取引業者等の振替口座簿への記載若しくは記録、保管の委託若しくは管理等信託又は（1）の⑥ロに規定する株式会社による管理に係る契約の解約又は終了（同⑥イ又は同⑥ロに規定する取決めに従ってされる譲渡に係る終了その他一定の終了を除きます。）
(二)	<u>贈与（法人に対するものを除きます。）</u>又は相続（限定承認に係るものを除きます。）若しくは<u>遺贈（法人に対するもの及び</u>個人に対する包括遺贈のうち限定承認に係るものを除きます。）
(三)	（1）の⑥イ又は同ロに規定する取決めに従ってされる譲渡以外の譲渡でその譲渡の時における価額より低い価額によりされるもの（法人に対する譲渡で譲渡時の価額の2分の1に満たない価額による譲渡を除きます。）

(注1) 「分割等株式」とは、特例適用者が、（1）の非課税の適用を受けて取得をした株式につき有し、又は取得することとなる所得税法施行令第110条第1項に規定する分割又は併合後の所有株式、同令第111条第2項に規定する株式無償割当て後の所有株式、同令第112条第1項に規定する合併に係る同項に規定する合併法人株式又は合併親法人株式、同令第113条第1項に規定する分割型分割に係る同項に規定する分割承継法人株式又は分割承継親法人株式及び同令第113条の2第1項に規定する株式分配に係る同項に規定する完全子法人株式並びに5の（1）に規定する株式交換等により完全親法人から交付を受けたその完全親法人の株式、同（3）の取得条項付株式の同（3）の取得事由の発生により交付を受けた株式、全部取得条項付種類株式の取得決議により交付を受けた株式その他財務省令で定めるもの（会社法第189条第1項に規定する単元未満株式その他これに類するものとして財務省令で定めるものを除きます。）をいいます（措令19の3⑪）。

(注2) 上記＿＿下線部については、公益信託に関する法律（令和6年法律第30号）の施行の日（公布の日（令和6年5月22日）から起算して2年を超えない範囲内において政令で定める日）以後、（二）中「贈与（法人に対するもの」の次に「及び公益信託に関する法律第2条第1項第1号に規定する公益信託（以下「公益信託」といいます。）の受託者である個人に対するもの（その信託財産とするためのものに限ります。）」が加えられ、「及び」が「並びに公益信託の受託者である個人に対するもの（その信託財産とするためのものに限ります。）及び」に改められます（令6改所法等附1九ヘ）。

（3） 特定株式等の取得価額の計算の特例等

（2）に規定する特例適用者又は承継特例適用者の有する同一銘柄の株式のうちに特定株式又は承継特定株式とその特定株式及び承継特定株式以外の株式とがある場合には、これらの株式については、それぞれその銘柄が異なるものとして、有価証券の評価の方法、有価証券の取得価額、譲渡所得の基因となる有価証券の取得費等及び株式交換等による取得株式等の取得価額の規定を適用することとされます（措令19の3㉑）。

また、特定新株予約権の行使に係る経済的利益の非課税の特例の適用を受けて取得した株式の取得価額は、ストックオプションの行使の時における価額（時価）ではなく、その実際の譲渡価額又は払込価額によることとされます（措令19の3㉓）。

（4） 特定株式又は承継特定株式の譲渡所得等に係る確定申告、告知

① 明細書の記載事項の特例………その年において特定株式又は承継特定株式に係る譲渡所得等を有する者は、確定申告書を提出する際に添付する「株式等に係る譲渡所得等の金額の計算明細書」に株式等に係る譲渡所得等の各所得区分ごとに特定株式又は承継特定株式に係るものと他の株式等に係るものとに区分して記載するとともに、一般的な記載事項の他に次の事項を記載しなければなりません（措令19の3㉔㉖、措規11の3⑩〜⑬）。

イ 特定株式又は承継特定株式の譲渡をした年月日

ロ 譲渡をした特定株式又は承継特定株式の数

ハ （2）のみなし譲渡課税の適用がある場合には、その適用に係る（2）の（一）から（三）までに掲げる事由

② 特定株式又は承継特定株式の譲渡に係る譲渡対価の受領者の告知の特例………特定株式又は承継

第五章第一節《株式等に係る譲渡所得等の課税の特例》

特定株式の譲渡をした特例適用者又は承継特例適用者が、国内において、その特定株式又は承継特定株式の譲渡を受けた法人又はその特定株式又は承継特定株式の譲渡について売委託を受けた証券業者若しくは銀行（以下「支払者」といいます。）からその特定株式又は承継特定株式の譲渡の対価の支払を受ける場合には、その特例適用者又は承継特例適用者は、その支払を受ける時までに、その者の氏名及び住所のほか、その譲渡をした同一銘柄の株式のうちに特定株式又は承継特定株式が含まれている旨及びその特定株式又は承継特定株式の数をその支払者に告知しなければならないこととされています（措令19の3㉚㉛）。

（5）　支払調書の提出

①　特定新株予約権を付与する株式会社は、これらの権利が税制適格ストックオプションとなる特定新株引受権である場合は、当該権利を付与した取締役等又は特定従事者の氏名、住所及び個人番号、付与決議日、付与契約締結日、権利行使可能期間、権利行使株数、権利行使価額等を記載した「特定新株予約権の付与に関する調書」を、当該権利を付与した日の属する年の翌年1月31日までに、当該付与会社の本店の所在地の所轄税務署長に提出しなければならないこととされています（措法29の2⑥、措令19の3㉗、措規11の3⑮）。

②　特定株式等につき、振替口座簿への記載等をし、若しくは保管の委託等を受けている金融商品取引業者等又は管理をしている株式会社は、その振替口座簿への記載等、若しくは保管の委託等をしている特例適用者等ごとに、その者の氏名、住所及び個人番号、その特定株式等の受入れ若しくは取得又は振替若しくは交付をした年月日及びその事由等を記載した「特定株式等の異動状況に関する調書」を、毎年1月31日までに、その金融商品取引業者等の営業所等の所在地の所轄税務署長に提出しなければならないこととされています（措法29の2⑦、措令19の3㉘、措規11の3⑮）。

※　特定株式又は承継特定株式の譲渡に係る支払調書の特例………特定株式又は承継特定株式の譲渡の対価の支払者は、その支払を受ける個人の株式等の譲渡の対価の支払調書に、一般の記載事項の他に、次に掲げる事項を記載しなければなりません（措令19の3㉜㉝、措規11の3⑰）。

イ　その支払をした譲渡の対価に係る株式等のうちに特定株式又は承継特定株式が含まれている旨

ロ　同一銘柄の株式のうちに特定株式又は承継特定株式とその特定株式及び承継特定株式以外の株式とが含まれている場合には、その特定株式又は承継特定株式とその特定株式及び承継特定株式以外の株式の別ごとの譲渡の対価の額、その支払の確定した日及び株式の数

(注)　「新株予約権の行使に関する調書」（所法228の2）は、税制適格ストックオプションとなる新株予約権の行使については提出不要とされています（措法29の2⑧、措令19の3㊱）。

7　特定中小会社が発行した株式の取得費控除の特例

平成15年4月1日以後に、次の**(1)**に掲げる株式会社（以下9までにおいて**「特定中小会社」**といいます。）の次の**(1)**の区分に応じそれぞれに定める株式（以下9までにおいて**「特定株式」**といいます。）を払込み（その株式の発行に際してするものに限ります。以下9までにおいて同じ。）により取得**(注)**した居住者等が、その特定株式を払込みにより取得をした場合における株式等に係る譲渡所得等の申告分離課税の適用については、その年分の一般株式等に係る譲渡所得等の金額又は上場株式等に係る譲渡所得等の金額の計算上、その年中にその払込みにより取得をした特定株式（その年12月31日において有するものとされるものに限ります。以下**「控除対象特定株式」**といいます。）の取得に要した金額の合計額（**適用前の株式等に係る譲渡所得等の金額の合計額**〔7の特例を適用しないで計算した場合の一般株式等に係る譲渡所得等の金額及び7の特例を適用しないで計算した場合の上場株式等に係る譲渡所得等の金額の合計額をいいます。〕がその取得に要した金額の合計額に満たない場合には、その適用前の株式等に係る譲渡所得等の金額の合計額に相当する金額となります。）を控除することができます（措法37の13①）。

(注)　上記の「特定株式の取得」は、払込みによる取得に限られますから、現物出資、相対取引、相続・贈与な

—86—

第五章第一節《株式等に係る譲渡所得等の課税の特例》

どによって取得した場合は対象となりません。また、**6**の**(1)**《新株予約権の行使により株式を取得した場合の経済的利益の非課税》の適用を受けるものは含まれません（以下**8**までにおいて同じ。）。

（1）　特定中小会社、特例株式会社及び特定株式の意義

	特定中小会社		特 定 株 式
		特例株式会社	
一	中小企業等経営強化法第6条に規定する特定新規中小企業者に該当する株式会社	左記の株式会社のうち、基準日においてその設立の日以後の期間が5年未満であり、中小企業等経営強化法施行規則第8条第5号ロに該当する株式会社であること。	当該株式会社により発行される株式
二	内国法人のうちその設立の日以後10年を経過していない株式会社（中小企業基本法に掲げる中小企業者に該当する会社であることその他一定の要件を満たすものに限ります。）	左記の株式会社のうち、基準日においてその設立の日以後の期間が5年未満であり、中小企業等経営強化法施行規則第8条第5号ロ（1）又は（2）に掲げる会社の区分に応じ同号ロ（1）又は（2）に定める要件を満たす会社	当該株式会社により発行される株式で次に掲げるものイ　投資事業有限責任組合契約に関する法律に規定する投資事業有限責任組合（一定のものに限ります。）に係る投資事業有限責任組合契約に従って取得をされるものロ　金融商品取引法に規定する第一種少額電子募集取扱業務を行う者（一定のものに限ります。）が行う電子募集取扱業務により取得をされるもの
三	内国法人のうち、沖縄振興特別措置法第57条の2第1項に規定する指定会社で平成26年4月1日から令和7年3月31日までの間に同項の規定による指定を受けたもの	左記の法人については、特例株式会社には該当しない。	その指定会社により発行される株式

（注1）　上表一の「特定中小会社」とは、中小企業等経営強化法第6条の特定新規中小企業者として次の要件に該当するもの及び中小企業等経営強化法施行規則第8条第5号ロ・ハに該当する一定の特定新規中小企業者をいいます（措法37の13①、中小企業等経営強化法、同法施行令、同法施行規則）。

①　中小企業等経営強化法第2条第4項に規定する新規中小企業者で次のいずれかに該当するもの

イ　設立（合併又は分割による設立を除きます。以下同じ。）の日以後5年を経過していない法人で前事業年度において試験研究費及び新たな技術若しくは新たな経営組織の採用、市場の開拓又は新たな事業の開始のために特別に支出される費用の合計額の収入金額に対する割合が3％を超えるもの又は売上高成長率が125％を超えるものであること

ロ　設立の日以後5年を経過し10年を経過していない法人で前事業年度において試験研究費及び新たな技術若しくは新たな経営組織の採用、市場の開拓又は新たな事業の開始のために特別に支出される費用の合計額の収入金額に対する割合が5％を超えるものであること

ハ　設立の日以後1年を経過していない法人で常勤の研究者の数が2人以上であり、かつ、その研究者の数の常勤の役員及び従業員の数の合計に対する割合が10％以上であること

第五章第一節《株式等に係る譲渡所得等の課税の特例》

　　　　ニ　設立の日以後2年を経過しない法人で常勤の新事業活動従事者の数が2人以上であり、かつ、その新事業活動従事者の数の常勤の役員及び従業員の数の合計に対する割合が10%以上であること

　　②　株式会社であること

　　③　株主の1人及びその株主の同族関係者が有する株式の合計数が発行済株式の総数の30%以上であるグループの有する株式の合計数が、投資を受けた時点において、発行済株式の総数の6分の5を超えない会社であること

　　④　その株式が上場又は店頭売買登録された会社でないこと

　　⑤　一定の大規模法人の所有に属している会社でないこと

　　⑥　風俗営業等を行うものでないこと

（注2）　上表一の「中小企業等経営強化法施行規則第8条第5号ロに該当する株式会社」は、次に掲げる会社の区分に応じそれぞれ次に定める要件を満たす株式会社です。

　　イ　設立の日以後の期間が1未満の会社（設立事業年度（設立後最初の事業年度をいいます。以下同じです。）を経過していないものに限ります。）……事業の将来における成長発展に向けた事業計画（その設立事業年度における試験研究費等合計額（事業年度の期間が1年未満の場合にあっては、その試験研究費等合計額を1年当たりの額に換算した額。以下同じです。）の出資金額に対する割合が30%を超える見込みを記載したものに限ります。）を有すること。

　　ロ　設立の日以後の期間が1年未満の会社（設立事業年度を経過しているものに限ります。）又は設立の日以後の期間が1年以上の会社……設立後の各事業年度における営業損益金額が零未満であり、かつ、次のi又はiiのいずれかに該当するものであること。

　　i　設立後の各事業年度における売上高が零であるもの

　　ii　前事業年度において試験研究費等合計額の出資金額に対する割合が30%を超えるもの

（注3）　上表二の一定の要件とは、次に掲げるものをいいます（措規18の15⑤）。

　　（イ）　中小企業基本法第2条第1項各号に掲げる中小企業者に該当する会社であり、かつ、一定の大規模法人の所有に属している会社でないこと。

　　（ロ）　金融商品取引所に上場されている株式又は店頭売買登録銘柄として登録されている株式を発行する会社でないこと。

　　（ハ）　風俗営業又は性風俗関連特殊営業に該当する事業を行う会社でないこと。

　　（ニ）　次のいずれかの会社であること。

　　i　投資事業有限責任組合（「認定投資事業有限責任組合」といいます。）を通じ、その発行する特定株式を払込みにより取得をしようとする居住者又は恒久的施設を有する非居住者との間で契約を締結する会社

　　ii　第一種少額電子募集取扱業務を行う者（「認定少額電子募集取扱業者」といいます。）から積極的な指導を受ける会社であり、かつ、認定少額電子募集取扱業者が行う電子募集取扱業務により、その発行する特定株式を払込みにより取得をしようとする居住者又は恒久的施設を有する非居住者との間で契約を締結する会社

（注4）　上表二の「特定株式」の一定の投資事業有限責任組合とは、投資事業有限責任組合契約に関する法律の投資事業有限責任組合契約によって成立する投資事業有限責任組合であって、その組合がその株式を保有する特定中小会社に対して積極的な指導を行うことが確実であると見込まれるものとして経済産業大臣の認定を受けたものをいいます（措規18の15⑥）。

（注5）　上表二の「特定株式」の一定の第一種少額電子募集取扱業務を行う者とは、金融商品取引法の登録を受けた者であって、その者が行う電子募集取扱業務において募集の取扱い又は私募の取扱いをする株式を発行する特定中小会社に対して積極的な指導を行うことが確実であると見込まれるものとして経済産業大臣の認定を受けたものをいいます（措規18の15⑦）。

（2）　特例の対象となる居住者等の範囲

　この特例は特定株式を払込みにより取得した居住者等に適用されますが、次に掲げる者は、対象となる居住者等には含まれません（措法37の13①、措令25の12①、措規18の15①②③④）。

①　法人税法第2条第10号に規定する同族会社に該当する特定中小会社の株主のうち、一定の日（特定中小会社の成立の日など）においてその者を法人税法施行令第71条第1項の役員であるものとし

－88－

た場合に同項第5号イに掲げる要件を満たすこととなるその株主

② 特定株式を発行した特定中小会社の設立に際し、その特定中小会社に自らが営んでいた事業の全部を承継させた個人（以下「特定事業主であった者」といいます。）

③ 特定事業主であった者の親族

④ 特定事業主であった者と婚姻の届出をしていないが事実上婚姻関係と同様の事情にある者

⑤ 特定事業主であった者の使用人

⑥ ③から⑤までに掲げる者以外の者で、特定事業主であった者から受ける金銭その他の資産によって生計を維持しているもの

⑦ ④から⑥までに掲げる者と生計を一にするこれらの者の親族

⑧ ①から⑦までに掲げる者以外の者で、その特定中小会社との間で締結する特定株式に係る投資に関する条件を定めた契約で中小企業等経営強化法施行規則第11条第2項第3号ニに規定する投資に関する契約に該当するもの

⑨ ①から⑧までに掲げる者以外の者で、その特定中小会社との間で締結する特定株式に係る投資に関する条件を定めた契約で経済金融活性化措置実施計画及び特定経済金融活性化事業の認定申請及び実施状況の報告等に関する内閣府令第13条第5号に規定する特定株式投資契約に該当するもの

（3） 控除対象特定株式の意義

その居住者等がその年中に払込みにより取得をした特定株式のうちその年12月31日（その者が年の中途において死亡し、又は出国した場合には、その死亡又は出国の時。以下同じ。）におけるその特定株式に係る控除対象特定株式数（その特定株式の銘柄ごとに、①に掲げる数から②に掲げる数を控除した残数をいいます。）に対応する特定株式をいいます（措令25の12③）。

① その居住者等がその年中に払込みにより取得をしたその特定株式の数

② その居住者等がその年中に譲渡又は贈与をした同一銘柄株式（①の特定株式及びその特定株式と同一銘柄の他の株式をいいます。以下同じ。）の数

（4） 控除対象特定株式の取得に要した金額

控除対象特定株式の取得に要した金額は、居住者等がその年中に払込みにより取得をした特定株式の銘柄ごとに、その払込みにより取得をした特定株式の金額（次の①又は②に掲げる新株予約権の行使により取得をした特定株式にあっては、その新株予約権の取得に要した金額を含みます。）の合計額をその取得をした特定株式の数で除して計算した金額に（3）の控除対象特定株式数を乗じて計算した金額とされます。（措令25の12④）

① 特定中小会社に対する払込み（新株予約権の発行に際してするものに限ります。②において同じです。）により取得をした新株予約権……その特定中小会社により発行される特定株式

② 特定中小会社に対する払込みにより取得をした新株予約権（投資事業有限責任組合に係る投資事業有限責任組合契約に従って取得をしたものに限ります。）……その特定中小会社により発行される特定株式

【算式】

$$\left(\frac{\text{その年中に払込みにより取得をした特定株式の取得に要した金額の合計額}}{\text{その年中に払込みにより取得をした特定株式の数}}\right) \times \underbrace{\left(\begin{array}{c}\text{その年中に払込みにより取得をした特定株式の数}\end{array} - \begin{array}{c}\text{その年中に譲渡又は贈与した特定株式に係る同一銘柄株式の数}\end{array}\right)}_{\text{控除対象特定株式数}}$$

（注） 特定株式の取得後、取得した年12月31日までに特定株式に係る同一銘柄株式に分割又は併合があった場合は、上記の計算に当たり取得、譲渡及び贈与の株式数は分割又は併合の比率を乗じた数で計算します（措令25の12⑤）。

また、特定株式に係る同一銘柄株式につき会社法の株式無償割当てがあった場合も、上記の計算に当たり取得、譲渡及び贈与の株式数は、その割り当てられた株式を加算して計算します（措令25の12⑥）。

（5） 控除の方法

この特例による控除は、まず適用前の一般株式等に係る譲渡所得等の金額を限度として、その取得の日の属する年分の一般株式等に係る譲渡所得等の金額の計算上控除し、なお控除しきれない金額があるときは、適用前の上場株式等に係る譲渡所得等の金額を限度として、その取得の日の属する年分の上場株式等に係る譲渡所得等の金額の計算上控除します（措令25の12②）。

また、雑損失の繰越控除（所法71①）の適用がある場合には、まず7の控除を行った後、雑損失の繰越控除を行うことになります。

（6） 適用の手続

この取得費控除の特例は、適用を受けようとする年分の確定申告書に、この特例の適用を受けようとする旨の記載があり、かつ、控除対象特定株式の取得に要した金額、適用前の株式等に係る譲渡所得等の金額及び控除の計算に関する明細書その他財務省令で定める一定の書類の添付がある場合に限り、適用することとされています（措法37の13②、措規18の15⑧）。

　（注）　居住者等が特定株式（**（1）**の表の一の特定株式は平成15年4月1日（同表の二の特定株式は平成16年4月1日、同表の三の特定株式は平成26年4月1日）以後に払込みにより取得をしたもの）に係る同一銘柄株式をその払込みによる取得があった年の翌年以後の各年において譲渡又は贈与をした場合において、その特定中小会社（特定中小会社であった株式会社を含みます。）が**（2）**の⑧の投資に関する契約に基づくその居住者等からの申出などによりその譲渡又は贈与があったことを知ったときは、その特定中小会社は、その年の翌年1月31日までに、その知った旨その他の財務省令で定める一定の事項をその所在地の所轄税務署長に通知しなければならないこととされています（措令25の12⑧、措規18の15⑨）。

（7） 特例の適用を受けた年の翌年以後の取得価額等の圧縮

居住者等が、その年中に取得をした控除対象特定株式（**（8）**に係る特例控除対象特定株式を除きます。）の取得に要した金額の合計額についてこの特例の適用を受けた場合には、その適用を受けた控除対象額は、その適用を受けた年の翌年以後の各年分におけるその控除対象特定株式に係る同一銘柄株式の取得価額又は取得費から控除する（取得価額の圧縮）こととされています。具体的には、次の算式により計算した金額が、翌年以後のその控除対象特定株式に係る同一銘柄株式の取得価額等の計算の基礎となる1株当たりの金額となります（措令25の12⑦、措通37の13－5）。

① その適用を受けた年においてその適用控除対象特定株式以外の適用控除対象特定株式（②において「他の適用控除対象特定株式」といいます。）がない場合

【算式】

$$\text{その控除対象特定株式に係る同一銘柄株式1株当たりのその年12月31日における取得価額} - \frac{\text{特例の適用を受けた適用控除対象額}}{\text{その年12月31日に有する同一銘柄株式数}}$$

② その適用を受けた年において他の適用控除対象特定株式がある場合

【算式】

$$\text{その控除対象特定株式に係る同一銘柄株式1株当たりのその年12月31日における取得価額} - \frac{\text{適用控除対象額} \times \dfrac{A}{A+B}}{\text{その年12月31日に有する同一銘柄株式数}}$$

　A……その適用控除対象特定株式の取得に要した金額
　B……その他の適用控除対象特定株式の取得に要した金額

（8） 特例控除対象特定株式に係る取得価額等の計算

居住者等が、その年中に取得をした控除対象特定株式（令和5年4月1日以後に取得する**（1）**の特例株式会社の特定株式に係るものに限ります。以下「特例控除対象特定株式」といいます。）の取得に要した金額の合計額につきこの特例の適用を受けた場合において、その適用を受けた金額（以下「適用額」といいます。）が20億円を超えたときは、その適用額から20億円を控除した残額を、その適用を

-90-

受けた年（以下「適用年」といいます。）の翌年以後の各年分における適用年にその適用を受けた特例控除対象特定株式に係る同一銘柄株式の取得価額又は取得費から控除します（措令25の12⑧）。

（9） 特定新規中小会社が発行した株式を取得した場合の寄附金控除の特例との関係

一定の個人が、平成20年4月1日以後に、特定新規中小会社の特定新規株式を払込み（その発行に際してするものに限ります。以下同じです。）により取得をした場合において、その年中にその払込みにより取得をした特定新規株式（その年12月31日において有するとされるものに限ります。以下「控除対象特定新規株式」といいます。）の取得に要した金額（800万円を限度とします。）については、寄附金控除を受けることができます（措法41の18の4①）。

この場合に、控除対象特定新規株式及びその株式と同一銘柄の株式で、その適用を受けた年中に払込みにより取得をしたものについては、11《特定中小会社が発行した株式の取得費控除の特例》の規定は適用されません（措法41の18の4②）。

※ 「特定新規中小会社」とは、中小企業等経営強化法第6条に規定する特定新規中小企業者に該当する株式会社（その設立の日以後の期間が1年未満のもの等、一定の株式会社に限ります。）等をいいます。また、対象となる特定新規中小会社には都道府県知事による確認書が発行されています。

(注) （8）の規定にかかわらず、居住者又は恒久的施設を有する非居住者が、内国法人のうち、沖縄振興特別措置法に規定する指定会社で平成26年4月1日から令和3年3月31日までの間に指定を受けたものにより発行される株式を同年1月1日以後に払込みにより取得をし、かつ、当該株式をその年12月31日（その者が年の中途において死亡し、又は所得税法第2条第1項第42号に規定する出国をした場合には、その死亡又は出国の時）において有する場合にについては、「800万円」とあるのは、「1,000万円」とされます（令2改法附74③）。

8 特定新規中小企業者がその設立の際に発行した株式の取得に要した金額の控除等

令和5年4月1日以後に、その設立の日の属する年12月31日において中小企業等経営強化法第6条に規定する特定新規中小企業者に該当する株式会社でその設立の日以後の期間が1年未満の株式会社であることその他の要件を満たす特定株式会社によりその設立の際に発行される株式（以下「設立特定株式」といいます。）を払込み（その株式の発行に際してするものに限ります。）により取得をした一定の居住者等は、その年分の一般株式等に係る譲渡所得等の金額又は上場株式等に係る譲渡所得等の金額の計算上、その年中に払込みにより取得をした設立特定株式（その年12月31日において有するものとされるものに限ります。以下「**控除対象設立特定株式**」といいます。）の取得に要した金額の合計額（適用前の一般株式等に係る譲渡所得等の金額（この特例を適用しないで計算した場合における一般株式等に係る譲渡所得等の金額をいいます。）及び適用前の上場株式等に係る譲渡所得等の金額（この特例を適用しないで計算した場合における上場株式等に係る譲渡所得等の金額をいいます。）の合計額（以下「適用前の株式等に係る譲渡所得等の金額の合計額」といいます。）が取得に要した金額の合計額に満たない場合には、適用前の株式等に係る譲渡所得等の金額の合計額に相当する金額が限度とされます。）が控除されます。

なお、この特例の適用を受けた場合において、その適用を受けた金額が20億円を超えるときは、その適用を受けた年の翌年以後、控除対象設立特定株式に係る同一銘柄株式の取得価額等を一定の計算により圧縮します（措法37の13の2、措令25の12の2、措規18の15の2）。

（1） 適用対象者

この特例の適用対象者は、設立特定株式を払込みにより取得をした居住者等です。ただし、特定株式会社の発起人である必要があります。また、次に掲げる者は、この特例の適用対象者には含まれません（措法37の13の2①、措令25の12の2①）。

① 設立特定株式を発行した特定株式会社の設立に際し、特定株式会社に自らが営んでいた事業の全部を承継させた個人（以下「特定事業主であった者」といいます。）

② 特定事業主であった者の親族

—91—

③　特定事業主であった者と婚姻の届出をしていないが事実上婚姻関係と同様の事情にある者
④　特定事業主であった者の使用人
⑤　上記②から④までに掲げる者以外の者で、特定事業主であった者から受ける金銭その他の資産によって生計を維持しているもの
⑥　上記③から⑤までに掲げる者と生計を一にするこれらの者の親族

（2）　控除対象設立特定株式

　控除対象設立特定株式とは、居住者等がその年中に払込みにより取得をした設立特定株式のうちその年12月31日（その者が年の中途において死亡し、又は出国をした場合には、その死亡又は出国の時。）におけるその設立特定株式に係る控除対象設立特定株式数（その設立特定株式の銘柄ごとに、次のイに掲げる数からロに掲げる数を控除した残数をいいます。）に対応する設立特定株式をいいます（措令25の12の2④）。

イ　その居住者等がその年中に払込みにより取得をした設立特定株式の数
ロ　その居住者等がその年中に譲渡又は贈与をした同一銘柄株式（イの設立特定株式及びその設立特定株式と同一銘柄の他の株式をいいます。）の数

（3）　控除対象設立特定株式の取得に要した金額の計算

　控除対象設立特定株式の取得に要した金額は、その居住者等がその年中に払込みにより取得をした設立特定株式の銘柄ごとに、その払込みにより取得をした設立特定株式の取得に要した金額の合計額をその取得をした設立特定株式の数で除して計算した金額に控除対象設立特定株式数を乗じて計算した金額です（措令25の12の2③）。

（4）　株式の分割若しくは併合又は株式無償割当てがあった場合の控除対象設立特定株式の取得に要した金額の計算

　設立特定株式の払込みによる取得の後その取得の日の属する年12月31日までの期間（以下「取得後期間」といいます。）内に、その設立特定株式に係る同一銘柄株式につき分割若しくは併合又は株式無償割当てがあった場合における上記②の取得をした設立特定株式の数及び(2)のイ及びロに掲げる数の計算については、その分割若しくは併合又は株式無償割当ての前にされた取得並びに譲渡及び贈与に係る株式の数は、株式の分割又は併合の場合にあってはその取得並びに譲渡及び贈与がされた株式の数にその分割又は併合の比率を乗じて得た数とし、株式無償割当ての場合にあってはその取得並びに譲渡及び贈与がされた株式の数にその株式無償割当てにより割り当てられた株式の数を加算した数として計算します（措令25の12の2⑤⑥）。

（5）　特例の適用を受けた年の翌年以後の各年の取得価額等の計算

　居住者等が、その年中に取得をした控除対象設立特定株式の取得に要した金額の合計額につきこの特例の適用を受けた場合において、その適用を受けた金額（以下「適用額」といいます。）が20億円を超えたときは、その適用額から20億円を控除した残額を、その適用を受けた年（以下「適用年」といいます。）の翌年以後の各年分における適用年にその適用を受けた控除対象設立特定株式（以下「適用控除対象設立特定株式」といいます。）に係る同一銘柄株式の取得価額又は取得費から控除します（措令25の12の2⑦）。

9　特定中小会社が発行した株式に係る譲渡損失の繰越控除等

　特定中小会社の**特定株式**を払込みにより取得した居住者等が、その特定中小会社の設立の日からその特定中小会社（特定中小会社であった株式会社を含みます。）が発行した株式に係る上場等の日（金融商品取引所に上場された日その他の政令（措令25の12の3①）で定める日）の前日までの期間（以下「適用期間」といいます。）内に、その払込みにより取得をした特定株式の譲渡をしたことにより生じた損失の金額のうち、その譲渡をした日の属する年分の「一般株式等に係る譲渡所得等の金額」の計算上控除してもなお控除しきれない金額（以下「**特定株式に係る譲渡損失の金額**」といいます。）を

第五章第一節《株式等に係る譲渡所得等の課税の特例》

有するときは、一定の要件の下で、その特定株式に係る譲渡損失の金額についてその年の翌年以後3年内の各年分の株式等に係る譲渡所得等の金額からの繰越控除が認められます（措法37の13の3⑦⑧）。

　なお、居住者等について、適用期間内に、払込みにより取得をした特定株式が株式としての価値を失ったことによる損失が生じた場合とされる一定の事実（**注**）が発生したときは、その損失の金額として一定の方法により計算した金額（（1）の③のイ又はロで計算した金額をいいます。）は、その年分の株式等の譲渡に係る所得の計算上、その株式の譲渡をしたことにより生じた損失の金額とみなすこととした上で、上記の繰越控除の対象とすることとされます（措法37の13の3①）。

　（注） 上記の「損失が生じた場合とされる一定の事実」とは、次に掲げる事実をいいます（措法37の13の3①、措令25の12の3③）。

　　① その払込みにより取得をした特定株式を発行した株式会社が解散（合併による解散を除きます。）をし、その清算が結了したこと

　　② その払込みにより取得をした特定株式を発行した株式会社が破産法の規定による破産手続開始の決定を受けたこと

（1）　特定株式に係る譲渡損失の金額

　繰越控除の対象となる「特定株式に係る譲渡損失の金額」とは、居住者等が、適用期間内に、その払込みにより取得をした特定株式の譲渡（**注1**）をしたことにより生じた損失の金額として次に掲げる場合の区分に応じ、それぞれに定める金額のうち、その者のその譲渡をした日の属する年分の一般株式等に係る譲渡所得等の金額の計算上控除してもなお控除しきれない部分として計算した金額（**注2**）をいいます（措法37の13の3⑧、措令25の12の3⑨、措規18の15の2の2④）。

① その損失の金額が、適用期間内に、払込みにより取得をした特定株式で事業所得又は雑所得の基因となるものの譲渡をしたことにより生じたものである場合（③に掲げる場合を除きます。）　　その特定株式の譲渡による事業所得又は雑所得をその特定株式以外の一般株式等の譲渡による事業所得又は雑所得と区分してその特定株式の譲渡に係る事業所得の金額又は雑所得の金額を計算した場合にこれらの金額の計算上生ずる損失の金額に相当する金額

② その損失の金額が、適用期間内に、払込みにより取得をした特定株式で譲渡所得の基因となるものの譲渡をしたことにより生じたものである場合（③に掲げる場合を除きます。）　　その特定株式の譲渡による譲渡所得の金額の計算上生じた損失の金額

③ 特定中小会社について清算の結了又は破産手続開始の決定があったことにより、その損失の金額が特定株式の譲渡をしたことにより生じたものとみなされたものである場合　　次に掲げる場合の区分に応じそれぞれに定める金額（措令25の12の3②）

　イ 価値喪失株式（特定中小会社について清算の結了又は破産手続開始の決定の事実（以下「事実」といいます。）があった場合のその事実の発生に係る特定株式で払込みにより取得したものをいいます。以下同じ。）が事業所得の基因となる株式である場合　　その事実が発生した日をその年12月31日とみなして、所得税法施行令第105条第1項第1号に規定する総平均法によってその価値喪失株式に係る1株当たりの取得価額に相当する金額を算出した場合におけるその金額に、その事実の発生の直前において有するその価値喪失株式の数を乗じて計算した金額

　ロ 価値喪失株式が譲渡所得又は雑所得の基因となる株式である場合　　その事実が発生した時を譲渡の時とみなして所得税法施行令第118条第1項に規定する総平均法に準ずる方法によってその価値喪失株式に係る1株当たりの金額に相当する金額を算出した場合におけるその金額に、その事実の発生の直前において有するその価値喪失株式の数を乗じて計算した金額

　（注1） 特定株式の譲渡が、次に掲げる譲渡である場合には、その譲渡により生じた損失について繰越控除の適用はありません（措法37の13の3⑧、措令25の12の3⑧）。

　　① 次に掲げる者に対する譲渡

　　　イ その居住者等の親族

—93—

第五章第一節《株式等に係る譲渡所得等の課税の特例》

　　ロ　その居住者等と婚姻の届出をしていないが事実上婚姻関係と同様の事情にある者

　　ハ　その居住者等の使用人

　　ニ　イからハまでに掲げる者以外の者で、その居住者等から受ける金銭その他の資産によって生計を維持しているもの

　　ホ　ロからニまでに掲げる者と生計を一にするこれらの者の親族

　②　特定株式の譲渡をすることによりその譲渡をした居住者等の所得に係る所得税の負担を不当に減少させる結果となると認められる場合におけるその譲渡

（注2）　一般株式等に係る譲渡所得等の金額から控除してもなお控除しきれない金額として計算した金額とは、特定譲渡損失の金額（注3）の合計額をいいます（措令25の12の3⑩）。

（注3）　「特定譲渡損失の金額」とは、その年中の一般株式等の譲渡に係る事業所得の金額の計算上生じた損失の金額、譲渡所得の金額の計算上生じた損失の金額又は雑所得の金額の計算上生じた損失の金額のうち、それぞれその所得の基因となる特定株式の譲渡に係る（1）の①から③までに掲げる金額の合計額に達するまでの金額をいいます（措令25の12の3⑪）。

〔計算例〕　価値喪失株式に係る損失の金額の計算

　居住者Aは、次のとおりB社の特定株式を取得していましたが、令和6年9月にB社は破産手続開始の決定を受けるに至りました（B社の特定株式は譲渡所得の基因となるものとします。）。

	（取得株数）	（取得の単価）	（取得価額）	（取得の態様）
令和5年12月10日	2,500株	1,200円	3,000,000円	払込み
令和6年2月10日	1,500株	1,600円	2,400,000円	相対取引

　上記の場合、価値喪失株式に係る損失の金額（（1）の③のロの金額）は次のように計算されます。

①　価値喪失株式に係る1株当たりの取得価額に相当する金額（総平均法に準ずる方法により計算します。）

$$\frac{3,000,000円＋2,400,000円}{2,500株＋1,500株}＝1,350円$$

②　価値喪失株式の数　2,500株（払込みにより取得した特定株式だけが該当します。）

③　価値喪失株式に係る損失の金額　1,350円×2,500株＝3,375,000円

（2）　払込みにより取得した特定株式とその他の株式を譲渡した場合等

　居住者等が、払込みにより取得をした特定株式、払込み以外の方法により取得をした特定株式又はその特定株式と同一銘柄の株式で特定株式に該当しないものの譲渡をした場合には、これらの同一銘柄株式の譲渡については、その譲渡をした同一銘柄株式のうち、特定残株数に達するまでの部分に相当する数の株式が、払込みにより取得をした特定株式とみなされます（措令25の12の3⑫⑮）。

特定残株数＝（払込みにより取得をした特定株式の数（払込みによる取得が2以上ある場合には、2以上の払込みによる取得をした特定株式の数の合計数））－（特定株式の払込みによる取得のとき（払込みによる取得が2以上ある場合には、最初の払込みによる取得のとき）以後に譲渡又は贈与をした株式の数）

（3）　適用の手続

　特定株式に係る譲渡損失の金額に係る繰越控除の規定は、居住者等が、その譲渡損失の金額が生じた年分の所得税につき特定株式に係る譲渡損失の金額の計算に関する明細書その他財務省令で定める一定の書類の添付がある確定申告書を提出し、かつ、その後においても連続して確定申告書を提出している場合であって、その確定申告書にその年において控除すべき特定株式に係る譲渡損失の金額その他の事項を記載した明細書等の添付がある場合に限り適用されます（措法37の13の3⑨、37の12の2⑦、措規18の15の2の2⑤⑥）。

（注）　価値喪失株式についてみなし譲渡損失の規定の適用を受ける場合は、繰越控除の適用を受けない場合でも、原則として、清算結了又は破産手続開始決定のあった日の属する年分の確定申告書にその適用を受ける旨の記載をし、損失の金額に関する明細書その他財務省令で定める書類を添付して提出する必要があります

－94－

第五章第一節《株式等に係る譲渡所得等の課税の特例》

（措法37の13の３②、措規18の15の２の２①）。

10　株式等を対価とする株式の譲渡に係る譲渡所得等の課税の特例

（1）　制度の概要

　個人が、その有する株式（以下「所有株式」といいます。）を発行した法人を株式交付子会社とする株式交付によりその所有株式の譲渡をし、その株式交付に係る株式交付親会社の株式の交付を受けた場合（その株式交付により交付を受けたその株式交付親会社の株式の価額がその株式交付により交付を受けた金銭の額及び金銭以外の資産の価額の合計額のうちに占める割合が100分の80に満たない場合並びに株式交付の直後の株式交付親会社が法人税法第２条第10号に規定する同族会社（同号に規定する同族会社であることについての判定の基礎となった株主のうちに同号に規定する同族会社でない法人又は所得税法第２条第１項第８号に規定する人格のない社団等がある場合には、その法人又は人格のない社団等をその判定の基礎となる株主から除外して判定するものとした場合においても法人税法第２条第10号に規定する同族会社となるものに限ります。）に該当する場合を除きます。）には、その譲渡をした所有株式（その株式交付により交付を受けた金銭又は金銭以外の資産（その株式交付親会社の株式を除きます。）がある場合には、その所有株式のうち、その株式交付により交付を受けた金銭の額及び金銭以外の資産の価額の合計額（その株式交付親会社の株式の価額を除きます。）に対応する部分以外のものとして一定の部分に限ります。）の譲渡がなかったものとみなし、その譲渡に係る譲渡所得の課税を繰り延べることとされます（措法37の13の４①）。

（2）　一定の部分

　この「一定の部分」とは、この制度の適用がある株式交付により譲渡した所有株式のうち、その所有株式の価額に株式交付割合（その株式交付により交付を受けた株式交付親会社の株式の価額がその株式交付により交付を受けた金銭の額及び金銭以外の資産の価額の合計額（剰余金の配当として交付を受けた金銭の額及び金銭以外の資産の価額の合計額を除きます。）のうちに占める割合をいいます。）を乗じて計算した金額に相当する部分とされます（措令25の12の４①）。

11　組織再編成による国際的租税回避に関する措置

（1）　合併等により外国親法人株式等の交付を受ける場合の課税の特例

　恒久的施設を有する非居住者が、その有する株式（出資を含みます。）につき、その株式を発行した内国法人の特定合併により外国合併親法人の株式（特定軽課税外国法人等の課税外国親法人株式及びその非居住者の恒久的施設管理分割承継親法人株式を除きます。）の交付を受ける場合には、その交付を受ける外国合併親法人株式の価額に相当する金額は、その有する株式が一般株式等に該当する場合には、一般株式等に係る譲渡所得等に係る収入金額と、その有する株式が上場株式等に該当する場合には、上場株式等に係る譲渡所得等に係る収入金額とみなして、本章を適用することになります（措法37の14の３①）。

（2）　特定の合併等が行われた場合の株主等の課税の特例

　居住者等が、その有する株式につき、その株式を発行した内国法人の特定非適格合併により外国合併親法人の株式の交付を受ける場合において、その外国合併親法人株式が特定軽課税外国法人等の株式に該当するときは、その交付を受ける外国合併親法人株式の価額に相当する金額は、その有する株式が一般株式等に該当する場合には、一般株式等に係る譲渡所得等に係る収入金額と、その有する株式が上場株式等に該当する場合には、上場株式等に係る譲渡所得等に係る収入金額とみなして、本章を適用することになります（措法37の14の４①）。

第二節　一般株式等に係る譲渡所得等の課税の特例

1　申告分離課税制度

　居住者又は恒久的施設を有する非居住者（以下本章において「居住者等」といいます。）が、平成28年1月1日以後に一般株式等（株式等のうち第三節の1の(1)の上場株式等以外のものをいいます。）の譲渡（有価証券先物取引の方法により行うもの並びに法人の自己の株式又は出資の取得及び公社債の買入れの方法による償還に係るものを除きます。以下同じです。）をした場合には、その一般株式等の譲渡による事業所得、譲渡所得及び雑所得については、他の所得と区分し、その年中のその一般株式等の譲渡に係る事業所得の金額、譲渡所得の金額及び雑所得の合計額（所得税法第41条の2《発行法人から与えられた株式を取得する権利の譲渡による収入金額》の規定に該当する事業所得、雑所得及び土地類似株式等に係る譲渡所得を除きます。以下「**一般株式等に係る譲渡所得等の金額**」といいます。）に対し、一般株式等に係る課税譲渡所得等の金額（各種所得控除をした後の一般株式等に係る譲渡所得等の金額をいいます。）の15％（他に個人住民税5％）相当額の所得税が課されます（措法37の10①）。

　この場合において、一般株式等に係る譲渡所得等の金額の計算上生じた損失の金額があるときは、所得税に関する法令の規定の適用については、その損失の金額は生じなかったものとみなされます。

所得税法第41条の2《発行法人から与えられた株式を取得する権利の譲渡による収入金額》……居住者が株式を無償又は有利な価額により取得することができる権利（以下「新株予約権等」といいます。）を発行法人から与えられた場合において、その居住者又はその居住者の相続人及び贈与、相続、遺贈又は譲渡により新株予約権等を取得した者でその新株予約権等を行使できることとなる者がその権利をその発行法人に譲渡したときは、その譲渡の対価の額からその権利の取得価額を控除した金額を、その発行法人が支払をする事業所得に係る収入金額、給与等の収入金額、退職手当等の収入金額、一時所得に係る収入金額又は雑所得（公的年金等に係るものを除きます。）に係る収入金額とみなして、所得税法の規定が適用されます。

(注)　平成25年から令和19年までの各年分の確定申告においては、所得税のほか、復興特別所得税（各年分の基準所得税額の2.1％）を合わせて申告する必要があります（復興財源確保法9①、13）。

(1)　一般株式等に係る譲渡所得等の収入金額とみなされるもの

　次の①〜⑩に掲げる金額は、配当等とみなされる部分の金額（法人の株主等が合併や分割等により交付を受ける金銭その他の資産の価額の合計額のうち、発行法人の資本金等の額（又は連結個別資本金等の額）のうち交付の基因となった一般株式等に対応する部分の金額を超える部分の金額をいいますが、相続財産に係る非上場株式をその発行会社に譲渡した場合のみなし配当課税の特例の適用を受ける金額は除かれます。）を除き、一般株式等に係る譲渡所得等の収入金額とみなされます（措法37の10③、所法25①、措法9の7②、措令25の8③）。

　なお、配当等とみなされる部分の金額は、配当所得の収入金額として課税されます。

①　合併交付金等……法人（公益法人等を除きます。以下(1)において同じ。）の株主等がその法人の合併（法人課税信託に係る信託の併合を含み、法人税法第2条第12号の8に規定する適格合併を除きます。）により交付を受ける金銭その他の資産の価額の合計額

②　分割交付金等……法人の株主等がその法人の分割（分割承継法人（信託の分割により受託者を同一とする他の信託からその信託財産の一部の移転を受ける法人課税信託に係る受託法人を含みます。）又は分割承継法人との間に当該分割承継法人の発行済株式等の全部を直接若しくは間接に保有する一定の関係がある法人のうちいずれか一の法人の株式又は出資以外の資産の交付がされなかったもので、その株式又は出資が分割法人（信託の分割によりその信託財産の一部を受託者を同一とする他の信託又は新たな信託の信託財産として移転する法人課税信託に係る所得税法第6条の3に規定する受託法人を含みます。以下②において同じ。）の発行済株式等の総数又は総額のうちに占め

るその分割法人の各株主等の有するその分割法人の株式の数又は金額の割合に応じて交付されたものを除きます。）により交付を受ける金銭の額及び金銭以外の資産の価額の合計額

③　株式分配交付金……法人の株主等がその法人の行った株式分配（その法人の株主等に完全子法人の株式又は出資以外の資産の交付がされなかったもので、その株式又は出資が現物分配法人の発行済株式等の総数又は総額のうちに占めるその現物分配法人の各株主等の有するその現物分配法人の株式の数又は金額の割合に応じて交付されたものを除きます。）により交付を受ける金銭の額及び金銭以外の資産の価額の合計額

④　資本払戻金、清算分配金等……法人の株主等がその法人の資本の払戻し（剰余金の配当（資本剰余金の額の減少に伴うものに限ります。）のうち、分割型分割（法人課税信託に係る信託の分割を含みます。）によるもの及び株式分配以外のもの並びに出資等減少分配をいいます。）により、又はその法人の解散による残余財産の分配として交付を受ける金銭その他の資産の価額の合計額

⑤　自己株式取得交付金……法人の株主等がその法人の自己株式又は出資の取得（金融商品取引所の開設する市場における購入による取得その他一定の取得及び取得請求権付株式等のうち取得請求権付株式、取得条項付株式及び全部取得条項付種類株式に該当する場合の取得を除きます。）により交付を受ける金銭その他の資産の価額の合計額

⑥　出資消却・払戻金……法人の株主等がその法人の出資の消却（取得した出資について行うものを除きます。）、その法人の出資の払戻し、その法人からの退社若しくは脱退による持分の払戻し又はその法人の株式若しくは出資をその法人が取得することなく消滅させることにより交付を受ける金銭及び金銭以外の資産の価額の合計額

⑦　組織変更交付金……法人の株主等がその法人の組織変更（その組織変更に際してその組織変更をしたその法人の株式又は出資以外の資産が交付されたものに限ります。）により交付を受ける金銭及び金銭以外の資産の価額の合計額

⑧　公社債元本償還交付金……公社債の元本の償還（買入れの方法による償還を含みます。）により交付を受ける金銭の額及び金銭以外の資産の価額の合計額

⑨　分離利子公社債に係る利子交付金……分離利子公社債（公社債で元本に係る部分と利子に係る部分とに分離されてそれぞれ独立して取引されるもののうち、その利子に係る部分であった公社債をいいます。）に係る利子として交付を受ける金銭の額及び金銭以外の資産の価額の合計額

⑩　合併・組織変更交付金……イ　合併によりその被合併法人の新株予約権者（新投資口予約権の新投資口予約権者を含みます。以下同じです。）がその合併によりその新株予約権者が有していたその被合併法人の新株予約権に代えて金銭その他の資産の交付を受ける場合（その合併により合併法人の新株予約権のみの交付を受ける場合を除きます。）のその金銭その他の資産の価額の合計額

　　　　　　　　　　　　　　　ロ　組織変更によりその組織変更をした法人の新株予約権者がその組織変更によりその新株予約権者が有していたその法人の新株予約権に代えて交付を受ける金銭の額

交付金等の額（1株当たり）

```
┌────────────────────────┐ ┐……みなし配当の金額（1株当たり）
│                        │ ┘
│                        │ ……資本金等の額（1株当たり）
│  一般株式等に係る譲渡所得等の金額  │
│      （1株当たり）          │
│                        │ ………取得費（1株当たり）
└────────────────────────┘
```

（**注1**）　上記①に掲げる合併交付金等のうちに被合併法人の株主等に対する剰余金の配当等として交付された

第五章第二節《一般株式等に係る譲渡所得等の課税の特例》

金額等及び合併に反対する株主等に対する買取請求に基づく対価として交付される金額等があるとき、又は上記②に掲げる分割交付金等のうちに分割法人の株主等に対する剰余金の配当等として交付された分割対価資産以外の金額等があるときは、その交付された金額等は①又は②の合計額には含まれないものとされます（措令25の8⑦）。

（注2）　上記④の一定の取得とは、次の事由による取得とされます（措令25の8⑨）。

　　イ　金融商品取引所の開設する市場における購入
　　ロ　店頭売買登録銘柄として登録された株式のその店頭売買による購入
　　ハ　一定の金融商品取引業者が行う有価証券の売買による購入
　　ニ　事業の全部の譲受け
　　ホ　会社法の規定による請求に係る単元未満株式の買取り

（2）　投資信託等の終了又は一部の解約により交付を受ける金銭の額等で一般株式等の譲渡所得等の収入金額とみなされるもの

　投資信託若しくは特定受益証券発行信託（以下（2）において「投資信託等」といいます。）の受益権で一般株式等に該当するもの又は社債的受益権で一般株式等に該当するものを有する居住者等がこれらの受益権につき交付を受ける①から④に掲げる金額は、一般株式等に係る譲渡所得等に係る収益金額とみなして、1の規定を適用します（措法37の10④）。

①　その上場廃止特定受益証券発行信託（その受益権が金融商品取引法第2条第16項に規定する金融商品取引所に上場されていた特定受益証券発行信託をいいます。）の終了（その上場廃止特定受益証券発行信託の信託の併合に係るものである場合にあっては、その上場廃止特定受益証券発行信託の受益者にその信託の併合に係る新たな信託の受益権以外の資産（信託の併合に反対するその受益者に対するその買取請求に基づく対価として交付される金銭その他の資産を除きます。）の交付がされた信託の併合に係るものに限ります。）又は一部の解約により交付を受ける金銭の額及び金銭以外の資産の価額の合計額

②　その投資信託等（上場廃止特定受益証券発行信託を除きます。）の終了（その投資信託等の信託の併合に係るものである場合にあっては、その投資信託等の受益者にその信託の併合に係る新たな信託の受益権以外の資産（信託の併合に反対する受益者に対する買取請求に基づく対価として交付される金銭その他の資産を除きます。）の交付がされた信託の併合に係るものに限ります。）又は一部の解約により交付を受ける金銭の額及び金銭以外の資産の価額の合計額のうちその投資信託等について信託されている金額（その投資信託等の受益権に係る部分の金額に限ります。）に達するまでの金額

③　その特定受益証券発行信託に係る信託の分割（分割信託（信託の分割によりその信託財産の一部を受託者を同一とする他の信託又は新たな信託の信託財産として移転する信託をいいます。）の受益者に承継信託（信託の分割により受託者を同一とする他の信託からその信託財産の一部の移転を受ける信託をいいます。）の受益権以外の資産(信託の分割に反対するその受益者に対する信託法第103条第6項に規定する受益権取得請求に基づく対価として交付される金銭その他の資産を除きます。)の交付がされたものに限ります。）により交付を受ける金銭の額及び金銭以外の資産の価額の合計額のうちその特定受益証券発行信託について信託されている金額（その特定受益証券発行信託の受益権に係る部分の金額に限ります。）に達するまでの金額

④　社債的受益権の元本の償還により交付を受ける金銭の額及び金銭以外の資産の価額の合計額

（3）　相続財産に係る非上場株式をその発行会社に譲渡した場合のみなし配当課税の特例

　相続又は遺贈（死因贈与を含みます。）による財産の取得をした個人でその相続又は遺贈につき納付すべき相続税額があるものが、その相続の開始があった日の翌日からその相続税の申告書の提出期限の翌日以後3年を経過する日までの間にその相続税額に係る課税価格の計算の基礎に算入された上場株式等以外の株式（以下「非上場株式」といいます。）をその非上場株式の発行会社に譲渡した場合について、一定の手続の下でその非上場株式の譲渡の対価としてその発行会社から交付を受けた金銭の額がその発行会社の資本金等の額（又は連結個別資本金等の額）のうちその交付の基因となった株式に

-98-

対応する部分の金額を超えるときは、その超える部分の金額については、配当等とみなされず、株式等に係る譲渡所得等に係る収入金額として課税されます（措法9の7①②）。

(注1) この特例を受けようとする個人は、その非上場株式を譲渡する時までに、一定の書面をその発行会社を経由してその発行会社の本店等の所轄税務署長に提出します（措令5の2②）。

この書面の提出を受けたその発行会社は、譲り受けたその非上場株式について一定の事項を記載した書類を譲り受けた年の翌年1月31日までに上記の書面と併せて上記の税務署長に提出します。その発行会社はその書面と書類の写しを作成し、5年間保存しなければなりません（措令5の2③④、措規5の5）。

(注2) この特例の適用を受けた場合の株式等に係る譲渡所得については、相続財産に係る譲渡所得の課税の特例（第二編第十五章）の適用対象となります。

2 損益通算

1に規定する一般株式等の譲渡所得等の金額とは、その年中の一般株式等の譲渡に係る事業所得の金額、譲渡所得の金額及び雑所得の金額の合計額をいいます。この場合において、これらの金額の計算上生じた損失の金額があるときは、その損失の金額は、次に掲げる損失の金額の区分に応じ、それぞれに定めるところにより控除（損益通算）することとされます（措令25の8①）。

①	一般株式等の譲渡に係る事業所得の金額の計算上生じた損失の金額	その損失の金額は、一般株式等の譲渡に係る譲渡所得の金額及び雑所得の金額から控除します。
②	一般株式等の譲渡に係る譲渡所得の金額の計算上生じた損失の金額	その損失の金額は、一般株式等の譲渡に係る事業所得の金額及び雑所得の金額から控除します。
③	一般株式等の譲渡に係る雑所得の金額の計算上生じた損失の金額	その損失の金額は、一般株式等の譲渡に係る事業所得の金額及び譲渡所得の金額から控除します。

(注) 総所得金額を構成する各種所得の計算上生じた損失の金額又は純損失の繰越控除額を、株式等に係る事業所得、譲渡所得又は雑所得の金額から控除することは認められませんが、所得控除額及び雑損失の繰越控除額の総所得金額及び土地建物等の譲渡所得の金額からの控除不足額は、株式等に係る譲渡所得等の金額から控除できます（措法37の10⑥四、五）。

3 確定申告書への一般株式等に係る譲渡所得等の計算明細書の添付

一般株式等に係る譲渡所得等の申告分離課税の適用を受ける者は、その提出する確定申告書に一般株式等に係る事業所得、譲渡所得又は雑所得に区分した収入金額、取得費、一般株式等を取得するために要した負債の利子の額及び譲渡費用の費目別明細書を、他の所得計算明細書とは別に作成して添付することとされています（措令25の8⑭、措規18の9②）。

第三節　上場株式等に係る譲渡所得等の課税の特例

1　申告分離課税制度

　居住者等が、平成28年1月1日以後に上場株式等（第一節1の株式等のうち、（1）で定めるものに限ります。）の譲渡をした場合には、その上場株式等の譲渡による事業所得、譲渡所得及び雑所得（所得税法第41条の2《発行法人から与えられた株式を取得する権利の譲渡による収入金額》の規定に該当する事業所得、雑所得及び土地類似株式等に係る譲渡所得を除きます。以下「上場株式等に係る譲渡所得等」といいます。）については、他の所得と区分し、その年中の上場株式等に係る譲渡所得等の金額として2で計算した上場株式等に係る譲渡所得等の金額（所得控除後の金額をいいます。）に対し、15％の税率で課税されます（措法37の11①）。

　この場合において、上場株式等に係る譲渡所得等の金額の計算上生じた損失の金額があるときは、所得税に関する法令の規定の適用については、その損失の金額は生じなかったものとみなされます。

（注1）　住民税は別途5％の税率で課税されます。

（注2）　平成25年から令和19年までの各年分の確定申告においては、所得税のほか、復興特別所得税（各年分の基準所得税額の2.1％）を合わせて申告する必要があります（復興財源確保法9①、13）。

（1）　適用対象となる上場株式等

　上場株式等は、次に掲げるものとされています（措法37の10②、37の11②、措令25の9②〜⑩、措規18の10①）。

①	株式等で金融商品取引所に上場されているものその他これに類するものとして次に掲げるもの イ　店頭売買登録銘柄として登録された株式（出資を含みます。）、店頭転換社債型新株予約権付社債（新株予約権付社債（資産の流動化に関する法律第131条第1項に規定する転換特定社債及び同法第139条第1項に規定する新優先出資引受権付特定社債を含みます。）で、金融商品取引法第2条第13項に規定する認可金融商品取引業協会が、その定める規則に従い、その店頭売買につき、その売買価格を発表し、かつ、当該新株予約権付社債の発行法人に関する資料を公開するものとして指定したものをいいます。） ロ　店頭管理銘柄株式（金融商品取引法第2条第16項に規定する金融商品取引所への上場が廃止され、又は施行令第25条の8第9項第2号に規定する店頭売買登録銘柄としての登録が取り消された株式（出資及び投資信託及び投資法人に関する法律第2条第14項に規定する投資口を含みます。）のうち、認可金融商品取引業協会（金融商品取引法第2条第13項に規定する認可金融商品取引業協会をいいます。）が、その定める規則に従い指定したものをいいます。） ハ　認可金融商品取引業協会の定める規則に従い、登録銘柄として認可金融商品取引業協会に備える登録原簿に登録された日本銀行出資証券 ニ　金融商品取引法第2条第8項第3号ロに規定する外国金融商品市場において売買されている株式等
②	投資信託でその設定に係る受益権の募集が上場株式等に係る配当所得の課税の特例（措法8の4①二）の公募により行われたもの（特定株式投資信託を除きます。）の受益権
③	上場株式等に係る配当所得の課税の特例（措法8の4①三）の特定投資法人投資信託及び投資法人に関する法律第2条第14項に規定する投資口
④	特定受益証券発行信託（その信託契約の締結時において委託者が取得する受益権の募集が第8条の4第1項第4号に規定する公募により行われたものに限ります。）の受益権
⑤	特定目的信託（その信託契約の締結時において原委託者が取得する社債的受益権の募集が第8

第五章第三節《上場株式等に係る譲渡所得等の課税の特例》

	条の2第1項第2号に規定する公募により行われたものに限ります。）の社債的受益権
⑥	国債及び地方債
⑦	外国又はその地方公共団体が発行し、又は保証する債券
⑧	会社以外の法人が特別の法律により発行する債券（外国法人に係るもの並びに投資信託及び投資法人に関する法律第2条第19項に規定する投資法人債、同法第139条の12第1項に規定する短期投資法人債、資産の流動化に関する法律第2条第7項に規定する特定社債及び同条第8項に規定する特定短期社債を除きます。）
⑨	公社債でその発行の際の有価証券の募集が、次の掲げる場合に応じ、それぞれ次に掲げる取得勧誘により行われたもの イ　国内において行われる場合にあっては、その有価証券の募集に係る金融商品取引法第2条第3項に規定する取得勧誘が同項第1号に掲げる場合に該当し、かつ、目論見書にその取得勧誘が同号に掲げる場合に該当するものである旨の記載がなされて行われるもの ロ　国外において行われる場合にあっては、その有価証券の募集に係る取得勧誘が金融商品取引法第2条第3項同号に掲げる場合に該当するものに相当するものであり、かつ、目論見書その他これに類する書類にその取得勧誘が同号に掲げる場合に該当するものに相当するものである旨の記載がなされて行われるもの
⑩	社債のうち、その発行の日前9か月以内（外国法人にあっては、12か月以内）に金融商品取引法に規定する有価証券届出書、有価証券報告書、四半期報告書、半期報告書、外国会社届出書、外国会社報告書、外国会社四半期報告書又は外国会社半期報告書（以下「有価証券報告書等」といいます。）を内閣総理大臣に提出している法人が発行するもの
⑪	金融商品取引所（これに類するもので外国の法令に基づき設立されたものを含みます。）において当該金融商品取引所の規則に基づき公表された公社債情報（一定の期間内に発行する公社債の種類及び総額、その公社債の発行者の財務状況及び事業の内容その他当該公社債及び当該発行者に関して明らかにされるべき基本的な情報をいいます。）に基づき発行する公社債で、その発行の際に作成される目論見書に、当該公社債が当該公社債情報に基づき発行されるものである旨の記載のあるもの
⑫	国外において発行された公社債で、次に掲げるもの イ　有価証券の売出し（その売付け勧誘等が一定の場合（注）に該当するものに限ります。）に応じて取得した公社債（ロにおいて「売出し公社債」といいます。）で、その取得の時から引き続き当該有価証券の売出しをした金融商品取引業者（第一種金融商品取引業を行う者に限ります。）、登録金融機関又は投資信託委託会社（以下「金融商品取引業者等」といいます。）の営業所において保管の委託がされているもの （注）　一定の場合とは、有価証券の売出しに係る金融商品取引法第2条第4項に規定する売付け勧誘等が同項第1号に掲げる場合に該当し、かつ、目論見書又は外国証券情報にその売付け勧誘等が同号に掲げる場合に該当するものである旨の記載又は記録がなされて行われる場合です。 ロ　金融商品取引法第2条第4項に規定する売付け勧誘等に応じて取得した公社債（売出し公社債を除きます。）で、その取得の日前9か月（外国法人にあっては、12か月）以内に有価証券報告書等を提出している会社が発行したもの（その取得の時から引き続きその売付け勧誘等をした金融商品取引業者等の営業所において保管の委託がされているものに限ります。）
⑬	外国法人が発行し、又は保証する債券で次に掲げるもの イ　次に掲げる外国法人が発行し、又は保証する債券 （イ）　その出資金額又は拠出をされた金額の合計額の2分の1以上が外国の政府により出資又は拠出をされている外国法人

－101－

第五章第三節《上場株式等に係る譲渡所得等の課税の特例》

(ロ)　外国の特別の法令の規定に基づき設立された外国法人で、その業務が当該外国の政府の管理の下に運営されているもの

ロ　国際間の取極に基づき設立された国際機関が発行し、又は保証する債券

銀行業若しくは第一種金融商品取引業を行う者（第一種少額電子募集取扱業者を除きます。）若しくは外国の法令に準拠してその国において銀行業若しくは金融商品取引業を行う法人（以下「銀行等」といいます。）又は次に掲げる者が発行した社債（その取得をした者が実質的に多数でないものとして一定のもの（**注1**）を除きます。）

イ　銀行等がその発行済株式又は出資の全部を直接又は間接に保有する関係として一定の関係（**注2**）（ロにおいて「完全支配の関係」といいます。）にある法人

ロ　親法人（銀行等の発行済株式又は出資の全部を直接又は間接に保有する関係として一定の関係（**注3**）のある法人をいう。）が完全支配の関係にあるその銀行等以外の法人

（**注1**）　その取得をした者が実質的に多数でないものとして上場株式の範囲から除かれる「一定のもの」とは、社債を発行した日において、その社債を取得した者の全部がその社債を取得した者の一人（以下「判定対象取得者」といいます。）及び次に掲げる者である場合における社債です。

①　次に掲げる個人

イ　その判定対象取得者の親族

ロ　その判定対象取得者と婚姻の届出をしていないが事実上婚姻関係と同様の事情にある者

ハ　その判定対象取得者の使用人

ニ　イからハまでに掲げる者以外の者でその判定対象取得者から受ける金銭その他の資産によって生計を維持しているもの

ホ　ロからニまでに掲げる者と生計を一にするこれらの者の親族

②　その判定対象取得者と他の者との間にいずれか一方の者（当該者が個人である場合には、これと法人税法施行令第4条第1項に規定する特殊の関係のある個人を含みます。）が他方の者（法人に限ります。）を直接又は間接に支配する関係（※）がある場合における当該他の者

⑭

③　その判定対象取得者と他の者（法人に限ります。）との間に同一の者（当該者が個人である場合には、これと法人税法施行令第4条第1項に規定する特殊の関係のある個人を含みます。）がその判定対象取得者及び当該他の者を直接又は間接に支配する関係（※）がある場合における当該他の者

（※）　上記②又は③号に規定する直接又は間接に支配する関係とは、一方の者と他方の者との間にその他方の者が次に掲げる法人に該当する関係がある場合におけるその関係をいいます。

イ　当該一方の者が法人を支配している場合（法人税法施行令第14条の2第2項第1号に規定する法人を支配している場合をいいます。）における当該法人

ロ　イ若しくはハに掲げる法人又は当該一方の者及びイ若しくはハに掲げる法人が他の法人を支配している場合（法人税法施行令第14条の2第2項第2号に規定する他の法人を支配している場合をいいます。）における当該他の法人

ハ　ロに掲げる法人又は当該一方の者及びロに掲げる法人が他の法人を支配している場合（法人税法施行令第14条の2第2項第3号に規定する他の法人を支配している場合をいいます。）における当該他の法人

（**注2**）　⑭のイに規定する「一定の関係」とは、銀行等が法人の発行済株式又は出資（その法人が有する自己の株式又は出資を除きます。以下「発行済株式等」といいます。）の全部を保有する場合におけるその銀行等と法人との間の関係（以下「直接支配関係」といいます。）です。この場合において、その銀行等及びこれとの間に直接支配関係がある一若しくは二以上の法人又はその銀行等との間に直接支配関係がある一若しくは二以上の法人が他の法人の発行済株式等の全部を保有するときは、その銀行等は当該他の法人の発行済株式等の全部を保有するものとみなされます。

（**注3**）　⑭のロに規定する「一定の関係」は、法人が銀行等の発行済株式又は出資（その銀行等が有する自己の株式又は出資を除きます。）の全部を保有する場合におけるその法人と銀行等との間の関係です。この場合において、その法人（以下「判定法人」といいます。）及びこれとの間に直接支

—102—

第五章第三節《上場株式等に係る譲渡所得等の課税の特例》

	配関係（その判定法人が法人の発行済株式等の全部を保有する場合におけるその判定法人と法人との間の関係をいいます。以下同じ。）がある一若しくは二以上の法人又はその判定法人との間に直接支配関係がある一若しくは二以上の法人がその銀行等の発行済株式等の全部を保有するときは、その判定法人はその銀行等の発行済株式等の全部を保有するものとみなされます。
⑮	平成27年12月31日以前に発行された公社債（その発行の時において同族会社に該当する会社が発行した社債を除きます。）

（2）　株式、公社債等について交付を受ける金銭等の額のうち、上場株式等に係る譲渡所得等の収入金額とみなされるもの

　次の①～⑩に掲げる金額は、配当等とみなされる部分の金額（法人の株主等が合併や分割等により交付を受ける金銭その他の資産の価額の合計額のうち、発行法人の資本金等の額（又は連結個別資本金等の額）のうち交付の基因となった上場株式等に対応する部分の金額を超える部分の金額をいいますが、相続財産に係る非上場株式をその発行会社に譲渡した場合のみなし配当課税の特例の適用を受ける金額は除かれます。）を除き、上場株式等に係る譲渡所得等の収入金額とみなされます（措法37の11③、37の10③、所法25①、措法9の7②、措令25の8④）。

　なお、配当等とみなされる部分の金額は、配当所得の収入金額として課税されます。

① 　合併交付金等……法人（公益法人等を除きます。以下（2）において同じ。）の株主等がその法人の合併（法人課税信託に係る信託の併合を含み、法人税法第2条第12号の8に規定する適格合併を除きます。）により交付を受ける金銭その他の資産の価額の合計額

② 　分割交付金等……法人の株主等がその法人の分割（分割承継法人（信託の分割により受託者を同一とする他の信託からその信託財産の一部の移転を受ける法人課税信託に係る受託法人を含みます。）又は分割承継法人との間に当該分割承継法人の発行済株式等の全部を直接若しくは間接に保有する一定の関係がある法人のうちいずれか一の法人の株式又は出資以外の資産の交付がされなかったもので、その株式又は出資が分割法人（信託の分割によりその信託財産の一部を受託者を同一とする他の信託又は新たな信託の信託財産として移転する法人課税信託に係る所得税法第6条の3に規定する受託法人を含みます。以下②において同じ。）の発行済株式等の総数又は総額のうちに占めるその分割法人の各株主等の有するその分割法人の株式の数又は金額の割合に応じて交付されたものを除きます。）により交付を受ける金銭の額及び金銭以外の資産の価額の合計額

③ 　株式分配交付金……法人の株主等がその法人の行った株式分配（その法人の株主等に完全子法人の株式又は出資以外の資産の交付がされなかったもので、その株式又は出資が現物分配法人の発行済株式等の総数又は総額のうちに占めるその現物分配法人の各株主等の有するその現物分配法人の株式の数又は金額の割合に応じて交付されたものを除きます。）により交付を受ける金銭の額及び金銭以外の資産の価額の合計額

④ 　資本払戻金、清算分配金等……法人の株主等がその法人の資本の払戻し（剰余金の配当（資本剰余金の額の減少に伴うものに限ります。）のうち分割型分割（法人課税信託に係る信託の分割を含みます。）によるもの及び株式分配以外のもの並びに所得税法第24条《配当所得》に規定する出資等減少分配をいいます。）により、又はその法人の解散による残余財産の分配として交付を受ける金銭その他の資産の価額の合計額

⑤ 　自己株式取得交付金……法人の株主等がその法人の自己株式又は出資の取得（金融商品取引所の開設する市場における購入による取得その他一定の取得及び取得請求権付株式等のうち取得請求権付株式、取得条項付株式及び全部取得条項付種類株式に該当する場合の取得を除きます。）により交付を受ける金銭その他の資産の価額の合計額

⑥ 　出資消却・払戻金……法人の株主等がその法人の出資の消却（取得した出資について行うものを除きます。）、その法人の出資の払戻し、その法人からの退社若しくは脱退による持分の払戻し又は

－103－

第五章第三節《上場株式等に係る譲渡所得等の課税の特例》

その法人の株式若しくは出資をその法人が取得することなく消滅させることにより交付を受ける金銭及び金銭以外の資産の価額の合計額

⑦　組織変更交付金……法人の株主等がその法人の組織変更（その組織変更に際してその組織変更をしたその法人の株式又は出資以外の資産が交付されたものに限ります。）により交付を受ける金銭及び金銭以外の資産の価額の合計額

⑧　公社債元本償還交付金……公社債の元本の償還（買入れの方法による償還を含みます。）により交付を受ける金銭の額及び金銭以外の資産の価額の合計額

⑨　分離利子公社債に係る利子交付金……分離利子公社債（公社債で元本に係る部分と利子に係る部分とに分離されてそれぞれ独立して取引されるもののうち、その利子に係る部分であった公社債をいいます。）に係る利子として交付を受ける金銭の額及び金銭以外の資産の価額の合計額

⑩　合併・組織変更交付金……イ　合併によりその被合併法人の新株予約権者がその合併によりその新株予約権者が有していたその被合併法人の新株予約権に代えて金銭その他の資産の交付を受ける場合（その合併により合併法人の新株予約権のみの交付を受ける場合を除きます。）のその金銭その他の資産の価額の合計額

ロ　組織変更によりその組織変更をした法人の新株予約権者がその組織変更によりその新株予約権者が有していたその法人の新株予約権に代えて交付を受ける金銭の額

（3）　投資信託等の受益権について交付を受ける金銭等の額のうち、上場株式等に係る譲渡所得等の収入金額とみなされるもの

投資信託若しくは特定受益証券発行信託（以下「投資信託等」といいます。）の受益権で上場株式等に該当するもの又は社債的受益権で上場株式等に該当するものを有する居住者等がこれらの受益権につき交付を受ける次に掲げる金額は、上場株式等に係る譲渡所得等に係る収入金額とみなされます（措法37の11④）。

①　その投資信託等の終了（その投資信託等の信託の併合に係るものである場合にあっては、その投資信託等の受益者にその信託の併合に係る新たな信託の受益権以外の資産（信託の併合に反対する受益者に対するその買取請求に基づく対価として交付される金銭その他の資産を除きます。）の交付がされた信託の併合に係るものに限ります。）又は一部の解約により交付を受ける金銭の額及び金銭以外の資産の価額の合計額

②　その特定受益証券発行信託に係る信託の分割（分割信託の受益者に承継信託の受益権以外の資産（信託の分割に反対する受益者に対する信託法第103条第6項に規定する受益権取得請求に基づく対価として交付される金銭その他の資産を除きます。）の交付がされたものに限ります。）により交付を受ける金銭の額及び金銭以外の資産の価額の合計額

③　社債的受益権の元本の償還により交付を受ける金銭の額及び金銭以外の資産の価額の合計額

（4）　損益通算

1に規定する上場株式等の譲渡所得等の金額とは、その年中の上場株式等の譲渡に係る事業所得の金額、譲渡所得の金額及び雑所得の金額の合計額をいいます。この場合において、これらの金額の計算上生じた損失の金額があるときは、その損失の金額は、次に掲げる損失の金額の区分に応じ、それぞれに定めるところにより控除（損益通算）することとされます（措令25の9①）。

①	上場株式等の譲渡に係る事業所得の金額の計算上生じた損失の金額	その損失の金額は、上場株式等の譲渡に係る譲渡所得の金額及び雑所得の金額から控除します。
②	上場株式等の譲渡に係る譲渡所得の金額の計算上生じた損失の金額	その損失の金額は、上場株式等の譲渡に係る事業所得の金額及び雑所得の金額から控除します。

-104-

| ③ | 上場株式等の譲渡に係る雑所得の金額の計算上生じた損失の金額 | その損失の金額は、上場株式等の譲渡に係る事業所得の金額及び譲渡所得の金額から控除します。 |

2　上場株式等に係る譲渡損失と上場株式等に係る配当所得との損益通算

　確定申告書を提出する居住者等の平成28年分以後の各年分の上場株式等に係る譲渡損失の金額がある場合には、1の後段（損益通算の結果、上場株式等に係る譲渡所得等の金額が赤字になってもその赤字の金額はなかったものとする）の規定にかかわらず、その上場株式等に係る譲渡損失の金額は、その確定申告書に係る年分の租税特別措置法第8条の4第1項（上場株式等に係る配当所得等の課税の特例）に規定する上場株式等に係る配当所得等の金額を限度として、その年分のその上場株式等に係る配当所得等の金額の計算上控除できます（措法37の12の2①）。

【損益通算イメージ図】

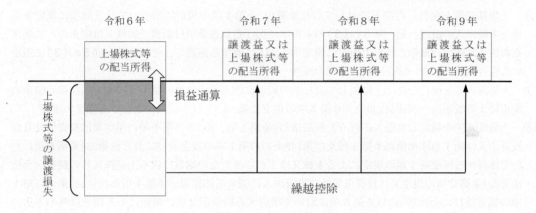

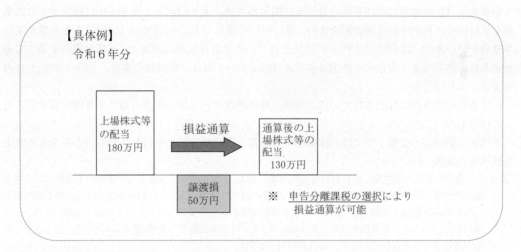

（1）　適用対象となる上場株式等に係る譲渡損失の金額

　2に規定する上場株式等に係る譲渡損失の金額とは、その居住者等が、上場株式等の譲渡のうち次に掲げる上場株式等の譲渡（租税特別措置法第32条第2項（短期譲渡所得の課税の特例）の規定に該当するものを除く。）をしたことにより生じた損失の金額として(2)に定めるところにより計算した金額のうち、その者のその譲渡をした日の属する年分の1に規定する上場株式等に係る譲渡所得等の金額の計算上控除してもなお控除しきれない部分の金額をいいます（措法37の12の2②）。

① 金融商品取引法第2条第9項に規定する金融商品取引業者（同法第28条第1項に規定する第一種金融商品取引業を行う者に限ります。②において「金融商品取引業者」といいます。）又は同法第2条第11項に規定する登録金融機関（③において「登録金融機関」といいます。）への売委託により行う上場株式等の譲渡

② 金融商品取引業者に対する上場株式等の譲渡

③ 登録金融機関に対する上場株式等の譲渡で金融商品取引法第2条第8項第1号の規定に該当するもの又は投資信託及び投資法人に関する法律第2条第11項に規定する投資信託委託会社に対する上場株式等の譲渡で金融商品取引法施行令第1条の12に規定する買取りに該当するもの

④ 第一節2の(1)又は本節1の(3)に規定する事由による上場株式等の譲渡

⑤ 上場株式等を発行した法人の行う株式交換又は株式移転によるその法人に係る法人税法第2条第12号の6の3に規定する株式交換完全親法人又は同条第12号の7に規定する株式移転完全親法人に対するその上場株式等の譲渡

⑥ 上場株式等を発行した法人に対して会社法第192条第1項の規定に基づいて行う同項に規定する単元未満株式の譲渡、第一節5の(3)の表のホに掲げる取得条項付新株予約権又は同表のへに掲げる新株予約権付社債のこれらの規定に規定する法人に対する譲渡で、その譲渡が同5の(3)に規定する場合に該当しない場合におけるその譲渡

⑦ 上場株式等を発行した法人に対して会社法の施行に伴う関係法律の整備等に関する法律第64条の規定による改正前の商法第220条ノ6第1項の規定に基づいて行う同項に規定する端株の譲渡

⑧ 上場株式等を発行した法人が行う会社法第234条第1項、第235条第1項の規定又は投資信託及び投資法人に関する法律第88条第1項及び第149条の17第1項の規定並びに会社法第234条第6項において準用する同条第1項の規定による1株又は1口に満たない端数に係る上場株式等の競売（会社法第234条第2項の規定又は投資信託及び投資法人に関する法律第88条第1項及び第149条の17第1項の規定並びに会社法第234条第6項において準用する同条第2項の規定による競売以外の方法による売却を含みます。）による当該上場株式等の譲渡

⑨ 信託会社（金融機関の信託業務の兼営等に関する法律により同法第1条第1項に規定する信託業務を営む同項に規定する金融機関を含む。⑩において同じです。）の営業所（国内にある営業所又は事務所をいいます。以下同じです。）に信託されている上場株式等の譲渡で、当該営業所を通じて金融商品取引法第58条に規定する外国証券業者（⑩において単に「外国証券業者」といいます。）への売委託により行うもの

⑩ 信託会社の営業所に信託されている上場株式等の譲渡で、当該営業所を通じて外国証券業者に対して行うもの

⑪ 所得税法第60条の2第1項又は同法第60条の3第1項の規定により行われたものとみなされた上場株式等の譲渡

(注1) 「控除してもなお控除しきれない部分の金額」とは、上場株式等の譲渡をした年分の上場株式等に係る譲渡所得等の金額の計算上生じた損失の金額（その損失の金額のうちにいわゆる特定株式に係る譲渡損失の金額の繰越控除の特例〔第一節8〕による繰越控除の適用を受けようとする金額がある場合には、その適用を受けようとする金額を控除した金額）のうち、特定譲渡損失の金額(注2)の合計額に達するまでの金額をいうこととされています（措令25の11の2②）。

(注2) 「特定譲渡損失の金額」とは、その年中の上場株式等の譲渡に係る事業所得の金額の計算上生じた損失の金額、譲渡所得の金額の計算上生じた損失の金額又は雑所得の金額の計算上生じた損失の金額のうち、それぞれその所得の基因となる上場株式等の譲渡に係る次の(2)の①又は②の金額の合計額に達するまでの金額をいいます（措令25の11の2③）。

(2) 譲渡損失の金額として計算した金額

(1)に掲げる上場株式等の譲渡により生じた損失の金額として計算した金額とは、次の金額をいいます（措令25の11の2①、措規18の14の2①）。

第五章第三節《上場株式等に係る譲渡所得等の課税の特例》

① その損失の金額が事業所得又は雑所得の基因となる上場株式等の譲渡をしたことにより生じたものである場合　（1）の上場株式の譲渡（以下、「上場株式の特定譲渡」といいます。）による事業所得又は雑所得とその上場株式等の特定譲渡以外の上場株式等の譲渡（以下、「上場株式等の一般譲渡」といいます。）による事業所得又は雑所得とを区分してその上場株式等の特定譲渡による事業所得の金額又は雑所得の金額を計算した場合に、これらの所得の金額の計算上生ずる損失の金額に相当する金額

　（注）　上場株式等の特定譲渡をした日の属する年分の上場株式等の譲渡に係る事業所得の金額又は雑所得の金額の計算上必要経費とされる金額のうちにその上場株式等の特定譲渡とその上場株式等の一般譲渡の双方に関連して生じた「共通必要経費の額」がある場合には、その共通必要経費の額は、これらの所得を生ずべき業務に係る収入金額などその業務の内容及び費用の性質に照らして合理的と認められるものによりその上場株式等の特定譲渡に係る必要経費の額とその上場株式等の一般譲渡に係る必要経費の額とに配分することとされています。

② その損失の金額が譲渡所得の基因となる上場株式等の譲渡をしたことにより生じたものである場合その上場株式等の譲渡による譲渡所得の金額の計算上生じた損失の金額

（3）　特例の適用手続

　この特例は、①損益通算を受けようとする年分の確定申告書に、損益通算を受けようとする旨の記載があり、かつ、②上場株式等に係る譲渡損失の金額の計算に関する明細書等一定の書類（措規18の14の2②）の添付がある場合に限り、適用を受けることができます（措法37の12の2③）。

（4）　この特例の適用がある場合の株式等に係る配当所得の金額

　この特例の適用がある場合の租税特別措置法第8条の4（上場株式等に係る配当所得等の課税の特例）の規定は、この特例による損益通算の適用後の金額とすることとされています（措法37の12の2④）。

3　上場株式等に係る譲渡損失の繰越控除

　確定申告書を提出する居住者等が、その年の前年以前3年内の各年に生じた（1）に規定する上場株式等に係る譲渡損失の金額（この特例の適用を受けて前年以前に控除されたものを除きます。）を有する場合には、1の後段（損益通算の結果、上場株式等に係る譲渡所得等の金額が赤字になってもその赤字の金額はなかったものとする）の規定にかかわらず、その上場株式等に係る譲渡損失の金額相当額は、（2）で定めるところにより、その確定申告書に係る年分の上場株式等に係る譲渡所得等の金額及び租税特別措置法第8条の4第1項（上場株式等に係る配当所得等の課税の特例）に規定する上場株式等に係る配当所得等の金額（2の適用がある場合にはその適用後の金額）を限度として、上場株式等に係る譲渡所得等の金額及び上場株式等に係る配当所得等の金額の計算上控除できます（措法37の12の2①⑤）。

（1）　適用対象となる上場株式等に係る譲渡損失の金額

　その居住者等が平成15年1月1日以後に、上場株式等の譲渡のうち2の（1）に掲げる上場株式等の譲渡（土地類似株式等に係る譲渡に該当するものを除きます。）をしたことにより生じた損失の金額として次に定めるところにより計算した金額のうち、その居住者等のその譲渡をした年分の上場株式等に係る譲渡所得等の金額の計算上控除してもなお控除しきれない部分の金額（2の適用を受けて控除されたものを除きます。）をいいます（措法37の12の2②⑥、措令25の11の2①、措規18の14の2①）。

① その損失の金額が事業所得又は雑所得の基因となる上場株式等の譲渡をしたことにより生じたものである場合　2の（1）の上場株式の特定譲渡による事業所得又は雑所得とその上場株式等の一般譲渡による事業所得又は雑所得とを区分してその上場株式等の特定譲渡による事業所得の金額又は雑所得の金額を計算した場合に、これらの所得の金額の計算上生ずる損失の金額に相当する金額

　（注）　上場株式等の特定譲渡をした日の属する年分の上場株式等の譲渡に係る事業所得の金額又は雑所得の金

－107－

第五章第三節《上場株式等に係る譲渡所得等の課税の特例》

額の計算上必要経費とされる金額のうちにその上場株式等の特定譲渡とその上場株式等の一般譲渡の双方に関連して生じた「共通必要経費の額」がある場合には、その共通必要経費の額は、これらの所得を生ずべき業務に係る収入金額などその業務の内容及び費用の性質に照らして合理的と認められるものによりその上場株式等の特定譲渡に係る必要経費の額とその上場株式等の一般譲渡に係る必要経費の額とに配分することとされています。

② その損失の金額が譲渡所得の基因となる上場株式等の譲渡をしたことにより生じたものである場合 その上場株式等の譲渡による譲渡所得の金額の計算上生じた損失の金額

(注1) 「控除してもなお控除しきれない部分の金額」とは、上場株式等の譲渡をした年分の上場株式等に係る譲渡所得等の金額の計算上生じた損失の金額のうち、特定譲渡損失の金額(注2)の合計額に達するまでの金額をいうこととされています(措令25の11の2②)。

(注2) 「特定譲渡損失の金額」とは、その年中の上場株式等の譲渡に係る事業所得の金額の計算上生じた損失の金額、譲渡所得の金額の計算上生じた損失の金額又は雑所得の金額の計算上生じた損失の金額のうち、それぞれその所得の基因となる上場株式等の譲渡に係る上記①又は②の金額の合計額に達するまでの金額をいいます(措令25の11の2③)。

(2) 繰越控除の方法 (措令25の11の2⑧)

① 繰越控除する上場株式等に係る譲渡損失の金額のうちに前年以前3年内の2以上の年に生じたものがある場合

これらの年のうち最も古い年に生じた上場株式等に係る譲渡損失の金額から順次控除します。

② 前年以前3年内の一の年において生じた上場株式等に係る譲渡損失の金額を控除する場合に、繰越控除をする年分の「上場株式等に係る譲渡所得等の金額」(第一節の11又は12の適用がある場合には、その適用後の金額)及び「上場株式等に係る配当所得等の金額」があるとき

その上場株式等に係る譲渡損失の金額は、まず、上場株式等に係る譲渡所得等の金額から控除し、なお控除しきれない損失の金額があるときは、「上場株式等に係る配当所得等の金額」から控除します。

③ 雑損失の繰越控除が行われる場合

まず、この譲渡損失の繰越控除を行った後、雑損失の繰越控除を行います。

(注) 前年以前3年内の一の年において生じた上場株式等に係る譲渡損失の金額の控除をする場合において、その年分の上場株式等に係る譲渡所得等の金額(特定投資株式の取得に要した金額の控除等又は特定投資株式に係る譲渡損失の損益の計算若しくは特定投資株式に係る譲渡損失の繰越控除の適用がある場合にはその適用後の金額)及び上場株式等に係る配当所得等の金額があるときは、当該上場株式等に係る譲渡損失の金額は、まず当該上場株式等に係る譲渡所得等の金額から控除し、なお控除しきれない損失の金額があるときは、当該上場株式等に係る配当所得等の金額から控除します(措通37の12の2-4)。

(3) 特例の適用手続

この特例は、居住者等が①上場株式等に係る譲渡損失の金額が生じた年分の所得税につきその上場株式等に係る譲渡損失の金額の計算に関する明細書等一定の書類(措規18の14の2②)の添付がある確定申告書を提出し、かつ、②その後において連続して確定申告書を提出している場合であって、③この繰越控除を受けようとする年分の確定申告書にこの繰越控除を受ける金額の計算に関する明細書等一定の書類(措規18の14の2③)の添付がある場合に限り、適用を受けることができます(措法37の12の2⑦⑪)。

(注) この特例の適用を受けるための確定申告書には、その年の翌年以後においてこの特例の適用を受けようとする場合で、その年分の確定申告書を提出すべき場合及び還付申告書又は確定損失申告書を提出することができる場合のいずれにも該当しない場合に提出できる確定損失申告書(措法37の12の2⑪)を含むこととされています(措法37の12の2⑥)。この申告書には、その年において生じた上場株式等に係る譲渡損失の金額その他所要の事項を記載することとされています(措令25の11の2⑫、措規18の14の2⑤等)。

また、その年の翌年以後又はその年においてこの特例の適用を受ける又は受けようとする場合に提出すべき確定所得申告書及び提出できる還付申告書又は確定損失申告書には、その年において生じた上場株式

-108-

第五章第三節《上場株式等に係る譲渡所得等の課税の特例》

等に係る譲渡損失の金額その他一定の事項を追加して記載しなければなりません（措令25の11の2⑪、措規18の14の2④）。

（4）　この特例の適用がある場合の株式等に係る譲渡所得等の金額

この特例の適用がある場合の「上場株式等に係る譲渡所得等の金額」（措法37の11①）は、この特例による繰越控除の適用後の金額とすることとされています（措法37の12の2⑧）。

4　特定管理株式等が価値を失った場合の株式等に係る譲渡所得等の特例

居住者等について、その有する特定管理株式等（その居住者等の開設する特定口座（租税特別措置法第37条の11の3《特定口座内保管上場株式等の譲渡等に係る所得計算等の特例》第3項第1号に規定する特定口座をいいます。）に係る特定口座内保管上場株式等が上場株式等に該当しないこととなった内国法人が発行した株式又は公社債につき、その上場株式等に該当しないこととなった日以後引き続きその特定口座を開設する金融商品取引業者等に開設される特定管理口座（その特定口座内保管上場株式等が上場株式等に該当しないこととなった内国法人が発行した株式又は公社債につきその特定口座から移管により保管の委託がされることその他一定の要件《措規18の10の2》を満たす口座をいいます。）に係る振替口座簿（社債、株式等の振替に関する法律に規定する振替口座簿をいいます。）に記載若しくは記録がされ、又は特定管理口座に保管の委託がされているその内国法人が発行した株式又は公社債をいいます。）又は特定口座内公社債（その特定口座に係る振替口座簿に記載若しくは記録がされ、又はその特定口座に保管の委託がされている内国法人が発行した公社債をいいます。）が株式又は公社債としての価値を失ったことによる損失が生じた場合として定められた(1)の一定の事実が発生したときは、その事実が発生したことはその特定管理株式等又は特定口座内公社債の譲渡をしたことと、その損失の金額として(2)に掲げる金額は租税特別措置法第37条の12の2《上場株式等に係る譲渡損失の損益通算及び繰越控除》第2項に規定する上場株式等の譲渡をしたことにより生じた損失の金額とそれぞれみなして、上場株式等に係る譲渡所得等の課税の特例（措法37の11）及び上場株式等に係る譲渡損失の損益通算及び繰越控除（措法37の12の2）その他所得税に関する法令の規定を適用することができます（措法37の11の2、措令25の9の2①）。

（1）　株式又は公社債としての価値を失ったことによる損失が生じた場合として定められた「一定の事実」

株式又は公社債としての価値を失ったことによる損失が生じた場合として定められた「一定の事実」とは、次に掲げる事実をいいます（措法37の11の2①、措令25の9の2③）。

イ		その特定管理株式等又は特定口座内公社債を発行した内国法人が解散（合併による解散を除きます。）をし、その清算が結了したこと。
ロ		次に掲げる株式又は公社債の区分に応じそれぞれに定める事実
	①	特定管理株式等である株式……次に掲げる事実 A　特定管理株式等である株式を発行した内国法人（以下「特定株式発行法人」といいます。）が破産法の規定による破産手続開始の決定を受けたこと。 B　特定株式発行法人がその発行済株式の全部を無償で消滅させることを定めた会社更生法第2条第2項に規定する更生計画につき同法の規定による更生計画認可の決定を受け、当該更生計画に基づき当該発行済株式の全部を無償で消滅させたこと。 C　特定株式発行法人がその発行済株式（投資信託及び投資法人に関する法律第2条第12項に規定する投資法人にあっては、発行済みの同条第14項に規定する投資口）の全部を無償で消滅させることを定めた民事再生法第2条第3号に規定する再生計画につき同法の規定による再生計画認可の決定が確定し、その再生計画に基づきその発行済株式の全部を無償で消滅させたこと。

—109—

	D　特定株式発行法人が預金保険法第111条第１項の規定による同項の特別危機管理開始決定を受けたこと。
②	特定管理株式等である公社債又は特定口座内公社債（以下「特定口座内公社債等」といいます。）……次に掲げる事実 A　特定口座内公社債等を発行した内国法人（以下「特定口座内公社債等発行法人」といいます。）が破産法第216条第１項若しくは第217条第１項の規定による破産手続廃止の決定又は同法第220条第１項の規定による破産手続終結の決定を受けたことにより、その居住者等が有する特定口座内公社債等と同一銘柄の社債に係る債権の全部について弁済を受けることができないことが確定したこと。 B　特定口座内公社債等発行法人がその社債を無償で消滅させることを定めた会社更生法第２条第２項に規定する更生計画につき同法の規定による更生計画認可の決定を受け、その更生計画に基づきその居住者等が有する特定口座内公社債等と同一銘柄の社債を無償で消滅させたこと。 C　特定口座内公社債等発行法人がその社債を無償で消滅させることを定めた民事再生法第２条第３号に規定する再生計画につき同法の規定による再生計画認可の決定が確定し、その再生計画に基づきその居住者等が有する特定口座内公社債等と同一銘柄の社債を無償で消滅させたこと。

（2）　損失の金額の計算

　上記の株式又は公社債としての価値を失ったことによる損失が生じた場合の「損失の金額」は、次に掲げる株式の区分に応じそれぞれに定める金額とされています（措令25の９の２②）。

イ	特定管理株式等……（1）に掲げる事実が発生した特定管理株式等につきその事実が発生した日においてその特定管理株式等に係る１株又は１単位当たりの金額に相当する金額を算出した場合におけるその金額にその事実の発生の直前において有するその特定管理株式等の数を乗じて計算した金額
ロ	特定口座内公社債……（1）に掲げる事実が発生した特定口座内公社債につきその事実が発生した日においてその特定口座内公社債に係る１単位当たりの金額に相当する金額を算出した場合におけるその金額にその事実の発生の直前において有するその特定口座内公社債の数を乗じて計算した金額

第四節　特定口座内保管上場株式等の譲渡等に係る課税の特例

1　特定口座内保管上場株式等に係る所得計算等の特例

　居住者等が、（２）の上場株式等保管委託契約に基づき（１）の特定口座（二以上の特定口座を有する場合は、それぞれの特定口座）に係る振替口座簿に記載若しくは記録がされ、又は特定口座に保管の委託がされている上場株式等（以下「**特定口座内保管上場株式等**」といいます。）の譲渡をした場合には、その特定口座内保管上場株式等の譲渡による事業所得の金額、譲渡所得の金額又は雑所得の金額とその特定口座内保管上場株式等以外の株式等（第一節１に規定する株式等をいいます。）の譲渡による事業所得の金額、譲渡所得の金額又は雑所得の金額とを区分して、これらの所得金額を計算することとされています（措法37の11の３①）。

　また信用取引等を行う居住者等についても、（２）の上場株式等信用取引等契約に基づき上場株式等の信用取引等を特定口座で処理した場合には、その信用取引等に係る上場株式等の譲渡による譲渡所得等の金額は上記と同様に計算します（措法37の11の３②）。

（1）　特定口座

　居住者等が金融商品取引業者等（金融商品取引業者、登録金融機関又は投資信託委託会社をいいます。）の営業所の長に特定口座開設届出書を提出し、金融商品取引業者等との間で締結した上場株式等保管委託契約又は上場株式等信用取引等契約に基づき開設された口座をいいます（措法37の11の３③一）。

　特定口座開設届出書の提出の際は、住民票の写し等の確認書類を提示し氏名等を告知しなければなりません。特定口座開設届出書は、同一の証券業者等に重ねて提出できません（措法37の11の３④⑤）。

（注１）　特定口座開設届出書は、取得した上場株式等を最初にその口座に受け入れる時、又はその口座で最初に信用取引等を開始する時のいずれか早い時までに提出することとされています（措令25の10の２⑤）。

（注２）　特定口座異動届出書（措令25の10の４）、特定口座継続適用届出書（措令25の10の５）、特定口座廃止届出書（措令25の10の７）その他については略。

（2）　上場株式等保管委託契約・上場株式等信用取引等契約

　「上場株式等保管委託契約」とは、上場株式等の保管の委託等（振替口座簿への記載若しくは記録又は保管の委託をいいます。以下同じ。）に係る契約（信用取引等に係るものを除きます。）で、その契約書において次の事項が定められているものをいいます（措法37の11の３③二、措令25の10の２⑥⑦）。

①　上場株式等の保管の委託等は、その保管の委託等に係る口座に設けられた特定保管勘定において行うこと

②　特定保管勘定においては、次に掲げる上場株式等（第一節６のストック・オプション税制の適用を受けて特定新株予約権の行使により取得した上場株式等を除きます。）のみを受け入れること

　Ａ　その金融商品取引業者等への買付けの委託（買付けの委託の媒介、取次ぎ又は代理を含みます。）により取得をした上場株式等でその取得後直ちにその口座に受け入れるもの

　Ｂ　他の金融商品取引業者等に開設されている特定口座から、その他の金融商品取引業者等の特定口座に係る特定口座内保管上場株式等の全部又は一部の移管がされる場合（その特定口座内保管上場株式等の一部の移管がされる場合には、その移管がされる特定口座内保管上場株式等と同一銘柄の特定口座内保管上場株式等がすべて移管される場合に限ります。）のその移管がされる上場株式等

　Ｃ　上記のほか、一定の上場株式等（**注**）

　（注）　その特定口座を開設する金融商品取引業者等が行う有価証券の募集又は有価証券の売出しに応じて取

得した上場株式等、贈与、相続等により取得した上場株式等で、同一金融商品取引業者等間での移管又は異なる金融商品取引業者等間での移管により受け入れるもの、その他の特定の株式とされています（措令25の10の2⑭）。

③　特定口座内保管上場株式等の譲渡は、次の方法によること

A　その金融商品取引業者等への売委託による方法

B　その金融商品取引業者等に対してする方法

C　発行法人に対して会社法に基づいて行う単元未満株式の譲渡についての買取請求をその金融商品取引業者等の営業所を経由して行う方法

D　金銭及び金銭以外の資産の交付がその金融商品取引業者等の営業所を経由して行われる方法

④　上記①から③までのほか、特定口座からの特定口座内保管上場株式等の全部若しくは一部の払出しがあった場合の処置や金融商品取引業者等間での特定口座内保管上場株式等の他の特定口座への移管の方法などの事項（措令25の10の2⑨）が定められていること

また「上場株式等信用取引等契約」とは、上場株式等の信用取引等に係る契約で、その契約書で、上場株式等の信用取引等はその信用取引等に係る口座に設けられた特定信用取引等勘定において処理することなど一定の事項が定められているものをいいます（措法37の11の3③三）。

（3）　所得計算に当たって取得費等の取扱い

①　特定口座内保管上場株式等を譲渡した場合の事業所得の金額、譲渡所得の金額又は雑所得の金額の計算は、他の株式等の譲渡による所得の金額と区分して、それぞれの特定口座ごとに行うこととされており、その計算を行う場合の必要経費又は取得費の計算は、次によることとされています（措令25の10の2①一～三、②）。

A　2回以上にわたって取得した同一銘柄の特定口座内保管上場株式等の譲渡による事業所得の金額の計算上必要経費に算入する売上原価の計算は、個々の譲渡ごとに総平均法に準ずる方法（所法48③、所令118）で行います。

B　特定口座外に特定口座内保管上場株式等と同一銘柄の株式等を所有している場合には、それぞれの銘柄が異なるものとして取得価額・取得費等の計算を行います。

C　一の特定口座において同一の日に2回以上の同一銘柄の株式等の譲渡があった場合には、その同一の日における最後の譲渡の時にこれらの譲渡があったものとして取得費等の計算を行います。

D　特定口座内保管上場株式等の譲渡と特定口座内保管上場株式等以外の株式等の譲渡に共通する必要経費がある場合には、その共通の必要経費の額は、これらの所得を生ずべき業務に係る収入金額などによりそれぞれの譲渡に係る必要経費に配分します。

②　特定口座において行った信用取引等に係る上場株式等の譲渡による事業所得の金額又は雑所得の金額の計算は、それぞれの特定口座ごとに行うこととされており、また、その計算を行う場合の必要経費又は取得費の計算につき、特定口座において行われた信用取引等に係る上場株式等の譲渡とそれ以外の株式等の譲渡に共通する必要経費がある場合には、上記①のDと同様にそれぞれに配分します（措令25の10の2③④）。

《特定口座に受け入れることができる上場株式等と取得価額等の取扱い》

特定口座に受け入れることができる上場株式等は平成15年1月1日以後の(2)の②のA～Cによる受け入れが原則ですが、既に取得して保有している次のものも特定口座に受け入れることができる特例があります。

①　平成22年4月1日以後に特定口座に受け入れることができる上場株式等の範囲に、次に掲げる上場株式等が追加されました（措令25の10の2⑭十八～二十）。

イ　上場株式等以外の株式等を発行した法人の合併（その法人の株主等に合併法人又は合併親法人のうちいずれか一の法人の株式のみの交付がされるものに限ります。）によりその株主が取得する

－112－

第五章第四節《特定口座内保管上場株式等の譲渡等に係る課税の特例》

合併法人の株式又は合併親法人株式

ロ　上場株式等以外の株式等を発行した法人の分割（その分割法人の株主等に分割承継法人又は分割承継親法人のうちいずれか一の法人の株式のみの交付がされるもので、その株式が分割法人の発行済株式等の総数又は総額のうちに占めるその分割法人の各株主等の有するその分割法人の株式の数又は金額の割合に応じて交付されるものに限ります。）によりその株主が取得する分割承継法人の株式又は分割承継親法人株式

ハ　上場株式等以外の株式等を発行した法人の株式交換によりその株主が取得する株式交換完全親法人の株式若しくはその親法人の株式又は当該法人の株式移転（その法人の株主に株式移転完全親法人の株式のみの交付がされるものに限ります。）によりその株主が取得する株式移転完全親法人の株式

②　平成23年6月30日以後に特定口座に受け入れることができる上場株式等の範囲に、生命保険会社の相互会社から株式会社への組織変更に伴いその社員に割り当てられた一定の上場株式等が追加されました（措令25の10の2⑭二十二）。

③　平成26年1月1日以後に非課税口座に係る非課税口座内上場株式等で、その非課税口座からその非課税口座が開設されている金融商品取引業者等の営業所又はその金融商品取引業者等の他の営業所に開設されている特定口座への移管により受け入れる上場株式等が追加されました（措令25の10の2⑭二十七）。

④　平成29年4月1日以後に特定口座に受け入れることができる上場株式等の範囲に、株式分配（その法人の株主等に完全子法人の株式のみの交付がされるもので、その株式が現物分配法人の発行済株式等の総数又は総額のうちに占めるその現物分配法人の各株主等の有するその現物分配法人の株式の数又は金額の割合に応じて交付されるものに限ります。）により取得するその完全子法人の株式が追加されました（措令25の10の2⑭十九の二）。

⑤　平成30年4月1日以後に特定口座に受け入れることができる上場株式等の範囲に、居住者等が取得した特定譲渡制限付株式等（特定譲渡制限付株式又は承継譲渡制限付株式をいいます。以下同じ。）で、特定口座への受入れを、その特定譲渡制限付株式等の譲渡についての制限が解除された時にその制限が解除された特定譲渡制限付株式等の全てについて、特定口座以外の口座（非課税口座及び未成年者口座を除きます。）からその特定口座への振替の方法により行うものが追加されました（措令25の10の2⑭二十五）。

⑥　平成31年4月1日以後に特定口座に受け入れることができる上場株式等の範囲に、居住者等が発行法人等（上場株式等の発行法人及びその発行法人と密接な関係を有する一定の法人をいいます。）に対して役務の提供をした場合において、その者がその役務の提供の対価として発行法人等から取得する上場株式等で、次に掲げる要件に該当するものの全てを、その取得の時に、その者の特定口座に係る振替口座簿に記載若しくは記録をし、又は特定口座に保管の委託をする方法により受け入れるものが追加されました（措令25の10の2⑭二十六）。

イ　当該上場株式等が当該役務の提供の対価としてその者に生ずる債権の給付と引換えにその者に交付されるものであること。

ロ　イに掲げるもののほか、当該上場株式等が実質的に当該役務の提供の対価と認められるものであること。

⑦　令和2年4月1日以後に請求権の行使、取得事由の発生又は取得決議により特定口座に受け入れることができる上場株式等に範囲に、居住者等が有する上場株式等以外の株式等につき取得請求権付株式の請求権の行使、取得条項付株式の取得事由の発生又は全部取得条項付種類株式の取得決議により取得する上場株式等で、その取得する上場株式等の全てを、上場株式等の取得の日に特定口座（居住者等がその特定口座を開設している金融商品取引業者等の営業所の長に対し、上場株式等の取得の日及び取得に要した金額を証する書類等を提出した場合における特定口座に限ります。）に係る振替口座簿に記載若しくは記録をし、又は当該特定口座に保管の委託をする方法により受け入

－113－

第五章第四節《特定口座内保管上場株式等の譲渡等に係る課税の特例》

れるものが追加されました（措令25の10の2⑭二十の二）。

⑧　令和2年4月1日以後に特定口座に受け入れる上場株式等に範囲に、居住者等が非課税口座開設届出書（非課税口座開設届出書が提出をすることができないものに該当する場合のものに限ります。）の提出をして開設された非課税口座に該当しないものとされる口座に係る振替口座簿に記載若しくは記録又は当該口座に保管の委託がされている上場株式等で、その口座からその口座が開設されている金融商品取引業者等の営業所に開設されている居住者等の特定口座への振替の方法により当該上場株式等の全てを受け入れるものが追加されました（措令25の10の2⑭二十九）。

（4）　特定口座年間取引報告書の作成・交付

金融商品取引業者等は、その年において開設されていた特定口座について、その特定口座を開設した居住者等の氏名及び住所その他所定の事項を記載した「特定口座年間取引報告書」2通を作成し、翌年1月31日までに、1通をその金融商品取引業者等のその特定口座が開設されていた営業所の所在地の所轄税務署長に提出し、他の1通をその特定口座を開設した居住者等に交付しなければならないこととされています（措法37の11の3⑦、措規18の13の5①）。

なお、その年中に取引（譲渡・配当等の受入れ）がなかった特定口座については、その特定口座を開設した居住者等からの請求がある場合を除き、その特定口座を開設されていた金融商品取引業者等は、その居住者等に対して特定口座年間取引報告書の交付を要しないこととされています（措法37の11の3⑧）。

> （注1）　特定口座年間取引報告書にその額などの事項の記載をすることとされている上場株式等の譲渡の対価の支払を受ける者、その支払者及びその交付の取扱者については、その上場株式等の譲渡に係る株式等の譲渡の対価の受領者の告知及び株式等の譲渡の対価に係る支払調書は提出を要しません（措令25の10の10⑤）。

> （注2）　特定口座における取引以外に株式等の譲渡がない年分の確定申告においては、居住者等は、特定口座年間取引報告書又はその特定口座年間取引報告書に記載すべき事項を書面に出力したもの（特定口座が複数ある場合には、これらの書類及びその合計表）の添付をもって「株式等に係る譲渡所得等の金額の計算明細書」の添付に代えることが認められています（措令25の10の10⑦）。

2　特定口座内保管上場株式等の譲渡による所得等に対する源泉徴収等の特例

居住者等が源泉徴収の選択をした特定口座を通じて特定口座内保管上場株式等の譲渡又は上場株式等の信用取引等を行ったことにより下記の算式により計算した源泉徴収選択口座内調整所得金額が生じた場合には、その譲渡対価等の支払をする金融商品取引業者等は、その支払をする際、その源泉徴収選択口座内調整所得金額に対し15%の税率による所得税を徴収しなければなりません。徴収した税額（その年末において還付がされずに残っている税額）は翌年の1月10日までに納付されます（措法37の11の4①②）。

この源泉徴収を選択する場合は、その特定口座ごとに特定口座源泉徴収選択届出書を金融商品取引業者等に提出しなければなりません（措法37の11の4①）。

> （注1）　住民税は別途5%。

> （注2）　平成25年から令和19年までの各年分の確定申告においては、所得税のほか、復興特別所得税（各年分の基準所得税額の2.1%）を合わせて申告する必要があります（復興財源確保法9①、13）。

> （注3）　源泉徴収の選択は各年ごとに行います。また、譲渡又は差金決済ごとに源泉徴収するか否かを選択することはできません。

> （注4）　支払を受ける上場株式等の配当等を源泉徴収選択口座に受け入れることができることとされ、その源泉徴収選択口座内における上場株式等の譲渡等につき損失の金額があるときは、その配当等の金額から譲渡損失の金額を控除した残額を配当等の金額とみなすといういわゆる源泉徴収選択口座内での損益通算の特例が設けられています（措法37の11の6）。

《源泉徴収選択口座内調整所得金額に対する源泉徴収と還付》

源泉徴収選択口座内調整所得金額とは、特定口座内保管上場株式等の譲渡又は上場株式等の信用取

—114—

引等に係る差金決済（対象譲渡等）が行われた場合において、その居住者等に係る次の算式により計算した金額が生じるときにおけるその金額をいいます（措法37の11の4②、措令25の10の11③〜⑤）。

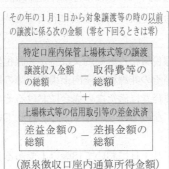

　上記の計算において、源泉徴収口座内通算所得金額が源泉徴収口座内直前通算所得金額に満たないこととなった場合には、金融商品取引業者等は、その都度、その満たない部分の金額に対し15％を乗じた金額を還付することとされています（措法37の11の4③）。

3　確定申告を要しない上場株式等の譲渡による所得

　2の特定口座源泉徴収選択届出書を提出した特定口座（以下「選択口座」といいます。）を有する居住者等で、その選択口座につき次に掲げる金額を有するものは、選択により「上場株式等に係る譲渡所得等の金額」（第三節1）、「上場株式等に係る譲渡損失の金額」（第三節2、3）又は「確定申告不要の判定の対象となる給与所得及び退職所得以外の所得金額若しくは公的年金等に係る雑所得以外の所得金額」（所法121①③）の計算上、次の各号に掲げる金額を除外して確定申告をすることができます（措法37の11の5①）。

① その年中にした選択口座（その者が選択口座を2以上有する場合には、それぞれの選択口座。②において同じ。）における特定口座内保管上場株式等の譲渡による1の規定により計算された事業所得の金額、譲渡所得の金額及び雑所得の金額並びにこれらの所得の金額の計算上生じた損失の金額
② その年中に選択口座において処理された信用取引等の差金決済に係る上場株式等の譲渡による1の規定により計算された事業所得の金額及び雑所得の金額並びにこれらの所得の金額の計算上生じた損失の金額

（注1）　この規定の適用を受ける場合は、扶養親族などの所得控除の適用を受ける場合の合計所得金額については上記①又は②の金額を除外します（措令25の10の12一）。
（注2）　選択口座において生じた所得又は所得の計算上生じた損失の金額を申告することもできます。申告を選択する具体的なケースとしては、選択口座において生じた所得又は所得の計算上生じた損失の金額について、①特定口座以外の上場株式等に係る譲渡所得等の金額と通算する場合、②上場株式等に係る譲渡損失の繰越控除（第三節3）の適用を受ける場合などが考えられます。

第五節　非課税口座内の少額上場株式等に係る譲渡所得等の非課税等

1　非課税口座内の少額上場株式等に係る譲渡所得等の非課税措置

(1)　譲渡所得等の非課税措置の内容

　金融商品取引業者等の営業所に非課税口座を開設している居住者等が、非課税口座内上場株式等の次に掲げる譲渡をした場合には、その譲渡による事業所得、譲渡所得及び雑所得については、所得税を課さないこととされています（措法37の14①）。

①	その非課税口座に非課税管理勘定を設けた日から同日の属する年の1月1日以後5年を経過する日までの間に行う非課税上場株式等管理契約に基づく譲渡
②	その非課税口座に累積投資勘定を設けた日から同日の属する年の1月1日以後20年を経過する

第五章第五節《非課税口座内の少額上場株式等に係る譲渡所得等の非課税等》

	日までの間に行う非課税累積投資契約に基づく譲渡
③	その非課税口座に特定累積投資勘定を設けた日以後に行う特定非課税累積投資契約に基づく譲渡
④	その非課税口座に特定非課税管理勘定を設けた日以後に行う特定非課税累積投資契約に基づく譲渡

　一方、非課税上場株式等管理契約、非課税累積投資契約又は特定非課税累積投資契約に基づく非課税口座内上場株式等の譲渡による収入金額がその非課税口座内上場株式等の取得費及びその譲渡に要した費用の額の合計額又はその譲渡に係る必要経費に満たない場合におけるその不足額（損失額）は、所得税に関する法令の規定の適用については、ないものとみなすこととされています（措法37の14②）。

（2）　非課税口座の意義

　「非課税口座」とは、居住者等（その年１月１日において18歳以上である者に限ります。）が、上記(1)の非課税措置等の適用を受けるため、一定の手続に従い、金融商品取引業者等の営業所の長に非課税口座開設届出書の提出をして、その金融商品取引業者等との間で締結した次に掲げる契約に基づきそれぞれ次に定める期間内に開設された上場株式等の振替口座簿への記載若しくは記録又は保管の委託（以下「振替記載等」といいます。）に係る口座（その口座において非課税上場株式等管理契約、非課税累積投資契約及び特定非課税累積投資契約に基づく取引以外の取引に関する事項を扱わないものに限ります。）をいいます（措法37の14⑤一）。

①	非課税上場株式等管理契約	平成26年１月１日から令和５年12月31日までの期間
②	非課税累積投資契約	平成30年１月１日から令和５年12月31日までの期間
③	特定非課税累積投資契約	令和６年１月１日以後の期間

（3）　非課税上場株式等管理契約の意義

　「非課税上場株式等管理契約」とは、上記(1)①の非課税措置等の適用を受けるために居住者等が金融商品取引業者等と締結した上場株式等の振替記載等に係る契約で、その契約書において、上場株式等の振替記載等はその振替記載等に係る口座に設けられた非課税管理勘定において行うことその他の事項が定められているものをいいます（措法37の14⑤二）。また、この契約に係るＮＩＳＡは「一般ＮＩＳＡ」と呼ばれています。

　(注)　上記の「非課税管理勘定」とは、非課税上場株式等管理契約に基づき振替記載等がされる上場株式等につきその振替記載等に関する記録を他の取引に関する記録と区分して行うための勘定で、平成26年１月１日から令和５年12月31日までの期間内の各年（累積投資勘定が設けられる年を除きます。）においてのみ設けられる等の要件を満たすものをいいます（措法37の14⑤三）。

（4）　非課税累積投資契約の意義

　「非課税累積投資契約」とは、上記(1)②の非課税措置等の適用を受けるために居住者等が金融商品取引業者等と締結した累積投資契約により取得した上場株式等の振替記載等に係る契約で、その契約書において、上場株式等の振替記載等は、その振替記載等に係る口座に設けられた累積投資勘定において行うことその他の事項が定められているものをいいます（措法37の14⑤四）。また、この契約に係るＮＩＳＡは「つみたてＮＩＳＡ」と呼ばれています。

　(注１)　上記の「累積投資契約」とは、居住者等が、一定額の上場株式等につき、定期的に継続して、金融商品取引業者等に買付けの委託（その買付けの委託の媒介、取次ぎ又は代理を含みます。以下同じです。）をし、その金融商品取引業者等から取得し、又はその金融商品取引業者等が行う募集（公募に限ります。（**注２**）を除き、以下同じです。）により取得することを約する契約で、あらかじめその買付けの委託又は取得をする上場株式等の銘柄が定められているものをいいます（措法37の14⑤四）。

　(注２)　上記の「累積投資勘定」とは、非課税累積投資契約に基づき振替記載等がされる累積投資上場株式等（その上場株式等（公社債投資信託以外の証券投資信託の受益権で上場等がされているもの及び公社債投資信託以外の証券投資信託でその設定に係る受益権の募集が一定の公募により行われたものの受益権に限り

—116—

第五章第五節《非課税口座内の少額上場株式等に係る譲渡所得等の非課税等》

ます。）を定期的に継続して取得することにより個人の財産形成が促進されるものとして一定の要件を満
たすものをいいます。）につきその振替記載等に関する記録を他の取引に関する記録と区分して行うため
の勘定で、平成30年1月1日から令和5年12月31日までの期間内の各年（非課税管理勘定又は特定累積投
資勘定が設けられる年を除きます。）においてのみ設けられる等の要件を満たすものをいいます（措法37
の14⑤五）。

（5）　特定非課税累積投資契約の意義

「特定非課税累積投資契約」とは、上記（1）③及び同④の非課税措置等の適用を受けるために居住者
等が金融商品取引業者等と締結した上場株式等の振替記載等に係る契約で、その契約書において、次に
掲げる事項が定められているものをいいます（措法37の14⑤六、措令25の13⑦㉓～㉛㊸、措規18の15の
3⑧、平29.3内閣府告540第1条、第7条）。この契約に係るNISAは「**新NISA**」と呼ばれていま
す。

イ　上場株式等の振替記載等は、その振替記載等に係る口座に設けられた特定累積投資勘定又は特定非
課税管理勘定において行うこと。

ロ　特定累積投資勘定には、累積投資上場株式等であって一定のもの（以下において「特定累積投資上
場株式等」といいます。）のうち、次に掲げる特定累積投資上場株式等のみを受け入れること。ただし、
（イ）に掲げる上場株式等にあっては、累積投資契約により取得したものに限られています。なお、他
の勘定からの移管による受入れはできないこととされています。次のハの特定非課税管理勘定の場合
も同様です。

（イ）　その口座に特定累積投資勘定が設けられた日から同日の属する年の12月31日までの期間（以下
「受入期間」といいます。）内にその金融商品取引業者等への買付けの委託により取得をした特定
累積投資上場株式等、その金融商品取引業者等から取得をした特定累積投資上場株式等又はその金
融商品取引業者等が行う特定累積投資上場株式等の募集により取得をした特定累積投資上場株式
等のうち、その取得後直ちにその口座に受け入れられるものでその受入期間内の取得対価の額の合
計額が120万円を超えないもの（特定累積投資上場株式等を口座に受け入れた場合に、その合計額、
同年において口座に受け入れているハ（イ）の上場株式等の取得対価の額の合計額及び特定累積投
資勘定基準額（下記（6）を参照。）の合計額が1,800万円を超えることとなるときにおけるその特定
累積投資上場株式等を除きます。）

（ロ）　上記（イ）のほか、非課税口座内上場株式等について行われた受益権の分割又は併合により取得
する上場株式等や、非課税口座内上場株式等に係る投資信託の併合により取得する新たな投資信託
の受益権など、一定の事由により取得する特定累積投資上場株式等

（**注**）　上記ロの「累積投資上場株式等であって一定のもの」とは、累積投資上場株式等のうち、継続適用届出書
提出者が継続適用期間に取得した上記（イ）の上場株式等以外のものをいいます。

ハ　特定非課税管理勘定には、次に掲げる上場株式等のみを受け入れること。

（イ）　その口座に特定非課税管理勘定が設けられた日から同日の属する年の12月31日までの期間（以
下「受入期間」といいます。）内にその金融商品取引業者等への買付けの委託により取得をした上
場株式等、その金融商品取引業者等から取得をした上場株式等、<u>その金融商品取引業者等が行う上
場株式等の募集により取得をした上場株式等又はその口座に係る振替口座簿に記載若しくは記録
がされ、若しくはその口座に保管の委託がされている上場株式等について与えられた新株予約権の
行使により取得をした上場株式等</u>のうち、その取得後直ちにその口座に受け入れられるものでその
受入期間内の取得対価の額の合計額が240万円を超えないもの（上場株式等を口座に受け入れた場
合に、次に掲げる場合に該当することとなるときにおけるその上場株式等を除きます。）

ⅰ　その合計額及び特定非課税管理勘定基準額（下記（6）を参照。）の合計額が1,200万円を超える
場合

ⅱ　その受入期間内に受け入れた上場株式等の取得対価の額の合計額、その受入期間に係る特定非

-117-

第五章第五節《非課税口座内の少額上場株式等に係る譲渡所得等の非課税等》

課税管理勘定が設けられた日の属する年において口座に受け入れている上記ロ（イ）の特定累積投資上場株式等の取得対価の額の合計額及び特定累積投資勘定基準額の合計額が1,800万円を超える場合

（ロ）　上記（イ）のほか、非課税口座内上場株式等について行われた株式又は受益権の分割又は併合により取得する上場株式等や、非課税口座内上場株式等を発行した法人の合併により取得する合併法人又は合併親法人の株式など、一定の事由により取得する上場株式等

（注）　次に掲げる上場株式等は特定非課税管理勘定への受入れができないこととされています（措法37の14⑤六、措令25の13㉓㊸、平29.3内閣府告540第1条、第7条）。

（イ）　継続適用届出書提出者が継続適用期間に取得した上場株式等で上記（イ）に掲げるもの

（ロ）　租税特別措置法第29条の2第1項本文《特定の取締役等が受ける新株予約権の行使による株式の取得に係る経済的利益の非課税等》の規定の適用を受けて取得をした特定新株予約権に係る上場株式等

（ハ）　上記ハ（イ）に掲げる上場株式等で次のいずれかに該当するもの

ⅰ　その上場株式等が上場されている金融商品取引所の定める規則に基づき、その金融商品取引所への上場を廃止することが決定された銘柄又は上場を廃止するおそれがある銘柄として指定されているものその他の内閣総理大臣が財務大臣と協議して定めるもの

ⅱ　公社債投資信託以外の証券投資信託の受益権、投資信託及び投資法人に関する法律第2条第14項に規定する投資口又は特定受益証券発行信託の受益権で、委託者指図型投資信託約款、規約又は信託法第3条第1号に規定する信託契約において法人税法第61条の5第1項に規定するデリバティブ取引に係る権利に対する投資（安定した収益の確保及び効率的な運用を行うためのものとして内閣総理大臣が財務大臣と協議して定める目的によるものを除きます。）として運用を行うこととされていることその他の内閣総理大臣が財務大臣と協議して定める事項が定められているもの

ⅲ　公社債投資信託以外の証券投資信託の受益権で委託者指図型投資信託約款に次の定めがあるもの以外のもの

a　信託契約期間を定めないこと又は20年以上の信託契約期間が定められていること。

b　収益の分配は、1月以下の期間ごとに行わないこととされており、かつ、信託の計算期間ごとに行うこととされていること。

ニ　その他一定の事項

（注1）　上記の「特定累積投資勘定」とは、特定非課税累積投資契約に基づき振替記載等がされる特定累積投資上場株式等につきその振替記載等に関する記録を他の取引に関する記録と区分して行うための勘定で、次に掲げる要件を満たすものをいいます（措法37の14⑤七）。なお、この特定累積投資勘定は特定非課税管理勘定が設けられる年についても設けることができます。

イ　その特定累積投資勘定は、令和6年以後の各年（勘定設定期間内の各年）においてのみ設けられること。

ロ　その特定累積投資勘定は、非課税口座開設届出書の提出が年の中途においてされた場合等を除き、その勘定設定期間内の各年の1月1日において設けられること。

（注2）　上記の「特定非課税管理勘定」とは、特定非課税累積投資契約に基づき振替記載等がされる上場株式等につきその振替記載等に関する記録を他の取引に関する記録と区分して行うための勘定で、特定累積投資勘定と同時に設けられるものをいいます（措法37の14⑤八）。

（6）　特定累積投資勘定基準額及び特定非課税管理勘定基準額の意義

上記（5）ロ（イ）及びハ（イ）ⅱの「特定累積投資勘定基準額」とは、特定累積投資勘定及び特定非課税管理勘定に前年末時点で受け入れている上場株式等の購入代価の額等の合計額を指しており、上場株式等の取得費の額の計算方法に準じて算出されます。

具体的には、対象非課税口座（居住者等が開設する非課税口座のうち非課税口座に特定累積投資勘定及び特定非課税管理勘定が設けられた日の属する年の前年12月31日（以下「基準日」といいます。）において金融商品取引業者等の営業所に開設されている非課税口座をいいます。）に設けられた特定累積投資勘定及び特定非課税管理勘定に係る非課税口座内上場株式等（以下「対象非課税口座内上場株式等」といいます。）の次に掲げる区分に応じそれぞれ次に定める金額を合計した金額（以下「対象非課税口座内

－118－

第五章第五節《非課税口座内の少額上場株式等に係る譲渡所得等の非課税等》

上場株式等の購入代価の額の総額」といいます。）とされています（措令25の13㉖㉗）。

（イ）　特定累積投資勘定に係る特定累積投資上場株式等……その特定累積投資上場株式等の購入代価の額（払込みにより取得した上場株式等については、払込金額をいいます。）をその特定累積投資上場株式等の取得価額とみなして、その特定累積投資上場株式等を銘柄ごとに区分し、基準日にその特定累積投資勘定に受け入れているその特定累積投資上場株式等の譲渡があったものとして所得税法施行令第2編第1章第4節第3款の規定に準じて計算した場合に算出される当該特定累積投資上場株式等の取得費の額に相当する金額

（ロ）　特定非課税管理勘定に係る上場株式等……その上場株式等の購入代価の額をその上場株式等の取得価額とみなして、その上場株式等を銘柄ごとに区分し、基準日にその特定非課税管理勘定に受け入れているその上場株式等の譲渡があったものとして所得税法施行令第2編第1章第4節第3款並びに第167条の7第4項、第6項及び第7項の規定に準じて計算した場合に算出されるその上場株式等の取得費の額に相当する金額

　また、上記(5)ハ(イ)ⅰの「特定非課税管理勘定基準額」とは、「対象非課税口座内上場株式等の購入代価の額の総額」のうち上記(ロ)に定める金額に係る部分の金額です（措令25の13㉚）。

　なお、「対象非課税口座内上場株式等の購入代価の額の総額」を計算する場合には、次に定めるところによることとされています（措令25の13㉘）。

（ハ）　居住者等の有する同一銘柄の対象非課税口座内上場株式等のうちに対象非課税口座に設けられた特定累積投資勘定に係る特定累積投資上場株式等と当該対象非課税口座に設けられた特定非課税管理勘定に係る上場株式等とがある場合には、これらの対象非課税口座内上場株式等については、それぞれその銘柄が異なるものとします。

（ニ）　居住者等が2以上の対象非課税口座を有する場合において、その居住者等の有する同一銘柄の対象非課税口座内上場株式等のうちに対象非課税口座に係る対象非課税口座内上場株式等とその対象非課税口座以外の対象非課税口座に係る対象非課税口座内上場株式等とがあるときは、これらの対象非課税口座内上場株式等については、それぞれその銘柄が異なるものとします。

（ホ）　その居住者等の有する同一銘柄の上場株式等のうちに対象非課税口座内上場株式等とその対象非課税口座内上場株式等以外の上場株式等とがある場合には、これらの上場株式等については、それぞれその銘柄が異なるものとします。

（ヘ）　対象非課税口座内上場株式等が事業所得又は雑所得の基因となる上場株式等である場合には、対象非課税口座内上場株式等を譲渡所得の基因となる上場株式等とみなします。

（7）　令和5年末にNISAを実施していた場合の取扱い

　居住者等が令和5年12月31日において金融商品取引業者等の営業所に開設している非課税口座に令和5年分の非課税管理勘定又は累積投資勘定を設定している場合には、その居住者等（次に掲げる者を除きます。）は令和6年1月1日においてその金融商品取引業者等と特定非課税累積投資契約を締結したものとみなして、上記(1)の措置等を適用することとされました（令5改所法附34①、令5改措令附6）。

イ　居住者等で令和5年12月31日に、非課税管理勘定又は累積投資勘定が設けられている非課税口座が開設されている金融商品取引業者等の営業所の長に、非課税口座廃止届出書の提出をした者

ロ　居住者等で令和5年10月1日から同年12月31日までの間に、非課税管理勘定又は累積投資勘定が設けられている非課税口座が開設されている金融商品取引業者等の営業所の長に、金融商品取引業者等変更届出書の提出をした者

2　未成年者口座内の少額上場株式等に係る譲渡所得等の非課税措置

（1）　譲渡所得等の非課税措置の内容

　金融商品取引業者等の営業所に未成年者口座を開設している居住者等が、次に掲げる未成年者口座内

－119－

上場株式等の区分に応じそれぞれに定める期間内に、その未成年者口座内上場株式等のその未成年者口座管理契約に基づく譲渡をした場合には、その譲渡による事業所得、譲渡所得及び雑所得については、所得税を課さないこととされています（措法37の14の2①）。

①	非課税管理勘定に係る未成年者口座内上場株式等	その未成年者口座にその非課税管理勘定を設けた日から同日の属する年の1月1日以後5年を経過する日までの間
②	継続管理勘定に係る未成年者口座内上場株式等	その未成年者口座にその継続管理勘定を設けた日からその未成年者口座を開設した者がその年1月1日において18歳である年の前年12月31日までの間

　（注）　上記の「未成年者口座内上場株式等」とは、未成年者口座管理契約に基づきその未成年者口座に係る振替口座簿に記載若しくは記録がされ、又はその未成年者口座に保管の委託がされている上場株式等をいいます（措法37の14の2①）。

　一方、未成年者口座管理契約に基づく未成年者口座内上場株式等の譲渡による収入金額がその未成年者口座内上場株式等の取得費及びその譲渡に要した費用の額の合計額又はその譲渡に係る必要経費に満たない場合におけるその不足額（損失額）は、所得税に関する法令の規定の適用については、ないものとみなすこととされています（措法37の14の2②）。

（2）　未成年者口座の意義

　「未成年者口座」とは、居住者等（その年1月1日において18歳未満である者又はその年中に出生した者に限ります。）が、上記(1)の非課税措置等の適用を受けるため、一定の手続に従い、金融商品取引業者等の営業所の長に未成年者非課税適用確認書又は未成年者口座廃止通知書を添付した未成年者口座開設届出書の提出をして、その金融商品取引業者等との間で締結した未成年者口座管理契約に基づき平成28年4月1日から令和5年12月31日までの間に開設された上場株式等の振替口座簿への記載若しくは記録又は保管の委託（以下「振替記載等」といいます。）に係る口座（その口座において未成年者口座管理契約に基づく取引以外の取引に関する事項を扱わないものに限ります。）をいいます（措法37の14の2⑤一）。

（3）　未成年者口座管理契約の意義

　「未成年者口座管理契約」とは、上記(1)の非課税措置等の適用を受けるために居住者等が金融商品取引業者等と締結した上場株式等の振替記載等に係る契約で、その契約書において次に掲げる事項が定められているものをいいます（措法37の14の2⑤二、措令25の13の8③～⑫、措令25の13の8⑳において準用する措令25の13⑥⑦⑫、措規18の15の10③～⑩）。

① 　上場株式等の振替記載等は、その振替記載等に係る口座に設けられた非課税管理勘定又は継続管理勘定において行うこと。

② 　非課税管理勘定においてはその居住者等の次に掲げる上場株式等のみを受け入れること。

　イ 　次に掲げる上場株式等で、その口座に非課税管理勘定が設けられた日から同日の属する年の12月31日までの間に受け入れた上場株式等の取得対価の額（購入代価の額、払込金額又は移管に係る払出し時の金額（時価）をいいます。）の合計額が80万円（下記ロに掲げる上場株式等がある場合には、その上場株式等の移管に係る払出し時の金額（時価）を控除した金額）を超えないもの

　　（イ）　その期間内にその金融商品取引業者等への買付けの委託（その買付けの委託の媒介、取次ぎ又は代理を含みます。）により取得をした上場株式等、その金融商品取引業者等から取得をした上場株式等又はその金融商品取引業者等が行う上場株式等の募集（公募に限ります。）により取得をした上場株式等で、その取得後直ちにその口座に受け入れられるもの

　　（ロ）　その非課税管理勘定を設けた口座に係る他の年分の非課税管理勘定から移管がされる上場株式等（下記ロに掲げるものを除きます。）

　ロ 　その非課税管理勘定を設けた口座に係る他の年分の非課税管理勘定から、当該他の年分の非課税

第五章第五節《非課税口座内の少額上場株式等に係る譲渡所得等の非課税等》

　　　管理勘定が設けられた日の属する年の1月1日から5年を経過する日の翌日に移管がされる上場
　　　株式等
　　ハ　上記イ及びロのほか、未成年者口座内上場株式等について行われた株式又は受益権の分割又は併
　　　合により取得する上場株式等や、未成年者口座内上場株式等を発行した法人の合併により取得する
　　　合併法人又は合併親法人の株式など、一定の事由により取得する上場株式等
　③　継続管理勘定においてはその居住者等の次に掲げる上場株式等のみを受け入れること。
　　イ　その口座に継続管理勘定が設けられた日から同日の属する年の12月31日までの間に、その継続管
　　　理勘定を設けた口座に係る非課税管理勘定から移管がされる上場株式等（下記ロに掲げるものを除
　　　きます。）で、その移管に係る払出し時の金額（時価）の合計額が80万円（下記ロに掲げる上場株
　　　式等がある場合には、その上場株式等の移管に係る払出し時の金額（時価）を控除した金額）を超
　　　えないもの
　　ロ　その継続管理勘定を設けた口座に係る他の年分の非課税管理勘定から、当該他の年分の非課税管
　　　理勘定が設けられた日の属する年の1月1日から5年を経過する日の翌日に、同日に設けられるそ
　　　の継続管理勘定に移管がされる上場株式等
　　ハ　上記②ハに掲げる上場株式等
　　(注)　上記イ及びロに掲げる上場株式等の移管にあたっては、その口座を開設されている金融商品取引業者等の
　　　　営業所の長に対し、移管することを依頼する旨、移管しようとする未成年者口座内上場株式等の種類、銘柄
　　　　及び数若しくは持分の割合又は価額その他の事項を記載した未成年者口座内上場株式等移管依頼書の提出
　　　　（その未成年者口座内上場株式等移管依頼書の提出に代えて行う電磁的方法によるその書類に記載すべき
　　　　事項の提供を含みます。）をする必要があります（措令25の13の8④において準用する同条③、措規18の15
　　　　の10③）。
　④　次に掲げる上場株式等は、それぞれ次に定める移管をすること。
　　イ　その口座に非課税管理勘定が設けられた日の属する年の1月1日から5年を経過する日（以下「5
　　　年経過日」といいます。）において有するその非課税管理勘定に係る上場株式等（上記②イ(ロ)若
　　　しくは同ロ又は上記③イ若しくは同ロの移管がされるものを除きます。）……次に掲げる場合の区
　　　分に応じそれぞれ次に定める移管
　　　(イ)　その5年経過日の属する年の翌年3月31日において居住者等が18歳未満である場合……その
　　　　5年経過日の翌日に一定の方法により行うその口座と同時に設けられた課税未成年者口座への
　　　　移管
　　　(ロ)　上記(イ)の場合以外の場合……5年経過日の翌日に一定の方法により行う他の保管口座（他
　　　　の株式等の振替記載等に係る口座をいいます。）への移管
　　ロ　居住者等がその年1月1日において18歳である年の前年12月31日において有する継続管理勘定に
　　　係る上場株式等……同日の翌日に一定の方法により行う他の保管口座への移管
　⑤　非課税管理勘定又は継続管理勘定に記載若しくは記録又は保管の委託がされる上場株式等は、その
　　居住者等の基準年（その居住者等がその年3月31日において18歳である年をいいます。）の前年12月31
　　日までは、次に定めるところによること。
　　イ　上場株式等のその口座から他の保管口座でその口座と同時に設けられた課税未成年者口座以外の
　　　ものへの移管又はその上場株式等に係る有価証券のその居住者等への返還（災害、疾病その他の一
　　　定の事由（災害等事由）による移管又は返還でその口座及び課税未成年者口座に記載若しくは記録
　　　若しくは保管の委託又は預入れ若しくは預託がされている上場株式等及び金銭その他の資産の全
　　　てについて行うもの（以下「災害等による返還等」といいます。）その他一定の事由による移管又
　　　は返還を除きます。）をしないこと。
　　ロ　上場株式等について所定の方法以外の方法による譲渡又は贈与をしないこと。
　　ハ　上場株式等の譲渡の対価又は上場株式等に係る配当等として交付を受ける金銭その他の資産は、

－121－

その受領後直ちに課税未成年者口座に預入れ又は預託をすること。

⑥　その口座につき上記④若しくは⑤の要件に該当しないこととなる事由又は災害等による返還等が生じた場合には、これらの事由が生じた時にその口座及び課税未成年者口座を廃止すること。

⑦　その他一定の事項

(注1)　上記の「非課税管理勘定」とは、未成年者口座管理契約に基づき振替記載等がされる上場株式等につき、その振替記載等に関する記録を他の取引に関する記録と区分して行うための勘定で、平成28年から令和5年までの各年（その居住者等が、その年1月1日において18歳未満である年及び出生した日の属する年に限ります。）に設けられる等の要件を満たすものをいいます（措法37の14の2⑤三）。

(注2)　上記の「継続管理勘定」とは、未成年者口座管理契約に基づき振替記載等がされる上場株式等につき、その振替記載等に関する記録を他の取引に関する記録と区分して行うための勘定で、令和6年から令和10年までの各年（その居住者等が、その年1月1日において18歳未満である年に限ります。）に設けられる等の要件を満たすものをいいます（措法37の14の2⑤四）。

(注3)　上記の「課税未成年者口座」とは、未成年者口座を開設した居住者等が、その未成年者口座を開設している金融商品取引業者等の営業所又はその金融商品取引業者等と一定の関係にある法人の営業所に開設している口座で、特定口座その他の一定の口座により構成されるもの（2以上の特定口座が含まれないものに限ります。）のうち、その未成年者口座と同時に設けられるものをいいます（措法37の14の2⑤五）。

（4）　未成年者口座の開設者が18歳に到達した場合の非課税口座の自動開設

居住者等が令和6年以後の各年（その年1月1日において居住者等が18歳である年に限ります。）の1月1日において金融商品取引業者等の営業所に未成年者口座を開設している場合には、その居住者等は同日においてその金融商品取引業者等の営業所の長に非課税口座開設届出書の提出をしたものと、その居住者等は同日にその金融商品取引業者等と特定非課税累積投資契約を締結したものと、その金融商品取引業者等の営業所の長は同日に所轄税務署長に届出事項を提供したものとそれぞれみなして、上記2（1）の措置等を適用することとされました（措法37の14㉜）。

【令和6年以降】（新制度・新NISA）

	つみたて投資枠	併用可	成長投資枠
年間の投資上限額	120万円		240万円
非課税保有期間	制限なし（無期限化）		制限なし（無期限化）
非課税保有限度額（総枠）	1,800万円 ※簿価残高方式で管理（枠の再利用が可能）		
			1,200万円（内数）
口座開設可能期間	制限なし（恒久化）		制限なし（恒久化）
投資対象商品	積立・分散投資に適した一定の公募等株式投資信託 〔商品性について内閣総理大臣が告示で定める要件を満たしたものに限る〕		上場株式・公募株式投資信託等 〔安定的な資産形成につながる投資商品に絞り込む観点から、高レバレッジ投資信託などを対象から除外〕
投資方法	契約に基づき、定期かつ継続的な方法で投資		制限なし
旧制度との関係	令和5年末までに旧制度において投資した商品は、新制度の外枠で、旧制度における非課税措置を適用		

(注)　令和5年末までにジュニアNISAにおいて投資した商品は、非課税保有期間（5年）が終了しても、所定の手続を経ることで、18歳になるまでは非課税措置が受けられることとなっています。

【令和５年まで】（旧制度）

	つみたてNISA いずれかを選択	一般NISA
年間の投資上限額	40万円	120万円
非課税保有期間	20年間	５年間
口座開設可能期間	平成30年～令和５年	平成26年～令和５年
投資対象商品	積立・分散投資に適した 一定の公募等株式投資信託 ［商品性について内閣総理大臣が告示 で定める要件を満たしたものに限る］	上場株式・公募株式投資信託等
投資方法	契約に基づき、定期かつ継続的な方法 で投資	制限なし

第六節　金融商品先物取引による所得

　金融商品取引法第２条第21項《金融商品先物取引》に規定する金融商品先物取引による所得は、申告分離課税の事業・譲渡・雑所得として課税されることになっています（措法41の14）。

第七節　ゴルフ場等の施設利用権の譲渡に類似する有価証券の譲渡による所得

　一般にゴルフ会員権といわれるものは、「株主でなければ会員となれない会員権」と、「その他の会員権」とに区分することができます。また、「その他の会員権」には、預り金形態の会員権や社団法人組織で譲渡ができない会員権などがあります。

　これらのゴルフ会員権のうち「その他の会員権」を譲渡した場合の譲渡益は、従前から譲渡所得とされていますが「株主でなければ会員となれない会員権」、すなわちその株式等については昭和48年４月７日以後に行われる譲渡による所得に限り総合課税の譲渡所得（営利を目的として継続的に行う譲渡による所得は事業所得又は雑所得）として課税されることになっています（所基通33－６の３）。

　なお、この譲渡益が譲渡所得となる株式等とは、株主等となることがゴルフ場を継続的に利用できる要件となっているもの、又はゴルフ場を他の利用者に比して有利な条件で継続的に利用できる要件となっている株式等に限られ、単にゴルフ場を経営する法人の株式等を譲渡しただけでは、ここでいう、譲渡益が譲渡所得となる株式等には該当しません。

有価証券の譲渡所得が短期譲渡所得に該当するかどうかの判定

　第七節の総合課税の対象となる譲渡所得の基因となる有価証券を譲渡した場合において、その譲渡した有価証券と同一銘柄の有価証券をその譲渡の日前５年前及び譲渡の日前５年以内に取得しているときは、その譲渡した有価証券は先に取得したものから順次譲渡したものとして、短期譲渡所得の基因となる有価証券が含まれているかどうかを判定することになります。この場合において、株式の分割又は併合により取得した有価証券、株主割当てにより取得した有価証券及び法人の合併、法人の分割又は組織変更により取得した有価証券の取得の時は、その取得の基因となった有価証券の取得の時によります（所基通33－６の４）。

第六章　延払条件付譲渡に係る所得税額の延納

　譲渡所得を計算する場合の収入金額とは、資産を譲渡したことによる収入すべき金額をいい、収入すべき金額とは、収入する権利が確定した金額をいいます。したがって、資産を年賦などの方法、つまり、延払条件で譲渡した場合でも、その時において収入すべき権利は確定しますが、一時に現金として収入するわけではありませんから、その年分の所得税の確定申告の際に一度に納税することが困難となる場合が生じることがあります。

　そこで、このような場合の所得税の納付を容易にするために延納制度が設けられ、税務署長は、譲渡所得（又は山林所得）の基因となる資産の延払条件付譲渡をした場合で、一定の要件を満たしているときは、確定申告の際、その納付すべき所得税額の全部又は一部について、納税者からの申請により、5年以内の延納を許可することができるとされています（所法132①）。この場合、①延納税額が100万円以下で、かつ、その延納の期間が3年以下の場合又は②その延納の期間が3か月以下の場合には、担保の提供が不要とされます（所法132②）。

　なお、延払条件付譲渡とは、次の要件に適合する条件を定めた契約に基づき、その条件により行われる譲渡をいいます（所法132③、所令265）。
① 　月賦、年賦その他の賦払方法により3回以上に分割して対価の支払を受けること。

　　この場合の「月賦、年賦その他の賦払の方法」とは、対価の履行期日が、頭金の履行期日を除き、おおむね規則的に到来し、かつ、それぞれの履行期日において支払を受けるべき金額が相手方との当初の契約において具体的に確定している場合におけるその賦払の方法をいいますが、各履行期における賦払金の額は、必ずしも均等でなくてもよいこととなっています。
② 　その譲渡の目的物の引渡しの期日の翌日から最後の賦払金の支払の期日までの期間が2年以上であること。
③ 　その契約において定められているその譲渡の目的物の引渡しの期日までに支払の期日の到来する賦払金の額の合計額がその譲渡の対価の額の3分の2以下となっていること。
　（注1）　譲渡には、所令第79条（資産の譲渡とみなされる行為）に規定する行為が含まれることとされています（所基通132-1）。
　（注2）　この延払条件付譲渡に係る所得税の延納は、先に述べたように、譲渡所得又は山林所得に係る制度です。「第三編　山林所得」においては、延払条件付譲渡に係る所得税の延納についての説明は省略しますから、この項を参照することとしてください。

第一節　延納申請ができる要件

　譲渡所得（又は山林所得）の基因となる資産の延払条件付譲渡があった場合で、延納の適用を受けるためには、次の要件のすべてを満たしていなければなりません（所法132①）。
① 　延払条件付譲渡をした日の属する年分の所得税の確定申告書（確定申告書を提出すべき者が出国する場合の申告書を除きます。）や年の中途で死亡した場合の死亡した者の確定申告書をこれらの申告書の提出期限までに提出したこと。
② 　延払条件付譲渡に係る所得税額が「①」の申告書に記載された所得税額の2分の1を超えること。
③ 　延払条件付譲渡に係る所得税額が30万円を超えること。
　なお、延払条件付譲渡に係る税額は、その延払条件付譲渡に係る契約において定められている支払の期日が、その年の翌年以後に到来する延払条件付譲渡に係る賦払金の額（その年において既に支払

－124－

第六章《延払条件付譲渡に係る所得税額の延納》

を受けたものを除きます。）の合計額に対応する譲渡所得（又は山林所得）がないものと仮定して次の算式により計算した税額X又はYと、確定申告書に記載される所得税額との差額に相当する金額とされています（所法132④、所令266、措令20、21、平25.5改正前の措令25の8⑭、26の23⑥）。

〔総合課税の場合〕

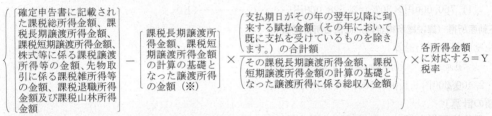

(注) 上記算式中の分数による「その課税所得金額の計算の基礎となった譲渡所得（又は山林所得）に係る総収入金額」に対する「支払期日がその年の翌年以降に到来する賦払金額（その年において既に支払を受けているものを除きます。）の合計額」の割合は、小数点以下2位まで算出し、3位以下の端数は切り上げて計算します（所令266③四）。次の〔分離課税の場合〕の算式においても同じです。

確定申告書に記載された所得税額－X＝延払条件付譲渡に係る所得税額

〔分離課税の場合〕

$\left\{\begin{array}{l}\text{確定申告書に記載された課税総所得金額、課税長期譲渡所得金額、課税短期譲渡所得金額、株式等に係る課税譲渡所得等の金額、先物取引に係る課税雑所得等の金額、課税退職所得金額及び課税山林所得金額}\end{array}\right\} - \left(\begin{array}{l}\text{課税長期譲渡所得金額、課税短期譲渡所得金額の計算の基礎となった譲渡所得の金額}（※）\end{array}\right) \times \dfrac{\left(\begin{array}{l}\text{支払期日がその年の翌年以降に到来する賦払金額（その年において既に支払を受けているものを除きます。）の合計額}\end{array}\right)}{\left(\begin{array}{l}\text{その課税長期譲渡所得金額、課税短期譲渡所得金額の計算の基礎となった譲渡所得に係る総収入金額}\end{array}\right)} \times \begin{array}{l}\text{各所得金額}\\ \text{に対応する}\\ \text{税率}\end{array} = Y$

確定申告書に記載された所得税額－Y＝延払条件付譲渡に係る所得税額

※ 総合課税の長期譲渡所得については、その金額の2分の1に相当する金額によるものとし、土地建物等の分離課税の譲渡所得については、特別控除額控除後の金額によります。

〔計算例〕

（設 例）

	物 件 A	物 件 B
譲渡資産	宅地 654㎡	宅地 220㎡
譲渡年月日	令和6年12月26日	令和6年12月26日
譲渡価額	191,000,000円	50,000,000円
取得時期	昭和27年12月31日以前	令和元年12月26日
取 得 費	9,550,000円（19,100万円×5％）	36,740,000円
譲渡費用	3,500,000円	1,500,000円
譲渡代金支払方法		
5.12.26	50,000,000円	12,500,000円
6.12.25	50,000,000円	12,500,000円
7.12.25	50,000,000円	12,500,000円
8.12.26	41,000,000円	12,500,000円
	191,000,000円	50,000,000円

不動産所得の金額……2,400,000円

所得控除額…………1,000,000円

(注) 物件A及びBに係る譲渡所得は、税率の軽減される長期譲渡所得又は短期譲渡所得には該当しません。
なお、本設例においては、復興特別所得税等については、考慮していません。

第六章《延払条件付譲渡に係る所得税額の延納》

〔確定申告書に記載される所得税額の計算〕

① 長期保有資産（物件Ａ）に係る所得税額

〔譲渡所得の計算〕

（譲渡所得）　（取得費）　（譲渡費用）　（課税長期譲渡所得金額）

$$191,000,000円－（9,550,000円＋3,500,000円）＝177,950,000円$$

〔税額の計算〕

（課税長期譲渡所得金額）

$$177,950,000円×15％＝26,692,500円……〈a〉$$

② 短期保有資産（物件Ｂ）に係る所得税額

〔譲渡所得の計算〕

（譲渡価額）　（取得費）　（譲渡費用）　（課税短期譲渡所得金額）

$$50,000,000円－（36,740,000円＋1,500,000円）＝11,760,000円$$

〔税額の計算〕

（課税短期譲渡所得金額）

$$11,760,000円×30％＝3,528,000円………………〈b〉$$

③ 不動産所得（課税総所得金額）に係る所得税額

〔課税総所得金額の計算〕

（不動産所得）　（所得控除額）　（課税総所得金額）

$$2,400,000円－1,000,000円＝1,400,000円$$

〔税額の計算〕

課税総所得金額1,400,000円に対する税額…………1,400,000円×5％＝70,000円………〈c〉

④ 確定申告書に記載される所得税額の合計額

$$〈a〉＋〈b〉＋〈c〉＝26,692,500円＋3,528,000円＋70,000円＝\boxed{30,290,500円}……Z$$

〔延払条件付譲渡に係る所得税額の計算〕

まず次の①～④の計算により前記のＸ又はＹに相当する税額（延払代金に対応する譲渡所得がない
ものと仮定して求めた税額）を計算します。

① 課税総所得金額に対する税額計算

（総所得金額）　（所得控除額）　（課税総所得金額）

$$2,400,000円－1,000,000円＝1,400,000円に対する税額…1,400,000円×5％＝70,000円…A$$

② 課税長期譲渡所得金額に対する税額計算

（課税長期譲渡所得金額）（課税長期譲渡所得金額）（支払期が令和7年以降となる賦払金額）

$$177,950,000円－177,950,000円×\left\{\frac{141,000,000円}{191,000,000円}（＝0.74）\right\}＝46,267,000円$$

（その課税長期譲渡所得金額の計算の基礎となった譲渡所得に係る総収入金額）

46,267,000円（課税長期譲渡所得金額）に対する税額の計算

$$46,267,000円×15％＝6,940,050円……B$$

③ 課税短期譲渡所得金額に対する税額計算

（課税短期譲渡所得金額）（課税短期譲渡所得金額）（支払期が令和7年以降となる賦払金額）

$$11,760,000円－11,760,000円×\left\{\frac{37,500,000円}{50,000,000円}（＝0.75）\right\}＝2,940,000円$$

（その課税短期譲渡所得金額の計算の基礎となった譲渡所得に係る総収入金額）

2,940,000円（課税短期譲渡所得金額）に対する税額の計算

$$2,940,000円×30％＝882,000円………C$$

④ **125ページのＹに相当する税額**（譲渡代金のうち翌年以後に支払を受ける賦払金に対応する譲渡所得がないものと仮定した場合の税額）

　　　Ａ＋Ｂ＋Ｃ＝7,892,050円………………Ｙ

⑤ **延払条件付譲渡に係る所得税額**

$$\underset{\substack{\text{（確定申告書に記載}\\\text{される所得税額）}}}{30,290,500円\,\text{Ｚ}}-7,892,050円\,\text{Ｙ}=\boxed{22,398,450円}\cdots\cdots\cdots\text{延払条件付譲渡に係る所得税額}$$

第六章《延払条件付譲渡に係る所得税額の延納》

第二節　延納の手続等

1　延納の手続

　延納の許可を申請しようとする者は、その延納を求めようとする所得税の納付の期限までに延納を求めようとする所得税額及び期間（２回以上に分割して納付しようとする場合には、各分納税額ごとに延納を求めようとする期間及びその額）その他所定の事項を記載した申請書に、担保の提供を要する延納の場合には担保の提供に関する書類を添付し、これを納税地の所轄税務署長に提出しなければならないこととされています（所法133①、所規51）。

イ　申請書の記載事項
　　① 申請書を提出する者の氏名、住所（住所地と納税地とが異なる場合には、その納税地）及び個人番号
　　② 確定申告により納付すべき所得税の額（前節なお書により計算した延払条件付譲渡に係る税額がこの所得税の額に満たない場合には、その延払条件付譲渡に係る税額）
　　③ 延払条件付譲渡に係る税額の計算に関する明細
　　④ 前節に掲げた要件の全てに該当する事実及び延払条件付譲渡の条件に該当する事実
　　⑤ 担保の提供を要する場合には、提供しようとする担保の種類並びにその担保として提供しようとする財産の内容、数量、価額及びその所在場所（その担保が保証人の保証である場合には、その保証人の氏名又は名称及び住所若しくは居所又は本店若しくは主たる事務所の所在地）
　　⑥ その他参考となるべき事項
ロ　担保の種類
　　担保は次のものに限られます（通則法50）。
　　① 国債及び地方債
　　② 社債（特別の法律により設立された法人が発行する債券を含みます。）その他の有価証券で税務署長等（国税庁長官又は国税局長が担保を徴するものとされている場合には、国税庁長官又は国税局長）が確実と認めるもの
　　③ 土地
　　④ 建物、立木及び登記される船舶並びに登録を受けた飛行機、回転翼航空機及び自動車並びに登記を受けた建設機械で保険に附したもの
　　⑤ 鉄道財団、工場財団、鉱業財団、軌道財団、運河財団、漁業財団、港湾運送事業財団、道路交通事業財団及び観光施設財団
　　⑥ 税務署長等が確実と認める保証人の保証
　　⑦ 金銭

2　延納の許可、却下及び通知

　延払条件付譲渡に係る税額の延納の許可の申請があった場合には、税務署長はその申請に係る事項について適用要件その他を調査し、その調査したところにより、その申請に係る所得税の額の全部若しくは一部について、その申請に係る条件若しくはこれを変更した条件により延納の許可をし、又はその申請を却下することとされています（所法133②）。
　また、税務署長は延納の許可をする場合において、申請者の提供しようとする担保が適当でないと認めるときは、その変更を求めることができるものとされ、もし、申請者がその求めに応じなかったときは、その申請を却下することができることとされています（所法133③）。
　延納の許可又は却下の処分があると税務署長はその申請者に対して、書面により、その延納の許可

－128－

第六章《延払条件付譲渡に係る所得税額の延納》

に係る所得税の額及び延納の条件又は却下の旨及び理由を通知することとされています（所法133④）。

3 延納条件の変更

延納の許可を受けた者は、延払条件付譲渡に係る契約に定められている賦払金の支払期日の変更その他の事由が生じたことによりその許可に係る条件について変更を求めようとする場合には、その変更を求めようとする条件その他所定の事項を記載した申請書を納税地の所轄税務署長に提出することができます（所法134①）。

4 延納の取消し

延納の許可を受けた者が、次に掲げる場合に該当することとなったときは、その延納の許可を取り消されることとなります（所法135①）。

イ　その延納に係る所得税の額（利子税及び延滞税に相当する額を含みます。）を滞納し、その他延納の条件に違反したとき。

ロ　修正申告書の提出又は更正があった場合において、その申告又は更正後の延払条件付譲渡に係る税額が、修正申告又は更正後の年税額の2分の1以下又は30万円以下となったとき。

ハ　その延納に係る担保につき担保の変更等の命令に応じなかったとき。

ニ　その延納に係る担保物につき強制換価手続が開始されたとき。

5 延納に係る利子税

延納の許可を受けた者は、延納税額について年7.3％の割合で計算した金額に相当する利子税を、分納額に相当する所得税に併せて納付しなければならないこととされています（所法136①）。

イ　分納する場合

（第1回分）

$$（延納税額）\times 0.073 \times \frac{納期限の翌日から第1回分の納期限までの日数}{365}$$

（第2回分）

$$（延納税額－第1回分納税額）\times 0.073 \times \frac{第1回分の納期限の翌日から第2回分の納期限までの日数}{365}$$

（第3回分以降）

$$（延納税額－第1回～前回までの分納税額の合計額）\times 0.073 \times \frac{前回分の納期限の翌日から今回分の納期限までの日数}{365}$$

ロ　「イ」以外の場合

$$（延納税額）\times 0.073 \times \frac{納期限の翌日から延納税額の納期限までの日数}{365}$$

以上の算式により計算した金額が1,000円未満であるときはその全額を、1,000円以上である場合には100円未満の端数を切り捨てます（通則法119④）。

なお、延納の許可を取り消された場合には、その取消しがあった時以後に納付すべきであった延納税額については、その取消しがあったときに延納に係る納期限が到来したものとみなされて利子税が計算されます（所法136②）。

《延納に係る利子税の割合の特例》

5に規定する利子税の年7.3％の割合は、上記の規定にかかわらず、各年の利子税特例基準割合（平均貸付割合（各年の前々年の9月から前年の8月までの各月における短期貸付けの平均利率（当該各

−129−

月において銀行が新たに行った貸付け（貸付期間が1年未満のものに限ります。）に係る利率の平均をいいます。）の合計を12で除して計算した割合として各年の前年の11月30日までに財務大臣が告示する割合をいいます。）に年0.5パーセントの割合を加算した割合をいいます。）が年7.3%の割合に満たない場合には、その年中においては、その利子税特例基準割合とされます（措法93①）。

(注1)　上記の規定の適用がある場合における利子税の額の計算において、その計算の過程における金額に1円未満の端数が生じたときは、これを切り捨てます（措法96②）。

(注2)　令和3年1月1日以後の利子税の額の計算において、上記により計算した割合に0.1%未満の端数があるときはこれを切り捨てるものとし、上記により計算した割合及び加算した割合（平均貸付割合を除きます。）が年0.1%未満の割合であるときは年0.1%の割合とされます（措法96①、令2改法附1二ハ）。

第三節　収用等の場合の延払条件付譲渡の利子税の免除

　土地収用法などにより、資産を収用等された場合に、その対価補償金が年賦払で支払われることがありますが、この場合にも先に述べた条件に合致するならば、その対価補償金に対応する税額については5年以内の延納が認められます。

　この場合の延払条件付譲渡の延納税額に係る利子税は免除されます（措法33の4⑦、措令22の4③）。

-130-

第七章　同族会社等の行為又は計算の否認等

　税務署長は、同族会社（法人税法第2条第10号に規定する会社をいいます。）の行為や計算のなかにこれらの行為や計算を認めた場合には、その同族会社の株主等又はその親族や使用人など、その株主等と特殊の関係がある者の所得税の負担を不当に減少させる結果になると認められるものがあるときは、その者の所得税に係る更正又は決定に際し、同族会社の行為や計算にかかわらず、税務署長の認めるところによって、所得の金額を計算できることとされています（所法157①一、所令275）。

　例えば、同族会社の株主等又はこれらの者の親族、使用人などその会社の株主等と特殊の関係にある者が、その同族会社に現物出資をした場合において、その出資価額が出資時の時価よりは低いが、時価の2分の1以上であるようなときは、出資価額と出資に係る資産の時価との差額についてみなし譲渡所得の課税の規定の適用がないので、その差額は譲渡所得の総収入金額とはならないのですが、前段の同族会社の行為又は計算の否認の規定により、その行為又は計算にかかわらず、税務署長はその認めるところによって、その差額を譲渡所得の総収入金額に算入できることになります（所基通59－3）。

　上記の場合において、同族会社であるかどうかは、行為又は計算の事実があったときの現況によるものとされています（所法157②）。

　なお、合併、分割、現物出資若しくは現物分配又は株式交換等をした一方の法人又は他方の法人の行為又は計算で、これを容認した場合にはその合併等をした法人若しくはその合併等により資産及び負債の移転を受けた法人の株主等である居住者又はこれと特殊の関係のある居住者の所得税の負担を不当に減少させる結果となると認められるものがあるときにおいても、上記と同様にその行為又は計算が否認されます（所法157④）。

第八章　固定資産の交換の場合の課税の特例 （所法58）

　資産を交換した場合には、取得した資産の価額により譲渡があったものとして所得税が課税されることになりますが、個人が1年以上所有していた特定の固定資産を、他の者が1年以上所有していた同種の特定の固定資産と交換して、その交換により取得した資産を交換により譲渡した資産と同じ用途に使用したような場合には、実質的には所得が発生しないで、単に資産の名義人が変わったにすぎないことから、この場合の譲渡所得の金額の計算上譲渡がなかったものとして課税を繰り延べる特例が設けられています。

　これが通常「所得税法に規定する交換の特例」といわれているもので、所得税法第58条に規定されています。詳しいことは「第二編　第二十章　固定資産の交換の場合の課税の特例」を参照してください。

第 二 編
譲渡所得等の課税の特例

第一章　長期譲渡所得の課税の特例

（措法31〜31の4）

　資産の譲渡による所得については、譲渡所得として所得税が課税されますが、譲渡した資産が土地若しくは土地の上に存する権利（この権利に該当するものに例えば、賃借権、地上権などがあります。）又は建物及びその附属設備若しくは構築物であるか、これらの資産以外の資産であるかによって課税方式が異なることになっています。

　租税特別措置法では、この土地若しくは土地の上に存する権利のことを**土地等**と呼び、建物及びその附属設備若しくは構築物のことを**建物等**といいます（以下総称して「**土地建物等**」といいます。）。

　土地建物等を譲渡した場合の譲渡所得に対する課税方式は、租税特別措置法において、譲渡した土地建物等が長期保有資産である場合の長期譲渡所得と、短期保有資産である場合の短期譲渡所得とに区分し、それぞれ他の所得と分離して所得税額を計算することになっています。この課税方式を分離課税方式とよんでいます。

　なお、農地法第3条第1項《農地又は採草放牧地の権利移動の制限》若しくは第5条第1項《農地又は採草放牧地の転用のための権利移動の制限》の規定による許可を受けなければならない農地若しくは採草放牧地又は同項第6号の規定による届出をしなければならない農地若しくは採草放牧地を取得するための契約を締結した者がその契約に係る権利を譲渡した場合には、その譲渡による譲渡所得は、分離課税方式が適用されます（措通31・32共－1の2）。

　長期譲渡所得と短期譲渡所得とは、所得税法においても同様に区分され税負担に差がありますが、土地建物等の譲渡による所得についてはその負担の差が更に大きくなっています。

　したがって、譲渡した資産が長期保有資産に該当するか、短期保有資産に該当するかを判定することは、極めて重要なことです。

- （注1）　分離課税とされる譲渡所得の基因となる資産は、土地建物等及び第二章第二節「土地類似株式等の譲渡に係る短期譲渡所得」に掲げる株式等に限られ、鉱業権（租鉱権及び採石権その他土石を採掘し、又は採取する権利を含みます。）、温泉を利用する権利、配偶者居住権（その配偶者居住権の目的となっている建物の敷地の用に供される土地（土地の上に存する権利を含む。）をその配偶者居住権に基づき使用する権利を含む。）、借家権、土石（砂）などはこれに含まれません（措通31・32共－1）。
- （注2）　受益者等課税信託（受益者等がその信託財産に属する資本及び負債を有するものとみなされる信託をいいます。）の信託財産に属する資産が分離課税とされる譲渡所得の基因となる資産である場合におけるその資産の譲渡又は受益者等課税信託の受益者等としての権利の目的となっている信託財産に属する資産が分離課税とされる譲渡所得の基因となる資産である場合におけるその権利の譲渡による所得は、分離課税方式が適用されます（措通31・32共－1の3）。
- （注3）　建物とその附属設備を同時に譲渡した場合には分離課税とされますが、附属設備だけを譲渡した場合は分離課税とはされないで、総合課税となります。
- （注4）　分離短期譲渡所得については第二章第一節、第三節を参照してください。

第一節　長期譲渡所得の課税の特例

1　長期譲渡所得の意義

　租税特別措置法に規定する長期譲渡所得とは、長期保有の土地建物等の譲渡による所得をいい、長期保有の土地建物等（以下「長期保有資産」といいます。）とは次のものをいいます（措法31①）。

（1）　長期保有資産とは、その資産を譲渡した日の属する年の1月1日において所有期間（譲渡をし

－135－

た資産をその取得の日の翌日から引き続き所有していた期間をいいます。）が5年を超えるものをいいます（措法31①）。

（2）　この場合において、その資産の取得が次に掲げる場合に該当するときは、それぞれに掲げる日をその資産の取得の日として、その翌日から引き続き所有する期間をもってその資産の所有期間とします（措令20②③）。

イ　交換により取得した資産で、その交換について所得税法の規定による交換の場合の課税の特例の適用を受けている場合……特例の適用を受けた譲渡資産を取得した日

ロ　昭和47年12月31日以前に相続、遺贈、贈与、低額譲渡（譲渡の対価がその資産に係る取得費と譲渡経費の合計額に満たないものに限ります。）により取得した資産で、その相続、遺贈、贈与、低額譲渡があった時に、贈与者等が時価により譲渡があったものとして、譲渡所得の課税を受けていない場合……被相続人、遺贈者、贈与者、譲渡者が取得した日

ハ　昭和48年1月1日以後に相続（限定承認に係るものを除きます。）、遺贈（包括遺贈のうち限定承認に係るものを除きます。）、贈与又は低額譲渡（譲渡の対価がその資産に係る取得費と譲渡経費の合計額に満たないものに限ります。）により取得した資産である場合……被相続人、遺贈者、贈与者又は譲渡者が取得した日

ニ　代替資産又は昭和44年の改正前の租税特別措置法の規定による買換資産として取得した資産である場合……買換えなどの特例の適用を受けた譲渡資産を取得した日（昭44改措法附7③）

（注1）　次に掲げる資産について所有期間を判定する場合における「その取得をした日」は、それぞれ次に掲げる日によります（措通31・32共－5）。

①　その取得につき措法第33条《収用等に伴い代替資産を取得した場合の課税の特例》、第33条の2《交換処分等に伴い資産を取得した場合の課税の特例》、第33条の3《換地処分等に伴い資産を取得した場合の課税の特例》、又は第37条の6《特定の交換分合により土地等を取得した場合の課税の特例》の規定の適用を受けた代替資産等……これらの規定の適用に係る旧譲渡資産の取得の日

②　その取得につき措法第36条の2《特定の居住用財産の買換えの場合の長期譲渡所得の課税の特例》若しくは第36条の5《特定の居住用財産を交換した場合の長期譲渡所得の課税の特例》、第37条《特定の事業用資産の買換えの場合の譲渡所得の課税の特例》若しくは第37条の4《特定の事業用資産を交換した場合の譲渡所得の課税の特例》、第37条の5《既成市街地等内にある土地等の中高層耐火建築物等の建設のための買換え及び交換の場合の譲渡所得の課税の特例》又は第37条の8《特定普通財産とその隣接する土地等の交換の場合の譲渡所得の課税の特例》の規定の適用を受けた買換資産等……これらの資産の実際の取得の日

（注2）　取得後改良や改造等を行った土地建物等については、その改良や改造等の時期にかかわらず、その資産を取得した日の翌日を起算日として所有期間を計算します（措通31・32共－6）。

（注3）　配偶者居住権等の消滅後、その目的となっていた建物等の譲渡につき所有期間を判定する場合における「その取得をした日」は、配偶者居住権等の消滅の時期にかかわらず、建物等の取得をした日によります（措通31・32共－7）。

（注4）　配偶者居住権の目的となっている建物等の取得・譲渡につき所有期間を判定する場合における「その取得をした日」は、配偶者居住権等の取得の時期にかかわらず、建物等の取得をした日によります（措通31・32共－8）。

2　長期譲渡所得の金額

長期譲渡所得の金額とは、土地建物等の譲渡による収入金額から、その土地建物等の取得費及びその土地建物等の譲渡に要した経費を控除した金額をいいますが、第二章の短期譲渡所得の金額の計算上生じた損失の金額があるときは、更に長期譲渡所得の金額を限度として、その損失の金額を控除した後の金額とされます（措法31①）。

すなわち、分離短期譲渡所得（第二章第一節・第二節の規定の適用がある譲渡所得をいいます。）の金額又は分離長期譲渡所得（本節の規定の適用がある譲渡所得をいいます。）の金額を計算する場合において、これらの所得の基因となった資産のうちに譲渡損失の生じた資産があるときは、その年中に

－136－

譲渡した資産を分離短期譲渡所得の基因となる資産及び分離長期譲渡所得の基因となる資産に区分して、これらの資産の区分ごとに、それぞれの総収入金額からその資産の取得費及び譲渡費用の合計額を控除して譲渡損益を計算します。この場合、その区分ごとに計算した金額のうちに損失の生じたものがあるときは、その損失の金額は次により他の譲渡益から控除します（措通31・32共－２）。

① 分離短期譲渡所得の損失の金額は、分離長期譲渡所得の譲渡益から控除し、なお控除しきれない損失の金額は生じなかったものとみなされます。

② 分離長期譲渡所得の損失の金額は、分離短期譲渡所得の譲渡益から控除し、なお控除しきれない損失の金額については、その損失の金額のうちに居住用財産の譲渡損失の金額（第二十一章第一節1）又は特定居住用財産の譲渡損失の金額（第二十二章第一節1）があることとなる場合を除き、生じなかったものとみなされます。

（1） 譲渡した土地建物等の取得費の計算については第一編第三章第三節「取得費」（同3及び6を除きます。）及び「5　長期譲渡所得の概算取得費控除」（140ページ）の項を参照してください。

（2） 短期譲渡所得の金額の計算上生じた損失の金額を長期譲渡所得の金額から控除する場合において、本節の長期譲渡所得の金額のうちに次の②から⑧までの金額があるときは、短期譲渡所得の損失の金額は次の①から⑧までの順序で控除します（措令20⑦）。

① ②から⑧までの部分の金額以外の部分の金額

② 低未利用土地等を譲渡した場合の長期譲渡所得の特別控除（措法35の3①）の規定の適用に係る部分の金額

③ 農地保有の合理化等のために農地等を譲渡した場合の譲渡所得の特別控除（措法34の3①）の規定の適用に係る部分の金額

④ 特定期間に取得をした土地等を譲渡した場合の長期譲渡所得の特別控除（措法35の2①）の規定の適用に係る部分の金額

⑤ 特定住宅地造成事業等のために土地等を譲渡した場合の譲渡所得の特別控除（措法34の2①）の規定の適用に係る部分の金額

⑥ 特定土地区画整理事業等のために土地等を譲渡した場合の譲渡所得の特別控除（措法34①）の規定の適用に係る部分の金額

⑦ 居住用財産の譲渡所得の特別控除（措法35①）の規定の適用に係る部分の金額

⑧ 収用交換等の場合の譲渡所得等の特別控除（措法33の4①）の規定の適用に係る部分の金額

すなわち、その年中の分離短期譲渡所得又は分離長期譲渡所得のうちに上記の②から⑧までの所得又は①の所得の2以上がある場合に、その年中に譲渡した資産のうちに譲渡損失の生じる資産があるときの分離短期譲渡所得の譲渡益又は分離長期譲渡所得の譲渡益は、それぞれの金額の範囲内で上記の順序で控除することとなるので、その結果、まず⑧の譲渡益から成ることとなり、次に⑦、⑥、⑤、④、③、②、①の譲渡益から順次成ることとなります（措通31・32共－３）。

（注） その年分の分離短期譲渡所得の金額又は分離長期譲渡所得の金額の計算上、居住用財産の買換え等の場合の譲渡損失の損益通算及び繰越控除（措法41の5）、特定居住用財産の譲渡損失の損益通算及び繰越控除（措法41の5の2）又は雑損失の繰越控除の適用がある場合も上記に準じます。

〔計算例〕
具体的な計算例を示すと次のようになります。

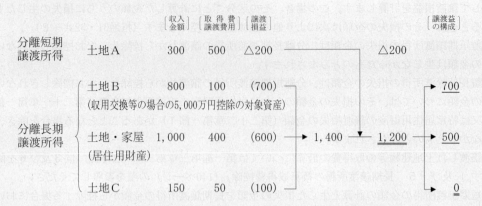

(3) 分離長期譲渡所得の基因となる資産のなかに優良住宅地の造成等のために譲渡した土地等（第二節の適用対象のもの）と居住用財産（第三節の適用を受けるもの）とその他の土地建物等とがある場合における上記の取扱いについては、次によりますが、この取扱いと異なる計算をして申告したときでも認められます（措通31－1）。

① 2本文の分離長期譲渡所得に係る譲渡損益を計算する場合に、分離長期譲渡所得の基因となる資産を優良住宅地の造成等のために譲渡した土地等又は居住用財産とその他の土地建物等とに区分して譲渡損益を計算し、その区分ごとに計算した金額のいずれかに損失が生じたときは、その損失の金額は次により他の譲渡益から控除します。

イ その損失の金額が優良住宅地の造成等のために譲渡した土地等又は居住用財産につき生じたときは、まず、その他の土地建物等に係る譲渡益から控除します。

ロ イによる控除をしてもなお控除しきれない損失の金額があるとき又はその損失の金額がその他の土地建物等につき生じたものであるときは、優良住宅地の造成等のために譲渡した土地等に係る譲渡益又は居住用財産に係る譲渡益から順次控除します。

② 2本文の①で、分離短期譲渡所得の損失の金額を分離長期譲渡所得の譲渡益から控除する場合には、その他の土地建物等に係る譲渡益、優良住宅地の造成等のために譲渡した土地等に係る譲渡益又は居住用財産に係る譲渡益から順次控除します。

③ (2)において、同一の特別控除額の対象となる資産の分離長期譲渡所得の譲渡益のなかに、居住用財産に係るものとその他の土地建物等に係るものとがある場合には、その譲渡益は、居住用財産に係るもの、その他の土地建物等に係るものから順次成るものとされます。

(注) 優良住宅地の造成等のために譲渡した土地等について特別控除等の規定の適用を受けるときは、第二節の規定は適用できません。

(4) 土地建物等の譲渡所得の金額の計算上生じた損失の金額については、土地建物等の譲渡所得以外の所得との通算及び翌年以後の繰越しはできません（措法31①③、32①④）。

詳しくは第四章を参照してください。

(注) 居住用財産の買換え等の場合の譲渡損失の損益通算及び繰越控除（措法41の5）、及び特定居住用財産の譲渡損失の損益通算及び繰越控除（措法41の5の2）の規定の適用を受けられる場合は、例外として、損益通算及び繰越控除の適用を受けられます（第二十一章、第二十二章参照）。

〔計算例〕
○長期譲渡　　収入金額…………………5,500万円
　　　　　　取得費・譲渡費用……2,200万円
　　　　　　特別控除額………………1,500万円

○短期譲渡　　収入金額……………………1,100万円

　　　　　　取得費・譲渡費用……1,300万円

短期譲渡所得の損失額の計算　　1,100万円－1,300万円＝△200万円

長期譲渡所得の金額の計算　　5,500万円－2,200万円－200万円＝3,100万円
　　　　　　　　　　　　　　　　　　　　　　　　短期譲渡損失額

課税長期譲渡所得金額の計算　　　　　　3,100万円－1,500万円＝1,600万円

　　同　　　　　上　　　　に対する税額の計算　　1,600万円×15％＝240万円

3　課税長期譲渡所得金額

　課税長期譲渡所得金額とは、先に説明した長期譲渡所得の金額から次の譲渡所得の特別控除額と所得控除の総所得金額からの控除不足額を控除した金額をいいます（措法31①）。

（1）　資産が収用等された場合……………………………………………5,000万円（措法33の4①）

（2）　居住用財産を譲渡した場合で買換え又は交換の特例を適用しない場合

　　　　　　　　　　　　　　　……………………………………3,000万円（措法35①）

（3）　特定土地区画整理事業等のために土地等を譲渡した場合………2,000万円（措法34①）

（4）　特定住宅地造成事業等のために土地等を譲渡した場合…………1,500万円（措法34の2①）

（5）　特定期間に取得をした土地等を譲渡した場合……………………1,000万円（措法35の2①）

（6）　農地保有の合理化等のために農地等を譲渡した場合……………800万円（措法34の3①）

（7）　低未利用土地等を譲渡した場合……………………………………100万円（措法35の2①）

（注1）　（1）から（7）までの控除をする場合において、短期譲渡所得の金額と長期譲渡所得の金額とがあるときは、特別控除額はまず短期譲渡所得（一般所得分と軽減所得分とがある場合には、①一般所得分、②軽減所得分の順によります。）から控除し、控除しきれない部分の金額があるときは長期譲渡所得の金額（租税特別措置法第31条の2及び第31条の3の規定《第二節及び第三節参照》により税率の軽減される所得があるときは、税率の異なる所得ごとに区分して、税率の高い所得から順に）から控除します。

（注2）　上記（1）から（7）までの特別控除に関し、その適用範囲等詳しいことは、後掲のそれぞれの項を参照してください。

　次に、所得税額を計算する場合には、所得税法の規定により、①雑損控除、②医療費控除、③社会保険料控除、④小規模企業共済等掛金控除、⑤生命保険料控除、⑥地震保険料控除、⑦寄附金控除、⑧障害者控除、⑨寡婦控除、⑩ひとり親控除、⑪勤労学生控除、⑫配偶者控除、⑬配偶者特別控除、⑭扶養控除、⑮基礎控除の所得控除をすることができることになっていますが、これらの控除額はまず総所得金額（総合課税の利子所得、配当所得、不動産所得、事業所得、給与所得、一時所得、雑所得及び土地建物等以外の資産を譲渡したときの譲渡所得の金額を一定の方法により合計した金額を**総所得金額**といい、総所得金額から所得控除額や損失の繰越控除をした残額を**課税総所得金額**といいます。）から控除することになっていますので、所得控除額が総所得金額より多い場合には控除しきれない部分があります。

　この控除しきれない部分の金額を所得控除の控除不足額といい、この控除不足額は、土地建物等の譲渡所得の金額から控除します。この場合、土地建物等の譲渡による譲渡所得のうちに短期譲渡所得の金額と長期譲渡所得の金額があるときは、控除不足額はまず短期譲渡所得の金額（一般所得分と軽減所得分とがある場合には①一般所得分、②軽減所得分の順によります。）から控除し、控除しきれない部分の金額があるときは、長期譲渡所得の金額（租税特別措置法第31条の2及び第31条の3の規定《第二節及び第三節参照》により税率の軽減される所得があるときは、税率の異なる所得ごとに区分して、税率の高い所得から順に）から控除します（措令20⑥⑦、措通32-10）。

　所得控除の控除不足額を長期譲渡所得の金額から控除することについての計算は、次の計算例を参照してください。

〔計算例〕

総所得金額が200万円、長期譲渡所得の金額が700万円の場合において、その人に配偶者（所得なし）と子供が３人（うち特定扶養親族２人、16歳以上の控除対象扶養親族１人）あり、社会保険料控除などその他の所得控除が300,000円の場合の所得控除額は、令和６年分で計算しますと配偶者控除（380,000円）と扶養控除（380,000円＋630,000円×２＝1,640,000円）、社会保険料控除など（300,000円）及び基礎控除（480,000円）を合計して2,800,000円になりますが、この所得控除はまず総所得金額の200万円から控除し、不足分800,000円を長期譲渡所得の金額から控除します。

したがって、この場合の課税長期譲渡所得金額は、

7,000,000円（長期譲渡所得の金額）－800,000円（所得控除の控除不足額）＝6,200,000円になります。

4　長期譲渡所得に対する所得税額の計算

長期譲渡所得に対する所得税額は、課税長期譲渡所得金額の15％に相当する額となります（措法31①）。

住民税は、15％を５％と読み替えて計算します。

（注１）　その年分の課税長期譲渡所得金額の中に、優良住宅地の造成等のための土地等の譲渡に係る部分の金額又は長期保有（10年超）の居住用財産に係る譲渡所得がある場合の税額計算については、第二節及び第三節を参照してください。

（注２）　課税長期譲渡所得金額に1,000円未満の端数があるとき又はその全額が1,000円未満であるときは、国税通則法第118条第１項《端数計算》の規定により、その端数金額又はその全額を切り捨てることとなりますが、課税長期譲渡所得金額のなかに第二節及び第三節において述べる税率の軽減される課税長期譲渡所得金額と、その他の部分の金額とがある場合には、税率の軽減される所得の区分ごと及びその他の部分の金額のそれぞれの金額につき国税通則法第118条第１項の規定を適用し、1,000円未満の端数を切り捨てることになります（措通31－２）。

（注３）　平成25年から令和19年までの各年分の確定申告においては、所得税のほか、復興特別所得税（各年分の基準所得税額の2.1％）を合わせて申告する必要があります（復興財源確保法９①、13）。

5　長期譲渡所得の概算取得費控除

譲渡所得は、収入金額から譲渡した資産の取得費と譲渡に要した費用の額との合計額を控除して計算しますが、このうち取得費については、昭和27年12月31日以前から所有している土地建物等を譲渡した場合には、譲渡収入金額の５％相当額が取得費とされます（措法31の４①）。

この場合に、実際の取得費等の額が収入金額の５％相当額を超え、かつ、超えることを証明できるときは、実際の取得費等の額を必要経費として控除することができます。

次に、この規定は昭和27年12月31日以前から所有している土地建物等を譲渡した場合に適用されますが、昭和28年１月１日以後取得したものであっても次に掲げる資産については昭和27年12月31日以前から所有していたものとして取り扱われます（措法30②、31の４②）。

（１）　昭和47年12月31日以前に相続、遺贈、贈与、低額譲渡（譲渡対価が低額譲渡者の取得費と譲渡経費の合計額に満たないものに限ります。）により取得した資産で、その相続、遺贈、贈与等のあったときに、時価により譲渡があったものとして譲渡所得の課税がされなかったもののうち、被相続人、遺贈者、贈与者等の取得の日が昭和27年12月31日以前である資産

（２）　昭和48年１月１日以後に相続（限定承認に係るものは除きます。）、遺贈（包括遺贈のうち限定承認に係るものは除きます。）、贈与又は低額譲渡（譲渡の対価がその資産に係る取得費と譲渡経費の合計額に満たないものに限ります。）により取得した資産で、被相続人、遺贈者、贈与者又

は低額譲渡者の取得の日が昭和27年12月31日以前である資産

（3）　交換により取得した資産でその交換について所得税法に規定する交換に関する課税の特例（課税の繰延べ）を受けたもののうち、交換により譲渡した資産の取得の日が昭和27年12月31日以前であるもの

（4）　代替資産や昭和44年の改正前の租税特別措置法に規定する買換資産として取得した資産で、買換えなどの特例の適用を受けた譲渡資産の取得の日が昭和27年12月31日以前であるもの

　なお、この規定は、法律においては昭和27年12月31日以前から所有している土地建物等を譲渡した場合に適用されることとなっていますが、昭和28年1月1日以後に取得した土地建物等についてもこの規定に準じて計算してもよいこととされています（措通31の4−1）。

（注1）　土地建物等以外の資産（通常、譲渡所得の金額の計算上控除する取得費がないものとされる土地の地表又は地中にある土石等並びに借家権及び漁業権等を除きます。）についても、収入金額の5％相当額を取得費として差し支えありません（所基通38−16）。

（注2）　譲渡に要した費用の額は別途、収入金額から控除されますので上記の5％の金額には含まれません。

（注3）　消費税及び地方消費税について税抜経理方式を採用している個人事業者の業務用資産の譲渡による所得について、上記の概算取得費の計算をするときは、税抜きの譲渡収入金額の5％相当額により、税込経理方式を採用している場合又は消費税の免税業者、非事業者、非業務用資産の場合は税込みの譲渡収入金額の5％相当額によります（消所通達13）。

第一章第二節《優良住宅地の造成等のための土地等を譲渡した場合の長期譲渡所得の課税の特例》

第二節　優良住宅地の造成等のために土地等を譲渡した場合の長期譲渡所得の課税の特例

　その年分の課税長期譲渡所得の中に、「優良住宅地の造成等のための土地等の譲渡」による所得がある場合には、優良な宅地の供給を促進するために税制上その所得に対する税負担を軽減する措置が講じられています。その軽減措置とは、優良住宅地の造成等のための土地等の譲渡による課税長期譲渡所得金額（以下本書において「**特定課税長期譲渡所得金額**」といい、第三節に述べる課税の特例の適用を受ける所得を除きます。）をその他の課税長期譲渡所得金額（以下本書において「**一般課税長期譲渡所得金額**」といい、第三節の居住用財産の譲渡による長期譲渡所得の課税の特例の適用を受ける所得を除きます。）と区分し、税額を計算するというものです（措法31の2①）。

　特定課税長期譲渡所得金額に対する所得税額は、次により計算します。

① 　特定課税長期譲渡所得金額が2,000万円以下である場合

　特定課税長期譲渡金額×10%

② 　特定課税長期譲渡所得金額が2,000万円を超える場合

　次に掲げる金額の合計額

イ　200万円

ロ　（特定課税長期譲渡所得金額－2,000万円）×15%

住民税は、10%を4%、200万円を80万円、15%を5%と読み替えて計算します。

　所得税と住民税の合計額は、上記①と②に掲げる場合に応じ、次の速算式で計算することができます。

【特定課税長期譲渡所得の税額速算式】

① 　特定課税長期譲渡所得が2,000万円以下の場合	（特定課税長期譲渡所得金額）×14%＝ 所得税 住民税 の合計額
② 　特定課税長期譲渡所得が2,000万円を超える場合	（特定課税長期譲渡所得金額）×20%－120万円＝ 所得税 住民税 の合計額

（注1）　所得税と住民税では所得控除額が異なるので課税長期譲渡所得金額が異なる場合があります。

（注2）　平成25年から令和19年までの各年分の確定申告においては、所得税のほか、復興特別所得税（各年分の基準所得税額の2.1%）を合わせて申告する必要があります（復興財源確保法9①、13）。

1　優良住宅地の造成等のための土地等の譲渡の範囲

　特定課税長期譲渡所得金額として税負担の軽減措置の適用を受ける「優良住宅地の造成等のための土地等の譲渡」による所得とは、令和7年12月31日までに行う長期譲渡所得の基因となる土地等（第一節の1の（1）（135ページ）参照）の譲渡で、次の❶から⑯までのいずれかに該当する土地等の譲渡に該当することにつき、3で述べる証明書を確定申告書に添付することによって証明がされた譲渡等によって得た所得です（措法31の2①②）。なお、5の適用除外規定を参照のこと。

❶ 　次に掲げる土地等の譲渡（措法31の2②一、措令20の2①）

イ　国又は地方公共団体に対する土地等の譲渡

　（**注**）　地域、地目、事業内容等に関係なく一般の任意譲渡に該当するものも含みます。

ロ　地方道路公社、独立行政法人鉄道建設・運輸施設整備支援機構、独立行政法人水資源機構、成田国際空港株式会社、東日本高速道路株式会社、首都高速道路株式会社、中日本高速道路株式会

－142－

第一章第二節《優良住宅地の造成等のための土地等を譲渡した場合の長期譲渡所得の課税の特例》

社、西日本高速道路株式会社、阪神高速道路株式会社又は本州四国連絡高速道路株式会社に対する土地等の譲渡で、その譲渡に係る土地等がこれらの法人の行う土地収用法等に基づく収用（措法第33条《収用等に伴い代替資産を取得した場合の課税の特例》第1項第1号に規定する収用をいい、同項第2号の買取り及び同条第4項第1号の使用を含みます。）の対償に充てられるもの

❷　独立行政法人都市再生機構、土地開発公社その他これらに準ずる法人（次のイからへまでに掲げる法人をいいます。）に対する土地等の譲渡で、その譲渡した土地等がこれらの法人が宅地若しくは住宅の供給又は土地の先行取得の業務を行うために直接必要であると認められるもの（土地開発公社に対する土地等の譲渡である場合には、公有地の拡大の推進に関する法律第17条第1項第1号ニに掲げる土地の譲渡を除きます。）（措法31の2②二、措令20の2②）

イ　成田国際空港株式会社、独立行政法人中小企業基盤整備機構、地方住宅供給公社及び日本勤労者住宅協会

ロ　公益社団法人（その社員総会における議決権の全部が地方公共団体により保有されているものに限ります。）又は公益財団法人（その拠出をされた金額の全額が地方公共団体により拠出をされているものに限ります。）のうち次に掲げる要件を満たすもの

　㋑　宅地若しくは住宅の供給又は土地の先行取得の業務を主たる目的とすること。

　㋺　当該地方公共団体の管理の下に㋑に規定する業務を行っていること。

ハ　幹線道路の沿道の整備に関する法律第13条の3第3号に掲げる業務を行う同法第13条の2第1項に規定する沿道整備推進機構（公益社団法人〔その社員総会における議決権の総数の2分の1以上の数が地方公共団体により保有されているものに限ります。以下同じです。〕又は公益財団法人〔その設立当初において拠出をされた金額の2分の1以上の金額が地方公共団体により拠出をされているものに限ります。以下同じです。〕であって、その定款において、その法人が解散した場合にその残余財産が地方公共団体又は当該法人と類似の目的をもつ他の公益を目的とする事業を行う法人に帰属する旨の定めがあるものに限ります。）

ニ　密集市街地における防災街区の整備の促進に関する法律第301条第3号に掲げる業務を行う同法第300条第1項に規定する防災街区整備推進機構（公益社団法人又は公益財団法人であって、その定款において、その法人が解散した場合にその残余財産が地方公共団体又は当該法人と類似の目的をもつ他の公益を目的とする事業を行う法人に帰属する旨の定めがあるものに限ります。）

ホ　中心市街地の活性化に関する法律第62条第3号に掲げる業務を行う同法第61条第1項に規定する中心市街地整備推進機構（公益社団法人又は公益財団法人であって、その定款において、その法人が解散した場合にその残余財産が地方公共団体又は当該法人と類似の目的をもつ他の公益を目的とする事業を行う法人に帰属する旨の定めがあるものに限ります。）

ヘ　都市再生特別措置法第119条第4号に掲げる業務を行う同法第118条第1項に規定する都市再生推進法人（公益社団法人又は公益財団法人であって、その定款において、その法人が解散した場合にその残余財産が地方公共団体又は当該法人と類似の目的をもつ公益を目的とする事業を行う法人に帰属する旨の定めがあるものに限ります。）

❷の❷　土地開発公社に対する次に掲げる土地等の譲渡で、当該譲渡に係る土地等が独立行政法人都市再生機構が施行するそれぞれ次に定める事業の用に供されるもの（措法31の2②二の二）

イ　被災市街地復興特別措置法（平成7年法律第14号）第5条第1項の規定により都市計画に定められた被災市街地復興推進地域（以下「被災市街地復興推進地域」といいます。）内にある土地等　同法による被災市街地復興土地区画整理事業（以下「被災市街地復興土地区画整理事業」といいます。）

ロ　被災市街地復興特別措置法第21条に規定する住宅被災市町村の区域内にある土地等　都市再開発法（昭和44年法律第38号）による第二種市街地再開発事業

❸　土地等の譲渡で措法第33条の4《収用交換等の場合の譲渡所得等の特別控除》第1項に規定する

-143-

第一章第二節《優良住宅地の造成等のための土地等を譲渡した場合の長期譲渡所得の課税の特例》

収用交換等によるもの（**❶**〜**❷**の**❷**に掲げる譲渡又は都市再開発法による市街地再開発事業の施行者である再開発会社の株主又は社員である個人の有する土地等のその再開発会社に対する譲渡に該当するものは除かれます。）（措法31の2②三、措令20の2③）

❹ 都市再開発法による第一種市街地再開発事業の施行者に対する土地等の譲渡で、その譲渡した土地等がその市街地再開発事業の用に供されるもの（**❶**〜**❸**までに掲げる譲渡又は**❸**に掲げる再開発会社に対する譲渡に該当するものは除かれます。）（措法31の2②四、措令20の2③）

❺ 密集市街地における防災街区の整備の促進に関する法律による防災街区整備事業を行う施行者に対する土地等の譲渡で、その譲渡に係る土地等がその事業の用に供されるもの（**❶**〜**❸**までに掲げる譲渡又は防災街区整備事業の施行者である同法第165条第3項に規定する事業会社の株主又は社員である個人の有する土地等の譲渡に該当するものは除かれます。）（措法31の2②五、措令20の2④）

❻ 密集市街地における防災街区の整備の促進に関する法律第3条第1項第1号に規定する防災再開発促進地区の区域内における同法第8条に規定する認定建替計画（次のイ及びロに掲げる要件（同法第4条第4項第1号に規定する建替事業区域の周辺の区域からの避難に利用可能な通路を確保する場合にあっては、イ及びハに掲げる要件）を満たすものに限ります。）に係る建築物の建替えを行う事業の同法第7条第1項に規定する認定事業者に対する土地等の譲渡で、当該譲渡に係る土地等が当該事業の用に供されるもの（**❷**〜**❺**までに掲げる譲渡又は認定事業者である法人に対するその法人の株主又は社員である個人の有する土地等の譲渡に該当するものを除きます。）（措法31の2②六、措令20の2⑤⑥）

イ 認定建替計画に定められた新築する建築物の敷地面積がそれぞれ100平方メートル以上であり、かつ、その敷地面積の合計が500平方メートル以上であること。

ロ 認定建替計画に定められた建替事業区域内に密集市街地における防災街区の整備の促進に関する法律第2条第10号に規定する公共施設が確保されていること。

ハ その確保する通路が次に掲げる要件を満たすこと。

（イ） 密集市街地における防災街区の整備の促進に関する法律第289条第4項の認可を受けた同条第1項に規定する避難経路協定（その避難経路協定を締結した同項に規定する土地所有者等に地方公共団体が含まれているものに限ります。）において同項に規定する避難経路として定められていること。

（ロ） 幅員4メートル以上のものであること。

❼ 都市再生特別措置法第25条に規定する認定計画に係る都市再生事業（その認定計画に定められた建築物（その建築面積が1,500㎡以上であるものに限ります。）の建築がされること、その事業の施行される土地の区域の面積が1ヘクタール以上であることその他次のイからハまでに定める要件を満たすものに限ります。）の同法第23条に規定する認定事業者（その認定計画に定めるところによりその認定事業者とその区域内の土地等の取得に関する協定を締結した独立行政法人都市再生機構を含みます。）に対する土地等の譲渡で、その譲渡に係る土地等がその都市再生事業の用に供されるもの（**❷**〜**❻**に掲げる譲渡に該当するものを除きます。）（措法31の2②七、措令20の2⑦、措規13の3③）

イ その事業に係る上記の認定計画において上記の建築面積が1,500㎡以上の建築物の建築をすることが定められていること。

ロ その事業の施行される土地の区域の面積が1ヘクタール（その区域が含まれる都市再生特別措置法第2条第3項に規定する都市再生緊急整備地域内においてその区域に隣接し、又は近接してこれと一体的に他の同条第1項に規定する都市開発事業（都市再生緊急整備地域に係る同法第15条第1項に規定する地域整備方針に定められた都市機能の増進を主たる目的とするものに限ります。）が施行され、又は施行されることが確実であると見込まれ、かつ、その区域及び当該他の都市開発事業の施行される土地の区域の面積の合計が1ヘクタール以上となる場合には、0.5ヘクタール）以上であること。

ハ 都市再生特別措置法第2条第2項に規定する公共施設の整備がされること。

-144-

第一章第二節《優良住宅地の造成等のための土地等を譲渡した場合の長期譲渡所得の課税の特例》

❽　国家戦略特別区域法第11条第1項に規定する認定区域計画に定められている同法第2条第2項に規定する特定事業又はその特定事業の実施に伴い必要となる施設を整備する事業（これらの事業のうち、同法規則第12条各号に掲げる要件の全てを満たす事業に限ります。）を行う者に対する土地等の譲渡で、その譲渡に係る土地等がこれらの事業の用に供されるもの（❷～❼までに掲げる譲渡に該当するものを除きます。）（措法31の2②八、措規13の3④）

❾　所有者不明土地の利用の円滑化等に関する特別措置法（平成30年法律第49号）第13条第1項の規定により行われた裁定（同法第10条第1項第1号に掲げる権利に係るものに限るものとし、同法第18条の規定により失効したものを除きます。以下❾において「裁定」といいます。）に係る同法第10条第2項の裁定申請書（以下❾において「裁定申請書」といいます。）に記載された同項第2号の事業を行う当該裁定申請書に記載された同項第1号の事業者に対する次に掲げる土地等の譲渡（その裁定後に行われるものに限ります。）で、その譲渡に係る土地等がその事業の用に供されるもの（❶～❷の❷まで又は❹～❽までに掲げる譲渡に該当するものを除きます。）（措法31の2②九、措令20の2⑧）

イ　その裁定申請書に記載された特定所有者不明土地（所有者不明土地の利用の円滑化等に関する特別措置法第10条第2項第5号に規定する特定所有者不明土地をいいます。）又はその特定所有者不明土地の上に存する権利

ロ　その裁定申請書に添付された所有者不明土地の利用の円滑化等に関する特別措置法第10条第3項第1号に掲げる事業計画書の同号ハに掲げる計画にその事業者が取得するものとして記載がされた特定所有者不明土地以外の土地又は当該土地の上に存する権利（その裁定申請書に記載されたその事業が当該特定所有者不明土地以外の土地をイに掲げる特定所有者不明土地と一体として使用する必要性が高い事業と認められない裁定申請書に記載された所有者不明土地の利用の円滑化等に関する特別措置法（平成30年法律第49号）第10条第2項第2号の事業に係る同条第1項に規定する事業区域の面積が500平方メートル以上であり、かつ、その裁定申請書に記載されたイに規定する特定所有者不明土地の面積のその事業区域の面積に対する割合が4分の1未満である事業に該当する場合におけるその記載がされたものを除きます。）

❿　マンションの建替え等の円滑化に関する法律第15条第1項若しくは第64条第1項若しくは第3項の請求若しくは同法第56条第1項の申出に基づく同法第2条第1項第4号に規定するマンション建替事業に係る同項第7号に規定する施行再建マンションの住戸の規模及び構造が国土交通大臣が財務大臣と協議して定める基準に適合する場合における良好な居住環境の確保に資するマンション建替事業の同条第1項第5号に規定する施行者に対する土地等の譲渡又は同項第6号に規定する施行マンションが建築基準法第3条第2項（同法第86条の9第1項において準用する場合を含みます。）の規定により同法第3章（第3節及び第5節を除きます。）の規定又はこれに基づく命令若しくは条例の規定の適用を受けない建築物に該当し、かつ、マンションの建替えの円滑化等に関する法律第2条第1項第7号に規定する施行再建マンションの延べ面積がその施行マンションの延べ面積以上であるマンション建替事業の施行者に対する土地等（同法第11条第1項に規定する隣接施行敷地に係るものに限ります。）の譲渡で、これらの譲渡に係る土地等がこれらのマンション建替事業の用に供されるもの（❻～❾に掲げる譲渡に該当するものを除きます。）（措法31の2②十、措令20の2⑨⑩）

⓫　マンションの建替え等の円滑化に関する法律第124条第1項の請求に基づく同法第2条第1項第9号に規定するマンション敷地売却事業（当該マンション敷地売却事業に係る同法第113条に規定する認定買受計画に、同法第109条第1項に規定する決議特定要除却認定マンションを除却した後の土地に新たに建築される同法第2条第1項第1号に規定するマンション（良好な居住環境を備えたものとして同条第1項第9号に規定するマンション敷地売却事業に係る同法第109条第1項に規定する決議特定要除却認定マンションを除却した後の土地に新たに建築される同法第2条第1項第1号に規定するマンションのその住戸の規模及び構造が国土交通大臣が財務大臣と協議して定める基準

-145-

第一章第二節《優良住宅地の造成等のための土地等を譲渡した場合の長期譲渡所得の課税の特例》

に適合する場合における当該マンションに限ります。）に関する事項、当該土地において整備される道路、公園、広場その他の公共の用に供する施設に関する事項その他の財務省令で定める事項の記載があるものに限ります。）を実施する者に対する土地等の譲渡又は当該マンション敷地売却事業に係る同法第141条第1項の認可を受けた同項に規定する分配金取得計画（同法第145条において準用する同項の規定により当該分配金取得計画の変更に係る認可を受けた場合には、その変更後のもの）に基づく当該マンション敷地売却事業を実施する者に対する土地等の譲渡で、これらの譲渡に係る土地等がこれらのマンション敷地売却事業の用に供されるもの（措法31の2②十一、措令20の2⑪）

❷　建築面積が150平方メートル以上である建築物の建築をする事業（下記【事業の要件】のイ及びロの要件のいずれにも該当するものに限ります。）を行う者に対する都市計画法第4条第2項に規定する都市計画区域のうち、次の（1）又は（2）に掲げる区域内にある土地等の譲渡で、その譲渡に係る土地等がその事業の用に供されるもの（❻～❿又は⓭～⓰までに掲げる譲渡に該当するものを除きます。）（措法31の2②十二、措令20の2⑫⑬⑭）

（1）　都市計画法第7条第1項の市街化区域と定められた区域

（2）　都市計画法第7条第1項に規定する区域区分に関する同法第4条第1項に規定する都市計画が定められていない同条第2項に規定する都市計画区域のうち、同法第8条第1項第1号に規定する用途地域が定められている区域

【事業の要件（措令20の2⑬）】

イ　その事業の施行される土地の区域の面積が500平方メートル以上であること。

ロ　次に掲げる要件のいずれかを満たすこと。

〈イ〉　その事業の施行地区内において都市施設（都市計画法第4条第6項に規定する都市計画施設又は同法第12条の5第2項第1号イに掲げる施設をいいます。）の用に供される土地（その事業の施行地区が、同条第3項に規定する再開発等促進区内又は同条第4項に規定する開発整備促進区内である場合にはその都市施設又は同条第5項第1号に規定する施設の用に供される土地とし、幹線道路の沿道の整備に関する法律第9条第3項に規定する沿道再開発等促進区内である場合にはその都市計画施設、同条第2項第1号に規定する沿道地区施設又は同条第4項第1号に規定する施設の用に供される土地とします。）が確保されていること。

〈ロ〉　その建築物に係る建築面積の敷地面積に対する割合が、建築基準法第53条第1項各号に掲げる建築物の区分に応じ同項に定める数値（同条第2項又は同条第3項（同条第6項の規定により適用される場合を含みます。）の規定の適用がある場合には、これらの規定を適用した後の数値とします。）から10分の1を減じた数値（同条第5項（同条第6項の規定により適用される場合を含みます。）の規定の適用がある場合には、10分の9とします。）以下であること。

〈ハ〉　その事業の施行地区内の土地（建物又は構築物の所有を目的とする地上権又は賃借権（以下❷において「借地権」といいます。）の設定がされている土地を除きます。）につき所有権を有する者又はその施行地区内の土地につき借地権を有する者（区画された一の土地に係る所有権又は借地権が二以上の者により共有されている場合には、その所有権を有する二以上の者又はその借地権を有する二以上の者をそれぞれ一の者とみなしたときにおける当該所有権を有する者又は当該借地権を有する者）の数が二以上であること（措規13の3⑥）。

⓭　都市計画法第29条第1項の許可（同法第4条第2項に規定する都市計画区域のうち、次の（1）又は（2）に掲げる区域内において行われる同条第12項に規定する開発行為に係るものに限ります。以下⓭において「開発許可」といいます。）を受けて住宅建設の用に供される一団の宅地で下記〔一団の宅地の要件〕のイ及びロの要件を満たすものの造成を行う個人又は法人（都市計画法第44条又は第45条に規定する開発許可に基づく地位の承継があった場合には、その個人からその地位を承継した個人及びその法人からその地位を承継した法人を含みます。4の（1）において同じ。）に対する土地等の譲渡で、その譲渡した土地等がその一団の宅地の用に供されるもの（❻～❾に掲げる譲渡に該当するものを除

－146－

第一章第二節《優良住宅地の造成等のための土地等を譲渡した場合の長期譲渡所得の課税の特例》

きます。）（措法31の2②十三、措令20の2⑮⑯）

（1）　❷（1）又は（2）に掲げる区域
（2）　都市計画法第7条第1項の市街化調整区域と定められた区域

〔一団の宅地の要件〕

イ　その一団の宅地の面積が1,000平方メートル（開発許可を要する面積が、1,000平方メートル未満である区域内の当該一団の宅地の面積については、都市計画法施行令第19条第2項の規定により読み替えて適用される同条第1項本文の規定の適用がある場合には、500平方メートル（注）とし、同項ただし書（同条第2項の規定により読み替えて適用する場合を含みます。）の規定により同条第1項ただし書の都道府県が条例を定めている場合には、その条例で定める規模に相当する面積）以上のものであること。

（注）　一団の宅地の面積が500平方メートルとされる区域は、次の区域です。
　　　都の区域（特別区の存する区域に限ります。）及び市町村でその区域の全部又は一部が次に掲げる区域にあるものの区域
（イ）　首都圏整備法第2条第3項に規定する既成市街地の区域（528ページ参照）又は同条第4項に規定する近郊整備地帯
（ロ）　近畿圏整備法第2条第3項に規定する既成都市区域（529ページ参照）又は同条第4項に規定する近郊整備区域
（ハ）　中部圏開発整備法第2条第3項に規定する都市整備区域（532ページ参照）

ロ　その一団の宅地の造成がその開発許可の内容に適合して行われると認められるものであること。

❶　その宅地の造成につき都市計画法第29条第1項の許可を要しない場合において住宅建設の用に供される一団の宅地で、次のイからハまでのすべての要件を満たすものの造成を行う個人（その個人の死亡によりその造成事業を承継した相続人又は包括受遺者がその造成を行う場合には、その死亡した個人又はその相続人若しくは包括受遺者。4の(1)において同じ。）又は法人（その法人の合併による消滅によりその造成事業を引き継いだその合併に係る法人税法第2条第12号に規定する合併法人がその造成を行う場合にはその合併により消滅した法人又はその合併法人とし、その造成を行う法人の分割によりその造成に関する事業を引き継いだその分割に係る同条第12号の3に規定する分割承継法人がその造成を行う場合には、その分割をした法人又はその分割承継法人とします。4の(1)において同じ。）に対する土地等の譲渡で、その譲渡した土地等がその一団の宅地の用に供されるもの（❻～❾に掲げる譲渡又は土地区画整理法による土地区画整理事業の施行者である区画整理会社に対するその区画整理会社の株主又は社員である個人の有する土地等の譲渡に該当するものを除きます。）（措法31の2②十四、措令20の2⑰⑱）

イ　その一団の宅地の面積が1,000平方メートル（都市計画法施行令第19条第2項の規定の適用を受ける区域（❸の（注）に掲げる区域をいいます。）内の一団の宅地の面積にあっては、500平方メートル）以上のものであること。

ロ　都市計画法第4条第2項に規定する都市計画区域内において造成されるものであること。

ハ　その一団の宅地の造成が、住宅建設の用に供される優良な宅地の供給に寄与するものであることについて都道府県知事の認定を受けて行われ、かつ、その認定の内容に適合して行われると認められるものであること。

（注）　上記ハの都道府県知事の認定は、その一団の宅地の造成を行う個人又は法人の申請に基づきその造成が次の各事項についてそれぞれに掲げる基準に適合している場合に行われることになっています（措令20の2⑲、昭54建設省告示第767号、令和2年3月31日付国土交通省告示第490号最終改正）。
第一　宅地の用途に関する事項
その造成に係る宅地が住宅（別荘を除きます。）及びこれに関連して必要と認められる公共施設又は公益的施設の整備の用に供されるものであること。
第二　宅地としての安全性に関する事項及び給水施設、排水施設その他宅地に必要な施設に関する事項

－147－

第一章第二節《優良住宅地の造成等のための土地等を譲渡した場合の長期譲渡所得の課税の特例》

その宅地の造成について都市計画法第33条第1項第2号から第11号まで《開発許可の基準》に規定する基準に適合するように設計が定められていること。

第三　その他優良な宅地の供給に関し必要な事項

（一）　宅地の造成が、宅地造成等規制法その他宅地の造成に関する法令に照らし、適法に行われたものであること。

（二）　上記ハに規定する宅地の造成にあっては、当該造成に係る宅地の区画数に占める1区画当たりの宅地の面積が100平方メートル以上である区画数の割合が100分の80以上であること。

❶❺　**一団の住宅**又は**中高層の耐火共同住宅**（それぞれ次のイからニまでに掲げる要件を満たすものに限ります。）の建設を行う個人（その個人の死亡によりその建設事業を承継した相続人又は包括受遺者がその建設を行う場合には、その死亡した個人又はその相続人若しくは包括受遺者。❶❻及び4の（1）において同じ。）又は法人（その法人の合併による消滅によりその建設に関する事業を引き継いだその合併に係る法人税法第2条第12号に規定する合併法人がその建設を行う場合にはその合併により消滅した法人又はその合併法人とし、その建設を行う法人の分割によりその建設に関する事業を引き継いだその分割に係る同条第12号の3に規定する分割承継法人がその建設を行う場合にはその分割をした法人又はその分割承継法人とします。❶❻及び4の（1）において同じ。）に対する土地等の譲渡で、その譲渡した土地等がその建設する一団の住宅又は中高層の耐火共同住宅の用に供されるもの（❻〜❿まで又は⓭⓮に掲げる譲渡に該当するものを除きます。）（措法31の2②十五、措令20の2⑳）

イ　一団の住宅にあってはその建設される住宅の戸数が25戸以上のものであること。

ロ　中高層の耐火共同住宅にあっては住居の用途に供する独立部分（建物の区分所有等に関する法律第2条第1項に規定する建物の部分に相当するものをいいます。）が15以上のものであること又はその中高層の耐火共同住宅の床面積が1,000平方メートル以上のものであることその他次の＜イ＞から＜ニ＞までの要件を満たすものであること。

＜イ＞　耐火建築物又は準耐火建築物に該当するものであること。

＜ロ＞　地上階数3以上の建築物であること。

＜ハ＞　その建築物の床面積の4分の3以上が専ら居住の用（居住の用に供される共用部分を含みます。）に供されるものであること。

＜ニ＞　ロの住居の用途に供する独立部分の床面積が200平方メートル以下で、かつ、50平方メートル以上（寄宿舎にあっては18平方メートル以上）であること（措規13の3⑦）。

ハ　都市計画法第4条第2項に規定する都市計画区域内において建設されるものであること。

ニ　その一団の住宅又は中高層の耐火共同住宅の建設が優良な住宅の供給に寄与するものであることについて都道府県知事（中高層の耐火共同住宅でその用に供される土地の面積が1,000平方メートル未満のものにあっては、市町村長）の認定を受けたものであること。

　（注）　上記ニの都道府県知事又は市町村長の認定は、一団の住宅又は中高層の耐火共同住宅の建設を行う個人又は法人の申請に基づき、これらの住宅が次の各事項についてそれぞれに掲げる基準に適合している場合に行われることになっています（措令20の2㉑、昭54建設省告示第768号・令和元年5月31日付国土交通省告示第101号最終改正）。

第一　建築基準法その他住宅の建築に関する法令の遵守に関する事項

　　住宅の新築が、建築基準法、都市計画法その他住宅の建築に関する法令に照らし、適法に行われたものであること。

第二　住宅の床面積に関する事項

　　住宅の人の居住の用に供する部分の床面積（建築基準法施行規則別記第1号様式の副本に規定する高床式住宅にあっては、床下部分以外の部分の床面積）が、40平方メートル以上（寄宿舎にあっては、18平方メートル以上、ニの認定に係る寄宿舎以外の住宅にあっては50平方メートル以上）200平方メートル以下であること。

第三　その他優良な住宅の供給に関し必要な事項

（一）　台所、水洗便所、洗面設備及び浴室（寄宿舎にあっては、共同の食堂、水洗便所、洗面設備

－148－

第一章第二節《優良住宅地の造成等のための土地等を譲渡した場合の長期譲渡所得の課税の特例》

　　　　　及び浴室）並びに収納設備を備えた住宅であること。
　　　（二）　別荘の用に供される住宅でないこと。
　　　（三）　住宅（その住宅が、一棟の家屋でその構造上区分された数個の部分を独立して人の居住の用
　　　　　その他の用に供することができるものの一部分（以下「一棟の家屋の一部分」といいます。）であ
　　　　　る場合にあっては、その家屋をいいます。(四)において同じ。）の床面積の敷地面積に対する割合
　　　　　が、10分の1未満でないこと。
　　　（四）　住宅の建築費が3.3平方メートル当たり95万円（耐火構造を有する住宅にあっては、100万円）
　　　　　以下であること。
　　　（五）　住宅が一棟の家屋の一部分である場合にあっては、その家屋の第二並びに第三の(一)及び
　　　　　(二)の要件に該当する住宅の床面積の合計のその家屋の床面積に占める割合が、2分の1以上で
　　　　　あること。

❶　土地区画整理法による土地区画整理事業の施行地区内の土地等で仮換地の指定がされたものを、
　その指定の効力発生の日から3年を経過する日の属する年の12月31日までに次のイからハまでの要
　件を満たす住宅又は中高層の耐火共同住宅の建設を行う個人又は法人（個人又は法人の範囲につい
　ては、⓯参照）に譲渡した場合のその譲渡で、その譲渡した土地等につき指定された仮換地等がイ
　からハまでの要件を満たす住宅又は中高層の耐火共同住宅の用に供されるもの（❻～❿まで又は⓭
　～⓯までに掲げる譲渡に該当するものを除きます。）（措法31の2②十六、措令20の2㉒）
　イ　住宅にあっては、その建設される一の住宅の床面積が50平方メートル以上200平方メートル以下
　　　であり、かつ、一の住宅の用に供される土地等の面積が100平方メートル以上500平方メートル以
　　　下であること。
　ロ　中高層の耐火共同住宅にあっては、その床面積が500平方メートル以上で、かつ、⓯のロの〈イ〉
　　　から〈ニ〉までに掲げる要件を満たすものであること。
　ハ　住宅又は中高層の耐火共同住宅が建築基準法その他住宅の建築に関する法令に適合するもので
　　　あること。
　（注）　上記の「仮換地の指定」には、使用収益権の目的となる土地又はその部分の指定を含みます。
　　　　　また「指定の効力発生の日」は土地区画整理法第99条第2項の規定により使用又は収益を開始することが
　　　　　できる日が定められている場合には、その日によります。

2　課税上の取扱い

（1）　土地等の譲渡で土地収用法等に基づく収用の対償に充てられるもの

イ　地方道路公社等に対する土地等の譲渡
　　1の❶のロの土地等の譲渡とは、同ロに掲げる法人（以下ハまでにおいて「特定法人」といいます。）
　に対する土地等の譲渡で、その譲渡に係る土地等が特定法人が行う措置法第33条第1項第1号に規定
　する土地収用法等に基づく収用（同項第2号の買取り及び同条第4項第1号の使用を含みます。以下
　ハまでにおいて同じ。）の対償に充てられるものをいいますから、特定法人が収用に係る事業の施行者
　に代わり土地等を買い取った場合には、同ロの規定には該当しないことから本節の規定の適用はあり
　ません（措通31の2－1）。
ロ　収用対償地の買取りに係る契約方式
　　次に掲げる方式による契約に基づいて土地収用法等に基づく収用の対償に充てられる土地等（以下
　ハまでにおいて「代替地」といいます。）が特定法人に買い取られる場合は、1の❶のロの譲渡に該当
　します。ただし、その代替地の譲渡について措法第34条の2《第五章第二節》の規定を適用する場合
　には、本節の規定は適用できません（措通31の2－2）。
　（イ）　特定法人、収用により譲渡する土地等（以下ハまでにおいて「事業用地」といいます。）の所
　　　有者及び代替地の所有者の三者が次の事項を約して契約する方式
　　　〈イ〉　代替地の所有者は、特定法人に代替地を譲渡すること
　　　〈ロ〉　事業用地の所有者は、特定法人に事業用地を譲渡すること
　　　〈ハ〉　特定法人は、代替地の所有者に対価を支払い、事業用地の所有者には代替地を譲渡すると

－149－

ともに、事業用地の所有者に支払うべき補償金等（事業用地の譲渡に係る補償金又は対価に限ります。以下同じ。）の額から代替地の所有者に支払う対価の額を控除した残額を支払うこと

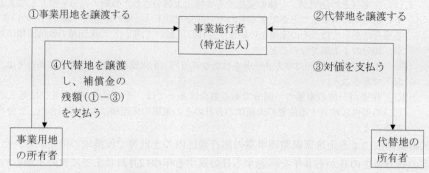

(注) 上記の契約方式における代替地の譲渡についてこの特例が適用されるのは、その代替地のうち事業用地の所有者に支払われるべき事業用地の譲渡に係る補償金又は対価に相当する部分に限られますから、例えば、上記契約方式に基づいて特定法人が取得する代替地であっても、その事業用地の上にある建物につき支払われるべき移転補償金に相当する部分は、この特例の対象となりません。

(ロ) 特定法人と事業用地の所有者が次の事項を約して契約する方式

〈イ〉 事業用地の所有者は、特定法人に事業用地を譲渡し、代替地の取得を希望する旨の申出をすること

〈ロ〉 特定法人は、事業用地の所有者に代替地の譲渡を約すとともに、事業用地の所有者に補償金等を支払うこと。ただし、当該補償金等の額のうち代替地の価額相当分については特定法人に留保し、代替地の譲渡の際にその対価に充てること

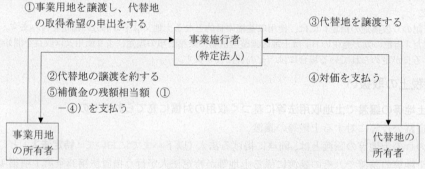

(注) 次のように代替地の所有者と事業用地の所有者との間で、直接代替地の売買が行われるケースについては、この特例を適用することはできません。

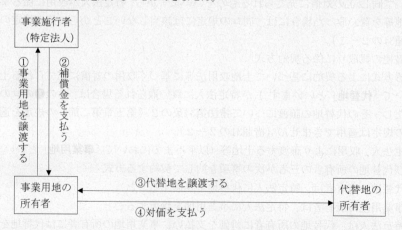

ハ 収用対償地が農地等である場合

収用の対償に充てる土地等が農地等であるため、特定法人、事業用地の所有者及び農地等の所有者の三者が、次の事項を内容とする契約を締結し、これに基づき農地等の所有者が農地等を譲渡した場合は、1の❶のロの土地等の譲渡に該当します。ただし、その代替地の譲渡について措置法第34条の2《第五章第二節》の規定を適用する場合には、本節の規定は適用できません（措通31の2－3）。

(イ) 農地等の所有者は、収用の事業用地を譲渡した者に農地等を譲渡すること
(ロ) 特定法人は、農地等の所有者に農地等の譲渡の対価を直接支払うこと

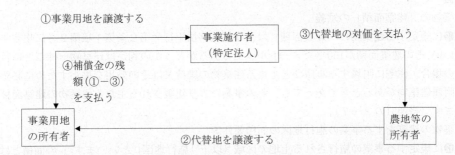

(注) 上記の場合において、特例の対象となるのは、その農地等のうち事業用地の所有者に支払われるべき事業用地の譲渡に係る補償金又は対価のうちその農地等の譲渡の対価として特定法人からその農地等の所有者に直接支払われる金額に相当する部分に限られます。

(2) 独立行政法人都市再生機構等に対する土地等の譲渡

独立行政法人都市再生機構、土地開発公社その他の1の❷に掲げる法人に対して土地等を譲渡した場合の本節の適用については、次によります（措通31の2－4）。

イ 1の❷に規定する「その譲渡した土地等がこれらの法人が宅地若しくは住宅の供給又は土地の先行取得の業務を行うために直接必要であると認められるもの」とは、独立行政法人都市再生機構、土地開発公社その他の1の❷に掲げる法人に対する次の土地等の譲渡をいいますから、その法人に対する土地等の譲渡であっても、例えば、その法人が職員宿舎の敷地の用として取得する土地等は、これに該当しません。

(イ) 宅地又は住宅の供給業務を行う法人により当該宅地又は住宅の用に供するために取得されるもの
(ロ) 土地の先行取得の業務を行う法人により当該先行取得の業務として取得されるもの

(注) 土地の先行取得の業務とは、国又は地方公共団体等が将来必要とする公共施設又は事業用地等を国又は地方公共団体等に代わって取得することを業務の範囲としている法人が行うその業務をいいます。例えば、土地開発公社にあっては、公有地の拡大の推進に関する法律第17条第1項第1号イからハ、ホ及び第3号（第1号ロ、ハ、及びホの業務に付帯する業務に限ります。）に掲げる業務をいいますから、公共施設用地等の取得に際してその対償地を取得することも先行取得の業務に該当します。

ロ 独立行政法人都市再生機構又は地方住宅供給公社が措置法第34条第2項第1号《特定土地区画整理事業等のために土地等を譲渡した場合の譲渡所得の特別控除》に規定する宅地の造成、共同住宅の建設又は建築物及び建築敷地の整備に関する事業の用に供するために取得する土地等は、1の❷に規定する「その業務を行うために直接必要であると認められるもの」に該当します。

(3) 収用交換等による土地等の譲渡

1の❸の「土地等の譲渡で収用交換等によるもの」とは、その譲渡が措置法第33条第1項各号《収用等に伴い代替資産を取得した場合の課税の特例》又は同第33条の2第1項各号《交換処分等に伴い資産を取得した場合の課税の特例》の規定に該当する場合をいいます。したがって、その譲渡が措置法第33条の4第3項各号に掲げる場合に該当する場合であっても、その譲渡は1の❸に該当します（措通31の2－5）。

第一章第二節《優良住宅地の造成等のための土地等を譲渡した場合の長期譲渡所得の課税の特例》

(注) その譲渡について、措置法第33条、第33条の2又は第33条の4の規定を適用する場合には、本節の特例の適用はありません。

（4） 認定建替計画に係る建築物の建替えを行う事業の認定事業者に対する土地等の譲渡

1の❻のイに規定する「新築する建築物の敷地面積」は、原則として、その新築する一棟の建築物の敷地面積をいいます。ただし、附属建築物がある場合には、その敷地面積は、その新築する主たる建築物と附属建築物との敷地の用に供される土地等の面積によります（措通31の2−6）。

（5） 建築面積が150平方メートル以上である建築物の建築をする事業を行う者に対する土地等の譲渡

イ 建築物の「建築面積」の意義

1の⓬に規定する建築物の「建築面積」は、建築基準法施行令第2条第1項第2号に規定する建築面積をいい、その建築面積が150平方メートル以上であるかどうかの判定は建築物一棟ごとに行いますが、その場合、住宅に附属する車庫など主たる建築物の維持又はその効用を果たすために必要と認められる附属建築物があるときであっても、その事業により建築される主たる建築物の建築面積により判定します（措通31の2−7）。

ロ 建築物の建築をする事業の施行地区の面積要件等

1の⓬に規定する事業の施行される土地の区域（以下「施行地区」といいます。）の面積とは、原則として、その事業により建築される一棟の建築物の敷地の用に供される土地等の面積をいいますが、附属建築物がある場合の施行地区の面積は、主たる建築物と附属建築物との敷地の用に供される土地等の面積によります（措通31の2−8）。

(注) 1の⓬の【事業の要件】のロの〈ロ〉に規定する「建築面積の敷地面積に対する割合」を求める場合における建築面積は、主たる建築物の建築面積と附属建築物の建築面積の合計面積により、敷地面積は、建築基準法施行令第2条第1項第1号に規定する敷地面積によります。

ハ 建築事業を行う者が死亡した場合

1の⓬に規定する建築物の建築をする事業を行う者がその建築物の建築工事完了前に死亡した場合でも、その死亡前に設計図等により建築計画が具体的に確定しており、かつ、死亡した者の相続人がその計画に従って建築を行う場合は、その相続人を建築物の建築をする事業を行う者として、死亡した者に対する土地等の譲渡について、特例を適用することができます（措法31の2−9）。

(注) 建築物の建築をする事業を行う者がその建築物の建築工事完了前にその建築事業の施行地を譲渡した場合は、その者に対する土地等の譲渡は特例の対象となりません。

ニ 建築物を2以上の者が建築する場合

1の⓬に規定する建築物の建築をする事業を行う者が2以上ある場合における特例の適用についての留意事項並びに要件の判定は、次によります（措通31の2−10）。

(イ) その事業を行う者が2以上ある場合であっても、これらの者に対する土地等の譲渡について特例の適用がありますが、その土地等のうち所得税基本通達33−15の2《共同建築の場合の借地権の設定》の（2）の取扱い（第一編第二章第四節の2の（1）の（注2）のロ（23ページ）参照）によりその土地等を買い受けた者によって土地等の貸付けが行われたものとされる部分については、その貸付けが使用貸借に基づく場合を除き、特例の適用はありません。

(ロ) 建築物の建築面積要件及び施行地区の面積要件の判定は、その事業を行う者が2以上ある場合でも、その事業により建築される建築物の建築面積及びその事業の施行地区の面積の全体により行います。

（6） 宅地造成等のための土地等の譲渡

イ 宅地の造成等を行う個人又は法人

1の⓬に規定する建築物の建築、⓭若しくは⓮に規定する宅地の造成又は1の⓯若しくは⓰に規定する住宅若しくは中高層の耐火共同住宅の建設を行う個人又は法人には、建築物の建築、宅地の造成又は住宅若しくは中高層の耐火共同住宅の建設を事業として行っていない個人又は法人も含まれます。

−152−

第一章第二節《優良住宅地の造成等のための土地等を譲渡した場合の長期譲渡所得の課税の特例》

　したがって、例えば、1の⑯に規定する住宅又は中高層の耐火共同住宅の建設を行う個人又は法人には、その建設する住宅又は中高層の耐火共同住宅をその個人の住宅の用又はその法人の従業員の宿舎の用などに使用する場合におけるその個人又は法人も含まれます（措通31の2-14）。

ロ　「住宅建設の用に供される一団の宅地の造成」の意義

　1の⑬又は⑭に規定する「住宅建設の用に供される一団の宅地の造成」とは、公共施設及び公益的施設（教育施設、医療施設、官公庁施設、購買施設その他の施設で、居住者の共同の福祉又は利便のために必要なものをいいます。ハにおいて同じ。）の敷地の用に供される部分の土地を除き、その事業の施行地域内の土地の全部を住宅建設の用に供する目的で行う一団の宅地の造成をいいます。したがって、開発許可を受けて行われる宅地の造成が、例えば、住宅地の造成と工業団地の造成とである場合のその造成を行う者に対する土地等の譲渡については、本節の規定は適用されません（措通31の2-15）。

　（注）　都市計画法第29条第1項の許可を受けて住宅地の造成と工業団地の造成とが行われた場合においては、その造成された住宅地に1の⑮に規定する「一団の住宅又は中高層の耐火共同住宅」が建設される場合であっても、同⑮の規定の適用はありません。

ハ　「一団の宅地の面積」の判定

　1の⑬又は⑭に規定する「一団の宅地の面積」の判定は、都市計画法第29条第1項の許可を要するものについては開発許可の申請時、土地区画整理法による土地区画整理事業についてはその事業の施行に係る認可時、開発許可を要しないものについては都道府県知事に対する優良宅地の認定申請時の面積により行いますが、次の点にも注意してください（措通31の2-16）。

　（イ）　宅地造成事業がその施行者を異にして隣接する地域において施行される場合の「一団の宅地の面積」の判定は、宅地造成される土地の全体の面積で行うのではなく、その事業の施行者ごとに行うこと。

　（ロ）　宅地造成事業の施行者が取得した土地とその事業の施行者が他の者から造成を請け負った土地とを一括して宅地造成する場合の「一団の宅地の面積」の判定は、宅地造成される土地の全体の面積で行うのではなく、その事業の施行者が所有する土地の面積のみで行うこと。

　（ハ）　宅地造成事業の施行地域内に公共施設又は公益的施設を設置する場合の「一団の宅地の面積」の判定は、その施設の敷地の用に供される土地を含めて行うこと。

　（ニ）　宅地造成事業を施行する一団の土地のうちに所得税基本通達33-6の6《法律の規定に基づかない区画形質の変更に伴う土地の交換分合》又は33-6の7《宅地造成契約に基づく土地の交換等》の定めにより譲渡がなかったものとして取り扱う土地がある場合の「一団の宅地の面積」の判定は、譲渡がなかったものとして取り扱う部分の土地を除いて行うこと。

（7）　「住宅又は中高層の耐火共同住宅」の建設を行う者

　1の⑮に規定する「住宅又は中高層の耐火共同住宅」は、その住宅又は中高層の耐火共同住宅を建設するために土地等を買い取った個人（その建設を行う個人の死亡によりその建設に関する事業を承継したその個人の相続人又は包括受遺者がその建設を行う場合には、その死亡した個人又はその相続人若しくは包括受遺者）又は法人（その建設を行う法人の合併による消滅によりその建設に関する事業を引き継いだその合併に係る法人税法第2条第12号に規定する合併法人がその建設を行う場合には、その合併により消滅した法人又はその合併法人とし、その建設を行う法人の分割によりその建設に関する事業を引き継いだその分割に係る同条第12号の3に規定する分割承継法人がその建設を行う場合にはその分割をした法人又はその分割承継法人とします。）が建設した住宅又は中高層の耐火共同住宅に限られます（措通31の2-19）。

（8）　「住居の用途に供する独立部分」及び「床面積」の判定

　1の⑮に規定する中高層の耐火共同住宅の「住居の用途に供する独立部分が15以上」又は「床面積が1,000㎡以上」であるかどうかの判定は、その中高層の耐火共同住宅の一棟ごとの独立部分の戸数又

-153-

は一棟ごとの床面積によります（措通31の2－20）。

（9）　仮換地の指定がされた土地等の「住宅又は中高層の耐火共同住宅の建設を行う個人若しくは法人」に対する譲渡

イ　住宅若しくは中高層の耐火共同住宅の建設を行う個人若しくは法人が2以上ある場合

　　1の⓰に規定する住宅若しくは中高層の耐火共同住宅の建設を行う個人若しくは法人が2以上ある場合における特例の適用についての留意事項並びに要件の判定は、次によります（措通31の2－10）。

（イ）　その建設を行う個人若しくは法人が2以上ある場合であっても、これらの者に対する土地等の譲渡についてこの特例の適用がありますが、その土地等のうち所得税基本通達33－15の2《共同建築の場合の借地権の設定》の（2）の取扱い（第一編第二章第四節の2の（1）の（注2）のロ（23ページ）参照）によりその土地等を買い受けた者によって土地等の貸付けが行われたものとされる部分については、その貸付けが使用貸借に基づく場合を除き、特例の適用はありません。

（ロ）　住宅の床面積要件及び敷地面積要件の判定は、その建設を行う個人又は法人が2以上ある場合であっても、その建設された住宅の床面積及びその住宅の用に供される土地等の面積の全体により行います。

ロ　換地処分後の土地等の譲渡

　　土地区画整理法による土地区画整理事業の施行に伴い、同法98条第1項《仮換地の指定》の規定による仮換地の指定（仮に使用又は収益をすることできる権利の目的となるべき土地又はその部分の指定を含みます。）があり、かつ、その指定の効力発生の日（同法第99条第2項《仮換地の指定の効果》の規定により使用又は収益を開始することができる日が定められた場合には、その日）から3年を経過する日の属する年の12月31日までの間に換地処分が行われた場合において、その換地処分により取得した土地等をその取得の日からその期間の末日までの間に1の⓰に規定する住宅又は中高層の耐火共同住宅の建設を行う個人又は法人に譲渡したとき（その譲渡に係る土地等がその住宅又は中高層の耐火共同住宅の用に供される場合に限ります。）は、その土地等の譲渡は、同⓰に掲げる土地等の譲渡に該当するものとされます（措通31の2－21）。

ハ　住宅の床面積等

　　1の⓰に規定する住宅又は中高層の耐火共同住宅が二棟以上建設される場合における同⓰に規定する要件に該当するかどうかの判定については、次によります（措通31の2－22）。

（イ）　1の⓰に規定する住宅の床面積及び住宅の用に供される土地等の面積要件については、次の点に留意してください。

　〈イ〉　住宅の床面積が200㎡以下で、かつ、50㎡以上であるかどうかの判定は、一棟の家屋ごとに行いますが、一棟の家屋で、その構造上区分された数個の部分を独立して住居の用途に供することができるものの床面積要件の判定は、それぞれその区分された住居の用途に供することができる部分（以下「独立住居部分」といいます。）の床面積と共用部分の床面積を各独立住居部分の床面積に応じて按分した面積との合計面積により行うこと。

　〈ロ〉　住宅の用に供される土地等の面積が500㎡以下で、かつ、100㎡以上であるかどうかの判定は、その建設される一の住宅の用に供される土地等の面積により行い、また、一棟の家屋が独立住居部分からなる場合の敷地面積要件の判定は、その一棟の家屋の敷地面積をその一棟の家屋の全体の床面積に占める床面積の判定の基礎となる各独立住居部分の床面積の割合に応じて按分した面積により行うこと。

　〈ハ〉　各独立住居部分の一部分が床面積の要件又は敷地面積の要件に該当しない場合には、住宅建設を行う者に対する土地等の譲渡のうちその独立住居部分を有する一棟の家屋の敷地の用に供される土地等の譲渡についてこの特例の適用はないこと。

（ロ）　中高層の耐火共同住宅の各独立住居部分の一部分が1の⓯のロ〈ニ〉に規定する床面積の要件に該当しない場合には、中高層の耐火共同住宅の建設を行う者に対する土地等の譲渡のうち床面積の

－154－

第一章第二節《優良住宅地の造成等のための土地等を譲渡した場合の長期譲渡所得の課税の特例》

要件に該当しない独立住居部分を有する一棟の中高層の耐火共同住宅の敷地の用に供される土地等の譲渡についてこの特例は適用されません。

(注) 住宅以外の部分の床面積が全体の床面積の2分の1未満である併用住宅は、1の⓰に規定する「住宅」に該当するものとされます。したがって、その「住宅」に該当する併用住宅についての同⓰の床面積要件及び敷地面積要件の判定は、その併用住宅全体の床面積及びその併用住宅の用に供される土地等の面積により行います（措通31の2-23）。

(10) 床面積の意義

161ページの別表《優良住宅地等のための譲渡に関する証明書類等の区分一覧表》（以下「一覧表」といいます。）の1の各欄に規定する床面積は、建築基準法施行令第2条第1項第3号に規定する床面積によります（措通31の2-24）。

(11) 土地区画整理事業等の施行地区内の土地等の譲渡

土地区画整理法による土地区画整理事業、新都市基盤整備法による土地整理又は大都市地域における住宅及び住宅地の供給の促進に関する特別措置法（以下「大都市地域住宅等供給促進法」といいます。）による住宅街区整備事業の施行地区内にある従前の宅地（その宅地の上に存する権利を含みます。）を次に掲げる者に譲渡した場合において、その譲渡した従前の宅地に係る仮換地がそれぞれ次に掲げる用途又は用に供されるときは、その譲渡した従前の宅地がこれらの用途又は用に供されるものとしてこの特例を適用することができます（措通31の2-25）。

イ 1の❷に掲げる法人　　同❷に規定する業務を行うために直接必要であると認められる用途

ロ 1の⓬に規定する建築物の建築をする事業を行う者　　同⓬に規定する建築物の建築をする事業の用

ハ 1の⓭又は⓮に規定する個人又は法人　　これらの規定に規定する一団の宅地の用

ニ 1の⓯に規定する個人又は法人　　同⓯に規定する一団の住宅又は中高層の耐火共同住宅の用

(12) 一団の宅地の面積要件等の判定における定期借地権設定地等の取扱い

一団の宅地造成事業等が定期借地権設定地又は定期借地権設定予定地を含めて一体的に行われるものであるときは、一団の宅地の面積要件又は一団の住宅の戸数要件については、定期借地権設定地又は定期借地権設定予定地を含めて判定することに取り扱われます（平成9年課資3-6）。

これは、次の②に掲げる特例の適用要件として設けられている一団の宅地の面積要件又は一団の住宅の戸数要件の判定に当たっては、事業施行者が宅地造成事業又は住宅建設事業を行うために買い取った土地と買い取らずに定期借地権を設定した土地（定期借地権設定予定地を含み、以下「定期借地権設定地等」といいます。）とを併せて一体的に宅地造成事業又は住宅建設事業を行う場合には、その特例の面積要件又は戸数要件を満たすかどうかの判定は、買い取った土地と定期借地権設定地等とを併せたところで行うというものです。

(注) 「定期借地権設定予定地」とは、定期借地権設定予約契約に基づいて宅地造成後に定期借地権設定により宅地供給をする予定の土地(それぞれの特例に定める申告期限又は特例の適用要件である確定手続の期限までに定期借地権が設定されたものに限ります。)をいいます。なお、定期借地権設定予定地部分に住宅等の建設が行われなかったことにより定期借地権が設定されないこととなった場合には、その部分は、面積要件の判定の基礎には算入されません。

① この取扱いが適用される定期借地権の種類

定期借地権設定地等を含めて一団の宅地の面積要件又は一団の住宅の戸数要件の判定を行う定期借地権は、借地借家法第2条第1号に規定する借地権で、同法第22条《定期借地権》又は第23条《建物譲渡特約付借地権》の適用を受けるものに限られます。

② この取扱いが適用される課税の特例

定期借地権設定地等を含めて一団の宅地の面積要件又は一団の住宅の戸数要件の判定を行うこととされる課税の特例は、次のとおりです。

イ 措置法第31条の2《優良住宅地の造成等のために土地等を譲渡した場合の長期譲渡所得の課税

-155-

第一章第二節《優良住宅地の造成等のための土地等を譲渡した場合の長期譲渡所得の課税の特例》

の特例》第２項第13号及び第14号（一団の宅地の面積要件）……… １の⓭〜⓮参照

ロ　措置法第31条の２第２項第15号（一団の住宅の戸数要件）……… １の⓯参照

ハ　措置法第34条の２《特定住宅地造成事業等のために土地等を譲渡した場合の譲渡所得の特別控除》第２項第３号（一団の宅地の面積要件・一団の住宅の戸数要件）………第五章第二節の７の表の③（360ページ）参照

　（注）　定期借地権設定地等を含めて面積要件又は戸数要件を判定する場合には、公募要件等その他の特例適用要件の判定においても定期借地権設定地等を含めて判定することになります。

③　この取扱いの適用を受ける場合の提出書類

　②に掲げる課税の特例について、定期借地権設定地等を含めて一団の面積要件又は一団の戸数要件の判定を行う場合には、次表の区分に応じ、それぞれに掲げる書類等を所轄税務署長に提出する必要があります。

区　　分 課税の特例	定期借地権設定地	定期借地権設定予定地
措置法第31条の２第２項第13号	土地等総括表を添付した事業概要書	・土地等総括表を添付した事業概要書 ・同意書を添付した開発許可申請書の写し ・定期借地権設定契約書
措置法第31条の２第２項第14号	土地等総括表を添付した事業概要書	・土地等総括表を添付した事業概要書 ・同意書を添付した優良宅地認定書の写し ・定期借地権設定契約書
措置法第31条の２第２項第15号	土地等総括表を添付した事業概要書	・土地等総括表を添付した事業概要書 ・同意書を添付した優良住宅認定書の写し ・定期借地権設定契約書
措置法第34条の２第２項第３号	土地等総括表を添付した ①　特定宅地造成事業認定書の写し又は、 ②　特定住宅建設事業認定書の写し	・土地等総括表及び同意書を添付した、 ①　特定宅地造成事業認定書の写し又は、 ②　特定住宅建設事業認定書の写し ・定期借地権設定契約書

（注）　定期借地権設定予定地の場合に添付することとされている「同意書」とは、都市計画法第33条第１項第14号の同意を得たことを証する書類で定期借地権設定予定地である旨の記載のあるものをいいます。

証明申請に係る施行地区内の土地等総括表

土地の所在地		従前の権利者		現在の権利者 （買収年月日） （所有権以外の権利の場合はその形態等）	備　　考
住　　所	面積（㎡）	所　有　者 （関係権利者）	住　　所		

第一章第二節《優良住宅地の造成等のための土地等を譲渡した場合の長期譲渡所得の課税の特例》

(注) 1．一筆ごとに記入すること。
　　　2．「所有者欄」の欄には、地上権等関係権利者がある場合には、関係権利者も記入すること。
　　　3．「現在の権利者」欄には、施行者が従前の権利者から買収した年月日を併せて記入すること。
　　　　　また、所有権以外の権利の場合は、この権利の権利者、形態（例：定期借地権）及び権利の設定日を記入すること。
　　　4．当該土地が定期借地権設定予定地である場合は、「備考」欄に定期借地権設定予定地である旨記入すること。

3　確定申告書に添付する書類

　特定課税長期譲渡所得金額として税負担の軽減措置の適用を受けるには、その土地等の譲渡が1に述べた「優良住宅地の造成等のための土地等の譲渡」であることを所定の書類を確定申告書に添付することによって証明しなければなりません。

　この証明書類は、161ページの表の一覧表1の①から⑯までの譲渡の区分に応じてそれぞれの「添付すべき証明書類」欄に掲げられています（措規13の3①）。

　　(注)　確定申告書に上記の「添付すべき証明書類」の添付がない場合でも、その添付がなかったことについてやむを得ない事情があると認められるときは、その書類の提出があった場合に限り特例の適用が認められます（措通31の2－30）。

4　確定優良住宅地等予定地のための譲渡に対する特例の適用

　宅地の造成又は住宅の建設事業には長期間を要するものが多く、土地等の買取りがあった年中にその造成事業又は建設事業が完成し、3に述べた証明書類が交付されるとは限りません。この場合に土地等を譲渡した年分の確定申告書に3に述べた証明書類を添付できない場合であっても、その土地等がその譲渡の日から2年を経過する日の属する年の12月31日までの期間《予定期間》内に、1の⓭から⓰までに掲げる土地等の譲渡に該当することとなることが確実であると認められることにつき184ページの一覧表2《確定優良住宅地等予定地のための譲渡》の(1)《確定優良住宅地等予定地の対象となる譲渡》の「添付すべき証明書類」欄に掲げる証明書類を確定申告書に添付して証明がされたものについては、後日、次の(1)の書類を税務署長に提出することを条件として、その譲渡した年分において特定課税長期譲渡所得金額として申告し、税負担の軽減を受けることができます（措法31の2③）。（5の適用除外規定を参照のこと。）

　　(注)　確定申告書に上記の「添付すべき証明書類」の添付がない場合でも、その添付がなかったことについてやむを得ない事情があると認められるときは、その書類の提出があった場合に限り特例の適用が認められます（措通31の2－30）。

　なお、宅地の造成又は住宅の建設に要する期間が通常2年を超えると見込まれること、その他186ページの一覧表2の(2)《特例期間の延長が認められる場合》の「特例期間の延長が認められる事情」欄に掲げる事情がある場合には、税務署長の承認を受けて特例期間を延長することができます（延長期間、延長承認の手続については、186ページの一覧表2の(2)参照）。

－157－

第一章第二節《優良住宅地の造成等のための土地等を譲渡した場合の長期譲渡所得の課税の特例》

●確定優良住宅地等予定地に係る特例期間

宅地造成事業等の種類（措法31の2②）	面積又は戸数の要件	特例適用期間（根拠条項）					合計可能延長期間
		措法31の2③	措令20の2㉓一〜三、㉔	措令20の2㉓四、㉔	措令20の2㉕ 災害	措令20の2㉕ 大規模（注）	
13〜16号		2年	—	2年	—	—	4年
13　号	1〜5ha	2年	2年	—	2年	—	6年
	5〜10ha	2年	2年	—	—	2年	6年
	10ha以上	2年	4年	—	—	2年	8年
14　号（土地区画整理事業に限ります。）	1〜5ha	2年	2年	—	2年	—	6年
	5〜10ha	2年	2年	—	—	2年	6年
	10ha以上	2年	4年	—	—	2年	8年
15　号	50戸以上	2年	2年	—	2年	—	6年

（注）　大規模とは、13号、14号事業については面積5ha以上のものをいいます。

（1）　確定優良住宅地造成等事業を行う者の開発許可等に関する書類の交付義務

　184ページの一覧表2の（1）の証明書類を交付した土地等の買取りをした造成業者又は建設業者（1の⓭若しくは⓮の造成又は1の⓯若しくは⓰の建設を行う個人又は法人をいいます。）は、その買取りに係る土地等の譲渡の全部又は一部が（2）に述べる確定優良住宅地造成等事業の予定期間内に1の⓭から⓰までに掲げる土地等の譲渡に該当することとなった場合には、その証明書類によって確定優良住宅地造成等予定地として税負担の軽減を受けている者に対し、遅滞なく161ページの一覧表の⓭から⓰までの「添付すべき証明書類」欄に掲げる書類（既に交付済みのものを除きます。）を交付しなければなりません（措法31の2⑤、措規13の3⑫）。

　（注）　上記の場合は、161ページの一覧表1の⓮の※4、⓯の※4の規定（土地等の買取りをする者による検査済証等の代行提出）の適用はありません（措通31の2−29）。

　また、これらの書類の交付を受けた者は、既に確定申告時に提出した書類を除き所定の届出書（確定優良住宅地等予定地の譲渡所得についての確定申告書の内容等を記載したもの）にこれらの交付を受けた書類を添付して遅滞なく納税地の所轄税務署長に提出しなければなりません（措法31の2⑥、措規13の3⑬）。

（2）　修正申告等

　確定優良住宅地等予定地の譲渡所得に係る確定申告書を提出した者は、その譲渡した土地等の全部又は一部が**確定優良住宅地造成等事業の予定期間**（その譲渡をした日以後2年を経過する日の属する年の12月31日までとし、その期間の延長の承認を受けている場合には、開発許可等を受けることができると見込まれる日として税務署長が認定した日の属する年の12月31日まで）内に、1の⓭から⓰までに掲げる土地等の譲渡に該当しないこととなった場合には、その予定期間を経過した日から4月以内にその確定申告書を提出した年分の所得税についての修正申告書を提出し、その該当しないこととなった譲渡に係る長期譲渡所得金額について一般課税長期譲渡所得金額として計算した場合の税額との差額に相当する不足税額をその修正申告期限までに納付しなければなりません（措法31の2⑧）。

　この修正申告がなかった場合には、税務署長は更正処分を行うことになります（措法31の2⑨）。

　この修正申告書はその提出期限内に提出されたものに限り、延滞税、加算税等の計算に関しては期限内申告書とみなされます（措法31の2⑩）。

—158—

第一章第二節《優良住宅地の造成等のための土地等を譲渡した場合の長期譲渡所得の課税の特例》

（3） 課税上の取扱い

イ　国土交通大臣の証明の日前に土地等を譲渡した場合

　土地区画整理法による土地区画整理事業として行われる住宅建設の用に供される一団の宅地の造成事業を行う土地区画整理法第2条第3項に規定する施行者又は同法第25条第1項に規定する組合員である個人又は法人に対して、国土交通大臣の証明の日前に土地等を譲渡した場合には、その買取者は、1の⓮に規定する買取者の要件を満たさないこととなるので、その土地等の譲渡については4の規定の適用はありません（措通31の2-18）。

ロ　「確定優良住宅地等予定地のための譲渡の特例期間」の判定

　確定優良住宅地等予定地のための譲渡の特例期間の判定は、1の⓭若しくは⓮に規定する「住宅建設の用に供される一団の宅地の造成を行う個人又は法人」又は⓯若しくは⓰に規定する「住宅又は中高層の耐火共同住宅の建設を行う個人又は法人」が税務署長に提出した事業概要書等により行われます。したがって、土地区画整理法による土地区画整理事業として行われる住宅建設の用に供される一団の宅地の造成事業にあっては、その造成事業として国土交通大臣から最初に証明を受けた日から2年を経過する日の属する年の12月31日までに事業計画を変更して、新たに国土交通大臣の証明を受けた場合には、その変更後における住宅建設の用に供される一団の宅地の造成事業の事業概要書に基づき特例期間の判定を行うこととされます。

　なお、190ページの一覧表2の（2）の⑪に規定する「住居の用途に供する独立部分が50以上のもの」であるかどうかの判定は、建設される一棟の中高層の耐火共同住宅により行います（措通31の2-28）。

（注）　「確定優良住宅地造成等事業につき開発許可等を受けることができると見込まれる日として税務署長が認定した日」は一の事業ごとに一定の日を税務署長が判定することになること及びその認定した日の属する年の12月31日までの期間内に開発許可等を受けることができなかった確定優良住宅地造成等事業を行う個人又は法人に対する土地等の譲渡については、その全部が1の⓭から⓰までに掲げる土地等の譲渡に該当しないこととなりますから、4の規定の適用を受けた者は4の（2）の規定により修正申告書を提出しなければなりません。

ハ　国土利用計画法の許可を受けて買い取られる場合

　184ページの一覧表2の（1）の「添付すべき証明書類」欄に規定する「国土利用計画法第14条第1項の規定による許可を受けて当該土地等が買い取られる場合」とは、同項の規定による許可を受けた後において、その許可に係る内容に従って締結した売買契約に基づいて買い取られる場合をいいます。したがって、同項の許可の内容と異なる事項を約した売買契約に基づいて買い取られた土地等に係る譲渡所得については、たとえその譲渡所得に係る確定申告書にその許可に係る通知の文書の写しの添付がある場合であって4の適用はありません（措通31の2-26）。

ニ　国土利用計画法の届出をして買い取られる場合

　184ページの一覧表2の（1）の「添付すべき証明書類」欄に規定する「国土利用計画法第27条の4第1項（同法第27条の7第1項において準用する場合を含む。）の規定による届出をして当該土地等が買い取られる場合」とは、同法第27条の4第1項（同法第27条の7第1項において準用する場合を含みます。）の規定による届出をした日から起算して6週間を経過した日（同日前に都道府県知事から同法第27条の5第3項（同法第27条の8第2項において準用する場合を含みます。）に規定する勧告をしない旨の通知を受けた場合には、その通知を受けた日。以下ホにおいて同じ。）以後においてその届出に係る内容に従って締結した売買契約に基づいて買い取られた場合をいいます。したがって、次に掲げる売買契約に基づいて買い取られた土地等に係る譲渡所得については、たとえその譲渡所得に係る確定申告書に都道府県知事又は指定都市の長の勧告をしなかった旨を証する書類の添付がある場合であっても、4の適用はありません（措通31の2-27）。

（イ）　その届出をした日から起算して6週間を経過した日の前日までの間に締結した売買契約

（ロ）　その届出の内容と異なる事項を約した売買契約（その買取価額がその届出に係る予定対価の

-159-

第一章第二節《優良住宅地の造成等のための土地等を譲渡した場合の長期譲渡所得の課税の特例》

額未満である売買契約を除きます。）

5 他の譲渡所得の課税の特例の適用を受ける場合の適用除外

1及び4の場合において、個人が次に掲げる規定の適用を受けるときは、その土地等の譲渡は、1の「優良住宅地の造成等のための土地等の譲渡」又は4の「確定優良住宅等予定地のための譲渡」に該当しないものとみなされ、本節の特例は適用されません（措法31の2④）（平成16年1月1日から令和7年12月31日までの間に行われた土地等の譲渡に適用されます。）。

① 措置法第33条～第33条の4（収用等の場合の課税の特例）
② 措置法第34条～第34条の3（特定事業の用地買収等の場合の譲渡所得の特別控除）
③ 措置法第35条（居住用財産の譲渡所得の特別控除）
④ 措置法第35条の2（特定期間に取得をした土地等を譲渡した場合の長期譲渡所得の特別控除）
⑤ 措置法第35条の3（低未利用土地等を譲渡した場合の長期譲渡所得の特別控除）
⑥ 措置法第36条の2・第36条の5（特定の居住用財産の買換え等の場合の長期譲渡所得の課税の特例）
⑦ 措置法第37条・第37条の4（特定の事業用資産の買換え等の場合の譲渡所得の課税の特例）
⑧ 措置法第37条の5（既成市街地等内にある土地等の中高層耐火建築物等の建設のための買換え等の場合の譲渡所得の課税の特例）
⑨ 措置法第37条の6（特定の交換分合により土地等を取得した場合の課税の特例）
⑩ 措置法第37条の8（特定普通財産とその隣接する土地等の交換の場合の譲渡所得の課税の特例）

6 特定非常災害の場合の確定優良住宅地等予定地のための譲渡の予定期間の延長の特例

確定優良住宅地等予定地のための譲渡に該当するものとして優良住宅地の造成等のために土地等を譲渡した場合の長期譲渡所得の課税の特例の適用を受けた土地等の譲渡が、特定非常災害（※）として指定された非常災害に基因するやむを得ない事情により、予定期間内に確定優良住宅地等予定地のための譲渡に該当することが困難となり、所轄税務署長の承認を受けた場合には、その予定期間を、その予定期間の末日から2年以内の日で所轄税務署長が認定した日の属する年の12月31日まで延長することができることとされました（措法31の2⑦、措令20の2㉖）。

なお、この承認を受けるための申請は、確定優良住宅地造成等事業を行う事業者が、予定期間の末日の属する年の翌年1月15日までに行わなければなりません（措規13の3⑭）。

※「特定非常災害」とは、著しく異常かつ激甚な非常災害であって、その非常災害の被害者の行政上の権利利益の保全等を図ること等が特に必要と認められるものが発生した場合に指定されるものをいいます（特定非常災害の被害者の権利利益の保全等を図るための特別措置に関する法律2①）。

なお、令和6年9月30日現在、特定非常災害に指定されたものは、阪神・淡路大震災、平成16年新潟県中越地震、東日本大震災、平成28年熊本地震、平成30年7月豪雨災害、令和元年台風19号、令和2年7月豪雨災害及び令和6年能登半島地震となっています。

第一章第二節《優良住宅地の造成等のための土地等を譲渡した場合の長期譲渡所得の課税の特例》

【別表】　優良住宅地等のための譲渡に関する証明書類等の区分一覧表

1　優良住宅地等のための譲渡（措置法第31条の2第2項関係）

譲　渡　の　区　分	添付すべき証明書類	発　行　者	根拠条項	備　　考
①　国又は地方公共団体に対する土地等の譲渡	当該土地等を買い取った旨を証する書類	土地等の買取りをする者	措置法31条の2　2項1号 措置法令20条の2　1項1号 措置法規則13条の3　1項1号イ	
（1の2）　地方道路公社、独立行政法人鉄道建設・運輸施設整備支援機構、独立行政法人水資源機構、成田国際空港株式会社、東日本高速道路株式会社、首都高速道路株式会社、中日本高速道路株式会社、西日本高速道路株式会社、阪神高速道路株式会社又は本州四国連絡高速道路株式会社に対する土地等の譲渡で、当該譲渡に係る土地等がこれらの法人の行う措置法第33条第1項第1号に規定する土地収用法等に基づく収用（※）の対償に充てられるもの	当該土地等を収用の対償に充てるために買い取った旨を証する書類	土地等の買取りをする者	措置法31条の2　2項1号 措置法令20条の2　1項2号 措置法規則13条の3　1項1号ロ	※　「収用」には、措置法第33条第1項第2号の買取り及び同条第4項第1号の使用が含まれる。
②　独立行政法人都市再生機構、土地開発公社その他これらに準ずる法人（※）に対する土地等の譲渡で、当該譲渡に係る土地等が宅地若しくは住宅の供給又は土地の先行取得の業務を行うために直接必要であると認められるもの（土地開発公社に対する譲渡である場合には、公有地の拡大の推進に関する法律第17条第1項第1号ニに掲げる土地の譲渡に該当するものを除く。）	当該土地等を宅地若しくは住宅の供給又は土地の先行取得の業務の用に直接供するために買い取った旨（※の(3)、(4)、(5)又は(6)の法人が買取りをする場合には、当該土地等の買取りをする者が沿道整備推進機構、防災街区整備推進機構、中心市街地整備推進機構又は都市再生推進法人である旨を含む。）を証する書類	土地等の買取りをする者（※の(2)の法人が買取りをする場合には、その法人を所轄する地方公共団体の長、※の(3)、(4)、(5)又は(6)の法人が買取りをする場合は市町村長又は特別区の区長）	措置法31条の2　2項2号 措置法令20条の2　2項 措置法規則13条の3　1項2号	※　「その他これらに準ずる法人」とは次の法人をいう。 （1）　成田国際空港株式会社、独立行政法人中小企業基盤整備機構、地方住宅供給公社及び日本勤労者住宅協会 （2）　公益社団法人（その社員総会における議決権の全部が地方公共団体により保有されているものに限る。）又は公益財団法人（その拠出をされた金額の全額が地方公共団体により拠出をされているものに限る。）のうち次に掲げる要件を満た

第一章第二節《優良住宅地の造成等のための土地等を譲渡した場合の長期譲渡所得の課税の特例》

譲 渡 の 区 分	添付すべき証明書類	発 行 者	根拠条項	備　　考
				すもの イ　宅地若しくは住宅の供給又は土地の先行取得の業務を主たる目的とすること。 ロ　当該地方公共団体の管理の下にイに規定する業務を行っていること。 （３）　幹線道路の沿道の整備に関する法律第13条の３第３号に掲げる業務を行う同法第13条の２第１項に規定する沿道整備推進機構（公益社団法人〔その社員総会における議決権の総数の２分の１以上の数が地方公共団体により保有されているものに限る。〕又は公益財団法人〔その設立当初において拠出をされた金額の２分の１以上の金額が地方公共団体により拠出をされているものに限る。〕であって、その定款において、その法人が解散した場合にその残余財産が地方公共団体又は当該法人と類似の目的をもつ他の公益を目的とする事業を行う法人に帰属する旨の定めがあるものに限る。） （４）　密集市街地における防災街区の整備の促進に関する法律第301条第３

第一章第二節《優良住宅地の造成等のための土地等を譲渡した場合の長期譲渡所得の課税の特例》

譲渡の区分	添付すべき証明書類	発行者	根拠条項	備考
				号に掲げる業務を行う同法第300条第1項に規定する防災街区整備推進機構（公益社団法人〔その社員総会における議決権の総数の2分の1以上の数が地方公共団体により保有されているものに限る。〕又は公益財団法人〔その設立当初において拠出をされた金額の2分の1以上の金額が地方公共団体により拠出をされているものに限る。〕であって、その定款において、その法人が解散した場合にその残余財産が地方公共団体又は当該法人と類似の目的をもつ他の公益を目的とする事業を行う法人に帰属する旨の定めがあるものに限る。） （5）　中心市街地の活性化に関する法律第62条第3号に掲げる業務を行う同法第61条第1項に規定する中心市街地整備推進機構（公益社団法人〔その社員総会における議決権の総数の2分の1以上の数が地方公共団体により保有されているものに限る。〕又は公益財団法人〔その設立当初に

第一章第二節《優良住宅地の造成等のための土地等を譲渡した場合の長期譲渡所得の課税の特例》

譲 渡 の 区 分	添付すべき証明書類	発 行 者	根拠条項	備　　考
				おいて拠出をされた金額の2分の1以上の金額が地方公共団体により拠出をされているものに限る。〕であって、その定款において、その法人が解散した場合にその残余財産が地方公共団体又は当該法人と類似の目的をもつ他の公益を目的とする事業を行う法人に帰属する旨の定めがあるものに限る。) （6）　都市再生特別措置法第119条第4号に掲げる業務を行う同法第118条第1項に規定する都市再生推進法人(公益社団法人〔その社員総会における議決権の総数の2分の1以上の数が地方公共団体により保有されているものに限る。〕又は公益財団法人〔その設立当初において拠出をされた金額の2分の1以上の金額が地方公共団体により拠出をされているものに限る。〕であって、その定款において、その法人が解散した場合にその残余財産が地方公共団体又は当該法人と類似の目的をもつ他の公益を目的とする事業を行う法人に帰属する旨の定

—164—

第一章第二節《優良住宅地の造成等のための土地等を譲渡した場合の長期譲渡所得の課税の特例》

譲 渡 の 区 分	添付すべき証明書類	発 行 者	根拠条項	備　　考
				めがあるものに限る。）
②の2　土地開発公社に対する土地等（※1）の譲渡で、当該譲渡に係る土地等が独立行政法人都市再生機構が施行する事業（※2）の用に供されるもの	当該土地等を※1の（1）又は（2）に掲げる土地等の区分に応じそれぞれ※2に定める事業の用に供するために買い取った旨を証する書類（当該土地等の所在地の記載があるものに限る。）	土地等の買取りをする土地開発公社	措置法31条の2　2項2号の2 措置法規則13条の3　1項2号の2	※1　「土地等」とは、次に掲げる土地等をいう。 （1）　被災市街地復興特別措置法第5条第1項の規定により都市計画に定められた被災市街地復興推進地域内にある土地等 （2）　被災市街地復興特別措置法第21条に規定する住宅被災市町村の区域内にある土地等 ※2　「独立行政法人都市再生機構が施行する事業」とは、当該譲渡に係る土地等が、※1の（1）に掲げるものである場合には、被災市街地復興特別措置法による被災市街地復興土地区画整理事業をいい、※1の（2）に掲げるものである場合には、都市再開発法による第二種市街地再開発事業をいう。
③　収用交換等による土地等の譲渡（上記①～②の2に掲げる譲渡又は都市再開発法による市街地再開発事業の施行者である同法第50条の2第3項に規定する再開発会社に対する当該再開発会社の株主又は社員である個人の有する土地等の譲渡に該当するものを除く。）	措置法規則第14条第5項各号の区分に応じ当該各号に定める書類（具体的には「別表2　収用証明書の区分一覧表」（※）の内容欄参照）	「別表2　収用証明書の区分一覧表」（本書では別表1）の発行者欄参照	措置法31条の2　2項3号 措置法規則13条の3　1項3号	
④　都市再開発法による第一種市街地再開発事業の施行者に対する土地等の譲渡で、当該譲渡に係る土地等が当該事業の用に供されるもの（上記	第一種市街地再開発事業の用に供するために買い取った旨を	土地等の買取りをする第一種市街地再開発事業の施行	措置法31条の2　2項4号 措置法規則13条の3　1項	

第一章第二節《優良住宅地の造成等のための土地等を譲渡した場合の長期譲渡所得の課税の特例》

譲　渡　の　区　分	添付すべき証明書類	発行者	根拠条項	備　　　考
①～③に掲げる譲渡又は都市再開発法による市街地再開発事業の施行者である同法第50条の2第3項に規定する再開発会社に対する当該再開発会社の株主又は社員である個人の有する土地等の譲渡に該当するものを除く。)	証する書類	者	4号	
⑤　密集市街地における防災街区の整備の促進に関する法律による防災街区整備事業の施行者に対する土地等の譲渡で、当該譲渡に係る土地等が当該事業の用に供されるもの（①～③に掲げる土地等の譲渡又は密集市街地における防災街区の整備の促進に関する法律による防災街区整備事業の施行者である同法第165条第3項に規定する事業会社に対する当該事業会社の株主又は社員である個人の有する土地等の譲渡に該当するものを除く。)	防災街区整備事業の用に供するために買い取った旨を証する書類	土地等の買取りをする防災街区整備事業の施行者	措置法31条の2　2項5号措置法令20条の2　4項措置法規則13条の3　1項5号	
⑥　密集市街地における防災街区の整備の促進に関する法律第3条第1項第1号に規定する防災再開発促進地区の区域内における同法第8条に規定する認定建替計画（※）に係る建築物の建替えを行う事業の同法第7条第1項に規定する認定事業者に対する土地等の譲渡で、当該譲渡に係る土地等が当該事業の用に供されるもの（②～⑤までに掲げる譲渡又は密集市街地における防災街区の整備の促進に関する法律第7条第1項に規定する認定事業者である法人に対する当該法人の株主又は社員である個人の有する土地等の譲渡を除く。)	(イ)　認定建替計画が※の要件を満たすものである旨を証する書類の写し (ロ)　認定建替計画に係る建築物の建替えを行う事業の用に供するために買い取った旨を証する書類	所管行政庁（建築主事を置く市町村の区域については市町村長をいい、その他の市町村の区域については都道府県知事をいう。)土地等の買取りをする者	措置法31条の2　2項6号措置法令20条の2　5項、6項措置法規則13条の3　1項6号	※　特例の対象となる「認定建替計画」は、次の（1）及び（2）(密集市街地における防災街区の整備の促進に関する法律第8条に規定する認定建替計画（以下⑥において「認定建替計画」という。)に定められた同法第4条第4項第1号に規定する建替事業区域（（2）において「建替事業区域」という。)の周辺の区域からの避難に利用可能な通路を確保する場合にあっては（1）及び（3）)に掲げる要件を満たすものに限る。(1)　認定建替計画に定められた新築する建築物の敷地面積がそれぞれ100

－166－

第一章第二節《優良住宅地の造成等のための土地等を譲渡した場合の長期譲渡所得の課税の特例》

譲 渡 の 区 分	添付すべき証明書類	発 行 者	根拠条項	備　　考
				㎡以上であり、かつ、当該敷地面積の合計が500㎡以上であること。 （2）　認定建替計画に定められた建替事業区域内に密集市街地における防災街区の整備の促進に関する法律第2条第10号に規定する公共施設（道路、公園、緑地、広場その他の公共空地（公園を除く。）並びに下水道、河川、運河、水路及び消防の用に供する貯水施設）が確保されていること。 （3）　その確保する通路が次に掲げる要件を満たすこと。 イ　密集市街地における防災街区の整備の促進に関する法律第289条第4項の認可を受けた同条第1項に規定する避難経路協定(その避難経路協定を締結した同項に規定する土地所有者等に地方公共団体が含まれているものに限る。）において同項に規定する避難経路として定められていること。 ロ　幅員4ｍ以上のものであること。

第一章第二節《優良住宅地の造成等のための土地等を譲渡した場合の長期譲渡所得の課税の特例》

譲　渡　の　区　分	添付すべき証明書類	発 行 者	根拠条項	備　　　考
⑦　都市再生特別措置法第25条に規定する都市再生事業（※）の同法第23条に規定する認定事業者（当該認定計画に定めるところにより当該認定事業者と当該区域内の土地等の取得に関する協定を締結した独立行政法人都市再生機構を含む。）に対する土地等の譲渡で、当該譲渡に係る土地等が当該都市再生事業の用に供されるもの（②～⑥に掲げる譲渡に該当するものを除く。）	（イ）都市再生事業が都市再生特別措置法（平成14年法律第22号）第25条に規定する認定事業である旨を証する書類の写し （ロ）都市再生事業が特例の対象となる※の（1）～（3）に掲げる要件を満たすものである旨を証する書類の写し （ハ）都市再生事業の用に供するために買い取った旨を証する書類（土地等の買取りをする者が独立行政法人都市再生機構である場合には、当該書類及び協定に基づき買い取った旨を証する書類）	国土交通大臣 国土交通大臣 土地等の買取りをする者	措置法31条の2　2項7号 措置法令20条の2　7項 措置法規則13条の3　1項7号、3項	※　特例の対象となる「都市再生事業」は次に掲げる要件を満たすものに限る。 （1）その事業に係る認定計画において建築面積が1,500㎡以上である建築物の建築をすることが定められていること。 （2）その事業の施行される土地の区域の面積が1ha（当該区域が含まれる都市再生特別措置法第2条第3項に規定する都市再生緊急整備地域内において当該区域に隣接し、又は近接してこれと一体的に他の同条第1項に規定する都市開発事業（当該都市再生緊急整備地域内に係る同法第15条第1項に規定する地域整備方針に定められた都市機能の増進を主たる目的とするものに限る。）が施行され、又は施行されることが確実であると見込まれ、かつ、当該区域及び当該他の都市開発事業の施行される土地の区域の面積の合計が1ha以上となる場合には0.5ha以上）であること。 （3）都市再生特別措置法第2条第2

第一章第二節《優良住宅地の造成等のための土地等を譲渡した場合の長期譲渡所得の課税の特例》

譲　渡　の　区　分	添付すべき証明書類	発　行　者	根拠条項	備　　考
				項に規定する公共施設（道路、公園、広場、下水道、緑地、河川、運河及び水路並びに防水、防砂又は防潮の施設並びに港湾における水域施設、外郭施設及び係留施設）の整備がされること。
⑧　国家戦略特別区域法（平成25年法律第107号）第11条第1項に規定する認定区域計画に定められている同法第2条第2項に規定する特定事業又は当該特定事業の実施に伴い必要となる施設を整備する事業（※）を行う者に対する土地等の譲渡で、当該譲渡に係る土地等がこれらの事業の用に供されるもの（②～⑦に掲げる譲渡に該当するものを除く。）	（イ）　特定事業が国家戦略特別区域法第11条第1項に規定する認定区域計画に定められている旨を証する書類の写し	国家戦略特別区域担当大臣	措置法31条の2　2項8号措置法規則13条の3　1項8号・4項	※　特例の対象となる「特定事業又は当該特定事業の実施に伴い必要となる施設を整備する事業」は、産業の国際競争力の強化又は国際的な経済活動の拠点の形成に特に資するものとして国家戦略特別区域法施行規則第12条各号に掲げる要件の全てを満たす事業に限る。
	（ロ）　特定事業又は当該特定事業の実施に伴い必要となる施設を整備する事業が国家戦略特別区域法施行規則（平成26年内閣府令第20号）第12条各号に掲げる要件の全てを満たすものである旨を証する書類の写し	国家戦略特別区域担当大臣		
	（ハ）　特定事業又は当該特定事業の実施に伴い必要となる施設を整備する事業の用に供するために買い取った旨を証する書類	土地等の買取りをする者		

－169－

第一章第二節《優良住宅地の造成等のための土地等を譲渡した場合の長期譲渡所得の課税の特例》

譲　渡　の　区　分	添付すべき証明書類	発　行　者	根拠条項	備　　考
⑨　所有者不明土地の利用の円滑化等に関する特別措置法（以下「所有者不明土地法」という。）（平成30年法律第49号）第13条第1項の規定により行われた裁定（※1）に係る所有者不明土地法第10条第2項の裁定申請書に記載された同項第2号の事業を行う当該裁定申請書に記載された同項第1号の事業者に対する次に掲げる土地等の譲渡（当該裁定後に行われるものに限る。）で、当該譲渡に係る土地等が当該事業の用に供されるもの（※2） （イ）　当該裁定申請書に記載された特定所有者不明土地（※3）又は当該特定所有者不明土地の上に存する権利 （ロ）　当該裁定申請書に添付された所有者不明土地法第10条第3項第1号に掲げる事業計画書の同号ハに掲げる計画に当該事業者が取得するものとして記載がされた特定所有者不明土地以外の土地又は当該土地の上に存する権利（当該裁定申請書に記載された当該事業が当該特定所有者不明土地以外の土地を上記（イ）に掲げる特定所有者不明土地と一体として使用する必要性が高い事業と認められない一定の事業（※4）に該当する場合における当該記載がされたものを除く。）	（イ）　当該裁定をした旨を所有者不明土地法第14条の規定により通知した文書の写し （ロ）　次に掲げる場合の区分に応じそれぞれ次に定める書類 　A　当該土地等が左の（イ）に掲げる土地等である場合 　（A）　所有者不明土地法第10条第2項の規定による提出をした当該裁定申請書（当該事業者及び当該事業並びに当該特定所有者不明土地の記載がされたものに限る。）の写し 　（B）　当該土地等を当該事業の用に供するために買い取った旨を証する書類 　B　当該土地等が左の（ロ）に掲げる土地等である場合	都道府県知事 土地等の買取りをする者 同　上	措置法31条の2　2項9号 措置法令20条の2　8項 措置法規則13条の3　1項9号	※1　所有者不明土地法第10条第1項第1号に掲げる権利に係るものとし、所有者不明土地法第18条の規定により失効したものを除く。 ※2　①から②の2まで又は④から⑧までに掲げる譲渡に該当するものを除く。 ※3　「特定所有者不明土地」とは、所有者不明土地法第10条第第2項第5号に規定する特定所有者不明土地をいう。 ※4　「一定の事業」とは、当該裁定申請書に記載された所有者不明土地法第10条第2項第2号の事業に係る同条第1項に規定する事業区域の面積が500㎡以上であり、かつ、当該裁定申請書に記載された特定所有者不明土地の面積の当該事業区域の面積に対する割合が4分の1未満である事業をいう。

第一章第二節《優良住宅地の造成等のための土地等を譲渡した場合の長期譲渡所得の課税の特例》

譲　渡　の　区　分	添付すべき証明書類	発　行　者	根拠条項	備　　考
	（A）　所有者不明土地法第10条第2項の規定による提出をした当該裁定申請書（当該事業者及び当該事業（※4の事業を除く。）の記載がされたものに限る。）の写し	土地等の買取りをする者		
	（B）　当該裁定申請書に添付された事業計画書（当該計画に当該事業者が当該土地等を取得するものとして記載がされたものに限る。）の写し	同　上		
	（C）　当該土地等を当該事業の用に供するために買い取った旨を証する書類	同　上		
⑩　マンションの建替え等の円滑化に関する法律（以下「マンション建替法」という。）（平成14年法律第78号）第15条第1項若しくは第64条第1項若しくは第3項の請求若しくはマンション建替法第56条第1項の申出に基づくマンション建替事業（※1）のマンション建替法第2条第1項第5号に規定する施行者に対する土地等の譲渡で、当該譲渡に係る土地等	当該マンション建替事業に係る施行再建マンション（※2）が措置法令第20条の2第9項に規定する国土交通大臣が財務大臣と協議して定める基準に適合	土地等の買取りをするマンション建替事業の施行者	措置法31条の2　2項10号措置法令20条の2　9項措置法規則13条の3　1項10号　イ	※1　「マンション建替事業」とは、マンション建替法第2条第1項第4号に規定するマンション建替法で定めるところに従って行われるマンションの建替えに関する事業及びこれに附帯する事業のうち、良好

－171－

第一章第二節《優良住宅地の造成等のための土地等を譲渡した場合の長期譲渡所得の課税の特例》

譲渡の区分	添付すべき証明書類	発行者	根拠条項	備考
が当該事業の用に供されるもの（⑥～⑨に掲げる譲渡に該当するものを除く。）	することにつき都道府県知事（市の区域内にあっては、当該市の長）の証明を受けた旨及び当該土地等を当該請求又は申出に基づき当該マンション建替事業の用に供するために買い取った旨を証する書類			な居住環境の確保に資するものとして、当該事業に係る施行再建マンションの住戸の規模及び構造が国土交通大臣が財務大臣と協議して定める基準に適合する場合に限られる。 ※2 「施行再建マンション」とは、マンション建替事業の施行により建築された再建マンションをいう。
⑩の2　施行マンション（※1）が一定の建築物（※2）に該当し、かつ、施行再建マンション（※3）の延べ面積が当該施行マンションの延べ面積以上であるマンション建替事業（※4）の施行者に対する土地等（※5）の譲渡で、当該譲渡に係る土地等が当該事業の用に供されるもの（⑥～⑨に掲げる譲渡に該当するものを除く。）	（イ）　一定の建築物（※2）に該当すること及びマンション建替事業（※4）に係る施行再建マンション（※3）が措置法令第20条の2第9項に規定する国土交通大臣が財務大臣と協議して定める基準に適合し、かつ、その延べ面積が当該施行マンションの延べ面積以上であることにつき都道府県知事（市の区域内にあっては、当該市の長）の証明を受けた旨を証する書類 （ロ）　当該隣接施行敷地に係る土地等を当	土地等の買取りをするマンション建替事業の施行者 土地等の買取りをするマンション建替事	措置法31条の2　2項10号 措置法令20条の2　9項・10項 措置法規則13条の3　1項10号	※1　「施行マンション」とは、マンション建替事業を施行する現に存するマンションをいう。 ※2　「一定の建築物」とは、建築基準法第3条第2項（同法第86条の9第1項において準用する場合を含む。）の規定により同法第3章（第3節及び第5節を除く。）の規定又はこれに基づく命令若しくは条例の規定の適用を受けない建築物（いわゆる既存不適格建築物）をいう。 ※3　「施行再建マンション」とは、上記⑩の※2と同様である。 ※4　「マンション建替事業」とは、上記⑩の※1と同様である。 ※5　「土地等」とはマンション建替法第11条第1項に規定する隣接施行敷地に係るものに限る。

第一章第二節《優良住宅地の造成等のための土地等を譲渡した場合の長期譲渡所得の課税の特例》

譲　渡　の　区　分	添付すべき証明書類	発　行　者	根拠条項	備　　考
	該マンション建替事業に係る当該施行再建マンションの敷地とするために買い取った旨を証する書類	業の施行者		
⑪　マンション建替法第124条第1項の請求に基づくマンション敷地売却事業（※）を実施する者に対する土地等の譲渡で、当該譲渡に係る土地等が当該事業の用に供されるもの	（イ）当該マンション敷地売却事業に係るマンション建替法第113条に規定する認定買受計画に※に掲げる事項のうちいずれかの事項（認定買受計画に風俗営業等の規制及び業務の適正化等に関する法律第2条第1項に規定する風俗営業又は同条第5項に規定する性風俗関連特殊営業の用に供する施設に関する事項と併せて記載がされたものを除く。）の記載があること及び当該記載がされた※の（1）のマンションが新たに建築されること又は当該記載がされた※の（2）若しくは（3）の施設が	土地等の買取りをするマンション敷地売却事業を実施する者	措置法31条の2　2項11号　措置法令20条の2　11項　措置法規則13条の3　1項11号・5項	※　「マンション敷地売却事業」とは、マンション建替法第2条第1項第9号に規定するマンション建替法で定めるところに従って行われるマンション敷地売却に関する事業のうち、当該事業に係るマンション建替法第113条に規定する認定買受計画に、次に掲げる事項のうちいずれかの事項（認定買受計画に風俗営業等の規制及び業務の適正化等に関する法律第2条第1項に規定する風俗営業又は同条第5項に規定する性風俗関連特殊営業の用に供する施設に関する事項と併せて記載がされたものを除く。）の記載があるものに限る。 （1）　マンション建替法第109条第1項に規定する決議特定要除却認定マンションを除却した後の土地（以下この項において「除却後の土地」という。）に新たに建築されるマンション建替法第2条第1項第

第一章第二節《優良住宅地の造成等のための土地等を譲渡した場合の長期譲渡所得の課税の特例》

譲 渡 の 区 分	添付すべき証明書類	発 行 者	根拠条項	備 考
	整備されることにつき都道府県知事（市の区域内にあっては、当該市の長）の証明を受けた旨を証する書類			1号に規定するマンション（良好な居住環境を備えたものとして、その住戸の規模及び構造が国土交通大臣が財務大臣と協議して定める基準に適合する場合に限る。）に関する事項
	（ロ）当該土地等をマンション建替法第124条第1項の請求に基づき当該マンション敷地売却事業の用に供するために買い取った旨を証する書類	土地等の買取りをするマンション敷地売却事業を実施する者		（2）除却後の土地において整備される道路、公園、広場、下水道、緑地、防水若しくは防砂の施設又は消防の用に供する貯水施設に関する事項
				（3）除却後の土地において整備される公営住宅法（昭和26年法律第193号）第36条第3号ただし書の社会福祉施設若しくは公共賃貸住宅又は地域における多様な需要に応じた公的賃貸住宅等の整備等に関する特別措置法（平成17年法律第79号）第6条第6項に規定する公共公益施設、特定優良賃貸住宅若しくは登録サービス付き高齢者向け住宅に関する事項
⑪の2　マンション敷地売却事業（※1）に係るマンション建替法第141条第1項の認可を受けた同項に規定する分配金取得計画（※2）に基づく、当該マンション敷地売却事業を実施する者に対する土地等の譲渡で、当該譲渡に係る土地等が当該	（イ）当該マンション敷地売却事業に係るマンション建替法第113条に規定する認定買受計画に	土地等の買取りをするマンション敷地売却事業を実施する者	措置法31条の2　2項11号措置法令20条の2　11項措置法規則13条の3　1項11号・5項	※1　「マンション敷地売却事業」とは、上記⑪の※と同様である。※2　「分配金取得計画」が、マンション建替法第145条において準用するマンション

-174-

第一章第二節《優良住宅地の造成等のための土地等を譲渡した場合の長期譲渡所得の課税の特例》

譲　渡　の　区　分	添付すべき証明書類	発　行　者	根拠条項	備　　考
事業の用に供されるもの	上記⑪の※に掲げる事項のうちいずれかの事項（認定買受計画に風俗営業等の規制及び業務の適正化等に関する法律第2条第1項に規定する風俗営業又は同条第5項に規定する性風俗関連特殊営業の用に供する施設に関する事項と併せて記載がされたものを除く。）の記載があること及び当該記載がされた上記⑪の※の（1）のマンションが新たに建築されること又は当該記載がされた上記⑪の※の（2）若しくは（3）の施設が整備されることにつき都道府県知事(市の区域内にあっては、当該市の長)の証明を受けた旨を証する書類 （ロ）　当該土地等をマンション建替法第141条第1項の認可を受けた同項に規定	土地等の買取りをするマンション敷地売却事業を実施する者		建替法第141条第1項の規定により当該分配金取得計画の変更に係る認可を受けた場合には、その変更後のものをいう。

－175－

第一章第二節《優良住宅地の造成等のための土地等を譲渡した場合の長期譲渡所得の課税の特例》

譲 渡 の 区 分	添付すべき証明書類	発 行 者	根 拠 条 項	備 考
	する分配金取得計画に基づき当該マンション敷地売却事業の用に供するために買い取った旨を証する書類			
⑫ 建築面積が、150㎡以上の建築物の建築をする事業であり、かつ、優良な建築物の建築をする事業（※１）を行う者に対する市街化区域等内（※２）の土地等の譲渡で、当該譲渡に係る土地等が当該事業の用に供されるもの（上記⑥〜⑩の２、下記⑬〜⑯に掲げる譲渡に該当するものを除く。）	（イ） 当該建築物が建築面積要件に該当するものである旨及び優良な建築物の建築をする事業としての要件を満たすものである旨を証する書類の写し （ロ） 当該土地等が市街化区域等内に所在し、かつ、当該土地等を当該事業の用に供する旨を証する書類	国土交通大臣 土地等の買取りをする者	措置法31条の２ ２項12号 措置法令20条の２ 12項・13項・14項 措置法規則13条の３ １項12号・６項	※１「優良な建築物の建築をする事業」とは、当該事業の施行地区の面積が500㎡以上で次に掲げる要件のいずれかを満たすものをいう。 （１）その事業の施行地区内において都市施設の用に供される土地が確保されていること （２）当該建築物に係る建築面積の敷地面積に対する割合が、建築基準法第53条第１項各号に掲げる建築物の区分に応じ同項に定める数値から10分の１を減じた数値以下であること （３）その事業の施行地区内の土地（借地権の設定されている土地を除く。）につき所有権を有する者又は当該施行地区内の土地につき借地権を有する者（区画された一の土地に係る所有権又は借地権が２以上の者により共有されている場合には、当該所有権を有する２以上の者又

—176—

第一章第二節《優良住宅地の造成等のための土地等を譲渡した場合の長期譲渡所得の課税の特例》

譲　渡　の　区　分	添付すべき証明書類	発　行　者	根拠条項	備　　考
				は当該借地権を有する2以上の者をそれぞれ一の者とみなしたときにおける当該所有権を有する者又は当該借地権を有する者)の数が2以上であること ※2　「市街化区域等内」とは、都市計画法第7条第1項の市街化区域と定められた区域又は区域区分に関する同法第4条第1項に規定する都市計画が定められていない同条第2項に規定する都市計画区域(以下「非線引都市計画区域」という。)のうち同法第8条第1項第1号に規定する用途地域が定められている区域をいう。
⑬　都市計画法第29条第1項の許可(同法第4条第2項に規定する都市計画区域のうち、一定の区域(※1)内において行われる同条第12項に規定する開発行為に係るものに限る。以下「開発許可」という。)を受けて次の要件を満たす住宅建設の用に供される一団の宅地の造成を行う個人又は法人(※2)に対する土地等の譲渡で、当該譲渡に係る土地等が当該一団の宅地の用に供されるもの(上記⑥～⑨又は⑫に掲げる譲渡に該当するものを除く。) (イ)　当該一団の宅地の面積が1,000㎡(開発許可を要する面積が1,000㎡未満である区域内の当該一団の宅地の面積については、都市計画法施行令第19条第2項の規定により読み替えて適用される同条第1項本文の規定の適用がある場合に	(イ)　当該一団の宅地の造成に係る都市計画法第30条第1項に規定する申請書の写し(当該造成に関する事業概要書及び設計説明書並びに当該一団の宅地の位置及び区域等を明らかにする地形図の添付のあるものに限る。) (ロ)　都市計画法第35条第2項の通知の文	土地等の買取りをする一団の宅地の造成を行う者 都道府県知事	措置法31条の2　2項13号 措置法令20条の2　15項・16項 措置法規則13条の3　1項13号	※1　「一定の区域」とは、次に掲げる区域をいう。 (1)　都市計画法第7条第1項の市街化区域と定められた区域 (2)　都市計画法第7条第1項の市街化調整区域と定められた区域 (3)　非線引都市計画区域のうち都市計画法第8条第1項第1号に規定する用途地域が定められている区域 ※2　「個人又は法人」について、都市計画法第44条又は第45条に

－177－

第一章第二節《優良住宅地の造成等のための土地等を譲渡した場合の長期譲渡所得の課税の特例》

譲渡の区分	添付すべき証明書類	発行者	根拠条項	備考
は、500㎡とし、同項ただし書（同条第2項の規定により読み替えて適用する場合を含む。）の規定により都道府県が条例を定めている場合には、当該条例で定める規模に相当する面積）以上のものであること （ロ）　当該一団の宅地の造成が当該開発許可の内容に適合して行われると認められるものであること	書の写し （ハ）　当該譲渡に係る土地等が上記（ロ）の通知に係る都市計画法第4条第13項に規定する開発区域内に所在し、かつ、※1の（1）～（3）に掲げる区域内に所在する旨及び当該土地等を当該一団の宅地の用に供する旨を証する書類	土地等の買取りをする一団の宅地の造成を行う者		規定する開発許可に基づく地位の承継があった場合には、当該「個人又は法人」は、当該承継に係る被承継人である個人若しくは法人又は当該地位を承継した個人若しくは法人とされる。
⑭　宅地の造成につき都市計画法第29条第1項の許可を要しない場合において次に掲げる要件を満たす住宅建設の用に供される一団の宅地の造成を行う個人（※1）又は法人（※2）に対する土地等の譲渡で、当該譲渡に係る土地等が当該一団の宅地の用に供されるもの（上記⑥～⑨に掲げる譲渡又は土地区画整理法による土地区画整理事業の施行者である同法第51条の9第5項に規定する区画整理会社に対する当該区画整理会社の株主又は社員である個人の有する土地等の譲渡に該当するものを除き、一団の宅地の造成が土地区画整理法による土地区画整理事業として行われる場合には、下記⑭の2を参照のこと。） （イ）　当該一団の宅地の面積が1,000㎡（都市計画法施行令第19条第2項の規定の適用を受ける区域にあっては、500㎡）以上のものであること （ロ）　都市計画法第4条第2項に規定する都市計画区域内において造成されるものであること （ハ）　当該一団の宅地の造成が、都	（イ）　優良宅地認定申請書の写し（当該造成に関する事業概要書及び設計説明書並びに当該一団の宅地の位置及び区域等を明らかにする地形図の添付のあるものに限る。） （ロ）　優良宅地認定申請書に基づき認定をしたことを証する書類の写し （ハ）　当該譲渡に係る土地等が都市計画法第4条第2項に規定する都市計画区域内に所在し、か つ、当該土地	土地等の買取りをする一団の宅地の造成を行う者 都道府県知事 土地等の買取りをする一団の宅地の造成を行う者	措置法31条の2　2項14号 措置法令20条の2　17項～19項 措置法規則13条の3　1項14号・2項	※1　当該造成を行う個人の死亡により当該造成に関する事業を承継した当該個人の相続人又は包括受遺者が当該造成を行う場合には、当該「個人」は、その死亡した個人又は当該相続人若しくは包括受遺者とされる。 ※2　当該造成を行う法人の合併による消滅により当該造成に関する事業を引き継いだ当該合併に係る法人税法第2条第12号に規定する合併法人が当該造成を行う場合には、当該「法人」は、当該合併により消滅した法人又は当該合併法人とし、当該造成を行う法人の分割により当該造成に関する事業を引き継いだ当該分割に係る同

第一章第二節《優良住宅地の造成等のための土地等を譲渡した場合の長期譲渡所得の課税の特例》

譲 渡 の 区 分	添付すべき証明書類	発 行 者	根拠条項	備　　考
道府県知事の優良宅地認定（※3）を受けて行われ、かつ、当該認定の内容に適合して行われると認められるものであること	等を当該一団の宅地の用に供する旨を証する書類 （ニ）　当該一団の宅地の造成が当該優良宅地認定の内容に適合している旨を証する書類の写し（※4）	都道府県知事		条第12号の3に規定する分割承継法人が当該造成を行う場合には当該分割をした法人又は当該分割承継法人とする。 ※3　都道府県知事の優良宅地認定は、住宅建設の用に供される一団の宅地の造成を行う個人又は法人の申請に基づき、当該一団の宅地の造成の内容が次に掲げる事項について国土交通大臣の定める基準（昭和54年3月31日付建設省告示第767号参照）に適合している場合に行われる。 （1）　宅地の用途に関する事項 （2）　宅地としての安全性に関する事項 （3）　給水施設、排水施設その他住宅建設の用に供される宅地に必要な施設に関する事項 （4）　その他住宅建設の用に供される優良な宅地の供給に関し必要な事項 ※4　「都道府県知事の認定の内容に適合している旨を証する書類の写し」は、土地等の買取りをする者から、一団の宅地の造成を優良宅地認定申請書の内容に適合して行う旨及び当該申請書に基づく都道府県知事の認定の内容に

－179－

第一章第二節《優良住宅地の造成等のための土地等を譲渡した場合の長期譲渡所得の課税の特例》

譲　渡　の　区　分	添付すべき証明書類	発行者	根拠条項	備　　考
				適合している旨を証する書類の交付を受けたときは遅滞なく当該書類の写しを提出する旨を約する書類が当該造成に関する事業に係る事務所、事業所等の所在地の所轄税務署長に提出されている場合には、当該提出された書類の写しとすることができる。
⑭の2　上記⑭の住宅建設の用に供される一団の宅地の造成が土地区画整理法による土地区画整理事業として行われる場合の同法第2条第3項に規定する施行者又は同法第25条第1項に規定する組合員である個人又は法人に対する土地等の譲渡で、当該譲渡に係る土地等が当該一団の宅地の用に供されるもののうち次に掲げる要件を満たすもの （イ）　当該一団の宅地が当該土地区画整理事業の土地区画整理法第2条第4項に規定する施行地区内に所在すること （ロ）　当該譲渡に係る土地等が当該土地等の買取りをする者の有する当該施行地区内にある土地と併せて一団の土地に該当すること	（イ）　上記⑭の（イ）の書類 （ロ）　上記⑭の（ロ）の書類 （ハ）　上記⑭の（ハ）の内容に加えて、当該一団の宅地が当該土地区画整理事業の土地区画整理法第2条第4項に規定する施行地区内に所在し、かつ、当該譲渡に係る土地等が当該土地等の買取りをする者の有する当該施行地区内にある土地と併せて一団の土地に該当することとなる旨を証する書類 （ニ）　土地区画整理法第4条第1項、第14条第1項若し	土地等の買取りをする一団の宅地の造成を行う者 都道府県知事 土地等の買取りをする一団の宅地の造成をする者 都道府県知事	措置法31条の2　2項14号 措置法令20条の2　17項～19項 措置法規則13条の3　1項14号	

-180-

第一章第二節《優良住宅地の造成等のための土地等を譲渡した場合の長期譲渡所得の課税の特例》

譲　渡　の　区　分	添付すべき証明書類	発　行　者	根拠条項	備　　考
	くは第3項又は第51条の2第1項の規定による認可をしたことを証する書類の写し			
⑮　次に掲げる要件を満たす一団の住宅又は中高層の耐火共同住宅の建設を行う個人（※1）又は法人（※2）に対する土地等の譲渡で、当該譲渡に係る土地等が当該一団の住宅又は中高層の耐火共同住宅の用に供されるもの（上記⑥〜⑩の2又は⑬〜⑭の2に掲げる譲渡に該当するものを除く。） （イ）　一団の住宅　建設される住宅の戸数が25戸以上のものであること （ロ）　中高層の耐火共同住宅 　A　住居の用途に供する独立部分が15以上のものであること又は床面積が1,000㎡以上のものであること 　B　耐火建築物又は準耐火建築物に該当するものであること 　C　地上階数3以上の建築物であること 　D　当該建築物の床面積の4分の3以上に相当する部分が専ら居住の用（当該居住の用に供される部分に係る廊下、階段その他その共用に供されるべき部分を含む。）に供されるものであること 　E　住居の用途に供する独立部分の床面積が200㎡以下で、かつ、50㎡以上（寄宿舎にあっては18㎡以上）であること （ハ）　都市計画法第4条第2項に規定する都市計画区域内において建設されるものであること （ニ）　都道府県知事（当該中高層の耐火共同住宅の用に供される土地の面積が1,000㎡未満のものにあ	（イ）　優良住宅認定申請書の写し（当該建設に関する事業概要書（中高層の耐火共同住宅にあっては、当該事業概要書及び各階平面図）並びに当該建設を行う場所及び区域等を明らかにする地形図の添付のあるものに限る。） （ロ）　優良住宅認定をしたことを証する書類の写し （ハ）　当該譲渡に係る土地等が都市計画法第4条第2項に規定する都市計画区域内に所在し、かつ、当該土地等を当該一団の住宅又は中高層の耐火共同住宅の用に供する旨を証する書類 （ニ）　当該一団の住宅又は中高層の耐火共	土地等の買取りをする一団の住宅又は中高層の耐火共同住宅の建設を行う者 都道府県知事又は市町村長 土地等の買取りをする一団の住宅又は中高層の耐火共同住宅の建設を行う者 検査実施者	措置法31条の2　2項15号 措置法令20条の2　20項・21項 措置法規則13条の3　1項15号・2項・7項	※1　当該建設を行う個人の死亡により当該建設に関する事業を承継した当該個人の相続人又は包括受遺者が当該建設を行う場合には、当該「個人」は、当該死亡した個人又は当該相続人若しくは包括受遺者とされる。 ※2　当該建設を行う法人の合併による消滅により当該建設に関する事業を引き継いだ当該合併に係る法人税法第2条第12号に規定する合併法人が当該建設を行う場合には、当該「法人」は、当該合併により消滅した法人又は当該合併法人とし、当該建設を行う法人の分割により当該建設に関する事業を引き継いだ当該分割に係る同条第12号の3に規定する分割承継法人が当該建設を行う場合には当該分割をした法人又は当該分割承継法人とする。 ※3　都道府県知事等の優良住宅認定は、一団の住宅又は中高層の耐火共同住宅の建設を行う個人又は法

—181—

第一章第二節《優良住宅地の造成等のための土地等を譲渡した場合の長期譲渡所得の課税の特例》

譲 渡 の 区 分	添付すべき証明書類	発 行 者	根拠条項	備 考
っては、市町村長）の優良住宅認定（※３）を受けたものであること	同住宅に係る建築基準法第７条第５項《建築物に関する完了検査》に規定する検査済証の写し（※４）			人の申請に基づいて、当該一団の住宅又は中高層の耐火共同住宅が次に掲げる事項について国土交通大臣の定める基準（昭和54年３月31日付建設省告示第768号参照）に適合している場合に行われる。 （１）　建築基準法その他住宅の建築に関する法令の遵守に関する事項 （２）　住宅の床面積に関する事項 （３）　その他優良な住宅の供給に関し必要な事項 ※４　「検査済証の写し」は、土地等の買取りをする者から、一団の住宅又は中高層の耐火共同住宅の建設を優良住宅認定申請書の内容に適合して行う旨及び当該検査済証の交付を受けたときは遅滞なく当該検査済証の写しを提出する旨を約する書類が当該建設に関する事業に係る事務所、事業所等の所在地の所轄税務署長に提出されている場合には当該提出された書類の写しとすることができる。
⑯　次に掲げる要件を満たす住宅又は中高層の耐火共同住宅の建設を行う個人又は法人（※）に対する土地等（土地区画整理法第98条第１項《仮換地の指定》の規定による仮換地の指定（仮に使用又は収益をすること	（イ）　当該住宅又は中高層の耐火共同住宅の建設に係る建築基準法第６条第１項《建	土地等の買取りをする住宅又は中高層の耐火共同住宅の建設を行う者	措置法31条の２　２項16号 措置法令20条の２　22項 措置法規則13条の３　１項	※　「個人」又は「法人」は、上記⑮の※１又は※２と同様である。

－182－

第一章第二節《優良住宅地の造成等のための土地等を譲渡した場合の長期譲渡所得の課税の特例》

譲渡の区分	添付すべき証明書類	発行者	根拠条項	備考
ができる権利の目的となるべき土地又はその部分の指定を含む。以下同じ。）がされたものに限る。）の譲渡のうち、その譲渡が当該指定の効力発生の日（同法第99条第2項《仮換地の指定の効果》の規定により使用又は収益を開始することができる日が定められている場合には、その日）から3年を経過する日の属する年の12月31日までの間に行われるもので、当該譲渡をした土地等につき仮換地の指定がされた土地等が当該住宅又は中高層の耐火共同住宅の用に供されるもの（上記⑥〜⑩の2又は⑬〜⑮に掲げる譲渡に該当するものを除く。） （イ）住宅 　A　その建設される一の住宅の床面積が200㎡以下で、かつ、50㎡以上のものであること 　B　その建設される一の住宅の用に供される土地等の面積が500㎡以下で、かつ、100㎡以上のものであること （ロ）中高層の耐火共同住宅 　A　床面積が500㎡以上のものであること 　B　上記⑭の（ロ）のB〜Eの要件を満たすものであること （ハ）住宅又は中高層の耐火共同住宅が建築基準法その他住宅の建築に関する法令に適合するものであると認められること	築物の建築等に関する申請及び確認》に規定する確認の申請書の写し（当該建設に関する事業概要書及び当該建設を行う場所及び区域等を明らかにする地形図の添付のあるものに限る。） （ロ）当該譲渡に係る土地等につき仮換地が指定された土地等を当該住宅又は中高層の耐火共同住宅の用に供する旨を証する書類 （ハ）当該住宅又は中高層の耐火共同住宅に係る建築基準法第7条第5項に規定する検査済証の写し （ニ）当該譲渡に係る土地等につき土地区画整理法第98条第5項又は第6項の規定により通知（同法第99条第2項の規定による通知を含む。）を受けた文書の写し	 同　上 検査実施者 土地区画整理事業の施行者	16号	

—183—

第一章第二節《優良住宅地の造成等のための土地等を譲渡した場合の長期譲渡所得の課税の特例》

2 確定優良住宅地等予定地のための譲渡（措置法第31条の2第3項関係）

（1） 確定優良住宅地等予定地の対象となる譲渡

区　　　分	添付すべき証明書類	発 行 者	備　　　考
① 特例期間（譲渡の日から2年を経過する日の属する年の12月31日までの期間をいう。以下同じ。）内に表の1の⑬、⑭又は⑮に掲げる譲渡に該当することとなることが確実と認められるもの	（イ）　次に掲げる場合の区分に応じそれぞれ次に定める書類 　A　国土利用計画法第14条第1項の規定による許可を受けて当該土地等が買い取られる場合　当該許可に係る通知の文書の写し 　B　国土利用計画法第27条の4第1項（同法第27条の7第1項において準用する場合を含む。）の規定による届出をして当該土地等が買い取られる場合　当該届出につき国土利用計画法第27条の5第1項又は第27条の8第1項の勧告をしなかった旨を証する書類の写し （ロ）　上記（イ）に掲げる場合以外の場合　次に掲げる事項を認定したことを証する書類の写し 　A　土地等の買取りをする者の資力、信用、過去の事業実績等からみて当該土地等の買取りをする者の行う一団の宅地の造成又は一団の住宅若しくは中高層の耐火共同住宅の建設が完成すると認められること。 　B　一団の宅地の造成又は一団の住宅若しくは中高層の耐火共同住宅の建設が表の1の⑬若しくは⑭の造成又は⑮の建設に該当することとなると見込まれること。 （ハ）　一団の宅地の造成又は一団の住宅若しくは中高層の耐火共同住宅の建設に関する事業概要書及び当該土地等の所在地を明らかにする地形図 （ニ）　当該買い取った土地等を特例期間内に、表の1の⑬若しくは⑭の一団の宅地又は⑮の一団の住宅若しくは中高層の耐火共同住宅の用に供することを約する書類（既に所轄税務署長の承認を受けて所轄税務署長が認定した日の通知を受けている場合（下記②及び③において「認定日の通知を受けている場合」という。）には、当該通知に係る文書の写し（下記②及び③において「通知書の写し」という。））	都道府県知事 都道府県知事（指定都市にあっては、その長） 国土交通大臣 土地等の買取りをする者 同　上	
② 特例期間内に表の1の⑭の2に掲げる譲渡に該当することとなることが確実と認められるもの	（イ）　次に掲げる場合の区分に応じそれぞれ次に定める書類 　A　国土利用計画法第14条第1項の規定による許可を受けて当該土地等が買い取られる場合　当該許可に係る通知の文書の写し 　B　国土利用計画法第27条の4第1項（同法第27条の7第1項において準用する場合を含む。）の規定による届出をして当該土地等が買い取られる場合　当該届出につき国土利用計画法第27条の5第1項又は第27条の8第1項の勧告をしなかった旨を証する書類の写し （ロ）　次に掲げる事項を認定したことを証する書類の写し 　A　土地等の買取りをする者の資力、信用、過去の事業実績等からみて当該土地等の買取りをする者の行う一団の宅地の造成が完成すると認められること。 　B　一団の宅地の造成が表の1の⑭の2の造成に該当す	都道府県知事 都道府県知事（指定都市にあっては、その長） 国土交通大臣	※　「土地等の買取りをする者」には、土地区画整理事業の施行認可や土地区画整理組合の設立認可前において土地区画整理法第2条第3項に規定する施行者又は同法第25条第1項に規定す

-184-

第一章第二節《優良住宅地の造成等のための土地等を譲渡した場合の長期譲渡所得の課税の特例》

区　　　分	添付すべき証明書類	発 行 者	備　　　考
	ることとなると見込まれること。 （ハ）　一団の宅地の造成に関する事業概要書及び当該土地等の所在地を明らかにする地形図 （ニ）　当該買い取った土地等を特例期間内に、表の1の⑭の2の一団の宅地の用に供することを約する書類（認定日の通知を受けている場合には、通知書の写し）	土地等の買取りをする者（※） 同　上	る組合員となることが確実と認められる者が含まれる。
③　特例期間内に表の1の⑯に掲げる譲渡に該当することとなることが確実と認められるもの	（イ）　住宅又は中高層の耐火共同住宅の建設に関する事業概要書及び当該土地等の所在地を明らかにする地形図 （ロ）　当該買い取った土地等を特例期間内に、表の1の⑯の住宅又は中高層の耐火共同住宅の用に供することを約する書類（認定日の通知を受けている場合には、通知書の写し） （ハ）　当該譲渡に係る土地等につき土地区画整理法第98条第5項又は第6項の規定による通知（同法第99条第2項の規定による通知を含む。）を受けた文書の写し	土地等の買取りをする者 同　上 土地区画整理事業の施行者	

－185－

（2）　特例期間の延長が認められる場合

区　　　分		特例期間の延長が認められる事情	特例期間の延長期間	延長承認の手続
表の1の⑬の譲渡に該当することが確実と認められるもの	①　表の1の⑬の造成に関する事業のうち、当該造成に係る住宅建設の用に供される一団の宅地の面積が1ヘクタール以上のもの （※当該事業のうち一団の宅地の面積が5ヘクタール以上のものは、「大規模住宅地開発事業」に該当する。）	当該事業に係る都市計画法第32条第1項に規定する同意を得、同条第2項に規定する協議をするために要する期間が通常2年を超えると見込まれることにより、特例期間内に開発許可を受けることが困難であると認められるとして当該事業に係る事務所等の所在地の所轄税務署長（以下「所轄税務署長」という。）に承認を受けた事情	特例期間の末日から2年（大規模住宅地開発事業（※）のうち、一団の宅地の面積が10ヘクタール以上であるものにあっては、4年）を経過する日までの期間内の日で当該事業につき開発許可を受けることができると見込まれる日として所轄税務署長が認定した日の属する年の12月31日	当該事業を行う者が、所轄税務署長の承認を受けようとする場合には、譲渡の日から2年を経過する日の属する年の12月31日（②欄に掲げる事業にあっては、同欄の税務署長が認定した日の属する年の12月31日）の翌日から15日を経過する日までに、次の申請書を提出しなければならない。 （イ）　申請書記載事項 　A　申請者の氏名等 　B　特例期間の延長が認められる事由がある旨及び当該事由の詳細（②欄に掲げる事業の場合は、当初の延長期間に係る税務署長が認定した日を併せて記載する。） 　C　当該事業の着工予定年月日及び完成予定年月日 　D　開発許可を受けることができると見込まれる日及び税務署長の認定を受けようとする日 （ロ）　申請書に添付すべき書類 　A　都市計画法第30条第1項に規定する申請書に準じて作成した書類 　B　当該造成に関する事業概要書及び設計説明書並びに該当一団の宅地の位置及び区域等を明らかにする地形図
	②　上記①に掲げる事業で、同欄の所轄税務署長の承認（当該事業に係る最初の承認に限る。）を受けた事情があるもの	当該事業につき災害等の事情が生じたこと又は当該事業が大規模開発事業であることから、上記①に係る延長期間までに開発許可を受けることが困難になったと見込まれることにより所轄税務署長の承認を受けた事情	上記①の延長期間の末日から2年を経過する日までの日で当該事業につき開発許可を受けることができると見込まれる日として所轄税務署長が認定した日の属する年の12月31日	
	③　表の1の⑬の造成に関する事業で、上記②に掲げる事業以外の事業	当該事業につき災害等の事情が生じたため開発許可を受けるために要する期間が通常2年を超えることになると見込まれることにより特例期間内に開発許可を受けることが困難であると認められるとして所轄税務署長の承認を受けた事情	特例期間の末日から2年を経過する日までの期間内の日で当該事業につき開発許可を受けることができる日として所轄税務署長が認定した日の属する年の12月31日	
	④　表の1の⑬の造成に関する事業で、特定非常災害に基因するやむを得ない事情があるもの（上記①	当該事業につき特定非常災害により、特例期間（上記①～③により特例期間の延長が認められている場合には、当該延長後の特例期間。以下この項において同じ。）内	特例期間の末日から2年を経過する日までの期間内の日で当該事業につき開発許可を受	当該事業を行う者が、所轄税務署長の承認を受けようとする場合には、特例期間の末日の属する年の翌年1月15日までに、次の申請

第一章第二節《優良住宅地の造成等のための土地等を譲渡した場合の長期譲渡所得の課税の特例》

区　　分		特例期間の延長が認められる事情	特例期間の延長期間	延長承認の手続
	～③により特例期間の延長が認められている場合を含む。）	に開発許可を受けることが困難であると認められるとして所轄税務署長の承認を受けた事情	けることができると見込まれる日として所轄税務署長が認定した日の属する年の12月31日	書を提出しなければならない。 （イ）　申請書記載事項 　A　申請者の氏名等 　B　当該事業について、特定非常災害により特例期間内に開発許可を受けることが困難となった事情の詳細 　C　当該事業の完成予定年月日 　D　開発許可を受けることができると見込まれる日 　E　既に所轄税務署長の承認を受けたことがある場合には、その承認に係る所轄税務署長が認定した日 （ロ）　申請書に添付すべき書類 　A　都市計画法第30条第１項に規定する申請書に準じて作成した書類 　B　当該造成に関する事業概要書及び設計説明書並びに当該一団の宅地の面積、位置及び区域等を明らかにする地形図
表の１の⑭の譲渡に該当することが確実と認め	⑤　表の１の⑭の造成に関する事業	当該事業につき災害等の事情が生じたため優良宅地認定を受けるために要する期間が通常２年を超えることになると見込まれることにより特例期間内に優良宅地認定を受けることが困難であると認められるとして所轄税務署長の承認を受けた事情	特例期間の末日から２年を経過する日までの期間内の日で当該事業につき優良宅地認定を受けることができる日として所轄税務署長が認定した日の属する年の12月31日	当該事業を行う者が、所轄税務署長の承認を受けようとする場合には、譲渡の日から２年を経過する日の属する年の12月31日の翌日から15日を経過する日までに、次の申請書を提出しなければならない。 （イ）　申請書記載事項 　A　申請者の氏名等 　B　特例期間の延長が認められる事由がある旨及び当該事由の詳細 　C　当該事業の着工予定年月日及び完成予定年

第一章第二節《優良住宅地の造成等のための土地等を譲渡した場合の長期譲渡所得の課税の特例》

区　　　　分	特例期間の延長が認められる事情	特例期間の延長期間	延長承認の手続
られるもの			月日 　D　優良宅地認定を受けることができると見込まれる日及び税務署長の認定を受けようとする日 （ロ）　申請書に添付すべき書類 　A　優良宅地認定申請書に準じて作成した書類 　B　当該造成に関する事業概要書及び設計説明書並びに当該一団の宅地の位置及び区域等を明らかにする地形図
⑥　上記⑤に掲げる事業で、特定非常災害に基因するやむを得ない事情があるもの（上記⑤により特例期間の延長が認められている場合を含む。）	当該事業につき特定非常災害により、特例期間（上記⑤により特例期間の延長が認められている場合には、当該延長後の特例期間。以下この項において同じ。）内に優良宅地認定を受けることが困難であると認められるとして所轄税務署長の承認を受けた事情	特例期間の末日から２年を経過する日までの期間内の日で当該事業につき優良宅地認定を受けることができると見込まれる日として所轄税務署長が認定した日の属する年の12月31日	当該事業を行う者が、所轄税務署長の承認を受けようとする場合には、特例期間の末日の属する年の翌年１月15日までに、次の申請書を提出しなければならない。 （イ）　申請書記載事項 　A　申請者の氏名等 　B　当該事業について、特定非常災害により特例期間内に優良宅地認定を受けることが困難となった事情の詳細 　C　当該事業の完成予定年月日 　D　優良宅地認定を受けることができると見込まれる日 　E　既に所轄税務署長の承認を受けたことがある場合には、その承認に係る所轄税務署長が認定した日 （ロ）　申請書に添付すべき書類 　A　優良宅地認定申請書に準じて作成した書類 　B　当該造成に関する事業概要書及び設計説明

第一章第二節《優良住宅地の造成等のための土地等を譲渡した場合の長期譲渡所得の課税の特例》

区　　　分	特例期間の延長が認められる事情	特例期間の延長期間	延長承認の手続
			書並びに当該一団の宅地の面積、位置及び区域等を明らかにする地形図
⑦　表の1の⑭の2の造成に関する事業のうち、当該造成に係る住宅建設の用に供される一団の宅地の面積が1ヘクタール以上のもの ※当該事業のうち一団の宅地の面積が5ヘクタール以上のものは「大規模住宅地開発事業」に該当する。	当該事業に係る土地区画整理法第4条第1項、第14条第1項若しくは第3項又は第51条の2第1項の規定による認可を受けるために要する期間又は当該土地区画整理事業の施行に要する期間が通常2年を超えると見込まれることにより、特例期間内に開発許可を受けることが困難であると認められるとして当該事業に係る事務所等の所在地の所轄税務署長の承認を受けた事情	特例期間の末日から2年（大規模住宅地開発事業（※）のうち、一団の宅地の面積が10ヘクタール以上であるものにあっては、4年）を経過する日までの期間内の日で当該事業につき優良宅地認定を受けることができると見込まれる日として所轄税務署長が認定した日の属する年の12月31日	当該事業を行う者が、所轄税務署長の承認を受けようとする場合には、譲渡の日から2年を経過する日の属する年の12月31日（⑧欄に掲げる事業にあっては、同欄の税務署長が認定した日の属する年の12月31日）の翌日から15日を経過する日までに、次の申請書を提出しなければならない。 （イ）　申請書記載事項 　A　申請者の氏名等 　B　特例期間の延長が認められる事由がある旨及び当該事由の詳細（⑧欄に掲げる事業の場合は、当初の延長期間に係る税務署長が認定した日を併せて記載する。） 　C　当該事業の着工予定年月日及び完成予定年月日 　D　優良宅地認定を受けることができると見込まれる日及び税務署長の認定を受けようとする日 （ロ）　申請書に添付すべき書類 　A　優良宅地認定申請書に準じて作成した書類 　B　当該造成に関する事業概要書及び設計説明書並びに当該一団の宅地の位置及び区域等を明らかにする地形図
⑧　上記⑦に掲げる事業で、同欄の所轄税務署長の承認（当該事業に係る最初の承認に限る。）を受けた事情があるもの	当該事業につき災害等の事情が生じたこと又は当該事業が大規模開発事業であることから、上記⑦に係る延長期間までに優良宅地認定を受けることが困難になったと見込まれることにより所轄税務署長の承認を受けた事情	上記⑦の延長期間の末日から2年を経過する日までの期間内の日で当該事業につき優良宅地認定を受けることができると見込まれる日として所轄税務署長が認定した日の属する年の12月31日	
⑨　表の1の⑭の2の造成に関する事業で、上記⑧に掲げる事業以外の事業	当該事業につき災害等の事情が生じたため優良宅地認定を受けるために要する期間が通常2年を超えることになると見込まれることにより特例期間内に優良宅地認定を受けることが困難であると認められるとして所轄税務署長の承認を受けた事情	特例期間の末日から2年を経過する日までの期間内の日で当該事業につき優良宅地認定を受けることができる日として所轄税務署長が認定した日の属する年の12月31日	
⑩　表の1の⑭の2の造成に関する事業で、特定非常災害に	当該事業につき特定非常災害により、特例期間（上記⑦～⑨による特例期間の延長が認められてい	特例期間の末日から2年を経過する日までの期間内	当該事業を行う者が、所轄税務署長の承認を受けようとする場合には、特例期

—189—

第一章第二節《優良住宅地の造成等のための土地等を譲渡した場合の長期譲渡所得の課税の特例》

区　　　　分	特例期間の延長が認められる事情	特例期間の延長期間	延長承認の手続
基因するやむを得ない事情があるもの（上記⑦〜⑨により特例期間の延長が認められている場合を含む。）	る場合には、当該延長後の特例期間。以下この項において同じ。）内に優良宅地認定を受けることが困難であると認められるとして所轄税務署長の承認を受けた事情	の日で当該事業につき優良宅地認定を受けることができると見込まれる日として所轄税務署長が認定した日の属する年の12月31日	間の末日の属する年の翌年1月15日までに、次の申請書を提出しなければならない。 （イ）　申請書記載事項 　A　申請者の氏名等 　B　当該事業について、特定非常災害により特例期間内に優良宅地認定を受けることが困難となった事情の詳細 　C　当該事業の完成予定年月日 　D　優良宅地認定を受けることができると見込まれる日 　E　既に所轄税務署長の承認を受けたことがある場合には、その承認に係る所轄税務署長が認定した日 （ロ）　申請書に添付すべき書類 　A　優良宅地認定申請書に準じて作成した書類 　B　当該造成に関する事業概要書及び設計説明書並びに当該一団の宅地の位置及び区域等を明らかにする地形図
⑪　表の1の⑮の建設に関する事業のうち、その建設される一団の住宅の戸数又は中高層の耐火共同住宅の住居の用途に供する独立部分が50以上のもの	当該事業に係る一団の住宅又は中高層の耐火共同住宅の建設に要する期間が通常2年を超えると見込まれることにより、特例期間内に優良住宅認定を受けることが困難であると認められるとして当該事業に係る事務所等の所在地の所轄税務署長の承認を受けた事情	特例期間の末日から2年を経過する日までの期間内の日で当該事業につき優良住宅認定を受けることができると見込まれる日として所轄税務署長が認定した日の属する年の12月31日	当該事業を行う者が、所轄税務署長の承認を受けようとする場合には、譲渡の日から2年を経過する日の属する年の12月31日（⑫欄に掲げる事業にあっては、同欄の税務署長が認定した日の属する年の12月31日）の翌日から15日を経過する日までに、次の申請書を提出しなければならない。 （イ）　申請書記載事項 　A　申請者の氏名等 　B　特例期間の延長が認められる事由がある旨
⑫　上記⑪に掲げる事業で、同欄の所轄税務署長の承認（当該事業に係る最初の承	当該事業につき災害等の事情が生じたことから、上記⑪に係る延長期間までに優良住宅認定を受けることが困難になったと見込まれ	上記⑪の延長期間の末日から2年を経過する日までの期間内の日で当	

—190—

第一章第二節《優良住宅地の造成等のための土地等を譲渡した場合の長期譲渡所得の課税の特例》

区　　分	特例期間の延長が認められる事情	特例期間の延長期間	延長承認の手続
られるもの	認に限る。）を受けた事情があるもの	ることにより所轄税務署長の承認を受けた事情	該事業につき優良住宅認定を受けることができると見込まれる日として所轄税務署長が認定した日の属する年の12月31日	及び当該事由の詳細（⑫欄に掲げる事業の場合は、当初の延長期間に係る税務署長が認定した日を併せて記載する。） C　当該事業の着工予定年月日及び完成予定年月日 D　優良住宅認定を受けることができると見込まれる日及び税務署長の認定を受けようとする日 （ロ）申請書に添付すべき書類 A　優良住宅認定申請書に準じて作成した書類 B　当該建設に関する事業概要書並びに当該建設を行う場所及び区域等を明らかにする地形図（中高層の耐火共同住宅については、各階平面図を含む。）
	⑬　表の1の⑮の建設に関する事業で、上記⑫に掲げる事業以外の事業	当該事業につき災害等の事情が生じたため優良住宅認定を受けるために要する期間が通常2年を超えることになると見込まれることにより特例期間内に優良住宅認定を受けることが困難であると認められるとして所轄税務署長の承認を受けた事情	特例期間の末日から2年を経過する日までの期間内の日で当該事業につき優良住宅認定を受けることができる日として所轄税務署長が認定した日の属する年の12月31日	
	⑭　表の1の⑮の建設に関する事業で、特例非常災害に基因するやむを得ない事情があるもの（上記⑪～⑬により特定期間の延長が認められている場合を含む。）	当該事業につき特定非常災害により、特例期間（上記⑪～⑬により特例期間の延長が認められている場合には、当該延長後の特例期間。以下この項において同じ。）内に優良宅地認定を受けることが困難であると認められるとして所轄税務署長の承認を受けた事情	特例期間の末日から2年を経過する日までの期間内の日で当該事業につき優良宅地認定を受けることができると見込まれる日として所轄税務署長が認定した日の属する年の12月31日	当該事業を行う者が、所轄税務署長の承認を受けようとする場合には、特例期間の末日の属する年の翌年1月15日までに、次の申請書を提出しなければならない。 （イ）申請書記載事項 A　申請者の氏名等 B　当該事業について、特定非常災害により特例期間内に優良宅地認定を受けることが困難となった事情の詳細 C　当該事業の完成予定年月日 D　優良宅地認定を受けることができると見込まれる日 E　既に所轄税務署の

第一章第二節《優良住宅地の造成等のための土地等を譲渡した場合の長期譲渡所得の課税の特例》

区　　分		特例期間の延長が認められる事情	特例期間の延長期間	延長承認の手続
				承認を受けたことがある場合には、その承認に係る所轄税務署長が認定した日 (ロ)　申請書に添付すべき書類 　A　優良住宅認定申請書に準じて作成した書類 　B　当該建設に関する事業概要書並びに当該建設を行う場所及び区域等を明らかにする地形図（中高層の耐火共同住宅については、各階の平面図を含む。）
表の1の⑯の譲渡に該当することが確実と認められるもの	⑮　表の1の⑯の建設に関する事業	当該事業につき災害等の事情が生じたため建築基準法第7条第5項に規定する検査済証の交付を受けるために要する期間が通常2年を超えることになると見込まれることにより特例期間内に検査済証の交付を受けることが困難であると認められるとして所轄税務署長の承認を受けた事情	特例期間の末日から2年を経過する日までの期間内の日で当該事業につき検査済証の交付を受けることができる日として所轄税務署長が認定した日の属する年の12月31日	当該事業を行う者が、所轄税務署長の承認を受けようとする場合には、譲渡の日から2年を経過する日の属する年の12月31日の翌日から15日を経過する日までに、次の申請書を提出しなければならない。 (イ)　申請書記載事項 　A　申請者の氏名等 　B　特例期間の延長が認められる事由がある旨及び当該事由の詳細 　C　当該事業の着工予定年月日及び完成予定年月日 　D　検査済証の交付を受けることができると見込まれる日及び税務署長の認定を受けようとする日 (ロ)　申請書に添付すべき書類 　A　建築基準法第6条第1項に規定する確認の申請書に準じて作成した書類 　B　当該建設に関する事業概要書及び当該建設を行う場所及び区域等

第一章第二節《優良住宅地の造成等のための土地等を譲渡した場合の長期譲渡所得の課税の特例》

区　　　分	特例期間の延長が認められる事情	特例期間の延長期間	延長承認の手続
			を明らかにする地形図
⑯　上記⑮に掲げる事業で、特定非常災害に基因するやむを得ない事情があるもの（上記⑮により特例期間の延長が認められている場合を含む。）	当該事業につき特定非常災害により、特例期間（上記⑮により特例期間の延長が認められている場合には、当該延長後の特例期間。以下この項において同じ。）内に検査済証の交付を受けることが困難であると認められるとして所轄税務署長の承認を受けた事情	特例期間の末日から２年を経過する日までの期間内の日で当該事業につき検査済証の交付を受けることができると見込まれる日として所轄税務署長が認定した日の属する年の12月31日	当該事業を行う者が、所轄税務署長の承認を受けようとする場合には、特例期間の末日の属する年の翌年１月15日までに、次の申請書を提出しなければならない。 （イ）　申請書記載事項 　A　申請者の氏名等 　B　当該事業について、特定非常災害により特例期間内に検査済証の交付を受けることが困難となった事情の詳細 　C　当該事業の完成予定年月日 　D　検査済証の交付を受けることができると見込まれる日 　E　既に所轄税務署長の承認を受けたことがある場合には、その承認に係る所轄税務署長が認定した日 （ロ）　申請書に添付すべき書類 　A　建築基準法第６条第１項に規定する確認の申請書に準じて作成した書類 　B　当該建設に関する事業概要書及び当該建設を行う場所及び区域等を明らかにする地形図

第一章第二節《優良住宅地の造成等のための土地等を譲渡した場合の長期譲渡所得の課税の特例》

〔優良宅地認定申請関係様式〕……一覧表1の⑭及び⑭の2参照。

第1号様式　　　　　　　　　　優良宅地認定申請書

租税特別措置法 { 第28条の4第3項第5号イ及び同法第31条の2第2項第14号ハ / 第63条第3項第5号イ及び同法第31条の2第2項第14号ハ } の規定に基づき、優良な宅地（同法第31条の2第2項第14号ハに規定する宅地の造成にあっては住宅建設の用に供する優良な宅地）の供給に寄与するものであることの認定を申請します。

年　　　月　　　日

殿

　　　　※手数料

認定申請者住所

氏　名

造成宅地の概要		
1	宅地造成区域に含まれる地域の名称	
2	宅地造成区域を含む都市計画区域の名称	
3	宅地造成区域の面積	平方メートル
4	宅地の用途	
5	工事着手予定年月日	年　　月　　日
6	工事完了予定年月日	年　　月　　日
7	その他必要な事項	

※受付番号	年　　　月　　　日　　第　　　号
※認定番号	年　　　月　　　日　　第　　　号

備考1　※印のある欄は記載しないこと。
　　2　「その他必要な事項」の欄には、宅地造成を行うことについて、宅地造成等規制法その他の法令による許可、認可等を要する場合には、その手続の状況を記載すること。
　　3　認定申請に当たっては、申請文中当該認定の根拠となる条項以外の条項は抹消すること。
　　　　なお、申請が租税特別措置法第31条の2第2項第14号ハに基づくものでない場合には、申請文中「及び同法第31条の2第2項第14号ハ」及び（　）内を抹消するとともに造成宅地の概要欄中「2」については記載しないこと。

－194－

第一章第二節《優良住宅地の造成等のための土地等を譲渡した場合の長期譲渡所得の課税の特例》

第2号様式

認　定　書

第　　　　号

年　　月　　日

都道府県知事　　　　印

　　下記の宅地の造成は、租税特別措置法 $\left\{ \begin{array}{l} \text{第28条の４第３項第５号イ及び同法第31条の２第２項} \\ \text{第63条第３項第５号イ及び同法第31条の２第２項第14} \end{array} \right.$

$\left. \begin{array}{l} \text{第14号ハ} \\ \text{号ハ} \end{array} \right\}$ に規定する優良な宅地（同法第31条の２第２項第14号ハに規定する宅地の造成にあっ

ては住宅建設の用に供する優良な宅地）の供給に寄与するものであることについて認定したこと

を証する。

記

1　認定番号　　　年　月　日　第　　号
2　宅地造成区域に含まれる地域の名称
3　宅地造成区域を含む都市計画区域の名称
4　宅地造成区域の面積
5　宅地の用途
6　認定を受けた者の住所及び氏名

第一章第二節《優良住宅地の造成等のための土地等を譲渡した場合の長期譲渡所得の課税の特例》

第3号様式

優良宅地証明申請書

租税特別措置法 { 第28条の4第3項第5号イ及び同法第31条の2第2項第14号ハ / 第63条第3項第5号イ及び同法第31条の2第2項第14号ハ } の規定に基

づき、　　年　　月　　日付け認定番号第　　号の宅地造成につき、認定の内容に適合している旨の証明を申請します。

年　　　月　　　日

殿

証明申請者住所

氏　名

備考　証明申請に当たっては、申請文中当該証明の根拠となる条項以外の条項は抹消すること。
　　なお、申請が租税特別措置法第31条の2第2項第14号ハに基づくものでない場合には、申請文中「及び同法第31条の2第2項第14号ハ」を抹消すること。

第4号様式

証　明　書

第　　　　　　号
年　　月　　日

都道府県知事　　　　　印

　下記の宅地の造成は、　　　　年　　月　　日付け第　　号をもって認定した内容に適合していることを証する。

記

1　証明番号　　　年　　月　　日　　第　　号

2　宅地造成区域又は工区に含まれる地域の名称

3　宅地造成区域の面積

4　証明を受けた者の住所及び氏名

第一章第二節《優良住宅地の造成等のための土地等を譲渡した場合の長期譲渡所得の課税の特例》

〔**優良住宅認定申請関係様式**〕……一覧表1の⑮参照。

様式第1　　　　　　　　　　　優良住宅認定申請書

		※手数料欄
租税特別措置法 $\left\{\begin{array}{l}\text{第28条の4第3項第6号若しくは第7号ロ}\\ \text{第31条の2第2項第15号ニ}\\ \text{第63条第3項第6号若しくは第7号ロ}\end{array}\right\}$ の規定 に基づき、優良な住宅の供給に寄与する旨の認定を申請します。 　　　年　　月　　日 　　　　　　　　　殿 　　申請者住所 　　　氏　名		

住宅新築事業の概要	1　新築住宅の所在地及び名称	
	2　新築住宅の戸数（総戸数　　戸）	戸
	3　住宅の床面積	m²
	4　住宅の敷地面積	m²
	5　住宅の構造	
	6　住宅の建築費	万円/3.3m²
	7　都市計画区域の名称	
	8　中高層耐火共同住宅の階数	

摘要	

※受　付　欄	年　　月　　日　　第　　号
※認　定　欄	年　　月　　日　　第　　号

備考1　※のある欄は記載しないこと。
　　2　住宅が一棟の家屋の居住の用に供するために独立的に区分された一の部分である場合にあっては、住宅以外の部分も含めてそれぞれの独立部分について別紙1に記載し、住宅の床面積及び住宅の敷地面積の欄には、当該一棟の家屋の床面積及びその敷地面積を記載すること。また、新築住宅の総戸数の欄には、住宅以外の独立部分の数を含めた総戸数を記載すること。
　　3　住宅の構造の欄には、耐火、準耐火及びその他の区分を記載すること。
　　4　申請が租税特別措置法第31条の2第2項第15号ニの規定に基づくものでない場合には「7都市計画区域の名称」及び「8中高層耐火共同住宅の階数」の欄への記載は必要ない。また、同号ニの規定に基づくものであっても中高層の耐火共同住宅の申請でない場合は「8中高層耐火共同住宅の階数」の欄への記載は必要ない。
　　5　申請が租税特別措置法第31条の2第2項第15号ニの規定に基づく一団の住宅に係るものである場合にあっては、それぞれの住宅について別紙2に記載し、「1新築住宅の所在地及び名称」、「3住宅の床面積」及び「4住宅の敷地面積」の欄には当該一団の住宅の所在地及び名称、床面積の合計及び敷地面積を記載すること。また「5住宅の構造」及び「6住宅の建築費」の欄への記載は必要ない。
　　6　申請が、既に租税特別措置法第31条の2第2項第15号ニの規定に基づく認定を受けた住宅についての同法第28条の4第3項第6号若しくは第7号ロ又は第63条第3項第6号若しくは第7号ロの規定に基づく認定の申請である場合にあってはその旨並びに既に受けた認定の年月日及び番号を摘要欄に記載すること。
　　7　認定申請に当たっては、申請文中当該認定の根拠となる条項以外の条項は抹消すること。

−197−

第一章第二節《優良住宅地の造成等のための土地等を譲渡した場合の長期譲渡所得の課税の特例》

別紙1

番　号	床　　面　　積				備　　考
	専有部分の床面積		共用部分の床面積	計	
	居住の用に供する部分の床面積	居住の用に供する部分以外の部分の床面積			
	m²	m²	m²	m²	
計	m²	m²	m²	m²	

別紙2

住宅番号	住宅の所在地	住宅の戸数	住宅の床面積	住宅の敷地面積	住宅の構造	住宅の建築費
			m²	m²		万円/3.3m²
合計		戸	m²	m²		

備考　住宅が一棟の家屋の居住の用に供するために独立的に区分された一の部分である場合にあっては、それ
　　　ぞれの住宅について別紙1に記載し、住宅の床面積及び住宅の敷地面積の欄には、当該一棟の家屋の床面
　　　積及び敷地面積を記載すること。

第一章第二節《優良住宅地の造成等のための土地等を譲渡した場合の長期譲渡所得の課税の特例》

様式第2

認 定 済 証

第　　　　　号
年　　月　　日
都道府県知事　　　　印

下記の住宅の新築は、租税特別措置法 ｛ 第28条の4第3項第6号 / 第31条の2第2項第15号ニ / 第63条第3項第6号 ｝ に規定する優良な住宅の

供給に寄与するものとして認定したことを証明します。

1　認定番号　　年　月　日　第　　号
2　新築住宅の所在地及び名称
3　住宅の敷地の地番
4　住宅の床面積
5　認定を受けた者の住所
6　認定を受けた者の氏名又は名称

様式第3

認 定 済 証

第　　　　　号
年　　月　　日
市町村長又は特別区の区長　　　　印

下記の住宅の新築は、租税特別措置法 ｛ 第28条の4第3項第7号ロ / 第31条の2第2項第15号ニ / 第63条第3項第7号ロ ｝ に規定する優良な住宅の

供給に寄与するものとして認定したことを証明します。

1　認定番号　　年　月　日　第　　号
2　新築住宅の所在地及び名称
3　住宅の敷地の地番
4　住宅の床面積
5　認定を受けた者の住所
6　認定を受けた者の氏名又は名称

(注1) 認定済証の交付に当たっては、文中当該認定の根拠となる条項以外の条項は抹消すること。

(注2) 住宅が一棟の家屋の居住の用に供するために独立的に区分されたものの一部である場合は、当該一棟の家屋全体の床面積を「4住宅の床面積」の欄に記入すること。

(注3) 租税特別措置法第31条の2第2項第15号ニの規定に基づき、一団の住宅として認定した場合は、当該一団の住宅全体の床面積を「4住宅の床面積」の欄に記載すること。

第一章第二節《優良住宅地の造成等のための土地等を譲渡した場合の長期譲渡所得の課税の特例》

〔確定優良住宅地等予定地認定申請書〕……一覧表２の（１）参照。

確定優良住宅地等予定地に関する認定申請書

年　　月　　日

国土交通大臣　殿

住所（所在地）＿＿＿＿＿＿＿＿＿＿＿＿

氏名（名称及び

代表者の氏名）＿＿＿＿＿＿＿＿＿＿＿＿

連絡担当者　＿＿＿＿＿＿＿＿＿＿＿＿＿＿

電話番号　＿＿＿＿＿＿＿＿＿＿＿＿＿＿＿

　下記の事業につき租税特別措置法施行規則第13条の３第８項第１号イ（３）（ i ）及び（ ii ）若しくは第２号ロ（１）及び（２）又は第21条の19第９項第１号イ（３）（ i ）及び（ ii ）若しくは第２号ロ（１）及び（２）に該当する旨を認定願いたく申請申し上げます。

記

事業の概要	1　事業区域に含まれる地域の名称	
	2　事業区域の区分	（※市街化区域、市街化調整区域、非線引用途区域、非線引白地区域）
	3　事業の区分	（※住宅建設の用に供される一団の宅地造成事業、一団の住宅の建設事業又は中高層耐火共同住宅の建設事業）
	4　適用を予定する租税特別措置法の条項	租税特別措置法第（※31条の２第２項、62条の３第４項）第（※13、14、15）号
	5　事業区域の面積等	事業区域の面積　　　　　　　m²　｜住宅建設事業　　　　　　戸
	6　工事着手予定年月日　　　年　　月　　日	7　工事完了予定年月日　　　年　　月　　日
	8　その他必要な事項（中高層耐火建築物の建設事業のみ）	（※耐火構造、準耐火構造） 地上階数：　　　　　　　　　階 総床面積：　　　　　　　　　m² うち専ら居住の用に供される面積：　　　　　　　m² 専ら居住の用に供される面積が総床面積に占める割合：　　　　％ 寄宿舎その他の居住に係る独立部分の床面積：　　　　　　m²

＊受付番号及び年月日　　第　　号　　年　　月　　日　｜＊認定番号及び年月日　　第　　号　　年　　月　　日

　上記の事業は租税特別措置法施行規則第13条の３第８項第１号イ（３）（ i ）及び（ ii ）若しくは第２号ロ（１）及び（２）又は第21条の19 第９項第１号イ（３）（ i ）及び（ ii ）若しくは第２号ロ（１）及び（２）に該当すると認定したことを証する。

年　　月　　日

国土交通大臣　　　　印

　　＊　確定優良住宅地等予定地のための土地等の譲渡に係る課税の特例適用上の注意事項

確定優良住宅地等予定地のための土地等の譲渡に該当して課税の特例の適用を受けた者は、予定期間内に法令で定められた特定の証明書類を所轄税務署長に提出することにより課税の特例の適用が確定します。したがって、当該法定の証明書類が予定期間内に提出できない事情が生じた場合には課税の特例の適用は認められないことになりますので、個人の場合は予定期間経過後４月以内に所轄税務署長に修正申告書を提出して、法人の場合は予定期間の末日を含む事業年度の申告時に、不足分の税額を納付しなければなりません。どのような証明書類が必要であるかについては上記事業の施行者に御照会下さい。

−200−

第一章第二節《優良住宅地の造成等のための土地等を譲渡した場合の長期譲渡所得の課税の特例》

（注）1　＊のある欄には記載しないこと。

2　※のある欄においては、（　）内の該当する事項を〇で囲むこと。

それぞれの事業区域の区分が指す区域は以下のとおり。

市街化区域　　　：都市計画法第7条第1項の市街化区域

市街化調整区域：都市計画法第7条第1項の市街化調整区域と定められた区域

非線引用途区域：都市計画法第7条第1項に規定する区域区分に関する同法第4条第1項に規定する都市計画（以下「都市計画」という。）が定められていない同条第2項に規定する都市計画区域（以下「都市計画区域」という。）のうち、同法第8条第1項第1号に規定する用途地域が定められている区域

非線引白地区域：都市計画法第7条第1項に規定する区域区分に関する都市計画が定められていない都市計画区域のうち、同法第8条第1項第1号に規定する用途地域が定められていない区域

なお、令和5年4月1日以降に、開発許可を受けて行われる一団の宅地造成事業の用に供するために土地等を譲渡した場合は（租税特別措置法第31条の2第2項13号、第62条の3第4項第13号に規定する事業）、都市計画法第7条第1項に規定する区域区分に関する都市計画が定められていない都市計画区域であって、同法第8条第1項第1号に規定する用途地域が定められていない区域について、本特例の適用は認められない。

3　「事業区域に含まれる地域の名称」の記載に当たり、当該地域が都市計画法施行令第19条第2項の規定の適用を受ける区域内である場合には、その旨も併せて記載すること。

4　「事業の区分」欄には、「住宅建設の用に供される一団の宅地の造成事業」、「一団の住宅の建設事業」又は「中高層耐火共同住宅の建設事業」と記入すること。

5　「事業区域の面積等」の欄には事業区域の面積のほかに、住宅建設事業にあっては戸数（中高層耐火共同住宅の場合には住居の用に供する独立部分の数）を記入すること。

なお、当該事業が土地区画整理事業として行われる場合には、「事業区域の面積」の欄には、住宅建設の用に供される一団の宅地の造成に係る事業区域の面積を記入すること。

6　「その他必要な事項」の欄には、中高層耐火共同住宅の建設事業について、「耐火構造又は準耐火構造」の区分、「地上階数」、「建築物の床面積の合計、そのうち専ら居住の用に供される面積（居住の用に供される部分に係る廊下、階段及びその他その共用に供される部分を含む。）及び専ら居住の用に供される面積が建築物の床面積の合計に占める割合」及び「寄宿舎又はその他の住居に係る独立部分の床面積」を記入すること。

7　別紙Ⅰ・Ⅱの規定により作成された次の書類を添付すること。

(1) 預金残高証明書、融資証明書等の資金調達方法を証明する書類（別紙Ⅰ1(2)参照）

(2) 住民票又は商業登記簿謄本（別紙Ⅰ2(1) 参照）

(3) 宅地建物取引業の免許証の写し（別紙Ⅰ2(2) 参照）

(4) 過去3箇年の納税証明書（別紙Ⅰ2(5) 参照）

(5) 事業区域位置図（別紙Ⅱ(1) 参照）

(6) 事業区域図（別紙Ⅱ(2) 参照）

(7) 事業説明書（別紙Ⅱ(3)参照）

8　認定申請の審査には原則として、必要な審査資料の提出後、おおむね2か月の期間を要することに留意し、申請を行うこと。

第一章第二節《優良住宅地の造成等のための土地等を譲渡した場合の長期譲渡所得の課税の特例》

別紙 I　事業の実施可能性に関すること
　1　資力に関すること
　（1）　収支計画

項　　　　　　　　　目		金　　　　　額
収入	処　分　収　入	
	その　他　収　入	
	（　　　　　　　）	
	（　　　　　　　）	
	（　　　　　　　）	
	計	
支出	用　地　費	
	工　事　費	
	整　地　工　事　費	
	道　路　工　事　費	
	給　排　水　施　設　工　事　費	
	住　宅　建　築　工　事　費	
	附　帯　工　事　費	
	事　務　費	
	借　入　金　利　息	
	その　他　の　支　出	
	（　　　　　　　）	
	（　　　　　　　）	
	（　　　　　　　）	
	計	

　（注）1　「その他の収入」及び「その他の支出」欄については、項目を記入すること。
　　　　2　土地区画整理事業の場合は、「金額」欄を縦に2分し、左側に土地区画整理事業の資
　　　　　金計画を、右側に証明申請者の宅地分譲に係る収支計画を、区分してそれぞれ記入すること。

　（2）資金調達方法

項　　　　　　　目		金　　　　　額
自己資金	内　部　留　保	
	増　資	
	そ　の　他	
	計	
借入金	金融機関からの借入金	
	その他の借入金	
	計	
合　　　　　計		

　（注）1　（1）の収支計画の支出について資金調達方法を記入すること。
　　　　2　「金融機関からの借入金」には、借入金残高証明書又は融資証明書を添付すること。
　　　　3　「内部留保」及び「その他」については、その存在を証明するに足りる預金残高証明書を
　　　　　添付すること。

第一章第二節《優良住宅地の造成等のための土地等を譲渡した場合の長期譲渡所得の課税の特例》

2　信用に関すること
（1）住民票又は商業登記簿謄本

（2）宅地建物取引業の免許証の写し

（3）宅地建物取引業の経歴

期間＼種類	売　却			購　入			交　換		
	宅地	建物	宅地及び住宅	宅地	建物	宅地及び住宅	宅地	建物	宅地及び住宅
	件数及び価格	件数及び価格	件数及び価格	件数及び価格	件数及び価格	件数及び価格	件数及び価格	件数及び価格	件数及び価格
年　月　日から年　月　日までの1年間									
年　月　日から年　月　日までの1年間									
年　月　日から年　月　日までの1年間									

過去3年間における宅地建物取引業法第66条による免許取消の有無	有・無	（有の場合その理由）

（注）申請日前に終了した暦年又は事業年度を含む過去3年間について記入すること。

（4）営業の沿革

	創　　業	年　　　月　　　日
創業後の沿革		年　　　月　　　日
		年　　　月　　　日
		年　　　月　　　日
		年　　　月　　　日
		年　　　月　　　日
		年　　　月　　　日
		年　　　月　　　日
		年　　　月　　　日
		年　　　月　　　日

（注）1　「創業後の沿革」欄には商号又は名称の変更、組織の変更、合併又は分割、資本金額の変更、営業の休止、営業の再開、賞罰（行政処分等を含む。）等を記載すること。
　　　2　宅地造成事業又は住宅建設事業以外の事業を行っているときはその事業についての沿革を含むこと。
　　　3　業種の分類については法人企業統計調査（財務総合政策研究所）の業種分類表によること。

（5）納税状況（申請日前に終了した暦年又は事業年度を含む過去3年間の所得税額又は法人税額の納税証明書（その1））

第一章第二節《優良住宅地の造成等のための土地等を譲渡した場合の長期譲渡所得の課税の特例》

3　過去の事業実績に関すること

工事場所のある都道府県市町村名	事業の区分	面積又は戸数等	処分形態	着　工　年　月　日		総事業費	現　状
				完　成　又　は　完　成　予　定　年　月			
				年　　　月　　　日			
				年　　　月　　　日		千円	

（注）1　この票には、申請日前3年間の主な完成工事及び申請日前3年間に着工した主な未完成工事を1つ以上記入すること。
　　　2　「事業の区分」には「住宅建設の用に供される一団の宅地の造成事業」又は「一団の住宅の建設事業」若しくは「中高層耐火共同住宅の建設事業」のいずれかを記入すること。なお、業務代行方式による土地区画整理事業の場合はその旨記入すること。
　　　3　「面積又は戸数等」には、一団の宅地の造成事業にあっては面積を、その他の事業にあっては戸数又は独立部分の数を記入すること。
　　　4　「処分形態」には「更地分譲」、「建売分譲」、「更地分譲・建売分譲」等と記入すること。
　　　5　「現状」には「施工中」、「分譲中」、「分譲完了」等と記入すること。
　　　6　上記の事業について、必要に応じ現状を示す写真及び事業地付近の地図を添付すること。

別紙Ⅱ　事業の適格可能性に関すること
（1）事業区域位置図
　　　縮尺5万分の1以上の地形図で、当該事業の区域位置を明らかにしたもの（都市計画図を用いることが望ましい。）。

（2）事業区域図
　　　縮尺2千5百分の1以上の地形図で、次の事項を明らかにしたもの。
　　①当該事業区域の利用用途（宅地用地、公共施設用地（道路予定地、公園用地等）、公益的施設用地、その他の土地）及び面積・形状。
　　②事業区域を明らかにするのに必要な範囲内における都道府県界、市町村界、市町村の区域内の町又は字の境界、都市計画区域界、地域地区、土地の地番及び形状。
　　（注）土地区画整理事業の場合は、上記事業区域位置図及び事業区域図に土地区画整理事業の施行地区と証明申請者の宅地分譲地を区分して表示すること。

（3）事業説明書
　（イ）認定申請に係る事業の区域の土地の状況

番号	所　在		住居表示	所有者（権利関係者）	地　目		面　積		買収・買収未済の別及び買収年月日
	登　記　簿				登記簿	現　況	登記簿	実　測	
	町・字	地　番							
1 2							㎡	㎡	
計									

第一章第二節《優良住宅地の造成等のための土地等を譲渡した場合の長期譲渡所得の課税の特例》

（注）1　一筆ごとに記入すること。
　　　2　「所有者」の欄には地上権者等関係権利者がある場合には、関係権利者も記入すること。
　　　3　「地目」欄中「登記簿」の欄には登記簿上に記載されている田、畑、山林等の区分により記入すること。
　　　4　「地目」欄中「現況」の欄には土地の主たる現況地目を上記区分に準じて記入すること。また、宅地にあっては当該土地の上に存する建築物の種類（住宅、工場、倉庫等）を記入すること。
　　　5　「面積」欄中「実測」の欄には実測面積を記入すること。
　　　6　買収済の土地については、所在、所有者等について記載された他の書類がある場合には、その書類をもって、本資料の提出に代えることができる。
　　　7　買収未済の土地については、「所有者」の欄の記入を省略することができる。

（ロ）事業の進捗状況及び今後の見通し等
　　　①当該地区の選定理由

　　　②地方公共団体との協議の状況

　　　③地元住民との協議・合意形成状況

　　　④用地買収の進捗状況及び今後の見通し

　　　⑤造成（建設）する宅地（住宅）の概要

（注）中高層耐火共同住宅の建設事業については、（ハ）の住宅明細表を添付すること。

（ハ）次に掲げる事業を行う場合には事業説明書に以下に掲げる資料を添付すること。
　　　①開発許可を受けて一団の宅地を造成予定である場合には、開発許可に係る事前協議書類等
　　　②中高層耐火共同住宅の建設を行う予定である場合には、次の住宅明細表及び各戸の床面積を明らかにする書類

住宅明細表

住居番号	住　宅　の　床　面　積					備　考
	専　有　部　分　の　床　面　積		共　用　部　分　の　床　面　積		計	
	居住の用に供する部分の床面積	居住の用に供する部分以外の部分の床面積	居住の用に供する部分の床面積	居住の用に供する部分以外の部分の床面積		
	㎡	㎡	㎡	㎡	㎡	
計	① 　　　㎡	② 　　　㎡	③ 　　　㎡	④ 　　　㎡	⑤ 　　　㎡	

（注）1　共用部分の床面積の居住の用に供する部分、居住の用に供する部分以外の部分の配分は、専有面積の割合により按分して記入すること。
　　　2　備考の計の欄には（①＋③）/⑤の割合をパーセントで記入すること。

　　　③土地区画整理事業として一団の宅地を造成予定である場合には土地区画整理準備組合等地権者組織との業務代行契約に関する協定書

（注）この協定書の添付は、土地区画整理組合が施行する土地区画整理事業の施行地区内で行われる事業の場合に限り必要であること。

第一章第三節《居住用財産を譲渡した場合の長期譲渡所得の課税の特例》

第三節　居住用財産を譲渡した場合の長期譲渡所得の課税の特例

1　特例の内容

　この特例は、昭和63年に創設されたもので、同年4月1日以後行う長期保有の居住用財産（譲渡する年の1月1日における所有期間が10年を超えるものをいいます。）の譲渡による長期譲渡所得については、居住用財産の譲渡所得に係る特別控除額（3,000万円）を控除した残額について、2で述べる軽減税率を適用して税額計算をするという特例です（措法31の3①）。

　この制度は、②に掲げる他の課税特例の適用を受ける譲渡及び③に掲げる親族等の特別関係者に対する譲渡には適用されません。また、前年又は前々年においてこの制度の適用を受けている人についても適用されません。

①　居住用財産の範囲

　この特例の適用対象となる居住用財産とは、次のイからニまでに掲げるものをいいますが、その具体的取扱いは後述の（1）以下を参照してください（措法31の3②）。

イ	個人がその居住の用に供している家屋（その家屋のうちにその居住の用以外の用に供している部分があるときは、その居住の用に供している部分に限るものとし、その者がその居住の用に供している家屋を二以上有する場合には、これらの家屋のうち、その者が主としてその居住の用に供していると認められる一の家屋に限ります。）で日本国内にあるもの
ロ	イに掲げる家屋で居住の用に供さなくなったもの（居住の用に供されなくなった日から同日以後3年を経過する日の属する年の12月31日までの間に譲渡されるものに限ります。）
ハ	イ又はロに掲げる家屋及びその家屋の敷地の用に供されている土地等
ニ	イに掲げる家屋が災害により滅失した場合において、その家屋を引き続き所有していたとしたならば、その年1月1日において所有期間が10年を超えることとなる家屋の敷地の用に供されていた土地等（災害があった日から同日以後3年を経過する日の属する年の12月31日までの間に譲渡されたものに限ります。）

　（注1）　所有期間の計算は、第一節の1（135ページ）に述べた方法により行います。
　（注2）　既成市街地等内における特定民間再開発事業の施行に伴う居住用財産の譲渡で、やむを得ない理由により同事業により建設された建物等の一部を買換取得できない場合には、譲渡資産が所有期間10年未満の短期保有資産であっても本節の特例が適用できます（措法37の5⑤、第十二章第七節参照）。

②　この制度と重複適用できない他の課税の特例

　次の課税の特例の適用を受ける譲渡には、本節の特例は適用されません。

イ　特定の居住用財産の買換え及び交換の特例（措法36の2、36の5、第十章参照）
ロ　固定資産の交換の場合の譲渡所得の課税の特例（所法58、第二十章参照）
ハ　優良住宅地の造成等のために土地等を譲渡した場合の長期譲渡所得の課税の特例（措法31の2、第二節参照）
ニ　収用等に伴い代替資産を取得した場合の課税の特例（措法33、第四章第五節参照）
ホ　交換処分等に伴い資産を取得した場合の課税の特例（措法33の2、第四章第六節参照）
ヘ　換地処分等に伴い資産を取得した場合の課税の特例（措法33の3、第四章第七節参照）
ト　低未利用土地等を譲渡した場合の長期譲渡所得の特別控除（措法35の3、第八章参照）
チ　特定の事業用資産の買換え又は交換の特例（措法37、37の4、第十一章参照）
リ　既成市街地等内にある土地等の中高層耐火建築物建設のための買換え又は交換の特例（第十二章

－206－

第一章第三節《居住用財産を譲渡した場合の長期譲渡所得の課税の特例》

　　第七節（上記（**注２**））の特例を除きます。）（措法37の５、第十二章参照）

　ヌ　特定の交換分合により土地等を取得した場合の課税の特例（措法37の６、第十三章参照）

　ル　特定普通財産とその隣接する土地等の交換の場合の課税の特例（措法37の８、第十四章参照）

③　**この制度の適用のない譲渡先**

　　次に掲げる特別な関係にある者に対する譲渡は、本節の特例が適用されません（措令20の３①）。

　　なお、これらの特別な関係にある者に該当するかどうかは、その譲渡をした時において判定します。

　　ただし、その譲渡が次のロの「譲渡者とその家屋に居住をするもの」に対する譲渡に該当するかどうかは、その譲渡がされた後の状況により判定します（措通31の３－20）。

　イ　譲渡者の配偶者及び直系血族

　ロ　譲渡者の親族（イに掲げる者を除きます。以下ロにおいて同じです。）で譲渡者と生計を一にしているもの及び譲渡者の親族で①のイに掲げる家屋の譲渡がされた後譲渡者とその家屋に居住をする者

　ハ　譲渡者とまだ婚姻の届出をしていないが事実上婚姻と同様の事情にあるもの及びその者の親族でその者と生計を一にしているもの

　ニ　イからハまでに掲げる者及び譲渡者の使用人以外の者で譲渡者から受ける金銭その他の財産によって生計を維持しているもの及びその者の親族でその者と生計を一にしているもの

　ホ　譲渡者、譲渡者のイ又はロに掲げる親族、譲渡者の使用人若しくはその使用人の親族でその使用人と生計を一にしているもの又は譲渡者に係るハ又はニに掲げる者を判定の基礎となる所得税法第２条第１項第８号の２に規定する株主等とした場合に法人税法施行令第４条第２項に規定する特殊の関係その他これに準ずる関係のあることとなる会社その他の法人

　（**注１**）　ロ～ホの「生計を一にしているもの」とは、必ずしも同一の家屋に起居していることをいうのではなく、次のような場合には、それぞれ次によります（措通31の３－21、所基通２－47）。

　　　　イ　勤務、修学、療養等の都合上他の親族と日常の起居を共にしていない親族がいる場合であっても、次に掲げる場合に該当するときは、これらの親族は生計を一にするものとされます。

　　　　　（イ）　他の親族と日常の起居を共にしていない親族が、勤務、修学等の余暇には他の親族のもとで起居を共にすることを常例としている場合

　　　　　（ロ）　これらの親族間において、常に生活費、学資金、療養費等の送金が行われている場合

　　　　ロ　親族が同一の家屋に起居している場合には、明らかに互いに独立した生活を営んでいると認められる場合を除き、これらの親族は生計を一にするものとされます。

　（**注２**）　ロの「譲渡者の親族で①のイに掲げる家屋の譲渡がされた後譲渡者とその家屋に居住をする者」とは、その家屋の譲渡がされた後において、その家屋の譲渡者である個人及びその家屋の譲受者であるその個人の親族（その個人の配偶者及び直系血族並びにその譲渡の時においてその個人と生計を一にしている親族を除きます。）が共にその家屋に居住する場合におけるその譲受者をいいます（措通31の３－22）。

　（**注３**）　ニの「譲渡者から受ける金銭その他の財産によって生計を維持しているもの」とは、その個人から給付を受ける金銭その他の財産又は給付を受けた金銭その他の財産の運用によって生ずる収入を日常生活の資の主要部分としている者をいうのですが、その個人から離婚に伴う財産分与、損害賠償その他これらに類するものとして受ける金銭その他の財産によって生計を維持している者は含まれないものとされています（措通31の３－23）。

　（**注４**）　ホの「株主等」とは、株主名簿又は社員名簿に記載されている株主等をいいますが、株主名簿又は社員名簿に記載されている株主等が単なる名義人であって、その名義人以外の者が実際の権利者である場合には、その実際の権利者をいいます（措通31の３－24）。

　（**注５**）　ホの「その他の法人」には、例えば、出資持分の定めのある医療法人のようなものがあります（措通31の３－25）。

（1）　併用住宅について他の課税の特例の適用を受ける場合

　　譲渡した家屋又はその敷地のうちに居住の用に供する部分（居住用部分）とその他の部分（非居住用部分）とがある場合には、非居住用部分について「収用等に伴い代替資産を取得した場合の課税の

特例（措法33）」、「交換処分等に伴い資産を取得した場合の課税の特例（措法33の２）」（措令第22条第
５項又は第６項《一組資産法又は事業継続法＝第四章第五節の１の**(２)**（250ページ）参照》若しくは
措令第22条の２第２項《個別法又は一組資産法》に規定する資産を代替資産又は同種の資産とする場
合に限ります。）又は「特定の事業用資産の買換え又は交換の場合の特例（措法37又は37の４）」の適
用を受けるときであっても、居住用部分の譲渡所得については、本節の特例を適用することができます
（措通31の３－１）。

(注１) 　居住の用に供されなくなった後において譲渡した家屋又は土地（土地の上に存する権利を含みます。以下
同様とします。）に係る居住用部分及び非居住用部分の判定は、その者の居住の用に供されなくなった時の
直前における家屋又は土地の利用状況に基づいて行い、その者の居住の用に供されなくなった後における利
用状況は、この判定には関係させないこととしています。

(注２) 　居住の用に供されなくなった後において居住用部分の全部又は一部を他の用途に転用した家屋又は土地
を譲渡し、その譲渡につきその転用後の用途に基づいて措法第33条、第33条の２第１項、第37条又は第37
条の４の規定の適用を受ける場合には、その居住用部分の譲渡については、本節の特例は適用されません。

(注３) 　居住用財産の買換えの場合の課税の特例の適用を受けた者が、災害その他その者の責めに帰せられないや
むを得ない事情により、買換資産をその取得期限までに取得できなかったため買換えの特例の適用を受けら
れなくなった場合には、取得期限の属する年の翌年４月30日までに修正申告書を提出する場合に限り、本節
の特例を適用できます（措通31の３－27）。

（２）　個人が現に居住の用に供している家屋

　この特例の適用がある居住の用に供している家屋とは、その者が生活の拠点として利用している家
屋（一時的な利用を目的とする家屋を除きます。）をいい、これに該当するかどうかは、その者及び配
偶者等（社会通念に照らしその者と同居することが通常であると認められる配偶者その他の者をいい
ます。以下この項において同じ。）の日常生活の状況、その家屋への入居目的、その家屋の構造及び設
備の状況その他の事情を総合勘案して判定することとされていますが、次のような場合には居住の用
に供している家屋には該当しないものとして取り扱われます（措通31の３－２）。

イ　本節の特例の適用を受けるためのみの目的で入居したと認められる家屋、その居住の用に供する
　ための家屋の新築期間中だけの仮住まいである家屋その他一時的な目的で入居したと認められる家
　屋

(注) 　譲渡した家屋における居住期間が短期間であっても、その家屋への入居目的が一時的なものでない場合に
は、その家屋は上記に掲げる家屋には該当しません。

ロ　主として趣味、娯楽又は保養の用に供する目的で有する家屋

　しかし、その家屋の所有者が現に居住の用に供していない家屋であっても、次の場合にはその家屋
は、その所有者が居住の用に供している家屋として取り扱われます。

　①　転勤、転地療養その他やむを得ない事情により、配偶者等と離れ単身で他に起居している場合
　　であっても、そのやむを得ない事情が解消した後は、その者が配偶者等と起居をともにすると認
　　められる場合におけるその配偶者等が居住の用に供している家屋（措通31の３－２(１)）

　　(注) 　これにより、その者が、その居住の用に供している家屋を二以上所有することとなる場合には、措
　　　置法令第20条の３第２項の規定により、その者が主としてその居住の用に供していると認められる一
　　　の家屋のみが、本節の特例の規定の対象となる家屋に該当することとなります。

　　　　この場合において「その者が主としてその居住の用に供していると認められる一の家屋」に該当す
　　　るかどうかの判定は、次の各場合に応じそれぞれに掲げる時点の現況で判定します（措通31の３－９）。

　　　（イ）　その譲渡した家屋がその譲渡の時においてその者の居住の用に供している家屋である場合
　　　　　その譲渡の時

　　　（ロ）　その譲渡した家屋がその者の居住の用に供していた家屋でその譲渡の時においてその者の居住
　　　　　の用に供されていないものである場合　　その家屋がその者の居住の用に供されなくなった時

　　　　　その譲渡した家屋が、上記(ロ)により、「その者が主としてその居住の用に供していると認められ
　　　　る一の家屋」に該当すると判定された場合には、その譲渡した家屋は、その譲渡の時においてその

者が他にその居住の用に供している家屋を有している場合であっても、居住用家屋に該当します。

②　その有する家屋が居住の用に供している家屋に該当しない場合であっても、次に掲げる要件の
すべてを満たしているとき

ただし、これらの要件を満たす家屋であっても、その譲渡及びその家屋の譲渡とともにする敷地
の譲渡又は災害により滅失した当該家屋の敷地の譲渡が、次の(ロ)の要件を欠くこととなった日か
ら1年を経過した日以後に行われた場合には、その家屋は居住用家屋としては取り扱われません（措
通31の3－6）。

　（イ）　家屋は、その所有者が従来その所有者としてその居住の用に供していた家屋であること。

　（ロ）　その家屋は、その所有者がその家屋を居住の用に供さなくなった日以後引き続きその生計
　　　　を一にする親族（③の（注1）参照）の居住の用に供している家屋であること。

　（ハ）　所有者は、その家屋をその居住の用に供さなくなった日以後において、既に本節の特例、
　　　　措置法第35条第1項（同条第3項の規定により適用する場合を除きます。）（3,000万円控除）、
　　　　第36条の2、第36条の5（買換え等の特例）、第41条の5（居住用財産の買換え等の場合の譲渡
　　　　損失の損益通算及び繰越控除）又は第41条の5の2（特定居住用財産の譲渡損失の損益通算及び
　　　　繰越控除）の規定の適用を受けていないこと。

　（ニ）　所有者の居住の用に供している家屋は、その所有者の所有する家屋でないこと。

　（注1）　その家屋が、上記(イ)の所有者が従来その居住の用に供していた家屋であるかどうか及び上記(ロ)
　　　　　の生計を一にする親族がその居住の用に供している家屋であるかどうかは、上記の措置法通達31の3
　　　　　－2に定めるところに準じて判定します。

　（注2）　この取扱いは、その家屋を譲渡した年分の確定申告書に次に掲げる書類の添付がある場合（当該確
　　　　　定申告書の提出後において当該書類を提出した場合を含みます。）に限り適用することとされています。

　　　　（1）　その所有者の戸籍の附票の写し

　　　　（2）　その生計を一にする親族が居住の用に供していることを明らかにする書類

　　　　（3）　その家屋及びその所有者の居住の用に供している家屋の登記事項証明書

（3）　居住用の家屋とともに譲渡した土地又は土地の上に存する権利

家屋とともにその敷地となっている土地又は借地権を譲渡した場合に、その家屋が1の①のイ又は
ロの家屋に該当するものであるときは、その家屋のほか、土地等（長期保有資産に限ります。）につい
ても併せてこの特例が適用されます。ただし、その一方の資産（例えば土地等）のみについてこの特
例を適用することはできません（措通31の3－3）。

また、家屋と土地等を共に譲渡した場合であっても、そのいずれか一方が長期保有資産（10年超）
でないときは、家屋と土地の双方についてこの特例の適用は認められません（措通31の3－3（注）2）。

　（注）　借地権を有する者が底地を買い取ってその土地を居住用家屋とともに譲渡した場合のように、土地又は
　　　　借地権のうちにその年1月1日における所有期間が10年を超える部分とその他の部分があるときは、10年を
　　　　超える部分のみが措法31の3②三に掲げる譲渡資産となります（措通31の3－4）。

（4）　店舗兼住宅等の居住部分の判定

店舗兼住宅のようにその居住の用に供している家屋のうちに居住の用以外の用に供されている部分
のある家屋に係るその居住の用に供している部分及びその家屋の敷地の用に供されている土地等のう
ちその居住の用に供している部分は、次により計算し、その部分のみを本節の特例の対象とします（措
通31の3－7）。

イ　家屋のうちその居住の用に供している部分は、次の算式により計算した面積に相当する部分とな
　ります。

$$
\left(\begin{array}{c}\text{家屋のうちその居住の用に専ら}\\\text{供している部分の床面積　A}\end{array} + \begin{array}{c}\text{家屋のうちその居住の用と居住の用以外の}\\\text{用とに併用されている部分の床面積}\end{array}\right) \times \frac{A}{A + \begin{array}{c}\text{居住の用以外の用}\\\text{に専ら供されてい}\\\text{る部分の床面積}\end{array}}
$$

ロ　土地等のうちその居住の用に供している部分は、次の算式により計算した面積に相当する部分と

なります。

$$\text{土地等のうちその居住の用に専ら供している部分の面積} + \text{土地等のうちその居住の用と居住の用以外の用とに併用されている部分の面積} \times \frac{\text{家屋の床面積のうちイの算式により計算した床面積}}{\text{家屋の床面積}}$$

> **(注)** その居住の用に供している家屋のうちに居住の用以外の用に供されている部分のある家屋又はその家屋の敷地の用に供されている土地等をその居住の用に供されなくなった後において譲渡した場合におけるその家屋又は土地等のうちその居住の用に供している部分の判定は、その家屋又は土地等をその居住の用に供されなくなった時の直前における利用状況に基づいて行い、その居住の用に供されなくなった後における利用状況は、この判定には関係がないものとされます。

なお、店舗兼住宅であっても、居住の用に供している家屋又はその敷地の用に供されている土地等のうち、上記により計算した居住の用に供している部分がそれぞれ家屋又は敷地である土地等のおおむね90％以上であるときは、その家屋の全部又は土地等の全部を居住用部分として取り扱っても差し支えないことになっています（措通31の3−8）。

（5）　居住用土地等のみの譲渡

家屋とともにその敷地となっている土地又は借地権を譲渡した場合に、その家屋が上記(1)の居住の用に供している家屋に該当するものであるときは、その家屋と土地等を併せてこの特例が適用されます（措法31の3①）。

したがって、その敷地となっている土地や借地権だけを、家屋と別に譲渡しても原則としてこの特例の適用は受けられません。

しかし、居住の用に供している家屋又はその家屋で居住の用に供されなくなったもの（本節の特例の適用の対象となる家屋に限ります。以下同じ。）を取り壊してその敷地の用に供されていた土地等を譲渡したという場合（その取壊し後、その土地等の上にその土地等の所有者が建物等を建築し、その建物等とともにその土地等を譲渡する場合を除きます。）において、その土地等の譲渡が次の①から③までの要件のすべてを満たすときは、その土地等の譲渡について本節の特例を適用することができます。ただし、これに該当する土地等のみの譲渡であっても、その家屋を引き家してその土地等を譲渡する場合には、本節の特例の適用はありません。また、取壊しの日の属する年の1月1日における所有期間が10年を超えない家屋の敷地の用に供されていた土地等はもちろん本節の特例は適用されません（措通31の3−5）。

① その土地等は、その家屋が取り壊された日の属する年の1月1日において所有期間が10年を超えるものであること。

② その土地等の譲渡に関する契約が、その家屋を取り壊した日から1年以内に締結され、かつ、その家屋を居住の用に供さなくなった日以後3年を経過する日の属する年の12月31日までに譲渡したものであること。

③ その家屋を取り壊した後譲渡に関する契約を締結した日まで、貸付けその他の用に供していない土地等の譲渡であること。

（6）　居住用家屋の一部を譲渡した場合

その居住の用に供している家屋又はその家屋で居住の用に供されなくなったものを区分して所有権の目的としその一部のみを譲渡した場合又は2棟以上の建物から成る一構えのその居住の用に供している家屋（その家屋でその居住の用に供されなくなったものを含みます。）のうち一部のみを譲渡した場合には、その譲渡した部分以外の部分が機能的にみて独立した居住用の家屋と認められない場合に限り、その譲渡は、本節の特例の適用対象となる譲渡に該当するものとされます（措通31の3−10）。

（7）　居住用家屋を共有とするための譲渡

その居住の用に供している家屋（その家屋でその居住の用に供されなくなったものを含みます。）を他の者と共有とするため譲渡した場合又はその家屋について有する共有持分の一部を譲渡した場合には、その譲渡は、措置法第31条の3第1項に規定する「譲渡」には該当しないこととなっています（措

通31の3−11）。

（8）　居住用家屋の敷地の判定

　譲渡した土地等が措置法第31条の3第1項に規定する居住の用に供している家屋の「敷地」に該当するかどうかは、社会通念に従い、その土地等がその家屋と一体として利用されている土地等であったかどうかにより判定することとされています（措通31の3−12）。

（9）　災害滅失家屋の跡地等の用途

　災害により滅失した居住の用に供していた家屋の敷地の用に供されていた土地等又は居住の用に供していた家屋でその後居住の用に供されなくなったもの又はその家屋とともにするその家屋の敷地の用に供されている土地等の譲渡が、これらの家屋をその居住の用に供されなくなった日から同日以後3年を経過する日の属する年の12月31日までの間に行われている場合には、その譲渡した資産は、居住の用に供されなくなった日以後どのような用途に供されている場合であっても、居住用財産に該当します（措通31の3−14）。

　しかし、所基通33−4《固定資産である土地に区画形質の変更等を加えて譲渡した場合の所得》及び33−5《極めて長期間保有していた土地に区画形質の変更等を加えて譲渡した場合の所得》により、その譲渡による所得が事業所得又は雑所得となる場合には、本節の特例がもともと譲渡所得の課税の特例であることから、本節の特例の対象とはなりません。

（注）　上記及び(10)の場合の「災害」というのは、所得税法第2条第1項第27号《定義》に規定している災害、すなわち震災、風水害、火災、冷害、雪害、干害、落雷、噴火その他の自然現象の異変による災害及び鉱害、火薬類の爆発その他の人為による異常な災害並びに害虫、害獣その他の生物による異常な災害というものとされています（措通31の3−13）。

(10)　居住の用に供されなくなった家屋が災害により滅失した場合

　居住の用に供されていた家屋が居住の用に供されなくなった後において災害により滅失した場合には、その居住の用に供されなくなった日から同日以後3年を経過する日の属する年の12月31日までの間に、その家屋の敷地の用に供されていた土地等を譲渡したときは、その土地等の譲渡は居住用財産の譲渡として本節の特例の対象とされることになっています（措通31の3−15）。

(11)　土地区画整理事業等施行地区内の土地等の譲渡

　土地区画整理法による土地区画整理事業、新都市基盤整備法による土地整理又は大都市地域における住宅及び住宅地の供給の促進に関する特別措置法による住宅街区整備事業（以下「土地区画整理事業等」といいます。）の施行地区内にある従前の宅地（その宅地の上に存する建物の所有を目的とする借地権を含みます。）を仮換地の指定又は使用収益の停止があった後に譲渡した場合における本節の特例の適用については、居住の用に供している家屋（その居住の用に供されなくなったものを含みます。）の移転又は除却（土地区画整理事業等のために行われるものに限ります。）後において、その家屋の敷地の用に供されていた従前の宅地を譲渡した場合（換地処分により譲渡した場合を除きます。）で、その譲渡時期が家屋を居住の用に供さなくなった日から次に掲げる日のうちいずれか遅い日までの間であれば、その従前の宅地の譲渡は、居住用家屋（従来の宅地の譲渡時まで引き続き所有していたものとみなしてその所有期間を計算します。）の譲渡とともにするその敷地の譲渡とみなして、本節の特例の対象となります（措通31の3−16）。

　　イ　その家屋がその居住の用に供されなくなった日以後3年を経過する日の属する年の12月31日
　　ロ　その家屋をその居住の用に供さなくなった日から1年以内に仮換地の指定があった場合（仮換地の指定後において居住の用に供さなくなった場合を含みます。）には、その従前の宅地に係る仮換地につき使用又は収益を開始することができることとなった日以後1年を経過する日

(12)　権利変換により取得した施設建築物等の一部を取得する権利等の譲渡

　都市再開発法による市街地再開発事業など次に掲げる事業の施行地区内にその居住の用に供している家屋（その家屋で居住の用に供されなくなったものを含みます。）及びその家屋の敷地の用に供され

第一章第三節《居住用財産を譲渡した場合の長期譲渡所得の課税の特例》

ている土地等（災害により滅失したその家屋の敷地であった土地等を含みます。）を有する者について、それぞれ次に掲げるところにより措置法第33条の３の規定による旧資産、防災旧資産又は変換前資産の譲渡があったとみなされる日が、その家屋をその居住の用に供されなくなった日から同日以後３年を経過する日の属する年の12月31日までの間にあるときは、その譲渡は、本節の特例の適用対象となる譲渡に該当することとされています（措通31の３－17）。なお、旧資産、防災旧資産又は変換前資産の所有期間はその譲渡があったとみなされる日の属する年の１月１日における所有期間によります。

① 市街地再開発事業に係る権利変換、収用又は買取りに伴い取得した施設建築物の一部を取得する権利（その権利とともに取得した施設建築敷地若しくはその共有持分又は地上権の共有持分を含みます。）又は建築施設の部分の給付を受ける権利を譲渡（措置法第33条の３第３項に規定する相続、遺贈又は贈与を含みます。）した場合又は建築施設の部分につき都市再開発法第118条の５第１項《譲受け希望の申出等の撤回》に規定する譲受け希望の申出を撤回した場合（同法第118条の12第１項又は第118条の19第１項により譲受けの申出を撤回したものとみなされる場合を含みます。）……措置法第33条の３第３項の規定による旧資産の譲渡があったものとみなされる日

② 密集市街地における防災街区の整備の促進に関する法律による防災街区整備事業に係る権利変換に伴い取得した防災施設建築物の一部を取得する権利（その権利とともに取得した防災施設建築敷地若しくはその共有持分又は地上権の共有持分を含みます。）を譲渡（措置法第33条の３第５項に規定する相続、遺贈又は贈与を含みます。）した場合……同項の規定による防災旧資産の譲渡があったものとみなされる日

③ マンションの建替え等の円滑化に関する法律によるマンション建替事業に係る権利変換に伴い取得した施行再建マンションに関する権利を取得する権利（その権利とともに取得した施行再建マンションに係る敷地利用権を含みます。）を譲渡（措置法第33条の３第７項に規定する相続、遺贈又は贈与を含みます。）した場合……同項の規定による変換前資産の譲渡があったものとみなされる日

(13) 居住用家屋の敷地の一部の譲渡

その居住の用に供している家屋（その家屋で居住の用に供されなくなったものを含みます。）の敷地の用に供されている土地等又は災害により滅失した家屋（（５）に述べた取り壊した家屋を含みます。以下同じ。）の敷地の用に供されていた土地等の一部を区分して譲渡した場合には、次の点に留意してください（措通31の３－18）。

① 現に存する家屋の敷地の用に供されている土地等の一部の譲渡である場合　その譲渡がその家屋の譲渡と同時に行われたものであるときは、その譲渡はこの特例の適用対象となる譲渡に該当しますが、その譲渡がその家屋の譲渡と同時に行われたものでないときは、その譲渡はこの特例の適用対象となる「土地若しくは土地の上に存する権利の譲渡」には該当しません。

② 災害により滅失した家屋の敷地の用に供されていた土地等の一部の譲渡である場合　その譲渡は、すべてこの特例の適用対象となる「土地若しくは土地の上に存する権利の譲渡」に該当します。

　（注） 譲渡した土地等が家屋の敷地の用に供されている土地又はその家屋の敷地の用に供されていた土地に該当するかどうかは、前記（８）に定めるところにより判定することとなります。

(14) 居住用家屋の所有者とその敷地の所有者が異なる場合

居住用家屋の所有者以外の者が、その家屋の敷地の用に供されている土地等の全部又は一部を有している場合において、その家屋の所有者とその敷地の所有者との行った譲渡が、次に掲げる要件のすべてに該当する場合に限り、その家屋の所有者以外の者が所有するその土地等の譲渡に係る譲渡所得についても本節の特例を適用できることとされています（措通31の３－19）。

① その家屋とともにその敷地の用に供されている土地等の譲渡があったこと。

② その家屋の所有者とその土地等の所有者とが親族関係を有し、かつ、生計を一にしていること。

③ その土地等の所有者は、その家屋の所有者とともにその家屋に居住していること。

　（注１） ②及び③の要件に該当するかどうかは、その家屋の譲渡の時の状況により判定します。ただし、その家

－212－

第一章第三節《居住用財産を譲渡した場合の長期譲渡所得の課税の特例》

屋がその所有者の居住の用に供されなくなった日から同日以後3年を経過する日の属する年の12月31日までの間に譲渡されたものであるときは、②の要件に該当するかどうかは、その家屋がその所有者の居住の用に供されなくなった時からその家屋の譲渡の時までの間の状況により、③の要件に該当するかどうかは、その家屋がその所有者の居住の用に供されなくなった時の直前の状況により判定します。

(注2) 上記の取扱いは、居住用家屋及びその敷地の各所有者の所有期間が譲渡の年の1月1日において10年を超える場合に限り適用されることはいうまでもありませんが、家屋の所有者が本節の特例の適用を受けない場合（譲渡所得がない場合を除きます。）には、敷地の譲渡者について本節の特例の適用をすることはできません。

(注3) (14)の取扱いにより、譲渡敷地の所有者がその敷地の譲渡について本節の特例の適用を受ける場合には、譲渡家屋の所有者に係るその家屋の譲渡について措置法第41条の5第1項《居住用財産の買換え等の場合の譲渡損失の損益通算》又は第41条の5の2第1項《特定居住用財産の譲渡損失の損益通算》の規定の適用を受けることはできません。

(15) **借地権等の設定されている土地の譲渡についての取扱い**

譲渡家屋の所有者が、その家屋の敷地である借地権等の設定されている土地でその譲渡の年の1月1日における所有期間が10年を超えているもの（以下この項において「居住用底地」といいます。）の全部又は一部を所有している場合において、その家屋を取り壊しその居住用底地を譲渡したときの本節の特例の適用については、(5)の措置法通達31の3－5に準じて取り扱うこととされ、その居住用底地がその家屋とともに譲渡されているときは、その家屋及びその居住用底地の譲渡について本節の特例の適用が認められます。

また、譲渡家屋の所有者以外の者が、居住用底地の全部又は一部を所有している場合における本節の特例の適用については、(14)に準じて取り扱われます（措通31の3－19の2）。

(注) 上記のような取扱いが適用されるケースとしては、次のような場合があります。

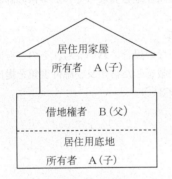

①最初にBが他人の土地を賃借し居住用家屋を建築した。→②次にAがその底地を買い取った（BからAへの借地権の贈与があったものとして課税されないように「借地権者の地位に変更がない旨の申出書」を税務署に提出した。）。→③従来の家屋を取り壊してAが新たな居住用家屋を建築した。

2　特例による税額計算

この特例による税額の計算は、居住用財産を譲渡した場合の3,000万円の特別控除後の課税長期譲渡所得金額に応じて次のようになります。

イ　課税長期譲渡所得金額が6,000万円以下の場合
　　課税長期譲渡所得金額×10％
ロ　課税長期譲渡所得金額が6,000万円を超える場合
　　（課税長期譲渡所得金額－6,000万円）×15％＋600万円

(注1) 住民税は、上の算式の10％を4％、15％を5％、600万円を240万円と読み替えて計算します。

(注2) 平成25年から令和19年までの各年分の確定申告においては、所得税のほか、復興特別所得税（各年分の基準所得税額の2.1％）を合わせて申告する必要があります（復興財源確保法9①、13）。

所得税と住民税の合計額は、上記イとロに掲げる場合に応じ、次の速算式で計算することができます。

【居住用財産を譲渡した場合の長期譲渡所得の税額計算方法】

①	長期譲渡所得が6,000万円以下の場合	課税長期譲渡所得金額 ×14％＝所得税・住民税の合計額
②	長期譲渡所得が6,000万円を超える場合	課税長期譲渡所得金額 ×20％－360万円＝所得税・住民税の合計額

3　申告書添付書類

　この特例の適用を受けるためには確定申告書に譲渡をした家屋又は土地若しくは土地の上に存する権利（以下「土地建物等」といいます。）に係る登記事項証明書及びその土地建物等が1の①の表のイからニのいずれかの資産に該当する事実を記載した書類（その譲渡に係る契約を締結した日の前日においてその譲渡をした者の住民票に記載されていた住所とその譲渡をした土地建物等の所在地とが異なる場合その他これに類する場合には、これらの書類及び戸籍の附票の写し、消除された戸籍の附票の写しその他これらに類する書類でその土地建物等が1の①の表のイからニのいずれかの資産に該当することを明らかにするもの）を添付して、申告書の「特例適用条文」欄に「措法31の3」と記載して提出することが必要です（措法31の3③、措規13の4）。

　なお、居住用財産を譲渡した者の住民基本台帳に登載されていた住所が、その譲渡に係る契約を締結した日の前日においてその資産の所在地と異なる場合には、次に掲げる書類を確定申告書に添付する必要があります（措通31の3－26）。

①　その者の戸籍の附票の写し（その譲渡をした日から2か月を経過した日後に交付を受けたものに限ります。）又は消除された戸籍の附票の写し

②　その者の住民基本台帳に登載されていた住所がその資産の所在地と異なっていた事情の詳細を記載した書類

③　その者がその資産に居住していた事実を明らかにする書類

　また、確定申告書の提出又は記載若しくは添付書類の添付がない場合においても、そのことについて税務署長がやむを得ない事情があると認めたときは、その記載をした書類及び添付書類を提出すればこの特例の適用が受けられることとされています（措法31の3④）。

第二章　短期譲渡所得の課税の特例（措法32）

第一節　短期譲渡所得

1　短期譲渡所得（一般所得分）の意義

短期譲渡所得（一般所得分）（以下「短期譲渡所得」といいます。）とは、次の（1）、（2）に該当する資産（これを短期保有資産といいます。）を譲渡したことにより生ずる所得をいいます。

（1） 土地建物等で譲渡した年の1月1日において所有期間が5年以下であるもの及び譲渡した年に取得したもの。この場合の所有期間の計算や取得時期の判定については、第一章第一節の1（135ページ）参照（措法32①）。

　　ただし、土地等を国や地方公共団体等へ譲渡した場合において、一定の条件に該当するときは、第三節「軽減税率が適用される短期譲渡所得」の軽減措置が適用されます（措法32③）。

（2） 株式等（株式又は出資をいいます。）の譲渡による所得で、短期所有土地の譲渡による所得に類するもののうち、その株式等の譲渡が事業譲渡類似の株式等の譲渡とされるもの（詳細は第二節参照）（措法32②、措令21③〜⑥）。

2　短期譲渡所得の金額

（1） 短期譲渡所得の金額とは、収入金額から取得費、改良費、譲渡に要した費用の額などを控除した金額をいいますが、第一章の長期譲渡所得の金額の計算上生じた損失の金額があるときは、更に短期譲渡所得の金額を限度として、その損失の金額を控除した後の金額とされます（措法32①）。

　　すなわち、分離短期譲渡所得（第一節・第二節の規定の適用がある譲渡所得をいいます。）の金額又は分離長期譲渡所得（第一章第一節の規定の適用がある譲渡所得をいいます。）の金額を計算する場合において、これらの所得の基因となった資産のうちに譲渡損失の生じた資産があるときは、その年中に譲渡した資産を分離短期譲渡所得の基因となる資産及び分離長期譲渡所得の基因となる資産に区分して、これらの資産の区分ごとに、それぞれの総収入金額からその資産の取得費及び譲渡費用の合計額を控除して譲渡損益を計算します。この場合、その区分ごとに計算した金額のうちに損失の生じたものがあるときは、その損失の金額は次により他の譲渡益から控除します（措通31・32共－2）。

① 分離短期譲渡所得の損失の金額は、分離長期譲渡所得の譲渡益から控除し、なお控除しきれない損失の金額は生じなかったものとみなされます。

② 分離長期譲渡所得の損失の金額は、分離短期譲渡所得の譲渡益から控除し、なお控除しきれない損失の金額については、その損失の金額のうちに居住用財産の譲渡損失の金額（第二十一章第一節1）又は特定居住用財産の譲渡損失の金額（第二十二章第一節1）があることとなる場合を除き、生じなかったものとみなされます。

　　このことは、長期譲渡所得の金額と同じ考え方であり、損益通算及び純損失の繰越控除の禁止、雑損失の繰越控除の適用に関する規定も長期譲渡所得の場合と同じです。（（5）及び第三章を参照）

（2） 短期譲渡所得のうちに土地建物等に係る譲渡所得と、第二節の土地類似株式等の譲渡所得とがある場合には、これらの譲渡所得の金額の合計額を基として計算しますが、第三節の軽減税率が適用される短期譲渡所得は、これらの金額と区分して短期譲渡所得の金額を計算します（措令21②）。

　　軽減税率対象土地等とその他の土地建物等とがある場合の分離短期譲渡所得に係る譲渡損益は、

－215－

第二章《短期譲渡所得の課税の特例》

これらの資産を軽減税率対象土地等とその他の土地建物等に区分して、これらの資産ごとに、それ
ぞれ総収入金額からその資産の取得費及び譲渡費用の合計額を控除して計算しますが、その区分ご
とに計算した金額のいずれかに損失が生じたときは、その損失の金額は他の譲渡益から控除します。
また、（1）の分離長期譲渡所得の損失の金額を分離短期譲渡所得の譲渡益から控除する場合や、（3）
の同一の特別控除額の対象となる資産の分離短期譲渡所得の譲渡益に軽減税率対象土地等に係るも
のとその他の土地建物等に係るものがある場合の分離短期譲渡所得の譲渡益は、軽減税率対象土地
等に係るものから優先して成るものとされます（措通32－9）。

（3）　長期譲渡所得の金額の計算上生じた損失の金額を短期譲渡所得の金額から控除する場合におい
て、短期譲渡所得の金額のうちに次の②から⑦までの金額があるときは、長期譲渡所得の損失の金
額は次の①から⑧までの順序で控除します（措令21⑦、20⑦）。
①　②から⑧までの部分の金額以外の部分の金額
②　低未利用土地等を譲渡した場合の長期譲渡所得の特別控除（措法35の3①）の規定の適用に係
る部分の金額
③　農地保有の合理化等のために農地等を譲渡した場合の譲渡所得の特別控除（措法34の3①）の
規定の適用に係る部分の金額
④　特定期間に取得をした土地等を譲渡した場合の長期譲渡所得の特別控除（措法35の2①）の規
定の適用に係る部分の金額
⑤　特定住宅地造成事業等のために土地等を譲渡した場合の譲渡所得の特別控除（措法34の2①）
の規定の適用に係る部分の金額
⑥　特定土地区画整理事業等のために土地等を譲渡した場合の譲渡所得の特別控除（措法34①）の
規定の適用に係る部分の金額
⑦　居住用財産の譲渡所得の特別控除（措法35①）の規定の適用に係る部分の金額
⑧　収用交換等の場合の譲渡所得等の特別控除（措法33の4①）の規定の適用に係る部分の金額
　　すなわち、その年中の分離短期譲渡所得又は分離長期譲渡所得のうちに上記の②から⑧までの所
得又は①の所得の2以上がある場合に、その年中に譲渡した資産のうちに譲渡損失の生じる資産が
あるときの分離短期譲渡所得の譲渡益又は分離長期譲渡所得の譲渡益は、それぞれの金額の範囲内
で上記の順序で控除することとなるので、その結果、まず⑧の譲渡益から成ることとなり、次に⑦、
⑥、⑤、④、③、②、①の譲渡益から順次成ることとなります（措通31・32共－3）。

（4）　更に所得控除の控除不足額（配偶者控除、扶養控除、基礎控除などの金額で総所得金額から控
除しきれない部分の金額）があるときはその金額を控除した後の金額が課税される短期譲渡所得の
金額になり、この金額を「**課税短期譲渡所得金額**」といいます（措法32①）。
　　この場合において長期譲渡所得の金額と短期譲渡所得の金額があるときは、所得控除の控除不足
額はまず短期譲渡所得の金額から控除し、次に長期譲渡所得の金額から控除します（措令21⑧）。

（5）　土地建物等の譲渡所得の金額の計算上生じた損失の金額については、土地建物等の譲渡所得以
外の所得との通算及び翌年以後の繰越しはできません（措法32①④、31①③）。
　　詳しくは第三章を参照してください。

3　短期譲渡所得に対する所得税額の計算

短期譲渡所得に対する所得税額は、課税短期譲渡所得金額の30％に相当する額となります（措法32
①）。

（**注1**）　住民税は、30％を9％と読み替えて計算します。
（**注2**）　平成25年から令和19年までの各年分の確定申告においては、所得税のほか、復興特別所得税（各年分の
基準所得税額の2.1％）を合わせて申告する必要があります（復興財源確保法9①、13）。

－216－

〔計算例〕

○短期譲渡　　収入金額…………………2,840万円

　　　　　　　取得費・譲渡費用……1,400万円

○長期譲渡　　収入金額…………………9,000万円

　　　　　　　取得費・譲渡費用……　800万円

○所得控除の控除不足額　　　90万円

短期譲渡所得の金額の計算　2,840万円－1,400万円＝1,440万円

長期譲渡所得の金額の計算　9,000万円－800万円＝8,200万円

課税短期譲渡所得金額の計算　1,440万円－90万円＝1,350万円

　　　　同　　　　上　　　に対する税額の計算　1,350万円×30％＝405万円

課税長期譲渡所得金額に対する税額の計算　8,200万円×15％＝1,230万円

(注)　課税短期譲渡所得金額に1,000円未満の端数があるとき、又はその全額が1,000円未満であるときは、国税通則法第118条第1項《端数計算》の規定により、その端数金額又はその全額を切り捨てることとなりますが、課税短期譲渡所得金額のなかに第三節で述べる軽減税率対象土地等に係る部分の金額とその他の土地建物等（有価証券を含みます。）に係る部分の金額とがある場合においても、それぞれの金額に1,000円未満の端数があるとき又はその全額が1,000円未満であるときは、その端数金額又はその全額を切り捨てることに取り扱うこととされています（措通32－1）。

第二節　土地類似株式等の譲渡に係る短期譲渡所得

有価証券の譲渡であっても、①実質的に短期保有の土地等を譲渡したものと変わらない土地類似株式等又は土地類似特定信託の受益権の譲渡で、かつ②事業等の譲渡に類すると認められる譲渡の場合には、土地等の譲渡の場合と同じく、短期譲渡所得(一般所得分)として所得税額を計算することになります（措法32②）。

1　土地類似株式等の範囲

短期譲渡所得(一般所得分)の対象となる土地類似株式等とは、次の(1)、(2)のいずれかに該当する株式等（株式又は出資をいいます。以下1において同じ。）をいいます（措令21③）。また譲渡した株式等が、次の(1)、(2)に該当するかどうかは、その譲渡の時の現況により判定します。

この場合に、同一年中に同一発行法人の株式等の譲渡が2回以上行われており、そのいずれかの譲渡の日の現況において判定した結果、その譲渡した株式等が、次の(1)、(2)に該当するときは、この同一年中に譲渡した同一発行法人の株式等は、すべて該当するものとします（措通32－2）。

(1)　所有総資産の価額のうちに占める短期保有土地等（法人がその取得をした日から引き続き所有していた土地等で、その取得の日の翌日から株式の譲渡をした日の属する年の1月1日までの所有期間が5年以下であるもの、及び株式を譲渡した日の属する年においてその法人が取得したものをいいます。）の価額の合計額の割合が70％以上である法人の株式等

　　(注)　株式等の取得時期は問いません。

(2)　所有総資産の価額のうち、土地等の価額が70％以上である法人の株式等で、その株式等の譲渡をした個人が引き続き所有していた期間がその譲渡した日の属する年の1月1日現在において5年以下であるもの又はその譲渡した年において取得したもの

　　(注)　その株式等が、第一編第三章第三節の1の(4)(38ページ)又は(5)(40ページ)に掲げた相続、贈与、個人からの低額譲渡等により取得したものである場合には、同(4)又は(5)によりその株式の取得時期を判定して上記の所有期間等を判定することになります。

(1)、(2)の「所有総資産の価額」に対する「土地等の価額」の割合を計算する場合に、その譲渡の時の現況における発行法人の所有する資産の価額の総額の算定が困難と認められるときは、その資産の価額の総額は、次の算式により計算した金額によるものとされます（措通32－3）。

$$\frac{株式等の譲渡対価の額}{譲渡株式等の数等} \times \frac{発行法人の発行済}{株式等の総数等} + 発行法人が有する負債の金額（退職給与引当金の額を含みます。）$$

譲渡した株式等が、土地類似有価証券に該当するかどうかを判定する場合において、その有価証券の発行法人の有する借入金等の債務のうちに、その債務の発生に合理性がなく、土地類似有価証券と判定されることを免れるためのものと認められるものがあるときは、その債務はないものとして判定することになります（措通32－4）。

　　(注)　次に掲げるものは、短期譲渡所得(一般所得分)の対象からは除かれています（措法32②）。

　　　①　資産の流動化に関する法律第2条第3項に規定する特定目的会社であって次に掲げるもの（租税特別措置法第67条の14第1項第2号ニに規定する同族会社に該当するものを除きます。）に該当するものの資産の流動化に関する法律第2条第5項に規定する優先出資及び同条第6項に規定する特定出資

　　　　イ　その発行（その発行に係る金融商品取引法第2条第3項に規定する有価証券の募集が、同項に規定する取得勧誘であって同項第1号に掲げる場合に該当するものに限ります。）をした特定社債（資産の流動化に関する法律第2条第7項に規定する特定社債をいいます。）の発行価額の総額が1億円以上であるもの又はその発行をした特定社債が金融商品取引法第2条第3項第1号に規定する適格機関投資家のみによって引き受けられたもの

　　　　ロ　その発行をした優先出資(資産の流動化に関する法律第2条第5項に規定する優先出資をいいます。)

が50人以上の者によって引き受けられたもの

　ハ　その発行をした優先出資が適格機関投資家のみによって引き受けられたもの
② 投資信託及び投資法人に関する法律第2条第12項に規定する投資法人であって次に掲げるもの（租税特別措置法第67条の15第1項第2号ニに規定する同族会社に該当するものを除きます。）に該当するものの投資信託及び投資法人に関する法律第2条第14項に規定する投資口
　イ　その設立に際して発行（その発行に係る金融商品取引法第2条第3項に規定する有価証券の募集が、同項に規定する取得勧誘であって同項第1号に掲げる場合に該当するものに限ります。）をした投資口の発行価額の総額が1億円以上であるもの
　ロ　その事業年度終了の時において、その発行済投資口が50人以上の者によって所有されているもの又は金融商品取引法第2条第3項第1号に規定する適格機関投資家のみによって所有されているもの
③ 法人課税信託のうち特定目的信託であって、次に掲げる要件のいずれかに該当するもの（租税特別措置法第68条の2第1項第2号イに規定する同族会社に該当するものを除きます。）
　イ　その発行者（金融商品取引法第2条第5項に規定する発行者をいいます。）による受益権の募集が同条第3項に規定する取得勧誘（同項第1号に掲げる場合に該当するものに限ります。）であって、その受益権の発行価額の総額が1億円以上であるもの
　ロ　その発行者が行った受益権の募集により受益権が50人以上の者によって引き受けられたもの
　ハ　その発行者が行った受益権の募集により受益権が金融商品取引法第2条第3項第1号に規定する適格機関投資家のみによって引き受けられたもの
④ 法人課税信託のうち法人税法第2条第29号の2ニに掲げる投資信託であって、その受託者（投資信託法第2条第1項に規定する委託者指図型投資信託にあっては、委託者。）による受益権の募集が同条第9項に規定する適格機関投資家私募により行われる旨の記載があるもの（租税特別措置法第68条の3の3第1項第2号イに規定する同族会社に該当するものを除きます。）の受益権

2　事業等の譲渡に類すると認められる株式等の譲渡

　事業等の譲渡に類する株式等の譲渡とは、次の（1）及び（2）のいずれの要件にも該当する場合のその年における（2）の株式又は出資の譲渡とされています（措令21④）。
（1）　その年以前3年以内のいずれかの時において、その株式等に係る発行法人の特殊関係株主等がその発行法人の発行済株式又は出資（以下「発行済株式等」といいます。）の総数又は総額の30％以上に相当する数又は金額の株式等を有し、かつ、その株式等の譲渡をした者がその特殊関係株主等であること。
　なお、特殊関係株主等が30％以上に相当する数又は金額の株式等を有していたかどうかの判定は、株式等の譲渡をした者、及びこの者との特殊関係者のうちいずれか1人を中心に、その中心となる者及びこの者との特殊関係者の持分の合計によって判定します。
　したがって、持分割合を判定する場合の基礎となる特殊関係グループは、まず、〈イ〉株式等の譲渡をした者を中心として、この者と特殊な関係がある者のグループとして把握し、つぎに、〈ロ〉その特殊関係がある者の1人1人を中心として、それぞれと特殊な関係にある者のグループとして把握することになります。
　例えば、次の図のような事例の場合には、株式等を譲渡したAを中心とする特殊関係グループ（A、B、D）の合計持株割合は25％であり、Dを中心とする特殊関係グループ（D、A、E）の合計持株割合は20％で、ともに30％に達していませんが、Bを中心とする特殊関係グループ（B、A、C）の合計持株割合は40％となって、特殊関係株主の持株割合が30％以上となります。

—219—

第二章《短期譲渡所得の課税の特例》

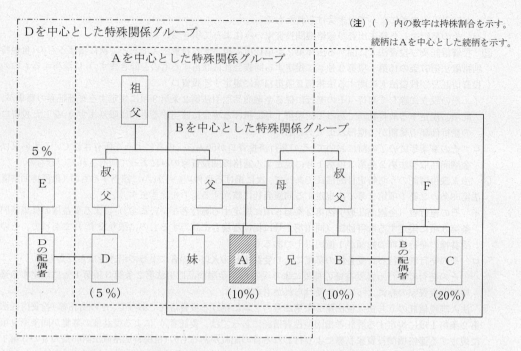

　（２）　その年において、その株式等の譲渡をした者を含む(1)の発行法人の特殊関係株主等が、その発行法人の発行済株式等の総数又は総額の５％以上に相当する数又は金額の株式等の譲渡をし、かつ、その年以前３年内において、その発行法人の発行済株式等の総数又は総額の15％以上に相当する数又は金額の株式等の譲渡をしたこと。
　（注）　（２）において、譲渡した株式等が発行法人の発行済株式等の総数又は総額の「５％以上」又は「15％以上」に該当するかどうかは、有償譲渡のほか、贈与により譲渡した株数又は出資も含めて判定します（ただし、個人に対する贈与においては譲渡所得は発生しません。）。
　なお、以上における特殊関係株主等とは、その株式等に係る発行法人の株主等（株主又は合名会社、合資会社若しくは合同会社の社員その他法人の出資者をいいます。）その他この株主等と法人税法施行令第４条第１項及び第２項に規定する特殊の関係（注１）その他これに準ずる関係のある者（注２）をいいます（措令21⑥）。
（注１）　法人税法施行令第４条第１項及び第２項の規定は次のとおりです。
　　（一）　株主等と「**特殊の関係のある個人**」は、次に掲げる者とする（同令４①）。
　　　　イ　株主等の親族
　　　　ロ　株主等と婚姻の届出をしていないが事実上婚姻関係と同様の事情にある者
　　　　ハ　個人である株主等の使用人
　　　　ニ　イからハまでに掲げる者以外の者で個人である株主等から受ける金銭その他の資産によって生計を維持しているもの
　　　　ホ　ロからニまでに掲げる者と生計を一にするこれらの者の親族
　　（二）　株主等と「**特殊の関係のある法人**」は、次に掲げる会社とする（同令４②）。
　　　　イ　同族会社であるかどうかを判定しようとする会社（投資法人を含む。以下同じ。）の株主等（当該会社が自己の株式（投資信託及び投資法人に関する法律第２条第14項《定義》に規定する投資口を含む。以下同じ。）又は出資を有する場合の当該会社を除く。以下「判定会社株主等」という。）の１人（個人である判定会社株主等については、その１人及びこれと（一）に規定する特殊の関係のある個人。以下同じ。）が他の会社を支配している場合における当該他の会社
　　　　ロ　判定会社株主等の１人及びこれとイに定める特殊の関係のある会社が他の会社を支配している場合における当該他の会社
　　　　ハ　判定会社株主等の１人及びこれとイ又はロに定める特殊の関係のある会社が他の会社を支配している場合における当該他の会社

第二章 《短期譲渡所得の課税の特例》

※ （一）、（二）に規定する他の会社を支配している場合とは、次に掲げる場合のいずれかに該当する場合をいう（同令4③）。
一 他の会社の発行済株式又は出資（その有する自己の株式又は出資を除く。）の総数又は総額の100分の50を超える数又は金額の株式又は出資を有する場合
二 他の会社の次に掲げる議決権のいずれかにつき、その総数（当該議決権を行使することができない株主等が有する当該議決権の数を除く。）の100分の50を超える数を有する場合
　　a 事業の全部若しくは重要な部分の譲渡、解散、継続、合併、分割、株式交換、株式移転又は現物出資に関する決議に係る議決権
　　b 役員の選任及び解任に関する決議に係る議決権
　　c 役員の報酬、賞与その他の職務執行の対価として会社が供与する財産上の利益に関する事項についての決議に係る議決権
　　d 剰余金の配当又は利益の配当に関する決議に係る議決権
三 他の会社の株主等（合名会社、合資会社又は合同会社の社員（当該他の会社が業務を執行する社員を定めた場合にあっては、業務を執行する社員）に限る。）の総数の半数を超える数を占める場合
(注2) 上記（**注1**）に準ずる関係のある者の範囲
　　「その他これに準ずる関係のある者」には、会社以外の法人で法人税法施行令第4条第2項各号及び第4項《同族関係者の範囲》に規定する特殊の関係のある者が含まれます。したがって、例えば、株主の1人及びこれと同条に規定する特殊の関係のある個人又は法人が有する会社以外の法人の出資の金額がその法人の出資の総額の50%超に相当する場合におけるその会社以外の法人は、これに該当します（措通32-6）。

3　募集株式の割当て等があった場合における譲渡株式数の割合

　募集株式の割当て等により株式の発行法人の発行済株式等の総数又は総額に異動があった場合においては、特殊関係株主等の譲渡した株式の数が発行済株式等の総数又は総額の5%以上又は15%以上に相当する数に当たるかどうかは、それぞれの株式を譲渡した時（譲渡した時が募集株式の割当てに係る株式の割当ての基準となった日以後募集株式の割当てに係る株式の発行前であるときは、割当てに係る株式の発行直後）における発行法人の発行済株式等の総数又は総額のうちに譲渡をした株式の数又は金額の占める割合を算出し、その算出した割合の合計により判定します（措通32-5）。

4　譲渡株式数に含まれないもの

　2の（2）で述べた譲渡株式数には、次に掲げる譲渡による株式の数は含まれないこととされています（措令21⑤）。
① 株式が金融商品取引所に上場されている場合において、金融商品取引法第2条第17項に規定する取引所金融商品市場においてするその株式の譲渡
② 株式が店頭売買登録銘柄である場合において、店頭売買有価証券市場における金融商品取引法第2条第9項に規定する金融商品取引業者の媒介、取次ぎ又は代理によってするその株式の譲渡（④に掲げる「株式の売出し」による譲渡に該当するものを除きます。）
③ 非上場株式が最初に金融商品取引所に上場される場合において、上場の申請の日から上場される日までの間に**株式の公開**の方法により行う株式の譲渡。ただし、その株式の発行法人の特殊関係株主等がその発行法人の発行済株式の総数の10%以上に相当する数の株式の譲渡をした場合のその譲渡は除かれます。
④ 非上場株式が最初に店頭売買登録銘柄として登録される場合において、その登録に際して行う**株式の売出し**による譲渡。ただし、その株式の発行法人の特殊関係株主等がその発行法人の発行済株式の総数の10%以上に相当する数の株式を譲渡した場合のその譲渡は除かれます。

5　所得の計算方法

　まず、「収入金額－（取得費＋譲渡経費）＝譲渡益」の算式によって計算した譲渡益を基にして分離短

期譲渡所得の所得計算を行います。

収入金額、取得費、譲渡経費は次によります。

（1）　収入金額

収入金額は、株式等の譲渡により収入すべき金額によるのが原則ですが、次の場合には時価で譲渡したものとみなされて、その時の時価が収入金額となります（所法59①）。

イ　法人に対する贈与

ロ　相続（限定承認に係るものに限ります。）

ハ　遺贈（法人に対するもの及び個人に対する包括遺贈で限定承認に係るものに限ります。）

ニ　法人に対する低額譲渡

（注）　上記＿＿＿下線部分については、公益信託に関する法律（令和6年法律第30号）の施行の日（公布の日（令和6年5月22日）から起算して2年を超えない範囲内において政令で定める日）以後、次のように改められます（令6改所法等附1九イ）。

> イ　法人に対する贈与及び公益信託の受託者である個人に対する贈与（その信託財産とするためのものに限ります。）
> ロ　相続（限定承認に係るものに限ります。）
> ハ　遺贈（法人に対するもの並びに公益信託の受託者である個人に対するもの（その信託財産とするためのものに限ります。）及び個人に対する包括遺贈で限定承認に係るものに限ります。）
> ニ　法人に対する低額譲渡

（2）　取得費

株式等の取得費は、取得価額に購入手数料など、取得のために要した経費を加算した金額です。ただし、次の場合にはそれぞれ次によります。

イ　昭和27年12月31日以前から所有していた有価証券の取得費の計算は、発行法人の昭和28年1月1日現在における資産の価額の合計額から負債の額の合計額を控除した金額を、昭和28年1月1日現在の発行済株式等の総数又は総額で除して計算した金額によります（上場株式、気配相場のある株式等の取得費を計算する場合は、この方法にはよりません。）（所令173）。

ロ　同一銘柄の有価証券を2回以上にわたって取得している場合には、最初に取得した時（その後、既にその有価証券を譲渡している場合には、直前の譲渡の時）から譲渡の時までの取得価額の総平均法の方法で計算した価額によります（所令118）。

（注）　有価証券の譲渡所得の計算上控除する取得費については、譲渡収入金額の5％相当額によることもできます（所基通38－16。第一編第三章第三節の6（54ページ）参照）。

（3）　譲渡のために要した経費

有価証券を譲渡するために直接要した経費には、有価証券譲渡のための手数料、有価証券の譲渡のための通信費、交通費などが入ります。

6　有価証券の取得日の判定

有価証券を譲渡した場合において、その有価証券と同一銘柄の有価証券を譲渡の日前5年前及びその譲渡の日前5年以内に取得しているときは、譲渡した有価証券はいわゆる先入先出の方法により譲渡されたものとして、譲渡した有価証券の取得日を判定します。

この場合において、増資、減資、会社の合併、会社の分割又は株式の併合若しくは分割により取得した有価証券の取得の時は、その取得の基因となった有価証券の取得の時とします（所基通33－6の4）。

第三節　軽減税率が適用される短期譲渡所得

1　軽減税率が適用される短期譲渡所得に対する所得税額の計算

　土地建物等を譲渡した場合の軽減税率が適用される短期譲渡所得に対する所得税額は、短期譲渡所得(一般所得分)と区分して第一節の短期譲渡所得の金額の項で述べたのと同様にして、軽減税率が適用される課税短期譲渡所得金額を求め、その課税短期譲渡所得金額に15%を乗じて計算します（措法32③）。

- **(注1)**　分離課税の短期譲渡所得に係る各種の特別控除は、土地等の譲渡による短期譲渡所得で、「一般所得分」と「軽減税率が適用されるもの」がある場合には、「一般所得分」から優先して控除します。所得控除額の控除についても同様です（措通32-10）。
- **(注2)**　課税短期譲渡所得金額のなかに、一般所得分の金額と軽減税率が適用されるものの金額とがある場合には、それぞれの金額で1,000円未満の端数を切り捨てて税額の計算を行います（措通32-1）。
- **(注3)**　平成25年から令和19年までの各年分の確定申告においては、所得税のほか、復興特別所得税（各年分の基準所得税額の2.1%）を合わせて申告する必要があります（復興財源確保法9①、13）。

　以上のことを計算例によって説明しますと次のようになります。

〔計算例〕
- 〇　軽減税率が適用される土地の譲渡による短期譲渡所得金額………200万円
- 〇　短期譲渡所得金額(一般所得分)………300万円
- 〇　所得控除の控除不足額………140万円

課税短期譲渡所得金額(軽減所得分)に対する税額の計算　　200万円×15%＝30万円

課税短期譲渡所得金額(一般所得分)に対する税額の計算　　　(300万円－140万円)×30%＝48万円

2　軽減税率の適用要件

イ　軽減税率の適用対象となる譲渡の範囲

　次の①から③までのいずれかに該当する土地等の譲渡による短期譲渡所得が軽減税率の適用対象となります（措法32③により準用する措法28の4③一～三）。

① 　国又は地方公共団体に対する土地等の譲渡（措令19⑧）

② 　独立行政法人都市再生機構、土地開発公社、成田国際空港株式会社、独立行政法人中小企業基盤整備機構、地方住宅供給公社、日本勤労者住宅協会及び公益社団法人（その社員総会における議決権の全部が地方公共団体により保有されているものに限ります。）又は公益財団法人（その拠出をされた金額の全額が地方公共団体により拠出をされているものに限ります。）で宅地若しくは住宅の供給又は土地の先行取得の業務を主たる目的とし、地方公共団体の管理の下に業務を行っているもの（以下②において「公益社団法人又は公益財団法人」といいます。）に対する土地等の譲渡で、これらの者の行う土地の先行取得又は住宅の供給の業務のために直接必要と認められるもの。ただし、公益社団法人又は公益財団法人に対する土地等の譲渡で、その譲渡した土地等の面積が1,000㎡以上の場合には適正な対価の要件（令和8年3月31日まで適用停止……ロ参照）を満たすものに限るものとし、土地開発公社に対する土地等の譲渡である場合には、公有地の拡大の推進に関する法律第17条第1項第1号ニに掲げる土地の譲渡を除きます（措令19⑨）。

③ 　収用等に伴い代替資産を取得した場合の課税の特例（措法33）、交換処分等に伴い資産を取得した場合の課税の特例（措法33の2）及び換地処分等に伴い資産を取得した場合の課税の特例（措法33の3）の適用が認められる事業に対する土地等の譲渡（①及び②に該当する譲渡を除きます。）。ただし、契約により行われる土地等の譲渡（賃借権等の設定を含みます。）のうち次の〈イ〉及び〈ロ〉に掲げるもの以外のもので、その譲渡した土地等の面積が1,000㎡以上の場合には適正な対価の要件

第二章《短期譲渡所得の課税の特例》

（令和8年3月31日まで適用停止……ロ参照）を満たすものに限ります（措令19⑩）。

　〈イ〉　港務局、独立行政法人都市再生機構、独立行政法人水資源機構、独立行政法人中小企業基盤
　　整備機構、独立行政法人鉄道建設・運輸施設整備支援機構、地方住宅供給公社、日本勤労者住宅
　　協会、独立行政法人空港周辺整備機構、地方道路公社及び土地開発公社に対する譲渡

　〈ロ〉　土地収用法の規定による事業の認定の告示（都市計画法その他の法律の規定により事業の認
　　定の告示とみなされるものを含みます。）があった事業の用に供される土地等の譲渡

ロ　適正な対価の要件の適用停止

　イの②及び③に規定する「適正な対価の要件」については、平成11年1月1日から令和8年3月31
日までの間にした土地等の譲渡については適用しないこととされています（措規13の5③）。

ハ　軽減税率の規定の適用を受けるための手続

　短期保有である土地等を譲渡した場合において、その譲渡所得について軽減税率の適用を受けよう
とする場合においては、次に掲げる①〜③の区分に応じそれぞれに定める書類を確定申告書に添付し
なければなりません。

①　その土地等の譲渡が「**イ**の①」に該当する場合（措規11①一）

　　国又は地方公共団体に対する譲渡は、その土地等の買取りをする者のその土地等を買い取った旨
　を証する書類

②　その土地等の譲渡が「**イ**の②」に該当する場合（措規11①二イ）

　　その土地等の買取りをする者（その者が公益社団法人（その社員総会における議決権の全部が地
　方公共団体により保有されているものに限ります。）又は公益財団法人（その拠出をされた金額の全
　額が地方公共団体により拠出をされているものに限ります。）で宅地若しくは住宅の供給又は土地の
　先行取得の業務を主たる目的とする法人である場合には、その法人を管理する地方公共団体の長）
　のその土地等をその業務の用に直接供するために買い取った旨を証する書類

③　その土地等の譲渡が「**イ**の③」に該当する場合（措規11①三イ）

　　第四章「収用等の場合の課税の特例」の別表2《収用証明書の区分一覧表》（300ページ）に定め
　る区分に応じた書類

—224—

第三章　損益通算と損失の繰越し

　譲渡損失が生じた場合の損失は、それが総合課税の譲渡所得の金額の計算上生じた損失であれば、第一編第四章に説明していますように他の所得と損益通算及び翌年以後の損失の繰越しの適用がありますが、土地建物等を譲渡して生じた損失（分離課税とされるもの）については、平成16年度改正により、平成16年1月1日以後の土地建物等の譲渡から他の所得と損益通算及び翌年以後の損失の繰越しができないこととされました。
　そこで、以下にこれらの具体的な取扱いや計算方法について説明することにします。
　（注）　居住用財産の買換え等の場合の譲渡損失の損益通算及び繰越控除《措法41の5》、及び特定居住用財産の譲渡損失の損益通算及び繰越控除《措法41の5の2》の適用を受けることができる場合は、例外的に損益通算及び翌年以後の損失の繰越しができます。（第二十一章・第二十二章参照）

第一節　土地建物等の譲渡所得の損失の損益通算の禁止

1　土地建物等の譲渡所得の計算上生じた損失と他の所得との通算

　分離課税の対象となる長期所有の土地建物等の譲渡所得の金額の計算上損失の金額が生じた場合には、他の分離課税の対象となる長期所有の土地建物等の譲渡所得の金額及び短期所有の土地建物等の譲渡所得の金額から控除し、その控除してもなお控除しきれない損失の金額が残るときは、その損失の金額はないものとみなされ、分離課税の土地建物等の譲渡所得以外の他の所得（不動産所得や事業所得など）から控除することはできないとされています（措法31①、③二）。
　このことは、分離課税の対象となる短期所有の土地建物等の譲渡所得の金額の計算上損失の金額が生じた場合においても同様です（措法32①④、31①）。
　（注）　分離課税の土地建物等の譲渡所得と総合課税の譲渡所得の間においても、互いに損益の相殺はできません。

2　他の所得の金額の計算上生じた損失と土地建物等の譲渡所得との通算

　1とは逆に、分離課税の対象となる土地建物等の譲渡所得以外の他の所得の金額の計算上損失の金額が生じた場合において、分離課税の土地建物等の譲渡所得があるときにも、その損失の金額をその分離課税の土地建物等の譲渡所得の金額から控除することはできないとされています（措法31①、③二、32①④）。
　1と2を図解すれば次のとおりです。

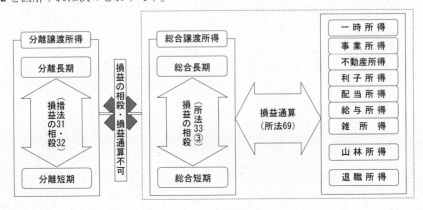

-225-

第二節　土地建物等の譲渡所得の計算上生じた損失の繰越し

1　純損失の繰越控除の禁止

　青色申告者の場合には、純損失の金額（損益通算をしてもなお損失額が残る場合）の全額を、青色申告者以外の者は純損失の金額のうち変動所得の損失と被災事業用資産の損失を、翌年以後３年間に繰り越して控除することができるとされていました。

　しかし、平成16年度改正で、前年から繰り越された上記の純損失の金額は土地建物等の譲渡所得の金額の計算上控除することはできないとされました（措法31③三、32④）。

2　雑損失の繰越控除の適用

　雑損控除を受ける場合で、雑損失の生じた年分の所得金額から控除しきれない雑損失の金額があるときは、その金額を翌年以降（３年間に限ります。）の所得から控除することができます。

　この場合は、その雑損失の生じた年分の所得税について確定申告書を提出し、翌年以降に繰り越して控除を受ける年にも確定申告書を提出することが必要です（所法71①②、所令204）。この雑損失の繰越控除は平成16年度改正でも取扱いの改正がありませんので、従前のとおりに適用があります（措法31③三、32④）。

　すなわち、その年の前年以前３年内の各年において生じた雑損失の金額は、その年分の総所得金額、土地等に係る事業所得等の金額、短期譲渡所得の金額（措法32①の一般所得分→同32③の軽減所得分）、長期譲渡所得の金額（措法31の一般所得分→同31の２の特定所得分→同31の３の軽課所得分）、上場株式等に係る配当所得等の金額、一般株式等に係る譲渡所得等の金額、上場株式等に係る譲渡所得等の金額、先物取引に係る雑所得等の金額、山林所得金額又は退職所得金額の計算上順次控除することとされています（所令204①二、措令19㉔、20⑤、21⑧、25の8⑯、26の23⑥、措通31・32共－４）。

第四章　収用等の場合の課税の特例（措法33～33の６）

第一節　収用等の場合の課税の特例のあらまし

　公共事業の用に供するため資産を収用等された者に対しては、資産の譲渡が公益の要請により、所有者の意思に関係なく行われるということに着目して、その資産の譲渡による所得についての税の負担を軽減することを内容とする課税の特例が設けられています。

　この特例は租税特別措置法第33条から第33条の６までに規定され、「収用等の場合の課税の特例」と呼ばれています。「収用等の場合の課税の特例」に関する規定は次のとおりです。

1　代替資産を取得した場合の課税の特例等
　（1）　収用等された資産（棚卸資産を除きます。）の対価たる補償金（以下「対価補償金」といいます。）で代替資産（代替資産に関する項を参照してください。）を取得した場合には、その代替資産の取得に要した費用に相当する金額についての譲渡所得の課税を繰り延べる特例（措法33）
　（2）　資産が収用等された場合に対価補償金に代えて収用等された資産と同種の他の資産を取得した場合には、収用等された資産の譲渡がなかったものとして課税を繰り延べる特例（措法33の２）
2　換地処分などに伴い資産を取得した場合の課税の特例
　　換地処分などにより資産に換地などがあった場合に従前の資産について譲渡がなかったものとみなして課税を繰り延べる特例（措法33の３）
3　特別控除の特例
　　資産（棚卸資産を除きます。）が公共事業の用に供するため買取り等された場合にその買取り等について一定の要件を満たすときは、1の特例に代えてその資産の譲渡による所得の計算上収入金額から取得費等を控除した金額から5,000万円を控除する特例（措法33の４）
4　課税の特例の適用の仕方
　　1の特例と3の特例とはそのいずれか一方の特例を適用します。1の特例については（1）と（2）を併せて適用することができます。
　　また、2の特例については、譲渡がなかったものとみなされることになっていますので換地処分等による譲渡について1の特例も3の特例も適用する余地はありません。
　　なお、換地処分などに伴い換地などとともに清算金を取得するときは、その清算金については、1の特例か3の特例のいずれか一方を適用することができます。
　　いずれの特例を適用するかは、納税者自身が選択することになります。
　以下これらの規定の仕組みについて、特例の適用を受けることができるのはどのような場合か、その内容はどのようなものか、特例の適用を受けた場合どれだけ有利になるのか、特例を適用するには具体的にどのようにすればよいかなどについて説明します。

第二節　課税の特例が適用される譲渡等の範囲等

　一般に収用等の場合の課税の特例は資産が公共事業の用に供するために、収用されたり、買い取られた場合に適用があるものと理解されているようです。

　しかし、資産が公共事業用として買い取られたものであれば、そのすべてに特例が適用できるということではありません。

　この特例が適用できるのは、資産が土地収用法等の規定により収用された場合、又は買取りの申出を拒むときは収用されることとなる場合において、その資産が買い取られる場合など一定の要件を満

-227-

たしているものに限られています。

したがって、資産が収用された場合、又は資産が買い取られた場合に、その譲渡による所得について特例が適用できるかどうかは、まず、その収用がどの法律によって行われたものか、又は、その買取りを拒んだときはどの法律によって収用されるのかということを知り、次にその法律により収用された場合にその譲渡が租税特別措置法において特例が適用できるものとされている譲渡に該当するかどうかによって判定することになります。

また、土地が収用された場合又は買い取られた場合にその土地の譲渡について課税の特例が適用される場合にはその土地に関して有する所有権以外の権利、例えば、借地権、採石権などが消滅することによって交付される補償金あるいはその土地の上に存する資産、例えば建物や構築物が滅失することとなる場合にそれらの資産の対価として交付される補償金についても特例を適用することができます（措法33①五、④）。それでは、租税特別措置法において、特例の適用ができるものとされている「公共事業の用に供するための資産の譲渡」の範囲について説明します。

1　土地収用法に規定する事業のために収用等された場合

土地収用法第3条各号には、土地を収用することができる事業が掲げられていますが、特例が適用できるのは次の（1）から（7）に掲げる場合です。

なお（2）、（3）、（4）の買取りについては、次の①から④の場合にも特例が適用できます（措規14⑤二）。

① 事業施行者が国、地方公共団体又は独立行政法人都市再生機構である場合に、その事業の施行者に代わって、他の地方公共団体又は地方公共団体が財産を提供して設立した団体（例えば、土地開発公社とか開発協会をいいますが、これらのうち地方公共団体以外の者が財産を提供して設立した団体は除かれます。以下この章において「土地開発公社等」といいます。）が買取りをする場合

② 事業の施行者が国又は地方公共団体であり、かつ、その事業が一団地の面積において10ヘクタール以上（その事業が拡張に関する事業である場合には、その拡張後の一団地の面積が10ヘクタール以上）のものである場合において、その事業の施行者に代わり、独立行政法人都市再生機構が買取りをする場合

③ 資産の買取りを必要とする事業が全国新幹線鉄道整備法第2条に規定する新幹線鉄道（同法附則第6項に規定する新幹線鉄道規格新線等を含みます。）の建設に係る事業又は地方公共団体がその事業に関連して施行する道路法による道路に関する事業である場合において、これらの事業の施行者に代わり、地方公共団体、土地開発公社等又は独立行政法人鉄道建設・運輸施設整備支援機構が買取りをする場合

④ 資産の買取りを必要とする事業が大都市地域における宅地開発及び鉄道整備の一体的推進に関する特別措置法第9条第2項《監視区域の指定等》に規定する同意特定鉄道の整備に係る事業に関連して施行される土地収用法第3条第7号の規定に該当する事業である場合において、その事業の施行者に代わり、地方公共団体が買取りをする場合

（注1） 都市再開発法による第2種市街地再開発事業（施行者が再開発会社であるものに限ります。）の施行に伴い、その再開発会社の株主又は社員である者が、資産又は資産に関して有する所有権以外の権利が収用され、買い取られ、又は消滅し、補償金又は対価を取得する場合に該当する場合は、この特例の対象とされません（措法33①一、二、五、措令22⑨）。

（注2） 「土地開発公社等が資産の買取りをする場合」とは、次のいずれにも該当する場合がこれに当たるものとされます（後述の2の（2）及び（3）において同じ。）（措通33−51）。

　　イ 買取りをした資産は、最終的に事業の施行者である国又は地方公共団体等に帰属するものであること（事業の施行者への帰属は有償で行われるかどうかを問わないことになっています。）。

　　ロ 買取りをする者の買取りの申出を拒む者がある場合には、事業の施行者である国又は地方公共団体等が収用するものであること。

第四章第二節《収用等の場合の課税の特例が適用される譲渡等の範囲》

　　ハ　資産の買取り契約書には、資産の買取りをする者が事業の施行者である国又は地方公共団体等が施行
　　する○○事業のために買取りをするものである旨が明記されているものであること。
　　ニ　上記イ及びロの事項については、事業の施行者である国又は地方公共団体等と資産の買取りをする者
　　との間の契約書又は覚書により相互に明確に確認されているものであること。

（1）　資産が土地収用法の規定により収用された場合（措法33①一、措規14⑤一）
（2）　資産が土地収用法第3章の規定による事業認定を受けた事業の用に供するために買い取られ
　　た場合（措法33①二、措規14⑤二）
（3）　土地収用法第3条各号に掲げる事業のうち、次のものに関する事業の用に供するため資産が
　　買い取られた場合（措法33①二、措規14⑤三イ）

　　これらの事業については、土地収用法第3章の規定による事業認定を受けていない場合でも特
　例が適用できます。

①　道路法による道路、道路運送法による一般自動車道
　　道路法による道路には、高速自動車国道、一般国道、都道府県道、市町村道があり、これら
　のものに関する事業の施行者には国（国土交通大臣）、都道府県、市町村などがあります。
②　河川法が適用され、若しくは準用される河川その他公共の利害に関係のある河川又はこれら
　の河川に治水若しくは利水の目的をもって設置する堤防、護岸、ダム、水路、貯水池その他の施設
　　河川法が適用される河川には一級河川と二級河川があり、原則として一級河川は国土交通大
　臣が、二級河川は都道府県知事が管理することになっています。
③　砂防法による砂防設備又は同法が準用される砂防のための施設
④　国又は都道府県が設置する地すべり等防止法による地すべり防止施設、ぼた山崩壊防止施設
⑤　国又は都道府県が設置する急傾斜地の崩壊による災害の防止に関する法律による急傾斜地崩
　壊防止施設
⑥　運河法による運河の用に供する施設
⑦　国、地方公共団体、土地改良区（土地改良区連合を含みます。）又は独立行政法人石油天然ガ
　ス・金属鉱物資源機構が設置する農業用道路、用水路、排水路、海岸堤防、かんがい用若しくは農
　作物の災害防止用のため池又は防風林その他これに準ずる施設
⑧　国、都道府県又は土地改良区（土地改良区連合を含みます。）が土地改良法によって行う客土
　事業又は土地改良事業の施行に伴い設置する用排水機若しくは地下水源の利用に関する設備
⑨　鉄道事業法による鉄道事業者の鉄道事業の用、独立行政法人鉄道建設・運輸施設整備支援機
　構が設置する鉄道の用又は軌道の用に供する施設のうち、線路及び停車場に係る部分
⑩　港湾法による港湾施設又は漁港漁場整備法による漁港施設
⑪　海岸法による海岸保全施設
⑫　航路標識法による航路標識又は水路業務法による水路測量標
⑬　航空法による飛行場又は航空保安施設で公共の用に供するもの
⑭　気象、海象、地象又は洪水その他これに類する現象の観測の用に供する施設
⑮　日本郵便株式会社が設置する郵便物の集配又は運送事務に必要な仕分その他の作業の用に供
　する施設（既成市街地内のもの及び高速自動車国道と一般国道との連結位置《インターチェン
　ジ》の隣接地内のものに限ります。）
⑯　海上保安庁が設置する電気通信設備
⑰　電気通信事業法に規定する認定電気通信事業者が設置する電気通信回線設備の用に供する施
　設（市外通信幹線路の中継施設以外の施設である場合には、既成市街地内にあるものに限ります。）
⑱　電気事業法による電気事業の用に供する電気工作物のうち水力による発電施設、最大出力10
　万キロワット以上の汽力若しくは原子力による発電施設、最大出力5,000キロワット以上の内燃
　力若しくはガスタービンによる発電施設で次に掲げる離島等において設置されるもの又は送電

－229－

施設若しくは使用電圧5万ボルト以上の変電施設（電気事業法第2条第1項第8号に規定する一般送配電事業、同項第10号に規定する送電事業又は同項第11号の2に規定する配電事業の用に供するために設置される送電施設又は変電施設に限ります。）

イ　その地域の全部又は一部が離島振興法第2条第1項の規定により指定された離島振興対策実施地域に含まれる島

ロ　沖縄振興特別措置法第3条第3号に規定する離島

ハ　その地域の全部又は一部が奄美群島振興開発特別措置法第1条に規定する奄美群島の区域に含まれる島

ニ　沖縄振興特別措置法第3条第3号に規定する離島又は小笠原諸島振興開発特別措置法第4条第1項に規定する小笠原諸島

⑲　ガス事業法によるガス工作物のうち高圧導管又は中圧導管及びこれらと接続する整圧器

⑳　水道法による水道事業若しくは水道用水供給事業、工業用水道事業法による工業用水道事業又は下水道法による公共下水道、流域下水道若しくは都市下水路の用に供する施設

㉑　市町村が消防法によって設置する消防の用に供する施設

㉒　都道府県又は水防法による水防管理団体が水防の用に供する施設

㉓　地方公共団体の設置に係る幼稚園、小学校、中学校、高等学校及び特別支援学校、国の設置に係る特別支援学校、私立学校法第3条に規定する学校法人（以下（3）において「学校法人」といいます。）の設置に係る幼稚園及び高等学校並びに国又は地方公共団体の設置に係る看護師養成所及び准看護師養成所のための施設

㉔　国、地方公共団体又は社会福祉法人の設置に係る社会福祉法第2条第3項第4号に規定する老人デイサービスセンター及び老人短期入所施設並びに同項第4号の2に規定する障害福祉サービス事業の用に供する施設（障害者の日常生活及び社会生活を総合的に支援するための法律第5条第6項に規定する療養介護、同条第7項に規定する生活介護、同条第12項に規定する自立訓練、同条第13項に規定する就労移行支援、同条第14項に規定する就労継続支援及び同条第17項に規定する共同生活援助の用に供するものに限ります。）並びに同号に規定する地域活動支援センター及び福祉ホーム並びに社会福祉法第62条第1項に規定する社会福祉施設並びに児童福祉法（昭和22年法律第164号）第43条に規定する児童発達支援センター、地方公共団体又は社会福祉法人の設置に係る幼保連携型認定こども園（就学前の子どもに関する教育、保育等の総合的な提供の推進に関する法律第2条第7項に規定する幼保連携型認定こども園をいいます。）、保育所（児童福祉法第39条第1項に規定する保育所をいいます。）及び小規模保育事業の用に供する施設（同法第6条の3第10項に規定する小規模保育事業の用に供する同項第1号に規定する施設のうち利用定員が10人以上であるものをいいます。）並びに学校法人の設置に係る幼保連携型認定こども園のための施設

（注）　社会福祉法第62条第1項に規定する「社会福祉施設」とは、第1種社会福祉事業（同法第2条第2項）に係る施設に限られ、第2種社会福祉事業（同法第2条第3項）に係る施設は含まれません。

㉕　地方公共団体の設置に係る火葬場

㉖　地方公共団体の設置に係ると畜場法によると畜場又は化製場等に関する法律による化製場若しくは死亡獣畜取扱場

㉗　地方公共団体が設置する廃棄物の処理及び清掃に関する法律による一般廃棄物処理施設、産業廃棄物処理施設その他の廃棄物の処理施設（廃棄物の処分（再生を含みます。）に係るものに限ります。）

（注）　公衆便所は含まれません。

㉘　中間貯蔵施設（福島県の区域内において汚染廃棄物等〔平成23年3月11日に発生した東北地方太平洋沖地震に伴う原子力発電所の事故により放出された放射性物質による環境の汚染への

第四章第二節《収用等の場合の課税の特例が適用される譲渡等の範囲》

対処に関する特別措置法第46条に規定する汚染廃棄物をいいます。〕の処理を行うために設置される一群の施設であって、汚染廃棄物等の貯蔵施設及び汚染廃棄物等の受入施設、分別施設又は減量施設から構成されるもの〔これらと一体的に設置される常時監視施設、試験研究及び研究開発施設、展示施設、緑化施設その他の施設を含みます。〕をいいます。）及び指定廃棄物の最終処分場（宮城県、茨城県、栃木県、群馬県又は千葉県の区域内において同法第19条に規定する指定廃棄物の埋立処分の用に供される場所をいいます。）として環境大臣が指定するものに係る部分

㉙ 国が設置する通信施設並びに都道府県が設置する警察署、派出所又は駐在所に係る庁舎、警察職員の待機宿舎、交通機動隊の庁舎及び自動車検問のための施設並びに運転免許センター

㉚ 都市公園法による都市公園

都市公園とは、都市計画法により指定された都市計画区域内において地方公共団体が設置する公園若しくは緑地又は都市計画施設である公園若しくは緑地で地方公共団体、国が設置するものをいい、それらの地方公共団体、国が当該公園又は緑地に設ける公園施設を含みます。

㉛ 独立行政法人水資源機構が設置する水資源の開発又は利用のための施設で1日につき10万m³以上の原水を供給する能力を有するもの

独立行政法人水資源機構が設置する水資源開発施設にはダム、河口堰、湖沼水位調節施設、多目的水路、専用用水路などがあります。

㉜ ①から㉛までに掲げるものに関する事業のために欠くことのできない通路、橋、鉄道、軌道、索道、電線路、水路、池井、土石の捨場、材料の置場、職務上常駐を必要とする職員の詰所、又は宿舎その他の施設

（4） 上記（1）、（2）、（3）に掲げるもののほか土地収用法第3条各号のいずれかに掲げる事業（当該いずれかに該当するものと他の当該各号のいずれかに該当するものとが一組の施設として一の効用を有する場合には、当該一組の施設）で一団地の面積が、10ヘクタール以上のもの（その事業が拡張事業であるときは、拡張後の一団地の面積が10ヘクタール以上のものを含みます。）に必要な土地で、その事業の用に供するもの及びその土地の上に存する資産を買い取られた場合（措法33①二、措規14⑤五）

（5） 土地収用法第3条に規定する事業の施行者がその事業の用に供するために行う公有水面埋立法の規定に基づく公有水面の埋立てに伴う漁業権、入漁権、漁港水面施設運営権、その他水の利用に関する権利又は鉱業権等の消滅（価値の減少を含みます。）により補償金又は対価を取得する場合（措法33①七）

なお、この場合の漁業権又は入漁権には、漁業法第8条に規定する「組合員の漁業を営む権利」を含むものとして取り扱います。

これに該当するものとして、例えば電力会社が火力発電施設用地の取得のため、同法の規定に基づいて海の埋立てを行う場合などがあります。

（6） （5）に掲げる場合のほか土地収用法第3条各号に掲げる事業に伴う漁業権、入漁権その他水の利用に関する権利の消滅（価値の減少を含みます。）により補償金又は対価を取得する場合（措法33①七）

これに該当するものとして、例えば国又は電源開発株式会社が水力発電施設としてダムを建設するため河川をせきとめたことにより、その下流にある漁業権等の全部又は一部が制限される場合、又は坑道がダムの建設により造成された貯水池の水面下となったため、湧水が増加して入坑不能となり若しくは排水施設の新増設等が必要となる場合などがあります。

（注1） 公有水面の埋立てに伴い、漁業権、入漁権、その他水の利用に関する権利及び鉱業権等が消滅する場合の補償金に係る課税の特例の適用については、（5）、（6）の場合のほか、国や地方公共団体が公有水面埋立法に基づく免許を受けて、公有水面を埋め立てる場合のこれら消滅する権利に対する補償についての規定があります（後掲3の（4）参照）。

—231—

第四章第二節《収用等の場合の課税の特例が適用される譲渡等の範囲》

(注2)　公有水面の埋立て等に伴う権利の消滅とは、公有水面の埋立てによりその埋立てに係る区域に存する漁業権、入漁権その他水の利用に関する権利若しくは鉱業権等が消滅すること、又は土地収用法第3条に規定する事業に係る施設が設置されることによりその施設の存する区域（その施設が河川につき設置されたものである場合には、その施設により流水等の状況に影響を受けるその河川の流域を含みます。）に存する漁業権、入漁権その他水の利用に関する権利若しくは鉱業権が消滅することをいいます。

(7)　土地収用法第3条各号に掲げる事業の施行により、その目的とする施設の建設等（以下「本体事業」といいます。）のほかに既存の公的施設を整備する必要が生じることがあります。例えばダムを建設する場合に、その建設に伴って水没することとなる道路を付け替えるような場合です。

　本来の建設目的以外の既存の公共施設を整備する事業を関連事業といいます。

　この関連事業の用に供するため、資産が収用等された場合の特例の適用については、本体事業の用に供するために収用等された場合と同じ取扱いをすることになっています。

　この場合、その事業が関連事業に該当するかどうかはその事業について土地収用法による関連事業としての事業認定を受けているかどうかにより判定しますが、事業認定を受けていない場合であっても、その事業が次の要件のすべてに該当するときは関連事業に該当するものとして取り扱います（措通33－2）。

イ　土地収用法第3条《土地を収用し、又は使用することができる事業》の各号の一に該当するものに関する事業であること。

ロ　本体事業の施行に伴って撤去変改を被る既存の公的施設の機能復旧のため、本体事業と併せて施行する必要がある事業であること。

　この場合の「既存の公的施設の機能復旧」に該当するかどうかは、次により判定します（措通33－3）。

　（イ）　その事業は、既存の公的施設の機能復旧の限度で行われるもので、従来その施設がその地域において果たしてきた機能が、その事業の施行によって改良され、従来以上の機能を持つこととなるときは、これに該当しないものとされます。

　　ただし、その施設の設置に関する最低基準が法令の上で具体的に規制されている場合（例えば、車線の幅員を道路構造令第5条《車線等》に規定されている幅員まで拡張する場合）はその法令上の最低基準までの改良については例外として取り扱われます。

　（ロ）　その事業は、本体事業の起業地内に所在して撤去や変改を受ける既存の公的施設の移転のために行われるものであることを要します。したがって、本体事業の施行に伴ってその地域の環境が変化したため行う移転や新設等の事業は、これに該当しないことになります。ただし、既存の公的施設がその起業地の内外にわたって所在する場合で、その公的施設の全部を移転しなければ従来どおりの利用目的に供することが著しく困難であるためやむを得ず移転するような場合は関連事業に該当するものとして取り扱われます。

　（ハ）　既存の公的施設の移転先として関連事業のための収用や使用の対象となる場所は、その公的施設の従来の機能を維持するために必要であり、欠くことができない場所であることを要件とします。したがって、他の場所で代替することができるようなものはこれに該当しないことになりますので、起業地と即地的に一帯性を持つものであることが必要です。

　　ただし、起業地の地形やその施設の立地条件に特殊な制約があるため、起業地内でその移転先を選定することが著しく困難である場合に、その特殊な制約が解消するための最も近い場所を選定したときは、この限りではありません。

ハ　本体事業の施行者が自ら施行することが収用経済等の公益上の要請に合致すると認められる事業であること。

ニ　四囲の状況から関連事業としての事業の認定を受けることができる条件を具備していると認

－232－

第四章第二節《収用等の場合の課税の特例が適用される譲渡等の範囲》

められる事業であること。

　(注)　これらの要件に該当すれば直ちに「収用等の場合の課税の特例」が適用できるというのではなく、更にその事業について事業認定を受けていなければ特例が適用できないものと事業認定を受けていない場合でも特例が適用できるものとに区分してその是非を判定することになります。

2　都市計画事業のために収用等された場合

　都市計画事業として行う事業には、都市計画法による事業のほか、市街地の一部を特定の目的のため総合的な開発計画に基づいて開発する事業を含みます。このような市街地開発事業に関しては、土地区画整理法、新住宅市街地開発法、新都市基盤整備法、都市再開発法などがあります。

　都市計画事業とは、次に掲げるものをいいます（都市計画法4⑮、11、12、同法施行令5）。

①　都市計画事業の認可又は承認を受けて行われる都市計画施設の整備に関する事業

　(注)　都市計画施設とは、都市計画において定められた次の施設をいいます。

　〈イ〉　道路、都市高速鉄道、駐車場、自動車ターミナルその他の交通施設

　〈ロ〉　公園、緑地、広場、墓園その他の公共空地

　〈ハ〉　水道、電気供給施設、ガス供給施設、下水道、汚物処理場、ごみ焼却場その他の供給施設又は処理施設

　〈ニ〉　河川、運河その他の水路

　〈ホ〉　学校、図書館、研究施設その他の教育文化施設

　〈ヘ〉　病院、保育所その他の医療施設又は社会福祉施設

　〈ト〉　市場、と畜場又は火葬場

　〈チ〉　一団地の住宅施設（一団地における50戸以上の集団住宅及びこれらに附帯する通路その他の施設をいいます。）

　〈リ〉　一団地の官公庁施設（一団地の国家機関又は地方公共団体の建築物及びこれらに附帯する通路その他の施設をいいます。）

　〈ヌ〉　流通業務団地

　〈ル〉　一団地の津波防災拠点市街地形成施設（津波防災地域づくりに関する法律第2条第15項に規定する一団地の津波防災拠点市街地形成施設をいいます。）

　〈ヲ〉　一団地の復興再生拠点市街地形成施設（福島復興再生特別措置法第32条第1項に規定する一団地の復興再生拠点市街地形成施設をいいます。）

　〈ワ〉　一団地の復興拠点市街地形成施設（大規模災害からの復興に関する法律第2条第8号に規定する一団地の復興拠点市街地形成施設をいいます。）

　〈カ〉　電気通信事業の用に供する施設

　〈ヨ〉　防風、防火、防水、防雪、防砂若しくは防潮の施設

②　首都圏の近郊整備地帯及び都市開発区域の整備に関する法律による工業団地造成事業又は近畿圏の近郊整備区域及び都市開発区域の整備及び開発に関する法律による工業団地造成事業

③　新住宅市街地開発法による新住宅市街地開発事業

④　新都市基盤整備法による新都市基盤整備事業

⑤　土地区画整理法による土地区画整理事業

⑥　大都市地域における住宅及び住宅地の供給の促進に関する特別措置法（以下「**大都市地域住宅等供給促進法**」といいます。）による住宅街区整備事業

⑦　都市再開発法による市街地再開発事業

⑧　密集市街地整備法による防災街区整備事業

これらの資産が収用され又は買い取られた場合に特例が適用できるのは次の(1)から(10)の場合です。

（1）　資産が都市計画法などの規定により収用された場合

（2）　都市計画法などの規定により収用できることとなっている資産が都市計画法第59条の規定による事業の認可又は承認を受けた都市計画事業の用に供するため買い取られた場合（措規14⑤二）

　なお、この買取りについては、①事業施行者が国、地方公共団体又は独立行政法人都市再生機構

-233-

第四章第二節《収用等の場合の課税の特例が適用される譲渡等の範囲》

である場合に、その事業施行者に代わって、他の地方公共団体又は土地開発公社等が買取りをする場合、②事業の施行者が国又は地方公共団体であり、かつ、その事業が一団地の面積において10ヘクタール以上（その事業が拡張に関する事業である場合には、その拡張後の一団地の面積が10ヘクタール以上）のものである場合において、その事業の施行者に代わり、独立行政法人都市再生機構が行う買取りをする場合、③資産の買取りを必要とする事業が全国新幹線鉄道整備法第２条に規定する新幹線鉄道（同法附則第６項に規定する新幹線鉄道規格新線等を含みます。）の建設に係る事業又は地方公共団体がその事業に関連して施行する道路法による道路に関する事業である場合において、これらの事業の施行者に代わり、地方公共団体、土地開発公社等又は独立行政法人鉄道建設・運輸施設整備支援機構が買取りをする場合、④資産の買取りを必要とする事業が大都市地域における宅地開発及び鉄道整備の一体的推進に関する特別措置法第９条第２項に規定する同意特定鉄道の整備に係る事業に関連して施行される土地収用法第３条第７号の規定に該当する事業である場合において、その事業の施行者に代わり、地方公共団体が買取りをする場合にもこの特例が適用できます。

（３）（１）、（２）に該当するもののほかに次に掲げる場合（措規14⑤四～四の八）

この場合は都市計画法による事業の認可又は承認がない場合でも特例を適用することができます。

イ　都市計画法の規定に基づく都市計画事業に準ずる事業として行う一団地の住宅施設（一団地における50戸以上の集団住宅及びこれらに附帯する道路その他の施設をいいます。）のために土地その他の資産が買い取られた場合（３の（３）に該当する場合を除きます。）

（注）　事業施行者は、国、都道府県、市町村（特別区を含みます。）、独立行政法人都市再生機構、地方住宅供給公社又は都市計画法第59条第４項《都市計画事業の施行者》の認可を受けることができる者（地方公共団体の全額拠出により設立された住宅協会又は住宅公社等）となっています。

　　　なお、この事業用地の買取りについては事業の施行者が、国又は地方公共団体である場合に、その事業施行者に代わって、他の地方公共団体又は土地開発公社等が買取りをする場合にもこの特例が適用されます。

ロ　新住宅市街地開発法に規定する新住宅市街地開発事業に準ずる事業（新住宅市街地開発事業等予定区域に関する都市計画が定められているものは除かれます。）として国土交通大臣が指定した事業又は新住宅市街地開発事業に係る市街地開発事業等予定区域に関する都市計画が定められている新住宅市街地開発事業に準ずる事業の用に供するため土地及び土地の上に存する資産が買い取られた場合

　　なお、この買取りについては、事業の施行者が独立行政法人都市再生機構である場合に、その事業施行者に代わり、地方公共団体又は土地開発公社等が買取りをする場合にもこの特例が適用されます。

ハ　首都圏の近郊整備地帯及び都市開発区域の整備に関する法律第２条第５項又は近畿圏の近郊整備区域及び都市開発区域の整備及び開発に関する法律第２条第４項に規定する工業団地造成事業に該当することとなる事業（一団地の面積において10ヘクタール以上のものに限ります。）に必要な土地でその事業の用に供されるもの及びその土地の上に存する資産が買い取られた場合

（注）　首都圏の近郊整備地帯及び都市開発区域の整備に関する法律第２条第５項又は近畿圏の近郊整備区域及び都市開発区域の整備及び開発に関する法律第２条第４項に規定する工業団地造成事業とは、首都圏の近郊整備地帯内又は都市開発区域内並びに近畿圏の近郊整備区域内又は都市開発区域内において、その法律で定めるところに従って行われる製造工場等の敷地の造成及びその敷地と併せて整備されるべき道路、排水施設、鉄道、倉庫、その他の施設の敷地の造成又はそれらの施設の整備に関する事業並びにこれに附帯する事業（造成された敷地又は整備された施設の処分及び管理に関するものを除きます。）をいいます。

ニ　都市再開発法（昭和44年法律第38号）第２条第１号に規定する第２種市街地再開発事業に該当することとなる事業に必要な土地でその事業の用に供されるもの及びその土地の上に存する資産が買い取られた場合

ホ　新都市基盤整備法による新都市基盤整備事業に該当することとなる事業に必要な土地でその事

—234—

第四章第二節《収用等の場合の課税の特例が適用される譲渡等の範囲》

業の用に供されるもの及びその土地の上に存する資産が買い取られた場合

なお、この買取りについては、事業の施行者が国又は地方公共団体である場合に、その事業施行者に代わって、地方公共団体又は土地開発公社等が買取りをする場合にもこの特例が適用できます。

ヘ　流通業務市街地の整備に関する法律に規定する流通業務団地造成事業に該当することとなる事業（その事業の施行される区域の面積が30ヘクタール以上であるものに限ります。）に必要な土地でその事業の用に供されるもの及びその土地の上に存する資産が買い取られた場合

ト　東日本大震災復興特別区域法に規定する特定被災区域内において行う一団地の津波防災拠点市街地形成施設の整備に関する事業に必要な土地でその事業の用に供されるもの及びその土地の上に存する資産が買い取られた場合

チ　都市計画法に掲げる一団地の復興再生拠点市街地形成施設の整備に関する事業に必要な土地でその事業の用に供されるもの及びその土地の上に存する資産が買い取られた場合

上記ロ、ハ、ニ、ホ、ヘに掲げる規定は、これらの事業に必要な資産が都市計画法による事業の認可又は承認前に買い取られた場合（いわゆる先行買収）でも特例を認めようとする趣旨のものです。したがって、用地買収後一定時期までに都市計画法による事業の認可又は承認を受けることが必要です（都市計画法12の2③）。

（4）　土地区画整理法による土地区画整理事業、大都市地域住宅等供給促進法による住宅街区整備事業、新都市基盤整備法による土地整理又は土地改良法による土地改良事業が施行された場合において次に掲げる清算金が交付されたとき（土地区画整理事業が施行された場合で、その事業の施行者が区画整理会社であり、その区画整理会社の株主又は社員である者がその有する土地等につき換地処分により換地を定められなかったことにより清算金を取得するときを除きます。）（措法33①三、措令22⑩）

イ　過小宅地につき換地が定められない場合の清算金（土地区画整理法91③、大都市地域住宅等供給促進法82）

ロ　過小借地につき換地が定められない場合の清算金（土地区画整理法92③、大都市地域住宅等供給促進法82）

ハ　公共施設用地（例えば私道）につき換地が定められない場合の清算金（土地区画整理法95⑥、土地改良法53の3②、大都市地域住宅等供給促進法82）

ニ　換地とともに取得する清算金（土地区画整理法94、土地改良法54の2④）

　（注）　所有者の申出等により換地が定められない場合の清算金（土地区画整理法90、大都市地域住宅等供給促進法74④、90①、土地改良法53の2の2①）については収用の特例は適用できません。

（5）　都市再開発法による第一種市街地再開発事業が施行された場合において権利変換により次に掲げる補償金の交付を受けたとき（措法33①三の二、六）

イ　権利変換により取得することとなる施設建築物の床面積が狭小となるため、施設建築物の一部を取得する権利若しくは施設建築物の一部についての借家権等が与えられなかったことにより支払われる補償金

ロ　権利変換を希望しない旨を申し出たため支払われる補償金（権利変換を希望しない旨を申し出たことにつきやむを得ない事情があると認められる場合（措令22⑪）に支払われるものに限ります。）

ハ　従前の資産について有していた権利で、権利変換によって新たな資産に変換されないもの（例えば、地役権、工作物を所有するための地上権又は賃借権など）が消滅することにより支払われる補償金

　（注）　資産につき都市再開発法による第1種市街地再開発事業（施行者が再開発会社であるものに限ります。）が施行された場合において、その再開発会社の株主又は社員である者が、その資産に係る権利変換により、又はその資産に関して有する権利で権利変換により新たな権利に変換をすることのないものが消滅したことにより、同法第91条の規定による補償金を取得するときは、この特例の対象とされません（措法33①三の二、六、措令22⑫）。

-235-

第四章第二節《収用等の場合の課税の特例が適用される譲渡等の範囲》

（6）　資産につき密集市街地における防災街区の整備の促進に関する法律による防災街区整備事業が施行された場合において、その資産に係る権利変換により同法第226条の規定による補償金（同法第212条第3項の規定により防災施設建築物の一部等若しくは防災施設建築物の一部についての借家権が与えられないように定められたこと又は防災建築施設の部分若しくは防災施設建築物の一部についての借家権が与えられないように定められたことにより支払われるもの及びやむを得ない事情により同法第203条第1項の申出をしたと認められる場合におけるその申出に基づき支払われるものに限ります。）を取得するとき（防災街区整備事業が施行された場合において、その事業会社の株主又は社員である者が、権利変換により又は権利変換により新たな変換をすることのないものが消滅したことにより、補償金を取得するときを除きます。）（措法33①三の三、措令22⑬⑮）

　　　この場合のやむを得ない事情は、防災街区整備事業の施行者が、次に掲げる場合のいずれかに該当するものとして審査委員の過半数の同意を得て又は防災街区整備審査会の議決を経て、認めた場合とします（措令22⑭）。

　イ　同法第203条第1項又は第3項の申出をした者（以下「申出人」といいます。）のその権利変換に係る建築物が都市計画法第8条第1項第1号又は第2号《地域地区》の地域地区による用途の制限につき建築基準法第3条第2項《適用の除外》の規定の適用を受けるものである場合

　ロ　申出人がその権利変換に係る施行地区内において防災施設建築物の保安上危険であり、又は衛生上有害である事業を営んでいる場合

　ハ　申出人がロの施行地区内において防災施設建築物に居住する者の生活又は防災施設建築物内における事業に著しい支障を与える事業を営んでいる場合

　ニ　ロの施行地区内において住居を有し若しくは事業を営む申出人又はその者と住居及び生計を一にしている者が老齢又は身体上の障害のため防災施設建築物において生活し、又は事業を営むことが困難となる場合

　ホ　イからニまでの場合のほか防災施設建築物の構造、配置設計、用途構成、環境又は利用状況について申出人が従前の生活又は事業を継続することを困難又は不適当とする事情がある場合

　　　(注)　資産に関して有する権利で密集市街地における防災街区の整備の促進に関する法律に規定する権利変換により新たな権利に変換をすることのないものが、同法第221条の規定により消滅し、同法第226条の規定による補償金を取得する場合も特例の適用対象となります（措法33①六の二）。

（7）　都市計画法第52条の4第1項（同法第57条の5及び密集市街地における防災街区の整備の促進に関する法律第285条において準用する場合を含みます。）又は都市計画法第56条第1項の規定に基づいて土地等が買い取られた場合（措置法第34条第2項第2号及び第2号の2に掲げる場合《第1種市街地再開発事業の事業予定地内の土地等が、市街地再開発組合に買い取られる場合及び防災街区整備事業の事業予定地内の土地等が、防災街区整備事業組合に買い取られる場合》に該当する場合を除きます。）（措法33①三の四）

（8）　土地区画整理法による土地区画整理事業で、同法第109条第1項に規定する減価補償金を交付すべきこととなるものが施行される場合において、公共施設の用地に充てるべきものとしてその事業の施行区域内の土地等が買い取られた場合（措法33①三の五）

（9）　地方公共団体又は独立行政法人都市再生機構が被災市街地復興推進地域において施行する被災市街地復興土地区画整理事業で減価補償金を交付すべきこととなるものの施行区域内にある土地等について、これらの者がその被災市街地復興土地区画整理事業として行う公共施設の整備改善に関する事業の用に供するためにこれらの者（土地開発公社を含みます。）に買い取られ、対価を取得する場合（措法33①三の六）

（10）　地方公共団体又は独立行政法人都市再生機構が被災市街地復興特別措置法第21条に規定する住宅被災市町村の区域において施行する都市再開発法による第二種市街地再開発事業の施行区域内にある土地等について、その第二種市街地再開発事業の用に供するためにこれらの者（土地開発公社

－236－

を含みます。）に買い取られ、対価を取得する場合（措法33①三の七）

3　その他の法律により収用等された場合

土地収用法に掲げる事業及び都市計画事業の用に供するため資産が収用等された場合のほか、次の（1）から（6）に掲げる場合においても課税の特例が適用されます。

（1）　住宅地区改良法の規定により資産が収用されたとき、又は、同法の規定により収用することができる資産が買い取られた場合（措法33①一、二）

（2）　所有者不明土地の利用の円滑化等に関する特別措置法により資産が収用されたとき、又は、同法の規定により収用することができる資産が買い取られた場合（措法33①一、二）

（3）　次に掲げる法律によって収用することができることとされている資産が収用された場合、又は、これらの資産が買い取られた場合（措法33①一、二、措令22①）

イ　河川法

河川法第22条第1項においては、「洪水、高潮等による危険が切迫した場合において、水災を防御し、又はこれによる被害を軽減する措置をとるため緊急の必要があるときは、河川管理者は、その現場において、必要な土地を収用することができる」旨を定めています。

ロ　水防法

水防法第28条第1項においては「水防のため緊急の必要があるときは、水防管理者等は、水防の現場において、必要な土地を収用することができる」旨を定めています。

ハ　土地改良法

土地改良法においては、第119条《障害物の移転等》又は第120条《急迫の際の使用等》において資産の収用に関する規定がおかれています。

ニ　道路法

道路法第68条第1項においては「道路管理者は、道路に関する非常災害のためやむを得ない必要がある場合には、災害の現場において、必要な土地を収用することができる」旨を定めています。

ホ　森林法

ヘ　測量法

測量法第19条第1項においては「政府は、基本測量を実施するために必要な資産を収用することができる」旨を定めています。

ト　鉱業法、採石法

チ　日本国とアメリカ合衆国との間の相互協力及び安全保障条約第6条に基づく施設及び区域並びに日本国における合衆国軍隊の地位に関する協定の実施に伴う土地等の使用等に関する特別措置法

（4）　国、地方公共団体、独立行政法人都市再生機構又は地方住宅供給公社が、自ら居住するため住宅を必要とする者に対して、賃貸又は分譲をすることを目的として行う50戸以上の一団地の住宅経営事業のために土地等が買い取られた場合（措法33①四）

（5）　国、地方公共団体及び土地開発公社等が公有水面埋立法による免許を受けて公有水面を埋め立てたことにより、漁業権、入漁権その他水の利用に関する権利、鉱業権などが消滅し、補償金又は対価を取得する場合（措法33①七、措令22⑯）

これに該当するものとして、例えば、国、地方公共団体及び土地開発公社等が農地や工場用地を造成するために行う湖沼の干拓、海の埋立てにより漁業権が消滅する場合があります。

（6）　国や地方公共団体が次に掲げる法律に基づく処分を行うことにより、資産が買い取られ又は消滅し、補償金又は対価を取得する場合（措法33①八、措令22①）

①　建築基準法第11条第1項（地方公共団体が行う建築基準法非適用建築物の除去等）

② 漁業法第93条第１項（都道府県知事が公益上の必要により行う漁業権の変更、取消し又は行使の停止）

③ 漁港及び漁場の整備等に関する法律第59条第２項（第２号に係る部分に限る。）

④ 港湾法第41条第１項（港湾管理者が行う有害構築物の改築、移転、撤去）

⑤ 鉱業法第53条（経済産業局長が行う鉱物の掘採が著しく公共の福祉に反することとなる場合の鉱業権の取消し等）

⑥ 海岸法第22条第１項（都道府県知事が海岸管理者からの申請に基づいて行う海岸保全区域内の漁業権の取消し等）

⑦ 水道法第42条第１項（地方公共団体が行う改善命令に従わない水道事業者からの水道施設及びそれに付随する土地等の買収）

⑧ 電気通信事業法第141条第５項（水底線路を保護するための漁業権の取消し等）

4 土地等が公共事業に使用される場合

前述の１、２及び３は、資産が収用された場合又は買い取られた場合の課税の特例の適用に関する説明ですが、租税特別措置法では、公共事業の用に供するために使用された場合においても特例が適用できる場合がある旨を規定しています（措法33④一）。

土地等が使用され、補償金が交付された場合に課税の特例が適用されるのは、次の要件のいずれにも該当する場合です。

（１）　土地等の使用が、上記１の（１）から（４）まで、２の（１）及び（２）、３の（１）及び（２）の事業等のために行われるものであること。

（２）　その使用の内容が次の要件に該当すること（この要件に該当する貸付けのことを「譲渡所得の基因となる不動産等の貸付け」といいます。このことについて詳しいことは「第一編　譲渡所得」を参照してください。）。

① 建物若しくは構築物の所有を目的とする地上権若しくは賃借権又は地役権（特別高圧架空電線の架設、特別高圧地中電線の敷設、高圧ガス導管の敷設、飛行場の設置、懸垂式鉄道若しくは跨座式鉄道の敷設又は砂防法第１条に規定する砂防設備である導流堤その他これに類するもの（②において「導流堤等」といいます。）の設置、都市計画法第４条第14項《定義》に規定されている公共施設の設置若しくは第８条第１項第４号《地域地区》の特定街区内における建築物の建築のために設定されたもので、建造物の設置を制限するものに限ります。）を設定（借地権に係る土地の転貸その他他人に土地を使用させる行為を含みます。）する場合

② 上記①の地上権、賃借権、地役権の設定に際し、交付を受ける補償金又は対価の額が、〈イ〉建物又は構築物の全部の所有を目的とする地上権、賃借権、又は地役権については、その土地の価額の２分の１に相当する金額を超える場合（地上権、賃借権、地役権の設定が地下又は空間について上下の範囲を定めたものである場合又は導流堤等若しくは河川法第６条第１項第３号に規定する遊水地その他これに類するものの設置を目的とする地役権の設定である場合には、その土地の価額の４分の１に相当する金額を超える場合）、〈ロ〉建物又は構築物の一部の所有を目的とする地上権、賃借権については、その土地の価額に、その建物又は構築物の床面積のうちに、地上権、賃借権に係る建物又は構築物の一部の床面積の占める割合を乗じて計算した金額の２分の１に相当する金額を超える場合

（注）　都市再開発法による第２種市街地再開発事業（施行者が再開発会社であるものに限ります。）の施行に伴い、土地等が使用され補償金又は対価を取得する場合に、その再開発会社の株主又は社員の有する土地等が使用され、補償金又は対価を取得するときは、この特例の対象とされません（措法33④一、措令22㉑）。

次に、土地等が収用等される場合に該当することになったことに伴い、又は国等による特別の法令に基づく処分若しくは大深度地下の公共的使用に関する特別措置法に基づく国等の処分に伴い、その

土地の上にある資産を除去しなければならない場合において交付を受けるその資産若しくはその土地の上にある建物に係る配偶者居住権（その建物の敷地の用に供される土地等をその配偶者居住権に基づき使用する権利を含みます。）の対価補償金についての課税の特例は、土地等が収用等された場合と同じように、原則としてその土地等に係る補償金について課税の特例が適用される場合に限り適用できるものとされています（措法33④二）。

(注) ㋑都市再開発法による市街地再開発事業（施行者が再開発会社であるものに限ります。）の施行に伴い土地等が収用等され、その土地の上にあるその再開発会社の株主又は社員（同法第73条第1項第2号又は第118条の7第1項第2号に規定する者を除きます。）の有する資産又はその土地の上にある建物（その再開発会社の株主又は社員（都市再開発法第73条第1項第7号若しくは第14号又は第118条の7第1項第4号に規定する者を除きます。）がその建物に係る配偶者居住権を有するものに限ります。）を除去しなければならなくなった場合、㋺土地区画整理法による土地区画整理事業（施行者が区画整理会社であるものに限ります。）の施行に伴い土地等が買い取られ、その土地の上にあるその区画整理会社の株主又は社員（換地処分により土地等又は同法第93条第4項若しくは第5項に規定する建築物の一部及びその敷地の共有持分を取得する者を除きます。）の有する資産又はその土地の上にある建物（その区画整理会社の株主又は社員が当該建物に係る配偶者居住権を有するものに限ります。）を除去しなければならなくなった場合、㋩密集市街地における防災街区の整備の促進に関する法律による防災街区整備事業（施行者が事業会社であるものに限ります。）の施行に伴い土地等が買い取られ、その土地の上にあるその事業会社の株主又は社員（同法第205条第1項第2号及び第7号に規定する者を除きます。）の有する資産又はその土地の上にある建物（その事業会社の株主又は社員（密集市街地における防災街区の整備の促進に関する法律第205条第1項第7号又は第14号に規定する者を除きます。）がその建物に係る配偶者居住権を有するものに限ります。）を除去しなければならなくなった場合において、その資産若しくはその土地の上にある建物に係る配偶者居住権の対価補償金を取得するときは、この特例の対象とされません（措法33④二、措令22㉓）。

また、土地等が第七節の1《特例が適用される範囲》の(5)に該当することとなったことに伴い、その土地の上にある資産が土地区画整理法第77条の規定により除却される場合において、その資産又はその土地の上にある建物に係る配偶者居住権の損失に対して、同法第78条第1項の規定による補償金を取得するときについても特例が適用されます（措法33④三）。

なお、土地の使用に関する補償金について特例が適用できない場合であっても、土地の使用が公益の要請に基づき強制的に行われること、土地の上にある資産の除去、滅失等については土地等が収用された場合と実質的には変わらないことなどを考慮して、その使用が上記(1)の要件を満たすときは、土地の上にある資産に係る補償金については特例を適用することができるものとして取り扱われます（措通33-26）。

5　特定非常災害の場合の代替資産の取得指定期間の延長の特例

収用等に伴い代替資産を取得した場合の課税の特例の適用を受けた者が、特定非常災害（※）として指定された非常災害に基因するやむを得ない事情により、その代替資産を取得すべき期間（取得指定期間）内に取得をすることが困難となり、その取得指定期間の初日から取得指定期間の末日後2年以内までの間に代替資産の取得をする見込みであり、かつ、所轄税務署長の承認を受けた場合には、その取得指定期間を、その取得指定期間の末日の翌日から2年以内の日で所轄税務署長が認定した日まで延長することができることとされました（措法33⑧、措令22㉗）。

なお、この承認を受けるための申請は、取得指定期間の末日の属する年の翌年3月15日（同日が措置法第33条の5第1項に規定する提出期限後である場合には、当該提出期限）までに行わなければなりません。ただし、税務署長においてやむを得ない事情があると認める場合には、困難であると認められる事情を証する書類を添付することを要しません（措規14⑧）。

※　「特定非常災害」とは、著しく異常かつ激甚な非常災害であって、その非常災害の被害者の行政上の権利利益の保全等を図ること等が特に必要と認められるものが発生した場合に指定されるものを

いいます（特定非常災害の被害者の権利利益の保全等を図るための特別措置に関する法律2①）。

なお、令和6年9月30日現在、特定非常災害に指定されたものは、阪神・淡路大震災、平成16年新潟県中越地震、東日本大震災、平成28年熊本地震、平成30年7月豪雨災害、令和元年台風19号、令和2年7月豪雨災害及び令和6年能登半島地震となっています。

6 仮換地等が土地収用法等の規定に基づいて使用され補償金等を取得する場合の収用等の場合の課税の特例の適用について（昭48.1.19直審5-1、直審4-3）

土地区画整理法又は土地改良法による土地区画整理事業又は土地改良事業の施行地区内の公共用地等は、本来これらの事業の中で換地処分の手法を通じて取得されるべきものですが、仮換地等が土地収用法等の規定に基づいて使用され補償金等を取得する場合の収用などの場合の課税の特例の適用については、仮換地又は一時利用地の指定のあった日から相当の期間が経過しており、かつ、近い将来において換地処分が行われる見込みがないなど仮換地又は一時利用地そのものを公共事業の用に供することについてやむを得ない事情がある場合について適用があるものとされています。

以下、土地収用法等の規定に基づいて使用され補償金等を取得する場合の収用等の場合の課税の特例の適用が受けられる場合の要件等について具体的に説明します。

（1） 用語の意義

① 仮換地等 土地区画整理法第98条第1項《仮換地の指定》の規定により指定があった仮換地又は土地改良法第53条の5第1項《一時利用地の指定》の規定により指定があった一時利用地をいいます。

② 起業地 措法第33条の4第1項《収用交換等の場合の譲渡所得等の特別控除》に規定する収用交換等又は措法第65条の2第1項《収用換地等の場合の所得の特別控除》に規定する収用換地等に係る事業を施行すべき土地の区域をいいます。

③ 従前の宅地等 土地区画整理法上の従前の宅地又は土地改良法上の従前の土地をいいます。

④ 土地収用法等 措法第33条第1項第1号《収用等に伴い代替資産を取得した場合の課税の特例》又は第64条第1項第1号《収用等に伴い代替資産を取得した場合の課税の特例》に規定する土地収用法等をいいます。

⑤ 公共事業施行者 措法第33条の4第3項第1号又は第65条の2第3項第1号に規定する公共事業施行者をいいます。

（2） 仮換地等が土地収用法等により使用され補償金等を取得する場合等

仮換地等が起業地内にあり、その仮換地等に係る従前の宅地等が起業地の場合において、その仮換地等が次に掲げる場合に該当して補償金又は対価を取得するときは、その補償金又は対価は、措法第33条第1項又は第64条第1項に規定する補償金又は対価に該当するものとされます。

① 仮換地等が土地収用法等の規定に基づいて使用された結果、その仮換地等について有する使用収益権が消滅する場合

② 仮換地等について有する使用収益権の消滅の申出を拒むときは、土地収用法等の規定に基づいてその仮換地等が使用されその権利が消滅することとなる場合において、その権利が契約により消滅するとき

（3） 従前の宅地等が買い取られ対価を取得する場合

仮換地等が起業地内にあり、その仮換地等に係る従前の宅地等が起業地の外にある場合において、公共事業施行者からの買取り等の申出に応じて従前の宅地等の譲渡をし、譲渡者からその譲渡の対価の額の全部がその仮換地等の使用収益権の消滅の対価に該当するものとして（2）の取扱いにより措法第33条第1項、第33条の4第1項、第64条第1項、又は第65条の2第1項の規定を適用して確定申告書等の提出があったときは、これを認めるものとします。

（注） 「確定申告書等の提出があったとき」には、措法第33条の4第1項の規定の適用について同条第4項の

第四章第二節《収用等の場合の課税の特例が適用される譲渡等の範囲》

規定により確定申告書の提出をしなければならない者以外の者が従前の宅地等の譲渡の対価の額の全部を仮換地等の使用収益権の消滅の対価に該当するものとして（２）の取扱いの適用を受ける旨を記載した書類及び同項に規定する書類を提出した場合が含まれるものとします。

（４）　仮換地等の使用収益権が消滅する場合の収用証明書

（２）の取扱い（（３）により（２）の取扱いを受ける場合を含みます。（５）において同じ。）により、措法第33条第１項、第33条の４第１項、第64条第１項又は第65条の２第１項の規定の適用を受ける場合に確定申告書等に添付すべき収用証明書は、仮換地等として指定されている土地についての租税特別措置法施行規則第14条第５項各号《収用等に伴い代替資産を取得した場合の課税の特例》又は第22条の２第４項各号《収用等に伴い代替資産を取得した場合の課税の特例》に掲げる収用の証明書類とします。

（５）　最初に買取り等の申出のあった日

（２）の取扱いにより仮換地等の使用収益権の消滅につき措法第33条の４第１項又は第65条の２第１項の規定を適用する場合には、措法第33条の４第３項第１号又は第65条の２第３項第１号に規定する最初に買取り等の「申出のあった日」は、その仮換地等に係る従前の宅地等について最初に買取りの申出のあった日とその仮換地等の使用収益権について最初に消滅の申出のあった日のうちいずれか早い日をいうものとします。

（６）　仮換地等の使用収益権の消滅があった後における換地処分により取得した換地が収用等される場合

仮換地等の使用収益権の消滅につき（２）の取扱いの適用を受けた者が、その消滅のあった日の属する年の翌年１月１日以後に行われた換地処分によりその仮換地等を換地として取得した場合において、その換地が仮換地等を使用している者によって土地収用法等の規定に基づいて収用され又は買い取られ、補償金又は対価を取得したときは、その収用又は買取りにより譲渡した換地については、措法第33条の４第３項第２号の規定により、5,000万円控除の特例は適用がないものとします。

７　特定駐留軍用地等を譲渡した場合の譲渡所得の課税の特例

沖縄県の特定駐留軍用地等を有する個人が、土地の買取協議に基づき、その土地の買取協議を行う地方公共団体等にその土地の譲渡をしたときは、収用交換等の場合の5,000万円特別控除の適用が認められます。

この特定駐留軍用地等を譲渡した場合の譲渡所得の課税の特例の内容は、次の（１）、（２）のとおりです。

（１）　跡地利用推進法第16条第１項に規定する特定駐留軍用地等を有する個人が、跡地利用推進法第16条第１項の土地の買取協議に基づき、その土地の買取協議を行う同条第２項に規定する地方公共団体等にその土地の譲渡をしたときは、その譲渡は、租税特別措置法第33条の４第１項に規定する収用交換等による譲渡に該当するものとみなして、収用交換等の場合の5,000万円特別控除が適用されます（復帰政令34の３①）。

（２）　本特例は、適用を受けようとする者の特定駐留軍用地等の譲渡をした日の属する年分の確定申告書に、本特例の適用を受けようとする旨を記載するとともに、その特定駐留軍用地等の買取りを行った地方公共団体等のその土地の譲渡が土地の買取協議に基づき行われたものである旨及びその土地の譲渡に係る対価の額を証する書類を添付する必要があります（復帰政令34の３②、復帰省令７の３）。

－241－

第三節　収用等のあった日

譲渡の時期については、「譲渡所得の総収入金額の収入すべき時期は、譲渡所得の基因となる資産の引渡しがあった日によるものとする。ただし、当該資産の譲渡に関する契約の効力の発生の日（その譲渡について許可又は届出を要する農地等については、譲渡に関する契約が締結された日）により総収入金額に算入して申告があったときは、これを認める」と規定されています（所基通36－12）。

収用等に伴い資産を譲渡した場合においても原則としてこの規定によりますが、収用等による譲渡には、収用や換地処分等のように一般の譲渡と異なる方法で譲渡される場合がありますので、このようなものについては、「収用等又は、換地処分等があった日」（以下「収用等のあった日」といいます。）を譲渡の時期とすることとし、次のように定められています（措通33－7）。

（1）　資産について土地収用法第48条第1項《権利取得裁決》若しくは第49条第1項《明渡裁決》に規定する裁決又は第50条第1項《和解》に規定する和解があった場合……当該裁決書又は和解調書に記載された権利取得の時期又は明渡しの期限として定められている日（その日前に引渡し又は明渡しがあった場合には、その引渡し又は明渡しがあった日）

（2）　資産について土地区画整理法第103条第1項《換地処分》（新都市基盤整備法第41条《換地処分等》及び大都市地域住宅等供給促進法第83条《土地区画整理法の準用》において準用する場合を含みます。）、新都市基盤整備法第40条《一括換地》又は土地改良法第54条第1項《換地処分》の規定による換地処分があった場合……土地区画整理法第103条第4項（新都市基盤整備法第41条及び大都市地域住宅等供給促進法第83条において準用する場合を含みます。）又は土地改良法第54条第4項の規定による換地処分の公告のあった日の翌日

（3）　資産について土地改良法、農業振興地域の整備に関する法律又は農住組合法による交換分合が行われた場合……土地改良法第98条第10項又は第99条第12項《土地改良区の交換分合計画の決定手続》（同法第100条第2項《農業協同組合等の交換分合計画の決定手続》及び第100条の2第2項《市町村の交換分合計画の決定手続》、農業振興地域の整備に関する法律第13条の5《土地改良法の準用》並びに農住組合法第11条《土地改良法の準用》において準用する場合を含みます。）の規定により公告があった交換分合計画において所有権等が移転等をする日として定められている日

（4）　資産について都市再開発法第86条第2項《権利変換の処分》又は密集市街地における防災街区の整備の促進に関する法律第219条第2項《権利変換の処分》の規定による権利変換があった場合……権利変換計画に定められている権利変換期日

第四節　各種補償金の区分とその取扱い

　資産の収用等に伴い交付される補償金で収用等の場合の課税の特例が適用できるのは、対価補償金、つまり、収用等の目的となった資産の対価として交付を受ける補償金に限られます。この場合交付される補償金が対価補償金に当たるかどうかは、その補償金の名目のいかんにかかわらず、その実体が資産の対価として交付されたものであるかどうかにより判定します。

1　各種補償金の課税上の区分

　資産が収用等されたことにより交付を受ける補償金は、対価補償金を含めて5つに区分することができ、交付された補償金がいずれの補償金に該当するかは、起業者が補償金の支払に際して使用している名称のいかんによらないで、その補償金の実質的な内容が別表1「公共用地の取得に伴う損失補償基準要綱による各種の補償金の課税上の区分一覧表」（278ページ参照）の補償の種類及び内容に規定するもののいずれに当たるかに応じ、同表に掲げるところにより判定します。交付される補償金の種類と課税上の取扱いを簡記しますと、次ページの表のようになります（措通33-9）。

2　課税上の特殊な取扱い

　補償金の課税上の取扱いは、原則的には上記の1に掲げるところによりますが、対価補償金以外の補償金の交付を受けた場合であっても、それが対価補償金と実質的に変わることがないと認められるものについては、課税上はこれを対価補償金として取り扱います。

（1）　引き家補償金等の名義で交付を受ける補償金

　土地等が収用等されたことに伴い起業者からその土地等の上にある建物、構築物を引き家又は移築するために要する費用として交付を受ける補償金であっても、その建物や構築物を取り壊したときは、その補償金（その建物等の一部を構成していた資産で、そのもの自体としてそのまま又は修繕や改良を加えた上、他の建物などの一部を構成することができると認められるものに係る部分を除きます。）は、その建物や構築物の対価補償金に当たるものとして取り扱うことができます（措通33-14）。

（2）　移設困難な機械装置の補償金

　土地等又は建物が収用等されたことに伴って機械装置の移設を要することとなった場合において、その移設に要する費用の補償として交付を受ける補償金は移転補償金に該当するのですが、例えば製錬設備の溶鉱炉、公衆浴場設備の浴槽のように、そのもの自体を移設することが著しく困難であると認められる資産について交付を受ける補償金は、対価補償金として取り扱われます。

　なお、これに該当しない場合でも、機械装置移設のための費用が、その機械設備新設の費用を超えるなどの事情のため、移設費用の補償に代えて、新設費用の補償を受けた場合には、その事情が起業者の算定基礎等に照らして実質的には対価補償金として交付されたものであることが明確であるとともに、交付を受けた者が現にその補償の目的に適合した資産を取得し、かつ、旧資産の全部又は大部分を取り壊し、又は廃棄又はスクラップ化しているものであるときに限り、その補償金は対価補償金として取り扱うことができます（措通33-15）。

（3）　事業廃止の場合の機械装置等の売却損の補償金

　土地、建物、漁業権その他の資産の収用等に伴い機械装置等の売却を要することとなった場合において、その売却による損失の補償として交付を受ける補償金は、経費補償金に該当しますが、収用等に伴って事業のすべてを廃止した場合又は従来営んできた事業を廃止し、かつ、その機械装置等を他に転用できない場合に交付を受けるその機械装置等の売却損の補償金は、対価補償金として取り扱います。この場合において、その機械装置等の帳簿価額のうち、その対価補償金に対応する部分の金額は、次の算式により計算した金額によります。ただし、その収用等をされた者が、その機械装置等の

-243-

第四章第四節《収用等に伴い交付される各種補償金の区分とその取扱い》

帳簿価額のうち、その処分価額又は処分見込価額を超える部分の金額をその対価補償金に対応する部分の帳簿価額として申告し又は経理している場合には、それが認められます（措通33−13）。

$$その機械装置\\等の帳簿価額 \times \frac{対価補償金として取り扱う金額}{対価補償金とし\ その機械装置等の処分価\\て取り扱う金額\ +\ 額又は処分見込価額}$$

(注) 機械装置等の売却損の補償金は、一般には、次の①から②を控除して計算します。
① その機械装置等と同種の機械装置等の再取得価額から、その再取得価額を基として計算した償却費の額の累計額に相当する金額を控除した残額
② その機械装置等を現実に売却することができる価額

【各種補償金の課税上の取扱い】

補償金の種類	交 付 の 目 的	課 税 上 の 取 扱 い
①対価補償金	収用等に伴い収用等の目的となった資産の対価として交付を受ける補償金	譲渡所得の金額又は山林所得の金額の計算上、収用等の場合の課税の特例の適用があります。
②収益補償金	収用等に伴いその営む事業について減少することとなる収益又は生ずることとなる損失の補てんに充てるものとして交付を受ける補償金	その補償金の交付の基因となった事業の態様に応じ、不動産所得の金額、事業所得の金額又は雑所得の金額の計算上総収入金額に算入します。ただし、次の(7)により収益補償金として交付を受ける補償金を対価補償金として取り扱うことができる場合があります。
③経費補償金	収用等に伴い、その営む事業が休廃業等することにより生ずる事業上の費用又は、収用等による譲渡の目的となった資産以外の資産について実現した損失の補てんに充てるものとして交付を受ける補償金	イ 休廃業等により生ずる事業上の費用の補てんに充てるものとして交付を受ける補償金は、その交付の基因となった事業の態様に応じ、不動産所得の金額、事業所得の金額又は雑所得の金額の計算上総収入金額に算入します。 ロ 収用等による譲渡の目的となった資産以外の資産（棚卸資産等を除きます。）について実現した損失の補てんに充てるものとして交付を受ける補償金は、山林所得の金額又は譲渡所得の金額の計算上、総収入金額に算入します。ただし、(3)により経費補償金として交付を受ける補償金を対価補償金として取り扱うことができる場合があります。
④移転補償金	収用等に伴い資産（棚卸資産を含みます。）の移転に要する費用の補てんに充てるものとして交付を受ける補償金	補償金をその交付の目的に従って支出した場合には、その支出した額については、所得税法第44条《移転等の支出に充てるための交付金の総収入金額不算入》の規定が適用されます。ただし、引き家補償の名義で交付を受ける補償金又は移設困難な機械装置の補償金を対価補償金として取り扱うことができる場合があります。また、次の(4)により借家人補償金は、対価補償金とみなして取り扱います。
⑤その他対価補償金の実質を有しな	上記①から④までの補償金以外の補償金	その実態に応じ各種所得の金額の計算上、総収入金額に算入します。ただし、所得税法第9条第1項《非課税所得》の規定に該当する

い補償金		ものは、非課税となります。

（注） 移転補償金をその交付の目的に従って支出したかどうかの判定は、次によります。

（１）　移転補償金をその交付の基因となった資産の移転若しくは移築又は除去若しくは取壊しのための支出に充てた場合　交付の目的に従って支出した場合に該当します。

（２）　移転補償金を資産の取得のための支出又は資産の改良その他の資本的支出に充てた場合　その交付の目的に従って支出した場合に該当しません。

（４）　借家人補償金

　他人の建物を使用している者が、その建物が収用等されたことに伴い、その使用を継続することが困難となったため、転居先の建物の賃借に要する権利金に充てるものとして交付を受ける補償金（従来の家賃と転居先の家賃との差額に充てるものとして交付を受ける補償金を含みます。以下「借家人補償金」といいます。）は、対価補償金として取り扱います。この場合において、その者が借家人補償金に相当する金額を転居先の建物の賃借に要する権利金に充てたときは、その権利金に充てた金額は、代替資産の取得に充てた金額とみなして取り扱うことができます（措通33－30）。

　　（注）　借家人補償金をもって事業用固定資産の取得に充てた場合には、措令第22条第６項（第五節の１の（２）のロ（251ページ）参照）の規定による代替資産の特例の適用があるものについてはこれにより、また、その建物と同じ用途に供する土地又は建物を取得した場合には、その土地又は建物をその借家人補償金に係る代替資産に該当するものとして取り扱うことができます。

（５）　借地人が交付を受けるべき借地権の対価補償金の代理受領とみなす場合

　借地権その他の土地の上に存する権利（以下「借地権等」といいます。）の設定されている土地について収用等があった場合において、土地に係る対価補償金と借地権等に係る対価補償金とが一括して土地の所有者に交付され、その交付された金額の一部が土地の所有者から借地権等を有する者に借地権等に係る対価補償金に対応する金額として支払われたときは、その支払が立退料等の名義でされたものであっても、支払を受けた金額は、借地権等を有する者に交付されるべき借地権等の対価補償金が代理受領されたものとみなして、その借地権等を有する者が収用等の課税の特例の適用を受けることができます。この場合、借地権等を有する者がその対価補償金について第八節の「収用交換等の場合の譲渡所得の特別控除」の適用を受けるためには、土地の所有者から支払を受けた金額の計算に関する明細書及び収用等をされた土地に係る第五節の６（１）の①から③まで（256ページ）に掲げる書類で土地の所有者が交付を受けるものの写しを確定申告書に添付しなければなりません（措通33－31の４）。

（６）　収益補償金名義で交付を受ける補償金を対価補償金として取り扱うことができる場合

　収用等により交付を受ける補償金が対価補償金に該当するかどうかは、起業者のその補償金の算定基礎に基づいて判定することになっていますが、建物の収用等に伴い収益補償金の交付を受ける場合で、その建物の対価補償金として交付を受ける金額がその建物の再取得価額に満たないときは、当分の間、その収益補償金として交付を受ける金額のうち、その満たない金額（建物の再取得価額からその建物の対価補償金として交付を受ける金額を控除した金額をいい、その金額が交付を受けた収益補償金の額を超えるときは、収益補償金の額とします。）に相当する金額を、その建物の対価補償金として計算したときは、これが認められます。この場合におけるその建物の再取得価額は、次によります（措通33－11）。

イ　建物の買取り契約の場合は、起業者が買取り対価の算定基礎としたその建物の再取得価額により、その額が明らかでないときは、その建物について適正に算定した再取得価額によります。

ロ　建物の取壊し契約の場合は、次によります。

　（イ）　起業者が補償金の算定基礎としたその建物の再取得価額が明らかである場合には、その再取得価額によります。

　（ロ）　上記（イ）以外の場合には、その建物の対価補償金として交付を受ける金額に、その建物の構造が木造又は木骨モルタル造であるときは$\frac{100}{65}$を、その他の構造であるときは$\frac{100}{95}$をそれぞれ乗

じた金額によります。

なお、この取扱いを適用する場合において、収用等された建物が二以上あり、かつ、建物の対価補償金と、収益補償金の金額の合計額が建物の再取得価額に満たないときは、この取扱いにより対価補償金の金額とされる金額を、個々の建物のいずれの対価補償金とするかは、個々の建物の再取得価額を限度として、任意に計算することができます（措通33－12）。

（注1） 再取得価額とは、収用等された建物と同一の建物を新築するものと仮定した場合の取得価額です。

（注2） 収益補償金名義で交付を受ける補償金を借家人補償金に振り替えて計算することはできません。

（7）　権利変換による補償金の範囲

第一種市街地再開発事業又は防災街区整備事業の施行による権利変換により、消滅する土地、建築物又はこれらに関する権利について、都市再開発法第91条第1項《補償金等》又は密集市街地における防災街区の整備の促進に関する法律第266条第1項《補償金等》の規定により補償金とともに支払われる利息相当額は対価補償金に含まれます（措通33－21）。

（注） 都市再開発法第91条第2項又は密集市街地における防災街区の整備の促進に関する法律第226条第2項の規定により支払われる過怠金の額及び都市再開発第118条の15第1項《譲受希望の申出の撤回に伴う対償の支払等》の規定により支払われる利息相当額は対価補償金に含まれず、雑所得の総収入金額に算入されます。

3　補償金に関するその他の取扱い

（1）　残地補償金

残地補償金とは、土地等の一部が収用等されたことに伴って、その残地の損失について土地収用法第74条《残地補償》の規定により交付を受ける補償金をいいますが、この残地補償金は、その土地等のうち収用などされた部分の対価補償金とみなして取り扱うことができます。この場合の譲渡所得を計算する場合の取得価額については、次の算式によります（措通33－16）。

$$\text{その土地の取得価額} \times \frac{\text{収用等の直前の}\ \text{その土地の価額} - \text{収用等をされた}\ \text{後の残地の価額}}{\text{収用等の直前のその土地の価額}}$$

（2）　残地買収の対価

残地買収とは、同一の土地所有者に属する一団の土地の一部が収用等をされたことに伴って、その残地を従来利用していた目的に供することが著しく困難となるため、その残地について収用の請求をすれば収用されることとなる場合（土地収用法第76条第1項参照）において、起業者がその残地を買収することをいいますが、この残地買収の対価については対価補償金として課税の特例の適用があります。なお、残地を買い取られた場合であっても、ここにいう「残地買収」に該当しない場合には課税の特例の適用がありません（措通33－17）。

（3）　土地等の使用補償金を対価補償金とみなす場合

土地等が土地収用法等の規定に基づいて使用され、補償金を取得する場合において、その土地等を使用させることが「譲渡所得の基因となる不動産の貸付け」に該当するときは、その土地等について収用等による譲渡があったものとみなされます。この場合の「譲渡所得の基因となる不動産の貸付け」とは、借地権又は地役権の設定の対価として受ける補償金の額が、その設定等の直前における土地の価額の2分の1（借地権又は地役権の設定が地下又は空間について上下の範囲を定めたものである場合又は導流堤等若しくは河川法第6条第1項第3号に規定する遊水地その他これに類するものの設置を目的とする地役権の設定である場合には、その土地の価額の4分の1）を超える場合で、その事業のため恒久的に使用する次のような場合をいいます。

（注） 工事中に材料置場、工事用事務所等の用地として一時的に土地を使用させることに伴って支払を受ける賃貸料などの補償金はこれに該当しません。

① 地下鉄の施設、鉄道や軌道の高架施設等を設置するために借地権を設定した場合や借地権の一部が制限される場合

② 特別高圧架空電線の架設、飛行場の設置又はいわゆるモノレールの敷設のために地役権を設定して起業者に土地を使用させる場合

　このように土地等が公共事業のために使用される場合であっても一定の要件に該当しないと課税の特例は適用できませんが、土地等の使用の対価として交付される補償金については、課税の特例が適用されない場合であっても、土地等が使用されることに伴いその土地の上にある資産を収用あるいは除去しなければならなくなった場合において交付を受けるその資産の対価又は損失に対する補償金については、対価補償金とみなして取り扱われ、特例を適用することができます（措通33－26）。

（4）　発生資材等の売却代金の取扱い

　土地が収用されたことに伴ってその土地の上にある建物、構築物、立竹木などを取り壊し又は除去しなければならないことになった場合において生じた発生資材（資産の取壊し等に伴い生ずる発生資材をいいます。）、又は伐採立竹木の売却代金は、対価補償金に該当しません（これらの資産の売却代金は、山林所得又は譲渡所得の計算上総収入金額に算入されます。）（措通33－29）。

（5）　立木の補償金のうち対価補償金としての実質を有しない部分の金額

　土地等が収用等されたことに伴ってその土地の上にある立木について伐採しなければならなくなった場合に交付を受ける補償金のうち対価補償金に該当するのは、その立木の伐採による損失の補償金に限られています。したがって、例えば、その山林を伐採し、その伐採した立木を起業者に売り渡すこととして伐採による損失の補償金と売渡しによる対価と併せて受領したときは、その売渡価額に相当する金額は対価補償金に該当しません。

　なお、伐採立竹木の損失補償金を取得して伐採した立竹木を他に売却した場合には、その立竹木の譲渡に係る山林所得の金額又は譲渡所得の金額の計算上控除する必要経費又は取得費及び譲渡費用は、まず、当該立竹木の売却代金に係るこれらの所得の金額の計算上控除し、なお控除しきれない金額があるときは、当該立竹木補償金に係る所得の金額の計算上控除することとされています（措通33－29の2）。

（6）　残地保全経費の補償金

　土地等の一部又は土地等の隣接地について収用等されたことにより、残地に通路、溝、垣、柵その他の工作物の新築、改築、増築若しくは修繕又は盛土若しくは切土（以下「工作物の新築等」といいます。）をするための費用に充てるものとして交付を受ける補償金は、対価補償金に該当しないのですが、その工作物の新築等が残地の従来の機能を保全するために必要なものであると認められる場合に限り、その工作物の新築等に要した金額については、所得税法第44条《移転等の支出に充てるための交付金の総収入金額不算入》に規定する資産の移転等に充てるために交付を受けた金額をその交付の目的に従って資産の移転等の費用に充てた場合の取扱いに準じて取り扱われます（措通33－18）。

（7）　移転補償金に残額が生じた場合

　収用等に伴って移転補償金の交付を受けた場合で、その交付を受けた金額（その金額を対価補償金として取り扱うことができる金額がある場合には、その金額を控除した金額）の全部又は一部を交付の目的に従って支出しなかった場合又は交付の目的に従って支出して、なお残額が生じた場合には、その支出しなかった額又は生じた残額は、その交付を受けた日の属する年分の一時所得の金額の計算上総収入金額に算入します（所基通34－1（9））。

（8）　経費補償金等の課税延期

　経費補償金、若しくは移転補償金、残地保全経費の補償金については原則として収入すべき金額が確定した日の属する年分の所得として課税されますが、経費補償金若しくは移転補償金（対価補償金として取り扱うものを除きます。）、又は残地保全経費の補償金のうち、収用等のあった日の属する年の翌年1月1日から収用等のあった日以後2年（地下鉄工事のため一旦建物等を取り壊し、工事完成

－247－

後従前の場所に建築する場合など、代替資産の取得期間を延長することができる特別な要件に該当するときは、税務署長が承認した代替資産を取得することができることとなる日）を経過する日までに交付の目的に従って支出することが確実と認められる部分の金額がある場合には、その金額については、同日とその交付の目的に従って支出する日といずれか早い日の属する年分の各種所得の金額の計算上総収入金額に算入したい旨を、収用等により資産を譲渡した日の属する年分の確定申告書を提出する際に、書面をもって申し出たときは、これらの補償金について課税延期が認められます（措通33－33）。

この場合の「代替資産の取得期間を延長することができる特別な要件に該当するとき」とは、後掲の第五節「代替資産を取得した場合の課税の特例（措法33）」の「2　代替資産の取得の時期」の（1）及び（2）に該当するときです。

（9）　収益補償金の課税延期

収用等に伴って交付を受ける収益補償金のうち、前記2の（7）により対価補償金として取り扱われる部分以外の部分については、原則として収用等があった日の属する年分の事業所得等として課税されることになるのですが、収用等があった日の属する年分の事業所得等の総収入金額に算入しないで収用等をされた土地又は建物から立ち退くべき日として定められている日（その日前に立ち退いたときは、その立ち退いた日）の属する年分の事業所得等の総収入金額に算入したい旨を書面によって申し出たときは、課税延期が認められます。また、収益補償金が、収用等があった日の属する年の末日までに支払われない場合についても、同様に取り扱われます（措通33－32）。

（10）　公有水面の埋立て又は土地収用事業の施行に伴う漁業権等の消滅補償金

措置法第33条第1項第7号の規定は、次に掲げるような場合において、漁業権、入漁権その他水の利用に関する権利等が消滅（価値の減少を含みます。）をし、補償金又は対価を取得するときにおいて適用がありますが、この場合、その権利には、漁業法第105条《組合員行使権》に規定する組合員行使権を含むことに取り扱われます（措通33－24）。

①　国、地方公共団体（その出資金額又は拠出された金額の全額が地方公共団体により出資又は拠出をされている法人を含みます。以下この項において同じ。）が公有水面埋立法第2条《免許》に規定する免許を受けて公有水面の埋立てを行う場合

　（注）　例えば、国、地方公共団体が農地又は工業地の造成のため公有水面埋立法の規定に基づき海面の埋立て又は水面の干拓を行う場合等です。

②　土地収用法第3条《土地を収用し又は使用することができる事業》に規定する事業（都市計画法第4条第15項《定義》に規定する都市計画事業を含みます。以下「土地収用事業」といいます。）の施行者（国又は地方公共団体を除きます。）がその事業の用に供するため公有水面埋立法に規定する免許を受けて、公有水面の埋立てを行う場合

　（注）　例えば、電力会社が火力発電施設用地の取得のため、公有水面埋立法の規定に基づいて海面の埋立てを行う場合等があります。

③　土地収用事業の施行者がその収用事業を施行する場合（②に該当する場合を除きます。）

　（注）　例えば、国が水力発電施設としてダムを建設するため河川をせきとめたことにより、その下流にある漁業権等の全部又は一部が制限される場合等があります。

（11）　公有水面の埋立てに伴う権利の消滅の意義

措置法第33条第1項第7号に規定する「公有水面の埋立て又は当該施行者が行う当該事業の施行に伴う……権利の消滅」とは、公有水面の埋立てによりその埋立てに係る区域にある漁業権等が消滅すること又は土地収用事業に係る施設ができることによりその施設の存する区域（河川につき施設されたものである場合には、その施設により流水の状況その他に影響を受けるその河川の流域を含みます。）に存する漁業権等が消滅することをいいます（措通33－25）。

－248－

第四章第四節《収用等に伴い交付される各種補償金の区分とその取扱い》

(12)　事業施行者以外の者が支払う漁業補償等

　措置法第33条第1項第7号に規定する事業の施行者でない地方公共団体又は地方公共団体が財産を提供して設立した団体の支払った補償金又は対価が、収用等の場合の課税の特例の適用が受けられる補償金又は対価に該当するかどうかは、次に掲げる要件のすべてを満たしているかどうかにより判定することとされています（措通33－51の2）。

①　公有水面埋立法の規定に基づく公有水面の埋立事業の施行による権利の消滅（価値の減少を含みます。）に関する契約書には、補償金又は対価の支払をする者が、事業の施行者が施行する事業のために消滅する権利に関して支払うものである旨が明記されているものであること。

②　上記①の事項については、その事業の施行者と補償金又は対価の支払をする者との間の契約書又は覚書により相互に明確に確認されているものであること。

(13)　仮換地の指定により交付を受ける仮清算金

　土地区画整理法第102条《仮清算金》の規定により交付を受ける仮清算金の額は、換地処分があるまでは、その年分の各種所得金額の計算上の収入金額には算入しないことになっています（措通33－46の2）。

第五節　代替資産を取得した場合の課税の特例（措法33）

　収用等の場合の課税の特例には、資産（棚卸資産を除きます。）が収用等されたことに伴い交付される対価補償金（対価補償金以外の補償金のうち課税上の取扱いにより対価補償金とみなされるものを含みます。以下同じ。）で代わりの資産を取得した場合には、対価補償金（譲渡に要した経費があるときはその金額を控除した金額）のうち、代わりの資産の取得価額に相当する金額については、譲渡がなかったものとして課税の繰延べをすることができる規定が設けられています。

　この場合に代わりに取得する資産は何であっても特例が適用できるというものではなく、また、いつ取得してもよいというものでもありません。租税特別措置法ではこれらのことについて、一定の範囲を規定しており、この規定に該当する資産のことを代替資産といいます。

1　代替資産の範囲

（1）　代替資産の原則

　土地、建物等が収用等されたことに伴い、課税の特例が受けられる代替資産とは、原則として、収用等された資産と同種の資産であることを要件としていますが、この同種の資産とは、収用等された資産が次に掲げる資産である場合には、それぞれの資産の区分に応じた資産をいい、それ以外の場合は収用等された資産と同種の資産、又は、収用等によって消滅した権利と同種の権利をいいます。また、配偶者居住権の場合は、当該配偶者居住権を有していた者の居住の用に供する建物又は当該建物の賃借権をいい、配偶者居住権の目的となっている建物の敷地の用に供される土地又は当該土地の上に存する権利を当該配偶者居住権に基づき使用する権利は、当該権利を有していた者の居住の用に供する建物の敷地の用に供される土地又は当該土地の上に存する権利をいいます(措令22④、措規14②)。

① 　土地又は土地の上に存する権利
② 　建物（その附属設備を含みます。）又は建物に附属する門、塀、庭園（庭園に附属する亭、庭内神しその他これらに類する附属設備を含みます。）、煙突、貯水槽その他これらに類する構築物
③ 　上記②以外の構築物
④ 　収用等された資産と種類及び用途を同じくするその他の資産

　これに該当するものに、例えば居住用の土地家屋を収用された者が、土地の対価補償金で代わりの土地を取得し（上記の①に該当）、家屋の対価補償金で代わりの家屋を取得する（上記②該当）場合や、農地を収用された者がその対価補償金で、宅地や山林（林地）を取得する（上記①該当）場合があります。

（2）　代替資産の特則

　代替資産は、収用等された資産と同種の資産であるのが原則ですが、譲渡が自己の意思に基づかないで行われたものであること、資産によっては同種の資産が容易に取得できないこと等を考慮して代替資産の範囲を次のように拡大しています。

イ　一組資産法

　収用等された資産が上記(1)の①から③までの異なる区分に属する二以上の資産で一つの効用を有する一組の資産となっているものである場合には、収用等された資産と同じ効用を有する他の資産をもって代替資産とすることができます（措令22⑤）。

　この場合の一の効用を有する一組の資産とは、種類の異なる二以上の資産で一体として、次に掲げる用に供されるものをいいます（措規14③）。

① 　居住の用
② 　店舗又は事務所の用
③ 　工場、発電所又は変電所の用

－250－

④　倉庫の用

⑤　①から④までに掲げる場合のほか、劇場の用、運動場の用、遊技場の用その他これらの用に類する区分の用

(イ)　一組の資産について収用等があった場合において、取得する資産についてはその効用が同じものであれば、一組となっている必要はありません。したがって、居住用の土地と家屋を収用等された者が以前から持っている土地の上に居住用の家屋を取得した場合でも、その家屋は代替資産になります（措通33－39）。

(ロ)　収用等をされた一組の資産が二以上の用途に供されていた場合、例えば居住の用と店舗又は事務所の用に併せて供されていた場合には、そのいずれの用にも供されていたものとされます（措通33－40）。

(ハ)　取得した代替資産が、店舗併用住宅のように二以上の用途に供される一組の資産である場合には、そのいずれの用にも供されたものとして取り扱われます（措通33－40）。

ロ　事業継続法

　収用等された資産が、その者の営んでいる事業（事業に準ずるものを含みます。）の用に供されていた資産である場合は、その資産の対価補償金で、その者の事業（事業に準ずるものを含みます。）の用に供する土地等又は減価償却資産を取得（製作及び建設を含みます。以下本節において同じ。）した場合には、これらの資産を代替資産とすることができます（措令22⑥）。（イの特則とロの特則は併用できます。）

　この場合の事業に準ずるものとは、事業と称するに至らない不動産又は船舶の貸付けその他これに類する行為で相当の対価を得て継続的に行うものをいいます。

　　(注)　事業用減価償却資産とは、所得税法第2条第1項第19号《減価償却資産》に規定する資産で事業の用に供するものをいいます。

(イ)　収用等された資産を「事業の用」に供していたかどうかは、原則として、譲渡契約締結の時において事業の用に供していたかどうかにより判定しますが、事業認定があったこと、又は収用等に該当する買取り等の申出があったこと等により譲渡を余儀なくされることが明らかになった時まで事業の用に供していたものは、譲渡契約締結時においては事業の用に供していないものであっても、「事業の用」に供していたものとして取り扱われます（措通33－41）。

(ロ)　譲渡資産が事業の用と事業以外の用とに併せ供されていた場合には、原則としてその事業の用に供されていた部分が「事業の用に供するもの」として取り扱われます。ただし、その事業の用に供されていた部分がその資産全体のおおむね90％以上である場合には、その資産の全部を「事業の用に供されていたもの」として差し支えありません。

　　なお、代替資産とすることができる資産についても同様に取り扱われます（措通33－42）。

　　(注)　事業用部分と非事業用部分は、原則として、面積の比により判定されます。

(ハ)　取得した資産が事業用資産に当たるかどうかは、その取得した資産が改修、手入れを要するものかどうか、それに要する期間などの具体的事情に応じ、相当の期間内に事業の用に供したかどうかによって判定しますが、取得の日以後1年を経過した日（又は取得の日の属する年分の確定申告期限）までに事業の用に供している場合は、相当の期間内に事業の用に供したものとして取り扱われます（措通33－44）。

(ニ)　収用等により譲渡した資産がその所有者と生計を一にする親族の事業の用に供されていた場合には、譲渡した資産はその所有者にとっても「事業の用」に供していたものとして取り扱われます。

　　この取扱いは、代替資産とすることができる資産についても適用します（措通33－43）。

(3)　相続人が代替資産を取得した場合

代替資産の取得による課税の繰延べは、収用等された者が一定の期間内に代替資産を取得した場合

に適用されます。したがって、収用等により資産を譲渡した者が代替資産を取得しないで死亡した場合には、原則として課税の繰延べの特例は適用できません。しかし、その場合でも死亡前に代替資産の取得のための売買契約又は請負契約を締結しているなど代替資産が具体的に確定しており、かつ、その相続人が法定期間内に実際に代替資産を取得した場合は特例の適用を受けることができます（措通33－45）。

（4）　資本的支出

資産の収用等に伴い、その代替資産となるべき資産の改良、改造等をした場合には、その改良、改造等に要した費用の支出は、代替資産の取得に当たるものとして取り扱われます（措通33－44の2）。

2　代替資産の取得の時期

代替資産は原則として収用等のあった日から2年以内に取得しなければなりません。しかし代替資産の取得期間を2年間に限定すると、収用等された資産の移転に相当の期間を要するため所定の期間内に代替資産を取得することが困難となる場合のあることが想定されますので、原則的には2年以内としながら、次に掲げる事情により、代替資産を2年以内に取得できない場合には、それぞれ次に掲げる日まで取得期限を延長することができることになっています（措法33③、措令22⑲）。

また、令和4年4月1日以後、収用等のあった日の属する年の前年中（その収用等により資産の譲渡をすることとなることが明らかとなった日以後の期間に限ります。以下同じ。）に代替資産の取得をしたとき（その代替資産が土地等である場合において、一定のやむを得ない事情（注1）があるときは、一定の期間（注2）内に取得をしたとき）には、この特例を適用できることとされました（措法33②）。

- **（注1）**　「一定のやむを得ない事情」とは、工場等で事業の用に供するものの敷地の用に供するための宅地の造成並びにその工場等の建設及び移転に要する期間が通常1年を超えると認められる事情その他これに準ずる事情をいいます（措令22⑰）。
- **（注2）**　上記の「一定の期間」とは、収用等のあった日の属する年の前年以前3年の期間（その収用等により資産の譲渡をすることとなることが明らかとなった日以後の期間に限ります。）とされています（措令22⑰）。

（1）　収用等に伴い工場などを移転する必要がある場合において、その工場などの敷地を取得するための宅地の造成、工場の建設、移転に要する期間が通常2年を超えるため、収用等のあった日から2年を経過した日までに代替資産を取得することが困難であり、かつ、収用等のあった日から3年以内に代替資産を取得することが確実である場合には、その代替資産を取得することができると認められる日（収用等のあった日から最高3年以内）

（2）　収用等による事業の全部又は一部が完了しないため、収用等のあった日から2年を経過した日までに、下記のイの土地等又はロの建物等を代替資産として取得することが困難であり、かつ、事業の完了後には確実に取得することが認められる場合は次によります。

- イ　その収用等による事業の施行されている地区内の土地又は土地の上に存する権利（その事業施行者の指導又はあっせんにより取得するものに限ります。）を取得する場合……その収用等があった日から4年を経過した日（その日前にその土地又は土地の上に存する権利を取得することができると認められる場合には、その取得をすることができると認められる日になります。また収用等に係る事業が完了しないことによりその4年を経過した日までに取得することが困難であると認められる場合において税務署長の承認を受けたときは、更に4年を経過する日までの期間内の日でその取得をすることができる日として税務署長が認定した日）から6月を経過した日（収用等があった日から最高8年6月）
- ロ　その収用等による事業の施行されている地区内にある土地又は土地の上に存する権利を有している場合にその土地又はその権利の目的物である土地の上に建設する建物又は構築物を取得する場合……その収用等があった日から4年を経過した日（その日前にその土地又はその権利の目的

物である土地をその建物又は構築物の敷地の用に供することができると認められる場合は、その敷地の用に供すると認められる日になります。また、収用等に係る事業が完了しないことにより4年を経過した日までに取得することが困難であると認められる場合において税務署長の承認を受けたときは、更に4年を経過する日までの期間内の日でその敷地の用に供することができる日として税務署長の認定した日）から6月を経過した日（収用等があった日から最高8年6月）

（注3）　上記の本文の収用等のあった日から2年以内に代替資産を取得見込みの場合には、6の（1）の書類に加えて、代替資産の取得予定年月日などを記載した書類（代替資産明細書）を添付することとされています（措規14⑤かっこ書）。

（注4）　上記（1）、（2）により取得期限を延長するためには、代替資産明細書に、その困難な事情及び取得等をすることができると認められる日を付記し、添付することとされています（措規14⑥）。

（注5）　上記（2）の規定により更に4年間の期間延長の承認を受けようとするときは、収用等のあった日後4年を経過した日から2月以内に、次に掲げる事項を記載した申請書に取得又は敷地の用に供する見込みの年月を記載した書類を添付して税務署長に提出する必要があります（措規14④）。

①　申請者の氏名、住所及び引き続き措法第33条第1項の適用を受ける旨

②　4年を経過した日までに取得又は敷地の用に供せなくなった事情の詳細

③　収用等の年月日及び補償金、対価又は清算金の額

④　代替資産を取得しなかった場合に納付すべきこととなる税額及びその計算に関する明細

⑤　その取得する予定のその代替資産の種類、構造及び規模並びにその取得予定年月日

3　短期保有資産と長期保有資産とがある場合等の買換差金の区分

一つの収用交換等により譲渡した資産のうちに分離短期譲渡所得の基因となる資産、分離長期譲渡所得の基因となる資産、総合短期譲渡所得の基因となる資産又は総合長期譲渡所得の基因となる資産のいずれか二以上があり、かつ、その譲渡資産に係る代替資産の取得に伴い買換差金（譲渡資産の収入金額が代替資産の取得価額を超える場合のその超過額をいいます。）が生じたときは、その買換差金の額をそれぞれの譲渡資産の譲渡の時の価額（それぞれの譲渡資産の譲渡による収入金額が明らかであり、かつ、その額が適正であると認められる場合には、そのそれぞれの収入金額）の比により按分して計算した金額をそれぞれの譲渡資産に係る買換差金として取り扱われます（措通33-47の5）。

（注）　二以上の収用交換等により資産を譲渡した場合において、その取得した資産をいずれの収用交換等に係る譲渡資産の代替資産とするかは、納税者の選択したところによることとされています。

4　譲渡所得の計算方法

この特例は、対価補償金で代替資産を取得した場合に、補償金額（譲渡に要した経費があるときは、その金額を控除した金額）のうち、代替資産の取得価額に相当する部分の金額は譲渡がなかったものとする規定ですから、譲渡所得の計算は収入金額、取得費とも譲渡がなかったものとされる部分を除外して行います。

このことを算式で示しますと次のとおりです（第二十三章の「譲渡所得の内訳書」（610ページ）の記載例参照）。

$$\left(\begin{array}{c}\text{対価補償}\\\text{金の額}\end{array} - \begin{array}{c}\text{譲渡費用}\\\text{の超過額}\end{array} - \begin{array}{c}\text{代替資産の}\\\text{取得価額}\end{array}\right) - \begin{array}{c}\text{譲渡資産}\\\text{の取得費}\end{array} \times \dfrac{\left(\begin{array}{c}\text{対価補償金}\\\text{の額}\end{array} - \begin{array}{c}\text{譲渡費用}\\\text{の超過額}\end{array}\right) - \begin{array}{c}\text{代替資産の}\\\text{取得価額}\end{array}}{\left(\begin{array}{c}\text{対価補償金}\\\text{の額}\end{array} - \begin{array}{c}\text{譲渡費用}\\\text{の超過額}\end{array}\right)}$$

（注）　「譲渡費用の超過額」とは、例えば収用等によって土地を譲渡した者が、その土地の上にある建物や構築物を除去する場合において、その除去に要した費用が、その費用に充てるため交付を受けた補償金を超えている場合における、その超えている部分の金額をいいます。

上記の算式により譲渡があったとみなされる部分について利益の金額を計算し、この金額を基として所得税額が計算されますが、この税額の計算方法については、収用等された資産が土地等や建物等（以下「土地建物等」といいます。）であるか、それ以外の資産であるかによって異なっています。

第四章第五節《収用等に伴う補償金で代替資産を取得した場合の課税の特例》

　土地建物等が収用等されたことによる譲渡所得については分離課税が、土地建物等以外の資産が収用等されたことによる譲渡所得については総合課税が行われます。

　なお、分離短期譲渡所得の基因となる土地等の譲渡で、収用交換等による譲渡であるときの税額は、その分離短期譲渡所得金額の15％に相当する金額によります。

　詳しいことは第二章第三節の軽減税率が適用される短期譲渡所得を参照してください。

〔計算例〕

（１）　長期保有資産の場合

　（**例**）　事業所得の金額が200万円で、扶養控除等の所得控除額が165万円である者が、15年前から所有していた長期保有資産を令和６年に4,000万円で買い取られ、代替資産を3,800万円で取得した場合

　　　この資産の譲渡所得の計算上の取得費は、譲渡価額の５％相当額によることができます。この例では、その金額を200万円として計算しています。また譲渡費用の超過額はないものとします。

　　①　土地を譲渡した場合

$$(4,000万円－3,800万円)－200万円×\frac{4,000万円－3,800万円}{4,000万円}=190万円$$

　　　190万円×15％＝285,000円……………長期譲渡所得に対する税額

　　　200万円－165万円＝35万円　　　35万円×５％＝17,500円　……事業所得に対する税額

　　②　土地建物等以外の資産を譲渡した場合（取得価額は200万円）

$$(4,000万円－3,800万円)－200万円×\frac{4,000万円－3,800万円}{4,000万円}=190万円$$

$$200万円＋(190万円－\underline{50万円})×\frac{1}{2}－165万円＝105万円$$

　　　　　　　　　　　　↓

　　　（この金額は譲渡所得について総
　　　合課税を受ける場合の譲渡所得
　　　の特別控除額です。）

　　　　　　　　　　　　　　　　105万円×５％＝52,500円（税額）……
　　　　　　　　　　　　　　　　　　事業所得と譲渡所得の
　　　　　　　　　　　　　　　　　　合計額に対する税額

（２）　短期保有資産の場合

　（**例**）　上記（１）の（**例**）に掲げる人が３年前に1,200万円で買った資産を4,800万円で買い取られ、代替資産を4,000万円で取得した場合

　　①　軽減税率対象土地を譲渡した場合

$$(4,800万円－4,000万円)－1,200万円×\frac{4,800万円－4,000万円}{4,800万円}=600万円$$

　　　600万円×15％＝90万円……………分離短期譲渡所得に対する税額

　　　　　　　17,500円……………事業所得に対する税額

　　②　土地建物等以外の資産を譲渡した場合

$$(4,800万円－4,000万円)－1,200万円×\frac{4,800万円－4,000万円}{4,800万円}=600万円$$

$$200万円＋(600万円－50万円)－165万円＝585万円……742,500円（税額）$$

（**注１**）　上記の計算例に用いている所得税率は令和６年分のものです（625ページの速算表参照）。

（**注２**）　長期保有資産か短期保有資産かの区分は、譲渡資産が土地建物等であるか、それ以外の資産であるかなどによって異なります。このことについては第一章及び第二章において説明したとおりですが、簡単に繰り返し説明しますと、次のようになります。

－254－

第四章第五節《収用等に伴う補償金で代替資産を取得した場合の課税の特例》

（1）　土地建物等の長期・短期の区分

区　　分	内　　　　容
長期譲渡所得	その年の1月1日において所有期間が5年を超えるもの（令和6年中に譲渡したものについては平成30年12月31日までに取得したものが該当します。）の譲渡による所得
短期譲渡所得	その年の1月1日において所有期間が5年以下であるもの（その年中に取得したものを含みます。）（令和6年中に譲渡したものについては、平成31年1月1日以後に取得したものが該当します。）の譲渡による所得

（2）　土地建物等以外の資産

区　　分	内　　　　容
長期保有資産	保有期間が5年を超えるもの
短期保有資産	保有期間が5年以下のもの

（注3）　平成25年から令和19年までの各年分の確定申告においては、所得税のほか、復興特別所得税（各年分の基準所得税額の2.1%）を合わせて申告する必要があります（復興財源確保法9①、13）。

5　代替資産の取得価額とされる金額の計算等

代替資産を取得した場合の課税の特例を適用した場合には、収入金額のうち代替資産の取得価額に対応する部分の金額は譲渡がなかったものとみなされるわけですから、税務計算上は譲渡資産と代替資産は置き替えられて、新たに取得した代替資産は従前から所有していたものとみなされることになります。

このことを例をあげて説明しますと、昭和49年に800万円で買った土地を、令和6年に5,000万円で収用されて代替資産を5,000万円で取得した場合に、代替資産を取得した場合の課税の特例を適用しますと、税務計算上では、新たに取得した代替資産は、昭和48年に800万円で取得したものとして取り扱われることになります。したがって、後日この代替資産を譲渡した場合には、譲渡所得計算上控除することのできる取得費は800万円となり、また、この代替資産が事業用の減価償却資産であるときは、事業所得計算上の必要経費となる減価償却費の計算は800万円を基として行うことになります。

上記に関連して、代替資産の取得価額とされる金額の計算などについて次の規定がおかれています。

（1）　代替資産の特別償却の不適用

対価補償金をもって代替資産を取得し、収用等の課税の特例の適用を受けた場合には、その代替資産の償却については、租税特別措置法第10条の3《中小企業者が機械等を取得した場合の特別償却又は所得税額の特別控除》から第10条の4の2《地方活力向上地域において特定建物等を取得した場合の特別償却又は所得税額の特別控除》まで、第10条の5の3《特定中小事業者が特定経営力向上設備等を取得した場合の特別償却又は所得税額の特別控除》、第10条の5の5《認定特定高度情報通信技術活用設備を取得した場合の特別償却又は所得税額の特別控除》、第10条の5の6《事業適応設備を取得した場合等の特別償却又は所得税額の特別控除》又は第11条《特定船舶の特別償却》から第15条《倉庫用建物等の割増償却》までに規定する特別償却をすることができません（措法33の6②）。

なお、代替資産については、たとえその代替資産の取得価額の一部が対価補償金以外の資金からなるときであっても、特別償却をすることができないこととなっています（措通33-48）。

（2）　代替資産の取得価額とされる金額の計算方法

イ　代替資産の取得価額が譲渡資産の対価補償金の額（譲渡費用の超過額があるときは、その金額を控除した金額。以下ロ、ハにおいて同じ。）に満たない場合

$$C \times \frac{D}{A-B} = 代替資産の取得価額とされる金額$$

−255−

第四章第五節《収用等に伴う補償金で代替資産を取得した場合の課税の特例》

ロ　代替資産の取得価額と譲渡資産の対価補償金の額が等しい場合

　　　　Ｃ＝代替資産の取得価額とされる金額

ハ　代替資産の取得価額が譲渡資産の対価補償金の額を超える場合

　　　　Ｃ＋Ｄ－（Ａ－Ｂ）＝代替資産の取得価額とされる金額

（注）　上記の算式に用いた記号は次のとおりです。

　　　　Ａ………対価補償金の額

　　　　Ｂ………譲渡費用の超過額

　　　　Ｃ………譲渡資産の取得費（譲渡収入金額の５％相当額としても差し支えありません（措通33の６－1）。）

　　　　Ｄ………代替資産の取得価額

　なお、代替資産が二以上ある場合は、まず上記イ、ロ又はハにより、その取得価額とされる金額の合計額を計算し、その金額をそれぞれの代替資産の取得時における価額によりあん分します。

　仮に、譲渡資産の譲渡価額（Ａ）4,000万円（譲渡費用の超過額はないものとします。）、譲渡資産の取得費（Ｃ）300万円、代替資産の取得価額（Ｄ）6,000万円（うち甲資産3,600万円、乙資産2,400万円）として甲資産と乙資産のそれぞれの取得価額とされる金額を計算するとしますと、この場合は代替資産の取得価額が対価補償金の額を超えますので、上記ハの算式により、まず、取得価額とされる金額の総額を計算し、次にそれぞれの金額を計算しますので甲資産、乙資産の取得価額は次のようになります。

　　　　300万円（Ｃ）＋6,000万円（Ｄ）－4,000万円（Ａ）＝2,300万円……取得価額とされる金額の総額

$$2,300万円 \times \frac{3,600万円　（甲資産の価額）}{6,000万円} ＝1,380万円…………甲資産の取得価額とされる金額$$

$$2,300万円 \times \frac{2,400万円　（乙資産の価額）}{6,000万円} ＝920万円…………乙資産の取得価額とされる金額$$

（3）　代替資産の償却費の額等の計算

　措置法第33条の６に規定する代替資産等についての減価償却費の額又は減価の額を計算する場合は、（２）により計算した取得価額とされる金額を基とし、その代替資産等について減価償却資産の耐用年数等に関する省令において定めている耐用年数をもってその耐用年数とします（措通33－49）。

6　申告手続等

（1）　確定申告書の記載事項等

　収用等の場合の課税の特例の適用を受けるためには、収用等された年分の確定申告書に、この特例を適用する旨を記載（具体的には確定申告書第三表の「特例適用条文」欄に「措置法第33条適用」と記載します。）し、次に掲げる書類を添付のうえ、納税地の所轄税務署長に提出しなければなりません（措法33⑥⑦）。

　これらの手続を行わない場合は、税務署長においてやむを得ない事情があったと認められるときを除いて、特例の適用が認められないことになっています。

①　譲渡所得の内訳書（確定申告書付表兼計算明細書）

　　収用等の課税の特例を適用して計算した譲渡所得の内訳書（確定申告書付表兼計算明細書）

②　収用等されたものであることを証する書類

　　この証する書類のことを収用証明書といい、証明書の発行者、証明書の記載事項は、収用等の内容によって、**別表２「収用証明書の区分一覧表」**（300ページ）に掲げるところによります。

③　代替資産を取得したことを証する書類

　　代替資産を取得した場合には、その取得したことを証する登記事項証明書（見積額の承認を受けた資産については、取得後４か月以内に提出します。）

　　この場合、代替資産を収用等のあった日の属する年の翌年以後で、法定期限内に取得する見込みで

－256－

ある場合は、確定申告書を提出する日までに代替資産の見積額、取得予定年月日等を記載した「代替資産明細書」等を提出し、代替資産を見積額によって取得したものとした場合の所得金額により申告をして、後日、次に説明する更正の請求、修正申告の手続によって所得税額を精算します。

（2）　更正の請求、修正申告

収用等に伴う対価補償金で収用等のあった年の翌年以後に代替資産を取得する場合で、取得価額の見積額と実際の取得価額とが異なることとなったときには、収用等のあった年分の所得税について次に掲げる手続が必要です（措法33の5）。

イ　更正の請求

代替資産の取得価額が取得価額の見積額よりも多い場合には、代替資産の取得の日から4か月以内に更正の請求をすることができます。この場合に、代替資産の取得が2回以上にわたって行われた場合には、そのいずれか遅い日から4か月以内に更正の請求をすればよいことになっています（措通33の5-1）。

ロ　修正申告

（イ）　代替資産の取得価額が、取得価額の見積額よりも少ない場合には、代替資産の取得期限から4か月以内に修正申告書を提出しなければなりません（措通33の5-1）。

（ロ）　代替資産をその取得期限までに取得しなかった場合には、その期限から4か月以内に修正申告書を提出しなければなりません。この場合、収用等に伴う代替資産取得の特例そのものが適用されないことになりますので、改めて第八節の5,000万円特別控除の適用要件を満たすかどうかを判定し、要件を満たせば5,000万円控除を適用して計算した所得金額を修正申告書に記載することになります（措法33の4①）。

なお、修正申告書が上記の提出期限までに提出されますと、期限内申告書とみなされますので、過少申告加算税、延滞税は課税されません。

第六節　交換処分等の場合の課税の特例（措法33の2）

資産が公共事業のために買い取られる場合の補償は、多くの場合金銭で行われるのが普通ですが、まれに金銭以外の資産で補償される場合があります。例えば、土地が道路用地として買い取られた場合にその代償として代わりの土地を与えられるような場合です。「交換処分等の場合の課税の特例」は、このような場合の所得金額の計算に関する特例を定めたものです。

この特例も代替資産の取得をした場合の課税の特例と同様に、収用等により譲渡した資産の譲渡がなかったものとして、課税を繰り延べるものです。

この特例は、譲渡した資産が棚卸資産の場合でも適用することができますから、譲渡所得や山林所得のほか、事業所得や雑所得の特例でもあるわけです。この点が「代替資産の取得をした場合の課税の特例」や「特別控除（5,000万円控除）の特例」と大きく異なるところです。

また、個人の不動産業者等の土地譲渡益重課制度（措法28の4。ただし、平成10年1月1日から令和8年3月31日までの間の譲渡については、適用が停止されています。）の適用においても、交換処分等によって取得した同種の土地等に係る部分については譲渡がなかったものとされます。

この特例が適用できるものに次のものがあります。

1　交換処分等の場合の課税の特例が適用される範囲

（1）　資産（その資産に係る配偶者居住権を含みます。）が収用等されたときに、その代償として金銭に代えて、収用等された資産と同種の資産を取得した場合（国、地方公共団体、独立行政法人都市再生機構又は地方住宅供給公社が自ら居住するため住宅を必要とする者に対し賃貸し、又は譲渡する目的で行う50戸以上の1団地の住宅経営に係る事業の用に供するために土地等が買い取られる場

-257-

合を含みます。)

　つまり、従来から所有している資産が公共事業の用に供されることとなったため、公共事業の施行者の所有する資産と交換した場合のことで、この場合の同種の資産とは、次のイ又はロのいずれかに該当するものをいいます。

イ　収用等された資産とその代償として取得した資産が次の区分に属するものであること。

　①　土地又は土地の上に存する権利

　②　建物（その附属設備を含みます。）又は建物に附属する門、塀、庭園、煙突、貯水槽その他これに類する構築物

　③　上記②以外の構築物

　④　その他の資産については、収用等された資産と種類及び用途を同じくする資産

ロ　収用等された資産が上記イの①から③までの区分の異なる二以上の資産で一の効用を有する一組の資産となっている場合には、収用等された資産とその代償として取得した資産が次の区分の同じ区分に属するものであること。《一組資産法》

　①　居住の用

　②　店舗又は事務所の用

　③　工場、発電所又は変電所の用

　④　倉庫の用

　⑤　①から④までに掲げる場合のほか、劇場の用、運動場の用、遊技場の用その他これらの用に類する区分の用

（2）　土地改良法による土地改良事業又は農業振興地域の整備に関する法律第13条の2第1項の事業により土地等を交換した場合

2　補償金等の交付を受けた場合

　上記1の（1）及び（2）に該当することとなった場合において、交換等により、譲渡した資産の対償として、それに代わる資産とともに補償金、対価又は清算金（以下「補償金等」といいます。）の交付を受ける場合があります。例えば、土地収用法の規定によって、3,000万円の土地が収用された場合にその対償として2,100万円の土地と900万円の金銭の交付を受ける場合などがこれに当たります。

　この場合、譲渡の対償として交付される資産が一定の条件に該当するものであるときは、その譲渡価額のうち、その交付された資産の価額に相当する部分については譲渡がなかったものとする特例については、上記1において説明しましたが、次にその資産と併せて交付される補償金等については、上記1の（1）及び（2）に該当することとなった譲渡資産が、譲渡所得又は山林所得の基因となる資産である場合に限り、その補償金について「代替資産を取得した場合の課税の特例」を適用することができます。

　このことを具体例で説明しますと、例えば従来から所有している土地が公立小学校の用地に充てるために3,000万円で買い取られ、そのうち2,100万円相当の代わりの土地と900万円の金銭（対価）の交付を受けた場合に、その対価の額で代替資産を取得したときは、対償として交付を受けたもののうち、代わりの土地の部分については交換処分等の場合の課税の特例を、対価の額900万円の部分については、代替資産を取得した場合の課税の特例を適用することができます。

　なお、この場合に譲渡資産が、譲渡所得又は山林所得の基因となる資産以外の資産であるときは、その資産の収入金額のうち、代わりの土地を取得した部分については、この特例が適用できますが、補償金等を取得した部分つまり対価の額900万円については特例の適用ができないので、その全額を事業所得又は雑所得の収入金額に算入することになります。

第四章第六節《交換処分等の場合の課税の特例》

3 申告手続等

　交換処分等の場合の課税の特例の適用を受けるためには、収用等された年分の確定申告書に、この特例を適用する旨を記載し、一定の書類を添付しなければならないことになっています。

　これらのこと、すなわち、この特例を適用する旨の記載、添付する書類、補償金等で代替資産を取得する見込みである場合の手続、更正の請求、修正申告などについては前述の代替資産を取得した場合の課税の特例を適用する場合におけるこれらの手続方法によって行います。

　また、この特例を適用した場合における交換処分等により譲渡した資産の対価として取得した資産及び補償金等で取得した代替資産の取得価額とされる金額の計算や、その資産が事業用減価償却資産である場合の減価償却費の計算に関することは、代替資産を取得した場合の課税の特例を適用した場合と同じです。

-259-

第七節　換地処分により土地等を譲渡した場合の課税の特例（措法33の3）

1　特例が適用される範囲

（1）　土地区画整理法による土地区画整理事業、新都市基盤整備法による土地整理又は土地改良法による土地改良事業が施行された場合に、換地処分により土地等又は建築物の一部及びその建築物の存する土地の共有持分を取得したとき、又は大都市地域住宅等供給促進法による住宅街区整備事業が施行された場合において、同事業による換地処分によって土地等又は施設住宅の一部等を取得したときは、換地処分により譲渡した土地等については、譲渡がなかったものとみなされます。

　　　　また、土地等とともに清算金を取得した場合又は中心市街地の活性化に関する法律第16条第1項、高齢者、障害者等の移動等の円滑化の促進に関する法律第39条第1項、都市の低炭素化の促進に関する法律第19条第1項、大都市地域住宅等供給促進法第21条第1項若しくは地方拠点都市地域の整備及び産業業務施設の再配置の促進に関する法律第28条第1項の規定による保留地が定められた場合には、換地処分により譲渡した土地等のうち清算金の額又は保留地の対価の額に対応する部分以外の部分については譲渡がなかったものとみなされます（措法33の3①）。

（2）　都市再開発法による第1種市街地再開発事業が施行された場合において権利変換により施設建築物の一部を取得する権利若しくは施設建築物の一部についての借家権を取得する権利及び敷地の共有持分等を取得したとき、又は第2種市街地再開発事業による建築施設の部分の譲受け希望の申出をした個人が、その事業の施行に伴い資産を買い取られ、若しくは収用された場合においてその買取りの対価又は収用の補償金に代えて建築施設の部分の給付（特則型の管理処分計画において定められたものである場合には、施設建築敷地又は施設建築物に関する権利の給付）を受ける権利を取得したときは、権利変換に係る従前の資産又はその買い取られ若しくは収用された資産の譲渡がなかったものとされます。この場合、建築施設の部分の給付を受ける権利とともに、買取りの対価又は収用の補償金を取得したときは、譲渡資産のうち、その対価又は補償金に対応する部分以外の部分に限って取得価額の引継ぎによる課税の繰延べが適用されます。

　　（注）　対価又は補償金に対応する部分については収用等の場合の課税の特例（5,000万円控除か、代替資産への取得価額引継ぎによる課税の繰延べかの選択適用）が適用になります。

　　　　なお、建築施設の給付を受ける権利を取得した後、現実に建築施設の一部を取得するまでの間に、その権利の譲渡等があった場合には、第2種市街地再開発事業のために買い取られ、又は収用をされた旧資産の譲渡があったものとして課税され、譲受け希望の申出の撤回があった場合にはその段階で旧資産の収用等による譲渡があったものとみなして収用等の課税の特例が適用されます。

　　　　建築施設の部分を取得する段階で旧資産の価額との差額に相当する清算金を取得する場合には、旧資産のうちその清算金に対応する部分の収用等による譲渡があったものとみなして、収用等の場合の課税の特例が適用になります（措法33の3②）。

（3）　密集市街地における防災街区の整備の促進に関する法律による防災街区整備事業が施行された場合において、その資産の権利変換により防災施設建築物の一部を取得する権利若しくは防災施設建築物の一部についての借家権を取得する権利及び防災施設建築敷地若しくはその共有持分若しくは地上権の共有持分（その資産の権利変換が同法第255条第1項又は第257条第1項の規定により定められた権利変換計画において定められたものである場合には、防災施設建築敷地に関する権利又は防災施設建築物に関する権利を取得する権利）又は個別利用区内の宅地若しくはその使用収益権を取得したときは、その権利変換により譲渡した資産（以下「防災旧資産」といいます。）の譲渡はなかったものとみなされます（措法33の3④）。

　　　　ただし、次の場合には上記の特例の適用を受けた防災旧資産の譲渡があったものとみなされます。

第四章第七節《換地処分により土地等を譲渡した場合の課税の特例》

① 防災施設建築物の一部を取得する権利又は防災施設建築物の一部についての借家権を取得する権利（密集市街地における防災街区の整備の促進に関する法律第255条第1項又は第257条第1項の規定により定められた権利変換計画に係る防災施設建築物に関する権利を取得する権利を含みます。）につき譲渡、相続、遺贈又は贈与があったときは、その譲渡、相続、遺贈又は贈与があった日において、防災旧資産のうち政令（措令22の3⑤）で計算した部分について譲渡等があったものとみなされます（措法33の3⑤）。

② 防災施設建築物の一部を取得する権利若しくは防災施設建築物の一部についての借家権を取得する権利及び防災施設建築敷地若しくはその共有持分若しくは地上権の共有持分（密集市街地における防災街区の整備の促進に関する法律第255条第1項の規定により定められた権利変換計画に係る防災施設建築敷地に関する権利又は防災施設建築物に関する権利を取得する権利を含みます。）又は個別利用区内の宅地若しくはその使用収益権につき同法第248条第1項の規定により同項に規定する差額に相当する金額の交付を受けることとなったときは、その交付を受けることとなった日において防災旧資産のうちその金額に対応するものとして政令（措令22の3⑦）で定める部分につき収用等による譲渡があったものとみなされます。

（4） マンションの建替え等の円滑化に関する法律によるマンション建替事業が施行された場合において、資産（施行マンションに関する権利及びその敷地利用権に限ります。）に係る同法の権利変換により施行再建マンションに関する権利を取得する権利又はその施行再建マンションに係る敷地利用権を取得したときは、その権利変換により譲渡した資産（以下「変換前資産」といいます。）の譲渡がなかったものとみなされます（措法33の3⑥）。

　ただし、施行再建マンションに関する権利を取得する権利につき譲渡等があった場合には、その譲渡等のあった日において、変換前資産のうち政令（措令22の3⑨）の規定により計算した部分について譲渡等があったものとみなされ、また、施行再建マンションに関する権利を取得する権利又はその敷地利用権について、これらの価額等が確定したことにより清算金の交付を受けることとなった場合には、その交付を受けることとなった日において変換前資産のうちその清算金の額に対応するものとして政令（措令22の3⑩）の規定により計算した部分について譲渡があったものとみなされます（措法33の3⑦）。

（5） マンションの建替え等の円滑化に関する法律による敷地分割事業が実施された場合において、その資産に係る敷地権利変換により除却敷地持分、非除却敷地持分等又は敷地分割後の団地共用部分の共有持分（以下「分割後資産」といいます。）を取得したときは、譲渡所得の金額の計算については、その敷地権利変換により譲渡した資産の譲渡がなかったものとみなすこととされました（措法33の3⑧）。

　また、その資産につきマンションの建替え等の円滑化に関する法律により差額に相当する金額の交付を受けることとなった場合には、その譲渡した資産のうちその差額に相当する金額に対応する部分以外のものとして次の算式により計算した部分について譲渡がなかったものとみなされます（措法33の3⑧、措令22の3⑪）。

〈算式〉

$$\text{敷地権利変換により譲渡した資産の敷地権利変換の時における価額} \times \frac{\text{分割後資産の価額}}{\text{分割後資産の価額と差額に相当する金額との合計額}}$$

（6） その有する土地等（棚卸資産等を除きます。）で被災市街地復興推進地域内にあるものにつき被災市街地復興土地区画整理事業が施行された場合において、その土地等に係る換地処分により、土地等及びその土地等の上に建設された被災市街地復興特別措置法第15条第1項に規定する住宅又は同条第2項に規定する住宅等（以下これらを「代替住宅等」といいます。）を取得したときは、その

－261－

換地処分により譲渡した土地等の譲渡がなかったものとみなすこととされました。

　この場合において、代替住宅等とともに清算金を取得した場合又は被災市街地復興特別措置法第17条第１項の規定により保留地が定められた場合には、その譲渡した土地等のうちその清算金の額又はその保留地の対価の額に対応する部分以外の部分について譲渡がなかったものとみなすこととされました（措法33の３⑨）。

（７）　この特例は譲渡所得の基因となる資産だけでなく、事業所得や雑所得の基因となる資産についても適用されます。この場合、個人の不動産業者等の土地譲渡益重課制度（措法28の４。ただし、平成10年１月１日から令和８年３月31日までの間の譲渡については、適用が停止されています。）の適用においても、市街地再開発事業における権利変換によって施設建築物の一部を取得したときは、権利変換に係る従前の資産の譲渡がなかったものとされます。

2　清算金等の交付を受けた場合

　換地とともに清算金を受け取った場合には、従前の土地のうち換地等の価額に対応する部分は、譲渡がなかったものとされ、清算金に対応する部分についてのみ、譲渡所得の金額を計算します。このことを計算例で説明しますと、次のようになります。

〔計算例〕　　○　換地（換地処分により取得した土地の価額）　4,800万円
　　　　　　　○　清算金の額　　　　　　　　　　　　　　　　200万円
　　　　　　　○　従前の土地の取得費　　　　　　　　　　　　500万円

　この例は、従前500万円で取得した土地について土地区画整理事業が行われ、時価4,800万円の換地と清算金200万円を取得した場合です。

　譲渡所得の計算は清算金の額についてのみ行うことになっています。（換地の価額に対応する部分は課税されないこととなっています。）

$$200万円 - 500万円 \times \frac{200万円}{4,800万円 + 200万円} = 180万円$$

$$\underset{\text{(従前の土地の取得費)}}{} \quad \underset{\text{(換地の価額)　(清算金の額)}}{} \underset{}{\text{(清算金の額)}}$$

　なお、この清算金については、収用交換等の場合の5,000万円の特別控除（措法33の４）が適用できます。

第八節 収用交換等の場合の譲渡所得等の特別控除（措法33の4）

1 特例の概要

　代替資産を取得した場合の課税の特例、交換処分等の場合の課税の特例、換地処分等の場合の課税の特例については、以上に説明しましたが、資産（その資産に係る配偶者居住権を含みます。）が収用等された場合に、その収用等による譲渡が一定の条件（後掲2参照）に該当するときは、収用等された資産の対価補償金（交換により取得した資産を含みます。）、換地処分の清算金について、一般の例によって計算した譲渡益に相当する金額（二以上の資産が収用等された場合は、その合計額）から5,000万円（譲渡益に相当する金額が5,000万円に満たないときは、その金額）が控除できる規定が設けられています（措法33の4①②）。

　この規定の趣旨は、資産が土地収用法等の規定に基づいて収用等された場合において、早期にその資産を譲渡する等公共事業の施行に協力した者が不利とならないよう税制面で措置し、社会公共のために行われる土地等の取得の円滑化を図るところにあります。

　この規定は、代替資産を取得した場合の課税の特例、交換処分等の場合の課税の特例を適用しない場合に限り適用することができます。

　つまり、一般の例によって計算した譲渡益の金額から5,000万円を控除してなお残額がある場合であっても、その残額について代替資産を取得した場合の課税の特例や交換処分等の場合の課税の特例は適用できません。

　このことを図で示しますと、次のようになります。

　この場合において、同一年中に二以上の公共事業の施行者から収用等されたとき、例えば同一人の所有するA資産が○○市に買い取られ、B資産が△△機構に買い取られたようなときには、このA資産とB資産の対価補償金の合計額について、いずれかの特例を適用します。

　したがって、A資産の譲渡については代替資産を取得した場合の課税の特例を適用し、B資産の譲渡については5,000万円控除の特例を適用するというような適用の仕方はできません。

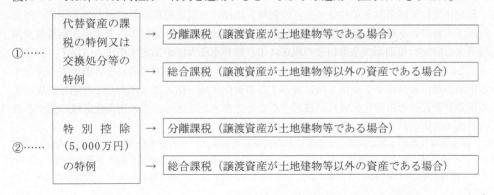

（注）　①と②のいずれの特例を適用するかは納税者自身が選択することになります。
　　　なお、短期保有の土地等の譲渡が収用交換等による譲渡であるときは、分離短期譲渡所得であっても重課されないことになっています（第二章第三節参照）。

第四章第八節《収用交換等の場合の譲渡所得等の特別控除》

2 特例の適用要件

資産が収用等された場合に、この特例を適用することができるのは、収用等された資産が、譲渡所得又は山林所得の基因となる資産で、かつ、次に掲げる要件のいずれにも該当するものに限ります。

（1） 公共事業の施行者から、その資産について最初に買取り等の申出を受けた日から6か月以内に譲渡した資産であること（措法33の4③一）。

　　ただし、次に掲げる場合には買取り等の申出を受けた日からそれぞれ次に掲げる期間内に譲渡した資産であること（措令22の4②、措規15①）。

① 土地収用法第15条の7第1項の規定による仲裁の申請（申出日後6月経過日以前にされたものに限ります。）に基づき仲裁判断があった場合は、6か月にその申請をした日から譲渡の日までの期間を加算した期間

② 土地収用法による事業認定の告示があった場合において、その事業のため収用されることとなる土地等を所有する者等から同法第46条の2第1項の規定により収用等される前に事業施行者に対し土地等に対する補償金の支払請求があったときは、6か月にその請求があった日から譲渡の日までの期間を加算した期間

③ その資産が農地であり、所有権の移転について農地法第3条第1項又は第5条第1項による許可又は届出を必要とするものである場合には、6か月にその許可の申請の日から許可のあった日又は届出書を提出した日からその届出書を農業委員会が農地法施行令第1条の17第2項の規定により受理通知書を受理した日までの期間を加算した期間

　　なお、許可の申請をした日後に許可を要しないこととなった場合には、その要しないこととなった日までの期間を加算することになります。

　　また、ここでいう「その要しないこととなった日」とは、次に掲げる区分に応じ、それぞれ次に掲げる日をいいます（措通33の4－2の2）。

イ その許可前に、その農地等の所在する地域が都市計画法第7条第1項《区域区分》に規定する市街化区域に該当することになったことに伴い、農地法第5条第1項第6号の規定による届出をし、その届出が受理されたこと　　その受理の日

ロ 農地法施行規則第53条第12号《許可の例外》に掲げる都道府県以外の地方公共団体、独立行政法人都市再生機構、地方住宅供給公社、土地開発公社、独立行政法人中小企業基盤整備機構又は同施行規則第29条第14号の規定により農林水産大臣が指定する法人（以下「指定法人」といいます。）がその農地等を買い取る場合において、その許可前にその農地等の所在する地域が都市計画法第7条第1項に規定する市街化区域（指定法人にあっては同号に規定する指定計画に係る市街化区域）に該当することとなったこと　　その市街化区域に関する都市計画の決定に係る告示があった日

（注1） 農地法第5条第1項の規定による許可の申請をした日後に、その許可を要しないこととなったため又はその申請に代えて同項第6号の規定による届出をするため、その申請を取り下げた場合には、③の「許可の申請の日」は、その取下げに係る申請をした日として取り扱われます（措通33の4－2の3）。

（注2） 土地収用法の規定により、補償金の支払の請求ができる資産は、土地及び土地に関する所有権以外の権利に限られていますが、これらの資産につき最初に買取り等の申出のあった日から6か月を経過した日までに補償金の支払の請求があった場合には、これらの資産の上にある建物等の資産の譲渡についても「土地収用法第46条の2第1項の規定による補償金の支払の請求があった場合」に準じて取り扱われます（措通33の4－3）。

（注3） 旧市街地改造事業又は旧防災建築街区造成事業につき、建築施設の部分の譲受け希望の申出をした者の資産は、その管理処分計画の公告の日前及びその日から起算して2週間以内において譲渡ができないこととされているため、その資産につき最初に買取り等の申出のあった日から6か月を経過した

－264－

第四章第八節《収用交換等の場合の譲渡所得等の特別控除》

日までに譲渡されないことがありますが、その譲渡に関する契約が同日までに締結されているとき（その後、当該譲受け希望の申出を撤回したためその契約の効力が失効した場合を除きます。）は、たとえその譲渡が同日後に行われた場合であっても、5,000万円控除の特例を適用できます。

（注４）　買取り等の申出のあった日とは、公共事業の施行者が資産の所有者に対して買い取る（使用する）旨の意思表示をした日をいいますが、公共事業の一般的なケースにおける通常の用地買収においては、個別交渉等の場面で、事業施行者が、買取り資産を特定し、当該資産の対価を明示してその買取り等の意思表示をしたことが、具体的に「買取り等の申出」を行ったことになります。

（注５）　漁業権又は入漁権（以下「漁業権等」といいます。）の消滅（価値の減少を含みます。）により漁業協同組合等の組合員が補償金等を取得する場合における5,000万円控除の特例の適用については、漁業権等につき公共事業施行者から漁業協同組合等に対して最初に買取り等の申出があった日から６か月を経過した日後において組合員の漁業法第105条に規定する組合員行使権（買取り等の申出の対象となった漁業権等に係るものに限ります。）の消滅に伴う補償金等の額が確定した場合であっても、公共事業施行者と漁業協同組合等の間で締結された漁業権等の消滅に関する契約の効力が最初に買取り等の申出があった日から６か月を経過した日までに生じているときは、組合員行使権の収用交換等による譲渡は、最初に買取り等の申出のあった日から６か月を経過した日までにされているものとして取り扱われます（措通33の４－３の２）。

　　なお、漁業協同組合等が有する漁業権等の消滅により、その漁業協同組合等の組合員行使権の消滅に伴って取得する補償金等を譲渡所得の総収入金額に算入すべき時期は、組合員ごとの補償金等の額が確定した日により判定することになっています。

（２）　一の収用交換等に係る事業につき譲渡が年をまたがって二以上に分けて行われた場合には、その二以上に分けて譲渡した資産のうち最初の年に譲渡した資産であること。したがって、第２年目以後に譲渡した資産については、この特例の適用はありません（措法33の４③二）。

　　なお、一の収用交換等に係る事業が次に掲げる場合に該当することとなった場合において、その事業の施行につき合理的と認められる事情があるときは、次に掲げる地域ごとにそれぞれ別個の事業として取り扱い、この規定を適用します（措通33の４－４）。

①　事業の施行地について計画変更があり、その変更に伴い拡張された部分の地域について事業を施行する場合　　変更前の地域と変更に伴い拡張された部分の地域

　　（注）　この取扱いは、一の収用交換等に係る事業の施行地の変更前において変更前の地域にある資産をその事業のために譲渡した者が、変更後においてその変更に伴い拡張された部分の地域にある資産をその事業のために譲渡する場合に限って適用があります。

②　事業を施行する営業所、事務所その他の事業場が二以上あり、その事業場ごとに地域を区分して事業を施行する場合　　区分された地域

③　事業が１期工事、２期工事等と地域を区分して計画されており、その計画に従ってその地域ごとに時期を異にして事業を施行する場合　　その区分された地域

（３）　公共事業の施行者から、その事業の施行に伴い、最初に買取り等の申出を受けた者が譲渡等した資産であること（措法33の４③三）。

　　したがって、最初に買取り等の申出を受けた者以外の者（例えば、最初に買取り等の申出を受けた者がその後第三者に資産を売買、贈与したような場合の、その譲受者）が、その公共事業の施行者に譲渡した場合には、この特別控除の特例の適用はありません。ただし、最初に買取り等の申出を受けた者が資産を譲渡するまでに死亡したため、その資産を相続、遺贈又は死因贈与により取得した者がその事業の施行者に譲渡した場合には、適用できます（措通33の４－６）。

－265－

3　一の収用交換等に係る事業につき譲渡した資産のうちに権利取得裁決による譲渡資産と明渡裁決による譲渡資産がある場合の取扱い

　一の収用交換等に係る事業につき譲渡した資産のうちに土地（土地に関する所有権以外の権利を含みます。以下この項において同じ。）とその土地の上にある建物等があり、その土地の譲渡は権利取得裁決により、その建物等の譲渡は明渡裁決により行われたため、これらの譲渡が二以上の年にわたった場合において、その建物等につき権利取得裁決前に明渡裁決の申立てをしており、かつ、その土地の譲渡があった年にその建物等の譲渡があったものとして申告したときは、建物等はその年において収用等による譲渡があったものとして取り扱われます（措通33の4－5）。

　このことは、例えば、居住用家屋の敷地に使用している土地が収用される場合において、土地収用法の規定により土地の譲渡は権利取得裁決によりその年に行われ、家屋の譲渡は明渡裁決により翌年に行われるようなときは、本来ならば最初の年に譲渡した土地については特別控除の特例が適用できますが、翌年に譲渡した家屋については、適用できません。しかし、このような場合であっても、土地と家屋の譲渡を併せて特例を適用することができるよう定めているものです。

4　収用交換等により譲渡した資産のうちに土地建物等、土地建物等以外の資産及び立木がある場合の「5,000万円控除の特例」の適用方法

　「5,000万円控除の特例」は、その年中に収用等された資産の譲渡による所得の合計額について適用することができるものとされています。

　したがって、収用等された資産の中に土地建物等と土地建物等以外の資産がある場合、又は、山林所得の基因となる立木が含まれているような場合には、それぞれの所得についての税率が異なるため、どの部分の金額から「5,000万円」を控除するかによって税負担が変わってくることになります。

　そこで、租税特別措置法ではその順序を次のように決めています。

　「5,000万円の特別控除」は、まず、土地建物等の譲渡に係る短期譲渡所得の金額から控除します。次に、土地建物等以外の資産の譲渡に係る譲渡所得について短期譲渡所得→長期譲渡所得の順に控除し、なお、控除不足額がある場合は、更に立木の譲渡による山林所得、土地建物等の譲渡による長期譲渡所得の順に、順次控除します（措令22の4①）。この場合において、土地建物等の譲渡に係る短期譲渡所得又は長期譲渡所得の中に税負担の異なるものがあるときは、特別控除額は、まず税負担の重い所得から順に控除することになっています（措通31－1（3）、32－10）。このことを計算例で説明しますと、次のようになります。

〔計算例〕

〈A〉　土地建物等の譲渡による短期譲渡所得の金額　　　900万円（特別控除前の金額。以下この計算例において同じ。）

〈B〉　土地建物等以外の資産の譲渡による譲渡益の金額　　　700万円

〈C〉　立木の譲渡による山林所得の収入金額から必要経費を控除した金額　　　2,300万円

〈D〉　土地建物等の譲渡による長期譲渡所得の金額　　　4,000万円（うち居住用財産を譲渡した場合の長期譲渡所得の課税の特例の適用を受ける譲渡所得2,500万円、一般の譲渡所得1,500万円）

　この場合、「5,000万円の特別控除」は、まず〈A〉900万円から控除し、控除不足額の4,100万円は〈B〉700万円から控除します。次に、控除不足額3,400万円は〈C〉2,300万円から控除し、更に控除不足額1,100万円は〈D〉4,000万円のうち、一般の譲渡所得1,500万円から控除します。

　したがって、この場合の課税される所得金額は、土地建物等の譲渡による長期譲渡所得の金額2,900万円（4,000万円－1,100万円＝2,900万円）だけになりますが、この長期譲渡所得2,900万円の内訳は、居住用財産を譲渡した場合の長期譲渡所得の課税の特例の適用を受ける譲渡所得が2,500万円、一般の長期譲渡所得が400万円となります。

－266－

5 譲渡所得の計算方法

（1） 対価補償金の交付を受けた場合

イ　土地建物等の場合

（イ）　長期譲渡所得の場合

　　譲渡による収入金額－譲渡資産の取得費－収用等の場合の特別控除額＝課税長期譲渡所得金額

　　（譲渡に要した金額で補てんされない部分の金額があるときは、その金額を控除した金額。以下

　（2）までにおいて同じ。）

　（注）　この算式は、雑損失の繰越控除の規定の適用がなく、かつ、所得控除の控除不足額がないものとした

　　　　場合の算式です（（2）までにおいて同じ。）。

（ロ）　短期譲渡所得の場合

　　譲渡による収入金額－譲渡資産の取得費－収用等の場合の特別控除額＝課税短期譲渡所得金額

　（注）　短期譲渡所得金額を計算する場合においては、土地等の収用交換等による譲渡による短期譲渡所得金

　　　　額は、税負担の軽減措置（第二章第三節参照）がありますので、建物等の譲渡所得と区分して計算しな

　　　　ければなりません。

ロ　土地建物等以外の資産の場合

　　譲渡による収入金額－譲渡資産の取得費－収用等の場合の特別控除額＝譲渡益

　　（譲渡益－譲渡所得の特別控除額50万円）$\times \frac{1}{2}$＝総所得金額に算入される譲渡所得の金額

　　　この場合、収用等された資産が短期保有資産であるときには

　　　　　譲渡益－50万円＝総所得金額に算入される譲渡所得の金額

（2） 換地処分等により換地とともに清算金の交付を受けた場合

$$清算金の額－従前の土地取得価額\times\frac{清算金の額}{換地の価額＋清算金の額}－収用等の場合の特別控除額$$

　　＝課税長期譲渡所得の金額（又は課税短期譲渡所得の金額）

以上のことを計算例により説明しますと、次のとおりです。

〔計算例〕

○　令和5年に収用等された資産（長期保有資産）の対価補償金の額……6,200万円

○　収用等された資産（長期保有資産）の取得費……500万円

○　譲渡経費の額……100万円

①　収用等された資産が土地建物等である場合

　　（収入金額）　（取得費）　（譲渡経費）

　　6,200万円－500万円－100万円－5,000万円＝600万円

　この場合には、600万円が課税長期譲渡所得金額になりますから、所得税額は、

　　（課税長期譲渡所得金額）　（長期譲渡所得の税率）

　　600万円　×　15％　＝　90万円になります。

②　収用等された資産が土地建物等以外の長期保有資産である場合

　　（収入金額）　（取得費）　（譲渡経費）　　（譲渡益）

　　6,200万円－500万円－100万円－5,000万円＝600万円

　　（譲渡益）　（譲渡所得の特別控除額）　（譲渡所得金額）

　　600万円　－　50万円　＝　550万円

　　（譲渡所得金額）　　（課税される譲渡所得金額）

　　550万円　×　$\frac{1}{2}$　＝　275万円

6 申告手続

　この規定の適用を受けようとする場合には、譲渡等のあった日の属する年分の確定申告書にこの規定の適用を受けようとする旨（具体的には確定申告書の「特例適用条文」欄に「措置法第33条の4適用」と記載します。）を記載し、次の書類を添付の上納税地の所轄税務署長に提出しなければなりません（措法33の4④、措規15②）。

　これらの手続を行わない場合には、税務署長においてやむを得ない事情があったと認められるときを除いて、特例の適用が認められないことになっています。

　ただし、その資産を譲渡したことに伴い交付を受ける対価補償金の額（収入金額）からその所得の基因となった資産の取得費及びその資産の譲渡に要した費用の額の合計額を控除した残額から特別控除額を控除した結果、確定申告書の提出義務がなくなる場合には、これらの手続をする必要はありません（措法33の4④）。

① 公共事業の施行者の最初の買取り等の申出年月日及びその申出に係る資産の明細等を記載した買取りの申出があったことを証する書類
② 公共事業の施行者の買取り等の年月日及びその買取り等に係る資産の明細を記載した買取り等があったことを証する書類並びに前記2の（1）の①～③に該当する場合には、その旨を証する書類
③ 収用証明書（275ページの様式及び300ページの一覧表参照）
④ 買取り等された資産の譲渡所得の内訳書（確定申告書付表兼計算明細書）

第九節　公共事業の施行者が行う手続

　資産が収用等された場合の譲渡所得等に対する課税の特例について、その内容、特例を適用するための手続などについて説明しましたが、これらの特例の適用を受けることの要件として収用等された者、つまり納税義務者の行う手続のほかに、その資産を収用等した者、つまり公共事業の施行者においても一定の手続をしなければならないことになっています。

　以下、これらの手続について説明します。

1　資産について最初に買取り等の申出を行った場合

（1）　「公共事業用資産の買取り等の申出証明書」の資産の所有者に対する交付

　　公共事業の用に供するため特定の資産について買取り等の申出を行った場合は、その都度、「公共事業用資産の買取り等の申出証明書」を作成し、資産の所有者に交付します。

（2）　「公共事業用資産の買取り等の申出証明書（写）」の所轄税務署長に対する提出

　　公共事業の用に供するため特定の資産について買取り等の申出をしたときは「公共事業用資産の買取り等の申出証明書（写）」を最初に買取り等の申出をした日の属する月の翌月の10日までにその事業の施行に係る営業所、事務所その他の事業場の所在地の所轄税務署長に提出しなければなりません（措法33の4⑥、措規15③）。

（3）　代行買収における証明書の発行者

　　事業の施行者である国、地方公共団体又は独立行政法人都市再生機構等に代わり、地方公共団体又は土地開発公社等が資産の買取り等をする場合には措置法規則第15条第2項第1号又は第2号《買取り等の申出証明書等》に規定する「買取り等の申出があったことを証する書類」又は「買取り等があったことを証する書類」は、その資産の買取り等の申出又は買取り等をした地方公共団体又は土地開発公社等が発行するのですが、同規則第14条第5項第2号から第4号の2まで、第4号の5から第5号まで、第8号又は第11号に規定する「収用証明書」は、事業施行者である国、地方

－268－

公共団体又は独立行政法人都市再生機構等が発行することとされています。

　なお、事業の内容に応じ証明書の発行者が異なりますので、収用証明書の区分一覧表（300ページ）を参照してください。

2　資産の買取り等をした場合

（1）　「公共事業用資産の買取り等の証明書」の資産の譲渡者に対する交付

　公共事業用資産の買取り等を行った場合はその都度「公共事業用資産の買取り等の証明書」を作成し、資産の譲渡者に交付します。

　ただし、その買取り等が最初に買取り等の申出をした日から6か月を経過して行われたものについては交付する必要はありません。

（2）　「収用証明書」（様式は275ページ参照）の資産の譲渡者に対する交付

　公共事業用資産の買取り等をした場合は資産の譲渡者に対し「収用証明書」を交付します。

（3）　「不動産等の譲受けの対価の支払調書」、「不動産の使用料等の支払調書」又は「不動産等の売買又は貸付けのあっせん手数料の支払調書」の所轄税務署長に対する提出

　公共事業用資産の買取り等をした場合は次表に掲げる区分に従って「不動産等の譲受けの対価の支払調書」、地役権や地上権等を設定した場合は「不動産等の使用料等の支払調書」、不動産等の売買若しくは貸付けのあっせんに係る手数料の支払をした場合は「不動産等の売買又は貸付けのあっせん手数料の支払調書」を前記1の（2）の所轄税務署長に提出しなければなりません（措法33の4⑥、措規15④）。この場合、支払調書の右上欄外に⑭と表示して全部について各1部提出します。

買取り等した時期	提　出　期　限	買取り等した時期	提　出　期　限
1月から3月までの間	4月末日	7月から9月までの間	10月末日
4月から6月までの間	7月末日	10月から12月までの間	翌年の1月末日

<table>
<tr><td colspan="6" align="center">公共事業用資産の買取り等の申出証明書</td><td colspan="2" align="center">資産の所有者への
交　付　用</td></tr>
<tr><td rowspan="2">資産の

所有者</td><td>住所（居所）
又は所在地</td><td colspan="6"></td></tr>
<tr><td>氏名又は
名　　称</td><td>法人
個人</td><td colspan="5"></td></tr>
<tr><td rowspan="2">事　業　名</td><td rowspan="2">買取り等の
申出年月日</td><td rowspan="2">買取り等の
区　　分</td><td colspan="4" align="center">買取り等の申出をした資産</td></tr>
<tr><td colspan="2" align="center">所　在　地</td><td>種　類</td><td>数　量
m²</td></tr>
<tr><td rowspan="4"></td><td rowspan="4">・　　・</td><td rowspan="4"></td><td colspan="2"></td><td></td><td></td></tr>
<tr><td colspan="2"></td><td></td><td></td></tr>
<tr><td colspan="2"></td><td></td><td></td></tr>
<tr><td colspan="2"></td><td></td><td></td></tr>
<tr><td colspan="2">摘　　　　要</td><td colspan="5"></td></tr>
<tr><td rowspan="2">公共事業
施　行　者</td><td colspan="2">事業場の所在地</td><td colspan="4"></td></tr>
<tr><td colspan="2">事業場の名称</td><td colspan="4">印</td></tr>
</table>

※収用等の5,000万円控除の特例の適用を受ける場合には、この証明書を確定申告書等に添付してください。

記載要領等

1　この証明書は、買取り等を必要とする資産につき公共事業施行者が最初に買取り等の申出を行った都度作成し、当該申出に係る資産の所有者に交付すること。

2　この証明書の各欄は、次により記載すること。

（1）　「資産の所有者」欄の「法人」・「個人」の文字は、該当するものを○で囲むこと。

（2）　「事業名」欄には、資産の買取り等を必要とする事業の名称を具体的に記載すること。

（3）　「買取り等の申出年月日」欄には、買取り等を必要とする資産について最初に買取り等の申出をした年月日を記載すること。

（4）　「買取り等の区分」欄には、買取り等の態様に応じ、「買取り」、「消滅」、「交換」、「取りこわし」、「除去」又は「使用」と記載すること。

（5）　「買取り等の申出をした資産」の各欄は、次により記載すること。

　イ　資産の種類ごとに、かつ、一筆、一棟又は一個ごとに別欄に記載し、記載欄が不足する場合には、別紙を追加すること。

　ロ　「種類」欄には、土地にあっては宅地、田、畑、山林、原野等と、建物にあっては木造住宅、鉄筋コンクリート造店舗等と記載するなど、具体的に記載すること。

（6）　「摘要」欄には、資産の買取りを必要とする事業施行者に代わり、特定の者が当該資産について買取り等の申出をするときは、当該事業の施行者の名称を「事業施行者○○県」等と記載すること。

第四章第九節《公共事業の施行者が行う手続》

公共事業用資産の買取り等の証明書

譲渡者等	住所（居所）又は所在地						
	氏名又は名称	法人 個人					
資産の所在地	資産の種類	数量	買取り等の区分	買取り等の年月日	買取り等の価額		
		m²		・　・	百万	千	円
				・　・			

（摘要）

○事業名　　　　　　　　　　　　　○買取り等の申出年月日　　・　・

公共事業施行者	事業場の所在地	
	事業場の名称	印

※収用等の5,000万円控除の特例の適用を受ける場合には、この証明書を確定申告書等に添付してください。

記載要領等

1　この証明書は、公共事業施行者が資産の買取り等を行った都度作成し、当該資産の譲渡者等に交付すること。

2　この証明書の各欄は、次により記載すること。

（1）　「譲渡者等」欄の「法人」・「個人」の文字は、該当する文字を○で囲むこと。

（2）　「資産の所在地」から「買取り等の価額」までの各欄は、次により記載すること。

イ　資産の種類ごとに、かつ、一筆、一棟又は一個ごとに別欄に記載し、記載欄が不足する場合には、別紙を追加すること。

ロ　「種類」欄には、土地にあっては宅地、田、畑、山林、原野等と、建物にあっては木造住宅、鉄筋コンクリート造店舗等と記載するなど、具体的に記載すること。

ハ　「買取り等の区分」欄には、買取り等の態様に応じ、「買取り」、「消滅」、「交換」、「取りこわし」、「除去」又は「使用」と記載すること。

ニ　「買取り等の価額」欄には、買取り等をした資産の対価として支払うべき金額を記載すること。

（3）　「摘要」欄には、次に掲げる事項を記載すること。

イ　事業名（資産の買取り等を必要とする事業の具体的な名称）

ロ　買取り等の申出年月日（買取り等をした資産について最初に買取り等の申出をした年月日）

ハ　資産の買取り等に際し、当該資産の買取り等の対価以外に各種の損失補償として支払うべき金額がある場合には、当該対価及び当該対価以外の損失補償の金額の支払総額並びに当該対価以外の損失補償の交付名義ごとの支払金額

ニ　資産の買取りを必要とする事業施行者に代わり、特定の者が当該資産について買取り等をしたときは、当該事業の施行者の名称

−271−

第四章第九節《公共事業の施行者が行う手続》

令和　　年分　不動産等の譲受けの対価の支払調書

| 支払を受ける者 | 住所(居所)又は所在地 | | | | | | | |
| | 氏名又は名称 | | | | | 個人番号又は法人番号 | | |

物件の種類	物件の所在地	細目	数量	取得年月日	支払金額
				年　月　日	千　　　　円
				・　・	
				・　・	
				・　・	

(摘要)

をあっせん した者	住所(居所)又は所在地		支払確定年月日	あっせん手数料
	氏名又は名称		年　月　日	千　　　　円
	個人番号又は法人番号		・　・	

支払者	住所(居所)又は所在地			
	氏名又は名称	(電話)	個人番号又は法人番号	

| 整　理　欄 | ① | ② | 376 |

○個人番号又は法人番号欄に個人番号(12桁)を記載する場合には、右詰で記載します。

（記載要領）

1　この支払調書は、居住者及び内国法人に支払う所得税法第225条第1項第9号に規定する不動産等の譲渡（租税特別措置法第33条第4項第2号又は同法第64条第2項第2号の規定により譲渡とみなされるものその他これに準ずる土地の上にある資産の移転に伴い生じた資産の損失の補償を含む。以下この表において同じ。）の対価について使用すること。

2　この支払調書の記載の要領は、次による。

（1）　「住所（居所）又は所在地」及び「個人番号又は法人番号」の欄には、支払調書を作成する日の現況による住所若しくは居所又は本店若しくは主たる事務所の所在地及び行政手続における特定の個人を識別するための番号の利用等に関する法律第2条第5項に規定する個人番号又は同条第15項に規定する法人番号を記載すること。

（2）　「物件の種類」の欄には、土地、借地権、建物、船舶のように記載すること。

（3）　船舶又は航空機については、船籍又は航空機の登録をした機関の所在地を「物件の所在地」の項に記載すること。

（4）　「細目」の項には、土地の地目、建物の構造等を記載すること。

（5）　「数量」の項には、土地の面積、建物の戸数及び延べ面積等を記載すること。

（6）　「取得年月日」の項には、資産の所有権その他の財産権の移転のあった日を記載すること。

（7）　「支払金額」の項には、取得した資産の対価として支払うべき金額を記載すること。

3　資産の譲渡に際し、譲渡の対価又は譲渡に伴う各種の損失の補償として各種の交付名義による支払がされている場合には、その支払総額及びその交付の内容の区分ごとにその金額を「摘要」の欄に記載すること。

4　合計表をこの様式に準じて作成し、添付すること。

－272－

第四章第九節《公共事業の施行者が行う手続》

令和　　年分　不動産の使用料等の支払調書

支払を受ける者	住所(居所)又は所在地								
	氏名又は名称				個人番号又は法人番号				

区分	物件の所在地	細目	計算の基礎	支払金額
				千　　　　円

(摘要)

あっせんをした者	住所(居所)又は所在地		支払確定年月日	あっせん手数料
	氏名又は名称		年　月　日	千　　　　円
	個人番号又は法人番号		・　・	

支払者	住所(居所)又は所在地					
	氏名又は名称	(電話)		個人番号又は法人番号		

整　理　欄	①	②

○個人番号又は法人番号」欄に個人番号(12桁)を記載する場合には、右詰で記載します。

313

（記載要領等）

1　この支払調書は、居住者及び内国法人に支払う所得税法第225条第1項第9号に規定する不動産等の借入れ、地上権若しくは永小作権の設定その他他人に不動産等を使用させる行為の対価について使用すること。

2　この支払調書の記載の要領は、次による。

（1）　「住所（居所）又は所在地」及び「個人番号又は法人番号」の欄には、支払調書を作成する日の現況による住所若しくは居所又は本店若しくは主たる事務所の所在地及び行政手続における特定の個人を識別するための番号の利用等に関する法律第2条第5項に規定する個人番号又は同条第15項に規定する法人番号を記載すること。

（2）　「区分」の欄には、地代、家賃、借地権の設定による対価、船舶の使用料のように記載すること。

（3）　船舶又は航空機については、船籍又は航空機の登録をした機関の所在地を「物件の所在地」の項に記載すること。

（4）　「細目」の項には、土地の地目、建物の構造及び用途等を記載すること。

（5）　「計算の基礎」の項には、その年中の賃借期間、単位当たり賃借料、戸数、面積等を記載すること。

（6）　地上権、賃借権その他土地の上に存する権利の設定による対価の場合は、その設定に係る契約によるこれらの権利の存続期間を「摘要」の欄に記載すること。

（7）　「支払金額」の項には、その年中に支払の確定したものを記載すること。

3　合計表をこの様式に準じて作成し、添付すること。

－273－

第四章第九節《公共事業の施行者が行う手続》

令和　　年分 不動産等の売買又は貸付けのあっせん手数料の支払調書

支払を受ける者	住所(居所)又は所在地				
	氏名又は名称			個人番号又は法人番号	

区　　　　分	支払確定年月日	支払金額
	年　　月　　日	千　　円
	．　　　　．	

あっせんに係る不動産等	物件の種類	物件の所在地	数　量	取　引　金　額
				千　　円

(摘要)

支払者	住所(居所)又は所在地		
	氏名又は名称	(電話)	個人番号又は法人番号

整　理　欄	①	②

○個人番号又は法人番号欄に個人番号(12桁)を記載する場合には、右詰で記載します。

314

備　考

1　この支払調書は、居住者及び内国法人に支払う所得税法第225条第1項第9号に規定する不動産等の売買若しくは貸付けのあっせん手数料について使用すること。

2　この支払調書の記載要領は、次による。

（1）　「住所（居所）又は所在地」及び「個人番号又は法人番号」の欄には、支払調書を作成する日の現況による住所若しくは居所又は本店若しくは主たる事務所の所在地及び行政手続における特定の個人を識別するための番号の利用等に関する法律第2条第5項に規定する個人番号又は同条第15項に規定する法人番号を記載すること。

（2）　「区分」の欄には、譲渡、譲受け、貸付け、借受けのように記載すること。

（3）　「支払金額」の項には、その年中に支払うべき金額を記載すること。

（4）　「物件の種類」の欄には、土地、借地権、地役権、建物のように記載すること。

（5）　「数量」の項には、土地の面積、建物の戸数及び延べ面積等を記載すること。

（6）　「取引金額」の項には、売買又は貸付けの対価の額（賃貸借の場合には単位当たりの賃貸借料）を記載すること。

3　この表に記載すべき事項を所得税法施行規則別表第五（二十四）又は（二十五）の表に併せて記載することによってこの表に代えることができる。

4　合計表をこの様式に準じて作成し、添付すること。

第四章第九節《公共事業の施行者が行う手続》

収 用 証 明 書

（文書記号及び番号）

令 和 　年 　月 　日

（住所（居所）又は所在地）

（氏名又は名称）　　　　　　　様

　　　　　　　公共事業施行者（事業所所在地）

　　　　　　　　　（公共事業施行者）

　　　　　　　　　（職・氏名）

（証明文）

記

1　買取り等に係る資産

（1）　資産の表示等

所 在 地	種類等	面積（m²）	区 分	買取り等年月日	買取り等の金額	備考

（2）　証明規定　租税特別措置法施行規則第14条第5項第　　号

2　取り壊し又は除去をしなければならなくなった資産

（1）　資産の表示

所 在 地	種 類	面 積 等	区 分
		m²	

（2）　買取り等の日　令和　年　月　日

（3）　補償金の明細

補 償 項 目	補 償 金 額	備 考

（4）　証明規定　租税特別措置法施行規則第14条第5項第11号

3　代行買収の場合

代 行 買 収 者	所在地
	名 称

（R6.7）

第四章第九節《公共事業の施行者が行う手続》

記載要領

1 証明文例

(1) 土地収用法による事業の認定又は都市計画法による都市計画事業の認可を受けた事業の場合

　（事業施行者）が買取り（若しくは使用又は補償）をした下記1の資産に係る（事業名）は

$$
\left.\begin{array}{l}
\text{土地収用法第3章の規定による事業の認定（認定年月日及び告示番号）}\\
\text{都市計画法第59条の規定による都市計画事業の認可（認可年月日及び告示番号）}
\end{array}\right\}
$$

を受けたものであることを証明する。

　また、（事業施行者）が補償した下記2の資産は当該資産の所在する土地の買取り（又は使用）に伴い、取壊し又は除去をしなければならなくなったものであること及びこれらに伴う移転料その他の損失に対する補償金が下記2の明細のとおりであることを証明する。

(2) 事業の認定又は都市計画法による都市計画事業の認可を受けていない事業の場合（簡易証明の場合）

　下記1の資産は、（事業施行者）が施行する（事業名）（根拠法令）の用に供するため買取り（若しくは使用又は補償）したものであることを証明する。

　また、（事業施行者）が補償した下記2の資産は当該資産の所在する土地の買取り（又は使用）に伴い、取壊し又は除去をしなければならなくなったものであること及びこれらに伴う移転料その他の損失に対する補償金が下記2の明細のとおりであることを証明する。

　（注）事業の種別により上記証明文例に適合しない場合には適宜記載する。

2 証明規定例

(1) 上記1(1)の場合

　租税特別措置法施行規則第14条第5項第2号又は第11号として記載する。

(2) 上記1(2)の場合

　租税特別措置法施行規則第14条第5項第3号イ又は第11号と記載する。

　（注）事業の種別により上記証明規定例に該当しない場合には該当する規定を記載する。

(3) 代行買収

　資産の買取り等が代行買収者により行われた場合に記載する。

(R6.7)

第四章第九節《公共事業の施行者が行う手続》

第　　　　　号

住宅施設用地買収証明書

　下記の土地は、　　　　　　　　　　　　　　の住宅施設用地として、買収したものであること

を証する。

　　　　　年　　月　　日

　　　　　　　　　　　　　　　　公共事業施行者

　　　　　　　　　　　　　　　　所　在　地

　　　　　　　　　　　　　　　　名　　称　　　　　　　　　印

記

1　土 地 譲 渡 人 の
　　住 所 及 び 氏 名

2　買　収　価　格　　　　　　￥＿＿＿＿＿＿＿＿＿＿＿＿

3　契 約 年 月 日　　　　　　　　　　年　　　　月　　　　日

4　登 記 年 月 日　　　　　　　　　　年　　　　月　　　　日

5　都市計画事業に準
　　ずる事業として行　　　　　　　　　年　　　　月　　　　日
　　う一団地の住宅施
　　設の証明年月日及　　　　　　　　　　　　第　　　　　号
　　び番号

証明規定	租税特別措置法施行規則第14条第5項第4号

6　土 地 の 表 示

物　件　の　所　在　地	地　　目	面　　　　　積
		m²

—277—

公共用地の取得に伴う損失補償基準要綱による各種の補償金の課税上の区分一覧表

【別表1】

公共用地の取得に伴う損失補償基準要綱による

順号	公共用地の取得に伴う損失補償基準要綱による区分		
	条	補 償 の 種 類	内　　　　　容
第2章　土地等の取得に係る補償			
①	7条〜9条 〔20条の2 42条の2〕	土地（土地の附加物を含む。以下同じ。）の取得（土地の使用に代わる取得及び残地の取得を含む。）に係る補償	○　「土地の附加物」とは、土留施設、階段、溝、雑草木等土地と一体として効用を有するもので、土地と独立に取引価格のないものをいう。 ○　取得する土地は、正常な取引価格をもって補償するものであるが、当該土地に建物その他の物件があるとき又は当該土地が土地に関する所有権以外の権利の目的となっているときは、当該物件及び当該権利がないものとして補償するものである。 ○　起業者は、土地を使用しようとする場合において、以下に掲げるときは、「土地の使用に代わる取得」をすることができる。 　・　土地所有者から土地の取得を請求され、土地の使用が3年以上にわたる場合で、やむを得ないとき 　・　土地所有者から土地の取得を請求され、土地所有者が所有し、自ら使用している建物が使用しようとする土地に存し、当該所有者が仮住居等において生活等をすること又は使用終了後に使用対象地において生活等をすることが困難である事情が存すると認められる場合で、やむを得ないとき 　・　土地の使用に伴う補償額の合計額がその土地を取得するのに伴う補償額の合計額を超えるとき ○　起業者は、同一の土地所有者に属する一団の土地の一部を取得しようとする場合において、以下に掲げるときは、「残地の取得」をすることができる。 　・　土地所有者から残地の取得を請求された場合で、その利用価値の著しい減少等のため従来利用していた目的に供することが著しく困難になると認められ、かつ、取得しないことが土地所有者の生活再建上支障となるとき 　・　残地について残地工事をする必要が生ずる場合で、残地に対する補償及び残地工事に通常要する費用の合計額が、当該残地の取得に要する費用及びそれに伴い通常生ずる損失の合計額を超えるとき 　・　残地について残地工事をする必要が生ずる場合で、取得する土地に存する建物を残地に移転させるものとして算定した補償額が、当該残地の取得に要する費用及びそれに伴い通常生ずる損失の合計額を超えるとき
②	10条〜12条	土地に関する所有権以外の権利の消滅に係る補償	○　土地に関する所有権以外の権利（地上権、永小作権、賃借権、地役権等）の消滅に対する補償である。

−278−

公共用地の取得に伴う損失補償基準要綱による各種の補償金の課税上の区分一覧表

各種の補償金の課税上の区分一覧表

不動産等の譲受けの対価の支払調書の摘要欄に記載する補償金の名称	税法適用上の区分	摘　　要	
収益補償金	対価補償金又は収益補償金	(1)　譲渡資産が棚卸資産等に該当する場合には、収益補償金となる。 　（注１）　「棚卸資産等」とは、所得税法第２条第１項第16号に規定する棚卸資産及び同法施行令第81条各号に掲げる資産のほか収用等のあった日以前５年以内に取得した山林をいう（措通33－５）。 　（注２）　不動産売買業を営む個人の有する土地又は建物であっても、当該個人が使用し、若しくは他に貸し付けているもの（販売の目的で所有しているもので、一時的に使用し、又は他に貸し付けているものを除く。）又は当該個人が使用することを予定して長期間にわたり所有していることが明らかなものは、棚卸資産等には該当しない（措通33－５）。 (2)　建物の収用等に伴い収益補償金名義で補償金の交付を受けた場合において、当該建物の対価補償金として交付を受けた金額が、当該収用等をされた建物の再取得価額に満たないときは、当該収益補償金の名義で交付を受けた補償金のうち当該満たない金額に相当する金額を、譲渡所得の計算上当該建物の対価補償金として計算することができる（措通33－11）。 (3)　残地について収用の請求をすれば収用されることとなる事情があるため、残地を起業者に買い取られた場合には、その残地の買取りの対価は、当該収用等があった日の属する年分の対価補償金として取り扱うことができる（措通33－17）。 (4)　措置法第33条第１項第５号の「当該資産に関して有する所有権以外の権利が消滅し、補償金又は対価を取得するとき」とは、例えば、土地等の収用等に伴い、当該土地にある鉱区について設定されていた租鉱権、当該土地について設定されていた借地権、採石権等が消滅した場合や建物の収用等に伴い、当該建物について設定されていた配偶者居住権が消滅した場合に、補償金の交付を受けるとき等をいう（措通33－22）。 (5)　土地等の収用に伴い、当該土地の上にある建物、構築物、立竹木等を取壊し又は除去をしなければならないことになった場合において生じた発生資材（資産の取壊し又は除去に伴って生ずる資材をいう。）又は伐採立竹木の売却代金の額は、措置法令第22条第20項第２号に規定する補償金の額には該当しない（措通33－29）。 (6)　(4)の補償金のうち、土地の使用に係るものは⑦による。	

公共用地の取得に伴う損失補償基準要綱による各種の補償金の課税上の区分一覧表

順号	公共用地の取得に伴う損失補償基準要綱による区分			
	条	補償の種類	内　　　　容	
③	14　条 [25　条 } [26　条 }	建物等の取得に係る補償	○　「建物等」とは、建物その他の土地に定着する物件をいい、建物及び立木ニ関スル法律に規定する立木のほか、建物以外の工作物、単なる樹木等も含まれる。以下同じ。 ○　一般的には、取得する土地に存する建物等は、当該建物等を移転するのに要する費用を補償するものであるが、以下に掲げるときは、起業者が当該建物等を取得することができる。 ・　起業者がその事業の目的のために建物等を必要とするとき ・　建物等を移転することが著しく困難である場合又は建物等を移転することによって従来利用していた目的に供することが著しく困難となる場合で、当該建物等の所有者から建物等の取得の請求があるとき ・　建物等を移転させるものとして算定した補償額が当該建物等の正常な取引価格を超えるとき	
④	16　条	土石砂れきの取得に係る補償	○　土地に属する土石砂れきを対象とするが、当該土石砂れきの取得に伴う土地の使用に対する補償も、土石砂れきの取得に係る補償に含まれる。	
⑤	17　条	漁業権等の消滅に係る補償	○　「漁業権等」とは、漁業権、入漁権その他漁業に関する権利をいう。以下同じ。 ○　「その他漁業に関する権利」とは、許可漁業及び自由漁業（免許・許可以外の漁業）を当該漁場において反復継続して営んでいること等当該漁業の利益が社会通念上権利と認められる程度にまで成熟しているものをいう。 ○　「漁業権等の消滅」とは、事業の施行により当該権利等に係る漁場の全部又は一部が失われ、漁業権等の行使ができなくなることをいう。	
⑥	18　条	鉱業権等の消滅に係る補償	○　「鉱業権等」とは、鉱業権、租鉱権、採石権、温泉を利用する権利又は河川の敷地若しくは流水、海水その他の水を利用する権利をいう。以下同じ。 ○　これらの権利は、土地所有権と別個の権利であるから、鉱業権等の存する土地を取得し、又は使用するときは、事業の施行に支障を及ぼさないようこれらの権利を消滅させ、又は制限させる必要がある。 ○　「鉱業権の消滅」とは、事業の施行により鉱区の全部又は一部について当該権利の行使が不可能となる場合をいう。 ○　「温泉利用権の消滅」とは、事業の施行により温泉の利用が全面的に不可能となる場合をいう。 ○　「水を利用する権利の消滅」とは、事業の施行により全面的に、又は部分的に水を利用する権利の行使が不可能となる場合をいう。	
	第3章　土地に関する所有権以外の権利の消滅に係る補償			
⑦	19　条	土地の使用に係る補償	○　「土地の使用」とは、地表の使用を意味するもので、空間又は地下のみを使用する場合における土地の使用は含まれな	

公共用地の取得に伴う損失補償基準要綱による各種の補償金の課税上の区分一覧表

不動産等の譲受けの対価の支払調書の摘要欄に記載する補償金の名称	税法適用上の区分	摘　　　　　　　　　要
		【参考通達】 措置法通達 ○　33－5（棚卸資産等の収用交換等） ○　33－8（対価補償金とその他の補償金との区分） ○　33－9（補償金の課税上の取扱い） ○　33－11（収益補償金名義で交付を受ける補償金を対価補償金として取り扱うことができる場合） ○　33－17（残地買収の対価） ○　33－22（収用等に伴う課税の特例を受ける権利の範囲） ○　33－24（公有水面の埋立又は土地収用事業の施行に伴う漁業権等の消滅） ○　33－25（公有水面の埋立に伴う権利の消滅の意義） ○　33－28（取壊し又は除去をしなければならない資産の損失に対する補償金） ○　33－28の2（取壊し等による損失補償金の取扱い） ○　33－29（発生資材等の売却代金） ○　33－29の2（伐採立竹木の損失補償金と売却代金とがある場合の必要経費等の控除）
土地建物等使用補償金	＊収益補償金又は対価補償金	次に掲げる場合で、その借地権又は地役権の設定等により受ける補償金がその設定等の直前の当該土地の価額の2分の1（地下又は

－281－

公共用地の取得に伴う損失補償基準要綱による各種の補償金の課税上の区分一覧表

順号	公共用地の取得に伴う損失補償基準要綱による区分		
	条	補償の種類	内　　　容
			い。
⑧	20　条	空間又は地下の使用に係る補償	○　送電線、地下鉄、トンネル又は高架施設等の空間又は地下のみを使用する場合の補償である。
⑨	21　条	建物等の使用に係る補償	○　「建物等」には、③のとおり、建物のほか、建物以外の工作物及び立木が含まれるが、建物以外のものにあっては、通常使用されることはない。
⑩	22　条	漁業権等の制限に係る補償	○　「漁業権等の制限」とは、漁業権等に係る漁場の全部又は一部において、一定期間当該漁業権等の行使ができなくなること又は行使に支障を生ずることをいう。 ○　漁業権等の制限の態様としては、ダム建設工事、港湾施設建設工事等において、工事期間中漁業権等の行使を不可能とさせる場合などである。
⑪	23　条	鉱業権等の制限に係る補償	○　「鉱業権等」とは、⑥を参照のこと。 ○　「鉱業権、租鉱権及び採石権の制限」とは、鉱区の立体的特定部分について採掘が不可能となる場合及び一定期間、鉱業権、租鉱権及び採石権の行使が不可能となる場合をいう。 ○　「温泉利用権の制限」とは、湧出量の減少等湧出状態の悪化した場合及び一定期間その利用が不可能となる場合をいう。 ○　「水を利用する権利の制限」とは、利用水量の減少又は一定期間、水の利用が不可能となる場合等、水を利用する権利の行使に支障を生ずる場合をいう。
⑫	23条の2	土地等の返還の伴う補償	○　使用する土地等を返還する場合において、当該土地等を原状回復することが必要と認められるときの、当該土地等の原状回復に通常要する費用相当額及び当該土地等の原状回復に通常必要な期間中の地代又は借賃相当額の範囲内で通常生ずる損失額の補償である。 ○　使用する土地等を原状回復することが困難な場合で返還時の現状のまま引き渡すときは、当該土地等の形質変更、改造等によって生ずる損失を適正に算定した額を補償する。

公共用地の取得に伴う損失補償基準要綱による各種の補償金の課税上の区分一覧表

不動産等の譲受けの対価の支払調書の摘要欄に記載する補償金の名称	税法適用上の区分	摘　　　　要
		空間について上下の範囲を定めた借地権又は地役権の設定である場合は4分の1、大深度地下の公共的使用に関する特別措置法の認可事業と一体的に施行される一定の事業により設置される一定の施設又は工作物の全部の所有を目的とする地下について上下の範囲を定めた借地権の設定である場合は、4分の1に、地表から大深度までの距離のうちにその設定される借地権の範囲のうち最も浅い部分の深さから大深度までの距離の占める割合に乗じた割合）を超えるときは、当該土地が棚卸資産等に該当する場合を除き、対価補償金となる（所令79）。 ・　例えば、トンネル、地下鉄の施設、鉄道若しくは軌道の高架施設等を設置するために借地権を設定し、又は借地権の一部が制限される場合 ・　特別高圧架空電線の架設、飛行場の設置又は懸垂式鉄道若しくは跨座式鉄道の敷設のために地役権を設定して起業者に土地を使用させる場合
土地建物等使用補償金	収益補償金	
収益補償金	収益補償金又は対価補償金	一時的な立入制限等について支払う補償金は、収益補償金となる。漁業権等の価値の減少に対して支払う補償金については、⑤に準ずる。
収益補償金	収益補償金又は対価補償金	一時的な立入制限等について支払う補償金は、収益補償金となる。鉱業権等の価値の減少に対して支払う補償金については、⑥に準ずる。
土地等返還補償金	その他の補償金	その実態に応じ、事業所得、不動産所得、一時所得の金額の計算上、総収入金額に算入する。

公共用地の取得に伴う損失補償基準要綱による各種の補償金の課税上の区分一覧表

順号	公共用地の取得に伴う損失補償基準要綱による区分		
	条	補償の種類	内　　　容
第4章　土地等の取得又は土地等の使用により通常生ずる損失の補償			
⑬	24　条	建物等の移転料	○　「建物等」とは、建物及び土地に定着する物件をいい、建物以外の工作物（機械設備及び附帯工作物）を含むが、立木は含まない。 ○　土留施設等の土地の附加物は、土地と一体として評価されるので、建物等の移転費用の対象とはならない。 ○　建物等を通常妥当と認められる移転先に、通常妥当と認められる移転方法によって移転するのに要する費用を補償するものである。 ○　移転工法には、再築工法、曳家工法、改造工法、復元工法等がある。
⑭	24条の2	配偶者居住権を有する者に対する建物の移転に係る補償	○　配偶者居住権の目的となっている建物の移転に伴い、当該配偶者居住権が消滅するものと認められるときに、当該配偶者居住権を有する者に対して補償するものである。 ○　当該配偶者居住権がない場合における当該建物の価格から当該配偶者居住権がある場合における当該建物の価格を控除した額を補償する。
⑮	27　条	動　産　移　転　料	○　居住用家財、店頭商品、事務用什器、木材、薪炭、石炭、砂利、庭石、鉄鋼、据付けをしていない機械器具等の移転に要する費用の補償である。
⑯	28　条	仮住居に要する費用	○　土地等の取得若しくは土地等の使用に係る土地に存する建物又は取得し、若しくは使用する建物に現に居住する者がある場合で、その者が仮住居を必要とするものと認められるときに、仮住居を新たに確保し、かつ、使用するのに通常要する費用を補償するものである。 ○　一般的には、建物所有者が居住する建物を残地に移転する場合に補償する。 ○　「仮住居に要する費用」とは、仮住居建物の権利金等の一時金相当額と仮住居期間における家賃相当額の合計額をいう。

公共用地の取得に伴う損失補償基準要綱による各種の補償金の課税上の区分一覧表

不動産等の譲受けの対価の支払調書の摘要欄に記載する補償金の名称	税法適用上の区分	摘　　　　　　要
建物等移転費用補償金	移転補償金	(1)　補償金を交付の目的に従って支出した場合には、その支出した金額は総収入金額に算入されない（所法44）が、補償金を交付の目的に従って支出しなかった場合又は支出したが残額が生じた場合には、当該補償金の額又は残額を一時所得の金額の計算上総収入金額に算入する。 　　ただし、当該補償金を資産の取得のための支出又は資産の改良その他の資本的支出に充てた場合は、その交付の目的に従って支出した場合に該当しない。 (2)　建物又は構築物を引き家し又は移築するために要する費用として交付を受ける補償金であっても、その交付を受ける者が実際に当該建物又は構築物を取り壊したときは、当該補償金は、当該建物又は構築物の対価補償金に当たるものとして取り扱うことができる（措通33−14）。 【参考通達】 措置法通達 ○　33−14（引き家補償等の名義で交付を受ける補償金） ○　33−26（土地等の使用に伴う損失の補償金を対価補償金とみなす場合）
	対価補償金又は移転補償金	配偶者居住権の敷地利用権に対する補償については、㉛を参照。
動産移転費用補償金	移転補償金	(1)　⑬の摘要(1)と同様に取り扱う。 (2)　移設することが著しく困難と認められる機械装置について交付を受ける取壊し等の補償金は、対価補償金として取り扱う。 　　また、移設経費の補償に代えて当該機械装置の新設費の補償を受けた場合は、一定の要件の下、当該補償金は対価補償金に該当するものとして取り扱うことができる（措通33−15）。 【参考通達】 措置法通達 ○　33−15（移設困難な機械装置の補償金）
仮住居費用補償金	移転補償金	⑬の摘要(1)と同様に取り扱う。

−285−

公共用地の取得に伴う損失補償基準要綱による各種の補償金の課税上の区分一覧表

順号	公共用地の取得に伴う損失補償基準要綱による区分			
	条	補償の種類	内　　　　　　容	
⑰	28 条の 2	借家人に対する補償	○　土地等の取得若しくは土地等の使用に係る土地に存する建物又は取得し、若しくは使用する建物の全部又は一部を現に賃借する者がいる場合で、賃借の継続が通常不能となるものと認められるときに通常要する費用を補償するものである。 ○　「借家人に対する補償」は、新たに従前の賃借の目的物に照応する物件を賃借するための契約を締結するのに通常要する費用のほか、その物件における居住又は営業を安定させるために通常必要と認められる期間中の当該物件の通常の賃借料のうち従前の賃借の目的物の賃借料の額を超える部分の額を補償する。 ○　曳家工法による建物の移転の場合は、従前の建物と移転後の建物とは同一性が保たれ、借家契約は維持されることになり、借家人は移転後の建物に再入居できることとなるため、借家人に対しては⑯の仮住居に要する費用を補償することになる。	
⑱	29　条	立 木 の 移 植 補 償	○　土地等の取得又は土地等の使用に係る土地に存する立木について、移植することが相当であると認められるときに、立木の掘起し、運搬、植付け等の移植に通常必要とする費用及び移植に伴う枯損等により通常生ずる損失を補償するものである。 ○　「移植に伴う枯損等により通常生ずる損失」には、収穫樹にあっては、移植に伴う減収による損失が含まれる。	
⑲	30　条	立 木 の 伐 採 補 償	○　土地等の取得又は土地等の使用に係る土地に存する立木について、伐採することが相当であると認められるときに通常生ずる損失を補償するものである。 ○　用材林の立木を例にとったものであるが、用材林以外にも薪炭林、果樹等の収穫樹等により補償額の算定方法に差異があるため留意する。 ○　補償金の内容は、次のように分類される。	
			1	伐期未到達立木の伐採に伴い通常生ずる損失に対して支払うもの
			2	多量の立木を一時に伐採することによって木材価格が低下すると認められる場合における当該低下額に対して支払うもの
			3	多量の立木を一時に伐採することによって伐採搬出に通常要する費用が増加すると認められる場合における当該増加額に対して支払うもの
⑳	31　条	営 業 廃 止 の 補 償	○　土地等の取得又は使用に伴い通常営業の継続が不能となると認められる場合に通常生ずる損失について補償するものである。 ○　「通常営業の継続が不能となると認められる場合」とは、法令等により営業場所が限定され、又は制限される業種に係	

公共用地の取得に伴う損失補償基準要綱による各種の補償金の課税上の区分一覧表

不動産等の譲受けの対価の支払調書の摘要欄に記載する補償金の名称	税法適用上の区分	摘　　　　　　　　　　　　要
借家人補償金	移転補償金	(1)　⑬の摘要(1)と同様に取り扱う。 (2)　他人の建物を使用している個人が、当該建物が収用等をされたことに伴いその使用を継続することが困難となったため、転居先の建物の貸借に要する権利金に充てられるものとして交付を受ける補償金は、対価補償金とみなして取り扱う（措通33－30）。 【参考通達】 措置法通達 ○　33－30（借家人補償金）
立木移転費用補償金	補償の実体的な内容に応じて判定	(1)　立木の掘起し、運搬、植付け等の移植に通常必要とする費用の補償金は、移転補償金となる。 (2)　棚卸資産等に該当しない立木について移植に通常必要とする費用として算定された補償金の交付を受けた者が、実際には当該立木を伐採した場合には、当該補償金は対価補償金として取り扱う。 (3)　移植に伴い通常生ずる損失の補償金は、当該立木が棚卸資産等に該当する場合には収益補償金となり、棚卸資産等に該当しない場合には経費補償金となる。
収益補償金	対価補償金又は収益補償金	対価補償金と収益補償金との区分は、①～⑥の摘要(1)による。
経費補償金	経費補償金	

公共用地の取得に伴う損失補償基準要綱による各種の補償金の課税上の区分一覧表

順号	公共用地の取得に伴う損失補償基準要綱による区分			
	条	補 償 の 種 類	内	容
			る営業所等に該当し、個別的な事情を調査の上、社会通念上、当該営業所、店舗等の妥当な移転先がないと認められるときをいう。 ○ 補償金の内容は、次のように分類される。	
			1	免許を受けた営業等の営業の権利等で資産とは独立に取引される慣習があるものに対して支払うもの ・ 「免許を受けた営業等の営業の権利等」とは、行政庁の免許に基づいて営まれている営業等のいわゆる「営業権」や土地と密着し社会的に名のとおっているいわゆる「のれん」等の営業上の諸利益をいう。
			2	機械器具等の減価償却資産の売却損に対して支払うもの ・ 売却損は、その資産の現在価格から現実に売却し得る価格を控除して得られる価格として求められる。3において同じ。
			3	商品、仕掛品等の売却損に対して支払うもの
			4	資本に関して通常生ずる損失額に対して支払うもの
			5	従業員を解雇するため必要となる解雇予告手当相当額、転業が相当と認められる場合において従業員を継続して雇用する必要があるときにおける転業に通常必要とする期間中の休業手当相当額その他労働に関して通常生ずる損失額に対して支払うもの ・ 「その他労働に関して通常生ずる損失額」には、労働基準法第64条に規定する帰郷旅費相当額及び転業期間中に事業主に課せられる雇用保険料、社会保険料、健康保険料等の法定福利費相当額がある。
			6	転業に通常必要とする期間中の従前の収益相当額（個人営業の場合には、従前の所得相当額）に対して支払うもの
㉑	32　条	営 業 休 止 等 の 補 償	○ 土地等の取得又は土地等の使用に伴い通常営業を一時休止する必要があると認められる場合又は営業を休止することなく仮営業所を設置して営業を継続することが営業の社会性等の理由により必要かつ相当であると認められる場合に通常生ずる損失について補償するものである。 ○ 補償金の内容は、次のように分類される。	
			1	通常休業を必要とする期間中の営業用資産に対する公租公課等の固定的な経費及び従業員に対する休業手当相当額として支払うもの

−288−

公共用地の取得に伴う損失補償基準要綱による各種の補償金の課税上の区分一覧表

不動産等の譲受けの対価の支払調書の摘要欄に記載する補償金の名称	税法適用上の区分	摘　　　　要
収　益　補　償　金	収　益　補　償　金	
経　費　補　償　金	経　費　補　償　金	収用等に伴い事業の全てを廃止した場合又は従来営んできた業種の事業を廃止し、かつ、当該事業に供していた機械装置等を他に転用することができない場合に交付を受ける当該機械装置等の売却損の補償金は、対価補償金として取り扱う（措通33－13）。 【参考通達】 措置法通達 ○　33－13（事業廃止の場合の機械装置等の売却損の補償金）
収　益　補　償　金	収　益　補　償　金	
経　費　補　償　金	収益補償金又は経費補償金	社債の繰上償還により生ずる損失に対して支払う補償金又は営業上の契約の解除に伴い支払を要する違約金に相当する額についての補償金等は経費補償金となる。
経　費　補　償　金	経　費　補　償　金	
収　益　補　償　金	収　益　補　償　金	
経　費　補　償　金	経　費　補　償　金	

公共用地の取得に伴う損失補償基準要綱による各種の補償金の課税上の区分一覧表

順号	公共用地の取得に伴う損失補償基準要綱による区分		
	条	補償の種類	内　　　容
			2　通常休業を必要とする期間中の収益減（個人営業の場合には、所得減）に対して支払うもの
			3　休業することにより、又は店舗等の位置を変更することにより、一時的に得意を喪失することによって通常生ずる損失額（2に掲げるものを除く。）に対して支払うもの
			4　店舗等の移転の際における商品、仕掛品等の減損に伴い通常生ずる損失額に対して支払うもの
			5　店舗等の移転の際における移転広告費その他店舗等の移転に伴い通常生ずる損失額に対して支払うもの ・　「その他店舗等の移転に伴い通常生ずる損失額」には、営業上の移転挨拶費、開店費用、営業所の移転に伴う登記、届出等の手数料等がある。
			6　営業を休止することなく仮営業所を設置して営業を継続することが必要かつ相当であると認められる場合において、仮営業所の設置の費用及び店舗等の移転の際における移転広告費その他店舗等の移転に伴い通常生ずる損失額に対して支払うもの
			7　営業を休止することなく仮営業所を設置して営業を継続することが必要かつ相当であると認められる場合において、仮営業所であるための収益減（個人営業の場合には、所得減）、店舗等の位置を変更することにより、一時的に得意を喪失することによって通常生ずる損失額及び店舗等の移転の際における商品、仕掛品等の減損等に伴い通常生ずる損失額に対して支払うもの
㉒	33　条	営業規模縮小の補償	○　土地等の取得又は使用に伴い通常営業の規模を縮小しなければならないと認められる場合に通常生ずる損失について補償するものである。 ○　補償金の内容は、次のように分類される。
			1　営業の規模の縮小に伴う固定資産の売却損に対して支払うもの ・　売却損については、㉒2を参照のこと。
			2　営業の規模の縮小に伴う解雇予告手当相当額その他資本及び労働の過剰遊休化により通常生ずる損失額に対して支払うもの
			3　営業の規模の縮小に伴い経営効率が客観的に低下すると認められるときに通常生ずる損失額に対して支払うもの
㉓	34　条	農業廃止の補償	○　土地等の取得又は使用に伴い通常農業の継続が不能となると認められる場合に通常生ずる損失について補償するものである。

公共用地の取得に伴う損失補償基準要綱による各種の補償金の課税上の区分一覧表

不動産等の譲受けの対価の支払調書の摘要欄に記載する補償金の名称	税法適用上の区分	摘　　　　　　　　　　要
収　益　補　償　金	収　益　補　償　金	個人が賃貸している建物について収用等をされたことに伴う不動産所得の減少に対して支払を受ける家賃減収補償金も、収益補償金となる。
収　益　補　償　金	収　益　補　償　金	
収　益　補　償　金	収　益　補　償　金	
経　費　補　償　金	経　費　補　償　金	
経　費　補　償　金	経　費　補　償　金	
収　益　補　償　金	収　益　補　償　金	
経　費　補　償　金	経　費　補　償　金	
経　費　補　償　金	経　費　補　償　金	
収　益　補　償　金	収益補償金又は経費補償金	具体的に支出する費用に充てるため支払うこと又は実現する損失に対して支払うことが明確であるものは経費補償金となり、規模の縮小による販売高の減少に伴う企業者報酬の減少額等に対して支払うものは収益補償金となる。

—291—

公共用地の取得に伴う損失補償基準要綱による各種の補償金の課税上の区分一覧表

順号	公共用地の取得に伴う損失補償基準要綱による区分			
	条	補償の種類	内　容	
			○　「通常農業の継続が不能となると認められる場合」とは、経営地の全部又は大部分を失い、かつ、近傍において農地等の取得が客観的に著しく困難であると認められるときをいう。 ○　補償金の内容は、次のように分類される。	
			1	農具等の売却損に対して支払うもの ・　売却損の対象となるものには、農業用建物及び工作物、大農具、動物及び植物等がある。 ・　売却損については、⑳2を参照のこと。
			2	資本に関して通常生ずる損失額に対して支払うもの
			3	解雇予告手当相当額その他労働に関して通常生ずる損失額に対して支払うもの ・　「その他労働に関して通常生ずる損失額」については、⑳5を参照のこと。
			4	転業に通常必要とする期間中の従前の所得相当額（法人経営の場合には、従前の収益相当額）に対して支払うもの
㉔	35　条	農業休止の補償	○　土地等の取得又は使用に伴い通常農業を一時休止する必要があると認められる場合に通常生ずる損失について補償するものである。 ○　補償金の内容は、次のように分類される。	
			1	通常農地を再取得するために必要とする期間中の固定的な経費等に対して支払うもの
			2	通常農地を再取得するために必要とする期間中の所得減（法人経営の場合には、収益減）に対して支払うもの
㉕	36　条	農業の経営規模縮小の補償	○　土地等の取得又は使用に伴い通常農業の経営規模を縮小しなければならないと認められる場合に通常生ずる損失について補償するものである。 ○　補償金の内容は、次のように分類される。	
			1	農業の経営規模の縮小に伴う資本及び労働の過剰遊休化により通常生ずる損失額に対して支払うもの
			2	農業の経営規模の縮小に伴い経営効率が客観的に低下すると認められるときに、これにより通常生ずる損失額に対して支払うもの
㉖	38　条	漁業廃止の補償	○　漁業権等の消滅又は制限に伴い通常漁業の継続が不能となると認められる場合に、それにより通常生ずる損失について補償するものである。 ○　補償金の内容は、次のように分類される。	
			1	漁具等の売却損に対して支払うもの ・　売却損の対象となるものには、漁船船体、漁船機関、漁網、漁具、養殖施設、電気器具、網干場、舟小屋、網倉、投石、集魚施設等がある。 ・　売却損については、⑳2を参照のこと。

－292－

公共用地の取得に伴う損失補償基準要綱による各種の補償金の課税上の区分一覧表

不動産等の譲受けの対価の支払調書の摘要欄に記載する補償金の名称	税法適用上の区分	摘 要
経 費 補 償 金	経 費 補 償 金	⑳2の摘要と同様に取り扱う。
経 費 補 償 金	収益補償金又は経費補償金	⑳4の摘要と同様に取り扱う。
経 費 補 償 金	経 費 補 償 金	
収 益 補 償 金	収 益 補 償 金	
経 費 補 償 金	経 費 補 償 金	
収 益 補 償 金	収 益 補 償 金	
経 費 補 償 金	経 費 補 償 金	
収 益 補 償 金	収益補償金又は経費補償金	㉒3の摘要と同様に取り扱う。
経 費 補 償 金	経 費 補 償 金	⑳2の摘要と同様に取り扱う。

公共用地の取得に伴う損失補償基準要綱による各種の補償金の課税上の区分一覧表

順号	公共用地の取得に伴う損失補償基準要綱による区分			
	条	補償の種類	内	容
			2	資本に関して通常生ずる損失額に対して支払うもの
			3	解雇予告手当相当額その他労働に関して通常生ずる損失額に対して支払うもの ・ 「その他労働に関して通常生ずる損失額」については、⑳5を参照のこと。
			4	転業に通常必要とする期間中の従前の所得相当額（法人経営の場合には、従前の収益相当額）に対して支払うもの
㉗	39 条	漁業休止の補償	○ 漁業権等の消滅又は制限に伴い通常漁業を一時休止する必要がある場合に通常生ずる損失について補償するものである。 ○ 補償金の内容は、次のように分類される。
			1	通常漁業を休止することを必要とする期間中の固定的な経費等に対して支払うもの
			2	通常漁業を休止することを必要とする期間中の所得減（法人経営の場合には、収益減）に対して支払うもの
㉘	40 条	漁業の経営規模縮小の補償	○ 漁業権等の消滅又は制限に伴い通常漁業の経営規模を縮小しなければならないと認められる場合に通常生ずる損失について補償するものである。 ○ 補償金の内容は、次のように分類される。
			1	漁業の経営規模の縮小に伴う資本及び労働の過剰遊休化により通常生ずる損失額に対して支払うもの
			2	漁業の経営規模の縮小に伴い経営効率が客観的に低下すると認められるときに通常生ずる損失額に対して支払うもの
㉙	41 条	残地等に関する損失の補償	○ 同一の土地所有者に属する一団の土地の一部又は同一の物件の所有者に属する一団の物件の一部を取得し、又は使用すること等によって、残地、残存する物件等に関して、価格の低下、利用価値の減少等の損失が生ずるときに補償するものである。 ○ 土地収用法第74条の趣旨を受けたものである。 ○ 補償金の内容は、次のように分類される。
			1	同一の土地所有者に属する一団の土地の一部を取得し、又は使用することにより生じた残地の価格の低下又は利用価値の減少等の損失に対して支払うもの

公共用地の取得に伴う損失補償基準要綱による各種の補償金の課税上の区分一覧表

不動産等の譲受けの対価の支払調書の摘要欄に記載する補償金の名称	税法適用上の区分	摘　　　　　　　　　　要
経 費 補 償 金	収益補償金又は経費補償金	⑳4の摘要と同様に取り扱う。
経 費 補 償 金	経 費 補 償 金	
収 益 補 償 金	収 益 補 償 金	
経 費 補 償 金	経 費 補 償 金	
収 益 補 償 金	収 益 補 償 金	
経 費 補 償 金	経 費 補 償 金	
収 益 補 償 金	収益補償金又は経費補償金	㉒3の摘要と同様に取り扱う。
収 益 補 償 金	収益補償金又は経費補償金	⑴　当該土地が棚卸資産等に該当する場合の補償金は、収益補償金となる。 ⑵　土地（棚卸資産等に該当するものを除く。）の一部について収用等をされた場合の当該土地の残地補償金で措通33－16に該当するものは、当該収用等をされた土地等の対価補償金とみなして取り扱う。 【参考通達】 措置法通達 ○　33－16（残地補償金）

公共用地の取得に伴う損失補償基準要綱による各種の補償金の課税上の区分一覧表

順号	公共用地の取得に伴う損失補償基準要綱による区分		
	条	補償の種類	内　容
			2　同一の物件の所有者に属する一団の物件の一部を取得し、又は使用することにより生じた残存する物件の価格の低下又は利用価値の減少等の損失に対して支払うもの
			3　同一の権利者に属する一体として同一目的に供している権利の一部を消滅させ、又は制限することにより生じた残存する権利の価格の低下又は利用価値の減少等の損失に対して支払うもの
			4　同一の土地所有者に属する一団の土地に属する土石砂れきの一部を取得することにより生じた当該土石砂れきの属する土地の残地の価格の低下又は利用価値の減少等の損失に対して支払うもの
㉚	42条	残地等に関する工事費の補償	○　㉙の場合における残地、残存する物件の存する土地、残存する権利の目的となっている土地、当該土石砂れきの属する土地の残地、残存する物件又は残存する権利の目的となっている物件に関して、従来の用法による利用価値を維持するために行う通路、みぞ、かき、さくその他の工作物の新築、改築、増築若しくは修繕又は盛土若しくは切土をする必要が生ずるときに通常要する費用を補償するものである。 ○　土地収用法第75条の趣旨を受けたものである。
㉛	43条	その他通常生ずる損失の補償	○　⑬から㉚までのほか、土地等の取得又は使用によって当該土地等の権利者について通常生ずる損失を補償するものである。 ○　「その他通常生ずる損失の補償」には、次のようなものがある。 ・　改葬の補償 ・　祭し料 ・　移転雑費 ・　立毛補償 ・　養殖物補償 ・　特産物補償 ・　造成費用の補償 ・　配偶者居住権の敷地利用権相当分の補償

公共用地の取得に伴う損失補償基準要綱による各種の補償金の課税上の区分一覧表

不動産等の譲受けの対価の支払調書の摘要欄に記載する補償金の名称	税法適用上の区分	摘　　　　　要
収　益　補　償　金	収益補償金又は経費補償金	⑴　当該物件又は権利が棚卸資産等に該当する場合の補償金は、収益補償金となる。 ⑵　借地権者が借地を使用される場合で、その補償金が対価補償金に該当するとき（⑦⑧の摘要を参照のこと。）のその残存する借地権の損失に対する補償金は、対価補償金とみなして取り扱う。
収　益　補　償　金	収益補償金又は経費補償金	当該土地が棚卸資産等に該当する場合の補償金は、収益補償金となる。
残地等工事費補償金	その他の補償金	補償金を交付の目的に従って支出した場合には、当該支出した額を所得税法第44条の規定に準じて取り扱い、補償金を交付の目的に従って支出しなかった場合又は支出したが残額が生じた場合には、当該補償金の額又は残額を一時所得の金額の計算上総収入金額に算入する（措通33−18）。 【参考通達】 措置法通達 ○　33−18（残地保全経費の補償金）
その他の補償金	補償の実体的な内容に応じて判定する。	⑴　立毛補償金は、収益補償金となる。 ⑵　養殖物補償金のうち、その移植に要する経費相当額に対するものは移転補償金となり、移植に伴う減収予想額及び移植することが困難又は不可能な養殖物に対して支払うものは収益補償金となる。 ⑶　造成費用の補償金は、ダムの水没予定地等山間部において、急峻な地形等の制約、生業の状況等の事情を総合的に勘案して、周辺の類似する地域において斜面地等を宅地として造成することにより建物等の移転先を確保しなければ生活再建を図ることが著しく困難であると認められるときに支払われるものであるから、移転補償金となる。 ⑷　改葬の補償金で通常改葬に要する費用のうち、遺体又は遺骨の掘上げ、埋戻し、運搬、埋葬及び霊体処置に要するものについて補償されるものは非課税とし、墓碑、柵垣及び生垣等の移転に要するものについて補償されるものは、㉚の摘要と同様に取り扱う。 ⑸　墳墓の改葬に伴う供養、祭礼等の宗教上の儀式に通常要する費用に対する補償金は、非課税とする。 ⑹　移転雑費のうち、移転先又は代替地等の選定に要する費用、法令上の手続に要する費用、転居通知費、移転旅費については、⑬の摘要⑴と同様に取り扱い、その他の雑費については、その補償の実体的な内容に応じて判定する。 ⑺　配偶者居住権の敷地利用権相当分に対する補償金は、対価補償金に該当する。

順号	公共用地の取得に伴う損失補償基準要綱による区分		
	条	補 償 の 種 類	内　　　容
	第5章　土地等の取得又は土地等の使用に伴うその他の措置		
㉜	44　条	隣接土地に関する工事費の補償	○　土地等の取得又は土地等の使用に係る土地を事業の用に供することにより、当該土地に隣接する土地等の従来の用法による利用価値を維持するために、通路、みぞ、かき、さくその他の工作物の新築、改築、増築若しくは修繕又は盛土若しくは切土をする必要があると認められるときに、これらの工事をすることを必要とする者に対して、その者の請求により、これらに要する費用の全部又は一部を補償するものである。 ○　土地収用法第93条の趣旨を受けたものである。
㉝	45　条	少数残存者補償	○　土地等の取得又は土地等の使用に係る土地を事業の用に供することにより、生活共同体から分離される者に受忍の範囲を超えるような著しい損失があると認められるときに、これらの者に対して、その者の請求により、個々の実情に応じた額を補償するもので、直接財産の買収による損失を補償するというものでなく、経済的利益の喪失を社会政策上の見地から補償するものである。
㉞	46　条	離 職 者 補 償	○　土地等の取得又は使用に伴い、土地等の権利者に雇用されている者が職を失う場合で、これらの者が再就職するまでの期間中所得を得ることができないと認められるときに、これらの者に対して、その者の請求により、再就職に通常必要とする期間中の従前の賃金相当額の範囲内で妥当と認められる額を補償するものである。

公共用地の取得に伴う損失補償基準要綱による各種の補償金の課税上の区分一覧表

不動産等の譲受けの対価の支払調書の摘要欄に記載する補償金の名称	税法適用上の区分	摘　　　　要	
残地等工事費補償金	その他の補償金	㉚の摘要と同様に取り扱う。	
その他の補償金	その他の補償金	この補償金は、著しい経済的損失に対して支払われることになっており、一時所得の金額の計算上総収入金額に算入する。	
その他の補償金	その他の補償金	(1)　当該権利者が失うこととなる者に対する補償金は、一時所得の金額の計算上総収入金額に算入する。 (2)　当該権利者が退職者に支給する金額相当額を補償するものは、経費補償金となる。	

—299—

収用証明書の区分一覧表

【別表2】　　収用証明書の区分一覧表

区　　　　　分	内　　容	発行者	根拠条項	備　　　考
①　土地収用法の規定に基づいて収用された場合（※1）	収用の裁決書の写し（※2）	収用委員会	措置法33条1項1号、33条の2　1項1号 措置法規則14条5項1号	※1　都市再開発法による第二種市街地再開発事業（その施行者が同法第50条の2に規定する再開発会社であるものに限る。）の施行に伴い、同法第50条の2第3項に規定する再開発会社の株主若しくは社員である者が有する資産又は当該資産に関して有する所有権以外の権利が収用され、買い取られ、又は消滅し、補償金又は対価を取得する場合を除く。 　　事業の内容を問わない。③から㊵まで及び㊻から48の3までに該当するものであっても、①又は②が優先的に適用される。 ※2　収用の裁決書の写し又は和解調書の写しは、その資産を買い取られた者が作成して差し支えない。
②　土地収用法に規定された収用委員会の勧告に基づく和解により買い取られた場合（※1）	和解調書の写し（※2）	同　　　上	同　　　上	
事業認定又は都市計画事業の認可若しくは承認を受けなければ特例の適用がないもの　③　土地収用法第3条に規定する事業の用に供するため収用することができる資産を買い取られた場合（※1）	当該事業が事業認定を受けたものである旨の証明（代行買収（※2）の場合にあっては、当該代行買収を行う者の名称及び所在地の記載があるもの）	当該資産の買取りをする者（代行買収の場合にあっては、事業施行者）	措置法33条1項2号、33条の2　1項1号 措置法規則14条5項2号	※1　⑤から㊵まで及び㊹から48の3までに該当するものとして証明を受けたものを除く。 ※2　「代行買収」とは、次に掲げる買取りをいう。 （1）　資産の買取りを必要とする事業の施行者が国、地方公共団体又は独立行政法人都市再生機構である場合

－300－

収用証明書の区分一覧表

区　　　　分	内　　容	発行者	根拠条項	備　　考
事業認定又は都市計画事業の認可若しくは承認を受けなければ特例の適用がないもの				において、当該事業の施行者に代わり、地方公共団体又は地方公共団体が財産を提供して設立した団体(地方公共団体以外の者が財産を提供して設立した団体を除く。次の(3)において同じ。)が行う当該資産の買取り (2)　資産の買取りを必要とする事業の施行者が国又は地方公共団体であり、かつ、当該事業が一団地の面積において10ヘクタール以上(当該事業が拡張に関する事業である場合には、その拡張後の一団地の面積が10ヘクタール以上)のものである場合において、当該事業の施行者に代わり、独立行政法人都市再生機構が行う当該資産の買取り (3)　資産の買取りを必要とする事業が全国新幹線鉄道整備法第2条に規定する新幹線鉄道(同法附則第6項に規定する新幹線鉄道規格新線等を含む。)の建設に係る事業又は地方公共団体が当該事業に関連して施行する道路法による道路に関する事業である場合において、これら

収用証明書の区分一覧表

区　　　　分	内　　　容	発　行　者	根　拠　条　項	備　　　考
事業認定又は都市計画事業の認可若しくは承認を受けなければ特例の適用がないもの				の事業の施行者に代わり、地方公共団体、地方公共団体が財産を提供して設立した団体又は独立行政法人鉄道建設・運輸施設整備支援機構が行う当該資産の買取り （4）　資産の買取りを必要とする事業が大都市地域における宅地開発及び鉄道整備の一体的推進に関する特別措置法第9条第2項に規定する同意特定鉄道の整備に係る事業に関連して施行される土地収用法第3条第7号の規定に該当する事業である場合において、当該事業の施行者に代わり、地方公共団体が行う当該資産の買取り
	④　都市計画法その他の法律（※）の規定により都市計画施設の整備に関する事業又は市街地開発事業の用に供するため収用することができる資産を買い取られた場合	当該事業が都市計画事業の認可又は承認を受けたものである旨の証明（代行買収（③の「備考」欄の※2参照）の場合にあっては、当該代行買収を行う者の名称及び所在地の記載があるもの）	同　　　上	同　　　上	※　その他の法律には、次のものがある。 （1）　新住宅市街地開発法 （2）　首都圏の近郊整備地帯及び都市開発区域の整備に関する法律 （3）　近畿圏の近郊整備区域及び都市開発区域の整備及び開発に関する法律 （4）　新都市基盤整備法 （5）　流通業務市街地の整備に関する法律

収用証明書の区分一覧表

区　　　　分		内　　容	発 行 者	根 拠 条 項	備　　　考
事業認定を受けない場合でも特例の適用があるもの	土地収用法第3条各号に掲げる施設のうち右に掲げるものに関する事業に必要なものとして収用することができる資産を買い取られた場合	⑤　道路法による道路（※1）又は道路運送法による一般自動車道（※2）（第1号の一部）	当該資産が左に掲げる施設に関する事業に必要なものとして収用することができる資産に該当する旨の証明（代行買収（③の「備考」欄の※2参照）の場合にあっては、当該代行買収を行う者の名称及び所在地の記載があるもの）	当該資産の買取りをする者（代行買収の場合にあっては、事業施行者）	措置法33条1項2号、33条の2　1項1号措置法規則14条5項3号イ	※1　「道路法による道路」とは、道路法第3条に規定する高速自動車国道、一般国道、都道府県道及び市町村道をいい、私道、林道等はこれに含まれない。※2　「道路運送法による一般自動車道」には、同法第2条第8項に規定する専用自動車道(同項に規定する自動車運送業者が、専らその事業用自動車の交通の用に供することを目的として設けた道をいう。）は含まれない。
		⑥　河川法が適用若しくは準用される河川その他公共の利害に関係のある河川又はこれらの河川に治水若しくは利水の目的をもって設置する堤防、護岸、ダム、水路、貯水池その他の施設（第2号）	同　　　　　上	同　　　　上	同　　　　　上	
		⑦　砂防法による砂防設備又は同法が準用される砂防のための施設（第3号）	同　　　　　上	同　　　　上	同　　　　　上	
		⑧　国又は都道府県が設置する地すべり等防止法による地すべり防止施設又はぼた山崩壊防止施設（第3号の2）	同　　　　　上	同　　　　上	同　　　　　上	
		⑨　国又は都道府県が設置する急傾斜地の崩壊による災害の防止に関する法律による急傾斜地崩壊防止施設（第3号の3）	同　　　　　上	同　　　　上	同　　　　　上	
		⑩　運河法による運河の用に供する施設（第4号）	同　　　　　上	同　　　　上	同　　　　　上	

収用証明書の区分一覧表

区　　　　分		内　容	発　行　者	根　拠　条　項	備　　　考
事業認定を受けない場合でも特例の適用があるもの	土地収用法第3条各号に掲げる施設のうち右に掲げるものに関する事業に必要なものとして収用することができる資産を買い取られた場合				
	⑪　国、地方公共団体、土地改良区（土地改良区連合を含む。）又は独立行政法人石油天然ガス・金属鉱物資源機構が設置する農業用道路、用水路、排水路、海岸堤防、かんがい用若しくは農作物の災害防止用のため池又は防風林その他これに準ずる施設（第5号）	同　　　上	同　　　上	同　　　上	
	⑫　国、都道府県又は土地改良区（土地改良区連合を含む。）が土地改良法によって行う客土事業又は土地改良事業の施行に伴い設置する用排水機若しくは地下水源の利用に関する設備（第6号）	同　　　上	同　　　上	同　　　上	
	⑬　鉄道事業法による鉄道事業者の鉄道事業の用、独立行政法人鉄道建設・運輸施設整備支援機構が設置する鉄道の用又は軌道の用に供する施設のうち線路（※1）及び停車場（※2）に係る部分（第7号から第8号までの一部）	同　　　上	同　　　上	同　　　上	※1　「線路」には、専用側線及び専用索道（事業者等が自己の製品、原料等を貨車等により搬出することを目的として敷設するもの）は含まれない。 　　鉄道電化のため又は鉄道線路防護のため線路に隣接して設置する変電所用地又は鉄道林用地は、「線路に係る部分」に含まれる。 ※2　「停車場」とは、駅、信号場及び操車場をいう（鉄道に関する技術上の基準を定める省令第2条）。
	⑭　港湾法による港湾施設又は漁港及び漁場の整備等に関する法律による漁港施設（第10号）	同　　　上	同　　　上	同　　　上	

収用証明書の区分一覧表

区　　分		内　容	発　行　者	根　拠　条　項	備　　考
事業認定を受けない場合でも特例の適用があるもの	土地収用法第3条各号に掲げる施設のうち右に掲げるものに関する事業に必要なものとして収用することができる資産を買い取られた場合				
	⑮　海岸法による海岸保全施設（第10号の2）	同　　上	同　　　上	同　　　上	
	⑯　航路標識法による航路標識又は水路業務法による水路測量標（第11号）	同　　上	同　　　上	同　　　上	
	⑰　航空法による飛行場又は航空保安施設で公共の用に供するもの（第12号）	同　　上	同　　　上	同　　　上	
	⑱　気象、海象、地象又は洪水その他これに類する現象の観測の用に供する施設（※）（第13号の一部）	同　　上	同　　　上	同　　　上	※　土地収用法第3条第13号に掲げる施設のうち通報の用に供する施設は含まれない。
	⑱の2　日本郵便株式会社が設置する郵便物の集配又は運送事務に必要な仕分その他の作業の用に供する施設で既成市街地内（※）のもの及び高速自動車国道と一般国道との連結位置の隣接地内のもの（第13号の2の一部）	同　　上	同　　　上	同　　　上	※　「既成市街地」とは、産業又は人口が相当程度集中し、公共施設の整備及び土地の高度利用等の市街地としての開発が既に行われている地域をいう。
	⑲　海上保安庁が設置する電気通信設備（第15号の一部）	同　　上	同　　　上	同　　　上	
	⑳　電気通信事業法第120条第1項に規定する認定電気通信事業者（※1）が設置する同法第9条第1号に規定する電気通信回線設備（※2）の用に供する施設（当該施設が市外通信幹線路の中継施設以外の施設である場合には、既成市街地（※3）内にあるものに限る。）（第15号の2の一部）	同　　上	同　　　上	同　　　上	※1　「認定電気通信事業者」とは、電気通信回線設備を設置して電気通信役務を提供する事業を行う者で電気通信事業法第117条第1項に規定する総務大臣の認定を受けた者をいう。 ※2　「電気通信回線設備」とは、送信の場所と受信の場所との間を接続する伝送路設備及びこれと一体として設置される交換設備並びにこれらの附属設備をいう（電気通信事業法第9条第

-305-

収用証明書の区分一覧表

区　　　　分			内　容	発　行　者	根拠条項	備　　考
事業認定を受けない場合でも特例の適用があるもの	土地収用法第3条各号に掲げる施設のうち右に掲げるものに関する事業に必要なものとして収用することができる資産を買い取られた場合					1号）。 ※3　「既成市街地」については、⑱の２の「備考」欄参照。
		㉑　電気事業法（昭和39年法律第170号）による一般送配電事業、送電事業、配電事業、特定送配電事業又は発電事業の用に供する電気工作物のうち水力による発電施設、最大出力10万キロワット以上の汽力若しくは原子力による発電施設、最大出力5,000キロワット以上の内燃力若しくはガスタービンによる発電施設（離島（※１）において設置されるものに限る。）又は送電施設（※２）若しくは使用電圧５万ボルト以上の変電施設（※２）（第17号の一部）	同　　上	同　　上	同　　上	※１　離島とは、次に掲げる島をいう。 （1）　離島振興法第２条第１項《指定》の規定により指定された同項の離島振興対策実施地域に含まれる島 （2）　沖縄振興特別措置法第３条第３号《定義》に規定する離島 （3）　奄美群島振興開発特別措置法第１条《目的》に規定する奄美群島の区域に含まれる島 （4）　小笠原諸島振興開発特別措置法第４条第１項《定義》に規定する小笠原諸島 ※２　電気事業法第２条第１項第８号に規定する一般送配電事業、同項第10号に規定する送電事業又は同項第11号の２に規定する配電事業の用に供するために設置される送電施設又は変電施設に限る。
		㉒　ガス事業法によるガス工作物のうち高圧導管又は中圧導管（※）及びこれらと接続する整圧器（第17号の２の一部）	同　　上	同　　上	同　　上	※　「高圧導管」又は「中圧導管」とは、ガス事業法第２条第13項の規定によるガス工作物たる「導管」（いわゆるガス管）のうちの高圧導管（１メガパスカル以上の圧力を有するガスを通ずる導管）又は中圧導管（0.1

－306－

収用証明書の区分一覧表

区	分		内　　容	発　行　者	根　拠　条　項	備　　　　考
事業認定を受けない場合でも特例の適用があるもの	土地収用法第3条各号に掲げる施設のうち右に掲げるものに関する事業に必要なものとして収用することができる資産を買い取られた場合					メガパスカル以上1メガパスカル未満の圧力を有するガスを通ずる導管）をいい、ガス工作物のうちガス発生設備、ガスホルダー（いわゆるガスタンク）、ガス精製設備等は含まれない。
		㉓　水道法による水道事業若しくは水道用水供給事業、工業用水道事業法による工業用水道事業又は下水道法による公共下水道、流域下水道若しくは都市下水路の用に供する施設（第18号）	同　　上	同　　上	同　　上	
		㉔　市町村が消防法によって設置する消防の用に供する施設（第19号）	同　　上	同　　上	同　　上	
		㉕　都道府県又は水防法による水防管理団体が水防の用に供する施設（第20号）	同　　上	同　　上	同　　上	
		㉖　次に掲げるもののための施設（第21号の一部） （イ）　地方公共団体の設置に係る小学校、中学校、高等学校、特別支援学校及び幼稚園 （ロ）　国の設置に係る特別支援学校 （ハ）　私立学校法第3条に規定する学校法人の設置に係る高等学校及び幼稚園（※） （ニ）　国又は地方公共団体の設置に係る看護師養成所及び准看護師養成所	同　　上	同　　上	同　　上	※　学校法人の設置に係る高等学校及び幼稚園のための施設の買取りについては、既に設立されている学校法人が行うものに限り適用され、学校法人を設立するために行う買取りについては適用がない。
		㉗　次に掲げるもののための施設（第23号の一部） （イ）　国、地方公共団体	同　　上	同　　上	同　　上	※1　社会福祉法第2条第3項第4号の2に規定する「障害福祉サービス事業の用に

－307－

収用証明書の区分一覧表

区　　　　　分		内　　容	発　行　者	根 拠 条 項	備　　　　考
事業認定を受けない場合でも特例の適用があるもの	土地収用法第3条各号に掲げる施設のうち右に掲げるものに関する事業に必要なものとして収用することができる資産を買い取られた場合	又は社会福祉法人の設置に係る社会福祉法第2条第3項第4号に規定する老人デイサービスセンター及び老人短期入所施設並びに同項第4号の2に規定する障害福祉サービス事業の用に供する施設（※1）、地域活動支援センター及び福祉ホーム並びに同法第62条第1項に規定する社会福祉施設（※2）並びに児童福祉法第43条に規定する児童発達支援センター （ロ）地方公共団体又は社会福祉法人の設置に係る幼保連携型認定こども園（就学前の子どもに関する教育、保育等の総合的な提供の推進に関する法律（平成18年法律第77号）第2条第7項に規定する幼保連携型認定こども園をいう。次の（ホ）において同じ。） （ハ）地方公共団体又は社会福祉法人の設置に係る児童福祉法第39条第1項に規定する保育所 （ニ）地方公共団体又は社会福祉法人の設置に係る児童福祉法第6条の3第10項に規定する小規模保育事業の用に供する同項第1号に規定する施設のうち利用定員が10人以上であるもの			供する施設」とは、次に掲げる事業の用に供するものに限られる。 （1）障害者の日常生活及び社会生活を総合的に支援するための法律（平成17年法律第123号）第5条第6項に規定する療養介護 （2）同条第7項に規定する生活介護 （3）同条第12項に規定する自立訓練 （4）同条第13項に規定する就労移行支援 （5）同条第14項に規定する就労継続支援 （6）同条第17項に規定する共同生活援助 ※2　社会福祉法第62条第1項に規定する「社会福祉施設」とは、第1種社会福祉事業（同法第2条第2項）に係る施設に限られ、第2種社会福祉事業（同法第2条第3項）に係る施設は含まれない。

収用証明書の区分一覧表

区分		分	内　容	発　行　者	根　拠　条　項	備　　考
事業認定を受けない場合でも特例の適用があるもの	土地収用法第3条各号に掲げる施設のうち右に掲げるものに関する事業に必要なものとして収用することができる資産を買い取られた場合	（ホ）　学校法人の設置に係る幼保連携型認定こども園				
		㉘　地方公共団体の設置に係る火葬場（第25号の一部）	同　　上	同　　上	同　　上	
		㉙　地方公共団体の設置に係ると畜場法によると畜場又は化製場等に関する法律による化製場若しくは死亡獣畜取扱場（第26号の一部）	同　　上	同　　上	同　　上	
		㉚　地方公共団体が設置する廃棄物の処理及び清掃に関する法律による一般廃棄物処理施設、産業廃棄物処理施設その他の廃棄物の処理施設（廃棄物の処分（再生を含む。）に係るものに限る。）（※）（第27号の一部）	同　　上	同　　上	同　　上	※　廃棄物の処理及び清掃に関する法律第15条の5第1項に規定する廃棄物処理センターが設置する施設及び地方公共団体が設置する公衆便所は含まれない。
		㉚の2　国が設置する中間貯蔵施設（※1）及び指定廃棄物の最終処分場（※2）として環境大臣が指定するもの（第27号の2の一部）	同　　上	同　　上	同　　上	※1　「中間貯蔵施設」とは、福島県の区域内において汚染廃棄物等（平成23年3月11日に発生した東北地方太平洋沖地震に伴う原子力発電所の事故により放出された放射性物質による環境の汚染への対処に関する特別措置法（平成23年法律第110号）第46条に規定する汚染廃棄物等をいう。）の処理を行うために設置される一群の施設であって、汚染廃棄物等の貯蔵施設及び汚染廃棄物等の受入施設、分別施設又は減量施設から構成されるもの（これらと一体的に設置される常時監視施設、試験研究及

－309－

収用証明書の区分一覧表

区分			内　容	発　行　者	根　拠　条　項	備　　考
事業認定を受けない場合でも特例の適用があるもの	土地収用法第3条各号に掲げる施設のうち右に掲げるものに関する事業に必要なものとして収用することができる資産を買い取られた場合					び研究開発施設、展示施設、緑化施設その他の施設を含む。）をいう。 ※2　「指定廃棄物の最終処分場」とは、宮城県、茨城県、栃木県、群馬県又は千葉県の区域内において同法第19条に規定する指定廃棄物の埋立処分の用に供される場所をいう。
		㉛　国が設置する通信施設並びに都道府県が設置する警察署、派出所又は駐在所に係る庁舎、警察職員の待機宿舎、交通機動隊の庁舎及び自動車検問のための施設並びに運転免許センター（第31号の一部）	同　　上	同　　　上	同　　　上	
		㉜　都市公園法第2条第1項に規定する都市公園（※）（第32号の一部）	同　　上	同　　　上	同　　　上	※　都市公園とは、①都市計画施設である公園若しくは緑地で地方公共団体が設置するもの、②都市計画法により指定された都市計画区域内において地方公共団体が設置する公園若しくは緑地又は③都市計画施設である公園若しくは緑地で国が設置するものをいい、これらの地方公共団体又は国が当該公園又は緑地に設ける公園施設を含む。
		㉝　独立行政法人水資源機構法第2条第2項に規定する水資源開発施設（※）で1日につき10万立方メートル以上の原水を供給する能力を有するもの（第34号の一	同　　上	同　　　上	同　　　上	※　「水資源開発施設」とは、水資源開発基本計画に基づいて新築又は改築として行う次に掲げる施設（当該施設のうち発電に係る部分を除く。）及び

収用証明書の区分一覧表

区　分		内　容	発行者	根拠条項	備　考
事業認定を受けない場合でも特例の適用があるもの	土地収用法第3条各号に掲げる施設のうち右に掲げるものに関する事業に必要なものとして収用することができる資産を買い取られた場合　部)				水資源開発公団から承継した同施設をいう。 （1）ダム、河口ぜき、湖沼水位調節施設、多目的用水路、専用用水路その他の水資源の開発又は利用のための施設 （2）（1）に掲げる施設と密接な関連を有する施設
	㉞　⑤から㉝までに掲げるものに関する事業のために欠くことができない通路、橋、鉄道、軌道、索道、電線路、水路、池井、土石の捨場、材料の置場、職務上常駐を必要とする職員の詰所又は宿舎その他の施設（第35号）	同　　上	同　　上	同　　上	
	㉟　土地収用法第3条各号のいずれかに該当するもの（当該いずれかに該当するものと他の当該各号のいずれかに該当するものとが一組の施設として一の効用を有する場合には、当該一組の施設とし、⑤から㉞までに該当するものを除く。）に関する事業で一団地の面積において10ヘクタール以上のもの（拡張に関する事業にあっては、その買い取った土地を含めた拡張後の一団地の面積が10ヘクタール以上のもの）に必要な土地で当該事業の用に供されるもの及び当該土地の上に存する資産を買い取られた場合	その買い取った資産が買取りをする者の当該事業の用に供される土地及び当該土地の上に存する資産である旨並びにこれらの資産につき買取りの申出を拒むときは収用されることとなる事由があると認められる旨の証明（代行買収（③の「備考」欄の※2参照）の場合にあっては、当該代行買収を行う者の名	当該資産の買取りをする者（代行買収の場合にあっては、事業施行者）	措置法33条1項2号、33条の2　1項1号 措置法規則14条5項5号	

—311—

収用証明書の区分一覧表

区　　　　　分	内　　容	発　行　者	根　拠　条　項	備　　　　考
	称及び所在地の記載があるもの）			
㊱　河川法第22条第１項《洪水時等における緊急措置》の規定に基づいて収用することができる資産を買い取られた場合	当該資産が左に掲げる資産に該当する旨の証明（代行買収（③の「備考」欄の※２参照）の場合にあっては、当該代行買収を行う者の名称及び所在地の記載があるもの）	同　　　　上	措置法33条１項２号、33条の２　１項１号 措置法規則14条５項３号ロ	
㊲　水防法第28条《公用負担》の規定に基づいて収用することができる資産を買い取られた場合	同　　　　上	同　　　　上	同　　　　上	
㊳　土地改良法第119条《障害物の移転等》又は第120条《急迫の際の使用等》の規定に基づいて収用することができる資産を買い取られた場合	同　　　　上	同　　　　上	同　　　　上	
㊴　道路法第68条《非常災害時における土地の一時使用等》の規定に基づいて収用することができる資産を買い取られた場合	同　　　　上	同　　　　上	同　　　　上	
㊵　住宅地区改良法の規定に基づいて収用することができる資産を買い取られた場合	同　　　　上	同　　　　上	同　　　　上	
㊶　測量法の規定に基づいて収用することができる資産が買い取られた場合	当該資産が測量法の規定に基づいて収用することができる資産である旨及び当該資産の所在する地域につき同法第14条第１項の規定による通知に係	国土地理院の長	措置法33条１項２号、33条の２　１項１号 措置法規則14条５項５号の４	

事業認定を受けない場合でも特例の適用があるもの

収用証明書の区分一覧表

区　　　　　　　分		内　　容	発　行　者	根拠条項	備　　　　考
事業認定を受けない場合でも特例の適用があるもの		る同条第3項の公示があった旨の証明			
	㊷　鉱業法又は採石法の規定に基づいて収用することができる資産が買い取られた場合	当該資産の収用に関して鉱業法第106条第1項又は採石法第36条第1項の許可をした旨の証明	経済産業大臣又は当該資産の所在する地域を管轄する経済産業局長	措置法33条1項2号、33条の2　1項1号 措置法規則14条5項5号の5	
	㊸　日本国とアメリカ合衆国との間の相互協力及び安全保障条約第6条に基づく施設及び区域並びに日本国における合衆国軍隊の地位に関する協定の実施に伴う土地等の使用等に関する特別措置法の規定に基づいて収用することができる資産が買い取られた場合	これに該当する資産である旨の証明	当該資産の所在する地域を管轄する地方防衛局長（当該資産の所在する地域が東海防衛支局の管轄区域内である場合には、東海防衛支局長）	措置法33条1項2号、33条の2　1項1号 措置法規則14条5項5号の6	
都市計画事業の認可又は承認を受けない場合でも特例の適用があるもの	㊹　都市計画法第4条第15項《定義》に規定する都市計画事業に準ずる事業として行う一団地の住宅施設（一団地における50戸以上の集団住宅及びこれらに附帯する通路その他の施設をいう。）のために土地その他の資産を買い取られた場合（㊺に該当する場合を除く。）（※1）	次に掲げる場合に応じ、それぞれ次に掲げる証明（代行買収（※2）の場合にあっては、当該代行買収を行う者の名称及び所在地の記載があるもの） (イ)　当該事業が国土交通大臣の定める都市計画事業として行う一団地の住宅施設（一団地における50戸以上の集団住宅及びこれらに附帯する通路その他の施	国、都道府県、独立行政法人都市再生機構又は地方住宅供給公社（市のみが設立したものを除く。）の行う事業にあっては、国土交通大臣、その他の者の行う事業にあっては、都道府県	措置法33条1項2号、33条の2　1項1号 措置法規則14条5項4号	※1　施行者（(イ)の場合）は、国、都道府県、市町村（特別区を含む。）、独立行政法人都市再生機構、地方住宅供給公社等又は都市計画法第59条第4項《都市計画事業の施行者》の認可を受けることができる者（地方公共団体の全額拠出により設立された住宅協会又は住宅公社等）であるが、施行予定者（(ロ)の場合）は、国又は地方公共団体に限られる。 ※2　「代行買収」とは、事業の施行者（市街地開発事業等予定区域に関する都市計画が定められている場合には、当該都市計画に定められた施行予定者）が国又は地方公共

—313—

収用証明書の区分一覧表

区　　　　　分	内　　容	発行者	根拠条項	備　　考
都市計画事業の認可又は承認を受けない場合でも特例の適用があるもの	設をいう。）に係る基準に該当するこれに準ずる事業である場合　当該事業に該当する旨の証明 （ロ）当該土地その他の資産が当該一団地の住宅施設の整備に関する都市計画事業に係る市街地開発事業等予定区域に関する都市計画において定められた区域内にある場合　当該区域内にある土地その他の資産である旨の証明	知事 当該市街地開発事業等予定区域に関する都市計画を決定した者が、国土交通大臣である場合には、国土交通大臣、都道府県知事である場合には、都道府県知事		団体である場合において、当該事業の施行者に代わり、地方公共団体又は地方公共団体が財産を提供して設立した団体（地方公共団体以外の者が財産を提供して設立した団体を除く。）が行う当該事業のための資産の買取りをいう。
	㊺　次に掲げる事業の用に供するため土地及び土地の上に存する資産が買い取られる場合（※1） （イ）新住宅市街地開発法第2条第1項《定義》に規定する新住宅市街地開発事業に準ずる事業（新住宅市街地開発事業に係る市街地開発事業等予定区域に関する都市計画が定められているものを除く。）として国土交通大臣が指定した事業 （ロ）新住宅市街地開発事業に係る市街地開発事業等予定区域に関する都市	（イ）当該事業が新住宅市街地開発事業として行う宅地の造成及び公共施設の整備に関する事業に係る基準に準じて国土交通大臣の定める基準に該当する事業として指定したものである旨又は	国土交通大臣	措置法33条1項2号、33条の2　1項1号 措置法規則14条5項4号の2	※1　施行者（又は施行予定者）は、地方公共団体、独立行政法人都市再生機構又は地方住宅供給公社である。 ※2　「代行買収」とは、事業の施行者（又は施行予定者）が独立行政法人都市再生機構である場合において、当該独立行政法人都市再生機構に代わり、地方公共団体又は地方公共団体が財産を提供して設立した団体（地方公共団体以外の者が財産を提供し

−314−

収用証明書の区分一覧表

区　　　　分	内　　容	発　行　者	根　拠　条　項	備　　　　考
都市計画事業の認可又は承認を受けない場合でも特例の適用があるもの	計画が定められている新住宅市街地開発事業に準ずる事業	当該土地及び資産が新住宅市街地開発事業に係る市街地開発事業等予定区域に関する都市計画において定められた区域内にある土地及び当該土地の上に存する資産である旨の証明			て設立した団体を除く。）が行う当該事業のための土地及び土地の上に存する資産の買取りをいう。
	（ロ）　当該土地及び当該土地の上に存する資産を当該事業の用に供するために買い取った旨の証明（代行買収（※2）の場合にあっては当該代行買収を行う者の名称及び所在地の記載があるもの）	事業の施行者（市街地開発事業等予定区域に関する都市計画が定められている場合には、当該都市計画に定められた施行予定者）		
	㊻　次に掲げる事業に該当することとなる事業（一団地の面積において10ヘクタール以上のものに限る。）に必要な土地で、当該事業の用に供されるもの及び当該土地の上に存する資産を買い取られた場合（※） （イ）　首都圏の近郊整備地帯及び都市開発区域の整備に関する法律第2条第5項《定義》に規定する	（イ）　当該土地及び資産が一団地の面積において10ヘクタール以上の造成事業の用に供される土地及び当該土地の上に存する資産である	国土交通大臣	措置法33条1項2号、33条の2　1項1号 措置法規則14条5項4号の3	※　施行者（又は施行予定者）は、地方公共団体である。

－315－

収用証明書の区分一覧表

区　　　　分		内　　容	発 行 者	根 拠 条 項	備　　　　考
都市計画事業の認可又は承認を受けない場合でも特例の適用があるもの	工業団地造成事業 （ロ）　近畿圏の近郊整備区域及び都市開発区域の整備及び開発に関する法律第2条第4項《定義》に規定する工業団地造成事業	旨の証明 （ロ）　当該事業の施行される区域が次に掲げる場合に応じ、それぞれ次に掲げる区域であり、かつ、当該事業につき都市計画法第18条第1項（同法第22条第1項後段の規定により読み替えて適用する場合を含む。以下㊽までにおいて同じ。）の決定をすることが確実であると認められる旨、当該土地及び資産が当該工業団地造成事業について同法第12条第2項の規定により都市計画に定められた施行区域内にある土地及び当該土地の上に存する資産である旨又は当該土地及び資産が当該工業団地造成事業			

－316－

収用証明書の区分一覧表

区　　　　分	内　　容	発　行　者	根拠条項	備　　　考
都市計画事業の認可又は承認を受けない場合でも特例の適用があるもの	に係る市街地開発事業等予定区域に関する都市計画において定められた区域内にある土地及び当該土地の上に存する資産である旨の証明 Ａ　左欄の（イ）の場合 　首都圏の近郊整備地帯及び都市開発区域の整備に関する法律第３条の２第１項第１号から第３号までに掲げる条件に該当する区域 Ｂ　左欄の（ロ）の場合 　近畿圏の近郊整備区域及び都市開発区域の整備及び開発に関する法律第５条の２第１項第１号から第３号まで及び第６条第１項第２号に掲げる条件に該当する区域			
㊻の２　都市再開発法第２条第１号《定義》に規定	（イ）当該土地及び資産	国土交通大臣	措置法33条1項2号、33条	

－317－

収用証明書の区分一覧表

区　　　　分		内　　容	発　行　者	根　拠　条　項	備　　　考
都市計画事業の認可又は承認を受けない場合でも特例の適用があるもの	する第二種市街地再開発事業に該当することとなる事業に必要な土地で当該事業の用に供されるもの及び当該土地の上に存する資産が買い取られた場合	が当該事業の用に供される土地及び当該土地の上に存する資産である旨の証明（ロ）　当該事業の施行される区域が同法第3条第2号から第4号まで及び第3条の2第2号に掲げる条件に該当する区域であり、かつ、当該事業につき都市計画法第18条第1項の決定をすることが確実であると認められる旨又は当該土地及び資産が当該第二種市街地再開発事業について同法第12条第2項の規定により都市計画に定められた施行区域内にある土地及び当該土地の上に存する資産である旨の証明		の2　1項1号　措置法規則14条5項4号の4	
	㊼　新都市基盤整備法第2条第1項《定義》に規定する	（イ）　当該土地及び資産	国土交通大臣	措置法33条1項2号、33条	※1　施行者（又は施行予定者）は、地方公共

—318—

収用証明書の区分一覧表

区　　分		内　　容	発行者	根拠条項	備　　考
都市計画事業の認可又は承認を受けない場合でも特例の適用があるもの	新都市基盤整備事業に該当することとなる事業に必要な土地で当該事業の用に供されるもの及び当該土地の上に存する資産が買い取られた場合（※1）	が当該事業の用に供される土地及び当該土地の上に存する資産である旨の証明 （ロ）当該事業の施行される区域が同法第2条の2第1号から第3号まで及び第3条第2号に掲げる条件に該当する区域であり、かつ、当該事業につき都市計画法第18条第1項の決定をすることが確実であると認められる旨、当該土地及び資産が当該新都市基盤整備事業について同法第12条第2項の規定により都市計画に定められた施行区域内にある土地及び当該土地の上に存する資産である旨又は当該土地及び資産が当該新都市基盤整		の2　1項1号 措置法規則14条5項4号の5	団体である。 ※2　「代行買収」とは、事業の施行者（市街地開発事業等予定区域に関する都市計画が定められている場合には、当該都市計画に定められた施行予定者）に代わり、地方公共団体又は地方公共団体が財産を提供して設立した団体（地方公共団体以外の者が財産を提供して設立した団体を除く。）が行う当該土地及び土地の上に存する資産の買取りをいう。

収用証明書の区分一覧表

区　　　　分	内　　　容	発 行 者	根 拠 条 項	備　　　　　考
都市計画事業の認可又は承認を受けない場合でも特例の適用があるもの	備事業に係る市街地開発事業等予定区域に関する都市計画において定められた区域内にある土地及び当該土地の上に存する資産である旨の証明（代行買収（※2）の場合にあっては、当該代行買収を行う者の名称及び所在地の記載があるもの）			
	㊽　流通業務市街地の整備に関する法律第2条第2項《定義》に規定する流通業務団地造成事業に該当することとなる事業（当該事業の施行される区域の面積が30ヘクタール以上であるものに限る。）に必要な土地で当該事業の用に供されるもの及び当該土地の上に存する資産が買い取られた場合	（イ）　当該土地及び資産が当該事業（当該事業の施行される区域の面積が30ヘクタール以上であるものに限る。）の用に供される土地及び当該土地の上に存する資産である旨の証明 （ロ）　当該事業の施行される区域が同法第6条の2各号及び第7条第1項第2号に掲げる条	国土交通大臣	措置法33条1項2号、33条の2　1項1号 措置法規則14条5項4号の6	

収用証明書の区分一覧表

区　　　　　分	内　　容	発　行　者	根 拠 条 項	備　　　　考
都市計画事業の認可又は承認を受けない場合でも特例の適用があるもの	件に該当する区域であり、かつ、当該事業につき都市計画法第18条第1項の決定をすることが確実であると認められる旨、当該土地及び資産が当該流通業務団地造成事業に係る同法第11条第1項第11号に掲げる流通業務団地について同条第2項の規定により都市計画に定められた区域内にある土地及び当該土地の上に存する資産である旨又は当該土地及び資産が当該流通業務団地造成事業に係る市街地開発事業等予定区域に関する都市計画において定められた区域内にある土地及び当該土地の上に存する資産であ			

−321−

収用証明書の区分一覧表

区　　　　分		内　　容	発　行　者	根　拠　条　項	備　　　　考
都市計画事業の認可又は承認を受けない場合でも特例の適用があるもの		る旨の証明（代行買収（㊼の「備考」欄の※2参照）の場合にあっては、当該代行買収を行う者の名称及び所在地の記載があるもの）			
	㊽の2　東日本大震災復興特別区域法（平成23年法律第122号）第4条第1項に規定する政令で定める区域（※1）内において行う都市計画法第11条第1項第12号《都市施設》に掲げる一団地の津波防災拠点市街地形成施設の整備に関する事業に必要な土地で当該事業の用に供されるもの及び当該土地の上に存する資産が買い取られた場合（※2）	（イ）　当該土地及び資産が当該事業の用に供される土地及び当該土地の上に存する資産である旨の証明 （ロ）　当該土地及び資産が当該事業に係る一団地の津波防災拠点市街地形成施設について同条第2項の規定により都市計画に定められた区域内にある土地及び当該土地の上に存する資産である旨の証明（代行買収（※3）の場合にあっては、当該代行買収を行う者の名称及び所在	国土交通大臣（当該事業の施行者が市町村である場合には、道県知事）	措置法33条1項2号、33条の2　1項1号 措置法規則14条5項4号の7	※1　「東日本大震災復興特別区域法第4条第1項に規定する政令で定める区域」とは、東日本大震災復興特別区域法施行令（平成23年政令第409号）第2条各号に掲げる区域をいう。 ※2　施行者は、国又は地方公共団体である。 ※3　「代行買収」とは、事業の施行者に代わり、地方公共団体又は地方公共団体が財産を提供して設立した団体（地方公共団体以外の者が財産を提供して設立した団体を除く。）が行う当該土地及び土地の上に存する資産の買取りをいう。

－322－

収用証明書の区分一覧表

区　　　　分	内　　容	発　行　者	根拠条項	備　　　考
都市計画事業の認可又は承認を受けない場合でも特例の適用があるもの	地の記載があるもの）			
㊽の３　都市計画法第11条第１項第13号《都市施設》に掲げる一団地の復興再生拠点市街地形成施設の整備に関する事業に必要な土地で当該事業の用に供されるもの及び当該土地の上に存する資産が買い取られた場合（※）	（イ）当該土地及び資産が当該事業の用に供される土地及び当該土地の上に存する資産である旨の証明 （ロ）当該土地及び資産が当該事業に係る一団地の復興再生拠点市街地形成施設について都市計画法第11条第２項の規定により都市計画に定められた区域内にある土地及び当該土地の上に存する資産である旨の証明（代行買収（㊽の②の「備考」欄の※３参照）の場合にあっては、当該代行買収を行う者の名称及び所在地の記載があるもの）	国土交通大臣（当該事業の施行者が市町村である場合には、福島県知事）	措置法33条１項２号、33条の２　１項１号 措置法規則14条５項４号の８	※　施行者は、地方公共団体である。
㊾　森林法の規定に基づいて収用することができる資産で同法第51条《裁定の申請》（同法第55条第２項《収用の請求》におい	これらの裁定又は届出があった旨の証明	当該資産の所在する地域を管轄する都道府県知事	措置法33条１項１号・２号、33条の２　１項１号	

－323－

収用証明書の区分一覧表

区　　　　　分	内　　容	発行者	根拠条項	備　　　考
て準用する場合を含む。）の裁定又は同法第57条《協議がととのった場合》の届出があった場合において、当該資産が収用され又は買い取られたとき			措置法規則14条5項5号の2	
㊾の2　所有者不明土地法の規定に基づいて収用することができる資産で、同法第32条第1項《裁定》の裁定があった場合において、当該資産が収用されたとき	当該裁定をした旨の証明	当該資産の所在する地域を管轄する都道府県知事	措置法33条1項1号、33条の2　1項1号 措置法規則14条5項5号の3	
㊿　都市再開発法による市街地再開発事業の施行に伴い資産の権利変換又は買取り若しくは収用があった場合において、その権利変換又は買取り若しくは収用に係る資産が次に掲げる資産であるとき （イ）　都市再開発法第79条第3項《床面積が過小となる施設建築物の一部の処理》の規定により施設建築物の一部等若しくは施設建築物の一部についての借家権が与えられないように定められた資産又は同法第111条《特則》の規定により読み替えられた同項の規定により建築施設の部分若しくは施設建築物の一部についての借家権が与えられないように定められた資産 （ロ）　都市再開発法第71条第1項又は第3項《権利変換を希望しない旨の申出等》の申出に基づき同法第87条《権利変換期日における権利の変換》又は第88条第1項、第2項若しくは第5項の規定による権利変換を受けなかった資産 （ハ）　都市再開発法第104条第1項《清算》（同法第110条の2第6項又は第111条の規定により読み替えて適用される場合を含む。）又は第118条の24《清算》（同法第118条の25	（イ）及び（ハ）に掲げる資産の場合にあっては、これに該当する資産である旨の証明 （ロ）に掲げる資産の場合にあっては、措置法令第22条第11項各号に掲げる場合のいずれか（都市再開発法第71条第1項又は第3項の申出をした者が同法第70条の2第1項の申出をすること	市街地再開発事業の施行者	措置法33条1項3号の2、33条の3　3項 措置法規則14条5項5号の7	

収用証明書の区分一覧表

区　　　　　分	内　　容	発　行　者	根　拠　条　項	備　　　　考
の３第３項の規定により読み替えて適用される場合を含む。）に規定する差額に相当する金額の交付を受けることとなった資産	ができる場合には、措置法令第22条第11項第１号に掲げる場合に限る。）に該当する旨及び同項に規定する審査委員の同意又は市街地再開発審査会の議決のあった旨の証明			
㊿の２　　密集市街地における防災街区の整備の促進に関する法律による防災街区整備事業の施行に伴い資産の権利変換があった場合において、その権利変換に係る資産が次に掲げる資産であるとき （イ）　密集市街地における防災街区の整備の促進に関する法律第212条第３項の規定により防災施設建築物の一部等若しくは防災施設建築物の一部についての借家権が与えられないように定められた資産又は密集市街地における防災街区の整備の促進に関する法律施行令第43条の規定により読み替えられた同項の規定により防災建築施設の部分若しくは防災施設建築物の一部についての借家権が与えられないように定められた資産 （ロ）　密集市街地における防災街区の整備の促進に関する法律第203条第１項又は第３項の申出に基づき同法第221条又は第222条第１項、第２項若しくは第５項の規定による権利の変換を受けなかった資産 （ハ）　密集市街地における防災街区の整備の促進に関する法律第248条第１項(密集市街地における防災街区の整備の促	（イ）及び（ハ）に掲げる資産の場合にあっては、これに該当する資産である旨の証明 （ロ）に掲げる資産の場合にあっては、措置法令第22条第14項各号に掲げる場合のいずれか（密集市街地における防災街区の整備の促進に関する法律第203条第１項又は第３項の申出をした者が同法第202条第１項の申出をすることができる場合には、措置法令第22条第14項第１号に掲げる場合に限る。）に該当する旨及び同項に規定する審査委員の同	防災街区整備事業の施行者	措置法33条１項３号の３ 措置法規則14条５項５号の８	

—325—

区　分	内　容	発行者	根拠条項	備　考
進に関する法律施行令第43条又は第45条の規定により読み替えて適用される場合を含む。）の規定により同項に規定する差額に相当する金額の交付を受けることとなった資産	意又は防災街区整備審査会の議決のあった旨の証明			
50の3　都市計画法第52条の4第1項《土地の買取請求》（同法第57条の5《土地の買取請求》及び密集市街地における防災街区の整備の促進に関する法律第285条において準用する場合を含む。）の規定に基づいて土地及び土地の上に存する権利（(52)までにおいて「土地等」という。）が買い取られた場合	当該土地等を都市計画法第52条の4第1項、第57条の5又は密集市街地における防災街区の整備の促進に関する法律第285条の規定により買い取った旨の証明	都市計画において定められた施行予定者	措置法33条1項3号の4 措置法規則14条5項5号の9	
(51)　都市計画法第56条第1項《土地の買取り》の規定に基づいて土地等が買い取られた場合	(イ)　当該土地等につき都市計画法第55条第1項本文の規定により同法第53条第1項の許可をしなかった旨の証明 (ロ)　当該土地等を同法第56条第1項の規定により買取りをした旨の証明	当該許可をしなかった都市計画法第55条第1項に規定する都道府県知事（※） 当該土地等の買取りをする者	措置法33条1項3号の4 措置法規則14条5項5号の10	※　「都道府県知事等」とは、都道府県知事（市の区域内にあっては、当該市の長）をいう（都市計画法第26条第1項）。
51の2　土地区画整理法による土地区画整理事業で同法第109条第1項に規定する減価補償金を交付すべきこととなるものに係る公共施設の用地に充てるために土地等が買い取られた場合	(イ)　当該事業が減価補償金を交付すべきこととなる土地区画整理事業である旨の証明 (ロ)　当該事業に係る公共施設の用	国土交通大臣（当該事業の施行者が市町村である場合は、都道府県知事） 当該事業の施行者	措置法33条1項3号の5 措置法規則14条5項5号の11	

区　分	内　容	発行者	根拠条項	備　考
	地に充てるための土地等の買取りにつき国土交通大臣（当該事業の施行者が市町村である場合には、都道府県知事）の承認を受けて当該事業の施行区域（土地区画整理法第2条第8項に規定する施行区域をいう。）内にある当該土地等を買い取ったものであり、かつ、当該土地等を当該公共施設の用地として登記した旨の証明			
(51)の3　地方公共団体又は独立行政法人都市再生機構が被災市街地復興特別措置法第5条第1項の規定により都市計画に定められた被災市街地復興推進地域において施行する被災市街地復興土地区画整理事業で土地区画整理法第109条第1項に規定する減価補償金を交付すべきこととなるものの施行区域内にある土地等について、これらの者が当該被災市街地復興土地区画整理事業として行う公共施設の整備改善に関する事業の用に供するためにこれらの者（土地開発公社を含む。）に買い取られた場	(イ)　当該被災市街地復興土地区画整理事業が減価補償金を交付すべきこととなる土地区画整理法による土地区画整理事業となることが確実であると認められる旨の証明 (ロ)　当該被	国土交通大臣（当該被災市街地復興土地区画整理事業の施行者が市町村である場合は、都道府県知事） 当該被災市街	措置法33条1項3号の6 措置法規則14条5項5号の12	※　「代行買収」とは、事業の施行者に代わり、都道府県、市町村その他政令（被災市街地復興特別措置法施行令（平成7年政令第36号）第5条）で定める者（独立行政法人都市再生機構、独立行政法人中小企業基盤整備機構、地方住宅供給公社及び土地開発公社）が行う当該土地及び土地の上に存する資産の買取りをいう（被災市街地復興特

収用証明書の区分一覧表

区分	内容	発行者	根拠条項	備考
合	災市街地復興土地区画整理事業に係る公共施設の整備改善に関する事業の用地に充てるための土地等の買取りにつき国土交通大臣（当該被災市街地復興土地区画整理事業の施行者が市町村である場合は、都道府県知事）の承認を受けて当該被災市街地復興土地区画整理事業の施行区域（土地区画整理法第2条第8項に規定する施行区域をいう。）内にある当該土地等を買い取った旨の証明（当該土地等の所在地及び面積並びに当該土地等の買取りの年月日及び買取りの対価の額の記載があるものに限るものと	地復興土地区画整理事業の施行者		別措置法第8条）。

区　　分	内　容	発行者	根拠条項	備　考
	し、代行買収（※）の場合にあっては、当該代行買収を行う者の名称及び所在地の記載もあるものに限る。）			
(51)の４　地方公共団体又は独立行政法人都市再生機構が被災市街地復興特別措置法第21条に規定する住宅被災市町村の区域において施行する都市再開発法による第二種市街地再開発事業の施行区域（都市計画法第12条第２項の規定により第二種市街地再開発事業について都市計画に定められた施行区域をいう。）内にある土地等について、当該第二種市街地再開発事業の用に供するためにこれらの者（土地開発公社を含む。）に買い取られた場合	次に掲げる証明（当該土地等の所在地及び面積並びに当該土地等の買取りの年月日及び買取りの対価の額並びに当該第二種市街地再開発事業の施行者の名称及び所在地（代行買収（※）の場合にあっては、当該施行者の名称及び所在地並びに当該代行買収を行う者の名称及び所在地）の記載があるものに限る。） （イ）　当該土地等が当該第二種市街地再開発事業の施行区域内の土地等であり、かつ、当該事業の用に供されることが確実であると認め	国土交通大臣	措置法33条１項３号の７ 措置法規則14条５項５号の13	※　「代行買収」については、(51)の３の「備考」欄の※参照

区　　　分	内　　容	発 行 者	根拠条項	備　　　考
	られる旨の証明 (ロ)　当該第二種市街地再開発事業につき都市再開発法第51条第1項又は第58条第1項の規定による認可があることが確実であると認められる旨の証明			
(52)　国、地方公共団体、独立行政法人都市再生機構又は地方住宅供給公社の行う50戸以上の一団地の住宅経営に係る事業の用に供するために土地等が買い取られた場合	当該事業が自ら居住するため住宅を必要とする者に対して賃貸し、又は譲渡する目的で行う50戸以上の一団地の住宅経営に係る事業である旨及び当該土地等を当該事業の用に供するために買い取った旨の証明	当該事業の施行者	措置法33条1項4号、33条の2　1項1号 措置法規則14条5項6号	
(53)　国若しくは地方公共団体（地方公共団体が設立した特定の法人（※1）を含む。）が行い、若しくは土地収用法第3条に規定する事業の施行者がその事業の用に供するために行う公有水面埋立法の規定に基づく公有水面の埋立て又は当該施行者が行う当該事業の施行に伴う漁業権、入漁権、漁港水面施設運営権その他水の利用に関する権利又は鉱業権（租鉱権及び採石権その他土石を採掘し、又は採取する権利を含む。）の消滅（これらの	これらに該当する権利である旨の証明（代行買収（※2）の場合にあっては、当該代行買収を行う者の名称及び所在地の記載があるもの）	当該事業の施行に関する主務大臣又は当該事業の施行に係る地域を管轄する都道府県知事	措置法33条1項7号 措置法規則14条5項8号	※1　「地方公共団体が設立した特定の法人」とは、その出資金額又は拠出された金額の全額が地方公共団体により出資又は拠出をされている法人をいう。 ※2　「代行買収」とは、事業の施行者が国又は地方公共団体である場合において、当該事業の施行者に代わり、地方公共団体又は

区分	内容	発行者	根拠条項	備考
権利の価値の減少を含む。)があった場合				地方公共団体が財産を提供して設立した団体(地方公共団体以外の者が財産を提供して設立した団体を除く。)が行う「区分」欄に掲げる権利の消滅に係る補償金又は対価の支払をいう。
(54) 建築基準法第11条第１項《第３章の規定に適合しない建築物に対する措置》の規定による命令又は港湾法（昭和25年法律第218号）第41条第１項《有害構築物の改築等》の規定による命令に基づく処分により資産が買い取られた場合	これらに該当する資産である旨の証明	これらの命令をした建築基準法第11条第１項に規定する特定行政庁又は港湾法第41条第１項に規定する港湾管理者	措置法33条１項８号 措置法規則14条５項９号イ	
(55) 漁業法第93条第１項《公益上の必要による漁業権の取消等》、海岸法第22条第１項《漁業権の取消等及び損失補償》又は電気通信事業法第141条第５項《水底線路の保護》の規定による処分により漁業権が消滅（価値の減少を含む。）をした場合	これらに該当する漁業権である旨の証明	当該処分をした都道府県知事又は農林水産大臣	措置法33条１項８号 措置法規則14条５項９号ロ	
55の２ 漁港及び漁場の整備等に関する法律（昭和25年法律第137号）第59条第２項《漁港水面施設運営権の取消し等》(第２号に係る部分に限る。)の規定による処分により漁港水面施設運営権が消滅をした場合	これに該当する漁港水面施設運営権である旨の証明	当該処分をした漁港及び漁場の整備等に関する法律第59条第２項の漁港管理者	措置法33条１項８号 措置法規則14条５項９号ハ	
(56) 鉱業法第53条《取消等の処分》（同法第87条《準用》において準用する場合を含む。)の規定による処分により鉱業権（租鉱権を含む。)が消滅（価値の減少を含む。）をした場合	これに該当する鉱業権（租鉱権を含む。）である旨の証明	当該処分をした経済産業大臣又は経済産業局長	措置法33条１項８号 措置法規則14条５項９号ニ	
(57) 水道法第42条第１項《地方公共団体による買収》の規定により資産が買収される場合	これに該当する資産である旨の証明	国土交通大臣	措置法33条１項８号 措置法規則14条５項９号ホ	
(58) 土地区画整理法、大都市地域住宅等供給促進法、新都市基盤	これらに該当する資産であ	土地区画整理事業、住宅街	措置法33条１項３号、33条	

区分		内容	発行者	根拠条項	備考
	整備法、土地改良法、独立行政法人緑資源機構法又は農業振興地域の整備に関する法律の規定に基づく換地処分又は交換により資産を譲渡した場合	る旨の証明	区整備事業、新都市基盤整備事業、土地改良事業又は農業振興地域の整備に関する法律第13条の2第1項の事業の施行者	の2　1項2号、33条の3　1項 措置法規則14条5項10号	
土地等を使用された場合(※)	(59)　土地等が土地収用法の規定に基づいて使用された場合	①に同じ			※　土地等が使用された場合において特例が適用されることとなるのは、当該使用が所得税法施行令第79条の要件に適合する場合である。
	(60)　土地等が土地収用法に規定する収用委員会の勧告に基づく和解により使用された場合	②に同じ			
	(61)　土地等について使用の申出を拒むときは土地収用法等の規定に基づいて使用されることとなる場合において、当該土地等が契約により使用されたとき	(イ)　当該使用が土地収用法第3条に規定する事業(⑤から㉞までに該当するものを除く。)の用に供するためのものである場合は、③に同じ。 (ロ)　当該使用が都市計画法その他の法律の規定により都市計画施設の整備に関する事業又は市街地再開発事業の用に供するためのものである場合は、④に同じ。 (ハ)　当該使用が(イ)及び(ロ)以外のものである場合は、⑤から㉞まで、㊱から㊸まで及び㊾に同じ。			
収用等若しくは使用又は換地処分等をされた土地の上にある資産に	(62)イ　土地等が①から50の2まで又は(58)から(61)までに該当したことに伴い、その土地の上にある資産につき土地収用法等の規定に基づく収用をし、又は取壊し若しくは除去をしなければならなくなった場合 ロ　(54)から(57)までの規定又は大深度地下の公共的使用に関する特別措置法第11条の規定に基づき行う国又は地方公共団体の処分に伴い、その土地の上にある資産の取壊し又は除去をしなければならなくなった場合	これらの土地の上にある資産又はその土地の上にある建物に係る配偶者居住権(当該配偶者居住権の目的となっている建物の敷地の用に供される土地等を当該配偶者居住権に基づき使用する権利を含む。)(以下「対象資産」という。)である旨及び当該	これらの土地の収用若しくは使用をすることができる者、これらの土地に係る土地区画整理事業、住宅街区整備事業、新都市基盤整備事業若しくは土地改良事業の施行者、当該土地に係る第一種市街地再開発事業の施行者、防災街区整備事業の施行者又は措置法第	措置法33条4項2号 措置法規則14条5項11号	※　「代行買収」とは、「発行者」欄に掲げる者が、国、地方公共団体又は独立行政法人都市再生機構であり、かつ、当該対象資産に係る土地又は土地の上に存する権利につき③から㊵まで、㊹、㊺又は㊼から48の3までに該当するものである場合において、これらの者に代わり、地方公共団体又は地方公共団体が財産を提供して設立した団体(地方公共団体以外の者が財産を提供して設立した団体を除

区	分	内　容	発 行 者	根拠条項	備　考
ついて買取り、取壊し、除去があった場合等		対象資産に係る対価又は補償金である旨の証明（代行買収（※）の場合にあっては、当該代行買収を行う者の名称及び所在地の記載があるもの）並びに当該対価又は補償金に関する明細	33条第１項第８号に規定する処分を行う者(代行買収の場合における当該対価又は補償金に関する明細については、当該支払をする者)		く。）が行う当該対価又は補償金の支払をいう。
	(63)イ　配偶者居住権の目的となっている建物の敷地の用に供される土地等が①から(50の２)まで又は(59)から(61)までに該当したことに伴い、当該土地等を当該配偶者居住権に基づき使用する権利の価値が減少した場合 ロ　配偶者居住権の目的となっている建物が①から(49の２)まで又は(64)に該当したことに伴い、当該建物の敷地の用に供される土地等を当該配偶者居住権に基づき使用する権利が消滅した場合	当該権利に係る対価又は補償金である旨の証明（代行買収(※)の場合にあっては、当該代行買収を行う者の名称及び所在地の記載があるもの）並びに当該対価又は補償金に関する明細	当該権利に係る配偶者居住権の目的となっている建物若しくは当該建物の敷地の用に供される土地等の収用若しくは使用をすることができる者又は当該建物若しくは当該土地等に係る第一種市街地再開発事業の施行者若しくは防災街区整備事業の施行者(代行買収の場合における当該対価又は補償金に関する明細については、当該支払をする者)	措置法33条４項４号 措置法規則14条５項12号	※　「代行買収」とは、「発行者」欄に掲げる者が、国、地方公共団体又は独立行政法人都市再生機構であり、かつ、当該権利に係る当該建物若しくは当該土地等につき③から㊵まで、㊹、㊺又は㊼から(48の３)までに該当するものである場合において、これらの者に代わり、地方公共団体又は地方公共団体が財産を提供して設立した団体（地方公共団体以外の者が財産を提供して設立した団体を除く。）が行う当該対価又は補償金の支払をいう。
所有権以外の権利が消滅した場合	(64)　資産が土地収用法等の規定により収用された場合（②から㊾までに該当する買取りがあった場合を含む。）において、当該資産に関して有する所有権以外の	当該権利の存する資産について定められているところに同じ。		措置法33条１項５号 措置法規則14条５項	

収用証明書の区分一覧表

区　　　　　　分	内　　容	発 行 者	根 拠 条 項	備　　　　　　考
権利が消滅したとき				
⑥　都市再開発法による第一種市街地再開発事業の施行に伴う権利変換により新たな権利に変換することのない権利が消滅した場合	これに該当する権利である旨の証明	第一種市街地再開発事業の施行者	措置法33条1項6号 措置法規則14条5項7号	
⑥⑥　密集市街地における防災街区の整備の促進に関する法律による防災街区整備事業の施行に伴う権利変換により新たな権利に変換することのない権利が消滅した場合	これに該当する権利である旨の証明	防災街区整備事業の施行者	措置法33条1項6号の2 措置法規則14条5項7号の2	

—334—

第五章　特定事業の用地買収等の場合の
譲渡所得の特別控除（措法34〜34の3）

第一節　特定土地区画整理事業等のために土地等を譲渡した場合の譲渡所得の特別控除（2,000万円の特別控除）

1　特例の内容

　個人の所有する土地等（土地又は土地の上に存する権利で棚卸資産を除きます。）が、国、地方公共団体、独立行政法人都市再生機構又は地方住宅供給公社が土地区画整理法による土地区画整理事業、大都市地域住宅等供給促進法による住宅街区整備事業、都市再開発法による第一種市街地再開発事業又は密集市街地における防災街区の整備の促進に関する法律による防災街区整備事業として行う公共施設の整備改善、宅地の造成、共同住宅の建設又は建築物及び建築敷地の整備に関する事業の用に供するために買い取られる場合などについては、長期譲渡所得の課税の特例若しくは短期譲渡所得の課税の特例の適用上2,000万円の特別控除を行うことができます。

　この特別控除の特例の適用の対象となるのは、その年中においてこれらの事由により譲渡した土地等で居住用財産を譲渡した場合の譲渡所得の特別控除（措法35）の規定の適用を受ける部分以外の部分です。なお、その土地等の全部又は一部について、後で述べる「特定の居住用財産の買換え及び交換の場合の長期譲渡所得の課税の特例（措法36の2、36の5）」、「特定の事業用資産の買換えの場合の譲渡所得の課税の特例（措法37）」又は「特定の事業用資産を交換した場合の譲渡所得の課税の特例（措法37の4）」の規定の適用を受ける場合には、この特別控除の特例の適用を受けることはできません（措法34①）。

　この2,000万円の特別控除の規定が適用される「特定土地区画整理事業等のために土地等を譲渡した場合」とは7の「**特定土地区画整理事業等に関する証明書の区分一覧表**」（以下「一覧表」といいます。）の「**区分**」欄のとおりです。

2　課税上の取扱い

（1）　特定土地区画整理事業の施行者と買取りをする者の関係

　一覧表①の事業の施行者が、国、地方公共団体、独立行政法人都市再生機構又は地方住宅供給公社であり、かつ、その事業の用に供される土地等の買取りをする者がこれらの者（地方公共団体が財産を提供して設立した団体で、都市計画その他市街地の整備の計画に従って宅地の造成を行うことを主たる目的とするものを含みます。）である場合には、その事業の施行者とその買取りをする者が異なっても、この規定が適用されます（措通34−1（1）（2）（3））。

（2）　代行買収の要件

　一覧表①の事業の施行者と土地等の買取りをする者が異なる場合におけるその買い取った土地等がその事業の用に供するため買い取った土地等に該当するかどうかは、次に掲げる要件のすべてを満たしているかどうかにより判定するものとされます（措通34−2）。

①　買取りをした土地等に相当する換地処分又は権利変換後の換地取得資産又は変換取得資産若しくは防災変換取得資産は、最終的に一覧表①に掲げる事業の施行者に帰属するものであること。

②　その土地等の買取り契約書には、その土地等の買取りをする者が、一覧表①の事業の施行者が行うその事業の用に供するために買取りをするものである旨が明記されているものであること。

③　上記①に掲げる事項については、その事業の施行者とその土地等の買取りをする者との間の契

第五章第一節《特定土地区画整理事業等のために土地等を譲渡した場合の譲渡所得の特別控除》

約書又は覚書により相互に明確に確認されているものであること。

（3） 借地権の設定の対価についての不適用

借地権の設定の対価については、たとえ、その借地権の設定が所得税法施行令第79条《資産の譲渡とみなされる行為》の規定により資産の譲渡とみなされる場合であっても、この特別控除の適用は受けられません（措通34－3）。

3　譲渡所得の計算方法

この特例が適用されますと土地等の譲渡による収入金額から取得費等の必要経費を控除し、その残額から2,000万円（その残額が2,000万円に満たないときはその金額）を控除することができます。つまり、譲渡した資産が長期保有資産であるときの長期譲渡所得の特別控除額は、2,000万円とその土地等の譲渡に係る長期譲渡所得の金額とのいずれか低い金額となり（措法34①一）、また、譲渡した資産が短期保有資産であるときの特別控除額は、2,000万円とその土地等の譲渡に係る短期譲渡所得の金額とのいずれか低い金額となります（措法34①二）。

この特例による特別控除額は、同一の年を通じて2,000万円が限度となります。したがって、譲渡所得の金額が2,000万円を超えるときは、その超える部分については通常の課税が行われることになります。

計算の仕方を計算例により説明しますと次のようになります（所得控除はないものとします。）。

（1）　その土地等の譲渡に係る所得の全部が長期譲渡所得である場合

〔計算例〕昭和60年に300万円で取得した土地を該当事業のために令和6年に3,000万円で譲渡した場合の課税長期譲渡所得金額の計算

①　長期譲渡所得の金額　　3,000万円－300万円＝2,700万円

②　課税長期譲渡所得金額　2,700万円－2,000万円＝700万円

（2）　その土地等の譲渡に係る所得の全部が短期譲渡所得である場合

〔計算例〕令和2年に800万円で取得した土地を該当事業のために令和6年に2,900万円で譲渡した場合の課税短期譲渡所得金額の計算

①　短期譲渡所得の金額　　2,900万円－800万円＝2,100万円

②　課税短期譲渡所得金額　2,100万円－2,000万円＝100万円

（3）　その土地等の譲渡に係る所得に長期譲渡所得と短期譲渡所得とがある場合

まず、上記「（2）」により短期譲渡所得の金額を計算します。

この場合において、特別控除前の短期譲渡所得の金額が2,000万円以下であるため控除不足を生じた場合には、その控除不足の金額が上記「（1）」の長期譲渡所得の特別控除額となります（措法34①一、二）。

〔計算例1〕該当事業のために土地を令和6年に3,600万円で譲渡し、その譲渡収入金額の内訳は昭和45年に取得した土地が1,000万円、令和2年に取得した土地（取得費500万円）で短期保有土地に該当するものが2,600万円である場合の課税短期譲渡所得金額及び課税長期譲渡所得金額の計算

①　短期譲渡所得の金額　　2,600万円－500万円＝2,100万円

②　課税短期譲渡所得金額　2,100万円－2,000万円＝100万円

　　　　　　　　　　　　　　（収入金額）　　（長期譲渡所得の概算取得費控除）

③　長期譲渡所得の金額　　1,000万円－（1,000万円×5％）＝950万円

④　課税長期譲渡所得金額　　950万円

－336－

第五章第一節《特定土地区画整理事業等のために土地等を譲渡した場合の譲渡所得の特別控除》

〔計算例2〕該当事業のために土地を令和6年に2,800万円で譲渡し、その譲渡収入金額の内訳は、昭和59年に取得した土地が1,000万円、令和元年に取得した土地（取得費400万円）で短期保有土地に該当するものが1,800万円である場合の課税短期譲渡所得金額及び課税長期譲渡所得金額の計算

① 短期譲渡所得の金額　　　1,800万円－400万円＝1,400万円

$$\left[\begin{array}{l}\text{特別控除額}(2,000万\\ \text{円に満たない場合は}\\ \text{その金額}\end{array}\right]$$

② 課税短期譲渡所得金額　　1,400万円－　1,400万円＝0

　　　　　　　　　　　　　（収入金額）　（長期譲渡所得の概算取得費控除）

③ 長期譲渡所得の金額　　　1,000万円－（1,000万円×5％）＝950万円

（特別控除額）
（2,000万円－1,400万円＝600万円）

④ 課税長期譲渡所得金額　　950万円－600万円＝350万円

4 一の事業の用地として二以上の年にわたって土地等を譲渡した場合の重複適用の制限

　個人の有する土地等につき、一の事業で一覧表①から⑥までの買取りに係るものの用に供するために、これらの規定の買取りが二以上行われた場合において、これらの買取りが二以上の年にわたって行われたときは、これらの譲渡のうち、最初の譲渡が行われた年以外の譲渡については、2,000万円控除の特例は適用されないこととされています（措法34③、措令22の7）。なお、「一の事業」に該当するかどうかの判定等については、措置法通達33の4－4（第四章第八節2の（2）のなお書（265ページ）参照）に準じて取り扱われます（措通34－4）。

　これは、一の事業について二以上の年にわたって2,000万円控除の特例の適用を受けることを目的として土地等を切売りする譲渡者に対して、一括譲渡する者との税負担の公平を図るために設けられているものです。

5 特例を適用するための手続

　その土地等の譲渡について、長期譲渡所得の課税の特例、短期譲渡所得の課税の特例の適用上この特別控除を行っても、なお、その年分の確定申告書を提出しなければならない場合には、この特例の適用を受けるために、その年分の確定申告書にこの特別控除の特例の適用を受けようとする旨を記載するとともに、それぞれの譲渡の態様に応じ、7の特定土地区画整理事業等に関する証明書の区分一覧表の「内容」欄に掲げる書類（証明書）を添付しなければなりません（措法34④、措規17①）。

　（注）　この証明書の様式、記載要領等は347ページ以下を参照してください。

6 事業施行者の支払調書の提出義務

　この事業施行者はその事業の用に供するため土地等の買取りをした場合には、1月から3月まで、4月から6月まで、7月から9月まで及び10月から12月までの各期間に区分して、買取りに係る対価についての所得税法第225条第1項第9号の規定による調書(不動産等の譲受けの対価の支払調書)を、それぞれの各期間の属する最終月の翌月末日までに、その事業の施行に係る営業所、事業所その他の事業場の所在地の所轄税務署長に提出しなければならないこととされています(措法34⑥、措規17②)。

　なお「不動産等の譲受けの対価の支払調書」の様式、記載要領等は第四章第九節2と同じです。

－337－

第五章第一節《特定土地区画整理事業等のために土地等を譲渡した場合の譲渡所得の特別控除》

7 特定土地区画整理事業等に関する証明書の区分一覧表

区　　　　分	内　　　容	発　行　者	根拠条項	備　　　考
① 国、地方公共団体、独立行政法人都市再生機構又は地方住宅供給公社が次に掲げる事業の用に供するためこれらの者（地方公共団体が財産を提供して設立した特定の団体（※1）を含む。）に買い取られる場合 （イ）　土地区画整理法による土地区画整理事業として行う公共施設の整備改善又は宅地の造成に関する事業 （ロ）　大都市地域住宅等供給促進法による住宅街区整備事業、都市再開発法による第一種市街地再開発事業又は密集市街地における防災街区の整備の促進に関する法律による防災街区整備事業として行う公共施設の整備改善、共同住宅の建設又は建築物及び建築敷地の整備に関する事業	左欄の事業のために土地等を買い取った旨を証する書類（当該事業の施行者に代わり、国、地方公共団体（地方公共団体が財産を提供して設立した特定の団体を含む。）、独立行政法人都市再生機構又は地方住宅供給公社で当該事業の施行者でないものが買取りをする場合には、当該証する書類で当該買取りをする者の名称及び所在地の記載があるもの）及び次に掲げる区分に応じそれぞれ次に掲げる書類 A　左の(イ)の事業の用に供するために買い取られる場合　当該土地等が土地区画整理法第2条第8項《定義》に規定する施行区域内の土地等であるか又は当該事業の施行される区域の面積が30ヘクタール以上（当該事業の施行が大都市地域住宅等供給促進法第4条第1項第2号の地区内で行われる場合にあっては、15ヘクタール以上）であり、かつ、当該土地等が当該事業の施行者により当該事業の用に供されることが確実であると認められる旨を証する書類 B　左の(ロ)の事業の用に供するために買い取られる場合　当	当該事業の施行者 国土交通大臣（当該事業の施行者が市町村である場合及び市のみが設立した地方住宅供給公社である場合には、都道府県知事）	措置法34条2項1号 措置法規則17条1項1号	※1　「地方公共団体が財産を提供して設立した特定の団体」とは、地方公共団体が財産を提供して設立した団体（当該地方公共団体とともに国、地方公共団体及び独立行政法人都市再生機構以外の者が財産を提供して設立した団体を除く。）で、都市計画その他市街地の整備の計画に従って宅地の造成を行うことを主たる目的とするものをいう。 ※2　上記※1の「地方公共団体が財産を提供して設立した特定の団体」は、事業施行者にはなり得ない。

−338−

第五章第一節《特定土地区画整理事業等のために土地等を譲渡した場合の譲渡所得の特別控除》

区　　　分	内　　　容	発　行　者	根拠条項	備　　　考
	該土地等が大都市地域住宅等供給促進法第28条第3号《定義》に規定する施行区域内の土地等、都市再開発法第6条第1項《都市計画事業として施行する市街地再開発事業》に規定する施行区域内若しくは都市計画法第4条第1項《定義》に規定する都市計画（以下「都市計画」という。）に都市再開発法第2条の3第1項第2号に掲げる地区若しくは同条第2項に規定する地区《都市再開発方針》として定められた地区内の土地等又は密集市街地における防災街区の整備の促進に関する法律第117条第3号に規定する施行区域内若しくは都市計画に同法第3条第1項第1号に規定する防災再開発促進地区として定められた地区内の土地等であり、かつ、当該土地等が当該事業の施行者により当該事業の用に供されることが確実であると認められる旨を証する書類			
②　都市再開発法による第一種市街地再開発事業の都市計画法第56条第1項《土地の買取り》に規定する事業予定地内の土地等が、同項の規定に基づいて、当該第一種市街地再開発事業を行う都市再	（イ）　都市計画法第55条第1項本文《許可の基準の特例等》の規定により同法第53条第1項《建築の許可》の許可をしなかった旨を証する書類 （ロ）　都市計画法第56	都市計画法第55条第1項に規定する都道府県知事等（※） 当該土地の買	措置法34条2項2号 措置法規則17条1項2号	※　「都道府県知事等」とは、都道府県知事（市の区域内にあっては、当該市の長）をいう（都市計画法第26条第1項）。

－339－

第五章第一節《特定土地区画整理事業等のために土地等を譲渡した場合の譲渡所得の特別控除》

区　　　分	内　　容	発行者	根拠条項	備　　考
開発法第11条第2項《認可》の認可を受けて設立された市街地再開発組合に買い取られる場合	条第1項の規定により買い取った旨を証する書類	取りをする者		
②の2　密集市街地における防災街区の整備の促進に関する法律による防災街区整備事業の都市計画法第56条第1項に規定する事業予定地内の土地等が、同項の規定に基づいて、当該防災街区整備事業を行う密集市街地における防災街区の整備の促進に関する法律第136条第2項の認可を受けて設立された防災街区整備事業組合に買い取られる場合	同上	同上	措置法34条2項2号の2 措置法規則17条1項2号	
③　古都における歴史的風土の保存に関する特別措置法（昭和41年法律第1号）第12条第1項《土地の買入れ》の規定により買い取られる場合	左欄の規定により土地等を買い取った旨を証する書類	府県知事（指定都市にあっては、その長）	措置法34条2項3号 措置法規則17条1項3号イ	
③の2　都市緑地法（昭和48年法律第72号）第17条第1項又は第3項《土地の買入れ》の規定により買い取られる場合	左欄の規定により土地等を買い取った旨を証する書類	地方公共団体の長	措置法34条2項3号 措置法規則17条1項3号ロ	
③の3　特定空港周辺航空機騒音対策特別措置法第8条第1項《土地の買入れ》の規定により買い取られる場合	左欄の規定により土地等を買い取った旨を証する書類	特定空港の設置者	措置法34条2項3号 措置法規則17条1項3号ハ	
③の4　航空法第49条第4項《物件の制限等》（同法第55条の2第3項《国土交通大臣の行う空港等又は航空保安施設の設置又は管理》において準用する場合を含む。）の規定により買い取られる場合	左欄の規定により土地等を買い取った旨を証する書類	空港の設置者	措置法34条2項3号 措置法規則17条1項3号ニ	
③の5　防衛施設周辺の生活環境の整備等に関	左欄の規定により土地等を買い取った旨を証	当該土地等の所在する地域	措置法34条2項3号	

－340－

第五章第一節《特定土地区画整理事業等のために土地等を譲渡した場合の譲渡所得の特別控除》

区　　分	内　　容	発　行　者	根拠条項	備　　考
する法律第5条第2項《移転の補償等》の規定により買い取られる場合	する書類	を管轄する地方防衛局長（当該土地等の所在する地域が東海防衛支局の管轄区域内である場合には、東海防衛支局長）	措置法規則17条1項3号ホ	
③の⑥　公共用飛行場周辺における航空機騒音による障害の防止等に関する法律第9条第2項《移転の補償等》の規定により買い取られる場合	左欄の規定により土地等を買い取った旨を証する書類	特定飛行場の設置者	措置法34条2項3号　措置法規則17条1項3号ヘ	
③の⑦　古都における歴史的風土の保存に関する特別措置法第13条第1項《都市緑化支援機構による特定土地保全業務》に規定する対象土地が同条第4項の規定により同項の都市緑化支援機構に買い取られる場合（当該都市緑化支援機構が一定の要件（※）を満たす場合に限る。）	当該都市緑化支援機構が左欄の規定により対象土地を買い取った旨及び当該対象土地が当該都市緑化支援機構に買い取られる場合が左欄の要件を満たすものであることを証する書類	当該都市緑化支援機構に対する古都における歴史的風土の保存に関する特別措置法第13条第1項の規定による要請（以下この欄において「買取要請」という。）をした府県の知事又は買取要請をした地方自治法第252条の19第1項の指定都市の長	措置法34条2項3号の2　措置法規則17条1項3号の2	※　「一定の要件」とは、次に掲げる要件をいう。（イ）　当該都市緑化支援機構が公益社団法人又は公益財団法人であり、かつ、その定款において、当該都市緑化支援機構が解散した場合にその残余財産が地方公共団体又は当該都市緑化支援機構と類似の目的をもつ他の公益を目的とする事業を行う法人に帰属する旨の定めがあること。（ロ）　当該都市緑化支援機構と地方公共団体との間で、その買い取った対象土地の売買の予約又はその買い取った対象土地の第三者への転売を停止条件とする停止条件付売買契約の締結をし、その旨の仮登記を行うこ

－341－

第五章第一節《特定土地区画整理事業等のために土地等を譲渡した場合の譲渡所得の特別控除》

区　　　分	内　　容	発行者	根拠条項	備　　考
				と。
③の８　　都市緑地法第17条の２第１項《都市緑化支援機構による特定緑地保全業務》に規定する対象土地が同条第４項の規定により同項の都市緑化支援機構に買い取られる場合（当該都市緑化支援機構が一定の要件（※）を満たす場合に限る。）	当該都市緑化支援機構が左欄の規定により対象土地を買い取った旨及び当該対象土地が当該都市緑化支援機構に買い取られる場合が左欄の要件を満たすものであることを証する書類	当該都市緑化支援機構に対する都市緑化法第17条の２第１項の規定による要請以下この欄において「買取要請」という。）をした都道府県の知事又は買取要請をした市の長	措置法34条２項３号の３措置法規則17条１項３号の３	※　「一定の要件」とは、次に掲げる要件をいう。(イ)　当該都市緑化支援機構が公益社団法人又は公益財団法人であり、かつ、その定款において、当該都市緑化支援機構が解散した場合にその残余財産が地方公共団体又は当該都市緑化支援機構と類似の目的をもつ他の公益を目的とする事業を行う法人に帰属する旨の定めがあること。(ロ)　当該都市緑化支援機構と地方公共団体との間で、その買い取った対象土地の売買の予約又はその買い取った対象土地の第三者への転売を停止条件とする停止条件付売買契約の締結をし、その旨の仮登記を行うこと。
④　　文化財保護法（昭和25年法律第214号）第27条第１項《指定》の規定により重要文化財として指定された土地、同法第109条第１項《指定》の規定により史跡、名勝若しくは天然記念物として指定された土地、自然公園法（昭和32年法律第161号）第20条第１項《特別地域》の規定により特別地域として指定された区域内の	次に掲げる場合の区分に応じそれぞれ次に定める書類(イ)　左欄に掲げる土地が文化財保存活用支援団体に買い取られる場合　当該土地が措置法令第22条の７第５項第１号に規定する文化財保存活用支援団体に買い取られる場合が同条第５項各号に掲げる要	当該文化財保存活用支援団体の指定をした市町村の教育委員会が置かれている当該市町村の長	措置法34条２項４号措置法規則17条１項４号	※１　「地方公共団体が財産を提供して設立した特定の団体」とは、地方公共団体が財産を提供して設立した団体（当該地方公共団体とともに国、地方公共団体及び独立行政法人都市再生機構以外の者が財産を提供して設立した団体を除く。）で、都市計画その他

第五章第一節《特定土地区画整理事業等のために土地等を譲渡した場合の譲渡所得の特別控除》

区　　　　分	内　　　容	発　行　者	根拠条項	備　　　考
土地又は自然環境保全法（昭和47年法律第85号）第25条第1項《特別地区》特別地区の規定により特別地区として指定された区域内の土地が、国又は地方公共団体（地方公共団体が財産を提供して設立した特定の団体（※1）を含む。）に買い取られる場合（当該重要文化財として指定された土地又は当該史跡、名勝若しくは天然記念物として指定された土地が独立行政法人国立文化財機構、独立行政法人国立科学博物館、地方独立行政法人（※2）又は文化財保護法第192条の2第1項《文化財保存活用支援団体の指定》に規定する文化財保存活用支援団体に買い取られる場合（当該文化財保存活用支援団体に買い取られる場合には一定の要件（※3）を満たす場合に限る。）を含むものとし、措置法第33条第1項第2号の規定の適用がある場合を除く。）	件を満たすものであることを証する書類 （ロ）上記(イ)に掲げる場合以外の場合 　当該土地を買い取った旨を証する書類	当該土地の買取りをする者・		市街地の整備の計画に従って宅地の造成を行うことを主たる目的とするものをいう。 ※2　地方独立行政法人は、地方独立行政法人法施行令（平成15年政令第486号）第6条第3号《公共的な施設の範囲》に掲げる博物館又は植物園のうち博物館法（昭和26年法律第285号）第2条第2項《定義》に規定する公立博物館又は同法第31条第2項に規定する指定施設に該当するものに係る地方独立行政法人法（平成15年法律第118号）第21条第6号に掲げる業務を主たる目的とするものに限る。 ※3　「一定の要件」とは、次に掲げる要件をいう。 （イ）当該文化財保存活用支援団体が公益社団法人（その社員総会における議決権の総数の2分の1以上の数が地方公共団体により保有されているものに限る。）又は公益財団法人（その設立当初において拠出をされた金額の2分の1以上の金額が地方公共団体により拠出をされているものに限る。）であり、かつ、その定

－343－

第五章第一節《特定土地区画整理事業等のために土地等を譲渡した場合の譲渡所得の特別控除》

区　　分	内　　容	発　行　者	根拠条項	備　　考
				款において、当該文化財保存活用支援団体が解散した場合にその残余財産が地方公共団体又は当該文化財保存活用支援団体と類似の目的をもつ他の公益を目的とする事業を行う法人に帰属する旨の定めがあること。 （ロ）　当該文化財保存活用支援団体と地方公共団体との間で、その買い取った土地の売買の予約又はその買い取った土地の第三者への転売を停止条件とする停止条件付売買契約の締結をし、その旨の仮登記を行うこと。 （ハ）　その買い取った土地が、文化財保護法第192条の2第1項《文化財保存活用支援団体の指定》の規定により当該文化財保存活用支援団体の指定をした同項の市町村の教育委員会が置かれている当該市町村の区域内にある土地であること。 （ニ）　文化財保護法第183条の5第1項《認定市町村の教育委員会による文化財の登録の提案》に規定する認定文化財保存活用

第五章第一節《特定土地区画整理事業等のために土地等を譲渡した場合の譲渡所得の特別控除》

区　　　分	内　　容	発　行　者	根拠条項	備　　　考
				地域計画に記載された土地の保存及び活用に関する事業（地方公共団体の管理の下に行われるものに限る。）の用に供するためにその土地が買い取られるものであること。
⑤　森林法第25条若しくは第25条の2《指定》の規定により保安林として指定された区域内の土地又は同法第41条《指定》の規定により指定された保安施設地区内の土地が同条第3項に規定する保安施設事業のために国又は地方公共団体に買い取られる場合	（イ）　当該土地が森林法により保安林又は保安施設地区として指定された区域内の土地である旨を証する書類 （ロ）　当該土地を森林法による保安施設事業の用に供するために買い取った旨を証する書類	農林水産大臣又は都道府県知事 当該土地の買取りをする者	措置法34条2項5号 措置法規則17条1項5号	
⑥　防災のための集団移転促進事業に係る国の財政上の特別措置等に関する法律第3条第1項《集団移転促進事業計画の策定等》の同意を得た同項に規定する集団移転促進事業計画に定められた同法第2条第1項《定義》に規定する移転促進区域内にある同法第3条第2項第6号に規定する農地等が当該集団移転促進事業計画に基づき地方公共団体に買い取られる場合	当該農地等が移転促進区域内に所在すること及び当該農地等を集団移転促進事業計画に基づき買い取った旨を証する書類	地方公共団体の長	措置法34条2項6号 措置法規則17条1項6号	
⑦　農業経営基盤強化促進法（昭和55年法律第65号）第4条第1項第1号《定義》に規定する農用地で同法第22条の4第1項《地域農業経営基盤強化促進計画の特例に係る区域における利用権の設定等の制限》に規定する区域内にあるものが、同条	（イ）　当該土地等が農業経営基盤強化促進法第22条の4第1項に規定する区域内にある農用地である旨を証する書類 （ロ）　当該土地等を農業経営基盤強化促進法第22条の4第2項の申出に基づき買い	市町村長 農地中間管理機構	措置法34条2項7号 措置法規則17条1項7号	※　「一定の要件」とは、農地中間管理機構が、公益社団法人（その社員総数における議決権の総数の2分の1以上の数が地方公共団体により保有されているものに限る。）又は公益財団

—345—

第五章第一節《特定土地区画整理事業等のために土地等を譲渡した場合の譲渡所得の特別控除》

区　　　分	内　　容	発　行　者	根拠条項	備　　考
第2項の申出に基づき、同項の農地中間管理機構に買い取られる場合（当該農地中間管理機構が一定の要件（※）を満たす場合に限る。）	取った旨を証する書類 (ハ) 当該土地等が当該農地中間管理機構に買い取られる場合が左欄の要件を満たすものであることを証する書類	都道府県知事		法人（その設立当初において拠出をされた金額の2分の1以上の金額が地方公共団体により拠出をされているものに限る。）であり、かつ、その定款において、当該農地中間管理機構が解散した場合にその残余財産が地方公共団体又は当該農地中間管理機構と類似の目的をもつ他の公益を目的とする事業を行う法人に帰属する旨の定めがあることをいう。

—346—

第五章第一節《特定土地区画整理事業等のために土地等を譲渡した場合の譲渡所得の特別控除》

様式 1

特定土地区画整理事業等のための土地等の買取り証明書

租税特別措置法施行規則第 17 条第 1 項第 1 号
又は　　　　　　　　　　　　　　　　　該当
租税特別措置法施行規則第 22 条の 4 第 1 項第 1 号

2,000 万円

譲 渡 者	住所（居所）又は所在地				
	氏 名 又 は 名 称				
土地等の種類	土 地 等 の 所 在 地	面　　積	買 取 年 月 日	買 取 価 額	
		㎡		円	

上記の土地等は、租税特別措置法施行規則第 17 条第 1 項第 1 号（又は租税特別措置法施行規則第 22 条の 4 第 1 項第 1 号）に規定する事業の用に供するために買取ったものであることを証明する。

（摘要）

土地等の買取者	所 在 地	
	名 称	
事 業 施 行 者	所 在 地	
	名 称	

（記載要領）

1　土地等の所有者ごとに別紙とする。

2　「住所（居所）又は所在地」の欄には、この証明書を作成する日の現況による住所若しくは居所又は本店若しくは主たる事務所の所在地を記載する。

3　「土地等の種類」欄には、宅地、地上権、借地権、山林、田、畑等に区分して具体的に記載する。

4　「買取価額」欄には、取得した土地等の対価として支払うべき金額を記載する。

5　「摘要」欄には、土地等の買取りに際し、買取りの対価とともにその買取りに伴う損失補償として各種の名義による交付金の支払いがされている場合に、その支払総額及びその交付金の内容の区分ごとにその金額を記載する。

6　「土地等の買取者」欄には、事業施行者に代わり、租税特別措置法第 34 条第 2 項第 1 号又は第 65 条の 3 第 1 項第 1 号に規定する法人で当該事業の施行者でないものが同号の買取りをする場合に記載する。

(R6.7)

第五章第一節《特定土地区画整理事業等のために土地等を譲渡した場合の譲渡所得の特別控除》

様式2

第一種市街地再開発事業のための土地等の買取証明書

$\left\{\begin{array}{l}\text{租税特別措置法施行規則第17条第1項第1号ロ}\\\text{又は}\\\text{租税特別措置法施行規則第22条の4第1項第1号ロ}\end{array}\right\}$ 該当

2,000万円

譲　渡　者	住所 (居所) 又は所在地				
	氏 名 又 は 名 称				
土 地 等 の 種 類	土 地 等 の 所 在 地	面　積	買取年月日		買取価額
		m²			円

　上記土地等は、租税特別措置法施行規則第17条第1項第1号ロ (又は租税特別措置法施行規則第22条の4第1項第1号ロ) に規定する事業の用に供するために買い取ったものであることを証明する。

(摘要)

土地等の取得者	所 在 地	
	名　　　称	
事業施行者	所 在 地	
	名　　　称	印

(記載要領)

1　土地等の所有者ごとに別紙とすること。

2　「住所 (居所) 又は所在地」欄には、この証明書を作成する日現在の住所若しくは居所又は本店若しくは主たる事務所の所在地を記載すること。

3　「土地等の種類」欄には、宅地、地上権、借地権、田、畑等に区分して具体的に記載すること。

4　「買取価額」欄には、取得した土地等の対価として支払うべき金額を記載すること。

5　「摘要」欄には、土地等の買取りに際し、買取りの対価とともにその買取りに伴う損失補償として各種の名義による交付金の支払いがされている場合に、その支払い総額及びその交付金の内容の区分ごとにその金額を記載すること。

6　「土地等の買取者」欄には、事業施行者に代わり、租税特別措置法第34条第2項第1号又は第65条の3第1項第1号に規定する法人で当該事業の施行者でないものが同号の買取りをする場合に記載すること。

第五章第一節《特定土地区画整理事業等のために土地等を譲渡した場合の譲渡所得の特別控除》

様式3

証　明　書

年　　月　　日

国 土 交 通 大 臣
又　　は　　　　印
都 道 府 県 知 事

　別紙記載の土地等は、都市計画に定められた下記の土地区画整理事業の施行区域内にあり、かつ、当該事業として行われる公共施設の整備改善又は宅地の造成に関する事業の用に供されることが確実であると認められるものであることを証する。

記

1　事 業 の 名 称
2　事 業 の 施 行 者
3　施 行 区 域
4　施 行 区 域 の 面 積
5　都市計画決定の告示の年月日及び番号

様式4

証　明　書

年　　月　　日

国 土 交 通 大 臣
又　　は　　　　印
都 道 府 県 知 事

　下記の土地区画整理事業は、その事業の施行される区域の面積が30ヘクタール以上（当該事業の施行が大都市地域住宅等供給促進法第4条第1項第2号の地区内で行われる場合にあっては、15ヘクタール以上）であり、かつ、別紙記載の土地等は、当該事業として行われる公共施設の整備改善又は宅地の造成に関する事業の用に供されることが確実であると認められるものであることを証する。

記

1　事 業 の 名 称
2　事 業 の 施 行 者
3　施 行 区 域
4　施 行 区 域 の 面 積
5　大都市地域住宅等供給促進法第4条第1項第2号に規定する住宅市街地の開発整備の方針を定めた市街化区域及び市街化調整区域に関する都市計画決定の告示の年月日及び番号
6　大都市地域住宅等供給促進法第4条第1項第2号に掲げる地区として定められた地区及びその面積

－349－

第五章第一節《特定土地区画整理事業等のために土地等を譲渡した場合の譲渡所得の特別控除》

別紙（様式3、4において共通）

土地等の種類	所　在　地　番	面　積	土地等の種類	所　在　地　番	面　積

様式5

証　明　書

年　月　日

国土交通大臣
又　は　　　㊞
都道府県知事

　別紙記載の土地等は、下記の第1種市街地再開発事業の施行区域内にあり、かつ、当該事業として行われる公共施設の整備改善又は建築物及び建築敷地の整備に関する事業の用に供されることが確実であると認められるものであることを証する。

　　　　　　　　　　　　記

1　事　業　の　名　称
2　事　業　の　施　行　者
3　施　行　区　域
4　施　行　区　域　の　面　積
5　都市計画決定の告示の年月日及び番号

第五章第二節《特定住宅地造成事業等のために土地等を譲渡した場合の譲渡所得の特別控除》

第二節　特定住宅地造成事業等のために土地等を譲渡した場合の譲渡所得の特別控除（1,500万円の特別控除）

1　特例の内容

　個人の所有する土地等（土地又は土地の上に存する権利で棚卸資産を除きます。）が特定住宅地造成事業等のために買い取られる場合には長期譲渡所得の課税の特例、短期譲渡所得の課税の特例の適用上1,500万円の特別控除を行うことができます。

　この特別控除の特例の適用の対象となるのは、その年中におけるこれらの事由により譲渡した土地等で居住用財産を譲渡した場合の譲渡所得の特別控除（措法35）の規定の適用を受ける部分以外の部分です。なお、その土地等の全部又は一部について、後で述べる「特定の居住用財産の買換え及び交換の場合の長期譲渡所得の課税の特例（措法36の2、36の5）」、「特定の事業用資産の買換えの場合の譲渡所得の課税の特例（措法37）」又は「特定の事業用資産を交換した場合の譲渡所得の課税の特例（措法37の4）」の規定の適用を受ける場合には、この特別控除の特例の適用を受けることはできません（措法34の2①）。

　この適用を受けることができる「特定住宅地造成事業等のために買い取られる場合」とは7の「**特定住宅地造成事業等に関する証明書一覧表**」（以下「一覧表」といいます。）の「区分」欄に掲げる場合をいいます（措法34の2②）。

　なお、収用等に伴い代替資産を取得した場合の課税の特例若しくは交換処分等に伴い資産を取得した場合の課税の特例又は特定土地区画整理事業等のために土地等を譲渡した場合の譲渡所得の特別控除の特例の適用がある場合は除かれます（措法34の2②一）。

2　課税上の取扱い

（1）　地方公共団体等が行う宅地造成事業の施行者と買取りをする者の関係

　一覧表①の住宅の建設又は宅地の造成を行う者が①の区分欄に掲げる者であり、かつ、その住宅の建設又は宅地の造成のために土地等の買取りをする者が①の区分欄に掲げる者に該当する場合には、その住宅の建設又は宅地の造成の事業施行者とその買取りをする者とが異なっていても、この規定が適用されます（措通34の2-2）。

（2）　代行買収の要件

　一覧表①の住宅の建設又は宅地の造成の事業施行者と同表①に規定する土地等の買取りをする者が異なる場合におけるその買い取った土地等がその住宅の建設又は宅地の造成のため買い取った土地等に該当するかどうかは、次に掲げる要件の全てを満たしているかどうかにより判定するものとされます（措通34の2-3）。

　①　買取りをした土地等は、最終的に一覧表①に掲げる事業の施行者に帰属するものであること。

　②　その土地等の買取り契約書には、その土地等の買取りをする者が一覧表①に規定する事業の施行者が行うその住宅の建設又は宅地造成のために買取りをするものである旨が明記されているものであること。

　③　上記①に掲げる事項については、その事業の施行者とその土地等の買取りをする者との間の契約書又は覚書により相互に明確に確認されているものであること。

（3）　収用対償地の取扱い

　土地収用法等に基づく収用等を行う事業施行者又は代行買収者によってその収用等の対償に充てられるために買い取られる場合（すなわち、公共事業そのもののために買い取られるのではなく、公共事業のために用地を買収される者（以下「**被買収者**」といいます。）が金銭に代えて現物補償を希望した場合などにおいて、その代替地に充てられるべく買い取られる場合）の土地を「収用対償地」とい

－351－

います。
　この収用対償地の事業施行者への譲渡は収用等による譲渡ではありませんから、この譲渡所得については、収用等の課税の特例（措法33、33の４）の適用はありませんが、その譲渡所得には1,500万円の特別控除の特例が認められています。
　通常は、まず事業施行者が収用対償地の提供者から収用対償地を取得し、その後被買収者と現物補償契約を締結することになりますが、次のイ又はロの契約方式でも、その収用対償地の提供者について、この特別控除の適用があることになっています。
　なお、被買収者に金銭補償をした後において、代替地として提供するために取得する土地等については、この特例の適用はありません。
（特例の適用がない場合）

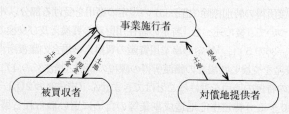

イ　収用対償地が農地等である場合の三者契約方式
　一覧表②及び(2の2)の収用の対償に充てるため取得する土地が農地等である場合は、公共事業施行者がその農地等を直接取得することができないため、公共事業施行者、被買収者及びその農地等の所有者の三者が、次に掲げる事項を内容とする契約を締結し、その契約に基づき、農地等の所有者がその農地等を譲渡した場合には、その譲渡は、「収用の対償に充てるため買い取られる場合」に該当するものとして、この規定を適用することができます（措通34の２－４）。
（イ）　農地等の所有者は、被買収者に対しその農地等を譲渡すること。
（ロ）　公共事業施行者は、その農地等の所有者に対しその農地等の譲渡の対価を直接支払うこと。
　なお、この契約方式における農地等の譲渡について、「収用の対償に充てるために買い取られる場合」に該当するのは、その農地等のうち事業用地の所有者に支払われるべき事業用地の譲渡に係る補償金又は対価のうちその農地等の譲渡の対価として公共事業施行者からその農地等の所有者に直接支払われる金額に相当する部分に限られます。

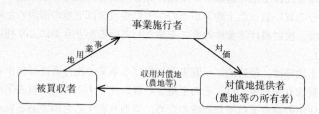

　　（注）　収用対償地が農地である場合において、その農地に耕作権者がいるときのその耕作権者の特例の適用については、次の要件の全部を満たす場合に限られます。
　　　①　当該農地の賃貸借契約の解除が収用対償地としての買取申入れ後に行われていること。
　　　②　小作人は、次の事実を了知していること。
　　　　イ　賃貸借契約の解除は収用対償地として当該農地を譲渡するために行うものであること。
　　　　ロ　当該農地の譲渡価額
　　　③　地主と小作人との間で、耕作権の対価部分については地主が代理受領するものであることの了解があること。
　　　　なお、小作人の確定申告書には、〈イ〉地主に対して交付された「収用対償に充てるため買い取っ

たものである旨」の証明書の写し、及び〈ロ〉地主と買取者との間の売買契約書の写しを添付します。
ロ　一般の収用対償地の買取りの場合の契約方式
　　次に掲げる方式による契約に基づいて代替地（収用対償地）に係る所有者がその公共事業施行者にその代替地を譲渡した場合には、その譲渡は「収用の対償に充てるため買い取られる場合」に該当するものとして、この特例を適用することができます（措通34の2－5）。
（イ）　一括契約方式
　　公共事業施行者、被買収者及び代替地所有者の三者が次に掲げる事項を約して契約を締結する方式
　①　代替地所有者は公共事業施行者に代替地を譲渡すること。
　②　被買収者は公共事業施行者に事業用地を譲渡すること。
　③　公共事業施行者は代替地所有者に対価を支払い、被買収者に代替地を譲渡するとともに被買収者に支払うべき補償金の額から代替地所有者に支払う額を控除した残額を被買収者に支払うこと。
　　なお、この契約方式における代替地の譲渡について、「収用の対償に充てるために買い取られる場合」に該当するのは、その代替地のうち被買収者に支払われるべき事業用地の譲渡に係る補償金又は対価に相当する部分に限られますので、例えば、上記の契約方式に基づいて公共事業施行者が取得する代替地であってもその事業用地の上にある建物につき支払われるべき移転補償金に相当する部分にはこの特別控除の適用はありません。

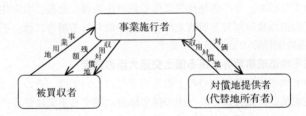

　　（注）　この契約は、「事業施行者と収用対償地提供者との間の収用対償地の取得契約」と「事業施行者と被買収者との間の現物補償契約」を一括して契約する方式です。
（ロ）　売払い方式
　　公共事業施行者及び被買収者が次に掲げる事項を約して契約を締結する方式
　①　被買収者は公共事業施行者に事業用地を譲渡し、代替地希望の申出をすること。
　②　公共事業施行者は被買収者に代替地の譲渡を約すとともに、被買収者に補償金を支払うこと。
　　ただし、その補償金の額のうち、代替地の価額に相当する金額については、公共事業施行者に留保し、代替地の譲渡の際にその対価に充てること。

（4）　公営住宅の買取りが行われた場合の取扱い
　一覧表②の4の公営住宅の買取りが行われた場合の措置法第33条等との関係及び特例の対象となる土地等の範囲については次のことに留意してください。
①　公営住宅法第2条第4号に規定する「公営住宅の買取り」が、一団地の住宅経営に係る事業として行われる場合において、その一団地の住宅経営に係る事業が50戸未満の事業であるときは、一覧表⑤に該当しますが、その一団地の住宅経営に係る事業が50戸以上の事業であるときは、措置法第33条《収用等に伴い代替資産を取得した場合の課税の特例》、第33条の2《交換処分に伴い資産を取得した場合の課税の特例》又は第33条の4《収用交換等の場合の譲渡所得等の特別控除》の規定の適用がある場合があります（措通34の2－6）。
②　土地等が一覧表②の4の公営住宅の買取りにより地方公共団体に買い取られる場合における1,500万円特別控除の規定の適用については、次によります（措通34の2－7）。

第五章第二節《特定住宅地造成事業等のために土地等を譲渡した場合の譲渡所得の特別控除》

イ　1,500万円特別控除の規定の適用対象となる土地等は、固定資産である土地等に限られます。したがって、例えば、土地所有者が建物を建設し、その建物と敷地である土地が買い取られる場合において、その土地の譲渡による所得が所基通33−5《極めて長期間保有していた土地に区画形質の変更等を加えて譲渡した場合の所得》（第一編第二章第二節の4（16ページ）参照）の取扱いにより事業所得、雑所得又は譲渡所得に区分されるときには、譲渡所得となる部分のみに1,500万円特別控除の規定の適用があります。

ロ　一覧表(2の4)の公営住宅の買取りにおける土地等の買取りとは、地方公共団体が公営住宅法第2条第4号の規定により公営住宅として建物（同号に規定する附帯施設を含みます。以下②において同じ。）を買い取るために必要な土地の所有権、地上権又は賃借権を取得することをいい、その建物の買取りに付随しない土地等の買取りは、これに該当しないことから、例えば、地方公共団体が公営住宅として建物とその敷地である借地権等を買い取り、その借地権等の設定されていた土地の所有者とその土地に係る賃貸借契約を締結した場合において、その後にその土地の所有者から底地を買い取った場合には、その底地の譲渡については1,500万円特別控除の規定の適用はないことになります。

（注1）　公営住宅法第2条第4号に規定する「附帯施設」とは、給水施設、排水施設、電気施設等のほか自転車置場、物置等の施設をいい、公営住宅法第2条第9号に規定する児童遊園、共同浴場、集会場等の「共同施設」は、同条第4号の公営住宅の買取りには含まれていないことに留意してください。

（注2）　公営住宅の買取りに伴い借地権等が設定される場合の1,500万円特別控除の規定の適用関係については、(17)（措通34−3）によります。

ハ　借地権等を有する者が、その借地権等に係る底地を取得した後、公営住宅として買い取られる建物に付随して旧借地権等部分と旧底地部分が買い取られる場合には、そのいずれの部分についても、1,500万円特別控除の適用があります。

（5）　特定の民間宅地造成事業等に係る国土交通大臣の認定

　一覧表③の一団の宅地造成事業のための土地等の譲渡については、その一団の宅地の造成に関する事業に係る宅地の造成及び分譲又はその一団の住宅建設に関する事業に係る住宅の建設又は分譲が、一定の要件を満たすことにつき国土交通大臣の認定を受けたものである場合に限って特例の対象となりますが、この国土交通大臣の行う認定の手続は次のように定められています（措令22の8④、措規17の2②、平成6年建設省告示第1126号・最終改正　令和3年国土交通省告示325）。

① 認定の申請

　　認定を受けるための申請は、一覧表③に掲げる要件に該当する一団の宅地の造成に関する事業（住宅建設を併せて行う場合を含みます。以下「一団の宅地の造成に関する事業」といいます。）を行う個人又は法人（以下「申請者」といいます。）が、国土交通大臣に対して、次に掲げる事項を記載した申請書を提出して行うものとされます。

イ　申請者の氏名又は名称及び住所並びに法人にあっては、その代表者の氏名

ロ　一団の宅地の造成に関する事業による造成に係る一団の土地（その事業に係る土地区画整理法第2条第4項に規定する施行地区内においてその土地等の買取りをする個人又は法人の有するその施行地区（以下ロ及び②のニにおいて「施行地区」といいます。）内にある一団の土地に限ります。ハにおいて同じ。）の所在

ハ　その事業による造成に係る一団の土地の面積

ニ　一の住宅の建設の用に供する造成宅地の規模に係る事項

ホ　土地区画整理法第4条第1項、第14条第1項若しくは第3項又は第51条の2第1項に規定する認可に係る事項

ヘ　その他参考となるべき事項

② 申請書の添付書類

　①の申請書には、次に掲げる書類を添付しなければなりません。

—354—

第五章第二節《特定住宅地造成事業等のために土地等を譲渡した場合の譲渡所得の特別控除》

　イ　一団の宅地の造成に関する事業の概要を明らかにした書面

　ロ　一団の宅地の造成に関する事業により造成される宅地の分譲が公募の方法により行われるものであることを明らかにした書面

　ハ　申請者が既に取得している土地等の所在を表示した図書

　ニ　一団の宅地の造成に関する事業に係る施行地区の全部が都市計画法（昭和43年法律第100号）第7条第1項の市街化区域と定められた区域に含まれることを明らかにした書類

　ホ　その他認定すべき事項の確認に必要な書類

③　認定証の交付

　国土交通大臣は、①の申請書の提出があった場合において、その申請書に記載されている事項について審査を行い、その申請に係る事業が、認定を受けるための要件を満たすものであると認めるときは、その旨を証する書類を認定証として申請書の提出をした者に交付するものとされています。

（6）　特定の民間宅地造成事業等に係る一団の宅地の面積要件等の判定における定期借地権設定地等の取扱い

　一覧表の③の一団の宅地造成事業が、定期借地権設定地又は定期借地権設定予定地を含めて一体的に行われるものであるときは、一団の宅地の面積要件については、定期借地権設定地又は定期借地権設定予定地を含めて判定することに取り扱われます（詳細については、第一章第二節の2の**(12)**（155ページ）を参照してください。）。

（7）　土地区画整理事業として行われる宅地造成事業の要件の判定

　一団の宅地の造成に関する事業（以下**(11)**までにおいて「宅地造成事業」といいます。）が一覧表③に掲げる要件に該当するかどうかの判定については、次の点に留意してください（措通34の2－9）。

①　土地区画整理事業の施行地区内において土地等の買取りをする個人又は法人が2以上あるときは、一覧表③の区分欄の(ロ)の面積要件は全体として判定するのではなく、それぞれ土地等の買取りをする個人又は法人ごとに判定すること。

②　一覧表③の区分欄の(ロ)の「土地等の買取りをする個人又は法人の有する………一団の土地」とは、同(イ)に規定する土地等の買取りをする個人又は法人が土地区画整理事業の施行地区内において既に有する土地と買取りに係る土地とを併せて、これらの土地が一団の土地となっているものをいうこと。

③　宅地造成事業により造成した一の住宅の建設の用に供される宅地は、優先分譲宅地及び建物の区分所有等に関する法律第2条第1項の区分所有権の目的となる建物の建設の用に供される土地を除き、その全部が一覧表③の区分欄の(ハ)の面積要件に該当するものでなければならないこと。

（8）　土地区画整理事業として行う宅地造成事業のための土地等の買取り時期

　一団の宅地の造成が一覧表③の土地区画整理事業として行われるものである場合には、その事業に係る土地区画整理法第4条第1項《施行の認可》、第14条第1項若しくは第3項《設立の認可》又は第51条の2第1項《施行の認可》に規定する認可の申請があった日の属する年の1月1日以後（その事業の同法第2条第4項《定義》に規定する施行地区内の土地等につき仮換地の指定が行われた場合には、同日以後その最初に行われたその指定の効力発生の日の前日までの間）に土地等が買い取られる場合に限りこの特別控除の特例の適用がありますが、その事業の施行地区内の土地等につき仮換地の指定が行われないで土地区画整理法第103条《換地処分》の規定による換地処分が行われる場合には、同条第4項の規定による換地処分の公告があった日以後に行われた土地等の買取りについてはこの特別控除の特例の適用はありません（措通34の2－13）。

（9）　公募要件

　一覧表③の「公募の方法により行われるもの」とは、宅地造成事業により造成された宅地（公共施設（道路、公園、下水道、緑地、広場、河川、運河、水路及び消防の用に供する貯水施設をいう。）又

－355－

第五章第二節《特定住宅地造成事業等のために土地等を譲渡した場合の譲渡所得の特別控除》

は公益的施設（教育施設、医療施設、官公庁施設、購買施設その他の施設で、居住者の共同の福祉又は利便のために必要なものをいう。）の敷地の用に供される部分の土地を除きます。以下**(14)**までにおいて同じ。）の全部が公募の方法により分譲される事業をいうことに留意してください。したがって、宅地造成事業であっても、次に掲げるようなものはこれに該当しません（措通34の2－14）。

① 造成された宅地の全部又は一部の賃貸を目的とする事業

② 造成された宅地の全部又は一部を、従業員、子会社その他特定の者に譲渡することを約して行う事業

(10) 公募手続開始前の譲渡

宅地造成事業により造成された宅地を公募手続開始前に譲渡するときは、たとえその譲渡が一般需要者に対するものであり、かつ、公募後の譲渡と同一条件により行われたものであっても、公募の方法による譲渡には該当しないものとされます（措通34の2－15）。

(11) 会員を対象とする土地等の譲渡

いわゆるハウジングメイト等会員を対象として宅地造成事業により造成された宅地の譲受人を募集するものであっても、その会員の募集が公募の方法により行われるときは、その会員を対象とする譲受人の募集は、公募の方法に該当するものとされます（措通34の2－16）。

> (注) 「会員の募集が公募により行われるとき」には、一団の宅地の造成分譲を目的として、その分譲を希望する組合員、出資者等を募集する場合を含むものとされますが、会員等となるに当たって縁故関係を必要とすること、入会資格に強い制約のある社交団体の会員資格を必要とすること等の場合は、これに含まれません。

(12) 公有地の拡大の推進に関する法律に基づいて買い取られる場合

一覧表④の公有地の拡大の推進に関する法律について説明しますと、この法律は都市計画区域内の土地について、(イ)都市計画施設等一定の区域内にあるもの及び一定の面積（市街化区域内の土地については2,000㎡、都市計画区域内で市街化区域以外の土地については5,000㎡）以上のものについては、地方公共団体、土地開発公社等に先買権を与えられており、その土地を有償譲渡しようとする者は、あらかじめ都道府県知事又は市の長に届け出なければならないこととされており（公有地の拡大の推進に関する法律第4条）、(ロ)原則として面積200㎡（注）以上のものについては、その土地の地方公共団体等による買取りを希望する場合には、都道府県知事又は市の長にその旨を申し出ることができることとされています（同法第5条）。

この届出又は申出があった土地の買取りを希望する地方公共団体等（都道府県知事又は市長が定めます。）は、買取りの協議を行うこととされています（同法第6条）。

> (注) 上記(ロ)の面積については、その地域及びその周辺の地域における土地取引等の状況に照らし、都市の健全な発展と秩序ある整備を促進するため特に必要があると認められるときは、都道府県知事又は市の長は、都道府県又は市の規則で、区域を限り、100㎡以上200㎡未満の範囲内で、その規模を別に定めることができることとされています。

したがって、「公有地の拡大の推進に関する法律」に基づいて買い取られる土地については、届出に係るものも申出に係るものも1,500万円の特別控除の適用ができることとされていますが、買取り希望の申出の対象とならない原則として面積200㎡未満の土地や借地権者の有する借地権については、この特例の適用対象とはなりません。

なお、収用等に伴い代替資産を取得した場合の課税の特例又は特定土地区画整理事業等のために土地等を譲渡した場合の譲渡所得の特別控除の特例の適用がある場合は除かれます。

(13) 商店街活性化法による支援事業により買い取られる場合

一覧表の⑬の(イ)の商店街活性化法による支援事業により設置される「公共用施設」とは、休憩所、集会場、駐車場、小公園、カラー舗装、街路灯などのように顧客その他の地域住民の利便の増進を図るための施設をいいますから、商店街振興組合等の組合事務所及び組合員が共同で使用する店舗、倉庫などのような施設は公共用施設には含まれません（措通34の2－20）。

－356－

第五章第二節《特定住宅地造成事業等のために土地等を譲渡した場合の譲渡所得の特別控除》

　また、上記の支援事業の区域の面積は、1,000㎡又は300㎡以上であることが要件とされていますが、一覧表の⑬の(イ)のCに掲げる事業《認定商店街活性化事業計画に基づく事業》又は(ロ)のCに掲げる事業《認定商店街活性化支援事業計画に基づく事業》の区域の面積の判定に当たっては、例えば店舗併用住宅などのようにこれらの事業の用に供される部分とその他の用に供される部分とからなる建物の用に供される土地がある場合には、その土地の全部がその事業の区域の面積に該当するものとします（措通34の2-21）。

(14)　借地権の設定の対価についての不適用

　借地権の設定の対価については、たとえ、その借地権の設定が所得税法施行令第79条《資産の譲渡とみなされる行為》の規定により資産の譲渡とみなされる場合であっても、この特別控除の適用は受けられません（措通34-3）。

3　譲渡所得の計算方法

　この特例が適用されますと土地等の譲渡による収入金額から取得費等の必要経費を控除し、その残額から1,500万円の特別控除をすることとされていますが、その計算の方法については前述の「第一節　特定土地区画整理事業等のために土地等を譲渡した場合の譲渡所得の特別控除」の「3　譲渡所得の計算方法」（336ページ）と同様ですからそちらを参照してください。

　なお、計算に際しては「2,000万円」を「1,500万円」と読み替えてください。

4　一の事業の用地として二以上の年にわたって土地等を譲渡した場合の重複適用の制限

　その有する土地等が、一の事業の用に供するために二以上の年にわたって譲渡された場合において、その土地等の譲渡が、措置法第34条の2第2項第1号から第3号まで、第6号から第16号まで、第19号、第22号又は第22号の2に掲げる買取りによるものであるときは、その譲渡のうち、最初にこれらの規定の買取りが行われた年において行われたもの以外の譲渡については、1,500万円控除を適用することはできません（措法34の2④）。

(注1)　措置法第34条の2第2項第1号から第3号まで、第6号から第16号まで、第19号、第22号又は第22号の2に掲げる買取りとは、一覧表の①から③まで、⑥から⑯まで、⑲、㉒又は㉒の2に掲げるものが該当します。

(注2)　措置法第34条の2第2項第1号、第6号から第11号までの規定に該当する買取りが行われた場合においてその買取りが同法第34条第2項第1号（第一節の7の表の①（338ページ参照）が該当します。）に掲げる場合にも該当する場合、同法第34条の2第2項第4号の規定に該当する買取りが行われた場合においてその買取りが同法第34条第2項各号に掲げる場合にも該当する場合及び同法第34条の2第2項第23号の規定に該当する買取りが行われた場合においてその買取りが同法第34条第2項第4号に掲げる場合にも該当する場合には、これらの買取りについては同条第1項の規定《2,000万円特別控除》が適用され、本節の1,500万円特別控除の適用はないこととされていますので、これらに該当する買取りが一の事業のために2以上の年にわたって行われた場合においては、最初の年の譲渡以外の譲渡については、2,000万円特別控除のみならず、1,500万円特別控除の適用もないことに留意してください（措通34の2-19・編者補正）。

(注3)　「一の事業」に該当するかどうかの判定等については、第四章第八節の2の(2)のなお書（265ページ）（措通33の4-4）に準じて取り扱われます（措通34の2-22）。

(注4)　代替地の買取りそのものは、重複適用の制限の対象となる「事業」には当たらないので、公共事業施行者がその買取りに係る代替地について区画形質の変更を加え若しくは水道その他の施設を設け又は建物を建設した上で事業用地の所有者に譲渡するような場合を除き、代替地の買取りについては重複適用の制限規定の適用はありません。

　　　なお、代替地の買取りについて重複適用の制限規定が適用される場合であっても、代替地の買取りが一の事業の用に供するための買取りに該当するかどうかは、その代替地の買取りのみに基づいて判定するのであって、その買取りの起因となった収用等の事業が同一事業であるかどうかとは関係がありません（措

-357-

第五章第二節《特定住宅地造成事業等のために土地等を譲渡した場合の譲渡所得の特別控除》

通34の2-23)。

5　この特例を適用するための手続

　その土地等の譲渡について、長期譲渡所得の課税の特例、短期譲渡所得の課税の特例の適用上この特別控除を行っても、その年分の確定申告書を提出しなければならない場合には、この特例の適用を受けるために、その年分の確定申告書にこの特別控除の特例の適用を受けようとする旨を記載するとともに、7の「**一覧表**」の「内容」欄に掲げる書類を添付しなければなりません（措法34の2⑤）。

　なお、確定申告書の提出又は記載若しくは添付がない場合においても、そのことについて税務署長がやむを得ない事情があると認める場合には、その記載をした書類及び先の添付書類を提出すればこの特例の適用を受けることができることとされています（措法34の2⑤）。

6　事業施行者の支払調書の提出義務

　この事業施行者がその事業の用に供する土地等の買取りをした場合にも支払調書の提出義務が付されていますが、第四章第九節2（3）を参照してください。

-358-

第五章第二節《特定住宅地造成事業等のために土地等を譲渡した場合の譲渡所得の特別控除》

7　特定住宅地造成事業等に関する証明書の区分一覧表

区　　　分	内　　　容	発　行　者	根拠条項	備　　　考
①　地方公共団体（地方公共団体が財産を提供して設立した特定の団体（※1）を含む。）、独立行政法人中小企業基盤整備機構、独立行政法人都市再生機構、成田国際空港株式会社、地方住宅供給公社又は日本勤労者住宅協会が行う住宅の建設又は宅地の造成を目的とする事業（土地開発公社が行う公有地の拡大の推進に関する法律第17条第1項第1号ニ《業務の範囲》に掲げる土地の取得に係る事業を除く。）の用に供するためにこれらの者に買い取られる場合	左欄に該当する住宅の建設又は宅地造成のために土地等を買い取った旨を証する書類（当該住宅の建設又は宅地造成の施行者に代わり、地方公共団体（地方公共団体が財産を提供して設立した特定の団体を含む。）、独立行政法人中小企業基盤整備機構、独立行政法人都市再生機構、成田国際空港株式会社、地方住宅供給公社又は日本勤労者住宅協会で当該施行者でないものが買取りをする場合には、当該証する書類で当該買取りをする者の名称及び所在地の記載があるもの）	住宅の建設又は宅地造成の施行者	措置法34条の2　2項1号 措置法規則17条の2　1項1号	※1　「地方公共団体が財産を提供して設立した特定の団体」とは、地方公共団体が財産を提供して設立した団体（当該地方公共団体とともに国、地方公共団体及び独立行政法人都市再生機構以外の者が財産を提供して設立した団体を除く。）で、都市計画その他市街地の整備の計画に従って宅地造成を行うことを主たる目的とするものをいう。 ※2　上記※1の「地方公共団体が財産を提供して設立した特定の団体」は、事業施行者になり得る。
②　措置法第33条第1項第1号《収用等に伴い代替資産を取得した場合の課税の特例》に規定する土地収用法等に基づく収用（同項第2号の買取り及び同条第4項第1号の使用を含む。）を行う者によって当該収用の対償に充てるため買い取られる場合	当該収用の対償に充てるために土地等を買い取った旨を証する書類	当該土地等の買取りをする者	措置法34条の2　2項2号 措置法規則17条の2　1項2号イ	
②の2　地方公共団体若しくは地方公共団体が財産を提供して設立した団体（当該地方公共団体とともに国、地方公共団体及び独立行政法人都市再生機構以外の者が財産を提供して設立した団体を除く。）又は独立行政法人都市再生機構で、措置	左欄の契約に基づき当該収用の対償に充てるために土地等を買い取った旨を証する書類及びその契約書の写し	当該土地等の買取りをする者	措置法34条の2　2項2号 措置法規則17条の2　1項2号ロ	

第五章第二節《特定住宅地造成事業等のために土地等を譲渡した場合の譲渡所得の特別控除》

区　　　分	内　　容	発　行　者	根拠条項	備　　考
法第33条第1項第1号《収用等に伴い代替資産を取得した場合の課税の特例》に規定する土地収用法等に基づく収用（同項第2号の買取り及び同条第4項第1号の使用を含む。）を行う者と当該収用に係る事業につきその者に代わって当該収用の対償に充てられる土地等を買い取るべき旨の契約を締結したものによって当該収用の対償に充てるため買い取られる場合				
②の3　住宅地区改良法第2条第6項《定義》に規定する改良住宅を同条第3項に規定する改良地区の区域外に建設するため買い取られる場合	（イ）　当該住宅地区改良事業のために土地等を買い取った旨を証する書類 （ロ）　当該土地等の所在地が住宅地区改良法第6条第3項第1号《事業計画》に掲げる住宅地区改良事業を施行する土地の区域（当該改良地区の区域を除く。）内である旨を証する書類	当該土地等の買取りをする者 国土交通大臣	措置法34条の2　2項2号 措置法規則17条の2　1項2号ハ	
②の4　公営住宅法第2条第4号《用語の定義》に規定する公営住宅の買取りにより地方公共団体に買い取られる場合	当該土地等を当該公営住宅の買取りにより買い取った旨を証する書類	当該土地等の買取りをする地方公共団体の長	措置法34条の2　2項2号 措置法規則17条の2　1項2号ニ	
③　土地区画整理事業として行われる一団の宅地造成事業で次に掲げる要件を満たすものの用に供するために、平成6年1月1日から令和8年12月31日までの間に、買い取られる場合（※） （イ）　当該土地区画整理事業の土地区画整理法第2条第4項《定義》	（イ）　当該土地等を一団の宅地の造成事業の用に供するために買い取った旨、当該土地等の買取りをした年の前年以前の年において当該土地等が買い取られた者から当該事業の用に供するために土地等	当該土地等の買取りをする者	措置法34条の2　2項3号 措置法規則17条の2　1項3号	※　土地区画整理法による土地区画整理事業に係る同法第4条第1項、第14条第1項若しくは第3項又は第51条の2第1項に規定する認可の申請があった日の属する年の1月1日以後（当該土地区画整理事業の施行地区内の

－360－

第五章第二節《特定住宅地造成事業等のために土地等を譲渡した場合の譲渡所得の特別控除》

区　　　分	内　　　容	発　行　者	根拠条項	備　　　考
に規定する施行地区の全部が都市計画法第7条第1項《区域区分》の市街化区域と定められた区域に含まれるものであること。 （ロ）　当該造成に係る一団の土地（当該土地区画整理事業の施行地区内において当該土地等の買取りをする個人又は法人の有する当該施行地区内にある一団の土地に限る。）の面積が5ヘクタール以上のものであること。 （ハ）　当該事業により造成される宅地の分譲が公募の方法により行われるものであること。	を買い取ったことがない旨及び当該土地等が当該買取りをする者の有する土地と併せて一団の土地に該当することとなる旨を証する書類 （ロ）　土地区画整理法第98条第1項《仮換地の指定》の規定による仮換地の指定がない旨又は最初に行われた当該指定の効力発生の日の年月日を証する書類 （ハ）　当該一団の宅地の造成事業に係る宅地の造成及び宅地の分譲が左欄に掲げる要件を満たすものであることにつき認定をした旨を証する書類（当該土地区画整理事業に係る土地区画整理法第4条第1項《施行の認可》、第14条第1項若しくは第3項《設立の認可》又は第51条の2第1項《施行の認可》に規定する認可の申請書の受理年月日の記載のあるものに限る。）の写し	土地区画整理事業を施行する者 国土交通大臣		土地等につき同法第98条第1項の規定による仮換地の指定（仮に使用又は収益をすることができる権利の目的となるべき土地又はその部分の指定を含む。）が行われた場合には、同日以後その最初に行われた当該指定の効力発生の日の前日までの間）に買い取られる場合（当該土地等が区分欄の(ロ)の個人又は法人の有する当該施行地区内にある土地と併せて一団の土地に該当することとなる場合に限るものとし、当該土地区画整理事業（その施行者が同法第51条の9第5項《施行の認可の基準等》に規定する区画整理会社であるものに限る。）の施行に伴い、当該区画整理会社の株主又は社員である者の有する土地等が当該区画整理会社に買い取られる場合を除く。）に限り、この特例の適用がある。
④　公有地の拡大の推進に関する法律第6条第1項《土地の買取りの協議》の協議に基づき地方公共団体、土地開発公社、港務局、地方住宅供給公社、地方道路公社又は独立行政法人都市再生機構に買	公有地の拡大の推進に関する法律第6条第1項の協議に基づき当該土地を買い取った旨を証する書類	買取りをする者	措置法34条の2　2項4号 措置法規則17条の2　1項4号	

－361－

第五章第二節《特定住宅地造成事業等のために土地等を譲渡した場合の譲渡所得の特別控除》

区　　　分	内　　　容	発　行　者	根拠条項	備　　　考
い取られる場合				
⑤　特定空港周辺航空機騒音対策特別措置法第4条第1項《航空機騒音障害防止地区及び航空機騒音障害防止特別地区》に規定する航空機騒音障害防止特別地区内にある土地が同法第9条第2項《移転の補償等》の規定により買い取られる場合	特定空港周辺航空機騒音対策特別措置法第9条第2項の規定により当該土地を買い取った旨を証する書類	特定空港の設置者	措置法34条の2　2項5号措置法規則17条の21項5号	
⑥　地方公共団体又は幹線道路の沿道の整備に関する法律第13条の2第1項に規定する沿道整備推進機構（※1）が同法第2条第2号に掲げる沿道整備道路の沿道の整備のために行う公共施設若しくは公用施設の整備、宅地の造成又は建築物及び建築敷地の整備に関する事業で次に掲げるものの用に供するために、都市計画法第12条の4第1項第4号に掲げる沿道地区計画の区域内にある土地等が、これらの者に買い取られる場合（※2）（イ）道路、公園、緑地その他の公共施設又は公用施設の整備に関する事業（ロ）都市計画法第4条第7項に規定する市街地開発事業、住宅地区改良法第2条第1項に規定する住宅地区改良事業又は流通業務市街地の整備に関する法律第2条第2項に規定する流通業務団地造成事業（ハ）緩衝建築物（※3）の整備に関する事業で、次に掲げる要件を	（イ）当該事業が左欄の（イ）から（ハ）に掲げる事業である旨を証する書類（ロ）次に掲げる場合の区分に応じそれぞれ次に掲げる書類A　当該土地等の買取りをする者が地方公共団体である場合当該土地等を当該事業の用に供するために買い取った旨を証する書類B　当該土地等の買取りをする者が幹線道路の沿道の整備に関する法律第13条の2第1項に規定する沿道整備推進機構である場合　当該土地等を当該事業の用に供するために買い取った旨及び当該土地等の買取りをする者が当該沿道整備推進機構である旨を証する書類	地方公共団体の長当該地方公共団体の長当該沿道整備推進機構を幹線道路の沿道の整備に関する法律第13条の2第1項の規定により指定した市町村長又は特別区の区長	措置法34条の2　2項6号措置法規則17条の21項6号	※1　沿道整備推進機構は、公益社団法人（その社員総会における議決権の総数の2分の1以上の数が地方公共団体により保有されているものに限る。）又は公益財団法人（その設立当初において拠出をされた金額の2分の1以上の金額が地方公共団体により拠出をされているものに限る。）であって、その定款において、その法人が解散した場合にその残余財産が地方公共団体又は当該法人と類似の目的をもつ他の公益を目的とする事業を行う法人に帰属する旨の定めがあるものに限る。※2　当該事業が沿道整備推進機構により行われるものである場合には、地方公共団体の管理の下に行われるものに限る。※3　緩衝建築物とは、遮音上有効な機能を有する建築物で幹線道路の沿道の整

－362－

第五章第二節《特定住宅地造成事業等のために土地等を譲渡した場合の譲渡所得の特別控除》

区　　　分	内　　　容	発　行　者	根拠条項	備　　　考
満たすもの Ａ　その事業の施行される土地の区域の面積が500㎡以上であること Ｂ　当該緩衝建築物の建築面積が150㎡以上であること Ｃ　当該緩衝建築物の敷地のうち日常一般に開放された空地の部分の面積の当該敷地の面積に対する割合が100分の20以上であること				備に関する法律施行規則第14条第１項第２号（同条第２項の規定により適用される場合を含む。）及び第３号に掲げる要件に該当するもの（遮音上の効用を有しないものを除く。）をいう。
⑦　地方公共団体又は密集市街地における防災街区の整備の促進に関する法律第300条第１項に規定する防災街区整備推進機構（※１）が同法第２条第２号に掲げる防災街区としての整備のために行う公共施設若しくは公用施設の整備、宅地の造成又は建築物及び建築敷地の整備に関する事業で次に掲げるものの用に供するために、都市計画法第８条第１項第５号の２に掲げる特定防災街区整備地区又は同法第12条の４第１項第２号に掲げる防災街区整備地区計画の区域内にある土地等が、これらの者に買い取られる場合（※２） （イ）　道路、公園、緑地その他の公共施設又は公用施設の整備に関する事業 （ロ）　都市計画法第４条第７項に規定する市街地開発事業又は住宅地区改良法第２条第１項に規定する住宅地区改	（イ）　当該事業が左欄の（イ）から（ハ）までに掲げる事業である旨を証する書類 （ロ）　次に掲げる場合の区分に応じそれぞれ次に掲げる書類 Ａ　当該土地等の買取りをする者が地方公共団体である場合 　当該土地等を当該事業の用に供するために買い取った旨を証する書類 Ｂ　当該土地等の買取りをする者が密集市街地における防災街区の整備の促進に関する法律第300条第１項に規定する防災街区整備推進機構である場合　当該土地等を当該事業の用に供するために買い取っ	地方公共団体の長 当該地方公共団体の長 当該防災街区整備推進機構を密集市街地における防災街区の整備の促進に関する法律第300条第１項の規定により指定した市町村長又は特別区の区長	措置法34条の２　２項７号 措置法規則17条の２　１項７号	※１　防災街区整備推進機構は、公益社団法人（その社員総会における議決権の総数の２分の１以上の数が地方公共団体により保有されているものに限る。）又は公益財団法人（その設立当初において拠出をされた金額の２分の１以上の金額が地方公共団体により拠出をされているものに限る。）であって、その定款において、その法人が解散した場合にその残余財産が地方公共団体又は当該法人と類似の目的をもつ他の公益を目的とする事業を行う法人に帰属する旨の定めがあるものに限る。 ※２　当該事業が防災街区整備推進機構により行われるものである場合には、地方公共団体の管理の下に行われるものに限る。 ※３　「延焼防止建築

第五章第二節《特定住宅地造成事業等のために土地等を譲渡した場合の譲渡所得の特別控除》

区　　　分	内　　容	発 行 者	根拠条項	備　　考
良事業 （ハ）　延焼防止建築物 （※3）の整備に関する事業で次に掲げる要件を満たすもの 　A　その事業の施行される土地の区域の面積が300㎡以上であること 　B　当該延焼防止建築物の建築面積が150㎡以上であること	た旨及び当該土地等の買取りをする者が当該防災街区整備推進機構である旨を証する書類			物」とは、特定防災街区整備地区に関する都市計画法第4条第1項に規定する都市計画（密集市街地における防災街区の整備の促進に関する法律第31条第3項第3号に規定する間口等の最低限度が定められているものに限る。）に適合する建築物で建築基準法第2条第9号の2に規定する耐火建築物に該当するもの並びに防災街区整備地区計画に適合する建築物で密集市街地における防災街区の整備の促進に関する法律施行規則第134条第1号ロ及びハに掲げる要件に該当するものをいう。
⑧　地方公共団体又は中心市街地の活性化に関する法律第61条第1項に規定する中心市街地整備推進機構（※1）が同法第16条第1項に規定する認定中心市街地の整備のために同法第12条第1項に規定する認定基本計画の内容に即して行う公共施設若しくは公用施設の整備、宅地の造成又は建築物及び建築敷地の整備に関する事業で次に掲げるものの用に供するために、認定中心市街地の区域内にある土地等が、これらの者に買い取られる場合（※2） （イ）　道路、公園、緑地その他の公共施設又は	（イ）　当該事業が左欄の（イ）から（ハ）に掲げる事業である旨を証する書類 （ロ）　次に掲げる場合の区分に応じそれぞれ次に掲げる書類 　A　当該土地等の買取りをする者が地方公共団体である場合 　当該土地等を当該事業の用に供するために買い取った旨を証する書類 　B　当該土地等の買取りをする者が中心市街地の活性化に関する	地方公共団体の長 当該地方公共団体の長 当該中心市街地整備推進機構を中心市街地の活性化に	措置法34条の2　2項8号 措置法規則17条の2　1項8号	※1　中心市街地整備推進機構は、公益社団法人等（その社員総会における議決権の総数の2分の1以上の数が地方公共団体により保有されているものに限る。）又は公益財団法人（その設立当初において拠出をされた金額の2分の1以上の金額が地方公共団体により拠出をされているものに限る。）であって、その定款において、その法人が解散した場合にその残余財産が地方公共団体又は当該法人と類似の目的をもつ他の公

－364－

第五章第二節《特定住宅地造成事業等のために土地等を譲渡した場合の譲渡所得の特別控除》

区　　分	内　　容	発　行　者	根拠条項	備　　考
公用施設の整備に関する事業 （ロ）　都市計画法第4条第7項に規定する市街地開発事業 （ハ）　都市再開発法第129条の6に規定する認定再開発事業計画に基づいて行われる同法第129条の2第1項に規定する再開発事業	法律第61条第1項に規定する中心市街地整備推進機構である場合　当該土地等を当該事業の用に供するために買い取った旨及び当該土地等の買取りをする者が当該中心市街地整備推進機構である旨を証する書類	関する法律第61条第1項の規定により指定した市町村長又は特別区の区長		益を目的とする事業を行う法人に帰属する旨の定めがあるものに限る。 ※2　当該事業が中心市街地整備推進機構により行われるものである場合には、地方公共団体の管理の下に行われるものに限る。
⑨　地方公共団体又は景観法第92条第1項に規定する景観整備機構（※1）が同法第8条第1項に規定する景観計画に定められた同条第2項第4号ロに規定する景観重要公共施設の整備に関する事業の用に供するために、当該景観計画の区域内にある土地等が、これらの者に買い取られる場合（※2）	（イ）　当該事業が左欄に掲げる事業である旨を証する書類 （ロ）　次に掲げる場合の区分に応じそれぞれ次に掲げる書類 A　当該土地等の買取りをする者が地方公共団体である場合　当該土地等を当該事業の用に供するために買い取った旨を証する書類 B　当該土地等の買取りをする者が景観法第92条第1項に規定する景観整備機構である場合　当該土地等を当該事業の用に供するために買い取った旨及び当該土地等の買取りをする者が景観整備機構である旨を証する書類	地方公共団体の長 当該地方公共団体の長 当該景観整備機構を景観法第92条第1項の規定により指定した景観行政団体の長	措置法34条の2　2項9号 措置法令22条の8　11項 措置法規則17条の2　1項9号	※1　景観整備機構は、公益社団法人等（その社員総会における議決権の総数の2分の1以上の数が地方公共団体により保有されているものに限る。）又は公益財団法人（その設立当初において拠出をされた金額の2分の1以上の金額が地方公共団体により拠出をされているものに限る。）であって、その定款において、その法人が解散した場合にその残余財産が地方公共団体又は当該法人と類似の目的をもつ他の公益を目的とする事業を行う法人に帰属する旨の定めがあるものに限る。 ※2　当該事業が景観整備機構により行われるものである場合には、地方公共団体の管理の下に行われるものに限る。
⑩　地方公共団体又は都市	（イ）　当該事業が左	地方公共団体	措置法34条	※1　都市再生推進法

第五章第二節《特定住宅地造成事業等のために土地等を譲渡した場合の譲渡所得の特別控除》

区　　　分	内　　　容	発　行　者	根拠条項	備　　　考
再生特別措置法第118条第1項に規定する都市再生推進法人（※1）が同法第46条第1項に規定する都市再生整備計画又は同法第81条第1項に規定する立地適正化計画に記載された公共施設の整備に関する事業の用に供するために、当該都市再生整備計画又は立地適正化計画の区域内にある土地等が、これらの者に買い取られる場合（※2）	欄に掲げる事業である旨を証する書類 （ロ）　次に掲げる場合の区分に応じそれぞれ次に掲げる書類 A　当該土地等の買取りをする者が地方公共団体である場合　当該土地等を当該事業の用に供するために買い取った旨を証する書類 B　当該土地等の買取りをする者が、都市再生特別措置法第118条第1項に規定する都市再生推進法人である場合　当該土地等を当該事業の用に供するために買い取った旨及び当該土地等の買取りをする者が当該都市再生推進法人である旨を証する書類	の長 当該地方公共団体の長 当該都市再生推進法人を都市再生特別措置法第118条第1項の規定により指定した市町村長又は特別区の区長	の2　2項10号 措置法規則17条の21項10号	人は、公益社団法人（その社員総会における議決権の総数の2分の1以上の数が地方公共団体により保有されているものに限る。）又は公益財団法人（その設立当初において拠出された金額の2分の1以上の金額が地方公共団体により拠出をされているものに限る。）であって、その定款において、その法人が解散した場合にその残余財産が地方公共団体又は当該法人と類似の目的をもつ他の公益を目的とする事業を行う法人に帰属する旨の定めがあるものに限る。 ※2　当該事業が都市再生推進法人により行われるものである場合には、地方公共団体の管理の下に行われるものに限る。
⑪　地方公共団体又は地域における歴史的風致の維持及び向上に関する法律第34条第1項に規定する歴史的風致維持向上支援法人（※1）が同法第12条第1項に規定する認定重点区域における同法第8条に規定する認定歴史的風致維持向上計画に記載された公共施設又は公用施設の整備に関する事業の用に供するために、当該認定重点区域内にあ	（イ）　当該事業が左欄に掲げる事業である旨を証する書類 （ロ）　次に掲げる場合の区分に応じそれぞれ次に掲げる書類 A　当該土地等の買取りをする者が地方公共団体である場合　当該土地等を当該事業の用に供するために買い取った旨を証する書類	地方公共団体の長 当該地方公共団体の長	措置法34条の2　2項11号 措置法規則17条の21項11号	※1　歴史的風致維持向上支援法人は、公益社団法人（その社員総会における議決権の総数の2分の1以上の数が地方公共団体により保有されているものに限る。）又は公益財団法人（その設立当初において拠出をされた金額の2分の1以上の金額が地方公共団体により拠出をされて

第五章第二節《特定住宅地造成事業等のために土地等を譲渡した場合の譲渡所得の特別控除》

区　　　分	内　　容	発　行　者	根拠条項	備　　考
る土地等が、これらの者に買い取られる場合（※2）	B　当該土地等の買取りをする者が歴史的風致維持向上支援法人である場合　当該土地等を当該事業の用に供するために買い取った旨及び当該土地等の買取りをする者が当該歴史的風致維持向上支援法人である旨を証する書類	当該歴史的風致維持向上支援法人を地域における歴史的風致の維持及び向上に関する法律第34条第1項の規定により指定した市町村長又は特別区の区長		いるものに限る。）であって、その定款において、その法人が解散した場合にその残余財産が地方公共団体又は当該法人と類似の目的をもつ他の公益を目的とする事業を行う法人に帰属する旨の定めがあるものに限る。 ※2　当該事業が当該歴史的風致維持向上支援法人により行われるものである場合には、地方公共団体の管理の下に行われるものに限る。
⑫　次に掲げる計画に基づき主として工場、住宅又は流通業務施設の用に供する目的で行われる一団の土地の造成に関する事業で、一定の要件（※1）に該当するものとして都道府県知事が指定したものの用に供するために地方公共団体（地方公共団体が財産を提供して設立した特定の団体（※2）を含む。）又は国若しくは特定の法人（※3）に買い取られる場合 （イ）　国土交通省の作成した苫小牧地区及び石狩新港地区の開発に関する計画 （ロ）　青森県の作成したむつ小川原地区の開発に関する計画	（イ）　当該事業が一定の要件（※1）に該当する一団の土地の造成に関する事業として指定をした事業である旨を証する書類 （ロ）　次に掲げる場合の区分に応じ、それぞれ次に掲げる書類 A　当該土地等の買取りをする者が地方公共団体である場合　当該事業の用に供するために当該土地等を買い取った旨を証する書類 B　当該土地等の買取りをする者が地方公共団体が財産を提供して設立した特定の団体（※2）である場合　当該事業の用に供す	都道府県知事 当該地方公共団体の長 当該特定の団体を所轄する都道府県知事	措置法34条の2　2項12号 措置法規則17条の2　1項12号	※1　一定の要件とは、次に掲げる要件をいう。 （1）　当該計画に係る区域の面積が300ヘクタール以上であり、かつ、当該事業の施行区域の面積が30ヘクタール以上であること （2）　当該事業の施行区域内の公共用の空地の面積が当該施行区域内に造成される土地の用途区分に応じて適正に確保されるものであること ※2　「地方公共団体が財産を提供して設立した特定の団体」とは、地方公共団体が財産を提供して設立した団体（当該地方公共団体とともに国、地方公共団体及び独立行政法人都市

第五章第二節《特定住宅地造成事業等のために土地等を譲渡した場合の譲渡所得の特別控除》

区　　分	内　　容	発　行　者	根拠条項	備　　考
	るために当該土地等を買い取った旨を証する書類 C　当該土地等の買取りをする者が特定の法人（※3）である場合 　次に掲げる書類 （A）当該事業の用に供するために当該土地等を買い取った旨を証する書類 （B）当該土地等の買取りをする者が特定の法人（※3）に該当する旨を証する書類	 当該特定の法人 都道府県知事		再生機構以外の者が財産を提供して設立した団体を除く。）で、都市計画その他市街地の整備の計画に従って宅地の造成を行うことを主たる目的とするものをいう。 ※3　「特定の法人」とは、その発行済株式又は出資の総数又は総額の1/2以上が国（国の全額出資に係る法人を含む。）又は地方公共団体により所有され又は出資をされている法人をいう。
⑬　商店街の活性化のための地域住民の需要に応じた事業活動の促進に関する法律（以下この項において「商店街活性化法」という。）第5条第3項に規定する認定商店街活性化事業計画に基づく商店街活性化法第2条第2項に規定する商店街活性化事業又は商店街活性化法第7条第3項に規定する認定商店街活性化支援事業計画に基づく商店街活性化法第2条第3項に規定する商店街活性化支援事業でそれぞれ次の要件を満たすものの用に供するために特定法人（※）に買い取られる場合 （イ）商店街活性化法第2条第2項に規定する商店街活性化事業 　A　当該事業が都市計画その他の土地利用	（イ）買取りをする者が特定法人に該当する旨を証する書類及び当該事業が左欄の（イ）又は（ロ）の要件を満たすものであることにつき証明した書面 （ロ）当該土地等を当該事業の用に供するために買い取った旨を証する書類	経済産業大臣 当該土地等の買取りをする者	措置法34条の2　2項13号イ 措置法規則17条の2　1項13号	※　「特定法人」とは、次に掲げる事業の区分に応じそれぞれ次の法人をいう。 （1）商店街活性化法第2条第2項に規定する商店街活性化事業　商店街活性化法第5条第3項に規定する認定商店街活性化事業計画（当該商店街活性化事業に係るものに限る。）に係る同条第1項に規定する認定商店街活性化事業者である法人で、中小企業等協同組合法第9条の2第7項に規定する特定共済組合及び同法第9条の9第4項に規定する特定共済組合連合会以外の

—368—

第五章第二節《特定住宅地造成事業等のために土地等を譲渡した場合の譲渡所得の特別控除》

区　　　分	内　　容	発　行　者	根拠条項	備　　考
に関する国又は地方公共団体の計画に適合して行われるものであること。 B　当該事業により顧客その他の地域住民の利便の増進を図るための公共用施設（休憩所、集会場、駐車場、アーケードその他これらに類する施設をいう。以下この項において同じ。）が設置されること。 C　当該事業に係る商店街活性化法第5条第3項に規定する認定商店街活性化事業計画に基づく商店街活性化法第2条第2項に規定する商店街活性化事業を行う商店街活性化法第5条第1項に規定する認定商店街活性化事業者である商店街振興組合等（商店街活性化法第2条第2項に規定する商店街振興組合等をいう。）の組合員又は所属員で中小小売商業者等（商店街活性化法第2条第1項第3号から第7号までに掲げる者をいう。）に該当するものの事業の用に供される店舗その他の施設（当該認定商店街活性化事業計画の区域内に存するものに限る。）及び当該認定商店街活性化事業計画に基づく当該商店街活性化事業によ				もの （2）　商店街活性化法第2条第3項に規定する認定商店街活性化支援事業 　　商店街活性化法第7条第3項に規定する認定商店街活性化支援事業計画（当該商店街活性化支援事業に係るものに限る。）に係る同条第1項に規定する認定商店街活性化支援事業者である法人（商店街活性化法第6条第1項に規定する一般社団法人又は一般財団法人であって、その定款において、その法人が解散した場合にその残余財産が地方公共団体又は当該法人と類似の目的をもつ他の公益を目的とする事業を行う法人に帰属する旨の定めがあるもののうち、次に掲げる要件のいずれかを満たすものに限る。） イ　その社員総会における議決権の総数の3分の1を超える数が地方公共団体により保有されている公益社団法人であること。 ロ　その社員総会における議決権の総数の4分の1以上の数が一

—369—

第五章第二節《特定住宅地造成事業等のために土地等を譲渡した場合の譲渡所得の特別控除》

区　　　分	内　　　容	発 行 者	根拠条項	備　　　考
り新たに設置される公共用施設の用に供される土地の区域の面積が1,000㎡以上であること。 　D　当該事業に係る商店街活性化法第5条第3項に規定する認定商店街活性化事業計画が経済産業大臣が財務大臣と協議して定める基準に適合するものであり、当該認定商店街活性化事業計画に従って当該事業が実施されていること。 　E　その他以下に掲げる要件 　（A）　当該事業に参加する者の数が10以上であること。 　（B）　当該事業により新たに設置される公共用施設及び店舗その他の施設の用に供される土地の面積とこれらの施設の床面積との合計面積（これらの施設の建築面積を除く。）に占める売場面積の割合が2分の1以下であること。 　（C）　当該事業が、独立行政法人中小企業基盤整備機構法第15条第1項第3号、第4号若しくは第11号に掲げる業務（同項第3号又は第4号に掲げる業務にあっては、同項第3号ロ又はハに掲げる事				の地方公共団体により保有されている公益社団法人であること。 　ハ　その拠出をされた金額の3分の1を超える金額が地方公共団体により拠出をされている公益財団法人であること。 　ニ　その拠出をされた金額の4分の1以上の金額が一の地方公共団体により拠出をされている公益財団法人であること。

第五章第二節《特定住宅地造成事業等のために土地等を譲渡した場合の譲渡所得の特別控除》

区　　分	内　　容	発　行　者	根拠条項	備　　考
業又は業務に係るものに限る。）に係る資金（同項第11号に掲げる業務に係るものにあっては、土地、建物その他の施設を取得し、造成し、又は整備するのに必要な資金に限る。）の貸付け、株式会社日本政策金融公庫法第11条第1項第1号の規定による同法別表第1第1号若しくは第14号の下欄に掲げる資金（土地、建物その他の施設を取得し、造成し、又は整備するのに必要な資金に限る。）の貸付け又は国若しくは地方公共団体の補助金（土地、建物その他の施設を取得し、造成し、又は整備するのに必要な補助金に限る。）の交付を受けて行われるものであること。 （ロ）　商店街活性化法第2条第3項に規定する商店街活性化支援事業 　A　当該事業が都市計画その他の土地利用に関する国又は地方公共団体の計画に適合して行われるものであること。 　B　当該事業を行う施設として研修施設（講義室を有する施設で、資料室を備えたものをいう。以下				

第五章第二節《特定住宅地造成事業等のために土地等を譲渡した場合の譲渡所得の特別控除》

区　　　分	内　　容	発　行　者	根拠条項	備　　考
この項において同じ。）で、その建築面積が150㎡以上であるものが設置されること。 　C　当該事業に係る商店街活性化法第7条第3項に規定する認定商店街活性化支援事業計画に基づく商店街活性化法第2条第3項に規定する商店街活性化支援事業を行う施設として新たに設置される研修施設の用に供される土地の区域の面積が300㎡以上であること。 　D　当該事業に係る商店街活性化法第7条第3項に規定する認定商店街活性化支援事業計画が経済産業大臣が財務大臣と協議して定める基準に適合するものであり、当該認定商店街活性化支援事業計画に従って当該事業が実施されていること。 　E　当該事業が、独立行政法人中小企業基盤整備機構法第15条第1項第3号、第4号若しくは第11号に掲げる業務（同項第3号又は第4号に掲げる業務にあっては、同項第3号ロ又はハに掲げる事業又は業務に係るものに限る。）に係る資金（同項第11号に掲げる業務に係るものに				

-372-

第五章第二節《特定住宅地造成事業等のために土地等を譲渡した場合の譲渡所得の特別控除》

区　　分	内　　容	発　行　者	根拠条項	備　　考
あっては、土地、建物その他の施設を取得し、造成し、又は整備するのに必要な資金に限る。）の貸付け、株式会社日本政策金融公庫法第11条第１項第１号の規定による同法別表第１第１号若しくは第14号の下欄に掲げる資金（土地、建物その他の施設を取得し、造成し、又は整備するのに必要な資金に限る。）の貸付け又は国若しくは地方公共団体の補助金（土地、建物その他の施設を取得し、造成し、又は整備するのに必要な補助金に限る。）の交付を受けて行われるものであること。				
⑬の２　　中心市街地の活性化に関する法律（以下⑬の２において「中心市街地活性化法」という。）第49条第２項に規定する認定特定民間中心市街地活性化事業計画に基づく同法第７条第７項に規定する中小小売商業高度化事業（同項第１号から第４号まで又は第７号に掲げるものに限る。）で次の要件を満たすものの用に供するために特定法人（※１）に買い取られる場合 （イ）　当該事業が都市計画その他の土地利用に関する国又は地方公共団体の計画に適合して行われるものであること （ロ）　当該事業により顧	（イ）　買取りをする者が特定法人に該当する旨を証する書類及び当該事業が左欄の(イ)から(ホ)までの要件を満たすものであることにつき証明した書面 （ロ）　当該土地等を当該事業の用（当該事業が中心市街地活性化法第７条第７項第１号に定める事業である場合には、当該事業により設置される公共用施設の用に限る。）に供するために買い取った旨を証する書類	経済産業大臣 当該土地等の買取りをする者	措置法34条の２　２項13号ロ 措置法規則17条の２１項14号	※１　「特定法人」とは、認定特定民間中心市街地活性化事業計画（当該事業に係るものに限る。）に係る中心市街地活性化法第49条第１項に規定する認定特定民間中心市街地活性化事業者である法人（同法第７条第７項第７号に定める事業にあっては、商工会、商工会議所及び次に掲げる法人に限る。）をいう。 （１）　地方公共団体の出資に係る中心市街地活性化法第７条第７項第７号に掲げる特定会社のうち、次に掲げ

－373－

第五章第二節《特定住宅地造成事業等のために土地等を譲渡した場合の譲渡所得の特別控除》

区　　　分	内　　容	発　行　者	根拠条項	備　　考
客その他の地域住民の利便の増進を図るための公共用施設（休憩所、集会所、駐車場、アーケードその他これらに類する施設をいう。以下この項において同じ。）が設置されること （ハ）　事業の区域として次の事業の区分に応じそれぞれ次に掲げる区域の面積が1,000㎡（事業が中心市街地活性化法第7条第7項第3号若しくは第4号に定める事業又は同項第7号に定める事業（当該事業が同項第3号又は第4号に定める事業に類するもので一定のもの（※2）に限る。）である場合には、500㎡）以上であること A　中心市街地活性化法第49条第2項に規定する認定特定民間中心市街地活性化事業計画に基づく中心市街地活性化法第7条第7項第1号に定める事業　当該事業を行う中心市街地活性化法第49条第1項に規定する認定特定民間中心市街地活性化事業者である商店街振興組合等の組合員又は所属員で中小小売商業者等に該当するものの事業の用に供される店舗その他の施設（当該認定特定民間中心市街地活性化事業計画の区域内に存するものに限る。）及び当該認定				る要件を満たすもの イ　当該法人の発行済株式又は出資の総数又は総額の3分の2以上が地方公共団体又は独立行政法人中小企業基盤整備機構により所有され、又は出資をされていること ロ　当該法人の株主又は出資者（以下「株主等」という。）の3分の2以上が中小小売商業者等又は商店街振興組合等であること ハ　その有する当該法人の株式又は出資の数又は金額の最も多い株主等が地方公共団体、独立行政法人中小企業基盤整備機構、中小小売商業者等又は商店街振興組合等のいずれかであること （2）　中心市街地活性化法第7条第7項第7号に掲げる一般社団法人等であって、その定款において、その法人が解散した場合にその残余財産が地方公共団体又は当該法人と類似の目的をもつ他の公益を目的とする事業を行う法人に帰

第五章第二節《特定住宅地造成事業等のために土地等を譲渡した場合の譲渡所得の特別控除》

区　　分	内　　容	発行者	根拠条項	備　　考
特定民間中心市街地活性化事業計画に基づく事業により新たに設置される公共用施設の用に供される土地の区域 　B　認定特定民間中心市街地活性化事業計画に基づく中心市街地活性化法第7条第7項第2号から第4号までに定める事業　これらの事業が施行される土地の区域 　C　認定特定民間中心市街地活性化事業計画に基づく中心市街地活性化法第7条第7項第7号に定める事業　当該事業を行う認定特定民間中心市街地活性化事業者である法人に出資又は拠出をしている中小小売商業者等及び当該法人に出資又は拠出をしている商店街振興組合等の組合員又は所属員である中小小売商業者等の事業の用に供される店舗その他の施設（当該認定特定民間中心市街地活性化事業計画の区域内に存するものに限る。）並びに当該認定特定民間中心市街地活性化事業計画に基づく事業により新たに設置される共同店舗その他の施設及び公共用施設の用に供される土地の区域 （二）　当該事業が独立行政法人中小企業基盤整備機構法第15条第1				属する旨の定めがあるもののうち、⑬の※の（2）イからニに掲げる要件のいずれかを満たすもの ※2　中心市街地活性化法第7条第7項第3号又は第4号に定める事業に類するもので一定のものとは、共同店舗とともに公共用施設を設置する事業又は共同店舗と併設される公共用施設を設置する事業をいう。 ※3　その他の要件は次のとおりである。 （1）　認定特定民間中心市街地活性化事業計画に基づく中心市街地活性化法第7条第7項第1号又は第2号に定める事業にあっては、これらの事業に参加する者の数が10以上であること （2）　認定特定民間中心市街地活性化事業計画に基づく中心市街地活性化法第7条第7項第2号から第4号まで又は第7号に定める事業にあっては、これらの事業により新たに設置される公共用施設及び店舗その他の施設の用に供される土地の面積とこれらの施設の床面積との合計面積

－375－

第五章第二節《特定住宅地造成事業等のために土地等を譲渡した場合の譲渡所得の特別控除》

区　　　分	内　　容	発　行　者	根拠条項	備　　考
項第３号又は第４号に掲げる業務（同項第３号ロ又はハに掲げる事業又は業務に係るものに限る。）に係る資金（「連携集積活性化事業資金」という。）の貸付けを受けて行われるものであること （ホ）　その他の要件(※３)				（これらの施設の建築面積を除く。）に占める売場面積の割合が２分の１以下であること （３）　認定特定民間中心市街地活性化事業計画に基づく中心市街地活性化法第７条第７項第７号に定める事業にあっては、特定民間中心市街地活性化対象区域内の施設又は当該事業により新たに設置される店舗その他の施設をその者の営む事業の用に供する者の数が10（当該事業が※２に定めるものである場合には、５）以上であること
⑭　次に掲げる事業の用に供する土地の造成に関する事業で、一定の要件（※）に該当するものとして都道府県知事が指定したものの用に供するために買い取られる場合 （イ）　農業協同組合法第11条の48第１項《宅地等供給事業実施規程》に規定する宅地等供給事業のうち同法第10条第５項第３号《事業》に掲げるもの （ロ）　独立行政法人中小企業基盤整備機構法第15条第１項第３号ロに規定する他の事業者との事業の共同化若しくは中小企業の集積の活性化に寄与する事業	（イ）　当該事業が左の指定をした事業である旨を証する書類 （ロ）　当該土地等を左の事業の用に供するために買い取った旨を証する書類	都道府県知事 買取りをする者	措置法34条の２　２項14号 措置法規則17条の２１項15号	※　一定の要件とは、次に掲げる要件をいう。 （１）　区分欄の（イ）の場合　当該事業が都市計画その他土地利用に関する国又は地方公共団体の計画に適合した計画に従って行われるものであること並びに当該事業により造成される土地の処分予定価額が、当該事業の施行区域内の土地の取得及び造成に要する費用の額、分譲に要する費用の額、当該事業に要する一般管理費の額並びにこ

第五章第二節《特定住宅地造成事業等のために土地等を譲渡した場合の譲渡所得の特別控除》

区　　　　分	内　　　容	発　行　者	根拠条項	備　　　考
				れらの費用に充てるための借入金の利子の額の見積額の合計額以下であること （2）　区分欄の（ロ）の場合　上記（1）の要件に該当すること及び当該事業が独立行政法人中小企業基盤整備機構法第15条第1項第3号又は第4号の規定による資金の貸付けを受けて行われるものであること
14の2　　　総合特別区域法第2条第2項第5号イ又は第3項第5号イに規定する共同して又は一の団地若しくは主として一の建物に集合して行う事業の用に供する土地の造成に関する事業で、都市計画その他の土地利用に関する国又は地方公共団体の計画に適合した計画に従って行われるものであることその他の一定の要件（※）に該当するものとして市町村長又は特別区の区長が指定したものの用に供するために買い取られる場合	（イ）　当該事業が左欄の指定をした事業である旨を証する書類 （ロ）　当該土地等を左欄の事業の用に供するために買い取った旨を証する書類	市町村長又は特別区の区長 買取りをする者	措置法34条の2　2項14号の2 措置法規則17条の2　1項16号	※　「一定の要件」とは、次に掲げる要件をいう。 （1）　当該事業が都市計画その他土地利用に関する国又は地方公共団体の計画に適合した計画に従って行われるものであること並びに当該事業により造成される土地の処分予定価額が当該事業の施行区域内の土地の取得及び造成に要する費用の額、分譲に要する費用の額、当該事業に要する一般管理費の額並びにこれらの費用に充てるための借入金の利子の額の見積額の合計額以下であること。 （2）　総合特別区域法第30条又は第58条の規定による資

—377—

第五章第二節《特定住宅地造成事業等のために土地等を譲渡した場合の譲渡所得の特別控除》

区　　　分	内　　容	発　行　者	根拠条項	備　　　考
				金の貸付けを受けて行われるものであること。
⑮　特定法人（※）が行う産業廃棄物の処理に係る特定施設の整備の促進に関する法律第２条第２項《定義》に規定する特定施設（同項第１号に規定する建設廃棄物処理施設を含むものを除く。）の整備の事業（当該事業が同法第４条第１項《整備計画の認定等》の規定による認定を受けた同項の整備計画（次に掲げる事項の定めがあるものに限る。）に基づいて行われるものに限る。）の用に供するために、土地等が地方公共団体又は当該特定法人に買い取られる場合 （イ）　特定法人が当該特定施設を運営すること （ロ）　当該特定施設の利用者を限定しないこと	（イ）　当該土地等の買取りをする者が地方公共団体又は特定法人に該当する旨を証する書類及び特定法人が行う特定施設の整備の事業が左欄の（イ）及び（ロ）の要件を満たすものであることにつき証明した書類 （ロ）　当該土地等を当該特定施設の整備の事業の用に供するために買い取った旨を証する書類	厚生労働大臣 当該土地等の買取りをする者	措置法34条の２　２項15号 措置法規則17条の２１項17号	※　「特定法人」とは、次に掲げる法人をいう。 （１）　地方公共団体の出資に係る法人のうち、その発行済株式の総数又は出資金額の２分の１以上が一の地方公共団体により所有され又は出資されているもの （２）　公益社団法人又は公益財団法人のであって、その定款において、その法人が解散した場合にその残余財産が地方公共団体又は当該法人と類似の目的をもつ他の公益を目的とする事業を行う法人に帰属する旨の定めがあるもののうち、次に掲げる要件のいずれかを満たすもの イ　その社員総会における議決権の総数の２分の１以上の数が地方公共団体により保有されている公益社団法人であること。 ロ　その社員総会における議決権の総数の４分の１以上の数が一の地方公共団体により保有されている公益社団

－378－

第五章第二節《特定住宅地造成事業等のために土地等を譲渡した場合の譲渡所得の特別控除》

区　　　分	内　　容	発　行　者	根拠条項	備　　　考
				法人であること。 ハ　その拠出をされた金額の2分の1以上の金額が地方公共団体により拠出をされている公益財団法人であること。 ニ　その拠出をされた金額の4分の1以上の金額が一の地方公共団体により拠出をされている公益財団法人であること。
⑯　広域臨海環境整備センター法第20条第3項《基本計画》の規定による認可を受けた同項の基本計画に基づいて行われる廃棄物の搬入施設の整備の事業の用に供するために、広域臨海環境整備センターに買い取られる場合	（イ）　当該事業が左欄の基本計画に基づいて行われる広域臨海環境整備センター法第2条第1項第4号《定義等》に掲げる廃棄物の搬入施設の整備の事業である旨を証する書類 （ロ）　当該土地等を当該事業の用に供するために買い取った旨を証する書類	厚生労働大臣 土地等の買取りをする者	措置法34条の2　2項16号 措置法規則17条の2　1項18号	
⑰　生産緑地法第6条第1項《標識の設置等》に規定する生産緑地地区内にある土地が、同法の規定に基づき、地方公共団体、土地開発公社、港務局、地方住宅供給公社、地方道路公社又は独立行政法人都市再生機構に買い取られる場合	当該土地を生産緑地法第11条第1項《生産緑地の買取り等》、第12条第2項《生産緑地の買取りの通知等》又は第15条第2項《生産緑地の買取り希望の申出》の規定に基づき買い取った旨を証する書類	当該土地の買取りをする者	措置法34条の2　2項17号 措置法規則17条の2　1項19号	
⑱　国土利用計画法第12条第1項《規制区域の指定》の規定により規制区域と	当該土地等を国土利用計画法第19条第2項の規定に基づき	都道府県知事（指定都市にあっては、そ	措置法34条の2　2項18号	

－379－

第五章第二節《特定住宅地造成事業等のために土地等を譲渡した場合の譲渡所得の特別控除》

区　　　分	内　　　容	発　行　者	根拠条項	備　　　考
して指定された区域内の土地等が同法第19条第2項《買取り請求》の規定により買い取られる場合	買い取った旨を証する書類	の長）	措置法規則17条の2　1項20号	
⑲　国、地方公共団体、独立行政法人中小企業基盤整備機構、独立行政法人都市再生機構その他法人税法別表第1に掲げる法人で地域の開発、保全又は整備に関する事業を行うものが作成した地域の開発、保全又は整備に関する事業に係る計画で、国土利用計画法第9条第3項《土地利用基本計画》に規定する土地利用の調整等に関する事項として土地利用基本計画に定められたもののうち特定の計画に基づき、当該事業の用に供するために土地等が国又は地方公共団体（地方公共団体が財産を提供して設立した特定の団体（※）を含む。）に買い取られる場合	（イ）　地域の開発、保全又は整備に関する事業に係る計画が、国、地方公共団体、独立行政法人中小企業基盤整備機構、独立行政法人都市再生機構その他法人税法別表第1に掲げる法人で地域の開発、保全又は整備に関する事業を行うものの作成に係るもので、国土利用計画法第9条第3項に規定する土地利用の調整等に関する事項として土地利用基本計画に定められたもののうち、当該事業の施行区域が定められ、その面積が20ヘクタール以上である旨を証する書類	都道府県知事	措置法34条の2　2項19号措置法規則17条の2　1項21号	※　「地方公共団体が財産を提供して設立した特定の団体」とは、地方公共団体が財産を提供して設立した団体（当該地方公共団体とともに国、地方公共団体及び独立行政法人都市再生機構以外の者が財産を提供して設立した団体を除く。）で、都市計画その他市街地の整備の計画に従って宅地造成を行うことを主たる目的とするものをいう。
	（ロ）　当該土地等を当該計画に基づく事業の用に供するため買い取った旨を証する書類（当該買取りをする者が当該事業の施行者でない場合には、当該書類で当該事業の施行者の名称及び所在地の記載があるもの）	買取りをする者		
⑳　都市再開発法第7条の6第3項《土地の買取り》、大都市地域住宅等供給促進法第8条第3項	当該土地等を都市再開発法第7条の6第3項、大都市地域住宅等供給促進法第8	建築許可権者（※1）、都府県知事（※2）又は都道府県	措置法34条の2　2項20号措置法規則	※1　「建築許可権者」とは、都道府県知事（市の区域内にあっては、当該市の長）

－380－

第五章第二節《特定住宅地造成事業等のために土地等を譲渡した場合の譲渡所得の特別控除》

区　　分	内　　容	発行者	根拠条項	備　　考
《土地の買取り》（同法第27条《土地の買取り等》において準用する場合を含む。）、地方拠点都市地域の整備及び産業業務施設の再配置の促進に関する法律（以下⑳において「地方拠点都市地域整備等促進法」という。）第22条第3項《土地の買取り等》又は被災市街地復興特別措置法第8条第3項《土地の買取り等》の規定により土地等が買い取られる場合	条第3項（同法第27条において準用する場合を含む。）、地方拠点都市地域整備等促進法第22条第3項又は被災市街地復興特別措置法第8条第3項の規定により買い取った旨を証する書類	知事等（※3）（都市再開発法第7条の6第2項、大都市地域住宅等供給促進法第8条第2項（同法第27条において準用する場合を含む。）、地方拠点都市地域整備等促進法第22条第2項又は被災市街地復興特別措置法第8条第2項の規定により、土地の買取りの申出の相手方として公告された者があるときは、その者）	17条の2 1項22号	をいう（都市再開発法第7条の4第1項）。 ※2　「都府県知事」とは、都府県知事（市の区域内にあっては、当該市の長）をいう（大都市地域住宅等供給促進法第7条第1項）。 ※3　「都道府県知事等」とは、都道府県知事（市の区域内にあっては、当該市の長）をいう（地方拠点都市地域整備等促進法第21条第1項又は被災市街地復興特別措置法第7条第1項）。
㉑　土地区画整理法による土地区画整理事業（同法第3条第1項《土地区画整理事業の施行》の規定によるものを除く。）が施行された場合において土地等の上に存する建物又は構築物が建築基準法第3条第2項《適用除外》に規定する建築物その他の次に掲げる建物又は構築物に該当していることにより換地（当該土地の上に存する権利の目的となるべき土地を含む。）を定めることが困難であることにつき、国土交通大臣の証明がされた当該土地等について土地区画整理法第90条《所有者の同意により換地を定めない場合》の規定により換地	（イ）　当該土地等の上に存する建物等が左欄の（イ）から（ヘ）までに掲げる建築物又は構築物に該当していることにより換地を定めることが困難となる次に掲げる事情のいずれかに該当する旨を証する書類 Ａ　当該土地等に係る換地処分が行われたとしたならば、建築基準法その他の法令の規定により、当該建物等を引き続き従前の用途と同一の用途に供すること又は	国土交通大臣	措置法34条の2　2項21号 措置法規則17条の2 1項23号	※1　「風俗営業の営業所」とは、風俗営業等の規制及び業務の適正化等に関する法律第2条第1項《用語の意義》に規定する風俗営業の営業所で、風俗営業等取締法の一部を改正する法律（昭59法76）附則第2条第2項《新たに風俗営業に該当することとなる営業に関する経過措置》又は第3条第1項《従前の風俗営業に関する経過措置》の規定の適用に係るものをいう。 ※2　「店舗型性風俗特殊営業」とは、風俗営業等の規制及び

—381—

第五章第二節《特定住宅地造成事業等のために土地等を譲渡した場合の譲渡所得の特別控除》

区　　　分	内　　　容	発 行 者	根拠条項	備　　　考
が定められなかったことに伴い同法第94条《清算金》の規定による清算金を取得するとき （イ）　建築基準法第3条第2項に規定する建築物 （ロ）　次に掲げる建築物又は構築物 　A　風俗営業の営業所（※1）が風俗営業等の規制及び業務の適正化等に関する法律第4条第2項第2号《許可の基準》の規定に基づく条例の施行又は適用の際当該条例の規定に適合しない場合の当該風俗営業の営業所の用に供されている建築物又は構築物 　B　店舗型性風俗特殊営業（※2）が同法第28条第1項《店舗型性風俗特殊営業の禁止区域等》の規定の施行又は適用の際同項の規定に適合しない場合の当該店舗型性風俗特殊営業の営業所の用に供されている建築物又は構築物 　C　店舗型性風俗特殊営業が同条第2項の規定に基づく条例の規定の施行又は適用の際当該条例の規定に適合しない場合の当該店舗型性風俗特殊営業の営業所の用に供されている建築物又は構築物 　D　店舗型電話異性紹介営業（※3）が同法第31条の13第1項	換地処分により取得する土地等の上に建物等を建築して従前の用途と同一の用途に供することができなくなると認められること 　B　当該土地等に係る換地処分が行われ、当該建物等を引き続き従前の用途と同一の用途に供するとしたならば、当該建物等の構造、配置設計、利用構成等を著しく変更する必要があると認められ、かつ、当該建物等における従前の生活又は業務の継続が著しく困難となると認められること （ロ）　換地が定められなかったことに伴い土地区画整理法第94条の規定による清算金の支払をした旨を証する書類	土地区画整理事業を施行する者		業務の適正化等に関する法律第28条第3項に規定する店舗型性風俗特殊営業をいい、風俗営業等取締法の一部を改正する法律（昭59法76）附則第4条第2項《風俗関連営業に関する経過措置》又は風俗営業等の規制及び業務の適正化等に関する法律の一部を改正する法律（平10法55）附則第4条第2項《店舗型性風俗特殊営業に関する経過措置》の規定の適用に係るものを含む。 ※3　「店舗型電話異性紹介営業」とは、風俗営業等の規制及び業務の適正化等に関する法律第31条の13第1項に規定する店舗型電話異性紹介営業をいい、風俗営業等の規制及び業務の適正化等に関する法律の一部を改正する法律（平13法52）附則第2条第2項《店舗型電話異性紹介営業等の届出に関する経過措置》の規定の適用に係るものを含む。 ※4　「屋外タンク貯蔵所」とは、危険物の規制に関する政令の一部を改正する政令（昭51政令153）附則第2項に規定する屋外タンク貯蔵所をいう。 ※5　昭和42年改正規

－382－

第五章第二節《特定住宅地造成事業等のために土地等を譲渡した場合の譲渡所得の特別控除》

区　　分	内　　容	発行者	根拠条項	備　　考
《店舗型電話異性紹介営業の禁止区域等》の規定若しくは同項において準用する同法第28条第2項の規定に基づく条例の規定の施行若しくは適用の際同法第31条の13第1項において準用する同法第28条第1項の規定若しくは当該条例の規定に適合しない場合の当該店舗型電話異性紹介営業の営業所の用に供されている建築物又は構築物 　E　同法第33条第5項《深夜における酒類提供飲食店営業の届出等》に規定する営業が同条第4項の規定に基づく条例の規定の施行又は適用の際当該条例の規定に適合しない場合の当該営業の営業所の用に供されている建築物又は構築物 （ハ）　屋外タンク貯蔵所（※4）で危険物の規制に関する政令第11条第1項第1号の2の表の第2号《屋外タンク貯蔵所の基準》の上欄に掲げる屋外貯蔵タンクの存するもの （ニ）　都市計画法第4条第2項に規定する都市計画区域内において同法第8条第1項第1号《地域地区》に規定する用途地域が変更され、又は変更されることとなることにより、引き続き従前の用途と				則附則第2項又は昭和53年改正規則附則第2項の規定の適用に係るものに限る。 ※6　「昭和42年改正規則」とは、道路運送車両法施行規則の一部を改正する省令（昭42運輸省令27）をいい、「昭和53年改正規則」とは、同規則等の一部を改正する省令（昭53運輸省令7）をいう。 ※7　風俗営業等の規制及び業務の適正化等に関する法律施行規則（昭60国家公安委員会規則第1号）附則第2項《経過措置》の規定の適用に係るものに限る。 ※8　施行日は、昭和60年2月13日である。

第五章第二節《特定住宅地造成事業等のために土地等を譲渡した場合の譲渡所得の特別控除》

区　　　分	内　　容	発　行　者	根拠条項	備　　　考
同一の用途に供することができなくなる建築物若しくは構築物又は換地処分により取得する土地等の上に建築して従前と同一の用途に供することができなくなる建築物若しくは構築物				
（ホ）　道路運送車両法第77条《自動車特定整備事業の種類》に規定する自動車特定整備事業（※5）を経営している者の当該事業の事業場の規模が昭和42年改正規則又は昭和53年改正規則（※6）の施行の際昭和42年改正規則による改正後の道路運送車両法施行規則第57条第1項《認証基準》及び別表第2号又は昭和53年改正規則による改正後の道路運送車両法施行規則別表第4の規定に適合しない場合の当該事業場に係る建築物又は構築物				
（ヘ）　風俗営業等の規制及び業務の適正化等に関する法律第2条第1項第1号又は第2号に掲げる営業に係る営業所（※7）の同法第4条第2項第1号に規定する構造又は設備の全部が風俗営業等の規制及び業務の適正化等に関する法律施行規則の施行（※8）の際同規則第7条《構造及び設備の技術上の基準》に規定する技術上の基準（当該営業所に係る床面積の大きさの基準に				

－384－

第五章第二節《特定住宅地造成事業等のために土地等を譲渡した場合の譲渡所得の特別控除》

区　　　分	内　　　容	発 行 者	根拠条項	備　　考
限る。）に適合しない場合の当該営業所の用に供されている建築物				
㉑の2　土地等につき被災市街地復興土地区画整理事業が施行された場合において、被災市街地復興特別措置法第17条第1項の規定により保留地が定められたことに伴い当該土地等に係る換地処分により当該土地等のうち当該保留地の対価の額に対応する部分の譲渡があったとき	当該土地等に係る換地処分により当該土地等のうち保留地の対価の額に対応する部分の譲渡があった旨を証する書類（当該対価の額の記載があるものに限る。）	被災市街地復興土地区画整理事業の施行者	措置法34条の2　2項21号の2措置法規則17条の2　1項24号	
㉒　土地等につきマンションの建替えの円滑化等に関する法律（以下「マンション建替法」という。）第2条第1項第4号に規定するマンション建替事業が施行された場合において、当該土地等に係るマンション建替法の権利交換によりマンション建替法第75条《補償金》の規定による補償金（当該個人（同条第1号に掲げる者に限る。）がやむを得ない事情によりマンション建替法第56条第1項《権利変換を希望しない旨の申出等》の申出をしたと認められる場合（※）における当該申出に基づき支払われるものに限る。）を取得するとき、又は当該土地等がマンション建替法第15条第1項《区分所有権及び敷地利用権の売渡し請求》若しくは第64条第1項若しくは第3項《権利変換計画に関する総会の議決に賛成しなかった組合員に対する売渡し請求等》の請	（イ）　当該土地等に係る権利変換によりマンション建替法第75条の規定による補償金を当該個人がやむを得ない事情によりマンション建替法第56条第1項の申出をしたと認められる場合における当該申出に基づき支払ったものである旨又は当該土地等をマンション建替法第15条第1項若しくは第64条第1項又は第3項の請求により買い取った旨を証する書類 （ロ）　次に掲げる場合のいずれかに該当する旨及びその該当することにつきマンション建替事業の施行者がその該当することにつきマンション建替法第37条第1項又は第53条第1項の審査委員の過半	マンション建替事業の施行者 マンション建替事業の施行者	措置法34条の2　2項22号措置法規則17条の2　1項25号	※　「やむを得ない事情により申出をしたと認められる場合」及び「やむを得ない事情があったと認められる場合」とは、次に掲げる場合のいずれかに該当する場合で、措置法第34条の2第2項第22号のマンション建替事業の施行者がその該当することにつきマンション建替法第37条第1項又は第53条第1項の審査委員の過半数の確認を得た場合とする。 （1）　申出人等の有するマンション建替法第2条第1項第6号に規定する施行マンションが都市計画法第8条第1項第1号から第2号の2までの地域地区による用途の制限につき建築基準法第3条第2項の規定の適用を受けるものであ

—385—

区　　　分	内　　容	発 行 者	根拠条項	備　　考
求（当該個人にやむを得ない事情があったと認められる場合（※）にされたものに限る。）により買い取られたとき	数の確認があった旨を証する書類 A　マンション建替法第56条第1項の申出をした者又はマンション建替法第15条第1項若しくは第64条第1項の請求をされた者又は同条第3項の請求をした者（以下この項において「申出人等」という。）の有するマンション建替法第2条第1項第6号に規定する施行マンションが都市計画法第8条第1項第1号から第2号の2までの地域地区による用途の制限につき建築基準法第3条第2項の規定の適用を受けるものである場合 B　Aの施行マンションにおいて住居を有し若しくは事業を営む申出人等又はその者と住居及び生計を一にしている者が老齢又は身体上の障害のためマンション建替法第2条第1項第7号に規定する施行再建マンションにおいて生活すること又は事業を			る場合 （2）（1）の施行マンションにおいて住居を有し若しくは事業を営む申出人等又はその者と住居及び生計を一にしている者が老齢又は身体上の障害のためマンション建替法第2条第1項第7号に規定する施行再建マンションにおいて生活すること又は事業を営むことが困難となる場合

第五章第二節《特定住宅地造成事業等のために土地等を譲渡した場合の譲渡所得の特別控除》

区　　　分	内　　容	発 行 者	根拠条項	備　　考
	営むことが困難となる場合			
㉒の２　通行障害既存耐震不適格建築物（※１）に該当する決議特定要除却認定マンション（※２）の敷地の用に供されている土地等につきマンション敷地売却事業（※３）が実施された場合において、当該土地等に係るマンション建替法第141条第１項の認可を受けた同項に規定する分配金取得計画（※４）に基づきマンション建替法第151条の規定によるマンション建替法第142条第１項第３号の分配金を取得するとき、又は当該土地等がマンション建替法第124条第１項の請求により買い取られたとき	（イ）　当該マンション敷地売却事業に係る決議特定要除却認定マンションが通行障害既存耐震不適格建築物に該当すること、当該マンション敷地売却事業に係るマンション建替法第113条に規定する認定買受計画に、決議特定要除却認定マンションを除却した後の土地に新たに建築されるマンション建替法第２条第１項第１号に規定するマンションに関する事項の記載があること及び当該記載がされた当該マンションが新たに建築されることにつき都道府県知事（市の区域内にあっては、当該市の長）の証明を受けた旨を証する書類	マンション敷地売却事業を実施する者	措置法34条の２　２項22号の２措置法規則17条の２　１項26号	※１　「通行障害既存耐震不適格建築物」とは、建築物の耐震改修の促進に関する法律第５条第３項第２号に規定する通行障害既存耐震不適格建築物のうち、同法第７条第２号又は第３号に掲げる建築物であるものに限る。 ※２　「決議特定要除却認定マンション」とは、マンション建替法第109条第１項に規定する決議要除却認定マンションをいう。この項において同じ。 ※３　「マンション敷地売却事業」とは、マンション建替法第２条第１項第９号に規定するマンション建替法で定めるところに従って行われるマンション敷地売却に関する事業のうち、当該事業に係るマンション建替法第113条に規定する認定買受計画に、決議特定要除却認定マンションを除却した後の土地に新たに建築されるマンション建替法第２条第１項第１号に規定するマンションに関する事項の記載があるものに限る。 ※４　「分配金取得計画」が、マンション建替法第145条において準用するマンション建替法第141条第１項
	（ロ）　マンション建替法第151条の規定によるマンション建替法第142条第１項第３号の分配金が当該土地等に係るマンション建替法第141条第１項の認可を受けた同項に規定する分配金取得計画に基づき支払ったものである旨又は当該土地等をマンション建替法第124条第１項	マンション敷地売却事業を実施する者		

－387－

第五章第二節《特定住宅地造成事業等のために土地等を譲渡した場合の譲渡所得の特別控除》

区　　　分	内　　容	発　行　者	根拠条項	備　　考
	の請求により買い取った旨を証する書類			の規定により当該分配金取得計画の変更に係る認可を受けた場合には、その変更後のものをいう。
㉓　絶滅のおそれのある野生動植物の種の保存に関する法律第37条第1項《管理地区》の規定により管理地区として指定された区域内の土地が国若しくは地方公共団体に買い取られる場合又は鳥獣の保護及び管理並びに狩猟の適正化に関する法律（平成14年法律第88号）第29条第1項《特別保護地区》の規定により環境大臣が特別保護地区として指定した区域内の土地のうち一定の要件（※）に該当するものとして環境大臣が指定したものが国若しくは地方公共団体に買い取られる場合	次に掲げる場合の区分に応じ、それぞれ次に掲げる書類 （イ）　絶滅のおそれのある野生動植物の種の保存に関する法律第37条第1項の規定により管理地区として指定された区域内の土地が買い取られる場合　当該土地を買い取った旨を証する書類 （ロ）　鳥獣の保護及び管理並びに狩猟の適正化に関する法律第29条第1項の規定により環境大臣が特別保護地区として指定した土地のうち一定の要件（※）に該当するものとして環境大臣が指定したものが買い取られる場合 A　当該土地が措置法令第22条の8第26項各号に掲げる鳥獣の生息地で国又は地方公共団体において保存することが緊急に必要なものとし同項の規定により指定したものである旨を証する書類 B　当該土地を当	当該土地の買取りをする者 環境大臣 当該土地の買	措置法34条の2　2項23号 措置法規則17条の2　1項27号	※　一定の要件とは、国又は地方公共団体において保存をすることが緊急に必要な次に掲げる土地をいう。 （1）　文化財保護法第109条第1項《指定》の規定により天然記念物として指定された鳥獣の生息地 （2）　日本国が締結した渡り鳥及び絶滅のおそれのある鳥類並びにその環境の保護に関する条約においてその保護をすべきものとされた鳥類の生息地

第五章第二節《特定住宅地造成事業等のために土地等を譲渡した場合の譲渡所得の特別控除》

区　　　　分	内　　　容	発　行　者	根拠条項	備　　　考
	該鳥獣の生息地として保存をするために買い取った旨を証する書類	取りをする者		
㉔　自然公園法第72条《指定》に規定する都道府県立自然公園の区域内のうち同法第73条第1項《保護及び利用》に規定する条例の定めるところにより特別地域として指定された地域で、当該地域内における行為につき同法第20条第1項《特別地域》に規定する特別地域内における行為に関する同法第2章第4節《保護及び利用》の規定による規制と同等の規制が行われている地域として環境大臣が認定した地域内の土地又は自然環境保全法第45条第1項《都道府県自然環境保全地域の指定》に規定する都道府県自然環境保全地域のうち同法第46条第1項《保全》に規定する条例の定めるところにより特別地区として指定された地区で、当該地区内における行為につき同法第25条第1項《特別地区》に規定する特別地区内における行為に関する同法第4章第2節《保全》の規定による規制と同等の規制が行われている地区として環境大臣が認定した地区内の土地が地方公共団体に買い取られる場合	（イ）　当該土地を買い取った旨及び当該土地が特別地域として指定された地域又は特別地区として指定された地区内のものである旨を証する書類 （ロ）　当該特別地域として指定された地域又は特別地区として指定された地区内の行為に関する規制が自然公園法第2章第3節又は自然環境保全法第4章第2節の規定による規制と同等の規制が行われていると認定した旨の通知に係る文書の写し	地方公共団体の長 環境大臣	措置法34条の2　2項24号 措置法規則17条の2　1項28号	
㉕　農業経営基盤強化促進法第4条第1項第1号に規定する農用地（※1）で農業振興地域の整備に	（イ）　当該土地等が左欄の農用地区域として定められている区域内にある	市町村長	措置法34条の2　2項25号 措置法令22	※1　農地（耕作（農地法第43条第1項《農作物栽培高度化施設に関する特例》

－389－

第五章第二節《特定住宅地造成事業等のために土地等を譲渡した場合の譲渡所得の特別控除》

区　　　　分	内　　　　容	発　行　者	根拠条項	備　　　考
関する法律第8条第2項第1号《市町村の定める農業振興地域整備計画》に規定する農用地区域内にあるものが、農業経営基盤強化促進法第22条第2項の協議に基づき、同項の農地中間管理機構（※2）に買い取られる場合	農用地である旨及び当該土地等の買取りにつき左の協議に係る農業経営基盤強化促進法第22条第2項の規定による通知をしたことを証する書類（※3） （ロ）　当該土地等を当該協議に基づき買い取った旨を証する書類 （ハ）　当該土地等の買取りをする者が左の農地中間管理機構に該当する旨を証する書類	 土地等の買取りをする者 都道府県知事	条の8　27項 措置法規則17条の2　1項29号	の規定により耕作に該当するものとみなされる農作物の栽培を含む。以下この項において同じ。）の目的に供される土地をいう。以下この項において同じ。）又は農地以外の土地で主として耕作若しくは養畜の事業のための採草若しくは家畜の放牧の目的に供される土地をいう。 ※2　農地中間管理機構は、公益社団法人（その社員総会における議決権の総数の2分の1以上の数が地方公共団体により保有されているものに限る。）又は公益財団法人（その設立当初において拠出をされた金額の2分の1以上の金額が地方公共団体により拠出をされているのに限る。）であって、その定款において、その法人が解散した場合にその残余財産が地方公共団体又は当該法人と類似の目的をもつ他の公益を目的とする事業を行う法人に帰属する旨の定めがあるものに限る。 ※3「通知をしたことを証する書類」は、その通知をした年月日の記載があるものに限る。

第五章第二節《特定住宅地造成事業等のために土地等を譲渡した場合の譲渡所得の特別控除》

様式1

特定住宅地造成事業等のための土地等の買取り証明書

租税特別措置法第34条の2第2項第1号又は
第65条の4第1項第1号に該当

						1,500 万	

譲　渡　者	住所（居所）又は所在地						
	氏名又は名称						

土地等の種類	土　地　等　の　所　在　地	数　　　量	買取り年月日	買　取　り　価　額
		㎡		千　　円

上記の土地等は　　　　　　　　事業のために買取ったものであることを証明する。

（摘要）

事業施行者	所　在　地	
	名　　称	

（記載要領）

1　土地等の所有者ごとに別紙とする。

2　「住所（居所）又は所在地」の欄には、この証明書を作成する日の現況による住所若しくは居所又は本店若しくは主たる事務所の所在地を記載する。

3　「土地等の種類」欄には、宅地、地上権、借地権、山林、田、畑等に区分して具体的に記載する。

4　「買取り価額」欄には、取得した土地等の対価として支払うべき金額を記載する。

5　「摘要」欄には、土地等の買取りに際し、買取りの対価とともにその買取りに伴う損失補償として各種の名義による交付金の支払いがされている場合に、その支払総額及びその交付金の内容の区分ごとにその金額を記載し、その事業施行者に代わり、その事業施行者でない者が買取りをした場合には、その買取りをした者の名称及び所在地を併せて記載する。

第五章第二節《特定住宅地造成事業等のために土地等を譲渡した場合の譲渡所得の特別控除》

様式2

特定住宅地造成事業等のための土地等の買取り証明書

（租税特別措置法第34条の2第2項第14号
又は第65条の4第1項第14号に該当） 〔1,500万円〕

譲渡者名	住所（居所）又は所在地			
	氏名又は名称			

土地等の種類	土地等の所在地	数　　量	買取り年月日	買取り価額
				千　　　円

上記の土地等は農業協同組合法第10条第5項第3号の宅地等供給事業のために買い取ったものであることを証明する。

摘
要

※　宅地等供給事業についての都道府県知事の指定年月日

令和　　年　　月　　日

事業の施行者	所　在　地	
	名　　称	㊞

（記載要領）

1　土地等の所有者ごとに別紙とする。

2　「住所（居所）又は所在地」の欄には、この証明書を作成する日の現況による住所若しくは居所又は本店若しくは主たる事務所の所在地を記載する。

3　「土地等の種類」欄には、宅地、借地権、山林、田、畑等に区分して具体的に記載する。

4　「買取り価額」欄には、取得した土地等の対価として支払うべき金額を記載する。

5　「摘要」欄には、土地等の買取りに際し、買取りの対価とともにその買取りに伴う損失補償として各種の名義による交付金の支払がなされている場合には、その支払総額及びその交付金の内容の区分ごとにその金額を記載し、その事業の施行者に代わり、その事業の施行者でない者が買取りをした場合には、その買取りをした者の名称及び所在地を併せて記載する。

第五章第二節《特定住宅地造成事業等のために土地等を譲渡した場合の譲渡所得の特別控除》

様式3

開発保全整備事業計画に関する証明申請書

令和　年　月　日

都道府県知事殿

所在地 _____

名　称 _____ 印

　下記の地域の開発、保全又は整備に関する事業に係る計画は、次に掲げる要件に該当するものであることを証明願います。

(1) 当該計画は、_____ が作成したものであること。

　　なお、この作成者は法人税法別表第1第1号に掲げる法人で地域の開発、保全又は整備に関する事業を行うものである。

(2) 当該計画は、　　年　月　　日付けで土地利用の調整等に関する事項として国土利用計画法の土地利用基本計画に定められたもので、当該計画に係る事業の施行区域が確定しておりその面積は20ヘクタール以上であること。

記

事 業 の 名 称	
事 業 の 内 容	
事 業 の 施 行 者	
事業の施行区域及び面積	
事 業 の 施 行 区 域 の 確 定 し た 年 月 日	
土 地 等 の 買 収 者	

　上記のとおり相違ないことを証明する。

　　令和　年　月　日

都道府県知事 印

(注)　事業計画の作成者が国、地方公共団体、独立行政法人中小企業基盤整備機構、独立行政法人都市再生機構であるときは、(1)のなお書を抹消する。

第五章第二節《特定住宅地造成事業等のために土地等を譲渡した場合の譲渡所得の特別控除》

様式4

特定住宅地造成事業等のための土地等の買取り証明書

（租税特別措置法第34条の2第2項第19号
又は第65条の4第1項第19号に該当）　　1,500万円

譲渡者等	住所(居所)又は所在地			
	氏名又は名称			

土地等の種類	土地等の所在地	面　　積	買取り年月日	買　取　り　価　額
		m²		千　　　　円

上記の土地等は、国、地方公共団体又は租税特別措置法施行令第22条の8第25項又は第39条の5第26項に規定する法人の作成に係るもので国土利用計画法第9条第3項に規定する土地利用の調整等に関する事項として同条第1項の土地利用基本計画に定められたもののうち租税特別措置法施行令第22条の8第26項又は第39条の5第27項に規定する開発保全整備計画に基づく事業の用に供するために買い取ったものであることを証明する。

事業計画が土地利用基本計画の開発保全整備計画に記載された年月日

令和　　年　　月　　日

(摘要)		
事業の施行者	所　在　地	
	名　　称	
土地等の買収者	所　在　地	
	名　　称	㊞

（記載要領）

1　土地等の所有者ごとに別紙とすること。

2　「住所（居所）又は所在地」欄には、この証明書を作成する日の現況による住所若しくは居所又は本店若しくは主たる事務所の所在地を記載すること。

3　「土地等の種類」欄には、宅地、地上権、借地権、山林、田、畑等に区分して具体的に記載すること。

4　「買取り価額」欄には、取得した土地等の対価として支払うべき金額を記載すること。

5　「摘要」欄には、土地等の買取りに際し、買取りの対価とともにその買取りに伴う損失補償として各種の名義による交付金の支払がなされている場合には、その支払総額及びその交付金の内容の区分ごとにその金額を記載すること。

6　「事業の施行者」欄には、土地等の買取りをする者が事業の施行者でない場合に、その事業の施行者の名称及び所在地を記載すること。

第五章第二節《特定住宅地造成事業等のために土地等を譲渡した場合の譲渡所得の特別控除》

様式5

<table>
<tr><td colspan="6" align="center">特定住宅地造成事業等のための土地の買取り等証明書</td></tr>
<tr><td colspan="5" align="center">（租税特別措置法第34条の2第2項第24号
又は第65条の4第1項第24号に該当）</td><td align="center">1,500万円</td></tr>
<tr><td rowspan="2">譲渡者名</td><td>住所又は所在地</td><td colspan="4"></td></tr>
<tr><td>氏名又は名称</td><td colspan="4"></td></tr>
<tr><td>土 地 の 種 類</td><td>土 地 の 所 在 地</td><td>数　　　量</td><td>買取り年月日</td><td colspan="2">買 取 り 価 額</td></tr>
<tr><td></td><td></td><td>㎡</td><td></td><td>千</td><td>円</td></tr>
</table>

　　上記の土地を買い取ったこと及び当該土地は（租税特別措置法第34条の2第2項第24号／租税特別措置法第65条の4第1項第24号）に規定する環境大臣の認定した（（都道府）県立自然公園特別地域／（都道府）県自然環境保全地域特別地区　　　）内のものであることを証明する。

　　　　　　　　　　　　　　　　（都道府）県知事

　　　　　　　　　　　　　　　　（市町村長）　　　　　　　　　　　　　　　　㊞

（摘　要）

（記載要領）

1　土地等の所有者ごとに別紙とする。

2　「住所又は所在地」の欄には、この証明書を作成する日の現況による住所又は本店（主たる事務所）の所在地を記載する。

3　「土地の種類」欄には、宅地、山林、田、畑等に区分して具体的に記載する。

4　「買取り価額」欄には、取得した土地等の対価として支払うべき金額を記載する。

5　証明欄中該当しない条文等は抹消する。

6　「摘要」欄には、土地等の買取りに際し、買取り価額とともにその買取りに伴う損失補償として各種の名義による交付金の支払がなされている場合には、その支払総額及び交付金の内容の区分ごとにその金額を記載する。

第三節 農地保有の合理化等のために農地等を譲渡した場合の譲渡所得の特別控除（800万円の特別控除）

1 特例の内容

農地保有の合理化等のために農地等（棚卸資産を除きます。）を譲渡した場合には、長期譲渡所得の課税の特例又は短期譲渡所得の課税の特例の適用上800万円の特別控除を行うことができます。ただし、その年中にこれらの事由により譲渡した土地等の全部又は一部について、後で述べる「特定の事業用資産の買換えの場合の譲渡所得の課税の特例（措法37）」又は「特定の事業用資産を交換した場合の譲渡所得の課税の特例（措法37の4）」の規定の適用を受ける場合には、この特別控除の特例の適用を受けることはできません（措法34の3①）。

2 譲渡の範囲

この特例の適用を受けることができる「農地保有の合理化等のために農地等を譲渡した場合」とは5の「**農地保有の合理化等に関する証明書の区分一覧表**」（以下「一覧表」といいます。）の「区分」欄に掲げる場合をいいます。

（1）　「一覧表」の農業振興地域内の農用地については、それぞれ農業上の用途区分が指定され、指定された用途に供されていない場合には、その農地の譲渡についての勧告、調停、あっせんが行われますが、予定地（将来、農業振興地域として指定することを相当とする地域として定められた地域をいいます。）内にある土地等については、勧告、調停、あっせんが行われることがないので、この特例の適用はありません。なお、ここにいうあっせんには、農業委員会があっせんに入る以前に例えば不動産業者が介入して取引されていたもの、手付金が支払われていたもの等当事者間において売買契約が成立していたもの、あるいは、売渡しの相手方を指定してあっせんの申出があったもの等は含まれません。

また「農業振興地域」というのは、昭和44年9月27日から施行された「農業振興地域の整備に関する法律」の規定に基づき、今後総合的に農業の振興を図ることが必要な地域として都道府県知事が指定する地域をいいます。

（2）　一覧表⑩については、従来の土地改良事業は、その本来の目的が農用地の整備改善を図ることにあるため、換地計画のうちに非農用地を取り込むことができないことになっていました。

ところが昭和47年土地改良法が改正され、創設換地（不換地）という手法を導入し、その地域に新たに工場用地、公共用地等が必要な場合には、農用地の効率的利用を図るため事業計画において工場用地等の位置及び規模を定め、土地改良事業施行地区内の土地を工場用地等の農用地以外の用途に供することができることとされました。

このような土地改良法の改正に伴い、土地改良事業においても非農用地区域を定めたことにより土地所有者が換地を受けないで、清算金の交付を受けた場合は、その清算金に係る譲渡所得について800万円の特別控除を行うことができます（措法34の3②四）。

なお、昭和59年の土地改良法の一部改正により、事前分筆を要しない一筆の土地の一部不換地のための特別減歩方式が導入されましたが、これに伴いこの一筆一部不換地により取得する清算金に係る譲渡所得（農用地又は農用地の上に存する権利に係るものに限られます。）にも800万円控除が適用されることになりました。

また、平成4年の改正で、土地改良法第53条の3の2第1項第1号に規定する農用地に供することを予定する土地（創設農用地換地）に充てるため、土地改良法第53条の2の2第1項の規定により土地等を取得しなかったこと等に伴い清算金を取得した場合にも800万円控除が適用されること

第五章第三節《農地保有の合理化等のために農地等を譲渡した場合の譲渡所得の特別控除》

になりました。

（3）　一覧表⑨については、昭和59年の農業振興地域の整備に関する法律の一部改正により、いわゆる林地等交換分合及び協定関連交換分合の制度が導入されましたが、これらの交換分合により取得すべき土地を定めないで取得する清算金についても800万円控除が適用されることになりました（ただし譲渡資産は農用地等及び農用地等とすることができる土地に限られます。）。

（4）　借地権の設定の対価については、たとえ、その借地権の設定が所得税法施行令第79条《資産の譲渡とみなされる行為》の規定により資産の譲渡とみなされる場合であっても、この特別控除の適用は受けられません（措通34－3）。

3　譲渡所得の計算方法

この特例が適用されますと土地等の譲渡による収入金額から取得費等の必要経費を控除し、その残額から800万円の特別控除をすることとされています。

また、この特別控除は、他の特別な場合の特別控除と同様に、その年中の譲渡に短期譲渡所得と長期譲渡所得のいずれにも該当するものがある場合には、800万円の範囲内で、まず短期譲渡所得から控除し、不足が生じた場合には長期譲渡所得から控除することになっています。

なお、具体的な計算方法については前述の「第一節　特定土地区画整理事業等のために土地等を譲渡した場合の譲渡所得の特別控除」の「3　譲渡所得の計算方法」（336ページ）と同様ですからそちらを参照してください。なお、計算に際しては「2,000万円」を「800万円」と読み替えてください。

4　この特例を適用するための手続

この特例の適用を受けるために、その年分の確定申告書にこの特別控除の特例の適用を受けようとする旨を記載するとともに、「一覧表」の「内容」欄に掲げる書類を添付しなければなりません（措法34の3③）。

なお、確定申告書の提出又は記載若しくは添付書類の添付がない場合においても、そのことについて税務署長がやむを得ない事情があると認めたときは、その記載をした書類及び上記の添付書類を提出すればこの特例の適用が受けられることとされています（措法34の3④）。

－397－

第五章第三節《農地保有の合理化等のために農地等を譲渡した場合の譲渡所得の特別控除》

5　農地保有の合理化等に関する証明書の区分一覧表

区　　　　分	内　　　容	発　行　者	根拠条項	備　　　考
①　農業振興地域の整備に関する法律第14条第2項《土地利用についての勧告》に規定する市町村長の勧告に係る協議により土地等を譲渡した場合	当該土地等の譲渡につき当該勧告をしたことを証する書類又は当該勧告に係る通知書の写し（※）	市町村長	措置法34条の3　2項1号 措置法規則18条2項1号	※　通知書の写しは、当該土地等の譲渡者が作成して差し支えない。
②　農業振興地域の整備に関する法律第15条第1項《都道府県知事の調停》に規定する都道府県知事の調停により土地等を譲渡した場合	当該土地等の譲渡につき当該調停をしたことを証する書類又は当該土地等に係る農業振興地域の整備に関する法律第15条第4項の調停案の写し	都道府県知事	措置法34条の3　2項1号 措置法規則18条2項2号	
③　農業振興地域の整備に関する法律第18条《農地等についての権利の取得のあっせん》に規定する農業委員会のあっせんにより土地等を譲渡した場合	当該土地等の譲渡につき当該あっせんを行ったことを証する書類	農業委員会	措置法34条の3　2項1号 措置法規則18条2項3号	
④　農業経営基盤強化促進法第5条第3項《農業経営基盤強化促進基本方針》に規定する農地中間管理機構（※1）に対し、当該農地中間管理機構が行う事業（※2）のために農地法第2条第1項《定義》に規定する農地（同法第43条第1項《農作物栽培高度化施設に関する特例》の規定により農作物の栽培を耕作に該当するものとみなして適用する同法第2条第1項に規定する農地を含む。以下この項において同じ。）若しくは採草放牧地で農業振興地域の整備に関する法律第8条第2項第1号《市町村の定める農業振興地域整備計画》に規定する農用地区域として定められている区域	（イ）　当該事業のために当該農地等を買い入れた旨を証する書類 （ロ）　次に掲げる区分に応じそれぞれ次に定める書類 　A　左の農用地区域として定められている区域内にある農地若しくは採草放牧地又はこれらの土地の上に存する権利…次のいずれかの書類 　（A）　これらの資産に係る権利の移転につき農地法第3条第1項第13号《農地又は採草放牧地の権利移動の制限》の届出を受理した旨を証す	農地等の買入れをする者 農業委員会	措置法34条の3　2項1号 措置法令22条の9 措置法規則18条2項4号	※1　農地中間管理機構は、公益社団法人（その社員総会における議決権の総数の2分の1以上の数が地方公共団体により保有されているものに限る。）又は公益財団法人（その設立当初において拠出をされた金額の2分の1以上の金額が地方公共団体により拠出をされているものに限る。）であって、その定款において、その法人が解散した場合にその残余財産が地方公共団体又は当該法人と類似の目的をもつ他の公益を目的とする事業を行う法人に帰属する旨の定めがあるものに限

－398－

第五章第三節《農地保有の合理化等のために農地等を譲渡した場合の譲渡所得の特別控除》

区　　分	内　　容	発　行　者	根拠条項	備　　考
内にあるもの、当該区域内にある土地で開発して農地とすることが適当なもの若しくは当該区域内にある土地で同号に規定する農地上の用途区分が同法第3条第4号《定義》に規定する農業用施設の用に供することとされているもの（農地の保全又は利用上必要な施設で一定のもの（※3）の用に供する土地を含む。）又はこれらの土地の上に存する権利（以下この項において「農地等」という。）を譲渡した場合（⑤に掲げる場合に該当する場合を除く。）	る書類 （B）　これらの資産に係る権利の移転につき福島復興再生特別措置法（平成24年法律第25号）第17条の26《農用地利用集積等促進計画の公告》の規定により公告をした旨及び当該公告の年月日を証する書類 B　左の開発して農地とすることが適当な土地若しくは農業用施設の用に供することとされている土地又はこれらの土地の上に存する権利…次の書類 （A）　これらの資産が左の農用地区域として定められている区域内にある旨及びこれらの資産が左の開発して農地とすることが適当な土地若しくは農業上の用途区分が農業用施設の用に供することとされている土地又は農地の保全又は利用上必要な施設で一定のもの（※3）の用に供することとされている土地（これらの土地の上に存する権利を含む。）に該	福島県知事 市町村長		る。 ※2　「当該農地中間管理機構が行う事業」とは、農業経営基盤強化促進法第7条《農地中間管理機構の事業の特例》の規定により行われる事業で、同条第1号に掲げるものをいう。 ※3　農地の保全又は利用上必要な施設で一定のものとは、農用地区域として定められている区域内にある農地を保全し、又は耕作（農地法第43条第1項の規定により耕作に該当するものとみなされる農作物の栽培を含む。）の用に供するために必要なかんがい排水施設、ため池、排水路又は当該農地の地すべり若しくは風害を防止するために直接必要な施設をいう。

－399－

第五章第三節《農地保有の合理化等のために農地等を譲渡した場合の譲渡所得の特別控除》

区　　分	内　　容	発　行　者	根拠条項	備　　考
	当するものである旨を証する書類 （B）　これらの資産の買入れをする者に対しこれらの資産の買入れを要請している旨を証する書類 （ハ）　当該農地等の買入れをする者が左の農地中間管理機構に該当する旨を証する書類	当該資産の買入れをする者に対し当該資産の買入れを要請している地方公共団体の長 都道府県知事		
⑤　農業振興地域の整備に関する法律第8条第2項第1号に規定する農用地区域内にある土地等を農地中間管理事業の推進に関する法律（平成25年法律第101号）第18条第7項《農用地利用集積等促進計画》の規定による公告があった同条第1項の農用地利用集積等促進計画の定めるところにより譲渡した場合	（イ）　当該土地等が農用地区域内にある旨を証する書類 （ロ）　次のいずれかの書類 A　当該土地等に係る権利の移転につき当該公告をした旨及び当該公告の年月日を証する書類 B　当該権利の移転に係る登記事項証明書（当該権利の移転が農地中間管理事業の推進に関する法律第18条第7項の規定による公告があった同条第1項の農用地利用集積等促進計画によるものであることを明らかにする表示のあるものに限る。）	市町村長 公告をした者	措置法34条の3　2項2号 措置法規則18条2項5号	
⑥　農村地域への産業の導入の促進等に関する法律（昭和46年法律第112号）第5条第2項《実施計画》の規定により同条第1項	（イ）　当該土地等の所在地が当該産業導入地区内であること及び当該土地等が農用地等（当該農用地等	当該土地等の所在地を管轄する市町村長	措置法34条の3　2項3号 措置法規則18条2項6	※　「農用地等」とは、次に掲げるものをいう。 （1）　耕作の目的又は主として耕作若

－400－

第五章第三節《農地保有の合理化等のために農地等を譲渡した場合の譲渡所得の特別控除》

区　　　分	内　　容	発　行　者	根拠条項	備　　考
に規定する実施計画において定められた同条第2項第1号に規定する産業導入地区内の土地等（農業振興地域の整備に関する法律第3条《定義》に規定する農用地等（※）及び当該農用地等の上に存する権利に限る。）を当該実施計画に係る農村地域への産業の導入の促進等に関する法律第4条第2項第4号《基本計画》に規定する施設用地の用に供するために譲渡した場合	の上に存する権利を含む。）であったことを証する書類 （ロ）農村地域への産業の導入の促進等に関する法律第5条第1項に規定する実施計画に係る同法第4条第2項第4号に規定する施設用地の用に供するために当該土地等を買い取ったことを証する書類	当該土地等の買取りをする者	号	しくは養畜の業務のための採草若しくは家畜の放牧の目的に供される土地 （2）木竹の生育に供され、併せて耕作又は養畜の業務のための採草又は家畜の放牧の目的に供される土地で（1）以外のもの （3）（1）又は（2）の土地の保全又は利用上必要な施設の用に供される土地 （4）耕作又は養畜の業務のために必要な農業用施設（（3）の施設を除く。）で農林水産省令で定めるものの用に供される土地
⑦　土地等（土地改良法第2条第1項《定義》に規定する農用地（※）及び当該農用地の上に存する権利に限る。）につき同条第2項第1号から第3号までに掲げる土地改良事業が施行された場合において、当該土地等に係る換地処分により同法第54条の2第4項《換地処分の効果及び清算金》(同法第89条の2第10項《国又は都道府県の行う換地処分等》、第96条《土地改良区に関する規定の準用》及び第96条の4第1項《準用規定》において準用する場合を含む。）に規定する清算金（当該土地等について、同法第8条第5項第2号《審査及び公告	当該土地改良事業に係る土地改良事業計画において土地改良法第8条第5項第2号若しくは第3号に掲げる要件を満たす同項の非農用地区域を定め、又は当該土地改良事業に係る換地計画において同法第53条の3の2第1項第1号に規定する農用地に供することを予定する土地を定めている旨及び清算金の支払をした旨を証する書類	土地改良事業の施行者	措置法34条の3　2項4号 措置法規則18条2項7号	※　「農用地」とは、耕作（農地法第43条第1項《農作物栽培高度化施設に関する特例》の規定により耕作に該当するものとみなされる農作物の栽培を含む。）の目的又は主として家畜の放牧の目的若しくは養畜の業務のための採草の目的に供される土地をいう。

第五章第三節《農地保有の合理化等のために農地等を譲渡した場合の譲渡所得の特別控除》

区　　　分	内　　容	発 行 者	根拠条項	備　　考
等》に規定する施設の用若しくは同項第3号に規定する農用地以外の用途に供する土地又は同法第53条の3の2第1項第1号に規定する農用地に供することを予定する土地に充てるため同法第53条の2の2第1項《換地を定めない場合等の特例》（同法第89条の2第3項、第96条及び第96条の4第1項において準用する場合を含む。）の規定により地積を特に減じて換地若しくは当該権利の目的となるべき土地若しくはその部分を定めたこと又は換地若しくは当該権利の目的となるべき土地若しくはその部分が定められなかったことにより支払われるものに限る。）を取得するとき				
⑧　林業経営の規模の拡大、林地の集団化その他林地保有の合理化に資するため、森林組合法第9条第2項第7号《事業の種類》又は第101条第1項第9号《事業の種類》の事業を行う森林組合又は森林組合連合会に委託して森林法第5条第1項《地域森林計画》の規定による地域森林計画の対象とされた山林に係る土地を譲渡した場合	当該土地の譲渡が森林組合又は森林組合連合会に委託して行われたものである旨及び当該土地の取得をした者がその有する山林の全部につき措置法第30条の2第1項に規定する森林経営計画を作成し、当該森林経営計画につき市町村の長（※）の認定を受けた、又は受けることが確実である旨を証する書類	森林組合又は森林組合連合会	措置法34条の3　2項5号 措置法規則18条2項8号	※　森林法第19条の規定の適用がある場合においては、当該森林計画の対象とする森林の全部が一の都道府県の区域内にある場合は当該都道府県知事、それ以外の場合は農林水産大臣となる。
⑨　土地等（農業振興地域の整備に関する法律第3条《定義》に規定する農用地等及び同法第8条第2項第3号《市町村の定める農業振興地域整備計画》に規定する農用地等とすることが適当な土地	当該土地等が左の土地等に該当する旨及び左の清算金の支払をした旨を証する書類	事業の施行者	措置法34条の3　2項6号 措置法規則18条2項9号	

－402－

第五章第三節《農地保有の合理化等のために農地等を譲渡した場合の譲渡所得の特別控除》

区　　　分	内　　容	発　行　者	根拠条項	備　　考
並びにこれらの土地の上に存する権利に限る。）につき同法第13条の２第１項又は第２項《交換分合》の事業が施行された場合において、同法第13条の３《交換分合計画》の規定による清算金を取得するとき				

第五章第三節《農地保有の合理化等のために農地等を譲渡した場合の譲渡所得の特別控除》

様式 1

農地売買等事業のため土地等を買い入れた旨の証明願

（年号）　　年　　月　　日

（農地中間管理機構の名称）　　　殿

　　　　　　　　　　　　　　住所（事務所）
　　　　　　　　　　　　　　氏名（名　称）
　　　　　　　　　　　　　　　　　（代表者）

　租税特別措置法第 34 条の 3 第 1 項（第 65 条の 5 第 1 項）の規定に基づく土地等を譲渡した場合の譲渡所得（所得）の特別控除の適用を受けるため、下記の土地等を、貴法人が農業経営基盤強化促進法第 7 条第 1 号に掲げる農地売買等事業のため買い入れた旨を証明願います。

記

土 地 等 の 所 在	地　番	地　目	地　積	買入れ年月日
			m²	

第　　　号

　上記のとおり相違ないことを証明します。

（年号）　　年　　月　　日

　　　　　　　　　　（農地中間管理機構）
　　　　　　　　　　事務所
　　　　　　　　　　名　称
　　　　　　　　　　代表者

－404－

第五章第三節《農地保有の合理化等のために農地等を譲渡した場合の譲渡所得の特別控除》

様式2

農地中間管理機構に該当する旨の証明願

（年号）　年　月　日

都道府県知事　　　殿

　　　　　　　　　　　（農地中間管理機構）
　　　　　　　　　　　事務所
　　　　　　　　　　　名　　称
　　　　　　　　　　　代表者

　　　　　　租税特別措置法第34条の2第2項第25号（第65条の4第1項第25号）
　当法人が　　　　　　　　　　　　　　　　　　　　　　　　　　　　　　　　　　に
　　　　　　租税特別措置法施行令第22条の9（第39条の6第2項）

規定する農地中間管理機構に該当する旨を証明願います。

（注）農業経営基盤強化促進法等の一部を改正する法律（令和4年法律第56号）附則第3
　　条第2項の規定によりなお従前の例によることとされる同法第1条の規定による改
　　正前の農業経営基盤強化促進法第16条第2項の協議に基づき農地中間管理機構に農
　　用地を譲渡した場合にあっては、下線部について、「所得税法等の一部を改正する法
　　律（令和4年法律第4号）第11条の規定による改正前の租税特別措置法」と記載す
　　ること。

_____

　第　　号

　上記のとおり相違ないことを証明します。

　（年号）　　年　　月　　日

都道府県知事

—405—

第五章第三節《農地保有の合理化等のために農地等を譲渡した場合の譲渡所得の特別控除》

様式3

譲渡所得（所得）の特別控除に係る土地等についての証明願

（年号）　　年　月　日

福島県知事　殿

住所（事務所）
氏名（名　称）
（代表者）

　租税特別措置法第34条の3第1項（第65条の5第1項）の規定に基づく土地等を譲渡した場合の譲渡所得（所得）の特別控除の適用を受けるため、下記の土地等の譲渡について、下記の年月日に福島復興再生特別措置法第17条の26の規定により農用地利用集積等促進計画の公告をした旨を証明願います。

記

土地等の所在	地番	地目	地積	農用地利用集積等促進計画の公告の年月日
			m²	

第　　号

　上記のとおり相違ないことを証明します。

（年号）　　年　月　日

福島県知事

第五章第三節《農地保有の合理化等のために農地等を譲渡した場合の譲渡所得の特別控除》

様式4

譲渡所得（所得）の特別控除に係る土地等についての証明願

（年号）　年　月　日

○○市町村長　殿

　　　　　　　　　　　　　　住所（事務所）

　　　　　　　　　　　　　　氏名（名　称）

　　　　　　　　　　　　　　　　（代表者）

　租税特別措置法第34条の3第1項（第65条の5第1項）の規定に基づく土地等を譲渡した場合の譲渡所得（所得）の特別控除の適用を受けるため、下記の土地等は、租税特別措置法施行令第22条の9（第39条の6第2項）に規定する土地等（農業振興地域の整備に関する法律第8条第2項第1号に規定する農用地区域内にあり、かつ、開発して農地とすることが適当なもの、同号に規定する農業上の用途区分が同法第3条第4号に規定する農業用施設の用に供することとされているもの（農地の保全又は利用上必要な施設の用に供することとされている土地を含む。）又はこれらの土地の上に存する権利をいう。）に該当することを証明願います。

記

土　地　等　の　所　在	地　番	地　目	地　積
			m²

第　　　号

　上記のとおり相違ないことを証明します。

（年号）　年　月　日

　　　　　　　　　　　　　　○○市町村長

—407—

第五章第三節《農地保有の合理化等のために農地等を譲渡した場合の譲渡所得の特別控除》

様式5

買入協議に基づき農用地を買い取った旨の証明願

(年号)　年　月　日

(農地中間管理機構の名称)　殿

住所（事務所）

氏名（名　称）

（代表者）

　租税特別措置法第34条の2第1項（第65条の4第1項）の規定に基づく土地等を譲渡した場合の特別控除の適用を受けるため、下記の農用地を、貴法人が農業経営基盤強化促進法第22条第2項の買入協議に基づき買い取った旨を証明願います。

記

農 用 地 の 所 在	地　番	地　目	地　積	買入れ年月日
			m²	

第　　号

　上記のとおり相違ないことを証明します。

(年号)　年　月　日

（農地中間管理機構）

事務所

名　称

代表者

－408－

第五章第三節《農地保有の合理化等のために農地等を譲渡した場合の譲渡所得の特別控除》

様式6

譲渡所得（所得）の特別控除に係る土地等についての証明願

（年号）　年　月　日

○　○　市町村長　殿

住所（事務所）

氏名（名　称）

（代表者）

　租税特別措置法第34条の2第1項（第65条の4第1項）の規定に基づく土地等を譲渡した場合の譲渡所得（所得）の特別控除の適用を受けるため、下記の農用地は、農業経営基盤強化促進法第22条第2項の規定による通知をしたものであり、かつ、当該農用地が農業振興地域の整備に関する法律第8条第2項第1号に規定する農用地区域と定められている区域内にある農用地であることを証明願います。

記

農　用　地　の　所　在	地　番	地　目	地　積	売渡しのあっせんの申出をした年月日	買入協議の通知年月日
			㎡		

第　　号

　上記のとおり相違ないことを証明します。

（年号）　年　月　日

　　　　　　　　　○　○　市町村長

－409－

第五章第三節《農地保有の合理化等のために農地等を譲渡した場合の譲渡所得の特別控除》

様式7

買入協議に基づき農用地を買い取った旨の証明願

（年号）　年　月　日

（農地中間管理機構の名称）　殿

　　　　　　　　　　　　　　住所（事務所）
　　　　　　　　　　　　　　氏名（名　称）
　　　　　　　　　　　　　　　　（代表者）

　租税特別措置法第34条の2第1項（第65条の4第1項）の規定に基づく土地等を譲渡した場合の特別控除の適用を受けるため、下記の農用地を、貴法人が農業経営基盤強化促進法等の一部を改正する法律（令和4年法律第56号）附則第3条第2項の規定によりなお従前の例によることとされる同法第1条の規定による改正前の農業経営基盤強化促進法第16条第2項の買入協議に基づき買い取った旨を証明願います。

記

農　用　地　の　所　在	地　番	地　目	地　　積	買入れ年月日
			㎡	

第　　号

　上記のとおり相違ないことを証明します。

（年号）　　年　　月　　日

　　　　　　　　　　　　　　（農地中間管理機構）
　　　　　　　　　　　　　　事務所
　　　　　　　　　　　　　　名　　称
　　　　　　　　　　　　　　代表者

—410—

第五章第三節《農地保有の合理化等のために農地等を譲渡した場合の譲渡所得の特別控除》

様式8

譲渡所得（所得）の特別控除に係る土地等についての証明願

（年号）　年　月　日

○　○　市町村長　殿

住所（事務所）

氏名（名　称）

（代表者）

　租税特別措置法第34条の2第1項（第65条の4第1項）の規定に基づく土地等を譲渡した場合の譲渡所得（所得）の特別控除の適用を受けるため、下記の農用地は、農業経営基盤強化促進法等の一部を改正する法律（令和4年法律第56号）附則第3条第2項の規定によりなお従前の例によることとされる同法第1条の規定による改正前の農業経営基盤強化促進法第16条第2項の規定による通知をしたものであり、かつ、当該農用地が農業振興地域の整備に関する法律第8条第2項第1号に規定する農用地区域と定められている区域内にある農用地であることを証明願います。

記

農　用　地　の　所　在	地　番	地　目	地　積	売渡しのあっせんの申出をした年月日	買入協議の通知年月日
			㎡		

第　　号

　上記のとおり相違ないことを証明します。

（年号）　年　月　日

○　○　市町村長

−411−

第五章第三節《農地保有の合理化等のために農地等を譲渡した場合の譲渡所得の特別控除》

様式9

**地域農業経営基盤強化促進計画の特例に基づく所有者等の申出により
農用地を買い取った旨の証明願**

（年号）　年　月　日

（農地中間管理機構の名称）　殿

住所（事務所）

氏名（名　称）

（代表者）

　租税特別措置法第34条第1項（第65条の3第1項）の規定に基づく土地等を譲渡した場合の譲渡所得（所得）の特別控除の適用を受けるため、下記の農用地を、貴法人が、農業経営基盤強化促進法第22条の4第1項の地域農業経営基盤強化促進計画の特例に基づく所有者等の申出により買い取った旨を証明願います。

記

農 用 地 の 所 在	地番	地目	地　積	買入れ年月日
			㎡	

第　号

　上記のとおり相違ないことを証明します。

（年号）　年　月　日

（農地中間管理機構）

事務所

名　称

代表者

第五章第三節《農地保有の合理化等のために農地等を譲渡した場合の譲渡所得の特別控除》

様式10

譲渡所得（所得）の特別控除に係る土地等についての証明願

(年号)　年　月　日

○　○　市町村長　殿

住所（事務所）

氏名（名　称）

（代表者）

　租税特別措置法第34条第1項（第65条の3第1項）の規定に基づく土地等を譲渡した場合の譲渡所得（所得）の特別控除の適用を受けるため、下記の農用地は、農業経営基盤強化促進法第22条の4第1項の規定により定められた地域農業経営基盤強化促進計画の特例に係る区域内の農用地であることを証明願います。

記

農 用 地 の 所 在	地　番	地　目	地　積	売渡しの申出をした年月日
			㎡	

第　号

　上記のとおり相違ないことを証明します。

(年号)　年　月　日

○　○　市町村長

－413－

第五章第三節《農地保有の合理化等のために農地等を譲渡した場合の譲渡所得の特別控除》

様式11

農用地利用規程の特例に基づく所有者等の申出により農用地を買い取った旨の証明願

（年号）　年　月　日

（農地中間管理機構の名称）　殿

　　　　　　　　　　　　　　　　　　　住所（事務所）

　　　　　　　　　　　　　　　　　　　氏名（名　称）

　　　　　　　　　　　　　　　　　　　　　　（代表者）

　租税特別措置法第34条第1項（第65条の3第1項）の規定に基づく土地等を譲渡した場合の譲渡所得（所得）の特別控除の適用を受けるため、下記の農用地を、貴法人が、農業経営基盤強化促進法等の一部を改正する法律（令和4年法律第56号）附則第6条第3項の規定によりなお従前の例によることとされる同法第1条の規定による改正前の農業経営基盤強化促進法第23条の2第1項の農用地利用規程の特例に基づく所有者等の申出により買い取った旨を証明願います。

記

農 用 地 の 所 在	地 番	地 目	地 積	買入れ年月日
			㎡	

第　　号

　上記のとおり相違ないことを証明します。

（年号）　　年　　月　　日

　　　　　　　　　　　　　　　　（農地中間管理機構）

　　　　　　　　　　　　　　　　事務所

　　　　　　　　　　　　　　　　名　称

　　　　　　　　　　　　　　　　代表者

第五章第三節《農地保有の合理化等のために農地等を譲渡した場合の譲渡所得の特別控除》

様式12

譲渡所得（所得）の特別控除に係る土地等についての証明願

（年号）　年　月　日

○　○　市町村長　殿

住所（事務所）

氏名（名　称）

（代表者）

　租税特別措置法第34条第1項（第65条の3第1項）の規定に基づく土地等を譲渡した場合の譲渡所得（所得）の特別控除の適用を受けるため、下記の農用地は、農業経営基盤強化促進法等の一部を改正する法律（令和4年法律第56号）附則第6条第3項の規定によりなお従前の例によることとされる同法第1条の規定による改正前の農業経営基盤強化促進法第23条の2第1項の規定により定められた農用地利用規程に係る農用地利用改善事業の実施区域内の農用地であることを証明願います。

記

農 用 地 の 所 在	地 番	地 目	地 積	売渡しの申出をした年月日	農用地利用規程の認定年月日
			㎡		

第　号

　上記のとおり相違ないことを証明します。

（年号）　年　月　日

○　○　市町村長

第五章第三節《農地保有の合理化等のために農地等を譲渡した場合の譲渡所得の特別控除》

様式13

農地中間管理機構に該当する旨の証明願

(年号)　年　月　日

都道府県知事　殿

（農地中間管理機構）
事務所
名　称
代表者

　当法人が<u>租税特別措置法</u>第34条第2項第7号（第65条の3第1項第7号）に規定する
農地中間管理機構に該当する旨を証明願います。

（注）農業経営基盤強化促進法等の一部を改正する法律（令和4年法律第56号）附則第6
　　条第3項の規定によりなお従前の例によることとされる同法第1条の規定による改
　　正前の農業経営基盤強化促進法第23条の2の農用地利用規程の特例に基づき事業
　　実施区域内の所有者等の申出により農地中間管理機構に農用地を譲渡した場合にあ
　　っては、下線部について、「所得税法等の一部を改正する法律（令和4年法律第4号）
　　第11条の規定による改正前の租税特別措置法」と記載すること。

第　　号

　上記のとおり相違ないことを証明します。

(年号)　年　月　日

都道府県知事

－416－

第五章第三節《農地保有の合理化等のために農地等を譲渡した場合の譲渡所得の特別控除》

様式14

譲渡所得（所得）の特別控除に係る土地等についての証明願

（年号）　年　月　日

○　○　市町村長　　殿

　　　　　　　　　　　　　　　　住所（事務所）

　　　　　　　　　　　　　　　　氏名（名　称）

　　　　　　　　　　　　　　　　　（代表者）

　租税特別措置法第34条の3第1項（第65条の5第1項）の規定に基づく土地等を譲渡
した場合の譲渡所得（所得）の特別控除の適用を受けるため、下記の土地等が農業振興地
域の整備に関する法律第8条第2項第1号に規定する農用地区域内にあることを証明願い
ます。

記

土　地　等　の　所　在	地　番	地　目	地　積
			m²

第　　号

　上記のとおり相違ないことを証明します。

（年号）　年　月　日

　　　　　　　　　　　　○　○　市町村長

－417－

第五章第三節《農地保有の合理化等のために農地等を譲渡した場合の譲渡所得の特別控除》

様式15

譲渡所得（所得）の特別控除に係る土地等についての証明願

（年号）　年　月　日

公告をした者（都道府県知事等）　殿

住所（事務所）

氏名（名　称）

（代表者）

　租税特別措置法第34条の3第1項（第65条の5第1項）の規定による土地等を譲渡した場合の譲渡所得（所得）の特別控除の適用を受けるため、下記の土地等は、農地中間管理事業の推進に関する法律第18条第7項の規定による公告があった農用地利用集積等促進計画の定めるところにより譲渡したものであることを証明願います。

記

土地等の所在	地　番	地　目	地　積	農用地利用集積等促進計画の公告の年月日	備　考
			㎡		

（注）　当該土地等の所有権移転が農業経営基盤強化促進法第7条第1項第2号に規定する事業に係るものである場合は、信託財産である旨並びに当該信託に係る受託者（農地中間管理機構）の住所及び名称を備考欄に記載するものとし、当該土地等の権利移転が農用地利用集積等促進計画の公告によるものであることを明らかにする表示のある登記事項証明書を確定申告書等に添付すること。

第　　　号

　上記のとおり相違ないことを証明します。

（年号）　年　月　日

公告をした者（都道府県知事等）

—418—

第五章第三節《農地保有の合理化等のために農地等を譲渡した場合の譲渡所得の特別控除》

様式16

譲渡所得（所得）の特別控除に係る土地等についての証明願

（年号）　年　月　日

　○　○　市町村長　殿

　　　　　　　　　　　　　　　　住所（事務所）

　　　　　　　　　　　　　　　　氏名（名　称）

　　　　　　　　　　　　　　　　　　　　（代表者）

　租税特別措置法第34条の3第1項（第65条の5第1項）の規定による土地等を譲渡した場合の譲渡所得（所得）の特別控除の適用を受けるため、下記の土地等は、農業経営基盤強化促進法等の一部を改正する法律（令和4年法律第56号）附則第5条第2項の規定によりなおその効力を有するものとされる同項に規定する農用地利用集積計画の定めるところにより譲渡したものであり、かつ、当該土地等が農業振興地域の整備に関する法律第8条第2項第1号に規定する農用地区域内にあることを証明願います。

記

土地等の所在	地　番	地　目	地　積	農用地利用集積計画の公告の年月日	備　考
			m²		

（注1）土地等の権利移転が農用地利用集積計画の公告によるものであることを明らかにする表示のある登記事項証明書を確定申告書等に添付する場合は、当該土地等が農用地区域内にあることの証明のみでよいこととされているので、下線部は削除すること。

（注2）当該土地等の所有権移転が農業経営基盤強化促進法第7条第1項第2号に規定する事業に係るものである場合は、信託財産である旨並びに当該信託に係る受託者（農地中間管理機構）の住所及び名称を備考欄に記載するものとし、この場合は（注1）にかかわらず、当該土地等の権利移転が農用地利用集積計画の公告によるものであることを明らかにする表示のある登記事項証明書を確定申告書等に添付すること。

（注3）当該土地等の所有権移転が農業協同組合法第10条第3項に規定する信託に係るものである場合は、信託財産である旨並びに当該信託に係る受託者（農業協同組合）の住所及び名称を備考欄に記載するものとし、この場合は（注1）にかかわらず、当該土地等の権利移転が農用地利用集積計画の公告によるものであることを明らかにする表示のある登記事項証明書を確定申告書等に添付すること。

第　　号

　上記のとおり相違ないことを証明します。

　（年号）　年　月　日

　　　　　　　　　　　　　　　　　　○　○　市町村長

－419－

第六章　居住用財産の譲渡所得の特別控除（措法35①）

（3,000万円の特別控除）

第一節　特例の概要

　個人が、その居住の用に供している家屋を譲渡した場合、その家屋とともにその敷地の用に供されている土地等の譲渡（譲渡所得の基因となる不動産の貸付けも含みます。以下同じ。）をした場合又は次の〈イ〉から〈ハ〉までのいずれかに該当する家屋又は土地等をこれらの家屋が居住の用に供されなくなった日から同日以後3年を経過する日の属する年の12月31日までに譲渡した場合には、それらの資産の譲渡に対する長期譲渡所得の課税の特例、短期譲渡所得の課税の特例の適用上、その譲渡所得の金額から3,000万円の特別控除を行うことができます。

〈イ〉　災害により滅失した居住用家屋の敷地の用に供されていた土地等

〈ロ〉　従来居住の用に供していた家屋で居住の用に供されなくなったもの

〈ハ〉　〈ロ〉の家屋の敷地の用に供されていた土地等で、〈ロ〉の家屋とともに譲渡されるもの

　なお、〈ロ〉の家屋については、居住の用に供されなくなった日以後、譲渡される日までの期間内のその家屋の使途は問わないことになっていますので、他に貸し付けたり、事業の用に供していたものであってもこの特例を適用することができます。

　また、居住用財産を譲渡した場合の長期譲渡所得の課税の特例（軽減税率の特例＝第一章第三節（206ページ）参照）、及び特定の居住用財産の買換え等の場合の長期譲渡所得の課税の特例（買換え（交換）の特例＝第十章第一節（454ページ）参照）との適用関係は、次のとおりです。

適　用　条　文		措法35条①	措法31条の3	措法36条の2、36条の5
区　　　分		①　3,000万円の特別控除	②　軽減税率の特例	③　特定の居住用財産の買換・交換の特例
居住用財産の譲渡	所有期間が10年超のもの〔譲渡の年の1月1日現在〕 ・譲渡者の居住期間が10年以上 ・買換家屋の床面積が50㎡以上 ・買換土地等の面積が500㎡以下	適用できる	適用できる	適用できる
		└①と②は両方適用可┘		
		└①②と③は選択適用┘		
	上記以外のもの	適用できる	適用できる	適用できない
	所有期間が10年以下のもの	適用できる	適用できない	適用できない

第二節　特例の適用を受けるための要件

1　居住用財産の範囲等

譲渡資産は、次に掲げる居住用財産でなければなりません。

（1）　個人が現に居住の用に供している家屋

この特例の適用がある居住の用に供している家屋とは、その者が生活の拠点として利用している家屋（一時的な利用を目的とする家屋を除きます。）をいい、これに該当するかどうかは、その者及び配偶者等（社会通念に照らしその者と同居することが通常であると認められる配偶者その他の者をいいます。以下この項において同じ。）の日常生活の状況、その家屋への入居目的、その家屋の構造及び設備の状況その他の事情を総合勘案して判定することとされています（措通31の3－2、35－6）。

ただし次のような場合には居住の用に供している家屋には該当しないものとして取り扱われます（措通31の3－2（2））。

イ　3,000万円特別控除の規定の適用を受けるためのみの目的で入居したと認められる家屋、その居住の用に供するための家屋の新築期間中だけの仮住まいである家屋その他一時的な目的で入居したと認められる家屋

　（注）　譲渡した家屋における居住期間が短期間であっても、その家屋への入居目的が一時的なものでない場合には、その家屋は上記に掲げる家屋には該当しません。

ロ　主として趣味、娯楽又は保養の用に供する目的で有する家屋

また、その家屋の所有者が現に居住の用に供していない家屋であっても、次の場合にはその家屋は、その所有者が居住の用に供している家屋として取り扱われます。

①　転勤、転地療養等の事情により、配偶者等と離れ単身で他に起居している場合であっても、当該事情が解消した後は、その者が配偶者等と起居をともにすると認められる場合におけるその配偶者等が居住の用に供している家屋（措通31の3－2（1）、35－6）

　（注）　これにより、その者が、その居住の用に供している家屋を二以上所有することとなる場合には、措置法令第23条第1項の規定により、その者が主としてその居住の用に供していると認められる一の家屋のみが、3,000万円特別控除の規定の対象となる家屋に該当することとなります。

　　　この場合において「その者が主としてその居住の用に供していると認められる一の家屋」に該当するかどうかの判定は、次の各場合に応じそれぞれに掲げる時点の現況で判定します（措通31の3－9、35－6）。

　　（イ）　その譲渡した家屋がその譲渡の時においてその者の居住の用に供している家屋である場合　　その譲渡の時

　　（ロ）　その譲渡した家屋がその者の居住の用に供していた家屋でその譲渡の時においてその者の居住の用に供されていないものである場合　　その家屋がその者の居住の用に供されなくなった時

　　　その譲渡した家屋が、上記（ロ）により、「その者が主としてその居住の用に供していると認められる一の家屋」に該当すると判定された場合には、その譲渡した家屋は、その譲渡の時においてその者が他にその居住の用に供している家屋を有している場合であっても、居住用家屋に該当します。

②　その有する家屋が居住の用に供している家屋に該当しない場合であっても、次に掲げる要件の全てを満たしているとき（措通31の3－6、35－6）

　　ただし、これらの要件を満たす家屋であっても、その譲渡及びその家屋の譲渡とともにする敷地の譲渡又は災害により滅失した当該家屋の敷地の譲渡が、次の（ロ）の要件を欠くこととなった日から1年を経過した日以後に行われた場合には、その家屋は居住用家屋としては取り扱われません。

　　（イ）　その家屋は、その所有者が従来その所有者としてその居住の用に供していた家屋であること。

　　（ロ）　その家屋は、その所有者がその家屋を居住の用に供さなくなった日以後引き続きその生計を一にする親族（2の（1）の（注1）（426ページ）参照。）の居住の用に供している家屋であること。

－421－

（ハ）　所有者は、その家屋をその居住の用に供さなくなった日以後において、既に措置法第31条の3（第一章第三節）、第35条第1項（同条第3項（本章第五節）の規定により適用する場合を除きます。）、第36条の2、第36条の5、第41条の5（第二十一章）又は第41条の5の2（第二十二章）の規定の適用を受けていないこと。

（ニ）　その所有者の居住の用に供している家屋は、その所有者の所有する家屋でないこと。

（注1）　その家屋が、上記（イ）の所有者が従来その居住の用に供していた家屋であるかどうか及び上記（ロ）の生計を一にする親族がその居住の用に供している家屋であるかどうかは、前記の措通31の3－2に定めるところに準じて判定します。

（注2）　この取扱いは、その家屋を譲渡した年分の確定申告書に次に掲げる書類の添付がある場合（当該確定申告書の提出後において当該書類を提出した場合を含みます。）に限り適用することとされています。
　　　（1）　その所有者の戸籍の附票の写し
　　　（2）　その生計を一にする親族が居住の用に供していることを明らかにする書類
　　　（3）　その家屋及びその所有者の居住の用に供している家屋の登記事項証明書

（2）　店舗兼住宅等の居住部分

店舗兼住宅のようにその居住の用に供している家屋のうちに居住の用以外の用に供されている部分のある家屋に係るその居住の用に供している部分及びその家屋の敷地の用に供されている土地等のうちその居住の用に供している部分は、次により計算し、その部分のみを特別控除の対象とします（措通31の3－7、35－6）。

イ　家屋のうちその居住の用に供している部分は、次の算式により計算した面積に相当する部分となります。

$$\left(\begin{array}{l}\text{家屋のうちその居住の用に専ら}\\\text{供している部分の床面積　A}\end{array}\right)+\left(\begin{array}{l}\text{家屋のうちその居住の用と居住の用以外の}\\\text{用とに併用されている部分の床面積　B}\end{array}\right)\times\left(\dfrac{A}{A+\begin{array}{l}\text{居住の用以外}\\\text{の用に専ら供}\\\text{されている部}\\\text{分の床面積}\end{array}}\right)$$

ロ　土地等のうちその居住の用に供している部分は、次の算式により計算した面積に相当する部分となります。

$$\left(\begin{array}{l}\text{土地等のうちその居住の用に}\\\text{専ら供している部分の面積}\end{array}\right)+\left(\begin{array}{l}\text{土地等のうちその居住の用}\\\text{と居住の用以外の用とに併}\\\text{用されている部分の面積}\end{array}\right)\times\left(\dfrac{\begin{array}{l}\text{家屋の床面積のうちイの算}\\\text{式により計算した床面積}\end{array}}{\text{家屋の床面積}}\right)$$

（注）　その居住の用に供している家屋のうちに居住の用以外の用に供されている部分のある家屋又はその家屋の敷地の用に供されている土地等をその居住の用に供されなくなった後において譲渡した場合におけるその家屋又は土地等のうちその居住の用に供している部分の判定は、その家屋又は土地等をその居住の用に供されなくなった時の直前における利用状況に基づいて行い、その居住の用に供されなくなった後における利用状況は、この判定には関係がないものとされます。

なお、店舗兼住宅であっても、居住の用に供している家屋又はその敷地の用に供されている土地等のうち、上記により計算した居住の用に供している部分がそれぞれ家屋又は敷地である土地等のおおむね90％以上であるときは、その家屋の全部又は土地等の全部を居住用部分として取り扱っても差し支えないことになっています（措通31の3－8、35－6）。

（3）　居住用の家屋とともに譲渡した土地又は土地の上に存する権利

家屋とともにその敷地となっている土地又は借地権を譲渡した場合に、その家屋が上記（1）の居住の用に供している家屋に該当するものであるときは、その家屋と土地等を併せてこの特例が適用されます（措法35①）。

したがって、その敷地となっている土地や借地権だけを、家屋と別に譲渡しても原則としてこの特例の適用は受けられません。

しかし、居住の用に供している家屋又はその家屋で居住の用に供されなくなったもの（3,000万円控

除の対象となる家屋に限ります。以下同じ。）を取り壊してその敷地の用に供されていた土地等を譲渡したという場合（その取壊し後、その土地等の上にその土地等の所有者が建物等を建築し、その建物等とともにその土地等を譲渡する場合を除きます。）において、その土地等の譲渡が次の①及び②の要件の全てを満たすときは、その土地等の譲渡についてこの特例を適用することができます。ただし、その居住の用に供している家屋の敷地の用に供されている土地等のみの譲渡であっても、その家屋を引き家してその土地等を譲渡する場合には、その土地等の譲渡についてこの特例を適用することはできません（措通35－2）。

① その土地等の譲渡に関する契約が、その家屋を取り壊した日から1年以内に締結され、かつ、その家屋を居住の用に供さなくなった日以後3年を経過する日の属する年の12月31日までに譲渡したものであること。

② その家屋を取り壊した後譲渡に関する契約を締結した日まで、貸付けその他の用に供していない土地等の譲渡であること。

（4）居住用家屋の一部を譲渡した場合

その居住の用に供している家屋又はその家屋で居住の用に供されなくなったものを区分して所有権の目的としその一部のみを譲渡した場合又は2棟以上の建物から成る一構えのその居住の用に供している家屋（その家屋でその居住の用に供されなくなったものを含みます。）のうち一部のみを譲渡した場合には、その譲渡した部分以外の部分が機能的にみて独立した居住用の家屋と認められない場合に限り、その譲渡は、特例の適用対象となる譲渡に該当するものとされます（措通31の3－10、35－6）。

（5）居住用家屋を共有とするために譲渡した場合

その居住の用に供している家屋（その家屋でその居住の用に供されなくなったものを含みます。）を他の者と共有にするため譲渡した場合又はその家屋について有する共有持分の一部を譲渡した場合には、その譲渡は、措置法第35条第1項に規定する「譲渡」には該当しないこととなっています（措通31の3－11、35－6）。

（6）居住用家屋の敷地の判定

譲渡した土地等が措置法第35条第2項に規定する居住の用に供している家屋の「敷地」に該当するかどうかは、社会通念に従い、その土地等がその家屋と一体として利用されている土地等であったかどうかにより判定することとされています（措通31の3－12、35－6）。

（7）災害滅失家屋の跡地等の用途

災害により滅失した居住の用に供していた家屋の敷地の用に供されていた土地等又は居住の用に供していた家屋でその後居住の用に供されなくなったもの又はその家屋とともにするその家屋の敷地の用に供されている土地等の譲渡が、これらの家屋をその居住の用に供されなくなった日から同日以後3年を経過する日の属する年の12月31日までの間に行われている場合には、その譲渡した資産は、居住の用に供されなくなった日以後どのような用途に供されている場合であっても、居住用財産に該当します（措通31の3－14、35－6）。

しかし、所基通33－4《固定資産である土地に区画形質の変更等を加えて譲渡した場合の所得》及び33－5《極めて長期間保有していた土地に区画形質の変更等を加えて譲渡した場合の所得》により、その譲渡による所得が事業所得又は雑所得となる場合には、3,000万円特別控除がもともと譲渡所得の課税の特例であることから、この特別控除の対象とはなりません。

（注） 上記及び次の**（8）**の場合の「災害」というのは、所得税法第2条第1項第27号《定義》に規定している災害、すなわち震災、風水害、火災、冷害、雪害、干害、落雷、噴火その他の自然現象の異変による災害及び鉱害、火薬類の爆発その他の人為による異常な災害並びに害虫、害獣その他の生物による異常な災害をいうものとされています（措通31の3－13、35－6）。

－423－

第六章《居住用財産の譲渡所得の特別控除》

（8）　居住の用に供されなくなった家屋が災害により滅失した場合

　居住の用に供されていた家屋が居住の用に供されなくなった後において災害により滅失した場合には、その居住の用に供されなくなった日から同日以後3年を経過する日の属する年の12月31日までの間に、その家屋の敷地の用に供されていた土地等を譲渡したときは、その土地等の譲渡は居住用財産の譲渡として特別控除の対象とされることになっています（措通31の3－15、35－6）。

（9）　土地区画整理事業等施行地区内の土地等を譲渡した場合

　土地区画整理法による土地区画整理事業、新都市基盤整備法による土地整理又は大都市地域住宅等供給促進法による住宅街区整備事業（以下「土地区画整理事業等」といいます。）の施行地区内にある従前の宅地（その宅地の上に存する建物の所有を目的とする借地権を含みます。）を仮換地の指定又は使用収益の停止があった後に譲渡した場合における3,000万円特別控除の取扱いは、次によります（措通35－3）。

① 　従前の宅地の所有者（借地権者を含みます。）が、その従前の宅地に係る仮換地に自己が居住の用に供している家屋（その家屋で居住の用に供されなくなったものを含みます。以下同じ。）を有する場合には、その従前の宅地は、その家屋の敷地の用に供されているものとして取り扱い、居住用財産として特別控除の対象資産となります。

② 　居住の用に供している家屋の移転又は除去（土地区画整理事業等のために行われるものに限ります。）後において、その家屋の敷地の用に供されていた従前の宅地を譲渡した場合（換地処分により譲渡した場合を除きます。）には、その譲渡時期が家屋を居住の用に供さなくなった日から次に掲げる日のうちいずれか遅い日までの間であれば、その従前の宅地の譲渡は、居住用家屋の譲渡とともにするその敷地の譲渡とみなして、3,000万円特別控除の対象となります。

　イ　その家屋がその居住の用に供されなくなった日以後3年を経過する日の属する年の12月31日

　ロ　その家屋をその居住の用に供さなくなった日から1年以内に仮換地の指定があった場合（仮換地の指定後において居住の用に供さなくなった場合を含みます。）には、その従前の宅地に係る仮換地につき使用又は収益を開始することができることとなった日以後1年を経過する日

（10）　権利変換により取得した施設建築物等の一部を取得する権利等の譲渡

　都市再開発法による市街地再開発事業など次に掲げる事業の施行地区内にその居住の用に供している家屋（その家屋で居住の用に供されなくなったものを含みます。）及びその家屋の敷地の用に供されている土地等（災害により滅失したその家屋の敷地であった土地等を含みます。）を有する者について、それぞれ次に掲げるところにより措置法第33条の3の規定による旧資産、防災旧資産又は変換前資産の譲渡があったとみなされる日が、その家屋をその居住の用に供されなくなった日から同日以後3年を経過する日の属する年の12月31日までの間にあるときは、その譲渡は、本章の特例の適用対象となる譲渡に該当することとされています（措通31の3－17、35－6）。

① 　市街地再開発事業に係る権利変換、収用又は買取りに伴い取得した施設建築物の一部を取得する権利（その権利とともに取得した施設建築敷地若しくはその共有持分又は地上権の共有持分を含みます。）又は建築施設の部分の給付を受ける権利を譲渡（措置法第33条の3第3項に規定する相続、遺贈又は贈与を含みます。）した場合又は建築施設の部分につき都市再開発法第118条の5第1項《譲受け希望の申出等の撤回》に規定する譲受け希望の申出を撤回した場合（同法第118条の12第1項又は第118条の19第1項により譲受けの申出を撤回したものとみなされる場合を含みます。）……措置法第33条の3第3項の規定による旧資産の譲渡があったものとみなされる日

② 　密集市街地における防災街区の整備の促進に関する法律による防災街区整備事業に係る権利変換に伴い取得した防災施設建築物の一部を取得する権利（その権利とともに取得した防災施設建築敷地若しくはその共有持分又は地上権の共有持分を含みます。）を譲渡（措置法第33条の3第5項に規定する相続、遺贈又は贈与を含みます。）した場合……同項の規定による防災旧資産の譲渡があったものとみなされる日

③ 　マンションの建替え等の円滑化に関する法律によるマンション建替事業に係る権利変換に伴い取

－424－

得した施行再建マンションに関する権利を取得する権利（その権利とともに取得した施行再建マンションに係る敷地利用権を含みます。）を譲渡（措置法第33条の3第7項に規定する相続、遺贈又は贈与を含みます。）した場合……同項の規定による変換前資産の譲渡があったものとみなされる日

(11) 居住用家屋の敷地の一部の譲渡

その居住の用に供している家屋（その家屋で居住の用に供されなくなったものを含みます。）の敷地の用に供されている土地等又は災害により滅失した家屋（（3）で述べた取り壊した家屋を含みます。以下同じ。）の敷地の用に供されていた土地等の一部を区分して譲渡した場合には、次の点に留意してください（措通31の3－18、35－6）。

① 現に存する家屋の敷地の用に供されている土地等の一部の譲渡である場合　その譲渡がその家屋の譲渡と同時に行われたものであるときは、その譲渡はこの特例の適用対象となる譲渡に該当しますが、その譲渡がその家屋の譲渡と同時に行われたものでないときは、その譲渡はこの特例の適用対象となる「土地若しくは土地の上に存する権利の譲渡」には該当しません。

② 災害により滅失した家屋の敷地の用に供されていた土地等の一部の譲渡である場合　その譲渡は、すべてこの特例の適用対象となる「土地若しくは土地の上に存する権利の譲渡」に該当します。

> **(注)** 譲渡した土地等が家屋の敷地の用に供されている土地又はその家屋の敷地の用に供されていた土地に該当するかどうかは、前記(6)に定めるところにより判定することとなります。

(12) 居住用家屋の所有者と土地の所有者が異なる場合

居住用家屋の所有者以外の者が、その家屋の敷地の用に供されている土地等の全部又は一部を有している場合において、その家屋（家屋の所有者が有するその敷地の用に供されている土地等を含みます。）の措置法第35条第2項各号に規定する譲渡に係る長期譲渡所得の金額又は短期譲渡所得の金額（以下この項において「長期譲渡所得の金額等」といいます。）が措置法第35条第2項の3,000万円の特別控除額に満たないときは、その満たない金額は、次に掲げる要件の全てに該当する場合に限り、その家屋の所有者以外の者が所有するその土地等の譲渡に係る長期譲渡所得の金額等の範囲内において、これらの所得の金額から控除することができることとされています（措通35－4）。

① その家屋とともにその敷地の用に供されている土地等の譲渡があったこと。

② その家屋の所有者とその土地等の所有者とが親族関係を有し、かつ、生計を一にしていること。

③ その土地等の所有者は、その家屋の所有者とともにその家屋に居住していること。

> **(注1)** ②及び③の要件に該当するかどうかは、その家屋の譲渡の時の状況により判定します。ただし、その家屋がその所有者の居住の用に供されなくなった日から同日以後3年を経過する日の属する年の12月31日までの間に譲渡されたものであるときは、②の要件に該当するかどうかは、その家屋がその所有者の居住の用に供されなくなった時からその家屋の譲渡の時までの間の状況により、③の要件に該当するかどうかは、その家屋がその所有者の居住の用に供されなくなった時の直前の状況により判定します。
>
> **(注2)** 上記の要件を具備する家屋の所有者が2人以上ある場合には、その家屋（敷地として供されている土地等のうちその家屋の所有者が有する部分を含みます。）の譲渡に係るその満たない金額の合計額の範囲内（上記の要件を具備する土地等の所有者が1人である場合には最高3,000万円を限度とし、その土地等の所有者が2人以上である場合にはその合計額の範囲内でその土地等の所有者各人に配分した金額はその土地等の所有者各人ごとに最高3,000万円を限度とします。）でその土地等の所有者について、譲渡所得の金額の計算上控除することになります。
>
> **(注3)** (12)の取扱いにより、居住用家屋の所有者以外の者がその家屋の敷地の譲渡につきこの特例の適用を受ける場合には、その家屋の所有者に係るその家屋の譲渡について措置法第41条の5第1項《居住用財産の買換え等の場合の譲渡損失の損益通算及び繰越控除》又は第41条の5の2第1項《特定居住用財産の譲渡損失の損益通算及び繰越控除》の規定の適用を受けることはできません。

(13) 借地権等の設定されている土地の譲渡

居住用家屋の所有者が、その家屋の敷地である借地権等の設定されている土地（以下この項において「居住用底地」といいます。）の全部又は一部を所有している場合において、その家屋を取り壊しそ

の居住用底地を譲渡したときの3,000万円特別控除（本章第五節の規定により適用する場合を除きます。）の適用については、**(3)**の措置法通達35－2に準じて取り扱うこととされ、その居住用底地がその家屋とともに譲渡されているときは、その家屋及びその居住用底地の譲渡について3,000万円特別控除の適用が認められます。

また、居住用家屋の所有者以外の者が、居住用底地の全部又は一部を所有している場合における3,000万円特別控除の適用については、**(12)**の措置法通達35－4に準じて取り扱われます（措通35－5）。

　(注)　上記のような取扱いが適用されるケースについては、第一章第三節の1の**(15)**の**(注)**（213ページ）参照。

2　譲渡の範囲

この特例の適用がある譲渡の範囲は次のとおりです。

(1)　その個人の配偶者その他その個人と特別な関係のある者以外の者に譲渡したものであること

この場合、特別な関係のある者とは、次の者をいいます（措令20の3①、23②）。

なお、これらの特別な関係にある者に該当するかどうかは、その譲渡をした時において判定します（措通31の3－20、35－6）。

ただし、その譲渡が次の②の「その個人とその家屋に居住をするもの」に対する譲渡に該当するかどうかは、その譲渡がされた後の状況により判定します。

①　その個人の配偶者及び直系血族

②　その個人の親族（①を除く。）でその個人と生計を一にしているもの及びその個人の親族（①を除く。）で居住の用に供している家屋の譲渡がされた後その個人とその家屋に居住をするもの

③　その個人と内縁関係にあるもの及びその者の親族でその者と生計を一にしているもの

④　①～③に掲げる者及びその個人の使用人以外の者でその個人から受ける金銭その他の財産によって生計を維持している者並びにこれらの者の親族でこれらの者と生計を一にしているもの

⑤　その個人、その個人の①又は②に掲げる親族、その個人の使用人若しくはその使用人の親族でその使用人と生計を一にしているもの又はその個人に係る上記③及び④に掲げる者を判定の基礎となる株主等とした場合に、法人税法施行令第4条第2項に規定する特殊の関係その他これに準ずる関係のあることとなる会社その他の法人

　(注1)　②～⑤の「生計を一にしているもの」とは、必ずしも同一の家屋に起居していることをいうのではなく、次のような場合には、それぞれ次によります（措通31の3－21、35－6、所基通2－47）。

　　イ　勤務、修学、療養等の都合上他の親族と日常の起居を共にしていない親族がいる場合であっても、次に掲げる場合に該当するときは、これらの親族は生計を一にするものとされます。

　　（イ）　他の親族と日常の起居を共にしていない親族が、勤務、修学等の余暇には他の親族のもとで起居を共にすることを常例としている場合

　　（ロ）　これらの親族間において、常に生活費、学資金、療養費等の送金が行われている場合

　　ロ　親族が同一の家屋に起居している場合には、明らかに互いに独立した生活を営んでいると認められる場合を除き、これらの親族は生計を一にするものとされます。

　(注2)　②の「その個人の親族で居住の用に供している家屋の譲渡がされた後その個人とその家屋に居住をするもの」とは、その家屋の譲渡がされた後において、その家屋の譲渡者である個人及びその家屋の譲受者であるその個人の親族（その個人の配偶者及び直系血族並びにその譲渡の時においてその個人と生計を一にしている親族を除きます。）が共にその家屋に居住する場合におけるその譲受者をいいます（措通31の3－22、35－6）。

　(注3)　④の「その個人から受ける金銭その他の財産によって生計を維持している者」とは、その個人から給付を受ける金銭その他の財産又は給付を受けた金銭その他の財産の運用によって生ずる収入を日常生活の資の主要部分としている者をいうのですが、その個人から離婚に伴う財産分与、損害賠償その他これらに類するものとして受ける金銭その他の財産によって生計を維持している者は含まれないも

のとされています（措通31の３－23、35－６）。

（注４）　⑤の「株主等」とは、株主名簿又は社員名簿に記載されている株主等をいいますが、株主名簿又は社員名簿に記載されている株主等が単なる名義人であって、その名義人以外の者が実際の権利者である場合には、その実際の権利者をいいます（措通31の３－24、35－６）。

（注５）　⑤の「その他の法人」には、例えば、出資持分の定めのある医療法人のようなものがあります（措通31の３－25、35－６）。

（２）　居住用財産の譲渡が他の課税の特例の適用を受ける譲渡でないこと

先に述べた「収用等に伴い代替資産を取得した場合の課税の特例（措法33）」、「交換処分等に伴い資産を取得した場合の課税の特例（措法33の２）」、「換地処分に伴い資産を取得した場合の課税の特例（措法33の３）」又は「収用交換等の場合の譲渡所得等の特別控除（措法33の４）」などの課税の特例の適用を受ける収用交換等による譲渡及び、「固定資産の交換の場合の課税の特例（所法58）」、「特定の事業用資産の買換えの場合の譲渡所得の課税の特例（措法37）」、「特定の事業用資産の交換の場合の譲渡所得の課税の特例（措法37の４）」、「既成市街地等内にある土地等の中高層耐火建築物等の建設のための買換え及び交換の場合の譲渡所得の課税の特例（措法37の５）」、「特定の交換分合により土地等を取得した場合の課税の特例（措法37の６）」若しくは「特定普通財産とその隣接する土地等の交換の場合の譲渡所得の課税の特例（措法37の８）」の適用を受ける譲渡について、これらの特例の適用を受ける場合にはこの居住用財産の譲渡所得の特別控除の特例の適用を受けることはできません。

ただし、譲渡した家屋又はその敷地のうちに居住の用に供する部分（居住用部分）とその他の部分（非居住用部分）とがある場合には、非居住用部分について「収用等に伴い代替資産を取得した場合の課税の特例（措法33）」又は「交換処分等に伴い資産を取得した場合の課税の特例（措法33の２）」（措令第22条第５項又は第６項《一組資産法又は事業継続法》又は措令第22条の２第２項《一組資産法》に規定する資産を代替資産又は同種の資産とする場合に限ります。**（注４）**）又は「特定の事業用資産の買換え又は交換の場合の特例（措法37又は37の４）」の適用を受けるときであっても、居住用部分の譲渡所得については、居住用財産の譲渡所得の特別控除の特例を適用することができます（措通35－１）。

（注１）　居住の用に供されなくなった後において譲渡した家屋又は土地（土地の上に存する権利を含みます。以下同様とします。）に係る居住用部分及び非居住用部分の判定は、その者の居住の用に供されなくなった時の直前における家屋又は土地の利用状況に基づいて行い、その者の居住の用に供されなくなった後における利用状況は、この判定には関係させないこととしています。

（注２）　居住の用に供されなくなった後において居住用部分の全部又は一部を他の用途に転用した家屋又は土地を譲渡し、その譲渡につきその転用後の用途に基づいて措法第33条、第33条の２第１項、第37条、第37条の４又は第37条の９の規定の適用を受ける場合には、その居住用部分の譲渡については、居住用財産の譲渡所得の特別控除は適用されません。

（注３）　居住用財産の買換えの場合の課税の特例の適用を受けた者が、災害その他その者の責めに帰せられないやむを得ない事情により、買換資産をその取得期限（譲渡資産を譲渡した年の翌年12月31日）までに取得できなかったため買換えの特例の適用を受けられなくなった場合には、譲渡資産を譲渡した年の翌々年４月30日までに修正申告書を提出する場合に限り、この3,000万円控除の特例を適用できます（措通31の３－27、35－６）。

（注４）　一組資産法又は事業継続法とは、同一の効用を有する一組の資産又は事業用の一組の資産をもって、譲渡資産と「同種の資産」とみて課税の繰延べを認める特例ですが、この特例を適用する場合には居住用部分の譲渡資産について代替資産を取得できない場合が生じます。このため一組資産法又は事業継続法に限定しているものです。

－427－

（3）　居住用財産を譲渡した年の前年又は前々年において、居住用財産の譲渡所得の特別控除、居住用財産の買換え、交換の場合の長期譲渡所得の課税の特例、居住用財産の買換え等の場合の譲渡損失の損益通算及び繰越控除又は特定居住用財産の譲渡損失の損益通算及び繰越控除の適用を受けていないこと

　つまり、特定の居住用財産の買換え及び交換の場合の長期譲渡所得の課税の特例（措法36の２、36の５）、居住用財産の買換え等の場合の譲渡損失の損益通算及び繰越控除（措法41の５）又は特定居住用財産の譲渡損失の損益通算及び繰越控除（措法41の５の２）あるいは居住用財産の譲渡所得に係る3,000万円控除を適用した年の翌年又は翌々年に、現に自己の居住している家屋を譲渡しても、この特別控除の適用は受けられないことになります（措法35②）。

第三節　特別控除額の計算方法

　この規定に該当する居住用財産の譲渡について長期譲渡所得の課税の特例又は短期譲渡所得（一般所得分）の課税の特例又は短期譲渡所得（軽減所得分）の課税の特例を適用する場合の3,000万円の特別控除額は、次により計算することとされています。

1　居住用財産の譲渡に係る所得の全部が長期譲渡所得である場合

　この場合における長期譲渡所得の金額は、長期譲渡所得の金額から3,000万円を控除した額とされます。ただし、居住用財産の譲渡に係る長期譲渡所得の金額が3,000万円に満たないときは、その譲渡所得の金額の全額が控除されますから、この場合の課税長期譲渡所得金額はないこととなります（措法35①一）。

〔計算例〕昭和56年から所有していた居住用財産を5,000万円で譲渡した場合の課税長期譲渡所得金額の計算（取得費は概算取得費による。）

①　長期譲渡所得の金額　5,000万円（収入金額）－(5,000万円×5％)（概算取得費控除）＝4,750万円

②　課税長期譲渡所得金額　4,750万円－3,000万円（居住用財産の譲渡所得の特別控除額）＝1,750万円

2　居住用財産の譲渡に係る所得の全部が短期譲渡所得（一般所得分）である場合

　この場合における課税される短期譲渡所得の金額は、短期譲渡所得の金額から3,000万円を控除した額とされます。

　なお、居住用財産の譲渡に係る短期譲渡所得の金額が3,000万円に満たないときは、その全額が控除されますから、課税される短期譲渡所得の金額はないことになります（措法35①二）。

〔計算例〕令和元年に取得した居住用財産（取得費2,000万円）を令和６年に3,500万円で譲渡した場合の課税短期譲渡所得金額の計算

①　短期譲渡所得の金額　3,500万円（収入金額）－2,000万円（取得費）＝1,500万円

②　課税短期譲渡所得金額　1,500万円－1,500万円（居住用財産の譲渡所得の特別控除額）＝0

3　居住用財産の譲渡に係る所得の全部が短期譲渡所得（軽減所得分）である場合

　この場合における課税される短期譲渡所得の金額（軽減所得分）は、短期譲渡所得の金額（軽減所得分）から3,000万円を控除した額とされます。

　なお、居住用財産の譲渡に係る短期譲渡所得の金額（軽減所得分）が3,000万円に満たないときは、そ

の全額が控除されますから、課税短期譲渡所得金額はないことになります（措法35①二）。

〔**計算例**〕令和元年に取得した居住用家屋の敷地（取得費1,500万円）を令和6年に5,000万円で譲渡した場合の課税短期譲渡所得金額（軽減所得分）の計算（家屋は事前に取り壊している。）

① 短期譲渡所得の金額（軽減所得分）　（収入金額）5,000万円－（取得費）1,500万円＝3,500万円

② 課税短期譲渡所得金額（軽減所得分）　3,500万円－（居住用財産の譲渡所得の特別控除額）3,000万円＝500万円

4 居住用財産の譲渡に係る所得に長期譲渡所得と短期譲渡所得（一般所得分）及び短期譲渡所得（軽減所得分）がある場合

この場合は、まず短期譲渡所得の金額（一般所得分）から控除します。したがって、その短期譲渡所得の金額が3,000万円以上であるときは他の譲渡所得の金額から控除される特別控除はないことになり、短期譲渡所得の金額（一般所得分）が3,000万円未満であるため控除不足が生じた場合は、その控除不足の金額が短期譲渡所得の金額（軽減所得分）の特別控除額となり、更に控除不足が生じた場合には、その控除不足の金額を長期譲渡所得から控除します（措法35①一、二）。この場合、長期譲渡所得の中に税負担率の異なる二以上の種類のものがあるときは、税負担の重い方の所得から先に控除します。

〔**計算例**〕居住用財産を令和6年に7,500万円で譲渡し、その収入金額の内訳が、令和元年に新築した家屋（取得費1,800万円）が2,000万円、令和元年に取得したその家屋の敷地である土地の一部（取得費1,200万円）で短期譲渡所得（軽減所得分）となるものが2,500万円、平成7年に取得したその敷地である土地（取得費1,000万円）が3,000万円である場合の課税短期譲渡所得金額（一般所得分）、課税短期譲渡所得金額（軽減所得分）及び課税長期譲渡所得金額の計算

① 短期譲渡所得の金額（一般所得分）　（収入金額）2,000万円－（取得費）1,800万円＝200万円

課税短期譲渡所得金額（一般所得分）　200万円－〔特別控除額（3,000万円に満たない場合はその金額）〕200万円＝0

② 短期譲渡所得の金額（軽減所得分）　（収入金額）2,500万円－（取得費）1,200万円＝1,300万円

課税短期譲渡所得金額（軽減所得分）　1,300万円－〔特別控除額（3,000万円－200万円＝2,800万円）に満たない場合はその金額〕1,300万円＝0

③ 長期譲渡所得の金額　（収入金額）3,000万円－（取得費）1,000万円＝2,000万円

課税長期譲渡所得金額　2,000万円－〔特別控除額（3,000万円－200万円－1,300万円＝1,500万円）〕1,500万円＝500万円

5 同一年中に自己の居住用財産と被相続人の居住用財産の譲渡があった場合の3,000万円控除の適用

同一年中に自己の居住用財産と被相続人の居住用財産を譲渡し、居住用財産の譲渡所得の特別控除の特例（措法35①）と被相続人の居住用家屋に係る譲渡所得の特別控除の特例（措法35③）を併用する場合、2つの特例の適用を併せて3,000万円が特別控除額の限度となります（措通35－7）。

第四節 この特例の適用を受けるための手続

この特例の適用を受けようとする場合には、その居住用財産を譲渡した年分の所得税の確定申告書

に「この特例の適用を受けようとする旨」及びこの特例の要件に該当する事情を記載するとともに資産の譲渡による譲渡所得の金額の計算に関する明細書を添付しなければなりません（措法35⑪、措規18の2②一）。

なお、居住用財産を譲渡した者の住民基本台帳に登載されていた住所が、その譲渡に係る契約を締結した日の前日においてその資産の所在地と異なる場合には、次に掲げる書類を確定申告書に添付する必要があります（措通31の3－26、35－6）。

イ　その者の戸籍の附票の写し（その譲渡をした日から2か月を経過した日後に交付を受けたものに限ります。）又は消除された戸籍の附票の写し

ロ　その者の住民基本台帳に登載されていた住所がその資産の所在地と異なっていた事情の詳細を記載した書類

ハ　その者がその資産に居住していた事実を明らかにする書類

また、確定申告書の提出又は記載若しくは添付書類の添付がない場合においても、そのことについて税務署長がやむを得ない事情があると認めたときは、その記載をした書類及び添付書類を提出すればこの特例の適用が受けられることとされています（措法35⑫）。

第五節　被相続人の居住用家屋に係る譲渡所得の特別控除制度の特例（措法35③）

1　特例の概要

相続又は遺贈（贈与者の死亡により効力を生ずる贈与を含みます。以下同じです。）による被相続人居住用家屋及び被相続人居住用家屋の敷地等の取得をした相続人（包括受遺者を含みます。以下同じです。）が、平成28年4月1日から令和9年12月31日までの間に、その取得をした被相続人居住用家屋又は被相続人居住用家屋の敷地等について、一定の要件を満たす譲渡をした場合には、居住用財産を譲渡した場合に該当するものとみなして、居住用財産の譲渡をした場合の3,000万円特別控除を適用できます（措法35①③）。

2　特例の対象となる被相続人居住用家屋及び被相続人居住用家屋の敷地等

本特例の対象となる相続又は遺贈により取得をした被相続人居住用家屋及び被相続人居住用家屋の敷地等は、次のとおりです。

なお、被相続人居住用家屋及び被相続人居住用家屋の敷地等に該当するかどうかは、相続の開始の直前の現況において判定することとなります。

（1）　被相続人居住用家屋の範囲

被相続人居住用家屋は、相続の開始の直前においてその相続又は遺贈に係る被相続人（包括遺贈者を含みます。以下同じです。）の居住の用（特定事由により相続の開始の直前において被相続人の居住の用に供されていなかった場合におけるその特定事由により居住の用に供されなくなる直前の被相続人の居住の用（以下「対象従前居住の用」といいます。）を含みます。）に供されていた家屋（次のイからハまでの要件を満たすものに限ります。）であって、被相続人が主としてその居住の用に供していたと認められる一の建築物に限ります（措法35⑤、措令23⑩）。

イ	昭和56年5月31日以前に建築されたこと。
ロ	建物の区分所有等に関する法律第1条の規定に該当する建物（区分所有建物）でないこと。
ハ	相続の開始の直前において被相続人以外に居住をしていた者がいなかったこと（被相続人の居住の用に供されていた家屋が対象従前居住の用に供されていた家屋である場合には、特定事由により家屋が居住の用に供されなくなる直前において被相続人以外に居住をしていた者がいな

－430－

第六章《居住用財産の譲渡所得の特別控除》

かったこと。）。

（注1） 上表のロに掲げる「建物の区分所有等に関する法律第1条の規定に該当する建物」とは、区分所有建物である旨の登記がされている建物をいいます（措通35－11）。

※上記の区分所有建物とは、被災区分所有建物の再建等に関する特別措置法（平成7年法律第43号）第2条に規定する区分所有建物をいいます。

（注2） 上表のハに掲げる「被相続人以外に居住をしていた者」とは、相続の開始の直前（被相続人の居住の用に供されていた家屋が対象従前居住の用に供されていた家屋である場合には、特定事由により家屋が居住の用に供されなくなる直前）において、被相続人の居住の用に供されていた家屋を生活の拠点として利用していた被相続人以外の者のことをいい、被相続人の親族のほか、賃借等により当該被相続人の居住の用に供されていた家屋の一部に居住していた者も含まれます（措通35－12）。

一の建築物に限ることとされていますので、例えば、被相続人が主として居住の用に供していた母屋とは別棟の離れ、倉庫、蔵、車庫などがある場合には、たとえその別棟の離れ、倉庫、蔵、車庫などをその母屋と一体として居住の用に供していたときであっても、その母屋部分のみが本特例の対象となる被相続人居住用家屋に該当することとなります。

なお、この一の建築物とは一棟の建築物をいいますので、例えば、主として居住の用に供していた母屋とは別棟の離れが渡り廊下で接続されている場合や主として居住の用に供していた母屋とは別棟の離れがその母屋の附属建物として登記されている場合には、その母屋とその別棟の離れがそれぞれ一の建築物に該当し、その母屋部分のみが本特例の対象となる被相続人居住用家屋に該当することとなります。

（2）　被相続人の居住の用に供されていた家屋

被相続人の居住の用に供されていた家屋とは、被相続人が生活の拠点として利用していた家屋（一時的な利用を目的とする家屋を除きます。）をいい、これに該当するかどうかは、被相続人の日常生活の状況、その家屋への入居目的、その家屋の構造及び設備の状況その他の事情を総合勘案して判定します（措通31の3－2、35－10）。

（注1） 転勤、転地療養等の事情のため、その家屋以外の家屋に起居している場合であっても、その事情が解消したときはその家屋に居住することとなると認められるときは、その家屋は、その居住の用に供されていた家屋として取り扱われます。

※この場合において、当該被相続人の居住の用に供されていた家屋が複数の建築物から成る場合であっても、（1）により、それらの建築物のうち、当該被相続人が主としてその居住の用に供していたと認められる一の建築物のみが被相続人居住用家屋に該当し、当該一の建築物以外の建築物は、被相続人居住用家屋には該当しません。

（注2） 次に掲げるような家屋は、その居住の用に供していた家屋には該当しません。

イ　この特例の適用を受けるためのみの目的で入居したと認められる家屋、その居住の用に供するための家屋の新築期間中だけの仮住まいである家屋その他一時的な目的で入居したと認められる家屋

ロ　主として趣味、娯楽又は保養の用に供する目的で有する家屋

（3）　被相続人居住用家屋の敷地等の範囲

被相続人居住用家屋の敷地等とは、その相続の開始の直前（土地が対象従前居住の用に供されていた家屋の敷地の用に供されていた土地である場合には、特定事由により家屋が被相続人の居住の用に供されなくなる直前。）において被相続人居住用家屋の敷地の用に供されていたと認められる土地又はその土地の上に存する権利をいいます。この場合において、その相続の開始の直前においてその土地が用途上不可分の関係にある二以上の建築物のある一団の土地であった場合には、その土地又はその土地の上に存する権利のうち、その面積（土地にあっては土地の面積をいい、土地の上に存する権利にあってはその土地の面積をいいます。以下同じです。）に次のイ及びロの床面積の合計のうちに次のイの床面積の占める割合を乗じて計算した面積に係る土地又はその土地の上に存する権利の部分に限るものとされています（措法35⑤、措令23⑪）。

この用途上不可分の関係にある二以上の建築物のある一団の土地とは、建築基準法施行令第1条第

－431－

第六章《居住用財産の譲渡所得の特別控除》

1号の敷地と同様に離れ、倉庫、蔵、車庫などの敷地の用に供されている土地をいい、所有者が同一かどうかは関係ありません。

イ	その相続の開始の直前におけるその土地にあった被相続人居住用家屋の床面積
ロ	その相続の開始の直前におけるその土地にあった被相続人居住用家屋以外の建築物の床面積

（注1） （3）に掲げる「特定事由」とは、次に掲げる事由とされています（措令23⑧）。

 イ　介護保険法第19条第1項に規定する要介護認定又は同条第2項に規定する要支援認定を受けていた被相続人その他これに類する一定の被相続人が次に掲げる住居又は施設に入居又は入所をしていたこと。

  ①　老人福祉法第5条の2第6項に規定する認知症対応型老人共同生活援助事業が行われる住居、同法第20条の4に規定する養護老人ホーム、同法第20条の5に規定する特別養護老人ホーム、同法第20条の6に規定する軽費老人ホーム又は同法第29条第1項に規定する有料老人ホーム

  ②　介護保険法第8条第28項に規定する介護老人保健施設又は同条第29項に規定する介護医療院

  ③　高齢者の居住の安定確保に関する法律第5条第1項に規定するサービス付き高齢者向け住宅（①に規定する有料老人ホームを除きます。）

 ロ　障害者の日常生活及び社会生活を総合的に支援するための法律第21条第1項に規定する障害支援区分の認定を受けていた被相続人が同法第5条第11項に規定する障害者支援施設（同条第10項に規定する施設入所支援が行われるものに限ります。）又は同条第17項に規定する共同生活援助を行う住居に入所又は入居をしていたこと。

（注2） （3）に掲げる「用途上不可分の関係にある二以上の建築物」とは、例えば、母屋とこれに附属する離れ、倉庫、蔵、車庫のように、一定の共通の用途に供せられる複数の建築物であって、これを分離するとその用途の実現が困難となるような関係にあるものをいい、（1）に掲げる「被相続人が主としてその居住の用に供していたと認められる一の建築物」と他の建築物とが用途上不可分の関係にあるかどうかは、社会通念に従い、相続の開始の直前における現況において判定することになります。この場合において、これらの建築物の所有者が同一であるかどうかは問わないこととされています（措通35－14）。

上記（1）のとおり、例えば、被相続人が主として居住の用に供していた母屋とは別棟の離れ、倉庫、蔵、車庫などがその一団の土地にある場合には、たとえその別棟の離れ、倉庫、蔵、車庫などをその母屋と一体として居住の用に供していたときであっても、その母屋部分のみが被相続人居住用家屋に該当することとなりますので、被相続人居住用家屋の敷地等についても、上記イ及びロの床面積の合計（母屋及び別棟の離れ、倉庫、蔵、車庫などの床面積の合計）のうちに上記イの床面積（母屋部分の床面積）の占める割合を乗じた部分が被相続人居住用家屋の敷地等となります。

なお、この場合において、本特例の適用対象となる被相続人居住用家屋の敷地等の譲渡は相続又は遺贈により取得をした部分の譲渡に限られています（措法35③）ので、本特例の適用を受けることができる土地は、その一団の土地の面積に上記イ及びロの床面積の合計（母屋及び別棟の離れ、倉庫、蔵、車庫などの床面積の合計）のうちに上記イの床面積（母屋部分の床面積）の占める割合を乗じた部分に、その一団の土地の面積のうち相続又は遺贈により取得をした部分であって譲渡をした部分の占める割合を乗じた部分に限られることとなります。

 （注）　「上記イ及びロの床面積の合計（母屋及び別棟の離れ、倉庫、蔵、車庫などの床面積の合計）」は、その母屋及び別棟の離れ、倉庫、蔵、車庫の登記の有無や所有者に関係なく、合計されます。

（4）　被相続人居住用家屋の敷地等の判定等

譲渡した土地等（土地又は土地の上に存する権利をいいます。以下同じです。）が「被相続人居住用家屋の敷地の用に供されていた土地」又は「土地の上に存する権利」に該当するかどうかは、社会通念に従い、その土地等が相続の開始の直前（土地が対象従前居住の用に供されていた被相続人居住用家屋の敷地の用に供されていた土地である場合には、特定事由により家屋が被相続人の居住の用に供されなくなる直前。以下同じです。）において被相続人居住用家屋と一体として利用されていた土地等であったかどうかにより判定します。

この場合において、相続の開始の直前において、その土地が用途上不可分の関係にある二以上の建

－432－

築物のある一団の土地であった場合における土地は、その土地のうち、次の算式により計算した面積に係る土地の部分に限られます（措通35－13）。

　なお、これらの建築物について相続の時後（土地が対象従前居住の用に供されていた被相続人居住用家屋の敷地の用に供されていた土地である場合には、特定事由により家屋が被相続人の居住の用に供されなくなった時後）に増築や取壊し等があった場合であっても、次の算式における床面積は、相続の開始の直前における現況によることになります。

（算式）

$$\left[\begin{array}{c} \text{一団の土地の} \\ \text{面積}^{(注1)} \ \ A \end{array} \times \dfrac{\begin{array}{c}\text{相続の開始の直前における一団の土地にあった被相続}\\ \text{人居住用家屋の床面積} \ \ B \end{array}}{B + \begin{array}{c}\text{相続の開始の直前における一団の土地にあった}\\ \text{被相続人居住用家屋以外の建築物}^{(注2)}\text{の床面積}\end{array}} \right] \times \dfrac{\begin{array}{c}\text{譲渡した土地等}\\ \text{の面積}^{(注3)}\end{array}}{A}$$

（注1）　被相続人以外の者が相続の開始の直前において所有していた土地等の面積も含まれます。

（注2）　被相続人以外の者が所有していた建築物も含まれます。

（注3）　被相続人から相続又は遺贈により取得した被相続人の居住の用に供されていた家屋の敷地の用に供されていた土地等の面積のうち、譲渡した土地等の面積によります。

〔計算例〕

　具体的な計算例を示すと次のとおりです。

〔設例Ⅰ〕

　相続の開始の直前において、被相続人が所有していた甲土地（1,000㎡）が、用途上不可分の関係にある二以上の建築物（被相続人が所有していた母屋：350㎡、離れ：100㎡、倉庫：50㎡）のある一団の土地であった場合（甲土地及びこれらの建築物について相続人Ａが４分の３を、相続人Ｂが４分の１を相続し、相続人Ａと相続人Ｂが共に譲渡したケース）

①　相続人Ａが譲渡した土地（1,000㎡×3／4＝750㎡）のうち、被相続人居住用家屋の敷地等に該当する部分の計算

$$\left[1,000㎡ \times \dfrac{350㎡}{350㎡ + (100㎡ + 50㎡)} \right] \times \dfrac{750㎡}{1,000㎡} = 525㎡$$

②　相続人Ｂが譲渡した土地（1,000㎡×1／4＝250㎡）のうち、被相続人居住用家屋の敷地等に該当する部分の計算

$$\left[1,000㎡ \times \dfrac{350㎡}{350㎡ + (100㎡ + 50㎡)} \right] \times \dfrac{250㎡}{1,000㎡} = 175㎡$$

〔設例Ⅱ〕

　相続の開始の直前において、被相続人が所有していた甲土地（800㎡）と乙土地（200㎡）が、用途上不可分の関係にある二以上の建築物（被相続人が所有していた母屋：350㎡、離れ：100㎡、倉庫：50㎡）のある一団の土地であった場合（甲土地は相続人Ａが、乙土地は相続人Ｂが、これらの建築物は相続人Ａのみが相続し、相続人Ａと相続人Ｂが共にその全てを譲渡したケース）

①　相続人Ａが譲渡した甲土地（800㎡）のうち、被相続人居住用家屋の敷地等に該当する部分の計算

$$\left[1,000㎡ \times \dfrac{350㎡}{350㎡ + (100㎡ + 50㎡)} \right] \times \dfrac{800㎡}{1,000㎡} = 560㎡$$

②　相続人Ｂは、被相続人からの相続により乙土地（200㎡）は取得したが、被相続人居住用家屋を取得していないため、本特例の適用を受けることはできません。

〔設例Ⅲ〕

　相続の開始の直前において、被相続人が所有していた甲土地（400㎡）と相続人Ａが所有していた乙土地（600㎡）が、用途上不可分の関係にある二以上の建築物（被相続人と相続人Ａが共有（それぞれ

－433－

２分の１）で所有していた母屋：350㎡、被相続人が単独で所有していた離れ：100㎡、倉庫：50㎡)のある一団の土地であった場合（相続人Ａが全てを相続し、更地とした上、甲土地及び乙土地を譲渡したケース）

① 相続人Ａが譲渡した甲土地（400㎡）及び乙土地（600㎡）のうち、被相続人居住用家屋の敷地等に該当する部分の計算

$$\left[1,000㎡ \times \frac{350㎡}{350㎡ + (100㎡ + 50㎡)} \right] \times \frac{400㎡}{1,000㎡} = 280㎡$$

② 相続人Ａが譲渡した乙土地（600㎡）については、被相続人から相続又は遺贈により取得したものではないため、本特例の適用を受けることはできません。

（5）　被相続人居住用家屋が店舗兼住宅等であった場合の居住用部分の判定

被相続人居住用家屋又は被相続人居住用家屋の敷地等のうちに非居住用部分がある場合における「被相続人の居住の用に供されていた部分」の判定については、相続の開始の直前（被相続人居住用家屋が対象従前居住の用に供されていた家屋である場合には、特定事由により家屋が被相続人の居住の用に供されなくなる直前。以下同じです。）における利用状況に基づき、次により計算し、その部分のみを特別控除の対象とします。したがって、譲渡した被相続人居住用家屋の床面積が、相続の時後（被相続人居住用家屋が対象従前居住の用に供されていた家屋である場合には、特定事由により家屋が被相続人の居住の用に供されなくなった時後）に行われた増築等により増減した場合であっても、相続の開始の直前における被相続人居住用家屋の床面積を基に行うことになります（措通31の３－７、35－15）。

① 被相続人居住用家屋のうちその居住の用に供していた部分は、次の算式により計算した面積に相当する部分とします。

$$\begin{array}{l} \text{当該家屋のうちその居住の} \\ \text{用に専ら供していた部分の} \\ \text{床面積　A} \end{array} + \begin{array}{l} \text{当該家屋のうちその居住の用} \\ \text{と居住の用以外の用とに併用} \\ \text{されていた部分の床面積} \end{array} \times \frac{A}{A + \begin{array}{l} \text{居住の用以外の用に専ら供} \\ \text{されていた部分の床面積} \end{array}}$$

② 被相続人居住用家屋の敷地等のうちその居住の用に供していた部分は、次の算式により計算した面積に相当する部分とします。

$$\begin{array}{l} \text{当該土地等のうちその居住} \\ \text{の用に専ら供していた部分} \\ \text{の面積} \end{array} + \begin{array}{l} \text{当該土地等のうちその居住の} \\ \text{用と居住の用以外の用とに併} \\ \text{用されていた部分の面積} \end{array} \times \frac{\begin{array}{l} \text{当該家屋の床面積のうち①の算} \\ \text{式により計算した床面積} \end{array}}{\text{当該家屋の床面積}}$$

なお、これにより計算した「被相続人の居住の用に供されていた部分」の面積が被相続人居住用家屋又は被相続人居住用家屋の敷地等の面積のおおむね90％以上となるときは、被相続人居住用家屋の全部又は被相続人居住用家屋の敷地等の全部を居住用部分として取り扱っても差し支えないとされています（措通31の３－８、35－15）。

3　本特例の適用を受けられる者

本特例の適用を受けられる者は、相続又は遺贈による被相続人居住用家屋及び被相続人居住用家屋の敷地等の取得をした相続人（包括受遺者を含みます。以下同じです。）とされています（措法35③）。すなわち、「被相続人居住用家屋」と「被相続人居住用家屋の敷地等」の両方を取得した相続人が本特例の適用を受けられるので、「被相続人居住用家屋」のみ又は「被相続人居住用家屋の敷地等」のみを取得した相続人は含まれません（措通35－９）。

4 本特例の対象となる譲渡

次の要件を満たす譲渡（以下「対象譲渡」といいます。）が本特例の対象となります。

（1） 譲渡期間の要件

平成28年4月1日から令和9年12月31日までの間であって、相続の開始があった日から同日以後3年を経過する日の属する年の12月31日までの間にした譲渡であることが要件とされています（措法35③）。

（2） 譲渡価額の要件

その譲渡の対価の額が1億円を超えるものでないことが要件とされています（措法35③）。

（注）　「譲渡の対価の額」とは、例えば譲渡協力金、移転料等のような名義のいかんを問わず、その実質においてその譲渡をした被相続人居住用家屋又は被相続人居住用家屋の敷地等の譲渡の対価たる金額をいいます（措通35－19）。

なお、下記6のとおり、その相続により被相続人居住用家屋又は被相続人居住用家屋の敷地等の取得をした相続人が一定期間内に一定の譲渡をした価額を合算して1億円を超える場合には、本特例を適用できないこととされています（措法35⑥⑦）。

被相続人居住用家屋又は被相続人居住用家屋の敷地等の譲渡対価の額が1億円を超えるかどうかの判定は、次により行います。

また、居住用家屋取得相続人が対象譲渡資産一体家屋等の適用前譲渡又は適用後譲渡をしているときの1億円を超えるかどうかについては、譲渡対価の額と適用前譲渡に係る対価の額との合計額又は適用後譲渡に係る対価の額と譲渡対価の額（適用前譲渡がある場合には、譲渡対価の額と適用前譲渡に係る対価の額との合計額）との合計額で判定します（措通35－20）。

① 譲渡資産が共有である場合は、被相続人から相続又は遺贈により取得した共有持分に係る譲渡対価の額により判定します。

（注）　当該譲渡資産に係る他の共有持分のうち居住用家屋取得相続人の共有持分については、適用前譲渡に係る対価の額となります。

② 譲渡資産が相続の開始の直前（譲渡資産が対象従前居住の用に供されていた家屋又はその敷地の用に供されていた土地等である場合には、特定事由により家屋が被相続人の居住の用に供されなくなる直前。）において店舗兼住宅等及びその敷地の用に供されていた土地等である場合は、被相続人の居住の用に供されていた部分に対応する譲渡対価の額により判定し、この場合の譲渡対価の額の計算については、次の算式により行います。

イ 家屋のうち相続の開始の直前において被相続人の居住の用に供されていた部分の譲渡対価の額の計算

$$
当該家屋の譲渡価額 \times \frac{\left(\begin{array}{c}当該家屋のうちその\\居住の用に専ら\\供していた部分の\\床面積\ \ A\end{array}\right) + \left(\begin{array}{c}当該家屋のうちその居\\住の用と居住の用以外\\の用とに併用されてい\\た部分の床面積\end{array}\right) \times \dfrac{A}{A + \begin{array}{c}居住の用以外の用\\に専ら供されてい\\た部分の床面積\end{array}}}{相続の開始の直前における当該家屋の床面積}
$$

ロ 土地等のうち相続の開始の直前において被相続人の居住の用に供されていた部分の譲渡対価の額の計算

$$
当該土地等の譲渡価額 \times \frac{\left(\begin{array}{c}当該土地等のうち\\その居住の用に専\\ら供していた部分\\の面積\end{array}\right) + \left(\begin{array}{c}当該土地等のうちその居\\住の用と居住の用以外の\\用とに併用されていた部\\分の面積\end{array}\right) \times \dfrac{\begin{array}{c}当該家屋の床面積の\\うちイの算式により\\計算した床面積\end{array}}{当該家屋の床面積}}{相続の開始の直前における当該土地等の面積}
$$

第六章《居住用財産の譲渡所得の特別控除》

ただし、これにより計算した被相続人の居住の用に供されていた部分がそれぞれ家屋又は土地等のおおむね90％以上である場合において、家屋又は土地等の全部をその居住の用に供している部分に該当するものとして取り扱うときは、家屋又は土地等の全体の譲渡価額により判定します。

(注) 譲渡した被相続人居住用家屋の敷地等が2の(3)の用途上不可分の関係にある二以上の建築物のある一団の土地であった場合は、当該被相続人居住用家屋の敷地等に係る譲渡対価の額は、2の(4)の算式により計算した面積に係る部分となります。

（3） 譲渡をする資産の要件

次の①、②又は③に該当する資産の譲渡であることが要件とされています（措法35③）。

① 被相続人居住用家屋を譲渡する場合（家屋のみの譲渡又は家屋及びその敷地の譲渡の場合）

相続若しくは遺贈により取得をした被相続人居住用家屋（次のイ及びロの要件を満たすものに限ります。）の譲渡又はその被相続人居住用家屋とともにするその相続若しくは遺贈により取得をした被相続人居住用家屋の敷地等（次のイの要件を満たすものに限ります。）の譲渡

イ	相続の時から譲渡の時まで事業の用、貸付けの用又は居住の用に供されていたことがないこと（この場合の貸付けには、無償で行われる貸付けも含まれます。下記②のイ及びロにおいても同じです。）。 **(注)** 「事業の用、貸付けの用又は居住の用に供されていたことがないこと」の要件の判定に当たっては、相続の時から譲渡の時までの間に、被相続人居住用家屋又は被相続人居住用家屋の敷地等が事業の用、貸付けの用又は居住の用として一時的に利用されていた場合であっても、事業の用、貸付けの用又は居住の用に供されていたこととなります。また、貸付けの用には、無償による貸付けも含まれます（措通35−16）。
ロ	譲渡の時において地震に対する安全性に係る規定又は基準として一定のものに適合するものであること。

(注1) 「被相続人居住用家屋」には、その相続の時後に被相続人居住用家屋につき行われた増築、改築（被相続人居住用家屋の全部の取壊し又は除却をした後にするもの及びその全部が滅失をした後にするものを除きます。）、修繕又は模様替えに係る部分を含むこととされています（措法35③一）。

(注2) イ 「被相続人居住用家屋」のうち、本特例の対象となるものは、その被相続人居住用家屋の譲渡の対価の額に、次の①、②に掲げる被相続人居住用家屋の区分に応じそれぞれに定める割合を乗じて計算した金額に相当する部分に限ることとされています（措法35③一、措令23④）。

　① 相続の開始の直前において被相続人の居住の用に供されていた被相続人居住用家屋……相続の開始の直前における被相続人居住用家屋の床面積のうちに相続の開始の直前における被相続人の居住の用に供されていた部分の床面積の占める割合

　② 対象従前居住の用に供されていた被相続人居住用家屋……特定事由により被相続人居住用家屋が被相続人の居住の用に供されなくなる直前における被相続人居住用家屋の床面積のうちに居住の用に供されなくなる直前における被相続人の居住の用に供されていた部分の床面積の占める割合

　ロ 同様に、「被相続人居住用家屋の敷地等」のうち、本特例の対象となるものは、その被相続人居住用家屋の敷地等の譲渡の対価の額に、次の①、②に掲げる被相続人居住用家屋の敷地等の区分に応じそれぞれに定める割合を乗じて計算した金額に相当する部分に限ることとされています（措法35③一、措令23⑤）。

　① イの①に掲げる被相続人居住用家屋の敷地の用に供されていた被相続人居住用家屋の敷地等……相続の開始の直前における被相続人居住用家屋の敷地等の面積（土地にあっては土地の面積をいい、土地の上に存する権利にあっては土地の面積をいいます。下記②において同じです。）のうちに相続の開始の直前における被相続人の居住の用に供されていた部分の面積の占める割合

　② イの②に掲げる被相続人居住用家屋の敷地の用に供されていた被相続人居住用家屋の敷地等……特定事由により被相続人居住用家屋が被相続人の居住の用に供されなくなる直前における被相続人居住用家屋の敷地等の面積のうちに居住の用に供されなくなる直前における被相続人の居住の用に供されていた部分の面積の占める割合

−436−

（注3） 「地震に対する安全性に係る規定又は基準として一定のもの」は、建築基準法施行令第3章及び第5章の4の規定又は国土交通大臣が財務大臣と協議して定める地震に対する安全性に係る基準とされています（措法35③、措令23③、平成17年国土交通省告示第393号）。この基準は「平成18年国土交通省告示第185号において定める地震に対する安全上耐震関係規定に準ずるものとして国土交通大臣が定める基準」とされ、具体的には、建築物の耐震改修の促進に関する法律第4条第2項第3号に掲げる建築物の耐震診断及び耐震改修の実施について技術上の指針となるべき事項に定めるところにより耐震診断を行った結果、地震に対して安全な構造であることが確かめられることとされています（平成18年国土交通省告示第185号）。

② 被相続人居住用家屋の取壊し等の後、被相続人居住用家屋の敷地等を譲渡する場合（更地の譲渡の場合）

相続又は遺贈により取得をした被相続人居住用家屋（次のイの要件を満たすものに限ります。）の全部の取壊し若しくは除却をした後又はその全部が滅失をした後におけるその相続又は遺贈により取得をした被相続人居住用家屋の敷地等（次のロ及びハの要件を満たすものに限ります。）の譲渡

イ	相続の時から取壊し、除却又は滅失の時まで事業の用、貸付けの用又は居住の用に供されていたことがないこと。
ロ	相続の時から譲渡の時まで事業の用、貸付けの用又は居住の用に供されていたことがないこと。
ハ	上記イの取壊し、除却又は滅失の時から譲渡の時まで建物又は構築物の敷地の用に供されていたことがないこと。

（注） 「被相続人居住用家屋の敷地等」のうち、本特例の対象となるものは、その被相続人居住用家屋の敷地等の譲渡の対価の額に、次の①、②に掲げる被相続人居住用家屋の敷地等の区分に応じそれぞれに定める割合を乗じて計算した金額に相当する部分に限ることとされています（措法35③二、措令23⑤）。

① ①の**（注2）**のイの①に掲げる被相続人居住用家屋の敷地の用に供されていた被相続人居住用家屋の敷地等……相続の開始の直前における被相続人居住用家屋の敷地等の面積（土地にあっては土地の面積をいい、土地の上に存する権利にあっては土地の面積をいいます。下記②において同じです。）のうちに相続の開始の直前における被相続人の居住の用に供されていた部分の面積の占める割合

② ①の**（注2）**のイの②に掲げる被相続人居住用家屋の敷地の用に供されていた被相続人居住用家屋の敷地等……特定事由により被相続人居住用家屋が被相続人の居住の用に供されなくなる直前における被相続人居住用家屋の敷地等の面積のうちに居住の用に供されなくなる直前における被相続人の居住の用に供されていた部分の面積の占める割合

③ 事業の用等に供されたことのない被相続人居住用家屋を譲渡する場合（家屋のみの譲渡又は家屋及びその敷地の譲渡の場合）

相続若しくは遺贈により取得をした被相続人居住用家屋（相続の時から譲渡の時まで事業の用、貸付けの用又は居住の用に供されていたことがないものに限ります。）の譲渡又は被相続人居住用家屋とともにするその相続若しくは遺贈により取得をした被相続人居住用家屋の敷地等（相続の時から譲渡の時まで事業の用、貸付けの用又は居住の用に供されていたことがないものに限ります。）の譲渡

（注） 譲渡の時から譲渡の日の属する年の翌年2月15日までの間に、被相続人居住用家屋が耐震基準に適合することとなった場合又は被相続人居住用家屋の全部の取壊し若しくは除却がされ、若しくはその全部が滅失をした場合に限ります（措法35①）。

（4） その他の取扱い

① 被相続人居住用家屋の敷地等の一部を譲渡する場合

相続又は遺贈により取得をした被相続人居住用家屋の敷地等の一部を区分して譲渡をした場合には、次の点に留意する必要があります（措通35－17）。

イ その譲渡が**（3）**の②の譲渡に該当するときであっても、相続人が被相続人居住用家屋の敷地等の一部の譲渡について既に特例の適用を受けているときは、特例の適用を受けることはできません。

ロ 現に存する被相続人居住用家屋に係る被相続人居住用家屋の敷地等の一部の譲渡である場合

第六章《居住用財産の譲渡所得の特別控除》

a　その譲渡が被相続人居住用家屋の譲渡とともに行われたものであるとき……その譲渡は（3）の
　①に掲げる譲渡に該当します。

b　その譲渡が被相続人居住用家屋の譲渡とともに行われたものでないとき……その譲渡は（3）の
　①及び②に掲げる譲渡には該当しません。

ハ　被相続人居住用家屋の全部の取壊し、除却又は滅失をした後における被相続人居住用家屋の敷地
　等の一部の譲渡である場合

a　被相続人居住用家屋の敷地等を単独で取得した相続人がその取得した敷地等の一部を譲渡した
　とき……（3）の②に掲げる要件は、相続人が相続又は遺贈により取得した被相続人居住用家屋の
　敷地等の全部について満たしておく必要があることから、被相続人居住用家屋の敷地等のうち譲
　渡していない部分についても、（3）の②の表のロ及びハに掲げる要件を満たさない限り、その譲
　渡は（3）の②に掲げる譲渡に該当しません。

（注）　被相続人居住用家屋の敷地等のうちその相続人以外の者が相続又は遺贈により単独で取得した部分が
　　　あるときは、当該部分の利用状況にかかわらず、その相続人が相続又は遺贈により取得した被相続人居
　　　住用家屋の敷地等の全部について（3）の②の表のロ及びハに掲げる要件を満たしている限り、その譲渡
　　　は（3）の②に掲げる譲渡に該当します。

b　被相続人居住用家屋の敷地等を複数の相続人の共有で取得した相続人がその共有に係る一の敷
　地について、共有のまま分筆した上、その一部を譲渡したとき……（3）の②に掲げる要件は、そ
　の相続人が相続又は遺贈により共有で取得した分筆前の被相続人居住用家屋の敷地等の全部につ
　いて満たしておく必要があることから、被相続人居住用家屋の敷地等のうち譲渡していない部分
　についても（3）の②の表のロ及びハに掲げる要件を満たさない限り、その譲渡は（3）の②に掲げ
　る譲渡に該当しません。

（注）　譲渡した土地等が当該被相続人居住用家屋の敷地の用に供されていた土地等に該当するかどうかは、
　　　2の（4）に掲げるところにより判定します。

②　対象譲渡について特例の適用をしないで申告した場合

　相続人が被相続人居住用家屋又は被相続人居住用家屋の敷地等の一部の対象譲渡（以下「当初対象
譲渡」といいます。）をした場合において、その相続人の選択により、当初対象譲渡について特例の適
用をしないで確定申告書を提出したときは、例えば、その後においてその相続人が行った被相続人居
住用家屋又は被相続人居住用家屋の敷地等の一部の対象譲渡について特例の適用を受けないときであ
っても、その相続人が更正の請求をし、又は修正申告書を提出するときにおいて、当初対象譲渡につ
いて特例の適用を受けることはできません（措通35－18）。

③　居住用家屋を共有とするために譲渡した場合

　居住の用に供されていた家屋を他の者と共有にするため譲渡した場合又はその家屋について有する
共有持分の一部を譲渡した場合には、その譲渡は、措置法第35条第3項の譲渡には該当しません（措
通31の3－11、35－27）。

（5）　特別の関係がある者に対する譲渡及び他の譲渡所得の特例の適用を受ける譲渡でないことの
　　要件

　次の譲渡に該当しないことが要件とされています（措法35②③）。

①　次の者に対する譲渡（措法35②一、措令20の3①、23②）

イ　本特例の適用を受ける者（以下「適用対象者」といいます。）の配偶者及び直系血族

ロ　適用対象者の親族（上記イの者を除きます。ロにおいて同じです。）で適用対象者と生計を一に
　しているもの及び適用対象者の親族で適用対象者と被相続人居住用家屋に居住をするもの

（注1）　ロ～ホの「生計を一にしている」とは、必ずしも同一の家屋に起居していることをいうものではあ
　　　りませんから、次のような場合には、それぞれ次によります（措通31の3－21、35－27、所基通2－
　　　47）。

　　　（イ）　勤務、修学、療養等の都合上他の親族と日常の起居を共にしていない親族がいる場合であって

－438－

第六章《居住用財産の譲渡所得の特別控除》

　　　　も、次に掲げる場合に該当するときは、これらの親族は生計を一にするものとされます。
　　　　a　当該他の親族と日常の起居を共にしていない親族が、勤務、修学等の余暇には当該他の親族の
　　　　　もとで起居を共にすることを常例としている場合
　　　　b　これらの親族間において、常に生活費、学資金、療養費等の送金が行われている場合
　　　(ロ)　親族が同一の家屋に起居している場合には、明らかに互いに独立した生活を営んでいると認め
　　　　られる場合を除き、これらの親族は生計を一にするものとされます。
　(注2)　「適用対象者の親族で適用対象者と被相続人居住用家屋に居住をするもの」とは、その家屋の譲渡
　　　　がされた後において、その家屋の譲渡者である適用対象者及びその家屋の譲受者である適用対象者の
　　　　親族（適用対象者の配偶者及び直系血族並びに譲渡の時において適用対象者と生計を一にしている親
　　　　族を除きます。）が共にその家屋に居住する場合における当該譲受者をいいます（措通31の3－22、35
　　　　－27）。
ハ　適用対象者と婚姻の届出をしていないが事実上婚姻関係と同様の事情にある者及びその者の親
　族でその者と生計を一にしているもの
ニ　上記イからハまでの者及び適用対象者の使用人以外の者で適用対象者から受ける金銭その他の
　財産によって生計を維持しているもの及びその者の親族でその者と生計を一にしているもの
　(注)　「適用対象者から受ける金銭その他の財産によって生計を維持しているもの」とは、適用対象者から
　　　　給付を受ける金銭その他の財産又は給付を受けた金銭その他の財産の運用によって生ずる収入を日常生
　　　　活の資の主要部分としている者をいうのですが、適用対象者から離婚に伴う財産分与、損害賠償その他
　　　　これらに類するものとして受ける金銭その他の財産によって生計を維持している者は含まれません（措
　　　　通31の3－23、35－27）。
ホ　適用対象者、適用対象者の上記イ及びロの親族、適用対象者の使用人若しくはその使用人の親
　族でその使用人と生計を一にしているもの又は適用対象者に係る上記ハ及びニの者を判定の基礎
　となる所得税法第2条第1項第8号の2に規定する株主等とした場合に法人税法施行令第4条第
　2項に規定する特殊の関係その他これに準ずる関係のあることとなる会社その他の法人
　(注1)　その譲渡が特別の関係がある者に対する譲渡に該当するかどうかは、その譲渡をした時において判
　　　　定します（措通31の3－20、35－27）。
　(注2)　「株主等」とは、株主名簿又は社員名簿に記載されている株主等をいいますが、株主名簿又は社員
　　　　名簿に記載されている株主等が単なる名義人であって、その名義人以外の者が実際の権利者である場
　　　　合には、その実際の権利者をいいます（措通31の3－24、35－27）。
　(注3)　「会社その他の法人」には、例えば、出資持分の定めのある医療法人のようなものがあります（措
　　　　通31の3－25、35－27）。
②　次の特例の適用を受ける譲渡（措法35②一、③）
イ　固定資産の交換の場合の譲渡所得の特例（所法58）
ロ　収用等に伴い代替資産を取得した場合の課税の特例（措法33）
ハ　交換処分等に伴い資産を取得した場合の課税の特例（措法33の2）
ニ　換地処分等に伴い資産を取得した場合の課税の特例（措法33の3）
ホ　収用交換等の場合の譲渡所得等の特別控除（措法33の4）
ヘ　特定の事業用資産の買換えの場合の譲渡所得の課税の特例（措法37）
ト　特定の事業用資産を交換した場合の譲渡所得の課税の特例（措法37の4）
チ　特定普通財産とその隣接する土地等の交換の場合の譲渡所得の課税の特例（措法37の8）
リ　相続財産に係る譲渡所得の課税の特例（措法39）
　(注1)　「居住用財産の譲渡をした場合の3,000万円特別控除」（措法35①）と同様に、次の特例については、こ
　　　　れらの特例の条項において、本特例の適用を受ける譲渡又は本特例の適用を受ける土地若しくは土地の上
　　　　に存する権利については、その対象から除外することとする特例の適用における重複排除がなされていま
　　　　す（措法31の2④、34①、34の2①、35の2②、35の3②、37の5①）。
　　　①　優良住宅地の造成等のために土地等を譲渡した場合の長期譲渡所得の課税の特例（措法31の2）
　　　②　特定土地区画整理事業等のために土地等を譲渡した場合の譲渡所得の特別控除（措法34）

－439－

③　特定住宅地造成事業等のために土地等を譲渡した場合の譲渡所得の特別控除（措法34の２）

④　特定期間に取得をした土地等を譲渡した場合の長期譲渡所得の特別控除（措法35の２）

⑤　低未利用土地等を譲渡した場合の長期譲渡所得の特別控除（措法35の３）

⑥　既成市街地等内にある土地等の中高層耐火建築物等の建設のための買換え及び交換の場合の譲渡所得の課税の特例（措法37の５）

（注２）　本特例は、相続の開始の直前において被相続人が被相続人居住用家屋に１人で居住をしていたことが要件とされています。よって相続人は別に生活の本拠としている住宅があることから、「居住用財産の譲渡をした場合の3,000万円特別控除」（措法35①）とは異なり、次の特例については、これらの特例の各条項において重複適用を排除する規定から本特例の規定を除くこととされ、本特例と次の特例との重複適用が可能とされています（措法36の２①、41⑳㉑、41の５⑦ 一、41の５の２⑦一、41の19の４⑫⑬）。

①　特定の居住用財産の買換えの場合の長期譲渡所得の課税の特例（措法36の２）

②　住宅借入金等を有する場合の所得税額の特別控除（措法41）

③　居住用財産の買換え等の場合の譲渡損失の損益通算及び繰越控除（措法41の５）

④　特定居住用財産の譲渡損失の損益通算及び繰越控除（措法41の５の２）

⑤　認定住宅の新築等をした場合の所得税額の特別控除（措法41の19の４）

（6）　相続人の数が３人以上であるとき

相続又は遺贈による被相続人居住用家屋及び被相続人居住用家屋の敷地等の取得をした相続人の数が３人以上である場合には、本特例の特別控除額は2,000万円とされますが、この場合において、相続人が同一年中に居住用財産の譲渡及び対象譲渡をし、そのいずれの譲渡についても特例の適用を受ける場合の特別控除額の金額は、次の金額となります（措法35④、措通35－７の２）。

①　短期譲渡所得の金額から控除される金額「3,000万円」と「次に掲げる金額の合計額」とのいずれか低い金額。

　　ただし、ロの金額が2,000万円である場合には、被相続人の居住用財産の譲渡に係る短期譲渡所得の金額から本節の特例の適用により控除される金額は、2,000万円が限度となります。

イ　居住用財産の譲渡に係る短期譲渡所得の金額（短期譲渡所得の金額のうち3,000万円の特別控除（本節の特例により適用する場合を除きます。）に該当する資産の譲渡に係る部分の金額をいいます。）

ロ　次に掲げる金額のうちいずれか低い金額

（イ）　2,000万円

（ロ）　被相続人の居住用財産の譲渡に係る短期譲渡所得の金額（短期譲渡所得の金額のうち3,000万円の特別控除（本節の特例により適用する場合に限ります。）に該当する資産の譲渡に係る部分の金額をいいます。）

②　長期譲渡所得の金額から控除される金額

　　「3,000万円（上記①の短期譲渡所得の金額から控除される金額がある場合には、3,000万円からその短期譲渡所得の金額から控除される金額を控除した金額）」と「次に掲げる金額の合計額」とのいずれか低い金額。

　　ただし、ロの金額がロ（イ）に掲げる金額である場合には、被相続人の居住用財産の譲渡に係る長期譲渡所得の金額から本節の特例の適用により控除される金額は、ロ（イ）に掲げる金額が限度となります。

イ　居住用財産の譲渡に係る長期譲渡所得の金額（長期譲渡所得の金額のうち3,000万円の特別控除（本節の特例により適用する場合を除きます。）の規定に該当する資産の譲渡に係る部分の金額をいいます。）

ロ　次に掲げる金額のうちいずれか低い金額

（イ）　2,000万円（上記①の被相続人の居住用財産の譲渡に係る短期譲渡所得の金額から本節の特例により控除される金額がある場合には、2,000万円から本節の特例により控除される金額を控

第六章《居住用財産の譲渡所得の特別控除》

除した金額)

(ロ) 被相続人の居住用財産の譲渡に係る長期譲渡所得の金額(長期譲渡所得の金額のうち3,000万円の特別控除(本節の特例により適用する場合に限ります。)に該当する資産の譲渡に係る部分の金額をいいます。)

(7) 同一年中に自己の居住用財産と被相続人の居住用財産の譲渡があった場合の3,000万円の特別控除の適用

同一年中に自己の居住用財産の譲渡及び被相続人の居住用財産の対象譲渡をし、そのいずれの譲渡についても3,000万円の特別控除の適用を受ける場合は第九章の(注)(451ページ)に定める順序により特別控除額の控除をすることになりますが、これらの譲渡に係る分離短期譲渡所得又は分離長期譲渡所得の区分が同一であるときは、対象譲渡に対応する金額から先に特別控除額の控除をすることになります。ただし、納税者が自己の居住用財産の譲渡に対応する金額から先に特別控除額の控除をして申告したときは、これが認められます。

なお、その年中にその該当することとなった全部の資産の譲渡に係る譲渡所得の金額から3,000万円((6)の適用がある場合には、(6)の算式により計算した金額)を限度として控除することになります(措通35-7)。

(8) 相続財産に係る譲渡所得の課税の特例等との関係

被相続人の居住用財産の対象譲渡につき、措置法第39条《相続財産に係る譲渡所得の課税の特例》の規定の適用を受ける場合には、その譲渡については本特例の適用はありません。

この場合において、譲渡した資産が居住用部分(相続の開始の直前(資産が対象従前居住の用に供されていた資産である場合には、特定事由により資産が当該相続又は遺贈(贈与者の死亡により効力を生ずる贈与を含みます。)に係る被相続人の居住の用に供されなくなる直前。以下同じです。)において被相続人の居住の用に供されていた部分をいいます。)と非居住用部分(相続の開始の直前において被相続人の居住の用以外の用に供されていた部分をいいます。)とから成る被相続人居住用家屋又は被相続人居住用家屋の敷地等である場合において、非居住用部分に相当するものの譲渡についてのみ措置法第39条の規定の適用を受けるときは、居住用部分に相当するものの譲渡については、非居住用部分に相当するものの譲渡につき同条の規定の適用を受ける場合であっても、居住用部分に相当するものの譲渡が要件を満たすものである限り、3,000万円の特別控除の適用を受けることができます(措通35-8)。

5 既に本特例の適用を受けている場合の本特例の不適用

本特例の適用を受けようとする者が、既にその相続又は遺贈に係る被相続人居住用家屋又は被相続人居住用家屋の敷地等の譲渡について本特例の適用を受けている場合には、本特例の適用を受けることはできないこととされています(措法35③)。つまり、1回の相続につき1人の相続人ごとに1回しか本特例の適用を受けることはできないこととされています。

なお、1回の相続につき複数の相続人がある場合において、その相続人が本特例の適用要件を満たすときは、それぞれの相続人において、本特例の適用を受けることができます。

6 対象譲渡の対価の額と適用前譲渡又は適用後譲渡の対価の額との合計額が1億円を超える場合の本特例の不適用

(1) 対象譲渡の対価の額と適用前譲渡の対価の額との合計額が1億円を超える場合

相続又は遺贈による被相続人居住用家屋又は被相続人居住用家屋の敷地等の取得をした相続人(以下「居住用家屋取得相続人」といいます。)が、その相続の時から本特例の適用を受ける者の対象譲渡をした日の属する年の12月31日までの間に、その対象譲渡をした資産とその相続の開始の直前において一体として被相続人の居住の用(特定事由により被相続人居住用家屋が相続の開始の直前において

-441-

被相続人の居住の用に供されていなかった場合には、相続の開始の直前まで引き続き被相続人居住用家屋が被相続人の物品の保管その他の用）に供されていた家屋（被相続人が主としてその居住の用に供していたと認められる一の建築物に限ります。以下同じです。）又はその家屋の敷地の用に供されていたと認められる土地若しくは土地の上に存する権利（居住用家屋取得相続人が、相続の開始の直前において所有していたものを含みます。以下これらを「対象譲渡資産一体家屋等」といいます。）の譲渡（以下「適用前譲渡」といいます。）をしている場合において、適用前譲渡に係る対価の額と対象譲渡に係る対価の額との合計額が1億円を超えることとなるときは、本特例は適用できないこととされています（措法35⑥、措令23⑩～⑬）。

① 居住用家屋取得相続人の範囲

「居住用家屋取得相続人」には、特例の適用を受ける相続人を含むほか、相続又は遺贈により被相続人居住用家屋のみ又は被相続人居住用家屋の敷地等のみの取得をした相続人も含まれます。したがって、例えば、被相続人居住用家屋の敷地等のみを相続又は遺贈により取得した者が、相続の時から特例の適用を受ける者の対象譲渡をした日以後3年を経過する日の属する年の12月31日までに行った被相続人居住用家屋の敷地等の譲渡は、適用前譲渡又は適用後譲渡に該当します（措通35－21）。

② 「対象譲渡資産一体家屋等」の判定

居住用家屋取得相続人がその相続の時から特例の適用を受ける者の対象譲渡をした日以後3年を経過する日の属する年の12月31日までの間に譲渡をした資産（以下「譲渡資産」といいます。）が「対象譲渡資産一体家屋等」に該当するかどうかは、社会通念に従い、対象譲渡をした資産と一体として被相続人の居住の用（特定事由により被相続人居住用家屋が当該相続の開始の直前において当該被相続人の居住の用に供されていなかった場合には、相続の開始の直前まで引き続き被相続人居住用家屋が被相続人の物品の保管その他の用）に供されていたものであったかどうかを、相続の開始の直前の利用状況により判定することになります。また、この判定に当たっては、次の点に留意してください（措通35－22）。

イ 居住用家屋取得相続人が相続の開始の直前において所有していた譲渡資産もこの判定の対象に含まれること。

ロ 譲渡資産の相続の時後における利用状況はこの判定には影響がないこと。

ハ 特例の適用を受けるためのみの目的で相続の開始の直前に一時的に居住の用以外の用に供したと認められる部分については、「対象譲渡資産一体家屋等」に該当すること。

ニ 譲渡資産が対象譲渡をした資産と相続の開始の直前において一体として利用されていた家屋の敷地の用に供されていた土地等であっても、その土地が用途上不可分の関係にある二以上の建築物のある一団の土地であった場合は、下記（**注2**）により計算した面積に係る土地等の部分のみが、「対象譲渡資産一体家屋等」に該当すること。

※対象譲渡をした資産と相続の開始の直前において一体として利用されていた家屋は、相続開始の直前（家屋が対象従前居住の用に供されていた家屋である場合には、特定事由により家屋が被相続人の居住の用に供されなくなる直前）において被相続人が主として居住の用に供していた一の建築物に限られます。

ホ 譲渡資産が相続の開始の直前において被相続人の店舗兼住宅等又はその敷地の用に供されていた土地等であった場合における非居住用部分（相続開始の直前において被相続人の居住の用以外の用に供されていた部分をいいます。）に相当するものもこの判定に含まれること。

この1億円を超えるかどうかの判定の対象となる適用前譲渡に該当するかどうかの判定は、本特例の適用を受けようとする各人の対象譲渡ごとに行うこととなります。

（**注1**） 上記の「相続の開始の直前において一体として被相続人の居住の用に供されていた家屋」には、相続の時後にその家屋につき行われた増築、改築（その家屋の全部の取壊し又は除却をした後にするもの及びその全部が滅失をした後にするものを除きます。）、修繕又は模様替えに係る部分を含むこととされています（措法35⑥）。

－442－

第六章《居住用財産の譲渡所得の特別控除》

（注2） 上記の「その家屋の敷地の用に供されていたと認められる土地若しくは土地の上に存する権利」は、その相続の開始の直前においてその土地が用途上不可分の関係にある二以上の建築物のある一団の土地であった場合には、その土地又はその土地の上に存する権利のうち、その土地の面積に次の①及び②の床面積の合計のうちに次の①の床面積の占める割合を乗じて計算した面積に係る土地又はその土地の上に存する権利の部分に限るものとされています（措法35⑥、措令23⑪⑬）。

① その相続の開始の直前におけるその土地にあった上記の「相続の開始の直前において一体として被相続人の居住の用に供されていた家屋」の床面積

② その相続の開始の直前におけるその土地にあった上記の「相続の開始の直前において一体として被相続人の居住の用に供されていた家屋」以外の建築物の床面積

（注3） 上記の「譲渡」には、譲渡所得の基因となる不動産等の貸付けを含み、次の譲渡を含まないこととされています（措法35⑥、措令23⑭、24の2⑧）。なお、その譲渡が贈与又はその譲渡に係る対価の額が、対象譲渡資産一体家屋等の譲渡の時における価額の2分の1に満たない金額である譲渡によるものである場合には、その贈与又は譲渡の時における価額に相当する金額をもって、その譲渡に係る対価の額とすることとされています（措法35⑭、措令23⑮、措規18の2④）。下記**（2）**において同じです。

① 租税特別措置法第33条の4第1項に規定する収用交換等による譲渡

② 特定土地区画整理事業等のために土地等を譲渡した場合の譲渡所得の2,000万円特別控除（措法34）又は特定住宅地造成事業等のために土地等を譲渡した場合の譲渡所得の1,500万円特別控除（措法34の2）の適用を受ける譲渡

（2） 対象譲渡の対価の額及び適用前譲渡の対価の額並びに適用後譲渡の対価の額との合計額が1億円を超える場合

居住用家屋取得相続人が、本特例の適用を受ける者の対象譲渡をした日の属する年の翌年1月1日からその対象譲渡をした日以後3年を経過する日の属する年の12月31日までの間に、対象譲渡資産一体家屋等の譲渡（以下「適用後譲渡」といいます。）をした場合において、適用後譲渡に係る対価の額と対象譲渡に係る対価の額（適用前譲渡がある場合には、適用前譲渡に係る対価の額と対象譲渡に係る対価の額との合計額）との合計額が1億円を超えることとなったときは、本特例は適用できないこととされています（措法35⑦）。

この1億円を超えるかどうかの判定の対象となる適用後譲渡に該当するかどうかの判定は、適用前譲渡の判定と同様に、本特例の適用を受けようとする各人の対象譲渡ごとに行うこととなります。

（注） 居住用家屋取得相続人が行った譲渡が適用後譲渡に該当するかどうかの判定をする場合において、特例の適用を受ける個人が複数いるときは、各人の対象譲渡ごとに行うことになります（措通35-23）。

（3） （2）に該当することとなった場合の修正申告の特例等

対象譲渡につき本特例の適用を受けている者は、**（2）**に該当することとなった場合には、本特例の適用を受けられなくなりますので、居住用家屋取得相続人がその該当することとなった適用後譲渡をした日から4か月を経過する日までに対象譲渡をした日の属する年分の所得税について本特例を適用せずに計算した所得金額、所得税の額等による修正申告書を提出し、かつ、その期限内にその申告書の提出により納付すべき税額を納付しなければならないこととされています（措法35⑨）。この場合において、修正申告書の提出がないときは、納税地の所轄税務署長は、修正申告書に記載すべきであった所得金額、所得税の額その他の事項につき更正を行うこととされています（措法35⑩）。

また、他の制度における修正申告の特例等と同様、その期限内に提出された修正申告書は国税通則法上の期限内申告書とみなされ、その期限を過ぎて提出された修正申告書や更正はその期限を同法上の法定申告期限及び法定納期限として同法の規定を適用することとされています（措法33の5③、35⑪）。

7 他の居住用家屋取得相続人への通知等

本特例の適用を受けようとする者は、他の居住用家屋取得相続人に対し、対象譲渡をした旨、対象譲渡をした日その他参考となるべき事項の通知をしなければならないこととされています。

-443-

第六章《居住用財産の譲渡所得の特別控除》

この場合において、その通知を受けた居住用家屋取得相続人で適用前譲渡をしている者はその通知を受けた後遅滞なく、その通知を受けた居住用家屋取得相続人で適用後譲渡をした者はその適用後譲渡をした後遅滞なく、それぞれ、その通知をした者に対し、その譲渡をした旨、その譲渡をした日、その譲渡の対価の額その他参考となるべき事項の通知をしなければならないこととされています（措法35⑧）。

（注）　特例の適用を受けようとする者から7の前段の通知を受けた居住用家屋取得相続人で適用前譲渡をしている者又は適用後譲渡をした者から、その通知をした者に対する7の後段の通知がなかったとしても、適用前譲渡に係る対価の額と対象譲渡に係る対価の額との合計額又は適用後譲渡に係る対価の額と対象譲渡に係る対価の額（適用前譲渡がある場合には、その対象譲渡に係る対価の額と適用前譲渡に係る対価の額との合計額）との合計額が1億円を超えることとなったときは、特例は適用されません（措通35-25）。

8　本特例の適用を受ける場合の手続等

本特例は、その適用を受けようとする者の対象譲渡をした日の属する年分の確定申告書に、次の①の事項の記載があり、かつ、次の②の書類の添付がある場合に限り、適用することとされています（措法35⑫、措規18の2①②）。ただし、税務署長は、確定申告書の提出がなかった場合又は次の①の事項の記載若しくは次の②の書類の添付がない確定申告書の提出があった場合においても、その提出又は記載若しくは添付がなかったことについてやむを得ない事情があると認めるときは、次の①の事項の記載をした書類及び次の②の書類の提出があった場合に限り、本特例を適用することができることとされています（措法35⑬）。

① 確定申告書への記載事項

イ　本特例の適用を受けようとする旨

ロ　対象譲渡に該当する事実

ハ　相続又は遺贈に係る被相続人の氏名及び死亡の時における住所並びに死亡年月日

ニ　相続又は遺贈に係る他の居住用家屋取得相続人がある場合には、その者の氏名及び住所並びにその者の相続の開始の時における被相続人居住用家屋又は被相続人居住用家屋の敷地等の持分の割合

ホ　相続又は遺贈に係る適用前譲渡がある場合には、適用前譲渡をした居住用家屋取得相続人の氏名並びにその者が行った適用前譲渡の年月日及び適用前譲渡に係る対価の額

ヘ　その他参考となるべき事項

② 確定申告書に添付すべき書類

イ　対象譲渡が4の(3)の①に該当する場合

（イ）　対象譲渡による譲渡所得の金額の計算に関する明細書

（ロ）　被相続人居住用家屋及び被相続人居住用家屋の敷地等の登記事項証明書又は被相続人居住用家屋等に係る不動産番号等の明細書その他の書類で次の事項を明らかにするもの

i　対象譲渡をした者が被相続人居住用家屋及び被相続人居住用家屋の敷地等を被相続人から相続又は遺贈により取得したこと。

ii　被相続人居住用家屋が昭和56年5月31日以前に建築されたこと。

iii　被相続人居住用家屋が建物の区分所有等に関する法律第1条の規定に該当する建物でないこと。

（ハ）　対象譲渡をした被相続人居住用家屋又は被相続人居住用家屋及び被相続人居住用家屋の敷地等の所在地の市町村長又は特別区の区長の次の事項（対象従前居住の用以外の居住の用である場合には、i及びiiに掲げる事項）を確認した旨を記載した書類

i　相続の開始の直前（その被相続人居住用家屋が対象従前居住の用に供されていた被相続人居住用家屋である場合には、特定事由により被相続人居住用家屋が被相続人の居住の用に供

－444－

第六章《居住用財産の譲渡所得の特別控除》

されなくなる直前。ロの(ハ)の i において同じです。)において、被相続人がその被相続人居住用家屋を居住の用に供しており、かつ、被相続人居住用家屋に被相続人以外に居住をしていた者がいなかったこと。

ⅱ　被相続人居住用家屋又は被相続人居住用家屋及び被相続人居住用家屋の敷地等が相続の時から対象譲渡の時まで事業の用、貸付けの用又は居住の用に供されていたことがないこと。

ⅲ　その被相続人居住用家屋が特定事由により相続の開始の直前において被相続人の居住の用に供されていなかったこと。

ⅳ　特定事由により被相続人居住用家屋が被相続人の居住の用に供されなくなった時から相続の開始の直前まで引き続き被相続人居住用家屋が被相続人の物品の保管その他の用に供されていたこと。

ⅴ　特定事由により被相続人居住用家屋が被相続人の居住の用に供されなくなった時から相続の開始の直前まで被相続人居住用家屋が事業の用、貸付けの用又は被相続人以外の者の居住の用に供されていたことがないこと。

ⅵ　被相続人が措置法施行令第23条第6項各号に規定する住居又は施設に入居又は入所をした時から相続の開始の直前までの間において被相続人の居住の用に供する家屋が二以上ある場合には、これらの家屋のうち、住居又は施設が、被相続人が主としてその居住の用に供していた一の家屋に該当するものであること。

ⅶ　相続等による被相続人居住用家屋及び被相続人居住用家屋の敷地等の取得をした相続人の数

(ニ)　対象譲渡をした被相続人居住用家屋が国土交通大臣が財務大臣と協議して定める地震に対する安全性に係る規定又は基準に適合する家屋である旨を証する書類

(ホ)　対象譲渡をした被相続人居住用家屋又は被相続人居住用家屋及び被相続人居住用家屋の敷地等に係る売買契約書の写しその他の書類で、被相続人居住用家屋又は被相続人居住用家屋及び被相続人居住用家屋の敷地等の譲渡に係る対価の額が1億円（対象譲渡に係る適用前譲渡がある場合には、1億円から適用前譲渡に係る対価の額の合計額を控除した残額）以下であることを明らかにする書類

ロ　対象譲渡が4の(3)の②に該当する場合

(イ)　対象譲渡による譲渡所得の金額の計算に関する明細書

(ロ)　上記イの(ロ)の書類

(ハ)　対象譲渡をした被相続人居住用家屋の敷地等の所在地の市町村長又は特別区の区長の次の事項（相続の開始の直前において被相続人の居住の用が対象従前居住の用以外の居住の用である場合には、 i からⅳまでに掲げる事項）を確認した旨を記載した書類

ⅰ　相続の開始の直前において、被相続人が被相続人居住用家屋の敷地等に係る被相続人居住用家屋を居住の用に供しており、かつ、その被相続人居住用家屋に被相続人以外に居住をしていた者がいなかったこと。

ⅱ　被相続人居住用家屋の敷地等に係る被相続人居住用家屋が相続の時からその全部の取壊し、除却又は滅失の時まで事業の用、貸付けの用又は居住の用に供されていたことがないこと。

ⅲ　被相続人居住用家屋の敷地等が相続の時から対象譲渡の時まで事業の用、貸付けの用又は居住の用に供されていたことがないこと。

ⅳ　被相続人居住用家屋の敷地等が上記ⅱの取壊し、除却又は滅失の時から対象譲渡の時まで建物又は構築物の敷地の用に供されていたことがないこと。

ⅴ　その被相続人居住用家屋の敷地等に係る被相続人居住用家屋が特定事由により相続の開始の直前において被相続人の居住の用に供されていなかったこと。

-445-

第六章 《居住用財産の譲渡所得の特別控除》

  vi 特定事由によりその被相続人居住用家屋の敷地等に係る被相続人居住用家屋が被相続人の
居住の用に供されなくなった時から相続の開始の直前まで引き続き被相続人居住用家屋が被
相続人の物品の保管その他の用に供されていたこと。

  vii 特定事由によりその被相続人居住用家屋の敷地等に係る被相続人居住用家屋が被相続人の
居住の用に供されなくなった時から相続の開始の直前まで被相続人居住用家屋が事業の用、
貸付けの用又は被相続人以外の者の居住の用に供されていたことがないこと。

  viii 被相続人が措置法施行令第23条第6項各号に規定する住居又は施設に入居又は入所をした
時から相続の開始の直前までの間において被相続人の居住の用に供する家屋が二以上ある場
合には、これらの家屋のうち、住居又は施設が、被相続人が主としてその居住の用に供して
いた一の家屋に該当するものであること。

  ix イの(ハ)のviiの事項

(ニ) 対象譲渡をした被相続人居住用家屋の敷地等に係る売買契約書の写しその他の書類で、被
相続人居住用家屋の敷地等の譲渡に係る対価の額が1億円（対象譲渡に係る適用前譲渡がある
場合には、1億円から適用前譲渡に係る対価の額の合計額を控除した残額）以下であることを
明らかにする書類

ハ 対象譲渡が4の(3)の③に該当する場合

(イ) 対象譲渡による譲渡所得の金額の計算に関する明細書

(ロ) 上記イの(ロ)の書類

(ハ) 対象譲渡をした被相続人居住用家屋又は被相続人居住用家屋及び被相続人居住用家屋の敷
地等の所在地の市町村長又は特別区の区長の次の事項（居住の用が対象従前居住の用以外の居
住の用である場合には、i及びiiに掲げる事項）を確認した旨を記載した書類

  i イの(ハ)のi、ii及びviiの事項

  ii 対象譲渡の時から対象譲渡の日の属する年の翌年2月15日までの期間（(ニ)において「特
定期間」といいます。）内に、被相続人居住用家屋が耐震基準に適合することとなったこと又
は被相続人居住用家屋の全部の取壊し若しくは除却がされ、若しくはその全部が滅失をした
こと。

  iii イの(ハ)のiiiからviまでの事項

(ニ) 対象譲渡をした被相続人居住用家屋が国土交通大臣が財務大臣と協議して定める耐震基準
に適合する家屋である旨を証する書類又は対象譲渡をした被相続人居住用家屋の登記事項証明
書その他の書類で、特定期間内に被相続人居住用家屋の全部の取壊し若しくは除却がされ、若
しくはその全部が滅失をした旨を証する書類

(ホ) イの(ホ)の書類

(注) 譲渡した資産が、特例の適用対象となる被相続人居住用財産の要件（上記イの(ロ)のiからiiiまでに掲げ
る事項に限ります。）に該当することについて、同イの(ロ)に掲げる登記事項証明書では証明することがで
きない場合には、例えば、次に掲げる書類でイの(ロ)のiからiiiまでに掲げる事項に該当するものであるこ
とを明らかにするものを確定申告書に添付した場合に限り、特例の適用があることとなります（措通35－
26）。

 a 上記イの(ロ)のiに掲げる事項を証する書類 遺産分割協議書

 b 上記イの(ロ)のiiに掲げる事項を証する書類 確認済証（昭和56年5月31日以前に交付されたもの）、検
査済証（当該検査済証に記載された確認済証交付年月日が昭和56年5月31日以前であるもの）、建築に関
する請負契約書

 c 上記イの(ロ)のiiiに掲げる事項を証する書類 固定資産課税台帳の写し

－446－

第七章　特定期間に取得をした土地等を譲渡した場合の長期譲渡所得の特別控除（措法35の2）

（1,000万円の特別控除）

1　特例の内容

個人が、平成21年1月1日から平成22年12月31日までの間に取得（その個人と特別の関係がある者からの取得、相続等によるもの等一定のものを除きます。）をした国内にある土地又は土地の上に存する権利（以下「土地等」といいます。）で、その年1月1日において所有期間が5年を超えるものの譲渡をした場合には、その年中の譲渡に係る長期譲渡所得の金額から1,000万円（その長期譲渡所得の金額が1,000万円に満たない場合には、その長期譲渡所得の金額）を控除することができます。

なお、その者がその年中にその譲渡をした土地等の全部又は一部につき「収用等に伴い代替資産を取得した場合の課税の特例（措法33）」、「交換処分等に伴い資産を取得した場合の課税の特例（措法33の2）」、「換地処分に伴い資産を取得した場合の課税の特例（措法33の3）」、「特定の居住用財産の買換え及び交換の場合の長期譲渡所得の課税の特例（措法36の2、36の5）」、「特定の事業用資産の買換えの場合の譲渡所得の課税の特例（措法37）」、「特定の事業用資産の交換の場合の譲渡所得の課税の特例（措法37の4）」又は「特定普通財産とその隣接する土地等の交換の場合の譲渡所得の課税の特例（措法37の8）」の規定の適用を受ける場合は1,000万円特別控除を受けることができません。

（注1）　1の「その個人と特別の関係がある者」は次に掲げる者をいいます（措令23の2①）。
この特別の関係がある者に該当するかどうかは、取得をした時において判定します（措通35の2－3）。
①　その個人の配偶者及び直系血族
②　その個人の親族（①に掲げる者を除きます。）でその個人と生計を一にしているもの
③　その個人と婚姻の届出をしていないが事実上婚姻関係と同様の事情にある者及びその者の親族でその者と生計を一にしているもの
④　①から③に掲げる者及びその個人の使用人以外の者でその個人から受ける金銭その他の財産によって生計を維持しているもの及びその者の親族でその者と生計を一にしているもの
⑤　その個人、その個人の①及び②に掲げる親族、その個人の使用人若しくはその使用人の親族でその使用人と生計を一にしているもの又は③及び④に該当する者を判定の基礎となる株主又は社員とした場合に同族会社となる会社その他の法人

（注2）　1の「取得」の範囲から除かれる「相続等によるもの等一定のもの」とは、相続、遺贈、贈与及び交換によるもの、代物弁済としての取得並びに所有権移転外リース取引による取得です（措令23の2②、措通35の2－1）。

2　適用対象となる土地等の譲渡の範囲

1の土地等の譲渡には、譲渡所得の基因となる不動産等の貸付けが含まれますが、「固定資産の交換の場合の譲渡所得の課税の特例（所法58）」又は「収用交換等の場合の譲渡所得等の特別控除（措法33の4）」若しくは「特定土地区画整理事業等のために土地等を譲渡した場合の譲渡所得の特別控除（措法34）」、「特定住宅地造成事業等のために土地等を譲渡した場合の譲渡所得の特別控除（措法34の2）」、「農地保有の合理化等のために農地等を譲渡した場合の譲渡所得の特別控除（措法34の3）」、「居住用財産の譲渡所得の特別控除（措法35）」の規定の適用を受ける譲渡は含まれません（措法35の2②）。

第七章《特定期間に取得をした土地等を譲渡した場合の長期譲渡所得の特別控除》

3 この特例の適用を受けるための手続

　この特例の適用を受けようとする場合には、その土地等を譲渡した年分の確定申告書に、「この特例の適用を受ける旨」を記載するとともに「譲渡をした土地等に係る登記事項証明書又は譲渡した土地等に係る不動産番号等の明細書、売買契約書の写しその他の書類で、その土地等が平成21年1月1日から平成22年12月31日までの間に1に掲げる取得をされたものであることを明らかにする書類」を添付しなければなりません（措法35の2③、措規18の3）。

－448－

第八章　低未利用土地等を譲渡した場合の長期譲渡所得の特別控除（措法35の3）

（100万円の特別控除）

1　特例の内容

　個人が、都市計画法第4条第2項に規定する都市計画区域内にある土地基本法第13条第4項に規定する低未利用土地又はその低未利用土地の上に存する権利（以下「低未利用土地等」といいます。）で、その年1月1日において所有期間が5年を超えるものの譲渡を令和2年7月1日から令和7年12月31日までの間にした場合（その譲渡の後にその低未利用土地等の利用がされる場合に限ります。）には、その年中の譲渡に係る長期譲渡所得の金額から100万円（その長期譲渡所得の金額が100万円に満たない場合には、その低未利用土地等の譲渡に係る部分の金額）を控除することができます。

　なお、その者がその年中にその譲渡をした低未利用土地等の全部又は一部につき「収用等に伴い代替資産を取得した場合の課税の特例（措法33）」、「交換処分等に伴い資産を取得した場合の課税の特例（措法33の2）」、「換地処分に伴い資産を取得した場合の課税の特例（措法33の3）」、「特定の居住用財産の買換え及び交換の場合の長期譲渡所得の課税の特例（措法36の2、36の5）」、「特定の事業用資産の買換えの場合の譲渡所得の課税の特例（措法37）」、「特定の事業用資産の交換の場合の譲渡所得の課税の特例（措法37の4）」又は「特定普通財産とその隣接する土地等の交換の場合の譲渡所得の課税の特例（措法37の8）」の規定の適用を受ける場合は100万円特別控除を受けることができません。

2　適用対象となる土地等の譲渡の範囲

　1の低未利用土地等の譲渡には、譲渡所得の基因となる不動産等の貸付けを含むものとし、次の譲渡は含まないものとされています（措法35の3②）。

　なお、この特例の適用を受けようとする低未利用土地等と一筆であった土地からその年の前年又は前々年に分筆された土地又はその土地の上に存する権利の譲渡（譲渡所得の基因となる不動産等の貸付けを含みます。）を前年又は前々年中にした場合において、その者がその譲渡につき特例の規定の適用を受けているときは、適用されません（措法35の3③）。

① 次のその個人と特別の関係がある者に対してする譲渡

　この特別の関係がある者に該当するかどうかは、取得をした時において判定します（措通35の3－4）。

　i　その個人の配偶者及び直系血族

　ii　その個人の親族（iに掲げる者を除きます。）でその個人と生計を一にしているもの

　iii　その個人と婚姻の届出をしていないが事実上婚姻関係と同様の事情にある者及びその者の親族でその者と生計を一にしているもの

　iv　iからiiiに掲げる者及びその個人の使用人以外の者でその個人から受ける金銭その他の財産によって生計を維持しているもの及びその者の親族でその者と生計を一にしているもの

　v　その個人、その個人のi及びiiに掲げる親族、その個人の使用人若しくはその使用人の親族でその使用人と生計を一にしているもの又はiii及びivに該当する者を判定の基礎となる株主又は社員等とした場合に同族会社となる会社その他の法人

② その譲渡の対価（その低未利用土地等の譲渡とともにしたその低未利用土地の上にある資産の譲渡の対価を含みます。）の額が500万円（低未利用土地等が次に掲げる区域内にある場合には、800

－449－

第八章《低未利用土地等を譲渡した場合の長期譲渡所得の特別控除》

万円）を超えるもの

ⅰ　都市計画法の市街化区域と定められた区域（措令23の３②一）

ⅱ　都市計画法に規定する区域区分に関する都市計画が定められていない都市計画区域のうち、同法に規定する用途地域が定められている区域（措令23の３②二）

ⅲ　所有者不明土地の利用の円滑化等に関する特別措置法に規定する所有者不明土地対策計画を作成した市町村の区域（措法35の３②二ロ）

③　「固定資産の交換の場合の譲渡所得の課税の特例（所法58）」又は「収用交換等の場合の譲渡所得等の特別控除（措法33の４）」、「特定土地区画整理事業等のために土地等を譲渡した場合の譲渡所得の特別控除（措法34）」、「特定住宅地造成事業等のために土地等を譲渡した場合の譲渡所得の特別控除（措法34の２）」、「農地保有の合理化等のために農地等を譲渡した場合の譲渡所得の特別控除（措法34の３）」、「居住用財産の譲渡所得の特別控除（措法35）」若しくは「特定期間に取得をした土地等を譲渡した場合の長期譲渡所の特別控除（措法35の２）」の規定の適用を受ける譲渡

3　この特例の適用を受けるための手続

この特例の適用を受けようとする場合には、低未利用土地等の譲渡をした年分の確定申告書に、「この特例の適用を受ける旨」を記載するとともに「譲渡をした低未利用土地等の譲渡をした後の利用に関する書類その他一定の書類を添付しなければなりません。（措法35の３④、措規18の３の２）。

−450−

第九章　譲渡所得の特別控除適用上の制限（措法36）

　この特例は、特別控除額の控除の順序と限度を定めているものです。

　いままでに述べた特別控除額には、5,000万円（収用交換等の場合の譲渡所得等の特別控除）、2,000万円（特定土地区画整理事業等のために土地等を譲渡した場合の譲渡所得の特別控除）、1,500万円（特定住宅地造成事業等のために土地等を譲渡した場合の譲渡所得の特別控除）、800万円（農地保有の合理化等のために農地等を譲渡した場合の譲渡所得の特別控除）、3,000万円（居住用財産の譲渡所得の特別控除）、1,000万円（特定期間に取得をした土地等を譲渡した場合の長期譲渡所得の特別控除）、100万円（低未利用土地等を譲渡した場合の長期譲渡所得の特別控除）の各特別控除がありますが、その年中にこれらの特別控除の規定に該当する二以上の土地等の譲渡があった場合にはすべてにそれぞれの特別控除額が控除されるのではなく、1人1年間の特別控除額は全体を通じて年間限度額5,000万円で頭打ちされることとなります（措法36）。

　つまり、個人が所有する資産を譲渡した場合において、その年中の資産の譲渡について、これらの特別控除の規定のうち二以上の規定の適用があるときは、5,000万円を限度として、それぞれの規定の特別控除額を計算することとされています。

　この場合における特別控除は、次の順序により行うこととされています（措令24）。

① 「収用交換等の場合の譲渡所得等の特別控除」

② 上記①の規定の適用がない場合又は控除すべき金額が①の規定の適用を行っても、なお、控除すべき金額の残額がある場合………「居住用財産の譲渡所得の特別控除」

③ 上記①、②の規定の適用がない場合又は①、②の規定の適用を行っても、なお、控除すべき金額の残額がある場合………「特定土地区画整理事業等のために土地等を譲渡した場合の譲渡所得の特別控除」

④ 上記①、②、③の規定の適用がない場合又は①、②、③の規定の適用を行っても、なお、控除すべき金額の残額がある場合………「特定住宅地造成事業等のために土地等を譲渡した場合の譲渡所得の特別控除」

⑤ 上記の①、②、③、④の規定の適用がない場合又は①、②、③、④の規定の適用を行っても、なお、控除すべき金額の残額がある場合………「特定期間に取得した土地等を譲渡した場合の長期譲渡所得の特別控除」

⑥ 上記の①、②、③、④、⑤の規定の適用がない場合又は①、②、③、④、⑤の規定の適用を行っても、なお、控除すべき金額の残額がある場合………「農地保有の合理化等のために農地等を譲渡した場合の譲渡所得の特別控除」

⑦ 上記の①、②、③、④、⑤、⑥の規定の適用がない場合又は①、②、③、④、⑤、⑥の規定の適用を行っても、なお、控除すべき金額の残額がある場合………「低未利用土地等を譲渡した場合の長期譲渡所得の特別控除」

　（注）　上記の場合における特別控除額の控除は、同一グループ内に分離長期譲渡所得の金額と分離短期譲渡所得の金額（一般所得分）と分離短期譲渡所得の金額（軽減所得分）がともにあるときは、まず分離短期譲渡所得の金額（一般所得分）、分離短期譲渡所得の金額（軽減所得分）、次いで長期譲渡所得の金額と順次控除することになっており、また、収用等の場合の5,000万円の特別控除は分離課税の対象となる土地建物等の譲渡所得だけではなく、山林所得又は総合課税の対象となる土地建物等以外の資産の譲渡所得にも適用されますから、これらのグループ内の控除順序を含め、5,000万円に達するまで次の表に掲げる順序によって控除することになります（措通36－1編者補正）。

　　　この場合、分離長期譲渡所得のなかに租税特別措置法第31条の3の規定《第一章第三節参照》により税率の軽減される所得があるときは、税率の異なる所得ごとに区分して、税率の高い所得から順に特別控除

－451－

額を控除することになります。

控除の区分＼所得の区分	分離課税 土地建物等の譲渡		総合課税 その他の譲渡		山林所得
	短期譲渡所得	長期譲渡所得	短期譲渡所得	長期譲渡所得	
収用交換等の場合の5,000万円控除	①	⑤	②	③	④
居住用財産を譲渡した場合の3,000万円控除	⑥	⑦			
特定土地区画整理事業等の場合の2,000万円控除	⑧	⑨			
特定住宅地造成事業等の場合の1,500万円控除	⑩	⑪			
特定期間に取得をした土地等を譲渡した場合の長期譲渡所得の1,000万円控除		⑫			
農地保有の合理化等の場合の800万円控除	⑬	⑭			
低未利用土地等を譲渡した場合の100万円控除		⑮			

〔計算例１〕　令和６年６月収用等により土地を10,000万円で譲渡し（昭和60年に800万円で取得、収用交換等の場合の譲渡所得等の特別控除を選択適用）、令和６年８月一般の売買により現に自己の住んでいる土地家屋を8,000万円で譲渡した場合（昭和55年取得、概算取得費控除を適用。買換えの特例（措法36の２、36の４）の適用はない。）の課税長期譲渡所得金額の計算

① 収用等に係る土地の課税長期譲渡所得の金額　10,000万円－800万円＝9,200万円

② 居住用財産の長期譲渡所得の金額　8,000万円－(8,000万円×５％)＝7,600万円

③ 課税長期譲渡所得金額　9,200万円－5,000万円（収用交換等の場合の譲渡所得等の特別控除額）＝4,200万円

④ 措置法31条の３の適用を受ける居住用財産に係る課税長期譲渡所得金額 ……………7,600万円

（注）　この場合は収用等の5,000万円と居住用財産の譲渡に係る3,000万円の特別控除の両方の規定に該当しますが、収用等による譲渡所得の金額（9,200万円）が5,000万円を超えている場合には特別控除額が5,000万円で頭打ちとなりますから、居住用財産に係る3,000万円の特別控除はできません。

〔計算例２〕　令和６年６月収用等により土地を3,500万円で譲渡し（昭和54年に500万円で取得、収用交換等の場合の譲渡所得等の特別控除を選択適用）、令和６年10月一般の売買により現に自己の住んでいる土地家屋を9,000万円で譲渡した場合（昭和43年取得、概算取得費控除を適用。買換えの特例（措法36の２、36の４）の適用はない。）の課税長期譲渡所得金額の計算

① 収用等に係る土地の課税長期譲渡所得金額　(3,500万円－500万円)－3,000万円＝0

② 居住用財産に係る課税長期譲渡所得金額　9,000万円－(9,000万円×５％)－2,000万円（居住用財産の譲渡に係る譲渡所得の特別控除額　5,000万円－3,000万円）

＝6,550万円

－452－

第九章《譲渡所得の特別控除適用上の制限》

(注) この場合も、収用交換等の場合の特別控除（5,000万円）と居住用財産の譲渡に係る特別控除（3,000万円）の両方の規定に該当しますが、収用等による譲渡に係る譲渡所得の金額が、5,000万円以下ですから、居住用財産の譲渡所得の特別控除は適用できますが、その額は3,000万円ではなく、5,000万円－3,000万円＝2,000万円となります。

第十章　特定の居住用財産の買換え等の場合の
長期譲渡所得の課税の特例

（措法36の２～36の５）

第一節　特例の適用要件

1　譲渡資産の範囲

　本章の特例の適用対象となる譲渡資産は、平成５年４月１日から令和７年12月31日までの間に譲渡（譲渡所得の基因となる不動産の貸付けを含み、譲渡の対価が１億円を超えるものを除きます。）した家屋又は土地若しくは土地の上に存する権利で、譲渡した年の１月１日現在において所有期間（所有期間については、第一章第一節の１「長期譲渡所得の意義」の（２）（136ページ）を参照）が、10年を超えるもののうち、次表の①から④までのいずれかに該当するものに限られます（措法36の２①）。

①	その個人が居住の用に供している家屋（その個人がその家屋の存する場所に居住していた期間が10年以上であるものに限ります（措令24の２⑥）。）で国内にあるもの（**注１**）
②	①に掲げる家屋でその個人の居住の用に供されなくなったもの（その個人の居住の用に供されなくなった日から同日以後３年を経過する日の属する年の12月31日までの間に譲渡されるものに限ります。）
③	①又は②に掲げる家屋及びその家屋の敷地の用に供されている土地又はその土地の上に存する権利（**注２**）
④	その個人の①に掲げる家屋が災害により滅失した場合において、その個人がその家屋を引き続き所有していたとしたならば、その年１月１日において所有期間が10年を超える家屋の敷地の用に供されていた土地又はその土地の上に存する権利（その災害があった日から同日以後３年を経過する日の属する年の12月31日までの間に譲渡されるものに限ります。）

（**注１**）　①の家屋のうちにその居住の用以外の用に供している部分があるときは、その居住の用に供している部分に限り、その居住の用に供している家屋を二以上有している場合には、その者が主として居住の用に供している一の家屋に限り、この特例の対象となる譲渡資産となります（措令24の２⑦、20の３②）。

（**注２**）　①又は②に該当する家屋が取り壊された場合において、その取り壊された日の属する年中に①又は②の敷地の用に供されている土地又は土地の上に存する権利の譲渡があったときは、その土地又は土地の上に存する権利（同日以後に貸付けその他の業務の用に供しているものを除きます。）は、譲渡資産に該当するものとされます（措令24の２⑪）。

（１）　居住用の家屋とともに譲渡した土地又は土地の上に存する権利

　家屋とともにその敷地となっている土地又は土地の上に存する権利（以下「土地等」といいます。）でその年１月１日における所有期間が10年を超えるものを譲渡した場合に、その家屋が前記１の表の①又は②の家屋に該当するものであるときは、その家屋のほか、土地等についても併せてこの特例が適用されます（措通36の２－１）。

　（**注**）　そのいずれか一方の資産（例えば土地等）のみについてこの特例を適用することはできません。また、家屋と土地等を共に譲渡した場合であっても、そのいずれか一方のその年１月１日における所有期間が10年以下であるときは、いずれの資産についてもこの特例の適用は認められません。

第十章《特定の居住用財産の買換え等の場合の長期譲渡所得の課税の特例》

（2）　居住期間の判定

　その個人が譲渡した家屋の存する場所に居住していなかった期間がある場合には、居住していなかった期間を除きその前後の居住していた期間を合計して10年以上であるかどうかを判定します。なお居住期間に該当するかどうかの判定については、措置法通達31の３－２及び31の３－６（第一章第三節の１の**（2）**（208ページ）参照）に準じて取り扱われます（措通36の２－２）。

（注１）　譲渡した土地等が土地区画整理法による土地区画整理事業、新都市基盤整備法による土地整理若しくは大都市地域住宅等供給促進法による住宅街区整備事業又は都市再開発法による第一種市街地再開発事業若しくは密集市街地における防災街区の整備の促進に関する法律による防災街区整備事業による換地処分又は権利変換（以下「換地処分等」といいます。）によって取得したものである場合において、その個人が換地処分等に係る従前の家屋の存した場所に居住していた期間は、居住期間には含まれません（措通36の２－３）。

（注２）　譲渡家屋が、その個人以外の者が所有する家屋であったときがある場合でも、その個人がその家屋に居住していた期間は、居住期間に含まれます（措通36の２－４）。

（注３）　家屋の建替えのために、一時的に他の場所で起居していた期間は、居住期間に含めることができます（措通36の２－５）。

（3）　譲渡に係る対価の額が１億円を超えるかどうかの判定

　譲渡資産の譲渡に係る対価の額が１億円を超えるかどうかの判定は、次により行うこととされています（措通36の２－６の２）。

① 譲渡資産が共有である場合……各所有者ごとの譲渡対価により判定します。

② 譲渡資産が店舗兼住宅等及びその敷地の用に供されている土地等である場合……その居住の用に供している部分に対応する譲渡対価により判定し、この場合の譲渡対価の計算については、次の算式により行います。

イ　家屋のうち居住の用に供している部分の譲渡対価の計算

$$
家屋の譲渡価額 \times \frac{\begin{array}{c}家屋のうちその\\居住の用に専ら\\供している部分\\の床面積\ \ A\end{array} + \begin{array}{c}家屋のうち居住の用\\と居住の用以外の用\\とに併用されている\\部分の床面積\end{array}}{家\ 屋\ の\ 床\ 面\ 積} \times \frac{A}{A + \begin{array}{c}居住の用以外の用に専ら供\\されている部分の床面積\end{array}}
$$

ロ　土地等のうち居住の用に供している部分の譲渡対価の計算

$$
土地等の譲渡価額 \times \frac{\begin{array}{c}土地等のうちそ\\の居住の用に専\\ら供している部\\分の面積\end{array} + \begin{array}{c}土地等のうち居住の\\用と居住の用以外の\\用とに併用されてい\\る部分の面積\end{array}}{土\ 地\ 等\ の\ 面\ 積} \times \frac{\begin{array}{c}家屋の床面積のうちイの算式に\\より計算した居住の用に供して\\いる部分の床面積\end{array}}{家\ 屋\ の\ 床\ 面\ 積}
$$

③ 災害により滅失した居住の用に供している家屋の敷地の用に供されていた土地等に区画形質の変更等を加えて譲渡した場合において、所得税基本通達33－４（固定資産である土地に区画形質の変更等を加えて譲渡した場合の所得）及び33－５（極めて長期間保有していた土地に区画形質の変更等を加えて譲渡した場合の所得）により譲渡所得となる部分について特例を適用する場合……その譲渡に係る対価の額のうち譲渡所得となる部分の対価の額により判定します。

④ 家屋の所有者とその家屋の敷地の用に供されている土地等の所有者が異なる場合において、**（6）**により、これらの者がともに特例の適用を受ける旨の申告をするとき……その家屋の譲渡価額と土地等の譲渡価額の合計額により判定します。

（4）　店舗兼住宅等の居住部分

　店舗兼住宅のようにその居住の用に供している家屋のうちに居住の用以外の用に供されている部分のある家屋に係るその居住の用に供している部分及びその家屋の敷地の用に供されている土地等のうちその居住の用に供している部分は、次により計算し、その部分のみが、この特例の適用対象となる譲渡資産となります（措通31の３－７、36の２－７）。

イ 家屋のうちその居住の用に供している部分は、次の算式により計算した面積に相当する部分となります。

$$\left(\begin{array}{l}\text{家屋のうちその居住の用に専ら}\\\text{供している部分の床面積 A}\end{array}\right) + \left(\begin{array}{l}\text{家屋のうちその居住の用と居住の用以外の}\\\text{用とに併用されている部分の床面積 B}\end{array}\right) \times \left(\dfrac{A}{A + \begin{array}{l}\text{居住の用以外の}\\\text{用に専ら供され}\\\text{ている部分の床}\\\text{面積}\end{array}}\right)$$

ロ 土地等のうちその居住の用に供している部分は、次の算式により計算した面積に相当する部分となります。

$$\left(\begin{array}{l}\text{土地等のうちその居住の用に}\\\text{専ら供している部分の面積}\end{array}\right) + \left(\begin{array}{l}\text{土地等のうちその居住の用}\\\text{と居住の用以外の用とに併}\\\text{用されている部分の面積}\end{array}\right) \times \left(\dfrac{\begin{array}{l}\text{家屋の床面積のうち上記イの}\\\text{算式により計算した床面積}\end{array}}{\text{家屋の床面積}}\right)$$

(注) その居住の用に供している家屋のうちに居住の用以外の用に供されている部分のある家屋又はその家屋の敷地の用に供されている土地等をその居住の用に供されなくなった後において譲渡した場合におけるその家屋又は土地等のうちその居住の用に供している部分の判定は、その家屋又は土地等がその居住の用に供されなくなった時の直前における利用状況に基づいて行い、その居住の用に供されなくなった後における利用状況は、この判定には関係がないものとされます。

なお、店舗兼住宅であっても、居住の用に供している家屋又はその敷地の用に供されている土地等のうち、上記により計算した居住の用に供している部分がそれぞれ家屋又は敷地である土地等のおおむね90％以上であるときは、その家屋又は土地等の全部を居住用部分として取り扱っても差し支えないことになっています（措通31の３－８、36の２－７）。

（5） 居住用家屋の敷地の判定

譲渡した土地等が居住の用に供している家屋の「敷地」に該当するかどうかは、社会通念に従い、その土地等がその家屋と一体として利用されている土地等であったかどうかにより判定することとされています（措通31の３－12、36の２－８）。

（6） 居住用家屋の所有者とその敷地の所有者が異なる場合

居住の用に供している家屋（その家屋で居住の用に供されなくなったものを含みます。）でこの特例の適用対象となるもの（以下「譲渡家屋」といいます。）の所有者以外の者が、その譲渡家屋の敷地の用に供されている土地等でその譲渡の年の１月１日における所有期間が10年を超えるもの（以下「譲渡敷地」といいます。）の全部又は一部を所有している場合において、その譲渡家屋の所有者と譲渡敷地の所有者がそれぞれ次の全ての要件を満たすときは、これらの者がともにこの買換えの特例の適用を受ける旨の申告をしたときに限り、この買換えの特例を適用できることになっています（措通36の２－19）。

① 譲渡家屋の所有者と譲渡敷地の所有者は、次のいずれにも該当する資産の譲渡（この特例の適用のある譲渡に限ります。）をしていること。

イ 譲渡敷地の所有者の譲渡家屋における居住期間が10年以上であること。

ロ 譲渡敷地は、譲渡家屋とともに譲渡されていること。

ハ 譲渡家屋は、その譲渡の時においてその家屋の所有者が譲渡敷地の所有者とともにその居住の用に供している家屋（その家屋がその所有者の居住の用に供されなくなった日から同日以後３年を経過する日の属する年の12月31日までの間に譲渡されたものであるときは、その居住の用に供されなくなった時の直前においてこれらの者がその居住の用に供していた家屋）であること。

② 譲渡家屋の所有者と譲渡敷地の所有者は、次のいずれにも該当する資産の取得（この特例の適用のある取得に限ります。）をしていること。

イ これらの者が取得した資産は、その居住の用に供する一の家屋又はその家屋とともに取得したその家屋の敷地の用に供する一の土地等で国内にあるものであること。

ロ イの家屋又は土地等は、これらの者のそれぞれが、おおむねその者の①に該当する譲渡に係る

譲渡収入金額（取得した家屋の取得価額又は取得した家屋及び土地等の取得価額の合計額が譲渡家屋及び譲渡敷地の譲渡収入金額の合計額を超える場合にあっては、それぞれの者に係る譲渡収入金額にその者が追加支出した額《**追加支出額**》を加算した金額）の割合に応じて、その全部又は一部を取得しているものであること。

ハ　取得した家屋又は土地等は、買換資産の取得期間（2の(7)に定める取得期間をいいます。以下本章において同じ。）内に取得されているものであること。

ニ　取得した家屋は、買換資産の居住の用に供すべき期間（1に定める買換資産取得の日から譲渡の日の属する年の翌年12月31日（2の**ロ**のただし書きに該当する場合は、買換資産の取得の日の属する年の翌年12月31日）までの期間）内に、譲渡家屋の所有者が譲渡敷地の所有者とともにその居住の用に供しているものであること。

③　譲渡家屋の所有者と譲渡敷地の所有者とは、譲渡家屋及び譲渡敷地の譲渡の時（その家屋がその所有者の居住の用に供されなくなった日から同日以後3年を経過する日の属する年の12月31日までの間に譲渡されたものであるときは、その居住の用に供されなくなった時）から買換資産の居住期限を経過するまでの間、親族関係を有し、かつ、生計を一にしていること。

（注1）　この取扱いは、譲渡家屋の所有者がその家屋（譲渡敷地のうちその者が有している部分を含みます。）の譲渡につきこの特例の適用を受けない場合（その譲渡に係る長期譲渡所得がない場合を除きます。）には、譲渡敷地の所有者について適用することはできません。

（注2）　この取扱いにより、譲渡敷地の所有者がその敷地の譲渡についてこの特例の適用を受ける場合には、譲渡家屋の所有者に係るその家屋の譲渡について措置法第41条の5第1項《居住用財産の買換え等の場合の譲渡損失の損益通算及び繰越控除》又は第41条の5の2第1項《特定居住用財産の譲渡損失の損益通算及び繰越控除》の規定の適用を受けることはできません。

（7）　借地権等の設定されている土地の譲渡

譲渡家屋の所有者が、その家屋の敷地である借地権等の設定されている土地でその譲渡の年の1月1日における所有期間が10年を超えているもの（以下(7)において「居住用底地」といいます。）の全部又は一部を所有している場合において、その居住用底地がその家屋とともに譲渡されているときは、その家屋及び居住用底地の譲渡について本章の特例の適用を認めることとされ、その家屋を取り壊してその居住用底地を譲渡したときの本章の規定の適用については、措置法通達31の3－5《居住用土地等のみの譲渡》（第一章第三節の1の(5)（210ページ）参照）に準じて取り扱われます。

また、譲渡家屋の所有者以外の者が、居住用底地の全部又は一部を所有している場合における本章の特例の適用については、(6)に準じて取り扱われます（措通36の2－20）。

（注）　上記のような取扱いが適用されるケースについては、第一章第三節の1の(15)の(注)（213ページ）参照。

（8）　居住用財産を譲渡した場合の長期譲渡所得の課税の特例に関する取扱いの準用

その者が譲渡した家屋若しくは土地等が本章の特例の対象となる譲渡資産に該当するかどうか又はこれらの資産の譲渡が特例の対象となる「譲渡」に該当するかどうかの判定等については、次の措置法通達に準じて取り扱うこととされています（措通36の2－23）。

措置法通達31の3－2《居住用家屋の範囲》……………第一章第三節の1の(2)（208ページ）参照

措置法通達31の3－4《敷地のうちに所有期間の異なる部分がある場合》
　　　　　　　　　　　　　　……………………第一章第三節の1の(3)の(注)（209ページ）参照

措置法通達31の3－5《居住用土地等のみの譲渡》……第一章第三節の1の(5)（210ページ）参照

措置法通達31の3－6《生計を一にする親族の居住の用に供している家屋》
　　　　　　　　　　　　　　……………………第一章第三節の1の(2)の②（209ページ）参照

措置法通達31の3－7《店舗兼住宅等の居住部分の判定》
　　　　　　　　　　　　　　……………………第一章第三節の1の(4)（209ページ）参照

措置法通達31の3－8《店舗等部分の割合が低い家屋》

第十章《特定の居住用財産の買換え等の場合の長期譲渡所得の課税の特例》

　　　　　　　　　　　　　　　　　………………第一章第三節の1の(4)なお書 (210ページ) 参照
措置法通達31の3－9《「主としてその居住の用に供していると認められる一の家屋」の判定時期》
　　　　　　　　　　　　　………………第一章第三節の1の(2)の①の(注) (208ページ) 参照
措置法通達31の3－10《居住用家屋の一部の譲渡》……第一章第三節の1の(6) (210ページ) 参照
措置法通達31の3－11《居住用家屋を共有とするための譲渡》
　　　　　　　　　　　　　　　　　………………第一章第三節の1の(7) (210ページ) 参照
措置法通達31の3－12《居住用家屋の敷地の判定》……第一章第三節の1の(8) (211ページ) 参照
措置法通達31の3－13《「災害」の意義》………第一章第三節の1の(9)の(注) (211ページ) 参照
措置法通達31の3－14《災害滅失家屋の跡地等の用途》
　　　　　　　　　　　　　　　　　………………第一章第三節の1の(9) (211ページ) 参照
措置法通達31の3－15《居住の用に供されなくなった家屋が災害により滅失した場合》
　　　　　　　　　　　　　　　　　………………第一章第三節の1の(10) (211ページ) 参照
措置法通達31の3－16《土地区画整理事業等の施行地区内の土地等の譲渡》
　　　　　　　　　　　　　　　　　………………第一章第三節の1の(11) (211ページ) 参照
措置法通達31の3－17《権利変換により取得した施設建築物等の一部を取得する権利等の譲渡》
　　　　　　　　　　　　　　　　　………………第一章第三節の1の(12) (211ページ) 参照
措置法通達31の3－18《居住用家屋の敷地の一部の譲渡》
　　　　　　　　　　　　　　　　　………………第一章第三節の1の(13) (212ページ) 参照
措置法通達31の3－20《特殊関係者に対する譲渡の判定時期》
　　　　　　　　　　　　　　………………………第一章第三節の1の③ (207ページ) 参照
措置法通達31の3－21《「生計を一にしているもの」の意義》
　　　　　　　　　　　　　………………第一章第三節の1の③の(注1) (207ページ) 参照
措置法通達31の3－22《同居の親族》……………第一章第三節の1の③の(注2) (207ページ) 参照
措置法通達31の3－23《「個人から受ける金銭その他の財産によって生計を維持しているもの」の
　　　　　　　　意義》………………………第一章第三節の1の③の(注3) (207ページ) 参照
措置法通達31の3－24《名義株についての株主等の判定》
　　　　　　　　　　　　　………………第一章第三節の1の③の(注4) (207ページ) 参照
措置法通達31の3－25《会社その他の法人》……第一章第三節の1の③の(注5) (207ページ) 参照
措置法通達35－1《固定資産の交換の特例等との関係》
　　　　　　　　　　　　　　　　　………………第六章第二節の2の(2) (427ページ) 参照

2　買換資産の範囲等

イ　買換資産の範囲

　本章の特例の適用対象となる買換資産は、次の①又は②に掲げる資産の区分に応じそれぞれに定めるもの（国内にあるものに限ります。）をいいます（措令24の2③）。

①　その個人が居住の用に供する家屋　　次に掲げる家屋の区分に応じそれぞれ次に定める家屋
　〈イ〉　建築後使用されたことのない家屋　　次に掲げる家屋（その家屋を令和6年1月1日以後にその者の居住の用に供した場合又は供する見込みである場合には、その家屋が「特定居住用家屋」に該当するものを除きます。）
　　　a　一棟の家屋の床面積のうち当該個人が居住の用に供する部分の床面積が50平方メートル以上であるもの
　　　b　一棟の家屋のうちその独立部分（一棟の家屋でその構造上区分された数個の部分を独立して住居その他の用途に供することができるもののその部分をいいます。以下同じ。）を区分所有する場合には、その独立部分の床面積のうちその個人が居住の用に供する部分の床面積が

－458－

第十章《特定の居住用財産の買換え等の場合の長期譲渡所得の課税の特例》

　　　　50平方メートル以上であるもの

　〈ロ〉　建築後使用されたことのある家屋で耐火建築物に該当するもの　　〈イ〉のａ又はｂに掲げる家屋（その取得の日以前25年以内に建築されたもの又は建築基準法施行令第３章及び第５章の４の規定若しくは国土交通大臣が財務大臣と協議して定める地震に対する安全性に係る基準（〈ハ〉において「建築基準等」といいます。）に適合することが証明されたものに限ります。）

　〈ハ〉　建築後使用されたことのある家屋で耐火建築物に該当しないもの　　〈イ〉のａ又はｂに掲げる家屋（その取得の日以前25年以内に建築されたもの又は譲渡の日の属する年の12月31日（譲渡をした日の属する年の翌年以降に取得する場合は、ロ（460ページ）の取得期限及び居住期限のただし書の取得期限）までに建築基準等に適合することが証明されたものに限ります。）

（注１）　「特定居住用家屋」とは、「エネルギーの使用の合理化に資する住宅の用に供する家屋として国土交通大臣が財務大臣と協議して定める基準」に適合する家屋以外の家屋で、次に掲げる要件のいずれにも該当しないものとされています（措法41㉗、措令26㊲）。

　　イ　その家屋が令和５年12月31日以前に建築確認を受けているものであること。

　　ロ　その家屋が令和６年６月30日以前に建築されたものであること。

（注２）　「耐火建築物」とは、その建物の主たる部分の構成材料が石造、れんが造、コンクリートブロック造、鉄骨造、鉄筋コンクリート造又は鉄骨鉄筋コンクリート造であるものをいいます（措規18の４①）。

（注３）　〈ロ〉及び〈ハ〉の地震に対する安全性に係る基準に適合することの証明は、その家屋が国土交通大臣が財務大臣と協議して定める〈ロ〉及び〈ハ〉それぞれの家屋に該当する旨を証する書類を確定申告書に添付することとされています（措規18の４②）。

　　　なお、耐震基準に適合することを証する書類として「耐震基準適合証明書」が定められています（平成21年国土交通省告示685・最終改正　平成28年国土交通省告示594）。

（注４）　国土交通大臣は、①の〈ロ〉の規定により基準を定めたときは、これを告示することとされています（措令24の２⑭）。

（注５）　上記〈イ〉のａの家屋の床面積は、各階ごとに壁その他の区画の中心線で囲まれた部分の水平投影面積（登記簿上表示される面積）によります。また、〈イ〉のｂの独立部分の床面積は、壁その他の区画の内側線で囲まれた部分の水平投影面積（登記簿上表示される面積）によります。したがって、〈イ〉のｂの床面積には、数個の独立部分に通ずる階段、エレベーター室等共用部分の面積は含まれません（措通36の２−14）。

②　①に掲げる家屋の敷地の用に供する土地又はその土地の上に存する権利　　その土地の面積（①の〈イ〉のｂに掲げる家屋については、その一棟の家屋の敷地の用に供する土地の面積にその家屋の床面積のうちにその者の区分所有する独立部分の床面積の占める割合を乗じて計算した面積）が500㎡以下であるもの

　（注）　借地権又は借地権の設定されている土地（底地）を取得した場合の上記②の「面積」は、その借地権の目的となっている土地又はその借地権の設定されている土地の面積によります（措通36の２−15）。

《買換資産の床面積要件及び買換土地等の面積要件の判定》

取得する家屋の床面積要件及びその家屋の敷地の用に供する土地等の面積要件の判定を行う場合には、次の点に留意してください（措通36の２−13）。

①　家屋の床面積のうちその個人の居住用部分の床面積を判定する場合は、その家屋と一体として利用される離れ屋、物置等の附属家屋は、その家屋に含めます。

②　その家屋又は土地等が共有物である場合は、その家屋の全体の床面積（その家屋のうち独立部分を区分所有する場合には、その独立部分の床面積）又は土地等の全体の面積（その土地等が独立部分を区分所有する家屋の敷地の用に供するものである場合には、その土地等の全体の面積にその家屋の床面積のうちにその区分所有する独立部分の床面積の占める割合を乗じて計算した面積）により判定します。

③　その家屋が店舗兼住宅等である場合には、家屋については、措置法通達31の３−７《店舗兼住宅等の居住部分の判定》（第一章第三節の１の(4)（209ページ）参照）に準じて計算した居住の用に

−459−

供する部分の床面積により判定し、土地等については、その店舗兼住宅等の敷地の用に供される土地等の全体の面積により判定します。

なお、これにより計算した家屋の居住の用に供する部分の床面積がその家屋の床面積のおおむね90％以上である場合において、措置法通達36の２－７《店舗兼住宅等の居住部分の判定》（１の**(４)**のなお書（456ページ）参照）に準じてその家屋の全部をその者の居住の用に供している部分に該当するものとして取り扱うときは、その家屋の全体の床面積により判定します。

④　その取得した土地等に係る仮換地を居住の用に供したことにより、措置法通達36の２－18《仮換地の指定されている土地等の判定》に準じて本章の規定を適用するときは、その仮換地の面積により判定します。

⑤　その取得をする家屋が床面積要件を満たさない場合には、その家屋の敷地の用に供する土地等は、その面積が500㎡以下であっても本章の特例の対象となる買換資産に該当しません。

⑥　その居住の用に供する家屋の敷地の用に供する土地等に、**ロ**に規定する買換資産の取得期間内に取得した土地等とその他の土地等がある場合は、買換資産の取得期間内に取得（相続、遺贈又は贈与による取得を除きます。）をした土地等の面積の合計面積により判定します。

⑦　譲渡した家屋の所有者とその家屋の敷地の用に供されている土地等の所有者が異なる場合において、措置法通達36の２－19《居住用家屋の所有者とその敷地の所有者が異なる場合の取扱い》（１の**(６)**参照）により、これらの者がともに本章の特例の適用を受ける旨の申告をするときは、これらの者が取得をした家屋の全体の床面積及び取得をした土地等の面積の合計面積により判定します。

ロ　買換資産の取得期限及び居住期限

イの買換資産は、平成５年４月１日（譲渡資産を譲渡した日が平成７年１月１日以後であるときは、その譲渡の年の前年１月１日）から譲渡の年の12月31日までの間に取得し、かつ、その取得の日から譲渡の年の翌年12月31日までの間に、その居住の用に供する必要があります（措法36の２①）。

ただし、平成５年４月１日から<u>令和７年12月31日</u>までの間に譲渡資産の譲渡をした個人が、譲渡の年の翌年１月１日から同年12月31日（特定非常災害の被害者の権利利益の保全等を図るための特別措置に関する法律第２条第１項の規定により特定非常災害（※）として指定された非常災害に基因するやむを得ない事情により、同日までに買換資産の取得をすることが困難となった場合において、同日後２年以内に買換資産の取得をする見込みであり、かつ、所轄税務署長の承認を受けたときは、同日の属する年の翌々年12月31日。以下「取得期限」といいます。以下本章において同じ。）までの間に買換資産を取得する見込みであり、かつ、取得した年の翌年12月31日までにその居住の用に供する見込みである場合には、本章の特例を適用することができます。この場合、延長後の取得期限は、取得期限の属する年の翌々年12月31日とされます（措法36の２②）。

※　「特定非常災害」とは、著しく異常かつ激甚な非常災害であって、その非常災害の被害者の行政上の権利利益の保全等を図ること等が特に必要と認められるものが発生した場合に指定されるものをいいます（特定非常災害の被害者の権利利益の保全等を図るための特別措置に関する法律２①）。

なお、令和６年９月30日現在、特定非常災害に指定されたものは、阪神・淡路大震災、平成16年新潟県中越地震、東日本大震災、平成28年熊本地震、平成30年７月豪雨災害、令和元年台風19号、令和２年７月豪雨災害及び令和６年能登半島地震となっています。

(注)　上記ただし書の場合には、買換資産の見積額、取得予定年月日等を記載した「買換（代替）資産明細書」を譲渡年分の所得税の確定申告書の提出期限までに提出する必要があります（措法36の２⑤⑦、措規18の４⑤）。

また買換資産はその**居住期限**（その取得の日〈２回以上にわたって取得するときは、そのいずれか遅い方の取得の日。以下同じ。〉から譲渡資産の譲渡の日の属する年の翌年12月31日をいい、取得した年が譲渡年の翌年であるときは、譲渡年の翌々年12月31日をいいます。）までに居住の用に供し、かつ、同日まで引き続いて居住の用に供することがこの特例の適用要件となっています。この場合に、買換資産である土地等については、その土地等の上にあるその者の所有する家屋をその者の居住の用に供

－460－

した時に居住の用に供したことになります（措通36の2－17）。

(注) 買換資産をその個人の居住の用に供したかどうかについては、措置法通達31の3－2に準じて判定することとされています。

その他、買換資産に関する具体的取扱いは次のとおりです。

(1) 併用住宅又は二以上の居住用家屋（その敷地である土地等を含む。）を取得した場合

取得する居住用家屋（その敷地の用に供する土地若しくは土地の上に存する権利を含みます。以下同じ。）のうちに、居住の用以外の用に供する部分があるときは、その居住の用に供する部分に限り、買換資産に該当するものとされます。この場合の「居住の用に供する部分」の判定は、1の(3)《店舗兼住宅等の居住部分》の取扱いに準ずることになります。

つぎに、居住用家屋の取得期間内に二以上の居住用家屋を取得するときは、その者の主として居住の用に供する一の家屋に限り、買換資産となります（措令24の2⑫）。

(2) やむを得ない事情により買換資産の取得が遅れた場合

譲渡資産の譲渡年の翌年に買換資産を取得する見込みでこの特例の適用を受けた者が、買換資産に該当する家屋（いわゆる建売住宅のように家屋とともにその敷地の用に供する土地等を買い受けた場合のその土地等を含みます。）を買換資産の取得期間内に取得できなかった場合であっても、次に掲げる要件のいずれをも満たすときは、その家屋は買換資産の取得期間内に取得されていたものとして取り扱われます（措通36の2－16）。

① 買換資産に該当する家屋を買換資産の取得期間内に取得する契約を締結していたにもかかわらず、その契約の締結後に生じた災害（その災害について取得期限の延長の承認を受けている場合のその災害を除きます。）その他その者の責めに帰せられないやむを得ない事情によりその契約に係る家屋を取得期間内に取得できなかったこと。

② 買換資産に該当する家屋を取得期限の属する年の翌年12月31日までに取得し、かつ、同日までにその取得した家屋をその者の居住の用に供していること。

(注) 買換資産の取得の日については、第一編第三章第三節の1の(1)及び(2)（38ページ）（所基通33－9）により判定するのが原則ですが、次に掲げる資産は、それぞれ次に掲げる日以後において取得することになります。

イ 他から取得する家屋で、その取得に関する契約時において建設が完了していないもの　建設が完了した日

ロ 他から取得する家屋又は土地等で、その取得に関する契約時において契約に係る譲渡者がまだ取得していないもの（イに掲げる家屋を除きます。）　譲渡者が取得した日

(3) 相続人が買換資産を取得した場合

譲渡資産を譲渡した者が買換資産を取得しないで死亡した場合であっても、その死亡前に買換資産の取得に関する売買契約又は請負契約を締結しているなど買換資産が具体的に確定しており、その買換資産をその相続人が買換資産の取得期間内に取得し、かつ、その居住期限までに買換資産を相続人の居住の用に供したときは、譲渡資産を譲渡した者の譲渡資産に係る譲渡所得についてこの特例の適用が認められます（措通36の2－21）。

(4) 買換資産を取得した者が居住期限までに死亡した場合

買換資産を取得した者がその取得の日（取得の日が二以上ある場合は、そのいずれか遅い日）の属する年の翌年12月31日までに死亡した場合において、その買換資産を相続により取得した者がその取得をした後死亡した者の居住期限までその買換資産を居住の用に供しているときは、その死亡した者がその居住期限まで居住の用に供していたものとみなして、この特例の適用があります（措令24の2⑬）。

(5) 貸地の返還を受けるために立退料等を支払った場合

土地を他人に使用させていた者が、立退料等を支払ってその借地人から貸地の返還を受けた場合には、その土地の借地権等に相当する部分の取得があったものとし、その支払った金額（その金額のうちにその借地人から取得した建物、構築物等でその土地の上にあるものの対価に相当する金額がある

ときは、その金額を控除した金額とします。）を借地権等に相当する部分の買換資産の取得価額として
この特例を適用することができます（措通36の2-10）。

（6）　宅地造成費

譲渡資産を譲渡した者がその者の有する土地を居住の用に供するために地盛り、切土等して宅地の
造成をした場合において、その費用の額が相当の金額に上り、実質的に新たに土地を取得したことと同
様の事情があるものと認められるときは、その造成の完成の時に新たな土地の取得があったものとし、
その造成費の額を買換資産の取得価額としてこの特例を適用することができます（措通36の2-11）。

（7）　買換資産を改良又は改造等した場合

譲渡資産を譲渡した者が買換資産の取得期間（1の譲渡資産の譲渡の日の属する年の前年1月1日
から当該譲渡の日の属する年の12月31日（2のロのただし書きに該当する場合にあっては、譲渡資産
の譲渡の日の属する年の前年1月1日から同ただし書きに定める取得期限））内に買換資産に該当する
家屋又はその家屋とともにその敷地の用に供する土地等の取得をし、かつ、その買換資産の取得期間
内に次に掲げる改良、改造等を行った場合には、その改良、改造等は買換資産の取得に当たるものと
して、この特例を適用することができます（措通36の2-12）。

①　その家屋又は土地等についてその者の居住の用に供するために改良、改造を行った場合

②　その家屋の取得に伴って次に掲げる資産（事業又は事業に準ずる不動産の貸付けの用に供される
　ものを除きます。）の取得をした場合

　イ　車庫、物置その他の附属建物（その家屋の敷地内にあるものに限ります。）又はその建物に係る
　　建物附属設備

　ロ　石垣、門、塀その他これらに類するもの（その家屋の敷地内にあるものに限ります。）

（8）　仮換地の指定されている土地等の居住の用に供したかどうかの判定

土地区画整理法による土地区画整理事業、新都市基盤整備法による土地整理若しくは大都市地域住
宅等供給促進法による住宅街区整備事業の施行地区内にある土地等を買換資産として取得した場合に
おいて、その土地等について仮換地の指定があったとき又はこれらの事業の施行地区内にある土地等
で仮換地の指定されているものを買換資産として取得した場合においては、その取得した土地等がそ
の取得した者の居住の用に供されたかどうかは、取得した土地等に係る仮換地を居住の用に供したか
どうかにより判定することとされています（措通36の2-18）。

3　譲渡及び取得の範囲

特例の適用がある譲渡資産の譲渡及び買換資産の取得については、次のように定められています。

（1）　譲渡から除かれるものの範囲

本章の特例は、次に掲げる譲渡には適用されません（措法36の2①、措令24の2①②）。

①　次のイからホに掲げる者《その個人の配偶者その他その個人と特別な関係のある者》に対する
　譲渡（措令24の2①、20の3①）。

　　これらの特別な関係にある者に該当するかどうかは、その譲渡した時において判定します（措
　通31の3-20、36の2-23）。ただし、その譲渡が次のロの「その個人とその家屋に居住をするも
　の」に対する譲渡に該当するかどうかは、その譲渡がされた後の状況により判定します。

　イ　その個人の配偶者及び直系血族

　ロ　その個人の親族（イに掲げる者を除きます。）でその個人と生計を一にしているもの及びその
　　個人の親族（イに掲げる者を除きます。）で居住の用に供している家屋の譲渡がされた後その個
　　人とその家屋に居住をするもの

　ハ　その個人とまだ婚姻の届出をしていないが事実上婚姻関係と同様の事情にある者及びその者
　　の親族でその者と生計を一にしているもの

　ニ　イ～ハに掲げる者及びその個人の使用人以外の者でその個人から受ける金銭その他の財産に

よって生計を維持しているもの及びその者の親族でその者と生計を一にしているもの

ホ　その個人、その個人のイ及びロに掲げる親族、その個人の使用人若しくはその使用人の親族でその使用人と生計を一にしているもの又はその個人に係る上記ハ及びニに掲げる者を判定の基礎となる所得税法第２条第１項第８号の２に規定する株主等とした場合に、法人税法施行令第４条第２項に規定する特殊の関係その他これに準ずる関係のあることとなる会社その他の法人

（注）　①については、措置法通達31の３－20～31の３－25（１の**(8)**（457ページ）参照）の取扱いが準用されます。

②　租税特別措置法及び震災特例法に規定する次の特例の適用を受ける譲渡

イ　収用等に伴い代替資産を取得した場合の課税の特例（措法33）

ロ　交換処分等に伴い資産を取得した場合の課税の特例（措法33の２）

ハ　換地処分等に伴い資産を取得した場合の課税の特例（措法33の３）

ニ　収用交換等の場合の譲渡所得等の特別控除（措法33の４）

ホ　特定の事業用資産の買換えの場合の譲渡所得の課税の特例（措法37）

ヘ　特定の事業用資産を交換した場合の譲渡所得の課税の特例（措法37の４）

ト　特定普通財産とその隣接する土地等の交換の場合の譲渡所得の課税の特例（措法37の８）

③　贈与、交換、出資、金銭債務の弁済に代えてする代物弁済による譲渡（措法36の２①、措令24の２②）

なお、その譲渡が上記の①から③までに該当しない場合でも、その個人がその年又はその年の前年若しくは前々年において、次の特例の適用を受けているときは、本章の特例は適用できません（措法36の２①）。

（イ）　居住用財産を譲渡した場合の長期譲渡所得の課税の特例（措法31の３）

（ロ）　居住用財産の譲渡所得の特別控除（措法35（第３項の規定により適用する場合を除きます。））

（ハ）　居住用財産の買換え等の場合の譲渡損失の損益通算及び繰越控除（措法41の５）

（ニ）　特定居住用財産の譲渡損失の損益通算及び繰越控除（措法41の５の２）

（２）　低額譲渡の取扱い

この特例の適用対象となる居住用家屋又はその敷地である土地等を法人に対し低額譲渡（時価の２分の１に満たない対価による譲渡）した場合においては、所得税法第59条第１項の規定により、時価により譲渡したものとみなして譲渡所得を計算することになっていますが、この特例の適用に当たっては、譲渡資産の譲渡時における価額から譲渡対価を控除した金額については、「贈与」による譲渡として取り扱い、実際の譲渡対価を「譲渡資産の譲渡による収入金額」としてこの特例を適用します。この場合、譲渡資産の「取得費」とされる金額もこの実際の譲渡対価に対応する部分を時価との比であん分して計算することになります（措通36の２－６の５）。

なお、買換資産を低額譲受け（相続税法第７条本文に規定する低額譲受けで贈与税の課税対象とされるもの）により取得した場合においても実際の取得対価のみをこの特例の適用に当たっての「買換資産の取得価額」とし、贈与があったものとみなされる部分は買換資産の取得価額とはみないことになっています。

（３）　買換資産の取得

取得には建設が含まれ、贈与、交換又は金銭債務の弁済に代えてする代物弁済による取得は除かれます（措法36の２①、措令24の２④）。

なお、買換資産のうちに居住用部分と非居住用部分があるときは、居住用部分に限り買換資産に該当します。また、二以上の家屋を取得した場合には、主として居住の用に供する一の家屋に限り買換資産に該当します（措令24の２⑫）。

－463－

第十章《特定の居住用財産の買換え等の場合の長期譲渡所得の課税の特例》

4 譲渡価額が1億円を超える場合

譲渡資産の譲渡に係る対価の額が1億円を超える場合には、この特例は適用されませんが、次の場合も適用できません（措法36の2①②③）。

(1) 前年又は前々年に譲渡がある場合

譲渡資産の譲渡をした日の属する年又はその前年若しくは前々年に、その譲渡資産と一体として居住の用に供されていた家屋又は土地若しくは土地の上に存する権利の譲渡（収用交換等による譲渡を除きます。）をしている場合において、その前3年以内の譲渡に係る対価の額とその譲渡資産の譲渡に係る対価の額との合計額が1億円を超える場合には、本特例の適用はないこととされます（措法36の2③、36の5①）。

(2) 翌年又は翌々年に譲渡がある場合

譲渡資産の譲渡をした日の属する年の翌年又は翌々年に、その譲渡資産と一体として居住の用に供されていた家屋又は土地若しくは土地の上に存する権利の譲渡（収用交換等による譲渡を除きます。）をした場合において、その家屋又は土地若しくは土地の上に存する権利の譲渡に係る対価の額とその譲渡資産の譲渡に係る対価の額（前3年以内の譲渡がある場合には、上記(1)の合計額）との合計額が1億円を超えることとなった場合には、本特例の適用はないこととされます（措法36の2④）。

> (注) この特例の適用対象となる資産の譲渡をした個人が、その譲渡をした日の属する年、その年の前年若しくは前々年又はその年の翌年若しくは翌々年にその譲渡資産と一体としてその個人の居住の用に供されていた家屋又は土地若しくは土地の上に存する権利の譲渡をした場合において、その譲渡が贈与（譲渡資産の譲渡の時における価額の2分の1に満たない金額による譲渡を含みます。）によるものである場合は、上記(1)及び(2)の適用については、その贈与等の時における価額（その贈与の時における通常の取引価額のことをいいます。）に相当する金額をもってこれらの規定に規定する譲渡に係る対価の額とします（措令24の2⑨、措規18の4④、措通36の2－6の4）。

(3) 「譲渡資産と一体として居住の用に供されていた家屋又は土地等」の判定

その譲渡をした資産が(1)及び(2)に掲げる「その譲渡資産と一体として居住の用に供さていた家屋又は土地若しくは土地の上に存する権利」に該当するかどうかは、社会通念に従い、譲渡資産と一体として利用されているものであったかどうかを、それぞれ次に掲げる時の利用状況により判定します（措通36の2－6の3）。

① 譲渡資産の譲渡をする以前に譲渡をしている資産（③に掲げる資産を除きます。）……資産の譲渡をした時

② 譲渡資産の譲渡をした後に譲渡をしている資産（③に掲げる資産を除きます。）……譲渡資産の譲渡をした時

③ 譲渡資産がその譲渡の時においてその者の居住の用に供されていないため、その居住の用に供されなくなった時の直前における利用状況により特例の適用を受ける場合において、その居住の用に供されなくなった後に譲渡をしている資産……その者の居住の用に供されなくなった時の直前

> (注1) 上記の場合において、特例の適用を受けるためのみの目的で①、②及び③に掲げる時の前に一時的に居住の用以外の用に供したと認められる部分については、「その譲渡資産と一体として居住の用に供されていた家屋又は土地若しくは土地の上に存する権利」に該当します。

> (注2) 譲渡資産の譲渡の年の1月1日において所有期間が10年以下である底地や買増しした庭の一部のように、特例の適用対象とならないものも、「その譲渡資産と一体として居住の用に供されていた家屋又は土地若しくは土地の上に存する権利」に該当することになります。

−464−

第十章《特定の居住用財産の買換え等の場合の長期譲渡所得の課税の特例》

第二節　譲渡所得の計算

第一節の買換えの特例の適用を受けた場合の譲渡所得金額は、それぞれの場合に応じ、次のように計算します。なお、低額譲渡又は低額譲受けがあった場合については、措置法通達36の２－６の５《低額譲渡等》の取扱い（第一節３の(２)参照）によります。

(１)　譲渡による収入金額が買換資産の取得価額と同額か又はその金額に満たない場合

譲渡による収入金額が、買換資産の取得価額（又は取得価額の見積額）と同額であるか、又はその金額に満たない場合には、その資産の譲渡がなかったものとされ、譲渡所得は課税されません（措法36の２①）。

(２)　譲渡による収入金額が買換資産の取得価額を超える場合

譲渡による収入金額が、買換資産の取得価額（又は取得価額の見積額）を超える場合には、収入金額と取得価額の差額に相当する部分についてだけ譲渡があったものとして、次の算式により譲渡所得を計算します（措法36の２①、措令24の２⑤）。

$$\{(譲渡資産の収入金額(A)) - (買換資産の取得価額(B))\} - (譲渡資産の取得費 + 譲渡資産の譲渡経費) \times \frac{(A)-(B)}{(A)} = 譲渡があったものとされる部分の長期譲渡所得の金額$$

〔計算例〕

(１)　譲渡資産（居住用財産）

① 譲渡価額　　　80,000,000円

② 取得時期等　　平成20年６月12日取得、以後引き続き居住。

③ 譲渡時期　　　令和６年７月13日

④ 取　得　費　　19,000,000円（取得費から控除する家屋の減価の額は計算上省略します。）

⑤ 譲渡経費　　　1,000,000円

(２)　買換資産（居住用財産）

① 取得価額　　　50,000,000円（取得に要した費用を含みます。）

② 取得時期　　　令和６年６月20日

$$\underset{(譲渡資産の譲渡価額)}{80,000,000円} - \underset{(買換資産の取得価額)}{50,000,000円} = \underset{(収入金額)}{30,000,000円}$$

$$\left(\underset{(譲渡資産の取得費)}{19,000,000円} + \underset{(譲渡経費)}{1,000,000円}\right) \times \frac{\overset{(譲渡資産の譲渡価額)}{80,000,000円} - \overset{(買換資産の取得価額)}{50,000,000円}}{\underset{(譲渡資産の譲渡価額)}{80,000,000円}} = \underset{(必要経費)}{7,500,000円}$$

$$\underset{(収入金額)}{30,000,000円} - \underset{(必要経費)}{7,500,000円} = \underset{(課税長期譲渡所得金額)}{22,500,000円}$$

第三節　この特例の適用を受けるための申告手続

この買換えの特例の適用を受けるためには、譲渡資産の譲渡をした年分の所得税の確定申告書に「この特例の適用を受けようとする旨」を記載するとともに、次に掲げる書類を添付して、確定申告書の提出期限までに納税地の所轄税務署長に提出しなければなりません（措法36の２⑤）。

① 譲渡資産の譲渡価額、買換資産の取得価額又はその見積額に関する明細書《譲渡所得の内訳書（確定申告書付表兼計算明細書）》

－465－

第十章《特定の居住用財産の買換え等の場合の長期譲渡所得の課税の特例》

② 次に掲げる書類並びに譲渡に係る資産が特例の対象となる「譲渡資産」に該当する事実を記載した書類（譲渡に係る契約を締結した日の前日において譲渡をした者の住民票に記載されていた住所と譲渡資産の所在地とが異なる場合、譲渡の日前10年内において譲渡をした者の住民票に記載されていた住所を異動したことがある場合その他これらに類する場合には、その書類及び戸籍の附票の写し、消除された戸籍の附票の写しその他これらに類する書類で譲渡に係る資産が特例の対象となる「譲渡資産」に該当することを明らかにするもの）（措規18の4⑤）

イ	譲渡をした譲渡資産に係る登記事項証明書又は譲渡資産に係る不動産番号等の明細書その他これに類する書類で、その譲渡資産の所有期間が10年を超えるものであることを明らかにするもの
ロ	譲渡をした譲渡資産に係る売買契約書の写しその他の書類で、その譲渡資産の譲渡に係る対価の額（第一節の4の(2)の前3年以内の譲渡がある場合には、その合計額）が1億円以下であることを明らかにするもの

なお、譲渡資産の譲渡の年の翌年中に買換資産を取得する見込みである場合には、確定申告書等の提出日までに買換資産の見積額、取得年月日等を記載した「買換（代替）資産明細書」を上記の書類のほかに確定申告書に添付の上提出しなければなりません。

（注） 譲渡をした資産が特例の対象となる「譲渡資産」に該当するものであることについて、上記②に規定する登記事項証明書、戸籍の附票の写し等の公的書類では証明することができない場合（戸籍の附票の消除や家屋が未登記である等の事由により公的書類の交付を受けられない場合を含みます。）には、公的書類に類する書類で「譲渡資産」に該当するものであることを明らかにするものを確定申告書に添付した場合に限り、この特例の適用があります。

なお、譲渡に係る契約を締結した日の前日において、資産を譲渡した者の住民基本台帳に登載されていた住所が譲渡資産の所在地と異なる場合については、措置法通達31の3－26《住民票の写しの添付ができない場合》（第一章第三節の3（214ページ）参照）に準じて取り扱われます（措通36の2－22）。

※ 公的書類に類する書類には、例えば、次のようなものが含まれます。

（イ） 「譲渡資産」に該当する家屋であることを証する書類　固定資産課税台帳の写し、取得に関する契約書

（ロ） 譲渡した者の居住期間を証する書類　学校の在籍証明書、郵便書簡、町内会等の居住者名簿

③ 取得をした買換資産に係る登記事項証明書又は買換資産に係る不動産番号等の明細書、売買契約書その他の書類で、次の事項を明らかにする書類若しくはその写し又は証明書（措令24の2⑩、措規18の4②⑥）

イ	その買換資産の取得をしたこと
ロ	その買換資産に係る家屋の床面積が50㎡以上であること
ハ	その買換資産に係る土地の面積が500㎡以下であること
ニ	その買換資産に係る家屋が特定居住用家屋に該当するもの以外であること
ホ	その買換資産に係る家屋が建築後使用されたことのある家屋である場合には、次のいずれかの事項を明らかにする書類など （ⅰ）　その取得の日以前25年以内に建築されたものであること （ⅱ）　建築基準法施行令の規定若しくは地震に対する安全性に係る基準に適合すること

（注）　取得をした買換資産に係る家屋が建築基準法施行規則別記第2号様式の副本に規定する高床式住宅に該当する場合は、上表ロのその家屋の床面積を証するために添付する書類は、その家屋に係る建築基準法第6条第1項に規定する確認済証の写し又は同法第2条第35号に規定する特定行政庁のその家屋が高床式住宅に該当するものである旨を証する書類で、床面積の記載のあるものとすることができ

－466－

ます（措規18の4⑦）。

④　その取得をした者が買換資産を確定申告書の提出の日等までに居住の用に供していない場合に
おけるその旨及びその居住の用に供する予定年月日その他の事項を記載した書類（措令24の2⑩、
措規18の4⑥）

また、買換資産を譲渡資産の譲渡の年の翌年中に取得する見込みで本章の特例の適用を受けた場合
には、上記に掲げる書類のうち③及び④の書類は、買換資産を取得した日（2回以上に分けて取得し
たときはいずれか遅い日）から4か月以内に提出することになっています（措令24の2⑩）。

このように本章の特例は、申告を要件として認められることになっています。したがって、確定申
告書に所要事項の記載及び必要な書類の添付がなかった場合には、原則としてこの特例の適用は受け
られないことになっています。しかし、確定申告書を提出しなかったこと、又は確定申告書に所要事
項の記載若しくは必要な書類の添付がなかった場合でも、確定申告書を提出しなかったこと等につい
て税務署長においてやむを得ない事情があると認められるときは、所定の事項を記載した書類の提出
があれば、本章の特例の適用が受けられます（措法36の2⑥）。

第四節　更正の請求と修正申告

本章の買換えの特例の適用を受けた場合において、その後特例の適用要件に該当しなくなったとき
や買換資産の取得価額が取得価額の見積額と異なったようなときは、特例を適用して計算した譲渡所
得の税額を精算する必要があり、その譲渡の日の属する年分の所得税について修正申告又は更正の請
求をすることになります（措法36の3①②）。

1　災害等により買換資産を取得できなかった場合の3,000万円控除の適用

第一節の1に述べた譲渡資産を譲渡し、その譲渡した年の翌年に買換資産を取得する見込みで、居
住用財産の買換えの特例の適用を受けた者が、災害その他のその者の責めに帰せられないやむを得な
い事情により、取得期限までに買換資産を取得できなかったため、買換えの特例を適用できなくなっ
た場合に限り、取得期限の属する年の翌年4月30日までに、譲渡年分の所得税に係る修正申告書を提
出することを条件として、「居住用財産に係る長期譲渡所得の税率の軽減」（措法31の3）及び「居住用
財産に係る譲渡所得の特別控除（3,000万円控除）」（措法35）の適用を受けることができます（措通
31の3－27、35－6）。

2　修正申告をしなければならない場合

次に掲げる場合には、それぞれに掲げる日から4か月以内に、資産の譲渡のあった年分の所得税に
ついて修正申告書を提出し、修正により増加した所得税額を納付しなければなりません（措法36の3
①②、措通36の3－1）。

①　買換資産の全部を譲渡資産の譲渡の年以前に取得した場合において、譲渡資産の譲渡をした年
の翌年12月31日までに、買換資産をその居住の用に供しないとき又は供しなくなったとき……譲
渡資産の譲渡をした年の翌年12月31日（措法36の3①）

②　取得期限までに買換資産を取得する見込みで特例の適用を受けた場合において、買換資産をそ
の取得期限内に取得したが、実際の取得価額が取得価額の見積額に満たないこととなったとき…
…取得期限（措法36の3②、措通36の3－1（2））

③　譲渡資産の譲渡をした年の翌年に買換資産を取得する見込みで特例の適用を受けた場合におい
て、取得期限までに買換資産を取得していないとき……取得期限（措通36の3－1（1））

④　譲渡資産の譲渡をした年の翌年に買換資産を取得する見込みで特例の適用を受けた場合におい
て、買換資産をその取得期限内に取得したが、その取得の年の翌年12月31日までに買換資産をそ

居住の用に供しないとき又は供しないこととなったとき……買換資産の取得の年の翌年12月31日（措通36の3-1(3)）

　この特例の適用要件として、買換資産の取得の日からその居住期限（①又は④に掲げる日）までに居住の用に供し、かつ、その居住期限まで引き続き居住の用に供さなければなりません。

　しかし、収用、災害その他次に掲げる事情に基づいてこれらの居住期限までに居住の用に供しなかった場合又は供さなくなった場合にはこの特例の適用が認められます（措通36の3-2）。

イ　買換資産について、「収用交換等の場合の譲渡所得の特別控除」（措法33の4）の適用を受けられる収用交換等に該当する譲渡をすることになったこと。

ロ　買換資産が災害により滅失又は損壊したこと。

ハ　買換資産の取得をした者について海外勤務その他これに類する事情が生じたこと。

ニ　買換資産の取得をした者が死亡したこと（買換資産を相続により取得した者が被相続人の居住期限までに買換資産をその居住の用に供しないことにつきやむを得ない事情がある場合に限ります。）。

　⑤　また、譲渡資産の譲渡につき、本特例の適用を受けている者が、譲渡をした年の翌年又は翌々年に、その譲渡資産と一体として居住の用に供されていた家屋又は土地若しくは土地の上に存する権利の譲渡（収用交換等による譲渡を除きます。）をした場合において、その家屋又は土地若しくは土地の上に存する権利の譲渡に係る対価の額とその譲渡資産の譲渡に係る対価の額（前3年以内の譲渡がある場合には、その合計額）との合計額が1億円を超えることとなった場合には、その該当することとなった譲渡をした日から4か月を経過する日までに、その譲渡資産を譲渡した日の属する年分の所得税についての修正申告書を提出し、かつ、その修正申告書に係る税額を納付しなければなりません（措法36の2④、36の3③、36の5①）。

　なお、上記①から⑤までのいずれか一に該当して修正申告の必要があるにもかかわらず、修正申告書の提出がないときは、納税地の所轄税務署長は、国税通則法第24条又は第26条の規定により、その所得税の更正を行うこととされています（措法36の3④）。

　また、その提出期限内に提出があった修正申告書は期限内申告書とみなされ、過少申告加算税や延滞税は課されないことになっています（措法36の3⑤）。

3　更正の請求ができる場合

　買換資産を取得する見込みで特例の適用を受けた場合において、実際の取得価額が取得価額の見積額より多くなった場合には、その取得の日（取得の日が二以上あるときは、いずれか遅い日）から4か月以内に、譲渡した年分の所得税について更正の請求をすることができます（措法36の3②）。

第五節　買換資産を譲渡した場合の取得価額の計算等

本章の特例の適用を受けた場合には、その譲渡による収入金額のうち買換資産の取得価額に相当する部分については譲渡資産の譲渡がなかったものとされ、買換資産はその譲渡資産の取得価額を引き継ぐことになりますが、買換資産の取得の時期は、譲渡資産の取得の時期を引き継がないものとされます。したがって、その買換資産の譲渡等をした場合の譲渡所得は、次に掲げる取得の時期及び取得価額を基として計算することになります。

1　買換資産の取得の時期

買換資産の取得の時期は、譲渡資産の取得の時期を引き継がないで、買換えにより実際に取得した日とされます。したがって、この特例の適用を受けた買換資産を譲渡等した場合の譲渡所得の長期・短期の判定に当たっては、実際の取得日を基礎としてその所有期間を計算します。

2　買換資産の取得価額

買換資産の取得価額は、実際の取得価額ではなく、次の各場合に応じ、それぞれに掲げる金額とされます（下記の〔計算例〕参照）（措法36の4、措令24の3）。

（1）　譲渡資産の譲渡による収入金額が買換資産の実際の取得価額（取得に要した費用を含みます。以下同じ。）を超える場合

$$
\left[\left(\begin{array}{c} 譲渡資産の取 \\ 得費の合計額 \end{array} + \begin{array}{c} 譲渡経費 \\ の合計額 \end{array} \right) \times \frac{\begin{array}{c} 買換資産の取得 \\ 価額の合計額 \end{array}}{\begin{array}{c} 譲渡資産の譲渡によ \\ る収入金額の合計額 \end{array}} \right] \times \frac{個々の買換資産の価額}{買換資産の価額の合計額}
$$

（2）　譲渡資産の譲渡による収入金額が買換資産の実際の取得価額に等しい場合

$$
\left(\begin{array}{c} 譲渡資産の取 \\ 得費の合計額 \end{array} + \begin{array}{c} 譲渡経費 \\ の合計額 \end{array} \right) \times \frac{個々の買換資産の価額}{買換資産の価額の合計額}
$$

（3）　譲渡資産の譲渡による収入金額が買換資産の実際の取得価額に満たない場合

$$
\left\{ \left(\begin{array}{c} 譲渡資産の取 \\ 得費の合計額 \end{array} + \begin{array}{c} 譲渡経費 \\ の合計額 \end{array} \right) + \left(\begin{array}{c} 買換資産の取得 \\ 価額の合計額 \end{array} - \begin{array}{c} 譲渡資産の譲渡によ \\ る収入金額の合計額 \end{array} \right) \right\}
$$
$$
\times \frac{個々の買換資産の価額}{買換資産の価額の合計額}
$$

以上のように買換資産が、居住用家屋とその敷地の用に供される土地等から成るときは、譲渡資産の取得費及び譲渡経費の合計額を基礎として計算された買換資産の取得費とされる金額を、個々の資産の価額（時価）の比によりあん分して、それぞれの買換資産の取得費とされる金額を計算しなければなりません。しかし、家屋と土地等を一括取得した場合には、そのそれぞれの取得価額（時価）をどのように区分するかという問題があります。この場合には、次によりそれぞれの取得価額を計算することとされます（措通36の2－9）。

①　家屋及び土地等の価額が当事者間の契約において区分されており、かつ、その区分された価額がその家屋及び土地等の取得の時の価額としておおむね適正なものであるときは、その契約により明らかにされている価額によります。

②　家屋及び土地等の価額が当事者間の契約において区分されていない場合であっても、例えば、家屋及び土地等が建設業者から取得したものであってその建設業者の帳簿書類に家屋及び土地等のそ

れぞれの価額が区分して記載されている等家屋及び土地等のそれぞれの価額がその取得先等において確認され、かつ、その区分された価額が家屋及び土地等の取得の時の価額としておおむね適正なものであるときは、その確認された価額によることができます。

③　①又は②により難いときは、一括して取得した家屋及び土地等の取得の時における価額の比によりあん分して計算した金額を、それぞれ家屋及び土地等の取得価額とします。

　（注）　上記③の場合、第一編第三章第三節の２の**(15)**（47ページ）の取扱いによることができます。

〔計算例〕

（譲渡資産の内容）

　①　譲渡価額　80,000,000円
　②　取得価額　19,000,000円
　③　譲渡費用　1,000,000円

（１）　買換資産の取得価額が50,000,000円の場合（465ページの計算例に同じ）

$$(19,000,000円 + 1,000,000円) \times \frac{50,000,000円}{80,000,000円} （=62.5\%）= 12,500,000円 （引継ぎ取得価額）$$

（２）　買換資産の取得価額が80,000,000円の場合

　　　19,000,000円 + 1,000,000円 = 20,000,000円（引継ぎ取得価額）

（３）　買換資産の取得価額が85,000,000円の場合

　　　(19,000,000円 + 1,000,000円) + (85,000,000円 - 80,000,000円) = 25,000,000円（引継ぎ取得価額）

　（注）　次図は、465ページに掲げた計算例と前記の計算例の(１)の計算結果とを図解したものです（単位＝万円）。

　　　なお、買換資産については全体としての引継ぎ取得価額を計算した後、家屋、土地等の実際の取得価額の比によりあん分して、個々の資産ごとの引継ぎ取得価額とします。

〔居住用財産の買換えの場合の譲渡所得計算と買換資産の引継ぎ取得価額〕

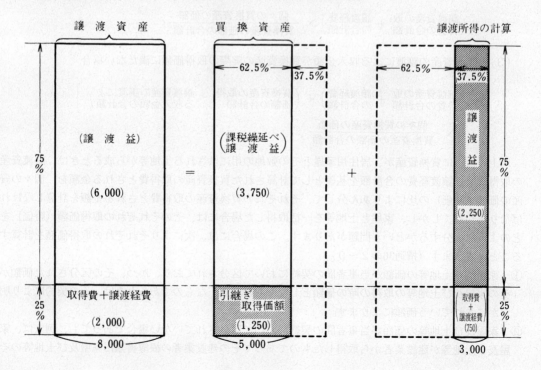

第六節　交換の場合の特例の適用

第一節から前節までの特例は、第一節に述べた譲渡資産と買換資産を交換した場合にも以下に述べる条件のもとに適用されることになります。

1　特例の適用を受けることができる場合

次に掲げる要件のすべてに該当する交換には、第一節から前節までの特例が適用できます。

（1）　交換譲渡資産及び交換取得資産の範囲

この特例が適用される交換によって譲渡する資産及び取得する資産の範囲は、第一節に述べた買換えの場合の課税の特例の適用を受けることができる譲渡資産及び買換資産の範囲と同じです。

（2）　交換の範囲

ここでいう交換には、交換に伴って交換差金を取得し、又は交換差金を支払った場合も含まれます。しかし、措置法第33条の2第1項第2号に規定する土地改良法による土地改良事業等の施行に伴う交換（第四章第六節の1の（2）（258ページ）参照）、措置法第37条の4に規定する特定事業用資産の交換の特例、同法第37条の5第4項に規定する既成市街地等内にある土地等の中高層耐火建築物等の建設のための交換の特例若しくは同法第37条の8に規定する特定普通財産とその隣接する土地等の交換の特例又は所得税法第58条第1項に規定する固定資産の交換の場合の課税の特例の適用を受ける交換は除かれています（措法36の5、措令24の4①）。

また、他の資産との交換（第一節に述べた譲渡資産と同節に述べた買換資産以外の資産との交換で交換差金を取得するものをいいます。）の場合には、譲渡資産のうちその交換差金に対応する部分についてのみ、この特例の適用対象となる譲渡があったものとみなし、その他の部分は特例の適用がない譲渡となります。したがって、交換差金によって別途買換資産を取得することにより、第一節から前節までの買換えの特例が適用されます。

2　譲渡所得の計算

この特例の適用を受けた場合には、交換の日の交換取得資産の時価で、その交換譲渡資産を譲渡したものとして買換えの場合と同じような方法により譲渡所得を計算することになります（措法36の5、措令24の4②）。したがって、

（1）　交換差金の支払を受けない場合には、原則として交換譲渡資産の譲渡はなかったものとされ、譲渡所得は課税されません。

（2）　交換差金を受けた場合は、交換取得資産の時価相当額と交換差金の額との合計額が交換譲渡資産の譲渡による収入金額とされますから、その交換差金に相当する部分だけ交換譲渡資産の譲渡があったものとして譲渡所得が計算されることになります。

3　交換により取得した資産の取得価額の計算等

譲渡資産の取得価額は引き継ぎますが取得時期は引き継ぎません。このことは交換により取得した資産の取得価額の計算等については第五節と同じ取扱いになるということです。したがって、この特例の適用を受けた交換取得資産を譲渡等した場合の譲渡所得の長期・短期の判定も第五節に準じます。

4　この特例の適用を受けるための手続

この特例の適用を受けるための申告の手続や、交換により取得した資産に関する取得の事実を証明する登記事項証明書等の提出等については、第三節に述べた買換えの場合の課税の特例の適用を受けるための手続と全く同様です。

第十章《特定の居住用財産の買換え等の場合の長期譲渡所得の課税の特例》

　なお、確定申告書等を提出しなかった場合等においても、税務署長がやむを得ない事情があると認めるときは、所定の必要書類を提出すれば、この特例の適用を認めることとされています。

第十一章　特定の事業用資産の買換え等の場合の課税の特例（措法37〜37の4）

　過密地域から過疎地域への買換え等、国土政策、土地政策に合致する事業用資産の買換えについて、取得価額の引継ぎによる課税の繰延べを適用することを内容とする特定の事業用資産の買換えの場合の課税の特例制度は、次の要件のすべてに該当するときに、適用することができます。

【特例適用要件】

① 　その譲渡は、昭和45年1月1日から令和8年12月31日（第3号買換えの譲渡資産にあっては、同年3月31日）までの間に行われていること。

② 　第3号買換えの譲渡資産については、その譲渡の年の1月1日において所有期間が10年を超えるものであること。

③ 　譲渡資産の譲渡の態様が、収用交換等による譲渡、贈与、交換、出資及び代物弁済以外の譲渡であること。

④ 　買換資産の取得の態様が、贈与、交換、現物分配、所有権移転外リース取引及び代物弁済以外の取得であること。

⑤ 　特定の場合を除き、譲渡資産が一定の区域内にある特定の資産で特定の事業の用に供されているものであること。

⑥ 　特定の場合を除き、⑤との関連において、買換資産が一定の区域内にある特定の資産で、特定の事業の用に供されるものであること。

⑦ 　買い換えた土地の面積が譲渡した土地の面積の5倍以内であること。なお、この倍数を超える場合は、その超える部分は買換資産にはなりません。

⑧ 　買換資産は原則として譲渡資産を譲渡した年中、前年中、翌年中に取得し、取得した日から1年以内に事業の用に供すること。

⑨ 　令和6年4月1日以後に譲渡資産の譲渡をして、同日以後に買換資産の取得をする場合は、譲渡資産の譲渡の日（同日前に買換資産の取得をした場合には、その取得の日）を含む三月期間（1月1日から3月31日まで、4月1日から6月30日まで、7月1日から9月30日まで及び10月1日から12月31日までの各期間をいいます。）の末日の翌日から2か月以内に、納税地の所轄税務署長にこの特例の適用を受ける旨等の届出をすること。

(注) 　この規定を適用した場合は、買換資産について租税特別措置法で認められている特別償却等や税額控除の規定（措置法第10条の3から第10条の4の2まで、第10条の5の3、第10条の5の5、第10条の5の6又は第11条から第15条）の規定は適用できませんし（措法37の3④）、また、買換資産は譲渡資産の取得時期を引き継ぎませんので、その年以降の事業所得、不動産所得、譲渡所得等の税負担が一般の場合に比べて重くなります。したがって、この特例を適用するに当たっては、これらのことを考慮したうえ適用するかしないかを決めることが必要かと思われます。

−473−

第十一章《特定の事業用資産の買換え等の場合の課税の特例》

税務署整理欄	通信日付印の年月日	（確認）	整理番号
この欄には書かないでください。→	年　月　日		

特定の事業用資産の買換えの特例の適用に関する届出書

（注）この届出書が資産の譲渡の日（先行取得の場合は取得の日）を含む三月期間の末日の翌日から2か月以内に提出されない場合は、この特例の適用は受けられません。

＿＿＿＿＿＿＿＿＿税務署長

令和＿＿年＿＿月＿＿日提出

届出者

住所（納税地）	〒		電話	（　　　）
フリガナ				
氏　名				

　私が譲渡及び取得した下記の資産については、租税特別措置法第37条第1項の規定の適用を受けたいので届出します。

記

1　□ 譲渡した資産　　□ 譲渡する予定の資産

種　　　　　類			
構 造 又 は 用 途			
規 模 ・ 面 積			
所 　在　 地			
譲渡（予定）年月日	年　　月　　日	年　　月　　日	年　　月　　日
譲 渡 価 額			
取 　得　 費			

2　□ 取得した資産　　□ 取得する予定の資産

種　　　　　類			
構 造 又 は 用 途			
規 模 ・ 面 積			
所 　在　 地			
取得（予定）年月日	年　　月　　日	年　　月　　日	年　　月　　日
取 得 価 額			
租税特別措置法第37条第1項の表の各号の区分	第　　　号	第　　　号	第　　　号

3　その他参考となる事項

関与税理士		電話番号	

（資6−73−2−A4統一）
R6.3

第十一章《特定の事業用資産の買換え等の場合の課税の特例》

特定の事業用資産の買換えの特例の適用に関する届出書

1　この届出書は、特定の事業用資産の買換えの場合の譲渡所得の課税の特例の適用を受けよう
　とする場合において、租税特別措置法第37条第1項の規定の適用を受ける旨を届け出るため
　に使用します。
　(注)　租税特別措置法第37条第1項の規定は、この届出書の提出が無かった場合は、適用する
　　　ことができませんのでご注意ください。

2　これらの規定の適用を受けるためには、この届出書を、届け出ようとする資産の譲渡の日(同
　日前に租税特別措置法第37条第1項各号の下欄に掲げる資産の取得(建設及び製作を含みま
　す。)をした場合(先行取得の場合)には、当該資産の租税特別措置法第37条第1項に規定す
　る取得の日)を含む**三月期間の末日の翌日から2か月以内**に納税地の所轄税務署長に提出しな
　ければなりません。
　(注)　三月期間とは、1月1日から3月31日まで、4月1日から6月30日まで、7月1日か
　　　ら9月30日まで及び10月1日から12月31日までの各期間をいい、届出書の提出期限は以
　　　下のとおりとなります。

譲渡の日 (先行取得の場合は取得の日)		提　出　期　限
三月期間	1月1日から3月31日まで	5月末日
	4月1日から6月30日まで	8月末日
	7月1日から9月30日まで	11月末日
	10月1日から12月31日まで	翌年2月末日

3　各欄は次により記載してください。
　なお、記載しきれない場合には別葉に記載してください。
　⑴　表題の「譲渡した資産」若しくは「譲渡する予定の資産」又は「取得した資産」若しくは
　　「取得する予定の資産」について、それぞれ該当する□にレ点を付してください。
　　なお、「譲渡する予定の資産」に該当する場合は「種類」欄、「所在地」欄及び「譲渡(予
　　定)年月日」欄のみを、「取得する予定の資産」に該当する場合は「種類」欄、「所在地」欄
　　及び「取得(予定)年月日」欄のみを、それぞれ記載してください。
　⑵　「種類」欄については、土地、借地権、建物、構築物、船舶、機械及び装置などと記載し
　　てください。
　⑶　「構造又は用途」欄については、その資産が減価償却資産である場合には、減価償却資産
　　の耐用年数等に関する省令別表に定めるところに準じて記載してください。
　⑷　「規模・面積」欄については、例えば、土地等の場合には面積を、建物の場合には各階ご
　　との床面積を記載してください。
　⑸　「所在地」欄については、その資産が船舶である場合には、記載は必要ありません。
　⑹　「2　取得した資産・取得する予定の資産」の「租税特別措置法第37条第1項の表の各
　　号の区分」欄については、取得をした又は取得する予定である資産のその適用に係る租税特
　　別措置法第37条第1項の表の該当する号数を記載してください。

－475－

第一節　特例の適用要件

1　事業用資産の範囲

（1）　事業用資産に含まれる資産

事業用資産には、一般に事業用資産といわれるもののほか、次に掲げる資産も事業用資産として取り扱われます。

イ　事業と称するに至らない不動産又は船舶の貸付けその他これに類する行為で相当の対価を得て継続的に行うもの（措令25②）の用に供しているもの

　　この場合、「不動産又は船舶の貸付けその他これに類する行為」とは、不動産又は船舶の賃貸その他その使用に関する権利の設定をいい、「相当の対価を得て継続的に行うもの」とは、相当の所得を得る目的で継続的に対価を得て貸付け等の行為を行うことをいいますが、これに該当するかどうかは、次により判定されます（措通37－3）。

（イ）　相当の対価については、その貸付け等の用に供している資産の減価償却費の額（その資産が過去にこの特例の適用を受けて取得した買換取得資産であるときは、「第五節　2　買換資産の取得価額」により計算した取得価額を基として計算した減価償却費の額をいいます。）、固定資産税その他の必要経費を回収した後において、なお相当の利益が生ずるような対価を得ているかどうかによって判断します。

（ロ）　その貸付け等をした際に一時にその対価を取得し、その後は一切対価を受けないような場合には、継続的に対価を得ていることにはなりません。

（ハ）　その貸付け等をした際に一時金を収受し、かつ、継続的に対価を得ている場合には、一時金の額と継続的に受けるべき対価の額とを総合して、上記(イ)でいう相当の対価であるかどうかを判定することになっています。

（ニ）　継続的に貸付け等の行為を行っているかどうかについては、原則として、その貸付け等に係る契約の効力が発生した時の現況においてその貸付け等が相当期間継続して行われることが予定されているかどうかによって判定します。

ロ　不動産売買業者の有する土地建物等

　　不動産売買業者等が販売の目的で所有している土地や建物は、棚卸資産に該当しますから、この特例の対象資産とはなりません。しかし、これらの者が所有している土地建物等であっても、例えば、その個人が事業用の固定資産として使用しているもの、あるいは他に貸し付けているもの（販売の目的で所有しているもので一時的に使用し、又は貸し付けているものを除きます。）又は具体的な使用計画に基づいて使用する予定で相当の期間所有していることが明らかなものについては、棚卸資産には該当しません（措通37－2）。

ハ　生計を一にする親族の事業の用に供している資産

　　この特例は、自己の事業の用に供している特定資産を譲渡し、その者が自己の事業の用に供する特定資産を取得した場合に適用があるのですが、例えば譲渡した特定資産は夫又は親が所有し、その妻又は子がその特定資産を事業の用に供していた場合のように、譲渡した特定資産がその所有者以外の者の事業の用に供されていた場合であっても、その事業を営む者がその譲渡した特定資産の所有者と生計を一にする親族関係にあって、かつ、その事業が不動産所得、事業所得又は山林所得を生ずべき事業である場合には、その特定資産は、所有者にとっても事業の用に供していたものとして取り扱われます。この取扱いは、譲渡資産についてのみでなく、買換資産についても同様の事情がある場合には、同様とされています（措通37－22、33－43）。

－476－

第十一章《特定の事業用資産の買換え等の場合の課税の特例》

ニ　山林所得者の事業用資産

　　山林所得者に係る事業用資産として、この特例の適用を受けられるのは、相当な規模により計画的、継続的に林業を営んでいる場合の山林素地及びその山林業に供するその他の固定資産で特定資産に該当するものに限られます。したがって、雑木林等、一般的に資産として所有しているにすぎないと認められるような場合は、山林業とは認められませんので、その山林素地はこの特例の対象資産にはなりません（措通37－21(5)）。

ホ　事業の用と事業以外の用とに併用されていた資産

　　譲渡資産が事業の用と事業以外の用とに併せて供されていた場合には、その事業の用に供されていた部分についてのみ特例の適用を受けることができます。ただし、事業の用に供されていた部分がおおむね90％以上である場合には、その資産の全部について特例の適用が受けられます。

　　買換資産とすることができる資産についても上記と同様に取り扱われます（措通37－4）。

ヘ　事業上の貸付資産

　　事業に関連して貸し付けている次に掲げるものは、相当の対価を得ていない場合であっても、事業の用に供していたもの又は供したものとして取り扱うことになっています（措通37－21(6)）。

　(イ)　工場、事業所等の作業員社宅、売店等として貸し付けているもの

　(ロ)　自己の商品等の下請工場、販売特約店等に対し、その商品等について加工、販売等をするために必要な施設として貸し付けているもの

ト　土地区画整理事業等施行地区内の土地等

　　土地区画整理法による土地区画整理事業、新都市基盤整備法による土地整理、大都市地域住宅等供給促進法による住宅街区整備事業又は土地改良法による土地改良事業の施行地区内にある従前の土地等を譲渡した場合（換地処分により譲渡した場合を除きます。）において、次のいずれかに該当するときは、その従前の土地等は事業の用に供していたもの又は供したものとして取り扱われます（措通37－21の2）。

　(イ)　従前の土地等の所有者が仮換地又は一時利用地をその事業の用に供している場合

　(ロ)　事業の用に供していた従前の土地等を、その事業の用に供さなくなった日から1年以内に仮換地の指定があった場合（仮換地の指定後においてその事業の用に供さなくなった場合を含みます。）において、その事業の用に供さなくなった日からその仮換地の指定の効力発生の日（使用収益の開始日が定められている場合には、その日）以後1年以内又は一時利用地の指定の通知に係る使用開始の日以後1年以内にその従前の土地等を譲渡したとき（仮換地等を自己の事業用以外の建物又は堅固な構築物の敷地の用に供している場合を除きます。）

チ　権利変換により取得した施設建築物等の一部を取得する権利等の譲渡

　　都市再開発法による市街地再開発事業など次に掲げる事業の施行地区内に、措置法第37条第1項に規定する事業の用に供している資産を有する者について、それぞれ次に掲げるところにより措置法第33条の3の規定による旧資産、防災旧資産又は変換前資産の譲渡があったとみなされるときは、その旧資産、防災旧資産又は変換前資産はその事業の用に供している資産に該当するものとして取り扱われます（措通37－21の4）。なお、旧資産、防災旧資産又は変換前資産の所有期間はその譲渡があったとみなされる日の属する年の1月1日における所有期間によります。

　①　市街地再開発事業に係る権利変換、収用又は買取りに伴い取得した施設建築物の一部を取得する権利（その権利とともに取得した施設建築敷地若しくはその共有持分又は地上権の共有持分を含みます。）又は建築施設の部分の給付を受ける権利を譲渡した場合又は建築施設の部分につき都市再開発法第118条の5第1項《譲受け希望の申出等の撤回》に規定する譲受け希望の申出を撤回した場合（同法第118条の12第1項又は第118条の19第1項により譲受けの申出を撤回したものとみなされる場合を含みます。）……措置法第33条の3第3項の規定による旧資産の譲渡があったものとみなされる場合

－477－

② 密集市街地における防災街区の整備の促進に関する法律による防災街区整備事業に係る権利変換に伴い取得した防災施設建築物の一部を取得する権利（その権利とともに取得した防災施設建築敷地若しくはその共有持分又は地上権の共有持分を含みます。）を譲渡した場合……措置法第33条の３第５項の規定による防災旧資産の譲渡があったものとみなされる場合

③ マンションの建替え等の円滑化に関する法律によるマンション建替事業に係る権利変換に伴い取得した施行再建マンションに関する権利を取得する権利（その権利とともに取得した施行再建マンションに係る敷地利用権を含みます。）を譲渡した場合……措置法第33条の３第７項の規定による変換前資産の譲渡があったものとみなされる場合

リ　宅地造成等をした土地

　　事業の用又はこれに準ずるイに掲げた貸付けの用に供している土地に区画形質の変更を加え、若しくは水道その他の施設を設け又は建物を建設して、その区画形質の変更等を加えた後速やかに譲渡した場合においては、その土地等は棚卸資産又は棚卸資産に準ずる資産となりますので、事業所得又は雑所得の基因となり、この買換えの特例の適用は原則としてできなくなりますが、その土地の譲渡対価が所基通33－４又は33－５により譲渡所得の収入金額とされる次の場合に限り、それぞれに掲げる収入金額を「事業の用に供していた固定資産の譲渡」による収入金額として買換えの特例が適用できます（措通37－18）。

（イ）　その区画形質の変更等が次のいずれかに該当する場合……その土地の譲渡収入金額の全部

　①　区画形質の変更又は水道その他の施設の設置に係る土地の面積（土地の所有者が二以上いる場合には、その合計面積）が小規模（おおむね3,000㎡以下をいいます。）であるとき。

　②　区画形質の変更又は水道その他の施設の設置が土地区画整理法、土地改良法等法律の規定に基づいて行われたものであるとき。

（ロ）　その区画形質の変更等を加えた土地が極めて長期間（おおむね10年以上とされています。）引き続き所有されていたものであるとき……その土地の譲渡収入金額のうち、区画形質の変更等に着手する直前のその土地の価額に相当する部分の金額

（2）　事業用資産に含まれない資産

イ　一時的に事業の用に供した資産（措通37－21（注））

　　通常、事業とは相当期間継続反覆して行われるものですから、例えば次のように一時的に利用していたものについては、事業の用に供したものとは認められません。

（イ）　特例の適用を受けるためのみの目的で一時的に事業の用に供したと認められる資産

（ロ）　空閑地をたまたま運動場、物品置場、駐車場等として利用し、又はこれらの用のために一時的に他の者に貸し付けている場合

ロ　事業の用に供されないものの例示（措通37－21）

（イ）　建物及び構築物等の敷地の場合

　　土地等の上にその者の建物、構築物等の建設等をした場合において、その建物、構築物等をその個人の事業の用に供しないときは、その土地等は事業の用に供したものとなりません。

（ロ）　空閑地等の場合

　　空閑地である土地はもちろん特別の施設を設けないで運動場、物品置場、駐車場等として利用している土地、及び空き家である建物等は、事業の用に供したものに該当しないものとされます。

　　なお、材料置場等の施設を設けたような土地であっても、その施設が仮設物にすぎない場合には、その土地はその個人の事業の用に供したものに該当しません。

　　ただし、特別の施設は設けていないが、物品置場、駐車場等として常時使用している土地で、事業の遂行上通常必要なものとして合理的であると認められる程度のものは、事業の用に供したものとなります。

第十一章《特定の事業用資産の買換え等の場合の課税の特例》

(ハ)　工場等の用地の場合

　　工場等の用地としている土地であっても、その工場等の生産方式、生産規模等の状況からみて必要なものとして合理的と認められる部分以外の部分の土地は、事業の用に供したものに該当しません。

(ニ)　農場又は牧場等の場合

　　農場又は牧場等としている土地であっても、その農場又は牧場等で行っている耕作、牧畜等の行為が社会通念上農業、牧畜業等に至らない程度のものであると認められる場合の土地又は耕作能力、牧畜能力等から推定して必要以上に保有されていると認められる場合におけるその必要以上に保有されている土地は、事業の用に供したものに該当しません。

(ホ)　山林の素地の場合

　　植林されている山林を相当の面積にわたって取得し、社会通念上林業と認められる程度に至る場合のその土地は、事業の用に供したものに該当しますが、例えば雑木林を取得して保有するに過ぎず、林業と認められるに至らない場合におけるその土地については、事業の用に供したものには該当しません。

－479－

2 譲渡資産の譲渡の態様

　ここでいう特定の資産の「譲渡」には、売買のように資産を譲渡することにより金銭を受け取る場合のほか、借地権の設定その他の契約により土地等を他に長期間貸し付ける場合で、その対価が譲渡所得の収入金額とされるものも含みます。

　　(注)　個人が事業の用に供していた土地等について、建物若しくは構築物の所有を目的とする借地権又は特定の地役権の設定をし、若しくは転貸その他、他人にその土地等を長期間にわたり使用させることとなる場合において、その設定等の対価として受ける金額がその土地等の価額の2分の1（借地権などの設定が地下又は空間について上下の範囲を定めるものである場合又は導流堤等の設置を目的とする地役権若しくは遊水地の設置等を目的とするいわゆる浸冠水地役権の設定である場合は4分の1）を超えるものであれば、その設定等の対価により特定の事業用資産を買い換えた場合には、この特例を適用することができます。

　なお、個人が借地を事業の用に供していた場合において、その借地を地主に返還し、地主から立退料等の支払を受けたときは、その支払を受けた金額のうち借地権等の価額に相当する金額については、借地権等の譲渡の対価を取得したものとして、この特例の適用があることに取り扱われています（措通37－6）。

　しかし、次に掲げる場合の譲渡は、この特例の適用から除かれています（措法37①、措令25②）。

（1）　収用交換等による譲渡

　　この場合には、措置法第33条から第33条の4までに規定する収用交換等の場合の課税の特例の適用を受けることができますので、個人がこれらの規定の適用を受けないときでも特定の事業用資産の買換えの特例の適用は受けられません（措通37－1）。

（2）　贈与（低額譲渡の場合の贈与とみなされる部分を含みます。）

（3）　交　換

　　この場合において、一定の要件に該当する場合には、第六節で説明する特定の事業用資産の交換の特例（509ページ）の適用を受けることができます。

（4）　出　資

　　法人の設立又は増資に際して、現物出資に代えて金銭を出資し、その上で金銭以外の資産を法人に譲渡する出資（いわゆる変態現物出資）は、この場合の出資に含まれず、譲渡資産の譲渡に該当します。

（5）　代物弁済

　　金銭債務の弁済に代えてするものに限られます。

3 買換資産の取得の態様

（1） 贈与等により取得した資産の適用除外

買換資産の取得については、譲渡資産の譲渡と同様に、贈与、交換、現物分配、所有権移転外リース取引及び代物弁済による取得は含まれません（措法37①、措令25②）。

（2） 資産の取得と認められる場合

次のような場合は、実質的に資産を取得したと同様に考えられますので資産の取得があったものとして取り扱うこととされています。

イ 資本的支出

資本的支出とは、資産の取得後においてその資産の改良などのために支出する費用で、その費用を支出することによって、資産の価額が増加するもの、あるいはその使用可能期間が延長されることとなるものをいいますが、既に従来から有していた資産についてした改良等は原則として買換資産の取得には該当しません。しかし、次に掲げる改良、改造等が買換資産の取得期間（４参照）内に行われた場合には、その改良等に要した費用は買換資産の取得価額に含めてこの特例の適用が認められることになっています（措通37－15）。

① 新たに取得した買換資産について事業の用（事業に準ずる貸付けの用を含みます。）に供するためにする改良、改造等（その取得の日から１年以内に行われるものに限ります。）

② ①のほか、例えば、建物の増改築又は構築物の拡張若しくは延長等をする場合のように実質的に新たな資産を取得すると認められる改良、改造等

ロ 土地造成費等

次に掲げるような宅地等の造成のための費用を支出した場合において、その金額が相当の額に上り、実質的に新たに土地を取得したことと同様の事情があると認められるときは、その造成については、その完成の時に新たな土地の取得があったものとして、その費用の額を取得価額としてこの特例が適用されることになっています（措通37－16）。

（イ） 自己の有する水田、池沼の土盛り等をして宅地等の造成をするための費用

（ロ） 自己の有するいわゆるがけ地の切土をして宅地等の造成をするための費用

（ハ） 公有水面の埋立てをして宅地等の造成をするための費用

ハ 貸地の返還を受ける場合に支払った立退料等

土地を他人に賃貸していた場合に、借地人を立ち退かせるために立退料等を支払ったときは、その支払った金額は、土地の底地以外の部分の取得価額としてこの特例の適用を受けることができます。

なお、支払った金額のうちに借地人が所有していた建物、構築物等を取得するために支払った金額があるときは、その金額については、ここでいう土地の底地以外の部分の取得価額からは除かれますが（その建物等を取り壊して土地を事業の用に供するときは、その取得費、取壊費用は土地の底地以外の部分の取得価額に含められます。）、建物等を取り壊さずにそのまま事業用として使用するときは、その建物等についても買換資産として、この特例の適用を受けることができます（措通37－14）。

ニ 支出した交換差金についての買換えの適用

資産を交換した場合（措置法第37条の４又は所得税法第58条の規定の適用を受ける場合を除きます。）において、その交換に伴い交換差金を支出したときは、その交換により取得した資産（以下この項において「交換取得資産」といいます。）のうちその交換差金に対応する部分は、買換えにより取得した資産として取り扱うことができるものとされています。したがって、その交換取得資産が措置法第37条第１項の表の各号下欄に掲げる買換資産のいずれかに該当する場合に、その該当する号の上欄に該当する譲渡資産があるときは、その譲渡資産の譲渡所得については、交換取得資産のうちその交換に伴って支出した交換差金に対応する部分を買換資産として、同条の規定の適用があります（措通37－17）。

第十一章《特定の事業用資産の買換え等の場合の課税の特例》

（3） 仮換地等の指定後において土地等を取得した場合

土地区画整理法（新都市基盤整備法及び大都市地域住宅等供給促進法において準用する場合を含みます。）又は土地改良法による仮換地等の指定があった後において従前の土地等を取得し、その仮換地等を事業の用に供したときは、その従前の土地等を買換資産として、この特例の適用を受けることができます（措通37-21の3）。

（4） 相続人が買換資産を取得した場合の取扱い

資産を譲渡した個人が買換資産を取得しないで死亡した場合であっても、その死亡前に買換資産の取得に関する売買契約又は請負契約を締結しているなど買換資産が具体的に確定しており、かつ、その相続人が法定期間内にその買換資産を取得し、事業の用に供したとき（その譲渡をした者と生計を一にしていた親族の事業の用に供した場合を含みます。）は、その死亡した者の資産の譲渡について、買換えの特例の適用ができることとされています（措通37-24）。

（5） 譲渡の日の属する年の前年において取得した資産

4の（2）の規定により譲渡資産の譲渡の日の属する年の前年以前に取得した資産（取得の日の属する年の翌年3月15日までに納税地の所轄税務署長に4の（2）の規定の適用を受ける旨の届出をしたものに限ります。）をその譲渡資産に係る買換資産とすることができる場合において、その買換資産の取得価額が譲渡による収入金額を超えるときは、その超える金額に相当する部分の資産については、その資産につき譲渡の日の属する年の翌年3月15日までに納税地の所轄税務署長に4の（2）の規定の適用を受ける旨の届出をしたものに限り、その譲渡の日の属する年の翌年以後の買換資産とすることができます（措通37-26）。

4 買換資産の取得期限

買換資産は、原則として、譲渡をした年かその翌年中又は前年中に取得したものでなければならないこととなっていますが、次に掲げる場合はそれぞれ次に掲げる買換期間を延長することができます。

（1） 工場移転の場合等の取得期間

工場等の敷地の用に供するための宅地の造成や、その工場等の建設又は移転に要する期間が通常1年を超えると認められる事情、その他これに準ずる次のような事情があるため、譲渡した年の翌年中に買換資産の取得をすることが困難な場合は、譲渡の年の翌年12月31日後2年以内の範囲で、税務署長の承認した日（措法37④、措令25⑮、措通37-27の2）

イ 法令の規制等によりその取得に関する計画の変更を余儀なくされたこと。

ロ 売主その他の関係者との交渉が長引き容易にその取得ができないこと。

ハ イ又はロに準ずる特別な事情があること。

取得期間の延長について、税務署長の承認を受けようとするときは、買換資産の取得予定年月日、その承認を受けようとする日及び工場建設等のため通常の取得期間内に取得することが困難であることについてのやむを得ない事情を詳細に記載して、申請しなければなりません（措令25⑱）。

この買換資産の取得期間の延長についての税務署長の認定は、工場等を構成する買換資産の取得の事情に基づいて個々に行われることになっていますから、例えば工場の建設に3年を要する場合であっても、その敷地については、造成等の特別の事情がない限り取得期間の延長は認められないことになっています（措通37-27）。

（2） 譲渡した年の前年中の取得

譲渡資産の譲渡の日の属する年の前年中に取得した資産で、その取得をした年の翌年3月15日までに所轄税務署長に対し、先行取得資産である旨の届出書（485ページ参照）を提出したものについては、その取得の日から1年以内に事業の用に供したときは、この特例の適用が認められますが、この場合においても、工場移転等その建設に要する期間が通常1年を超えると認められる事情その他譲渡資産についての次のイからハまでに掲げるような事情があるときは、譲渡の日の属する年の前年以前2年

-482-

内において取得し、その取得の日から1年以内に事業の用に供したときは、この特例の適用が認められます（措法37③、措令25⑮、措通37－26の2）。

イ　借地人又は借家人が容易に立退きに応じないため譲渡ができなかったこと。

ロ　譲渡するために必要な広告その他の行為をしたにもかかわらず容易に買手がつかなかったこと。

ハ　イ又はロに準ずる特別な事情があったこと。

なお、譲渡資産の譲渡の日の属する年の前年以前に取得した買換資産について、措置法第19条第1項各号に掲げる規定の適用を受けているときは、その資産は買換えの特例の対象となる買換資産には該当しません（措通37－26の3）。

5　買換資産を事業の用に供した時期の判定

取得した買換資産について、この特例の適用を受けることができるのは、その買換資産を取得の日から1年以内に、490ページ以下に掲げる譲渡資産と買換資産の範囲の表の右欄（買換資産欄）に定める地域内（船舶については地域の制限はありません。）にある事業の用に供し、取得の日から1年を経過するまで継続して事業の用に供されている場合又は供する見込みである場合に限られています。

この場合、買換資産を事業の用に供した日がいつであるかは、次により判定することになっています（措法37①③④、措通37－23）。

（1）　土　地　等

土地等については、その使用の状況に応じ、それぞれ次に定める日によります。

イ　新たに建物、構築物等の敷地の用に供するものは、その建物、構築物等を事業の用に供した日とします。

ただし、次に掲げる場合には、その建設等に着手した日をもって事業の用に供した日とすることができます。

（イ）　その建物、構築物等の建設等に着手した日から3年以内に建設等を完了して事業の用に供することが確実であると認められる場合

（ロ）　その建物、構築物等の建設等に着手した日から3年超5年以内に建設等を完了して事業の用に供することが確実であると認められる場合（その建物、構築物等の建設等に係る事業の継続が困難となるおそれがある場合において、国又は地方公共団体がその事業を代行することによりその事業の継続が確実であるものに限ります。）

ロ　既に建物、構築物等が存する土地等は、その建物、構築物等を事業の用に供した日とします。

ただし、その建物、構築物等がその土地等の取得の日前からその者の事業の用に供されており、かつ、引き続きその用に供されているときは、その土地等の取得の日をもって、事業の用に供した日とされます。

ハ　建物、構築物等の施設を要しない土地等については、その土地等をそのものの本来の目的のために使用を開始した日とします。

ただし、その土地等がその取得の日前からその者において使用されている場合には、その取得の日をもって、事業の用に供した日とされます。

（2）　建物、構築物、機械及び装置

これらの資産については、そのものの本来の目的のために使用を開始した日とします。ただし、これらの資産がその取得の日前からその者において使用されている場合には、その取得の日をもって事業の用に供した日とされます。

（3）　収用等により譲渡し、又は災害により滅失した場合

この特例の適用要件として、買換資産の取得の日から1年以内に事業の用に供さなければなりません。

－483－

しかし、収用、災害その他その者の責めに帰せられないやむを得ない事情に基づいてその取得の日から1年以内に事業の用に供することができないこととなった場合にはこの特例の適用が認められることとされています（措通37の2－1）。

第十一章《特定の事業用資産の買換え等の場合の課税の特例》

	この欄には書かないでください。→	税務署整理欄	通信日付印の年月日	（確認）	名 簿 番 号
			年　月　日		

先行取得資産に係る買換えの特例の適用に関する届出書

（注） この届出書が資産を取得した年の**翌年3月15日**までに提出されない場合は、租税特別措置法第37条第3項・震災特例法第12条第3項の規定の適用は受けられません。

税務署受付印

_____税務署長

令和___年___月___日提出

届出者	住　所	〒		
	フリガナ		電話	（　　　）
	氏　名			

　　私が昨年取得した下記の資産については、| 租税特別措置法　第37条第3項 | 震災特例法　第12条第3項 | の規定の適用を受けたいので届出します。

記

1　取得した資産（先行取得資産）

種　　　　類			
規　　　　模			
所　在　地			
用　　　　途			
取 得 年 月 日	年　月　日	年　月　日	年　月　日
取 得 価 額	円	円	円

2　譲渡予定資産

種　　　　類		

3　その他参考となる事項

関与税理士		電話番号	

（資6－73－1－A4統一）
R5.11

－485－

6　譲渡資産及び買換資産の所在地、種類、用途等

　買換特例は、490ページ以下の表の各区分ごとに「譲渡資産」の欄に掲げる資産を譲渡し、「買換資産」の欄に掲げる資産を取得した場合に限り適用できます。

　この表の適用に関して、次のことが定められています。

（1）　第3号関係

イ　第3号の左欄に規定する譲渡資産には、①「固定資産の交換の特例」（所法58①）の適用を受けて取得した取得資産、②「贈与等により取得した資産の取得費等」（所法60①）に規定する贈与、相続、遺贈又は譲渡により取得した資産、③「収用等に伴い代替資産を取得した場合の特例等」（措法33、33の2①②、33の3）の適用を受けて取得した代替資産等及び④「特定の交換分合により土地等を取得した場合の課税の特例」（措法37の6①）の適用を受けて取得した交換取得資産（以下「交換取得資産等」といいます。）のうち、その譲渡の日の属する年の1月1日において所有期間が10年を超える資産が含まれますが、その交換取得資産等について、更に、これらの規定の適用を受けて取得をされた場合のその交換取得資産等も含まれます（措通37-11の10）。

ロ　上記イの①、③又は④の規定の適用を受けて取得した交換取得資産等の取得に要した金額が、それぞれこれらの規定の適用を受け譲渡した資産の譲渡価額を超える場合（交換処分等、換地処分又は権利変換により取得した資産の価額が譲渡資産の価額を超え、かつ、その差額に相当する金額を交換処分等、換地処分又は権利変換に際して支出した場合を含みます。）であっても、その取得された資産の全てが第3号の譲渡資産に該当します（措通37-11の11）。

ハ　所有期間が10年を超える土地等についての買換えの適用

　　第3号の左欄に規定する譲渡資産は、同欄に掲げる個人により取得をされた資産のうち、その譲渡の日の属する年の1月1日において所有期間が10年を超えるものに限ることとされているため、その個人が所有期間が10年を超える土地等とともにその土地の上に存する所有期間が10年以下の建物又は構築物を譲渡した場合には、その土地等のみが同欄に規定する譲渡資産に該当し、その建物又は構築物は譲渡資産に該当しないことになります（措通37-11の13）。

ニ　長期所有の土地等の買換えに係る面積の判定

　　取得した土地等が第3号の右欄の買換資産に規定する「特定施設」の敷地の用に供されるものの面積が同欄に規定する300㎡以上であるかどうかの判定を行う場合には、次の点に注意する必要があります（措通37-11の14）。

（イ）　その土地等が、共有物である場合には、土地等の全体の面積にその者の共有持分の割合を乗じて計算した面積（その土地等が独立部分を区分所有する特定施設の敷地の用に供するものである場合には、その土地等の総面積にその特定施設に係る建物の独立部分の総床面積のうちにその者の区分所有する独立部分の床面積の占める割合を乗じて計算した面積）を、その者が取得した土地等の面積とされます。

（ロ）　その土地等が、特定施設として使用されている部分とその他の部分からなる施設の敷地の用に供されるものである場合には、特定施設の敷地の用に供される土地等の面積は、次の算式により計算した面積とされます。

$$
\begin{array}{l}
\text{その土地等}\\
\text{のうち特定}\\
\text{施設の敷地}\\
\text{の用に専ら}\\
\text{供される部}\\
\text{分の面積}
\end{array}
+
\begin{array}{l}
\text{その土地等の}\\
\text{うち特定施設}\\
\text{の敷地として}\\
\text{使用される部}\\
\text{分とその他の}\\
\text{部分とに併用}\\
\text{される部分の}\\
\text{面積}
\end{array}
\times
\frac{
\begin{array}{l}
\text{その施設の}\\
\text{うち特定施}\\
\text{設として専}\\
\text{ら使用され}\\
\text{る部分の床}\\
\text{面積}\quad A
\end{array}
+
\begin{array}{l}
\text{その施設のう}\\
\text{ち特定施設と}\\
\text{して使用され}\\
\text{る部分とその}\\
\text{他の部分とに}\\
\text{併用される部}\\
\text{分の床面積}
\end{array}
\times
\dfrac{A}{
\begin{array}{l}
A＋\text{その施設の}\\
\text{うちその他の部}\\
\text{分として専ら使}\\
\text{用される部分の}\\
\text{床面積}
\end{array}
}
}{\text{その施設の床面積}}
$$

第十一章《特定の事業用資産の買換え等の場合の課税の特例》

（注）　取得した土地等が特定施設の「敷地」に該当するかどうかは、社会通念に従い、その土地等が当該施設と一体として利用されるものであるかどうかにより判定します。

7　買換資産の面積の制限

　土地等を買換資産として取得した場合に、その買換資産として取得した土地等の面積が譲渡した土地等の面積の5倍を超えるときは、5倍を超える部分は買換資産にはなりません（措法37②、措令25⑭）。

　この場合、買換資産の土地等の面積が、譲渡資産の土地等の面積の5倍を超えているかどうかの判定は、490ページ以下に掲げる表の区分に従って行います（措法37②、措令25⑭）。例えば、490ページの表の第1号を適用する場合の面積制限の計算を具体的に示すと次のようになります。

　　　　譲渡した土地の面積
　　　　　　第1号適用分　　　0.5ヘクタール
　　　　取得した土地の面積
　　　　　　第1号適用分　　　3ヘクタール

　この場合は、取得した土地の面積3ヘクタールが、譲渡した土地の面積の5倍を超えるかどうかは、0.5ヘクタール×5＝2.5ヘクタールにより計算しますので、3ヘクタールのうち、0.5ヘクタールは、買換資産に該当しないことになります。

（1）　買換資産が2以上ある場合の面積制限の適用

　490ページ以下の表のいずれかの号の右欄に該当する土地等を2以上取得して買換資産とする場合（注1）、（注2）において、これらの買換資産として取得した土地等の合計面積が譲渡資産である土地等の面積の5倍に相当する面積を超える場合には、買換資産となる土地等の面積は、買換資産として取得したそれぞれの土地等の面積に次の割合を乗じて計算した面積を限度とします。

　また、490ページ以下の表のいずれかの号の右欄に該当する土地等を、譲渡の日の属する年の前年以前又は譲渡の日の属する年の翌年以後に取得して買換資産とする場合における面積制限についても、同様です（措通37－10）。

$$\frac{譲渡資産である土地等の面積の5倍に相当する面積}{買換資産として取得した土地等の合計面積}$$

（注1）　第1号の買換資産に該当する土地等について、譲渡資産が航空機騒音障害区域の内から外への買換え（490ページ）の（3）に掲げる区域内（以下「対象区域内」といいます。）にあるものに該当し、同表の適用を受ける場合にあっては、譲渡資産が同表の資産のうち対象区域内にあるものに該当するときにおける買換資産又はその買換資産以外の買換資産ごとに区分をした場合において、その区分ごとに当該土地等を2以上取得して買換資産とする場合となります。

（注2）　第3号の買換資産に該当する土地等について、地域再生法に係る規定により特例の適用を受ける場合にあっては、その土地等を次に掲げる買換資産又はこれらの買換資産以外の買換資産ごとに区分をした場合において、その区分ごとに当該土地等を2以上取得して買換資産とする場合となります。
　　イ　集中地域以外の地域内にある買換資産
　　ロ　集中地域（東京都の特別区を除きます。）内にある買換資産
　　ハ　東京都の特別区内にある買換資産であって、集中地域以外の地域内にある譲渡をした資産及び東京都の特別区内にある買換資産のいずれもが主たる事務所資産に該当する場合における当該買換資産
　　ニ　東京都の特別区内にある買換資産であって、上記ハの買換資産以外の買換資産

（2）　譲渡対価を区分した場合の面積制限の適用

　490ページ以下の表の2以上の号の左欄に該当する土地等を譲渡した場合において、その土地等の譲渡対価により2以上の号の右欄に該当する資産を取得して同表の2以上の号の規定の適用を受けるときは、その買換資産となる土地等の面積は、納税者が第二節の2の（3）の①又は②の規定により、その譲渡資産又は買換資産の全部又は一部についてその2以上の号のいずれか一の号の譲渡資産又は買

－487－

換資産に該当するものとして選択したところに基づき、その譲渡した土地等の面積にいずれか一の号の譲渡資産の譲渡収入金額がその土地等の譲渡収入金額の合計に占める割合を乗じて計算した面積の5倍に相当する面積が限度となります。

また、第3号の譲渡資産に該当する土地等を譲渡した場合で、その土地等の譲渡対価により、東京都の特別区、集中地域（東京都の特別区を除きます。）又は集中地域以外の地域のうち2以上の地域内に第3号の買換資産に該当する土地等を取得して、地域再生法に係る規定により特例の適用を受けるときにおける買換資産となる土地等の面積の計算についても、同様に計算することになります（措通37－11）。

（3） 土地造成費についての面積制限

その有する土地について造成を行った場合において、3の（2）のロ《土地造成費等》（481ページ）により、その造成を買換資産の取得として買換えの特例の適用を受けようとするときは、その土地が譲渡資産の譲渡の日前おおむね10年以内に取得されたものであるときを除き、これにつき面積制限の適用はないものとされます（措通37－11の3）。

（4） 土地区画整理事業等の施行地区内の従前の土地等を譲渡又は取得した場合

従前の土地等を譲渡又は取得した場合の面積制限の判定は、それぞれ従前の土地等に係る仮換地等の面積により行います（措通37－21の3（2））。

（5） 共有地に係る面積制限

土地に係る共有持分（借地権に係る準共有持分を含みます。）を譲渡し、又は取得した場合における買換えの特例の適用については、土地の面積にその譲渡又は取得をした共有持分の割合を乗じて計算した面積を基礎として面積制限の規定を適用します（措通37－11の4）。

（6） 仮換地に係る面積制限

土地区画整理法（新都市基盤整備法及び大都市地域住宅等供給促進法において準用する場合を含みます。）又は土地改良法による仮換地の指定を受けた土地を譲渡し、又は取得した場合における買換えの特例の適用については、仮換地の面積を基礎として面積制限の規定を適用します（措通37－11の5）。

（7） 借地権又は底地に係る面積制限

借地権等（借地権その他の土地の上に存する権利をいいます。）又は借地権等の設定されている土地（底地）を譲渡し、又は取得した場合における買換えの特例の適用については、その借地権等の目的となっている土地又は借地権等の設定されている土地の面積を基礎として面積制限の規定を適用します（措通37－11の6）。

8 短期所有土地等の譲渡の場合の適用除外規定の適用停止

その年1月1日における所有期間が5年以下の土地等《短期所有土地等》の譲渡（措置法第28条の4《土地の譲渡等に係る事業所得等の課税の特例》第3項各号に掲げる「優良宅地供給等取引」に該当する土地等の譲渡を除きます。）については、この特例を適用しないこととされていましたが、平成10年度の改正で、租税特別措置法第28条の4の規定は平成10年1月1日から平成12年12月31日まで（平成13年度の改正で平成15年12月31日まで延長、平成16年度改正で平成20年12月31日まで延長、平成21年度改正で平成23年12月31日まで延長、平成23年度改正で平成25年12月31日まで延長、平成26年度改正で平成29年3月31日まで延長、平成29年度改正で令和2年3月31日まで延長、令和2年度改正で令和5年3月31日まで延長更に令和5年度改正で令和8年3月31日まで延長）の間の土地等の譲渡については適用しないこととされたことに伴い、この適用除外規定も平成10年1月1日から令和8年3月31日までの間の土地等の譲渡については適用しないこととされています（措法37⑤⑫、措令25⑲）。

したがって、上記の期間内の土地等の譲渡については、その年1月1日における所有期間が5年以下であるという理由だけで適用対象から除外されるということはなく、各号に規定する個別の適用要件によって判定することになります。

第十一章《特定の事業用資産の買換え等の場合の課税の特例》

9 特定非常災害の場合の取得指定期間の延長の特例

　特定の事業用資産の買換えの場合の譲渡所得の課税の特例の適用を受けた者が、特定非常災害（※）として指定された非常災害に基因するやむを得ない事情により、その買換資産を取得すべき期間（取得指定期間）内に取得をすることが困難となり、所轄税務署長の承認を受けた場合には、その取得指定期間を、その取得指定期間の末日から2年以内の日で所轄税務署長が認定した日まで延長することができます（措法37⑧、措令25㉑）。

　なお、この承認を受けるための申請は、取得指定期間の末日の属する年の翌年3月15日（同日が措置法第37条の2第2項に規定する提出期限後である場合には、当該提出期限）までに行わなければなりません（措規18の5⑥）。

※　「特定非常災害」とは、著しく異常かつ激甚な非常災害であって、その非常災害の被害者の行政上の権利利益の保全等を図ること等が特に必要と認められるものが発生した場合に指定されるものをいいます（特定非常災害の被害者の権利利益の保全等を図るための特別措置に関する法律2①）。

　なお、令和6年9月30日現在、特定非常災害に指定されたものは、阪神・淡路大震災、平成16年新潟県中越地震、東日本大震災、平成28年熊本地震、平成30年7月豪雨災害、令和元年台風19号、令和2年7月豪雨災害及び令和6年能登半島地震となっています。

第十一章《特定の事業用資産の買換え等の場合の課税の特例》

特定の事業用資産の買換え等の特例が適用できる区域等の一覧表

1　航空機騒音障害区域の内から外への買換え（第1号）

譲　　　　渡　　　　資　　　　産		
所　　　在　　　地　　　等	事業の種類	確定申告書に添付を要する証明書
次に掲げる区域（(1)又は(2)に掲げる区域にあっては、令和2年4月1日前に当該区域となった区域を除きます。この区域のことを「航空機騒音障害区域」（513ページ参照）といいます。）内にある土地等（土地又は土地の上に存する権利をいいます。以下の表において同じです。）（平成26年4月1日又はその土地等のある区域が航空機騒音障害区域となった日のいずれか遅い日以後に取得（相続、遺贈又は贈与による取得を除きます。）をされたものを除きます。）、建物（その附属設備を含みます。以下の表において同じです。）又は構築物でそれぞれ次に定める場合に譲渡をされるもの (1)　特定空港周辺航空機騒音対策特別措置法第4条第1項に規定する航空機騒音障害防止特別地区……同法第8条第1項若しくは第9条第2項の規定により買い取られ、又は同条第1項の規定により補償金を取得する場合 (2)　公共用飛行場周辺における航空機騒音による障害の防止等に関する法律第9条第1項に規定する第2種区域……同条第2項の規定により買い取られ、又は同条第1項の規定により補償金を取得する場合 (3)　防衛施設周辺の生活環境の整備等に関する法律第5条第1項に規定する第2種区域……同条第2項の規定により買い取られ、又は同条第1項の規定により補償金を取得する場合 (注1)　「平成26年4月1日又はその土地等のある区域が航空機騒音障害区域となった日のいずれか遅い日」以後に取得をしたものかどうかの判定は、その譲渡をした土地等を実際に取得をした日によります（措通37－12）。 (注2)　譲渡資産が(3)の区域内にあり、かつ、買換資産が航空機騒音障害区域以外の区域内にあるときの課税割合は、「30％」となります。	すべての事業	○左欄の(1)の場合……特定空港周辺航空機騒音対策特別措置法第2条第1項の規定により特定空港として指定された空港の設置者のその譲渡資産を同法第8条第1項若しくは第9条第2項の規定により買い取ったものである旨又はその譲渡資産に係る補償金を同条第1項の規定により支払ったものである旨を証する書類及び所在地が同欄の(1)に掲げる航空機騒音障害防止特別地区に該当することとなった日を証する書類 ○左欄の(2)の場合……公共用飛行場周辺における航空機騒音による障害の防止等に関する法律第2条に規定する特定飛行場の設置者のその譲渡資産を同法第9条第2項の規定により買い取ったものである旨又はその譲渡資産に係る補償金を同条第1項の規定により支払ったものである旨を証する書類及び所在地が同欄の(2)に掲げる第2種区域に該当することとなった日を証する書類 ○左欄の(3)の場合……譲渡資産の所在地を管轄する地方防衛局長（譲渡資産の所在地が東海防衛支局の管轄区域内である場合には、東海防衛支局長）のその譲渡資産を防衛施設周辺の生活環境の整備等に関する法律第5条第2項の規定により買い取ったものである旨又はその譲渡資産に係る補償金を同条第1項の規定により支払ったものである旨を証する書類

〔**課税繰延割合：80％又は70％**〕

買　　　　　換　　　　　資　　　　　産		
所　　　在　　　地　　　等	事業の種類	確定申告書に添付を要する証明書
「譲渡資産」欄の（1）から（3）までに掲げる区域以外の地域内（国内に限ります。以下1において同じです。）にある土地等、建物、構築物又は機械及び装置	農林業以外の事業	○買換資産の所在地を管轄する都道府県知事又は地方航空局長若しくは地方防衛局長（買換資産の所在地が東海防衛支局の管轄区域内である場合には、東海防衛支局長）の「その資産の所在地が「譲渡資産」欄の（1）から（3）までに掲げる区域以外の地域内にある」旨を証する書類
「譲渡資産」欄の（1）から（3）までに掲げる区域以外の地域内（国内に限ります。以下1において同じです。）で、かつ、都市計画法第7条第1項の市街化区域と定められた区域以外の地域内にある土地等、建物、構築物又は機械及び装置	農　林　業	

第十一章《特定の事業用資産の買換え等の場合の課税の特例》

2　土地等が土地の計画的かつ効率的な利用に資する施策の実施に伴って取得される場合の既成市街地等内での買換え（第2号）

譲　　　　　渡　　　　　資　　　　　産		
所　　在　　地　　等	事業の種類	確定申告書に添付を要する証明書
次に掲げる区域（（1）から（3）までに掲げる区域にあっては、政令で定める区域（**注1**）を除きます。以下2において「既成市街地等」といいます。）内にある土地等、建物又は構築物 （1）　首都圏整備法（昭和31年法律第83号）第2第3項に規定する既成市街地 （2）　近畿圏整備法（昭和38年法律第129号）第2条第3項に規定する既成都市区域 （3）　首都圏、近畿圏及び中部圏の近郊整備地帯等の整備のための国の財政上の特別措置に関する法律（昭和41年法律第114号）第2条第3項に規定する政令で定める区域 （4）　（1）から（3）までに掲げる区域に類する区域として政令で定める区域（**注2**） （**注1**）　譲渡があった日の属する年の10年前の年の翌年1月1日以後に公有水面埋立法（大正10年法律第57号）の規定による竣功認可のあった埋立地の区域（（**注2**）において「埋立区域」といいます。）をいいます（措令25⑥）。 （**注2**）　都市計画法第4条第1項に規定する都市計画に都市再開発法第2条の3第1項第2号に掲げる地区若しくは同条第2項に規定する地区の定められた市又は道府県庁所在の市の区域の都市計画法第4条第2項に規定する都市計画区域のうち最近の国勢調査の結果による人口集中地区の区域（（1）から（3）までに掲げる区域（埋立区域を除きます。）を除きます。）をいいます（措令25⑦）。	すべての事業	○譲渡資産が、三鷹市、横浜市、川崎市、川口市、京都市、堺市、守口市、東大阪市、神戸市、尼崎市、西宮市、芦屋市又は名古屋市の区域（右欄の〈イ〉において「三鷹市等の区域」といいます。）内の既成市街地等左欄に規定する既成市街地等（同欄の（4）に掲げる区域を除きます。）をいいます。以下2及び3の右欄の〈イ〉において同じです。）内にある場合は、それぞれの資産の所在地を管轄する市長の「その資産の所在地が、既成市街地等内にある」旨を証する書類 ○譲渡資産が、〈イ〉都市計画法第4条第2項に規定する都市計画区域（以下この区域のことを「都市計画区域」といいます。）内にある場合（その資産の所在地が既成市街地等内である場合及び〈ロ〉に掲げる場合を除きます。）……その資産の所在地を管轄する市町村長の「その資産の所在地が都市計画区域内にある」旨を称する書類及び総務大臣の「その資産の所在地が人口集中地区の区域内にある」旨を証する書類 ○譲渡資産が、〈ロ〉既成市街地等以外の地域内で、かつ、その全域が都市計画区域となっている市の区域内にある場合……総務大臣の「その資産の所在地が人口集中地区の区域内にある」旨を証する書類

3　長期所有土地等から土地等又は減価償却資産への買換え（第3号）

譲　　　　　渡　　　　　資　　　　　産		
所　　在　　地　　等	事業の種類	確定申告書に添付を要する証明書
国内にある土地等、建物又は構築物で、その個人により取得をされたこれらの資産のうちその譲渡の日の属する年の1月1日において所有期間（譲渡をした土地等又は建物等をその取得（建設を含みます。）をした日の翌日から引き続き所有していた期間）が10年を超え	すべての事業	○譲渡資産及び買換資産の所在地が熊谷市、飯能市、木更津市、成田市、市原市、君津市、富津市、袖ケ浦市、相模原市、常総市、京都市、堺市、守口市、東大阪市、神戸市、尼崎市、西宮市、芦屋市又は名古屋市の区域（以下同欄及び右欄において「熊谷市等

－492－

第十一章《特定の事業用資産の買換え等の場合の課税の特例》

〔課税繰延割合：80％〕

買　　　換		資　　　産
所　　在　　地　　等	事業の種類	確定申告書に添付を要する証明書
既成市街地等内にある土地等、建物、構築物又は機械及び装置で、土地の計画的かつ効率的な利用に資するものとして政令で定める施策（**(注1)**参照）の実施に伴い、当該施策に従って取得されるもの（政令で定めるもの（**(注2)**参照）を除きます。） **(注1)**　都市再開発法による市街地再開発事業（その施行される土地の区域の面積が5,000㎡以上であるものに限ります。）に関する都市計画をいいます（措令25⑧）。 **(注2)**　建物（その附属設備を含みます。以下2において同じです。）のうち次に掲げるもの（その敷地の用に供される土地等を含みます。）をいいます（措令25⑨）。 　（一）　中高層耐火建築物（地上階数4以上の中高層の建築基準法第2条第9号の2に規定する耐火建築物をいいます。）以外の建物 　（二）　住宅の用に供される部分が含まれる建物（住宅の用に供される部分に限ります。）	すべての事業	○買換資産の所在地を管轄する都道府県知事の「その資産の所在地が市街地再開発事業（都市再開発法による市街地再開発事業をいいます。）の施行地域内にある」旨を証する書類（その資産の所在地が地方自治法第252条の19第1項の指定都市の区域内にあり、かつ、当該市街地再開発事業（都市再開発法による第一種市街地再開発事業に限ります。）の施行者が都市再開発法第7条の15第2項に指定する個人施行者、同法第8条第1項に規定する組合又は同法第50条の2第3項に規定する再開発会社である場合には、その資産の所在地を管轄する市長の「その資産の所在地が当該市街地再開発事業の施行地域内にある」旨を証する書類）及び次に掲げる場合の区分に応じそれぞれ次に定める書類 〈イ〉買換資産の所在地が三鷹市等の区域内の既成市街地等内である場合……買換資産の所在地を管轄する市長の「その資産の所在地が既成市街地等内にある」旨を証する書類 〈ロ〉買換資産の所在地が人口集中地区の区域内にある場合……総務大臣の「その資産の所在地が人口集中地区の区域内にある」旨を証する書類

〔課税繰延割合：60％、70％、75％、80％又は90％（498ページ参照）〕

買　　　換		資　　　産
所　　在　　地　　等	事業の種類	確定申告書に添付を要する証明書
国内にある土地等（政令で定める施設**(注1)**の敷地の用に供されるもの〔当該特定施設に係る事業の遂行上必要な駐車場の用に供されるものを含みます。〕又は駐車場の用に供されるもの〔建物又は構築物の敷地の用に供されていないことについて政令で定めるやむを得	すべての事業	○イ　譲渡資産及び買換資産の所在地が熊谷市等の区域内にある場合……譲渡資産の所在地を管轄する市長の「譲渡資産の所在地が集中地域内にある」旨を証する書類又は買換資産の所在地を管轄する市長の「買換資産の所在地が集中地域以外の

－493－

第十一章《特定の事業用資産の買換え等の場合の課税の特例》

譲　　　　　渡　　　　　資　　　　　産		
所　　在　　地　　等	事業の種類	確定申告書に添付を要する証明書
るもの		の区域」といいます。）内にある場合……譲渡資産の所在地を管轄する市長の「譲渡資産の所在地が集中地域（498ページ参照）内にある」旨を証する書類又は買換資産の所在地を管轄する市長の「買換資産の所在地が集中地域以外の地域内にある」旨を証する書類
		○譲渡資産の所在地が熊谷市等の区域内にある場合で、買換資産の所在地が集中地域（熊谷市等の区域を除きます。）内にある場合……譲渡資産の所在地を管轄する市長の「譲渡資産の所在地が集中地域内にある」旨を証する書類

−494−

第十一章《特定の事業用資産の買換え等の場合の課税の特例》

買　　　換　　　資　　　産		
所　　在　　地　　等	事業の種類	確定申告書に添付を要する証明書

所在地等欄：

ない事情(**注２**)があるものに限ります。〕で、その面積が300㎡以上のものに限ります。)、建物又は構築物

(**注１**)　事務所、工場、作業場、研究所、営業所、店舗、倉庫、住宅その他これらに類する施設(福利厚生施設に該当するものを除きます。)をいいます(措令25⑩)。

(**注２**)　次の表の左欄に掲げる手続その他の行為が進行中であることにつきそれぞれ同表の右欄に掲げる書類により明らかにされた事情です。

	手続等	書類
(一)	都市計画法第29条第１項又は第２項《開発行為の許可》の規定による許可の手続	当該許可に係る都市計画法第30条第１項《許可申請の手続》に規定する申請書の写し又は同法第32条第１項若しくは第２項《公共施設の管理者の同意等》に規定する協議に関する書類の写し
(二)	建築基準法第6条第１項《建築物の建築等に関する申請及び確認》に規定する確認の手続	当該確認に係る建築基準法第6条第１項に規定する申請書の写し
(三)	文化財保護法第93条第２項《土木工事等のための発掘に関する届出及び指示》に規定する発掘調査	文化財保護法第93条第２項の規定による当該発掘調査の実施の指示に係る書類の写し
(四)	建築物の建築に関する条例の規定に基づく手続(建物又は構築物の敷地の用に供されていないことが当該手続を理由とするものであることにつき国土交通大臣が証明したものに限る。)	国土交通大臣の(四)の証明をしたことを証する書類の写し

確定申告書に添付を要する証明書欄：

地域内にある」旨を証する書類

○ロ　買換資産の所在地が熊谷市等の区域内にある場合(イの場合、譲渡資産の所在地が集中地域(熊谷市等の区域及び措法第37条第10項第３号に掲げる地域を除きます。)内にある場合及び譲渡資産の所在地が措法第37条第10項第３号に掲げる地域内にあり、かつ、次に掲げる要件のいずれかに該当する場合を除きます。)

(イ)　買換資産の所在地が集中地域内にあること。

(ロ)　当該譲渡資産又は買換資産のいずれかが主たる事務所資産に規定する主たる資産に該当しないこと。

……買換資産の所在地を管轄する市長の「買換資産の所在地が集中地域以外の地域内にある」旨を証する書類

第十一章《特定の事業用資産の買換え等の場合の課税の特例》

4 船舶と船舶との買換え（第4号）

譲　　　　渡	資　　　　産	
所　　在　　地　　等	事業の種類	確定申告書に添付を要する証明書
船舶（船舶法第1条に規定する日本船舶に限るものとし、漁業（水産動植物の採捕又は養殖の事業をいいます。）の用に供されるものを除きます。）のうちその進水の日からその譲渡の日までの期間が、次に掲げる船舶の区分に応じそれぞれに定める期間に満たないもの（建設業及びひびき船業の用に供されるものにあっては、平成23年1月1日以後に建造されたものを除きます。） （1）　海洋運輸業（本邦の港と本邦以外の地域の港との間又は本邦以外の地域の各港間において船舶により人又は物の運送をする事業をいいます。）の用に供されている船舶……20年 （2）　沿海運輸業（本邦の各港間において船舶により人又は物の運送をする事業をいいます。）の用に供されている船舶……23年 （3）　建設業又はひき船業の用に供されている船舶……30年 （注）海洋運輸業又は沿海運輸業は、海洋又は沿海における運送営業に限られるから、たとえ海上運送法の規定により船舶運航事業を営もうとする旨の届出をしていても、専ら自家貨物の運送を行う場合には、その営む運送は、海洋運輸業又は沿海運輸業に該当しません（措通37－13）。 ※海洋運輸業又は沿海運輸業については、日本標準産業分類（総務省）の「小分類451　外航海運業」又は「小分類452　沿海海運業」に分類する事業が該当します。	すべての事業	○証明書は要しません。

－496－

〔課税繰延割合：80％〕

買　　　　　換	資　　　　　産	
所　　在　　地　　等	事業の種類	確定申告書に添付を要する証明書
次に掲げる船舶（その船舶に係る左欄の譲渡をした資産に該当する船舶（（2）において「譲渡船舶」といいます。）に係る事業と同一の事業の用に供されるものに限ります。） （1）　建造の後事業の用に供されたことのない船舶のうち環境への負荷の低減に資する船舶として国土交通大臣が財務大臣と協議して指定するもの （2）　船舶で、その進水の日から取得の日までの期間が耐用年数以下であり、かつ、その期間がその船舶に係る譲渡船舶の進水の日から当該譲渡船舶の譲渡の日までの期間に満たないもののうち環境への負荷の低減に資する船舶として国土交通大臣が財務大臣と協議して指定するもの（（1）に掲げるものを除きます。）	海洋運輸業、沿海運輸業、建設業及びひき船業	○証明書は要しません。 **（注）** 国土交通大臣が指定する船舶は平成29年国土交通省告示第303号により定められています。

第十一章《特定の事業用資産の買換え等の場合の課税の特例》

（第３号買換えに係る課税の繰延割合について）

　国内にある長期保有の土地等、建物又は構築物から国内にある一定の土地等、建物又は構築物への買換え（第３号買換え）に係る課税の繰延割合については、次のとおりです（措法37⑩）。

① 　譲渡資産が地域再生法第17条の２第１項第１号に規定する地域内にある主たる事務所資産に該当し、取得をした又は取得をする見込みである買換資産が集中地域以外の地域内にある主たる事務所資産に該当する場合における課税の繰延割合……90％（令和５年３月31日以前に譲渡資産を譲渡した場合及び同日後に譲渡資産を譲渡し、同日以前に買換資産を取得している場合は80％）

② 　譲渡資産が集中地域以外の地域内にある主たる事務所資産に該当し、取得をした又は取得をする見込みである買換資産が地域再生法第17条の２第１項第１号に規定する地域内にある主たる事務所資産に該当する場合における課税の繰延割合……60％（令和５年３月31日以前に譲渡資産を譲渡した場合及び同日後に譲渡資産を譲渡し、同日以前に買換資産を取得している場合は70％）

③ 　譲渡資産が集中地域以外の地域内にある資産に該当し、取得をした又は取得をする見込みである買換資産が地域再生法第17条の２第１項第１号に規定する地域内にある資産に該当する場合（②の場合を除きます。）における課税の繰延割合……70％

④ 　譲渡資産が集中地域以外の地域内にある資産に該当し、取得をした又は取得をする見込みである買換資産が集中地域（地域再生法第17条の２第１項第１号に規定する地域を除きます。）内にある資産に該当する場合における課税の繰延割合……75％

⑤ 　①、②、③及び④以外の場合における課税の繰延割合……80％

　（注）　「集中地域」とは、地域再生法第５条第４項第５号イに規定する集中地域をいい、具体的には、平成30年４月１日における次に掲げる区域をいいます（措通37－10）。

　　イ　東京都の特別区の存する区域及び武蔵野市の区域並びに三鷹市、横浜市、川崎市及び川口市の区域のうち首都圏整備法施行令別表に掲げる区域を除く区域

　　ロ　首都圏整備法第24条第１項の規定により指定された区域

　　ハ　大阪市の区域及び近畿圏整備法施行令別表に掲げる区域

　　ニ　首都圏、近畿圏及び中部圏の近郊整備地帯等の整備のための国の財政上の特別措置に関する法律施行令別表に掲げる区域

　「主たる事務所資産」とは、その個人の主たる事務所として使用される建物（その附属設備を含みます。）及び構築物並びにこれらの敷地の用に供される土地等をいいます（措法37⑩）。

第十一章《特定の事業用資産の買換え等の場合の課税の特例》

第二節　譲渡所得の計算

特定の事業用資産の買換えの特例の適用を受けた場合の譲渡所得金額は、それぞれの場合に応じ、第1号買換えから第3号買換えの号ごとに区分して次のように計算します（措法37①③④⑪、措令25④⑤⑰㉒㉓）。（ただし、地域再生法に係る第3号買換えを除きます。）

1　通　　則

（1）　譲渡による収入金額が買換資産の取得価額と同額か又は満たない場合

譲渡による収入金額が、買換資産の取得価額（又は取得価額の見積額）と同じであるか、又はそれより少ない場合には、それぞれ次の算式により譲渡所得を計算します（次ページの図①参照）。

（譲渡資産の収入金額×0.2）－（譲渡資産の取得費＋譲渡資産の譲渡経費）×0.2＝譲渡所得の金額

（2）　譲渡による収入金額が買換資産の取得価額を超える場合

譲渡による収入金額が、買換資産の取得価額（又は取得価額の見積額）よりも多い場合には、それぞれ次の算式により譲渡所得を計算します（次ページの図②参照）。

$$\{(譲渡資産の収入金額（A））－（買換資産の取得価額（B）×0.8)\}－（譲渡資産の取得費$$

$$＋譲渡資産の譲渡経費）×\frac{（A）－（B）×0.8}{（A）}＝譲渡所得の金額$$

（注）　その年中に譲渡した資産の譲渡について前述の表の二以上の号の規定の適用を受ける場合には、上記の譲渡所得の金額の計算は表の各号ごとに行うことになります（措通37−19の2）。

（3）　買換えの特例を適用した場合の特別控除等の不適用

買換えの特例を適用した場合には、既に説明した居住用財産を譲渡した場合の長期譲渡所得の課税の特例（第一章第三節（206ページ）参照）、居住用財産の譲渡に係る3,000万円控除（第六章（420ページ）参照）、（いずれも居住用部分についてだけ区分して措通31の3−1、35−1、36の2−23により適用する場合を除きます。）又は特定の居住用財産の買換え・交換の場合の長期譲渡所得の課税の特例（第十章（454ページ）参照）をはじめ、2,000万円（第五章第一節（335ページ）参照）、1,500万円（第五章第二節（351ページ）参照）、1,000万円（第七章（447ページ）参照）、100万円（第八章（449ページ）参照）又は800万円（第五章第三節（396ページ）参照）の譲渡所得の特別控除は適用できません。また、措置法第31条の2（優良住宅地の造成等のために土地等を譲渡した場合の長期譲渡所得の課税の特例）等の規定も適用できません。

−499−

第十一章《特定の事業用資産の買換え等の場合の課税の特例》

【課税繰延割合80％の場合の特定事業用資産の買換え特例】

① 譲渡代金≦買換資産の取得価額（使い切り・持出しケース） （単位＝万円）

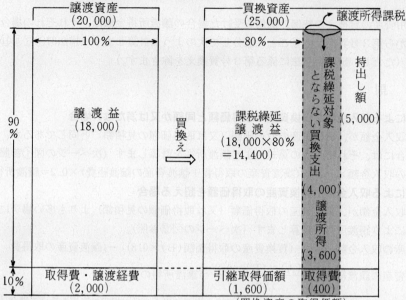

▷譲渡所得　3,600万円＝(20,000万円×0.2)－(2,000万円×0.2)

▷買換資産の取得価額　10,600万円＝(2,000万円×0.8)＋(20,000万円×0.2)
　　　　　　　　　　　＋(25,000万円－20,000万円)（第五節の2（504ページ）参照）

② 譲渡代金＞買換資産の取得価額（使い残しケース） （単位＝万円）

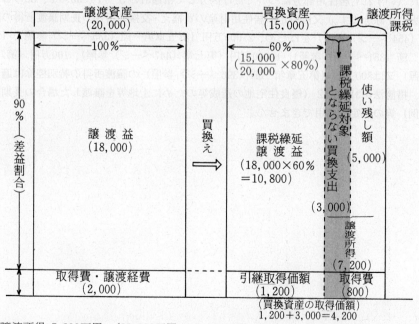

▷譲渡所得　7,200万円＝(20,000万円－15,000万円×0.8)

　　　　　　　　　　　－(2,000万円×$\frac{20,000万円－(15,000万円×0.8)}{20,000万円}$)

▷買換資産の取得価額　4,200万円＝2,000万円×$\frac{15,000万円×0.8}{20,000万円}$＋(15,000万円×0.2)
　　　　　　　　　　　　　　　　　（第五節の2（504ページ）参照）

－500－

第十一章《特定の事業用資産の買換え等の場合の課税の特例》

　なお、その年中に490ページ以下の表の各号の左欄に掲げる譲渡資産を二以上譲渡した場合におい
て、その譲渡した資産のうちに措置法第34条《特定土地区画整理事業等のために土地等を譲渡した場
合の譲渡所得の特別控除》～第34条の3《農地保有の合理化等のために農地等を譲渡した場合の譲渡
所得の特別控除》、第35条の2《特定期間に取得をした土地等を譲渡した場合の長期譲渡所得の特別控
除》又は第35条の3《低未利用土地等を譲渡した場合の長期譲渡所得の特別控除》の規定の適用を受
けることができる土地等（以下「特別控除対象土地等」といいます。）があり、特別控除対象土地等の
全部又は一部についてこれらの条の規定の適用を受けるときは、特別控除対象土地等以外の資産につ
いてのみ買換えの特例の規定の適用を受けることができることに留意する必要があります（措通37－
20）。

2　特殊な場合の譲渡所得の計算

（1）　短期保有資産と長期保有資産とがある場合の買換差金の区分

　譲渡した資産のうちに短期保有資産と長期保有資産とがある場合には、課税収入金額（1の(1)の
場合には、譲渡資産の収入金額の20％相当額をいい、1の(2)の場合には譲渡資産の収入金額が買換
資産の取得価額の80％相当額を超える場合のその超過額をいいます。）を譲渡したそれぞれの資産の譲
渡の時の価額（契約等によりそれぞれの資産の譲渡による収入金額が明らかであり、かつ、その額が
適正であると認められる場合には、そのそれぞれの収入金額）の比によってあん分して計算した金額
をそれぞれの資産についての課税収入金額として、譲渡所得の金額を計算することになります（措通
37－25）。

（2）　二以上の譲渡資産又は買換資産がある場合の買換え

　譲渡所得金額の計算は、490ページ以下の表の各号ごとに区分して行いますが、同一の号に該当する
譲渡資産又は買換資産が二以上ある場合には、納税者が買換えの特例の適用を受けるものとして申告
をした譲渡資産の収入金額の合計額、同様の申告をした買換資産の取得価額の合計額により上記1の
(1)及び(2)の計算を行うものとされていますが、この場合において、同一の譲渡資産又は買換資産
の一部分のみを特例の適用対象とすることはできないこととなっています（措通37－19）。

（3）　譲渡資産又は買換資産が表の二以上の号の譲渡資産又は買換資産に該当する場合

　譲渡資産又は買換資産が490ページ以下の表の1から4までの各号の二以上の号に該当するときは
次に定めるところによってその適用号数を選択し、1の(1)及び(2)の譲渡所得の金額の計算は、そ
れぞれの号ごとに行います。

　①　譲渡資産については、その全部又は一部は、選択により該当する二以上の号のいずれかの号に
　　のみ該当するものとされます（措令25㉒）。

　②　買換資産についても、その全部又は一部は、選択により該当する二以上の号のいずれかの号に
　　のみ該当するものとされます（措令25㉓）。

（4）　前年に取得した減価償却資産である買換資産の取得価額

　前年に取得した減価償却資産を買換資産として特例を適用する場合には、その資産を買換資産とする
時点では、既に減価償却の計算が行われ、資産の価値が減価しています。したがって、買換資産の取得
価額として計上する金額は、減価償却前の価額か、減価償却後の金額かということが問題になります。

　この場合は、減価償却前の価額、つまり実際の取得価額を買換資産の取得価額として計算すること
とされています。

　なお、これにより減価償却費の超過部分は、譲渡した年分の事業所得等の収入金額に算入すること
とされています（措令25⑰）。

〔計算例〕

　　①　取得した減価償却資産の取得価額　　　　　　1,000万円

－501－

② ①の金額を基として算出した減価償却費　　920,000円

③ ①の資産を買換資産とした場合のその資産の取得価額とされる金額　　　250万円

　　（この金額の計算の方法については、後述の第五節「買換資産の取得価額の計算等」を
　　参照してください。）

④ ③の金額を基として算出した減価償却費　　230,000円

⑤ 償却費の超過部分　②－④の金額　920,000円－230,000円＝690,000円（事業所得等に算入する金額）

（5）　低額譲渡又は低額譲受けの場合

　買換えの特例は、贈与による譲渡又は贈与による取得について適用できないことは、既に説明しました。これに関連して、法人に対する低額譲渡で時価による譲渡があったものとみなされる場合（みなし譲渡課税）のその低額譲渡及び相続税法第7条により贈与を受けたものとみなされる低額譲受けの場合にも、これらの取引のうち、贈与により譲渡又は取得した部分については、特例の対象とはなりません。

　この場合、贈与により譲渡又は取得した部分の金額は、①譲渡資産にあっては、その資産の譲渡の日の時価から、譲渡対価を控除した金額、②取得資産にあっては、その資産の取得の日の時価から、取得対価を控除した金額になります（措通37－5）。

第三節　この特例の適用を受けるための申告手続

　特定の事業用資産の買換えの特例の適用を受けるためには特定の事業用資産の譲渡をした年分の所得税の確定申告書に「この特例の適用を受けようとする旨」を記載するとともに、次に掲げる書類を添付して、住所地の所轄税務署長に提出しなければなりません（措法37⑥、措令25⑯⑱⑳、措規18の5①～⑧）。

① 譲渡資産についての収入金額等の明細

② 買換資産についての取得価額等の明細又は取得価額の見積額に関する明細

③ 取得した買換資産についての登記事項証明書又は買換資産に係る不動産番号等の明細書その他これらの資産を取得した旨を証する書類

④ 譲渡資産及び買換資産について、前記第一節490ページ以下の表の「確定申告書に添付を要する証明書」欄に掲げる証明書類

　なお譲渡資産の譲渡の翌年以後に買換えをする見込みである場合には、確定申告書等の提出日までに買換資産の見積額、取得予定年月日等を記載した「買換(代替)資産の明細書」を、上記の書類のほかに確定申告書に添付のうえ提出しなければなりません（この「買換(代替)資産の明細書」には、上記のほかに買換資産の所在地又は種類を○で囲むか、該当する号数を記載することになっています。）（措規18の5②）。

　この場合、工場等の敷地の造成や建設等に要する期間が通常1年を超える場合には、譲渡の年の翌年12月31日後2年以内の範囲で取得期間の延長が認められることになっていますが、この取得期間の延長を申請する場合には、延長することについてやむを得ない事情があることを記載した書類を原則として上記の申請書に添付して提出しなければなりません。

（注）　買換資産を譲渡資産の譲渡の年の翌年以後に取得する見込みでこの特例の適用を受けた場合には、上記に掲げる書類のうち③の書類は、買換資産を取得した日から4か月以内に提出することになっています。

　このように事業用資産の買換えの特例は申告を要件として認められることになっています。したがって確定申告書に所要事項の記載及び必要な書類の添付がない場合には、原則としてこの特例の適用は受けられないことになっています。しかし、確定申告書を提出しなかったこと、又は、確定申告書に所要事項の記載若しくは必要な書類の添付がなかった場合でも、確定申告書を提出しなかったこと等について税務署長においてやむを得ない事情があると認められるときは、所定の事項を記載した書

類の提出があれば、この特例の適用が受けられます（措法37⑦）。

第四節　更正の請求と修正申告

特定の事業用資産の買換えの特例の適用を受けたけれども、その適用の要件に該当しないこととなった場合や買換資産の取得価額が取得価額の見積額と違ったような場合には、この特例を適用して計算した譲渡所得の税額を修正する必要があり、その譲渡をした日の属する年分の所得税について修正申告又は更正の請求をすることになります（措法37の2）。

1　修正申告をしなければならない場合

次に掲げる場合には、それぞれに掲げる日から4か月以内に、資産の譲渡のあった年分の所得税について、修正申告書を提出し、かつ、それにより増加した所得税額を納付しなければなりません（措法37の2、措通37の3－1の2）。

(1)　買換資産を取得した日から1年以内に事業の用に供さなかったり、又は供さなくなった場合
……その1年を経過した日
　(注)　土地等が、第一節の5《買換資産を事業の用に供した時期の判定》の(1)のイのただし書（483ページ）の(イ)又は(ロ)に該当していた場合においても、その建物、構築物等が同(イ)又は(ロ)に定める期間内に事業の用に供されないときは、その建物、構築物等の敷地の用に供する土地等は、その取得の日から1年以内に事業の用に供しなかったこととされます（措通37の2－2）。
(2)　買換資産を取得する見込みで特例の適用を受けた場合において、実際の取得価額が取得価額の見積額より少なくなった場合又はその買換資産の地域が取得見込みの買換資産の地域と異なることとなったこと若しくはその買換資産（第3号に係るものに限ります。）の東京都の特別区、集中地域（東京都の特別区を除きます。）若しくは集中地域以外の地域の区分が、事業の用に供する見込みであった資産のこれらの地域の区分と異なることとなったことにより「譲渡があったもの」とされる部分の金額に不足が生じた場合……買換資産の取得期間（税務署長の承認を受けた日を含みます。）を経過する日
(3)　譲渡の年の翌年以後に買換資産を取得する見込みで特例の適用を受けた場合において、翌年中若しくは税務署長の承認を受けた日までに買換資産を取得しなかった場合……買換資産の取得期間（税務署長の承認を受けた日を含みます。）を経過する日

なお、上記の場合のいずれか一に該当して修正申告の必要があるにもかかわらず、修正申告書の提出がないときは、納税地の所轄税務署長は、国税通則法第24条又は第26条の規定により、その所得税の更正を行うこととされています（措法37の2③）。

また、その提出期限内に提出があった修正申告書は期限内申告書とみなされ、過少申告加算税や延滞税は課税されないことになっています（措法37の2④、措法33の5③）。

2　更正の請求ができる場合

買換資産を取得する見込みで特例の適用を受けた場合において、その取得価額が取得価額の見積額より多くなった場合又はその買換資産の地域が取得見込みの買換資産の地域と異なることとなったこと若しくはその買換資産（第3号に係るものに限ります。）の東京都の特別区、集中地域（東京都の特別区を除きます。）若しくは集中地域以外の地域の区分が、事業の用に供する見込みであった資産のこれらの地域の区分と異なることとなったことにより「譲渡があったもの」とされる部分の金額が過大となった場合には、その取得の日（買換資産を二以上取得する場合には、その資産のうち、最も遅く取得したもののその取得の日）から4か月以内に、譲渡をした年分の所得税について更正の請求をすることができます（措法37の2②、措通37の3－1の2）。

－503－

第五節　買い換えた特定の事業用資産の譲渡の場合の取得価額の計算等

　既に説明しましたように、特定の事業用資産について買換えの特例の適用を受けた場合には、その譲渡資産のうち譲渡収入金額と買換資産の取得価額とのうち、いずれか少ない方の金額の80％相当額に相当する部分については譲渡資産の譲渡がなかったものとされ、買換資産はその譲渡がなかったものとされる部分の譲渡資産の取得価額を引き継ぐことになりますが、買換資産の取得の時期は、譲渡資産の取得の時期を引き継がないものとされます。したがって、その買換資産に係る償却費の額を計算するとき、又はその買換資産の譲渡等をした場合の譲渡所得を計算するときは、次に掲げる取得の時期及び取得価額を基として計算することになります（措法37の3、措令25の2）。

〔※上記本文中、「80％」とあるのは、「60％」、「70％」、「75％」又は「90％」となる場合があります。（490ページの表内の（**注2**）及び498ページ参照）〕

1　買換資産の取得の時期

　買換資産の取得の時期は、譲渡資産の取得の時期を引き継がないで、買換えにより実際に取得した日とされます。したがって、この特例の適用を受けた買換資産を譲渡等した場合にその譲渡所得が長期譲渡所得となるか、短期譲渡所得となるかはその買換資産の実際の取得日からのその所有期間を計算して判定することになります。

（**注**）　昭和44年改正前の租税特別措置法の規定により居住用財産の買換え又は事業用資産の買換えの特例の適用を受けた買換取得資産については、買換えにより譲渡した資産の取得日を引き継ぐこととされています（昭44改措法附7③）。

2　買換資産の取得価額

　買換資産の取得価額は、実際の取得価額ではなく、譲渡資産の譲渡をした時期の区分に応じそれぞれ次に掲げる算式により計算した金額とされます（措法37の3①、措令25の2②～⑤、措通37の3－1）。

（**注**）　①～③の計算式は、買換特例の適用号数（1号～4号）ごとに区分してその号ごとの譲渡資産、買換資産の合計額により適用することになりますが、平成4年1月1日以後の譲渡資産の譲渡について平成10年度改正前の規定の適用を受けた旧第1号買換えの買換資産が近郊整備地帯等とそれ以外の地域において2以上ある場合は、納税者が計算したところに基づき譲渡資産を近郊整備地帯等にある買換資産に対応する部分とそれ以外の地域にある買換資産に対応する部分とに区分して、これらの区分ごとに③の算式を適用して取得価額を計算します（※参照）（この場合、③の算式中「譲渡資産」とあるのは、「譲渡資産のうち近郊整備地帯等にある買換資産に対応する部分」又は「譲渡資産のうち近郊整備地帯等以外の地域にある買換資産に対応する部分」と読み替えて計算します。）。

　※　平成10年度改正前の規定の適用を受けた旧第1号買換えの買換資産に係る同号の譲渡資産が都心共同住宅供給事業に係る譲渡資産である場合には、買換資産が近郊整備地帯等とそれ以外の地域において2以上あるときであっても、上記のアンダーライン部分の区分計算は必要ありません。

① **譲渡資産の譲渡が昭和62年9月30日以前に行われた場合**（旧措法、措令参照）

（1）　譲渡資産の譲渡による収入金額が買換資産の取得価額を超える場合

$$\left\{\left(\begin{array}{c}\text{譲渡資産の取}\\\text{得費の合計額}\end{array}+\begin{array}{c}\text{譲渡経費}\\\text{の合計額}\end{array}\right)\times\frac{\text{買換資産の取得}\text{価額の合計額}}{\begin{array}{c}\text{譲渡資産の譲渡によ}\\\text{る収入金額の合計額}\end{array}}\right\}\times\frac{\text{個々の買換資産の価額}}{\text{買換資産の価額の合計額}}$$

（2）　譲渡資産の譲渡による収入金額が買換資産の取得価額に等しい場合

$$\left(\begin{array}{c}\text{譲渡資産の取}\\\text{得費の合計額}\end{array}+\begin{array}{c}\text{譲渡経費}\\\text{の合計額}\end{array}\right)\times\frac{\text{個々の買換資産の価額}}{\text{買換資産の価額の合計額}}$$

（3）　譲渡資産の譲渡による収入金額が買換資産の取得価額に満たない場合

$$\left\{\binom{\text{譲渡資産の取}}{\text{得費の合計額}}+\binom{\text{譲渡経費}}{\text{の合計額}}\right\}+\binom{\text{買換資産の取得}}{\text{価額の合計額}}-\binom{\text{譲渡資産の譲渡によ}}{\text{る収入金額の合計額}}\right\}$$

$$\times\frac{\text{個々の買換資産の価額}}{\text{買換資産の価額の合計額}}$$

② **譲渡資産の譲渡が昭和62年10月1日から平成3年12月31日までの間に行われた場合**

（1）　①の（1）の場合（譲渡収入金額＞買換資産の取得価額）

$$\left\{\binom{\text{譲渡資産の取}}{\text{得費の合計額}}+\binom{\text{譲渡経費}}{\text{の合計額}}\right\}\times\frac{\text{買換資産の取得価額の合計額}\langle A\rangle\times0.8}{\text{譲渡資産の譲渡による収入金額の合計額}}+\langle A\rangle\times\frac{20}{100}\right\}$$

$$\times\frac{\text{個々の買換資産の価額}}{\text{買換資産の価額の合計額}}$$

（2）　①の（2）の場合（譲渡収入金額＝買換資産の取得価額）

$$\left\{\binom{\text{譲渡資産の取}}{\text{得費の合計額}}+\binom{\text{譲渡経費}}{\text{の合計額}}\right\}\times\frac{80}{100}+\binom{\text{譲渡資産の譲渡}}{\text{による収入金額}}\times\frac{20}{100}\right\}\times\frac{\text{個々の買換資産の価額}}{\text{買換資産の価額の合計額}}$$

（3）　①の（3）の場合（譲渡収入金額＜買換資産の取得価額）

$$\left\{\binom{\text{譲渡資産の取}}{\text{得費の合計額}}+\binom{\text{譲渡経費}}{\text{の合計額}}\right\}\times\frac{80}{100}+\binom{\text{譲渡資産の譲渡}}{\text{による収入金額}}\times\frac{20}{100}+\binom{\text{買換資産の取得}}{\text{価額の合計額}}\right.$$

$$\left.-\binom{\text{譲渡資産の譲渡によ}}{\text{る収入金額の合計額}}\right\}\times\frac{\text{個々の買換資産の価額}}{\text{買換資産の価額の合計額}}$$

③ **譲渡資産の譲渡が平成4年1月1日以後に行われた場合**

（1）　①の（1）の場合（譲渡収入金額＞買換資産の取得価額）

$$\left\{\binom{\text{譲渡資産の取}}{\text{得費の合計額}}+\binom{\text{譲渡経費}}{\text{の合計額}}\right\}\times\frac{\text{買換資産の取得価額の合計額}\langle A\rangle\times\frac{80}{100}※}{\text{譲渡資産の譲渡による収入金額の合計額}}+\langle A\rangle\times\frac{20}{100}※\right\}$$

$$\times\frac{\text{個々の買換資産の価額}}{\text{買換資産の価額の合計額}}$$

（2）　①の（2）の場合（譲渡収入金額＝買換資産の取得価額）

$$\left\{\binom{\text{譲渡資産の取}}{\text{得費の合計額}}+\binom{\text{譲渡経費}}{\text{の合計額}}\right\}\times\frac{80}{100}※+\binom{\text{譲渡資産の譲渡}}{\text{による収入金額}}\times\frac{20}{100}※\right\}\times\frac{\text{個々の買換資産の価額}}{\text{買換資産の価額の合計額}}$$

（3）　①の（3）の場合（譲渡収入金額＜買換資産の取得価額）

$$\left\{\binom{\text{譲渡資産の取}}{\text{得費の合計額}}+\binom{\text{譲渡経費}}{\text{の合計額}}\right\}\times\frac{80}{100}※+\binom{\text{譲渡資産の譲渡によ}}{\text{る収入金額の合計額}}\times\frac{20}{100}※+\binom{\text{買換資産の取得}}{\text{価額の合計額}}\right.$$

$$\left.-\binom{\text{譲渡資産の譲渡によ}}{\text{る収入金額の合計額}}\right\}\times\frac{\text{個々の買換資産の価額}}{\text{買換資産の価額の合計額}}$$

※1　平成13年改正前の旧第20号買換え又は平成10年度改正前の規定の適用を受けた旧第1号買換えの買換資産が近郊整備地帯等内にある場合（同号の買換資産に係る譲渡資産が都心共同住宅供給事業に係る譲渡資産である場合を除きます。）若しくは平成10年度改正前の規定の適用を受けた第15号買換えの場合……

$\dfrac{80}{100}\rightarrow\dfrac{60}{100}$、$\dfrac{20}{100}\rightarrow\dfrac{40}{100}$とします。

※2　平成15年改正前の旧第19号買換え（特定の場合に限ります。）、平成13年改正前の旧第11号買換え又は平成12年改正前の旧第10号買換えの場合……$\dfrac{80}{100}\rightarrow\dfrac{90}{100}$、$\dfrac{20}{100}\rightarrow\dfrac{10}{100}$とします。

※3　498ページの

①に該当する場合……$\dfrac{80}{100}\rightarrow\dfrac{90}{100}$、$\dfrac{20}{100}\rightarrow\dfrac{10}{100}$

②に該当する場合……$\dfrac{80}{100}\rightarrow\dfrac{60}{100}$、$\dfrac{20}{100}\rightarrow\dfrac{40}{100}$

③に該当する場合……$\dfrac{80}{100}\rightarrow\dfrac{70}{100}$、$\dfrac{20}{100}\rightarrow\dfrac{30}{100}$

④に該当する場合……$\dfrac{80}{100}\rightarrow\dfrac{75}{100}$、$\dfrac{20}{100}\rightarrow\dfrac{25}{100}$

第十一章《特定の事業用資産の買換え等の場合の課税の特例》

なお、「①に該当する場合」及び「②に該当する場合」は、令和5年3月31日以前に譲渡資産を譲渡した場合等を除きます。（498ページ参照）

※4　490ページの表内の(**注2**)に該当する場合……$\dfrac{80}{100} \rightarrow \dfrac{70}{100}$、$\dfrac{20}{100} \rightarrow \dfrac{30}{100}$

④　5倍の面積制限を超えて取得した土地等についての取得価額

買換資産として取得した土地等の面積が譲渡した土地等の面積の5倍を超えている場合のその土地等についての取得価額は、次のイ及びロに掲げる金額の合計額になります（措通37の3－2）。

イ　取得した土地等の取得に要した金額と改良費の額との合計額に次に掲げる割合を乗じて計算した金額を買換資産の取得価額又は買換資産の価額として、上記①～③により計算した金額

$$\dfrac{\text{譲渡した土地等の面積} \times 5}{\text{取得した土地等の面積}}$$

ロ　取得した土地等の取得に要した金額と改良費の額との合計額に次に掲げる割合を乗じて計算した金額

$$\dfrac{\text{取得した土地等の面積} - \text{譲渡した土地等の面積} \times 5}{\text{取得した土地等の面積}}$$

このことを計算例で説明しますと、次のようになります。

〔計算例〕

〔設例Ⅰ〕

イ　譲渡資産………既成市街地等内の宅地

（イ）　面　　積　　　200㎡

（ロ）　譲渡価額　　　20,000,000円

（ハ）　取得時期　　　昭和30年12月31日

（ニ）　取得価額　　　1,500,000円

（ホ）　譲渡費用　　　500,000円

ロ　買換資産………既成市街地等以外の地域にある宅地

（イ）　面　　積　　　　1,600㎡

（ロ）　取得に要した金額　　30,000,000円

ハ　この場合の買換資産に付すべき取得価額は

（イ）　$30,000,000円 \times \dfrac{200㎡ \times 5}{1,600㎡} = 18,750,000円$

　　　　$18,750,000円 \times 0.8 = 15,000,000円$（＜A＞）（80%相当額）

（ロ）　$\left\{ (1,500,000円 + 500,000円) \times \dfrac{＜A＞15,000,000円}{20,000,000円} + 18,750,000円 \times \dfrac{20}{100} \right\}$

　　　　$\times \dfrac{18,750,000円}{18,750,000円} = 5,250,000円 \cdots\cdots ＜B＞$

（ハ）　$30,000,000円 \times \dfrac{1,600㎡ - 200㎡ \times 5}{1,600㎡} = 11,250,000円 \cdots\cdots ＜C＞$

　　　　　＜B＞　　　　　　＜C＞
（ニ）　$5,250,000円 + 11,250,000円 = 16,500,000円$ となります。

〔設例Ⅱ〕

イ　譲渡資産……既成市街地等内の宅地

（イ）　面　　積　　　300㎡

（ロ）　譲渡価額　　　30,000,000円

（ハ）　取得時期　　　昭和31年6月1日

（ニ）　取得価額　　　2,000,000円

－506－

第十一章《特定の事業用資産の買換え等の場合の課税の特例》

　（ホ）　譲渡費用　1,000,000円
ロ　買換資産……既成市街地等以外の地域にある資産
　（イ）　A市所在の宅地、建物
　　①　宅地の面積　　　　　　　800㎡
　　②　宅地の取得に要した金額　8,000,000円
　　③　建物の取得に要した金額　5,000,000円
　（ロ）　B市所在の宅地
　　①　宅地の面積　　　　　　　1,200㎡
　　②　宅地の取得に要した金額　12,000,000円
ハ　この場合の買換資産に付すべき取得価額は次のようになります。
　（イ）　A市の宅地に付すべき取得価額　3,680,000円
　　①　$(8,000,000円＋12,000,000円)\times\dfrac{300㎡\times5}{800㎡＋1,200㎡}=15,000,000円$

　　　　$\left\{(宅地)15,000,000円＋(建物)5,000,000円\right\}\times\dfrac{80}{100}=16,000,000円(\langle A\rangle)(80\%相当額)$

　　②　$\left\{(2,000,000円＋1,000,000円)\times\dfrac{\langle A\rangle16,000,000円}{30,000,000円}＋(15,000,000円＋5,000,000円)\times\dfrac{20}{100}\right\}$

　　　　$\times\dfrac{15,000,000円}{15,000,000円＋5,000,000円}=4,200,000円……\langle B\rangle$

　　③　$(8,000,000円＋12,000,000円)\times\dfrac{(800㎡＋1,200㎡)-300㎡\times5}{800㎡＋1,200㎡}=5,000,000円……\langle C\rangle$

　　④　$(\overset{\langle B\rangle}{4,200,000円}＋\overset{\langle C\rangle}{5,000,000円})\times\dfrac{8,000,000円}{8,000,000円＋12,000,000円}=3,680,000円$

　（ロ）　A市の建物に付すべき取得価額　1,400,000円
　　　　$\left\{(2,000,000円＋1,000,000円)\times\dfrac{\langle A\rangle16,000,000円}{30,000,000円}＋(15,000,000円＋5,000,000円)\times\dfrac{20}{100}\right\}$

　　　　$\times\dfrac{5,000,000円}{15,000,000円＋5,000,000円}=1,400,000円$

　（ハ）　B市の宅地に付すべき取得価額　5,520,000円
　　　　$(\overset{\langle B\rangle}{4,200,000円}＋\overset{\langle C\rangle}{5,000,000円})\times\dfrac{12,000,000円}{8,000,000円＋12,000,000円}=5,520,000円$

〔設例Ⅲ〕
イ　譲渡資産……表の第3号の「譲渡資産」欄に該当する宅地（集中地域以外の地域内にある資産）
　（イ）　面　　積　500㎡
　（ロ）　譲渡価額　100,000,000円
　（ハ）　取得時期　昭和32年12月1日
　（ニ）　取得価額　25,000,000円
　（ホ）　譲渡費用　5,000,000円
ロ　買換資産……表の第3号の「買換資産」欄に該当する宅地、建物
　（イ）　A区所在の宅地、建物（東京都の特別区内にあり、主たる事務所資産以外に該当する）
　　①　宅地の面積　　　　　　　200㎡
　　②　宅地の取得に要した金額　60,000,000円
　　③　建物の取得に要した金額　20,000,000円
　（ロ）　B市所在の宅地（集中地域以外の地域内にある資産）
　　①　宅地の面積　　　　　　　4,000㎡
　　②　宅地の取得に要した金額　40,000,000円

－507－

ハ　買換資産に対応する譲渡資産の部分の選択

　　納税者はＡ区の宅地、建物に対する譲渡資産の部分を80,000,000円（該当面積400㎡）、Ｂ市の宅地に対応する譲渡資産の部分を20,000,000円（該当面積100㎡）と選択したものとします。

ニ　買換資産に付すべき取得価額

　（イ）　Ａ区の宅地に付すべき取得価額　30,600,000円

$$\left\{(25,000,000円+5,000,000円)\times\frac{400㎡}{500㎡}\times0.7+80,000,000円\times0.3\right\}$$

$$\times\frac{60,000,000円}{80,000,000円}=30,600,000円$$

　　(注)　Ａ区の宅地に係る面積制限は2,000㎡（400㎡×5倍）です。

　（ロ）　Ａ区の建物に付すべき取得価額　10,200,000円

$$\left\{(25,000,000円+5,000,000円)\times\frac{400㎡}{500㎡}\times0.7+80,000,000円\times0.3\right\}$$

$$\times\frac{20,000,000円}{80,000,000円}=10,200,000円$$

　（ハ）　Ｂ市の宅地に付すべき取得価額　37,200,000円

　　①　$40,000,000円\times\dfrac{100㎡\times5倍}{4,000㎡}=5,000,000円$

　　②　$\left\{(25,000,000円+5,000,000円)\times\dfrac{100㎡}{500㎡}\times\dfrac{5,000,000円\times0.8}{20,000,000円}\right.$

　　　　$\left.+5,000,000円\times0.2\right\}=2,200,000円$

　　③　$40,000,000円\times\dfrac{4,000㎡-100㎡\times5倍}{4,000㎡}=35,000,000円$

　　④　$2,200,000円+35,000,000円=37,200,000円$

3　買換資産を譲渡等した場合の譲渡所得の計算

　買換資産を後日譲渡や贈与等した場合の譲渡所得は、その譲渡等による収入金額から上記２で計算した取得価額（その買換資産が減価償却資産である場合は、買換資産の実際の取得の日からその譲渡の日までの償却費の合計額を控除した額となります。）とその譲渡に要した経費との合計額を控除して譲渡所得の金額を計算します。

　この場合、先に述べましたように買換資産の取得の時期は、買換えに係る譲渡資産の取得日を引き継がないで、買換資産を実際に取得した日となります。したがって、買換資産を後日譲渡等した場合の譲渡所得の長期・短期の判定は、その実際の取得日の翌日から起算して所有期間を計算し、その所有期間によって判定することになります。

4　買換資産についての特別償却等の不適用

　個人が特定の事業用資産の買換えの場合の課税の特例の適用を受けた買換資産については、その取得価額が譲渡資産の譲渡による収入金額を超えるときであっても、その買換資産については、措置法第19条各号に規定する特別償却等は適用されません（措法37の３④、措通37の３－３）。

　(注)　措置法第19条第１項各号

　　　一　第10条の３《中小事業者が機械等を取得した場合の特別償却又は所得税額の特別控除》から第10条の４の２《地方活力向上地域等において特定建物等を取得した場合の特別償却又は所得税額の特別控除》まで、第10条の５の３《特定中小事業者が特定経営力向上設備等を取得した場合の特別償却又は所得税

－508－

額の特別控除》、第10条の５の５《認定特定高度情報通信技術活用設備を取得した場合の特別償却又は所得税額の特別控除》、第10条の５の６《事業適応設備を取得した場合等の特別償却又は所得税額の特別控除》又は第11条《特定船舶の特別償却》から第15条《倉庫用建物等の割増償却》までの規定

二　前号に掲げるもののほか、減価償却資産に関する特例を定めている規定として政令《措置法施行令第10条》で定める規定

《買換えの特例が適用されないこととなった買換資産に係る特別償却》

　特定の事業用資産の買換えの場合の課税の特例の適用を受けた買換資産をその取得の日から１年以内に事業の用に供せず、又は供しなくなったため、その適用がないこととなった場合には、その適用がないこととなった日以後においては、その買換資産について、措置法第11条から第15条までの特別償却等の適用条件を具備する限り特別償却をすることができます。

　なお、この場合は次のように取り扱われることとなります（措通37の３－４）。

イ　上記の措置法の条文に規定する取得の日は、その資産の実際の取得の日によることとなります。

ロ　措置法第12条第４項及び第13条から第15条までの規定の適用を受けることができる期間は、その適用がないこととなった日からその条に規定する期間の末日までの間に限られています。

(注１)　例えば、措置法第11条第１項に規定する特定船舶につき買換え特例の適用を受けた場合において、それが一旦事業の用に供された後にその取得の日から１年以内に事業の用に供されなくなったため買換え特例の適用がないこととなったときは、その後においてもその特定船舶について同項の規定の適用を受けることはできません。ただし、特定船舶をその取得の日から１年を経過する日まで引き続き事業の用に供しなかったため買換えの特例がないこととなった場合には、その後その特定船舶を事業の用に供した日の属する年に同項の規定の適用を受けることができます。

(注２)　例えば、措置法第12条第４項に規定する産業振興機械等（以下「産業振興機械等」といいます。）について、買換え特例の適用を受けた場合において、それが一旦事業の用に供された後にその取得の日から１年以内に事業の用に供されなくなったため買換え特例の適用がないこととなったときにおいても、その後その産業振興機械等を事業の用に供したときは、当初に事業の用に供した日以後５年以内の期間のうち再び事業の用に供している期間については、同項の規定の適用を受けることができます。

　　　ただし、産業振興機械等をその取得の日から１年を経過する日まで引き続き事業の用に供しなかったため買換え特例の適用がないこととなった場合には、その後その産業振興機械等を事業の用に供した日以後５年以内の期間のうち事業の用に供している期間については、同項の規定の適用を受けることができます。

第六節　特定の事業用資産を交換した場合の課税の特例

　個人が昭和45年１月１日から令和８年12月31日（第３号買換えの譲渡資産にあっては、同年３月31日）までの間に、特定の事業用資産の買換えの場合の課税の特例の適用が受けられる特定の資産を交換した場合には、その交換の日において、それぞれの時価により、事業用資産（譲渡資産）を譲渡し、その買換えとして事業用資産（買換資産）を取得したものとみなして、特定の事業用資産の買換えの場合の課税の特例が適用されます（措法37の４）。

１　特例の適用を受けることができる場合

　次に掲げる要件のすべてに該当しているときは、この特例の適用を受けることができます。

（１）　交換譲渡資産及び交換取得資産の範囲

　この特例が適用される交換によって譲渡する資産及び取得する資産の範囲は、特定の事業用資産の買換えの場合の課税の特例の適用を受けることができる譲渡資産及び買換資産の範囲と同じです。すなわち、第一節で述べた譲渡資産と買換資産の範囲の表（490ページ以下）の各号の左欄に掲げている事業用の資産と同表各号の右欄に掲げている資産とを交換した場合に、この特例の適用を受けることができます。

第十一章《特定の事業用資産の買換え等の場合の課税の特例》

　なお、第一節で述べた譲渡資産の範囲の表の各号の左欄に掲げている事業用資産と、同表各号の右欄に掲げている資産以外の資産と交換した場合には、この特例を受けることはできませんが、交換差金を取得しているときは、交換差金は事業用資産の譲渡になりますので、第一節から前節までの特例（特定の事業用資産の買換えの場合の課税の特例）の適用を受けることができます。

（２）　交換の範囲

　ここでいう交換には、交換に伴って交換差金を取得し、又は交換差金を支払った場合も含まれます。しかし、措置法第33条の２《交換処分等に伴い資産を取得した場合の課税の特例》に規定する交換又は所得税法第58条《固定資産の交換の場合の譲渡所得の特例》の適用を受ける交換は除かれています。

　なお、事業用資産の交換の特例と所得税法で定めている固定資産の交換の特例とのいずれにも該当するような場合は、そのいずれの適用を受けるかは、納税者がその申告等の手続によって有利な方を選択することができることになっています（措法37の４、措令25の３①）。

　この場合において、所得税法に定める交換の適用を選択したときは、その交換に伴って取得した交換差金については、事業用資産の買換えの特例の適用を受けることができないことになっています（措通37の４－１）。

２　特定の事業用資産を交換した場合の譲渡所得の計算

　この特例の適用を受けた場合には、交換の日の交換譲渡資産の時価で、その交換譲渡資産を譲渡したものとし、交換の日の交換取得資産の時価でその交換取得資産を取得したものとして、買換えの場合と同じような方法により譲渡所得を計算することになります。

　したがって、

（１）　交換差金の支払を受けない場合には、交換譲渡資産の20％（40％、30％、25％又は10％となる場合があります。（490ページの表内の（注２）及び498ページ参照））相当額の譲渡があったものとされ、その部分についてだけ譲渡所得が課税されます。

（２）　交換差金を受けた場合は、その交換差金と交換取得資産の時価の20％相当額との合計額に相当する部分だけ交換譲渡資産の譲渡があったものとして譲渡所得が計算されることになります。

３　交換により取得した特定の事業用資産の取得価額の計算等

　譲渡資産の取得価額は引き継ぎますが取得時期は引き継ぎません。このことは交換により取得した特定の事業用資産の取得価額の計算等については前節と同じ取扱いになります。

４　この特例の適用を受けるための手続

　この特例の適用を受けるための申告の手続や、交換により取得した事業用の特定資産に関する取得の事実を証明する登記事項証明書等の提出等については、前に述べた特定の事業用資産の買換えの場合の課税の特例の適用を受けるための手続と全く同様です。

－510－

特定の事業用資産の買換えの特例に関する指定地域等一覧表　　目　次

第1号《航空機騒音障害区域の内から外への買換え》関係

　○　航空機騒音障害区域‥‥‥‥‥‥‥‥‥‥‥‥‥‥‥‥‥‥‥‥‥‥‥‥‥‥‥‥‥‥　513

第2号《土地等が土地の計画的かつ効率的な利用に資する施策の実施に伴って取得される場合の既成市街地等内での買換え》関係

　1　首都圏整備法の既成市街地の区域‥‥‥‥‥‥‥‥‥‥‥‥‥‥‥‥‥‥‥‥‥‥　528
　2　近畿圏整備法の既成都市区域‥‥‥‥‥‥‥‥‥‥‥‥‥‥‥‥‥‥‥‥‥‥‥‥　529
　3　名古屋市の区域‥‥‥‥‥‥‥‥‥‥‥‥‥‥‥‥‥‥‥‥‥‥‥‥‥‥‥‥‥‥　532
　4　既成市街地等に類する区域‥‥‥‥‥‥‥‥‥‥‥‥‥‥‥‥‥‥‥‥‥‥‥‥‥　533

特定の事業用資産の買換えの特例に関する指定地域等一覧表

一覧表中「日本国有鉄道」とあるのは、昭和62年4月以後は「JR」と読み替えてください。

第1号関係

航空機騒音障害区域

公共用飛行場周辺における航空機騒音による障害の防止等に関する法律第9条第1項及び第9条の2第1項に規定する第2種区域及び第3種区域は、次表のとおりです。

(注) 第2種区域は、航空機の騒音の程度がおおむね73Ldenの地域、第3種区域は、おおむね76Lden以上の地域で、いずれも国土交通大臣が区域を指定することになっています。

函館空港〔平成25年10月1日以後〕………第2種区域及び第3種区域の全部の区域の指定が解除されています（平成24年4月20日国交告486）。

区　域	適　用　地　域
①　第2種区域 （昭和49年11月25日 指定、運告530）	滑走路の短辺の側における滑走路の中心線（その延長線を含む。以下単に「中心線」という。）上の滑走路の東側末端から滑走路の外側へ700mの地点において中心線と直角をなす直線上同地点から100mの距離を有する二つの地点のうち北側の地点を(イ)と、南側の地点を(ロ)とし、中心線上の滑走路の東側末端から滑走路の外側へ300mの地点において中心線と直角をなす直線上同地点から北側へ285mの距離を有する地点を(ハ)と、南側へ210mの距離を有する地点を(ニ)とし、中心線上の滑走路の西側末端から滑走路の外側へ300mの地点において中心線と直角をなす直線上同地点から北側へ285mの距離を有する地点を(ホ)と、南側へ210mの距離を有する地点を(ヘ)とし、中心線上の滑走路の西側末端から滑走路の外側へ700mの地点において中心線と直角をなす直線上同地点から100mの距離を有する二つの地点のうち北側の地点を(ト)と、南側の地点を(チ)とした場合において、(イ)、(ハ)、(ホ)、(ト)、(チ)、(ヘ)、(ニ)及び(ロ)の各地点を順次に結んだ線並びに(イ)と(ロ)の地点を結んだ線により囲まれた区域
②　第2種区域 （昭和54年7月10日 指定、運告391）	滑走路の短辺の側における滑走路の中心線（その延長線を含む。以下単に「中心線」という。）上の滑走路の東側末端から滑走路の外側へ700mの地点において中心線と直角をなす直線上同地点から100mの距離を有する二つの地点のうち北側の地点を(イ)と、南側の地点を(ロ)とし、中心線上の滑走路の東側末端から滑走路の外側へ300mの地点において中心線と直角をなす直線上同地点から北側へ285mの距離を有する地点を(ハ)と、南側へ210mの距離を有する地点を(ニ)とし、中心線上の滑走路の東側末端から滑走路の外側へ200mの地点において中心線と直角をなす直線上同地点から100mの距離を有する二つの地点のうち北側の地点を(ホ)と、南側の地点を(ヘ)とし、中心線上の滑走路の東側末端から滑走路の内側へ200mの地点において中心線と直角をなす直線上同地点から北側へ285mの距離を有する地点を(ト)と、南側へ210mの距離を有する地点を(チ)とした場合において、(イ)、(ハ)、(ト)、(ホ)、(ヘ)、(チ)、(ニ)及び(ロ)の各地点を順次結んだ線並びに(イ)と(ロ)の地点を結んだ線により囲まれた区域、中心線上の滑走路の西側末端から滑走路の外側へ300mの地点において中心線と直角をなす直線上同地点から北側へ285mの距離を有する地点を(リ)と、南側へ210mの距離を有する地点を(ヌ)とし、中心線上の滑

－513－

走路の西側末端から滑走路の外側へ400mの地点において中心線と直角をなす直線上同地点から北側へ285mの距離を有する地点を(ル)と、南側へ210mの距離を有する地点を(ヲ)とし、中心線上の滑走路の西側末端から滑走路の外側へ700mの地点において中心線と直角をなす直線上同地点から100mの距離を有する二つの地点のうち北側の地点を(ワ)と、南側の地点を(カ)とした場合において、(リ)、(ル)及び(ワ)の各地点を順次結んだ線並びに(リ)と(ワ)の地点を結んだ線により囲まれた区域並びに(ヌ)、(ヲ)及び(カ)の各地点を順次結んだ線並びに(ヌ)と(カ)の地点を結んだ線により囲まれた区域

③ 第3種区域 (昭和49年11月25日指定、運告530)	中心線上の滑走路の東側末端から滑走路の外側へ400mの地点において中心線と直角をなす直線上同地点から100mの距離を有する二つの地点のうち北側の地点を(リ)と、南側の地点を(ヌ)とし、①において(ハ)とされた地点を(ル)と、(ニ)とされた地点を(ヲ)と、(ホ)とされた地点を(ワ)と、(ヘ)とされた地点を(カ)とし、中心線上の滑走路の西側末端から滑走路の外側へ400mの地点において中心線と直角をなす直線上同地点から100mの距離を有する二つの地点のうち北側の地点を(ヨ)と、南側の地点を(タ)とした場合において、(リ)、(ル)、(ワ)、(ヨ)、(タ)、(カ)、(ヲ)及び(ヌ)の各地点を順次に結んだ線並びに(リ)と(ヌ)の地点を結んだ線により囲まれた区域
④ 第3種区域 (昭和54年7月10日指定、運告391)	中心線上の滑走路の東側末端から滑走路の外側へ400mの地点において中心線と直角をなす直線上同地点から100mの距離を有する二つの地点のうち北側の地点を(ヨ)と、南側の地点を(タ)とし、②において(ハ)とされた地点を(レ)と、(ニ)とされた地点を(ソ)とし、中心線上の滑走路の東側末端から滑走路の内側へ100mの地点において中心線と直角をなす直線上同地点から100mの距離を有する二つの地点のうち北側の地点を(ツ)と、南側の地点を(ネ)とし、②において(ト)とされた地点を(ナ)と、(チ)とされた地点を(ラ)とした場合において、(ヨ)、(レ)、(ナ)、(ツ)、(ネ)、(ラ)、(ソ)及び(タ)の各地点を順次結んだ線並びに(ヨ)と(タ)の地点を結んだ線により囲まれた地域

仙台空港〔平成25年9月30日まで〕

区　域	適　用　地　域
① 第2種区域 (昭和49年11月25日指定、運告531)	滑走路Bの短辺の側における滑走路Bの中心線(その延長線を含む。以下単に「中心線」という。)上の滑走路Bの東側末端から滑走路Bの外側へ700mの地点において中心線と直角をなす直線上同地点から100mの距離を有する二つの地点のうち北側の地点を(イ)と、南側の地点を(ロ)とし、中心線上の滑走路Bの東側末端から滑走路Bの外側へ300mの地点において中心線と直角をなす直線上同地点から北側へ210mの距離を有する地点を(ハ)と、南側へ285mの距離を有する地点を(ニ)とし、中心線上の滑走路Bの西側末端から滑走路Bの外側へ300mの地点において中心線と直角をなす直線上同地点から北側へ210mの距離を有する地点を(ホ)と、南側へ285mの距離を有する地点を(ヘ)とし、中心線上の滑走路Bの西側末端から滑走路Bの外側へ850mの地点において中心線と直角をなす直線上同地点から100mの距離を有する二つの地点のうち北側の点を(ト)と、南側の地点を(チ)とした場合において、(イ)、(ハ)、(ホ)、(ト)、(チ)、(ヘ)、(ニ)及び(ロ)の各地点を順次に結んだ線並びに(イ)と(ロ)の地点を結んだ線により囲まれた区域
② 第2種区域 (昭和57年3月30日指定、運告165)	滑走路Bの短辺の側における滑走路Bの中心線(その延長線を含む。以下単に「中心線」という。)上の滑走路Bの西側末端から滑走路Bの内側へ180mの地点において中心線と直角をなす直線上同地点から北側へ210mの距離を有する地点を(イ)とし、中心線上の滑走路Bの西側末端から滑走路Bの外側へ160mの地点において中心線と直角をなす直線上同地点から北側へ280mの距離を有する地点を(ロ)とし、中心線上の滑走路Bの西側末端か

特定の事業用資産の買換え特例に関する指定地域一覧表

ら滑走路Bの外側へ300mの地点において中心線と直角をなす直線上同地点から北側へ210mの距離を有する地点を(ハ)とした場合において、(イ)、(ロ)及び(ハ)の各地点を順次結んだ線並びに(イ)と(ハ)の地点を結んだ線により囲まれた区域

区域	適用地域
③ 第3種区域 (昭和49年11月25日 指定、運告531)	中心線上の滑走路Bの東側末端から滑走路Bの外側へ400mの地点において中心線と直角をなす直線上同地点から100mの距離を有する二つの地点のうち北側の地点を(リ)と、南側の地点を(ヌ)とし、①において(ハ)とされた地点を(ル)と、(ニ)とされた地点を(ヲ)と、(ホ)とされた地点を(ワ)と、(ヘ)とされた地点を(カ)とし、中心線上の滑走路Bの西側末端から滑走路Bの外側へ600mの地点において中心線と直角をなす直線上同地点から100mの距離を有する二つの地点のうち北側の地点を(ヨ)と、南側の地点を(タ)とした場合において、(リ)、(ル)、(ワ)、(ヨ)、(タ)、(カ)、(ヲ)及び(ヌ)の各地点を順次に結んだ線並びに(リ)と(ヌ)の地点を結んだ線により囲まれた区域

仙台空港〔平成25年10月1日以後〕………上記平成25年9月30日までに指定されている第2種区域のうち次の区域以外の区域が解除されています。

区域	適用地域
第2種区域 (平成24年6月15日 国交告723)	第2種区域として指定されている区域のうち、滑走路Bの短辺の側における滑走路Bの中心線（その延長線を含む。以下単に「中心線」という。）上の滑走路Bの東側末端から滑走路Bの外側へ410メートルの地点において中心線と直角をなす直線上にあって、同地点から10メートルの距離にある二つの地点のうち北側のものを(イ)と、南側のものを(ロ)とし、中心線上の滑走路Bの東側末端において中心線と直角をなす直線上にあって、同地点から100メートルの距離にある二つの地点のうち北側のものを(ハ)と、南側のものを(ニ)とした場合において、(イ)、(ロ)、(ニ)、(ハ)及び(イ)の各地点を順次結んだ線により囲まれた区域

仙台空港〔平成25年10月1日以後〕………第3種区域の全部の区域が解除されています（平成24年6月15日国交告723）。

東京国際空港

区域	適用地域
第2種区域 (昭和50年5月10日 指定、運告209)	滑走路Cの短辺の側における滑走路Cの中心線（その延長線を含む。以下単に「中心線C」という。）上の滑走路Cの北側末端の地点において中心線Cと直角をなす直線上同地点から東側へ500mの距離を有する地点を(イ)と、西側に500mの距離を有する地点を(ロ)とし、中心線C上の滑走路Cの北側末端から滑走路Cの外側へ2,700mの地点を(ハ)とし、同地点において中心線Cと直角をなす直線上同地点から東側へ1,550mの距離を有する地点を(ニ)とし、中心線C上の滑走路Cの北側末端から滑走路Cの外側へ1,000mの地点において中心線Cと直角をなす直線上同地点から西側へ630mの距離を有する地点を(ホ)とし、滑走路Bの短辺の側における滑走路Bの中心線（その延長線を含む。以下単に「中心線B」という。）上の滑走路Bの西側末端の地点において中心線Bと直角をなす直線上同地点から北側へ400mの距離を有する地点を(ヘ)とし、中心線B上の滑走路Bの西側末端から滑走路Bの内側へ500mの地点において中心線Bと直角をなす直線上同地点から北側へ400mの距離を有する地点を(ト)とし、中心線B上の滑走路Bの西側末端から滑走路Bの外側へ800mの地点において中心線Bと直角をなす直線上同地点から北側へ200mの距離を有する地点を(チ)とした場合において、(イ)、(ニ)、(ハ)、(ホ)、(ロ)、(ト)、(ヘ)及び(チ)の各地点を順次に結んだ線、(チ)の地点から中心線Bに対し直角に同線まで引いた線、中心線B並びに(イ)の地点から中心線Cに対し平行に中心線Bまで引いた線により囲まれた区域であって第1種区域にあるもの（公共用飛行場周辺における航空機騒音によ

－515－

特定の事業用資産の買換え特例に関する指定地域一覧表

区　域	適　用　地　域
	る障害の防止等に関する法律の一部を改正する法律（昭和49年法律第8号）附則第2条第1項の規定により第2種区域とみなされた区域を除く。）
第3種区域 （昭和50年5月10日 指定、運告209）	中心線C上の滑走路Cの北側末端の地点において中心線Cと直角をなす直線上同地点から東側へ300mの距離を有する地点を(リ)と、西側へ300mの距離を有する地点を(ヌ)とし、中心線C上の滑走路Cの北側末端から滑走路Cの外側へ2,000mの地点を(ル)とし、同地点において中心線Cと直角をなす直線上同地点から東側へ1,000mの距離を有する地点を(ヲ)とし、中心線C上の滑走路Cの北側末端から滑走路Cの外側へ1,000mの地点において中心線Cと直角をなす直線上同地点から西側へ300mの距離を有する地点を(ワ)とし、中心線B上の滑走路Bの西側末端の地点において中心線Bと直角をなす直線上同地点から北側へ300mの距離を有する地点を(カ)とし、中心線B上の滑走路Bの西側末端から滑走路Bの内側へ500mの地点において中心線Bと直角をなす直線上同地点から北側へ300mの距離を有する地点を(ヨ)とし、中心線B上の滑走路Bの西側末端から滑走路Bの外側へ500mの地点において中心線Bと直角をなす直線上同地点から北側へ200mの距離を有する地点を(タ)とした場合において、(リ)、(ヲ)、(ル)、(ワ)、(ヌ)、(ヨ)、(カ)及び(タ)の各地点を順次に結んだ線、(タ)の地点から中心線Bに対し直角に同線まで引いた線、中心線B並びに(リ)の地点から中心線Cに対し平行に中心線Bまで引いた線により囲まれた区域であって第2種区域にあるもの

成田国際空港

区　域	適　用　地　域
第2種区域 （昭和51年1月8日 指定、運告9）	滑走路Aの短辺の側における滑走路Aの中心線（その延長線を含む。以下単に「中心線」という。）上の滑走路Aの北側末端から滑走路Aの外側へ5,615mの地点において中心線と直角をなす直線上同地点から245mの距離を有する二つの地点のうち東側の地点を(イ)と、西側の地点を(ロ)とし、中心線上の滑走路Aの北側末端から滑走路Aの外側へ2,000mの地点において中心線と直角をなす直線上同地点から435mの距離を有する二つの地点のうち東側の地点を(ハ)と、西側の地点を(ニ)とし、中心線上の滑走路Aの北側末端の地点において中心線と直角をなす直線上同地点から540mの距離を有する二つの地点のうち東側の地点を(ホ)と、西側の地点を(ヘ)とし、中心線上の滑走路Aの南側末端の地点において中心線と直角をなす直線上同地点から540mの距離を有する二つの地点のうち東側の地点を(ト)と、西側の地点を(チ)とし、中心線上の滑走路Aの南側末端から滑走路Aの外側へ2,000mの地点において中心線と直角をなす直線上同地点から435mの距離を有する二つの地点のうち東側の地点を(リ)と、西側の地点を(ヌ)とし、中心線上の滑走路Aの南側末端から滑走路Aの外側へ5,615mの地点において中心線と直角をなす直線上同地点から245mの距離を有する二つの地点のうち東側の地点を(ル)と、西側の地点を(ヲ)とした場合において、(イ)、(ハ)、(ホ)、(ト)、(リ)、(ル)、(ヲ)、(ヌ)、(チ)、(ヘ)、(ニ)及び(ロ)の各地点を順次に結んだ線並びに(イ)と(ロ)の地点を結んだ線により囲まれる区域（公共用飛行場周辺における航空機騒音による障害の防止等に関する法律の一部を改正する法律（昭和49年法律第8号）附則第2条第1項の規定により第2種区域とみなされた区域を除く。）
第2種区域 （平成19年3月30日 指定、国交告424）	着陸帯B'（以下単に「着陸帯」という。）の短辺の側における着陸帯の中心線（その延長線を含む。以下単に「中心線」という。）上の着陸帯の北側末端から着陸帯の外側へ1,750mの地点において中心線と直角をなす直線上同地点から111mの距離を有する二つの地点のうち東側の地点を(イ)と、西側の地点を(ロ)とし、中心線上の着陸帯の北側末端から着

－516－

特定の事業用資産の買換え特例に関する指定地域一覧表

	陸帯の内側へ60mの地点において中心線と直角をなす直線上同地点から206mの距離を有する二つの地点のうち東側の地点を(ハ)と、西側の地点を(ニ)とした場合において、(イ)、(ハ)、(ニ)、及び(ロ)の各地点を順次に結んだ線並びに(イ)と(ロ)の地点を結んだ線により囲まれた区域（公共用飛行場周辺における航空機騒音による障害の防止等に関する法律の一部を改正する法律（昭和49年法律第8号）附則第2条第1項の規定により第2種区域とみなされた区域を除く。）
第2種区域 （令和2年3月24日 指定、国交告409）	着陸帯B及びB'（以下単に「着陸帯B及びB'」という。）の短辺の側における着陸帯B及びB'の中心線（その延長線を含む。以下単に「中心線B」という。）上の着陸帯B及びB'の外側へ2,136メートルの地点において中心線Bと直角をなす直線上同地点から175メートルの距離を有する二つの点のうち東側の地点を(イ)と、西側の地点を(ロ)とし、中心線B上の着陸帯B及びB'の北側末端から着陸帯B及びB'の内側へ60メートルの地点において中心線Bと直角をなす直線上同地点から290メートルの距離を有する二つの地点のうち東側の地点を(ハ)と、西側の地点を(ニ)とし、告示に掲げる成田国際空港の着陸帯C（以下単に「着陸帯C」という。）の短辺の側における着陸帯Cの中心線（その延長線を含む。以下単に「中心線C」という。）上の着陸帯Cの南側末端から着陸帯Cの外側へ1,811メートルの地点において中心線Cと直角をなす直線上同地点から172メートルの距離を有する二つの地点のうち東側の地点を(ホ)と、西側の地点を(ヘ)とし、中心線C上の着陸帯Cの南側末端から着陸帯Cの内側へ60メートルの地点において中心線Cと直角をなす直線上同地点から270メートルの距離を有する二つの地点のうち東側の地点を(ト)と、西側の地点を(チ)とした場合において、(イ)、(ハ)、(ニ)、(ロ)及び(イ)の点を順次結んだ線及び(ホ)、(ト)、(チ)、(ヘ)及び(ホ)の点を順次結んだ線により囲まれた区域（公共用飛行場周辺における航空機騒音による障害の防止等に関する法律の一部を改正する法律（昭和49年法律第8号）附則第2条第1項の規定により第二種区域とみなされた区域及び平成19年国土交通省告示第424号により指定された第二種区域を除く。）
第3種区域 （昭和51年1月8日 指定、運告9）	中心線上の滑走路Aの北側末端から滑走路Aの外側へ3,660mの地点において中心線と直角をなす直線上同地点から125mの距離を有する二つの地点のうち東側の地点を(ワ)と、西側の地点を(カ)とし、中心線上の滑走路Aの北側末端の地点において中心線と直角をなす直線上同地点から380mの距離を有する二つの地点のうち東側の地点を(ヨ)と、西側の地点を(タ)とし、中心線上の滑走路Aの南側末端の地点において中心線と直角をなす直線上同地点から380mの距離を有する二つの地点のうち東側の地点を(レ)と、西側の地点を(ソ)とし、中心線上の滑走路Aの南側末端から滑走路Aの外側へ3,660mの地点において中心線と直角をなす直線上同地点から125mの距離を有する二つの地点のうち東側の地点を(ツ)と、西側の地点を(ネ)とした場合において、(ワ)、(ヨ)、(レ)、(ツ)、(ネ)、(ソ)、(タ)及び(カ)の各地点を順次に結んだ線並びに(ワ)と(カ)の地点を結んだ線により囲まれる区域
第3種区域 （平成19年3月30日 指定、国交告424）	中心線上の着陸帯の北側末端から着陸帯の外側へ930mの地点において中心線と直角をなす直線上同地点から58mの距離を有する二つの地点のうち東側の地点を(ホ)と、西側の地点を(ヘ)とし、中心線上の着陸帯の北側末端から着陸帯の内側へ60mの地点において中心線と直角をなす直線上同地点から127mの距離を有する二つの地点のうち東側の地点を(ト)と、西側の地点を(チ)とした場合において、(ホ)、(ト)、(チ)、及び(ヘ)の各地点を順次に結んだ線並びに(ホ)と(ヘ)の地点を結んだ線により囲まれた区域
第3種区域 （令和2年3月24日 指定、国交告409）	中心線B上の着陸帯B及びB'の北側末端から着陸帯B及びB'の外側へ1,034メートルの地点において中心線Bと直角をなす直線上同地点から88メートルの距離を有する二つの点のうち東側の地点を(リ)と、西側の地点を(ヌ)とし、中心線B上の着陸帯B及びB'の北側末端から着陸帯B及びB'の内側へ60メートルの地点において中心線Bと直角をなす直線上

特定の事業用資産の買換え特例に関する指定地域一覧表

区　域	適　用　地　域
	同地点から165メートルの距離を有する二つの地点のうち東側の地点を(ル)と、西側の地点を(ヲ)とした場合において、(リ)、(ル)、(ヲ)、(ヌ)及び(リ)の点を順次結んだ線により囲まれた区域

新潟空港〔平成24年10月1日以後〕………第2種区域及び第3種区域の全部の区域の指定が解除されています（平成24年1月24日国交告108）。

区　域	適　用　地　域
①　第2種区域 （昭和52年9月28日 指定、運告479）	滑走路の短辺の側における滑走路の中心線（その延長線を含む。以下単に「中心線」という。）上の滑走路の東側末端から滑走路の外側へ300mの地点を(イ)とし、同地点において中心線と直角をなす直線上同地点から南側へ285mの距離を有する地点を(ロ)とし、中心線上の滑走路の西側末端から滑走路の外側へ300mの地点において中心線と直角をなす直線上同地点から南側へ285mの距離を有する地点を(ハ)とし、中心線上の滑走路の西側末端から滑走路の外側へ800mの地点を(ニ)とし、同地点において中心線と直角をなす直線上同地点から南側へ100mの距離を有する点を(ホ)とした場合において、(イ)、(ニ)、(ホ)、(ハ)及び(ロ)の各地点を順次に結んだ線並びに(イ)と(ロ)の地点を結んだ線により囲まれた区域
②　第3種区域 （昭和52年9月28日 指定、運告479）	①において(イ)とされた地点を(ヘ)と、(ロ)とされた地点を(ト)と、(ハ)とされた地点を(チ)とし、中心線上の滑走路の西側末端から滑走路の外側へ500mの地点を(リ)とし、同地点において中心線と直角をなす直線上同地点から南側へ100mの距離を有する地点を(ル)とした場合において、(ヘ)、(リ)、(ル)、(チ)及び(ト)の各地点を順次に結んだ線並びに(ヘ)と(ト)の地点を結んだ線により囲まれた区域

大阪国際空港〔平成元年3月30日まで〕

区　域	適　用　地　域
第2種区域 （昭和49年3月28日 指定、運告112）	B滑走路の短辺の側におけるB滑走路の中心線（その延長線を含む。以下単に「中心線」という。）上のB滑走路の北側末端からB滑走路の外側へ2,000mの地点において中心線と直角をなす直線上同地点から500mの距離を有する二つの地点のうち東側の地点を(イ)と、西側の地点を(ロ)とし、中心線上のB滑走路の北側末端の地点において中心線と直角をなす直線上同地点から東側へ800mの距離を有する地点を(ハ)と、西側へ700mの距離を有する地点を(ニ)とし、中心線上のB滑走路の南側末端の地点において中心線と直角をなす直線上同地点から400mの距離を有する二つの地点のうち東側の地点を(ホ)と、西側の地点を(ヘ)とし、中心線上のB滑走路の南側末端からB滑走路の外側へ2,500mの地点において中心線と直角をなす直線上同地点から200mの距離を有する二つの地点のうち東側の地点を(ト)と、西側の地点を(チ)とし、中心線上のB滑走路の南側末端からB滑走路の外側へ4,000mの地点において中心線と直角をなす直線上同地点から150mの距離を有する二つの地点のうち東側の地点を(リ)と、西側の地点を(ヌ)とした場合において、(イ)、(ハ)、(ホ)、(ト)、(リ)、(ヌ)、(チ)、(ヘ)、(ニ)及び(ロ)の各地点を順次に結んだ線並びに(イ)と(ロ)の地点を結んだ線により囲まれる区域（公共用飛行場周辺における航空機騒音による障害の防止等に関する法律の一部を改正する法律（昭和49年法律第8号）附則第2条第1項の規定により第2種区域とみなされた区域を除く。）
第2種区域 （昭和52年4月2日 指定、運告183）	滑走路Bの短辺の側における滑走路Bの中心線（その延長線を含む。以下単に「中心線」という。）上の滑走路Bの北側末端から滑走路Bの外側へ2,120mの地点において中心線と直角をなす直線上同地点から東側へ480mの距離を有する点を(イ)とし、中心線上の滑走路Bの北側末端から滑走路Bの外側へ2,400mの地点において中心線と直角をなす直線上

—518—

特定の事業用資産の買換え特例に関する指定地域一覧表

区　域	適　用　地　域
	同地点から西側へ460mの距離を有する点を(ロ)とし、中心線上の滑走路Bの北側末端から滑走路Bの外側へ2,000mの地点において中心線と直角をなす直線上同地点から500mの距離を有する二つの地点のうち東側の地点を(ハ)と、西側の地点を(ニ)とした場合において、(イ)、(ハ)、(ニ)及び(ロ)の各地点を順次に結んだ線並びに(イ)と(ロ)の地点を結んだ線により囲まれる区域並びに中心線上の滑走路Bの南側末端から滑走路Bの外側へ4,000mの地点において中心線と直角をなす直線上同地点から150mの距離を有する二つの地点のうち東側の地点を(ホ)と、西側の地点を(ヘ)とし、中心線上の滑走路Bの南側末端から滑走路Bの外側へ4,200mの地点において中心線と直角をなす直線上同地点から東側へ145mの距離を有する点を(ト)とし、中心線上の滑走路Bの南側末端から滑走路Bの外側へ4,300mの地点において中心線と直角をなす直線上同地点から西側へ140mの距離を有する点を(チ)とした場合において、(ホ)、(ト)、(チ)及び(ヘ)の各地点を順次に結んだ線並びに(ホ)と(ヘ)の地点を結んだ線により囲まれる区域
第2種区域 （昭和54年7月10日 指定、運告389）	滑走路Bの短辺の側における滑走路Bの中心線（その延長線を含む。以下単に「中心線」という。）上の滑走路Bの北側末端から滑走路Bの外側へ2,120mの地点において中心線と直角をなす直線上同地点から東側へ480mの距離を有する地点を(イ)とし、中心線上の滑走路Bの北側末端から滑走路Bの外側へ2,400mの地点において中心線と直角をなす直線上同地点から西側へ460mの距離を有する地点を(ロ)とし、中心線上の滑走路Bの北側末端から滑走路Bの外側へ2,490mの地点を(ハ)とした場合において、(イ)、(ロ)及び(ハ)の各地点を順次結んだ線並びに(イ)と(ハ)の地点を結んだ線により囲まれた区域
第3種区域 （昭和49年3月28日 指定、運告112）	中心線上のB滑走路の北側末端からB滑走路の外側へ1,400mの地点において中心線と直角をなす直線上同地点から300mの距離を有する二つの地点のうち東側の地点を(ル)と、西側の地点を(ヲ)とし、中心線上のB滑走路の北側末端の地点において中心線と直角をなす直線上同地点から東側へ700mの距離を有する地点を(ワ)と、西側へ600mの距離を有する地点を(カ)とし、中心線上のB滑走路の南側末端の地点において中心線と直角をなす直線上同地点から300mの距離を有する二つの地点のうち東側の地点を(ヨ)と、西側の地点を(タ)とし、中心線上のB滑走路の南側末端からB滑走路の外側へ2,500mの地点において中心線と直角をなす直線上同地点から100mの距離を有する二つの地点のうち東側の地点を(レ)と、西側の地点を(ソ)とした場合において、(ル)、(ワ)、(ヨ)、(レ)、(ソ)、(タ)、(カ)及び(ヲ)の各地点を順次に結んだ線並びに(ル)と(ヲ)の地点を結んだ線により囲まれる区域

大阪国際空港〔平成元年3月31日以後〕………上記平成元年3月30日までに指定されている第2種区域及び第3種区域のうち次の区域以外の区域が解除されています。

区　域	適　用　地　域
第2種区域 （昭和62年1月5日 運告1）	滑走路Bの短辺の側における滑走路Bの中心線（その延長線を含む。以下単に「中心線B」という。）上の滑走路Bの北側末端から滑走路Bの外側へ1,400mの地点において中心線と直角をなす直線上同地点から東側へ300mの距離を有する地点を(イ)と、西側へ250mの距離を有する地点を(ロ)とし、滑走路Aの短辺の側における滑走路Aの中心線（その延長線を含む。以下単に「中心線A」という。）上の滑走路Aの北側末端の地点において中心線Aと直角をなす直線上同地点から東側へ220mの距離を有する地点を(ハ)とし、中心線B上の滑走路Bの北側末端の地点において中心線Bと直角をなす直線上同地点から西側へ310mの距離を有する地点を(ニ)とし、中心線A上の滑走路Aの南側末端の地点において中心線Aと直角をなす直線上同地点から東側へ220mの距離を有する地点を(ホ)とし、中心線A上の滑走路Aの南側末端から滑走路Aの外側へ600mの地点において中心線

－519－

Ａと直角をなす直線上同地点から東側へ120mの距離を有する地点を(ヘ)とし、中心線Ｂ上の滑走路Ｂの南側末端から滑走路Ｂの外側へ60mの地点において中心線Ｂと直角をなす直線上同地点から東側へ380mの距離を有する地点を(ト)と、西側へ310mの距離を有する地点を(チ)とし、中心線Ｂ上の滑走路Ｂの南側末端から滑走路Ｂの外側へ300mの地点において中心線Ｂと直角をなす直線上同地点から160mの距離を有する二つの地点のうち東側の地点を(リ)と、西側の地点を(ヌ)とし、中心線Ｂ上の滑走路Ｂの南側末端から滑走路Ｂの外側へ2,100mの地点において中心線Ｂと直角をなす直線上同地点から60mの距離を有する二つの地点のうち東側の地点を(ル)と、西側の地点を(ヲ)とした場合において、(イ)、(ハ)、(ホ)、(ヘ)、(ト)、(リ)、(ル)、(ヲ)、(ヌ)、(チ)、(ニ)及び(ロ)の各地点を順次結んだ線並びに(イ)と(ロ)の地点を結んだ線により囲まれた区域

> (次に掲げる区域は、平成12年4月1日から指定が
> 解除されています(平成10年3月31日運告123)。)

　　第2種区域として指定されている区域(公共用飛行場周辺における航空機騒音による障害の防止等に関する法律の一部を改正する法律(昭和49年法律第8号)附則第2条第1項の規定により第2種区域とみなされた区域を含む。)のうち、滑走路Ｂの短辺の側における滑走路Ｂの中心線(その延長線を含む。以下単に「中心線」という。)上の滑走路Ｂの北側末端から滑走路Ｂの外側へ950mの地点において中心線と直角をなす直線以北の区域及び中心線上の滑走路Ｂの南側末端から滑走路Ｂの外側へ1,850mの地点において中心線と直角をなす直線以南の区域

> (次に掲げる区域は、平成22年10月1日から指定が
> 解除されています(平成21年3月6日国交告246)。)

　　第2種区域として指定されている区域(公共用飛行場周辺における航空機騒音による障害の防止等に関する法律の一部を改正する法律(昭和49年法律第8号)附則第2条第1項の規定により第2種区域とみなされた区域を含む。)のうち、滑走路Ｂの短辺の側における滑走路Ｂの中心線(その延長線を含む。以下単に「中心線Ｂ」という。)上の滑走路Ｂの北側末端から滑走路Ｂの外側へ410mの地点において中心線Ｂと直角をなす直線上同地点から東側へ330mの距離を有する地点を(イ)と、西側へ30mの距離を有する地点を(ロ)とし、滑走路Ａの短辺の側における滑走路Ａの中心線(その延長線を含む。以下単に「中心線Ａ」という。)上の滑走路Ａの北側末端の地点において中心線Ａと直角をなす直線上同地点から東側へ170mの距離を有する地点を(ハ)とし、中心線Ｂ上の滑走路Ｂの北側末端の地点において中心線Ｂと直角をなす直線上同地点から西側へ170mの距離を有する地点を(ニ)とし、中心線Ａ上の滑走路Ａの南側末端の地点において中心線Ａと直角をなす直線上同地点から東側へ170mの距離を有する地点を(ホ)とし、中心線Ａ上の滑走路Ａの南側末端から滑走路Ａの外側へ620mの地点において中心線Ａと直角をなす直線上同地点から東側へ20mの距離を有する地点を(ヘ)と、西側へ120mの距離を有する地点を(ト)とし、中心線Ｂ上の滑走路Ｂの南側末端の地点において中心線Ｂと直角をなす直線上同地点から東側へ190mの距離を有する地点を(チ)と、西側へ170mの距離を有する地点を(リ)とし、中心線Ｂ上の滑走路Ｂの南側末端から滑走路Ｂの外側へ840mの地点において中心線Ｂと直角をなす直線上同地点から30mの距離を有する二つの地点のうち東側の地点を(ヌ)と、西側の地点を(ル)とした場合において、(イ)、(ハ)、(ホ)、(ヘ)、(ト)、(チ)、(ヌ)、(ル)、(リ)、(ニ)及び(ロ)の各地点を順次結んだ線並びに(イ)と(ロ)の地点を結んだ線により囲まれた区域以外の区域

第3種区域 (昭和62年1月5日) 運告1	中心線Ｂ上の滑走路Ｂの北側末端から滑走路Ｂの外側へ700mの地点において中心線Ｂと直角をなす直線上同地点から東側へ300mの距離を有する地点を(ワ)と、西側へ150mの距離を有する地点を(カ)とし、中心線Ａ上の滑走路Ａの北側末端の地点において中心線Ａ

-520-

と直角をなす直線上同地点から東側へ140mの距離を有する地点を(ヨ)とし、中心線B上の滑走路Bの北側末端の地点において中心線Bと直角をなす直線上同地点から西側へ230mの距離を有する地点を(タ)とし、中心線A上の滑走路Aの南側末端の地点において中心線Aと直角をなす直線上同地点から東側へ140mの距離を有する地点を(レ)とし、中心線A上の滑走路Aの南側末端から滑走路Aの外側へ600mの地点において中心線Aと直角をなす直線上同地点から東側へ40mの距離を有する地点を(ソ)とし、中心線B上の滑走路Bの南側末端から滑走路Bの外側へ60mの地点において中心線Bと直角をなす直線上同地点から東側へ300mの距離を有する地点を(ツ)と、西側へ230mの距離を有する地点を(ネ)とし、中心線B上の滑走路Bの南側末端から滑走路Bの外側へ300mの地点において中心線Bと直角をなす直線上同地点から80mの距離を有する二つの地点のうち東側の地点を(ナ)と、西側の地点を(ラ)とし、中心線B上の滑走路Bの南側末端から滑走路Bの外側へ1,300mの地点において中心線Bと直角をなす直線上同地点から40mの距離を有する二つの地点のうち東側の地点を(ム)と、西側の地点を(ウ)とした場合において、(ワ)、(ヨ)、(レ)、(ソ)、(ツ)、(ナ)、(ム)、(ウ)、(ラ)、(ネ)、(タ)及び(カ)の各地点を順次結んだ線並びに(ワ)と(カ)の地点を結んだ線により囲まれた区域

> （次に掲げる区域は、平成12年4月1日から指定が
> 解除されています（平成10年3月31日運告123）。）

　　第3種区域として指定されている区域（公共用飛行場周辺における航空機騒音による障害の防止等に関する法律施行令等の一部を改正する政令（昭和49年政令第68号）附則第2項の規定により第3種区域とみなされた区域を含む。）のうち、中心線上の滑走路Bの北側末端から滑走路Bの外側へ600mの地点において中心線と直角をなす直線以北の区域及び中心線上の滑走路Bの南側末端から滑走路Bの外側へ1,150mの地点において中心線と直角をなす直線以南の区域

> （次に掲げる区域は、平成22年10月1日から指定が
> 解除されています（平成21年3月6日国交告246）。）

　　第3種区域として指定されている区域（公共用飛行場周辺における航空機騒音による障害の防止等に関する法律施行令等の一部を改正する政令（昭和49年政令第68号）附則第2項の規定により第3種区域とみなされた区域を含む。）のうち、中心線B上の滑走路Bの北側末端から滑走路Bの外側へ370mの地点において中心線Bと直角をなす直線上同地点から東側へ330mの距離を有する地点を(ヲ)と、西側へ30mの距離を有する地点を(ワ)とし、中心線A上の滑走路Aの北側末端の地点において中心線Aと直角をなす直線上同地点から東側へ110mの距離を有する地点を(カ)とし、中心線B上の滑走路Bの北側末端の地点において中心線Bと直角をなす直線上同地点から西側へ140mの距離を有する地点を(ヨ)とし、中心線A上の滑走路Aの南側末端の地点において中心線Aと直角をなす直線上同地点から東側へ110mの距離を有する地点を(タ)とし、中心線A上の滑走路Aの南側末端から滑走路Aの外側へ270mの地点において中心線Aと直角をなす直線上同地点から東側へ20mの距離を有する地点を(レ)と、西側へ170mの距離を有する地点を(ソ)とし、中心線B上の滑走路Bの南側末端の地点において中心線Bと直角をなす直線上同地点から東側へ140mの距離を有する地点を(ツ)と、西側へ140mの距離を有する地点を(ネ)とし、中心線B上の滑走路Bの南側末端から滑走路Bの外側へ390mの地点において中心線Bと直角をなす直線上同地点から30mの距離を有する二つの地点のうち東側の地点を(ナ)と、西側の地点を(ラ)とした場合において、(ヲ)、(カ)、(タ)、(レ)、(ソ)、(ツ)、(ナ)、(ラ)、(ネ)、(ヨ)及び(ワ)の各地点を順次結んだ線並びに(ヲ)と(ワ)の地点を結んだ線により囲まれた区域以外の区域

特定の事業用資産の買換え特例に関する指定地域一覧表

松山空港〔平成25年10月1日以後〕………第2種区域及び第3種区域の全部の区域の指定が解除されています（平成22年10月15日国交告1171）。

区　域	適　用　地　域
① 第2種区域 （昭和49年11月25日 指定、運告532）	滑走路の短辺の側における滑走路の中心線（その延長線を含む。以下単に「中心線」という。）上の滑走路の東側末端から滑走路の外側へ1,100mの地点において中心線と直角をなす直線上同地点から100mの距離を有する二つの地点のうち北側の地点を(イ)と、南側の地点を(ロ)とし、中心線上の滑走路の東側末端から滑走路の外側へ300mの地点において中心線と直角をなす直線上同地点から北側へ285mの距離を有する地点を(ハ)と、南側へ210mの距離を有する地点を(ニ)とした場合において、(ニ)、(ロ)、(イ)及び(ハ)の各地点を順次に結んだ線、(ハ)及び(ニ)の地点からそれぞれ中心線に対し平行に海岸まで引いた2本の線並びに海岸により囲まれた区域
② 第3種区域 （昭和49年11月25日 指定、運告532）	中心線上の滑走路の東側末端から滑走路の外側へ700mの地点において中心線と直角をなす直線上同地点から100mの距離を有する二つの地点のうち北側の地点を(ホ)と、南側の地点を(ヘ)とし、①において(ハ)とされた地点を(ト)と、(ニ)とされた地点を(チ)とした場合において、(チ)、(ヘ)、(ホ)及び(ト)の各地点を順次に結んだ線、(ト)及び(チ)の地点からそれぞれ中心線に対し平行に海岸まで引いた2本の線並びに海岸により囲まれた区域

高知空港

区　域	適　用　地　域
① 第2種区域 （昭和57年3月30日 指定、運告166）	昭和49年運輸省告示第272号二ハに掲げる高知空港の着陸帯（以下単に「着陸帯」という。）の短辺の側における着陸帯の中心線（その延長線を含む。以下単に「中心線」という。）上の着陸帯の東側末端から着陸帯の外側に940mの地点において中心線と直角をなす直線上同地点から100mの距離を有する二つの地点のうち北側の地点を(イ)と、南側の地点を(ロ)とし、中心線上の着陸帯の東側末端から着陸帯の外側へ240mの地点において中心線と直角をなす直線上同地点から北側へ285mの距離を有する地点を(ハ)と、南側へ210mの距離を有する地点を(ニ)とし、中心線上の着陸帯の西側末端から着陸帯の外側へ240mの地点において中心線と直角をなす直線上同地点から北側へ285mの地点を(ホ)と、南側へ210mの地点を(ヘ)とし、中心線上の着陸帯の西側末端から着陸帯の外側へ940mの地点において中心線と直角をなす直線上同地点から100mの距離を有する二つの地点のうち北側の地点を(ト)と、南側の地点を(チ)とした場合において、(イ)、(ハ)、(ホ)、(ト)、(チ)、(ヘ)、(ニ)及び(ロ)の各地点を順次結んだ線並びに(イ)と(ロ)の地点を結んだ線により囲まれた地域 ------（ 次に掲げる区域は、平成24年10月1日から指定が 　解除されています（平成23年5月17日国交告477）。）------ 　第2種区域として指定されている区域のうち、滑走路の短辺の側における滑走路の中心線（その延長線を含む。以下単に「中心線」という。）上の滑走路の東側末端から滑走路の外側へ180mの地点において中心線と直角をなす直線上同地点から10mの距離を有する二つの地点のうち北側の地点を(イ)と、南側の地点を(ロ)とし、中心線上の滑走路の東側末端の地点において中心線と直角をなす直線上同地点から60mの距離を有する二つの地点のうち北側の地点を(ハ)と、南側の地点を(ニ)とした場合において、(イ)、(ロ)、(ニ)及び(ハ)の各地点を順次結んだ線並びに(イ)と(ハ)の地点を結んだ線により囲まれた区域以外の区域

—522—

特定の事業用資産の買換え特例に関する指定地域一覧表

<table>
<tr>
<td>② 第3種区域
（昭和57年3月30日
指定、運告166）</td>
<td>中心線上の着陸帯の東側末端から着陸帯の外側へ440mの地点において中心線と直角をなす直線上同地点から100mの距離を有する二つの地点のうち北側の地点を（リ）と、南側の地点を（ヌ）とし、①において（ハ）とされた地点を（ル）と、（ニ）とされた地点を（ヲ）と、（ホ）とされた地点を（ワ）と、（ヘ）とされた地点を（カ）とし、中心線上の着陸帯の西側末端から着陸帯の外側へ440mの地点において中心線と直角をなす直線上同地点から100mの距離を有する二つの地点のうち北側の地点を（ヨ）と、南側の地点を（タ）とした場合において、（リ）、（ル）、（ワ）、（ヨ）、（タ）、（カ）、（ヲ）及び（ヌ）の各地点を順次結んだ線並びに（リ）と（ヌ）の地点を結んだ線により囲まれた地域

（次に掲げる区域は、平成24年10月1日から指定が
解除されています（平成23年5月17日国交告477）。）
第3種区域の全部</td>
</tr>
</table>

福岡空港

区　　域	適　　　用　　　地　　　域
第2種区域 （昭和49年8月31日 指定、運告355）	滑走路の短辺の側における滑走路の中心線（その延長線を含む。以下単に「中心線」という。）上の滑走路の北側末端から滑走路の外側へ3,000mの地点において中心線と直角をなす直線上同地点から100mの距離を有する二つの地点のうち東側の地点を（イ）と、西側の地点を（ロ）とし、中心線上の滑走路の北側末端の地点において中心線と直角をなす直線上同地点から400mの距離を有する二つの地点のうち東側の地点を（ハ）と、西側の地点を（ニ）とし、中心線上の滑走路の南側末端の地点において中心線と直角をなす直線上同地点から400mの距離を有する二つの地点のうち東側の地点を（ホ）と、西側の地点を（ヘ）とし、中心線上の滑走路の南側末端から滑走路の外側へ1,600mの地点において中心線と直角をなす直線上同地点から200mの距離を有する二つの地点のうち東側の地点を（ト）と、西側の地点を（チ）とした場合において、（イ）、（ハ）、（ホ）、（ト）、（チ）、（ヘ）、（ニ）及び（ロ）の各地点を順次に結んだ線並びに（イ）と（ロ）の地点を結んだ線により囲まれる区域（公共用飛行場周辺における航空機騒音による障害の防止等に関する法律の一部を改正する法律（昭和49年法律第8号）附則第2条第1項の規定により第2種区域とみなされた区域を除く。）
第2種区域 （昭和54年7月10日 指定、運告390）	滑走路の短辺の側における滑走路の中心線（その延長線を含む。以下単に「中心線」という。）上の滑走路の南側末端から滑走路の外側へ1,600mの地点において中心線と直角をなす直線上同地点から200mの距離を有する二つの地点のうち東側の地点を（イ）と、西側の地点を（ロ）とし、中心線上の滑走路の南側末端から滑走路の外側へ2,000mの地点において中心線と直角をなす直線上同地点から150mの距離を有する二つの地点のうち東側の地点を（ハ）と、西側の地点を（ニ）とした場合において、（イ）、（ロ）、（ニ）及び（ハ）の各地点を順次に結んだ線並びに（イ）と（ハ）の地点を結んだ線により囲まれた区域
第3種区域 （昭和49年8月31日 指定、運告355）	中心線上の滑走路の北側末端から滑走路の外側へ2,100mの地点において中心線と直角をなす直線上同地点から100mの距離を有する二つの地点のうち東側の地点を（リ）と、西側の地点を（ヌ）とし、中心線上の滑走路の北側末端の地点において中心線と直角をなす直線上同地点から300mの距離を有する二つの地点のうち東側の地点を（ル）と、西側の地点を（ヲ）とし、中心線上の滑走路の南側末端の地点において中心線と直角をなす直線上同地点から300mの距離を有する二つの地点のうち東側の地点を（ワ）と、西側の地点を（カ）とし、中心線上の滑走路の南側末端から滑走路の外側へ1,200mの地点において中心線と直角をなす直線上同地点から150mの距離を有する二つの地点のうち東側の地点を（ヨ）と、

—523—

特定の事業用資産の買換え特例に関する指定地域一覧表

	西側の地点を(タ)とした場合において、(リ)、(ル)、(ワ)、(ヨ)、(タ)、(カ)、(ヲ)及び(ヌ)の各地点を順次に結んだ線並びに(リ)と(ヌ)の地点を結んだ線により囲まれる区域

熊本空港〔平成25年10月1日以後〕………第2種区域及び第3種区域の全部の区域の指定が解除されています（平成24年4月20日国交告488）。

区　域	適　用　地　域
第2種区域 （昭和52年9月28日 指定、運告482　）	滑走路の短辺の側における滑走路の中心線（その延長線を含む。以下単に「中心線」という。）上の滑走路の東側末端から滑走路の外側へ900mの地点において中心線と直角をなす直線上同地点から100mの距離を有する二つの地点のうち北側の地点を(イ)と、南側の地点を(ロ)とし、中心線上の滑走路の東側末端から滑走路の外側へ300mの地点において中心線と直角をなす直線上同地点から北側へ210mの距離を有する地点を(ハ)と、南側へ285mの距離を有する地点を(ニ)とし、中心線上の滑走路の西側末端から滑走路の外側へ300mの地点において中心線と直角をなす直線上同地点から北側へ210mの距離を有する地点を(ホ)と、南側へ285mの距離を有する地点を(ヘ)とし、中心線上の滑走路の西側末端から滑走路の外側へ900mの地点において中心線と直角をなす直線上同地点から100mの距離を有する二つの地点のうち北側の地点を(ト)と、南側の地点を(チ)とした場合において、(イ)、(ハ)、(ホ)、(ト)、(チ)、(ヘ)、(ニ)及び(ロ)の各地点を順次に結んだ線並びに(イ)と(ロ)の地点を結んだ線により囲まれた区域
第2種区域 （昭和57年3月30日 指定、運告167　）	滑走路の短辺の側における滑走路の中心線（その延長線を含む。以下単に「中心線」という。）上の滑走路の東側末端から滑走路の外側へ900mの地点において中心線と直角をなす直線上同地点から100mの距離を有する二つの地点のうち北側の地点を(イ)と、南側の地点を(ロ)とし、中心線上の滑走路の東側末端から滑走路の外側へ400mの地点において中心線と直角をなす直線上同地点から100mの距離を有する二つの地点のうち北側の地点を(ハ)と、南側の地点を(ニ)とし、中心線上の滑走路の東側末端から滑走路の外側へ300mの地点において中心線と直角をなす直線上同地点から北側へ210mの距離を有する地点を(ホ)と、南側へ285mの距離を有する地点を(ヘ)とし、中心線上の滑走路の東側末端から滑走路の内側へ200mの地点において中心線と直角をなす直線上同地点から北側へ210mの距離を有する地点を(ト)と、南側へ285mの距離を有する地点を(チ)とした場合において、(イ)、(ホ)、(ト)、(ハ)、(ニ)、(チ)、(ヘ)及び(ロ)の各地点を順次結んだ線並びに(イ)と(ロ)の地点を結んだ線により囲まれた区域
第3種区域 （昭和52年9月28日 指定、運告482　）	中心線上の滑走路の東側末端から滑走路の外側へ300mの地点において中心線と直角をなす直線上同地点から100mの距離を有する二つの地点のうち北側の地点を(リ)と、南側の地点を(ヌ)とし、中心線上の滑走路の東側末端の地点において中心線と直角をなす直線上同地点から北側へ210mの距離を有する地点を(ル)と、南側へ285mの距離を有する地点を(ヲ)とし、中心線上の滑走路の西側末端の地点において中心線と直角をなす直線上同地点から北側へ210mの距離を有する地点を(ワ)と、南側へ285mの距離を有する地点を(カ)とし、中心線上の滑走路の西側末端から滑走路の外側へ300mの地点において中心線と直角をなす直線上同地点から100mの距離を有する二つの地点のうち北側の地点を(ヨ)と、南側の地点を(タ)とした場合において、(リ)、(ル)、(ワ)、(ヨ)、(タ)、(カ)、(ヲ)及び(ヌ)の各地点を順次に結んだ線並びに(リ)と(ヌ)の地点を結んだ線により囲まれた区域
第3種区域 （昭和57年3月30日 指定、運告167　）	中心線上の滑走路の東側末端から滑走路の外側へ300mの地点において中心線と直角をなす直線上同地点から100mの距離を有する二つの地点のうち北側の地点を(リ)と、南側の地点を(ヌ)とし、中心線上の滑走路の東側末端において中心線と直角をなす直線上同地点から北側へ210mの距離を有する地点を(ル)と、南側へ285mの距離を有する地点を(ヲ)

－524－

特定の事業用資産の買換え特例に関する指定地域一覧表

	とし、中心線上の滑走路の東側末端から滑走路の内側へ200mの地点において中心線と直角をなす直線上同地点から100mの距離を有する二つの地点のうち北側の地点を(ワ)と、南側の地点を(カ)とし、中心線上の滑走路の東側末端から滑走路の内側へ500mの地点において中心線と直角をなす直線上同地点から北側へ210mの距離を有する地点を(ヨ)と、南側へ285mの距離を有する地点を(タ)とした場合において、(リ)、(ル)、(ヨ)、(ワ)、(カ)、(タ)、(ヲ)及び(ヌ)の各地点を順次結んだ線並びに(リ)と(ヌ)の地点を結んだ線により囲まれた区域

宮崎空港〔平成24年10月１日以後〕………第２種区域及び第３種区域の全部の区域の指定が解除されています（平成23年５月17日国交告478）。

区　　域	適　　用　　地　　域
①　第２種区域 （昭和49年11月25日 指定、運告533）	滑走路Ａの短辺の側における滑走路Ａの中心線（その延長線を含む。以下単に「中心線」という。）上の滑走路Ａの西側末端から滑走路Ａの外側へ300mの地点において中心線と直角をなす直線上同地点から北側へ210mの距離を有する地点を(イ)と、南側へ258mの距離を有する地点を(ロ)とし、中心線上の滑走路Ａの西側末端から滑走路Ａの外側へ1,300mの地点において中心線と直角をなす直線上同地点から100mの距離を有する二つの地点のうち北側の地点を(ハ)と、南側の地点を(ニ)とした場合において、(イ)、(ハ)、(ニ)及び(ロ)の各地点を順次に結んだ線、(イ)及び(ロ)の地点からそれぞれ中心線に対し平行に海岸まで引いた２本の線並びに海岸により囲まれた区域
②　第３種区域 （昭和49年11月25日 指定、運告533）	①において(イ)とされた地点を(ホ)と、(ロ)とされた地点を(ヘ)とし、中心線上の滑走路Ａの西側末端から滑走路Ａの外側へ1,000mの地点において中心線と直角をなす直線上同地点から100mの距離を有する二つの地点のうち北側の地点を(ト)と、南側の地点を(チ)とした場合において、(ホ)、(ト)、(チ)及び(ヘ)の各地点を順次に結んだ線、(ホ)及び(ヘ)の地点からそれぞれ中心線に対し平行に海岸まで引いた２本の線並びに海岸により囲まれた区域

大分空港〔平成25年10月１日以後〕………第２種区域及び第３種区域の全部の区域の指定が解除されています（平成24年４月20日国交告487）。

区　　域	適　　用　　地　　域
第２種区域及び 第３種区域 （昭和52年９月28日 指定、運告483）	滑走路の短辺の側における滑走路の中心線（以下単に「中心線」という。）上の滑走路の北側末端の地点を(イ)とし、同地点において中心線と直角をなす直線上同地点から西側へ285mの距離を有する地点を(ロ)とし、中心線上の滑走路の南側末端の地点を(ハ)とし、同地点において中心線と直角をなす直線上同地点から西側へ285mの距離を有する地点を(ニ)とした場合において、(イ)、(ハ)、(ニ)及び(ロ)の各地点を順次に結んだ線並びに(イ)と(ロ)の地点を結んだ線により囲まれた区域

鹿児島空港〔平成25年９月30日まで〕

区　　域	適　　用　　地　　域
①　第２種区域 （昭和49年11月25日 指定、運告534）	滑走路の短辺の側における滑走路の中心線（その延長線を含む。以下単に「中心線」という。）上の滑走路の北側末端から滑走路の外側へ1,200mの地点において中心線と直角をなす直線上同地点から100mの距離を有する二つの地点のうち東側の地点を(イ)と、西側の地点を(ロ)とし、中心線上の滑走路の北側末端から滑走路の外側へ300mの地点において中心線と直角をなす直線上同地点から東側へ210mの距離を有する地点を(ハ)と、西側へ285mの距離を有する地点を(ニ)とし、中心線上の滑走路の南側末端から滑走路の外側へ300mの地点において中心線と直角をなす直線上同地点から東側へ210mの距離を有す

－525－

特定の事業用資産の買換え特例に関する指定地域一覧表

	る地点を(ホ)と、西側へ285mの距離を有する地点を(ヘ)とし、中心線上の滑走路の南側末端から滑走路の外側へ900mの地点において中心線と直角をなす直線上同地点から100mの距離を有する二つの地点のうち東側の地点を(ト)と、西側の地点を(チ)とした場合において、(イ)、(ハ)、(ホ)、(ト)、(チ)、(ヘ)、(ニ)及び(ロ)の各地点を順次に結んだ線並びに(イ)と(ロ)の地点を結んだ線により囲まれた区域
② 第2種区域 (昭和57年3月30日 指定、運告168)	滑走路の短辺の側における滑走路の中心線(その延長線を含む。以下単に「中心線」という。)上の滑走路の南側末端から滑走路の内側へ200mの地点において中心線と直角をなす直線上同地点から東側へ210mの距離を有する地点を(イ)と、西側へ285mの距離を有する地点を(ロ)とし、中心線上の滑走路の南側末端から滑走路の外側へ300mの地点において中心線と直角をなす直線上同地点から東側へ210mの距離を有する地点を(ハ)と、西側へ285mの距離を有する地点を(ニ)とし、中心線上の滑走路の南側末端から滑走路の外側へ400mの地点において中心線と直角をなす直線上同地点から100mの距離を有する二つの地点のうち東側の地点を(ホ)と、西側の地点を(ヘ)とし、中心線上の滑走路の南側末端から滑走路の外側へ900mの地点において中心線と直角をなす直線上同地点から100mの距離を有する二つの地点のうち東側の地点を(ト)とし、西側の地点を(チ)とした場合において、(イ)、(ハ)、(ト)、(チ)、(ニ)、(ロ)、(ヘ)及び(ホ)の各地点を順次結んだ線並びに(イ)と(ホ)の地点を結んだ線により囲まれた区域 （次に掲げる区域は、平成25年10月1日から指定が解除されています（平成24年4月20日国交告489）。） 　第2種区域として指定されている区域のうち、滑走路の短辺の側における滑走路の中心線(その延長線を含む。以下単に「中心線」という。)上の滑走路の南側末端から滑走路の外側へ520メートルの地点において中心線と直角をなす直線上にあって、同地点から10メートルの距離にある二つの地点のうち東側のものを(イ)と、西側のものを(ロ)とし、中心線上の滑走路の南側末端から滑走路の外側へ464メートルの地点において中心線と直角をなす直線上にあって、同地点から25メートルの距離にある二つの地点のうち東側のものを(ハ)と、西側のものを(ニ)とし、中心線上の滑走路の南側末端において中心線と直角をなす直線上にあって、同地点から73メートルの距離にある二つの地点のうち東側のものを(ホ)と、西側のものを(ヘ)とした場合において、(イ)、(ロ)、(ニ)、(ヘ)、(ホ)、(ハ)及び(イ)の各地点を順次結んだ線により囲まれた区域以外の区域
③ 第3種区域 (昭和49年11月25日 指定、運告534)	中心線上の滑走路の北側末端から滑走路の外側へ500mの地点において中心線と直角をなす直線上同地点から100mの距離を有する二つの地点のうち東側の地点を(リ)と、西側の地点を(ヌ)とし、①において(ハ)とされた地点を(ル)と、(ニ)とされた地点を(ヲ)と、(ホ)とされた地点を(ワ)と、(ヘ)とされた地点を(カ)とし、中心線上の滑走路の南側末端から滑走路の外側へ500mの地点において中心線と直角をなす直線上同地点から100mの距離を有する二つの地点のうち東側の地点を(ヨ)と、西側の地点を(タ)とした場合において、(リ)、(ル)、(ワ)、(ヨ)、(タ)、(カ)、(ヲ)及び(ヌ)の各地点を順次に結んだ線並びに(リ)と(ヌ)の地点を結んだ線により囲まれた区域
④ 第3種区域 (昭和57年3月30日 指定、運告168)	②において(イ)とされた地点を(リ)と、(ロ)とされた地点を(ヌ)とし、中心線上の滑走路の南側末端において中心線と直角をなす直線上同地点から100mの距離を有する二つの地点のうち東側の地点を(ル)と、西側の地点を(ヲ)とし、②において(ハ)とされた地点を(ワ)と、(ニ)とされた地点を(カ)とし、中心線上の滑走路の南側末端から滑走路の外側へ500mの地点において中心線と直角をなす直線上同地点から100mの距離を有する二つの地点のうち東側の地点を(ヨ)と、西側の地点を(タ)とした場合において、(リ)、(ワ)、(ヨ)、

—526—

(タ)、(カ)、(ヌ)、(ヲ)及び(ル)の各地点を順次結んだ線並びに(リ)と(ル)の地点を結んだ線により囲まれた区域

> （次に掲げる区域は、平成25年10月1日から指定が
> 解除されています（平成24年4月20日国交告489）。）

　第3種区域として指定されている区域のうち、中心線上の滑走路の南側末端から滑走路の外側へ222メートルの地点において中心線と直角をなす直線上にあって、同地点から5メートルの距離にある二つの地点のうち東側のものを(ト)と、西側のものを(チ)とし、中心線上の滑走路の南側末端から滑走路の外側へ200メートルの地点において中心線と直角をなす直線上にあって、同地点から11メートルの距離にある二つの地点のうち東側のものを(リ)と、西側のものを(ヌ)とし、中心線上の滑走路の南側末端において中心線と直角をなす直線上にあって、同地点から42メートルの距離にある二つの地点のうち東側のものを(ル)と、西側のものを(ヲ)とした場合において、(ト)、(チ)、(ヌ)、(ヲ)、(ル)、(リ)及び(ト)の各地点を順次結んだ線により囲まれた区域以外の区域

第2号関係

1 首都圏整備法の既成市街地の区域

東京都の特別区（23区）の存する区域及び武蔵野市の区域並びに三鷹市、横浜市、川崎市及び川口市の区域のうち次表の区域を除く区域とされています。

（首都圏整備法施行令第2条、同令別表）

市　　名	区　　　　　　　域
三　鷹　市	北野1丁目から4丁目まで、新川1丁目、中原1丁目、2丁目及び4丁目並びに大沢2丁目から6丁目までの区域並びに新川4丁目、中原3丁目及び大沢1丁目のうちそれぞれ国土交通大臣が定める区域
横　浜　市	神奈川区（菅田町及び羽沢町のうちそれぞれ国土交通大臣が定める区域） 港南区（野庭町及び日野町のうちそれぞれ国土交通大臣が定める区域） 保土ヶ谷区（新井町及び上菅田町の区域並びに今井町のうち国土交通大臣が定める区域） 旭区（今宿西町、大池町、金が谷、上川井町、上白根町、川井宿町、川井本町、桐が作、笹野台、下川井町、善部町、都岡町、中尾町、中希望が丘、東希望が丘、南希望が丘及び矢指町の区域並びに今川町、今宿町、今宿東町、柏町、さちが丘、白根町、中沢町、二俣川1丁目及び南本宿町のうちそれぞれ国土交通大臣が定める区域） 磯子区（氷取沢町及び峰町の区域並びに上中里町及び栗木町のうちそれぞれ国土交通大臣が定める区域） 金沢区（野島町の区域並びに朝比奈町、乙艫町、釜利谷町及び六浦町のうちそれぞれ国土交通大臣が定める区域） 港北区（牛久保町、大棚町、勝田町、北山田町、すみれが丘、茅ヶ崎町、中川町、東山田町及び南山田町の区域並びに新吉田町及び新羽町のうちそれぞれ国土交通大臣が定める区域） 緑区（青砥町、青葉台1丁目及び2丁目、市ヶ尾町、美しが丘1丁目から5丁目まで、梅が丘、荏田町、榎が丘、大熊町、大場町、折本町、恩田町、上山町、上谷本町、鴨志田町、川和町、北八朔町、鉄町、黒須田町、小山町、桜台、さつきが丘、寺家町、下谷本町、しらとり台、台村町、田奈町、たちばな台1丁目及び2丁目、千草台、つつじが丘、寺山町、十日市場町、長津田町、中山町、奈良町、成合町、新治町、西八朔町、白山町、藤が丘1丁目及び2丁目、松風台、三保町、もえぎ野、元石川町並びに若草台の区域並びに池辺町、鴨居町、川向町、佐江戸町及び東方町のうちそれぞれ国土交通大臣が定める区域） 戸塚区（飯島町、和泉町、岡津町、影取町、笠間町、鍛冶ヶ谷町、桂町、金井町、上飯田町、上郷町、公田町、小菅ヶ谷町、小雀町、下飯田町、新橋町、田谷町、長尾台町、中野町、原宿町、東俣野町、深谷町及び俣野町の区域並びに上矢部町、川上町、汲沢町、品濃町、下倉田町、戸塚町、中田町、長沼町及び名瀬町のうちそれぞれ国土交通大臣が定める区域） 瀬谷区
川　崎　市	高津区（鷺沼2丁目及び4丁目の区域並びに菅生、平、長尾、向ヶ丘、土橋、有馬、野川、宮崎、鷺沼1丁目及び3丁目並びに久末のうちそれぞれ国土交通大臣が定める区域）

－528－

特定の事業用資産の買換え特例に関する指定地域一覧表

市　　名	区　　　　　　域
川　崎　市	多摩区（寺尾台１丁目及び２丁目、三田１丁目から５丁目まで、高石、百合丘１丁目から３丁目まで、細山、千代ヶ丘１丁目から７丁目まで、金程、上麻生、片平、五力田、古沢、万福寺、栗木、黒川、下麻生、王禅寺、早野並びに岡上の区域並びに菅、上布田、登戸、宿河原及び生田のうちそれぞれ国土交通大臣が定める区域）
川　口　市	上青木町２丁目から５丁目まで、前川町１丁目から４丁目まで、赤井、東本郷、蓮沼、江戸袋、前野宿、東貝塚、大竹、峯、新堀、榛松、根岸、在家、道合、神戸、木曽呂、東内野、源左衛門新田、石神、赤芝新田、西新井宿、新井宿、赤山、芝中田町１丁目及び２丁目、芝新町、芝、伊刈、柳崎、小谷場、安行原、安行領家、安行慈林、安行、安行吉岡、安行藤八、安行吉蔵、安行北谷、安行小山、安行西立野、戸塚、西立野、長蔵新田、久左衛門新田、藤兵衛新田、行衛並びに差間の区域

備考　この表に掲げる区域は、それぞれ昭和47年９月１日における行政区画その他の区域によって表示されたものとします。

2　近畿圏整備法の既成都市区域

大阪市の区域及び次表の区域とされています。

（近畿圏整備法施行令第１条、同令別表）

市　　名	区　　　　　　域
京　都　市	市道白川通と府道高野修学院山端線との交会点を起点とし、順次同府道、府道上賀茂山端線、市道北山通、都市計画街路北山通、府道杉坂西陣線、市道京都環状線、市道衣笠宇多野線、府道花園停車場御室線、府道花園停車場広隆寺線、日本国有鉄道山陰本線、御室川右岸線、府道宇多野嵐山樫原線、桂川左岸線、日本国有鉄道東海道本線、市道京都環状線、府道伏見港京都停車場線、濠川左岸線、宇治川派流右岸線、京阪電気鉄道宇治線、一般国道24号線、日本国有鉄道奈良線、一般国道１号線、市道京都環状線、市道丸太町通及び市道白川通を経て起点に至る線で囲まれた区域（右京区鳴滝音戸山町の区域並びに同区太秦中山町、太秦三尾町、嵯峨広沢北下馬野町、嵯峨広沢池下町、音戸山山ノ茶屋町及び山越中町の区域のうち国土交通大臣が定める区域を除く。）並びにこの区域に属さない次の区域 北区衣笠西馬場町、衣笠総門町及び平野宮敷町の区域並びに同区衣笠馬場町及び平野上柳町の区域のうち国土交通大臣が定める区域 右京区常盤柏ノ木町、常盤古御所町、常盤神田町、常盤音戸町、龍安寺塔ノ下町、花園内畑町、宇多野法安寺町及び鳴滝桐ヶ淵町の区域並びに同区常盤御池町、常盤山下町、花園岡ノ本町、花園段ノ岡町、御室岡ノ裾町、御室双岡町、宇多野長尾町、宇多野福王子町、宇多野御屋敷町及び鳴滝本町の区域のうち国土交通大臣が定める区域 伏見区深草萩川町、深草一ノ坪町、深草下横縄町、深草正覚町、深草開土町、深草稲荷榎木橋町及び深草稲荷中之町の区域並びに同区深草願成町、深草藪之内町、深草稲荷御前町及び深草直違橋11丁目の区域のうち国土交通大臣が定める区域 東山区五軒町、石橋町、柚之木町、定法寺町、堀池町、石泉院町、東姉小路町、梅宮町、西小物座町、中之町、夷町、西町、大井手町、今小路町、西海子町、分木町、南西海子町、進之町、土居之内町、堤町、唐戸鼻町、古川町、八軒町、北木之元町、南木之元町、稲荷町北組、稲荷町南組、清井町、遊行前町、梅林町、清水２丁目、清水４丁目、上弁天町、星野町、月見町、毘沙門町、下弁天町、玉水町、上田町、

－529－

特定の事業用資産の買換え特例に関する指定地域一覧表

市　名	区　　　　　域
京　都　市	辰巳町、月輪町、慈法院庵町、常盤町、東音羽町、下馬町、上馬町、瓦役町、今熊野池田町、今熊野椥ノ森町、泉涌寺雀ヶ森町、泉涌寺東林町、泉涌寺門前町、本町19丁目、本町20丁目、本町21丁目、本町22丁目、本町14丁目及び今熊野宝蔵町の区域並びに同区妙法院前側町、松原町、東分木町、今道町、粟田口華頂町、東町、粟田口三条坊町、谷川町、祇園町北側、祇園町南側、林下町、五条橋東6丁目、白糸町、清水3丁目、下河原町、南町、鷲尾町、金園町、八坂上町、桝屋町、清閑寺下山町、清閑寺池田町、清閑寺山ノ内町、今熊野泉山町、泉涌寺山内町、本町15丁目、今熊野阿弥陀ヶ峯町、本町17丁目、本町18丁目、本町16丁目、今熊野剣ノ宮町、今熊野南日吉町、東瓦町、今熊野日吉町及び今熊野北日吉町の区域のうち国土交通大臣が定める区域 左京区岡崎入江町、岡崎東天王町、岡崎天王町、岡崎法勝寺町、岡崎成勝寺町、岡崎最勝寺町、岡崎西天王町、岡崎徳成町、岡崎円勝寺町、岡崎南御所町、岡崎北御所町、聖護院円頓美町、聖護院山王町、東門前町、北門前町、南門前町、粟田口鳥居町、永観堂西町、鹿ヶ谷寺ノ前町、鹿ヶ谷西寺ノ前町、鹿ヶ谷高岸町、鹿ヶ谷上宮ノ前町、鹿ヶ谷法然院西町、銀閣寺前町、浄土寺上南田町、浄土寺下南田町、浄土寺馬場町、浄土寺東田町、浄土寺石橋町、北白川上池田町、北白川東久保田町、北白川大堂町、北白川上別当町及び北白川下別当町の区域並びに同区南禅寺北ノ坊町、南禅寺下河原町、南禅寺草川町、南禅寺福地町、若王子町、鹿ヶ谷宮ノ前町、鹿ヶ谷下宮ノ前町、鹿ヶ谷桜谷町、鹿ヶ谷法然院町、銀閣寺町、浄土寺南田町、北白川仕伏町、北白川下池田町、北白川上終町、北白川丸山町、北白川山田町及び北白川山ノ元町の区域のうち国土交通大臣が定める区域
守　口　市	八雲南、八雲旧南10番、八雲旧北10番、八雲旧8番、八雲旧下島、大庭7番、大庭、大日、佐太、大日旧大庭6番、大日旧大庭4番、大日旧大庭3番、佐太旧大庭5番、佐太旧大庭2番、佐太旧大庭1番、佐太西町2丁目、佐太中町4丁目から7丁目まで、佐太東町1丁目及び2丁目、金田、金田町1丁目から6丁目まで、梶、梶町1丁目から4丁目まで、北、大久保町1丁目及び3丁目、東、藤田、藤田町1丁目、藤田浮田通、藤田天社通、藤田東通、藤田東中央通、藤田小金通、藤田大蔵通、藤田桜通、淀川河川区域並びに一般国道163号線以南を除く区域
布　施　市 （現在東大阪市）	長瀬川左岸線と日本国有鉄道東海道本線貨物支線との交会点を起点とし、順次同貨物支線、大阪市との境界線、市道長瀬374号線、市道衣摺東西線、府道大阪八尾線、八尾市との境界線、府道堺布施豊中線、府道大阪枚岡奈良線及び長瀬川左岸線を経て起点に至る線で囲まれた区域（日本国有鉄道東海道本線貨物支線から大阪市との境界線に移るには、その最初の交会点から移るものとする。）
堺　　　市	日本国有鉄道阪和線以西の区域（石津川左岸線以西の区域を除く。）
神　戸　市	東灘区の区域のうち京阪神急行電鉄神戸本線以南の区域 灘区の区域のうち水車新田、高羽（東灘区、兵庫区並びに灘区水車新田、土山町、桜ヶ丘町、一王山町、六甲台町及び篠原で囲まれた区域に限る。）、土山町、桜ヶ丘町、一王山町、六甲台町、八幡、篠原、畑原、原田及び岩屋の区域並びに同区大石、五毛及び上野の区域（国土交通大臣が定める区域を除く。）を除く区域 葺合区の区域のうち中尾町及び葺合町の区域（国土交通大臣が定める区域を除く。）を除く区域 生田区の区域のうち神戸港地方の区域（国土交通大臣が定める区域を除く。）を除く

特定の事業用資産の買換え特例に関する指定地域一覧表

市　　名	区　　　　　　　域
神　戸　市	区域 兵庫区の区域のうち平野町、烏原村、石井村、清水町（国土交通大臣が定める区域を除く。）、鵯越筋、里山町、天王町３丁目及び４丁目、有馬町、有野町二郎、有野町有野、有野町唐櫃、山田町上谷上、山田町下谷上、山田町原野、山田町福地、山田町中、山田町東下、山田町西下、山田町衝原、山田町小河、山田町坂本、山田町藍那、山田町小部、山田町与左衛門新田、道場町生野、道場町塩田、道場町道場、道場町日下部、道場町平田、八多町中、八多町下小名田、八多町上小名田、八多町吉尾、八多町柳谷、八多町附物、八多町深谷、八多町屏風、八多町西畑、大沢町神付、大沢町上大沢、大沢町中大沢、大沢町日西原、大沢町簾、大沢町市原、長尾町上津、長尾町宅原、淡河町神田、淡河町野瀬、淡河町神影、淡河町中山、淡河町東畑、淡河町北畑、淡河町行原、淡河町木津、淡河町北僧尾、淡河町南僧尾、淡河町萩原、淡河町淡河及び淡河町勝雄の区域を除く区域 長田区の区域のうち鶯町４丁目、源平町、滝谷町１丁目から３丁目まで、大日丘町１丁目から３丁目まで、萩乃町１丁目から３丁目まで、雲雀ヶ丘１丁目から３丁目まで及び一里山町の区域並びに同区鹿松町１丁目から３丁目まで、長者町、林山町、西山町５丁目、池田宮町及び高取山町の区域（国土交通大臣が定める区域を除く。）を除く区域 須磨区の区域のうち板宿、多井畑、妙法寺、車及び白川の区域並びに同区東須磨、西須磨、大手、明神町３丁目から５丁目まで、禅昌寺町１丁目及び２丁目、須磨寺町３丁目及び５丁目、高倉町１丁目及び２丁目並びに一ノ谷町１丁目から４丁目までの区域（内閣総理大臣が定める区域を除く。）を除く区域
尼　崎　市	京阪神急行電鉄神戸本線以南の区域
西　宮　市	京阪神急行電鉄神戸本線以南の区域
芦　屋　市	京阪神急行電鉄神戸本線以南の区域
備考　この表に掲げる区域は、京都市及び神戸市については昭和44年４月11日、その他の市については昭和40年５月15日における行政区画その他の区域又は道路、河川若しくは鉄道によって表示されたものとします。	

−531−

3 名古屋市の区域

名古屋市の区域（首都圏、近畿圏及び中部圏の近郊整備地帯等の整備のための国の財政上の特別措置に関する法律施行令別表に規定される区域）は次表のとおりです。

市　　名		区　　　　　　　　　域
名　古　屋　市	千種区	猪高町の区域を除く区域
	東　区	全　域
	北　区	西区との区界線と都市計画街路中小田井味鋺線との交会点から順次同中小田井味鋺線、県道名古屋小牧線及び新地蔵寺川右岸線を経て春日井市との境界線に至る線以北の区域を除く区域
	西　区	山田町の区域を除く区域
	中村区	全　域
	中　区	全　域
	昭和区	天白町、一つ山、久方一丁目、久方二丁目、山郷町、大根町、高坂町及び御前場町の区域を除く区域
	瑞穂区	全　域
	熱田区	全　域
	中川区	富田町及び七反田町の区域を除く区域
	港　区	南陽町の区域を除く区域
	南　区	全　域
	守山区	春日井市との境界線と日本国有鉄道中央本線との交会点を起点とし、順次同中央本線、都市計画街路山の手通線、同小幡西山線、千種区との区界線、東区との区界線、北区との区界線及び春日井市との境界線を経て起点に至る線で囲まれた区域
	緑　区	南区との区界線と都市計画街路天白橋公園線との交会点を起点とし、順次同天白橋公園線、同彌富鳴海線、同星崎白土線、同鳴子団地大高線、国道一号線及び南区との区界線を経て起点に至る線で囲まれた区域

備考　この表に掲げる区域は、昭和45年3月1日における行政区画その他の区域又は、道路、河川若しくは鉄道によって表示されたものとします。

（参考　特定区域）

市街化区域のうち都市計画法第7条第1項ただし書の規定により区分区域を定めるものとされている地域は次のとおりです。（都市計画法7①）

（一）　次に掲げる土地の区域の全部又は一部を含む都市計画区域

イ　首都圏整備法第2条第3項に規定する既成市街地又は同条第4項に規定する近郊整備地帯

ロ　近畿圏整備法第2条第3項に規定する既成都市区域又は同条第4項に規定する近郊整備区域

ハ　中部圏開発整備法第2条第3項に規定する都市整備区域

（二）　（一）に掲げるもののほか、大都市に係る都市計画区域として政令で定めるもの

4 既成市街地等に類する区域

下欄の都市の都市計画区域のうち最近の国勢調査の結果による人口集中地区の区域（既成市街地等を除きます。）をいいます。

都 市 名	都 市 名	都 市 名
札 幌 市	富 山 市	鳥 取 市
青 森 市	金 沢 市	松 江 市
盛 岡 市	福 井 市	岡 山 市
仙 台 市	甲 府 市	広 島 市
秋 田 市	長 野 市	山 口 市
山 形 市	岐 阜 市	徳 島 市
福 島 市	静 岡 市	高 松 市
水 戸 市	＊名古屋市	松 山 市
宇都宮市	津 　 市	高 知 市
前 橋 市	大 津 市	福 岡 市
＊川 口 市	＊京 都 市	北九州市
さいたま市	＊堺 　 市	佐 賀 市
千 葉 市	東大阪市	長 崎 市
船 橋 市	＊神 戸 市	熊 本 市
立 川 市	＊尼 崎 市	大 分 市
＊横 浜 市	＊西 宮 市	宮 崎 市
＊川 崎 市	奈 良 市	鹿児島市
新 潟 市	和歌山市	那 覇 市

(注) 1 　都市名欄に＊があるものは、その市の行政区域の一部が既成市街地等の区域に該当するものです。

　　 2 　最近の国勢調査の結果による人口集中地区については、総務省が証明を行っています。

第十二章　既成市街地等内にある土地等の中高層耐火建築物等の建設のための買換え等の場合の課税の特例（措法37の5）

　この課税の特例は、三大都市圏（首都圏、中部圏及び近畿圏）の既成市街地等内にある土地等の立体的有効利用を図るため、昭和55年度税制改正において創設されたものです。

　その後、昭和58年度税制改正では、この特例の適用対象地域として、既成市街地等に隣接する市で人口集中地区に該当し、中高層住宅の建設が必要な区域として指定された市（第一節の2（537ページの表）参照）の市街化区域（以下「既成市街地等に準ずる区域」といいます。）が追加されました。

　更に、昭和59年度の税制改正においては、既存の制度はそのまま存置した上で、新たに特定民間再開発事業のために土地等を譲渡し、その再開発事業により建築された中高層耐火建築物又はその敷地の共有持分を取得する場合にも買換えの特例が適用できることとされました。

　この**特定民間再開発事業**の施行のための買換えの特例は、既存の制度と比べ、①買換資産となる中高層耐火建築物は、その床面積の2分の1以上が居住用でなければならないという条件が付されておらず、かつ、地上階数が4以上とされていること（既存の制度は3以上）、②制度の適用地域は、既成市街地等のほか、都市再開発方針においていわゆる2号地区として定められている地区や都市計画において高度利用地区として定められた地区などが含まれること（既存の制度では、都市名は告示指定）、③やむを得ない理由で買換資産を取得できない場合は、その年1月1日現在における所有期間が10年以下の譲渡資産であっても、居住用財産を譲渡した場合の長期譲渡所得の課税の特例（措法31の3…第一章第三節（206ページ）参照）ただし、3,000万円特別控除は不適用）、又は特定の事業用資産の買換えの特例（措法第37条第1項の表の第1号）が適用されることなどが異なります。

　平成3年の改正では、上記の②の2号地区、高度利用地区、再開発地区計画の区域（既成市街地等以外の地域に限ります。）内で行われる特定民間再開発事業の用に供するために土地建物等を譲渡する場合においては、買換取得する中高層耐火建築物は譲渡した土地等の上に建築されるものに限定せず、その事業施行地区内で行われる別の特定民間再開発事業や第一種又は第二種市街地再開発事業等により建築される中高層の耐火建築物を買換取得してもこの特例を適用できることとされました。

　本章に述べる課税の特例の概要は、既成市街地等又はこれに準ずる一定の適用対象地域にある土地等（土地及び土地の上に存する権利をいいます。以下同じ。）、建物又は構築物（その用途を問いません。）の譲渡をして、一定期間内にその譲渡をした土地等（又は譲渡した建物、構築物の敷地の用に供されていた土地等）の上に建築された中高層耐火建築物等又は事業施行区域内の他の中高層の耐火建築物の一部又は全部（その敷地の土地等を含みます。）を取得して、その取得の日から1年以内にこれを居住の用又は事業の用に供した場合には、次により課税の繰延べを認めるものです。

イ　その譲渡資産の譲渡収入金額が買換資産の取得価額以下である場合には、その譲渡資産の譲渡はなかったものとし、

ロ　その譲渡資産の譲渡収入金額が買換資産の取得価額を超える場合には、その超える部分の土地建物等についてのみ譲渡があったものとして、長期譲渡所得又は短期譲渡所得の課税の特例（措法31又は32）により譲渡所得の課税を行う。

　譲渡資産の取得価額の買換資産への引継ぎ、買換資産への特別償却の不適用、交換の場合の特例の適用等については、前章の「特定事業用資産の買換え等の場合の課税の特例」に準じますが、次のような点については、従来の買換制度とは異なっていますので留意してください。

第十二章《既成市街地等内にある土地等の中高層耐火建築物等の建設のための買換え等の場合の課税の特例》

① 譲渡資産は、既成市街地等及びこれに準ずる一定の適用対象地域内にあるものに限られること。
② 譲渡、取得には、贈与によるものは除かれますが、代物弁済によるものは含まれること。
③ 買換資産の取得期限は、最長譲渡した年の翌年以後３年以内ですが、いわゆる「先行取得」は譲渡した年のみ認められること。
④ 収用交換等の課税の特例を受けるもののほか、居住用財産の譲渡所得の特別控除等その他の特別控除又は買換えの特例の適用を受ける譲渡には、この制度の適用がないこと。

第一節　特例の適用要件

1　特定民間再開発事業の場合の要件

特定民間再開発事業の施行のための買換えは、譲渡資産（個人の事業の用に供しているものを除きます。）と買換資産（個人の居住の用（その個人の親族の居住の用を含みます。）に供する場合に限られます。）がそれぞれ次の要件を満たすものでなければなりません。

譲　渡　資　産	買　換　資　産
次の①～⑥に掲げる区域又は地区内にある土地等、建物（その附属設備を含みます。）又は構築物で、**特定民間再開発事業**（後述）の用に供するため譲渡されるもの（その事業の施行区域内にあるものに限るものとし、棚卸資産又は雑所得の基因となる土地等を除きます。） ① 既成市街地等（第２号買換えに規定する既成市街地等での一定のものを除きます。）（**２のイ及び528ページ**参照） ② 都市計画法第４条第１項に規定する都市計画に、都市再開発法第２条の３第１項第２号に掲げる地区として定められた地区 ③ 次に掲げる地区若しくは区域で都市計画法第４条第１項に規定する都市計画に定められたもの又は中心市街地の活性化に関する法律第16条第１項に規定する認定中心市街地の区域（措令25の４③一） イ　都市計画法第８条第１項第３号に掲げる高度利用地区 ロ　都市計画法第12条の４第１項第２号に掲げる防災街区整備地区計画の区域及び同項第４号に掲げる沿道地区計画の区域のうち、次に掲げる要件のいずれにも該当するもの （1）　その防災街区整備地区計画又は沿道地区計画の区域について定められた次に掲げる計画において、当該計画の区分に応じそれぞれ次に定める制限が定められていること。 （ⅰ）　その防災街区整備地区計画の区域について定められた密集市街地における防災街区の整備の促進に関する法律第32条第２項第１号に規定する特定建築物地区整備計画又は同項第２号に	特定民間再開発事業の施行により、譲渡資産である土地等又は譲渡資産である建物又は構築物の敷地の用に供されていた土地等の上に建築された**中高層耐火建築物**（地上階数４以上の耐火建築物をいいます。）若しくはその特定民間再開発事業の施行される地区（その事業の施行される土地の区域が左欄の②から⑥までに掲げる地区のうちいずれか一の地区内に所在する場合のその土地の区域に係る地区をいいます。）内で行われる他の特定民間再開発事業又は都市再開発法による第一種市街地再開発事業又は第二種市街地再開発事業の施行によりその地区内に建築された**中高層の耐火建築物**（地上階数４以上の耐火建築物で建築後使用されたことのないものに限ります。）（これらの建築物の敷地の用に供されている土地等の共有持分及びこれらの建築物に係る構築物を含みます。）（措令25の４④、措通37の５－２の２）

－535－

規定する防災街区整備地区整備計画……同条第3項又は第4項第2号に規定する建築物等の高さの最低限度又は建築物の容積率の最低限度 （ⅱ）　その沿道地区計画の区域について定められた幹線道路の沿道の整備に関する法律第9条第2項第1号に規定する沿道地区整備計画……同条第6項第2号に規定する建築物等の高さの最低限度又は建築物の容積率の最低限度 （2）　（1）（ⅰ）又は（ⅱ）に掲げる計画の区域において建築基準法第68条の2第1項の規定により、条例で、これらの計画の内容として定められた（1）（ⅰ）又は（ⅱ）に定める制限が同項の制限として定められていること。	
④　都市再生特別措置法第2条第3項に規定する都市再生緊急整備地域（措令25の4③二）	
⑤　都市再生特別措置法第99条に規定する認定誘導事業計画の区域（措令25の4③三）	
⑥　認定集約都市開発事業計画の区域（措令25の4③四）	

特定民間再開発事業とは、次のすべての要件を満たす事業をいいます（措令25の4②、措規18の6①）。

① 　上表の左欄の①～⑥に掲げる区域又は地区内に**中高層耐火建築物**（地上階数4以上の中高層の耐火建築物をいいます。）の建築をすることを目的とする事業であること

② 　上表の左欄の①～⑥に掲げる区域又は地区内において施行されるもの（都市の低炭素化の促進に関する法律第12条に規定する認定集約都市開発事業計画（当該認定集約都市開発事業計画に次に掲げる事項が定められているものに限ります。）の区域内において施行される事業にあっては、認定集約都市開発事業計画に係る同法第9条第1項に規定する集約都市開発事業であって社会資本整備総合交付金（予算の目である社会資本整備総合交付金の経費の支出による給付金をいいます。）の交付を受けて行われるもの（イ及びロにおいて「集約都市開発事業」といいます。）に限ります。）であること。

イ 　集約都市開発事業の施行される土地の区域（以下「施行地区」といいます。）の面積が2,000平方メートル以上であること。

ロ 　集約都市開発事業により都市の低炭素化の促進に関する法律第9条第1項に規定する特定公共施設の整備がされること。

③ 　その事業の施行区域の面積が1,000平方メートル以上であること。

④ 　その事業の施行地区内において都市施設（都市計画法第4条第6項の都市計画施設又は同法第12条の5第2項第1号イに掲げる施設をいいます。）の用に供される土地（その事業の施行地区が次に掲げる区域内である場合には、その都市計画施設又はその区域の区分に応じそれぞれ次に定める施設の用に供される土地）又は建築基準法施行令第136条第1項に規定する空地が確保されていること。

イ 　都市計画法第12条の5第3項に規定する再開発等促進区又は同条第4項に規定する開発整備促進区　　同条第2項第1号イに掲げる施設又は同条第5項第1号に規定する施設

ロ 　都市計画法第12条の4第1項第2号に掲げる防災街区整備地区計画の区域　　密集市街地における防災街区の整備の促進に関する法律第32条第2項第1号に規定する地区防災施設又は同項第2号に規定する地区施設

—536—

第十二章《既成市街地等内にある土地等の中高層耐火建築物等の建設のための買換え等の場合の課税の特例》

ハ　都市計画法第12条の４第１項第４号に掲げる沿道地区計画の区域　　幹線道路の沿道の整備に関する法律第９条第２項第１号に規定する沿道地区施設（その事業の施行地区が同条第３項に規定する沿道再開発等促進区内である場合は、その沿道地区施設又は同条第４項第１号に規定する施設）

⑤　その事業の施行地区内の土地（借地権（建物又は構築物の所有を目的とする地上権又は土地の賃借権をいいます。以下同じ。）の設定されている土地を除きます。）につき所有権を有する者又は施行地区内の土地につき借地権を有する者（区画された一の土地に係る所有権又は借地権が二以上の者により共有されている場合には、所有権を有する二以上の者又は借地権を有する二以上の者をそれぞれ一の者とみなしたときにおける所有権を有する者又は借地権を有する者）の数が二以上であり、かつ、事業施行後もその施行地区内の土地に係る所有権又は借地権がこれらの者又はこれらの者及び中高層耐火建築物の所有者となる者の二以上の者により共有されるものであること。

⑥　上記①～⑤に該当する事業であることにつき、中高層耐火建築物の建築基準法第２条第16号に規定する建築主の申請に基づき、都道府県知事（その事業が都市再生特別措置法第25条に規定する認定計画に係る都市再生事業又は同法第99条に規定する認定誘導事業計画に係る誘導施設等整備事業に該当する場合は、国土交通大臣。第七節２の①及び３において同じ。）が認定したものであること。

2　中高層耐火共同住宅の建設の場合の要件

中高層耐火共同住宅の建設のための買換えは、譲渡資産と買換資産がそれぞれ次の要件を満たすものでなければなりません。

譲　渡　資　産	買　換　資　産
次のイからハまでの区域内にある土地等、建物（その附属設備を含みます。）又は構築物で、右欄の中高層耐火共同住宅の建設をする事業の用に供するために譲渡をされるもの（その事業の施行区域内にあるものに限るものとし、１の譲渡資産欄に掲げる資産又は棚卸資産及び雑所得の基因となる土地又は借地権を除きます。） イ　既成市街地等 　次に掲げる区域を「既成市街地等」といいます（譲渡があった日の属する年の10年前の年の翌年１月１日以後に竣工認可のあった埋立地を除きます。）が、その地域の詳細は、528ページを参照してください。 ①　首都圏における既成市街地（東京都の特別区及び武蔵野市の区域、三鷹市、横浜市、川崎市、川口市の一定区域） ②　近畿圏における既成都市区域（大阪市の区域及び京都市、守口市、東大阪市、堺市、神戸市、尼崎市、西宮市、芦屋市の一定区域） ③　中部圏における名古屋市の区域（532ページ参照） ロ　既成市街地等に準ずる区域 　首都圏整備法第２条第４項に規定する近郊整備地帯、近畿圏整備法第２条第４項に規定する近郊整備区域又は中部圏開発整備法第２条第３項に規定する都市整備区域〔上記③の名古屋市の区域を除きます。〕のうち、上記イの既成市街地等と連接して既に市街地を形成していると認められる市の区域のうち、都市計画法第７条第１項の	譲渡資産である土地等又は譲渡資産である建物、構築物の敷地の用に供されていた土地等の上に建築された、次の各要件に該当する中高層耐火共同住宅（その敷地の用に供される土地、借地権及びその耐火共同住宅に係る構築物を含みます。）で、譲渡資産である土地等、建物又は構築物を取得した者（取得した者が個人の場合には、その個人の死亡によりその建築物の建築に関する事業を承継したその個人の相続人又は包括受遺者を含み、取得した者が法人である場合には、その法人の合併又は分割によりその建築物の建築に関する事業を引き継いだ法人税法第２条第12号に規定する合併法人及び同条第12号の３に規定する分割承継法人を含みます。）が建築したもの又は譲渡資産の譲渡をした者が建築したもの（措令25の４⑤） イ　建築基準法第２条第９号の２に規定する耐火建築物又は同条第９号の３に規定する準耐火建築物に該当する地上階数３以上の建築物であること。

－537－

第十二章《既成市街地等内にある土地等の中高層耐火建築物等の建設のための買換え等の場合の課税の特例》

市街化区域として定められている区域でその区域の相当部分が最近の国勢調査の結果による人口集中地区に該当し、かつ、都市計画その他の土地利用に関する計画に照らし中高層住宅の建設が必要である区域として国土交通大臣が財務大臣と協議して指定した区域（下表参照）をいいます（昭58.3.31国土庁・建設省告示第1号、平4.3.31国土庁・建設省告示第1号改正）。

ハ　中心市街地共同住宅供給事業の区域

中心市街地の活性化に関する法律第12条第1項に規定する認定基本計画に基づいて行われる同法第7条第6項の中心市街地共同住宅供給事業（同条第4項に規定する都市福利施設の整備を行う事業と一体的に行われるものに限ります。）の区域をいいます。

ロ　その建築物の床面積の2分の1以上が専ら居住の用（居住用部分に係る廊下、階段等の共用部分を含みます。）に供されるものであること。

都道府県名	市　　　　　名
埼 玉 県	川口市、さいたま市、所沢市、岩槻市、春日部市、上尾市、草加市、越谷市、蕨市、戸田市、鳩ヶ谷市、朝霞市、志木市、和光市、新座市、八潮市、富士見市、三郷市
千 葉 県	千葉市、市川市、船橋市、松戸市、野田市、佐倉市、習志野市、柏市、流山市、八千代市、我孫子市、鎌ケ谷市、浦安市、四街道市
東 京 都	八王子市、立川市、三鷹市、青梅市、府中市、昭島市、調布市、町田市、小金井市、小平市、日野市、東村山市、国分寺市、国立市、西東京市、福生市、狛江市、東大和市、清瀬市、東久留米市、武蔵村山市、多摩市、稲城市、羽村市
神 奈 川 県	横浜市、川崎市、横須賀市、平塚市、鎌倉市、藤沢市、茅ケ崎市、逗子市、相模原市、厚木市、大和市、海老名市、座間市、綾瀬市
愛 知 県	名古屋市、春日井市、小牧市、尾張旭市、豊明市
京 都 府	京都市、宇治市、向日市、長岡京市、八幡市
大 阪 府	堺市、岸和田市、豊中市、池田市、吹田市、泉大津市、高槻市、貝塚市、守口市、枚方市、茨木市、八尾市、泉佐野市、富田林市、寝屋川市、河内長野市、松原市、大東市、和泉市、箕面市、柏原市、羽曳野市、門真市、摂津市、高石市、藤井寺市、東大阪市、四條畷市、交野市、大阪狭山市
兵 庫 県	神戸市、尼崎市、西宮市、芦屋市、伊丹市、宝塚市、川西市

3　譲渡資産及び買換資産の範囲に関する具体的取扱い

（1）　不動産売買業者の有する土地建物等

不動産売買業者等が販売の目的で所有している土地や建物は、棚卸資産に該当しますから、この特例の対象資産とはなりません。しかし、これらの者が所有している土地建物等であっても、例えば、その個人が事業用の固定資産として使用しているもの、あるいは他に貸し付けているもの（販売の目的で所有しているもので一時的に使用し、又は貸し付けているものを除きます。）又は具体的な使用計画に基づいて使用する予定で相当の期間所有していることが明らかなものについては、棚卸資産には該当しませんのでこの特例の適用を受けられることになっています（措通37の5－10、37－2）。

（2）　宅地造成等をした土地

個人がその所有する土地に区画形質の変更を加え若しくは水道その他の施設を設け又は建物を建設

－538－

第十二章《既成市街地等内にある土地等の中高層耐火建築物等の建設のための買換え等の場合の課税の特例》

してその土地等を速やかに譲渡した場合には、その土地等は事業所得又は雑所得の基因となる棚卸資産又はこれに準ずる資産となり、この特例の適用対象となる譲渡資産にはならないのが原則ですが、その譲渡対価が所基通33－4又は33－5により譲渡所得の収入金額とされる次の場合に限り、それぞれに掲げる金額を「譲渡資産の譲渡収入金額」としてこの特例の適用を受けることができます（措通37の5－10、37－18）。

(イ)　その区画形質の変更等が次のいずれかに該当する場合……その土地の譲渡収入金額の全部

①　区画形質の変更又は水道その他の施設の設置に係る土地の面積（土地の所有者が二以上いる場合には、その合計面積）が小規模（おおむね3,000㎡以下をいいます。）であるとき。

②　区画形質の変更又は水道その他の施設の設置が土地区画整理法、土地改良法等法律の規定に基づいて行われたものであるとき。

(ロ)　その区画形質の変更等を加えた土地が極めて長期間（おおむね10年以上とされています。）引き続き所有されていたものであるとき……その土地の譲渡収入金額のうち、区画形質の変更等に着手する直前のその土地の価額に相当する部分の金額

（3）　二以上の譲渡資産又は買換資産がある場合

その年中に二以上の譲渡資産を譲渡した場合又はその譲渡した年以後において二以上の買換資産を取得した場合（又は取得する見込みの場合）には、その譲渡資産又は買換資産ごとに、本章の買換えの特例の適用対象とするかどうかを選択できます。納税者が買換特例の適用対象としたかどうかは、確定申告書に添付する「譲渡所得の内訳書（計算明細書）」においてこれらの資産を譲渡資産又は買換資産として記載したかどうかによります。

なお、一の譲渡資産又は一の買換資産の一部分のみを譲渡資産又は買換資産としてこの特例の適用を受けることはできません（措通37の5－10、37－19）。

（4）　買換資産の取得の時期

買換資産は、譲渡資産を譲渡等した年の1月1日以後に取得したものでなければなりません（同日前に取得したいわゆる先行取得資産は買換資産とはされません。）が、同日以後に取得したものであれば、譲渡資産を譲渡等した日前に取得したものであっても買換資産とすることができます（措通37の5－4）。

（5）　相続人が買換資産を取得した場合の取扱い

資産を譲渡した個人が買換資産を取得しないで死亡した場合であっても、その死亡前に買換資産の取得に関する売買契約又は請負契約を締結しているなど買換資産が具体的に確定しており、かつ、その相続人が法定期間内にその買換資産を取得し、事業の用（その譲渡をした者と生計を一にしていた親族の事業の用を含みます。）又は居住の用（その譲渡をした者の親族の居住の用を含みます。）に供したときは、その死亡した者の資産の譲渡について、買換えの特例の適用ができることとされています（措通37の5－6）。

（6）　地上階数4以上又は3以上かどうかの判定

買換資産である中高層耐火建築物等が「地上階数4以上」又は「地上階数3以上」であるかどうかの判定に当たっては、例えば特定民間再開発事業の施行により建築される中高層耐火建築物については、その建築物に地上階数4以上の部分と地上階数が4未満の部分とがある場合であっても、その建築物は地上階数4以上と判定することになっています。なお、「地上階数4以上」であるかどうかは建築基準法施行令第2条第1項第8号（**(注)** 参照）に規定するところにより判定することになっています（措通37の5－2）。2の買換資産である中高層耐火共同住宅の地上階数が3以上であるかどうかの判定についても同様です。

(注)　階数、昇降機塔、装飾塔、物見塔その他これらに類する建築物の屋上部分又は地階の倉庫、機械室その他これらに類する建築物の部分で、水平投影面積の合計がそれぞれその建築物の建築面積の8分の1以下のものは、その建築物の階数に算入しません。また、建築物の一部が吹抜きとなっている場合、建築物の敷地が斜面又は段地である場合その他建築物の部分によって階数を異にする場合においては、これらの階

－539－

第十二章《既成市街地等内にある土地等の中高層耐火建築物等の建設のための買換え等の場合の課税の特例》

数のうち最大なものによります（建築基準法施行令2①八）。

4　譲渡及び取得の範囲

　譲渡資産の「譲渡」には売買のように資産を譲渡することにより金銭を受け取る場合のほか、借地権の設定その他の契約により土地等を他に長期間貸し付ける場合で、その対価が譲渡所得の収入金額とされるものも含みます。

　　（注）　個人がその有する土地等について、建物若しくは構築物の所有を目的とする借地権又は特定の地役権の設定をし、若しくは転貸その他、他人にその土地等を長期間にわたり使用させることとなる場合において、その設定等の対価として受ける金額がその土地等の価額の2分の1を超えるものであれば、その設定等の対価は譲渡所得の収入金額となります。

　なお、個人が他人の土地を使用していた場合において、その借地を地主に返還し、地主から立退料等の支払を受けたときは、その支払を受けた金額のうち借地権等の価額に相当する金額については、借地権等の譲渡の対価を取得したものとして、この特例の適用があることに取り扱われます（措通37の5-10、37-6）。

（1）　特例の適用のない譲渡及び取得

　次に掲げる場合の譲渡は、この特例の適用対象から除かれています。

　①　収用交換等の課税の特例（措法33～33の4）、譲渡所得の特別控除の特例（措法34～35の3）の適用を受ける譲渡（一の譲渡資産の一部についてこれらの特例の適用を受けた場合にも、その譲渡資産の全部について本章の特例は適用できません。）

　②　特定の居住用財産の買換え又は交換の特例（措法36の2、36の5）、特定の事業用資産の買換え又は交換の特例（措法37、37の4）、被災市街地復興土地区画整理事業による換地処分に伴い代替住宅等を取得した場合の譲渡所得の課税の特例（震災特例法12）又は固定資産の交換の特例（所法58）の適用を受ける譲渡（措令25の4⑮）。また、この特例の適用を受ける譲渡には、措置法第31条の2（優良住宅地の造成等のために土地等を譲渡した場合の長期譲渡所得の課税の特例）、措置法第31条の3（居住用財産に係る長期譲渡所得の税率の軽減）の特例は適用できません。

　③　贈与、交換若しくは出資による譲渡

　買換資産の取得には、譲渡資産を譲渡した者の建設による取得も含まれますが、贈与、交換又は所有権移転外リース取引によるものも除かれます。

　これに関連して低額譲渡又は低額譲受けの場合も、これらの取引のうち、贈与により譲渡又は取得した部分については、特例の対象とはなりません。

　この場合、贈与により譲渡又は取得した部分の金額は、①譲渡資産にあっては、その資産の譲渡の日の時価から、譲渡対価を控除した金額、②取得資産にあっては、その資産の取得の日の時価から、取得対価を控除した金額になります（措通37の5-10、37-5）。

　なお、代物弁済による譲渡や取得は、この特例の適用対象となります。また、上記②に該当する交換以外の交換による譲渡及び取得に対する特例の適用については、第六節を参照してください。

（2）　自己の建設に係る耐火建築物又は耐火共同住宅を分譲した場合

　おおむね10年以上所有している土地等の上に自ら特例の対象となる耐火建築物又は耐火共同住宅を建設し、その建設した日から同日の属する年の12月31日までの間にその耐火建築物又は耐火共同住宅の一部とともにその土地等の一部の譲渡（譲渡所得の基因となる不動産等の貸付けを含みます。以下同じ。）をした場合には、その譲渡をした土地等を譲渡資産とし、その建設した耐火建築物又は、耐火共同住宅（譲渡された部分を除きます。）を買換資産として特例の適用を受けることができます。この場合において、譲渡による収入金額は、所基通33-5によりその譲渡した土地等のその建設に着手する直前の価額を基として算定することになります（措通37の5-4の2）。

−540−

第十二章《既成市街地等内にある土地等の中高層耐火建築物等の建設のための買換え等の場合の課税の特例》

5 事業の用、居住の用の範囲

買換資産である中高層の耐火建築物又は耐火共同住宅は、その取得（又は建設）をした日から１年以内に、居住の用又は事業の用に供さなければなりません。この場合に、一度はこれらの用に供しても取得等をした日から１年以内にこれらの用に供さなくなった場合には、特例の適用が取り消されることになります。

上記の「居住の用」又は「事業の用」には、譲渡等をした者本人の居住の用又は事業の用のほか、その者の親族の居住の用又は事業の用に供する場合が含まれますが、親族が事業の用に供する場合には、その親族が譲渡等をした者と生計を一にする者でなければなりません（措通37の５－５）。

また「事業」には、事業と称するに至らない不動産又は船舶の貸付けその他これに類する行為で相当の対価を得て継続的に行うものが含まれます（措法37①、措令25②）。

この場合、「不動産又は船舶の貸付けその他これに類する行為」とは、不動産又は船舶の賃貸その他使用に関する権利の設定をいい、「相当の対価を得て継続的に行うもの」とは、相当の所得を得る目的で継続的に対価を得て貸付け等の行為を行うことをいいますが、これに該当するかどうかは、次により判定されます（措通37－３）。

(イ) 相当の対価については、その貸付け等の用に供している資産の減価償却費の額、固定資産税その他の必要経費を回収した後において、なお相当の利益が生ずるような対価を得ているかどうかによって判断します。したがって、単に名目的な対価が支払われているにすぎないと認められる場合はこれに該当しません。

(ロ) 貸付け等をした際にその対価を一時に取得し、その後は一切対価を受けないような場合には、継続的に対価を得ていることにはなりません。

(ハ) その貸付け等をした際に一時金を収受し、かつ、継続的に対価を得ている場合には、一時金の額と継続的に受けるべき対価の額とを総合して、(イ)でいう相当の対価であるかどうかを判定することになっています。

(ニ) 継続的に貸付け等の行為を行っているかどうかについては、原則として、その貸付け等に係る契約の効力が発生した時の現況においてその貸付け等が相当期間継続して行われることが予定されているかどうかによって判定します。

6 譲渡した年の翌年以後に買換資産を取得する見込みの場合の特例の適用

買換資産の取得は、原則として、譲渡をした年中に取得しなければならないこととなっていますが、譲渡をした年の翌年中に買換資産を取得する場合にも、確定申告時にその取得価額の見積額等及び１及び２の表のいずれの買換資産かの別（１の表の買換資産については、同表右欄の中高層耐火建築物と中高層の耐火建築物とのいずれに該当するかの別）を記載した「買換(代替)資産の明細書」を納税地の所轄税務署長に提出したときは、その取得価額の見積額を取得価額とみなして、この特例を適用することができます（措法37の５②）。

なお、中高層耐火建築物若しくは中高層の耐火建築物又は耐火共同住宅の建設に要する期間が通常１年を超えると認められる事情、その他取得資産についての次のような事情があるため、譲渡した年の翌年中に買換資産の取得をすることが困難な場合は、譲渡の年の翌年の12月31日後２年以内の範囲内で、税務署長の認定した日までの期間（取得指定期間）の延長が認められます（措令25の４⑦、措通37の５－10、37－27の２）。

(イ) 法令の規制等によりその取得に関する計画の変更を余儀なくされたこと。

(ロ) 売主その他の関係者との交渉が長引き容易にその取得ができないこと。

(ハ) (イ)又は(ロ)に準ずる特別な事情があること。

取得期間の延長について、税務署長の承認を受けようとするときは、買換資産の取得予定年月日、

-541-

その認定を受けようとする日及び通常の取得期間内に取得することが困難であることについてのやむを得ない事情等を申請書に記載して、原則として、確定申告書を提出する際に併せて申請しなければなりません（措令25の4⑧）。

7 特定非常災害の場合の取得指定期間の延長の特例

既成市街地等内にある土地等の中高層耐火建築物等の建設のための買換え等の場合の課税の特例の適用を受けた者が、特定非常災害（※）として指定された非常災害に基因するやむを得ない事情により、その買換資産を取得すべき期間（取得指定期間）内に取得をすることが困難となり、所轄税務署長の承認を受けた場合には、その取得指定期間を、その取得指定期間の末日から2年以内の日で所轄税務署長が認定した日まで延長することができることとされました（措法37の5③、措令25の4⑩）。

なお、この承認を受けるための申請は、取得指定期間の末日の属する年の翌年3月15日（同日が措置法第37条の2第2項に規定する提出期限後である場合には、当該提出期限）までに行わなければなりません（措規18の6③）。

※ 「特定非常災害」とは、著しく異常かつ激甚な非常災害であって、その非常災害の被害者の行政上の権利利益の保全等を図ること等が特に必要と認められるものが発生した場合に指定されるものをいいます（特定非常災害の被害者の権利利益の保全等を図るための特別措置に関する法律2①）。

なお、令和6年9月30日現在、特定非常災害に指定されたものは、阪神・淡路大震災、平成16年新潟県中越地震、東日本大震災、平成28年熊本地震、平成30年7月豪雨災害、令和元年台風19号、令和2年7月豪雨災害及び令和6年能登半島地震となっています。

第二節 譲渡所得の計算

第一節の買換えの特例の適用を受けた場合の譲渡所得金額は、それぞれの場合に応じ、次のように計算します。

1 通 則

（1） 譲渡による収入金額が買換資産の取得価額と同額か又は満たない場合

譲渡による収入金額が、買換資産の取得価額（又は取得価額の見積額）と同じであるか、又はそれより少ない場合には、その資産の譲渡がなかったものとされ、譲渡所得は課税されません。

（2） 譲渡による収入金額が買換資産の取得価額を超える場合

譲渡による収入金額が、買換資産の取得価額（又は取得価額の見積額）よりも多い場合には、収入金額と取得価額の差額に相当する部分についてだけ譲渡があったものとして、次の算式により譲渡所得を計算します（措令25の4①）。

$$\{(譲渡資産の収入金額(A)) - (買換資産の取得価額(B))\} - (譲渡資産の取得費 + 譲渡資産の譲渡経費) \times \frac{(A) - (B)}{(A)} = 譲渡があったものとされる部分の譲渡所得の金額$$

（3） 買換えの特例を適用した場合の特別控除等の不適用

買換えの特例を適用した場合には、その特例を適用した譲渡資産には既に説明した5,000万円控除（第四章第八節（263ページ）参照）、3,000万円控除（第六章（420ページ）参照）、及び2,000万円（第五章第一節（335ページ）参照）、1,500万円（第五章第二節（351ページ）参照）、1,000万円（第七章（447ページ）参照）、100万円（第八章（449ページ）参照）、800万円（第五章第三節（396ページ）参照）の譲渡所得の特別控除は適用できません（措法37の5①）。また措置法第31条の2（優良住宅地の造成等のために土地等を譲渡した場合の長期譲渡所得の課税の特例）、措置法第31条の3（居住用財産の長期譲渡所得の税率の軽減）の規定も適用できません。

−542−

第十二章《既成市街地等内にある土地等の中高層耐火建築物等の建設のための買換え等の場合の課税の特例》

2　特殊な場合の譲渡所得の計算

（1）　二以上の買換えがある場合の譲渡所得の計算

　その年中に二以上の買換えがあった場合、つまり、二以上の譲渡資産を譲渡し、それぞれの譲渡資産に係る買換資産を取得した場合又は取得する見込みの場合（その二以上の買換えに係る第一節の1の表の左欄の特定民間再開発事業又は同節2の中高層耐火共同住宅の建設事業の施行される土地の区域がそれぞれ異なる場合に限ります。）には、それぞれの買換えごとに譲渡収入金額及び買換資産の取得価額等を区分し、その区分ごとに「譲渡がなかったもの」とされる部分の金額又は「譲渡があったもの」とされる部分の金額を、上記1の（1）又は（2）の算式により計算することになります。

　この場合において、一の買換えにより譲渡した資産又は取得した資産が二以上あり、その二以上の資産を譲渡資産又は買換資産として買換えの特例の適用を受ける場合には、それぞれの譲渡資産の譲渡による収入金額の合計額又は、それぞれの買換資産の取得価額の合計額を基として、「譲渡がなかったもの」とされる部分の金額、又は「譲渡があったもの」とされる部分の金額を、上記1の（1）又は（2）の算式により計算することになります（措通37の5−3）。

（2）　短期保有資産と長期保有資産とがある場合の買換差金の区分

　譲渡した資産のうちに短期譲渡所得の基因となるものと長期譲渡所得の基因となるものとがあり、かつ、買換えに伴い生じた買換差金（譲渡資産の収入金額が買換資産の取得価額を超える場合のその超過額をいいます。）があるときは、その買換差金の額を譲渡したそれぞれの資産の譲渡の時の価額（契約等によりそれぞれの資産の譲渡による収入金額が明らかであり、かつ、その額が適正であると認められる場合には、そのそれぞれの収入金額）の比によってあん分して計算した金額をそれぞれの資産についての買換差金として、譲渡所得の金額を計算することになります（措通37の5−10、37−25）。

（3）　譲渡価額が定められていない場合の譲渡収入金額

　譲渡資産の譲渡契約（交換契約を除きます。）において、譲渡価額を定めず、譲渡の対価として買換資産を取得することが約されている場合は、その買換資産の取得時の価額を譲渡収入金額としてこの特例を適用することとなります。ただし、譲渡に係る契約の効力発生の日の属する年の翌年以後に買換資産の取得が行われるためその価額が確定していない場合は譲渡資産の譲渡年分の所得税についてその譲渡資産の契約時の価額を譲渡収入金額として、この特例を適用することができます（その価額が譲渡の事情等に照らし合理的に算定されていると認められる場合に限ります。）。

　なお、このただし書による場合の買換資産の取得価額は、譲渡資産の譲渡収入金額とされる価額によりますが、買換資産の取得に伴って、金銭その他の資産を取得したり交付する契約となっているときは、次により買換資産の取得価額を算定します（措通37の5−7）。

① 　金銭等を交付する場合

　譲渡資産の譲渡収入金額＋交付する金銭等の額＝買換資産の取得価額

② 　金銭等を取得する場合

　譲渡資産の譲渡収入金額−取得する金銭等の額＝買換資産の取得価額

第三節　この特例の適用を受けるための申告手続

　買換えの特例の適用を受けるためには譲渡資産の譲渡をした年分の所得税の確定申告書に「この特例の適用を受けようとする旨」を記載するとともに、次に掲げる書類を添付して、納税地の所轄税務署長に提出しなければなりません（措法37の5③、37⑥⑨、措令25の4⑨、措規18の6）。

① 　譲渡資産についての収入金額等の明細

② 　買換資産についての取得価額等の明細又は取得価額の見積額に関する明細

③ 　取得した買換資産についての登記事項証明書その他これらの資産を取得した旨を証する書類

第十二章《既成市街地等内にある土地等の中高層耐火建築物等の建設のための買換え等の場合の課税の特例》

④　譲渡資産の次に掲げる区分に応じ、当該各号に掲げる書類（措規18の6②）

　　イ　第一節の1の表の左欄に掲げる資産　　買換資産が第一節の1の表の右欄に掲げる中高層耐火建築物であるか中高層の耐火建築物であるかの区分に応じて、それぞれ次に掲げる書類

　　　　A　中高層耐火建築物又はその構築物を取得した場合……都道府県知事（中高層耐火建築物を建築する事業が都市再生特別措置法第25条に規定する認定計画に係る都市再生事業又は同法第99条に規定する認定誘導事業計画に係る誘導施設等整備事業に該当する場合は、国土交通大臣。Bにおいて同じ。）のその中高層耐火建築物を建築する事業が特定民間再開発事業に該当する旨の認定をしたことを証する書類

　　　　B　中高層の耐火建築物又はその構築物を取得した場合……都道府県知事の譲渡資産に係る第一節の1の表の左欄の事業が特定民間再開発事業に該当する旨の認定をしたことを証する書類及び買換資産がその事業の施行地区内にある旨を証する書類並びに買換資産を建築する事業が次の㋑又は㋺のいずれに該当するかの区分に応じ、都道府県知事のそれぞれに掲げる書類

　　　　　㋑　事業施行地区内の他の特定民間再開発事業である場合……その事業が特定民間再開発事業に該当する旨の認定をしたことを証する書類

　　　　　㋺　第一種市街地再開発事業又は第二種市街地再開発事業の場合……買換資産が当該事業により建築されたものである旨を証する書類

　　ロ　第一節の2の表の左欄に掲げる資産　　買換資産に該当する中高層の耐火共同住宅に係る建築基準法第7条第5項に規定する検査済証の写し及びその中高層の耐火共同住宅に係る事業概要書又は各階平面図その他の書類でその中高層の耐火共同住宅が同表の右欄に掲げる要件に該当するものであることを明らかにする書類並びに次に掲げる場合の区分に応じそれぞれ次に定める書類

　　　　A　その資産の所在地が同表の左欄のイ又はロに掲げる区域内である場合……その資産の所在地を管轄する市町村長のその資産の所在地がそのイ又はロの区域内である旨を証する書類（東京都の特別区の存する区域、武蔵野市の区域又は大阪市の区域内にあるものを除きます。）

　　　　B　その資産の所在地が同表の左欄のハに掲げる区域内である場合……その資産の所在地を管轄する市町村長のその資産の所在地がそのハの区域内である旨並びに中心市街地の活性化に関する法律第23条の計画の認定をした旨及びその認定をした計画に係る同法第7条第6項に規定する中心市街地共同住宅供給事業が同条第4項に規定する都市福利施設の整備を行う事業と一体的に行われるものである旨を証する書類

　なお譲渡資産の譲渡の年の翌年以後に買換えをする見込みである場合には、確定申告書等の提出日までに「買換（代替）資産の明細書」を、上記の書類のほかに確定申告書に添付のうえ提出しなければなりません。

　この場合、中高層耐火建築物、中高層の耐火建築物又は中高層耐火共同住宅の建設に要する期間が通常1年を超える場合には、譲渡の年の翌年の12月31日後2年以内の範囲で取得期間の延長が認められることになっていますが、この取得期間の延長を申請する場合には、延長することについてやむを得ない事情があることを記載した書類を提出し、税務署長の承認を受けなければなりません。

　　（注）　買換資産を譲渡資産の譲渡の年の翌年以後に取得する見込みでこの特例の適用を受ける場合には、上記に掲げる書類のうち②及び③の書類（②の取得価額の見積額に関する明細を除きます。）は、買換資産を取得した日から4か月以内に提出することになっています（措令25の4⑨）。

　このように買換えの特例は申告を要件として認められることになっています。したがって確定申告書に所要事項の記載及び必要な書類の添付がない場合には、原則としてこの特例の適用は受けられないことになっています。しかし、確定申告書を提出しなかったこと、又は、確定申告書に所要事項の

－544－

第十二章《既成市街地等内にある土地等の中高層耐火建築物等の建設のための買換え等の場合の課税の特例》

記載若しくは必要な書類の添付がなかった場合でも、確定申告書を提出しなかったこと等について税務署長においてやむを得ない事情があると認められるときは、所定の事項を記載した書類の提出があれば、この特例の適用が受けられます（措法37の5②、37⑦）。

第四節　更正の請求と修正申告

買換えの特例の適用を受けたけれども、その適用の要件に該当しないこととなった場合や買換資産の取得価額が取得価額の見積額と違ったような場合には、この特例を適用して計算した譲渡所得の税額を修正する必要があり、その譲渡の日の属する年分の所得税について修正申告又は更正の請求をすることになります（措法37の5②、37の2）。

1　修正申告をしなければならない場合

次に掲げる場合には、それぞれに掲げる日から4か月以内に、資産の譲渡のあった年分の所得税について、修正申告書を提出し、修正により増加した所得税額を納付しなければなりません（措法37の5②、37の2、措通37の5－10、37の3－1の2）。

（1）　買換資産を取得した日から1年以内に事業の用（譲渡者と生計を一にする親族の事業の用及び相当の対価を得て行う貸付けの用を含みます。）又は居住の用（親族の居住の用を含みます。）に供さなかったり、又は供さなくなった場合……買換資産を取得した日から1年を経過する日

（2）　譲渡の年の翌年以後に買換資産を取得する見込みで特例の適用を受けた場合において、翌年中若しくは税務署長の承認を受けた日（以下「取得指定期間」といいます。）までに買換資産を取得しなかった場合……買換資産の取得指定期間を経過する日

（3）　買換資産を取得する見込みで特例の適用を受けた場合において、実際の取得価額が取得価額の見積額より少なくなった場合……（2）に掲げた買換資産の取得期間を経過する日

この特例の適用要件として、買換資産の取得の日から1年以内に上記の事業の用又は居住の用に供し、その取得の日から1年間は継続して事業の用又は居住の用に供さなければなりません。

しかし、収用、災害その他その者の責めに帰せられないやむを得ない事情に基づいて事業の用又は居住の用に供さなくなった場合にはこの特例の適用が認められることとされています（措通37の5－10、37の2－1）。

なお、上記の場合のいずれか一に該当して修正申告の必要があるにもかかわらず、修正申告書の提出がないときは、納税地の所轄税務署長は、国税通則法第24条又は第26条の規定により、その所得税の更正を行うこととされています（措法37の5②、37の2③）。

また、その提出期限内に提出があった修正申告書は期限内申告書とみなされ、過少申告加算税や延滞税は課税されないことになっています（措法37の5②、37の2④、33の5③）。

2　更正の請求ができる場合

買換資産を取得する見込みで特例の適用を受けた場合において、その取得価額が取得価額の見積額より多くなった場合には、その取得の日（買換資産が二以上ある場合のその取得の日は、そのいずれか最も遅い日）から4か月以内に、譲渡をした年分の所得税について更正の請求をすることができます（措法37の5②、37の2②、措通37の5－10、37の3－1の2）。

第五節　買換資産の譲渡の場合の取得価額の計算等

買換えの特例の適用を受けた場合には、その譲渡による収入金額のうち買換資産の取得価額に相当する部分については譲渡資産の譲渡がなかったものとされ、買換資産はその譲渡資産の取得価額を引

－545－

第十二章《既成市街地等内にある土地等の中高層耐火建築物等の建設のための買換え等の場合の課税の特例》

き継ぐことになりますが、買換資産の取得の時期は、譲渡資産の取得の時期を引き継がないものとされます。したがって、その買換資産に係る償却費の額を計算するとき、又はその買換資産の譲渡等をした場合の譲渡所得を計算するときは、次に掲げる取得の時期及び取得価額を基として計算することになります（措法37の5④、措令25の4）。

1 買換資産の取得の時期

買換資産の取得の時期は、譲渡資産の取得の時期を引き継がないで、買換えにより実際に取得した日とされます。したがって、この特例の適用を受けた買換資産を取得した日の属する年から5年を経過した年の年末までに譲渡等した場合は、すべて短期譲渡所得として課税されることになります。

2 買換資産の取得価額

買換資産の取得価額は、実際の取得価額ではなく、次の各場合に応じ、それぞれに掲げる金額とされます（措法37の5④、措令25の4⑫～⑭、措通37の5-9）。

したがって、その買換資産の減価償却費又は減価の額を計算する場合の償却費又は減価の額の計算の基礎となる取得価額及び残存価額も買換資産の実際の取得価額によるのではなく、以下に掲げる算式により計算した取得価額によります（措通37の5-10、33-49）。

（1） 譲渡資産の譲渡による収入金額が買換資産の取得価額を超える場合

$$\left\{\left(\begin{array}{c}\text{譲渡資産の取}\\\text{得費の合計額}\end{array}+\begin{array}{c}\text{譲渡経費}\\\text{の合計額}\end{array}\right)\times\dfrac{\begin{array}{c}\text{買換資産の取得}\\\text{価額の合計額}\end{array}}{\begin{array}{c}\text{譲渡資産の譲渡によ}\\\text{る収入金額の合計額}\end{array}}\right\}\times\dfrac{\text{個々の買換資産の価額}}{\text{買換資産の価額の合計額}}$$

（2） 譲渡資産の譲渡による収入金額が買換資産の取得価額に等しい場合

$$\left(\begin{array}{c}\text{譲渡資産の取}\\\text{得費の合計額}\end{array}+\begin{array}{c}\text{譲渡経費}\\\text{の合計額}\end{array}\right)\times\dfrac{\text{個々の買換資産の価額}}{\text{買換資産の価額の合計額}}$$

（3） 譲渡資産の譲渡による収入金額が買換資産の取得価額に満たない場合

$$\left\{\left(\begin{array}{c}\text{譲渡資産の取}\\\text{得費の合計額}\end{array}+\begin{array}{c}\text{譲渡経費}\\\text{の合計額}\end{array}\right)+\left(\begin{array}{c}\text{買換資産の取得}\\\text{価額の合計額}\end{array}-\begin{array}{c}\text{譲渡資産の譲渡によ}\\\text{る収入金額の合計額}\end{array}\right)\right\}$$
$$\times\dfrac{\text{個々の買換資産の価額}}{\text{買換資産の価額の合計額}}$$

（注） 同一年中に二以上の買換取引があるときは、上記の計算もその買換取引ごとに行うことになります。

3 買換資産についての特別償却等の不適用

これについては、特定の事業用資産の買換えの場合の買換資産と全く同様の取扱いとなっていますので、第十一章第五節の4（508ページ）を参照してください（措法37の5③、37の3④）。

第六節　交換の場合の特例の適用

第一節から前節までの特例は、第一節に述べた譲渡資産と買換資産を交換した場合にも以下に述べる条件のもとに適用されることになります。

1 特例の適用を受けることができる場合

次に掲げる要件の全てに該当する交換には、第一節から前節までの特例が適用できます。

（1） 交換譲渡資産及び交換取得資産の範囲

この特例が適用される交換によって譲渡する資産及び取得する資産の範囲は、第一節に述べた買換えの場合の課税の特例の適用を受けることができる譲渡資産及び買換資産の範囲と同じです。

－546－

第十二章《既成市街地等内にある土地等の中高層耐火建築物等の建設のための買換え等の場合の課税の特例》

（2） 交換の範囲

ここでいう交換には、交換に伴って交換差金を取得し、又は交換差金を支払った場合も含まれます。しかし、措置法第37条の4に規定する特定事業用資産の交換の特例又は所得税法第58条に規定する固定資産の交換の場合の課税の特例の適用を受ける交換は除かれています（措法37の5⑤、措令25の4⑮）。

また、他資産との交換（第一節に述べた譲渡資産と同節に述べた買換資産以外の資産との交換で交換差金を取得するものをいいます。）の場合には、譲渡資産のうちその交換差金に対応する部分についてのみ、この特例の適用対象となる譲渡があったものとみなし、他の部分は特例の適用のない譲渡となります。したがって、交換差金によって別途買換資産を取得することにより、第一節から前節までの買換えの特例が適用されます（措法37の5⑤、措令25の4⑯）。

2　譲渡所得の計算

この特例の適用を受けた場合には、交換の日の交換譲渡資産の時価で、その交換譲渡資産を譲渡したものとし、交換の日の交換取得資産の時価でその交換取得資産を取得したものとして、買換えの場合と同じような方法により譲渡所得を計算することになります。したがって、

（1）　交換差金の支払を受けない場合には、原則として交換譲渡資産の譲渡はなかったものとされ、譲渡所得は課税されません。

（2）　交換差金を受けた場合は、交換取得資産の時価相当額と交換差金の額との合計額が交換譲渡資産の譲渡による収入金額とされますから、その交換差金に相当する部分だけ交換譲渡資産の譲渡があったものとして譲渡所得が計算されることになります。

3　交換により取得した資産の取得価額の計算等

譲渡資産の取得価額は引き継ぎますが取得時期は引き継ぎません。このことは交換により取得した資産の取得価額の計算等については第五節と同じ取扱いになるということです。したがって、この特例の適用を受けた交換取得資産を取得した日の属する年から5年を経過した年の年末までに譲渡等した場合は、すべて短期譲渡所得として課税されることになります。

4　この特例の適用を受けるための手続

この特例の適用を受けるための申告の手続や、交換により取得した資産に関する取得の事実を証明する登記事項証明書の提出等については、第三節に述べた買換えの場合の課税の特例の適用を受けるための手続と全く同様です。

なお、確定申告書等を提出しなかった場合等においても、そのことについて税務署長がやむを得ない事情があると認めるときは、所定の必要書類を提出すれば、この特例の適用を認めることとされています。

第七節　特定民間再開発事業の場合に買換資産の取得を困難とする特別な事情がある場合の特例

1　特例の内容

第一節の1に述べた特定民間再開発事業の施行に伴う買換えの場合において、その事業の施行により建設される同1の表の右欄に掲げる中高層耐火建築物（同右欄の後段に定める中高層の耐火建築物を除きます。）又は中高層耐火建築物に係る構築物を取得することが困難な事情（例えばその建物に居住用部分がないため、買換資産として取得してもこれを居住の用に供することができない場合など）

－547－

第十二章《既成市街地等内にある土地等の中高層耐火建築物等の建設のための買換え等の場合の課税の特例》

があるため、買換資産の取得ができず、やむを得ずその事業の施行地区外で代わりの居住用財産を求めなければならない場合には、2で述べる一定の要件のもとに、その買換えについて居住用財産を譲渡した場合の長期譲渡所得の課税の特例（措法31の3。第一章第三節（206ページ）参照）の適用条件を緩和する特則が設けられています（措法37の5⑥）。

〈具体的な適用条件緩和の特則〉

　譲渡した資産がその年の1月1日における所有期間が10年以下のもので居住用財産（第一章第三節（206ページ）で述べた居住用財産を譲渡した場合の長期譲渡所得の課税の特例の適用対象となる資産をいいます。）に該当するものである場合には、その譲渡による譲渡所得は、第一章第三節《居住用財産を譲渡した場合の長期譲渡所得の課税の特例》の適用対象となるものとみなして同節の軽減税率を適用することができます（この特例により税率の軽減を受ける居住用部分の譲渡所得については併せて居住用財産に係る3,000万円特別控除は適用できません。）。

2　特例の適用要件

この特例の適用要件は次のとおりです（措令25の4⑰⑳、措規18の6⑤）。

①　特定民間再開発事業の施行のために、その施行地区内の土地等、建物又は構築物（第一節の1の表の譲渡資産に該当するもの）を譲渡した個人及びその施行地区内に中高層耐火建築物の建築をする建築主の申請に基づき、買換資産としてその中高層耐火建築物（第一節1の表の右欄の後段に掲げる中高層の耐火建築物を除きます。以下2において同じ。）を取得することを困難とする次の事情があるものとして都道府県知事（又は国土交通大臣）が認定したものであること。

〈買換資産として取得することを困難とする事情〉

　譲渡資産が譲渡者の居住の用に供されていた場合において、その譲渡者又はその者と同居を常況とする者の老齢、身体上の障害その他次のような事情があることにより、その者が中高層耐火建築物又はその中高層耐火建築物に係る構築物を取得して引き続き居住の用に供することが困難であると認められること。

　（一）　その中高層耐火建築物の用途が専ら業務の用に供する目的で設計されたものであること。
　（二）　その中高層耐火建築物が住宅の用に供するのに不適当な構造、配置及び利用状況にあると認められるものであること。

②　譲渡資産の譲渡が、特定民間再開発事業の施行により建築される中高層耐火建築物につき、建築基準法第6条第4項又は第6条の2第1項の規定による確認済証の交付（同法第18条第3項の確認済証の交付を含みます。）のあった日の翌日から同日以後6月を経過する日までの間に行われること（措令25の4⑳）。

③　譲渡資産の一部につき、第一節及び第六節に述べた買換え又は交換の特例の適用を受けないこと（措令25の4⑳）。

3　特例の適用手続

本節の特例によって、居住用財産を譲渡した場合の長期譲渡所得の課税の特例の適用を受けようとする者は、その適用を受けようとする年分の確定申告書に、これらの特例の適用に必要な書類（譲渡所得の内訳書（確定申告書付表兼計算明細書）、譲渡資産に関する書類又は「買換（代替）資産の明細書」…措置法第37条関係など）を添付するほか、「措法37条の5第6項の規定により、措法31条の3（又は措法37条）の規定の適用を受ける旨」の申告書への記載と、前記2の①に述べた都道府県知事（又は国土交通大臣）の認定を証する書類の添付が必要です（措令25の4⑱）。

−548−

第十三章　特定の交換分合により土地等を取得した場合の課税の特例（措法37の6）

　農住組合法（同法は、昭和55年11月に公布され、昭和56年5月20日から施行されています。）による交換分合は、一団の住宅地等と一団の営農地等が良好な状態で配置されるよう、特定市街化区域内の農地を、あらかじめ住宅地等への転換を希望する土地と引き続き営農地等としての利用を希望する土地とに分けてそれぞれ一定の区域に集約し、それぞれの用途に応じた土地の有効利用を図るという目的の下に、計画的に関係権利者の権利を調整しようとするものです。そして、その実施に当たっては、都府県知事による交換分合計画の認定等一定の公的手続を経ることを必要とし、交換分合の法的効果も法律の規定によって生ずることとされています。

　このような交換分合の性格から、交換分合計画に基づく土地等の交換について昭和56年の税制改正で②の特例が設けられました（措法37の6）。

　なお、昭和59年の農業振興地域の整備に関する法律の一部改正で、同法に基づく交換分合制度に新たに林地等交換分合と協定関連交換分合（同法13の2②）が導入されたことに伴い、これらの交換分合により譲渡した土地等についても本制度の適用対象とすることとして、昭和60年の改正で①の規定が追加されました。

① 　農業振興地域の整備に関する法律第13条の2第2項の規定による交換分合により土地等（土地及び土地の上に存する権利で、棚卸資産又は棚卸資産に準ずる雑所得の基因となる資産を除きます。以下②において同じ。）の譲渡をし、かつ、その交換分合により土地等を取得したとき（土地等とともに清算金を取得した場合を含みます。）はその交換分合により譲渡した土地等（清算金に対応する部分を除きます。）の譲渡はなかったものとされます。

② 　農住組合の組合員である個人（組合員以外の一定の者を含みます。）が、その有する土地等につき農住組合法の規定による交換分合が行われた場合において、その交換分合により土地等の譲渡をし、かつ、その交換分合により土地等を取得したとき（土地等とともに清算金を取得した場合を含みます。）は、その交換分合により譲渡した土地等（清算金の額に対応する部分を除きます。）の譲渡はなかったものとされます。

　この特例の適用が受けられるのは、次のすべての要件に該当する場合です（措令25の5④）。

イ 　農住組合の組合員及び組合員以外の個人で農住組合法第9条第1項の規定により都府県知事の認可があった交換分合計画において定める土地の所有権又はその土地の上に存する権利を有する者であること。

ロ 　農住組合法第7条第2項第3号の規定による交換分合（平成3年1月1日において次ページの表に掲げる区域《特定市街化区域》に該当する区域内において行われるものに限ります。）で同法第二章第三節に定めるところにより行われるものであること。

　①又は②の特例の適用を受けることにより、交換分合により取得した土地等の取得時期及び取得価額は、交換分合により譲渡した土地等の取得時期及び取得価額がそのまま引き継がれることとされています。なお、取得価額の引継ぎに際しては、清算金や譲渡費用等の支払がある場合は、これらの費用を加算した金額が取得価額とされます。

　また、①又は②の交換分合による土地等の譲渡には、譲渡所得の基因となる不動産等の貸付け（所令79①）が含まれますが、①の交換分合の場合は、措置法34、34の2、34の3、35の2、35の3、37の適用を受ける譲渡、②の交換分合の場合は、措置法33、33の4、34～35、36の2、36の5、36の6、

-549-

第十三章《特定の交換分合により土地等を取得した場合の課税の特例》

37、37の4、37の5の適用を受ける譲渡には、この特例の適用はありません。

（注）　なお、個人が令和4年4月1日前に、集落地域整備法第11条第1項の規定による交換分合により土地等の譲渡等をし、かつ、その交換分合により土地等を取得したとき（土地等とともに清算金を取得した場合を含みます。）は、その交換分合により譲渡した土地等（清算金に対応する部分は除きます。）の譲渡はなかったものとみなされます（令4改法附32⑫）。

〔農住組合法による交換分合の特例対象となる特定市街化区域〕……平成3年1月1日において次表に掲げる東京都の特別区及び市の区域に該当する区域をいいます（措令25の5③、措通37の6-1）。

区分	都府県名	都　　　　　　　　　　　市　　　　　　　　　　　名
首都圏	茨城県	竜ケ崎市、水海道市、取手市、岩井市、牛久市
	埼玉県	川口市、川越市、浦和市、大宮市、行田市、所沢市、飯能市、加須市、東松山市、岩槻市、春日部市、狭山市、羽生市、鴻巣市、上尾市、与野市、草加市、越谷市、蕨市、戸田市、志木市、和光市、桶川市、新座市、朝霞市、鳩ケ谷市、入間市、久喜市、北本市、上福岡市、富士見市、八潮市、蓮田市、三郷市、坂戸市、幸手市
	東京都	特別区、武蔵野市、三鷹市、八王子市、立川市、青梅市、府中市、昭島市、調布市、町田市、小金井市、小平市、日野市、東村山市、国分寺市、国立市、福生市、多摩市、稲城市、狛江市、武蔵村山市、東大和市、清瀬市、東久留米市、保谷市、田無市、あきる野市（旧秋川市の部分）
	千葉県	千葉市、市川市、船橋市、木更津市、松戸市、野田市、成田市、佐倉市、習志野市、柏市、市原市、君津市、富津市、八千代市、浦安市、鎌ケ谷市、流山市、我孫子市、四街道市
	神奈川県	横浜市、川崎市、横須賀市、平塚市、鎌倉市、藤沢市、小田原市、茅ケ崎市、逗子市、相模原市、三浦市、秦野市、厚木市、大和市、海老名市、座間市、伊勢原市、南足柄市、綾瀬市
中部圏	愛知県	名古屋市、岡崎市、一宮市、瀬戸市、半田市、春日井市、津島市、碧南市、刈谷市、豊田市、安城市、西尾市、犬山市、常滑市、江南市、尾西市、小牧市、稲沢市、東海市、尾張旭市、知立市、高浜市、大府市、知多市、岩倉市、豊明市
	三重県	四日市市、桑名市
近畿圏	京都府	京都市、宇治市、亀岡市、向日市、長岡京市、城陽市、八幡市
	大阪府	大阪市、守口市、東大阪市、堺市、岸和田市、豊中市、池田市、吹田市、泉大津市、高槻市、貝塚市、枚方市、茨木市、八尾市、泉佐野市、富田林市、寝屋川市、河内長野市、松原市、大東市、和泉市、箕面市、柏原市、羽曳野市、門真市、摂津市、泉南市、藤井寺市、交野市、四条畷市、高石市、大阪狭山市
	兵庫県	神戸市、尼崎市、西宮市、芦屋市、伊丹市、宝塚市、川西市、三田市
	奈良県	奈良市、大和高田市、大和郡山市、天理市、橿原市、桜井市、五条市、御所市、生駒市

1　特例の適用がある場合の譲渡所得の金額の計算

この特例の適用を受けた場合の交換分合により譲渡した土地等に係る譲渡所得の金額は、次により計算します。

（1）　清算金を取得しない場合には、交換分合によって譲渡した土地等の譲渡がなかったものとみなされます（譲渡所得は発生しません。）。

（2）　土地等と共に清算金を取得した場合には、交換分合によって譲渡をした土地等のうち、取得した土地等に対応する部分についてのみ譲渡はなかったものとされますが、取得した清算金の額に対応する部分については、分離課税の長期譲渡所得又は短期譲渡所得として課税されます。この場合の清算金に対応する譲渡所得の計算は次の算式によります（措令25の5②）。ただし、取得費については、清算金の5%の概算取得費によってもよいこととされています（措法31の4）。

$$\text{取得した清算金の額} - \left(\text{譲渡した土地等の取得費} + \text{譲渡経費の額}\right) \times \frac{\text{取得した清算金の額}}{\text{取得した土地等の価額} + \text{取得した清算金の額}} = \text{譲渡所得の金額}$$

また、前記の①の交換分合により、清算金のみを取得する場合には、譲渡する農地が第五章第三節（396ページ）の800万円控除の適用対象となる農地等であれば800万円が控除されます（措通37の6-2）。

-550-

2 交換取得資産の取得時期及び取得価額

この交換分合の課税の特例の適用を受けた個人が、交換分合により取得した土地等（交換取得資産）をその取得した日以後譲渡等した場合の譲渡所得等の金額を計算するときのその交換取得資産の取得価額及び取得時期は、原則として交換分合により譲渡した土地等（交換譲渡資産）の取得時期及び取得価額を引き継ぐこととされます。

すなわち、交換取得資産の取得価額は次の（1）から（3）までに掲げる金額の合計額とされます（措法37の6④）。

（1） 交換譲渡資産の取得費及び譲渡経費の額

交換取得資産とともに清算金を取得した場合には、交換譲渡資産の取得費及び譲渡経費の額のうち、清算金の額に対応する部分以外の部分の額として次の算式により計算した金額によります（措令25の5⑤）。

$$\left(\begin{matrix}交換譲渡資\\産の取得費\end{matrix}+\begin{matrix}譲渡に要し\\た費用の額\end{matrix}\right)\times\frac{交換取得資産の価額}{交換取得資産の価額＋取得した清算金の額}$$

（2） 交換譲渡資産とともに清算金を支出して交換取得資産を取得した場合には、その清算金の額

（3） 交換取得資産を取得するために要した経費の額がある場合には、その経費の額

3 この特例の適用を受けるための申告手続

この特例の適用を受けるためには交換分合により土地等の譲渡をした年分の所得税の確定申告書に「この特例の適用を受けようとする旨」（特例適用条文欄に「措法37の6」と記載）を記載するとともに、次に掲げる書類を添付して、納税地の所轄税務署長に提出しなければなりません（措法37の6②、措規18の7）。

① 交換分合により譲渡した土地等及び交換分合により取得した土地等の登記事項証明書

② 交換分合計画の写し（次の各場合に応じ、それぞれに掲げる記載のあるものに限ります。）

イ 農業振興地域の整備に関する法律に基づく交換分合である場合……同法第13条の2第3項の規定による認可をした者のその認可に係る交換分合計画の写しである旨の記載

ロ 農住組合法に基づく交換分合である場合……農住組合法第11条において準用する土地改良法第99条第12項の規定による公告をした者のその公告に係る交換分合計画の写しである旨の記載

③ 農住組合法による交換分合については、交換分合に係る土地等が前ページの表に掲げる特定市街化区域内にあることを明らかにする書類

このようにこの特例は申告を要件として認められることになっています。したがって確定申告書に所要事項の記載及び必要な書類の添付がない場合には、原則としてこの特例の適用を受けられないことになっています。しかし、確定申告書を提出しなかったこと、又は、確定申告書に所要事項の記載若しくは必要な書類の添付がなかった場合でも、確定申告書を提出しなかったこと等について税務署長においてやむを得ない事情があると認められるときは、所定の事項を記載した書類の提出があれば、この特例の適用が受けられます（措法37の6③）。

第十四章　特定普通財産とその隣接する土地等の交換の場合の課税の特例（措法37の8）

　国有財産の円滑な売却の促進を目的として国有財産の効率的な活用を推進するための国有財産法等の一部を改正する法律が平成18年の通常国会（第164回国会）で成立し、同法により国有財産特別措置法が改正され国有財産の処分を目的とした交換が認められることとなりました。

　そこで税制面でも平成18年度改正において、創設される国有財産特別措置法の交換の特例が適用される場合にはその交換がなかったものとして、取得価額の引継ぎによる課税の繰延べの特例が創設されました。

第一節　特例の適用要件

　個人が、国有財産特別措置法第9条第2項の普通財産のうち同項に規定する土地等として一定の証明がされたもの（以下本章において「**特定普通財産**」といいます。）に隣接するその個人が有する土地（以下「**所有隣接土地等**」といいます。）につき、同項の規定によりその所有隣接土地等と特定普通財産との交換をしたときは、その所有隣接土地等（特定普通財産とともに交換差金を取得した場合には、その所有隣接土地等のうち交換差金に相当する部分を除きます。）の交換がなかったものとして、長期譲渡所得又は短期譲渡所得（措法31、32）の規定が適用されます（措法37の8①）。

（注）　一定の証明がされた土地等とは、国有財産特別措置法の普通財産の土地等のうち、財務局長等のその土地等が円滑に売り払うため必要があると認められるものとして次のいずれかに該当する土地等であることにつき証明がされたものをいいます（措規18の8①）。

　　イ　建築物の敷地の用に供する場合には建築基準法第43条の規定（敷地等と道路との関係、いわゆる接道制限）に適合しないこととなる土地等

　　ロ　財務局長等が著しく不整形と認める土地等

　　ハ　建物又は構築物の所有を目的とする地上権又は賃借権の目的となっている土地等

1　所有隣接土地等

　所有隣接土地等にはその特定普通財産の上に存する権利を含みますが、棚卸資産及び雑所得の基因となる土地又は土地の上に存する権利は除かれます（措法37の8①、措令25の6①）。

2　特例の対象となる交換

　この特例の対象となる交換には、交換差金を取得し、又は支払った場合の交換を含みますが、特定の事業用資産の交換の特例（措法37の4）の適用を受ける交換を除きます（措令25の6②）。

　また、この特例の適用を受けると次の特例の適用を受けることはできません。

●優良住宅地の造成等のために土地等を譲渡した場合の特例（措法31の2④）

●居住用財産を譲渡した場合の特例（措法31の3①）

●収用等に伴い代替資産を取得した場合の特例（措法33①）

●居住用財産の特別控除（措法35①）

●特定の居住用財産の買換えの特例（措法36の2①）

第十四章《特定普通財産とその隣接する土地等の交換の場合の課税の特例》

第二節　譲渡所得の計算

　この特例を適用して特定普通財産と所有隣接土地等との交換をした場合において交換差金を取得しないときは、その所有隣接土地等の交換がなかったものとされ、課税されませんが、その交換の際に交換差金を取得したときは、その交換差金に相当する部分については交換があったものとして、譲渡所得課税が行われます（措法37の8①）。

　この場合の譲渡所得の金額は、次の算式により計算することとなります（措令25の6③）。

$$\text{交換差金の額} - \text{交換により譲渡した所有隣接土地等の価額} \times \frac{\text{交換差金の額}}{\text{交換により取得した特定普通財産の価額} + \text{交換差金の額}}$$

第三節　特例の適用手続

　この特例は、その所有隣接土地等の交換をした年分の確定申告書に、その特例の適用を受けようとする旨の記載があり、かつ、その交換の契約書の写し及び次に掲げる場合の区分に応じそれぞれに定める書類の添付がある場合に限り適用されます（措法37の8②、37⑥、措規18の8②）。

①　特定普通財産が国の一般会計に属する場合　　その特定普通財産の所在地を管轄する財務局長等から交付を受けた国有財産特別措置法第9条第2項の規定に基づき交換をした旨及びその特定普通財産が第一節（**注**）イ〜ハのいずれかの土地等に該当する旨を証する書類

②　特定普通財産が特別会計に属する場合　　その特定普通財産を所管する国有財産法第4条第2項に規定する各省各庁の長から交付を受けた次に掲げる書類

　イ　その特定普通財産の所在地を管轄する財務局長等が発行するその各省各庁の長から協議されたその特定普通財産の国有財産特別措置法第9条第2項に規定する交換について同意する旨及びその特定普通財産が第一節（**注**）イ〜ハのいずれかの土地等に該当する旨を証する書類の写し

　ロ　その各省各庁の長が発行する国有財産特別措置法第9条第2項の規定に基づき交換をした旨を証する書類

　ただし、税務署長は、確定申告書の提出がなかった場合又はこの特例に関する記載や書類の添付がなかった場合においても、その提出又は記載若しくは添付がなかったことについてやむを得ない事情があると認められるときは、その記載をした明細書及び書類等の提出があった場合に限り、この特例を適用することができます（措法37の8②、37⑦）。

　また、上記の確定申告書を提出する者は、その確定申告書の提出の日（上記ただし書の規定により特例の適用を受ける旨の記載のある書類等を提出する場合は、その提出の日）までに交換により取得した特定普通財産に関する登記事項証明書その他その特定普通財産を取得した旨を証する書類の写しを納税地の所轄税務署長に提出しなければなりません（措法37の8③、措令25の6④、措規18の8③）。

第四節　交換により取得した特定普通財産の取得価額等

　この特例の適用を受けた場合には、交換により取得した特定普通財産の価額に対応する部分については交換がなかったものとされ、特定普通財産は、その交換がなかったものとされる部分の交換により譲渡した所有隣接土地等の取得費を引き継ぐことになりますが、特定普通財産の取得の時期は交換により譲渡した所有隣接土地等の取得の時期を引き継がないものとされます。したがって、この特例の適用を受けた特定普通財産を譲渡した場合は実際に取得した日によって所有期間を判定することに

なるので、取得した日の属する年から5年を経過した年の年末までに譲渡等した場合は、すべて短期譲渡所得として課税されることになります。

1　特定普通財産の取得価額の計算

特定普通財産の取得価額は、実際の取得価額ではなく、次の場合に応じ、それぞれに掲げる金額とされます（措法37の8④、措令25の6⑥）。

したがって、特定普通財産を後日譲渡等した場合に、譲渡所得の金額等の計算をするときは、次に掲げる算式により計算した金額をその取得費として計算することになります。

① 特定普通財産とともに交換差金を取得した場合

$$\left(\begin{array}{c}\text{交換により譲渡}\\\text{した所有隣接土}\\\text{地等の取得費}\end{array} + \begin{array}{c}\text{交換に要}\\\text{した費用}\end{array}\right) \times \dfrac{\text{特定普通財産の価額}}{\begin{array}{c}\text{特定普通財}\\\text{産の価額}\end{array} + \begin{array}{c}\text{取得した交}\\\text{換差金の額}\end{array}}$$

② 交換により譲渡した所有隣接土地等の価額が特定普通財産の価額と同額である場合

$$\begin{array}{c}\text{交換により譲渡した所}\\\text{有隣接土地等の取得費}\end{array} + \begin{array}{c}\text{交換に要}\\\text{した費用}\end{array}$$

③ 交換差金を支払って特定普通財産を取得した場合

$$\begin{array}{c}\text{交換により譲渡した所}\\\text{有隣接土地等の取得費}\end{array} + \begin{array}{c}\text{交換に要}\\\text{した費用}\end{array} + \begin{array}{c}\text{支払った交}\\\text{換差金の額}\end{array}$$

2　二以上の特定普通財産がある場合

特定普通財産が二以上ある場合には、それぞれの特定普通財産の取得価額とされる金額は、上記1により計算した取得費を、個々の特定普通財産の価額が特定普通財産の価額の合計額のうちに占める割合で按分して、その個々の特定普通財産に引き継がれる取得価額を計算することとされています（措法37の8④、措令25の6⑤）。

第十五章　相続財産に係る譲渡所得の課税
の特例（措法39）

　相続税の課税の対象となった相続財産を、相続又は遺贈（贈与者の死亡により効力の生ずる贈与を含みます。以下この項において同じ。）により取得した後一定の期間内に譲渡した場合の譲渡所得の計算については、相続税額のうち一定の金額を、その譲渡した資産の取得費に加算して、その資産の譲渡所得金額の計算上控除することができます。これを「相続財産に係る譲渡所得の課税の特例」といい、相続税と所得税の負担の調整を図ることを目的として設けられた制度です。

　なお、この特例により譲渡資産の取得費に加算される金額は、従来は、「譲渡した資産について課された相続税相当額」とされていましたが、平成５年度の改正により、譲渡した資産が土地又は土地の上に存する権利（以下「土地等」といいます。）である場合は、「土地等について課された相続税相当額」とされ、譲渡資産以外の土地等について課された相続税相当額も含めて取得費に加算することができることとされました。その後、平成26年度の改正により、平成27年１月１日以後は、「譲渡した土地等に対応する相続税相当額」とされ、その資産の区分にかかわらず、その譲渡をした資産に対応する相続税に相当する金額として計算した金額とすることとされました。また、平成６年度の改正により、この特例の適用期限が延長され、相続の開始があった日の翌日から相続税の申告書の提出期限の翌日以後３年（改正前は２年）を経過する日までの譲渡について適用されることになりました。また、平成15年度の改正では相続時精算課税制度の創設に伴う所要の調整のための改正が行われました。

1　特例の適用要件

　この特例は、次に掲げる要件のすべてを満たしている場合に適用できます。

（1）　適用を受けることができる者

　適用を受けることができる者は、相続又は遺贈（死因贈与を含みます。以下「相続等」といいます。）により財産を取得した個人で、その相続等により取得した資産を譲渡した年の12月31日において、確定している相続税額がある場合、又は、その資産を譲渡した年の12月31日より後に相続税の申告書の提出期限が到来するため、12月31日現在において確定している相続税額がない場合にあっては、相続税の申告書の提出期限までに相続税額が確定した場合に適用が受けられます（措通39－1）。

　この場合において、農地等の全部の贈与、個人の事業用資産又は非上場株式等の贈与を受けたことにより、贈与税の納税猶予の特例の適用を受けていた者で、贈与者が死亡したことによってその農地等、個人の事業用資産又は非上場株式等を相続により取得したものとみなされた者も、適用を受けることができます（措法39①）。

（2）　適用が受けられる資産

　相続税の課税価格の計算の基礎に算入された資産で、その相続等に係る被相続人の死亡の日の翌日からその相続税の申告書の提出期限の翌日以後３年を経過する日までの間に譲渡された資産について、この特例の適用が受けられます。

　この場合の資産には、次のものが含まれます。

イ　上記(1)により相続により取得したものとみなされた農地等、個人の事業用資産又は非上場株式等

ロ　相続等により財産を取得した者が、その相続等の被相続人から、相続開始前３年以内に贈与を受けた財産で相続税の課税価格に加算されたもの

ハ　相続時精算課税の適用を受けた贈与財産で相続税の課税価格に加算されたもの

第十五章《相続財産に係る譲渡所得の課税の特例》

　ただし、相続（限定承認をしたものに限ります。）又は包括遺贈（限定承認をしたものに限ります。）により取得した財産については、被相続人又は遺贈者について、所得税法第59条第1項の規定により時価で譲渡したものとみなされ所得税が課税され、かつ、その所得税は相続税の課税価格の計算上被相続人の債務として控除されていることにより、所得税と相続税の負担の調整は済んでいますので、この特例の適用は受けられません。

2　取得費に加算される金額

　平成26年度の改正前は、相続財産である土地等の一部を譲渡した場合の譲渡所得の金額の計算上、取得費に加算して控除できる金額は「その者が相続したすべての土地等に対応する相続税に相当する金額」とされていましたが、平成26年度の改正により、平成27年1月1日以後に開始する相続又は遺贈により取得した資産の譲渡については、「その譲渡をした土地等に対応する相続税に相当する金額」とされました。

　これにより、相続財産を譲渡した場合におけるその譲渡をした資産の譲渡所得の金額の計算上、本制度により取得費に加算される金額は、その資産の区分にかかわらず、その譲渡をした資産に対応する相続税に相当する金額として計算した金額とすることとされました（措法39①）。

（1）　取得費に加算される金額の計算方法

　取得費に加算される金額は、次の①に掲げる相続税額に②に掲げる割合を乗じて計算した金額となります。ただし、その計算した金額が、その資産の譲渡所得に係る収入金額から本制度の適用がないものとした場合のその資産の取得費及びその資産の譲渡に要した費用の額の合計額を控除した残額に相当する金額を超える場合には、その残額に相当する金額とし、その収入金額がその合計額に満たない場合には、その計算した金額は、ないものとされます（措令25の16①）。

①　譲渡をした資産の取得の基因となった相続又は遺贈に係るその取得をした者の相続税法の規定による相続税額で、その譲渡の日の属する年分の所得税の納税義務の成立する時（その時が、その相続税申告書の提出期限内における相続税申告書の提出の時前である場合には、その提出の時）において確定しているもの

②　①に掲げる相続税額に係る①に規定する者についての相続税法第11条の2《相続税の課税価格》に規定する課税価格（同法第19条《相続開始前3年以内に贈与があった場合の相続税額》又は第21条の14《相続時精算課税による相続税額》から第21条の18までの規定の適用がある場合にはこれらの規定により課税価格とみなされた金額とし、同法第13条《債務控除》の規定の適用がある場合には同条の規定の適用がないものとした場合の課税価格又はみなされた金額とします。）のうちにその譲渡をした資産のその課税価格の計算の基礎に算入された価額の占める割合

（注1）　上記①の相続税法の規定による相続税額は、同一の被相続人（租税特別措置法第70条の6第1項《農地等についての相続税の納税猶予等》に規定する被相続人をいいます。）からの相続又は遺贈による財産の取得をした者のうちに同条第1項の適用を受ける者がある場合には、同条第2項に規定する納付すべき相続税の額とされ、相続税法第20条《相次相続控除》、第21条の15第3項《特定贈与者からの相続又は遺贈により財産を取得した者の相続時精算課税に係る贈与税の税額の控除》又は第21条の16第4項《特定贈与者からの相続又は遺贈により財産を取得しなかった者の相続時精算課税に係る贈与税の税額の控除》の規定により控除される金額がある場合には、相続税法の規定による相続税額又はその納付すべき相続税の額にその金額を加算した金額とし、同法第19条《相続開始前3年以内に贈与があった場合の相続税額》の規定の適用がある場合には、同条の規定により控除される贈与税の額がないものとして計算した場合のその者の納付すべき相続税額に相当する金額とするとされています。なお、国税通則法の附帯税に相当する金額は除くこととされています（措法39⑥、措令25の16①③）。

（注2）　上記①の相続税額は、納税義務の成立する時後において、その相続税額に係る相続税につき修正申告書の提出又は国税通則法第24条若しくは第26条に規定する更正があった場合には、その申告又は更正後の相続税額とされます（措令25の16②）。

－556－

第十五章《相続財産に係る譲渡所得の課税の特例》

（注3）　上記の（注2）の場合においては、既に取得費加算の特例を適用して申告した資産の譲渡に係る譲渡所得について修正申告又は更正後の相続税額又は異動後の課税価格の合計額を基礎として取得費に加算すべき金額を再計算することになります。この場合、税務署長は、その譲渡所得について修正申告書の提出がある場合を除き、国税通則法第24条又は第26条の規定により更正をすることになりますが、国税通則法第70条《国税の更正、決定等の期間制限》に規定する更正をすることができる期間を超えて更正することはできません（措通39－10）。

（注4）　相続税の課税価格（相続税法第19条又は第21条の14から第21条の18までの規定がある場合には、これらの規定によりその課税価格とみなされた金額をいいます。）の計算の基礎に算入された資産を同一年中に2以上譲渡した場合の（1）の規定により計算される譲渡資産に対応する部分の相続税額は、その譲渡をした資産ごとに計算しますので、たとえ、譲渡した資産のうちに譲渡損失の生じた資産があり、その譲渡損失の生じた資産に対応する部分の相続税額をその資産の取得費に加算することができない場合であっても、その相続税額を他の譲渡資産の取得費に加算することはできません（措通39－5）。

（注5）　相続税の課税価格の計算の基礎に算入された資産の譲渡につき、所得税法第58条《固定資産の交換の場合の譲渡所得の特例》又は租税特別措置法第33条、第33条の2、第35条第1項《居住用財産の譲渡所得の特別控除》（同条第3項の規定により適用を受けた場合に限ります。）、第36条の2、第36条の5、第37条、第37条の4若しくは第37条の5《収用等の場合及び居住用財産の買換え等の特例、特定事業用資産の買換え等の特例、既成市街地等内にある土地等の中高層耐火建築物等の建設のための買換え等の特例》（以下「交換の特例等」といいます。）の規定の適用を受けた場合において、その資産のうちの一部について譲渡があったものとされる部分又は同法第35条第3項の規定の適用対象とならない部分があるときは、取得費に加算される金額は、次に掲げる区分に応じ、それぞれ次に掲げる算式により計算した金額を（1）の②の算式の分子の金額とみなして計算した金額になります（措通39－6）。

イ　交換差金等がある交換について所得税法第58条の規定の適用を受けた場合

$$\text{譲渡資産の相続税の課税価格の計算の基礎に算入された価額（以下「相続税評価額」といいます。）} \times \frac{\text{取得した交換差金等の額}}{\text{取得した交換差金等の額} + \text{交換取得資産の価額}}$$

ロ　収用等による資産の譲渡又は特定資産の譲渡について措置法第33条、第36条の2、第36条の5又は第37条の5の規定の適用を受けた場合

$$\text{譲渡資産の相続税評価額} \times \frac{\text{譲渡資産の譲渡による収入金額} - \text{代替資産又は買換資産の取得価額}}{\text{譲渡資産の譲渡による収入金額}}$$

ハ　交換処分等による譲渡について措置法第33条の2第1項の規定の適用を受けた場合

$$\text{譲渡資産の相続税評価額} \times \frac{\text{取得した補償金等の額}}{\text{取得した補償金等の額} + \text{交換取得資産の価額}}$$

ニ　特定資産の譲渡について措置法第37条又は第37条の4の規定の適用を受ける場合

$$\text{譲渡資産の相続税評価額} \times \frac{\text{譲渡があったものとされる部分に対応する収入金額}}{\text{譲渡資産の譲渡による収入金額}}$$

ホ　相続の開始の直前において被相続人の居住の用に供されていた家屋又はその敷地等の譲渡につき措置法第35条第3項の規定の適用を受けた場合

$$\text{譲渡資産の相続税評価額} \times \frac{\text{譲渡資産のうち同項の規定の適用対象とならない部分に対応する収入金額}}{\text{譲渡資産の譲渡による収入金額}}$$

（注6）　代償金を支払って取得した相続財産を譲渡した場合におけるこの特例の規定により譲渡資産の取得費に加算する相続税額については、次の算式により計算するものとされています（措通39－7）。

$$\text{確定相続税額} \times \frac{\text{譲渡をした資産の相続税評価額 B} - \text{支払代償金 C} \times \frac{B}{A+C}}{\text{その者の相続税の課税価格（債務控除前）A}}$$

※　「確定相続税額」とは、（1）の①に掲げる相続税額をいい、（1）の②に規定する場合にあっては、

－557－

第十五章《相続財産に係る譲渡所得の課税の特例》

　　　　　　同②の規定による相続税額をいいます。

(注7)　譲渡所得の基因となる株式（株主又は投資主となる権利、株式の割当てを受ける権利、新株予約権（新投資口予約権を含みます。）及び新株予約権の割当てを受ける権利を含みます。以下(注7)において同じ。）を相続等により取得した個人が、その株式と同一銘柄の株式を有している場合において、本章の特例適用期間内に、これらの株式の一部を譲渡したときには、その譲渡については、相続等により取得した株式の譲渡からなるものとして、本章の規定を適用することができます（措通39−12）。

(2)　第二次相続人が第一次相続に係る相続財産を譲渡した場合の取得費加算額の計算

　相続等により財産を取得した個人のうち取得費加算の特例の適用を受けることができる者（以下(2)において「第一次相続人」といいます。）について、その特例の適用が受けられる期間（以下(2)において「特例期間」といいます。）内に相続が開始した場合において（以下(2)においてその相続を「第二次相続」といいます。）、その第二次相続により財産を取得した相続人又は包括受遺者（以下(2)において「第二次相続人」といいます。）が特例対象資産（第一次相続人の相続税の課税価格の計算の基礎に算入された譲渡所得の基因となる資産をいいます。以下(2)において同じ。）を第一次相続（第一次相続人が特例対象資産を相続等により取得したときの相続をいいます。以下(2)において同じ。）に係る特例期間内に譲渡した場合には、第一次相続人が死亡する直前において取得費に加算できる金額（以下(2)において「第一次限度額」といいます。）を第二次相続人が承継しているものとみなして取得費加算の特例を適用して差し支えないものとされます（措通39−11）。

①　上記の場合において、本章の規定により譲渡した特例対象資産の取得費に加算する金額は、次の算式により計算した金額とされます。

　　　　譲渡した特例対象資産に係る取得費加算額　＝Ａ×$\dfrac{\text{C}}{\text{B}}$

(注)　算式中の符号は、次のとおりです。

　　　　Ａは、第二次相続人の適用限度額をいい、次の計算式1により算出した第一次限度額を基に、次の計算式2により算出します。

　　（計算式1）

$$\left(\begin{array}{c}\text{第一次相}\\\text{続に係る}\\\text{相続税額}\end{array}\times\dfrac{\text{第一次相続に係る特例対象資産の価額の合計額}}{\text{第一次相続に係る相続税の課税価格（債務控除前）}}\right)-\begin{array}{c}\text{既に適用を}\\\text{受けた取得}\\\text{費加算額}\end{array}=\begin{array}{c}\text{第一次}\\\text{限度額}\end{array}$$

　　（計算式2）

$$\begin{array}{c}\text{第一次}\\\text{限度額}\end{array}\times\dfrac{\text{第二次相続人の第二次相続に係る相続税の課税価格の計算の基礎に算入された特例対象資産の価額の合計額}}{\text{第二次相続に係る相続税の課税価格の計算の基礎に算入された特例対象資産の価額の合計額}}=\begin{array}{c}\text{第二次相続人}\\\text{の適用限度額}\end{array}$$

　　　　Ｂは、第二次相続に係る相続税の課税価格の計算の基礎に算入された特例対象資産の価額の合計額

　　　　Ｃは、第二次相続に係る相続税の課税価格の計算の基礎に算入された特例対象資産である譲渡資産の価額

②　相続税の申告義務がないことなどにより、その第二次相続に係る相続税の申告書の提出がない場合における上記①の計算は、その第二次相続に係る相続税の課税価格の計算の基礎に算入すべき特例対象資産の価額を基に行うものとされます。

③　その特例対象資産は、第二次相続人が第二次相続により取得した資産でもあることから、取得費加算額の計算に当たっては、第一次相続に係る金額を基として行うか、又は第二次相続に係る金額を基として行うかは、譲渡した特例対象資産ごとにその資産を譲渡した第二次相続人の選択したところによります。

(注)　措置法第39条《相続財産に係る譲渡所得の課税の特例》第7項の規定により、同条第1項に規定する課税価格の計算の基礎に算入された資産には、相続又は遺贈による当該資産の移転につき所得税法第60条の3第1項《贈与等により非居住者に資産が移転した場合の譲渡所得等の特例》の規定の適用を受けた資産

−558−

第十五章《相続財産に係る譲渡所得の課税の特例》

は含まれませんが、同項の規定の適用を受けた資産であっても、次に掲げるものは、措置法第39条第1項に規定する課税価格の計算の基礎に算入された資産に含まれます（措通39−14）。

① 所得税法第60条の3第4項ただし書《所得税法第60条の3第1項の規定の適用を受けた資産の取得価額の付替計算の不適用》の規定の適用を受ける次に掲げる有価証券等

イ 同条第1項の規定の適用を受けた被相続人に係る相続の開始の日の属する年分の所得税について確定申告書の提出及び決定がされていない場合における有価証券等

ロ 当該相続の開始の日の属する年分の譲渡所得等の金額の計算上有価証券等の当該相続の時における価額に相当する金額が総収入金額に算入されていない当該有価証券等

ハ 同条第6項前段《受贈者等が帰国をした場合等の課税の取消し》（同条第7項の規定により適用する場合を含みます。）の規定の適用があった有価証券等

※ 当該有価証券等の譲渡をした日以後に所得税法第60条の3第6項前段の規定の適用があったことにより、同法第151条の3第1項《非居住者である受贈者等が帰国をした場合等の修正申告の特例》の規定による修正申告書の提出又は同法第153条の3第1項《非居住者である受贈者等が帰国をした場合等の更正の請求の特例》の規定による更正の請求に基づく更正があった者は、措置法第39条第4項第2号の規定により、当該修正申告書の提出又は更正があった日の翌日から4か月を経過する日までに更正の請求をすることにより、同条第1項の規定を適用することができます。

② 所得税法第60条の3第4項本文の規定が適用されないこととなった有価証券等

※1 「所得税法第60条の3第4項本文の規定が適用されないこととなった有価証券等」については、所得税基本通達60の3−4《国外転出をする場合の譲渡所得等の特例に関する取扱いの準用》を参照してください。

※2 当該有価証券等の譲渡をした日以後に遺産分割等の事由が生じたことにより、所得税法第151条の6第1項《遺産分割等があった場合の修正申告の特例》の規定による修正申告書の提出又は同法第153条の5《遺産分割等があった場合の更正の請求の特例》の規定による更正の請求に基づく更正があった者は、措置法第39条第4項第3号の規定により、当該修正申告書の提出又は更正があった日の翌日から4か月を経過する日までに更正の請求をすることにより、同条第1項の規定を適用することができます。

3 確定申告後に相続税額が異動した場合

（1） 加算額の再計算をする場合

取得費加算の特例の適用を受けたのち、相続税額について再調査の請求に係る決定及び審査請求に係る裁決又は判決により異動が生じた場合は、異動後の相続税額を基礎として取得費に加算すべき金額の再計算を行います（措令25の16②、措通39−9）。

(注1) 上記の場合において、税務署長は、その譲渡所得について修正申告書の提出がある場合を除き、国税通則法第24条又は第26条の規定により更正をすることになりますが、国税通則法第70条に規定する更正をすることができる期間を超えて更正することはできません（措通39−10）。

(注2) この特例の適用を受けた個人が相続税法第32条の規定による更正の請求を行ったことにより相続税額が減少した場合において、その相続税額が減少したことに伴い修正申告書を提出したこと又は更正があったことにより納付すべき所得税の額（※）については、所得税に係る国税通則法第2条第8号に規定する法定納期限の翌日からその修正申告書の提出があった日又はその更正に係る同法第28条第1項に規定する更正通知書を発した日までの期間は、同法第60条第2項の規定による延滞税の計算の基礎となる期間に算入しません（措法39⑨）。

※ 上記の納付すべき所得税の額は、次に掲げる場合の区分に応じ、それぞれに掲げる金額が限度となります（措通39−15）。

イ 相続税法第32条に掲げる事由以外の他の相続税に係る事由による相続税額の異動に伴う所得税の額の異動がある場合 次の④又は回のうちいずれか低い金額

④ 所得税の修正申告書を提出したこと又は更正があったことにより納付すべき所得税の額（以下「所得税の修正申告等により納付すべき所得税の額」といいます。）

回 当該他の相続税に係る事由がないものとして計算される「納付すべき所得税の額」

−559−

ロ 「納付すべき所得税の額」の異動以外の他の所得税に係る事由による所得税の額の異動がある場合　次の㋑又は㋺のいずれか低い金額
　　㋑　所得税の修正申告等により納付すべき所得税の額
　　㋺　当該他の所得税に係る事由がないものとして計算される「納付すべき所得税の額」
ハ　相続税法第32条第1項に掲げる事由以外の他の相続税に係る事由による相続税額の異動に伴う所得税の額の異動があり、かつ、「納付すべき所得税の額」の異動以外の他の所得税に係る事由による所得税の額の異動がある場合　次の㋑又は㋺のいずれか低い金額
　　㋑　所得税の修正申告等により納付すべき所得税の額
　　㋺　当該他の相続税に係る事由及び当該他の所得税に係る事由がないものとして計算される「納付すべき所得税の額」

（2）　加算額の再計算をしない場合

　資産の譲渡の日の属する年の12月31日又はその資産の取得の基因となった相続若しくは遺贈に係る相続税の申告書の提出期限のうちいずれか遅い日を経過した後に行われた相続税の申告又はその遅い日を経過した後に行われたその相続等に係る相続税の決定に対する修正申告書の提出又は更正があった場合については、相続税額に異動が生じても加算額の再計算は行いません（措通39-8）。
　2の(1)に規定する課税価格の計算の基礎に算入された資産の譲渡について2の(1)の規定を適用することにより、その譲渡をした者のその譲渡の日の属する年分の所得税につき所得税法第153条の2《国外転出をした者が帰国をした場合等の更正の請求の特例》第1項各号に掲げる場合に該当することとなる場合には、それぞれ次の①～③に定める日まで税務署長に対し、更正の請求をすることができます（措法39④）。

①	資産の譲渡をした日の属する年分の確定申告期限の翌日から相続税申告期限までの間に相続税申告書の提出（以下「相続税の期限内申告書の提出」といいます。）をした者（確定申告期限までに既に相続税申告書の提出をした者及び当該相続税の期限内申告書の提出後に確定申告書の提出をした者を除きます。）	相続税の期限内申告書の提出をした日の翌日から2か月を経過する日
②	資産の譲渡をした日以後に相続又は遺贈に係る被相続人（包括遺贈者を含みます。）の相続の開始の日の属する年分の所得税につき所得税法第60条の3《贈与等により非居住者に資産が移転した場合の譲渡所得の特例》第6項前段の規定の適用があったことにより、同法第151条の3《非居住者である受贈者等が帰国をした場合等の修正申告の特例》第1項の規定による修正申告書の提出又は同法第153条の3《非居住者である受贈者等が帰国をした場合等の更正の請求の特例》第1項の規定による更正の請求に基づく国税通則法第24条又は第26条の規定による更正（その請求に対する処分に係る不服申立て又は訴えについての決定若しくは裁決又は判決を含みます。）があった者	修正申告書の提出又は更正があった日の翌日から4か月を経過する日
③	資産の譲渡をした日以後にその相続又は遺贈に係る被相続人（包括遺贈者を含みます。）の相続の開始の日の属する年分の所得税につき所得税法第151条の6《遺産分割等があった場合の修正申告の特例》第1項に規定する遺産分割等の事由が生じたことにより、同項の規定による修正申告書の提出又は同法第153条の5《遺産分割等があった場合の更正の請求の特例》の規定による更正の請求に基づく更正があった者	修正申告書の提出又は更正があった日の翌日から4か月を経過する日

4　この特例の適用を受けるための申告手続

　この特例の適用を受けるためには、資産を譲渡した日の属する年分の確定申告書又は非居住者への

相続等の場合のみなし譲渡特例取消しの場合に提出される修正申告書（所得税法第151条の４《相続により取得した有価証券等の取得費の額に変更があった場合等の修正申告の特例》第１項の規定により提出するもの）に、その適用を受けようとする旨を記載するとともに、次に掲げる書類を添付して、その提出期限内に納税地の所轄税務署長に提出しなければなりません（措法39②、措規18の18①）。

① 譲渡所得の内訳書（確定申告書付表兼計算明細書）

② 相続の開始があった日及びその相続に係る相続税の申告書を提出した日、その譲渡資産の取得費に相当する金額に加算する金額の計算等の明細書、相続税額、課税価格の資産ごとの明細等（相続財産の取得費に加算される相続税の計算明細書（620ページ）参照）

このように相続財産に係る譲渡所得の課税の特例は、申告を要件として認められることになっています。しかし、確定申告書を提出しなかったこと、又は確定申告書に所要事項の記載若しくは必要な書類の添付がなかった場合でも、確定申告書を提出しなかったこと等について税務署長においてやむを得ない事情があると認められたときは、この特例の適用が受けられます（措法39③）。

第十六章　国、地方公共団体又は公益法人に対して財産を寄附した場合の特例（措法40）

　資産を無償により法人に譲渡した場合には所得税法第59条第1項第1号の規定により、時価により譲渡があったものとして所得税が課税されることになります（いわゆる「みなし課税」といわれるもので、詳しくは、第一編を参照してください。）。

　しかし、資産を国や地方公共団体、あるいは公益法人に寄附した場合において時価により譲渡があったものとして課税することは、社会感情の点で問題もあり、また、このことにより寄附そのものを阻害することも考えられます。そこで、このような場合には、一定の手続を行うことを条件として、みなし課税の規定は適用しないことになります。

　このことは租税特別措置法第40条において規定され、その内容は寄附を受けた者が国又は地方公共団体である場合と公益法人等である場合に区分して次のようになります。

1　国又は地方公共団体に財産を寄附した場合

　国又は地方公共団体に対し財産の贈与又は遺贈があった場合には、譲渡所得等（所法59①一）の計算上は、その財産の贈与又は遺贈がなかったものとみなされ課税されません（措法40①前段）。

2　公益法人に財産を寄附した場合

　公益社団法人、公益財団法人、特定一般法人（法人税法別表第2に掲げる一般社団法人及び一般財団法人で、同法第2条第9号の2イに掲げるものをいいます。）その他の公益を目的とする事業（以下「公益目的事業」といいます。）を行う法人（外国法人に該当するものを除きます。以下「公益法人等」といいます。）に対する財産の贈与又は遺贈（その公益法人等を設立するためにする財産の提供を含みます。）で、国税庁長官の承認を受けたものについても、譲渡所得等（所法59①一）の計算上は、その財産の贈与又は遺贈がなかったものとみなされ課税されません（措法40①後段）。

（注1）　上記の「公益を目的とする事業を行う法人（外国法人に該当するものを除きます。）」とは、次に掲げる事業を行う法人をいい、その事業により収益を生じているかどうかを問いません（昭55直資2－181「1」）。
　　①　定款、寄附行為又は規則（これらに準ずるものを含みます。）により公益を目的として行うことを明らかにして行う事業
　　②　①に掲げる事業を除くほか、社会一般において公益を目的とする事業とされている事業

（注2）　上記の「遺贈（その公益法人等を設立するためにする財産の提供を含みます。）」には、次の各場合を含みます（昭55直資2－181「2」、昭35直資90）。
　（1）　公益法人等の設立の認可申請中に、その公益法人に財産を提供することとなっていた者について相続が開始したため、相続財産の全部又は一部が、設立の認可によりその公益法人に帰属した場合
　（2）　公益法人等の設立の認可申請前に、その公益法人等に財産を提供しようとしていた者について相続が開始したため、その相続人が被相続人の意思に基づいて相続財産の全部又は一部をその公益法人に帰属させた場合において、次のすべてに該当するとき。
　　イ　被相続人が公益法人等の設立のため財産を提供する意思を有していたことが明らかであること。
　　ロ　その公益法人等に帰属した財産につき相続税法第66条第4項《人格のない社団又は財団等に対する課税》の規定の適用がないこと。
　　ハ　その公益法人等が相続税の申告書の提出期限までに設立されたものであること（提出期限までに設立されなかったことについて正当な理由があると認められる場合において、その提出期限までにその設立許可申請がされたときを含みます。）。
　　　なお、イに該当するかどうかは、被相続人から指示を受けた者が、設立準備のための作業を進めてい

－562－

第十六章《国、地方公共団体又は公益法人に財産を寄附した場合の特例》

たこと、被相続人の作成に係る寄附行為があること、被相続人の日記、書簡等にその旨が記載されていること、その他被相続人の意思を立証することができる生前の事実の存否により判定することになります。

（3）　既に設立されている公益法人等に対する財産の贈与で、（1）又は（2）に準ずるもの

(注3)　法人でない社団又は財団に対する財産の贈与又は遺贈は、上記の「法人に対する財産の贈与又は遺贈」に該当しません。

ただし、公益法人等を設立するために設けられた設立準備委員会又は発起人会（以下「設立準備委員会等」といいます。）が、その公益法人等の設立前に、土地などの財産を贈与又は遺贈により取得して、これを他に譲渡している場合には、次に掲げる要件のいずれにも該当するときに限り、その贈与又は遺贈は、公益法人等に対する財産の贈与又は遺贈に該当するものとして取り扱われます（昭55直資2－181「3」）。

（1）　その譲渡が、（6）の①から⑦（④から⑥までを除きます。）（578ページ参照）までに掲げるいずれかの場合に該当する事情によりやむを得ず行われたものであること。

（2）　譲渡による収入金額の全部に相当する金額をもって取得した減価償却資産、土地又は土地の上に存する権利が、公益法人等の設立により、その公益法人等に帰属すること。

(注4)　公益法人等の設立に際し、その公益法人等に個人が財産を贈与名義により移転させるとともに、その移転に伴い債務を引き受けさせる形式がとられている場合で、次に掲げる要件のすべてを満たすものと認められるときは、その財産及び債務は、実質上当初から公益法人等に帰属しているものと考えられますので、公益法人等に対して贈与があったものとしては取り扱われません（昭55直資2－181「4」）。

イ　その債務は、その財産の取得のために生じたものであること。

ロ　その財産の取得又はその財産の取得に係る債務の発生に関する個人の行為が実質上設立準備委員会等の代表者としての資格の下に行われたものであること。

(注5)　公益信託に関する法律（令和6年法律第30号）の施行の日（公布の日（令和6年5月22日）から起算して2年を超えない範囲内において政令で定める日）以後、2は次のとおりとされます（令6改所法等附1九へ）。

2　公益法人等に財産を寄附した場合

公益法人等（次の①及び②に掲げる者をいいます。）に対する財産の贈与又は遺贈（②に規定する公益信託の受託者に対して贈与又は遺贈によりその財産の移転が行われたものとされた場合におけるその贈与又は遺贈及びその公益法人等を設立するためにする財産の提供を含み、②に掲げる者（①に掲げる者に該当する者を除きます。）に対するものである場合には②に規定する公益信託の信託財産とするためのものに限ります。）で、国税庁長官の承認を受けたものについても、譲渡所得等（所法59①一）の計算上は、その財産の贈与又は遺贈がなかったものとみなされ課税されません（措法40①後段）。

①	公益社団法人、公益財団法人、特定一般法人（法人税法別表第2に掲げる一般社団法人及び一般財団法人で、同法第2条第9号の2のイに掲げるものをいいます。）その他の公益を目的とする事業を行う法人（外国法人に該当するものを除きます。）
②	公益信託に関する法律第2条第1項第1号に規定する公益信託（以下において「公益信託」といいます。）の受託者（非居住者又は外国法人に該当するものを除きます。）

（1）　承認基準

公益法人等に対する寄附財産の譲渡所得等の非課税規定（措法40①後段）の適用を受けることができる贈与又は遺贈は、次の各要件（その贈与又は遺贈が法人税法別表第一に掲げる独立行政法人、国立大学法人、大学共同利用機関法人、地方独立行政法人（一定の業務を主たる目的とするもの又は公立大学法人に限ります。）及び日本司法支援センターに対するものである場合には、②に掲げる要件）を具備することが必要とされています（措令25の17④⑤）。

①　その贈与又は遺贈が、教育又は科学の振興、文化の向上、社会福祉への貢献その他公益の増進に著しく寄与すること。

②　贈与又は遺贈に係る財産を、その贈与又は遺贈があった日以後2年を経過する日までの期間（その贈与又は遺贈を受けた土地の上に建設をするその贈与又は遺贈に係る公益を目的とする事業の用

－563－

第十六章《国、地方公共団体又は公益法人に財産を寄附した場合の特例》

に供する建物のその建設に要する期間が通常2年を超えることその他のやむを得ない事情があるため、その期間内にその財産の贈与又は遺贈を受けた法人のその事業の用に供することが困難である場合には、その贈与又は遺贈があった日以後国税庁長官が認める日までの期間）内に、その公益法人等のその公益目的事業の用に直接供され、又は供される見込みであること。

③　その公益法人等に財産の贈与又は遺贈をすることにより、その贈与をした者若しくは遺贈をした者の所得税の負担を不当に減少させ、又はその贈与をした者若しくは遺贈をした者の親族その他これらの者と特別の関係がある者（相法64①）の相続税若しくは贈与税の負担を不当に減少させる結果とならないと認められること。

（注1）　**法令に違反する贈与等**……公益法人等に対する財産の贈与が、公職選挙法第199条の2第1項《公職の候補者等の寄附の禁止》の規定に違反するものである場合など法令に違反するものであるとき又はその他の公益に反するものであるときは、その贈与又は遺贈は公益の増進に著しく寄与することにはなりません（昭55直資2－181「11」）。

（注2）　**公益の増進に著しく寄与するかどうかの判定**……上記①の「その贈与又は遺贈が……公益の増進に著しく寄与する」かどうかの判定は、（注1）に該当するものを除き、その贈与又は遺贈を受ける公益法人等の公益目的事業が公益の増進に著しく寄与するかどうかにより行われますが、具体的には次に掲げる事項が、それぞれ次に掲げる要件を満たしているかどうかにより判定します（昭55直資2－181「12」）。

（1）　公益目的事業の規模

　　その贈与又は遺贈を受けた公益法人等の公益目的事業が、その事業の内容に応じ、その公益目的事業を行う地域又は分野において社会的存在として認識される程度の規模を有すること。

　　この場合において、例えば、次のイからヌまでに掲げる事業がその公益法人等の主たる目的として行われているときは、その事業は、社会的存在として認識される程度の規模を有するものに該当するものとして取り扱われます。

イ　学校教育法第1条《学校の範囲》に規定する学校を設置運営する事業

ロ　社会福祉法第2条第2項各号及び第3項各号《定義》に規定する事業

ハ　更生保護事業法第2条第1項《定義》に規定する更生保護事業

ニ　宗教の普及その他教化育成に寄与することとなる事業

ホ　博物館法第2条第1項《定義》に規定する博物館を設置運営する事業

　　※　上記の博物館は、博物館法第10条《登録》の規定による博物館としての登録を受けたものに限られます。

ヘ　図書館法第2条第1項《定義》に規定する図書館を設置運営する事業

ト　30人以上の学生若しくは生徒（以下「学生等」といいます。）に対して学資の支給若しくは貸与をし、又はこれらの者の修学を援助するための寄宿舎を設置運営する事業（学資の支給若しくは貸与の対象となる者又は寄宿舎の貸与の対象となる者が都道府県の範囲よりも狭い一定の地域内に住所を有する学生等若しくはその一定の地域内に所在する学校の学生等に限定されているものを除きます。）

チ　科学技術その他の学術に関する研究を行うための施設（以下「研究施設」といいます。）を設置運営する事業又はその学術に関する研究を行う者（以下「研究者」といいます。）に対して助成金を支給する事業（助成金の支給の対象となる者が都道府県の範囲よりも狭い一定の地域内に住所を有する研究者又はその一定の地域内に所在する研究施設の研究者に限定されているものを除きます。）

リ　学校教育法第124条に規定する専修学校又は同法第134条第1項に規定する各種学校を設置運営する事業で、次の要件を具備するもの

　（イ）　同時に授業を受ける生徒定数は、原則として80人以上であること。

　（ロ）　法人税法施行規則第7条第1号及び第2号《学校において行う技芸の教授のうち収益事業に該当しないものの範囲》に定める要件

ヌ　医療法第1条の2第2項に規定する医療提供施設を設置運営する事業を営む法人で出資持分の定めのないものが行う事業が次の（イ）及び（ロ）の要件又は（ハ）の要件を満たすもの

　（イ）　医療法施行規則（昭和23年厚生省令第50号）第30条の35の3第1項第1号ホ及び第2号に

第十六章《国、地方公共団体又は公益法人に財産を寄附した場合の特例》

定める要件（この場合において、同号イの判定に当たっては、介護保険法（平成9年法律第123号）の規定に基づく保険給付に係る収入金額を社会保険診療に係る収入に含めて差し支えないものとして取り扱う。）

　　　　（ロ）　その開設する医療提供施設のうち1以上のものが、その所在地の都道府県が定める医療法第30条の4第1項に規定する医療計画において同条第2項第2号に規定する医療連携体制に係る医療提供施設として記載及び公示されていること。

　　　　（ハ）　租税特別措置法施行令第39条の25第1項第1号《特定の医療法人の法人税率の特例》に規定する厚生労働大臣が財務大臣と協議して定める基準

　（2）　公益の分配

　　　　その贈与又は遺贈を受けた公益法人等の事業の遂行により与えられる公益が、それを必要とする者の現在又は将来における勤務先、職業などにより制限されることなく、公益を必要とするすべての者（やむを得ない場合においてはこれらの者から公平に選出された者）に与えられるなど公益の分配が適正に行われること。

　（3）　事業の営利性

　　　　その贈与又は遺贈を受けた公益法人等の公益目的事業について、その公益の対価がその事業の遂行に直接必要な経費と比べて過大でないことその他その公益目的事業の運営が営利企業的に行われている事実がないこと。

　（4）　法令の遵守等

　　　　当該公益法人等の事業の運営につき、法令に違反する事実その他公益に反する事実がないこと。

（注3）　**財産等が公益目的事業の用に直接供されるかどうかの判定**……②の財産等が贈与又は遺贈に係る公益目的事業の用に直接供されるかどうかの判定は、原則としてこれらの財産等そのものが、公益目的事業の用に直接供されるかどうかにより行います。

　　　ただし、株式、著作権などのように、その財産の性質上その財産を公益目的事業の用に直接供することができないものである場合には、各年の配当金、印税収入などその財産から生ずる果実の全部が公益目的事業の用に供されるかどうかにより、その財産が公益目的事業の用に供されるかどうかを判定します。この場合において、各年の配当金、印税収入などの果実の全部がその公益目的事業の用に供されるかどうかは、例えば、（注2）の（1）のトに掲げる事業を行う公益法人等において学資として支給され、又は同チに掲げる事業を行う公益法人等において助成金として支給されるなど、その果実の全部が、直接、かつ、継続して、その公益目的事業の用に供されるかどうかにより判定します（昭55直資2−181「13」）。

　　　※1　建物を賃貸の用に供し、当該賃貸に係る収入を公益目的事業の用に供する場合は、ただし書の適用はありません。

　　　※2　配当金などの果実が毎年定期的に生じない株式などについては、ただし書の規定の適用はありません。

（注4）　**公益法人等の福利厚生施設等として使用される場合**……財産等が、その贈与又は遺贈を受けた公益法人等の理事、監事、評議員その他これらの者に準ずるもの（以下「役員等」といいます。）若しくはその公益法人等の社員又は職員のための宿舎、保養所その他の福利厚生施設として利用される場合には、その財産等は、公益目的事業の用に直接供されていることとはなりません。

　　　なお、その財産等が、例えば、宗教法人において本堂に付随する庫裏及びその敷地として利用されている場合などで、その法人の事業内容、活動状況、施設の状況等に照らしてその法人の事業遂行上必要不可欠な用途に供されると認められるときには、その財産等は、公益目的事業の用に直接供されるものとして取り扱われます（昭55直資2−181「14」）。

（注5）　**2年を経過する日までの期間内に公益目的事業の用に直接供される見込みであるかどうかの判定**……②の2年を経過する日までの期間内に、その公益法人等の公益目的事業の用に直接供される見込みであるかどうかの判定は、その財産等が、贈与又は遺贈があった日から2年を経過する日までの期間内に、その公益法人等の贈与又は遺贈に係る公益目的事業の用に直接供されることについて、例えば、建物の設計図、資金計画などその具体的計画があり、かつ、その計画の実現性があるかどうかにより行われます（昭55直資2−181「15」編者補正）。

（注6）　**相続税等の負担の不当減少についての判定**……③の所得税又は相続税若しくは贈与税の負担を不当

－565－

第十六章《国、地方公共団体又は公益法人に財産を寄附した場合の特例》

に減少させる結果とならないと認められるかどうかの判定は、原則として、贈与又は遺贈を受けた公益法人等が次の（2）に掲げる要件を満たしているかどうかにより行います。

　　ただし、その公益法人等の役員等及びその法人の職員のうちに、その財産の贈与者若しくは遺贈をした者又はこれらの者と親族その他（2）の（注1）に掲げる特殊の関係がある者が含まれていない事実があり、かつ、これらの者が、その公益法人等の財産の運用及び事業の運営に関して私的に支配している事実がなく、将来も私的に支配する可能性がないと認められる場合には、（2）の①の要件を満たさないときであっても、（2）の②から⑤までの要件を満たしているときは、所得税又は相続税等の負担を不当に減少させる結果とならないと認められる取扱いになっています（昭55直資2－181「17」）。

（注7）　**判定の時期等**……公益法人等に対する財産の贈与又は遺贈が①から③までに掲げる要件に該当するかどうかの判定は、（5）に述べる申請書の記載等に基づき、その贈与又は遺贈の時を基準として、その後に生じた事実関係をも勘案して行いますが、その贈与又は遺贈の時には、①から③までに掲げる要件に該当しない場合においても、その申請につき承認しないことを決定した旨の通知をする時までに、その法人の組織、定款などを変更すること等により①から③までに掲げる要件に該当することが明らかにされたときは、その贈与又は遺贈は、①から③までに掲げる要件に該当する贈与又は遺贈として取り扱われます（昭55直資2－181「51」）。

（注8）　上記　　下線部については、公益信託に関する法律（令和6年法律第30号）の施行の日以後、（1）中、「対するもの」とあるのは「対するもの（2の②に規定する公益信託の信託財産とするためのものを除きます。）」とされます（令6改措令附1三）。

（2）承認を受けるための法人の適格要件

（1）の③の所得税又は贈与税若しくは相続税の負担を不当に減少させる結果とならない贈与又は遺贈に関して次に掲げる要件のすべてを満たしている法人に対する贈与又は遺贈については、不当に減少しないものに該当するものとされます（措令25の17⑥）。

① その運営組織が適正であるとともに、その寄附行為、定款又は規則に、その理事、監事、評議員その他これらの者に準ずるもの（以下「役員等」といいます。）のうち親族関係がある者及び特殊の関係がある者の数がそれぞれの役員等の数のうちに占める割合は3分の1以下とする旨の規定があること。

② その公益法人等に財産の贈与若しくは遺贈をする者、その公益法人等の役員等若しくは社員又はこれらの者の親族等に対して、施設の利用、金銭の貸付け、資産の譲渡、給与の支給、役員等の選任その他財産の運用及び事業の運営に関して特別な利益を与えないこと。

③ その寄附行為、定款又は規則において、その公益法人等が解散した場合にその残余財産が国若しくは地方公共団体又は他の公益法人等に帰属する旨の規定を設けていること。

④ その公益法人等に公益に反する事実がないこと。

⑤ その公益法人等がその贈与又は遺贈により株式の取得をした場合には、その取得によりその公益法人等の有することとなるその株式の発行法人の株式がその発行済株式の総数の2分の1を超えることとならないこと。

（注1）　**「特殊の関係がある者」**……①に掲げる「特殊の関係がある者」とは次の関係にある者をいいます。

　　イ　上記の役員等とまだ婚姻の届出をしていないが、事実上婚姻関係と同様の事情にある者

　　ロ　上記の役員等の使用人及び使用人以外の者で役員等から受ける金銭その他の財産によって生計を維持しているもの

　　ハ　イ又はロに掲げる者の親族でこれらの者と生計を一にしているもの

　　ニ　上記の役員等が会社役員となっている他の法人の役員又は使用人である者

　　ホ　上記の役員等及びイからハまでに掲げる者等によって判定した場合同族会社となる他の法人の役員又は使用人

（注2）　**その運営組織が適正であるかどうかの判定**……①の「その運営組織が適正である」かどうかの判定は、財産の贈与又は遺贈を受けた公益法人等について、次に掲げる事実が認められるかどうかにより行われます（昭55直資2－181「18」）。

　　（1）　次に掲げる法人の態様に応じ、定款、寄附行為又は規則において、それぞれ次に掲げる事項が

－566－

第十六章《国、地方公共団体又は公益法人に財産を寄附した場合の特例》

定められていること。

イ　公益社団法人及び公益財団法人

　一般社団法人及び一般財団法人に関する法律（平成18年法律第48号。以下「一般社団・財団法人法」といいます。）及び公益社団法人及び公益財団法人の認定等に関する法律（平成18年法律第49号。以下「公益認定法」といいます。）において定款の記載事項と定められている事項

　なお、この場合においては、次に掲げる事項が定款に定められていなければなりません。

（イ）　①に掲げる親族その他特殊の関係がある者に関する規定及び③の残余財産の帰属に関する規定

（ロ）　贈与又は遺贈に係る財産が贈与又は遺贈をした者又はこれらの者の親族が法人税法第2条第15号に規定する役員（以下「会社役員」といいます。）となっている会社の株式又は出資である場合には、その株式又は出資に係る議決権の行使に当たっては、あらかじめ理事会において理事総数（理事現在数）の3分の2以上の承認を得ることを必要とすること。

　※　上記の「公益社団法人」とは、一般社団・財団法人法第2条第1号《定義》に規定する一般社団法人であって、公益認定法第4条《公益認定》の認定を受けたもの及び一般社団法人及び一般財団法人に関する法律及び公益社団法人及び公益財団法人の認定等に関する法律の施行に伴う関係法律の整備等に関する法律（平成18年法律第50号。以下「整備法」といいます。）第40条第1項《社団法人及び財団法人の存続》に規定する一般社団法人で同法第106条第1項《移行の登記》による移行の登記をした法人をいい、「公益財団法人」とは一般社団・財団法人法第2条第1号に規定する一般財団法人であって公益認定法第4条の認定を受けたもの及び整備法第40条第1項に規定する一般財団法人で同法第106条第1項による移行の登記をした法人をいいます。

ロ　法人税法別表第2に掲げる一般社団法人で同法第2条第9号の2イに掲げるもの

（イ）　理事の定数は6人以上、監事の定数は2人以上であること。

（ロ）　理事会を設置すること。

（ハ）　理事会の決議は、次の（ヘ）に該当する場合を除き、理事会において理事総数（理事現在数）の過半数の決議を必要とすること。

（ニ）　社員総会の決議は、法令に別段の定めがある場合を除き、総社員の議決権の過半数を有する社員が出席し、その出席した社員の議決権の過半数の決議を必要とすること。

（ホ）　基本財産に関する定めがあること。

（ヘ）　次に掲げるC及びD以外の事項の決議は、社員総会の決議を必要とすること。

　この場合において次のE、F及びG（事業の一部の譲渡を除きます。）以外の事項については、あらかじめ理事会における理事総数（理事現在数）の3分の2以上の議決を必要とすること。

　なお、贈与又は遺贈に係る財産が贈与又は遺贈をした者又はこれらの者の親族が会社役員となっている会社の株式又は出資である場合には、その株式又は出資に係る議決権の行使に当たっては、あらかじめ理事会において理事総数（理事現在数）の3分の2以上の承認を得ることを必要とすること。

A　収支予算（事業計画を含みます。）

B　決算

C　重要な財産（基本財産を含みます。）の処分及び譲受け

D　借入金（その事業年度内の収入をもって償還する短期の借入金を除きます。）その他新たな義務の負担及び権利の放棄

E　定款の変更

F　解散

G　合併、事業の全部又は一部の譲渡

H　公益目的事業以外の事業に関する重要な事項

　※　一般社団・財団法人法第15条第2項第2号《設立時役員等の選任》に規定する会計監査人設置一般社団法人で、同法第127条《会計監査人設置一般社団法人の特則》の規定の適用により同法第126条第2項《計算書類等の定時社員総会への提出等》の規定の適用がない場合にあっては、上記Bの決算について、社員総会の決議を要しません。

（ト）　役員等には、その地位にあることのみに基づき給与等（所得税法第28条第1項《給与所得》

－567－

第十六章《国、地方公共団体又は公益法人に財産を寄附した場合の特例》

に規定する「給与等」をいいます。）を支給しないこと。

（チ）　監事には、理事（その親族その他特殊の関係がある者を含みます。）及びその法人の職員が含まれてはならないこと。また、監事は、相互に親族その他特殊の関係を有しないこと。

※1　上記のほか、①に定める親族その他特殊の関係がある者に関する規定及び③の残余財産の帰属に関する規定並びに法人税法施行令（昭和40年政令第97号）第3条第1項第1号《非営利型法人の範囲》に定める剰余金の分配に関する規定が定款に定められていなければなりません。

※2　社員総会における社員の議決権は各1個とし、社員総会において行使できる議決権の数、議決権を行使することができる事項、議決権の行使の条件その他の社員の議決権に関する事項（一般社団・財団法人法第50条から第52条までに規定する事項を除きます。）について、定款の定めがある場合には、ロに該当しないものとして取り扱います。

ハ　法人税法別表第2に掲げる一般財団法人で同法第2条第9号の2イに掲げるもの

（イ）　理事の定数は6人以上、監事の定数は2人以上、評議員の定数は6人以上であること。

（ロ）　評議員の定数は、理事の定数と同数以上であること。

（ハ）　評議員の選任は、例えば、評議員の選任のために設置された委員会の議決により選任されるなどその地位にあることが適当と認められる者が公正に選任されること。

（ニ）　理事会の決議は、次の（ト）に該当する場合を除き、理事会において理事総数（理事現在数）の過半数の決議を必要とすること。

（ホ）　評議員会の決議は、法令に別段の定めがある場合を除き、評議員会において評議員総数（評議員現在数）の過半数の決議を必要とすること。

（ヘ）　基本財産に関する定めがあること。

（ト）　次に掲げるC及びD以外の事項の決議は、評議員会の決議を必要とすること。

この場合において次のE及びF（事業の一部の譲渡を除きます。）以外の事項については、あらかじめ理事会における理事総数（理事現在数）の3分の2以上の決議を必要とすること。

なお、贈与又は遺贈に係る財産が贈与又は遺贈をした者又はこれらの者の親族が会社役員となっている会社の株式又は出資である場合には、その株式又は出資に係る議決権の行使に当たっては、あらかじめ理事会において理事総数（理事現在数）の3分の2以上の承認を得ることを必要とすること。

A　収支予算（事業計画を含みます。）

B　決算

C　重要な財産（基本財産を含みます。）の処分及び譲受け

D　借入金（その事業年度内の収入をもって償還する短期の借入金を除きます。）その他新たな義務の負担及び権利の放棄

E　定款の変更

F　合併、事業の全部又は一部の譲渡

G　公益目的事業以外の事業に関する重要な事項

※　一般社団・財団法人法第153条第1項第7号《定款の記載又は記載事項》に規定する会計監査人設置一般財団法人で、同法第199条の規定において読み替えて準用する同法第127条の規定により同法第126条第2項の規定の適用がない場合にあっては、上記Bの決算について評議員会の決議を要しません。

（チ）　役員等には、その地位にあることのみに基づき給与等を支給しないこと。

（リ）　監事には、理事（その親族その他特殊の関係がある者を含みます。）及び評議員（その親族その他特殊の関係がある者を含みます。）並びにその法人の職員が含まれてはならないこと。また、監事は、相互に親族その他特殊の関係を有しないこと。

※　上記のほか、①に定める親族その他特殊の関係がある者に関する規定及び③の残余財産の帰属に関する規定並びに法人税法施行令第3条第1項第1号に定める剰余金の分配に関する規定が定款に定められていなければなりません。

ニ　学校法人、社会福祉法人、更生保護法人、宗教法人その他の公益目的事業を行う法人

（イ）　その法人に社員総会又はこれに準ずる議決機関がある法人

A　理事の定数は6人以上、監事の定数は2人以上であること。

－568－

第十六章《国、地方公共団体又は公益法人に財産を寄附した場合の特例》

B 理事及び監事の選任は、例えば、社員総会における社員の選挙により選出されるなどその地位にあることが適当と認められる者が公正に選任されること。

C 理事会の議事の決定は、次のEに該当する場合を除き、原則として、理事会において理事総数（理事現在数）の過半数の議決を必要とすること。

D 社員総会の議事の決定は、法令に別段の定めがある場合を除き、社員総数の過半数が出席し、その出席社員の過半数の議決を必要とすること。

E 次に掲げる事項（次のFにより評議員会などに委任されている事項を除きます。）の決定は、社員総会の議決を必要とすること。

この場合において、次の（E）及び（F）以外の事項については、あらかじめ理事会における理事総数（理事現在数）の３分の２以上の多数による議決を必要とすること。

（A） 収支予算（事業計画を含みます。）

（B） 収支決算（事業報告を含みます。）

（C） 基本財産の処分

（D） 借入金（その会計年度内の収入をもって償還する短期借入金を除きます。）その他新たな義務の負担及び権利の放棄

（E） 定款の変更

（F） 解散及び合併

（G） 当該法人の主たる目的とする事業以外の事業に関する重要な事項

F 社員総会のほかに事業の管理運営に関する事項を審議するため評議員会などの制度が設けられ、上記Eの（E）及び（F）以外の事項の決定がこれらの機関に委任されている場合におけるこれらの機関の構成員の定数及び選任並びに議事の決定については、次によること。

（A） 構成員の定数は、理事の定数の２倍を超えていること。

（B） 構成員の選任については、上記Bに準じて定められていること。

（C） 議事の決定については、原則として、構成員総数の過半数の議決を必要とすること。

G 上記CからFまでの議事の表決を行う場合には、あらかじめ通知された事項について書面をもって意思を表示した者は、出席者とみなすことができるが、他の者を代理人として表決を委任することはできないこと。

H 役員等には、その地位にあることのみに基づき給与等を支給しないこと。

I 監事には、理事（その親族その他特殊の関係がある者を含みます。）及び評議員（その親族その他特殊の関係がある者を含みます。）並びにその法人の職員が含まれてはならないこと。また、監事は、相互に親族その他特殊の関係を有しないこと。

（ロ） 上記（イ）以外の法人

A 理事の定数は６人以上、監事の定数は２人以上であること。

B 事業の管理運営を審議するため評議員会の制度が設けられており、評議員の定数は、理事の定数の２倍を超えていること。ただし、理事と評議員との兼任禁止規定が定められている場合には、評議員の定数は、理事の定数と同数以上であること。

C 理事、監事及び評議員の選任は、例えば、理事及び監事は評議員会の議決により、評議員は理事会の議決により選出されるなどその地位にあることが適当と認められる者が公正に選任されること。

D 理事会の議事の決定は、法令に別段の定めがある場合を除き、次によること。

（A） 重要事項の決定

次のaからgまでに掲げる事項の決定は、理事会における理事総数（理事現在数）の３分の２以上の多数による議決を必要とするとともに、原則として評議員会の同意を必要とすること。

なお、贈与又は遺贈に係る財産が贈与又は遺贈をした者又はその者の親族が会社役員となっている会社の株式又は出資である場合には、その株式又は出資に係る議決権の行使に当たっては、あらかじめ理事会において理事総数（理事現在数）の３分の２以上の同意を得ることを必要とすること。

a 収支予算（事業計画を含みます。）

b 収支決算（事業報告を含みます。）

－569－

第十六章《国、地方公共団体又は公益法人に財産を寄附した場合の特例》

   c 基本財産の処分

   d 借入金（その会計年度内の収入をもって償還する短期借入金を除きます。）その他新た
   な義務の負担及び権利の放棄

   e 寄附行為の変更

   f 解散及び合併

   g 当該法人の主たる目的とする事業以外の事業に関する重要な事項

  （B） その他の事項の決定

    上記（A）に掲げる事項以外の事項の決定は、原則として、理事会において理事総数（理
   事現在数）の過半数の議決権を必要とすること。

  E 評議員会の議事の決定は、法令に別段の定めがある場合を除き、評議員会における評議員
  総数（評議員現在数）の過半数の議決を必要とすること。

  F 上記D及びEの議事の表決を行う場合には、あらかじめ通知された事項について書面をも
  って意思を表示した者は、出席者とみなすことができるが、他の者を代理人として表決を委
  任することはできないこと。

  G 役員等には、その地位にあることのみに基づき給与等を支給しないこと。

  H 監事には、理事（その親族その他特殊の関係がある者を含みます。）及び評議員（その親族
  その他特殊の関係がある者を含みます。）並びにその法人の職員が含まれてはならないこと。
  また、監事は、相互に親族その他特殊の関係を有しないこと。

  I 贈与又は遺贈を受けた公益法人等が、学生等に対して学資の支給若しくは貸与をし、又は
  研究者に対して助成金を支給する事業その他これらに類する事業を行うものである場合に
  は、学資の支給若しくは貸与の対象となる者又は助成金の支給の対象となる者を選考するた
  め、理事会又は評議員会において選出される教育関係者又は学識経験者などにより組織され
  る選考委員会を設けること。

  ※1 上記のほか、①に定める親族その他特殊の関係がある者に関する規定及び③の残余財
   産の帰属に関する規定が定款などに定められていなければなりません。

  ※2 上記の法人のうち、別途、国税庁長官の定める通達により標準的な定款、寄附行為又
   は規則の定めがあるものについては、その標準的な定款、寄附行為又は規則に従って定
   められたものは、上記ニに該当するものとして取り扱います。

  ※ 特例民法法人（整備法第40条第1項の規定により存続する一般社団法人又は一般財団法人
   のうち、同法第106条第1項《同法第121条第1項《認定に関する規定の準用》において読み
   替えて準用する場合を含みます。）の移行の登記をしていないもの（同法第131条第1項《認
   可の取消し》の規定により同法第45条《通常の一般社団法人又は一般財団法人への移行》の
   認可を取り消されたものにあっては、法人税法第2条第9号の2イに掲げるものに該当する
   ものに限ります。）をいいます。）については、法令に別段の定めがある場合を除き、上記ニ
   に準じて取り扱います。

 （2） その公益法人等の事業の運営及び役員等の選任などが、法令及び定款、寄附行為又は規則に基
  づき適正に行われていること。

  ※ 他の一の法人（当該他の一の法人と法人税法施行令第4条第2項《同族関係者の範囲》に定
   める特殊の関係がある法人を含みます。）又は団体の役員及び職員の数がその公益法人等のそれ
   ぞれの役員等のうちに占める割合が3分の1を超えている場合には、その公益法人等の役員等
   の選任は、適正に行われていないものとして取り扱われます。

 （3） その公益法人等の経理については、その公益法人等の事業の種類及び規模に応じて、その内容
  を適正に表示するに必要な帳簿書類を備えて、収入及び支出並びに資産及び負債の明細が適正に記
  帳されていると認められること。

（注3） **特別の利益を与えること**……②の特別の利益を与えることとは、具体的には、例えば、次の（1）又
 は（2）に該当すると認められる場合が、これに該当します（昭55直資2－181「19」）。

 （1） 財産の贈与又は遺贈を受けた公益法人等の定款、寄附行為若しくは規則又は贈与契約書などに
  おいて、次に掲げる者に対して、その公益法人等の財産を無償で利用させ、又は与えるなど特別の
  利益を与える旨の記載がある場合

  イ 財産の贈与をする者

—570—

第十六章《国、地方公共団体又は公益法人に財産を寄附した場合の特例》

　　ロ　その公益法人等の役員等若しくは社員

　　ハ　財産の贈与若しくは遺贈をする者、その公益法人等の役員等若しくは社員（以下「贈与等をする者等」といいます。）の親族

　　ニ　贈与等をする者等と次に掲げる特殊の関係がある者（以下「**特殊の関係がある者**」といいます。）

　　　（イ）　贈与等をする者等とまだ婚姻の届出をしていないが事実上婚姻関係と同様の事情にある者

　　　（ロ）　贈与等をする者等の使用人及び使用人以外の者で贈与等をする者等から受ける金銭その他の財産によって生計を維持しているもの

　　　（ハ）　上記（イ）又は（ロ）に掲げる者の親族でこれらの者と生計を一にしているもの

　　　（ニ）　贈与等をする者等が会社役員となっている他の会社

　　　（ホ）　贈与等をする者等、その親族、上記（イ）から（ハ）までに掲げる者及びこれらの者と法人税法第2条第10号《定義》に規定する政令で定める特殊の関係にある法人を判定の基礎とした場合に同号に規定する同族会社に該当する他の法人

　　　（ヘ）　上記（ニ）又は（ホ）に掲げる法人の会社役員又は使用人

（2）　財産の贈与又は遺贈を受けた公益法人等が、贈与等をする者等又はその親族その他特殊の関係がある者に対して、次に掲げるいずれかの行為をし、又は行為をすると認められる場合

　　イ　その公益法人等の所有する財産をこれらの者に居住、担保その他の私事に利用させること。

　　ロ　その公益法人等の他の従業員に比し有利な条件で、これらの者に金銭の貸付けをすること。

　　ハ　その公益法人等の所有する財産をこれらの者に無償又は著しく低い価額の対価で譲渡すること。

　　ニ　これらの者から金銭その他の財産を過大な利息又は賃借料で借り受けること。

　　ホ　これらの者からその所有する財産を過大な対価で譲り受けること、又はこれらの者から公益目的事業の用に直接供するとは認められない財産を取得すること。

　　ヘ　これらの者に対して、その公益法人等の役員等の地位にあることのみに基づき給与等を支払い、又はその公益法人等の他の従業員に比し過大な給与等を支払うこと。

　　ト　これらの者の債務に関して、保証、弁済、免除又は引受け（当該公益法人等の設立のための財産の提供に伴う債務の引受けを除きます。）をすること。

　　チ　契約金額が少額なものを除き、入札等公正な方法によらないで、これらの者が行う物品販売、工事請負、役務提供、物品の賃貸その他の事業に係る契約の相手方となること。

　　リ　事業の遂行により供与する公益を主として、又は不公正な方法で、これらの者に与えること。

（注4）　「**公益法人等の有することとなる株式**」……⑤に掲げる「その公益法人等の有することとなるその株式の発行法人の株式」は、議決権を行使することができる事項について制限のない株式に限りません（平26課資4−151「19の2」）。

（注5）　上記＿＿＿下線部については、公益信託に関する法律（令和6年法律第30号）の施行の日以後、（2）中、「次に掲げる要件のすべてを満たしている」が「次の区分に応じ次に定める要件を満たしている」に改められ、①から⑤までが次の①及び②に改められます（令6改措令附1三）。

---

①　②以外の場合……次に掲げる要件の全てを満たす公益法人等に対するものであること。

　イ　その運営組織が適正であるとともに、その寄附行為、定款又は規則において、その理事、監事、評議員その他これらの者に準ずるもの（「役員等」といいます。）のうち親族関係を有する者及びこれらと次に掲げる特殊の関係がある者（「親族等」といいます。）の数がそれぞれの役員等の数のうちに占める割合は、いずれも3分の1以下とする旨の定めがあること。

　　（1）　当該親族関係を有する役員等と婚姻の届出をしていないが事実上婚姻関係と同様の事情にある者

　　（2）　当該親族関係を有する役員等の使用人及び使用人以外の者で当該役員等から受ける金銭その他の財産によって生計を維持しているもの

　　（3）　（1）又は（2）に掲げる者の親族でこれらの者と生計を一にしているもの

　　（4）　当該親族関係を有する役員等及び（1）から（3）までに掲げる者のほか、次に掲げる法人の法人税法第2条第15号に規定する役員（（ⅰ）において「会社役員」という。）又は使用人である者

－571－

第十六章《国、地方公共団体又は公益法人に財産を寄附した場合の特例》

　　　　　（ⅰ）　当該親族関係を有する役員等が会社役員となっている他の法人
　　　　　（ⅱ）　当該親族関係を有する役員等及び(1)から(3)までに掲げる者並びにこれらの者と法
　　　　　　　人税法第2条第10号に規定する政令で定める特殊の関係のある法人を判定の基礎にした場
　　　　　　　合に同号に規定する同族会社に該当する他の法人
　　ロ　その公益法人等に財産の贈与若しくは遺贈をする者、その公益法人等の役員等若しくは社員
　　　又はこれらの者の親族等に対し、施設の利用、金銭の貸付け、資産の譲渡、給与の支給、役員
　　　等の選任その他財産の運用及び事業の運営に関して特別の利益を与えないこと。
　　ハ　その寄附行為、定款又は規則において、その公益法人等が解散した場合にその残余財産が国
　　　若しくは地方公共団体又は他の公益法人等に帰属する旨の定めがあること。
　　ニ　その公益法人等につき公益に反する事実がないこと。
　　ホ　その公益法人等が当該贈与又は遺贈により株式の取得をした場合には、当該取得により当該
　　　公益法人等の有することとなる当該株式の発行法人の株式がその発行済株式の総数の2分の1
　　　を超えることとならないこと。
　②　2の②に規定する公益信託の信託財産とするためのものである場合……次に掲げる要件（その
　　公益信託の受託者（その公益信託の受託者が二以上ある場合には、その公益信託の全ての受託者）
　　が2の①に掲げる者（①のイに掲げる要件を満たすものに限ります。）である場合には、ロに掲げ
　　る要件を除きます。）の全てを満たす公益信託の信託財産とするためのものであること。
　　イ　その公益信託が、その信託行為の定めるところにより適正に運営されるものであること。
　　ロ　その公益信託の信託行為において、運営委員会その他これに準ずるもの（当該信託行為にお
　　　いて、その公益信託の目的に関し学識経験を有する者から構成される旨の定めがあることその
　　　他の公益信託の適正な運営に資するものに限ります。）を置く旨の定めがあること。
　　ハ　その公益信託の信託財産とするために財産の贈与若しくは遺贈をする者、その公益信託の受
　　　託者若しくは公益信託に関する法律第4条第2項第2号に規定する信託管理人（当該受託者又
　　　は信託管理人が法人である場合には、その同法第9条第2号に規定する理事等を含みます。）又
　　　はこれらの者（個人に限ります。）の親族等に対し、施設の利用、金銭の貸付け、資産の譲渡、
　　　報酬の支払その他信託財産の運用及び公益信託の運営に関して特別の利益を与えないこと。
　　ニ　その公益信託の信託行為において、その公益信託が終了した場合にその残余財産が国若しく
　　　は地方公共団体又は公益法人等に帰属する旨の定めがあること。
　　ホ　その公益信託につき公益に反する事実がないこと。
　　ヘ　当該贈与又は遺贈により株式がその公益信託の信託財産とされた場合には、当該株式を当該
　　　信託財産として受け入れたことにより当該公益信託の受託者（当該公益信託の受託者が二以上
　　　ある場合には、いずれかの受託者）の有することとなる当該株式の発行法人の株式がその発行
　　　済株式の総数の2分の1を超えることとならないこと。

（3）　公益法人等に対する財産を贈与等した場合の承認の特例

　国立大学法人等（国立大学法人、大学共同利用機関法人、公立大学法人、独立行政法人国立高等専
門学校機構及び国立研究開発法人をいいます。以下同じ。）、公益社団法人、公益財団法人、学校法人
（私立学校振興助成法（昭和50年法律第61号）第14条第1項に規定する学校法人で同項に規定する文
部科学大臣の定める基準に従い会計処理を行うもの）、社会福祉法人又は認定特定非営利活動法人等
（特定非営利活動促進法（平成10年法律第7号）第2条第3項に規定する認定特定非営利活動法人及
び同条第4項に規定する特例認定特定非営利活動法人）に対して贈与又は遺贈をした場合において、
次に掲げる要件を満たすものであることを証する書類として定める書類（(**注**)参照）を添付した(4)
の申請書（その公益法人等がその贈与又は遺贈に係る財産を特定管理方法により管理することとする
旨又はロの(ロ)のaの不可欠特定財産としてロの(ロ)のaの定款の定めを設けることとする旨の記載
のあるものに限ります。）の提出があったときは、国税庁長官の承認を受けるための要件は、次に掲げ
る要件（国立大学法人等（法人税法別表第1に掲げる法人に限ります。以下「特定国立大学法人等」
といいます。）にあっては、ロに掲げる要件）とされます（措令25の17⑦、措規18の19④⑤⑥⑦）。

－572－

イ　その贈与又は遺贈をした者がその公益法人等の役員等及び社員並びにこれらの者の親族等に該当しないこと。

ロ　次に掲げるその贈与又は遺贈を受けた公益法人等の区分に応じそれぞれ次に定める要件

（イ）　国立大学法人等……その贈与又は遺贈を受けた財産（その財産につき譲渡があった場合には、その譲渡による収入金額の全部に相当する金額をもって取得した資産（その国立大学法人等がその贈与又は遺贈を受けた財産の譲渡をし、かつ、その譲渡による収入金額の全部に相当する金額をもって取得する資産で、その財産を譲渡すること及びその資産につき（イ）の方法により管理することが国立大学法人等の合議制の機関において決定されたものに限ります。）を含みます。）が、関係大臣（内閣総理大臣、総務大臣、財務大臣、文部科学大臣、厚生労働大臣、農林水産大臣、経済産業大臣、国土交通大臣及び環境大臣をいいます。）が財務大臣と協議して定める業務に充てるために関係大臣が財務大臣と協議して定める方法により管理されることにつき、関係大臣が財務大臣と協議して定める所轄庁に確認されていること、その国立大学法人等の合議制の機関において、その国立大学法人等が贈与又は遺贈の申出を受け入れること及び（イ）の財産につき（イ）の方法により管理することが決定されていること（措令25の17⑦二イ、三、措規18の19⑤一、⑦一）。

（ロ）　公益社団法人又は公益財団法人……次に掲げる要件のａ、ｂいずれかを満たし、かつ、ｃ、ｄのいずれかを満たすこと（措令25の17⑦二ロ、三、措規18の19⑤二、⑦二）。

ａ　その贈与又は遺贈を受けた財産がその公益社団法人又はその公益財団法人の不可欠特定財産（公益社団法人及び公益財団法人の認定等に関する法律（平成18年法律第49号）第５条第16号に規定する財産をいいます。）であるものとして、その旨並びにその維持及び処分の制限について、必要な事項が定款で定められていること。

ｂ　その贈与又は遺贈を受けた財産（その財産につき譲渡があった場合には、その譲渡による収入金額の全部に相当する金額をもって取得した資産（その公益社団法人又は公益財団法人がその贈与又は遺贈を受けた財産の譲渡をし、かつ、その譲渡による収入金額の全部に相当する金額をもって取得する資産で、その財産を譲渡すること及びその資産につき（ロ）のｂの方法により管理することがその公益社団法人又は公益財団法人の合議制の機関において決定されたものに限ります。）を含みます。）が、関係大臣が財務大臣と協議して定める事業に充てるために関係大臣が財務大臣と協議して定める方法により管理されることにつき、関係大臣が財務大臣と協議して定める所轄庁に確認されていること、次に掲げる要件のいずれかを満たすこと。

ｃ　その公益社団法人又は公益財団法人の理事会において、その公益社団法人又は公益財団法人が贈与又は遺贈の申出を受け入れること及びその贈与又は遺贈を受ける財産につき（ロ）のａの不可欠特定財産とすることが決定されていること。

ｄ　その公益社団法人又は公益財団法人の合議制の機関において、その公益社団法人又は公益財団法人が贈与又は遺贈の申出を受け入れること及び（ロ）のｂの財産につき（ロ）のｂの方法により管理することが決定されていること。

（ハ）　学校法人……その贈与又は遺贈を受けた財産（その財産につき譲渡があった場合には、その譲渡による収入金額の全部に相当する金額をもって取得した資産（その学校法人がその贈与又は遺贈を受けた財産の譲渡をし、かつ、その譲渡による収入金額の全部に相当する金額をもって取得する資産で、その財産を譲渡すること及びその資産につき（ハ）の方法により（ハ）の基本金に組み入れることがその学校法人の理事会において決定されたものに限ります。）を含みます。）がその学校法人の財政基盤の強化を図るために学校法人会計基準（昭和46年文部省令第18号）第30条第１項第１号から第３号までに掲げる金額に相当する金額を同項に規定する基本金に組み入れる方法により管理されていること、学校法人の理事会において、その学校法人が贈与又は遺贈の申出を受け入れること及び（ハ）の財産につき（ハ）の方法により（ハ）の基本金に組み入れることが決定されていること（措令25の17⑦二ハ、三、措規18の19⑤三、⑥一、⑦三）。

第十六章《国、地方公共団体又は公益法人に財産を寄附した場合の特例》

（ニ）　社会福祉法人……その贈与又は遺贈を受けた財産（その財産につき譲渡があった場合には、その譲渡による収入金額の全部に相当する金額をもって取得した資産（その社会福祉法人がその贈与又は遺贈を受けた財産の譲渡をし、かつ、その譲渡による収入金額の全部に相当する金額をもって取得する資産で、その財産を譲渡すること及びその資産につき（ニ）の方法により（ニ）の基本金に組み入れることがその社会福祉法人の理事会において決定されたものに限ります。）を含みます。）がその社会福祉法人の経営基盤の強化を図るために、社会福祉法人会計基準（平成28年厚生労働省令第79号）第6条第1項に規定する金額を同項に規定する基本金に組み入れる方法により管理されていること、その社会福祉法人の理事会において、その社会福祉法人が贈与又は遺贈の申出を受け入れること及び（ニ）の財産につき（ニ）の方法により（ニ）の基本金に組み入れることが決定されていること（措令25の17⑦二ニ、三、措規18の19⑤四、⑥二、⑦四）。

（ホ）　認定特定非営利活動法人等……その贈与又は遺贈を受けた財産（その財産につき譲渡があった場合には、その譲渡による収入金額の全部に相当する金額をもって取得した資産（その認定特定非営利活動法人等がその贈与又は遺贈を受けた財産の譲渡をし、かつ、その譲渡による収入金額の全部に相当する金額をもって取得する資産で、その財産を譲渡すること及びその資産につき（ホ）の方法により管理することが認定特定非営利活動法人等の合議制の機関において決定されたものに限ります。）を含みます。）が、関係大臣が財務大臣と協議して定める事業に充てるために関係大臣が財務大臣と協議して定める方法により管理されることにつき、関係大臣が財務大臣と協議して定める所轄庁に確認されていること、その認定特定非営利活動法人等の合議制の機関において、その認定特定非営利活動法人等が贈与又は遺贈の申出を受け入れること及び（ホ）の財産につき（ホ）の方法により管理することが決定されていること（措令25の17⑦二ホ、三、措規18の19⑤五、⑦五）。

（注1）　「次に掲げる要件を満たすものであることを証する書類として」定める書類は次のとおり（特定国立大学法人等の場合は、②のみ）です（措規18の19④）。
　　　①　その公益法人等から交付を受けたイの要件を満たすことを誓約する旨及びその公益法人等においてそのことを確認した旨を記載した書類
　　　②　ロの決定をした旨及びその公益法人等においてそのことを確認した旨の記載がある議事録等の写し及びその決定に係る財産の種類等を記載した書類

（注2）　上記　　下線部については、公益信託に関する法律（令和6年法律第30号）の施行の日以後、（3）中、「18の19④⑤⑥⑦」が「18の19⑥⑦⑧⑨」とされます（令6改措規附1四）。

　次の〈イ〉又は〈ロ〉の申請書を提出して1か月以内（〈ロ〉の贈与又は遺贈を受けた公益法人等が特定国立大学法人等でない場合であって、その贈与又は遺贈を受けた財産が、第一編第五章第一節の1《株式等の範囲》の表の株式等（①から③まで、⑤及び⑥に掲げるものに限ります。）、新株予約権付社債（資産の流動化に関する法律131条第1項に規定する転換特定社債及び同法第139条第1項に規定する新優先出資引受権付特定社債を含みます。）又は所得税法第174条第9号に規定する匿名組合契約の出資の持分であるときは、3か月以内）に、これらの申請の承認がなかったとき、又はその承認をしないことの決定がなかったときは、これらの申請の承認があったものとみなされます（措令25の17⑧）。
〈イ〉　その贈与又は遺贈が、公益法人等（法人税法別表第一の独立行政法人又は地方独立行政法人法施行令第6条第3号の博物館若しくは美術館に係る地方独立行政法人法第21条第6号の業務を主たる目的とする地方独立行政法人に限ります。）に対するものである場合において、その贈与又は遺贈につき申請書（その贈与又は遺贈に係る財産で文化財保護法第2条第1項第1号に規定する有形文化財（建造物であるもの並びに土地と一体をなしてその価値を形成しているもの及びその土地であるものを除きます。）に該当するものが、その贈与又は遺贈があった日から2年を経過する日までの期間内に文化観光拠点施設を中核とした地域における文化観光の推進に関する法律（令和2年法律第18号）第6条に規定する認定拠点計画に記載された同法第2条第3項に規定する文化観光拠点施

－574－

設機能強化事業（同項第１号に掲げる事業に限ります。）又は同法第14条に規定する認定地域計画に記載された同法第２条第４項に規定する地域文化観光推進事業（同項第１号の事業に限ります。）のうち公益目的事業に該当するものでこれらの計画について同法第６条又は第14条に規定する認定を受けたその公益法人等の有する同法第２条第２項に規定する文化観光拠点施設において当該公益法人等が行うものの用に直接供され、又は供される見込みであることを証する文部科学大臣の書類の添付があるものに限ります。）の提出があったとき。

〈ロ〉　その贈与又は遺贈につき申請書（書類の添付があるものに限ります。）の提出があった場合

（注）　上記＿＿＿下線部については、公益信託に関する法律（令和６年法律第30号）の施行の日以後、〈イ〉中、「対するもの」とあるのは「対するもの（公益信託の信託財産とするためのものを除きます。）」とされます（令６改措令附１三）。

＜特定管理方法により管理されたこと等を確認できる書類の提出＞

申請書を提出した者でその申請の承認があったものは、その公益法人等のその贈与又は遺贈をした日の属する事業年度において、その贈与又は遺贈に係るロの(イ)、(ロ)のｂ、若しくは(ハ)から(ホ)までの財産が特定管理方法により管理されたこと又は不可欠特定財産についてロの(ロ)のａの定款の定めが設けられたことが確認できる次の書類を、その事業年度終了の日から３か月以内（その期間の経過する日後にその申請書に係る提出期限が到来する場合には、その提出期限まで）に納税地の税務署長を経由して、国税庁長官に提出しなければなりません（措令25の17⑨、措規18の19⑧）。

① 　国立大学法人等……ロの(イ)の財産につきロの(イ)の方法により管理されたことを確認できるその国立大学法人等がロの(イ)の所轄庁に提出した書類の写し

② 　公益社団法人又は公益財団法人……次に掲げる場合の区分に応じ次に定める書類

　⑦ 　その公益社団法人又は公益財団法人がその贈与又は遺贈を受けた財産をロの(ロ)のｃの不可欠特定財産としている場合……その財産がその不可欠特定財産とされたことを確認できる定款及び公益社団法人及び公益財団法人の認定等に関する法律（平成18年法律第49号）第21条第２項第１号に規定する財産目録の写し

　⑫ 　その公益社団法人又は公益財団法人がロの(ロ)のｄの財産をロの(ロ)のｄの方法により管理している場合……その財産がその方法により管理されたことを確認できるその公益社団法人又は公益財団法人がロの(ロ)のｂの所轄庁に提出した書類の写し

③ 　学校法人……ロの(ハ)の財産につき基本金への組み入れがあったことを確認できる学校法人会計基準第36条に規定する基本金明細表その他これに類する書類の写し

④ 　社会福祉法人……ロの(ニ)の財産につき基本金への組み入れがあったことを確認できる社会福祉法人会計基準第30条第１項第６号に規定する基本金明細書その他これに類する書類の写し

⑤ 　認定特定非営利活動法人等……ロの(ホ)の財産につきロの(ホ)の方法により管理されたことを確認できるその認定特定非営利活動法人等がロの(ホ)の所轄庁に提出した書類の写し

（注）　上記＿＿＿下線部については、公益信託に関する法律（令和６年法律第30号）の施行の日以後、「18の19⑧」が「18の19⑩」とされます（令６改措規附１四）。

（4）　承認を受けるための手続

国税庁長官の承認を受けるには、贈与又は遺贈により財産を取得する公益法人等の事業の目的その他所定の事項（下記の①〜⑧）を記載した申請書に、その申請書に記載した事項を確認したことを証する書類を添付して、その贈与又は遺贈のあった日から４か月以内（その期間の経過する日前にその贈与又は遺贈のあった日の属する年分の所得税の確定申告書の提出期限が到来する場合には、その提出期限まで）に、納税地の所轄税務署長を経由して、国税庁長官に提出しなければなりません。手続が期間内に行われなかった場合は原則としてこの規定は適用できませんが、その期間内に申請書の提出がなかったこと又は確認した書類の添付がなかったことにつき、国税庁長官においてやむを得ないと認める事情があり、かつその贈与又は遺贈に係る山林所得、譲渡所得又は雑所得につき、国税通則

－575－

第十六章《国、地方公共団体又は公益法人に財産を寄附した場合の特例》

法第24条から第26条までの規定による更正又は決定を受ける日の前日までに申請書又は書類の提出があったときは、上記の期間内に申請書の提出又は書類の添付があったものとみなされます（措令25の17①、措規18の19①）。

① 贈与又は遺贈をした者（以下「贈与者等」といいます。）の氏名、住所又は居所及びその贈与をした者の個人番号（個人番号を有しない者にあっては、氏名及び住所又は居所。以下、①において同じです。）（その贈与をした者が死亡している場合又は遺贈の場合には、その贈与者等の相続人（包括受遺者を含みます。）の氏名、住所又は居所及び個人番号並びにその贈与者等との続柄を含みます。）並びにその贈与又は遺贈をした年月日

② その財産の種類、所在地、数量、取得年月日、取得価額及びその贈与又は遺贈の時における価額並びにその財産の公益法人等における使用目的及び使用開始年月日又は使用開始予定年月日（公益法人等が贈与又は遺贈を受けた土地の上に建設をする公益目的事業の用に直接供する建物の建設に要する期間が通常2年を超えることその他その財産又は代替資産を贈与又は遺贈があった日から2年を経過する日までの期間内にその公益目的事業の用に直接供することが困難であるやむを得ない事情がある場合には、その事情の詳細を含みます。）

③ その贈与又は遺贈により財産を取得する公益法人等の名称及び主たる事務所の所在地並びに事業の目的並びに設立年月日又は設立予定年月日

④ その贈与又は遺贈をした者及びこれらの者の親族のその公益法人等における地位その他その公益法人等との関係

⑤ その公益法人等の事業運営に関する明細

⑥ その公益法人等の(2)の①に掲げる役員等の氏名及び住所並びにその役員等に係る親族等に関する事項

⑦ その申請書に(3)の〈イ〉に規定する書類を添付する場合には、その旨

⑧ その他参考となるべき事項

（注1） **贈与又は遺贈のあった日**……上記の「贈与又は遺贈のあった日」とは、次に掲げる日後にその贈与又は遺贈の効力が生ずると認められる場合を除き、それぞれ次に掲げる日をいいます（昭55直資2－181「5」）。

（1） 公益法人等に対する財産の贈与の場合　その公益法人等の理事会など権限ある機関において、その受入れの決議をした日

（2） 公益法人等を設立するための生前の財産の提供の場合　その公益法人等の成立した日

※ 公益法人等の成立した日は、次に掲げる法人については、法人の設立登記の日となります。

特定一般法人（法人税法（昭和40年法律第34号）別表第2に掲げる一般社団法人及び一般財団法人で、同法第2条第9号の2イ《定義》に掲げるものをいいます。）、学校法人（私立学校法（昭和24年法律第270号）第3条に規定する学校法人をいいます。）、社会福祉法人（社会福祉法（昭和26年法律第45号）第22条《定義》に規定する社会福祉法人をいいます。）、更生保護法人（更生保護事業法（平成7年法律第86号）第2条第6項《定義》に規定する更生保護法人をいいます。）、宗教法人（宗教法人法（昭和26年法律第126号）第4条第2項《法人格》に規定する宗教法人をいいます。）、医療法人（医療法（昭和23年法律第205号）第39条第2項に規定する医療法人をいいます。）又は特定非営利活動法人（特定非営利活動促進法（平成10年法律第7号）第2条第2項《定義》に規定する特定非営利活動法人をいいます。）

（3） 公益法人等に対する遺贈又はその公益法人等を設立するための遺言による財産の提供の場合（(3の(注3)により設立準備委員会等に対する遺贈と認められる場合を含みます。）　遺贈をした者の死亡の日

（4） 公益法人等の設立準備委員会等に対する財産の贈与の場合　設立準備委員会等において、その受入れの決議をした日

※ 農地法（昭和27年法律第229号）第2条第1項《定義》に規定する農地及び採草放牧地（以下「農地等」といいます。）の権利の移転に当たり同法第3条第1項《農地又は採草放牧地の権利移転の

－576－

第十六章《国、地方公共団体又は公益法人に財産を寄附した場合の特例》

制限》若しくは第５条第１項本文《農地又は採草放牧地の転用のための権利移動の制限》の規定による許可又は同項第７号の規定による届出を要する農地等が公益法人等に贈与された場合又は公益法人等を設立するために生前に提供された場合で、上記（１）又は（２）に定める日において当該許可又は届出がなされていないときにおける当該農地等の「贈与のあった日」は、当該農地等に係る当該許可又は届出のあった日をいうものとして取り扱います。

（注２）　**承認申請書等の提出についての「やむを得ないと認める事情」**……上記の「その期間内に申請書の提出がなかったこと又は確認した書類の添付がなかったことにつき、国税庁長官においてやむを得ないと認める事情」がある場合とは、災害、重病等による場合、遺言をもって公益法人等を設立するための財産の提供があった場合においてその期間内に法人が設立されなかったときなど、その期間内に申請書等を提出できなかった事情が客観的に認められる場合をいいます（昭55直資２－181「６」）。

（注３）　上記＿＿＿下線部については、公益信託に関する法律（令和６年法律第30号）の施行の日以後、**（４）**の③、⑤及び⑥が、次のように改められます（令６改措規附１四）。

> ③　その贈与又は遺贈の次に掲げる場合の区分に応じそれぞれ次に定める事項
> 　イ　ロに掲げる場合以外の場合……その贈与又は遺贈により財産を取得する公益法人等の名称及び主たる事務所の所在地並びに事業の目的並びに設立年月日又は設立予定年月日
> 　ロ　２の②に規定する公益信託（以下「公益信託」といいます。）の信託財産とするためのものである場合……当該贈与又は遺贈により財産を取得する公益法人等の氏名又は名称及び住所若しくは居所又は本店若しくは主たる事務所の所在地（その公益信託の受託者が二以上ある場合には、**（10）**に規定する主宰受託者（以下「主宰受託者」といいます。）の氏名又は名称を含みます。）並びにその公益信託の名称、公益信託に関する法律（令和６年法律第30号）第２条第１項第２号に規定する公益事務の内容及び同法第６条の認可を受けた年月日
> ⑤　その公益法人等の事業運営に関する明細（その贈与又は遺贈が公益信託の信託財産とするためのものである場合には、その公益信託に係る信託事務に関する明細）
> ⑥　その贈与又は遺贈の次に掲げる場合の区分に応じそれぞれ次に定める事項
> 　イ　ロに掲げる場合以外の場合……その公益法人等の役員等の氏名及び住所並びに当該役員等に係る親族等に関する事項
> 　ロ　公益信託の信託財産とするためのものである場合……その公益信託の運営委員等の氏名及び住所並びにその運営委員等に係る親族等に関する事項（その公益信託の受託者（その公益信託の受託者が二以上ある場合には、その全ての受託者）が２の①に規定する者である場合には、当該公益信託の受託者のその役員等の氏名及び住所並びに当該役員等に係る親族等に関する事項）

　以上の申請に基づき、国税庁長官が承認したときは、その旨をその承認を申請した者及びその申請に係る公益法人等に対し、その承認をしないことに決定したとき、又は**（５）**によりその承認を取り消したときは、その旨を承認申請した者又は承認を受けていた者に対し、その承認を**（９）**により取り消したときは、その旨をその承認に係る公益法人等に対し、それぞれ通知します（措法40⑮）。

　（注）　上記＿＿＿下線部については、公益信託に関する法律（令和６年法律第30号）の施行の日以後、「措法40⑮」が「措法40⑰」とされます（令６改所法等附１九へ）。

（５）　非課税承認の取消し及び承認取消事由（贈与又は遺贈をした者に課税される場合）

　国税庁長官は、非課税承認に係る贈与又は遺贈があった後、次の①から③までの事実が生じた場合には、その承認を取り消すことができます。この場合、その公益法人等に財産の贈与又は遺贈をした者に対し、贈与又は遺贈があった時にその時の価額に相当する金額により財産の譲渡があったものとして、その財産に係る山林所得の金額、譲渡所得の金額又は雑所得の金額を計算し、非課税承認が取り消された日の属する年分（その日までに贈与をしたものが死亡した場合は、死亡の日の属する年分）又は遺贈をした者のその遺贈があった日の属する年分の所得として所得税が課税されます（措法40②、措令25の17⑫）。

＜承認取消事由＞

①　非課税承認を受けた贈与又は遺贈に係る財産又は下記（６）の代替資産（（特定管理方法により管理

－577－

第十六章《国、地方公共団体又は公益法人に財産を寄附した場合の特例》

されているものを除きます。）以下「代替資産」といいます。）が、その贈与又は遺贈があった日から２年を経過する日までの期間（当該期間内にその贈与又は遺贈を受けた公益法人等のその贈与又は遺贈に係る公益目的事業の用に直接供することが困難である一定の事情があるときは、上記の期間は、その贈与又は遺贈があった日から国税庁長官が認める日までの期間）内にその公益法人等のその贈与又は遺贈に係る公益目的事業の用に直接供されなかったこと（措令25の17⑩）

※　「一定の事情」とは、公益法人等が、その贈与又は遺贈に係る土地の上に建設をするその公益目的事業の用に直接供する建物のその建設に要する期間が通常２年を超えることその他財産又は代替資産を贈与又は遺贈があった日から２年を経過する日までの期間内にその公益目的事業の用に直接供することが困難であるやむを得ない事情をいいます（措令25の17④）。

②　その贈与又は遺贈に係る財産又は代替資産がその贈与又は遺贈を受けた公益法人等のその公益目的事業の用に直接供される前に、不当減少要件に該当することとなったこと（措令25の17⑩）

　（注）　「不当減少要件に該当すること」とは、非課税承認要件の一つである(1)の③に掲げる要件（公益法人等に対して財産の贈与又は遺贈をすることにより、その贈与若しくは遺贈をした者の所得に係る所得税の負担を不当に減少させ、又はその者の親族その他これらの者と相続税法第64条第１項に規定する特別の関係がある者の相続税若しくは贈与税の負担を不当に減少させる結果とならないと認められるという要件）に該当しないこととなったことをいいます（措令25の17⑤三）。

③　その贈与又は遺贈につき、公益法人等に対する財産を贈与等した場合の承認の特例（措令25の17⑦）の申請書を提出して、非課税承認を受けた者が、その非課税承認に係る公益法人等のその贈与又は遺贈をした日の属する事業年度においてその贈与又は遺贈に係る財産につき〈**特定管理方法により管理されたこと等を確認できる書類の提出**〉（575ページ）に掲げる書類をその事業年度の終了の日から３か月以内（当該期間の経過する日後に当該申請書に係る提出期限が到来する場合には、当該提出期限まで）にその者の納税地の所轄税務署長を経由して国税庁長官に提出しなかったこと（措令25の17⑨⑩、措規18の19⑥⑧）

　（注）　上記＿＿＿下線部については、公益信託に関する法律（令和６年法律第30号）の施行の日以後、「18の19⑥⑧」が「18の19⑧⑩」とされます。（令６改措規附１四）

（6）代替資産

　この非課税特例における「代替資産」とは、贈与又は遺贈に係る財産を次の①から⑦までに定めるいずれかの理由により譲渡した場合において、その譲渡による収入金額の全部に相当する金額をもって取得した①から⑦までに定める資産をいいます（措法40①、措令25の17③、措規18の19②③）。

①　贈与又は遺贈に係る財産につき租税特別措置法第64条第１項に規定する収用等又は同法第65条第１項に規定する換地処分等による譲渡があった場合（措置法の規定によりこれらの譲渡があったものとみなされる場合を含みます。）　その財産に係る代替資産又は交換取得資産

②　その贈与又は遺贈に係る公益法人等の公益目的事業の用に直接供する施設につき、所得税法に規定する災害があった場合において、その復旧を図るためにその財産を譲渡したとき　その災害を受けた施設（災害により滅失した場合には、その施設に代わるべきその施設と同種の施設）の用に供する減価償却資産、土地及び土地の上に存する権利

③　その贈与又は遺贈に係る公益法人等の公益目的事業の用に直接供する施設（その財産をその施設の用に供しているものに限ります。）におけるその公益目的事業の遂行が、環境基本法に規定する公害により、若しくは当該施設の所在場所の周辺において風俗営業等の規制及び業務の適正化等に関する法律に規定する一定の営業が営まれることとなったことにより著しく困難となった場合又はその施設の規模を拡張する場合において、その施設の移転をするためその財産を譲渡したとき　その移転後の施設の用に供する減価償却資産、土地及び土地の上に存する権利

④　その財産につき所得税法第57条の４第１項に規定する株式交換又は同条第２項に規定する株式移転による譲渡があった場合　その株式交換により取得する同条第１項に規定する株式交換完全親

－578－

第十六章《国、地方公共団体又は公益法人に財産を寄附した場合の特例》

法人の同項に規定する株式若しくは親法人（その株式交換完全親法人との間に一定の関係**(注)**がある法人をいいます。）の同項に規定する株式又はその株式移転により取得する同条第２項に規定する株式移転完全親法人の株式

(注) ④の「一定の関係」とは、株式交換の直前にその株式交換に係る株式交換完全親法人との間にその株式交換完全親法人の発行済株式又は出資の全部を保有する関係がある場合のその関係をいいます（所令167の７①）。

⑤ 国又は地方公共団体に贈与する目的で資産の取得、製作又は建設（以下⑤において「取得等」といいます。）をする場合において、その資産の取得等の費用に充てるためにその財産を譲渡したとき　　国又は地方公共団体に贈与する目的で取得等をする資産で、その取得等の後直ちに国又は地方公共団体に贈与されるもの

⑥ その財産のうち、公益法人等に対する財産を贈与等した場合の承認の特例の適用を受けて行われた贈与若しくは遺贈に係るもの又は特定買換資産で、（３）のロの（イ）、（ロ）のｂ若しくは（ハ）から（ホ）までに規定する方法でこれらの規定に規定する要件を満たすもの（「特定管理方法」）により管理されていたものの譲渡をしたとき　　その譲渡をした財産に代わるべき資産として次に掲げるもので引き続きその特定管理方法により管理委されるもの

a　その資産をロの（イ）の方法により管理することについてのその国立大学法人等の合議制の機関の決定

b　その資産をロの（ロ）のｂの方法により管理することについてのその公益社団法人又は公益財団法人の合議制の機関の決定

c　その資産をロの（ハ）の方法により基本金に組み入れることについてのその学校法人の理事会の決定

d　その資産をロの（ニ）の方法により基本金に組み入れることについての当該公益法人等の理事会の決定

e　その財産をロの（ホ）の方法により管理することについてのその認定特定非営利活動法人等の合議制の機関の決定

⑦ 上記①から⑥に掲げる場合に準ずるやむを得ない理由として国税庁長官が認める理由によりその財産の譲渡をしたとき　　その譲渡による収入金額の全部に相当する金額をもって取得した減価償却資産、土地及び土地の上に存する権利及び株式で国税庁長官が認めたもの（株式にあっては、④に掲げる理由に準ずるやむを得ない理由として国税庁長官が認める理由による譲渡により取得したものに限ります。）

（７）　非課税承認の取消し及び承認取消事由（贈与又は遺贈を受けた公益法人等に課税される場合）

国税庁長官は、非課税承認に係る贈与又は遺贈のあった後、次の①から③までの事実（（５）の①から③までの事実を除きます。）が生じた場合には、その非課税承認を取り消すことができます。贈与又は遺贈があった時にその時の価額に相当する金額により財産の譲渡があったものとして、その財産に係る山林所得の金額、譲渡所得の金額又は雑所得の金額を計算し、非課税承認が取り消された日の属する年分（その日までに贈与をしたものが死亡した場合は、死亡の日の属する年分）又は遺贈をした者のその遺贈があった日の属する年分の所得として、贈与又は遺贈を受けた公益法人等をその贈与又は遺贈を行った個人とみなして、その公益法人等に対し所得税が課税されます（措法40③、措令25の17⑬⑯）。

この場合において、その公益法人等の住所は、その主たる事務所の所在地となります。

① その贈与又は遺贈を受けた公益法人等が、その贈与又は遺贈に係る財産等（特定管理方法により管理されているものを除きます。）をその公益目的事業の用に直接供しなくなったこと（措令25の17⑬一）

② その公益法人等に対する財産の贈与又は遺贈につき、不当減少要件に該当することとなったこと（措令25の17⑬二）

－579－

第十六章《国、地方公共団体又は公益法人に財産を寄附した場合の特例》

　(注)　(5)の②に該当する場合は除かれます。

③　公益法人等に対する財産を贈与等した場合の承認の特例の申請書の提出の時において、(3)のイに掲げる要件に該当していなかったこと及びその提出の時においてその要件に該当しないこととなることが明らかであると認められ、かつ、その提出の後にその要件に該当しないこととなったこと（特定国立大学法人等である場合を除きます。）（措令25の17⑬三）

　なお、平成26年4月1日以後に公益法人等が解散をする場合については、その公益法人等がその承認が取り消された日の属する年以前に解散（合併による解散を含みます。）をした場合における納税義務の成立時期、課税年分、確定申告期間及び納付期限については、次のとおりとされます（措法40⑳、措令25の17⑯〜⑱）。

イ　納税義務の成立時期……解散の日（合併による解散の場合には、その合併の日の前日。以下同じです。）を経過する時

ロ　課税年分……解散の日の属する年分

ハ　確定申告期間及び納付期限……解散の日の翌日から2か月以内（その翌日から2か月以内に残余財産の最後の分配又は引渡しが行われる場合には、その行われる日の前日まで）
　(注)　上記＿＿下線部については、公益信託に関する法律（令和6年法律第30号）の施行の日以後、「措法40⑳」が「措法40㉒」とされます（令6改所法等附1九へ）。

（8）　非課税承認が取り消されない場合

措置法第40条の承認を受けた贈与又は遺贈に係る財産等を国又は地方公共団体に対して寄附した場合で、次に掲げるものは措置法第40条承認の取消要件に該当しません。

イ　公益法人等が国税庁長官の承認を受けた贈与又は遺贈に係る財産又は代替資産（当該財産又は代替資産を譲渡した場合には、当該譲渡による収入金額の全部に相当する額の金銭を含みます。）を国又は地方公共団体に対し贈与した場合（措法40②③）

ロ　公益法人等が公益社団法人及び公益財団法人の認定等に関する法律（平成18年法律第49号。以下「公益認定法」といいます。）第29条第1項又は第2項の規定による同法第5条に規定する公益認定の取消しの処分を受けた場合で同条第17号に規定する定款の定めに従い、その有する同法第30条第2項に規定する公益目的取得財産残額に相当する額の財産を国又は地方公共団体に贈与した場合（措令25の17⑪⑮）

（9）　非課税承認の取消しにより公益法人等に課された所得税の法人税法の取扱い

上記(7)により公益法人等に所得税が課された場合その所得税は、公益法人等の各事業年度の所得の金額の計算上、損金の額に算入しません（措法40④）。ただし、その所得税に係る贈与又は遺贈を受けた財産の価額がその公益法人等の各事業年度の所得の金額又は各連結事業年度の連結所得の金額の計算上益金の額に算入された場合には、その所得税を損金の額に算入することができます。
　(注)　公益信託に関する法律（令和6年法律第30号）の施行の日（公布の日（令和6年5月22日）から起算して2年を超えない範囲内において政令で定める日）以後、(9)は次のとおりとされます（令6改所法等附1九へ）。

> **（9）　非課税承認の取消しにより公益法人等に課された所得税の法人税法の取扱い**
>
> 　上記(7)により公益法人等（2の①に掲げる者に限ります。）に所得税が課された場合その所得税は、公益法人等の各事業年度の所得の金額の計算上、損金の額に算入しません（措法40④一）。ただし、その所得税に係る贈与又は遺贈を受けた財産の価額がその公益法人等の各事業年度の所得の金額又は各連結事業年度の連結所得の金額の計算上益金の額に算入された場合には、その所得税を損金の額に算入することができます。

（10）　代替資産に含まれる買換資産

(7)の代替資産には、次に掲げる資産を含みます。この場合において、①の書類を提出した公益法

－580－

第十六章《国、地方公共団体又は公益法人に財産を寄附した場合の特例》

人等は、①の買換資産を、①の譲渡の日の翌日から1年を経過する日までの期間内に、その公益目的事業の用に直接供しなければなりません。また、②の書類を提出した公益法人等は、②の特定買換資産を、②の方法により管理しなければなりません（措法40⑤、措令25の17⑳）。

① 公益法人等が、贈与又は遺贈を受けた財産（その公益法人等の公益目的事業の用に2年以上直接供しているものに限ります。）の譲渡をし、その譲渡による収入金額の全部に相当する金額をもって買換資産（その財産に係る公益目的事業の用に直接供することができるその財産と同種の資産、土地及び土地の上に存する権利に限ります。）を取得した場合において、その譲渡の日の前日までに、その譲渡の日その他一定の事項を記載した書類を、納税地の所轄税務署長を経由して国税庁長官に提出したときにおけるその買換資産

② 公益法人等が、贈与又は遺贈を受けた財産（（3）の適用を受けて行われた贈与又は遺贈に係る財産を除きます。）で特定管理方法により管理しているものの譲渡をし、その譲渡による収入金額の全部に相当する金額をもって特定買換資産を取得した場合において、その譲渡の日の前日までに、その管理の方法その他一定の事項を記載した書類を、納税地の所轄税務署長を経由して国税庁長官に提出したときにおけるその特定買換資産

(注) 公益信託に関する法律（令和6年法律第30号）の施行の日（公布の日（令和6年5月22日）から起算して2年を超えない範囲内において政令で定める日）以後、(10)が(11)とされ、(9)の次に次の(10)が追加されます（令6改所法等附1九ヘ）。

---

(10) 非課税承認の取消しを受ける公益法人等が公益信託の受託者である場合

上記(7)の規定の適用を受ける公益法人等が2の②に規定する公益信託の受託者である場合において、その公益信託の受託者が二以上あるときは、その公益信託の信託事務を主宰する受託者（以下「主宰受託者」といいます。）を(7)に規定する個人とみなして(7)の規定が適用されます。この場合において、その主宰受託者に課する(7)の財産に係る所得税については、その主宰受託者以外の受託者は、その所得税について、連帯納付の責めに任ぜられることとなります。（措法40④三）

なお、上記の同種の資産には、その贈与又は遺贈を受けた財産が株式である場合における公社債及び投資信託の受益権が含まれます（措規18の19⑨）。

この場合において、公益法人等は、その取得した買換資産を、譲渡の日の翌日から1年を経過する日までの期間（当該期間内にその公益法人等の公益目的事業の用に直接供することが困難である一定の事情があるときは、その譲渡の日の翌日から国税庁長官が定める日までの期間）内にその公益目的事業の用に直接供しなければなりません（措法40⑤、措令25の17⑲）。したがって、当該期間内に買換資産が公益目的事業の用に直接供されない場合には、上記(7)の①の「その公益目的事業の用に供しなくなったこと」に該当することになります。

(注) 上記　　下線部については、公益信託に関する法律（令和6年法律第30号）の施行の日以後、「18の19⑨」が「18の19⑪」とされます。（令6改措規附1四）

－581－

第十七章　国等に対して重要文化財を譲渡した

場合の特例（措法40の2）

　個人がその所有する資産（土地を除きます。）で、文化財保護法第27条第1項の規定により重要文化財として指定されたものを国、独立行政法人国立文化財機構、独立行政法人国立美術館、独立行政法人国立科学博物館、地方公共団体、地方独立行政法人（地方独立行政法人法施行令第6条第3号に掲げる博物館、美術館、植物園、動物園又は水族館のうち博物館法「第29条の規定により博物館に相当する施設として指定されたもの」とあるのは「第2条第2項に規定する公立博物館又は同法第31条第2項に規定する指定施設に該当するもの」に係る地方独立行政法人法第21条第6号に掲げる業務を主たる目的とするものに限ります。）又は文化財保護法第192条の2第1項に規定する文化財保存活用支援団体（公益社団法人（その社員総会における議決権の総数の2分の1以上の数が地方公共団体により保有されているものに限ります。）又は公益財団法人（その設立当初において拠出をされた金額の2分の1以上の金額が地方公共団体により拠出をされているものに限ります。）であって、その定款において、その法人が解散した場合にその残余財産が地方公共団体又はその法人と類似の目的をもつ他の公益を目的とする事業を行う法人に帰属する旨の定めがあるもの（以下「支援団体」といいます。））（以下本章において「国等」といいます。）に対し、譲渡した場合（文化財保存活用支援団体に譲渡した場合には、次に掲げる要件（その譲渡を受けた重要文化財として指定された資産（以下「取得資産」といいます。）が建造物以外のものである場合には、①及び④に掲げる要件）を満たす場合に限ります。）の譲渡所得については非課税とされます（措法40の2、措令25の17の2）。

①　支援団体と地方公共団体との間で、その取得資産の売買の予約又はその取得資産の第三者への転売を禁止する条項を含む協定に対する違反を停止条件とする停止条件付売買契約のいずれかを締結すること。

②　①の売買の予約又は停止条件付売買契約の締結につき、その旨の仮登記を行うこと。

③　その取得資産が、文化財保護法第192条の2第1項の規定により当該支援団体の指定をした同項の市町村の教育委員会が置かれている当該市町村の区域内に所在すること。

④　文化財保護法第183条の5第1項に規定する認定文化財保存活用地域計画に記載された取得資産の保存及び活用に関する事業（地方公共団体の管理の下に行われるものに限ります。）の用に供するために支援団体が譲渡を受けるものであること。

　なお、非課税の特例に該当する文化財であっても国等以外の者に対する譲渡、法人が行う譲渡及び例えば、棚卸資産（譲渡所得に該当しないもの）として所有する文化財の譲渡などの場合には、非課税の特例の適用はありません。

（注）　「土地」については別途租税特別措置法第34条の2,000万円控除の対象となります（措法34②四）。

第十八章　物納による譲渡所得等の特例（措法40の3）

　租税は、原則として金銭で納付することを建前としています。

　しかし、相続税を納める場合に、延納によっても金銭で納めることが困難な場合が往々にしてありますので、一定の要件により物納することが認められています。

　そこで、相続税法第42条第2項（同法第45条第2項において準用する場合を含みます。）又は第48条の2第3項の許可を受けて物納した財産についての、譲渡所得又は山林所得については、譲渡がな

かったものとみなされることになっています。

なお、この特例の適用は申告を要件とはしていません。

ただし、超過物納が認められた場合の超過物納部分（金銭による納付を困難とする額を超える価額に相当する部分。第四編第十二章第九節1参照）についてはこの特例の物納財産に該当せず、非課税の対象となる部分は、相続税の納付を困難とする金額がその物納財産の価額のうちに占める割合を、その物納財産の価額に乗じて計算した金額に相当する部分とされます（措法40の3、措令25の18）。

（注） 上記の超過物納部分については、この特例は適用されず、譲渡所得が課税されることになりますが、この場合には措置法31条の2（長期保有土地の場合）又は措置法第32条第3項（短期所有土地の場合）の適用があります。

第十九章　債務処理計画に基づき資産を贈与した場合の課税の特例（措法40の3の2）

措法第42条の4《試験研究を行った場合の法人税額の特別控除》第19項第7号に規定する中小企業者に該当する内国法人の取締役等である個人でその内国法人の債務の保証人であるものが、その個人が有する資産（有価証券を除きます。以下同じです。）でその資産に設定された賃借権、使用貸借権その他資産の使用又は収益を目的とする権利が現にその内国法人の事業の用に供されているものを、その内国法人について策定された債務処理に関する計画で一般に公表された債務処理を行うための手続に関する準則に基づき策定されていることその他一定の要件を満たすもの（以下「債務処理計画」といいます。）に基づき、平成25年4月1日から令和7年3月31日までの間にその内国法人に贈与した場合には、次に掲げる要件を満たしているときに限り、一定の手続の下でその贈与によるみなし譲渡課税（所法59①）を適用しないこととされました（措法40の3の2①、措規18の19の2）。

イ　その個人が、債務処理計画に基づき、その内国法人の債務の保証に係る保証債務の一部を履行していること。

ロ　その債務処理計画に基づいて行われたその内国法人に対する資産の贈与及び保証債務の一部の履行後においても、その個人がその内国法人の債務の保証に係る保証債務を有していることが、その債務処理計画において見込まれていること。

ハ　その内国法人が、その資産の贈与を受けた後に、その資産をその事業の用に供することがその債務処理計画において定められていること。

ニ　次に掲げる要件のいずれかを満たすこと。

①　その内国法人が中小企業者等に対する金融の円滑化を図るための臨時措置に関する法律に規定する金融機関から受けた事業資金の貸付けにつき、その貸付けに係る債務の弁済の負担を軽減するため、同法の施行の日（平成21年12月4日）から平成28年3月31日までの間に条件の変更が行われていること。

②　その債務処理計画が平成28年4月1日以後に策定されたものである場合においては、その内国法人が同日前に次のいずれにも該当しないこと。

（1）　株式会社地域経済活性化支援機構法（平成21年法律第63号）第25条第4項に規定する再生支援決定の対象となった法人

（2）　株式会社東日本大震災事業者再生支援機構法（平成23年法律第113号）第19条第4項に規定する支援決定の対象となった法人

（3）　株式会社東日本大震災事業者再生支援機構法第59条第1項に規定する産業復興機構の組合財産である債権の債務者である法人

－583－

（4） 銀行法施行規則（昭和57年大蔵省令第10号）第17条の2第7項第8号に規定する合理的な経営改善のための計画（同号イに掲げる措置を実施することを内容とするものに限ります。）を実施している会社

第二十章　固定資産の交換の場合の課税の特例（所法58）

　資産を交換した場合には、原則として、取得した資産の価額により譲渡があったものとして所得税が課税されることになります。

　しかし、その交換が一定の要件を満たすときには、譲渡がなかったものとして課税を繰り延べる特例が設けられています。

　交換の場合の課税の特例については、資産が収用される場合にその代償として固定資産を取得する場合の交換、特定の事業用資産の交換について租税特別措置法において規定していますが、これらの特例が適用されない交換についても、担税力の点からみて譲渡がなかったものとすることが妥当と考えられる一定の要件に該当するものについての特例が所得税法第58条に規定されています。

　これが通常「所得税法に規定する交換の特例」といわれているものです。

　この章においては、この「所得税法に規定する交換の特例」について説明します。

　なお、この規定は交換により譲渡した資産の譲渡がなかったものとするものですから交換により譲渡した資産の取得時期と取得費をそのまま交換によって取得した資産が引き継ぐことになります。すなわち、譲渡資産の取得価額を交換によって取得した資産の取得費に置きかえることによって課税を繰り延べるものです。

第一節　この特例の適用を受けるための要件

　この特例の適用を受けるためには、次に掲げるそれぞれの要件のすべてに当てはまることが必要です。

1　交換譲渡資産も交換取得資産もいずれも次に掲げる固定資産で、かつ、種類を同じくする資産の交換であること（所法58①）。
　（1）　土地（建物又は構築物の所有を目的とする地上権及び賃借権並びに農地法に規定している農地（同法第43条第1項《農作物栽培高度化施設に関する特例》の規定により農作物の栽培を耕作に該当するものとみなして適用する同法第2条第1項に規定する農地を含みます。）の上に存する耕作（同法第43条第1項の規定により耕作に該当するものとみなされる農作物の栽培を含みます。）に関する権利を含みます。）
　（2）　建物（これに附属する設備や構築物を含みます。）
　（3）　機械及び装置
　（4）　船舶
　（5）　鉱業権（租鉱権や採石権その他土石を採掘し又は採取する権利を含みます。）
　　同種の資産の交換とは、例えば次のようなものをいいます。
　　①　土地と土地の交換
　　②　土地と借地権の交換
　　③　農地と耕作権の交換

－584－

④　地上権である借地権と賃借権である借地権の交換

⑤　建物と建物の交換

⑥　建物と建物やその附属設備の交換

⑦　建物と建物やその附属構築物の交換

⑧　機械と機械の交換

⑨　装置と装置の交換

⑩　機械と装置の交換

　　したがって、土地と鉱業権、建物と土地というような交換は、この特例の適用は認められません。

2　交換による譲渡資産も交換による取得資産も、それぞれの所有者が1年以上所有していたものであり、しかも、交換の相手方が持っていた資産は交換の目的で取得したものでないこと。

　　交換の相手方については制限はありませんから、相手が個人であろうと、会社又は公益法人若しくは地方公共団体等であろうとそれに関係なく、この特例の適用があります。

　　（注）　交換により譲渡又は取得した固定資産が次に掲げる資産である場合における「1年以上所有していた固定資産」であるかどうかの判定は、次に掲げるところにより判定します（所基通58−1の2）。

　　　（1）　所得税法第60条第1項《贈与等により取得した資産の取得費等》又は措置法第33条の6第1項《収用交換等により取得した代替資産等の取得価額の計算》の規定の適用がある資産……引き続き所有していたものとして判定する。

　　　（2）　所得税法施行令第168条《交換による取得資産の取得価額等の計算》の規定の適用がある資産……その実際の取得の日を基礎として判定する。

3　交換で取得した資産を、譲渡した資産の譲渡直前の用途に供すること（所法58①）。

　　交換取得資産を交換譲渡資産の譲渡直前の用途と同じ用途に供したかどうかは、その資産の種類に応じ、おおむね次に掲げる区分により判定することとされています（所基通58−6）。

　（1）　土地にあっては、宅地、田畑、鉱泉地、池沼、山林、牧場又は原野、その他の区分

　（2）　建物にあっては、居住の用、店舗又は事務所の用、工場の用、倉庫の用、その他の用の区分

　（3）　機械及び装置にあっては、減価償却資産の耐用年数等に関する省令の一部を改正する省令（平成20年財務省令第32号）による改正前の耐用年数省令別表第2に掲げる設備の種類の区分

　（4）　船舶にあっては、漁船、運送船（貨物船、油そう船、薬品そう船、客船等をいいます。）、作業船（しゅんせつ船及び砂利採取船を含みます。）、その他の区分

　　（注）　（2）の適用については、店舗又は事務所と住宅とに併用されている家屋は、居住専用又は店舗専用若しくは事務所専用の家屋と認めて差し支えないものとされています。

4　交換譲渡資産の価額と交換取得資産の価額の差額がそのいずれか多い方の価額の20%以内であること（所法58②）。

第二節　交換の特例適用上の留意事項

1　交換の対象となる土地の範囲

　交換の対象となる土地には、立木その他独立して取引の対象となる土地の定着物は含まれませんが、その土地が宅地である場合には、庭木、石垣、庭園（庭園に附属する亭、庭内神し（祠）その他これらに類する附属設備を含みます。）その他これらに類するもののうち宅地と一体として交換されるもの（建物に該当するものは除かれます。）は含まれます（所基通58−2）。

2　交換の対象となる耕作権の範囲

　交換の特例の適用対象となる耕作権とは、耕作を目的とする地上権、永小作権又は賃借権で、これら

の権利の移転、これらの権利に係る契約の解約等をする場合には農地法第3条第1項《農地又は採草放牧地の権利移動の制限》、第5条第1項《農地又は採草放牧地の転用のための権利移動の制限》又は第18条第1項《農地又は採草放牧地の賃貸借の解約等の制限》の規定が適用されるものをいいます。

したがって、これらの規定の適用がないいわゆる事実上の権利は耕作権には含まれません（所基通58－2の2）。

3 交換の対象となる建物附属設備等

建物に附属する設備及び構築物は、その建物と一体となって交換される場合に限り建物として所得税法第58条の交換の規定の適用があるのであって、建物に附属する設備又は構築物は、それぞれ単独には同条の規定の適用はありません（所基通58－3）。

4 二以上の種類の資産を交換した場合

二以上の種類の固定資産を同時に交換した場合、例えば、土地及び建物と土地及び建物とを交換した場合には、土地は土地、建物は建物とそれぞれ交換したものとされます。

この場合において、これらの資産は全体としては等価であるが、土地と土地、建物と建物との価額がそれぞれ異なっているときは、それぞれその価額の差額は交換差金等として取り扱われます（所基通58－4）。

5 交換により取得した二以上の同種類の資産のうちに同一の用途に供されないものがある場合

交換により種類を同じくする二以上の資産を取得した場合において、その取得した資産のうちに譲渡直前の用途と同一の用途に供さなかったものがあるときは、この交換の特例の規定の適用については、その用途に供さなかった資産は、この交換の特例の規定の適用がある取得資産には該当せず、その資産は交換差金等として取り扱われます（所基通58－5）。

6 譲渡資産の譲渡直前の用途

譲渡資産の譲渡直前の用途は、例えば農地を宅地に造成し、又は住宅を店舗に改造するなどその譲渡資産を他の用途に供するために造成又は改造に着手して他の用途に供することとしている場合には、その造成又は改造後の用途をいうこととされています（所基通58－7）。

なお、例えば農地を宅地に造成した後、他人が所有する固定資産である宅地と交換したような場合において、その譲渡による所得が所基通33－5（第一編第二章第二節の4（16ページ）参照）により譲渡所得となる部分と事業所得又は雑所得となる部分とから成るときは、譲渡所得の基因となる部分（その収入金額は宅地造成着手前のその土地の価額によります。）についてのみ、固定資産に該当するものとして、この交換の特例の適用対象とすることができます。この場合事業所得又は雑所得となる部分に係る収入金額は、交換の特例適用上は、交換差金とみなされます。

7 取得資産を譲渡資産の譲渡直前の用途と同一の用途に供する時期

固定資産を交換した場合において、取得資産をその交換の日の属する年分の確定申告書の提出期限までに譲渡資産の譲渡直前の用途と同一の用途に供したとき（相続人がその用途に供した場合を含みます。）はこの交換の特例の規定の適用があるものとされます。

この場合において、取得資産について譲渡資産の譲渡直前の用途と同一の用途に供するため改造等を要するものであり、その確定申告書の提出期限までにその改造等に着手しているとき（相当の期間内にその改造等を完了する見込みがあるときに限ります。）は、その提出期限までに同一の用途に供されたものとして取り扱われます（所基通58－8）。

8 資産の一部分を交換として他の部分を売買とした場合の交換の特例の適用

一の資産について、その一部分については交換とし、他の部分については売買としているときは、この交換の特例の規定の適用については、その他の部分を含めて交換があったものとされ、その売買代金は交換差金等として取り扱われます（所基通58－9）。

9 交換費用の区分

交換のために要した費用の額を「譲渡資産の譲渡に要した費用の額」と「取得資産を取得するために要した経費の額」とに区分する場合において、仲介手数料、周旋料その他譲渡と取得との双方に関連する費用（受益者等課税信託（所得税法第13条第1項に規定する受益者等がその信託財産に属する資産及び負債を有するものとみなされる信託をいいます。）の信託財産に属する資産（信託財産に属する資産が譲渡所得の基因となる資産である場合における当該資産をいいます。）を交換した場合において、その交換に係る信託報酬としてその受益者等課税信託の受益者等がその受益者等課税信託の受託者に支払う金額を含みます。）でいずれの費用であるか明らかでないものがあるときは、その費用の2分の1ずつがそれぞれの費用として取り扱われます（所基通58－10）。

10 借地権等の設定の対価として土地等を取得した場合

自己の所有する土地に借地権等の設定（その設定による所得が譲渡所得とされる場合に限ります。）をし、その設定の対価として相手方から土地等を取得した場合には土地の交換があったものとして、この特例の適用を受けることができます（所基通58－11）。

11 交換資産の時価

固定資産の交換があった場合において、交換当事者において合意されたその資産の価額が、交換をするに至った事情等に照らして合理的に算定されていると認められるものであるときは、その合意された価額が通常の取引価額と異なるときであっても、交換の場合の課税の特例の適用に当たっては、これらの資産の価額はその当事者間において合意された価額によるものとされています（所基通58－12）。

第三節　譲渡所得の計算方法等

1 譲渡所得の計算

交換の特例を適用した場合における交換差金等を取得した場合についての譲渡所得の金額の計算は、次の算式によります。

$$
\left(\begin{array}{c}交換差金\\等の金額\end{array}\right) - \left[\left\{\left(\begin{array}{c}交換譲渡資\\産の取得費\end{array}\right) + \left(\begin{array}{c}譲渡\\経費\end{array}\right)\right\} \times \frac{\left(\begin{array}{c}交換差金等の金額\end{array}\right)}{\left(\begin{array}{c}交換取得資\\産の時価\end{array}\right) + \left(\begin{array}{c}交換差金\\等の金額\end{array}\right)}\right] = \left(譲渡益\right)
$$

2 交換取得資産の取得費の計算

交換の特例を適用し、譲渡がなかったものとみなされた部分については、交換譲渡資産の取得費がそのまま交換取得資産に引き継がれることになります。

この計算は次の算式によって行います（所令168）。

（1）　交換取得資産とともに交換差金等を取得した場合

$$\left\{\left(\begin{array}{c}\text{交換譲渡資}\\\text{産の取得費}\end{array}\right)+\left(\begin{array}{c}\text{譲渡}\\\text{経費}\end{array}\right)\right\}\times\dfrac{\left(\text{交換取得資産の時価}\right)}{\left(\begin{array}{c}\text{交換取得資}\\\text{産 の 時 価}\end{array}\right)+\left(\begin{array}{c}\text{交換差金}\\\text{等の金額}\end{array}\right)}+\left(\begin{array}{c}\text{交換取得資産の取}\\\text{得 に 要 し た 経 費}\end{array}\right)=\left(\begin{array}{c}\text{交換取得資}\\\text{産の取得費}\end{array}\right)$$

（2）　交換譲渡資産とともに交換差金等の交付をして交換取得資産を取得した場合

$$\left\{\left(\begin{array}{c}\text{交換譲渡資}\\\text{産の取得費}\end{array}\right)+\left(\begin{array}{c}\text{譲渡}\\\text{経費}\end{array}\right)\right\}+\left\{\left(\begin{array}{c}\text{交付した交換}\\\text{差金等の金額}\end{array}\right)+\left(\begin{array}{c}\text{交換取得資産の取}\\\text{得 に 要 し た 経 費}\end{array}\right)\right\}=\left(\begin{array}{c}\text{交換取得資}\\\text{産の取得費}\end{array}\right)$$

（3）　等価交換の場合

$$\left(\begin{array}{c}\text{交換譲渡資}\\\text{産の取得費}\end{array}\right)+\left(\begin{array}{c}\text{譲渡}\\\text{経費}\end{array}\right)+\left(\begin{array}{c}\text{交換取得資産の取}\\\text{得 に 要 し た 経 費}\end{array}\right)=\left(\begin{array}{c}\text{交換取得資}\\\text{産の取得費}\end{array}\right)$$

第四節　申　告　手　続

　この交換の特例の適用を受けるためには、交換のあった年分の確定申告書にこの特例を適用する旨を記載し、次の事項を記載した譲渡所得の内訳書（確定申告書付表兼計算明細書）を添付のうえ、所轄税務署長に提出しなければなりません（所法58③、所規37）。

①　交換譲渡資産と交換取得資産の種類、数量及び用途

②　交換の相手方の氏名又は名称及び住所若しくは居所又は本店若しくは主たる事務所の所在地

③　交換の年月日

④　交換譲渡資産及び交換取得資産の取得年月日

⑤　その他参考となるべき事項

　なお、この交換の特例について、上記事項を申告しなかった場合においては、税務署長がその申告のないことについてやむを得ない事情があると認めた場合以外は、この特例の適用は認められません（所法58④）。

第二十一章　居住用財産の買換え等の場合の譲渡損失の損益通算及び繰越控除の特例

（措法41の5）

　この特例は、平成10年度の税制改正により創設されたもので、平成10年1月1日から平成15年12月31日までの間に、自己の居住用の家屋及びその敷地で譲渡の年の1月1日における所有期間が5年を超えるものを譲渡し、所定の期間内に自己の居住用の家屋又はその敷地を取得し、かつ、その取得のあった年の翌年12月31日までに居住の用に供した場合又は供する見込みである場合において、その譲渡について損失が生ずるときは、譲渡資産の取得及び買換資産の取得に係る住宅借入金等があること等一定の要件の下に、その譲渡損失の金額を譲渡の年の翌年以後3年内の各年分（合計所得金額が3,000万円以下である年分に限ります。）の総所得金額等、退職所得金額又は山林所得金額の計算上控除するというものでした。

　その後、平成16年度の改正では、譲渡した居住用財産について住宅借入金等を有することの要件が廃止されるとともに、土地建物等の譲渡損失について損益通算及び損失の繰越控除が廃止される中で、この特例は例外的措置として全面的に見直しされました。

第一節　居住用財産の譲渡損失の損益通算及び繰越控除

1　損益通算の特例

　個人が、平成16年分以後の各年分においてその譲渡した年の1月1日において所有期間が5年を超える居住用財産（以下「譲渡資産」といいます。第二節参照）の譲渡で一定の要件を満たすもの（以下「特定譲渡」といいます。第二節参照）をした場合において、一定の要件を満たす居住用財産（以下「買換資産」といいます。第二節参照）の取得をして住宅借入金等を有する場合でその買換資産を一定の期間内に居住の用に供したときには、その譲渡資産の特定譲渡による譲渡所得の金額の計算上生じた損失の金額のうちその年分の分離長期譲渡所得の金額及び分離短期譲渡所得の金額の計算上控除してもなお控除しきれない金額（以下「居住用財産の譲渡損失の金額」といいます。第二節参照）については、第三章第一節の規定（土地建物等の譲渡所得の損失の損益通算の禁止）にかかわらず、損益通算の規定が適用されます（措法41の5①、⑦一）。

（注）　総合短期譲渡所得の金額又は総合長期譲渡所得の金額を計算する場合に、これらの所得の基因となった資産のうちに譲渡損失の生じた資産があるときは、その年中に譲渡した資産を総合短期譲渡所得の基因となる資産及び総合長期譲渡所得の基因となる資産に区分して、これらの資産の区分ごとにそれぞれの総収入金額から取得費及び譲渡費用の合計額を控除して譲渡損益を計算しますが、その区分ごとに計算した金額の一方に損失の金額が生じた場合又は居住用財産の譲渡損失の金額がある場合のその損失の金額の譲渡益からの控除は次によります（措通41の5－1）。

（1）　総合長期譲渡所得の損失の金額は、総合短期譲渡所得の譲渡益から控除します。

（2）　総合短期譲渡所得の損失の金額は、総合長期譲渡所得の譲渡益から控除します。

（3）　居住用財産の譲渡所得の金額は、（1）又は（2）による控除後の譲渡益について、総合短期譲渡所得の譲渡益、総合長期譲渡所得の譲渡益の順に控除します。ただし、この取扱いと異なる順序で控除して申告したときはその計算が認められます。

第二十一章《居住用財産の買換え等の場合の譲渡損失の損益通算及び繰越控除の特例》

2　繰越控除の特例

　確定申告書を提出する個人が、その年の前年以前3年内の年において生じた純損失の金額のうち居住用財産の譲渡損失の金額に係るもので一定の方法により計算した金額（この特例の適用を受けて前年以前の年において控除されたものを除きます。以下「通算後譲渡損失の金額」といいます。第二節参照）を有する場合において、その個人がその年の12月31日（その者が死亡した日の属する年は、その死亡した日）においてその通算後譲渡損失の金額に係る買換資産に係る住宅借入金等の金額を有するときは、その通算後譲渡損失の金額について、一定の方法によりその年分の分離長期譲渡所得の金額、分離短期譲渡所得の金額、総所得金額、山林所得金額又は退職所得金額から順次控除されます（措法41の5④、⑦三、措令26の7①）。

（注1）　その年分の各種所得の金額の計算上生じた損失の金額がある場合又は所得税法第70条《純損失の繰越控除》若しくは第71条第1項《雑損失の繰越控除》の規定による控除が行われる場合には、まず同法第69条《損益通算》及び第70条の規定による控除を行い、次に2の特例の規定による控除及び所得税法第71条第1項の規定による控除を順次行います。この場合において、控除する純損失の金額及び控除する雑損失の金額が前年以前3年内（同法第70条の2第1項から第3項まで又は第71の2第1項の規定の適用がある場合には、前年以前5年内）の二以上の年に生じたものであるときは、これらの年のうち最も古い年に生じた純損失の金額又は雑損失の金額から順次控除します（措令26の7②）。

　　　　　この規定の適用がある場合において、その者の有する通算後譲渡損失の金額の生じた年がその者の有する所得税法施行令第201条第2項に規定する特例対象純損失金額若しくは同令第204条第3項に規定する特定雑損失金額の生じた年又はその翌年であるときは、通算後譲渡損失の金額は特例対象純損失金額又は特定雑損失金額よりも古い年に生じたものとして順次控除を行います（措令26の7③）。

（注2）　前年以前3年内の年において生じた通算後譲渡損失の金額に相当する金額をその年の総所得金額、土地等に係る事業所得等の金額、分離長期譲渡所得の金額、分離短期譲渡所得の金額、山林所得金額又は退職所得金額の計算上控除する場合には、次の(1)から(4)の順序で控除します（措通41の5－1の2）。

（1）　まず、その年分の各種所得の金額の計算上生じた損失の金額がある場合には、所得税法第69条第1項《損益通算》の規定による控除を行います。

（2）　次に、所得税法第70条第1項又は第2項に規定する純損失の金額がある場合には、同条第1項又は第2項の規定による控除を行います。

（3）　その上で、通算後譲渡損失の金額に相当する金額について、2の規定による繰越控除を行います。

　　　　この場合、その年分の分離長期譲渡所得の金額、分離短期譲渡所得の金額、総所得金額、土地等に係る事業所得等の金額、山林所得金額又は退職所得金額から順次控除します。

（4）　更に、所得税法第71条第1項に規定する雑損失がある場合には、別項の規定による控除を行います。

3　特例の適用がない場合

（1）　損益通算の特例の不適用

　その個人がその年の前年以前3年内の年において生じた当該居住用財産の譲渡損失の金額以外の居住用財産の譲渡損失の金額につきこの損益通算の特例の適用を受けているときは、この特例の適用を受けることはできません（措法41の5①ただし書）。

（2）　繰越控除の特例の不適用

　繰越控除の特例の適用に当たって、その個人のその年の合計所得金額が3,000万円を超える年については、繰越控除の特例の適用を受けることはできません（措法41の5④ただし書）。

　（注）　損益通算の特例には、上記の所得要件はありません。

（3）　他の居住用財産の譲渡の特例と重複不適用

イ　譲渡資産の特定譲渡をした年の前年又は前々年における資産の譲渡について次に掲げる特例の適用を受けている場合には居住用財産の譲渡損失の金額の対象から除外され、この損益通算及び繰越控除の特例の適用を受けることはできません（措法41の5⑦一）。

－590－

① 居住用財産を譲渡した場合の長期譲渡所得の軽減税率の特例（措法31の３）
② 居住用財産の譲渡所得の3,000万円特別控除（措法35第１項〔第３項の規定により適用する場合を除きます。〕）
③ 特定の居住用財産の買換えの場合の長期譲渡所得の課税の特例（措法36の２）
④ 特定の居住用財産を交換した場合の長期譲渡所得の課税の特例（措法36の５）

ロ 譲渡資産の特定譲渡をした年又はその年の前年以前３年内における資産の譲渡につき第二十三章第一節１《特定居住用財産の譲渡損失の損益通算の特例》の適用を受け、又は受けている場合には、イと同様、この損益通算及び繰越控除の特例の適用を受けることはできません（措法41の５⑦一）。

4 特定非常災害の場合の取得期限の延長の特例

居住用財産の買換え等の場合の譲渡損失の損益通算及び繰越控除の特例の適用を受けた者が、特定非常災害（※）として指定された非常災害に基因するやむを得ない事情により、その買換資産を取得期限（譲渡の日の翌年12月31日）までに取得をすることが困難となり、所轄税務署長の承認を受けた場合には、その取得期限を、その取得期限の属する年の翌々年12月31日とすることができることとされました（措法41の５⑦一）。

なお、この承認を受けるための申請は、取得期限の属する年の翌年３月15日までに行わなければなりません（措規18の25④）。

※ 「特定非常災害」とは、著しく異常かつ激甚な非常災害であって、その非常災害の被害者の行政上の権利利益の保全等を図ること等が特に必要と認められるものが発生した場合に指定されるものをいいます（特定非常災害の被害者の権利利益の保全等を図るための特別措置に関する法律２①）。

なお、令和６年９月30日現在、特定非常災害に指定されたものは、阪神・淡路大震災、平成16年新潟県中越地震、東日本大震災、平成28年熊本地震、平成30年７月豪雨災害、令和元年台風19号、令和２年７月豪雨災害及び令和６年能登半島地震となっています。

第二節 用語の意義

1 居住用財産の譲渡損失の金額

その個人が平成10年１月１日から令和７年12月31日までの期間内に、次に掲げる譲渡資産の譲渡（以下「特定譲渡」といいます。）をした場合（第一節３の(3)の他の居住用財産の譲渡の特例の適用を受けている場合を除きます。）において、一定の期間内に、次に掲げる買換資産の取得をし、その取得をした日の属する年の12月31日において、その買換資産に係る住宅借入金等の金額を有し、かつ、その取得の日からその取得の日の属する年の翌年12月31日までの間にその個人の居住の用に供したとき、又は供する見込みであるときのその譲渡資産の特定譲渡（その特定譲渡が二以上ある場合は、その個人が選定した一の特定譲渡に限ります。）による譲渡所得の金額の計算上生じた損失の金額のうち、その特定譲渡をした日の属する年分の分離長期譲渡所得の金額の計算上生じた損失の金額に達するまでの金額とされていますが、その分離長期譲渡所得の金額の計算上生じた損失の金額のうちに分離短期譲渡所得の金額の計算上控除する金額があるときは、その分離長期譲渡所得の金額の計算上生じた損失の金額から当該控除する金額に相当する金額を控除した金額に達するまでの金額とされています（措法41の５⑦一、措令26の７⑨）。

譲渡資産	その個人が有する家屋又は土地若しくは土地の上に存する権利で、譲渡の年１月１日において所有期間が５年を超えるもののうち次に掲げるものをいいます（措法41の５⑦一イ～ニ）。 イ　その個人がその居住の用に供している家屋のうち国内にあるもの

－591－

(注) イの家屋のうちにその居住の用以外の用に供している部分があるときは、その居住の用に供している部分に限ります。また、その者がその居住の用に供している家屋を二以上有する場合には、これらの家屋のうち、その者が主としてその居住の用に供していると認められる一の家屋に限ります（措令26の7⑩）。

ロ　イの家屋でその個人の居住の用に供されなくなったもの（その個人の居住の用に供されなくなった日から同日以後３年を経過する日の属する年の12月31日までの間に譲渡されるものに限ります。）

ハ　上記イ又はロの家屋及びその家屋の敷地の用に供されている土地又はその土地の上に存する権利

ニ　その個人の上記イの家屋が災害により滅失した場合において、その個人がその家屋を引き続き所有していたとしたならば、その年１月１日において所有期間が５年を超えるその家屋の敷地の用に供されていた土地又はその土地の上に存する権利（その災害があった日から同日以後３年を経過する日の属する年の12月31日までの間に譲渡されるものに限ります。）

（注1）〔ハに掲げる資産〕　上記ハに規定する「イ又はロに掲げる家屋……土地又は土地の上に存する権利」とは、上記イ又はロに掲げる家屋とともにこれらの家屋の敷地の用に供されている土地等でその年の１月１日において所有期間が５年を超えるものを譲渡した場合の当該家屋及び敷地の用に供されている土地等をいうことに留意してください（措通41の5−3）。

※1　上記ハに該当する家屋及び土地等の譲渡に係る居住用財産の譲渡損失の金額の計算は、その家屋及び土地等に係る譲渡損益の合計額により行うことになります。したがって、そのいずれか一方の資産に係る譲渡損失のみをもって居住用財産の譲渡損失の金額を計算することはできません。

※2　上記イ又はロの家屋とともにその敷地である土地等の譲渡があった場合において、その家屋又は土地等のいずれか一方のその年１月１日における所有期間が５年以下であるときは、その家屋及び土地等は譲渡資産に該当しないので、その譲渡損失についてはこの特例を適用することはできません。

（注2）〔敷地のうちに所有期間の異なる部分がある場合〕　上記イ又はロに掲げる家屋とともにこれらの家屋の敷地の用に供されている土地等の譲渡があった場合において、その土地等のうちにその年１月１日における所有期間が５年を超える部分とその他の部分があるときは、その土地等のうちその５年を超える部分のみが上記ハに掲げる土地等に該当します（措通41の5−4）。

※　これらの家屋の敷地の用に供されている一の土地が、その取得の日を所得税基本通達33−10《借地権者等が取得した底地の取得時期等》（第一編第三章第三節の1の(6)（40ページ）参照）の定めにより借地権等に相当する部分と底地に相当する部分とに区分して判定するものであるときは、その土地のうちその年の１月１日における所有期間が５年を超えることとなる部分のみが上記ハに掲げる土地等に該当します。

（注3）〔居住用土地等のみの譲渡〕　上記イ又はロに掲げる家屋を取り壊し、その家屋の敷地の用に供されていた土地等を譲渡した場合（その取壊し後、その土地等の上にその土地等の所有者が建物等を建設し、その建物等とともに譲渡する場合を除きます。）において、その譲渡した土地等が次に掲げる要件の全てを満たすときは、その土地等は譲渡資産に該当するものとされます。

ただし、その土地等のみの譲渡であっても、その家屋を引き家してその土地等を譲渡する場合のその土地等は譲渡資産に該当しません（措通41の5−5）。

（1）　その土地等は、その家屋が取り壊された日の属する年の１月１日において所有期間が５年を超えるものであること

（2）　その土地等は、その譲渡契約が家屋を取り壊した日から１年以内に締結され、かつ、その家屋をその居住の用に供さなくなった日以後３年を経過する日の属する年の12月31日までに譲渡したものであること

（3）　その土地等は、家屋を取り壊した後譲渡契約を締結した日まで、貸付けその他の用に供していないものであること

第二十一章《居住用財産の買換え等の場合の譲渡損失の損益通算及び繰越控除の特例》

※　その取壊しの日の属する年の１月１日において所有期間が５年を超えない家屋の敷地の用に供されていた土地等の譲渡に係る譲渡損失については、この特例の適用はありません。

通常の売却のほか、土地の長期間貸付けなどの譲渡所得の基因となる不動産等の貸付けを含みますが、その個人の配偶者などその個人と次の特別の関係がある者に対する譲渡、贈与及び出資による譲渡は除かれます（措法41の５⑦一、措令26の７④⑤）。

イ　その個人の配偶者及び直系血族

ロ　その個人の親族（イに掲げる者を除きます。以下このロにおいて同じ。）でその個人と生計を一にしているもの及びその個人の親族で譲渡資産に係る家屋の譲渡がされた後その個人とその家屋に居住をするもの

ハ　その個人と婚姻の届出をしていないが事実上婚姻関係と同様の事情にある者及びその者の親族でその者と生計を一にしているもの

ニ　上記イからハまでに掲げる者及びその個人の使用人以外の者でその個人から受ける金銭その他の財産によって生計を維持しているもの及びその者の親族でその者と生計を一にしているもの

ホ　その個人、その個人の上記イ及びロに掲げる親族、その個人の使用人若しくはその使用人の親族でその使用人と生計を一にしているもの又はその個人に係る上記ハ及びニに掲げる者を判定の基礎とする株主等とした場合に法人税法施行令第４条第２項に規定する特殊の関係その他これに準ずる関係のあることとなる会社その他の法人

〔特定譲渡が二以上ある場合の選定〕

　その年中に特定譲渡が二以上ある場合には、その個人が選定した一の特定譲渡に限りますが、この選定は、その個人が、居住用財産の譲渡損失の金額が生じた年分の確定申告書に添付すべき居住用財産の譲渡損失の金額の計算に関する明細書に、一の特定譲渡に係る居住用財産の譲渡損失の金額の計算に関する明細を記載することにより行います（措法41の５⑦一、措令26の７⑧）。

(注１)　〔居住用家屋の敷地の一部の譲渡〕　その居住の用に供している家屋（その家屋でその居住の用に供されなくなったものを含みます。）の敷地の用に供されている土地等、災害により滅失したその家屋の敷地の用に供されていた土地等（以下「災害跡地」といいます。）又は措通41の５−５（前ページの（注３））に定める取り壊した家屋の敷地の用に供されていた土地等（以下「取壊し跡地」といいます。）の一部を区分して譲渡した場合には、次の点に留意してください（措通41の５−９）。

(1)　現に存する家屋の敷地の用に供されている土地等の一部の譲渡である場合　その譲渡がその家屋の譲渡と同時に行われたものであるときは、その譲渡は譲渡資産の譲渡に該当しますが、その譲渡がその家屋の譲渡と同時に行われたものでないときは、その譲渡は譲渡資産の譲渡には該当しません。

(2)　災害跡地の一部の譲渡である場合　居住の用に供している家屋が災害により滅失した場合には、その災害があった日（居住の用に供されなくなった家屋が災害により滅失した場合にはその家屋が居住の用に供されなくなった日）から、同日以後３年を経過する日の属する年の12月31日までに行われた譲渡は、全て譲渡資産の譲渡に該当します。

(3)　取壊し跡地の一部の譲渡である場合　その譲渡は措通41の５−５（前ページの（注３））により判定します。

(注２)　〔居住用家屋の所有者とその敷地の所有者が異なる場合の取扱い〕　「譲渡資産」欄のイ又はロに掲げる家屋(以下「譲渡家屋」といいます。)の所有者以外の者がその譲渡家屋の敷地の用に供されている土地等でその譲渡の年の１月１日における所有期間が５年を超えているもの（以下「譲渡敷地」といいます。）の全部又は一部を有している場合において、譲渡家屋の所有者と譲渡敷地の所有者の行った譲渡等が次に掲げる要件の全てを満たすときは、これらの者がともにこの特例を受ける旨の申告をしたときに限り、その申告が認められます（措通41の５−11）。

(1)　譲渡家屋の所有者と譲渡敷地の所有者は、次のいずれにも該当する資産の特定譲渡をしてい

−593−

第二十一章《居住用財産の買換え等の場合の譲渡損失の損益通算及び繰越控除の特例》

ること。

　イ　譲渡敷地は、譲渡家屋とともに特定譲渡がされているものであること。

　ロ　譲渡家屋は、その譲渡の時においてその家屋の所有者が譲渡敷地の所有者とともにその居住の用に供している家屋（その家屋がその所有者の居住の用に供されなくなった日から同日以後3年を経過する日の属する年の12月31日までの間に譲渡されたものであるときは、その居住の用に供されなくなった時の直前においてこれらの者がその居住の用に供していた家屋）であること。

（2）　譲渡家屋の所有者と譲渡敷地の所有者は、次のいずれにも該当する資産の取得をしていること。

　イ　これらの者が取得した資産は、その居住の用に供する一の家屋又はその家屋とともに取得したその家屋の敷地の用に供する一の土地等で国内にあるものであること。

　ロ　イの家屋又は土地等は、これらの者のそれぞれが、おおむねその者の（1）に掲げる譲渡に係る譲渡収入金額（その家屋の取得価額又はその家屋及び土地等の取得価額の合計額が譲渡家屋及び譲渡敷地の譲渡収入金額を超える場合にあっては、それぞれの者に係る譲渡収入金額にその超える金額のうちその者が支出した額を加算した金額）の割合に応じて、その全部又は一部を取得しているものであること。

　ハ　その取得した家屋又は土地等は、買換資産の取得期間内に取得されているものであること。

　ニ　その取得した家屋は、買換資産をその居住の用に供すべき期間（買換資産の取得の日からその取得の日の属する年の翌年12月31日までの期間をいいます。）内に、譲渡家屋の所有者が譲渡敷地の所有者とともにその居住の用に供しているものであること。

（3）　譲渡家屋の所有者と譲渡敷地の所有者とは、譲渡家屋及び譲渡敷地の譲渡の時（その家屋がその所有者の居住の用に供されなくなった日から同日以後3年を経過する日の属する年の12月31日までの間に譲渡されたものであるときは、その居住の用に供されなくなった時）から買換資産をその居住の用に供するまでの間、親族関係を有し、かつ、生計を一にしていること。

（4）　譲渡家屋の所有者と譲渡敷地の所有者のそれぞれが、損益通算の特例の適用を受ける場合は買換資産を取得した日の属する年の12月31日、繰越控除の特例の適用を受ける場合はその適用を受ける年の12月31日、において買換資産に係る住宅借入金等（2参照）の金額を有していること。

※1　譲渡家屋の所有者がその家屋（譲渡敷地のうちその者が有している部分を含みます。）の譲渡につきこの特例を適用しない場合（その家屋の所有者について居住用財産の譲渡損失の金額又は通算後譲渡損失の金額がない場合、所得税法第69条の規定による損益通算及び同法第70条第1項又は第2項の規定による純損失の繰越控除の適用後において控除すべきその年の総所得金額等がないこととなる場合並びにその年の合計所得金額が3,000万円を超えるためこの特例の適用を受けることができない場合を除きます。）には、譲渡敷地の所有者についてこの特例を適用することはできません。

※2　譲渡敷地の所有者がその敷地の譲渡につき損益通算の特例の適用を受ける場合には、譲渡家屋の所有者のその家屋の譲渡については居住用財産に係る課税の特例（措法31の3、35①（35③により適用する場合を除く。）、36の2又は36の5）の適用を受けることはできません。

(注3)　〔借地権等の設定されている土地の譲渡についての取扱い〕　譲渡家屋の所有者が、その家屋の敷地である借地権等の設定されている土地でその譲渡の年の1月1日における所有期間が5年を超えているもの（以下「居住用底地」といいます。）の全部又は一部を所有している場合において、その家屋を取り壊しその居住用底地を譲渡したときのこの特例の適用については、措通41の5-5（592ページの（注3）参照）に準じて取り扱われ、その居住用底地がその家屋とともに譲渡されているときは、その家屋及びその居住用底地の譲渡についてこの特例の適用を認めることとされています。

　また、譲渡家屋の所有者以外の者が、居住用底地の全部又は一部を所有している場合におけるこの特例の適用については、（注2）に準じて取り扱うこととされています（措通41の5-12）。

-594-

第二十一章《居住用財産の買換え等の場合の譲渡損失の損益通算及び繰越控除の特例》

その個人の居住の用に供する家屋で次に掲げるもの（その個人が、その居住の用に供する家屋を二以上有する場合には、これらの家屋のうち、その者が主としてその居住の用に供すると認められる一の家屋に限ります。）又はその家屋の敷地の用に供する土地又は土地の上に存する権利で、国内にあるものをいうこととされています（措法41の5⑦一、措令26の7⑥）。

　イ　一棟の家屋の床面積のうちその個人が居住の用に供する部分の床面積が50㎡以上であるもの

　ロ　一棟の家屋のうちその構造上区分された数個の部分を独立して住居その他の用途に供することができるものにつきその各部分（以下「独立部分」といいます。）を区分所有する場合には、その独立部分の床面積のうちその個人が居住の用に供する部分の床面積が50㎡以上であるもの

　（注1）〔買換資産の床面積要件の判定〕　その者が取得する家屋について上記イ又はロの床面積要件の判定を行う場合には、次の点に注意してください（措通41の5－14）。

　　　（1）　その家屋の床面積のうちその個人が居住の用に供する部分の床面積が50㎡以上のものであるかどうかを判定する場合において、その家屋と一体として利用される離れ屋、物置等の附属家屋は、その家屋に含むものとされます。

　　　（2）　その家屋が共有物である場合には、その家屋の全体の床面積（その家屋のうちその独立部分を区分所有する場合には、その独立部分の床面積）により行うこと。

　　　（3）　その家屋が店舗兼住宅等である場合には、措通31の3－7《店舗兼住宅等の居住部分の判定》（第一章第三節の1の（4）（209ページ）参照）に準じて計算した居住の用に供する部分の床面積により行うこと。

　　　　　なお、これにより計算した家屋の居住の用に供する部分の床面積がその家屋の床面積のおおむね90％以上である場合には、その家屋の全体の床面積により判定しても差し支えないものとされます。

〔取得の範囲〕

　通常の買取りのほか、家屋を自己が建設する場合も含まれますが、贈与による取得及び代物弁済（金銭債務の弁済に代えてするものに限ります。）としての取得は除かれます（措法41の5⑦一、措令26の7⑦）。

〔買換資産の取得時期〕

　買換資産は、その特定譲渡の日の属する年の前年1月1日からその特定譲渡の日の属する年の翌年12月31日（取得期限）までの間に取得をすることとされています。

　（注2）〔やむを得ない事情により買換資産の取得が遅れた場合〕　この特例の適用を受けようとする者が、取得期限までに買換資産に該当する家屋（いわゆる建売住宅のように家屋とともにその敷地の用に供する土地等の譲渡がある場合のその土地等を含みます。以下（注2）において同じ。）を取得できなかった場合であっても、次に掲げる要件のいずれをも満たすときは、その家屋は、取得期間内に取得されていたものとして取り扱われます。この場合、取得期限の属する年の翌年12月31日において買換資産に係る住宅借入金等の金額を有しているかどうかは、その家屋の取得の日において買換資産に係る住宅借入金等を有しているかどうかにより判定します（措通41の5－13）。

　　①　買換資産に該当する家屋を取得期間内に取得する契約を締結していたにもかかわらず、その契約の締結後に生じた災害（第一節の4の取得期限の延長の承認を受けている場合のその災害を除きます。）その他その者の責めに帰せられないやむを得ない事情によりその契約に係る家屋をその期間内に取得できなかったこと

　　②　買換資産に該当する家屋を取得期限の属する年の翌年12月31日までに取得し、かつ、同日までにその取得した家屋をその者の居住の用に供していること

　　※　買換資産の取得の日については、所得税基本通達33－9《資産の取得の日》（第一編第三章第三節の1の（1）（2）（38ページ）参照）に定めるところにより判定しますが、次に掲げる資産は、それぞれ次に掲げる日以後において取得することになります。

　　　イ　他から取得する家屋で、その取得に関する契約時において建設が完了していないもの　　　そ

買換資産

－595－

第二十一章《居住用財産の買換え等の場合の譲渡損失の損益通算及び繰越控除の特例》

の建設が完了した日

　　　ロ　他から取得する家屋又は土地等で、その取得に関する契約時においてその契約に係る譲渡者がまだ取得していないもの（イに掲げる家屋を除きます）　　　その譲渡者が取得した日

〔買換資産に係る住宅借入金等〕

　買換資産の取得をした日の属する年の12月31日において、その買換資産に係る住宅借入金等（2参照）の金額を有していることが必要です（措法41の5⑦一）。

2　住宅借入金

　第一節1及び上記1の表の「買換資産」欄の**〔買換資産に係る住宅借入金等〕**の住宅借入金等とは、住宅の用に供する家屋の新築若しくは取得又はその家屋の敷地の用に供される土地若しくはその土地の上に存する権利の取得（以下2において「住宅の取得等」といいます。）に係る次表の①から④までに掲げる借入金又は債務（利息に対応するものを除きます。）で、契約において償還期間が10年以上の割賦償還の方法又は賦払期間が10年以上の割賦払の方法により返済し、又は支払うこととされているものをいいます（措法41の5⑦四、措令26の7⑬、措規18の25④～⑩）。

	次に掲げる借入金又は債務（措令26の7⑬一、措規18の25⑤⑥）
	イ　銀行、信用金庫、労働金庫、信用協同組合、農業協同組合、農業協同組合連合会、漁業協同組合、漁業協同組合連合会、水産加工業協同組合、水産加工業協同組合連合会、商工組合中央金庫、生命保険会社、損害保険会社、信託会社、農林中央金庫、信用金庫連合会、労働金庫連合会、共済水産業協同組合連合会、信用協同組合連合会、日本政策投資銀行及び日本貿易保険からの借入金（措法8①、措令2の36、3の3）
	ロ　独立行政法人住宅金融支援機構、地方公共団体、沖縄振興開発金融公庫、国家公務員共済組合、国家公務員共済組合連合会、日本私立学校振興・共済事業団、地方公務員共済組合、独立行政法人北方領土問題対策協会及び厚生年金保険法等の一部を改正する法律（平成8年法律第82号）附則第48条第1項に規定する指定基金からの借入金（措規18の25⑤、18の21③）
	ハ　貸金業法第2条第2項に規定する貸金業者で住宅の取得等に必要な資金の長期の貸付けの業務を行うものからの借入金（措規18の25⑤）
	ニ　住宅の取得等に係る工事を建設業者に請け負わせた個人が、その建設業者から借り入れた借入金（措規18の25⑥一）
①	ホ　居住用財産を宅地建物取引業者から取得した個人が、その宅地建物取引業者から借り入れた借入金（措規18の25⑥二）
	ヘ　ハの法人又は宅地建物取引業者である法人で、住宅の取得等に係る請負代金又は住宅の取得等の対価の支払の代行を業とするものから、住宅の取得等の請負代金又は住宅の取得等の対価の支払を受けたことにより、その法人に対して負担する債務（措規18の25⑥三）
	ト　勤労者財産形成促進法第9条第1項に規定する事業主団体又は福利厚生会社からの借入金で、その事業主団体又は福利厚生会社が独立行政法人勤労者退職金共済機構〔※平成23年9月30日以前は、独立行政法人雇用・能力開発機構〕から貸付けを受けた同項の資金に係るもの《いわゆる転貸融資に係るもの》（措規18の25⑥四）
	チ　個人が、イの金融機関、独立行政法人住宅金融支援機構若しくはハの貸金業者（以下「当初借入先」といいます。）から借り入れた借入金又は当初借入先に対して負担するへに掲げる債務に係る債権の譲渡があった場合において、その個人が、その当初借入先からその債権の譲渡（譲渡の直前及び直後におけるその債権に係る借入金又は債務の償還期間についての条件が同一であるものに限ります。）を受けた特定債権者（当初借入先との間でその債権の管理及び回収に係る業務の委託に関する一定の契約を締結し、かつ、その契約に従って当初

−596−

第二十一章《居住用財産の買換え等の場合の譲渡損失の損益通算及び繰越控除の特例》

	借入先に対してその債権の管理及び回収に係る業務の委託をしている法人をいいます。）に対して有するその債権に係る借入金又は債務（措規18の25⑥五）
②	次に掲げる債務（措令26の7⑬二、措規18の25⑦⑧） イ　建設業者に対する住宅の取得等に係る債務（措令26の7⑬二） ロ　宅地建物取引業者、独立行政法人都市再生機構、地方住宅供給公社、地方公共団体又は日本勤労者住宅協会に対する住宅の取得等に係る債務（措規18の25⑦、措令26⑩） ハ　旧勤労者財産形成促進法第9条第1項第1号に規定する事業主団体又は福利厚生会社から取得した居住用財産の取得の対価に係る債務で、その事業主団体又は福利厚生会社が独立行政法人勤労者退職金共済機構から貸付けを受けた同号の資金により建設し、又は取得したその居住用財産に係るもののうち、当該資金に係る部分《いわゆる分譲融資に係る部分》（措規18の25⑧）
③	居住用財産の取得に係る承継債務で次に掲げるもの（承継後の債務の賦払期間が10年以上のものに限ります。）（措令26の7⑬三、措規18の25⑨⑩） イ　独立行政法人都市再生機構、地方住宅供給公社及び日本勤労者住宅協会を当事者とする居住用財産の取得に係る債務の承継に関する契約に基づくこれらの法人に対する債務（措令26の7⑬三、26⑭、措規18の25⑨）
④	次に掲げる借入金又は債務（措令26の7⑬四、措規18の25⑩） イ　給与所得者等がその住宅の取得等に要する資金に充てるため使用者から借り入れた借入金（措令26の7⑬四） ロ　給与所得者等がその使用者に対して有する住宅の取得等の対価に係る債務 ハ　使用者に代わって給与所得者等に住宅の取得等に要する資金の貸付けを行っていると認められる一般社団法人又は一般財団法人で国土交通大臣が財務大臣と協議して指定した者からの借入金（措規18の25⑩） （※）　上記の「給与所得者等」には、法人の役員やその親族等の特殊関係者は含まれません。

3　純損失の金額

　総所得金額、退職所得金額又は山林所得金額を計算する場合に、不動産所得の金額、事業所得の金額、山林所得の金額又は譲渡所得の金額の計算上生じた損失の金額（所法69①）のうち損益通算をしてもなお控除しきれない部分の金額をいいます（措法41の5⑦二）。

4　通算後譲渡損失の金額

　譲渡資産の特定譲渡をした年において生じた純損失の金額のうち、居住用財産の譲渡損失の金額に係るものとして当該金額のうち、次表の左欄に掲げる場合の区分に応じそれぞれの右欄に定める金額に達するまでの金額とされています（措法41の5⑦三、措令26の7⑫）。

	区　　　分	通算後譲渡損失の金額の限度額
①	②又は③に掲げる場合以外の場合	その年において生じた純損失の金額
②	その居住用財産の譲渡損失の金額が生じた年（その年分の所得税につき青色申告書を提出する年に限られます。）において、その年分の不動産所得の金額、事業所得の金額、山林所得の金額又は譲渡所得の金額（長期譲渡所得の金額及び短期譲渡所得の金額を除きます。）の計算上生	その年において生じた純損失の金額から、左欄の損失の金額の合計額（当該合計額がその年において生じた純損失の金額を超えるときは、当該純損失の金額に相当する金額）を控除した金額

－597－

第二十一章《居住用財産の買換え等の場合の譲渡損失の損益通算及び繰越控除の特例》

	じた損失の金額がある場合	
③	その居住用財産の譲渡損失の金額が生じた年において生じた変動所得の金額の計算上生じた損失の金額又は被災事業用資産の損失の金額（所法70②一、二）がある場合（②に掲げる場合を除きます。）	その年において生じた純損失の金額から、左欄の変動所得の金額の計算上生じた損失の金額と被災事業用資産の損失の金額との合計額（当該合計額がその年において生じた純損失の金額を超えるときは、その純損失の金額に相当する金額）を控除した金額

〔譲渡資産に500㎡超の土地等が含まれている場合の調整計算〕

　その居住用財産の譲渡損失の金額に係る譲渡資産のうちに土地又は土地の上に存する権利の面積（**注**）が500㎡を超えるものが含まれている場合には、その500㎡を超える部分に相当する金額を除くこととされていますので、通算後譲渡損失の金額は次の算式で計算した金額となります（措法41の5⑦三、措令26の7⑫）。

$$\underbrace{\begin{array}{c}\text{上記により求}\\\text{めた通算後譲}\\\text{渡損失の金額}\end{array}}_{\text{Ⓐ}} - Ⓐ \times \frac{\begin{array}{c}\text{土地等の特定譲渡による譲渡所得}\\\text{の金額の計算上生じた損失の金額}\end{array}}{\text{居住用財産の譲渡損失の金額}} \times \frac{\text{土地等の面積} - 500㎡}{\text{土地等の面積}}$$

　　(注)　土地又は土地の上に存する権利の面積は、土地にあってはその土地の面積（1棟の家屋のうちその構造上区分された数個の部分を独立して住居その他の用途に供することができるものについては、その1棟の家屋の敷地の用に供する土地の面積にその家屋の床面積のうちにその者の区分所有する独立部分の床面積の占める割合を乗じて計算した面積。以下同じ。）とし、土地の上に存する権利にあってはその土地の面積とされます（措令26の7⑪）。

第三節　特例の適用手続

1　損益通算の特例の申告要件

　居住用財産の譲渡損失の金額の損益通算の特例は、この特例の適用を受けようとする年分の確定申告書に、この特例の適用を受けようとする旨の記載があり、かつ、次に掲げる居住用財産の譲渡損失の金額の計算に関する明細書などの書類及び譲渡資産が第二節の1の表（591ページ参照）の表のイからニまでのいずれかの資産に該当する事実を記載した書類の添付がある場合に限り適用されます（措法41の5②、措規18の25①）。

　なお、特定譲渡をした時においてその特定譲渡をした者の住民票に記載されていた住所と特定譲渡をした譲渡資産の所在地とが異なる場合その他これに類する場合には、次に掲げる書類及び戸籍の附票の写し、消除された戸籍の附票の写しその他これらに類する書類で譲渡資産が第二節の1の表（591ページ参照）の表のイからニまでのいずれかの資産に該当することを明らかにするものが必要とされます。

①	その年において生じた居住用財産の譲渡損失の金額の計算に関する明細書
②	特定譲渡をした譲渡資産に係る登記事項証明書、売買契約書の写しその他の書類で、その譲渡資産の所有期間がその年の1月1日において5年を超えるものであること及びその譲渡資産のうちに土地又は土地の上に存する権利が含まれている場合にはその面積（上記の**(注)**の面積をいいます。）を明らかにするもの

〔買換資産に係る書類の提出〕

　上記の確定申告書を提出する者は、次に掲げる書類（その者が買換資産を次の①の日又は②の期限

－598－

までに居住の用に供していない場合には、次に掲げる書類並びにその旨及びその居住の用に供する予定年月日その他の事項を記載した書類）を、①特定譲渡をした年の12月31日までに買換資産を取得する場合はその確定申告書の提出の日までに、②特定譲渡をした年の翌年1月1日から取得期限までの間に買換資産を取得する場合にはその買換資産の取得をした日の属する年分の確定申告書の提出期限までに、納税地の所轄税務署長に提出しなければなりません（措令26の7⑰、措規18の25⑪）。

イ　取得をした買換資産に係る住宅借入金等に係る債権者に租税特別措置法第41条の2の3第1項の規定により同条第2項に規定する適用申請書の提出をした個人……取得をした買換資産に係る登記事項証明書、売買契約書の写しその他の書類で、その買換資産の取得をしたこと、その買換資産の取得をした年月日及びその買換資産に係る家屋のその個人が居住の用に供する部分の床面積が50㎡以上であることを明らかにする書類

ロ　イに掲げる個人以外の個人……次に掲げる書類

（イ）　イに定める書類

（ロ）　取得をした買換資産に係る住宅借入金等の残高証明書

（注）　住宅借入金等の残高証明書

　　　〔買換資産に係る書類の提出〕のロ及び2の②の「住宅借入金等の残高証明書」は、買換資産に係る住宅借入金等に係る債権者（その債権者が第二節の2の表（596ページ参照）の①のチに規定する特定債権者である場合にはその特定債権者に係る当初借入先（同リに規定する契約に従い債権の管理及び回収に係る業務を行っているものに限ります。）とし、買換資産に係る住宅借入金等が次の一又は二に掲げる住宅借入金等に該当する場合にはそれぞれに定める者とします。）の損益通算の特例の適用を受けようとする個人が買換資産の取得をした日の属する年の12月31日（その個人が年の中途で死亡した場合は、その死亡した日）、及び繰越控除の特例の適用を受けようとする年の12月31日（その個人が死亡した場合は、その死亡した日）における住宅借入金等（その住宅借入金等が第二節の2の表（596ページ参照）の①のチに掲げる借入金又は債務である場合には、当初借入先から借り入れた借入金又は債務とします。以下この（注）において同じ。）の金額を証する書類とされています。ただしこの住宅借入金等の金額を証する書類は、その書類の交付を受けようとする者の氏名及び住所（国内に住所がない場合には、居所）、その住宅借入金等が第二節2の①から④までに掲げる借入金又は債務のいずれに該当するかの別、その住宅借入金等のその借入れをした金額又はその債務の額として負担をした金額、その住宅借入金等に係る契約を締結した年月日、その住宅借入金等に係る契約において定められている償還期間又は賦払期間その他参考となるべき事項が記載されたものでなければなりません。（措規18の25③⑫）。

一　勤労者財産形成促進法第9条第1項に規定する事業主、事業主団体又は福利厚生会社から借り入れた借入金で、その事業主、事業主団体又は福利厚生会社が独立行政法人勤労者退職金共済機構から貸付けを受けた同項の資金に係るもの

二　旧勤労者財産形成促進法第9条第1項第1号に規定する事業主、事業主団体若しくは福利厚生会社又は日本勤労者住宅協会から取得した居住用財産に係る債務でその事業主、事業主団体若しくは福利厚生会社又は日本勤労者住宅協会が独立行政法人勤労者退職金共済機構から貸付けを受けた旧勤労者財産形成促進法第9条第1項第1号又は第2号の資金により建設し、又は取得したその居住用財産に係るもののうち、その資金に係る部分

〔申告書の提出がない場合等の特例の適用〕

　税務署長は、上記の確定申告書の提出がなかった場合又はこの損益通算の特例の適用を受けようとする旨の記載若しくは上記の書類の添付がなかった確定申告書の提出があった場合においても、その提出又は記載若しくは添付がなかったことについてやむを得ない事情があると認めるときは、当該記載をした書類及び添付書類の提出があった場合に限り、この損益通算の特例を適用することができます（措法41の5③）。

第二十一章《居住用財産の買換え等の場合の譲渡損失の損益通算及び繰越控除の特例》

2　繰越控除の特例の申告要件

　通算後譲渡損失の金額の繰越控除の特例は、居住用財産の譲渡損失の金額が生じた年分につき1の確定申告書をその提出期限までに提出し、その後において連続して確定申告書を提出しており、かつ、繰越控除の特例を受ける年分の確定申告書に次に掲げる書類の添付がある場合に限り適用されます（措法41の5⑤、措規18の25②）。

① <u>取得をした買換資産に係る住宅借入金等に係る債権者に租税特別措置法第41条の2の3第1項の規定により同条第2項に規定する適用申請書の提出をした個人……通算後譲渡損失の金額及びその金額の計算の基礎その他参考となるべき事項を記載した明細書</u>
② <u>①に掲げる個人以外の個人……次に掲げる書類</u>
　イ　<u>①に定める明細書</u>
　ロ　<u>取得をした買換資産に係る住宅借入金等の残高証明書</u>

〔申告書の提出がない場合等の特例の適用〕
　税務署長は、上記の提出期限までに確定申告書の提出がなかった場合又は書類の添付がない確定申告書の提出があった場合においても、上記の損益通算の特例の場合と同様の取扱いがあります（措法41の5⑥）。

第四節　純損失の繰越控除及び繰戻し還付制度との調整

1　特定純損失の金額がある場合の純損失の繰越控除

　確定申告書を提出する個人のその年の前年以前3年内の各年（青色申告書を提出している年に限ります。）において生じた純損失の金額のうちに特定純損失の金額がある場合には、純損失の繰越控除の適用に当たって、その特定純損失の金額は繰越控除の対象にはなりません（措法41の5⑧）。

〔特定純損失の金額〕
　令和7年12月31日までに行った譲渡資産の特定譲渡による譲渡所得の金額の計算上生じた損失の金額に係る居住用財産の譲渡損失の金額のうち、その年において生じた純損失の金額から当該純損失の金額が生じた年分の不動産所得の金額、事業所得の金額、山林所得の金額又は譲渡所得の金額（分離長期譲渡所得の金額及び分離短期譲渡所得の金額を除きます。）の計算上生じた損失の金額の合計額（当該合計額が当該純損失の金額を超える場合には、当該純損失の金額に相当する金額）を控除した金額に達するまでの金額とすることとされています（措法41の5⑧、措令26の7⑭）。

　（注）　所得税法第70条第2項に規定する純損失の繰越控除《変動所得・被災事業用資産に係る純損失の繰越控除》については、上記のような調整措置はありません。

2　特定純損失の金額がある場合の純損失の繰戻し還付

　確定申告書を提出する個人のその年において生じた純損失の金額のうちに特定純損失の金額がある場合には、純損失の繰戻し還付制度（所法140、141）の適用について、その特定純損失の金額は繰戻し還付の対象にはなりません（措法41の5⑨⑩）。

第五節　修正申告等

1　損益通算の特例の適用を受けた者の義務的修正申告

　この損益通算の特例の適用を受けた者が次のイからハに該当することとなった場合には、取得期限

-600-

第二十一章《居住用財産の買換え等の場合の譲渡損失の損益通算及び繰越控除の特例》

又は買換資産の取得をした日の属する年の翌年12月31日から４月を経過する日までに、その適用を受けた年分の所得税についての修正申告書を提出し、かつ、その期限内にその修正申告書の提出により納付すべき税額を納付しなければなりません（措法41の５⑬）。

イ　取得期限までに買換資産の取得をしない場合

ロ　買換資産の取得をした日の属する年の12月31日において当該買換資産に係る住宅借入金等の金額を有しない場合

ハ　買換資産の取得をした日の属する年の翌年12月31日までに当該買換資産をその者の居住の用に供しない場合

2　繰越控除の特例の適用を受けた者の義務的修正申告

この繰越控除の特例の適用を受けた者は、買換資産の取得をした日の属する年の翌年12月31日までに、その買換資産をその者の居住の用に供しない場合には、同日から４月を経過する日までに、その適用を受けた年分の所得税についての修正申告書を提出し、かつ、その期限内にその修正申告書の提出により納付すべき税額を納付しなければなりません（措法41の５⑭）。

3　修正申告書の提出がない場合の税務署長の更正

１及び２に該当する場合において、これらの規定による修正申告書の提出がないときは、納税地の所轄税務署長は、その修正申告書に記載すべきであった所得金額、所得税の額その他の事項につき、更正を行うこととされます（措法41の５⑮）。

　(注)　１又は２の修正申告書が提出期限内に提出された場合には、原則として期限内申告書とみなされ、修正申告書の提出により増加する税額に係る延滞税や過少申告加算税は課されません（措法41の５⑯）。

4　所得控除を適用する場合の所得要件の判定

次に掲げる所得控除の適用要件を判定する場合の合計所得金額は、繰越控除の特例を適用しないで計算した金額によります（措法41の５⑫一）。

① 寡婦控除

② ひとり親控除

③ 勤労学生控除

④ 配偶者控除

⑤ 扶養控除

　(注)　４の規定は、第二十二章において同じです（措法41の５の２⑫一）。

〔計算例Ⅰ　損益通算の特例の適用計算〕

〔青色申告者に「他の損失の金額」がある場合〕

① 令和６年分の所得等の内訳

　　・事業所得の金額　　　　　　600万円

　　・不動産所得の金額　　　　△400万円

　　・令和６年に生じた居住用財産の譲渡損失の金額　　　△1,400万円

② 令和６年において損益通算の特例を適用後の純損失の金額

　　600万円＋△400万円＋△1,400万円＝△1,200万円

〔計算例Ⅱ　計算例Ⅰの場合の繰越控除の特例の適用計算〕

① 他の損失の金額の合計額　　　△400万円

② 通算後譲渡損失の金額

$$\triangle 1{,}200万円 - \left\{ \begin{array}{l} \triangle 400万円 \\ \triangle 1{,}200万円 \end{array} \right. \text{どちらか損失の金額が少ない方の金額} \left. \vphantom{\begin{array}{l} \triangle 400万円 \\ \triangle 1{,}200万円 \end{array}} \right\} = \triangle 800万円$$

－601－

第二十二章　特定居住用財産の譲渡損失の損益通算及び繰越控除の特例（措法41の5の2）

　この特例は平成16年度の改正で創設されたもので、第二十一章の居住用財産の買換え等の場合の譲渡損失の損益通算及び繰越控除の特例と選択適用とされています。

　前章の特例と比べてこの特例は、居住用財産を買い換えることが要件とされていません。また、住宅借入金等を有することの要件も譲渡資産については必要ですが、買換資産については不要とされています。

　これらの要件を前章の特例と比較すると次表のようになります。

	特定居住用財産の譲渡損失の損益通算及び繰越控除 （措法41の5の2）	居住用財産の買換え等の場合の譲渡損失の損益通算及び繰越控除（措法41の5）
①譲渡資産	譲渡をした年の1月1日において所有期間が5年を超える居住用財産	
②譲渡資産の住宅借入金残高	必要	不要
③買換資産の取得	不要	必要
④買換資産の住宅借入金残高	不要	必要
⑤翌年に繰り越される損失の金額	次のイ、ロの金額のうち、いずれか少ない方の金額について、損益通算してもなお控除しきれない金額 イ　譲渡所得の金額の計算上生じた損失の金額 ロ　譲渡資産に係る住宅借入金の残高から譲渡の対価の額を控除した金額	譲渡所得の計算上生じた損失の金額のうち、損益通算してもなお控除しきれない金額（500㎡超の敷地に対応する部分の金額は対象外）

第一節　特定居住用財産の譲渡損失の損益通算及び繰越控除

1　損益通算の特例

　個人が、平成16年分以後の各年分においてその譲渡した年の1月1日において所有期間が5年を超える居住用財産（以下「譲渡資産」といいます。第二節参照）の譲渡で一定の要件を満たすもの（以下「特定譲渡」といいます。第二節参照）をした場合で、その譲渡資産に係る住宅借入金等を有する場合には、その譲渡資産の特定譲渡による譲渡所得の金額の計算上生じた損失の金額のうちその年分の分離長期譲渡所得の金額及び分離短期譲渡所得の金額の計算上控除してもなお控除しきれない金額（以下「特定居住用財産の譲渡損失の金額」といいます。第二節参照）については、第三章第一節の規定（土地建物等の譲渡所得の損失の損益通算の禁止）にかかわらず、損益通算の規定が適用されます（措法41の5の2①、⑦一）。

−602−

第二十二章《特定居住用財産の譲渡損失の損益通算及び繰越控除の特例》

(注)　総合譲渡所得の金額の計算と特定居住用財産の譲渡損失の金額との関係（措通41の5の2－1）は、第
二十一章第一節1の(注)と同旨です（編者注）。

2　繰越控除の特例

確定申告書を提出する個人が、その年の前年以前3年内の年において生じた純損失の金額のうち特
定居住用財産の譲渡損失の金額に係るもので一定の方法により計算した金額（この特例の適用を受け
て前年以前の年において控除されたものを除きます。以下「通算後譲渡損失の金額」といいます。第
二節参照）を有する場合は、その通算後譲渡損失の金額について、一定の方法によりその年分の分離
長期譲渡所得の金額、分離短期譲渡所得の金額、総所得金額、山林所得金額又は退職所得金額から順
次控除されます（措法41の5の2④、⑦三、措令26の7の2①）。

(注1)　その年分の各種所得の金額の計算上生じた損失の金額がある場合又は所得税法第70条《純損失の繰越
控除》若しくは第71条第1項《雑損失の繰越控除》の規定による控除が行われる場合には、まず同法第
69条《損益通算》及び第70条の規定による控除を行い、次に2の特例の規定による控除及び所得税法第
71条第1項の規定による控除を順次行います。この場合において、控除する純損失の金額及び控除する
雑損失の金額が前年以前3年内（同法第70条の2第1項から第3項まで又は第71条の2第1項の適用が
ある場合は、前年以前5年内）の二以上の年に生じたものであるときは、これらの年のうち最も古い年
に生じた純損失の金額又は雑損失の金額から順次控除します（措令26の7の2②）。

特例対象純損失金額又は特定雑損失金額がある場合については、第二十一章第一節2の(注1)と同旨
です（編者注）。

(注2)　通算後譲渡損失の金額の繰越控除の順序（措通41の5の2－2）は、第二十一章第一節2の(注2)と
同旨です（編者注）。

3　特例の適用がない場合

（1）　損益通算の特例の不適用

その個人がその年の前年以前3年内の年において生じた当該特定居住用財産の譲渡損失の金額以外
の特定居住用財産の譲渡損失の金額につきこの損益通算の特例の適用を受けているときは、この特例
の適用を受けることはできません（措法41の5の2①ただし書）。

（2）　繰越控除の特例の不適用

繰越控除の特例の適用に当って、その個人のその年の合計所得金額が3,000万円を超える年について
は、繰越控除の特例の適用を受けることはできません（措法41の5の2④ただし書）。

(注)　損益通算の特例には、上記の所得要件はありません。

（3）　他の居住用財産の譲渡の特例との重複不適用

イ　譲渡資産の特定譲渡をした年の前年又は前々年における資産の譲渡について次に掲げる特例の適
用を受けている場合には特定居住用財産の譲渡損失の金額の対象から除外され、この損益通算及び
繰越控除の特例の適用を受けることはできません（措法41の5の2⑦一）。

①　居住用財産を譲渡した場合の長期譲渡所得の軽減税率の特例（措法31の3）

②　居住用財産の譲渡所得の3,000万円特別控除（措法35第1項〔第3項の規定により適用する場合
を除きます。〕）

③　特定の居住用財産の買換えの場合の長期譲渡所得の課税の特例（措法36の2）

④　特定の居住用財産を交換した場合の長期譲渡所得の課税の特例（措法36の5）

ロ　譲渡資産の特定譲渡をした年又はその年の前年以前3年内における資産の譲渡につき第二十一章
第一節1《居住用財産の譲渡損失の損益通算の特例》の適用を受け、又は受けている場合には、イ
と同様、この損益通算及び繰越控除の特例の適用を受けることはできません（措法41の5の2⑦一）。

－603－

第二節　用語の意義

1　特定居住用財産の譲渡損失の金額

　その個人が平成16年1月1日から令和7年12月31日までの期間内に、次に掲げる譲渡資産の譲渡（以下「特定譲渡」といいます。）をした場合（第一節3の(3)の他の居住用財産の譲渡の特例の適用を受けている場合を除きます。）において、その譲渡資産の特定譲渡（その特定譲渡が二以上ある場合は、その個人が選定した一の特定譲渡に限ります。）による譲渡所得の金額の計算上生じた損失の金額のうち、その特定譲渡をした日の属する年分の分離長期譲渡所得の金額の計算上生じた損失の金額に達するまでの金額とされていますが、その分離長期譲渡所得の金額の計算上生じた損失の金額のうちに分離短期譲渡所得の金額の計算上控除する金額があるときは、その分離長期譲渡所得の金額の計算上生じた損失の金額から当該控除する金額に相当する金額を控除した金額に達するまでの金額とされています。

　ただし、その金額がその特定譲渡に係る契約を締結した日の前日におけるその譲渡資産に係る住宅借入金等の金額の合計額からその譲渡資産の対価の額を控除した残額を限度とします（措法41の5の2⑦一、措令26の7の2⑦）。

【参考図】
〇　譲渡損失の金額と譲渡対価の合計がローンの残高を上回る場合

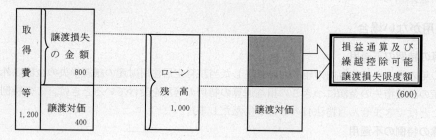

〇　譲渡損失の金額と譲渡対価の合計がローンの残高を下回る場合

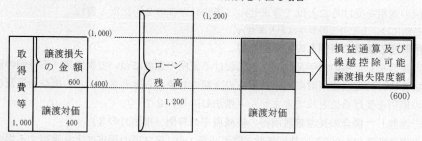

| 譲渡資産 | その個人が有する家屋又は土地若しくは土地の上に存する権利で、譲渡の年1月1日において所有期間が5年を超えるもののうち次に掲げるものをいいます（措法41の5の2⑦一イ〜ニ）。
　イ　その個人がその居住の用に供している家屋のうち国内にあるもの
　（注）イの家屋のうちにその居住の用以外の用に供している部分があるときは、その居住の用に供している部分に限ります。また、その者がその居住の用に供している家屋を二以上有する場合には、これらの家屋のうち、その者が主としてその居住の用に供していると認められる一の家屋に限ります（措令26の7の2⑧）。
　ロ　イの家屋でその個人の居住の用に供されなくなったもの（その個人の居住の用に供されなくなった日から同日以後3年を経過する日の属する年の12月31日までの間に譲渡される |

第二十二章《特定居住用財産の譲渡損失の損益通算及び繰越控除の特例》

ものに限ります。）

ハ　上記イ又はロの家屋及びその家屋の敷地の用に供されている土地又はその土地の上に存する権利

ニ　その個人の上記イの家屋が災害により滅失した場合において、その個人がその家屋を引き続き所有していたとしたならば、その年1月1日において所有期間が5年を超えるその家屋の敷地の用に供されていた土地又はその土地の上に存する権利（その災害があった日から同日以後3年を経過する日の属する年の12月31日までの間に譲渡されるものに限ります。）

（注）　ハに掲げる資産（措通41の5の2－3）は、第二十一章第二節1の表の「譲渡資産」欄の（注1）と同旨です（編者注）。

〔譲渡資産に係る住宅借入金等〕

　その個人がその特定譲渡に係る契約を締結した日の前日において譲渡資産に係る住宅借入金等（2参照）の金額を有することが必要です（措法41の5の2⑦一）。

特定譲渡	通常の売却のほか、土地の長期間貸付けなどの譲渡所得の基因となる不動産等の貸付けを含みますが、その個人の配偶者などその個人と次の特別の関係がある者に対する譲渡、贈与及び出資による譲渡は除かれます（措法41の5の2⑦一、措令26の7の2④⑤）。 イ　その個人の配偶者及び直系血族 ロ　その個人の親族（イに掲げる者を除きます。以下このロにおいて同じ。）でその個人と生計を一にしているもの及びその個人の親族で譲渡資産に係る家屋の譲渡がされた後その個人とその家屋に居住をするもの ハ　その個人と婚姻の届出をしていないが事実上婚姻関係と同様の事情にある者及びその者の親族でその者と生計を一にしているもの ニ　上記イからハまでに掲げる者及びその個人の使用人以外の者でその個人から受ける金銭その他の財産によって生計を維持しているもの及びその親族でその者と生計を一にしているもの ホ　その個人、その個人の上記イ及びロに掲げる親族、その個人の使用人若しくはその使用人の親族でその使用人と生計を一にしているもの又はその個人に係る上記ハ及びニに掲げる者を判定の基礎とする株主等とした場合に法人税法施行令第4条第2項に規定する特殊の関係その他これに準ずる関係のあることとなる会社その他の法人 〔特定譲渡が二以上ある場合の選定〕 　その年中に特定譲渡が二以上ある場合には、その個人が選定した一の特定譲渡に限りますが、この選定は、その個人が特定居住用財産の譲渡損失の金額が生じた年分の確定申告書に添付すべき特定居住用財産の譲渡損失の金額の計算に関する明細書に、一の特定譲渡に係る特定居住用財産の譲渡損失の金額の計算に関する明細を記載することにより行います（措法41の5の2⑦一、措令26の7の2⑥）。 （注）　〔居住用家屋の所有者とその敷地の所有者が異なる場合の取扱い〕　「譲渡資産」欄のイ又はロに掲げる家屋（以下「譲渡家屋」といいます。）の所有者以外の者がその譲渡家屋の敷地の用に供されている土地等でその譲渡の年の1月1日における所有期間が5年を超えているもの（以下「譲渡敷地」といいます。）の全部又は一部を有している場合において、譲渡家屋の所有者と譲渡敷地の所有者の行った譲渡等が次に掲げる要件の全てを満たすときは、これらの者がともにこの特例を受ける旨の申告をしたときに限り、その申告が認められます（措通41の5の2－4）。 （1）　譲渡家屋の所有者と譲渡敷地の所有者は、次のいずれにも該当する資産の特定譲渡をしていること。 イ　譲渡敷地は、譲渡家屋とともに特定譲渡がされているものであること。 ロ　譲渡家屋は、その譲渡の時においてその家屋の所有者が譲渡敷地の所有者とともにその居住

－605－

第二十二章《特定居住用財産の譲渡損失の損益通算及び繰越控除の特例》

の用に供している家屋（その家屋がその所有者の居住の用に供されなくなった日から同日以後３年を経過する日の属する年の12月31日までの間に譲渡されたものであるときは、その居住の用に供されなくなった時の直前においてこれらの者がその居住の用に供していた家屋）であること。

（２）　譲渡家屋の所有者と譲渡敷地の所有者のそれぞれが、特定譲渡に係る契約を締結した日の前日においてその譲渡家屋及びその譲渡敷地に係る住宅借入金等（２に規定する住宅借入金等をいいます。）の金額を有していること。

※１　譲渡家屋の所有者がその家屋（譲渡敷地のうちその者が有している部分を含みます。）の譲渡につきこの特例を適用しない場合（その家屋の所有者について特定居住用財産の譲渡損失の金額又は通算後譲渡損失の金額がない場合、所得税法第69条の規定による損益通算及び同法第70条第１項又は第２項の規定による純損失の繰越控除の適用後において控除すべきその年の総所得金額等がないこととなる場合並びにその年の合計所得金額が3,000万円を超えるためこの特例の適用を受けることができない場合を除きます。）には、譲渡敷地の所有者についてこの特例を適用することはできません。

※２　譲渡敷地の所有者がその敷地の譲渡につき損益通算の特例の適用を受ける場合には、譲渡家屋の所有者のその家屋の譲渡については居住用財産に係る課税の特例（措法31の３、35①（35③により適用する場合を除く。）、36の２、36の５又は36の６）の適用を受けることはできません。

2　住宅借入金等

　第一節１及び上記１の表の「譲渡資産」欄の〔**譲渡資産に係る住宅借入金等**〕の住宅借入金等は、第二十二章《居住用財産の買換え等の場合の譲渡損失の損益通算及び繰越控除の特例》第二節の２の住宅借入金等と同じです（措法41の５の２⑦四、措令26の７の２⑩、措規18の26④〜⑩）。

3　純損失の金額

　第二十二章第二節の３の純損失の金額と同じです（措法41の５の２⑦二）。

4　通算後譲渡損失の金額

　譲渡資産の特定譲渡をした年において生じた純損失の金額のうち、特定居住用財産の譲渡損失の金額に係るものとして当該金額のうち、次表の左欄に掲げる場合の区分に応じそれぞれの右欄に定める金額に達するまでの金額とされています（措法41の５の２⑦三、措令26の７の２⑨）。

	区　　分	通算後譲渡損失の金額の限度額
①	②又は③に掲げる場合以外の場合	その年において生じた純損失の金額
②	その特定居住用財産の譲渡損失の金額が生じた年（その年分の所得税につき青色申告書を提出する年に限られます。）において、その年分の不動産所得の金額、事業所得の金額、山林所得の金額又は譲渡所得の金額（長期譲渡所得の金額及び短期譲渡所得の金額を除きます。）の計算上生じた損失の金額がある場合	その年において生じた純損失の金額から、左欄の損失の金額の合計額（当該合計額がその年において生じた純損失の金額を超えるときは、当該純損失の金額に相当する金額）を控除した金額
③	その特定居住用財産の譲渡損失の金額が生じた年において生じた変動所得の金額の計算上生じた損失の金額又は被災事業用資産の損失の金額（所法70②一、二）がある場合（②に掲げる場合を除きます。）	その年において生じた純損失の金額から、左欄の変動所得の金額の計算上生じた損失の金額と被災事業用資産の損失の金額との合計額（当該合計額がその年において生じた純損失の金額を超えるときは、その純損失の金額に相当する金額）を控除した金額

－606－

第三節　特例の適用手続

1　損益通算の特例の申告要件

特定居住用財産の譲渡損失の金額の損益通算の特例は、この特例の適用を受けようとする年分の確定申告書に、この特例の適用を受けようとする旨の記載があり、かつ、次に掲げる特定居住用財産の譲渡損失の金額の計算に関する明細書などの書類及び譲渡資産が第二節の1の表（604ページ参照）のイからニまでのいずれかの資産に該当する事実を記載した書類の添付がある場合に限り適用されます（措法41の5の2②、措規18の26①）。

なお、特定譲渡に係る契約を締結した日の前日においてその特定譲渡をした者の住民票に記載されていた住所と特定譲渡をした譲渡資産の所在地とが異なる場合その他これに類する場合には、次に掲げる書類及び戸籍の附票の写し、消除された戸籍の附票の写しその他これらに類する書類で譲渡資産が第二節の1の表（604ページ参照）のイからニまでのいずれかの資産に該当することを明らかにするものが必要とされます。

①	その年において生じた特定居住用財産の譲渡損失の金額の計算に関する明細書
②	特定譲渡をした譲渡資産に係る登記事項証明書、売買契約書の写しその他の書類で、その譲渡資産の所有期間がその年1月1日において5年を超えるものであることを明らかにするもの
③	特定譲渡をした譲渡資産に係る住宅借入金等の残高証明書

(注)　住宅借入金等の残高証明書

上表③の「住宅借入金等の残高証明書」は、その住宅借入金等に係る債権者（その債権者が第二十一章第二節の2の表（591ページ参照）の①のチに規定する特定債権者である場合にはその特定債権者に係る当初借入先（同リに規定する契約に従い債権の管理及び回収に係る業務を行っているものに限ります。）とし、その住宅借入金等が次の一又は二に掲げる住宅借入金等に該当する場合にはそれぞれに定める者とします。）のその譲渡資産の特定譲渡に係る契約を締結した日の前日におけるその住宅借入金等（その住宅借入金等が第二十一章第二節の2の表（591ページ参照）の①のチに掲げる借入金又は債務である場合には、当初借入先から借り入れた借入金又は債務とします。以下この**(注)**において同じ。）の金額を証する書類とされています。ただしこの住宅借入金等の金額を証する書類は、その書類の交付を受けようとする者の氏名及び住所（国内に住所がない場合には、居所）、その住宅借入金等が第二十一章第二節の2の表（591ページ参照）の①から④までに掲げる借入金又は債務のいずれに該当するかの別、その住宅借入金等のその借入れをした金額又はその債務の額として負担をした金額、その住宅借入金等に係る契約を締結した年月日、その住宅借入金等に係る契約において定められている償還期間又は賦払期間その他参考となるべき事項が記載されたものでなければなりません（措規18の26②）。

一　次に掲げる住宅借入金等　　独立行政法人勤労者退職金共済機構

　　イ ⎱
　　ロ ⎰ 599ページの**(注)**の一、二と同じ

二　次に掲げる住宅借入金等　　独立行政法人福祉医療機構

　　イ　年金積立金管理運用独立行政法人法（平成16年法律第105号）附則第14条第2号の規定による廃止前の年金福祉事業団の解散及び業務の承継等に関する法律（平成12年法律第20号。以下「旧年金福祉事業団業務承継法」といいます。）第12条第2項第2号イに掲げる者から借り入れた借入金で、当該掲げる者が独立行政法人福祉医療機構から貸付けを受けた同号イの資金に係るもの

　　ロ　旧年金福祉事業団業務承継法第12条第2項第1号に規定する政令で定める法人から取得した居住用財産に係る債務で当該政令で定める法人が独立行政法人福祉医療機構から貸付けを受けた同号の資金により建設し、又は取得した当該居住用財産に係るもののうち、当該資金に係る部分

ハ　旧年金福祉事業団業務承継法第12条第２項第１号に規定する政令で定める法人を当事者とする居住用財産の取得に係る債務の承継に関する契約に基づく当該政令で定める法人に対する当該債務で、当該政令で定める法人が独立行政法人福祉医療機構から貸付けを受けた同号の資金により建設し、又は取得した居住用財産に係るもののうち、当該資金に係る部分

〔申告書の提出がない場合等の特例の適用〕

　税務署長は、上記の確定申告書の提出がなかった場合又はこの損益通算の特例の適用を受けようとする旨の記載若しくは上記の書類の添付がなかった確定申告書の提出があった場合においても、その提出又は記載若しくは添付がなかったことについてやむを得ない事情があると認めるときは、当該記載をした書類及び添付書類の提出があった場合に限り、この損益通算の特例を適用することができます（措法41の５の２③）。

2　繰越控除の特例の申告要件

　通算後譲渡損失の金額の繰越控除の特例は、特定居住用財産の譲渡損失の金額が生じた年分につき１の確定申告書をその提出期限までに提出し、その後において連続して確定申告書を提出しており、かつ、繰越控除の特例を受ける年分の確定申告書に、その年において控除すべき通算後譲渡損失の金額及びその金額の計算の基礎その他参考となるべき事項を記載した明細書の添付がある場合に限り適用されます（措法41の５の２⑤、措規18の26③）。

〔申告書の提出がない場合等の特例の適用〕

　税務署長は、上記の提出期限までに確定申告書の提出がなかった場合又は書類の添付がない確定申告書の提出があった場合においても、上記の損益通算の特例の場合と同様の取扱いがあります（措法41の５の２⑥）。

第四節　純損失の繰越控除及び繰戻し還付制度との調整

1　特定純損失の金額がある場合の純損失の繰越控除

　確定申告書を提出する個人のその年の前年以前３年内の各年（青色申告書を提出している年に限ります。）において生じた純損失の金額のうちに特定純損失の金額がある場合には、純損失の繰越控除の適用に当たって、その特定純損失の金額は繰越控除の対象にはなりません（措法41の５の２⑧）。

〔特定純損失の金額〕

　令和７年12月31日までに行った譲渡資産の特定譲渡による譲渡所得の金額の計算上生じた損失の金額に係る特定居住用財産の譲渡損失のうち、その年において生じた純損失の金額から当該純損失の金額が生じた年分の不動産所得の金額、事業所得の金額、山林所得の金額又は譲渡所得の金額（分離長期譲渡所得の金額及び分離短期譲渡所得の金額を除きます。）の計算上生じた損失の金額の合計額（当該合計額が当該純損失の金額を超える場合には、当該純損失の金額に相当する金額）を控除した金額に達するまでの金額とすることとされています（措法41の５の２⑧、措令26の７の２⑪）。

2　特定純損失の金額がある場合の純損失の繰戻し還付

　確定申告書を提出する個人のその年において生じた純損失の金額のうちに特定純損失の金額がある場合には、純損失の繰戻し還付制度（所法140、141）の適用について、その特定純損失の金額は繰戻し還付の対象にはなりません（措法41の５の２⑨⑩）。

第二十三章　譲渡所得の内訳書等の書き方

消費税等に関する留意事項

　以下の譲渡所得の内訳書等の記載に当たっては、次の点に留意してください。

イ　非事業者、消費税の免税事業者、消費税の課税事業者で税込経理方式を適用している者の場合すべて消費税及び地方消費税込みの金額により記載してください。

ロ　消費税の課税事業者で税抜経理方式を適用している場合
　　すべて消費税及び地方消費税抜きの金額により記載してください。

【譲渡所得の内訳書】記載上の注意事項

○　以下の「譲渡所得の内訳書」（確定申告書付表兼計算明細書）は、一の契約ごとに1枚ずつ使用して記載し、「確定申告書」とともに提出してください。
　　また、特例の適用を受けるために必要な書類などは、この内訳書に添付して提出してください。

○　長期譲渡所得又は短期譲渡所得のそれぞれごとで、二つ以上の契約がある場合には、いずれか1枚の内訳書の譲渡所得金額の計算欄（3面の「4」各欄の上段）に、その合計額を二段書きで記載してください。

○　譲渡所得の計算に当たっては、適用を受ける特例により、記載する項目が異なります。
　○　交換・買換え（代替）の特例の適用を受けない場合
　　　　　　……　1面・2面・3面（4面の記載は必要ありません。）
　○　交換・買換え（代替）の特例の適用を受ける場合
　　　　　　……　1面・2面・3面（「4」を除く）・4面

1　収用等の課税の特例（代替資産を取得した場合）を受ける場合の記載例

（1）　譲渡資産　　　　　　　　　　宅地　300㎡（貸付用）
　①　収用等された年月日　　　　　　　　　令和6年6月12日
　②　対価補償金　　　　　　70,000,000円
　③　譲渡資産の取得時期　　　　　　　　昭和56年7月14日相続
　④　譲渡資産の取得費　　　　　不明につき補償金の5％相当額（概算取得費）
　　　　　　　　　　　　　　70,000,000円×5％＝3,500,000円
（2）　代替取得資産　　　　　　　　宅地　140㎡　　　　　　　木造アパート　150㎡
　①　取得価額　　　　　　　30,000,000円　　　　　　　　20,000,000円
　②　取得時期　　　　　　　　　　　令和6年12月7日

-609-

第二十三章《譲渡所得の内訳書等の書き方》

1 面

譲渡所得の内訳書

（確定申告書付表兼計算明細書）【土地・建物用】

【令和　　年分】

名簿番号

提出　　枚のうちの

　この内訳書は、土地や建物の譲渡（売却）による譲渡所得金額の計算用として使用するものです。「譲渡所得の申告のしかた」（国税庁ホームページ【https://www.nta.go.jp】からダウンロードできます。税務署にも用意してあります。）を参考に、契約書や領収書などに基づいて記載してください。
　なお、国税庁ホームページでは、画面の案内に沿って収入金額などの必要項目を入力することにより、この内訳書や確定申告書などを作成することができます。

現住所（前住所）	（　△△市○○町2－1－5　　　　　　　　　）	フリガナ氏　名	オオサカ　タロウ　大阪　太郎
電話番号（連絡先）	×××－○△○×	職業	不動産貸付

※ 譲渡（売却）した年の1月1日以後に転居された方は、前住所も記載してください。

2 面

名簿番号

1 譲渡（売却）された土地・建物について記載してください。

(1) どこの土地・建物を譲渡（売却）されましたか。

所在地	所在地番	△△市○○町2－2－8
	（住居表示）	

(2) どのような土地・建物をいつ譲渡（売却）されましたか。

土地	□宅地　□田　□山林　□畑　□雑種地　□借地権　□その他（　）	（実測）300 ㎡（公簿等）285 ㎡	利用状況	売買契約日
			□ 自己の居住用（居住期間　　年　月～　　年　月）□ 自己の事業用　☑ 貸付用　□ 未利用　□ その他（　）	6 年 3 月 1 日
建物	□居宅　□マンション　□店舗　□事務所　□その他（　）	㎡		引き渡した日6 年 6 月 12 日

○ 次の欄は、譲渡（売却）された土地・建物が共有の場合に記載してください。

あなたの持分		共有者の住所・氏名	共有者の持分	
土地	建物		土地	建物
		（住所）　　　　　（氏名）		
		（住所）　　　　　（氏名）		

(3) どなたに譲渡（売却）されましたか。

(4) いくらで譲渡（売却）されましたか。

買主	住所（所在地）			① 譲渡価額
	氏名（名称）	△△市	職業（業種）	70,000,000 円

【参考事項】

代金の受領状況	1回目6 月 6 月 12 日70,000,000 円	2回目　年　月　日　　　円	3回目　年　月　日　　　円	未収金　年　月　日（予定）　　　円

お売りになった理由	☑ 買主から頼まれたため　☑ 他の資産を購入するため　□ 事業資金を捻出するため	□ 借入金を返済するため　□ その他（　　　　）

(注)　譲渡所得の内訳書等の用紙は、令和5年分の用紙に修正を加えて掲載しています。令和6年分の用紙は変更される場合があります（次ページ以降同じ。）。

第二十三章《譲渡所得の内訳書等の書き方》

3 面

2 譲渡（売却）された土地・建物の購入（建築）代金などについて記載してください。

(1) 譲渡（売却）された土地・建物は、どなたから、いつ、いくらで購入（建築）されましたか。

購入建築	価額の内訳	購 入 （ 建 築 ） 先 ・ 支 払 先		購入建築年月日	購入・建築代金又は譲渡価額の5％
		住 所 （ 所 在 地 ）	氏 名 （ 名 称 ）		
土 地		昭56.7.14相続により取得	70,000,000×5％	・ ・	3,500,000 円
				・ ・	円
				・ ・	円
			小 計 （イ）		3,500,000 円
建 物				・ ・	円
				・ ・	円
				・ ・	円
建物の構造		□木造 □木骨モルタル □（鉄骨）鉄筋 □金属造 □その他	小 計 （ロ）		円

※ 土地や建物の取得の際に支払った仲介手数料や非業務用資産に係る登記費用などが含まれます。

(2) 建物の償却費相当額を計算します。

建物の購入・建築価額（ロ）　　償却率　　経過年数　　償却費相当額（ハ）
□ 標準

　　　　　円 ×0.9×　　　　×　　　　＝　　　　円

(3) 取得費を計算します。

② 取得費	（イ）＋（ロ）－（ハ） 円
	3,500,000

※ 「譲渡所得の申告のしかた」を参照してください。なお、建物の標準的な建築価額による建物の取得価額の計算をしたものは、「□標準」に☑してください。

※ 非業務用建物（居住用）の（ハ）の額は、（ロ）の価額の95％を限度とします（償却率は1面をご覧ください）。

3 譲渡（売却）するために支払った費用について記載してください。

費用の種類	支 払 先		支払年月日	支 払 金 額
	住 所 （ 所 在 地 ）	氏 名 （ 名 称 ）		
仲介手数料			・ ・	円
収入印紙代			・ ・	円
			・ ・	円
			・ ・	円
				円

※ 修繕費、固定資産税などは譲渡費用にはなりません。

③ 譲渡費用

4 譲渡所得金額の計算をします。

区分	特例適用条文	A 収入金額（①）	B 必要経費（②＋③）	C 差引金額（A－B）	D 特別控除額	E 譲渡所得金額（C－D）
短期・長期	所・措・震条の	円	円	円	円	円
短期・長期	所・措・震条の	円	円	円	円	円
短期・長期	所・措・震条の	円	円	円	円	円

※ ここで計算した内容（交換・買換え（代替）の特例の適用を受ける場合は、4面の「6」で計算した内容）を「申告書第三表（分離課税用）」に転記します。

整理欄

－611－

第二十三章《譲渡所得の内訳書等の書き方》

4　面

> **「交換・買換え（代替）の特例の適用を受ける場合の譲渡所得の計算」**
> この面（4面）は、交換・買換え（代替）の特例の適用を受ける場合（※）にのみ記載します。

※　交換・買換え（代替）の特例の適用を受けた場合、交換・買換え（代替）資産として取得された（される）資産を将来譲渡したときの取得費やその資産が業務用資産であるときの減価償却費の額の計算は、その資産の実際の取得価額ではなく、譲渡（売却）された資産から引き継がれた取得価額を基に一定の計算をすることになりますので、ご注意ください。

5　交換・買換（代替）資産として取得された（される）資産について記載してください。

物　件　の　所　在　地	種類	面積	用途	契約(予定)年月日	取得(予定)年月日	使用開始(予定)年月日
△△市○○町３－１－６	宅地	140㎡	貸付用	6・7・10	6・12・7	6・12・15
同　上	建物	150㎡	貸付用	6・7・10	6・12・7	6・12・15

※　「種類」欄は、宅地・田・畑・建物などと、「用途」欄は、貸付用・居住用・事務所などと記載してください。

取得された（される）資産の購入代金など（取得価額）について記載してください。

費用の内容	支払先住所（所在地）及び氏名（名称）	支払年月日	支払金額
土　地	△△市○○町４－１－１ (株)岡三建設	6・12・7	30,000,000 円
		・・	円
		・・	円
建　物	△△市○○町４－１－１ (株)岡三建設	6・12・7	20,000,000 円
		・・	円
		・・	円
④　買換(代替)資産・交換取得資産の取得価額の合計額			50,000,000 円

※　買換(代替)資産の取得の際に支払った仲介手数料や非業務用資産に係る登記費用などが含まれます。
※　買換(代替)資産をこれから取得される見込みのときは、「買換(代替)資産の明細書」(国税庁ホームページ【https://www.nta.go.jp】からダウンロードできます。なお、税務署にも用意してあります。)を提出し、その見込額を記載してください。

6　譲渡所得金額の計算をします。

「2面」・「3面」で計算した「①譲渡価額」、「②取得費」、「③譲渡費用」と上記「5」で計算した「④買換（代替）資産・交換取得資産の取得価額の合計額」により、譲渡所得金額の計算をします。

(1)　(2)以外の交換・買換え（代替）の場合〔交換(所法58)・収用代替(措法33)・居住用買換え(措法36の2)・震災買換え(震法12)など〕

区　分		F　収　入　金　額	G　必　要　経　費	H　譲渡所得金額
収用代替	特例適用条文	①－③－④	$②×\dfrac{F}{①－③}$	(F－G)
上記以外		①－④	$(②＋③)×\dfrac{F}{①}$	
短期 **長期**	所・㉝・震 33 条の___	20,000,000 円	1,000,000 円	19,000,000 円

(2)　特定の事業用資産の買換え・交換(措法37・37の4)などの場合

区　分		J　収　入　金　額	K　必　要　経　費	L　譲渡所得金額
①≦④	特例適用条文	①×20％(※)	(②＋③)×20％(※)	(J－K)
①＞④		(①－④)＋④×20％(※)	$(②＋③)×\dfrac{J}{①}$	
短期 長期	措法___条の___	円	円	円

※　上記算式の20％は、一定の場合は10％、25％、30％又は40％となります。

－612－

第二十三章《譲渡所得の内訳書等の書き方》

2 特定の事業用資産の買換えの課税の特例を受ける場合で、買換資産を譲渡の日の属する年の翌年の12月31日までに取得する予定であるとして買換資産の明細書を提出する場合の記載例

(1) 譲渡資産　　　　　自用宅地の一部（店舗用）　165㎡
　①　譲渡時期　　　　　　　　　　令和6年12月10日
　②　譲渡価額　　　　　　　　　　40,000,000円
　③　譲渡資産の取得時期　　　　　昭和47年3月30日相続
　④　譲渡資産の取得費　　　　　　不明につき補償金の5％相当額（概算取得費）
　　　　　　　　　　　　　　　　　2,000,000円(40,000,000円×5％)
　⑤　譲渡費用　　　　　　　　　　　譲渡土地上の建物取壊費用　2,000,000円、収入印
　　　　　　　　　　　　　　　　　紙代10,000円
(2) 買換予定資産　　　鉄筋コンクリート賃貸住宅　　　300㎡
　①　買換予定資産の取得価額の見積額　　60,000,000円
　②　取得予定年月日　　　　　　　令和7年12月1日
　③　事業の用に供する見込日　　　令和8年1月10日

〇　税務署
令和 **7** 年 **3** 月 **1** 日提出

名簿番号

買 換 （代替） 資 産 の 明 細 書

住　所	大阪市〇〇区〇〇町2－3－6		
フリガナ	オツノ　　ゴロウ	電話番号	（　　　）
氏　名	乙野　五郎		××××－〇〇〇〇

交換・買換え（代替）の特例（租税特別措置法第33条、第36条の2、第37条、第37条の5又は震災特例法第12条）を受ける場合の、譲渡した資産の明細及び取得される予定の資産の明細について記載します。

1 特例適用条文

租税特別措置法
震災特例法
第 **37** 条の第 **1** 項

2 譲渡した資産の明細

所　在　地	大阪市〇区××町4－2－6		
資産の種類	宅 地	数　　量	165 ㎡
譲渡価額	40,000,000 円	譲渡年月日	6 年 12 月 10 日

3 買い換える（取得する）予定の資産の明細

資産の種類	鉄筋コンクリート賃貸住宅	数　量	300 ㎡
取得資産の該当条項	1 租税特別措置法 (1) 第37条第1項の表の (2) 第37条の5第1項の表の 2 震災特例法 ・ 第12条第1項の表の	第　　号 第 3 号（23区・23区以外の集中地域・集中地域以外の地域の） （主たる事務所資産） 第 1 号（中高層耐火建築物・中高層の耐火建築物） 第 2 号（中高層の耐火共同住宅） 第　　号（　　　　　　　　）		
取得価額の見積額	60,000,000 円	取得予定年月日	7 年 12 月 1 日
付記事項			

(注) 3に記載した買換（取得）予定資産を取得しなかった場合や買換（代替）資産の取得価額が見積額を下回っている場合などには、修正申告が必要になります。

関与税理士		電話番号	

(資6－8－4－A4統一)
R5.11

－613－

第二十三章《譲渡所得の内訳書等の書き方》

1 面

譲渡所得の内訳書

（確定申告書付表兼計算明細書）【土地・建物用】

【令和＿＿＿年分】

名簿番号

提出＿＿枚のうちの＿＿＿

　この内訳書は、土地や建物の譲渡（売却）による譲渡所得金額の計算用として使用するものです。「譲渡所得の申告のしかた」（国税庁ホームページ【https://www.nta.go.jp】からダウンロードできます。税務署にも用意してあります。）を参考に、契約書や領収書などに基づいて記載してください。
　なお、国税庁ホームページでは、画面の案内に沿って収入金額などの必要項目を入力することにより、この内訳書や確定申告書などを作成することができます。

現 住 所 （前住所）	大阪市○○区○○町２−３−６ （　　　　　　　　　　　　　　　　）	フリガナ 氏　名	オツノ　　　ゴロウ 乙野　五郎
電話番号 （連絡先）	××××−○○○○	職業	洋品雑貨小売業

※ 譲渡（売却）した年の1月1日以後に転居された方は、前住所も記載してください。

〜〜〜〜〜〜〜〜〜〜〜〜〜〜〜〜〜〜〜〜〜〜〜〜〜〜〜〜〜〜〜〜

2 面　　　　　　　　　　　　　　　　　　　　　　　名簿番号

1 譲渡（売却）された土地・建物について記載してください。

(1) どこの土地・建物を譲渡（売却）されましたか。

所 在 地	所在地番	大阪市○区××町４−２−６
	（住居表示）	

(2) どのような土地・建物をいつ譲渡（売却）されましたか。

土 地	☑宅 地　□田 □山 林　□畑 □雑種地　□借地権 □その他（　　）	（実測）　　㎡ （公簿等）　　㎡ 165	利 用 状 況	売 買 契 約 日
			□ 自己の居住用 （居住期間 　年　月〜　年　月） ☑ 自己の事業用 □ 貸付用 □ 未利用 □ その他（　　）	6 年10月 10日
建 物	□居 宅　□マンション □店 舗　□事務所 □その他 （　　　　　）	㎡		引き渡した日 6 年12月 10日

○ 次の欄は、譲渡（売却）された土地・建物が共有の場合に記載してください。

あなたの持分		共 有 者 の 住 所 ・ 氏 名		共 有 者 の 持 分	
土 地	建 物	（住所）　　　　　　（氏名）		土 地	建 物
		（住所）　　　　　　（氏名）			

(3) どなたに譲渡（売却）されましたか。　　　　(4) いくらで譲渡（売却）されましたか。

買 主	住　所 （所在地）	大阪市×区△△町３−２−６			① 譲 渡 価 額
	氏　名 （名称）	(株)南里不動産	職業 業種	不動産業	40,000,000　円

【参考事項】

代 金 の 受領状況	1 回 目	2 回 目	3 回 目	未 収 金
	6 年10月10日	6 年12月10日	年　月　日	年　月　日(予定)
	8,000,000 円	32,000,000 円	円	円

お売りになった 理　　　　由	□ 買主から頼まれたため ☑ 他の資産を購入するため □ 事業資金を捻出するため	□ 借入金を返済するため □ その他 （　　　　　　　　　）

〜〜〜〜〜〜〜〜〜〜〜〜〜〜〜〜〜〜〜〜〜〜〜〜〜〜〜〜〜〜〜〜

第二十三章《譲渡所得の内訳書等の書き方》

3 面

2 譲渡（売却）された土地・建物の購入（建築）代金などについて記載してください。

(1) 譲渡（売却）された土地・建物は、どなたから、いつ、いくらで購入（建築）されましたか。

購入建築 価額の内訳	購入（建築）先・支払先		購入建築年月日	購入・建築代金又は譲渡価額の5%
	住　所（所在地）	氏　名（名　称）		
土　　地	不明につき概算取得費で計算	40,000,000×5%	・　・	2,000,000 円
			・　・	円
			・　・	円
		小　計　（イ）		2,000,000 円
建　　物			・　・	円
			・　・	円
			・　・	円
建物の構造	□木造 □木骨モルタル □(鉄骨)鉄筋 □金属造 □その他	小　計　（ロ）		円

※ 土地や建物の取得の際に支払った仲介手数料や非業務用資産に係る登記費用などが含まれます。

(2) 建物の償却費相当額を計算します。

建物の購入・建築価額（ロ）　　償却率　　経過年数　　償却費相当額（ハ）
□標準
　　　　　　円 × 0.9×　　　　　×　　　　　＝　　　　　円

(3) 取得費を計算します。

② 取得費	（イ）＋（ロ）−（ハ）　円
	2,000,000

※ 「譲渡所得の申告のしかた」を参照してください。なお、建物の標準的な建築価額による建物の取得価額の計算をしたものは、「□標準」に☑してください。
※ 非業務用建物（居住用）の（ハ）の額は、（ロ）の価額の95%を限度とします（償却率は1面をご覧ください）。

3 譲渡（売却）するために支払った費用について記載してください。

費用の種類	支　払　先		支払年月日	支払金額
	住　所（所在地）	氏　名（名　称）		
仲介手数料			・　・	円
収入印紙代			・　・	10,000 円
建物取壊費用	大阪市×区〇〇町1−1−1	北建設(株)	6 ・12 ・10	2,000,000 円
			・　・	円

※ 修繕費、固定資産税などは譲渡費用にはなりません。

③ 譲渡費用	2,010,000 円

4 譲渡所得金額の計算をします。

区分	特例適用条文	A 収入金額（①）	B 必要経費（②＋③）	C 差引金額（A−B）	D 特別控除額	E 譲渡所得金額（C−D）
短期・長期	所・措・震条の___	円	円	円	円	円
短期・長期	所・措・震条の___	円	円	円	円	円
短期・長期	所・措・震条の___	円	円	円	円	円

※ ここで計算した内容（交換・買換え（代替）の特例の適用を受ける場合は、4面の「6」で計算した内容）を「申告書第三表（分離課税用）」に転記します。

整理欄

−615−

第二十三章《譲渡所得の内訳書等の書き方》

4 面

> ## 「交換・買換え（代替）の特例の適用を受ける場合の譲渡所得の計算」
> この面（4面）は、交換・買換え（代替）の特例の適用を受ける場合（※）にのみ記載します。

※ 交換・買換え（代替）の特例の適用を受けた場合、交換・買換え（代替）資産として取得された（される）資産を将来譲渡したときの取得費やその資産が業務用資産であるときの減価償却費の額の計算は、その資産の実際の取得価額ではなく、譲渡（売却）された資産から引き継がれた取得価額を基に一定の計算をすることになりますので、ご注意ください。

5　交換・買換（代替）資産として取得された（される）資産について記載してください。

物 件 の 所 在 地	種類	面 積	用 途	契約(予定)年月日	取得(予定)年月日	使用開始(予定)年月日
○○市△区△△町１－２－３	建 物	300㎡	貸付用	6・10・10	7・12・1	8・1・10
		㎡		・　・	・　・	・　・

※ 「種類」欄は、宅地・田・畑・建物などと、「用途」欄は、貸付用・居住用・事務所などと記載してください。

取得された（される）資産の購入代金など（取得価額）について記載してください。

費 用 の 内 容	支払先住所（所在地）及び氏名（名称）	支払年月日	支 払 金 額
土　　地	大阪市×区△△町３－２－６ (株)南里不動産	7・12・1	60,000,000 円
		・　・	円
		・　・	円
建　　物		・　・	円
		・　・	円
		・　・	円
④ 買換（代替）資産・交換取得資産の取得価額の合計額			60,000,000 円

※ 買換（代替）資産の取得の際に支払った仲介手数料や非業務用資産に係る登記費用などが含まれます。
※ 買換（代替）資産をこれから取得される見込みのときは、「買換（代替）資産の明細書」（国税庁ホームページ【https://www.nta.go.jp】からダウンロードできます。なお、税務署にも用意してあります。）を提出し、その見込額を記載してください。

6　譲渡所得金額の計算をします。

「2面」・「3面」で計算した「①譲渡価額」、「②取得費」、「③譲渡費用」と上記「5」で計算した「④買換（代替）資産・交換取得資産の取得価額の合計額」により、譲渡所得金額の計算をします。

（1）（2）以外の交換・買換え（代替）の場合［交換（所法58）・収用代替（措法33）・居住用買換え（措法36の2）・震災買換え（震法12）など］

区　分	特例適用条 文	F 収 入 金 額	G 必 要 経 費	H 譲渡所得金額（F－G）
収用代替		①－③－④	$② \times \dfrac{F}{①－③}$	
上記以外		①－④	$(②＋③) \times \dfrac{F}{①}$	
短期・長期	所・措・震 条の	円	円	円

（2）特定の事業用資産の買換え・交換（措法37・37の4）などの場合

区　分	特例適用条 文	J 収 入 金 額	K 必 要 経 費	L 譲渡所得金額（J－K）
① ≦ ④		①×20%（※）	(②＋③)×20%（※）	
① ＞ ④		(①－④)＋④×20%（※）	$(②＋③) \times \dfrac{J}{①}$	
短期 長期	措法37条の3号 1項	8,000,000 円	802,000 円	7,198,000 円

※ 上記算式の20%は、一定の場合は10%、25%、30%又は40%となります。

－616－

第二十三章《譲渡所得の内訳書等の書き方》

3　相続財産を譲渡した場合の記載例

(1)　譲渡資産　　　　　　　宅地（貸宅地）165㎡
　①　譲渡時期　　　　　　　令和6年12月10日
　②　譲渡価額　　　　　　　30,000,000円
　③　譲渡資産の取得時期　　昭和50年5月10日
　④　譲渡資産の取得費　　　不明につき譲渡価額の5％相当額（概算取得費）
　　　　　　　　　　　　　　30,000,000円×5％＝1,500,000円
　⑤　譲渡費用　　　　　　　仲介手数料　900,000円、収入印紙代　10,000円
　⑥　相続税の課税価格の計算の基礎とされた譲渡資産の相続税評価額　25,000,000円
(2)　相続開始年月日　　　　　　　　　令和6年2月1日
(3)　相続税の申告書を提出した年月日　令和6年10月24日
(4)　相続税の課税価格　　　　　　　　120,000,000円
(5)　相続税額　　　　　　　　　　　　4,770,000円

1　面

譲 渡 所 得 の 内 訳 書

（確定申告書付表兼計算明細書）【土地・建物用】

【令和＿＿年分】

名簿番号

提出＿＿枚のうちの＿＿

＊　この内訳書は、土地や建物の譲渡（売却）による譲渡所得金額の計算用として使用するものです。「譲渡所得の申告のしかた」（国税庁ホームページ【https://www.nta.go.jp】からダウンロードできます。税務署にも用意してあります。）を参考に、契約書や領収書などに基づいて記載してください。
　なお、国税庁ホームページでは、画面の案内に沿って収入金額などの必要項目を入力することにより、この内訳書や確定申告書などを作成することができます。

現住所 （前住所）	○×市△△町1−2−3　　（　　　　　　）	フリガナ 氏　名	カヤマ　　イチロウ 加山　一郎
電話番号 （連絡先）	○○○−○○○○	職　業	会社員

※　譲渡（売却）した年の1月1日以後に転居された方は、前住所も記載してください。

関　与　税　理　士　名
（電話　　　　　　　）

−617−

第二十三章《譲渡所得の内訳書等の書き方》

2 面

名簿番号 ☐

1 譲渡（売却）された土地・建物について記載してください。

(1) どこの土地・建物を譲渡（売却）されましたか。

所在地	所在地番	〇×市△△町1−3−1
	（住居表示）	

(2) どのような土地・建物をいつ譲渡（売却）されましたか。

土地	☑宅 地　☐田 ☐山 林　☐畑 ☐雑種地　☐借地権 ☐その他（　　　）	（実測）　　㎡ （公簿等）　　㎡ **165**
建物	☐居 宅　☐マンション ☐店 舗　☐事務所 ☐その他 （　　　　）	㎡

利 用 状 況
☐ 自己の居住用 （居住期間 　年　月〜　　年　月） ☐ 自己の事業用 ☑ 貸付用 ☐ 未利用 ☐ その他（　　　　）

売 買 契 約 日
6 年 9 月 1 日

引 き 渡 し た 日
6 年12月 10 日

○ 次の欄は、譲渡（売却）された土地・建物が共有の場合に記載してください。

あなたの持分		共 有 者 の 住 所 ・ 氏 名	共 有 者 の 持 分	
土 地	建 物		土 地	建 物
		（住所）　　　　　　　（氏名）		
		（住所）　　　　　　　（氏名）		

(3) どなたに譲渡（売却）されましたか。

買主	住所 （所在地）	〇×市〇〇町4−1−3		
	氏名 （名称）	大阪 太郎	職業 （業種）	会社員

(4) いくらで譲渡（売却）されましたか。

① 譲 渡 価 額
30,000,000 円

【参考事項】

代金の 受領状況	1回目 6 年 9 月 1 日 **6,000,000** 円	2回目 6 年12月10日 **24,000,000** 円	3回目 年 月 日 円	未 収 金 年 月 日（予定） 円

お売りになった 理由	☐ 買主から頼まれたため ☐ 他の資産を購入するため ☐ 事業資金を捻出するため	☐ 借入金を返済するため ☑ その他 （ **相続税の納付のため** ）

「相続税の取得費加算の特例」や「保証債務の特例」の適用を受ける場合などの記載方法

○ 「相続税の取得費加算の特例」の適用を受けるときは、「相続財産の取得費に加算される相続税の計算明細書」（※）で計算した金額を3面の「2」の「②取得費」欄の上段に「⑭×××円」と二段書きで記載してください。
○ 「保証債務の特例」の適用を受けるときは、「保証債務の履行のための資産の譲渡に関する計算明細書（確定申告書付表）」（※）で計算した金額を3面の「4」の「Ｂ必要経費」欄の上段に「�保×××円」と二段書きで記載してください。
○ 4面を記載される方で、「相続税の取得費加算の特例」や「保証債務の特例」の適用を受ける場合には、税務署に記載方法をご確認ください。
○ 配偶者居住権の目的となっている建物又はその敷地の譲渡など一定の場合は、「配偶者居住権に関する譲渡所得に係る取得費の金額の計算明細書《確定申告書付表》」（※）で計算した金額を3面の「2」の「②取得費」欄に転記してください。
※ これらの様式は、国税庁ホームページ【https://www.nta.go.jp】からダウンロードできます。なお、税務署にも用意してあります。

第二十三章《譲渡所得の内訳書等の書き方》

3 面

2 譲渡（売却）された土地・建物の購入（建築）代金などについて記載してください。

(1) 譲渡（売却）された土地・建物は、どなたから、いつ、いくらで購入（建築）されましたか。

購入建築 価額の内訳	購入（建築）先・支払先 住所（所在地）	氏名（名称）	購入建築 年月日	購入・建築代金 又は譲渡価額の5%
土　地	**相続により取得**	**30,000,000 ×5%**	・・	**1,500,000** 円
			・・	円
			・・	円
		小　計 （イ）		**1,500,000** 円
建　物			・・	円
			・・	円
			・・	円
建物の構造 □木造 □木骨モルタル □（鉄骨）鉄筋 □金属造 □その他		小　計 （ロ）		円

※ 土地や建物の取得の際に支払った仲介手数料や非業務用資産に係る登記費用などが含まれます。

(2) 建物の償却費相当額を計算します。

建物の購入・建築価額（ロ） □標準	償却率	経過年数	償却費相当額（ハ）
_____ 円 × 0.9 ×	____	× ____	= ____ 円

(3) 取得費を計算します。

② 取得費	（イ）+（ロ）−（ハ）　円 ㊝ **993,750** **1,500,000**

※ 「譲渡所得の申告のしかた」を参照してください。なお、建物の標準的な建築価額による建物の取得価額の計算をしたものは、「□標準」に☑してください。
※ 非業務用建物（居住用）の（ハ）の額は、（ロ）の価額の95%を限度とします（償却率は1面をご覧ください。）。

3 譲渡（売却）するために支払った費用について記載してください。

費用の種類	支払先 住所（所在地）	氏名（名称）	支払年月日	支払金額
仲介手数料	**○×市△×町４−３−１**	**(株)阪奈不動産**	**6・9・1**	**900,000** 円
収入印紙代			・・	**10,000** 円
			・・	円
			・・	円
				円

※ 修繕費、固定資産税などは譲渡費用にはなりません。

③ 譲渡費用	**910,000**

4 譲渡所得金額の計算をします。

区分	特例適用 条文	A 収入金額 （①）	B 必要経費 （②+③）	C 差引金額 （A−B）	D 特別控除額	E 譲渡所得金額 （C−D）
短期・長期	所・㊞・震 条の **39**	**30,000,000** 円	**3,403,750** 円	**26,596,250** 円	円	**26,596,250** 円
短期・長期	所・措・震 条の____	円	円	円	円	円
短期・長期	所・措・震 条の____	円	円	円	円	円

※ ここで計算した内容（交換・買換え（代替）の特例の適用を受ける場合は、4面の「6」で計算した内容）を「申告書第三表（分離課税用）」に転記します。

整理欄		

−619−

第二十三章《譲渡所得の内訳書等の書き方》

相続財産の取得費に加算される相続税の計算明細書

左側縦書き：
○ この特例は、相続財産を相続税の申告期限から3年以内に譲渡した場合に適用されます。特例の内容についての詳細は、税務署にお尋ねください。

なお、明細書の記載に当たっては、裏面を参照してください。

右側縦書き：
平成二十七年一月一日以後相続開始用

譲　渡　者	住所	○×市△△町1−2−3	氏名	加山　一郎
被　相　続　人	住所	○×市△△町1−2−3	氏名	加山　市太郎

相続の開始があった日	6年2月1日	相続税の申告書を提出した日	6年10月24日	相続税の申告書の提　出　先	○　税務署

1　譲渡した相続財産の取得費に加算される相続税額の計算

譲渡した相続財産	所　在　地		○×市△△町1−3−1		
	種　　類		宅　地		
	利用状況　数量		賃宅地　165㎡		
	譲渡した年月日		6年12月10日	年　月　日	年　月　日
	相続税評価額（裏面の計算が必要となる場合がありますので、ご注意ください。）	Ⓐ	25,000,000 円	円	円
	相続税の課税価格（相続税の申告書第1表の①+②+⑤の金額を記載してください。）	Ⓑ	120,000,000 円		
	相　続　税　額（相続税の申告書第1表の㉒の金額を記載してください。ただし、贈与税額控除又は相次相続控除を受けている方は、下の2又は3で計算した①又は⑤の金額を記載してください。）	Ⓒ	4,770,000 円		
	取得費に加算される相続税額（Ⓒ×Ⓐ/Ⓑ）	Ⓓ	993,750 円	円	円

【贈与税額控除又は相次相続控除を受けている場合のⒸの相続税額】

2　相続税の申告書第1表の㉒の小計の額がある場合

暦年課税分の贈与税額控除額（相続税の申告書第1表の⑫の金額）	Ⓔ	円
相次相続控除額（相続税の申告書第1表の⑯の金額）	Ⓕ	円
相続時精算課税分の贈与税額控除額（相続税の申告書第1表の⑳の金額）	Ⓖ	円
小　計　の　額（相続税の申告書第1表の㉒の金額）	Ⓗ	円
相　続　税　額（Ⓔ+Ⓕ+Ⓖ+Ⓗ）	Ⓘ	円

※　相続税の申告において、贈与税額控除又は相次相続控除を受けていない場合は、「2　相続税の申告書第1表の㉒の小計の額がある場合」欄及び「3　相続税の申告書第1表の㉒の小計の額がない場合」欄の記載等は不要です。

関　与　税　理　士	電　話　番　号

3　相続税の申告書第1表の㉒の小計の額がない場合

算　出　税　額（相続税の申告書第1表の⑨又は⑩の金額）		Ⓙ	円
相続税額の2割加算が行われる場合の加算金額（相続税の申告書第1表の⑪の金額）		Ⓚ	円
合　　　　計（Ⓙ+Ⓚ）		Ⓛ	円
税額控除等	配偶者の税額軽減額（相続税の申告書第5表の⑨又は⑰の金額）	Ⓜ	円
	未成年者控除額（相続税の申告書第6表の1の②又は⑥の金額）	Ⓝ	円
	障害者控除額（相続税の申告書第6表の2の②又は⑥の金額）	Ⓞ	円
	外国税額控除額	Ⓟ	円
	医療法人持分税額控除額	Ⓠ	円
	計（Ⓜ+Ⓝ+Ⓞ+Ⓟ+Ⓠ）	Ⓡ	円
相　続　税　額（Ⓛ−Ⓡ）（赤字の場合は0と記載してください。）		Ⓢ	円

（資6−11−A4統一）

R4.11

第二十三章《譲渡所得の内訳書等の書き方》

4　保証債務の履行のために資産を譲渡した場合の記載例

（1）譲渡資産　　　　　　　宅地　300㎡
- ①　譲渡時期　　　　　　　令和6年10月23日
- ②　譲渡価額　　　　　　　75,000,000円
- ③　譲渡資産の取得時期　　昭和55年1月10日
- ④　譲渡資産の取得費　　　実際の取得費　1,000,000円
    - 概算取得費　3,750,000円
    - （75,000,000円×5％）
- ⑤　譲渡費用　　　　　　　仲介手数料　2,250,000円　　収入印紙代　30,000円

（2）求償権の額　　　　　　50,000,000円
（3）求償権行使不能額　　　50,000,000円
（4）総所得金額　　　　　　 5,200,000円

（注1）〔保証債務の履行のための資産の譲渡に関する計算明細書の書き方〕
「分離課税の所得の長期譲渡⊖」欄……譲渡価額の総額から取得費と譲渡費用を差し引いた金額（68,970,000円）を記載する。

（注2）〔申告書の書き方〕
「Ｂ必要経費」欄……譲渡資産の取得費と譲渡費用の合計額を下段に、譲渡所得のうちないものとみなされた金額「㋪50,000,000円」を上段に記載する。

---

1 面

譲渡所得の内訳書
（確定申告書付表兼計算明細書）【土地・建物用】

【令和＿＿年分】

名簿番号｜　｜　｜　｜　｜

提出＿＿枚のうちの＿＿

　この内訳書は、土地や建物の譲渡（売却）による譲渡所得金額の計算用として使用するものです。「譲渡所得の申告のしかた」（国税庁ホームページ【https://www.nta.go.jp】からダウンロードできます。税務署にも用意してあります。）を参考に、契約書や領収書などに基づいて記載してください。
　なお、国税庁ホームページでは、画面の案内に沿って収入金額などの必要項目を入力することにより、この内訳書や確定申告書などを作成することができます。

現住所（前住所）	××市〇〇町5-1-1　（　　　　　）	フリガナ 氏名	コウダ　タロウ 甲田 太郎
電話番号（連絡先）	〇〇〇-〇〇〇〇	職業	会社員

※　譲渡（売却）した年の1月1日以後に転居された方は、前住所も記載してください。

関　与　税　理　士　名
（電話　　　　　　　）

－621－

第二十三章《譲渡所得の内訳書等の書き方》

2 面　　　　　　　　　　　　　　　　　　　　　　　　名簿番号 ⬚

1 譲渡（売却）された土地・建物について記載してください。

(1) どこの土地・建物を譲渡（売却）されましたか。

所在地	所在地番	××市〇〇町2－1－1
	（住居表示）	

(2) どのような土地・建物をいつ譲渡（売却）されましたか。

土地	☑宅地　□田 □山林　□畑 □雑種地　□借地権 □その他（　　）	（実測）　　　㎡ （公簿等）　　㎡ **300**
建物	□居宅　□マンション □店舗　□事務所 □その他 （　　　　）	㎡

利用状況
□ 自己の居住用 （居住期間 　　　年　月～　　年　月）
□ 自己の事業用
□ 貸付用
☑ 未利用
□ その他（　　）

売買契約日
6 年 **8** 月 **1** 日

引き渡した日
6 年 **10** 月 **23** 日

○ 次の欄は、譲渡（売却）された土地・建物が共有の場合に記載してください。

あなたの持分		共有者の住所・氏名	共有者の持分	
土地	建物		土地	建物
____	____	（住所）　　　　　　　（氏名）	____	____
		（住所）　　　　　　　（氏名）	____	____

(3) どなたに譲渡（売却）されましたか。

(4) いくらで譲渡（売却）されましたか。

買主	住所 （所在地）	××市〇〇町3－2－1		
	氏名 （名称）	**山谷 五郎**	職業 （業種）	**会社役員**

① 譲渡価額
円
75,000,000

【参考事項】

代金の 受領状況	1回目 **6** 年 **8** 月 **1** 日 **15,000,000** 円	2回目 **6** 年 **10** 月 **23** 日 **60,000,000** 円	3回目 　年　月　日 　　　円	未収金 　年　月　日（予定） 　　　円

お売りになった 理由	□ 買主から頼まれたため □ 他の資産を購入するため □ 事業資金を捻出するため	□ 借入金を返済するため ☑ その他 （**保証債務履行のため**　）

「相続税の取得費加算の特例」や「保証債務の特例」の適用を受ける場合などの記載方法

○ 「相続税の取得費加算の特例」の適用を受けるときは、「相続財産の取得費に加算される相続税の計算明細書」（※）で計算した金額を3面の「2」の「②取得費」欄の上段に「相×××円」と二段書きで記載してください。

○ 「保証債務の特例」の適用を受けるときは、「保証債務の履行のための資産の譲渡に関する計算明細書（確定申告書付表）」（※）で計算した金額を3面の「4」の「B必要経費」欄の上段に「保×××円」と二段書きで記載してください。

○ 4面を記載される方で、「相続税の取得費加算の特例」や「保証債務の特例」の適用を受ける場合には、税務署に記載方法をご確認ください。

○ 配偶者居住権の目的となっている建物又はその敷地の譲渡など一定の場合は、「配偶者居住権に関する譲渡所得に係る取得費の金額の計算明細書《確定申告書付表》」（※）で計算した金額を3面の「2」の「②取得費」欄に転記してください。

※ これらの様式は、国税庁ホームページ【https://www.nta.go.jp】からダウンロードできます。なお、税務署にも用意してあります。

第二十三章《譲渡所得の内訳書等の書き方》

3 面

2 譲渡（売却）された土地・建物の購入（建築）代金などについて記載してください。

（1）譲渡（売却）された土地・建物は、どなたから、いつ、いくらで購入（建築）されましたか。

購入建築	価額の内訳	購入（建築）先・支払先		購入建築年月日	購入・建築代金又は譲渡価額の5%
		住 所 （所在地）	氏 名 （名 称）		
土 地		〇×市××町4－1－1	(株)大手不動産	昭55 1 10	3,750,000 円
				・ ・	円
				・ ・	円
				小 計 (イ)	3,750,000 円
建 物					円
				・ ・	円
				・ ・	円
建物の構造	□木造 □木骨モルタル □(鉄骨)鉄筋 □金属造 □その他			小 計 (ロ)	円

※ 土地や建物の取得の際に支払った仲介手数料や非業務用資産に係る登記費用などが含まれます。

（2）建物の償却費相当額を計算します。

建物の購入・建築価額(ロ) 　償却率　 経過年数　 償却費相当額(ハ)
□標準
　　　　　　円 × 0.9 × 　　　 × 　　　 ＝ 　　　　 円

（3）取得費を計算します。

② 取得費	(イ)＋(ロ)－(ハ) 円
	3,750,000

※ 「譲渡所得の申告のしかた」を参照してください。なお、建物の標準的な建築価額による建物の取得価額の計算をしたものは、「□標準」に☑してください。
※ 非業務用建物（居住用）の (ハ) の額は、(ロ) の価額の95%を限度とします（償却率は1面をご覧ください）。

3 譲渡（売却）するために支払った費用について記載してください。

費用の種類	支 払 先		支払年月日	支払金額
	住 所 （所在地）	氏 名 （名 称）		
仲介手数料	××市〇△町4－2－1	(株)浪華不動産	6・8・1	2,250,000 円
収入印紙代			・ ・	30,000 円
			・ ・	円
			・ ・	円

※ 修繕費、固定資産税などは譲渡費用にはなりません。

③ 譲渡費用	2,280,000 円

4 譲渡所得金額の計算をします。

区分	特例適用条文	A 収入金額 (①)	B 必要経費 (②＋③)	C 差引金額 (A－B)	D 特別控除額	E 譲渡所得金額 (C－D)
短期 長期	(所)・措・震 条の 64	円 75,000,000	㋫50,000,000 円 6,030,000	円 18,970,000	円	円 18,970,000
短期 長期	所・措・震 条の	円	円	円	円	円
短期 長期	所・措・震 条の	円	円	円	円	円

※ ここで計算した内容（交換・買換え（代替）の特例の適用を受ける場合は、4面の「6」で計算した内容）を「申告書第三表（分離課税用）」に転記します。

整理欄

－623－

第二十三章《譲渡所得の内訳書等の書き方》

【令和 **6** 年分】保証債務の履行のための資産の譲渡に関する計算明細書（確定申告書付表）	譲渡者	住所	〒○○○－○○○○ ××市○○町５－１－１	氏名	**甲田　太郎**	電話番号	（　） ○○○－○○○○
	関与税理士	住所		氏名		電話番号	（　）

保証債務の明細				
	主たる債務者	住所又は所在地		氏名又は名称
		××市○○町１－１－１		**乙島株式会社**
	債権者	住所又は所在地		氏名又は名称
		××市○○町６－４－１		**丙山　三郎**
	保証債務の内容	債務を保証した年月日	保証債務の種類	保証した債務の金額
		令和4年 7月 20日	**連帯保証**	**50,000,000** 円
	保証債務の履行に関する事項	保証債務を履行した年月日	保証債務を履行した金額	求償権の額
		令和6年 10月 23日	**50,000,000** 円	Ⓐ **50,000,000** 円
	求償権の行使に関する事項	求償権の行使不能となった年月日	求償権の行使不能額	Ⓐのうち既に支払を受けた金額
		令和6年 10月 23日	Ⓑ **50,000,000** 円	**0**

保証債務を履行するため譲渡した資産の明細				
	短期・長期の区分	短期・（長期）	短期・長期	短期・長期
	資産の所在地番	××市○○町２－１－１		
	資産の種類	**宅地**		
	資産の利用状況　資産の数量	**未利用** ㎡(株(口)・㎡) **300**	㎡(株(口)・㎡)	㎡(株(口)・㎡)
譲渡先	住所又は所在地	××市○○町３－２－１		
	氏名又は名称	(職業)**会社役員** 山谷五郎	(職業)	(職業)
	譲渡した年月日	**令和6年 10月 23日**	年 月 日	年 月 日
	譲渡資産を取得した時期	**昭和55年 1月 10日**	年 月 日	年 月 日
	譲渡価額の総額	**75,000,000** 円	円	円

譲渡所得（山林所得）のうちないものとみなされる金額	所得税法第64条第2項適用前の各種所得の合計額	求償権の行使不能額（上のⒷの金額）	Ⓒ **50,000,000** 円	譲渡所得税法第64条第2項又は山林所得の用金前額の	総合課税の短期・長期譲渡所得の金額（申告書第一表の⑦+⊖に相当する金額。赤字のときは0）	Ⓜ 円
		総所得金額（申告書第一表の⑫に相当する金額）(注)	Ⓓ **5,200,000** 円		分離課税の短期・長期譲渡所得の金額（Ⓗの金額）	Ⓝ **68,970,000** 円
		山林所得金額（申告書第三表の⑯に相当する金額）	Ⓔ 円		分離課税の一般株式等・上場株式等に係る譲渡所得等の金額（繰越控除後）（Ⓘの金額のうち、譲渡所得の金額。それぞれ赤字のときは0）	Ⓞ 円
		退職所得金額（申告書第三表の⑰に相当する金額）	Ⓕ 円		分離課税の先物取引に係る譲渡所得等の金額（Ⓚの金額のうち、譲渡所得の金額。赤字のときは0）	Ⓟ 円
		小計（Ⓓ+Ⓔ+Ⓕ。赤字のときは0）	Ⓖ **5,200,000** 円		合計（Ⓜ+Ⓝ+Ⓞ+Ⓟ）	Ⓠ **68,970,000** 円
		分離課税の短期・長期譲渡所得の金額（申告書第三表の㊱に相当する金額。赤字のときは0）	Ⓗ **68,970,000** 円		山林所得金額（Ⓔの金額。赤字のときは0）	Ⓡ 円
		分離課税の一般株式等・上場株式等に係る譲渡所得等の金額（繰越控除後）（申告書第三表の㊲・㊳に相当する金額。それぞれ赤字のときは0）	Ⓘ 円		譲渡所得又は山林所得のうちないものとみなされる金額	Ⓢ **50,000,000** 円
		分離課税の上場株式等に係る配当所得等の金額（損益通算及び繰越控除後）（申告書第三表の㊴に相当する金額）	Ⓙ 円		Ⓒ・Ⓛ・Ⓠのうち低い金額又はⒸ・Ⓛ・Ⓡのうち低い金額	
		分離課税の先物取引に係る雑所得等の金額（繰越控除後）（申告書第三表の㊵に相当する金額。赤字のときは0）	Ⓚ 円			
		合計（Ⓖ+Ⓗ+Ⓘ+Ⓙ+Ⓚ）	Ⓛ **74,170,000** 円			

求償権が行使不能となった事情の説明	**債務者が債務超過で倒産したため、残余財産の配当が得られなかった。**

(注)　1　総合課税の長期譲渡所得又は一時所得のある人の「Ⓓ」の金額は、申告書第一表の「⑫+（⊖+㋑）×½」の金額となります。
　　　2　「所得税法第64条第2項適用前の各種所得の合計額」欄は損益通算後の金額を、「所得税法第64条第2項適用前の譲渡所得又は山林所得の金額」欄は損益通算前の金額を、それぞれ記載してください。
　　　3　「Ⓢ」の金額は、譲渡所得、株式等に係る譲渡所得等又は山林所得に関する各計算明細書の「必要経費」欄の上段に「Ⓢ×××円」と二段書きしてください。詳しくは、税務署にお尋ねください。

(資6－12－A4統一)
(令和4年分以降用)
R5.11

－624－

令和6年分　所得税の速算表

課税総所得金額、課税退職所得金額又は調整所得金額	税率	控除額
195万円以下	5%	―
195万円超～　330万円以下	10%	97,500円
330万円超～　695万円以下	20%	427,500円
695万円超～　900万円以下	23%	636,000円
900万円超～1,800万円以下	33%	1,536,000円
1,800万円超～4,000万円以下	40%	2,796,000円
4,000万円超	45%	4,796,000円

令和6年分　山林所得の所得税の速算表

課税山林所得金額	税率	控除額
975万円以下	5%	―
975万円超～　1,650万円以下	10%	487,500円
1,650万円超～　3,475万円以下	20%	2,137,500円
3,475万円超～　4,500万円以下	23%	3,180,000円
4,500万円超～　9,000万円以下	33%	7,680,000円
9,000万円超～20,000万円以下	40%	13,980,000円
20,000万円超	45%	23,980,000円

※平成25年から令和19年までの各年分の基準所得税額については、復興特別所得税の課税対象となります。

【算式】復興特別所得税額　＝　基準所得税額　×　2.1%

印紙税額一覧表

番号	課税される文書の名称	課税標準及び税率	非課税物件
1	（1）　不動産、鉱業権、無体財産権、船舶若しくは航空機又は営業の譲渡に関する契約書 　　（無体財産権とは、特許権、実用新案権、商標権、意匠権、回路配置利用権、育成者権、商号及び著作権をいう。） （2）　地上権又は土地の賃借権の設定又は譲渡に関する契約書 （3）　消費貸借に関する契約書 （4）　運送に関する契約書（用船契約書を含む。）	契約金額の記載がないもの 契約金額10万円以下のもの ｝……………………200円 契約金額10万円を超え50万円以下のもの …………400円※ 契約金額50万円を超え100万円以下のもの………1,000円※ 契約金額100万円を超え500万円以下のもの …2,000円※ 契約金額500万円を超え1,000万円以下のもの…10,000円※ 契約金額1,000万円を超え5,000万円以下のもの…20,000円※ 契約金額5,000万円を超え1億円以下のもの …60,000円※ 契約金額1億円を超え5億円以下のもの …100,000円※ 契約金額5億円を超え10億円以下のもの …200,000円※ 契約金額10億円を超え50億円以下のもの …400,000円※ 契約金額50億円を超えるもの …………600,000円※ ※　不動産の譲渡に関する契約書については、軽減税率の特例が設けられています（629ページの（注）参照）。	契約金額が1万円未満のもの
2	請負に関する契約書 請負には、職業野球の選手、映画の俳優その他これらに類する者で政令で定めるものの役務の提供を約することを内容とする契約を含む。	契約金額の記載がないもの 契約金額100万円以下のもの ｝……………………200円 契約金額100万円を超え200万円以下のもの …………400円※ 契約金額200万円を超え300万円以下のもの …1,000円※ 契約金額300万円を超え500万円以下のもの …2,000円※ 契約金額500万円を超え1,000万円以下のもの…10,000円※ 契約金額1,000万円を超え5,000万円以下のもの…20,000円※ 契約金額5,000万円を超え1億円以下のもの …60,000円※ 契約金額1億円を超え5億円以下のもの …100,000円※ 契約金額5億円を超え10億円以下のもの …200,000円※ 契約金額10億円を超え50億円以下のもの …400,000円※ 契約金額50億円を超えるもの …………600,000円※ ※　建設工事の請負に関する契約書については、軽減税率の特例が設けられています（629ページの（注）参照）。	契約金額が1万円未満のもの
3	約束手形又は為替手形	手形金額100万円以下のもの …………………200円 手形金額100万円を超え200万円以下のもの …………400円 手形金額200万円を超え300万円以下のもの …………600円 手形金額300万円を超え500万円以下のもの ………1,000円 手形金額500万円を超え1,000万円以下のもの …2,000円 手形金額1,000万円を超え2,000万円以下のもの …4,000円 手形金額2,000万円を超え3,000万円以下のもの …6,000円 手形金額3,000万円を超え5,000万円以下のもの…10,000円 手形金額5,000万円を超え1億円以下のもの …20,000円 手形金額1億円を超え2億円以下のもの …40,000円 手形金額2億円を超え3億円以下のもの …60,000円 手形金額3億円を超え5億円以下のもの …100,000円 手形金額5億円を超え10億円以下のもの …150,000円 手形金額10億円を超えるもの …………200,000円 一覧払のもの 金融機関相互間のもの 外貨表示のもの ｝……………200円 非居住者円表示のもの 円建銀行引受手形	（1）　手形金額が10万円未満のもの （2）　手形金額の記載がないもの （3）　手形の複本又は謄本
4	株券、出資証券若しくは社債券又は投資信託、貸付信託、特定目的信託若しくは受益証券発行信託の受益証券	券面金額500万円以下のもの………………200円 券面金額500万円を超え1,000万円以下のもの …1,000円 券面金額1,000万円を超え5,000万円以下のもの …2,000円 券面金額5,000万円を超え1億円以下のもの ……10,000円 券面金額1億円を超えるもの………………20,000円	（1）　日本銀行その他政令で定める法人が作成する出資証券

－626－

印紙税額一覧表

番号	課税される文書の名称	課税標準及び税率	非課税物件
			（2） 譲渡が禁止されている特定の受益証券 （3） 一定の要件を満たしている額面株式の株券の無効手続に伴い新たに作成する株券
5	合併契約書又は吸収分割契約書若しくは新設分割計画書	1通につき……………………………………40,000円	
6	定款 （株式会社、合名会社、合資会社、合同会社及び相互会社の定款の原本に限る。）	1通につき……………………………………40,000円	株式会社又は相互会社の定款のうち、公証人の保存するもの以外のもの
7	継続的取引の基本となる契約書 （契約期間3月以内で更新の定めのないものを除く。）	1通につき……………………………………4,000円	
8	預貯金証書	1通につき……………………………………200円	信用金庫その他政令で定める金融機関の作成する預貯金証書で、記載された預入額が1万円未満のもの
9	倉荷証券、船荷証券、複合運送証券（法定記載事項の一部を欠く証書で類似の効用があるものを含む。）	1通につき……………………………………200円	
10	保険証券	1通につき……………………………………200円	
11	信用状	1通につき……………………………………200円	
12	信託行為に関する契約書（信託証書を含む。）	1通につき……………………………………200円	
13	債務の保証に関する契約書（主たる債務の契約書に併記するものを除く。）	1通につき……………………………………200円	身元保証に関する契約書
14	金銭又は有価証券の寄託に関する契約書	1通につき……………………………………200円	
15	債権譲渡又は債務引受けに関する契約書	契約金額の記載のないもの 契約金額1万円以上のもの ｝……………………200円	契約金額が1万円未満のもの
16	配当金領収証又は配当金振込通知書	配当金額の記載のないもの 配当金額3,000円以上のもの ｝……………………200円	記載された配当金額が3,000円未満のもの
17	（1） 売上代金に係る金銭又は有価証券の受取書 （2） 金銭又は有価証券の受取書で（1）に掲げる受取書以外のもの	（1） 売上代金に係る金銭又は有価証券の受取書 受取金額の記載のないもの 受取金額100万円以下のもの ｝……………………200円 受取金額100万円を超え200万円以下のもの ………400円 受取金額200万円を超え300万円以下のもの ………600円 受取金額300万円を超え500万円以下のもの ………1,000円 受取金額500万円を超え1,000万円以下のもの ……2,000円	（1） 受取金額が50,000円未満のもの （2） 営業に関しないもの （3） 有価証券、預貯金証

－627－

印紙税額一覧表

番号	課税される文書の名称	課 税 標 準 及 び 税 率	非課税物件
		受取金額1,000万円を超え2,000万円以下のもの …4,000円 受取金額2,000万円を超え3,000万円以下のもの …6,000円 受取金額3,000万円を超え5,000万円以下のもの…10,000円 受取金額5,000万円を超え1億円以下のもの ……20,000円 受取金額1億円を超え2億円以下のもの…………40,000円 受取金額2億円を超え3億円以下のもの…………60,000円 受取金額3億円を超え5億円以下のもの ………100,000円 受取金額5億円を超え10億円以下のもの ………150,000円 受取金額10億円を超えるもの ……………………200,000円 （2）（1）に掲げる受取書以外の受取書 受取金額の記載のないもの } 受取金額5万円以上のもの } ……………………200円	書等に追記した受取書
18	預貯金通帳、信託行為に関する通帳、銀行若しくは無尽会社の作成する掛金通帳又は生命保険会社の作成する保険料通帳又は生命共済の掛金通帳	1冊につき ……………………………………200円 （1年ごと）	（1）信用金庫その他政令で定める金融機関の作成する預貯金通帳 （2）所得税法第9条第1項第2号《非課税所得》に規定する預貯金に係る預貯金通帳その他政令で定める普通預金通帳
19	第1号、第2号、第14号、又は第17号に掲げる文書により証されるべき事項を付け込んで証明する目的をもって作成する通帳（第18号の通帳を除く。）	1冊につき ……………………………………400円 （1年ごと）	
20	判取帳 第1号、第2号、第14号又は第17号に掲げる文書により証されるべき事項につき二以上の相手方から付込証明を受ける目的をもって作成する帳簿	1冊につき ……………………………………4,000円 （1年ごと）	

—628—

印紙税額一覧表

(注)　平成26年4月1日から令和9年3月31日までの間に作成される前表の番号1欄の(1)に掲げる不動産の譲渡に関する契約書のうち、その契約書に記載された契約金額が10万円を超えるもの又は前表の番号2欄に掲げる請負に関する契約書(建設業法第2条第1項に規定する建設工事の請負に係る契約に基づき作成されるものに限ります。)のうち、その契約書に記載された契約金額が100万円を超えるものに係る印紙税の税率は、前表にかかわらず、次表に掲げる契約金額の区分に応じ、1通につきそれぞれに定める金額に軽減されます(措法91②③)。

契約金額		軽減税額
不動産の譲渡に関する契約書	建設工事の請負に関する契約書	(平成26年4月1日以後)
10万円超　　50万円以下	100万円超　　200万円以下	200円
50万円超　　100万円以下	200万円超　　300万円以下	500円
100万円超　　500万円以下	300万円超　　500万円以下	1,000円
500万円超　　1,000万円以下		5,000円
1,000万円超　　5,000万円以下		1万円
5,000万円超　　1億円以下		3万円
1億円超　　5億円以下		6万円
5億円超　　10億円以下		16万円
10億円超　　50億円以下		32万円
50億円超		48万円

機械及び装置以外の有形減価償却資産の耐用年数表（抜枠）

種　類	構　造　又は　用　途	細　　　　　　　　目	耐　用年　数
建　物	鉄骨鉄筋コンクリート造又は鉄筋コンクリート造のもの	事務所用又は美術館用のもの及び下記以外のもの	50年
		住宅用、寄宿舎用、宿泊所用、学校用又は体育館用のもの	47
		飲食店用、貸席用、劇場用、演奏場用、映画館用又は舞踏場用のもの 　飲食店用又は貸席用のもので、延べ面積のうちに占める木造内装部 　分の面積が3割を超えるもの 　その他のもの	 34 41
		旅館用又はホテル用のもの 　延べ面積のうちに占める木造内装部分の面積が3割を超えるもの 　その他のもの	 31 39
		店舗用のもの	39
		病院用のもの	39
		変電所用、発電所用、送受信所用、停車場用、車庫用、格納庫用、荷扱所用、映画製作ステージ用、屋内スケート場用、魚市場用又はと畜場用のもの	 38
		公衆浴場用のもの	31
		工場（作業場を含む。）用又は倉庫用のもの 　塩素、塩酸、硫酸、硝酸その他の著しい腐食性を有する液体又は気体 　の影響を直接全面的に受けるもの、冷蔵倉庫用のもの（倉庫事業の倉 　庫用のものを除く。）及び放射性同位元素の放射線を直接受けるもの 　塩、チリ硝石その他の著しい潮解性を有する固体を常時蔵置するた 　めのもの及び著しい蒸気の影響を直接全面的に受けるもの 　その他のもの 　　倉庫事業の倉庫用のもの 　　　冷蔵倉庫用のもの 　　　その他のもの 　　その他のもの	 24 31 21 31 38
	れんが造、石造又はブロック造のもの	事務所用又は美術館用のもの及び下記以外のもの	41
		店舗用、住宅用、寄宿舎用、宿泊所用、学校用又は体育館用のもの	38
		飲食店用、貸席用、劇場用、演奏場用、映画館用又は舞踏場用のもの	38
		旅館用、ホテル用又は病院用のもの	36
		変電所用、発電所用、送受信所用、停車場用、車庫用、格納庫用、荷扱所用、映画製作ステージ用、屋内スケート場用、魚市場用又はと畜場用のもの	 34
		公衆浴場用のもの	30
		工場（作業場を含む。）用又は倉庫用のもの 　塩素、塩酸、硫酸、硝酸その他の著しい腐食性を有する液体又は気 　体の影響を直接全面的に受けるもの及び冷蔵倉庫用のもの（倉庫事 　業の倉庫用のものを除く。） 　塩、チリ硝石その他の著しい潮解性を有する固体を常時蔵置するた 　めのもの及び著しい蒸気の影響を直接全面的に受けるもの	 22 28

機械及び装置以外の有形減価償却資産の耐用年数表（抜粋）

種類	構造又は用途	細目	耐用年数
建物		その他のもの 　倉庫事業の倉庫用のもの 　　冷蔵倉庫用のもの 　　その他のもの 　その他のもの	年 20 30 34
	金属造のもの（骨格材の肉厚が4ミリメートルを超えるものに限る。）	事務所用又は美術館用のもの及び下記以外のもの	38
		店舗用、住宅用、寄宿所用、宿泊所用、学校用又は体育館用のもの	34
		飲食店用、貸席用、劇場用、演奏場用、映画館用又は舞踏場用のもの	31
		変電所用、発電所用、送受信所用、停車場用、車庫用、格納庫用、荷扱所用、映画製作ステージ用、屋内スケート場用、魚市場用又はと畜場用のもの	31
		旅館用、ホテル用又は病院用のもの	29
		公衆浴場用のもの	27
		工場（作業場を含む。）用又は倉庫用のもの 　塩素、塩酸、硫酸、硝酸その他の著しい腐食性を有する液体又は気体の影響を直接全面的に受けるもの、冷蔵倉庫用のもの（倉庫事業の倉庫用のものを除く。）及び放射性同位元素の放射線を直接受けるもの 　塩、チリ硝石その他の著しい潮解性を有する固体を常時蔵置するためのもの及び著しい蒸気の影響を直接全面的に受けるもの 　その他のもの 　　倉庫事業の倉庫用のもの 　　　冷蔵倉庫用のもの 　　　その他のもの 　　その他のもの	 20 25 19 26 31
	金属造のもの（骨格材の肉厚が3ミリメートルを超え4ミリメートル以下のものに限る。）	事務所用又は美術館用のもの及び下記以外のもの	30
		店舗用、住宅用、寄宿舎用、宿泊所用、学校用又は体育館用のもの	27
		飲食店用、貸席用、劇場用、演奏場用、映画館用又は舞踏場用のもの	25
		変電所用、発電所用、送受信所用、停車場用、車庫用、格納庫用、荷扱所用、映画製作ステージ用、屋内スケート場用、魚市場用又はと畜場用のもの	25
		旅館用、ホテル用又は病院用のもの	24
		公衆浴場用のもの	19
		工場（作業場を含む。）用又は倉庫用のもの 　塩素、塩酸、硫酸、硝酸その他の著しい腐食性を有する液体又は気体の影響を直接全面的に受けるもの及び冷蔵倉庫用のもの 　塩、チリ硝石その他の著しい潮解性を有する固体を常時蔵置するためのもの及び著しい蒸気の影響を直接全面的に受けるもの 　その他のもの	 15 19 24
	金属造のもの（骨格材の肉厚が3ミ	事務所用又は美術館用のもの及び下記以外のもの	22
		店舗用、住宅用、寄宿舎用、宿泊所用、学校用又は体育館用のもの	19

機械及び装置以外の有形減価償却資産の耐用年数表（抜粋）

種　類	構　造　又は　用　途	細　　　　　目	耐　用年　数
建　物	リメートル以下のものに限る。）	飲食店用、貸席用、劇場用、演奏場用、映画館用又は舞踏場用のもの	19年
		変電所用、発電所用、送受信所用、停車場用、車庫用、格納庫用、荷扱所用、映画製作ステージ用、屋内スケート場用、魚市場用又はと畜場用のもの	19
		旅館用、ホテル用又は病院用のもの	17
		公衆浴場用のもの	15
		工場（作業場を含む。）用又は倉庫用のもの 　塩素、塩酸、硫酸、硝酸その他の著しい腐食性を有する液体又は気体の影響を直接全面的に受けるもの及び冷蔵倉庫用のもの 　塩、チリ硝石その他の著しい潮解性を有する固体を常時蔵置するためのもの及び著しい蒸気の影響を直接全面的に受けるもの 　その他のもの	12 14 17
	木造又は合成樹脂造のもの	事務所用又は美術館用のもの及び下記以外のもの	24
		店舗用、住宅用、寄宿舎用、宿泊所用、学校用又は体育館用のもの	22
		飲食店用、貸席用、劇場用、演奏場用、映画館用又は舞踏場用のもの	20
		変電所用、発電所用、送受信所用、停車場用、車庫用、格納庫用、荷扱所用、映画製作ステージ用、屋内スケート場用、魚市場用又はと畜場用のもの	17
		旅館用、ホテル用又は病院用のもの	17
		公衆浴場用のもの	12
		工場（作業場を含む。）用又は倉庫用のもの 　塩素、塩酸、硫酸、硝酸その他の著しい腐食性を有する液体又は気体の影響を直接全面的に受けるもの及び冷蔵倉庫用のもの 　塩、チリ硝石その他の著しい潮解性を有する固体を常時蔵置するためのもの及び著しい蒸気の影響を直接全面的に受けるもの 　その他のもの	9 11 15
	木骨モルタル造のもの	事務所用又は美術館用のもの及び下記以外のもの	22
		店舗用、住宅用、寄宿舎用、宿泊所用、学校用又は体育館用のもの	20
		飲食店用、貸席用、劇場用、演奏場用、映画館用又は舞踏場用のもの	19
		変電所用、発電所用、送受信所用、停車場用、車庫用、格納庫用、荷扱所用、映画製作ステージ用、屋内スケート場用、魚市場用又はと畜場用のもの	15
		旅館用、ホテル用又は病院用のもの	15
		公衆浴場用のもの	11
		工場（作業場を含む。）用又は倉庫用のもの 　塩素、塩酸、硫酸、硝酸その他の著しい腐食性を有する液体又は気体の影響を直接全面的に受けるもの及び冷蔵倉庫用のもの 　塩、チリ硝石その他の著しい潮解性を有する固体を常時蔵置するためのもの及び著しい蒸気の影響を直接全面的に受けるもの 　その他のもの	7 10 14

機械及び装置以外の有形減価償却資産の耐用年数表（抜粋）

種類	構造又は用途	細目	耐用年数
建物	簡易建物	木製主要柱が10センチメートル角以下のもので、土居ぶき、杉皮ぶき、ルーフィングぶき又はトタンぶきのもの	年 10
		掘立造のもの及び仮設のもの	7
建物附属設備	電気設備（照明設備を含む。）	蓄電池電源設備	6
		その他のもの	15
	給排水又は衛生設備及びガス設備		15
	冷房、暖房、通風又はボイラー設備	冷暖房設備（冷凍機の出力が22キロワット以下のもの）	13
		その他のもの	15
	昇降機設備	エレベーター	17
		エスカレーター	15
	消火、排煙又は災害報知設備及び格納式避難設備		8
	エヤーカーテン又はドアー自動開閉設備		12
	アーケード又は日よけ設備	主として金属製のもの	15
		その他のもの	8
	店用簡易装備		3
	可動間仕切り	簡易なもの	3
		その他のもの	15
	前掲のもの以外のもの及び前掲の区分によらないもの	主として金属製のもの	18
		その他のもの	10
構築物	広告用のもの	金属造のもの	20
		その他のもの	10
	舗装道路及び舗装路面	コンクリート敷、ブロック敷、れんが敷又は石敷のもの	15
		アスファルト敷又は木れんが敷のもの	10
		ビチューマルス敷のもの	3
船舶	船舶法（明治32年法律第46号）第4条から第19条までの適用を受ける鋼船		
	漁船	総トン数が500トン以上のもの	12
		総トン数が500トン未満のもの	9
	油そう船	総トン数が2,000トン以上のもの	13
		総トン数が2,000トン未満のもの	11

機械及び装置以外の有形減価償却資産の耐用年数表（抜粋）

種 類	構 造 又は 用 途	細 目	耐 用年 数
船 舶	薬品そう船		10年
	その他のもの	総トン数が2,000トン以上のもの	15
		総トン数が2,000トン未満のもの	
		しゅんせつ船及び砂利採取船	10
		カーフェリー	11
		その他のもの	14
	船舶法第4条から第19条までの適用を受ける木船 　漁　船 　薬品そう船 　その他のもの		6 8 10
	船舶法第4条から第19条までの適用を受ける軽合金船（他の項に掲げるものを除く。）		9
	船舶法第4条から第19条までの適用を受ける強化プラスチック船		7
	船舶法第4条から第19条までの適用を受ける水中翼船及びホバークラフト		8
	その他のもの 　鋼　船	しゅんせつ船及び砂利採取船	7
		発電船及びとう載漁船	8
		ひ き 船	10
		その他のもの	12
	木　船	とう載漁船	4
		しゅんせつ船及び砂利採取船	5
		動力漁船及びひき船	6
		薬品そう船	7
		その他のもの	8
	その他のもの	モーターボート及びとう載漁船	4
		その他のもの	5

－634－

機械及び装置以外の有形減価償却資産の耐用年数表（抜粋）

種　類	構　造　又は　用　途	細　　　　　　　　目	耐用年数
車　両及　び運　搬具	鉄道用又は軌道用車両（架空索道用搬器を含む。）	電気又は蒸気機関車	18年
		電　車	13
		内燃動車（制御車及び附随車を含む。）	11
		貨　車 　高圧ボンベ車及び高圧タンク車 　薬品タンク車及び冷凍車 　その他のタンク車及び特殊構造車 　その他のもの	10 12 15 20
		線路建設保守用工作車	10
		鋼索鉄道用車両	15
		架空索道用搬器 　閉鎖式のもの 　その他のもの	10 5
		無軌条電車	8
		その他のもの	20
	特殊自動車(この項には別表第二に掲げる減価償却資産に含まれるブルドーザー、パワーショベルその他の自走式作業用機械並びにトラクター及び農林業用運搬器具を含まない。)	消防車、救急車、レントゲン車、散水車、放送宣伝車、移動無線車及びチップ製造車	5
		モータースィーパー及び除雪車	4
		タンク車、じんかい車、し尿車、寝台車、霊きゅう車、トラックミキサー、レッカーその他特殊車体を架装したもの 　小型車（じんかい車及びし尿車にあっては積載量が２トン以下、その他のものにあっては総排気量が２リットル以下のものをいう。） 　その他のもの	 3 4
	運送事業用、貸自動車業用又は自動車教習所用の車両及び運搬具（前掲のものを除く。）	自動車（二輪又は三輪自動車を含み、乗合自動車を除く。） 　小型車（貨物自動車にあっては積載量が２トン以下、その他のものにあっては総排気量が２リットル以下のものをいう。） 　その他のもの 　　大型乗用車（総排気量が３リットル以上のものをいう。） 　　その他のもの	 3 5 4
		乗合自動車	5
		自転車及びリヤカー	2
		被けん引車その他のもの	4
	前掲のもの以外のもの	自動車（二輪又は三輪自動車を除く。） 　小型車（総排気量が0.66リットル以下のものをいう。） 　その他のもの 　　貨物自動車 　　　ダンプ式のもの 　　　その他のもの 　　報道通信用のもの 　　その他のもの	 4 4 5 5 6

機械及び装置以外の有形減価償却資産の耐用年数表（抜粋）

種　類	構　造　又は　用　途	細　　　　　　　　目	耐　用年　数
車　両及び運搬具		二輪又は三輪自動車	3年
		自　転　車	2
		鉱山用人車、炭車、鉱車及び台車 　金属製のもの 　その他のもの	7 4
		フォークリフト	4
		トロッコ 　金属製のもの 　その他のもの	5 3
		その他のもの 　自走能力を有するもの 　その他のもの	7 4

－636－

減価償却資産の償却率表

減価償却資産の旧定額法、旧定率法、定額法及び定率法（平成19年4月1日～平成24年3月31日取得分）の償却率、改定償却率及び保証率の表（耐用年数省令別表第七、別表第八、別表第九）

| 耐用年数 | 平成19年3月31日以前取得 | | 耐用年数 | 平成19年4月1日以後取得 | 耐用年数 | 平成19年4月1日～平成24年3月31日取得 | | |
| | 旧定額法 償却率 | 旧定率法 償却率 | | 定額法 償却率 | | 定率法 | | |
						償却率	改定償却率	保証率
2	0.500	0.684	2	0.500	2	1.000	―	―
3	0.333	0.536	3	0.334	3	0.833	1.000	0.02789
4	0.250	0.438	4	0.250	4	0.625	1.000	0.05274
5	0.200	0.369	5	0.200	5	0.500	1.000	0.06249
6	0.166	0.319	6	0.167	6	0.417	0.500	0.05776
7	0.142	0.280	7	0.143	7	0.357	0.500	0.05496
8	0.125	0.250	8	0.125	8	0.313	0.334	0.05111
9	0.111	0.226	9	0.112	9	0.278	0.334	0.04731
10	0.100	0.206	10	0.100	10	0.250	0.334	0.04448
11	0.090	0.189	11	0.091	11	0.227	0.250	0.04123
12	0.083	0.175	12	0.084	12	0.208	0.250	0.03870
13	0.076	0.162	13	0.077	13	0.192	0.200	0.03633
14	0.071	0.152	14	0.072	14	0.179	0.200	0.03389
15	0.066	0.142	15	0.067	15	0.167	0.200	0.03217
16	0.062	0.134	16	0.063	16	0.156	0.167	0.03063
17	0.058	0.127	17	0.059	17	0.147	0.167	0.02905
18	0.055	0.120	18	0.056	18	0.139	0.143	0.02757
19	0.052	0.114	19	0.053	19	0.132	0.143	0.02616
20	0.050	0.109	20	0.050	20	0.125	0.143	0.02517
21	0.048	0.104	21	0.048	21	0.119	0.125	0.02408
22	0.046	0.099	22	0.046	22	0.114	0.125	0.02296
23	0.044	0.095	23	0.044	23	0.109	0.112	0.02226
24	0.042	0.092	24	0.042	24	0.104	0.112	0.02157
25	0.040	0.088	25	0.040	25	0.100	0.112	0.02058
26	0.039	0.085	26	0.039	26	0.096	0.100	0.01989
27	0.037	0.082	27	0.038	27	0.093	0.100	0.01902
28	0.036	0.079	28	0.036	28	0.089	0.091	0.01866
29	0.035	0.076	29	0.035	29	0.086	0.091	0.01803
30	0.034	0.074	30	0.034	30	0.083	0.084	0.01766
31	0.033	0.072	31	0.033	31	0.081	0.084	0.01688
32	0.032	0.069	32	0.032	32	0.078	0.084	0.01655
33	0.031	0.067	33	0.031	33	0.076	0.077	0.01585
34	0.030	0.066	34	0.030	34	0.074	0.077	0.01532
35	0.029	0.064	35	0.029	35	0.071	0.072	0.01532
36	0.028	0.062	36	0.028	36	0.069	0.072	0.01494
37	0.027	0.060	37	0.028	37	0.068	0.072	0.01425
38	0.027	0.059	38	0.027	38	0.066	0.067	0.01393
39	0.026	0.057	39	0.026	39	0.064	0.067	0.01370
40	0.025	0.056	40	0.025	40	0.063	0.067	0.01317
41	0.025	0.055	41	0.025	41	0.061	0.063	0.01306
42	0.024	0.053	42	0.024	42	0.060	0.063	0.01261
43	0.024	0.052	43	0.024	43	0.058	0.059	0.01248
44	0.023	0.051	44	0.023	44	0.057	0.059	0.01210
45	0.023	0.050	45	0.023	45	0.056	0.059	0.01175
46	0.022	0.049	46	0.022	46	0.054	0.056	0.01175
47	0.022	0.048	47	0.022	47	0.053	0.056	0.01153
48	0.021	0.047	48	0.021	48	0.052	0.053	0.01126
49	0.021	0.046	49	0.021	49	0.051	0.053	0.01102
50	0.020	0.045	50	0.020	50	0.050	0.053	0.01072

(注)　耐用年数省令別表第七、別表第八及び別表第九には、耐用年数100年までの計数が掲げられています。

-637-

減価償却資産の償却率表

平成24年4月1日以後に取得をされた減価償却資産の定率法の償却率、改定償却率及び保証率の表（耐用年数省令別表第十）

耐用年数	償却率	改定償却率	保証率
2	1.000	—	—
3	0.667	1.000	0.11089
4	0.500	1.000	0.12499
5	0.400	0.500	0.10800
6	0.333	0.334	0.09911
7	0.286	0.334	0.08680
8	0.250	0.334	0.07909
9	0.222	0.250	0.07126
10	0.200	0.250	0.06552
11	0.182	0.200	0.05992
12	0.167	0.200	0.05566
13	0.154	0.167	0.05180
14	0.143	0.167	0.04854
15	0.133	0.143	0.04565
16	0.125	0.143	0.04294
17	0.118	0.125	0.04038
18	0.111	0.112	0.03884
19	0.105	0.112	0.03693
20	0.100	0.112	0.03486
21	0.095	0.100	0.03335
22	0.091	0.100	0.03182
23	0.087	0.091	0.03052
24	0.083	0.084	0.02969
25	0.080	0.084	0.02841
26	0.077	0.084	0.02716
27	0.074	0.077	0.02624
28	0.071	0.072	0.02568
29	0.069	0.072	0.02463
30	0.067	0.072	0.02366
31	0.065	0.067	0.02286
32	0.063	0.067	0.02216
33	0.061	0.063	0.02161
34	0.059	0.063	0.02097
35	0.057	0.059	0.02051
36	0.056	0.059	0.01974
37	0.054	0.056	0.01950
38	0.053	0.056	0.01882
39	0.051	0.053	0.01860
40	0.050	0.053	0.01791
41	0.049	0.050	0.01741
42	0.048	0.050	0.01694
43	0.047	0.048	0.01664
44	0.045	0.046	0.01664
45	0.044	0.046	0.01634
46	0.043	0.044	0.01601
47	0.043	0.044	0.01532
48	0.042	0.044	0.01499
49	0.041	0.042	0.01475
50	0.040	0.042	0.01440

（注）　耐用年数省令別表第十には、耐用年数100年までの計数が掲げられています。

—638—

平成19年3月31日以前に取得をされた減価償却資産の残存割合表（耐用年数省令別表第十一）

種　　　　類	細　　　　目	残存割合
別表第一、別表第二、別表第五及び別表第六に掲げる減価償却資産（同表に掲げるソフトウエアを除く。）		0.100
別表第三に掲げる無形減価償却資産、別表第六に掲げるソフトウエア並びに鉱業権及び坑道		0
別表第四に掲げる生物	牛 　繁殖用の乳用牛及び種付用の役肉用牛 　種付用の乳用牛 　その他用のもの	0.200 0.100 0.500
	馬 　繁殖用及び競走用のもの 　種付用のもの 　その他用のもの	0.200 0.100 0.300
	豚	0.300
	綿羊及びやぎ	0.050
	果樹その他の植物	0.050

登録免許税の課税範囲、課税標準及び税率の表

（措置法による特例税率は掲載省略）

登記、登録、特許、免許、許可、認可、認定、指定又は技能証明の事項	課税標準	税率
1　不動産の登記（不動産の信託の登記を含む。） （注）　この号において「不動産」とは、土地及び建物並びに立木に関する法律（明治42年法律第22号）第1条第1項（定義）に規定する立木をいう。		
（1）　所有権の保存の登記	不動産の価額	1,000分の4
（2）　所有権の移転の登記		
イ　相続又は法人の合併による移転の登記	不動産の価額	1,000分の4
ロ　共有物の分割による移転の登記	不動産の価額	1,000分の4
ハ　その他の原因による移転の登記	不動産の価額	1,000分の20
（3）　地上権、永小作権、賃借権又は採石権の設定、転貸又は移転の登記		
イ　設定又は転貸の登記	不動産の価額	1,000分の10
ロ　相続又は法人の合併による移転の登記	不動産の価額	1,000分の2
ハ　共有に係る権利の分割による移転の登記	不動産の価額	1,000分の2
ニ　その他の原因による移転の登記	不動産の価額	1,000分の10
（3の2）　配偶者居住権の設定の登記	不動産の価額	1,000分の2
（4）　地役権の設定の登記	承役地の不動産の個数	1個につき1,500円
（5）　先取特権の保存、質権若しくは抵当権の設定、強制競売、担保不動産競売、強制管理若しくは担保不動産収益執行に係る差押え、仮差押え、仮処分又は抵当付債権の差押えその他権利の処分の制限の登記	債権金額、極度金額又は不動産工事費用の予算金額	1,000分の4
（6）　先取特権、質権又は抵当権の移転の登記		
イ　相続又は法人の合併による移転の登記	債権金額又は極度金額	1,000分の1
ロ　その他の原因による移転の登記	債権金額又は極度金額	1,000分の2
（7）　根抵当権の一部譲渡又は法人の分割による移転の登記	一部譲渡又は分割後の共有者の数で極度金額を除して計算した金額	1,000分の2
（8）　抵当権の順位の変更の登記	抵当権の件数	1件につき1,000円
（9）　賃借権の先順位抵当権に優先する同意の登記	賃借権及び抵当権の件数	1件につき1,000円
（10）　信託の登記		
イ　所有権の信託の登記	不動産の価額	1,000分の4
ロ　先取特権、質権又は抵当権の信託の登記	債権金額又は極度金額	1,000分の2
ハ　その他の権利の信託の登記	不動産の価額	1,000分の2
（11）　相続財産の分離の登記		
イ　所有権の分離の登記	不動産の価額	1,000分の4
ロ　所有権以外の権利の分離の登記	不動産の価額	1,000分の2
（12）　仮登記		
イ　所有権の保存の仮登記又は保存の請求権の保全のための仮登記	不動産の価額	1,000分の2
ロ　所有権の移転の仮登記又は移転の請求権の保全のための仮登記		
①　相続又は法人の合併による移転の仮登記又は移転の請求権の保全のための仮登記	不動産の価額	1,000分の2

登録免許税の課税範囲、課税標準及び税率の表

登記、登録、特許、免許、許可、認可、認定、指定又は技能証明の事項	課税標準	税率
② 共有物の分割による移転の仮登記又は移転の請求権の保全のための仮登記	不動産の価額	1,000分の2
③ その他の原因による移転の仮登記又は移転の請求権の保全のための仮登記	不動産の価額	1,000分の10
ハ 地上権、永小作権、賃借権若しくは採石権の設定、転貸若しくは移転の仮登記又は設定、転貸若しくは移転の請求権の保全のための仮登記		
① 設定若しくは転貸の仮登記又は設定若しくは転貸の請求権の保全のための仮登記	不動産の価額	1,000分の5
② 相続又は法人の合併による移転の仮登記又は移転の請求権の保全のための仮登記	不動産の価額	1,000分の1
③ 共有に係る権利の分割による移転の仮登記又は移転の請求権の保全のための仮登記	不動産の価額	1,000分の1
④ その他の原因による移転の仮登記又は移転の請求権の保全のための仮登記	不動産の価額	1,000分の5
ニ 配偶者居住権の設定の仮登記	不動産の価額	1,000分の1
ホ 信託の仮登記又は信託の設定の請求権の保全のための仮登記		
① 所有権の信託の仮登記又は信託の設定の請求権の保全のための仮登記	不動産の価額	1,000分の2
② 先取特権、質権若しくは抵当権の信託の仮登記又は信託の設定の請求権の保全のための仮登記	債権金額又は極度金額	1,000分の1
③ その他の権利の信託の仮登記又は信託の設定の請求権の保全のための仮登記	不動産の価額	1,000分の1
ヘ 相続財産の分離の仮登記又は移転の請求権の保全のための仮登記		
① 所有権の分離の仮登記又は移転の請求権の保全のための仮登記	不動産の価額	1,000分の2
② 所有権以外の権利の分離の仮登記又は移転の請求権の保全のための仮登記	不動産の価額	1,000分の1
ト その他の仮登記	不動産の個数	1個につき1,000円
(13) 所有権の登記のある不動産の表示の変更又は更正の登記で次に掲げるもの		
イ 土地の分筆又は建物の分割若しくは区分による登記事項の変更の登記	分筆又は分割若しくは区分後の不動産の個数	1個につき1,000円
ロ 土地の合筆又は建物の合併による登記事項の変更の登記	合筆又は合併後の不動産の個数	1個につき1,000円
(14) 付記登記、抹消した登記の回復の登記又は登記の更正若しくは変更の登記（これらの登記のうち（1）から（13）までの登記に該当するもの及び土地又は建物の表示に関する登記に係るものを除く。）	不動産の個数	1個につき1,000円
(15) 登記の抹消（土地又は建物の表題部の登記の抹消を除く。）	不動産の個数	1個につき1,000円 （同一の申請書により20個を超える不動産について登記の抹消を受ける場合には、申請件数1件につき2万円）

（以 下 略）

（注）1 土地の売買による所有権の移転登記等の税率の軽減（措法72）
2 住宅用家屋の所有権の保存登記の税率の軽減（措法72の2）
3 住宅用家屋の所有権の移転登記の税率の軽減（措法73）

第三編
山 林 所 得

第三編

山 林 河 川

第一章　山林所得のあらまし

　山林所得とは山林（立木）の伐採又は譲渡による所得をいいます（所法32①）。

　立木は元来、最終的にパルプ材や建築用材として使用されることを目的として植栽育成を行うものですから、立木を伐採して譲渡したり、立木のまま譲渡することによる所得は、米や麦などの農作物を収穫することによって生ずる所得や物品の製造、販売により生ずる所得と本質的に異なるところはありません。

　しかし、山林は植林から伐採までの期間、つまり資本を投下してから回収するまでの期間が非常に長く、また立木の伐採又は譲渡によって生ずる所得は、その間に蓄積された所得が一度に実現するという特色を有しています。このような所得を資本の回転期間が比較的短く、資本の投下効果が各年にあらわれる事業から生ずる所得と同じように課税することは、課税の公平を失するという観点から、所得税法においては、山林所得を事業所得と区分して、分離課税方式、５分５乗方式、特別控除の制度など特別の措置が講じられています。

　このような、山林所得についての特別の措置は、その所得が長期間にわたって蓄積されたものであるということを前提として設けられたものですから所有期間の短い山林（保有期間が５年以内のもの）については、山林所得に該当しないものとされています（所法32②）。

　この場合の所得は、その所得がその者の営む事業から生じたと認められる場合は事業所得とし、それ以外の場合は雑所得として取り扱われます。

　また、立木の譲渡による所得であっても、その立木に対する投下資本等が立木そのものによって回収されるのではなく、その立木を一定の用途に使用することによって回収されるもの、例えば果樹、庭園用のために植栽される立木のようなものについては、所有期間の長短を問わず山林所得に該当しないものとされています。

　更に、販売の用に植栽される苗木等の譲渡による所得も、通常これらの資産の保有期間は比較的短期間と考えられるため、山林所得には含まないこととされています。

　次に、山林所得の金額は、その年中の山林所得に係る総収入金額から必要経費を控除し、その残額から山林所得の特別控除額を控除した金額とされていますが（所法32③）、山林所得の特別控除額は50万円（その年中の山林所得に係る総収入金額から必要経費を控除した金額が50万円に満たない場合は、その金額）となっています（所法32④）。

　なお、山林所得の所得税額は、他の所得とは分離して山林所得の金額のみについて５分５乗方式により計算するのですが、この５分５乗方式とは、所得金額を５分して、その５分の１の金額に対応する税率を適用して計算した税額を５倍するという計算方式で累進税率の緩和を図るための制度です。

　山林所得の税額は、次の速算表を使用して計算すれば５分５乗方式による税額が算出されます。

山林所得の所得税の速算表（令和６年分）

課税山林所得金額	税率	控除額
975万円以下	5％	—
975万円超～ 1,650万円以下	10％	487,500円
1,650万円超～ 3,475万円以下	20％	2,137,500円
3,475万円超～ 4,500万円以下	23％	3,180,000円
4,500万円超～ 9,000万円以下	33％	7,680,000円
9,000万円超～20,000万円以下	40％	13,980,000円
20,000万円超	45％	23,980,000円

※　復興特別所得税については、625ページを参照。

第二章　山林所得の計算方法

　山林所得の金額の計算方法には、所得税法の定めによる通常の方法と租税特別措置法に定める概算経費控除による方法とがあります。概算経費控除による方法とは、その年の15年前の12月31日以前から引き続き所有していた立木を伐採又は譲渡した場合に、納税義務者の選択により、その伐採又は譲渡による山林所得の金額の計算上、総収入金額から控除する必要経費を、その収入金額に財務省令で定める割合である50％（この割合のことを概算経費率といいます。）を乗じて算出する計算方法です（措法30①④、措規12②）。

　二つの方法を算式で示すと次のとおりです（671ページの計算明細書参照）。

1　通常の方法による場合

　　収入金額－（植林費、取得に要した費用、育成費、管理費）－（伐採費、譲渡費用）－青色専従者給与額又は専従者控除額のうち伐採費、譲渡費用以外の金額－山林所得の特別控除額＝山林所得の金額

2　概算経費控除の方法による場合

　　｛収入金額－（伐採費、譲渡費用）－（青色専従者給与額又は専従者控除額のうち伐採費、譲渡費用の部分の金額）｝×概算経費率（50％）＋（伐採費、譲渡費用）＋（青色専従者給与額又は専従者控除額のうち伐採費、譲渡費用の部分の金額）＝必要経費の額（A）

　　収入金額－必要経費の額（A）－山林所得の特別控除額＝山林所得の金額

第一節　山林所得の範囲

1　造材業者が自己の所有する山林について、伐木、造材、運材を行った場合

　製材業者が他人の立木を買い入れ、伐木、造材、運材する造材業から生ずる所得は山林所得ではありませんが、製材業者が、自ら植林し育成した山林を伐採し、かつ造材、運材等をする場合に生ずる所得は、伐採までの所得を山林所得とします。

2　土地付きで立木を譲渡した場合

　土地付きで立木を譲渡した場合は、譲渡価額のうち立木に対応する部分は、山林所得の収入金額となり、土地に対応する部分は譲渡所得の収入金額となります。

3　分収造林契約又は分収育林契約に係る収入金額

（1）　分収造林契約の意義

　分収造林契約とは、分収林特別措置法（（注）参照）第2条第1項において規定する分収造林契約、その他一定の土地についての造林に関して、その土地の所有者、その土地の所有者以外の者でその土地につき造林を行うもの及びこれらの者以外の者でその造林に関する費用の全部若しくは一部を負担するものの三者又はこれらの者のうちいずれか二者が当事者となって締結する契約で、その契約条項中においてその契約の当事者がその契約に係る造林による収益を一定の割合により分収することを約定しているものをいいます（所令78一）。

（2）　分収育林契約の意義

　分収育林契約とは、分収林特別措置法第2条第2項において規定する分収育林契約、その他一定の土地に生育する山林の保育及び管理（以下「育林」といいます。）に関し、その土地の所有者、その土

－646－

地の所有者以外の者でその山林につき育林を行うもの及びこれらの者以外の者でその育林に関する費用の全部若しくは一部を負担するものの三者又はこれらの者のうちいずれか二者が当事者となって締結する契約で、その契約条項中においてその契約の当事者がその契約に係る育林による収益を一定の割合により分収することを約定しているものをいいます（所令78二）。

（3） 分収造林（育林）契約に係る収入金額の所得区分

分収造林契約又は分収育林契約に係る収益及び権利の譲渡による所得は、次に掲げる区分によりそれぞれの所得の収入金額とされます（所令78の2、78の3）。

① 分収造林（育林）契約の収益

イ　山林所得となるもの

分収造林（育林）契約の当事者がその契約に基づきその契約の目的となった山林の造林（育林）による収益のうちその山林の伐採又は譲渡による収益をその契約に定める一定の割合により分収する金額（ロに該当するものを除きます。）

ロ　山林所得以外の各種所得（不動産所得、事業所得又は雑所得）となるもの

〈イ〉　分収造林（育林）契約の目的となった山林の伐採又は譲渡前にその契約の定める一定の割合により分収する金額

〈ロ〉　分収造林（育林）契約の締結の期間中引き続きその契約に係る地代、利息その他の対価に相当する額の支払を受ける者がその契約に定める一定の割合により分収する金額

〈ハ〉　分収造林（育林）契約に係る権利を取得した日後5年以内にその契約に定める一定の割合により分収する金額

② 分収造林（育林）契約に係る権利の譲渡等による所得

イ　山林所得となるもの

〈イ〉　分収造林（育林）契約に係る権利の譲渡による収入金額（ロの〈イ〉、〈ロ〉に該当するものを除きます。）

〈ロ〉　山林の所有者がその山林につき分収育林契約を締結することにより、その契約を締結する他の者から支払を受けるその契約の目的となった山林の持分の対価の額（ロの〈ハ〉に該当するものを除きます。）

〈ハ〉　分収造林（育林）契約の当事者が不特定の者に対しその契約の造林（育林）費負担者として権利を取得し義務を負うこととなるための申込みを勧誘したことにより、新たにその権利を取得し、義務を負うこととなった者から支払を受ける持分の対価の額（ロの〈ニ〉に該当するものを除きます。）

ロ　事業所得又は雑所得となるもの

〈イ〉　分収造林（育林）契約の当事者である土地の所有者若しくは造林（育林）者がその契約に係る権利の取得の日以後5年以内に行ったその権利の譲渡による収入金額

〈ロ〉　分収造林（育林）契約の当事者である造林（育林）費負担者が受けるその契約に係る権利の譲渡による収入金額（イの〈ハ〉に該当するものを除きます。）

〈ハ〉　山林の所有者がその山林につき分収育林契約を締結することにより、その契約を締結する他の者から支払を受けるその契約の目的となった山林の持分の対価の額で、その山林の取得の日以後5年以内に支払を受ける持分の対価の額

〈ニ〉　分収造林（育林）契約の当事者が不特定の者に対しその契約の造林（育林）費負担者として権利を取得し義務を負うこととなるための申込みを勧誘したことにより、新たにその権利を取得し義務を負うこととなった者から支払を受ける持分の対価の額で、その当事者がその契約に係る権利取得の日以後5年以内に支払を受ける持分の対価の額

（注）　分収林特別措置法（抄）

（定義）

第二章《山林所得の計算方法》

第2条①　この法律で「分収造林契約」とは、一定の土地についての造林に関し、その土地の所有者（以下「造林地所有者」という。）、造林地所有者以外の者でその土地について造林を行うもの（以下「造林者」という。）並びに造林地所有者及び造林者以外の者でその造林に要する費用の全部若しくは一部を負担する者（以下「造林費負担者」という。）の三者又は造林地所有者、造林者及び造林費負担者のうちのいずれか二者が当事者となって締結する契約（国有林野の管理経営に関する法律第9条の契約を除く。）で、その契約条項中において、次に掲げる事項を約定しているものをいう。

1　造林地所有者を当事者とする契約においては、造林地所有者は、造林者のためにその土地につきこれを造林の目的に使用する権利を設定する義務（造林者を契約当事者としない場合にあっては、自らその土地に一定の樹木を植栽し、並びにその植栽に係る樹木の保育及び管理を行う義務）を負うこと。

2　造林者を当事者とする契約においては、造林者は、その土地に一定の樹木を植栽し、並びにその植栽に係る樹木の保育及び管理を行う義務（造林地所有者を契約当事者とせず、かつ、造林者がその土地につきこれを造林の目的に使用する権利を有しない場合にあっては、造林地所有者から当該権利の設定を受けてこれらの行為を行う義務）を負うこと。

3　造林費負担者を当事者とする契約においては、造林費負担者は、造林者（造林者を契約当事者としない場合にあっては、造林地所有者）に対し、前2号の樹木の植栽、保育及び管理に要する費用の全部又は一部を支払う義務を負うこと。

4　各契約当事者は、一定の割合により、当該契約に係る造林による収益を分収すること。

5　第1号又は第2号の契約事項の実施により植栽された樹木は、各契約当事者の共有とすること。

6　前号の場合において各共有者の持分の割合は、第4号の一定の割合と等しいものとすること。

②　この法律で「分収育林契約」とは、一定の土地に植栽された樹木（当該契約の締結時における樹齢が地域ごと及び樹種ごとに農林水産省令で定める樹齢を超えるものを除く。）についての保育及び管理（以下「育林」という。）に関し、その土地の所有者（以下「育林地所有者」という。）、育林地所有者以外の者でその樹木について育林を行うもの（以下「育林者」という。）並びに育林地所有者及び育林者以外の者でその樹木について育林に要する費用の全部若しくは一部を負担するもの（以下「育林費負担者」という。）の三者又は育林地所有者、育林者及び育林費負担者のうちのいずれか二者が当該者となって締結する契約（当事者のうちのいずれかが当該樹木の所有者であるもの（国有林野の管理経営に関する法律第17条の2の契約を除く。）に限る。）で、その契約条項中において、次に掲げる事項を約定しているものをいう。

1　育林地所有者を当事者とする契約においては、育林地所有者は、育林者のためにその土地につきこれを育林の目的に使用する権利を設定する義務（育林者を契約当事者としない場合にあっては、自らその育林を行う義務）を負うこと。

2　育林者を当事者とする契約においては、育林者は、育林を行う義務（育林地所有者を契約当事者とせず、かつ、育林者がその土地につきこれを育林の目的に使用する権利を有しない場合にあっては、育林地所有者から当該権利の設定を受けてその育林を行う義務）を負うこと。

3　育林費負担者を当事者とする契約においては、育林費負担者は、育林者（育林者を契約当事者としない場合にあっては、育林地所有者）に対し、育林に要する費用の全部又は一部を支払う義務を負うこと。

4　各契約当事者は、一定の割合により、当該契約に係る育林による収益を分収すること。

5　契約の締結の際、当該樹木を所有している契約当事者は当該樹木を各契約当事者の共有とし、他の契約当事者は当該樹木の持分の対価を支払う義務を負うこと。

6　前号の場合における各共有者の持分の割合は、第4号の一定の割合と等しいものとすること。

③　この法律で「分収林契約」とは、分収造林契約、分収育林契約その他次の各号のいずれかに該当する契約で、その契約条項中において、各契約当事者が一定の割合により当該契約に係る造林又は育林による収益（以下「造林等収益」といいます。）を分収することを約定しているものをいう。

1　一定の土地についての造林に関し、造林地所有者、造林者及び造林費負担者の三者又はこれらの者のうちのいずれか二者が当事者となって締結する契約（国有林野の管理に関する法律第9条の契約を除く。）

－648－

第二章《山林所得の計算方法》

　　2　一定の土地に植栽された前項に規定する樹木についての育林に関し、育林地所有者、育林者及び育林費負担者の三者又はこれらの者のうちのいずれか二者が当事者となって締結する契約（国有林野の管理経営に関する法律第17条の2の契約を除く。）

4　法人への贈与等の場合の山林所得の計算

（1）　時価により譲渡があったものとみなされる場合

　個人が、その所有する山林（事業所得の基因となるものを除きます。）を、次に掲げる贈与等をした時は、その事由が生じた時に、その時の価額に相当する金額で山林の譲渡があったものとみなして、山林所得の金額（所有期間5年以下の山林については、雑所得の金額）を計算することとされます（所法59①）。

　イ　法人に対する贈与

　ロ　相続（限定承認に係るものに限ります。）

　ハ　遺贈（法人に対するもの及び個人に対する包括遺贈のうち、限定承認に係るものに限ります。）

　ニ　法人に対する低額譲渡

　（注）　上記＿＿＿下線部分については、公益信託に関する法律（令和6年法律第30号）の施行の日（公布の日（令和6年5月22日）から起算して2年を超えない範囲内において政令で定める日）以後、（1）のイからニまでが次のように改められます（令6改所法等附1九イ）。

> イ　法人に対する贈与及び公益信託の受託者である個人に対する贈与（その信託財産とするためのものに限ります。）
> ロ　相続（限定承認に係るものに限ります。）
> ハ　遺贈（法人に対するもの並びに公益信託の受託者である個人に対するもの（その信託財産とするためのものに限ります。）及び個人に対する包括遺贈のうち、限定承認に係るものに限ります。）
> ニ　法人に対する低額譲渡

　なお、低額譲渡とは、譲渡資産の譲渡の時における時価の2分の1未満の金額による譲渡をいいます（所令169）。

（2）　個人に対して低額譲渡した場合の譲渡損失

　個人が、その所有する山林（事業所得の基因となるものを除きます。）を個人に対して低額譲渡した場合で、実際の譲渡価額がその資産の取得に要した金額と譲渡に要した費用の金額の合計額に満たない場合のその不足額は、その山林所得の金額（所有期間5年以下の山林については、雑所得の金額）の計算上なかったものとみなされます（所法59②）。

　この規定を計算例によって説明しますと、次のようになります。

〔計算例〕

立木の譲渡価額（A）	150万円
譲渡の時における立木の価額（B）	500万円
立木の取得に要した金額（C）	180万円
内訳　植林費	100万円
管理費	80万円
譲渡に要した費用（D）	15万円

　　〔なかったものとみなされる損失額の計算〕

　　150万円（A）－（180万円（C）＋15万円（D））＝△45万円（なかったものとみなされる損失額）

　なお、この場合、資産を譲り受けた者の取得費は、譲受価額（A）の150万円ではなく195万円（（C）＋（D）の金額）になります（所法60①二）。

第二節　山林所得の金額

山林所得の金額とは、その年中の山林所得に係る総収入金額から必要経費を控除し、その残額から山林所得の特別控除額を控除した金額をいいます（所法32③）。

ここにいう山林所得の特別控除額は50万円（その年中の山林所得に係る総収入金額から必要経費を控除した金額が50万円に満たないときはその金額）とされています（所法32④）。

（注）　青色申告特別控除の適用がある場合は、山林所得の特別控除後の金額から控除（10万円を限度）します（措法25の2①）。

ただし、控除額の10万円を不動産・事業所得から控除した場合はその残額となります。また、不動産・事業所得について55万円又は65万円の青色申告特別控除を適用した場合は山林所得の10万円の青色申告特別控除を適用することはできません。

第三節　収　入　金　額

山林所得の総収入金額に算入すべき金額とは、別段の定めがあるものを除き、その年において収入すべき金額をいいます（所法36①）。

また、金銭以外の物又は権利その他経済的な利益をもって収入する場合には、その物若しくは権利を取得し、又はその利益を享受する時のこれらのものの価額が総収入金額に算入すべき金額となります（所法36①②）。

1　総収入金額の収入すべき時期

山林所得の総収入金額の収入すべき時期は、山林所得の基因となる資産の引渡しがあった日によります。ただし、その資産の譲渡に関する契約の効力発生の日により総収入金額に算入して申告しても差し支えありません（所基通36－12）。

2　山林所得の収入金額とされる保険金等

山林所得を生ずべき業務を営む者が受ける次に掲げるもので、その業務の遂行により生ずべき山林所得の収入金額に代わる性質を有するものは、山林所得の計算上、収入金額に算入されます。

（1）　山林所得の基因となる山林について損害を受けたため取得する保険金、損害賠償金、見舞金その他これらに類するもの

ただし、災害又は盗難若しくは横領により生じた損害につき保険金、損害賠償金、見舞金その他これらに類するもので補てんされる場合には、その損失の金額を超える部分に相当する金額が山林所得の収入金額になります（所令94①一）。

（2）　山林所得を生ずべき業務の全部又は一部を、休止、転換又は廃止する場合、あるいはその他の事由によりその事業の収益の補償として取得する補償金、その他これに類するもの（所令94①二）

なお、取得する補償金がその業務の収益の補償として取得するものであるかどうかは、補償金の名目のいかんにかかわらずその補償金の算定基準、補償金を受けるに至った事由などに照らし実質的に判定することになっています。

（注）　山林所得を生ずべき業務を営む者が、その業務に関して受ける収入金額で、山林所得の収入金額に代わる性質を有するものとは、例えば、①森林火災国営保険の保険金、②立木の滅失又は損傷などによって受ける補償金のようなものをいいます。

3　自家消費の場合の総収入金額算入

山林所得の基因となる山林を伐採して、家事のために消費した場合には、原則として消費した時に

第二章《山林所得の計算方法》

おける立木の時価で収入があったものとして消費した日の属する年の山林所得の計算上、総収入金額に算入して山林所得の計算をすることになっています（所法39）。ただし、自己の所有する山林を伐採し、これを製材して自己の業務の用に供する建物等の建築材料として使用したような場合にはこの取扱いは適用されず、その山林の植林費、取得に要した費用、管理費、伐採費その他山林の育成に要した費用及び伐採した立木の搬出費用又は製材費用等の額を、その建物等の取得費又は取得価額に算入することとされています（所基通39－5）。

4　国庫補助金等の総収入金額不算入

（1）　個人が、山林の取得に充てるために、国又は地方公共団体から補助金又は給付金その他これらに準ずるもの（以下「国庫補助金等」といいます。）の交付を受け、その年においてその国庫補助金等で、交付された目的に適合した山林を取得した場合には、交付を受けた国庫補助金等の返還を要しないことがその年の12月31日までに確定した場合に限り、交付を受けた国庫補助金等のうち、山林の取得に充てた部分の金額に相当する金額は、その者の山林所得の金額の計算上、総収入金額に算入しないことになっています（所法42①）。また、国庫補助金等の交付に代わるべきものとして交付を受ける山林を取得した場合にも、その山林の価額に相当する金額は、総収入金額に算入しないことになっています（所法42②）。

（2）　上記（1）の規定の適用を受けるためには、確定申告書にこの規定の適用を受ける旨及びこの規定により総収入金額に算入されないこととなる金額のほか、次に掲げる事項を記載しなければなりません（所法42③、所規20）。

　　　ただし、確定申告書の提出がなかった場合、又はこれらの記載がない確定申告書の提出があった場合であっても、その提出がなかったこと、又は記載がなかったことについて、やむを得ない事情があると税務署長が認めた場合は、この規定の適用を受けることができます（所法42④）。

　イ　山林の取得に充てるため、交付を受けた国庫補助金等の額及びその交付の目的

　ロ　交付を受けた国庫補助金等で取得した山林に関する明細

　ハ　国庫補助金等の交付に代わるべきものとして、交付を受ける山林を取得した場合には、その取得の事由及びその資産の価額

　ニ　その他参考となるべき事項

5　条件付国庫補助金等の総収入金額不算入

（1）　個人が、山林の取得に充てるために、国庫補助金等の交付を受け、その国庫補助金等の返還を要しないことが交付を受けた年の12月31日までに確定していないときは、交付を受けた国庫補助金等の額に相当する金額は、その者のその年分の山林所得の金額の計算上、総収入金額に算入されないことになっています（所法43①）。

（2）　上記（1）の規定の適用を受けた者が、交付を受けた国庫補助金等の全部又は一部の返還を要しないことが確定した場合には、その国庫補助金等の額のうちその確定した部分に相当する金額は、その国庫補助金等の交付の目的に適合した山林の取得に充てられた金額を除き、その者のその年分の山林所得の金額の計算上、総収入金額に算入されることになっています（所法43②、所令91①）。

　（注）　山林の取得に充てるため、一定の事実に該当するときは返還するという条件付きで、国又は地方公共団体から交付を受ける補助金の返還を要することとなる日、又は返還を要しないこととなる日とは、その返還の要否が、交付の時の条件の成否に基づいて客観的に確定するときは、その確定した日をいい、条件の成否のほかに、行政庁の処分を要するものについては、その処分のあった日をいいます。ただし、行政庁の処分が通常なされるべき日までになされないときは、通常処分をなされるべき日が、返還を要しないこととなった日になります。

（3）　上記（1）の規定の適用を受けるためには、確定申告書に、この規定の適用を受ける旨と、この

－651－

第二章《山林所得の計算方法》

規定により総収入金額に算入されないこととなる金額のほか、次に掲げる事項を記載しなければなりません（所法43④、所規21）。

　ただし、確定申告書の提出がなかった場合又はこれらの記載がない確定申告書の提出があった場合においても、税務署長がその提出がなかったこと、又は記載がなかったことについてやむを得ない事情があると認めた場合はこの限りではありません（所法43⑤）。

　イ　山林の取得に充てるため、交付を受けた国庫補助金等の額及びその交付の目的並びに交付の条件

　ロ　交付を受けた国庫補助金等で、取得しようとする山林の取得予定年月日並びにその取得見込額及びその内訳

　ハ　その他参考となるべき事項

6　移転等の支出に充てるための交付金の総収入金額不算入

（1）　個人が、国若しくは地方公共団体からその行政目的の遂行のために必要なその者の資産の移転、若しくは除却その他これらに類する行為の費用に充てるため補助金の交付を受けた場合、又は土地収用法等による収用等に伴い、その者の資産の移転、若しくは除却その他これらに類する行為の費用に充てるための金額の交付を受けた場合において、その交付を受けた金額をその交付の目的に従って資産の移転等の費用に充てたときは、その費用に充てた金額は、原則としてその者の各種所得の金額の計算上、総収入金額に算入しないこととされています。

　　ただし、移転等に要した費用のうち、各種所得の計算に当たって既に必要経費に算入されている金額があるときは、その部分の金額についてはこの規定の適用はありません。

　　また、交付の目的がその者の資産の改良、資本的支出に充てるためのものであるときもこの規定の適用はありません。なお、この場合にはその補助金の内容により前掲「4　国庫補助金等の総収入金額不算入（所法42①）」の規定の適用が受けられます（所法44）。

（2）　（1）に掲げる規定の適用に当たって、交付を受けた補助金が固定資産又は山林の移転、若しくは除却その他これらに類する行為の費用に充てるためのものであるかどうかについては、名目のいかんを問わず実質的に判定することとされていますが、立木については『公共用地の取得に伴う損失補償基準要綱』第29条《立木の移植補償》（286ページ参照）において「土地等の取得又は土地等の使用に係る土地に立木がある場合において、これを移植することが相当であると認められるときは、掘起し、運搬、植付け等の移植に通常必要とする費用及び移植に伴う枯損等により通常生ずる損失を補償するものとする」と定められていますから、この規定により交付されたものが（1）に掲げる規定を適用すべき収入金額と考えられます。

　　なお、立木を除却するに際して、除却の費用に充てるべき金額とともに立木の除却損に相当する金額の交付を受けた場合は、除却の費用に充てるべきものとして交付を受けた金額は、（1）に掲げる規定が、また、立木の除却損（山林所得の基因となる立木の除却損）に相当する金額は前掲2の「山林所得の収入金額とされる保険金等（所令94①）」の規定が適用されることになります。

（3）　資産の移転等の費用の範囲

　　交付を受けた金額を固定資産又は山林の移転等に対して通常行われる程度の腐朽又は損傷した部分の取替え補植又は修復に要する費用、通常行われる程度の模様替え又は造作の変更に要する費用その他これらに準ずる費用に充てたときは、その費用に充てた金額はその交付の目的に従って資産の移転等の費用に充てたものとして取り扱われます（所基通44－1）。

（4）　資産の移転、移築又は移植の費用に充てるため交付を受けた金額を除却の費用に充てた場合等

　　資産の移転、移築又は移植の費用に充てるため交付を受けた金額をその資産の除却のため支出した場合、又は資産の除却の費用に充てるため交付を受けた金額をその資産の移転、移築又は移植のために支出した場合においても、その支出した金額は、所得税法第44条の規定の適用上、その交付

－652－

の目的に従って支出したものとして取り扱われます（所基通44－2）。

第四節 必 要 経 費

　山林につきその年分の山林所得の金額の計算上必要経費に算入すべき金額は、別段の定めがあるものを除き、その山林の植林費、取得に要した費用、管理費、伐採費その他その山林の育成又は譲渡に要した費用（償却費以外の費用でその年において債務の確定していないものを除きます。）の額とされています（所法37②）。

1　山林の取得の時期

（1）　植林した山林の取得の日

　自ら植林した場合には、その植林が完了した日、他人に請け負わせて植林した場合には、その山林の引渡しを受けた日が取得の日となります。

　この場合において、植林が完了した日又は引渡しを受けた日の判定は、その植林した山林の「林分」ごとに行うことになっています（所基通32－3）。

（注）　林分とは、林相が一様で周囲のものと区分できる山林経営上の単位となる立木の集団をいいます。

（2）　売買などにより有償で取得した山林の取得の日

　売買などにより有償で取得した山林については、その山林の引渡しを受けた時をもって取得の日とします。ただし、山林の譲受けに関する契約の効力発生の日を取得の日として申告してもよいことになっています（所基通32－3）。なお、低額譲渡により取得した山林（事業所得の基因となる山林を除きます。）でその価額が譲渡者の取得費と譲渡費用の合計額を下回っている場合は、譲渡者がその山林を取得した日を取得の日とします（所法60①）。

（3）　相続等により取得した山林の取得の日

　相続や遺贈により取得した山林については、次のものを除き、被相続人がその山林を取得した日を取得の日とします（所法60①）。

　次のものは、相続等により所有権が移転した日をその山林の取得の日とします（所法60②）。

　イ　相続（限定承認に係るものに限ります。）により取得した山林

　ロ　遺贈（包括遺贈のうち限定承認に係るものに限ります。）により取得した山林

（4）　贈与により取得した山林の取得の日

　個人からの贈与により取得した山林については、贈与をした者がその山林を取得した日を取得の日とします（所法60①）。

2　植林費、取得費

（1）　通常の場合の山林の取得費

　通常、山林の取得には、自ら植林する場合と、他人の植林した山林を購入する場合が考えられます。

　前者の場合の山林の取得費は、種苗代、植林費のほか、植林のための地ならし費、下刈費、林道使用料などの合計額であり、後者の場合は、購入代金、仲介手数料、測樹費用などがこれに当たります。

（2）　昭和27年12月31日以前から所有している山林の取得費

　山林は取得してから伐採又は譲渡するまでの期間が相当長期間にわたるものであり、親が植林した山林をその子供が伐採又は譲渡するというようなことも珍しいことではありません。このように伐採又は譲渡した山林を取得した日が相当以前のものについては、種苗代等の植林に要した費用や買入価額などの計算が困難ですし、また、たとえ計算できたとしても現在の貨幣価値からみて微々たるものとなりましょう。そこで所得税法では、昭和27年12月31日以前から所有している山林を伐採又は譲渡した場合には、取得費の計算の特例を規定しています。

－653－

第二章《山林所得の計算方法》

すなわち、伐採又は譲渡した山林が昭和27年12月31日以前から引き続き所有していた山林である場合には、その山林に係る山林所得の計算上の取得費は、昭和28年1月1日現在の相続税評価額と同日以後に支出した育成費、管理費との合計額になります（所法61①、所令171）。

（3）　贈与等により取得した山林の取得費

イ　事業所得の基因となる山林を取得した場合

個人からの贈与（相続人に対する死因贈与を除きます。）又は遺贈（包括遺贈及び相続人に対する特定遺贈を除きます。）により事業所得の基因となる山林を取得した場合は、その山林の贈与等により取得した時の価額が取得費になります（所法40②一）。

（注）　事業所得の基因となる山林とは、製材業者又は立木を売買することを業とする者が保有する山林で、その取得の日から5年を経過していないものをいいます（所基通40－1）。

ロ　イ以外の山林を取得した場合

（イ）　個人からの贈与、相続（限定承認に係るものを除きます。）又は遺贈（包括遺贈のうち限定承認に係るものを除きます。）により山林を取得した場合は、贈与等により取得した者が引き続いて所有していたものとみなされますので、贈与等をした者の取得費が、その山林の取得費になります（所法60①）。

（ロ）　限定承認に係る相続又は限定承認に係る包括遺贈により山林を取得した場合は、その山林の相続等により取得した時の価額が取得費になります（所法60①）。

（注）　上記＿＿＿下線部分については、公益信託に関する法律（令和6年法律第30号）の施行の日（公布の日（令和6年5月22日）から起算して2年を超えない範囲内において政令で定める日）以後、ロの（イ）が次のように改められます（令6改所法等附1九イ）。

> （イ）　個人からの贈与（公益信託の受託者に対するもの（その信託財産とするためのものに限ります。）を除きます。）、相続（限定承認に係るものを除きます。）又は遺贈（公益信託の受託者に対するもの（その信託財産とするためのものに限ります。）及び包括遺贈のうち限定承認に係るものを除きます。）により山林を取得した場合は、贈与等により取得した者が引き続いて所有していたものとみなされますので、贈与等をした者の取得費が、その山林の取得費になります（所法60①）。

つまり、上記イ又はロの（ロ）により山林を贈与等した者は、贈与等をした時における価額で譲渡があったものとしてその価額が所得税法第40条の規定により事業所得の収入金額に、あるいは同法第59条第1項の規定により山林所得又は雑所得の総収入金額に算入することとされていますから、贈与等をした者の総収入金額に算入された金額（又は、算入されるべきであった金額）が、贈与等により取得した山林の取得費になります。また、上記ロの（イ）の山林を贈与等した者については、贈与等をした時における価額で譲渡があったとみなされないところから、贈与等をした者の取得費を、贈与等により取得した山林の取得費として引き継ぐことになります。

したがって、この場合の必要経費の金額は、上記の規定により取得費とされる金額と贈与等により取得した日以後、その山林について支出した育成費、管理費、伐採費及び譲渡費用の額の合計額になります。

なお、法人からの贈与により取得したイ及びロの山林については、その取得時の価額（一時所得の収入金額とされます。）がその取得費となります。

（注）　昭和47年12月31日以前に贈与、相続又は遺贈により取得した山林の取得価額

（1）　その山林を取得した時の価額を取得価額とするもの（旧所法60②）

イ　個人からの贈与（被相続人からの死因贈与を除きます。）により取得した山林

ロ　相続（限定承認に係るもの）、遺贈（包括遺贈のうち限定承認に係るもの）により取得した山林

（2）　その山林を贈与等した者が、その山林を取得した価額を取得価額とするもの（旧所法60①）

イ　被相続人からの死因贈与により取得した山林

ロ　相続（限定承認に係るものを除きます。）、遺贈（包括遺贈のうち限定承認に係るものを除きます。）

により取得した山林

　　ハ　上記（1）の贈与、相続又は遺贈により取得したもので、贈与した者又は相続、遺贈により取得した者が「贈与等に関する明細書」を提出したことにより、贈与をした者又は被相続人に係る山林所得の課税を受けていない山林

（4）　低額により譲り受けた山林の取得費

　個人から低額により譲り受けた山林の取得費は、その取得した時の状況により異なります。

　これは、低額の定義が事業所得の基因となる山林と、山林所得又は雑所得の基因となる山林によって異なっているためです。

　すなわち、低額譲渡をした者の山林所得又は雑所得の基因となる山林については、時価の2分の1に満たない金額を低額ということとされていますが（所令169）、事業所得の基因となる山林についてはこのような規定はありません。

　したがって、立木の売買を業とする者などから低額で譲り受けた保有期間5年以内の事業所得の基因となる山林の取得費は、実際に売買した価額に、実際の売買価額とその山林の売買の時における価額との差額のうち、実質的に贈与をしたと認められる金額（この金額が低額により譲渡した者の事業所得の収入金額に加算されることになった金額です。）を加えた金額になります（所法40②）。

　次に、その山林を譲り受けた時に、その山林がその譲渡者の山林所得又は雑所得の基因となるものであった場合のその山林の山林所得、雑所得又は事業所得の金額の計算については、その山林の取得費は、低額により売買した金額と低額により譲渡した者の取得費及び譲渡費用の額の合計額のいずれか高い方の金額になります（所法60①二）。

　この規定を計算例によって説明しますと、次のとおりです。

　なお、法人から低額で譲り受けた山林については、常にその譲り受けた時の価額が取得費とされます。

〔計算例〕

　①　譲渡した者の取得費等の金額　　　　80万円
　②　売買価額　　　　　　　　　　　　200万円
　③　譲渡の時における価額　　　　　　500万円

　この場合には、譲受者の取得価額は200万円になり、また、この場合の売買価額が仮に50万円としますと、譲渡者は30万円の譲渡損を計上することはできないことになっている規定から、譲受者の取得費は譲渡者の80万円の取得費等を引き継ぐことになります。

（5）　国庫補助金などにより取得した山林の取得費

　交付を受けた国庫補助金等で取得した山林については、その交付を受けた国庫補助金等が、一定の条件を充足するため交付を受けた年の各種所得の計算上総収入金額に算入されなかったものであるときは、その山林の取得費のうち総収入金額に算入しなかった国庫補助金等に相当する部分の金額は、山林所得の金額の計算上、取得費に算入することはできません（所令90、91②）。

（6）　所有権等を確保するために要した訴訟費用

　取得に関して争いのある資産について、その所有権等を確保するため直接要した訴訟費用、和解費用等の額は、支出した年分の所得の金額の計算上必要経費とされたものを除き、資産の取得に要した金額とされます（所基通38−2）。

3　管理費、育成費

（1）　林地賦課金

　国立研究開発法人森林総合研究・整備機構法（平成11年法律第198号）附則第7条第3項及び第8条第3項の規定により独立行政法人緑資源機構法を廃止する法律（平成20年法律第8号）の施行後もなおその効力を有するものとされる廃止前の独立行政法人緑資源機構法第21条第1項《賦課金》の規定

により受益者が賦課徴収される賦課金（以下「受益者が賦課徴収される賦課金」といいます。）のうち、その受益地の所有者に対し受益面積に応じて賦課される金額（以下「林地賦課金」といいます。）は、元本相当部分をその賦課の対象となった林地の改良費に、利息相当部分をその林地に生立する山林の管理費に、それぞれ算入します（所基通37－33）。

（2）　立木賦課金

受益者が賦課徴収される賦課金のうち、その受益地に生立する山林の所有者に対しその所有する山林の価額に応じて賦課される金額（以下「立木賦課金」といいます。）は、その賦課の対象となった山林の管理費に算入します（所基通37－34）。

（3）　立木賦課金の償却の特例

立木賦課金の賦課の対象となった山林を毎年同程度の規模により伐採又は譲渡している場合には「（2）　立木賦課金」の取扱いにかかわらず、その立木賦課金を無形減価償却資産の減価償却に準ずる方法により、25年間に均等償却しても差し支えありません（所基通37－35）。

（4）　立木賦課金の額が明らかでない場合

受益者が賦課徴収される賦課金のうち、立木賦課金の額と林地賦課金の額との区分が明らかでないものについては、その賦課金の額の90％相当額を立木賦課金の額とし、その残額を林地賦課金の額とします（所基通37－36）。

（5）　地方公共団体等が林道開設に伴い賦課する賦課金等

地方公共団体、森林組合又は森林組合連合会が、林道の開設に伴いその開設費の全部又は一部を山林所有者又は林地所有者に賦課し、又は負担させた場合におけるその賦課金又は負担金については（1）から（4）までに準じて取り扱われています（所基通37－37）。

（6）　家事関連費等の必要経費不算入等

居住者が支出し又は納付する次に掲げるものの額は、その者の山林所得の金額の計算上、必要経費に算入できないことになっています（所法45、所令96～98）。

イ　家事上の経費及びこれに関連する経費（次に掲げるものを除きます。）

（イ）　家事上の経費に関連する経費の主たる部分が山林所得を生ずべき業務の遂行上必要であり、かつ、その必要である部分を明らかに区分することができる場合におけるその必要である部分に相当する経費

（ロ）　（イ）に掲げるもののほか、青色申告書を提出することにつき税務署長の承認を受けている居住者に係る家事上の経費に関連する経費のうち、取引の記録等に基づいて、山林所得を生ずべき業務の遂行上直接必要であったことが明らかにされる部分の金額に相当する経費

ロ　所得税（附帯税を除きます。）

ハ　附帯税（次に掲げるものを除きます。）

（イ）　山林所得を生ずべき事業を行う居住者が納付した確定申告税額の延納に係る利子税のうち、山林所得の金額に対応する部分の金額

（ロ）　山林所得を生ずべき事業を行う居住者が納付した延払条件付譲渡に係る所得税額の延納に係る利子税のうち、山林所得に係るもの

（注）　「山林所得を生ずべき事業」とは、山林の輪伐のみにより通常の生活費を賄うことができる程度の規模において行う山林の経営をいいます（所基通45－3）。

ニ　印紙税法の規定による過怠税

ホ　地方税法の規定による道府県民税及び市町村民税（都民税及び特別区民税を含みます。）

ヘ　地方税法の規定による延滞金、過少申告加算金、不申告加算金及び重加算金

ト　罰金及び科料（通告処分による罰金又は科料に相当するもの及び外国又は外国の地方公共団体が課する罰金又は科料に相当するものを含みます。）並びに過料

チ　損害賠償金で、家事上の経費及びこれに関連する経費に該当する損害賠償金

－656－

リ　山林所得を生ずべき業務に関連して、故意又は重大な過失によって他人の権利を侵害したことにより支払う損害賠償金

ヌ　国民生活安定緊急措置法の規定による課徴金及び延滞金

ル　私的独占の禁止及び公正取引の確保に関する法律の規定による課徴金及び延滞金

ヲ　金融商品取引法の規定による課徴金及び延滞金

ワ　不当景品類及び不当表示防止法の規定による課徴金及び延滞金

（7）　資本的支出の必要経費不算入

修理費、改良費その他いずれの名義であっても、その業務の用に供する固定資産について支出する金額で、①その資産の使用可能期間を延長させる部分の金額又は、②その資産の価額を増加させる部分の金額については、必要経費に算入できません（所令181）。

（8）　必要経費に算入する公租公課

山林所得を生ずべき業務の用に供される資産に係る固定資産税、登録免許税（登録に要する費用を含み、その資産の取得価額に算入されるものを除きます。）、不動産取得税、自動車取得税など（税込経理方法によっている場合の納付消費税等を含みます。）は、山林所得の金額の計算上必要経費に算入されます（所基通37-5）。

（9）　山林に係る借入金利子の必要経費算入

山林所得の金額の計算については、借入金の利子についても個別対応の方法により必要経費に算入することができます（所法37②）。なお、借入金の利子を個々の山林に配分する方法については、運用資金量の比を用いるなど最も合理的であると考えられる方法によることになります。

ただし、借入金の利子を概算経費控除の外枠として控除することは認められません。

4　伐採費、譲渡のために要した経費、その他の経費

（1）　譲渡契約を解除し、違約金を支払った場合の取扱い

山林所得の基因となる資産について譲渡契約を締結した後、その契約の内容に比してより有利な条件で他にその資産を譲渡し得る事態が生じたため、その契約を解除して違約金を支払いその資産を他に譲渡した場合においては、支払った違約金の額（手付金の返還金に相当する金額が含まれている場合には、その金額を除き、解約された譲渡契約に係る資産の数量と現実に譲渡された資産の数量とが異なる場合には、その違約金の額のうち現実に譲渡があった資産に係る部分に限ります。）は、その資産の譲渡による山林所得の計算上譲渡に関する経費に算入することができます。

（2）　資産損失の必要経費算入

山林所得を生ずべき事業の用に供される固定資産、繰延資産のうち必要経費に算入されていない部分について、取壊し、除却、滅失（その資産の損壊による価値の減少を含みます。）その他の事由により生じた損失の金額（保険金、損害賠償金その他これらに類するものにより補てんされる部分の金額及び資産の譲渡により又はこれに関連して生じたものを除きます。）は、その者の損失の生じた日の属する年分の山林所得金額の計算上必要経費に算入します（所法51①、所令140）。

　　（注）　保有期間が5年以下である山林（事業所得の基因となる山林は除きます。）は、雑所得の基因となる山林ではありますが、その山林について生じた災害又は盗難若しくは横領による損失の金額は、山林所得の金額の計算上、必要経費に算入することとされています（所基通51-5の2）。

（3）　貸倒損の必要経費算入

山林所得を生ずべき事業について、その事業の遂行上生じた売掛金、貸付金、前渡金その他これらに準ずる債権の貸倒れその他次に掲げる理由により生じた損失の金額は、その者のその損失の生じた日の属する年分の山林所得の金額の計算上必要経費に算入します（所法51②、所令141）。

イ　販売した商品の返戻又は値引き（これらに類する行為を含みます。）により収入金額が減少することとなったこと。

ロ　保証債務の履行に伴う求償権の全部又は一部を行使することができないこととなったこと。

ハ　山林所得の金額の計算の基礎となった事実のうちに含まれていた無効な行為により生じた経済的成果が、その行為の無効であることに基因して失われ、又はその事実のうちに含まれていた取り消すことのできる行為が取り消されたこと。

（4）　災害損失等の必要経費算入

災害又は盗難若しくは横領により居住者の所有する山林について生じた損失の金額は、その者のその損失の生じた日の属する年分の山林所得の金額の計算上、必要経費に算入します。

この場合、山林について生じた損失が、保険金、損害賠償金その他これらに類するものにより補てんされる場合には、損失の金額のうち、これらによって補てんされなかった部分の金額が必要経費に算入されることになります（所法51③）。

（5）　必要経費に算入される資産損失の金額

（2）及び（4）の規定を適用するに当たって、その資産が次に掲げる資産である場合の必要経費に算入する金額の計算はそれぞれ次に掲げるところによります（所令142）。

イ　固定資産　損失の生じた日にその資産の譲渡があったものとみなして計算した譲渡所得の金額の計算上控除する取得費とされる金額に相当する金額

ロ　山　　林　損失の生じた日までに支出したその山林の植林費、取得に要した費用、管理費その他その山林の育成に要した費用の額

ハ　繰延資産　その繰延資産の額からその償却費として損失の生じた日の属する年分までの各年分の不動産所得の金額、事業所得の金額、山林所得の金額、又は雑所得の金額の計算上、必要経費に算入された金額の累積額を控除した金額

（6）　貸倒引当金勘定繰入額の必要経費算入

山林所得を生ずべき事業の遂行上生じた売掛金、貸付金、前渡金その他これらに準ずる金銭債権（以下「貸金等」といいます。）の貸倒れその他これに類する事由による損失が見込まれるもの（以下「個別評価貸金等」といいます。）のその損失の見込額として、各年（事業の全部を譲渡し、又は廃止した日の属する年を除きます。）において貸倒引当金勘定に繰り入れた金額については、その繰り入れた金額のうち、その年12月31日（その者が年の中途で死亡した場合には、その死亡の時）において債務者ごとにその個別評価貸金等の取立て又は弁済の見込みがないと認められる金額の合計額とされる一定の金額（繰入限度額）に達するまでの金額は、その繰入れをした年分の山林所得の金額の計算上、必要経費に算入することが認められます（所法52①）。

なお、繰入れをした年分の山林所得の金額の計算上必要経費に算入された貸倒引当金勘定の金額は、その繰入れをした年の翌年分の山林所得の金額の計算上、総収入金額に算入することになります（所法52③）。

（7）　昭和27年12月31日以前に取得した資産の損失の金額の特例

昭和27年12月31日以前から引き続き所有していた固定資産又は山林について生じた損失の金額は、次に掲げる金額によります（所令143）。

イ　固定資産　昭和28年1月1日現在の相続税評価額又は再評価額のいずれか高い方の金額（これらの金額がその資産の取得に要した金額と同日前に支出した設備費及び改良費の額との合計額に満たないことが証明されたときは、その合計額）とその資産について昭和28年1月1日以後に支出した設備費及び改良費の額との合計額

なお、その資産が減価償却資産である場合には、上の合計額から減価償却累計額を控除した金額

ロ　山　　林　昭和28年1月1日現在の相続税評価額と同日以後に支出した管理費等その山林の育成に要した費用との合計額

（8）　事業から対価を受ける親族がある場合の必要経費の特例

居住者と生計を一にする配偶者その他の親族が、居住者の営む山林所得を生ずべき事業に従事した

こと、その他の理由により対価の支払を受ける場合には、その支出金額は（9）の特例によるほかは山林所得の計算上必要経費に算入できないこととなっています（所法56）。

（9）　事業に専従する親族がある場合の必要経費の特例

居住者と生計を一にする配偶者その他の親族（年齢15歳未満である者を除きます。）で、1年間のうち6か月を超える期間専らその居住者の営む山林所得を生ずべき事業に従事する者がある場合には、（8）に掲げるところにかかわらず、次に掲げる金額を限度として山林所得の計算上必要経費に算入することができます（所法57、所令165）。

イ　青色申告者の場合

労務に従事した期間、労務の性質及びその提供の程度、その事業の種類及び規模、その事業と同種の事業でその規模が類似するものが支給する給与の状況等に照らし、その労務の対価として相当であると認められる金額

この特例を適用する場合には、その年の3月15日まで（その年の1月16日以後新たに事業を開始した場合には、その事業を開始した日から2か月以内）に、青色事業専従者の氏名、その職務の内容及び給与の金額並びにその給与の支給期、その他次の事項を記載した書類を納税地の所轄税務署長に提出しなければなりません（所法57②、所規36の4）。

(イ)　山林所得を生ずる事業を営む者の氏名及び住所（国内に住所がない場合は居所）並びに住所地（国内に住所がない場合は居所地）と納税地とが異なる場合には、その納税地

(ロ)　青色事業専従者の、事業経営者との続柄及び年齢

(ハ)　青色事業専従者が他の業務に従事し又は就学している場合には、その事実

(ニ)　その事業に従事する他の使用人に対して支払う給与の金額並びにその支給の方法及び形態

(ホ)　昇給の基準その他参考となるべき事項

ロ　白色申告者の場合

50万円（事業専従者が事業経営者の配偶者である場合は86万円）と山林所得の金額（事業専従者控除額を必要経費に算入しないで、計算した金額）を、事業専従者の数に1を加えた数で除して計算した金額とのいずれか低い方の金額

(10)　事業を廃止した場合の必要経費の特例

山林所得を生ずべき事業を廃止した後において、その事業に係る費用又は損失でその事業を廃止しなかったとしたならば、その者のその年分以後の各年分の山林所得の計算上必要経費に算入することができる金額が生じた場合には、次に掲げるところにより、計算した金額の全部をその者の事業を廃止した日の属する年分（その年分に山林所得に係る収入金額がなかった場合には、最近の年分。以下同じ。）又はその前年分の山林所得の金額の計算上、必要経費に算入することができます（所法63、所令179）。

イ　必要経費に算入されるべき金額が、次に掲げる金額のうちいずれか低い金額以下の金額

(イ)　必要経費に算入されるべき金額が生じた時の直前において確定しているその廃止した日の属する年分の総所得金額（分離課税の譲渡所得等を含みます。以下同じ。）、山林所得の金額及び退職所得の金額の合計額

(ロ)　(イ)の金額の計算の基礎とされる山林所得の金額

ロ　必要経費に算入されるべき金額が、上の「イ」の(イ)、(ロ)の金額のいずれか低い金額を超える場合は、超える部分の金額については、次に掲げる金額のうちいずれか低い金額以下の金額

(イ)　必要経費に算入されるべき金額が生じた時の直前において確定している前年分の総所得金額、山林所得金額及び退職所得金額の合計額

(ロ)　(イ)の金額の計算の基礎とされる山林所得の金額

なお、この規定を適用するための手続については、後述の第六節の4を参照してください。

(11)　民事事件に関する費用

業務の遂行上生じた紛争又は業務の用に供されている資産について生じた紛争を解決するために支

-659-

出した弁護士の報酬その他の費用は、次に掲げるようなものを除き、山林の伐採又は譲渡の日の属する年分の、所得の金額の計算上必要経費に算入します（所基通37−25）。

イ　取得の時に既に紛争の生じている資産に係る紛争、又は取得後紛争が生ずることが予想される資産について生じた紛争に係るもので、これらの資産の取得費とするもの

　　（注）　これらの資産の取得費とするものには、例えば、その所有権の帰属について紛争の生じている資産を購入し、その紛争を解決して所有権を完全に自己のものとした場合の費用などがあります。

ロ　山林所得の基因となる資産の譲渡に関する紛争に係るもの

　　（注）　譲渡契約の効力に関する紛争でその契約が成立することとなった場合の費用は、その資産の譲渡に係る所得の金額の計算上は譲渡に要した費用とします。

ハ　3の(6)のロからへまでに掲げる租税公課に関する紛争に係るもの

ニ　他人の権利を侵害したことによる損害賠償金（これに類するものを含みます。）で3の(6)のリに掲げるものに関する紛争に係るもの

5　租税特別措置法の規定による必要経費及び控除額

（1）　山林所得の概算経費控除

　山林所得の金額の計算上控除する必要経費の金額の計算については、その計算を簡略化するため租税特別措置法において山林所得の概算経費控除の制度が設けられています。

　この規定は、その年の15年前の年の12月31日以前から引き続き所有していた山林（例えば、令和6年中に伐採又は譲渡した場合は、平成21年12月31日以前から引き続き所有していた山林をいいます。）を伐採し、又は譲渡した場合において、その伐採又は譲渡による山林所得の計算上総収入金額から控除すべき必要経費は、所得税法の規定にかかわらず、その伐採又は譲渡による収入金額（その伐採又は譲渡に関し、伐採費、運搬費その他譲渡のための費用を要したときは、その費用を控除した金額）に財務省令で定められた割合（50％）を乗じて算出した金額（伐採又は譲渡のために要した費用又は山林所得を生ずべき業務につき、その年において生じた被災事業用資産の損失の金額があるときは、これらの金額を加算した金額）とすることができる旨、定められています（措法30①、措令19の5、措規12）。

　これを算式で示すと次のとおりです。

―（概算経費率による山林所得の必要経費の計算）―――――――――――

$$\left(\text{収入金額}-\begin{array}{c}\text{左の山林の伐採又は譲渡に}\\\text{関して要した伐採費、運搬}\\\text{費、仲介手数料その他の費}\\\text{用の額}\end{array}-\begin{array}{c}\text{青色専従者給与額又は事業専}\\\text{従者控除額のうち伐採、譲渡}\\\text{に要した費用に対応する部分}\\\text{の金額}\end{array}\right)\times\begin{array}{c}\text{概算経費率}\\(50\%)\end{array}=\begin{array}{c}\text{取得費}\end{array}$$

$$\text{取得費}+\begin{array}{c}\text{伐採、譲渡に}\\\text{要した費用}\end{array}+\begin{array}{c}\text{青色専従者給与額又は事業専従者控除}\\\text{額のうち伐採、譲渡に要した費用に対}\\\text{応する部分の金額}\end{array}+\begin{array}{c}\text{被災事業用資}\\\text{産の損失額}\end{array}=\begin{array}{c}\text{必要経費の金額}\end{array}$$

イ　相続等により取得した山林の所有期間

　この概算経費控除の規定は、伐採又は譲渡した年の15年前の年の12月31日以前から引き続き所有していた山林について適用がありますのでその取得日が問題となりますが、相続、遺贈又は贈与により取得した山林は、次に掲げるものを除き相続人等が引き続き所有していたものとされています（措法30②）。

　（イ）　昭和28年中に包括遺贈により取得した山林

　（ロ）　昭和28年1月1日から昭和36年12月31日までの間に、遺贈（包括遺贈及び相続人に対する特定遺贈を除きます。）又は贈与（被相続人からの死因贈与を除きます。）により取得した山林

　（ハ）　昭和37年1月1日から昭和40年3月31日までの間に遺贈（包括遺贈及び相続人に対する特定遺贈を除きます。）又は贈与（被相続人からの死因贈与を除きます。）により取得した山林で「み

なす譲渡の適用を受けないための書面の提出」（旧所法5の2③）の規定の適用を受けなかったもの

（ニ）　昭和40年4月1日から昭和47年12月31日までの間に、相続（限定承認に係るもの）、遺贈（包括遺贈のうち限定承認に係るもの以外のもの及び相続人に対する特定遺贈を除きます。）又は贈与（被相続人からの死因贈与を除きます。）により取得した山林で「みなす譲渡の適用を受けないための書面の提出」（昭和48年改正前の所法59②）の規定の適用を受けなかったもの

<u>（ホ）　昭和48年1月1日以後に相続（限定承認に係るもの）又は包括遺贈（限定承認に係るもの）により取得した山林</u>

　　　（注）　上記＿＿＿下線部分については、公益信託に関する法律（令和6年法律第30号）の施行の日（公布の日（令和6年5月22日）から起算して2年を超えない範囲内において政令で定める日）以後、イの（ホ）が次のように改められます（令6改所法等附1九ヘ）。

> （ホ）　昭和48年1月1日以後に相続、遺贈（公益信託に関する法律第2条第1項第1号に規定する公益信託（以下「公益信託」といいます。）の受託者に対するもの（その信託財産とするためのものに限ります。）及び包括遺贈のうち限定承認に係るものに限ります。）又は贈与（公益信託の受託者に対するもの（その信託財産とするためのものに限ります。）に限ります。）により取得した山林

ロ　所得税法と租税特別措置法との関係

　租税特別措置法第30条《概算経費控除》の規定は、所得税法の必要経費に関する規定に代わるものですから、この規定を適用する場合には所得税法の必要経費に関する規定により計算した金額については、取得費、管理費等はもちろんのこと、資産損失についても控除することはできません。

　ただし、伐採又は譲渡のために要した経費については、概算経費の別枠とされていますので、これらの経費があるときは、概算経費とこれらの経費の合計額が必要経費の金額になります。

ハ　分収造林（育林）契約の収益等についての適用

　租税特別措置法第30条第1項の規定は、その年の15年前の年の12月31日以前から引き続き所有していた分収造林（育林）契約に係る権利に基づいて分収する金額で、所得税法施行令第78条の2第1項又は第2項の規定によって山林所得の収入金額とされる場合の必要経費の計算についても、適用があります。

　また、同施行令第78条の3第1項、第3項又は第4項に規定する分収造林（育林）契約に係る権利による収入金額又は持分の対価の額で、これらの規定により山林所得の収入金額とされるものに係る必要経費の計算についても、同様に適用があります（措通30－1）。

ニ　概算経費率

　概算経費率とは、伐採又は譲渡による収入金額に乗ずべき割合をいいます。

　この概算経費率は、伐採又は譲渡の日の属する年の15年前の年の翌年1月1日（令和6年中に伐採又は譲渡した山林については平成22年1月1日となります。）における山林の価額として計算した金額及び同日以後において通常要すべき管理費その他の必要経費（伐採又は譲渡のために要した費用を除きます。）を基礎として、50％と定められています（措法30④、措令19の5、措規12②）。

ホ　概算経費による計算をするための手続

　山林所得の金額の計算を概算経費を控除して行う方法による場合は、確定申告書にその旨を記載（具体的には「措置法30条」と記載します。）しなければなりません。

（2）　有限責任事業組合の組合員の組合事業に係る山林所得の損失額の必要経費不算入

　平成17年度改正で新設された「有限責任事業組合の事業に係る組合員の事業所得等の所得計算の特例」では、有限責任事業組合契約を締結している組合員である個人の組合事業から生ずる不動産所得、事業所得又は山林所得の損失額（同じ組合事業から生ずるこれらの所得の総収入金額及び必要経費を合計して生じた損失額）のうち、その組合事業に係るその個人の出資の価額を基礎として計算した金額（調整出資金額）を超える部分に相当する金額は必要経費に算入されないこととされました（措法

第二章《山林所得の計算方法》

27の2、措令18の3)。(その損失額が調整出資金額を超えない場合には、通常のとおりに山林所得の金額を計算して、更に第七節の損益通算をすることになります。)

（3）　山林所得に係る森林計画特別控除

　平成24年から令和8年までの各年において、個人が、その有する山林につき森林法第11条第5項《森林経営計画》(同法第12条第3項において準用する場合、木材の安定供給の確保に関する特別措置法第8条の規定により読み替えて適用される場合及び同法第9条第2項又は第3項の規定により読み替えて適用される森林法第12条第3項において準用する場合を含みます。)の規定による市町村の長(同法第19条の規定の適用がある場合には、同条第1項各号に掲げる場合の区分に応じ当該各号に定める者)の認定を受けた同法第11条第1項に規定する森林経営計画(同条第5項第2号ロに規定する公益的機能別森林施業を実施するためのものとして(**注1**)で定めるもの及び同法第16条又は木材の安定供給の確保に関する特別措置法第9条第4項の規定による認定の取消しがあったものを除きます。以下「**森林経営計画**」といいます。)に基づいて、その山林の全部又は一部を伐採し、又は譲渡した場合の、その年分の山林所得の金額の計算については、森林計画特別控除額を控除することができますが、この特別控除額の計算は次の①、②のうちいずれか低い方の金額とします。ただし、必要経費の金額を(1)の概算経費率によって計算する山林所得については、次の①の金額が森林計画特別控除額となります(措法30の2①②)。

　①　（収入金額−伐採費等）×20%（※）＝森林計画特別控除額
　　　※〔収入金額−伐採費等の金額が、2,000万円を超える場合は、その超える金額については、10%〕
　②　（収入金額−伐採費等）×50%−（伐採費等及び被災事業用資産の損失のうち、森林計画特別控除の対象となる収入金額に対応する部分以外の必要経費）＝森林計画特別控除額

　(**注1**)　上記の公益的機能別森林施業を実施するための森林経営計画は、森林法第11条第5項第2号ロに規定する公益的機能別森林施業を実施するための同条第1項に規定する森林経営計画のうち森林施行規則第39条第2項第2号に規定する特定広葉樹育成施業森林に係るもの(当該特定広葉樹育成施業森林を対象とする部分に限ります。)とされます(措規13①)。
　(**注2**)　伐採費等とは、山林の伐採又は譲渡に要した伐採費、運搬費及び仲介手数料等をいいます(措規13②)。
　(**注3**)　被災事業用資産の損失のうち、森林計画特別控除の対象となる収入金額に対応する部分については、次の算式により計算することとされています(措令19の6②)。

被災事業用資産の損失の金額 × $\dfrac{\text{森林計画特別控除の対象となる収入金額}}{\text{その年分の山林所得の総収入金額}}$ （分数割合の小数点以下3位未満切上げ）

イ　森林計画特別控除をすることができない伐採、譲渡

　次の伐採、譲渡の場合は森林計画特別控除の適用が認められないことになっています(措法30の2①、措令19の6①)。

　①　交換、出資及び収用等による譲渡
　②　贈与(法人に対するものに限ります。)、相続(限定承認に係るものに限ります。)若しくは遺贈(法人に対するもの及び個人に対する包括遺贈のうち限定承認に係るものに限ります。)
　③　森林の保健機能の増進に関する特別措置法第2条第2項第2号に規定する森林保健施設を整備するために行う伐採又は譲渡
　④　森林経営計画の対象となっている山林のうち、その森林経営計画に基づいて伐採、譲渡しなかった部分

ロ　分収造林（育林）契約の収益についての適用

　租税特別措置法第30条の2第1項の規定は、同項に規定する森林経営計画に基づく山林の伐採又は譲渡による収益を、所得税法施行令第78条の2に規定する分収造林(育林)契約によって分収する場合の、山林所得の金額の計算についても適用があります(措通30の2−2)。

ハ　森林計画特別控除の規定を適用するための手続

−662−

森林計画特別控除の規定の適用を受けるためには、山林を伐採し又は譲渡した日の属する年分の確定申告書にこの規定を適用する旨を記載（具体的には「措置法30の2」と記載します。）し、次に掲げる書類を添付しなければなりません（措法30の2③、措規13③）。

① 山林所得の金額の計算に関する明細書

② 伐採又は譲渡に係る山林の所在する地域を管轄する市町村の長（森林法第19条の規定の適用を受ける山林については、同条第1項各号に掲げる場合の区分に応じ当該各号に定める者）のその伐採又は譲渡が前述の措置法第30条の2第1項に規定する森林経営計画に基づくものである旨、その伐採又は譲渡をした山林に係る林地の面積並びにその山林の樹種別及び樹齢別の材積を証する書類

③ ②の山林に係る林地の測量図

④ 森林法施行規則第34条に規定する森林経営計画書（その計画書について変更があった場合には、変更後のその計画書）の写し

なお、④の書類がその年の前年分以前の所得税につき既に提出された確定申告書に添付されている場合には、その年分の確定申告書に添付する必要はありません。

ニ　森林経営計画の認定の取消しがあった場合の修正申告等

森林法第16条等の規定により森林経営計画に係る認定の取消しがあった場合の森林計画特別控除の適用については、その森林経営計画は当初から市町村の長等による認定を受けなかったものとみなされます。

したがって森林経営計画の認定の取消しがあった場合において、その取消しがあった日の属する年の前年以前の各年分の山林所得の金額の計算上、森林計画特別控除の適用を受けて確定申告を提出していた個人は、その認定の取消しがあった日から4か月以内に、その森林計画特別控除の適用が受けられないこととなった各年分の所得税について修正申告書を提出し、その提出により納付すべきこととなった税額を併せて納付しなければなりません（措法30の2⑤）。この修正申告をしない場合は、更正処分を受けることとなりますが、上記期限内に提出した修正申告書は、国税通則法の適用に当たっては期限内申告書とみなされます（措法30の2⑥⑦）。

また、上記の修正申告、更正については、無申告加算税の規定は適用されません（同上）。

（4）　債務処理計画に基づく減価償却資産等の損失の必要経費算入の特例

青色申告書を提出する個人が、その個人について策定された債務処理に関する計画で一般に公表された債務処理を行うための手続に関する準則に基づき策定されていることその他の一定の要件を満たすもの（「債務処理計画」といいます。）に基づきその有する債務の免除を受けた場合（当該免除により受ける経済的な利益の価額について第七節の8《免責許可の決定等により債務免除を受けた場合の経済的利益の総収入金額不算入》の適用を受ける場合を除きます。）において、その個人の山林所得を生ずべき事業の用に供される減価償却資産その他これに準ずる一定の資産（以下「対象資産」といいます。）の価額についてその準則に定められた方法により評定が行われているときは、その対象資産の損失の額は、その免除を受けた日の属する年分の山林所得の金額の計算上、必要経費に算入することができます。ただし、その必要経費に算入する金額は、この特例を適用しないで計算したその年分の山林所得の金額が限度とされます（措法28の2の2①）。

第五節　消費税等と山林所得の計算

平成元年4月以降に消費税の課税事業者（以下単に「課税事業者」といいます。）が事業として行う山林の伐採・譲渡（分収造林契約又は分収育林契約に係る権利又は持分の譲渡を含みます。）をした場合には、消費税が課税され、また、平成9年4月1日以降は、消費税と併せて地方消費税が課税されています。

第二章《山林所得の計算方法》

　また、課税事業者に山林の売買等に関して支払う伐採費・運搬費又は仲介手数料等については、消費税及び地方消費税（以下「消費税等」といいます。）が含まれています。

　したがって、山林所得の取扱いについて消費税等が関係してくるのは、次のような場合です。

イ　課税事業者が山林を伐採・譲渡したとき……山林所得の総収入金額、必要経費の取扱い

ロ　山林の伐採・譲渡に際して支払った伐採費・運搬費又は仲介手数料等に消費税等が含まれているとき……伐採費等の取扱い

ハ　取得した山林に消費税等が含まれているとき……将来その山林を伐採・譲渡した時の植林費、取得費の取扱い

ニ　山林の取得に際して支払った仲介手数料等に消費税等が含まれているとき……将来その山林を伐採・譲渡した時の取得費の取扱い

ホ　山林所得の概算経費控除の取扱い

ヘ　森林計画特別控除の取扱い

　これについては、「消費税法等の施行に伴う所得税の取扱いについて」通達（平成元年直所3－8、直資3－6）において、その取扱いが定められています。以下、その概要を説明します。

1　課税事業者の山林所得の計算

（1）　経理方式の選択

　山林所得の課税所得金額の計算に当たり、課税事業者が行う取引に係る経理処理については、税抜経理方式又は税込経理方式のいずれの方式によることとしても差し支えありません。ただし、消費税と地方消費税は同一の方式による必要があります（消所通達2）。

　なお、課税事業者が総収入金額に係る取引について税抜経理方式を適用している場合には、山林の取得又は育成（山林の植林、取得、管理、育成をいいます。）に係る取引又は山林の伐採費・譲渡に要した費用の支出に係る取引のいずれか一方の取引について税込経理方式を選択適用することができます（消所通達2の2）。

（2）　税込経理方式を適用している場合

　山林所得の計算の基となる収入金額、取得費（植林費、取得に要した費用、管理費、その他の育成に要した費用をいいます。以下同じ。）、伐採費又は譲渡に要した費用は、税込価額となります。

　また、山林の伐採・譲渡をした年に納付した山林の伐採・譲渡に係る消費税等は、山林所得の計算上必要経費に算入し、還付を受けた消費税等は山林所得の計算上総収入金額に算入します（消所通達7、8）。

　なお、必要経費又は総収入金額に算入すべき時期は、原則として、消費税等の納税申告書の提出された日の属する年となりますが、課税事業者が申告期限未到来の納付すべき消費税等又は還付される消費税等を未払金又は未収入金に計上したときは、当該計上した年の山林所得の計算上必要経費又は総収入金額に算入することとして差し支えありません。

（3）　税抜経理方式を適用している場合

　山林所得の計算の基となる収入金額、取得費、伐採費又は譲渡に要した費用は、上記（1）のなお書きを適用する場合を除き、税抜価額となります。

　この場合、消費税等は仮受消費税等及び仮払消費税等として清算することになりますが、次に掲げる場合には、それぞれ次に掲げるところにより、山林所得の金額の計算上必要経費算入又は総収入金額算入の調整を行います（消所通達6、12、同通達附則の経過的取扱い（2）の1、2）。

①　資産に係る控除対象外消費税額等がある場合　　その控除対象外消費税額等について所得税法施行令第182条の2の規定の適用を受ける場合は、その適用を受けた金額《繰延消費税額等》は同条の規定により5年間にわたってその償却費を山林所得の計算上必要経費に算入します。同条の規定の適用を受けない場合は、その資産の取得価額に算入します。

－664－

② 簡易課税を適用している場合において、仮受消費税等の金額と仮払消費税等の金額（控除対象外消費税額等に相当する金額を除きます。）との差額と簡易課税を適用したことにより納付すべきこととなる消費税等の額又は還付されるべき消費税等の額とに差額が生じた場合　　その差額を山林所得の計算上総収入金額又は必要経費に算入します。

2　非事業者・免税事業者の山林所得の計算

税込価額により山林所得の金額を算出します。

(注)　この場合の税込価額とは、その山林の伐採・譲渡には消費税等が課されていませんので、その譲渡収入金額には消費税等相当額が含まれていませんが、その山林の取得費又は伐採費・譲渡に要した費用に消費税等が含まれている場合には、山林所得の計算は、実際の譲渡価額と消費税等を含んだ取得費及び伐採費・譲渡に要した費用を基として行います。

3　山林所得の概算経費控除の取扱い

山林所得の概算経費控除及び山林所得に係る森林計画特別控除の規定を適用する場合における「収入金額」及び「伐採費、運搬費その他の大蔵省令で定める費用」は、その課税事業者が適用している経理方式に応じ、その適用している経理方式により算定することとしています（消所通達13）。

〔設例〕課税事業者が簡易課税を適用した場合の山林所得の計算

簡易課税方式を適用している課税事業者が、50年前に植林した山林（杉）を令和6年4月に伐採・譲渡した。この場合の山林所得の金額の計算は税込経理方式の場合と税抜経理方式の場合で次のようになります（計算の便宜上、課税売上、課税仕入れ（取得費を除きます。）ともすべて消費税率が10％となる令和元年10月1日以後発生したものとしています。）。

なお、税込経理方式の場合、消費税等は年度末において未払金として経理されているものとしています。

・事業所得（農業）に係る課税売上げ　　3,300万円（内、消費税等300万円）
・事業所得（農業）に係る課税仕入れ　　2,200万円（内、消費税等200万円）
・山林（杉）の伐採・譲渡価額　　3,300万円（内、消費税等300万円）
・取得費　　1,900万円
・伐採・譲渡費用　　770万円（内、消費税等70万円）

（税込経理方式の場合の山林所得金額の計算）

　イ　収入金額………3,300万円

　ロ　必要経費………1,900万円（取得費）＋770万円（伐採・譲渡費用）＝2,670万円

　ハ　納付すべき消費税等………3,000万円×30％×10％＝90万円
　　　（山林の伐採・譲渡に係る額）

　ニ　山林所得の金額　　　イ－ロ－ハ－50万円＝490万円

（税抜経理方式の場合の山林所得金額の計算）

　イ　収入金額………3,000万円

　ロ　必要経費………1,900万円（取得費）＋700万円（伐採・譲渡費用）＝2,600万円

　ハ　簡易課税方式の適用を受けな………300万円－70万円＝230万円
　　　かったとした場合の消費税等
　　　（山林の伐採・譲渡に係る額）

　ニ　納付すべき消費税等………3,000万円×30％×10％＝90万円
　　　（山林の伐採・譲渡に係る額）

　ホ　山林所得の金額　　　イ＋（ハ－ニ）－ロ－50万円＝490万円

第二章《山林所得の計算方法》

第六節　資産の譲渡代金が回収不能となった場合等の所得計算の特例

1　譲渡代金が回収不能となった場合

イ　譲渡代金が回収不能となった場合の計算

　山林所得の金額の計算の基礎となる総収入金額（山林所得を生ずべき事業から生じたものを除きます。）の全部若しくは一部を回収することができないこととなった場合には、回収することができないこととなった部分の金額については、次に掲げる金額のいずれか低い金額を限度として、山林所得の計算上なかったものとみなされます（所法64①、所令180②、所基通64－2の2）。

　（イ）　回収不能額等が生じた直前において確定しているその年分の総所得金額、土地等に係る事業所得等の金額、短期譲渡所得の金額、長期譲渡所得の金額、上場株式等に係る配当所得の金額、株式等に係る譲渡所得等の金額、先物取引に係る雑所得等の金額、退職所得金額及び山林所得金額の合計額

　（ロ）　回収不能額等に係る（イ）に掲げる金額の計算の基礎とされる山林所得の金額

　（注）　山林所得を生ずべき事業とは、山林の輪伐のみによって通常の生活費を賄うことができる程度の規模において行う山林の経営をいいます（所基通45－3）。

ロ　回収不能額を計算する場合の譲渡所得金額及び一時所得金額

　資産の譲渡代金が回収不能となった場合等の所得計算の特例の規定を適用する場合における譲渡所得の金額又は一時所得の金額については、それぞれ次に掲げる金額をこれらの規定による各種所得の金額として計算します（所基通64－3（注））。

　（イ）　譲渡所得については、長期保有資産（所得税法第33条第3項第2号《譲渡所得》に掲げる所得の基因となる資産をいいます。）に係る譲渡所得であっても、2分の1する前の金額をいいます。

　（ロ）　一時所得の金額については、2分の1する前の金額をいいます。

ハ　概算経費控除による場合の取得費等の計算

　山林所得の計算をする場合の概算経費（措法30）については、回収不能額等が生じなかったものとした山林所得の収入金額を基として計算することとされています（所基通64－3の5）。

2　保証債務を履行するために資産を譲渡した場合

　保証債務を履行するために山林（山林所得を生ずべき事業を営んでいる者の山林を除きます。）の譲渡があった場合において、その履行に伴う求償権の行使ができないこととなったときは、その行使することができなくなった金額を貸倒金とみなして「1　譲渡代金が回収不能となった場合」の所得計算の特例の規定を適用することができます（所法64②）。

　なお、保証債務を履行するため山林を譲渡した場合で、その履行に伴う求償権の一部又は全部の行使が、確定申告書の提出後にできないこととなる場合を除き、この規定の適用を受けるためには、山林を伐採し又は譲渡した日の属する年分の確定申告書にこの規定を適用する旨を記載（具体的には「所得税法第64条第2項」と記載します。）し、必要な書類を添付しなければなりません。

　（注）　「保証債務を履行するために資産の譲渡があった場合」及び「求償権を行使することができない」の意義及び計算方法並びに申告手続等については第一編「譲渡所得」の第三章第五節1《譲渡代金が回収不能となった場合》（57ページ）を参照してください。

3　山林所得を生ずる事業を営む者について発生した貸倒れ等との関係

　山林所得を生ずる事業を営む者のその事業の遂行上発生した貸倒れ等については、所得税法第51条第2項《貸倒損の必要経費算入》の規定（前述第四節4の(3)参照）を適用し、貸倒れ等が発生した

－666－

第二章《山林所得の計算方法》

年分の山林所得の金額の計算上必要経費に算入することになり、それ以外の者について発生した貸倒れ等については、所得税法第64条《資産の譲渡代金が回収不能となった場合等の所得計算の特例》の規定（前記1参照）を適用し、貸倒れとなった金額に係る年分の山林所得の金額を訂正することになります。

4　資産の譲渡代金が回収不能となった場合等の手続

　確定申告書を提出し、又は決定を受けた後において、所得税法第63条《事業を廃止した場合の必要経費の特例》、第64条第1項《資産の譲渡代金が回収不能となった場合の所得計算の特例》及び同条第2項《保証債務を履行するために資産を譲渡した場合の所得計算の特例》の規定を適用することができる事実が生じた場合には、その事実が生じた日の翌日から2か月以内に、納税地の税務署長に対し、確定申告書又は決定に係る山林所得の金額（修正申告書の提出又は更正があった場合には、その申告又は更正後の金額）について、更正の請求をすることができます（所法152）。

第七節　損　益　通　算

1　損益通算の順序の原則

（1）　山林所得の金額の計算上生じた損失の金額
　山林所得の金額に損失が生じたときは、その損失の金額は、まず経常所得の金額から控除し、控除しきれない損失の金額があるときは、譲渡所得の金額及び一時所得の金額から控除し、なお控除しきれない損失の金額があるときは退職所得の金額から控除します（所令198）。

　譲渡所得の金額から控除する場合に、譲渡所得に短期譲渡所得と長期譲渡所得がある場合には、まず短期譲渡所得の部分から控除し、控除しきれない金額を長期譲渡所得から控除します。ただし、分離課税の土地建物等の譲渡所得の金額、株式等に係る譲渡所得等の金額及び先物取引に係る雑所得等の金額からは、他の所得の計算上生じた損失の額を控除できません。

　なお、経常所得の金額とは、利子所得（総合課税分に限ります。）、配当所得（総合課税分に限ります。）、不動産所得、事業所得、給与所得及び雑所得の金額をいいます。

（2）　山林所得以外の所得の金額の計算上生じた損失の金額
　山林所得以外の所得について損失の金額がある場合の損益通算の順序は次のとおりです（同上）。

イ　不動産所得の金額又は事業所得の金額の計算上生じた損失の金額

　　その損失の金額は経常所得の金額（先物取引に係る雑所得等の金額の計算上生じた損失の金額は他の所得から控除できません。）、譲渡所得の金額及び一時所得の金額の順に控除し、控除しきれない損失の金額については山林所得の金額、退職所得の金額の順に控除することになっています。ただし、分離課税の土地建物等の譲渡所得の金額、株式等に係る譲渡所得等の金額及び先物取引に係る雑所得等の金額からは、他の所得の計算上生じた損失の額を控除できません（ロにおいて同じ。）。

ロ　譲渡所得の金額の計算上生じた損失の金額

　　その損失の金額は、まず一時所得の金額から控除し、なお控除しきれない損失の金額があるときは、これを経常所得の金額、山林所得の金額、退職所得の金額の順に控除します。ただし、分離課税の土地建物等の譲渡所得の金額、株式等に係る譲渡所得等の計算上生じた損失については、他の所得から控除できません。

2　山林所得の金額の計算上生じた損失に被災事業用資産の損失とその他の損失がある場合の損益通算の順序

　山林所得の金額の計算上生じた損失の金額のうちに被災事業用資産の損失の金額とその他の損失の

－667－

第二章《山林所得の計算方法》

金額とがあるときは、まずその他の損失の金額を控除し、次に被災事業用資産の損失の金額を控除します（所令199）。

3　損益通算できない損失の金額

生活に通常必要でない資産に係る所得の金額の計算上生じた損失の金額については、原則として損失の金額はなかったものとみなされて、他の所得との損益通算はできないことになっています。なお、分離課税の土地建物等の譲渡所得の金額、株式等に係る譲渡所得等の金額及び先物取引に係る雑所得等の金額の計算上生じた損失についても、他の所得から控除できません（措法31①、32①、37の10①、⑥四、41の14①②）。

なお、不動産所得の金額の計算上生じた損失のうち、不動産所得に係る業務の用に供する土地又は土地の上に存する権利を取得するために要した負債の利子でその年中に支払った金額に達するまでの金額については、なかったものとされますのでそれ以外の損失の額のみが損益通算や4に述べる損失の繰越控除の対象とされます（措法41の4）。また、平成17年度改正で「特定組合員等の不動産所得に係る損益通算等の特例」が新設され、平成18年分から、民法組合等の特定組合員（重要業務を執行する組合員以外）である個人の不動産所得の金額の計算上組合事業から生じた不動産所得の損失額は、不動産所得の金額の計算や損益通算その他の適用上ないものとされました（措法41の4の2）。

ただし、譲渡所得の金額の計算上生じた損失の金額のうちに競走馬の譲渡に係る損失の金額がある場合に限り、その損失の金額は競走馬の保有に係る雑所得の金額から控除できることになっています。なお、それでも控除不足を生じた場合は、その控除不足はなかったものとみなされます。

したがって、これらの損失の金額は、山林所得の金額から控除できないことになります（所法69②、所令200）。

4　純損失の繰越控除

山林所得を生ずべき事業を営む者のその年の前年以前3年内の各年（その年分の所得税につき青色申告書を提出している年に限ります。）において生じた純損失の金額（損益通算を行った結果、他の黒字の所得から控除しきれなかった損失の金額〔損益通算できない損失を除きます。〕の合計額）がある場合には、純損失の金額に相当する金額は、次に掲げるところにより、総所得金額、退職所得金額又は山林所得金額（分離課税の土地建物等の譲渡所得の金額、株式等に係る譲渡所得等の金額及び先物取引に係る雑所得等の金額を除きます。）の計算上控除することができます（所法70①、所令201）。

① 控除する純損失の金額が前年以前3年内の二以上の年に生じたものである場合には、これらの年のうち最も古い年に生じた純損失の金額から順次控除します。

② 前年以前3年内の一の年において生じた純損失の金額の控除は次によります。

イ　純損失の金額のうちに総所得金額の計算上生じた損失の部分の金額があるときは、これをまずその年分の総所得金額から控除します。

ロ　純損失の金額のうちに山林所得金額の計算上生じた損失の部分の金額があるときは、これをまずその年分の山林所得金額から控除します。

ハ　イによる控除をしてもなお控除しきれない損失の金額については、その年分の山林所得金額から控除し、次に退職所得金額から控除します。

ニ　ロによる控除をしてもなお控除しきれない損失の金額については、その年分の総所得金額から控除し、次に退職所得金額から控除します。

③ その年分の各種所得の金額の計算上生じた損失の金額（損益通算できない損失の金額を除きます。）があるときは、まず同年中に生じた所得との損益通算を行い、次に繰越控除を行います。

（注）　租税特別措置法第41条の5《居住用財産の買換え等の場合の譲渡損失の損益通算及び繰越控除》（第二編第二十一章参照）及び同第41条の5の2《特定居住用財産の譲渡損失の損益通算及び繰越控除》

－668－

（第二編第二十二章参照）に規定する（特定）居住用財産の譲渡損失に係る特定純損失の金額がある場合の純損失の繰越控除の適用については、第一編第四章第五節の１の（**注１**）（67ページ）及び（**注２**）（68ページ）を参照してください。

5　被災事業用資産の損失等の繰越控除

　青色申告者の純損失の繰越控除のほかに、その年の前年以前３年内の各年において生じた純損失のうち、①変動所得の金額の計算上生じた損失の金額、②被災事業用資産の損失の金額については確定申告書が提出されていることを条件として青色申告者以外の者についても繰越控除をすることができます（所法70②、所令202）。

　なお、繰越控除の順序は、前述の４の①から③までに掲げるところによります。

6　被災事業用資産の損失の金額の意義

（１）　被災事業用資産の損失の金額とは、棚卸資産又は不動産所得、事業所得又は山林所得を生ずべき事業の用に供される固定資産及び繰延資産若しくは山林（以下「**事業用資産**」といいます。）の災害による損失の金額（その災害に関連するやむを得ない支出で次に掲げるものを含みます。）で、変動所得計算上の損失以外のものをいいます（所法70③、所令203）。

①　災害により事業用資産が滅失し、損壊し又はその価値が減少したことによるその資産の取壊し又は除去の費用その他の付随費用

②　災害により事業用資産が損壊し又はその価値が減少した場合その他その資産を業務の用に供することが困難となった場合において、その災害のやんだ日の翌日から１年を経過した日の前日までに支出するその資産の原状回復のための修繕費、土砂その他の障害物の除去に要する費用、その事業用資産の損壊又はその価値の減少を防止するための費用その他これらに類する費用

③　災害により事業用資産に現に被害が生じ、又はまさに被害が生ずるおそれがあると見込まれる場合において、その資産に係る被害の拡大又は発生を防止するため緊急に必要な措置を講ずるための費用

（２）　山林所得を生ずべき業務について、その年において生じた被災事業用資産の損失の金額とは、次のものをいいます（措通30－３）。

①　その損失の金額は、その年において生じた次に掲げる損失の金額及び災害関連費用の額に限られます。したがって、盗難、横領その他の事由により生じたものは含まれません。

　イ　災害により、山林（事業所得の基因となるものを除きます。）並びに山林所得を生ずべき事業の用に供される固定資産及び繰延資産について生じた損失の金額

　（**注**）　山林所得を生ずべき事業とは、山林の輪伐のみによって通常の生活費を賄うことができる程度の規模において行う山林の経営をいうこととされています（所基通45－３）。

　ロ　山林（事業所得の基因となるものを除きます。）又は山林所得を生ずべき事業の用に供されている資産が災害により滅失し、損壊し又はその価値が減少したこと等に伴い支出する（１）の①から③までに掲げる費用

②　その損失の金額には、保険金、損害賠償金その他これらに類するものにより補てんされる部分の金額は含まれません。

　（**注**）　山林（保有期間が５年を超えるものに限ります。）について損失を受けたことにより取得する保険金等がその山林に係る損失の金額を超える場合には、その超える部分の金額に相当する保険金等は、その保険金等の確定した年分の山林所得の総収入金額に算入されます（所令94①一）。

7　災害等関連費用の必要経費算入の時期

　山林について支出した上記６の（１）の①から③までに掲げる費用その他これらに類する費用の額

は、その支出をした日の属する年分の事業所得の金額又は山林所得の金額の計算上必要経費に算入しても差し支えありません（所基通37－31）。

　なお、山林所得の必要経費を、概算経費率によって計算する場合における被災事業用資産の損失の金額は、概算経費率によって計算した必要経費の別枠として控除されます。

8　免責許可の決定等により債務免除を受けた場合の経済的利益の総収入金額不算入

　破産法第252条第1項《免責許可の決定の要件等》に規定する免責許可の決定又は再生計画認可の決定があった場合その他資力を喪失して債務を弁済することが著しく困難である場合にその有する債務の免除を受けたときは、その免除により受ける経済的な利益の価額については、その者の各種所得の金額の計算上、総収入金額に算入しないこととされました。ただし、その経済的な利益の価額のうち、次に掲げる金額については、この規定の適用は適用されません（所法44の2）。
① 　山林所得を生ずべき業務に係る債務の免除を受けた場合……当該免除を受けた日の属する年分の山林所得の金額の計算上生じた損失の金額
② 　所得税法第70条《純損失の繰越控除》第1項又は第2項の規定により、その債務の免除を受けた日の属する年分の総所得金額、退職所得金額又は山林所得金額の計算上控除する純損失の金額がある場合……その控除する純損失の金額

第八節　同族会社等の行為又は計算の否認等

　同族会社等の行為又は計算の否認等については第一編　譲渡所得　第七章「同族会社等の行為又は計算の否認等」の項を参照してください。

第二章《山林所得の計算方法》

山林所得収支内訳書（計算明細書）	譲渡者	住所		氏名（フリガナ）		電話番号	（　　）
		氏名					
	関与税理士	住所		氏名		電話番号	（　　）

特例適用条文			合計	内訳	
				措法　　条	措法　　条
譲渡した山林の明細	山林の所在地番				
	面積	皆伐・間伐の区分		ヘクタール　皆伐・間伐	ヘクタール　皆伐・間伐
	樹種樹齢			年	年
	本数数量			本　　㎥	本　　㎥
	譲渡先	住所又は所在地			
		氏名又は名称			
	譲渡した年月日			年　月　日	年　月　日
	譲渡山林を植林・購入した時期			年　月　日	年　月　日
譲渡価額の総額（収入金額）		①	A　　　　　　円	円	円
伐採費など	伐採費、運搬費、譲渡費用の額	②	円	円	円
	専従者控除額のうち②に相当する部分の金額	③	円	円	円
	計（②＋③）	④	円	円	円
差引（①－④）		⑤	円	円	円
取得費、管理費など	概算経費率による場合	概算経費の額（⑤×50%）	⑥	円	円	円
	概算経費率によらない場合	植林費、取得に要した経費	⑦	円	円	円
		管理費その他の育成費用	⑧	円	円	円
		③以外の専従者控除額	⑨	円	円	円
		計（⑦＋⑧＋⑨）	⑩	円	円	円
被災事業用資産の損失の金額（保険金等で補塡される部分を除く。）		⑪	円	円	円
必要経費〔④＋（⑥又は⑩）＋⑪〕		⑫	円	円	円
森林計画特別控除（注1）	概算経費率の適用を受ける場合（注2）で計算した金額を記載する。）		⑬	円	円	円
	概算経費率の適用を受けない場合	収入金額基準額（（注2）で計算した金額を記載する。）	⑭	円	円
		所得基準額（⑤×50%－⑩）	⑮	円	円
		⑭と⑮のうち低い方の金額	⑯	円	円	円
差引金額〔①－⑫－（⑬又は⑯）〕		⑰	円	円	
特別控除額		⑱	円		
山林所得金額		⑲	B　　　　　　円		

（注） 1 「森林計画特別控除」の欄は、租税特別措置法第30条の2第1項の適用を受ける場合に記載してください。
　　　 2 ⑤の金額が2,000万円以下のときは「⑤×20%」、⑤の金額が2,000万円超のときは「⑤×10%＋200万円」で計算した金額を記載してください。

（資7－6－1－A4統一）
（平成28年分以降用）
R5.11

第四編
相 続 税

第四編

目 録 篇

第一章　相続税のあらまし

　相続税は、人の死亡を原因としてその死亡した者の財産を個人が取得した場合に、その取得した財産の価額を基として課税される租税であり、その税額は、相続又は遺贈（贈与者の死亡により効力を生ずるいわゆる死因贈与を含みます。以下同じ。）により取得した財産の価額に応じて計算することになっています。

第一節　相続税の課税根拠

　租税は、相続税に限らず一般に国の施策等のための収入を得ることを主たる目的としています。そこで、相続税法では、人の死亡に基因してその財産を相続又は遺贈により取得した人に担税力が生じることに着目して、その取得した人に相続税を課することにしています。そして、相続税を課することによって、①富の過度の集中を排し、巨額の遺産を相続する人とそうした機会のない人との富の均衡を図るという社会政策的な目的を果たし、②被相続人が税法上の特例、特典などを利用し、あるいは、租税回避をするなどにより蓄積した財産を、相続開始の時点で把握し清算させるという所得税の補完税としての役割を実現するとともに、③被相続人の蓄積した財産は、その人の手腕、努力のたまものとはいえ、社会に負うところも大であると考えられますので、相続を機会にその一部を社会に還元してもらうことにしているわけです。

第二節　贈与税との関係

　相続税は、人の死亡を原因としてその死亡した者の財産を相続又は遺贈により取得した者に対して課税されるのですが、このような課税体系だけでは、生前に自己の親族等に財産を贈与することによって、相続税の回避を図ることが考えられます。つまり、実質的に財産を無償で取得していることには変わりがないにもかかわらず、死亡により財産を無償で取得した場合と、死亡以外の理由により財産を無償で取得した場合とでは、前者は課税され、後者は課税されないことになり、税負担のうえで著しく不公平が生じることになります。そこで、相続税法では、これらの税負担を調整するために、相続又は遺贈によって取得した財産については、相続税を課税する一方、贈与によって取得した財産については、その財産を取得した者に対して贈与税を課税することとし、これにより相続税を補完する方法をとっています。

　贈与税は、いま説明したように、相続税の補完税としての役割を持っていますので、相続税に比べて、課税最低限も低く、かつ、税率も高く定められています。もちろん、相続税の税額を計算する方法と贈与税の税額の計算方法とは異なっていますし、また、その人の総財産の価額の多寡あるいは、贈与の時の財産の価額と相続開始時（死亡したとき）の財産の価額とは実際上異なりますので、一概にはいえませんが、一般的には、贈与税の方が相続税に比べて税負担が重いといえます。

第三節　所得税その他の租税との関係

　相続又は遺贈により、財産を無償で取得した個人は、その分だけ財産が増加することになります。その増加した財産の価額は、所得税法でいう、収入金額としての性格をもっていますから、所得税法で規定することもできるのですが、財産の増加原因の性質その他の理由により、所得税の課税対象とはせず（所法9①十五）、相続税の課税対象としています。

－675－

第一章《相続税のあらまし》

　相続税は、本来、相続又は遺贈により財産を取得した個人について課税されるものであり、法人に
対しては特殊な場合（後述第三章第二節（690ページ）参照）を除き、課税されません。また法人が個
人に対して、財産を贈与した場合、その個人については、贈与税ではなく、所得税が課税されること
になりますが、これは、贈与税が相続税の補完税としての役割をもっているため、相続の発生しない
法人については、相続税の補完ということを考える必要がないからです。

第二章　相続税の課税の原因

　相続税は、前章で説明したように、原則として、個人が相続又は遺贈により財産を取得した場合に、その取得した財産の価額を基としてその財産を取得した者に課税されることになっています。

　そこで、まず相続、遺贈とはどのようなことかについて説明します。

第一節　相　　続

1　相 続 の 開 始

　民法は、「相続は、死亡によって開始する」（民法882）と規定しています。したがって、相続開始の原因は、自然人の死亡であり、法人については相続の開始ということはありません。

　更に死亡と同様、失踪宣告を受けた場合にも相続が開始します。この失踪宣告は、従来の住所又は居所を去った者、すなわち不在者の生死不明の状態が、通常の場合には7年間、特別な危難にあった場合にはその危難の去った時から1年間継続した時に、家庭裁判所がその者の利害関係人の請求に基づきこれをすることができます（民法30）。そして、失踪宣告があると、その不在者は通常の場合は失踪期間（7年間）満了時に、特別な危難の場合はその危難の去った時に、死亡したものとみなされ（民法31）、相続の開始（民法882）、婚姻関係の終了（民法728）などの効果が発生します。

　相続開始の場所は、被相続人（死亡した者）の住所と定められています（民法883）ので、たとえ、住所以外の場所で死亡した場合であっても、その者の住所で相続が開始します。

2　相 続 人

　相続の開始によって相続人は、被相続人の財産を承継することになります（民法896）。この場合、民法に定める相続人（法定相続人）のみが、財産を承継する場合を法定相続主義といい、我が国の民法は、この法定相続主義をとっています。しかし、被相続人は遺言及び死因贈与によって法定相続人以外の者にその財産を承継させることもできます。そこで、民法の規定する相続人及び相続の順位について説明します。

　民法に定める相続人となる者は、被相続人の配偶者、直系血族及び兄弟姉妹であり、その相続順位は、次のとおりとされています（民法886以下）。

① 第1順位の相続人は、子（相続開始以前に既にその子が死亡しているとき、又は相続権を失ったときは、その者の子又は孫が代襲して相続人となり、胎児がある場合には、その胎児は既に生まれたものとみなされ相続権を有することになります。ただし、死産のときは、この適用はありません。）となります。

② 第1順位の子が1人もいない場合には、直系尊属が第2順位の相続人となります。

③ 子、直系尊属共にいない場合には、兄弟姉妹（相続開始以前に既にその兄弟姉妹が死亡しているとき、又は相続権を失ったときは、その者の子が代襲して相続人となります。）が第3順位の相続人となります。

④ そして、配偶者は、常に相続人となり、①ないし③により相続人となるべき者があるときは、その者と同順位で相続人となります。

　なお、ここでいう配偶者とは、民法第739条の規定による婚姻の届出をした夫又は妻をいいますので、内縁関係にある夫又は妻は含まれません。また、配偶者には代襲相続が認められていませんので、先妻（夫）や後妻（夫）の子は、代襲相続人とはなりません。そのほか、胎児については上記①で説明

したとおりですが、これに対する相続税の取扱いは、相続人となるべき胎児が相続税の申告書を提出する日までに出生していない場合において、相続開始の時にはその胎児がないものとして相続税を計算し、その後胎児が出生したときに、更正の請求等によって納付すべき相続税額の清算をすることができるようにしています。

〈参考〉　民法上の相続人は以上のとおりになりますが、相続人となる者の範囲が一覧できる親族図を下に掲げておきましたから参考にしてください。

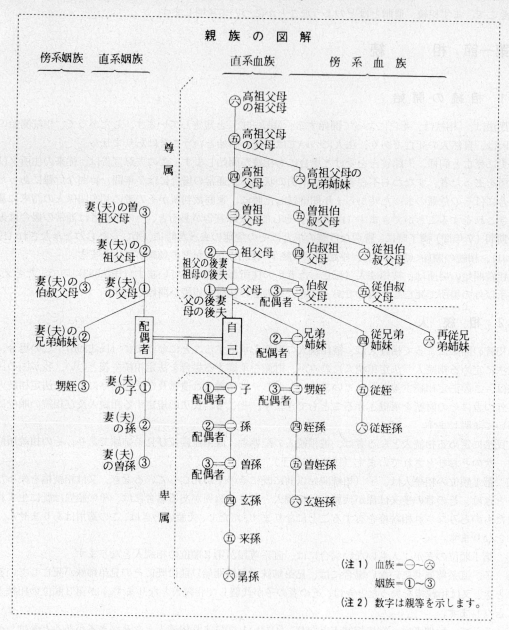

3　相続財産（遺産）

相続人は、相続の開始によって被相続人の財産を構成していた一切の権利及び義務を承継します（民法896）。したがって、被相続人の持っていた動産、不動産、現金、有価証券、預貯金、売掛金、債権

などの積極財産（資産）のみならず、借入金、買掛金などの消極財産（負債）も遺産を構成し、相続人に承継されることになります。しかし、被相続人の一身に専属していた権利及び義務は、相続の対象となりません（民法896ただし書）。

4 相続分

相続が開始すると、被相続人の財産は相続人に承継されるのですが、相続人が数人ある場合にはまず、その共有になります（民法898）。この数人の相続人を「共同相続人」といい、その相続財産上に有する権利義務承継の割合を「相続分」といいます。そして、共有状態にある相続財産（未分割の遺産）は、やがて、各相続人の間で民法の規定により分割（遺産分割）され、その分割に基づいて、各相続人に帰属します。

相続分には、被相続人、又はその委託を受けた第三者の指定によって定まる「指定相続分」（民法902）と、指定相続分のない場合に適用される「法定相続分」（民法900）とがあります。なお代襲相続人の相続分は、代襲される者が受けるべきであった相続分と同じになり（民法901）、特別受益者（被相続人から遺贈を受け、又は婚姻、養子縁組のため若しくは生計の資本として贈与を受けた者）の相続分は、他の共同相続人との不公平を考慮して、被相続人が相続開始の時に有した財産の価額に、その遺贈又は贈与の価額を加えたものを相続財産とみなし、これを基礎として算出した相続分の中から、その遺贈又は贈与の価額を控除し、その残額をもってその者の相続分とする（民法903、904）ことになっています。

また、共同相続人の中に、被相続人の事業に関する労務の提供又は財産上の給付、被相続人の療養看護その他の方法により被相続人の財産の維持又は増加につき特別の寄与をした者があるときは、被相続人が相続開始の時において有した財産の価額から共同相続人の協議で定めたその者の寄与分を控除したものを相続財産とみなし、民法第900条《法定相続分》から第902条《遺言による相続分の指定》までの規定によって算定した相続分に寄与分を加えた額をもってその者の相続分とする（民法904の2）ことになっています。

相続分を指定する方法は、日本ではまだ十分に普及しておらず、通常、「相続分」というときは法定相続分を意味しています。そこで、この法定相続分について説明します。

法定相続分とは、相続人が被相続人から財産を承継する際の原則的な相続分であり、民法第900条《法定相続分》、第901条《代襲相続人の相続分》では次のように定められています。
① 相続人が配偶者と子の場合
　　配偶者及び子がそれぞれ$\frac{1}{2}$
② 相続人が配偶者と直系尊属（父母や祖父母など）の場合
　　配偶者は$\frac{2}{3}$、直系尊属は$\frac{1}{3}$
③ 相続人が配偶者と兄弟姉妹である場合
　　配偶者は$\frac{3}{4}$、兄弟姉妹は$\frac{1}{4}$
④ 子、直系尊属又は兄弟姉妹が2人以上ある場合には、各自の相続分は均等となります。ただし、父母の一方のみが同じである兄弟姉妹の相続分は、父母の双方が同じである兄弟姉妹の相続分の$\frac{1}{2}$となります。
⑤ 相続人となる子又は兄弟姉妹が、相続開始以前に死亡していた場合や、相続権を失った場合に、その人に代わって相続人となる人（代襲相続人といいます。）の相続分は、その人の直系尊属が受けるべきであった相続分と同じ相続分となります。この場合に代襲相続人が2人以上ある場合には、各自の相続分は均等となります。なお、兄弟姉妹の代襲相続人は、兄弟姉妹の子に限られます（民法889②）。
　　(注)　相続人のうちに代襲相続人であると同時に、被相続人の養子となっている者があるときは、相続税法上、法定相続人の数を計算するときは、その者は1人の相続人として計算しますが、その者の法定

－679－

相続分は、代襲相続人としての相続分と養子としての相続分を合計したものとなります（相基通15－
4（注））。

※上記④については、平成25年12月5日、民法の一部を改正する法律（平成25年法律第94号）が成立し、平
成25年9月5日以後に開始した相続について適用されています。

平成25年9月
国税庁

相続税法における民法第900条第4号ただし書前段の取扱いについて（平成25年9月4日付最高裁判所の決定を受けた対応）

平成25年9月5日以後の取扱い

平成25年9月4日付最高裁判所の決定（以下「違憲決定」といいます。）を受け、その趣旨を尊重し、平成25年9月5日以後、申告（期限内申告、期限後申告及び修正申告をいいます。）又は処分により相続税額を確定する場合（平成13年7月以後に開始された相続に限ります。）においては、「嫡出でない子の相続分は、嫡出である子の相続分の2分の1」とする民法第900条第4号ただし書前段（以下「嫡出に関する規定」といいます。）がないものとして民法第900条第4号の規定を適用した相続分に基づいて相続税額を計算します。

なお、この取扱いに係る留意事項は、次のとおりです。

1　平成25年9月4日以前に相続税額が確定している場合

違憲決定では、嫡出に関する規定についての違憲判断が「確定的なものとなった法律関係に影響を及ぼすものでない」旨の判示がなされていることに鑑み、平成25年9月4日以前に、申告又は処分（以下「申告等」といいます。）により相続税額が確定している場合には、嫡出に関する規定を適用した相続分に基づいて相続税額の計算を行っていたとしても、相続税額の是正はできません。また、嫡出に関する規定を適用した相続分に基づいて、相続税額の計算を行っていることのみでは、更正の請求の事由には当たりません。

2　平成25年9月5日以後に相続税額が確定する場合

（1）　平成25年9月4日以前に確定していた相続税額が異動する場合

イ　更正の請求又は修正申告の場合

平成25年9月4日以前に、申告等により相続税額が確定している場合において、同年9月5日以後に、相続人が、財産の申告漏れ、評価誤りなどの理由により、更正の請求書（更正の申出書を含みます。）（国税通則法第23条）若しくは修正申告書（国税通則法第19条）を提出する場合又は相続税法第32条第1項に掲げる事由により更正の請求書若しくは修正申告書（相続税法第31条）を提出するときには、改めて相続税額を確定する必要があります。これらの新たに確定すべき相続税額の計算に当たっては、嫡出に関する規定がないものとして民法第900条第4号の規定を適用した相続分に基づいて、更正の請求又は修正申告に係る相続税額を計算します。

ロ　更正又は決定の場合

平成25年9月4日以前に、申告等により相続税額が確定している場合において、同年9月5日以後に、税務署長が、財産の申告漏れ、評価誤りなどの理由により、更正又は決定を行うときには、上記イと同様、新たに確定すべき相続税額の計算に当たっては、嫡出に関する規定がないものとして民法第900条第4号の規定を適用した相続分に基づいて、更正又は決定に係る相続税額を計算します。

（2）　平成25年9月5日以後に新たに相続税額が確定する場合

イ　期限内申告又は期限後申告の場合

平成25年9月5日以後に、相続税の期限内申告書又は期限後申告書を提出する場合には、嫡出に関する規定がないものとして民法第900条第4号の規定を適用した相続分に基づいて、期限内申告又は期限後申告に係る相続税額を計算します。

ロ　決定の場合

　　相続税の申告書を提出する義務があると認められる相続人が、当該申告書を提出していなかったことが明らかとなった場合には、嫡出に関する規定がないものとして民法第900条第4号の規定を適用した相続分に基づいて、決定に係る相続税額を計算します。

5　相続の承認と放棄

　相続人は、相続開始の時から、被相続人の財産に属した一切の権利義務を承継する（民法896）のですが、この相続の効果は相続人が、そのことを知っていると否とにかかわらず、法律上当然に発生します。しかし、相続の効果を確定的、絶対的なものとすると、相続財産が資産より負債の方が多い場合などには、相続人は思わぬ負担に苦しむことになりますし、個人意思の自由をできるだけ尊重しようという近代私法上の原則にも反します。そこで、民法は、相続の効果を承認するか、放棄するかの選択を相続人に認めています。

　相続の承認、放棄は、「自己のために相続の開始があったことを知った時から3か月以内に、単純若しくは限定の承認又は放棄をしなければならない」（民法915）ことになっています。

① 承　　認

　　相続の承認には、「単純承認」と「限定承認」とがあります。単純承認（民法第921条の法定単純承認を含みます。）をすると、相続人は相続開始の時から被相続人の財産に属した一切の権利義務を無限に承継することになり（民法920）、一方、限定承認は、相続人が相続によって得た財産の限度においてのみ被相続人の債務及び遺贈を弁済すべきことを留保して承認するものです（民法922）。

　　なお、限定承認をするには、民法第924条《限定承認の方式》に定められた方式によることが必要ですし、また、相続人が数人あるときは、共同相続人の全員が共同してのみすることができます。

② 放　　棄

　　相続の放棄をするには、その旨を家庭裁判所に申述しなければなりません（民法938、家事審判規則114）。相続を放棄すれば、その放棄した者は、その相続に関しては初めから相続人とならなかったものとみなされます（民法939）。

6　相続人の不存在

　「相続人の不存在」とは、戸籍上相続人となる者が見当たらない場合や、相続人のすべてが相続の放棄をした場合などのように、相続人のあることが明らかでない状態をいいます。この場合、相続財産は法人（相続財産法人）とされ、家庭裁判所が、相続財産の管理人を選任し、公告します（民法951以下）。

　その後、2か月以内に相続人が現れなければ、管理人が相続債権者及び受遺者に対し、2か月以上の期間を定めて請求の申出を促す公告をし、この期間満了後、なお、相続人が明らかでないときは、家庭裁判所は最低6か月の期間を定めて相続人捜索の最後の公告をします。この期間を徒過し、以上の手続が終了すると、その後になって相続人が現れても、もはや権利を行使することはできません（民法958）。そして、手続終了後、3か月以内に被相続人の特別縁故者（被相続人と生計を同じくしていた者、被相続人の療養看護に努めた者その他被相続人と特別の縁故があった者）の請求があれば、家庭裁判所はその者に相続財産の全部又は一部を与えることができます（民法958の2）。その後になお、残存する財産がある場合には、その相続財産は、国庫に帰属し、相続財産法人は消滅します（民法959）。

　（注）　相続財産法人から財産を与えられた人は、その財産を被相続人から遺贈によって取得したものとみなされて相続税がかかります（後述第四章第三節の1（704ページ）参照）。

第二節　遺　　贈

遺贈とは、遺言によって財産的利益を与えることですが、相続税法では、遺贈によって財産を取得した場合も相続税が課税されます。

(**注**)　遺言は、贈与と似ていますが遺言者の単独行為であり、契約である贈与（民法549）とは異なります。

1　遺　　言

満15歳に達した者は、遺言をすることができます（民法960以下）。遺言は通常「遺言証書」によってしなければなりません。しかし、死亡の危急に迫った者や一般社会と隔絶した場所にあるため通常の方式による遺言ができない場合には、特別の方式による遺言をすることができます（民法976以下）。遺言は要式行為ですので、民法に規定する方式によらないものは、すべて無効になります。

遺言は、停止条件を付した場合を除いては遺言者の死亡の時からその効力が生ずることになっていますから、遺贈によって取得した財産の取得の時期は、通常遺言者の死亡の時であり、この時に課税原因が発生することになります。

なお、遺言によって**遺留分**を侵害された法定相続人が、受遺者に対して侵害額に相当する金額の支払を請求できます（民法1046）。

(**注**)　遺留分とは、民法上、相続人が当然取得できるものとして保障されている最少限度の財産をいいます（民法1042以下）。被相続人は遺言によって財産を自由に処分できるのが原則ですが、そのために配偶者その他の親族が生活に困窮することは望ましいことではありませんので、遺贈などにより財産を自由に処分することにつき、制限を設け、それを超えて遺贈・贈与を行えば、相続人が侵害額に相当する金額の支払を請求することを認めているのです。これによって、被相続人の財産処分の自由と相続人の利害とを調和させようとしているわけです。

遺留分権利者となることができる相続人は、直系卑属、直系尊属及び配偶者に限られており、兄弟姉妹には、遺留分がありません。遺留分の割合は次のとおりです。

①　相続人が直系尊属だけである場合……被相続人の財産の$\frac{1}{3}$

②　相続人が直系卑属だけである場合、配偶者だけである場合(配偶者と兄弟姉妹の場合を含みます。)、直系卑属と配偶者の場合及び直系尊属と配偶者の場合……被相続人の財産の$\frac{1}{2}$

(各相続人の遺留分は相続分に応じて算定されます。したがって、例えば「相続人が直系卑属と配偶者の場合」の配偶者の遺留分は$\frac{1}{2}×\frac{1}{2}=\frac{1}{4}$となります。)

2　包括遺贈と特定遺贈

遺贈には、包括遺贈と特定遺贈とがあります（民法964）。包括遺贈とは、遺産の全部又は半分というように割合を示して行うもので、その割合に相当する遺産の権利義務を承継することになります。したがって、プラスの財産（積極財産）だけでなく、マイナスの財産（債務、消極財産）も受遺者に引き継がれることになり、包括受遺者は相続人と同一の権利義務を有することになります（民法990）。

また、特定遺贈とは、遺産のうちの特定の資産を指定して行うもので、一般には、この方法により遺言する場合が多いようです。

なお、遺贈のなかには、負担付遺贈のように義務の伴う場合もありますが、この場合、負担付遺贈を受けた者は遺贈の目的となった財産の価額の範囲内において負担した義務を履行しなければなりません。負担は、特定遺贈だけでなく、包括遺贈にも付けることができます。

遺贈を受けた者は、遺言者の死亡後その遺贈を放棄することができますが、この場合の放棄は、遺言者の死亡の時にさかのぼってその効力が生じます（民法986）。しかし、いったん遺贈の承認又は放棄をした場合には、これを取り消すことはできません（民法989）。

第三節 死因贈与

　死因贈与とは、贈与者の死亡によって効力を生ずる贈与をいいますが一般の贈与（当事者の一方が自己の財産を無償で相手方に与える意思表示をし、相手方がこれを受諾することによって成立する契約です。）に贈与者の死亡という一種の停止条件が付された贈与契約であるといえます（民法554）。契約である死因贈与と単独行為である遺贈とは法律的に異なりますが、実質的には遺贈によって遺産を取得した場合と異なりませんので、相続税法では**死因贈与も遺贈に含めて規定**し、相続税が課税されます。したがって、以下各章において「遺贈」というときは原則として遺贈のほかに死因贈与も含めて述べることにします。

〔相続に関する民法の規定（抜粋）〕

〔相続財産に関する費用〕

第885条　相続財産に関する費用は、その財産の中から支弁する。ただし、相続人の過失によるものは、この限りでない。

〔共同相続における権利の承継の対抗要件〕

第899条の2　相続による権利の承継は、遺産の分割によるものかどうかにかかわらず、次条及び第901条の規定により算定した相続分を超える部分については、登記、登録その他の対抗要件を備えなければ、第三者に対抗することができない。

②　前項の権利が債権である場合において、次条及び第901条の規定により算定した相続分を超えて当該債権を承継した共同相続人が当該債権に係る遺言の内容（遺産の分割により当該債権を承継した場合にあっては、当該債権に係る遺産の分割の内容）を明らかにして債務者にその承継の通知をしたときは、共同相続人の全員が債務者に通知をしたものとみなして、同項の規定を適用する。

〔遺言による相続分の指定〕

第902条　被相続人は、前2条の規定にかかわらず、遺言で、共同相続人の相続分を定め、又はこれを定めることを第三者に委託することができる。

②　（略）

〔相続分の指定がある場合の債権者の権利の行使〕

第902条の2　被相続人が相続開始の時において有した債務の債権者は、前条の規定による相続分の指定がされた場合であっても、各共同相続人に対し、第900条及び第901条の規定により算定した相続分に応じてその権利を行使することができる。ただし、その債権者が共同相続人の1人に対してその指定された相続分に応じた債務の承継を承認したときは、この限りでない。

〔特別受益者の相続分〕

第903条　共同相続人中に、被相続人から、遺贈を受け、又は婚姻若しくは養子縁組のため若しくは生計の資本として贈与を受けた者があるときは、被相続人が相続開始の時において有した財産の価額にその贈与の価額を加えたものを相続財産とみなし、第900条から第902条までの規定により算定した相続分の中からその遺贈又は贈与の価額を控除した残額をもってその者の相続分とする。

②　（略）

③　被相続人が前2項の規定と異なった意思を表示したときは、その意思に従う。

④　婚姻期間が20年以上の夫婦の一方である被相続人が、他の一方に対し、その居住の用に供する建物又はその敷地について遺贈又は贈与をしたときは、当該被相続人は、その遺贈又は贈与について第1項の規定を適用しない旨の意思を表示したものと推定する。

〔遺産の分割前に遺産に属する財産が処分された場合の遺産の範囲〕

第906条の2　遺産の分割前に遺産に属する財産が処分された場合であっても、共同相続人は、その全員の同意により、当該処分された財産が遺産の分割時に遺産として存在するものとみなすことができる。

②　前項の規定にかかわらず、共同相続人の1人又は数人により同項の財産が処分されたときは、当該共同相続人

第二章第三節《死因贈与》

については、同項の同意を得ることを要しない。

〔遺産の分割の協議又は審判〕

第907条　共同相続人は、次条第1項の規定により被相続人が遺言で禁じた場合又は同条第2項の規定により分割をしない旨の契約をした場合を除き、いつでも、その協議で、遺産の全部又は一部の分割をすることができる。

②　遺産の分割について、共同相続人間に協議が調わないとき、又は協議をすることができないときは、各共同相続人は、その全部又は一部の分割を家庭裁判所に請求することができる。ただし、遺産の一部を分割することにより他の共同相続人の利益を害するおそれがある場合におけるその一部の分割については、この限りでない。

〔遺産の分割前における預貯金債権の行使〕

第909条の2　各共同相続人は、遺産に属する預貯金債権のうち相続開始の時の債権額の3分の1に第900条及び第901条の規定により算定した当該共同相続人の相続分を乗じた額（標準的な当面の必要生計費、平均的な葬式の費用の額その他の事情を勘案して預貯金債権の債務者ごとに法務省令で定める額を限度とする。）については、単独でその権利を行使することができる。この場合において、当該権利の行使をした預貯金債権については、当該共同相続人が遺産の一部の分割によりこれを取得したものとみなす。

〔自筆証書遺言〕

第968条　（略）

②　前項の規定にかかわらず、自筆証書にこれと一体のものとして相続財産（第997条第1項に規定する場合における同項に規定する権利を含む。）の全部又は一部の目録を添付する場合には、その目録については、自書することを要しない。この場合において、遺言者は、その目録の毎葉（自書によらない記載がその両面にある場合にあっては、その両面）に署名し、印を押さなければならない。

③　自筆証書（前項の目録を含む。）中の加除その他の変更は、遺言者が、その場所を指示し、これを変更した旨を付記して特にこれに署名し、かつ、その変更の場所に印を押さなければ、その効力を生じない。

〔秘密証書遺言〕

第970条　（略）

②　第968条第3項の規定は、秘密証書による遺言について準用する。

〔普通の方式による遺言の規定の準用〕

第982条　第968条第3項及び第973条から第975条までの規定は、第976条から前条までの規定による遺言について準用する。

〔遺贈義務者の引渡義務〕

第998条　遺贈義務者は、遺贈の目的である物又は権利を、相続開始の時（その後に当該物又は権利について遺贈の目的として特定した場合にあっては、その特定した時）の状態で引き渡し、又は移転する義務を負う。ただし、遺言者がその遺言に別段の意思を表示したときは、その意思に従う。

〔遺言執行者の任務の開始〕

第1007条　（略）

②　遺言執行者は、その任務を開始したときは、遅滞なく、遺言の内容を相続人に通知しなければならない。

〔遺言執行者の権利義務〕

第1012条　遺言執行者は、遺言の内容を実現するため、相続財産の管理その他遺言の執行に必要な一切の行為をする権利義務を有する。

②　遺言執行者がある場合には、遺贈の履行は、遺言執行者のみが行うことができる。

③　（略）

〔遺言の執行の妨害行為の禁止〕

第1013条　（略）

②　前項の規定に違反してした行為は、無効とする。ただし、これをもって善意の第三者に対抗することができない。

③　前2項の規定は、相続人の債権者（相続債権者を含む。）が相続財産についてその権利を行使することを妨げない。

〔特定財産に関する遺言の執行〕

第1014条　（略）

-684-

② 遺産の分割の方法の指定として遺産に属する特定の財産を共同相続人の１人又は数人に承継させる旨の遺言（以下「特定財産承継遺言」という。）があったときは、遺言執行者は、当該共同相続人が第899条の２第１項に規定する対抗要件を備えるために必要な行為をすることができる。

③ 前項の財産が預貯金債権である場合には、遺言執行者は、同項に規定する行為のほか、その預金又は貯金の払戻しの請求及びその預金又は貯金に係る契約の解約の申入れをすることができる。ただし、解約の申入れについては、その預貯金債権の全部が特定財産承継遺言の目的である場合に限る。

④ 前２項の規定にかかわらず、被相続人が遺言で別段の意思を表示したときは、その意思に従う。

〔遺言執行者の行為の効果〕

第1015条 遺言執行者がその権限内において遺言執行者であることを示してした行為は、相続人に対して直接にその効力を生ずる。

〔遺言執行者の復任権〕

第1016条 遺言執行者は、自己の責任で第三者にその任務を行わせることができる。ただし、遺言者がその遺言に別段の意思を表示したときは、その意思に従う。

② 前項本文の場合において、第三者に任務を行わせることについてやむを得ない事由があるときは、遺言執行者は、相続人に対してその選任及び監督についての責任のみを負う。

〔撤回された遺言の効力〕

第1025条 前３条の規定により撤回された遺言は、その撤回の行為が、撤回され、取り消され、又は効力を生じなくなるに至ったときであっても、その効力を回復しない。ただし、その行為が錯誤、詐欺又は強迫による場合は、この限りでない。

第九章 遺 留 分

〔遺留分の帰属及びその割合〕

第1042条 兄弟姉妹以外の相続人は、遺留分として、次条第１項に規定する遺留分を算定するための財産の価額に、次の各号に掲げる区分に応じてそれぞれ当該各号に定める割合を乗じた額を受ける。

一 直系尊属のみが相続人である場合 ３分の１

二 前号に掲げる場合以外の場合 ２分の１

② 相続人が数人ある場合には、前項各号に定める割合は、これらに第900条及び第901条の規定により算定したその各自の相続分を乗じた割合とする。

〔遺留分を算定するための財産の価額〕

第1043条 遺留分を算定するための財産の価額は、被相続人が相続開始の時おいて有した財産の価額にその贈与した財産の価額を加えた額から債務の全額を控除した額とする。

② （略）

第1044条 贈与は、相続開始前の１年間にしたものに限り、前条の規定によりその価額を算入する。当事者双方が遺留分権利者に損害を加えることを知って贈与をしたときは、１年前の日より前にしたものについても、同様とする。

② 第904条の規定は、前項に規定する贈与の価額について準用する。

③ 相続人に対する贈与についての第１項の規定の適用については、同項中「１年」とあるのは「10年」と、「価額」とあるのは「価額（婚姻若しくは養子縁組のため又は生計の資本として受けた贈与の価額に限る。）」とする。

第1045条 負担付贈与がされた場合における第1043条第１項に規定する贈与した財産の価額は、その目的の価額から負担の価額を控除した額とする。

② 不相当な対価をもってした有償行為は、当事者双方が遺留分権利者に損害を加えることを知ってしたものに限り、当該対価を負担の価額とする負担付贈与とみなす。

〔遺留分侵害額の請求〕

第1046条 遺留分権利者及びその承継人は、受遺者（特定財産承継遺言により財産を承継し又は相続分の指定を受けた相続人を含む。以下この章において同じ。）又は受贈者に対し、遺留分侵害額に相当する金銭の支払を請求することができる。

第二章第三節《死因贈与》

② 遺留分侵害額は、第1042条の規定による遺留分から第1号及び第2号に掲げる額を控除し、これに第3号に掲げる額を加算して算定する。

一 遺留分権利者が受けた遺贈又は第903条第1項に規定する贈与の価額

二 第900条から第902条まで、第903条及び第904条の規定により算定した相続分に応じて遺留分権利者が取得すべき遺産の価額

三 被相続人が相続開始の時において有した債務のうち、第899条の規定により遺留分権利者が承継する債務（次条第3項において「遺留分権利者承継債務」という。）の額

〔受遺者又は受贈者の負担額〕

第1047条 受遺者又は受贈者は、次の各号の定めるところに従い、遺贈（特定財産承継遺言による財産の承継又は相続分の指定による遺産の取得を含む。以下この章において同じ。）又は贈与（遺留分を算定するための財産の価額に算入されるものに限る。以下この章において同じ。）の目的の価額（受遺者又は受贈者が相続人である場合にあっては、当該価額から第1042条の規定による遺留分として当該相続人が受けるべき額を控除した額）を限度として、遺留分侵害額を負担する。

一 受遺者と受贈者とがあるときは、受遺者が先に負担する。

二 受遺者が複数あるとき、又は受贈者が複数ある場合においてその贈与が同時にされたものであるときは、受遺者又は受贈者がその目的の価額の割合に応じて負担する。ただし、遺言者がその遺言に別段の意思を表示したときは、その意思に従う。

三 受贈者が複数あるとき（前号に規定する場合を除く。）は、後の贈与に係る受贈者から順次前の贈与に係る受贈者が負担する。

② 第904条、第1043条第2項及び第1045条の規定は、前項に規定する遺贈又は贈与の目的の価額について準用する。

③ 前条第1項の請求を受けた受遺者又は受贈者は、遺留分権利者承継債務について弁済その他の債務を消滅させる行為をしたときは、消滅した債務の額の限度において、遺留分権利者に対する意思表示によって第1項の規定により負担する債務を消滅させることができる。この場合において、当該行為によって遺留分権利者に対して取得した求償権は、消滅した当該債務の額の限度において消滅する。

④ 受遺者又は受贈者の無資力によって生じた損失は、遺留分権利者の負担に帰する。

⑤ 裁判所は、受遺者又は受贈者の請求により、第1項の規定により負担する債務の全部又は一部の支払につき相当の期限を許与することができる。

〔遺留分侵害額請求権の期間の制限〕

第1048条 遺留分侵害額の請求権は、遺留分権利者が、相続の開始及び遺留分を侵害する贈与又は遺贈があったことを知った時から1年間行使しないときは、時効によって消滅する。相続開始の時から10年を経過したときも、同様とする。

〔遺留分の放棄〕

第1049条 （略）

第十章　特別の寄与

第1050条 被相続人に対して無償で療養看護その他の労務の提供をしたことにより被相続人の財産の維持又は増加について特別の寄与をした被相続人の親族（相続人、相続の放棄をした者及び第891条の規定に該当し又は廃除によってその相続権を失った者を除く。以下この条において「特別寄与者」という。）は、相続の開始後、相続人に対し、特別寄与者の寄与に応じた額の金銭（以下この条において「特別寄与料」という。）の支払を請求することができる。

② 前項の規定による特別寄与料の支払について、当事者間に協議が調わないとき、又は協議をすることができないときは、特別寄与者は、家庭裁判所に対して協議に代わる処分を請求することができる。ただし、特別寄与者が相続の開始及び相続人を知った時から6箇月を経過したとき、又は相続開始の時から1年を経過したときは、この限りでない。

③ 前項本文の場合には、家庭裁判所は、寄与の時期、方法及び程度、相続財産の額その他一切の事情を考慮して、特別寄与料の額を定める。

—686—

第二章第三節《死因贈与》

④　特別寄与料の額は、被相続人が相続開始の時において有した財産の価額から遺贈の価額を控除した残額を超えることができない。

⑤　相続人が数人ある場合には、各相続人は、特別寄与料の額に第900条から第902条までの規定により算定した当該相続人の相続分を乗じた額を負担する。

第三章　納 税 義 務 者

相続税の納税義務者は、原則としては相続又は遺贈により財産を取得した個人ですが、個人以外の人格のない社団又は財団、公益法人等でも個人とみなされて納税義務者となることがあります（相法1の3、66）。

第一節　個　　　　人

相続又は遺贈により財産を取得した個人は、納税義務者となります。そして、その納税義務は、相続又は遺贈により財産を取得したときに成立します（通則法15②四）。

納税義務者は、相続又は遺贈によって財産を取得した個人の住所が、日本国内にある（又はあった）かどうか、日本国籍を有するかどうかによって、「無制限納税義務者」と「制限納税義務者」とに区別されます。

なお、相続時精算課税の適用を受けた贈与財産を取得した場合には、「特定納税義務者」と区分されます。

(注)　相続又は遺贈の場合における財産の取得時期は、相続開始の時とされています。失踪宣告によって相続が開始する場合には、民法第31条に規定する期間満了の時又は危難の去った時が、取得の時となります。なお、停止条件付きの遺贈でその条件が遺贈者の死亡後に成就するものについては、その条件が成就した時に、財産の取得があったものとして取り扱います。また死因贈与の場合には、遺贈と同様、相続開始の時が取得の時になります（相基通1の3・1の4共－8～9）。

1　無制限納税義務者

①　居住無制限納税義務者

相続又は遺贈により財産を取得した次に掲げる者であって、財産を取得した時において日本国内に住所を有しているときは、その取得した財産が国内にあると国外にあるとを問わず、その相続財産の全部について課税されます（相法1の3①一、2①、相基通1の3・1の4共－3(1)）。

イ　一時居住者(**注1**)でない個人

ロ　一時居住者である個人（その相続又は遺贈に係る被相続人が外国人被相続人(**注2**)又は非居住被相続人(**注3**)である場合を除きます。）

(注1)　「一時居住者」とは、相続開始の時において在留資格（出入国管理及び難民認定法（昭和26年政令第319号）別表第1（在留資格）の上欄の在留資格をいいます。(注2)において同じ。）を有する者であって相続の開始前15年以内において日本国内に住所を有していた期間の合計が10年以下であるものをいいます（相法1の3③一）。

(注2)　「外国人被相続人」とは、相続開始の時において、在留資格を有し、かつ、日本国内に住所を有していた被相続人をいいます（相法1の3③二）。

(注3)　「非居住被相続人」とは、相続開始の時において日本国内に住所を有していなかった被相続人であって、相続の開始前10年以内のいずれかの時において日本国内に住所を有していたことがあるもののうちそのいずれの時においても日本国籍を有していなかったもの又は相続の開始前10年以内のいずれの時においても日本国内に住所を有していたことがないものをいいます（相法1の3③三）。

②　非居住無制限納税義務者

相続又は遺贈により財産を取得した次に掲げる者であって、財産を取得した時において日本国内に住所を有していないときは、その取得した財産が国内にあると国外にあるとを問わず、その相続財産

－688－

の全部について課税されます（相法1の3①二、2①、相基通1の3・1の4共－3（1））。
イ　日本国籍を有する個人であって次に掲げるもの
　（1）　相続の開始前10年以内のいずれかの時において日本国内に住所を有していたことがあるもの
　（2）　相続の開始前10年以内のいずれの時においても日本国内に住所を有していたことがないもの
　　　（被相続人が外国人被相続人又は非居住被相続人である場合を除きます。）
ロ　日本国籍を有しない個人（被相続人が外国人被相続人又は非居住被相続人である場合を除きます。）

2　制限納税義務者

①　居住制限納税義務者

　相続又は遺贈により日本国内にある財産を取得した個人が財産を取得した時において、日本国内に住所を有するときは、1の①の居住無制限納税義務者に該当する場合を除き、国内にある財産についてだけ課税されます（相法1の3①三、2②、相基通1の3・1の4共－3（2））。

②　非居住制限納税義務者

　相続又は遺贈により日本国内にある財産を取得した個人が財産を取得した時において、日本国内に住所を有していないときは、1の②の非居住無制限納税義務者に該当する場合を除き、国内にある財産についてだけ課税されます（相法1の3①四、2②、相基通1の3・1の4共－3（2））。

3　特定納税義務者

　贈与（死因贈与を除きます。以下本編において同じ。）により相続時精算課税の規定の適用を受ける財産を取得した個人（1又は2に該当する者を除きます。）は、相続時精算課税の規定の適用を受ける財産についてだけ納税義務があります（相法1の3①五、相基通1の3・1の4共－3（3））。

4　国外転出時課税制度に係る納税義務者

　国外転出をする場合の譲渡所得等の特例の適用がある場合の納税猶予（所法137の2）又は贈与等により非居住者に資産が移転した場合の譲渡所得等の特例の適用がある場合の納税猶予（所法137の3）（以下、「国外転出時課税に係る納税猶予」といいます。）（第一編第二章第五節《国外転出をする場合の譲渡所得の特例等》）の規定の適用がある場合における1の①のロ又は②のイの（2）若しくはロの規定の適用については、次のとおりです（相法1の3②）。
①　所得税法第137条の2第1項（同条第2項の規定により適用する場合を含みます。）の規定の適用を受ける個人が死亡した場合には、その個人の死亡に係る相続税の1の①のロ又は②のイの（2）若しくはロの規定の適用については、その個人は、その個人の死亡に係る相続の開始前10年以内のいずれかの時において相続税法の施行地に住所を有していたものとみなされます。
②　所得税法第137条の3第1項（同条第3項の納税猶予期限の延長を受けている場合を含みます。）の規定の適用を受ける者から所得税法第137条の3第1項の規定の適用に係る贈与により財産を取得した者（以下「受贈者」といいます。）が死亡した場合には、その受贈者の死亡に係る相続税の1の①のロ又は②のイの（2）若しくはロの規定の適用については、その受贈者は、その受贈者の死亡に係る相続の開始前10年以内のいずれかの時において相続税法の施行地に住所を有していたものとみなされます。
　　ただし、その受贈者が所得税法第137条の3第1項の規定の適用に係る贈与前10年以内のいずれの時においても相続税法の施行地に住所を有していたことがない場合には、この規定の適用はありません。
③　所得税法第137条の3第2項（同条第3項の納税猶予期限の延長を受けている場合を含みます。）

の規定の適用を受ける相続人（包括受遺者を含みます。）が死亡（以下「二次相続」といいます。）をした場合には、その二次相続に係る相続税の１の①のロ又は②のイの（２）若しくはロの規定の適用については、その相続人は、その二次相続の開始前10年以内のいずれかの時において相続税法の施行地に住所を有していたものとみなされます。

　ただし、その相続人が所得税法第137条の３第２項の規定の適用に係る相続の開始前10年以内のいずれの時においても相続税法の施行地に住所を有していたことがない場合には、この規定の適用はありません。

5　住所の判定

　「住所」とは、各人の生活の本拠をいい、生活の本拠がどこであるかは、客観的事実によって判定するものとされています。この場合において、同一人について同時に日本国内に２か所以上の住所はあり得ません（相基通１の３・１の４共－５）。

　なお、日本の国籍を有している者又は出入国管理及び難民認定法別表第二に掲げる永住者については、その者が相続又は遺贈により財産を取得した時において日本を離れている場合であっても、その者が次に掲げる者に該当する場合（上記相基通１の３・１の４共－５によりその者の住所が明らかに国外にあると認められる場合を除きます。）は、その者の住所は、日本国内にあるものとして取り扱われます（相基通１の３・１の４共－６）。

①　学術、技芸の習得のため留学している者で国内にいる者の扶養親族となっている者

②　国外において勤務その他の人的役務の提供をする者で国外におけるその人的役務の提供が短期間（おおむね１年以内である場合をいいます。）であると見込まれる者（その者の配偶者その他生計を一にする親族でその者と同居している者を含みます。）

　　（注）　その者が相続又は遺贈により財産を取得した時において日本を離れている場合であっても、国外出張、国外興行等により一時的に日本を離れているにすぎない者については、その者の住所は日本国内にあることとなります。

第二節　個人以外の納税義務者

　相続税の納税義務者は、原則として相続又は遺贈により財産を取得した個人とされています。しかし、遺言等によって財産を取得する受遺者は必ずしも個人とは限られていませんし、法人が受遺者になる場合も考えられますので、相続税の納税義務者を個人と限定した場合には、遺言等によって個人以外の者に財産を帰属させ租税の回避行為を図ることができ、相続税を課税するうえにおいて税負担の公平の見地から適当ではありません。そこで相続税法では、次の団体及び法人については個人とみなして一般の自然人と同様の効果をもたせています（相法66、相基通１の３・１の４共－２）。

1　人格のない社団又は財団

　代表者又は管理者の定めのある人格のない社団又は財団に対して財産の遺贈があった場合には、相続税法ではその社団又は財団を個人とみなして相続税の納税義務者としています（相法66①、相基通１の３・１の４共－２（２））。

　この場合の社団又は財団は、既に設立されている社団又は財団をいうのですが、遺言によってこれら人格のない社団又は財団を設立するために財産の提供があった場合にも、この規定が適用されます（相法66②）。

　　（注）　次の「2　持分の定めのない法人」の（注）中「持分の定めのない法人」とあるのは「人格のない社団又は財団」と読み替えます。

2 持分の定めのない法人

　会社等の法人が遺贈によって財産を取得した場合には、法人税法の規定に基づき法人税が課税されますので相続税は課税されません。しかし、持分の定めのない法人に対し財産の遺贈があった場合において、その遺贈により、その遺贈者の親族その他これらの者と相続税法第64条第1項に規定する特別の関係がある者の相続税の負担が不当に減少する結果となると認められるときは、これらの法人を個人とみなして、相続税が課税されます。

　なお、この取扱いは、持分の定めのない法人を設立するために財産の提供があった場合も同様です（相法66④、相基通1の3・1の4共－2（3））。

　（注）　法人税法の規定によりその法人の各事業年度の所得金額の計算上、益金の額に算入される場合であっても相続税が課税されますが、相続税の額からは、持分の定めのない法人に課されるべき法人税等の額に相当する額は控除されます（相法66⑤）。

3 個人以外の納税義務者の住所

　人格のない社団又は財団、持分の定めのない法人が、個人とみなされて納税義務者になる場合、それが、無制限納税義務者であるか、制限納税義務者であるかを判定するための住所は、その主たる営業所又は事務所の所在地にあるものとみなされます（相法66③④）。

4 特定一般社団法人等

　平成30年4月1日以後、一般社団法人等（**注1**）の理事である者（一般社団法人等の理事でなくなった日から5年を経過していない者を含みます。）が死亡した場合において、一般社団法人等が特定一般社団法人等（**注2**）に該当するときは、特定一般社団法人等はその死亡した者（以下4において「被相続人」といいます。）の相続開始の時における特定一般社団法人等の純資産額（その有する財産の価額の合計額からその有する債務の価額の合計額を控除した金額をいいます。）をその時における特定一般社団法人等の同族理事（**注3**）の数に1を加えた数（被相続人と同時に死亡した者がある場合において、その死亡した者がその死亡の直前において同族理事である者又は特定一般社団法人等の理事でなくなった日から5年を経過していない者であってその被相続人と特殊の関係のあるものであるときは、その死亡した者の数を加えます。）で除して計算した金額に相当する金額を被相続人から遺贈により取得したものと、特定一般社団法人等は個人とそれぞれみなされて、相続税の納税義務者となります（相法66の2①、相基通1の3・1の4共－2（4））。

　（注1）　「一般社団法人等」とは、一般社団法人又は一般財団法人（被相続人の相続開始の時において公益社団法人又は公益財団法人、法人税法第2条第9号の2《定義》に規定する非営利型法人その他の政令で定める一般社団法人又は一般財団法人に該当するものを除きます。）をいいます（相法66の2②一、相令34④）。

　（注2）　「特定一般社団法人等」とは、一般社団法人等であって次に掲げる要件のいずれかを満たすものをいいます（相法66の2②三）。

　　イ　被相続人の相続開始の直前におけるその被相続人に係る同族理事の数の理事の総数のうちに占める割合が2分の1を超えること。

　　ロ　被相続人の相続の開始前5年以内においてその被相続人に係る同族理事の数の理事の総数のうちに占める割合が2分の1を超える期間の合計が3年以上であること。

　（注3）　「同族理事」とは、一般社団法人等の理事のうち、被相続人又はその配偶者、三親等内の親族その他の当該被相続人と特殊の関係のある者をいいます（相法66の2②二、相令34③）。

第三節　財産の所在

　相続税の課税対象となる財産は、納税義務者の区分（無制限納税義務者又は制限納税義務者の別）

と相続財産の所在（日本国内にあるか日本国外にあるか）の組合せによって異なります。したがって、相続財産の所在がどこかということの判定は、相続税の課税、納税に当たり重要な問題になります。そこで、相続税法では、財産の所在について、次のように規定しています（相法10）。

なお、相続財産の所在は、財産を相続又は遺贈により取得した時の現況によって判定します（相法10④）。

1　動産、不動産、不動産の上に存する権利

動産、不動産又は不動産の上に存する権利（地上権、借地権、永小作権、その他）についてはその動産又は不動産の所在によることとされています（相法10①一）。

なお、船舶の所在については、船籍の所在（船舶法5）により、航空機の所在については、航空機を登録（航空法3）した機関の所在によることになっていますが、船舶のうち船籍のない船舶については、一般の動産と同様にその現実の所在により判定します（相基通10-1）。

2　鉱業権、租鉱権、採石権

鉱業権及び租鉱権については、鉱区の所在により、また採石権については、採石場の所在によることとされています（相法10①二）。

（注1）　鉱業権とは、「登録を受けた一定の土地の区域（鉱区）において、登録を受けた鉱物及びこれと同種の鉱床中に存する他の鉱物を掘採し、及び取得する権利」（鉱業法5）をいいます。鉱業権は、物権とみなされ、原則として民法その他の法律の不動産に関する規定が準用されます（同法12）。

（注2）　租鉱権とは、「設定行為に基づき、他人の鉱区において、鉱業権の目的となっている鉱物を掘採し、及び取得する権利」（同法6）をいい、物権とみなされ、原則として、不動産に関する規定が準用されます（同法71）。

（注3）　採石権とは、採石法によって創設された物権であり、「設定行為をもって定めるところに従い、他人の土地において岩石及び砂利を採取する権利」をいい、地上権に関する規定が準用されます（採石法4）。

3　漁業権、入漁権

漁業権又は入漁権については、漁場に最も近い沿岸の属する市町村又はこれに相当する行政区画の所在によることとされています（相法10①三）。

（注1）　漁業権とは、通常、都道府県知事の免許によって設定される、海面・湖沼その他公共水面及びそれと接続する水面の区画を限り、漁業を独占する権利をいい、定置漁業権、区画漁業権、共同漁業権の3種があります（漁業法60、69）。漁業権は、物権とみなされ、土地に関する規定が準用されます（同法77）。

（注2）　入漁権とは、設定行為に基づき、他人の区画漁業権（その内容たる漁業を自ら営まない漁業協同組合又は漁業協同組合連合会が免許を受けるものに限ります。）又は共同漁業権に属する漁場において当該漁業権の内容たる漁業の全部又は一部を営む権利をいいます（漁業法60）。入漁権は、物権とみなされます（同法98）。

4　預金、貯金、積金、寄託金

金融機関に対する預金、貯金、積金又は寄託金で次に掲げるものについては、その受入れをした営業所又は事業所の所在によることとされています（相法10①四、相令1の13）。

①　銀行、無尽会社又は株式会社商工組合中央金庫に対する預金、貯金又は積金

②　農業協同組合、農業協同組合連合会、水産業協同組合、信用協同組合、信用金庫又は労働金庫に対する預金、貯金又は積金

5　保険金

保険金については、その保険（共済を含みます。）の契約に係る保険会社等（保険業又は共済事業を

-692-

行う者をいいます。）の本店又は主たる事務所（日本国内に本店又は主たる事務所がない場合において、日本国内にその保険の契約に係る事務を行う営業所、事務所その他これらに準ずるものを有するときにあっては、その営業所、事務所その他これらに準ずるものをいい、**6**において同じです。）の所在によることとされています（相法10①五）。

6 退職手当金等

退職手当金、功労金その他これらに準ずる給与（政令で定める給付を含みます。）については、その給与を支払った者の住所又は本店若しくは主たる事務所の所在によることとされています（相法10①六）。

(注) 退職手当金等に含まれる政令で定める給付は、確定給付企業年金などの年金又は一時金に関する権利とされますが、この政令の規定は第四章第二節の**2**の(注)と同じです（相令1の3）。

7 貸 付 金 債 権

貸付金債権については、債務者の住所又は本店若しくは主たる事務所の所在によることとされています。

なお「債務者」が二以上ある場合には、主たる債務者の住所又は本店若しくは主たる事務所の所在により判定し、主たる債務者がないときは、次によります（相法10①七、相令1の14）。

① その貸付金債権の債務者のうちに日本国内に住所又は本店若しくは主たる事務所を有する者があれば、その者（その者が二以上あるときは、いずれか一の者）の住所又は本店若しくは主たる事務所の所在

② その貸付金債権の債務者のうちに日本国内に住所又は本店若しくは主たる事務所を有する者がないときは、当該債務者の住所又は本店若しくは主たる事務所の所在

(注) 貸付金債権とは、債権の発生原因が金銭の貸与による一切の権利をいい、いわゆる融通手形による貸付金を含み、売掛債権、いわゆる商業手形債権その他事業取引に関して発生した債権で短期間内（おおむね6か月以内）に返済されるべき性質のものは含まれないものとして取り扱われます（相基通10－3）。

8 社債、株式、法人に対する出資

社債若しくは株式又は法人に対する出資については、その社債若しくは株式の発行法人又は出資のされている法人の本店又は主たる事務所の所在によることとされています。この場合の「株式」には、株式に関する権利が含まれ、「出資」にも同様、出資に関する権利が含まれます（相基通10－5）。

また、外国預託証券の所在は、外国預託証券に係る株式の発行法人の本店又は主たる事務所の所在によることとされています（相法10①八、相令1の15）。

(注) 外国預託証券とは、株主との間に締結した契約に基づき株券の預託を受けた者が外国において発行する有価証券で、その株式に係る権利を表示するものをいいます。

9 集団投資信託、法人課税信託に関する権利

法人税法第2条第29号《定義》に規定する集団投資信託又は同条第29号の2に規定する法人課税信託に関する権利については、これらの信託の引受けをした営業所、事務所その他これらに準ずるものの所在によることとされています（相法10①九）。

10 工業所有権（特許権、実用新案権、意匠権、これらの実施権、商標権）、回路配置利用権、育成者権

特許権、実用新案権、意匠権若しくはこれらの実施権で登録されているもの、商標権又は回路配置利用権、育成者権若しくはこれらの利用権で登録されているものの所在については、その登録をした機関の所在によることとされています（相法10①十）。

(注) 特許権（特許法）、実用新案権（実用新案法）、意匠権（意匠法）、商標権（商標法）を総称して「工業所

－693－

第三章第三節《財産の所在》

有権」といいます。工業所有権は、産業上の無体的利益の独占的、排他的な支配を目的とする財産権です。

11 著作権、出版権、著作隣接権

著作権、出版権又は著作隣接権で、これらの権利の目的物が発行されているものの所在は、その目的物を発行する営業所又は事業所の所在によることとされています（相法10①十一）。

> (注)　著作権とは、文書・演述・図画・建築・彫刻・模型・写真・演奏・歌唱その他文芸、学術若しくは美術（音楽を含みます。）の範囲に属する著作をした者が、自己の著作成果を発行、複製、翻訳し、又は他人が、それをすることを許諾する権利をいいます（著作権法17、21ないし28）。著作権は、その全部又は一部を譲渡することができます（同法61）。

12 低額譲受

相続税法第7条（第五編第三章第三節の3の(1)（1104ページ）参照）の規定によって遺贈により取得したとみなされる金銭については、そのみなされる基因となった財産の種類に応じ、相続税法第10条（財産の所在）に規定する場所によることとされています（相法10①十二）。

13 営業上等の権利（1～12以外のもの）

上記1から12までに述べた財産以外の財産で、営業所又は事業所を有する者のその営業所又は事業所に係る営業上又は事業上の権利の所在については、その営業所又は事業所の所在によることとされています（相法10①十三）。

> (注)　営業上の権利には、売掛金等のほか、その営業又は事業に関する営業権、電話加入権等を含むことになっています（相基通10－6）。

14 国債、地方債

国債又は地方債の所在については、日本国内にあるものとします。また、外国又は外国の地方公共団体その他これに準ずるものの発行する公債は、その発行国にあるものとされています（相法10②）。

15 その他の財産

上記1から14までに述べた財産以外のその他の財産の所在は、その財産の権利者であった被相続人の住所の所在によることとされています（相法10③）。

－694－

第四章　相続税の課税財産

　相続税の課税対象となる財産は、原則として民法に定める相続又は遺贈によって取得した財産です。

　しかし、相続又は遺贈によって取得した財産には該当しないものであっても、実質的には相続又は遺贈によって財産を取得したのと同様な経済的効果があるものについては、相続税法でこれらの財産を相続又は遺贈によって取得したものとみなして相続税が課税されることになっています。

　なお、課税される財産の範囲は、無制限納税義務者（居住・非居住）については、相続又は遺贈により取得した財産の全部であり、制限納税義務者については、相続又は遺贈により取得した財産で日本国内（法施行地内）にあるものだけです（相法2）。

　また、特定納税義務者（第三章第一節の3参照）に該当する場合（無制限納税義務者や制限納税義務者に該当する場合を除きます。）については、相続又は遺贈により財産を取得しなかった場合でも、相続時精算課税の適用を受けた贈与財産についてのみ相続税の課税財産とみなされます。

【納税義務者の区分別の課税財産】

納税義務者の区分	課税される財産
① 居住無制限納税義務者 ② 非居住無制限納税義務者	取得したすべての財産
③ 制限納税義務者	日本国内にある財産
④ 特定納税義務者（①～③に該当する者を除きます。）	相続時精算課税の適用を受けた贈与財産

> **(注)**　日本国外にある財産について相続税が課税される場合において、外国の法規により、その財産について相続税又はこれに相当する租税が課されている時は、国際二重課税の問題が生じますので、これを調整する目的で、「在外財産に対する相続税額の控除」の規定（相法20の2）が設けられています（第六章第二節の2の(8)（775ページ）参照）。

第一節　相続又は遺贈によって取得する本来の相続財産

　相続が開始すると、「相続人は被相続人の財産に属した一切の権利及び義務を承継する」ことになります。この「一切の権利義務」を本来の相続財産といい、消極財産も含まれます。しかし、相続税法上「課税対象となる財産」という場合には、積極財産（後述の非課税財産は含まれません。）だけを意味し、消極財産は除外されます。

　なお、ここでいう「財産」とは、必ずしも私法上の財産と一致するものではなく、金銭に見積もることができる経済的価値のあるすべてのものをいいます。

　具体的に相続税の課税対象となる財産とは、被相続人が相続開始の時に有していた土地、建物、借家権、借地権、有価証券、預貯金、現金、貴金属、書画骨とう、立木等の一切の財産をいいますが、①物権、債権、無体財産権だけでなく、信託受益権、電話加入権等も含まれること、②法律上の根拠を有しないものであっても経済的価値のあるもの、例えば、営業権のようなものも含まれること、③質権、抵当権又は地役権（区分地上権に準ずる地役権を除きます。）のような従たる権利は、主たる権利の価値を担保し、又は増加させるものであって、独立して財産を構成しないものであり、この財産から除かれること、などに注意する必要があります（相基通11の2－1）。

－695－

第四章第二節《相続又は遺贈によって取得したものとみなされる財産》

第二節　相続又は遺贈によって取得したものとみなされる財産

相続税法では、民法上は本来の相続又は遺贈によって取得した財産ではないのですが、実質的には、これと同様な経済的効果があるものについては、課税の公平を図る見地から、相続又は遺贈によって取得したものとみなして、相続税の課税財産としています。これを一般に「みなし相続財産」といいます。

なお、「みなし相続財産」を取得した場合の相続又は遺贈の区分は次によります（相法3）。

① その利益を受けた者が、**相続人**（相続の放棄をした者又は相続権を失った者を除きます。以下第二節について同じ。）であるときは、相続により取得したものとみなされます。

② その利益を受けた者が、①以外の者であるときは、遺贈によって取得したものとみなされます。

また、相続を放棄した者が相続税法第3条第1項各号に掲げる財産を取得した場合には、当該財産は遺贈により取得したものとみなされます（相基通3－3）。

この、みなし相続財産には次のものがあります。

（注1） 相続人は、自己のために相続の開始があった時から3か月以内に、家庭裁判所に申述することにより、相続を放棄することができます（民法915、938）。相続を放棄した者は、その相続に関しては、初めから相続人でなかったものとみなされます（第二章第一節の5（681ページ）参照）。

したがって、正式に放棄の手続をとらないで、事実上相続財産を取得しなかった者は、相続を放棄した者とはいいません（相基通3－1）。

（注2） 「相続権を失った者」とは、民法第891条《相続人の欠格事由》の各号に該当する者、同法第892条《推定相続人の廃除》及び同法第893条《遺言による推定相続人の廃除》の規定による推定相続人の廃除の請求に基づいて相続権を失った者だけをいいます（相基通3－2）。

1　生命保険金等

被相続人の死亡により取得する生命保険契約（保険業法第2条第3項《定義》に規定する生命保険会社と締結した保険契約（これに類する共済に係る契約を含みます。）その他の政令で定める契約（**注1参照**）をいいます。）の保険金（共済金を含みます。）又は偶然の事故に基因する死亡に伴い支払いを受ける損害保険契約（保険業法第2条第4項に規定する損害保険会社と締結した保険契約その他の政令で定める契約（**注2参照**）をいいます。）の保険金で、被相続人がその保険料の全部又は一部を負担していたものについては、その負担していた保険料に相当する保険金額、すなわち、次の算式により計算した金額に相当する部分については、その受取人が相続又は遺贈によって取得したものとみなして相続税が課税されます（相法3①一、相令1の2）。

$$\text{生命保険金又は} \atop \text{損害保険金の額} \times \frac{\text{被相続人が負担した保険料の金額}}{\text{相続開始の時までの払込保険料の金額}}$$

（注1） 生命保険会社と締結した保険契約その他の政令で定める契約とは次のものをいいます。

① 保険業法第2条第3項《定義》に規定する生命保険会社と締結した保険契約又は同条第6項に規定する外国保険業者若しくは同条第18項に規定する少額短期保険業者と締結したこれに類する保険契約

② 郵政民営化法等の施行に伴う関係法律の整備等に関する法律第2条《法律の廃止》の規定による廃止前の簡易生命保険法第3条《政府保証》に規定する簡易生命保険契約（簡易生命保険法の一部を改正する法律附則第5条第15号《用語の定義》に規定する年金保険契約及び同条第16号に規定する旧年金保険契約を除きます。）

③ 農業協同組合法第10条第1項第10号《事業の種類》の事業を行う農業協同組合又は農業協同組合連合会と締結した生命共済に係る契約

④ 水産業協同組合法第11条第1項第12号《事業の種類》若しくは第93条第1項第6号の2《事業の種類》の事業を行う漁業協同組合若しくは水産加工業協同組合又は共済水産業協同組合連合会と締結した生命共済に係る契約（漁業協同組合又は水産加工業協同組合と締結した契約にあっては、財務省令で定める要

－696－

件を備えているものに限ります。）

⑤　消費生活協同組合法第10条第１項第４号《事業の種類》の事業を行う消費生活協同組合連合会と締結した生命共済に係る契約

⑥　中小企業等協同組合法第９条の２第７項《事業協同組合及び事業協同小組合》に規定する共済事業を行う同項に規定する特定共済組合と締結した生命共済に係る契約

⑦　独立行政法人中小企業基盤整備機構と締結した小規模企業共済法第２条第２項《定義》に規定する共済契約のうち小規模企業共済法及び中小企業事業団法の一部を改正する法律附則第５条第１項《旧第２種共済契約に係る小規模企業共済法の規定の適用についての読替規定》の規定により読み替えられた小規模企業共済法第９条第１項各号《共済金》に掲げる事由により共済金が支給されることとなるもの

⑧　相続税法<u>第12条第１項第４号</u>に規定する共済制度に係る契約

⑨　法律の規定に基づく共済に関する事業を行う法人と締結した生命共済に係る契約で、その事業及び契約の内容が③から⑥までに掲げるものに準ずるものとして財務大臣の指定するもの

（注）　上記<u>　　</u>下線部分については、公益信託に関する法律（令和６年法律第30号）の施行の日（公布の日（令和６年５月22日）から起算して２年を超えない範囲内において政令で定める日）以後、「第12条第１項第４号」が「第12条第１項第５号」に改められます（令６改相令附）。

※　②以外の契約には、これらの者と締結した保険法第２条第９号《定義》に規定する傷害疾病定額保険契約が含まれます（相基通３−４）。

（注２）　損害保険会社と締結した保険契約その他の政令で定める契約とは、次のものをいいます。

①　保険業法第２条第４項に規定する損害保険会社と締結した保険契約又は同条第６項に規定する外国保険業者若しくは同条第18項に規定する少額短期保険業者と締結したこれに類する保険契約

②　**（注１）**の③に規定する農業協同組合又は農業協同組合連合会と締結した傷害共済に係る契約

③　**（注１）**の④に規定する漁業協同組合若しくは水産加工業協同組合又は共済水産業協同組合連合会と締結した傷害共済に係る契約（漁業協同組合又は水産加工業協同組合と締結した契約にあっては、財務省令で定める要件を備えているものに限ります。）

④　**（注１）**の⑤に規定する消費生活協同組合連合会と締結した傷害共済に係る契約

⑤　**（注１）**の⑥に規定する特定共済組合と締結した傷害共済に係る契約

⑥　条例の規定により地方公共団体が交通事故に基因する傷害に関して実施する共済制度に係る契約

⑦　法律の規定に基づく共済に関する事業を行う法人と締結した傷害共済に係る契約で、その事業及び契約の内容が②から⑤までに掲げるものに準ずるものとして財務大臣の指定するもの

※上記の契約には、これらの者と締結した保険法第２条第９号《定義》に規定する傷害疾病定額保険契約が含まれます（相基通３−５）。

　被相続人の死亡を保険事故として、相続人その他の保険金受取人が取得する保険金は、保険契約によるものであり、相続により取得するものではありません。なぜなら、保険金受取請求権は、被相続人の死亡によって発生しますから、被相続人は、この請求権を取得せず、したがって相続財産には含まれないからです。つまり、保険金受取請求権は、被相続人からの承継取得ではなく、保険金受取人である相続人の原始取得であるということです。

　以上のように、保険金は、本来の相続財産を構成しませんから、「みなし相続財産」として、相続税法で、保険金を取得した者に対し、課税することにしています。

> 被相続人の交通事故死等により加害者から遺族に支払われる慰謝料その他の損害賠償金（財産的損害分を除く。）は、相続税、所得税とも非課税です。

（１）　生命保険金の受取人の判定

　保険金受取人とは、その保険契約に係る保険約款等の規定に基づいて、保険事故の発生により保険金を受け取る権利を有する者をいいます。ただし、保険契約上の保険金受取人以外の者が現実に保険金を取得している場合において、保険金受取人の変更の手続がなされていなかったことにつきやむを得ない事情があると認められる場合など、現実に保険金を取得した者がその保険金を取得することについて相当な理由があると認められるときは、上記原則にかかわらず、その保険金を取得した者が保険金受取人となります（相基通３−11、３−12）。

第四章第二節《相続又は遺贈によって取得したものとみなされる財産》

（2） 被相続人以外の第三者が保険料の一部を負担している場合

被相続人の死亡を保険事故として生命保険金を受け取った場合でも、その保険金に対する保険料の全部又は一部を被相続人及び受取人以外の個人が負担していた場合には、その保険金を受け取った者は、その保険料を負担した個人から、次の算式で計算した金額に相当する部分の贈与を受けたものとみなして贈与税が課税されます（相法5、相基通3－16）。

$$
生命保険金の額 \times \frac{被相続人及び受取人以外の個人が負担した保険料の金額}{相続開始の時までの払込保険料の金額}
$$

（3） 雇用主が保険料を負担している場合

雇用主がその従業員（役員を含みます。）のために、その者（その者の配偶者その他の親族を含みます。）を被保険者とする生命保険契約又はこれらの者の身体を保険の目的とする損害保険契約に係る保険料の全部又は一部を負担している場合において、保険事故の発生により従業員その他の者が、その契約に係る保険金を取得したときは、次に掲げる区分によって取り扱うこととされています。ただし、雇用主がその保険金を従業員の退職手当金等として支給することとしている場合には、その保険金は次の2の退職手当金等に該当するものとして、この取扱いは適用されません（相基通3－17）。

① 従業員の死亡を保険事故としてその相続人その他の者が、保険金を取得した場合……雇用主が負担した保険料は、その従業員が負担していたものとして、その保険料に対応する部分については、相続税法第3条第1項第1号の規定が適用されます。

② 従業員以外の者の死亡を保険事故としてその従業員が保険金を取得した場合……雇用主が負担した保険料は、その従業員が負担していたものとして、その保険料に対応する部分については、相続税及び贈与税の課税関係は生じないものとされます。

③ 従業員以外の者の死亡を保険事故としてその従業員及びその被保険者以外の者が保険金を取得した場合……雇用主が負担した保険料は、その従業員が負担していたものとして、その保険料に対応する部分については、相続税法第5条第1項《みなし贈与》の規定が適用されます。

（4） 「被相続人が負担した保険料」の意義

被相続人が負担した保険料は、保険契約に基づき払い込まれた保険料の合計額によりますが、次に掲げる場合における保険料については、それぞれ次のように取り扱われます（相基通3－13）。

① 保険料の一部につき払込みの免除があった場合……免除された部分の保険料は保険契約に基づき払い込まれた保険料には含まれません。

② 振替貸付けによる保険料の払込みがあった場合（振替貸付けに係る貸付金の金銭による返済がされたときを除きます。）又は未払込保険料があった場合……振替貸付けに係る部分の保険料又は控除された未払込保険料に相当する部分の保険料は保険契約者が払い込んだ保険料に含まれます。

(注) 生命保険契約が、いわゆる契約転換制度により、既存の生命保険契約（「転換前契約」）を新たな生命保険契約（「転換後契約」）に転換したものである場合における「被相続人が負担した保険料」には、転換前契約に基づいて被相続人が負担した保険料も含まれます。この場合において、転換に際し転換前契約に係る契約者貸付金等の額が転換前契約に係る責任準備金（共済掛金積立金、剰余金、割戻金及び前納保険料を含みます。）をもって精算されているときは、その精算された契約者貸付金等の額に相当する金額は、転換前契約に係る契約者が取得した保険金の一部とみなされます（相基通5－7）ので、この場合の保険契約者が被相続人であった場合の「転換前契約に基づいて被相続人の負担した保険料」は次の算式により計算した金額となります（相基通3－13(注)）。

$$
\begin{bmatrix} 転換前契約に基づき \\ 被相続人（契約者）が \\ 支払った保険料の額 \end{bmatrix} \times \frac{（A）－精算された契約者貸付金等}{転換前契約に基づく保険金額（A）}
$$

〔計算例〕

（1） 転換前契約

イ 死亡保険金　　1,500万円

－698－

ロ　満期保険金　　500万円（30年満期）

ハ　契約後10年目に次の転換後契約に転換

ニ　転換前契約に基づき支払った保険料　240万円（全額被相続人負担）

ホ　転換に際し精算された契約者貸付金　100万円

（2）　転換後契約

イ　死亡保険金　5,000万円

ロ　転換後被相続人が支払った保険料　480万円

ハ　転換後保険金受取人が支払った保険料　　200万円

（3）　転換後8年目に被保険者（被相続人）死亡

イ　被相続人の負担した保険料

$$240万円 \times \frac{1,500万円 - 100万円}{1,500万円} + 480万円 = 704万円$$

ロ　みなし相続財産となる生命保険金の額

$$5,000万円 \times \frac{704万円}{704万円 + 200万円} = 38,938,053円$$

（注）　$\{(50,000,000円 - 38,938,053円) - 200万円 - 50万円\} \times \frac{1}{2} = 4,280,973円$（一時所得）

（5）　被保険者の傷害、疾病等で死亡を伴わないものを保険事故として支払われる保険金

被保険者の傷害、疾病その他これらに類するもので死亡を伴わないものを保険事故として被保険者に支払われる保険金又は共済給付金等は、死亡により支払われる生命保険金等ではありませんので、それが被保険者の死亡後に支払われた場合でも「みなし相続財産」とはならず、被保険者たる被相続人の本来の相続財産になります（相基通3－7）。

（6）　保険金とともに支払を受ける剰余金、割戻金等

相続又は遺贈により取得したとみなされる保険金には、保険契約に基づき分配を受ける剰余金、割戻しを受ける割戻金及び払戻しを受ける前納保険料の額で、保険契約に基づき保険金とともに保険金受取人（共済金受取人を含みます。）が支払を受けるものが含まれます（相基通3－8）。

（7）　契約者貸付金等がある場合の保険金の額

保険契約に基づき保険金が支払われる場合に保険契約者（共済契約者を含みます。）に対する貸付金若しくは保険料の振替貸付けに係る貸付金又は未払込保険料の額（いずれもその元利合計金額とし、以下これらの合計金額を「契約者貸付金等の額」といいます。）があるため、保険金の支払額からその契約者貸付金等の額が控除されるときの取扱いは、次に掲げる場合の区分に応じ、それぞれ次によります（相基通3－9）。

①　被相続人が保険契約者である場合

保険金受取人は、契約者貸付金等の額を控除した金額に相当する保険金を取得したものとし、契約者貸付金等の額に相当する保険金及び契約者貸付金等の額に相当する債務は相殺されたものとみなし、いずれもなかったものとされます。

②　被相続人以外の者が保険契約者である場合

保険金受取人は、契約者貸付金等の額を控除した金額に相当する保険金を取得したものとし、控除された契約者貸付金等の額に相当する部分については、保険契約者が取得した保険金とします。

（8）　無保険車傷害保険契約に係る保険金の適用除外

無保険車傷害保険契約に基づいて取得する保険金は、損害賠償金としての性格を有することから相続又は遺贈により取得したものとみなされる保険金には含まれません（相基通3－10）。

（9）　養育年金付こども保険に係る保険契約者が死亡した場合の取扱い

被保険者（子）が一定の年齢に達するごとに保険金が支払われるほか、保険契約者（親）が死亡した場合にはその後の保険料を免除するとともに満期に達するまで年金を支払ういわゆる養育年金付こ

第四章第二節《相続又は遺贈によって取得したものとみなされる財産》

ども保険に係る保険契約者が死亡した場合における取扱いは、次のとおりです（相基通3－15）。

① 年金受給権に係る課税関係

保険契約者の死亡により被保険者等が取得する年金の受給権の課税関係については、次によります。

イ 保険契約者が負担した保険料に対応する部分の年金の受給権……みなし相続財産となる生命保険金とされます。

ロ 保険契約者以外の者（年金受給権を取得した被保険者を除きます。）が負担した保険料に対応する部分の年金の受給権……その保険料負担者から贈与により取得したものとみなされる生命保険金になり、贈与税の対象となります。

（注） イ及びロに年金の受給権の評価については、相続税法第24条の規定により計算した金額となります（相基通24－2）。

② 生命保険契約に関する権利に係る課税関係

保険契約者の死亡後被保険者が一定の年齢に達するごとに支払われる保険金に係る生命保険契約に関する権利のうち保険契約者が負担した保険料に対応する部分については、保険契約者の権利義務を承継する被保険者が相続により取得したものとみなす「生命保険契約に関する権利」とされます（3参照）。

2 退職手当金、功労金等

被相続人の死亡によって取得した被相続人に支給されるべきであった退職手当金、功労金その他これに準ずる給与（政令で定める給付を含みます。以下「退職手当金等」といいます。）で、被相続人の死亡後3年以内に支給額が確定したものについては、実際に支給される時期が、被相続人の死亡後3年以内であるかどうかを問わずその支給を受ける者が相続又は遺贈によって取得したものとみなされて相続税が課税されます（相法3①二、相基通3－30）。

ただし、支給されることが確定していても、その額が確定していないものについては、ここでいう「支給が確定したもの」には該当しません。

（注） 退職手当金等に含まれる給付として政令で定めているものには、次のものがあります。

① 国家公務員共済組合法第79条の4第1項又は第89条第1項の規定により支給を受ける一時金又は年金（相令1の3一）

② 地方公務員等共済組合法第93条第1項又は第103条第1項の規定により支給を受ける一時金又は年金（相令1の3二）

③ 私立学校教職員共済法第25条において準用する国家公務員共済組合法第79条の4第1項又は第89条第1項の規定により支給を受ける一時金又は年金（相令1の3三）

④ 確定給付企業年金法第3条第1項に規定する確定給付企業年金に係る規約に基づいて支給を受ける年金又は一時金（旧確定給付企業年金法第115条第1項に規定する年金たる給付又は一時金たる給付を含みます。）（相令1の3四）

⑤ 確定給付企業年金法第91条の19第3項、第91条の20第3項、第91条の21第3項、第91条の22第5項又は第91条の23第1項の規定により企業年金連合会から支給を受ける一時金（相令1の3五）

⑥ 平成25年厚生年金等改正法附則第42条第3項、第43条第3項、第44条第3項、第45条第5項、第46条第3項、第47条第3項、第48条第3項、第49条第5項又は第49条の2第1項の規定により存続連合会から支給を受ける一時金（相令1の3六）

⑦ 確定拠出年金法第4条第3項に規定する企業型年金規約又は同法第56条第3項に規定する個人型年金規約に基づいて支給を受ける一時金（相令1の3七）

⑧ 法人税法附則第20条第3項に規定する適格退職年金契約又は雇用主がその従業員（その従業員が死亡した場合には、その者の遺族を含みます。）を受益者又は保険金受取人として信託会社（信託業務を営む金融機関を含みます。）又は生命保険会社と締結した退職給付金に関する信託又は生命保険の契約に基づいて支給を受ける年金又は一時金（相令1の3八、相基通3－26）

⑨ 独立行政法人勤労者退職金共済機構若しくは所得税法施行令第73条第1項に規定する特定退職金共済団体が行う退職金共済に関する制度に係る契約その他同項第1号に規定する退職金共済契約又は雇用主が退職手当金等を支給する事業を行う団体に掛金を納付し、その団体が当該雇用主の従業員の退職について退職手当金等を支給する契約に基づいて支給を受ける年金又は一時金（相令1の3九、相基通3－27）

⑩ 独立行政法人中小企業基盤整備機構の締結した小規模企業共済法第2条第2項に規定する共済契約（1の（**注1**）の⑦に掲げるものを除きます。）に基づいて支給を受ける一時金（相令1の3十）

⑪ 独立行政法人福祉医療機構の締結した社会福祉施設職員等退職手当共済法第2条第9項に規定する退職手当共済契約に基づいて支給を受ける一時金（相令1の3十一）

この「被相続人に支給されるべきであった退職手当金等」というのは、その名目のいかんにかかわらず、実質上被相続人の退職手当金等として支給される金品を意味します。したがって、退職手当金等の支給が現物である場合も含まれることになります（相基通3－24）。

その受けた金品が退職手当金等に該当するかどうかは、その金品が、（イ）退職給与規程その他これに準ずるものの定めに基づいて受けるものである場合には、これにより判定し、（ロ）その他の場合には、その被相続人の地位、功労等を考慮して、その被相続人の雇用主等が営む事業と類似する事業におけるその被相続人と同様の地位にある者が受け、又は受けると認められる額等を勘案して判定することになっています（相基通3－19）。

（1）　法律等の規定に基づく葬祭料、弔慰金等の非課税

次に掲げる法律等の規定に基づいて遺族が受ける弔慰金、花輪代、葬祭料等（以下「弔慰金等」といいます。）については、被相続人に支給されるべきであった退職手当金等に該当しない（非課税）こととされています（相基通3－23）。

① 労働者災害補償保険法第12条の8第1項第4号及び第5号に掲げる遺族補償給付及び葬祭料並びに同法第21条第4号及び第5号に掲げる遺族給付及び葬祭給付

② 国家公務員災害補償法第15条及び第18条に規定する遺族補償及び葬祭補償

③ 労働基準法第79条及び第80条に規定する遺族補償及び葬祭料

④ 国家公務員共済組合法第63条、第64条及び第70条に規定する埋葬料及び弔慰金

⑤ 地方公務員等共済組合法第65条、第66条及び第72条に規定する埋葬料及び弔慰金

⑥ 私立学校教職員共済法第25条の規定において準用する国家公務員共済組合法第63条、第64条及び第70条に規定する埋葬料及び弔慰金

⑦ 健康保険法第100条に規定する埋葬料

⑧ 船員保険法第72条に規定する葬祭料

⑨ 船員法第93条及び第94条に規定する遺族手当及び葬祭料

⑩ 国会議員の歳費、旅費及び手当等に関する法律第12条及び第12条の2に規定する弔慰金及び特別弔慰金

⑪ 地方公務員災害補償法第31条及び第42条に規定する遺族補償及び葬祭補償

⑫ 消防組織法第24条の規定に基づく条例の定めにより支給される消防団員の公務災害補償

⑬ 従業員（役員を除きます。以下⑬において同じ。）の業務上の死亡に伴い、雇用主からその従業員の遺族に支給された退職手当金等のほかに、労働協約、就業規則等に基づき支給される災害補償金、遺族見舞金、その他の弔慰金等の遺族給付金（その従業員に支給されるべきであった退職手当金等に代えて支給される部分を除きます。）で、①から⑫までに掲げる弔慰金等に準ずるもの

（2）　弔慰金等の取扱い

被相続人の死亡により相続人その他の者が受ける弔慰金等については、明らかに退職手当金等に該当すると認められるものを除き、次に掲げる金額（これらの金額より上記（1）の①～⑬に掲げる弔慰金等の金額の方が多いときは、①～⑬に掲げる弔慰金等の金額）を弔慰金等に相当する金額として取り扱い、当該金額を超える部分の金額がある時は、その超える部分に相当する金額は退職手当金等に

該当するものとして取り扱います（相基通3－20）。

① 被相続人の死亡が業務上の死亡であるときは、その雇用主等から受ける弔慰金等のうち、当該被相続人の死亡当時における賞与以外の普通給与の3年分に相当する金額

② 被相続人の死亡が業務上の死亡でないときは、その雇用主等から受ける弔慰金等のうち、当該被相続人の死亡当時における賞与以外の普通給与の半年分に相当する金額

上記の「業務」とは、その被相続人に遂行すべきものとして割り当てられた仕事をいい、「業務上の死亡」とは、直接業務に起因する死亡又は業務と相当因果関係がある死亡をいいます（相基通3－22）。

なお、被相続人が受けるべきであった賞与の額が被相続人の死亡後確定したもの、及び相続開始の時において支給期の到来していない俸給、給料等は、「退職手当金等」に該当せず、本来の相続財産に属します（相基通3－32、3－33）。

（3） 退職手当金等の受取人の判定

被相続人の死亡による退職手当金を誰が取得したかによって、後述の退職手当金の非課税金額（相続人1人当たり500万円）の計算が異なることになりますが、退職手当金等の支給を受けた者とは、次に掲げる場合の区分に応じ、それぞれ次に掲げる者をいうこととされています（相基通3－25）。

① 退職給与規程その他これに準ずるもの（以下「退職給与規程等」といいます。）の定めによりその支給を受ける者が具体的に定められている場合……退職給与規程等により支給を受けることとなる者

② 退職給与規程等により支給を受ける者が具体的に定められていない場合又は被相続人が退職給与規程等の適用を受けない者である場合

イ 相続税の申告書を提出するとき又は国税通則法第24条から第26条までの規定による更正若しくは決定をするときまでに退職手当金等を現実に取得した者があるとき……その取得した者

ロ 相続人全員の協議により退職手当金等の支給を受ける者を定めたとき……その定められた者

ハ イ及びロ以外のとき……その被相続人に係る相続人の全員

（注） この場合には、各相続人は、退職手当金等を各人均等に取得したものとして取り扱われます。

（4） 退職手当金等に該当する生命保険契約に関する権利等

雇用主がその従業員又は役員のために、次に掲げる保険契約又は共済契約（これらの契約のうち一定期間内に保険事故が発生しなかった場合において返還金その他これに準ずるものの支払がないものを除きます。）を締結している場合において、従業員又は役員の死亡によりその相続人その他の者がこれらの契約に関する権利を取得したときは、その権利は、退職手当金等に該当することになります（相基通3－28）。

① 従業員、役員の配偶者その他の親族等を被保険者とする生命保険契約又は損害保険契約

② 従業員、役員又はその者の配偶者その他の親族等の有する財産を保険又は共済の目的とする損害保険契約又は共済契約

（5） 雇用主が保険料を負担している場合の生命保険金等

雇用主が従業員又は役員のために、その者（その者の配偶者その他の親族を含みます。）を被保険者とする生命保険契約又はこれらの者の身体を保険の目的とする損害保険契約に係る保険料の全部又は一部を負担している場合において、その従業員又は役員が死亡したことにより会社が受取保険金をその相続人に対し死亡退職金として支払った場合には、その保険金は、「退職手当金」としてみなし相続財産となります（相基通3－17）。

（6） 退職年金の継続受取人が取得する権利

退職年金を受けている者の死亡により、その相続人その他の者が年金を継続して受けることとなった場合（これに係る一時金を受けることとなった場合を含みます。）においては、その年金の受給に関する権利は、その継続受取人となった者が相続又は遺贈により取得したものとみなされます（相基通3－29）。

（注） この場合の財産は、「契約に基づかない定期金に関する権利」となります。

－702－

第四章第二節《相続又は遺贈によって取得したものとみなされる財産》

（7）　「被相続人の死亡後3年以内に支給が確定したもの」の意義

　「被相続人の死亡後3年以内に支給が確定したもの」とは、被相続人に支給されるべきであった退職手当金等の額が被相続人の死亡後3年以内に確定したものをいい、実際に支給される時期が被相続人の死亡後3年以内であるかどうかを問いません。また支給されることは確定していてもその額が確定しないものについては、支給が確定したものには該当しません（相基通3－30）。なお、被相続人の死亡後3年経過後に支給の確定した退職手当金等は、遺族の一時所得として所得税が課税されます（所基通34－2）。

（8）　被相続人の死亡後支給額が確定した退職手当金等

　被相続人の生前退職による退職手当金等であっても、その支給されるべき金額が、被相続人の死亡前に確定しなかったもので、被相続人の死亡後3年以内に確定したものについては、みなし相続財産である退職手当金等に該当することとなります（相基通3－31）。

3　生命保険契約に関する権利

　相続開始の時において、まだ保険事故（共済事故を含みます。）が発生していない生命保険契約（一定期間内に保険事故が発生しなかった場合において返還金その他これに準ずるものの支払がない生命保険契約〈いわゆる掛捨保険〉を除きます。）で、被相続人が保険料の全部又は一部を負担し、かつ、被相続人以外の者がその生命保険契約の契約者である場合には、その契約に関する権利のうち、被相続人が負担した保険料の額を基に次の算式により計算した金額に相当する部分の金額については、その生命保険契約の契約者が相続又は遺贈により取得したものとみなして相続税が課税されます（相法3①三）。この場合に、被相続人の遺言によって払い込まれた保険料は、被相続人が負担した保険料とみなされます（相法3③）。

$$\text{生命保険契約に関する権利の価額} \times \frac{\text{被相続人が負担した保険料の金額}}{\text{相続開始の時までの払込保険料の金額}}$$

　（注）　生命保険契約に関する権利の価額の評価方法は、第六編に説明しています。

4　定期金に関する権利

　相続開始の時において、まだ定期金の給付事由が発生していない定期金給付契約（生命保険契約を除きます。）で、被相続人がその掛金又は保険料の全部又は一部を負担し、かつ、被相続人以外の者がその契約者である場合には、その定期金に関する権利のうち、相続開始の時までに被相続人が負担した掛金又は保険料の金額に相当する部分、すなわち、次の算式で計算した金額に相当する金額については、掛金又は保険料の負担者である被相続人から、その定期金給付契約の契約者が相続又は遺贈により取得したものとみなして相続税が課税されます（相法3①四）。

$$\text{定期金給付契約に関する権利の価額} \times \frac{\text{被相続人が負担した掛金又は保険料の金額}}{\text{相続開始の時までの払込掛金又は保険料の金額}}$$

　なお、被相続人の遺言により払い込まれた掛金又は保険料は、被相続人が負担した掛金とみなされます（相法3③）。

　（注）　定期金に関する権利の評価については、第六編を参照してください。

5　保証期間付定期金に関する権利

　定期金給付契約で、定期金受取人に対しその生存中、又は一定期間にわたり定期金を給付し、かつ、その受取人が死亡したときは、その死亡後相続人その他の者に引き続いて定期金又は一時金を給付する契約に基づいて、定期金受取人である被相続人の死亡後その定期金又は一時金の受取人となった者について、その定期金又は一時金を受ける権利のうち、被相続人が負担した掛金又は保険料に相当する金額、すなわち、次の算式で計算した金額に相当する金額については、相続又は遺贈により取得し

たものとみなして相続税が課税されます（相法3①五）。

$$\text{定期金給付契約に} \atop \text{関する権利の価額} \times \frac{\text{被相続人が負担した掛金又は保険料の金額}}{\text{相続開始の時までの払込掛金又は保険料の金額}}$$

（注）　この権利の評価については、第六編を参照してください。

6　契約に基づかない定期金に関する権利

被相続人の死亡により相続人その他の者が、定期金（これに係る一時金を含みます。）に関する権利で契約に基づかないもの（恩給法の規定による扶助料に関する権利を除きます。）を取得した場合には、その取得した者は、その権利を相続又は遺贈によって取得したものとみなされ相続税が課税されます（相法3①六）。

この「契約に基づかない定期金に関する権利」には、生存退職した適格退職年金（保証期間）の受給者が受給中に死亡し、その相続人等が、保証期間中の死亡により継続受取人として一時金又は年金の受給権を取得したときの、その受給権などがあります。

なお、上記1又は3から5までの場合は、その被相続人の被相続人つまり二代前の被相続人が負担した保険料又は掛金は、それぞれの被相続人が負担した保険料又は掛金とみなされますが、三代前の被相続人が負担した保険料又は掛金については、その被相続人が負担した保険料又は掛金とはなりません。しかし、1又は3から5までのものを相続又は遺贈によって取得したものとみなされる者が、その前の被相続人、つまり二代前の被相続人から3又は4の権利を相続又は遺贈によって取得したものとみなされている場合には、二代前の被相続人が負担した保険料又は掛金はその者が負担したものとみなして取り扱います。いいかえますと、3又は4については、既に相続又は遺贈によって取得したものとみなされている場合のそのみなされた基礎となった保険料又は掛金は、そのみなされた人が負担した保険料又は掛金であるものとして取り扱うという意味です（相法3②）。

第三節　遺贈により取得したものとみなす場合

1　特別縁故者が受ける財産

民法第958条の2第1項《特別縁故者に対する相続財産の分与》の規定によって、相続財産法人に係る相続財産の全部又は一部を与えられた場合（第二章第一節参照）には、その財産を受けた人が、その財産を受けた時におけるその分与財産の時価に相当する金額を、その財産を所有していた被相続人から遺贈によって取得したものとみなされ相続税が課税されます（相法4①）。

なお、その分与を受けた者が、その被相続人の葬式費用又は療養看護のための入院費用等の金額で相続開始の際にまだ支払われていなかったものを支払った場合であって、これらの金額を相続財産法人から別に受けていないときは、分与を受けた金額から、これらの費用の金額を控除した金額をもって、その分与された価額として取り扱います（相基通4－3）。また、分与を受けた者が、第五節に定める加算対象期間内に、被相続人から贈与により財産を取得したことがある場合には、「相続開始前7年以内に贈与があった場合の相続税額」の規定（相法19）が適用されます（相基通4－4）。

（注）　この財産分与は、個人のほか特別の縁故があった人格のない社団若しくは財団で代表者等の定めのあるもの又は法人（第三章第二節の「個人以外の納税義務者」の項参照）に対しても行われる場合がありますが、これら社団等については、相続税法第66条第1項又は第4項の規定（これらの社団等を個人とみなして相続税を課税）の適用があります（相基通4－2、前述第三章第二節の1又は2（690ページ）参照）。

第四章第三節《遺贈により取得したものとみなす場合》

2 特別寄与料

① 特別寄与料の概要

　平成30年の民法改正前の規定では、被相続人の療養看護等に努め、その財産の維持又は増加に寄与した場合に対する制度として寄与分の規定がありましたが、この対象となるのは相続人のみであり、相続人以外の者が被相続人の療養看護等に努め、被相続人の財産の維持に貢献した場合であっても、相続人でないことから遺産分割協議において分配を請求することはできず、何ら財産を取得することができませんでした。

　そのため、相続人以外の者の貢献を考慮するための方策として特別寄与料の制度が平成30年の民法改正により創設されました。

　具体的には、被相続人に対し、無償で療養看護その他の労務を提供したことにより被相続人の財産の維持又は増加について特別の寄与をした親族（以下「特別寄与者」といいます。）は、相続の開始後、相続人に対し、特別寄与者の寄与に応じた額の金銭の支払を請求することができることとされました。

② 相続税の課税方法（令和元年7月1日以後に開始する相続に係る相続税について適用）

イ　特別寄与者の課税関係

　特別寄与料は相続又は遺贈により取得するものではありませんが、相続税法上、相続人からの特別寄与料の取得を被相続人から特別寄与者に対する遺贈とみなされます（相法4②）。

ロ　特別寄与料を支払った者の課税関係

　特別寄与者が支払を受けるべき特別寄与料の額がその特別寄与者に係る課税価格に算入される場合には、その特別寄与料を支払うべき相続人の課税価格は、相続又は遺贈により取得した財産から特別寄与料の額のうちその相続人が負担すべき金額を控除した金額となります（相法13④）。

第四節　その他の規定で相続又は遺贈により取得したものと　みなされるもの

1　みなし遺贈財産

第二節及び**第三節**においては、相続又は遺贈により取得したものとみなされる財産について説明したのですが、このほか、特別の場合として、次に掲げる場合についても被相続人の遺言によって受けた利益を遺贈によって取得したものとみなして相続税が課税されます。

なお、これらの規定は、主として贈与により取得したものとみなされる財産を中心としていますので、詳細は「第五編　贈与税」で説明することとして、その主なものについて触れておきます。

① 遺言により著しく低い価額の対価で譲渡を受けた場合におけるその対価と時価との差額に相当する金額（相法7）

② 遺言により対価を支払わないで又は著しく低い価額の対価で債務の免除、引受け又は弁済による利益を受けた場合におけるその受けた利益の価額に相当する金額（相法8）

③ ①、②及び④の場合を除くほか、遺言により対価を支払わないで又は著しく低い価額の対価で経済的利益を受けた場合におけるその利益の価額に相当する金額（相法9）

④ 遺贈により取得したものとみなされる信託に関する権利

イ 委託者の死亡に基因して信託の効力が生じた場合に適正な対価を負担せずに受益者等となる者は信託の委託者から信託に関する権利を遺贈により取得したものとみなされる（相法9の2①）。

ロ 受益者等の存する信託についてその受益者等の死亡に基因して適正な対価を負担せずに新たに受益者等が存することとなった場合は、その受益者等となる者は信託に関する権利を受益者等であった者から遺贈により取得したものとみなされる（相法9の2②）。

ハ 受益者等の存する信託について信託の一部の受益者等が死亡し、存しなくなった場合に、適正な対価を負担せずに既に信託の受益者等である者が信託に関する権利について新たに利益を受ける場合は、利益を受ける者はその利益を信託の一部の受益者等であった者から遺贈により取得したものとみなされる（相法9の2③）。

ニ 受益者等の存する信託がその受益者等の死亡に基因して終了した場合に、適正な対価を負担せずに信託の残余財産の給付を受けるべき又は帰属すべきとなった者（以下「残余財産受益者等」といいます。）があるときは、残余財産受益者等は残余財産を受益者等から遺贈により取得したものとみなされる（相法9の2④）。

ホ 委託者の死亡に基因して受益者等が存しない信託の効力が生ずる場合に受益者等となる者が委託者の親族であるときは、信託の受託者は委託者から信託に関する権利を遺贈により取得したものとみなされる（相法9の4①）。

ヘ 受益者等が存する信託につき受益者等が死亡し、不存在となった場合に次に受益者等となる者が委託者又は次に受益者等となる者の前の受益者等の親族であるときは、信託の受託者は次に受益者等となる者の前の受益者等から信託に関する権利を遺贈により取得したものとみなされる（相法9の4②）。

（注）　上記ホ又はへの信託の受託者の相続税額の計算については、相令1の10④参照

2　農地についての贈与税の納税猶予の特例の適用を受けた農地等

農地等を生前に一括贈与した場合、一定の条件に当てはまるときは、その贈与について課税される贈与税の納税猶予が認められます（措法70の4）（第五編第七章第一節（1185ページ）参照）。このような贈与税の納税猶予の適用を受けている場合において、贈与者が死亡したときは、その贈与税は免

－706－

第四章第四節《その他の規定で相続又は遺贈により取得したものとみなされるもの》

除されますが、その農地等は受贈者が相続又は遺贈により取得したものとみなされ、相続税の課税対象となります（措法70の5）。

（注1） この場合の農地等とは、農地法第2条第1項に規定されている農地（同法第43条第1項の規定により農作物の栽培を耕作に該当するものとみなして適用する同法第2条第1項に規定する農地並びにこれらの農地の上に存する地上権、永小作権、使用貸借による権利及び賃借権を含みます。）、農地法第2条第1項に規定する採草放牧地（当該採草放牧地の上に存する地上権、永小作権、使用貸借による権利及び賃借権を含みます。）及び準農地（農業振興地域の整備に関する法律第8条第1項に規定する農業振興地域整備計画において同条第2項第1号に規定する農業上の用途区分が、農地又は採草放牧地とされているものであって、受贈者が開発して、農地又は採草放牧地として農業の用に供することが適当である旨を市町村長が証明したものをいいます。）をいいます。

（注2） 平成4年1月1日以後に行われる農地等の生前一括贈与については、**（注1）**の農地及び採草放牧地のうち特定市街化区域農地等に該当するものについて納税猶予の適用はありません。この場合の特定市街化区域農地等とは、市街化区域内に所在する農地及び採草放牧地で、平成3年1月1日において次に掲げる区域内に所在するもののうち都市営農農地等以外のものをいいます（特定市街化区域農地等については、799ページの**（注1）**を参照してください。）。

イ　東京都の特別区の区域

ロ　首都圏、近畿圏、中部圏にある政令指定都市（横浜、川崎、名古屋、京都、大阪、神戸の各市をいいます。）の区域

ハ　ロに掲げた市以外の市でその区域の全部又は一部が「既成市街地等」（528ページ）又は「近郊整備地帯等」にあるものの区域

なお、上記の「都市営農農地等」とは、次に掲げる農地又は採草放牧地で平成3年1月1日において上記イからハまでに掲げる区域内に所在するものをいいます。

㋑　都市計画法第8条第1項第14号に掲げる生産緑地地区内にある農地又は採草放牧地（生産緑地法第10条（同法第10条の5の規定により読み替えて適用する場合を含みます。）又は第15条第1項の規定による買取りの申出がされたもの並びに同法第10条第1項に規定する申出基準日までに同法第10条の2第1項の特定生産緑地の指定がされなかったもの、同法第10条の3第2項に規定する指定期限日までに特定生産緑地の指定の期限の延長がされなかったもの及び同法第10条の6第1項の規定による指定の解除がされたものを除きます。）

㋺　都市計画法第8条第1項第1号に掲げる田園住居地域内にある農地（㋑の農地を除きます。）

㋩　都市計画法第58条の3第2項に規定する地区計画農地保全条例による制限を受ける同条第1項に規定する区域内にある農地（㋑及び㋺の農地を除きます。）

（注3） 平成17年4月1日以後に行われる農地等の生前一括贈与については、一定の遊休農地について納税猶予の適用はありません。

（1）　農業を引き続き3年以上営む個人がその農業の用に供している農地等を、その人の推定相続人であり、かつ、年齢18歳以上でそれまでに3年以上農業に従事していた者のうちの1人に、その農地の全部と採草放牧地及び準農地の3分の2以上の面積を贈与し、その推定相続人が農地等を取得した日後速やかに当該農地等に係る農業経営を行い、農業委員会の証明の時において効率的かつ安定的な農業経営の基準として農林水産大臣が定めるものを満たす農業経営を行っている場合には、その贈与について課税される贈与税の納税については、その贈与者の死亡の日まで猶予され、猶予されていた贈与税額は同日をもって免除されます。しかし、農地等の贈与を受けた後において、その贈与者の死亡の日までにその農地等の一定面積を譲渡又は贈与等した場合には、猶予期限が確定し、これらの事実があった日から2か月を経過する日までに贈与税を納付しなければならないことになっています（措法70の4①㉞、措令40の6①③⑤⑥）。

　また、贈与者が死亡するより前に受贈者が死亡したときは、その納税猶予されていた贈与税は免除されます。

（2）　贈与税の納税猶予の適用を受けている場合において、贈与者が死亡したときは、猶予されていた贈与税は免除されますが、その農地等については、受贈者が贈与者から相続又は遺贈により取得

—707—

したものとみなされ、相続税が課税されることになります。

この場合、相続又は遺贈により取得したとみなされる農地等は、贈与者の死亡時において、現に納税猶予の適用を受けている特例農地等であって、一定の要件に該当するときは贈与者の死亡に係る相続税についての納税猶予（措法70の6）（第八章第一節（794ページ）参照）の適用を受けることができます。ただし、平成4年1月1日以後に相続又は遺贈により取得したものとみなされる農地等のうち、（注2）に述べた特定市街化区域農地等に該当する農地等については、それまで平成3年改正前の租税特別措置法による贈与税の納税猶予の適用を受けていた農地等であっても、相続税の納税猶予の適用を受けることはできません（措通70の6-2(3)）。

また、相続税の計算の基になる農地等の価額は、贈与時の価額ではなく、その死亡の日における価額となります。

（3）　贈与税の納税猶予の適用を受けている者が、贈与者の死亡の日前に、納税猶予の対象となる特例農地等の全部又は一部を贈与、譲渡等（平成4年1月1日以後の贈与に係る農地等については、都市営農農地等の買取りの申出等を含みます。）することによって、その猶予税額の全部又は一部について猶予期限が確定しており、かつ、その受贈者が死亡した贈与者から相続又は遺贈により財産を取得しているときは、猶予期限の確定に係る農地等（相続開始前<u>7年</u>以内の贈与により取得した農地等に限ります。）は、「相続開始前<u>7年</u>以内の贈与財産」として、相続税が課税されます（相法19）。

> （注）　上記の＿＿線部分の規定は、令和5年12月31日以前に贈与により取得する財産に係る相続税については、「7年」とあるのは、「3年」とします（令5改法附19①）。

なお、この場合の農地等の価額は、贈与の日における価額となり、相続税の納税猶予の適用が受けられる農地等には含まれないこととされています（措通70の5-1(2)）。

3　非上場株式等についての贈与税の納税猶予の特例を受けた株式等

非上場株式等を一定の要件のもとに贈与を行った場合、非上場株式等についての贈与税の納税猶予の特例を受けることができます（措法70の7、70の7の5）（第五編第八章（1244ページ）及び第九章（1267ページ）参照）。

この特例の適用を受けている場合において、贈与者が死亡するとその猶予されていた税額は免除されます。そして、その贈与者の死亡に係る相続税について、受贈者は、その非上場株式等を贈与者から相続等により取得したものとみなされ、相続税の課税の対象となります（措法70の7の3、70の7の7）（第九章第二節の1（889ページ）及び第十章第二節の1（901ページ）参照）。

また、当該相続等によって取得した非上場株式等は一定の要件を満たすとその贈与者の死亡に係る相続税について相続税の納税猶予の特例を受けることができます（措法70の7の4、70の7の8）（第九章第二節の2（890ページ）及び第十章第二節の2（901ページ）参照）。

第五節　相続開始前7年以内に被相続人から贈与を受けた財産

相続又は遺贈により財産を取得した者が、<u>その相続の開始前7年以内に</u>、その相続に係る被相続人から財産の贈与を受けたことがある場合には、その者についてはその贈与によって取得した財産（非課税財産及び特定贈与財産を除きます。<u>（以下「加算対象贈与財産」といいます。））</u>の価額（「<u>加算対象贈与財産のうちその相続の開始前3年以内に取得した財産以外の財産にあっては、その財産の価額の合計額から100万円を控除した残額</u>）を相続税の課税価格に加算した価額を相続税の課税価格とみなします（相法19①）。この「贈与によって取得した財産の価額」とは、その者についてはその財産を贈与により取得した時の時価によって評価した、贈与税の基礎控除前の価額をいいます。

ただし、相続又は遺贈によって財産を取得した者が、その相続の開始の年の1月1日から相続開始

の日までの間にその相続に係る被相続人から贈与によって取得した財産（特定贈与財産に該当するものを除きます。）があるときは、その財産の価額については、その価額をその人の相続税の課税価格に加算しますが、贈与税は課税しないことになっています（相法21の2④）。

- **（注1）** 上記の＿＿部分の規定は、令和5年12月31日以前に贈与により取得する財産に係る相続税については、「その相続の開始前7年以内」とあるのは「その相続の開始前3年以内」とし、「（以下「加算対象贈与財産」といいます。））の価額（「加算対象贈与財産のうちその相続の開始前3年以内に取得した財産以外の財産にあっては、その財産の価額の合計額から100万円を控除した残額」とあるのは「）の価額」とします（令5改法附19①）。
- **（注2）** 令和6年1月1日から令和8年12月31日までの間に相続又は遺贈により財産を取得する者については、上記＿＿部分の「その相続の開始前7年以内」とあるのは「その相続の開始前3年以内」となります（令5改法附19②）。
- **（注3）** 令和9年1月1日から令和12年12月31日までの間に相続又は遺贈により財産を取得する者については、上記＿＿部分の「その相続の開始前7年以内」とあるのは「令和6年1月1日からその相続開始の日までの間」となります（令5改法附19③）。

　加算対象贈与財産及び加算対象贈与財産のうち「相続の開始前3年以内に取得した財産以外の財産」は、相続又は遺贈により財産を取得した者に係る次に掲げる日の区分に応じ、これらの財産ごとにそれぞれに掲げる期間において贈与により取得した財産をいうことになります（相基通19－2）。

相続又は遺贈により財産を取得した日	加算対象贈与財産に係る期間 **（加算対象期間）**	「相続の開始前3年以内に取得した財産以外の財産」に係る期間
令和6年1月1日から令和8年12月31日まで	相続の開始の日から遡って3年目の応当日から当該相続の開始の日までの間	
令和9年1月1日から令和12年12月31日まで	令和6年1月1日から相続の開始の日までの間	令和6年1月1日から、相続の開始の日から遡って3年目の応当日の前日までの間
令和13年1月1日以後	相続の開始の日から遡って7年目の応当日から当該相続の開始の日までの間	相続の開始の日から遡って7年目の応当日から、当該相続の開始の日から遡って3年目の応当日の前日までの間

- **（注）** 相続又は遺贈により財産を取得した日が令和9年1月1日である場合においては、相続の開始の日から遡って3年目の応当日が令和6年1月1日となることから、当該相続に係る「相続の開始前3年以内に取得した財産以外の財産」に係る期間（100万円控除が適用される期間）はないことになります。

【特定贈与財産】　相続税の課税価格に加算されないこととされる「特定贈与財産」とは、婚姻期間が20年以上である配偶者に該当する被相続人から贈与を受けた居住用不動産又はその居住用不動産を取得するための金銭（第五編第五章第三節《贈与税の配偶者控除》の1（1151ページ）に規定する居住用不動産又は金銭をいいます。以下同じ。）で、次に掲げる場合に該当するもののうち、それぞれに定める部分をいいます（相法19②、相令4②）。

①　その贈与が相続開始の年の前年以前にされた場合で、被相続人の配偶者がその贈与による取得の日の属する年分の贈与税について配偶者控除の規定（相法21の6①）の適用を受けているとき
　その規定により控除された金額に相当する部分

②　その贈与が相続開始の年においてされた場合で、被相続人の配偶者がその被相続人からの贈与について既に贈与税の配偶者控除の規定の適用を受けた者でないとき（その配偶者が相続税の申告書〔期限後申告書を含みます。〕に居住用不動産又はその居住用不動産を取得するための金銭につきこれらの財産の価額を贈与税の課税価格に算入する旨その他（注1）の財務省令で定める事項を記載し、（注2）の財務省令で定める書類を添付して、提出した場合に限ります。）

第四章第五節《相続開始前7年以内に被相続人から贈与を受けた財産》

贈与税の配偶者控除の規定の適用があるものとした場合に控除されることとなる金額に相当する部分

(注1) ②に規定する財務省令で定める事項は、次に掲げる事項をいいます（相規1の5①）。

イ 居住用不動産又は居住用不動産を取得するための金銭の種類、数量、価額及び所在場所の明細並びにその取得の年月日

ロ 居住用不動産又は居住用不動産を取得するための金銭のうち贈与税の課税価格に算入する部分に係るこれらの財産の価額

ハ その相続開始の年の前年以前の各年分の贈与税につき配偶者控除の適用を受けていない旨

ニ その他参考となるべき事項

(注2) ②に規定する財務省令で定める書類は、次に掲げる書類（相続税の申告書又は更正の請求書の提出の時において居住用不動産を取得していない場合には、イに掲げる書類）とされます（相規1の5②）。

イ 戸籍の附票の写し（被相続人からの贈与を受けた日から10日を経過した日以後に作成されたものに限ります。）

ロ 特定贈与財産の贈与を受けた者が取得した居住用不動産に関する登記事項証明書その他の書類で贈与を受けた者が居住用不動産を取得したことを証するもの

(注3) ②の規定により特定贈与財産に該当することとなった居住用不動産又は居住用不動産を取得するための金銭の価額については、贈与税の配偶者控除の適用がない場合であっても、相続税の課税価格には加算されません（相基通19－9（注）書き）。

(注4) 相続開始の年にその相続に係る被相続人から贈与により取得した財産が店舗兼住宅等の持分である場合には、上記の居住用不動産に該当する部分は、第五編第五章第三節の3の(2)《店舗兼住宅等の居住用部分の判定》(1152ページ)により求めたその店舗兼住宅等の居住の用に供している部分の割合にその贈与を受けた持分の割合を乗じて計算した部分となるのですが、その居住用不動産に該当する部分について第五編第五章第三節の3の(3)《店舗兼住宅等の持分の贈与があった場合の居住用部分の判定》(1153ページ)に準じて計算して、上記②の申告書を提出することも認められます（相基通19－10）。

(注5) ②に係る部分については、その適用を受けて贈与税の配偶者控除相当額を相続税の課税価格から除外するか、適用を受けないで贈与税の配偶者控除相当額を相続税の課税価格に含めるかは納税者の選択によります。

【贈与税額控除】 以上により相続税の課税価格に加算されることとなる相続開始前7年以内の贈与財産のうち、相続開始の年の前年以前に贈与を受けた財産については、贈与税が課税されている場合がありますので、その贈与税額（延滞税、加算税は除きます。）のうち一定の算式（第六章第二節の2の(3)(764ページ)参照）により計算した金額（贈与年ごとに計算した金額の合計）をその者の相続税額から控除した残額が、その者の納付する相続税額となります（相法19①）。

(注1) 相続税法では、上記のように、相続開始7年前までさかのぼって、その被相続人から贈与を受けた財産の価額を相続税の課税価格に加算することにしているのですが、これは、被相続人が相続開始前に行った贈与には、財産を事前に分配することにより、相続税の軽減を図ることを目的として行われるものもあると考えられるため、税負担の公平を図る見地から設けられている規定です。

(注2) 相続又は遺贈を放棄したこと等により、相続又は遺贈により財産を取得しなかった場合（その被相続人を特定贈与者とする相続時精算課税適用者を除きます。）には、たとえ加算対象期間内に、その相続の被相続人から贈与により財産を取得していても贈与財産の加算の規定（相法19）の適用はありません。なお、相続時精算課税適用者については、その被相続人から相続又は遺贈により財産を取得しなかった場合であっても、贈与財産の加算の規定の適用があります（相基通19－3）。

(注3) 相続税額から控除する贈与税額は、その年分の贈与税額に、その年分の贈与による取得財産の価額の合計額のうちに被相続人からの贈与により取得した財産の価額（その財産のうち相続の開始前3年以内に取得した財産以外の財産にあっては、その財産の価額の合計額から100万円を控除する前のその財産の価額）の占める割合を乗じて計算します。

(注4) 上記の＿＿＿線部分の規定は、令和5年12月31日以前に贈与により取得する財産に係る相続税については、「7年」とあるのは、「3年」とします（令5改法附19①）。

－710－

第五章　相続税の非課税財産

　相続税は、原則として相続又は遺贈によって取得した財産及び相続又は遺贈によって取得したものとみなされた財産を課税対象としています。しかし、相続又は遺贈によって取得した財産であっても、その財産の性質から、又は社会政策上の配慮から、あるいは公益的見地等の理由から相続税の課税対象とすることが適当でない財産が種々あります。そこで相続税法は、このような財産については、相続税の課税対象から除外することにしています。この課税対象から除かれる財産を相続税の非課税財産といいます（相法12）。相続税の非課税財産には、次のものがあります。

第一節　相続税法上の非課税財産

1　皇室経済法の規定によって皇位とともに皇嗣が受けた物

　皇位とともに伝わるべき由緒ある物は、皇位とともに皇嗣がこれを受けることになっています（皇室経済法7）が、これらはいずれも私的な財産と異なり自由に処分することができないばかりでなく、国民感情からみても課税することが適当でないため、相続税法では非課税財産とされています（相法12①一）。

2　墓所、霊びょう及び祭具並びにこれらに準ずるもの

　民法第897条に「墳墓等の所有権は慣習に従って祖先の祭祀を主宰すべき者が承継する」規定がありますが、墓所等の所有権のようなものは、一般の相続財産とは別個に承継されるべきものであり、慣習上、日常礼拝されている等の見地から相続税法では非課税財産とされています（相法12①二）。

　なお、墓所、霊びょうには、墓地、墓石及びおたまやのようなものをいうほか、これらのものの尊厳の維持に必要な土地その他の物件をも含むものとされています（相基通12－1）。

　また、これらに準ずるものには、庭内神し、神棚、神体、神具、仏壇、位牌、仏像、仏具及び古墳等で日常礼拝の用に供しているものをいいますが、これらのものであっても商品、骨とう品又は投資の対象として所有しているものは、これに含まないものとして取り扱います（相基通12－2）。

3　公益事業用財産

　宗教、慈善、学術その他公益を目的とする事業を行う者が、相続又は遺贈によって取得した財産で、その公益を目的とする事業の用に供することが確実なものは、その公益事業の特殊性及び保護育成の見地等から相続税法では非課税とされています（相法12①三）。

（注）　公益信託に関する法律（令和6年法律第30号）の施行の日（公布の日（令和6年5月22日）から起算して2年を超えない範囲内において政令で定める日）以後、「**5　公益信託の受託者が遺贈により取得した財産**」に掲げるものを除きます（令6改所法等附1九ハ）。

　ここでいう、宗教、慈善、学術その他公益を目的とする事業とは、専ら社会福祉事業（社会福祉法2）、更生保護事業（更生保護事業法2）、児童福祉法第6条の3に規定する保育事業（家庭的保育事業、小規模保育事業又は事業所内保育事業をいいます。）、学校教育法第1条に規定する学校（幼稚園、小学校、中学校、義務教育学校、高等学校、中等教育学校、特別支援学校、大学及び高等専門学校をいいます。）又は認定こども園（就学前の子どもに関する教育、保育等の総合的な提供の推進に関する法律2）を設置し、運営する事業その他の宗教、慈善、学術その他公益を目的とする事業で、その事業活動によって文化の向上、社会福祉への貢献その他公益の増進に寄与することが著しいと認められ

－711－

る事業をいいます。しかし、これら公益を目的とする事業を行う者であっても、（イ）その者が個人である場合には、その者若しくはその親族その他その者と同族的な特別の関係がある者又は被相続人（遺贈者）若しくはその親族その他これらの者と同族的な特別の関係がある者に対して、その事業に係る施設の利用、余裕金の運用、金銭の貸付け、資産の譲渡、給与の支給その他財産の運用及び事業の運営に関し特別の利益を与える場合は、相続税法にいう公益事業を行う者に該当しません。また、（ロ）その公益を目的とする事業を行う者が人格のない社団又は財団である場合には、①その社団又は財団の役員その他の機関の構成、その選任方法その他その社団又は財団の事業の運営の基礎となる重要事項について、その事業の運営が特定の者又はその親族その他その特定の者と特別の関係がある者の意思によってなされていると認められる事実がある場合、及び②その社団又は財団の機関の地位にある者、その財産の遺贈者又はこれらの者の親族その他これらの者と特別の関係にある者に対しその社団又は財団の事業に係る施設の利用、余裕金の運用、解散した場合における財産の帰属、金銭の貸付け、資産の譲渡、給与の支給、その社団又は財団の機関の地位にある者への選任その他財産の運用及び事業の運営に関し特別の利益を与える事実がある場合には、個人の場合と同様、相続税法にいう公益事業を行う者には該当しません（相令2）。

　なお、この場合、公益を目的とする事業を行う者が、その相続又は遺贈によって取得した日から2年を経過した日において、公益事業の用に<u>供していないとき</u>には、その財産を取得した時の時価によって評価して、相続税の課税価格に算入することになります（相法12②、相基通12－7）。

（注）　上記＿＿＿下線部分については、公益信託に関する法律（令和6年法律第30号）の施行の日（公布の日（令和6年5月22日）から起算して2年を超えない範囲内において政令で定める日）以後、「供していないときには」とあるのは、「供しない場合又は供しなくなった場合には」と改められます（令6改所法等附1九ハ）。

　以上公益事業用財産で非課税とされるものは、①その財産の取得者が上記に述べたように高度の公益性を有する事業を行う者であり、②その取得した資産が、その公益を目的とする事業の用に供することに関する具体的計画があり、かつ、その公益を目的とする事業の用に供される状況にあり、③公益事業用財産をその取得の日から2年を経過した日までにその事業の用に供している場合に限ります。

4　私立幼稚園及び幼保連携型認定こども園の教育用財産

　幼稚園等を設置、運営する事業を、相続又は遺贈により承継した者で、次の要件に該当する場合には、相続税法施行令第2条《相続又は遺贈に係る財産につき相続税を課されない公益事業を行う者の範囲》の規定にかかわらず、その事業の用に供される相続財産は非課税とされます（相令附則④、相規附則⑦）。

1　相続人等は、被相続人（当該被相続人の被相続人を含みます。）に係る相続開始の年の5年前の1月1日前から引き続いて行われてきた幼稚園等の事業を、その被相続人の死亡により承継し、かつ、その事業に係る教育用財産として被相続人の所得税の納税地の所轄税務署長に届け出ている財産を、その被相続人からの相続又は遺贈により取得して、これをその事業の用に供する相続人で、その相続開始の年以後も引き続いてその事業を行うことが確実と認められるものであること。
2　幼稚園等の事業を行う相続人等及びその幼稚園等の事業を行っていた被相続人（当該被相続人の被相続人でその事業を行っていた者を含み、以下「事業経営者」と称します。）が、被相続人に係る相続開始の年の5年前の年以後の各年において、その事業に係る資産のうち、その者の家事のために充てる金額は、その事業の規模及びその事業の使用人に対する給与の支給の状況並びにその事業に係る幼稚園等と同種、同規模の幼稚園等の代表者に対する報酬の支給の状況等に照らし、その者がその事業から受ける報酬の額として相当であると認められる金額として、その者の所得税の納税地の所轄税務署長の認定を受けた金額を超えていないこと。
3　その事業及びその経理が適正に行われていると認められること。

－712－

第五章第一節《相続税法上の非課税財産》

この場合、その事業及びその経理が適正に行われているかどうかは、次により判断します。

その相続開始の年の５年前の年以後の各年において

① 事業経営者の親族その他事業経営者と相法第64条第１項に規定する特別の関係がある者でその事業に従事するものに対して支給する給与の金額は、その労務に従事した期間、労務の性質及びその提供の程度、その事業に従事する他の使用人が支払を受ける給料の状況並びにその事業に係る幼稚園等と同種の幼稚園等が支給する給与の状況等に照らし、その労務の対価として相当であると認められるものであること。

② 事業経営者は、所得税又は相続、若しくは遺贈若しくは贈与により取得した財産に係る相続税若しくは贈与税に係る国税通則法第66条第１項、第５項若しくは第６項の規定による無申告加算税又は同法第68条第１項、第２項若しくは第４項（同条第１項又は第２項の重加算税に係る部分に限ります。）の規定による重加算税を課されたことがなく、かつ、その各年において所得税法第４編第１章から第６章までの規定により徴収して納付すべき所得税に係る国税通則法第67条第１項の規定による不納付加算税又は同法第68条第３項若しくは第４項（同条第３項の重加算税に係る部分に限ります。）の規定による重加算税を徴収されたことがないこと。

③ 事業経営者は、所得税につき連続して所得税法第２条第１項第40号に規定する青色申告書を提出していること。

④ 事業経営者は、事業所得の金額の計算上、総収入金額に算入される金額及び必要経費に算入される金額のうち、その事業に係る収入金額及び費用の額と他の収入金額及び費用の額とを明確に区分して経理しており、かつ、所得税法施行規則第56条から第64条までの規定の例により、その事業につき帳簿書類を備え付けて、これにその事業に係る収入金額及び費用の額、資産、負債及び資本に係る一切の取引並びに事業経営者の親族その他事業経営者と相法第64条第１項に規定する特別の関係がある者で、その事業に従事するものに対して支給する給与の金額を記録し、保存していること。

⑤ 事業経営者は、その事業に属する資産についてその事業のための支出（上記２に掲げる税務署長の認定を受けた金額の範囲内におけるその事業に係る事業経営者の家事に充てるための支出を含みます。）以外の支出をしていないこと。

⑥ 事業経営者は、その事業に係る施設についてその事業以外の事業並びにその事業に係る事業経営者及びその者と特別な関係がある者の用に供しておらず、かつ、その事業のための担保以外の担保に供していないこと。

(注) 公益信託に関する法律（令和６年法律第30号）の施行の日（公布の日（令和６年５月22日）から起算して２年を超えない範囲内において政令で定める日）以後、次の５が追加されます（令６改所法等附１九ハ）。

> **5 公益信託の受託者が遺贈により取得した財産**
> 公益信託の受託者が遺贈により取得した財産（その信託財産として取得したものに限ります。）は、非課税とされています。（相法12①四）

5 心身障害者共済制度に基づく年金受給権

条例の規定により地方公共団体が精神又は身体に障害のある者に関して実施する共済制度に基づいて支給される給付金を受ける権利は、その性質上非課税財産とされています（相法12①四）。

(注) 上記＿＿＿下線部については、公益信託に関する法律（令和６年法律第30号）の施行の日（公布の日（令和６年５月22日）から起算して２年を超えない範囲内において政令で定める日）以後、「相法12①四」が「相法12①五」とされます（令６改所法等附１九ハ）。

この場合の「心身障害者共済制度」とは、心身障害者に対し、その保護者の死亡後における生活の安定を図るために地方公共団体が条例によって実施している共済制度をいいます。この共済制度は、加入者（原則として心身障害者の保護者）が生存中掛金を負担し、その保護者が死亡した場合に心身

障害者の生存中、その障害者等に対し年金を支払うというものです。この年金の受給権は生命保険における保険金の年金払のものと同様の性質をもっておりますので、相続税法では生命保険金に含めて考えるべきものであり、また、掛金は原則として加入者が負担すべきものとされていますから、加入者の死亡による受給権の取得についてはみなし相続財産（加入者以外の者が掛金を負担していた場合はみなし贈与財産）となり相続税（贈与税）が課税されることとなりますが、その性質上その年金の受給権を非課税財産としているものです（相令２の２、所令20②）。

6　相続人が取得した生命保険金等でその合計額のうち一定額までの金額

　被相続人の死亡によって**相続人**（相続を放棄した者及び相続権を失った者は含まれませんが、相続税法第15条第２項（第六章第二節の１の（１）の①（758ページ）参照）の規定により法定相続人の数に算入されないこととなる養子は含まれます。）が取得した生命保険金（偶然の事故に起因して死亡したことに伴い支払われる損害保険契約の保険金を含みます。）で、その保険料を被相続人が負担していた部分に相当する保険金額については、被相続人から相続人が相続によって取得した財産とみなされることは、既に述べたとおりですが、この場合、相続人が取得した保険金の額（第二節に述べる国等に贈与した金額を除きます。）のうち、次のイ又はロに掲げる場合の区分に応じ、それぞれに掲げる金額（非課税金額）までの部分については相続税が課税されません（相法12①五）。

（注）　　上記＿＿＿下線部については、公益信託に関する法律（令和６年法律第30号）の施行の日（公布の日（令和６年５月22日）から起算して２年を超えない範囲内において政令で定める日）以後、「相法12①五」が「相法12①六」とされます（令６改所法等附１九ハ）。

　なお、生命保険金等の受取人の判定については、第四章第二節の１の（１）（697ページ）を参照してください。

イ　各相続人の取得した保険金の合計額が500万円に法定相続人の数**（注）**を乗じて得た金額**《保険金の非課税限度額》**以下である場合……保険金の全額**《非課税金額》**

ロ　各相続人の取得した保険金の合計額がイの保険金の非課税限度額を超える場合……次の算式により計算した金額**《非課税金額》**

$$\text{保険金の非課税限度額} \atop (500万円 \times \text{法定相続人の数（注）}) \times \frac{\text{その相続人の取得した保険金の合計額}}{\text{全相続人の取得した保険金の合計額}}$$

（注）　**法定相続人の数**とは、民法第５編第２章に規定する相続人の数をいいますが、相続税法第15条第２項（第六章第二節の１の（１）の①（758ページ）参照）の規定により養子のうち法定相続人の数に算入されない者がいるときは、その養子を含めないものとし、相続の放棄があった場合には、その放棄がなかったものとした場合の相続人の数をいいます。

〔計算例〕

・被相続人の死亡により取得した生命保険金額（合計2,500万円）

　　　　甲　　1,200万円　　乙　　800万円　　丙　（相続放棄）　500万円

・法定相続人は、甲、乙、丙の３人

　〈イ〉　保険金の非課税限度額　500万円×３人＝1,500万円

　〈ロ〉　各人の非課税とされる保険金額

$$甲……1,500万円 \times \frac{1,200万円}{2,000万円} = 900万円$$

$$乙……1,500万円 \times \frac{800万円}{2,000万円} = 600万円$$

　　　丙……なし

　〈ハ〉　各人の課税価格に算入される金額

－714－

甲…………1,200万円－900万円＝300万円

　　　乙…………800万円－600万円＝200万円

　　　丙…………500万円

7　相続人が取得した退職手当金等の合計額のうち一定額までの金額

　被相続人が死亡したことにより、**相続人**（相続を放棄した者及び相続権を失った者は含まれませんが、相続税法第15条第2項（第六章第二節の1の(1)の①（758ページ）参照）の規定により法定相続人の数に算入されないこととなる養子は含まれます。）がその被相続人に支給されるべきであった退職手当金等を取得した場合には、その相続人が相続により取得したものとみなして相続税が課税されることについては既に説明しましたが、この場合、①その取得した退職手当金等の合計額（第二節に述べる国等に贈与した金額を除きます。）のうち、次のイ又はロに掲げる場合の区分に応じ、それぞれに掲げる金額（非課税金額）までの部分については相続税が課税されません（相法12①六）。

　(注)　上記＿＿下線部については、公益信託に関する法律（令和6年法律第30号）の施行の日（公布の日（令和6年5月22日）から起算して2年を超えない範囲内において政令で定める日）以後、「相法12①六」が「相法12①七」とされます（令6改所法等附1九ハ）。

　なお、退職手当金等の受取人の判定については、第四章第二節の2の(3)（702ページ）を参照してください。

イ　各相続人の取得した退職手当金等の額が500万円に法定相続人の数(注)を乗じて得た金額《退職手当金等の非課税限度額》以下である場合……退職手当金等の全額《非課税金額》

ロ　各相続人の取得した退職手当金等の合計額がイの退職手当金等の非課税限度額を超える場合……次の算式により計算した金額《非課税金額》

$$\text{退職手当金等の非課税限度額}\ (500万円 \times 法定相続人の数\textbf{(注)}) \times \frac{\text{その相続人の取得した退職手当金等の合計額}}{\text{全相続人の取得した退職手当金等の合計額}}$$

　(注) **法定相続人の数**は、6の（注）において説明したところと同様です。

〔計算例〕

・被相続人の死亡退職により、その会社から支給された退職手当金の額は次のとおりです。

　2,500万円（妻Aが受取人）

・法定相続人は、妻A、長女B及び次女Cの3人

　〈イ〉　退職手当金等の非課税限度額　500万円×3人＝1,500万円

　〈ロ〉　妻Aの非課税とされる退職手当金の金額

$$1,500万円 \times \frac{2,500万円}{2,500万円} = 1,500万円$$

　〈ハ〉　妻Aの取得した退職手当等の金額のうちの課税価格に算入される金額

　　2,500万円－1,500万円＝1,000万円

第二節　租税特別措置法上の非課税財産

1　相続税の申告期限までに国等に贈与した相続財産

　相続又は遺贈により財産を取得した者が、その相続又は遺贈により取得した財産を国若しくは地方公共団体又は公益社団法人若しくは公益財団法人その他公益を目的とする事業を行う法人のうち、教育、科学の振興、文化の向上、社会福祉への貢献その他公益の増進に著しく寄与すると認められる公益法人等に対し、第十二章第一節の2の①（910ページ）に定めるその相続又は遺贈に係る相続税の申

告書の提出期限（相続財産の分与を受けた特別縁故者（民法958の2）については、第十二章第一節の2の②（911ページ）に定める提出期限。以下同じ）までに贈与（死因贈与を除きます。以下この節において同じ。）した場合には、その贈与によりその贈与者又はその親族その他その者と特別の関係にある者の相続税又は贈与税の負担が不当に減少する結果となると認められる場合を除き、贈与した財産は相続税の課税価格に算入しないことになっています（措法70①）。

（注1） 相続税の申告書の提出期限後において、第四章第二節2《みなす相続財産》の適用がある退職手当金等の支給確定があった場合におけるその支給確定により取得した退職手当金等については、その退職手当金等についての期限後申告書又は修正申告書を提出する日までに贈与すればよいことになっています（措通70−1−5）。

（注2） この特例は、財産の贈与の時に現に存する一定の要件を満たす法人に対する贈与について適用され、法人を設立するための寄附行為その他の財産の提供については適用されません（措通70−1−3）。

（注3） この特例の適用がある「相続又は遺贈により取得した財産」には、第四章第二節、第四節の適用により相続又は遺贈により取得したとみなされた財産を含みますが、第五節の適用がある相続開始前7年以内にその相続に係る被相続人から贈与により取得した財産、相続時精算課税の適用を受ける財産で相続税の課税価格に加算されるもの及び相続又は遺贈により取得したとみなされるものは含みません（措通70−1−5）。

（注4） 「負担が不当に減少する結果となると認められる場合」は第五編第二章第三節の2（1094ページ）に準じて判定されます（措通70−1−11(注)）。

（注5） 上記＿＿＿下線部については、公益信託に関する法律（令和6年法律第30号）の施行の日（公布の日（令和6年5月22日）から起算して2年を超えない範囲内において政令で定める日）以後、「取得した財産を」とあるのは「取得した財産の全部又は一部を」とされます（令6改所法等附1九ヘ）。

この場合の、「教育又は科学の振興等に寄与するところが著しい公益法人等」とは、財産を贈与した時において現に存する法人で、次のものをいいます（措令40の3①）。

① 独立行政法人

② 国立大学法人及び大学共同利用機関法人

③ 地方独立行政法人で地方独立行政法人法第21条第1号又は第3号から第6号までに掲げる業務（同条第3号に掲げる業務にあっては同号チに掲げる事業の経営に、同条第6号に掲げる業務にあっては地方独立行政法人法施行令第6条第1号又は第3号に掲げる施設の設置及び管理に、それぞれ限るものとされます。）を主たる目的とするもの

④ 公立大学法人

⑤ 自動車安全運転センター、日本司法支援センター、日本私立学校振興・共済事業団、日本赤十字社及び福島国際研究教育機構

⑥ 公益社団法人及び公益財団法人

⑦ 私立学校法第3条に規定する学校法人で、学校の設置若しくは学校及び専修学校（学校教育法第124条に規定する専修学校で**（注）**の財務省令で定めるものをいいます。以下⑦において同じ。）の設置を主たる目的とするもの又は私立学校法第64条第4項の規定により設立された法人で専修学校の設置を主たる目的とするもの

（注） 上記の専修学校で財務省令で定めるものとは、次のいずれかの課程による教育を行う専修学校をいいます（措規23の3①）。

イ 学校教育法第125条第1項に規定する高等課程でその修業期間（普通科、専攻科その他これらに準ずる区別された課程があり、一の課程に他の課程が継続する場合には、これらの課程の修業期間を通算した期間をいいます。ロにおいて同じ。）を通ずる授業時間数が、2,000時間以上であるもの

ロ 学校教育法第125条第1項に規定する専門課程でその修業期間を通ずる授業時間数が1,700時間以上であるもの

⑧ 社会福祉法人

⑨ 更生保護法人

（注） 上記＿＿＿下線部については、公益信託に関する法律（令和6年法律第30号）の施行の日以後、「40の3」

が「40の4」とされます。（令6改措令附1三）

　相続税法では、相続又は遺贈によって財産を取得した者自身が高度の公益性を有する公益事業を営み、その財産を、その公益事業の用に供する場合については、その財産を、相続税の非課税財産とすることは、既に説明したとおりです。しかし、実際には、相続又は遺贈によって財産を取得した者が、相続直後これら公益法人に寄附する場合があり、その目的は主として被相続人の意思に基づいて行われることが多いので、公益を目的とした特定の法人に対して財産を寄附した場合に所得税又は法人税において寄附金控除が認められているのと取扱いを同じくする必要があるわけです。

《特例の適用手続》

　この特例の適用を受ける場合は、その適用を受けようとする者の相続税の申告書に、その適用を受ける旨を記載し、次のような書類を添付して、相続税の申告書の提出期限までに納税地の税務署長に提出する必要があります（措法70⑤、措規23の3②）。

（1）　贈与をした財産の明細書（相続税申告書第14表）

（2）　国若しくは地方公共団体又は前記①から⑨までに掲げる法人の、贈与を受けた旨、その贈与を受けた年月日及び財産の明細及びその法人の贈与を受けた財産の使用目的を記載した書類

（3）　その贈与を受けた法人が、上記③又は⑦に掲げる法人である場合には、③又は⑦の法人に該当するものであることについて、地方独立行政法人法第6条第3項に規定する設立団体又は私立学校法第4条に規定する所轄庁の証明書類

　　（注1）　相続税の申告書を提出する納税地の税務署長とは、被相続人の死亡の時における住所地の所轄税務署長のことです。なおこのことについては、第八章で詳しく説明します。

　　（注2）　贈与により山林所得又は譲渡所得の基因となる資産を移転した場合には、原則として、譲渡所得等の課税の対象になりますが、国等に対して財産を寄附した場合には、租税特別措置法第40条の規定により、譲渡所得等は非課税となります。

　　　　　なお、具体的な手続等については、第二編第十七章を参照してください。

《非課税要件を満たさなくなった場合の課税と修正申告》

　この特例の適用を受けた①から⑨までの法人が、その贈与があった日から2年を経過した日までに特例対象法人に該当しないこととなった場合又はその贈与により取得した財産を同日において<u>なおその公益を目的とする事業の用に供していない</u>場合には、その財産の価額は、その相続又は遺贈に係る相続税の課税価格に算入されることになります（措法70②）。

　　（注1）　「公益を目的とする事業の用に供する」ことの意義は措通70－1－13参照

　　（注2）　上記＿＿下線部については、公益信託に関する法律（令和6年法律第30号）の施行の日（公布の日（令和6年5月22日）から起算して2年を超えない範囲内において政令で定める日）以後、「においてなお」とあるのは「までに」と、「供していない」とあるのは「供しない場合若しくは供しなくなった」とされます（令6改所法等附1九ヘ）。

　この場合、相続税の申告書を提出した者は、上記の2年を経過した日の翌日から4か月以内に修正申告書を提出し、かつ増加した相続税を納付しなければなりません（措法70⑥）。

2　特定公益信託の信託財産とするために支出した金銭

　相続又は遺贈により財産を取得した者が、その相続又は遺贈により取得した財産に属する金銭を1に述べました相続税申告書の提出期限までに特定公益信託（公益信託ニ関スル法律第1条に規定する公益信託で信託終了の時における信託財産がその信託財産に係る信託の委託者に帰属しないこと及びその信託事務の実施につき政令で定める要件を満たすものであることにつきその公益信託に係る主務大臣（その公益信託が下記の表のロに掲げるものを目的とするものである場合を除き、公益信託ニ関スル法律その他の法令の規定によりその公益信託に係る主務官庁の権限に属する事務を行う都道府県知事その他の執行機関を含みます。）の証明を受けたものをいいます。）のうち、その目的が教育又は科学の振興、文化の向上、社会福祉への貢献その他公益の増進に著しく寄与するものとして主務大臣

第五章第二節《租税特別措置法上の非課税財産》

の認定を受けたものの信託財産とするために支出した場合には、その支出によりその者又はその親族その他これらの者と特別の関係がある者の相続税又は贈与税の負担が不当に減少する結果となると認められる場合を除き、その支出した金銭の額は、相続税の課税価格に算入しないことになっています（措法70③、措令40の4②）。

（注1） 上記の「相続税の申告書の提出期限までに」の意味については、前記1の（**注1**）の取扱いに準じます。また「相続又は遺贈により取得した財産に属する金銭」の範囲については前記1の（**注3**）及び措通70－3－1～4参照。

（注2） 上記2については、公益信託に関する法律（令和6年法律第30号）の施行の日（公布の日（令和6年5月22日）から起算して2年を超えない範囲内において政令で定める日）以後、次のように改められます（令6改所法等附1九ヘ、令6改措令附1三）。

2　公益信託の信託財産とするために支出をした場合

相続又は遺贈により財産を取得した者が、その財産の全部又は一部を1に規定する申告書の提出期限までに公益信託に関する法律第2条第1項第1号に規定する公益信託（以下「公益信託」といいます。）の信託財産とするために支出をした場合には、その支出によりその支出をした者又はその親族その他これらの者と特別の関係がある者の相続税又は贈与税の負担が不当に減少する結果となると認められる場合を除き、その支出をした財産の価額は、その相続又は遺贈に係る相続税の課税価格の計算の基礎に算入しないこことされています（措法70③）。

「信託事務の実施につき政令で定める要件を満たすもの」とは、次に掲げる事項が信託行為において明らかにされており、かつ、信託の受託者が信託会社（信託業務を営む金融機関を含みます。）である公益信託をいいます（措令40の4①、措規23の4①）。

(一)	その公益信託の終了（信託の併合による終了を除きます。(二)において同じ。）の場合において、その信託財産が国若しくは地方公共団体に帰属し、又はその公益信託が類似の目的のための公益信託として継続するものであること。
(二)	その公益信託は、合意による終了ができないものであること。
(三)	その公益信託の受託者がその信託財産として受け入れる資産は、金銭に限られるものであること。
(四)	その公益信託の信託財産の運用は、次に掲げる方法に限られるものであること。 イ　預金又は貯金 ロ　国債、地方債、特別の法律により法人の発行する債券又は貸付信託の受益権の取得 ハ　所得税法第2条第1項第11号に規定する合同運用信託の信託（ロの貸付信託の受益権の取得を除きます。）
(五)	その公益信託につき信託管理人が指定されるものであること。
(六)	その公益信託の受託者がその信託財産の処分を行う場合には、その受託者は、その公益信託の目的に関し学識経験を有する者の意見を聴かなければならないものであること。
(七)	その公益信託の信託管理人及び(六)に規定する学識経験を有する者に対してその信託財産から支払われる報酬の額は、その任務の遂行のために通常必要な費用の額を超えないものであること。
(八)	その公益信託の受託者がその信託財産から受ける報酬の額は、その公益信託の信託事務の処理に要する経費として通常必要な額を超えないものであること。

また、特定公益信託のうち「公益の増進に著しく寄与するものとして主務大臣の認定を受けたもの」

－718－

第五章第二節《租税特別措置法上の非課税財産》

とは、次に掲げるものの1又は2以上のものをその目的とする特定公益信託で、その目的に関し相当と認められる業績が持続できることにつきその特定公益信託に係る主務大臣の認定を受けたもの（その認定を受けた日の翌日から5年を経過していないものに限ります。）をいいます（措令40の4③、措規23の4②）。

イ	科学技術（自然科学に係るものに限ります。）に関する試験研究を行う者に対する助成金の支給
ロ	人文科学の諸領域について、優れた研究を行う者に対する助成金の支給
ハ	学校教育法第1条に規定する学校における教育に対する助成
ニ	学生又は生徒に対する学資の支給又は貸与
ホ	芸術の普及向上に関する業務（助成金の支給に限ります。）を行うこと。
ヘ	文化財保護法第2条第1項に規定する文化財の保存及び活用に関する業務（助成金の支給に限ります。）を行うこと。
ト	開発途上にある海外の地域に対する経済協力（技術協力を含みます。）に資する資金の贈与
チ	自然環境の保全のため野生動植物の保護繁殖に関する業務を行うことを主たる目的とする法人でその業務に関し国又は地方公共団体の委託を受けているもの（これに準ずるものとして次の①から③に掲げるものを含みます。）に対する助成金の支給 ① その構成員に国若しくは地方公共団体又は公益社団法人若しくは公益財団法人が含まれているもの ② 国又は地方公共団体が拠出しているもの（①に掲げる法人を除きます。） ③ ①又は②に掲げる法人に類するものとして環境大臣が認めたもの
リ	すぐれた自然環境の保全のためその自然環境の保存及び活用に関する業務（助成金の支給に限ります。）を行うこと。
ヌ	国土の緑化事業の推進（助成金の支給に限ります。）
ル	社会福祉を目的とする事業に対する助成
ヲ	就学前の子どもに関する教育、保育等の総合的な提供の推進に関する法律第2条第7項に規定する幼保連携型認定こども園における教育及び保育に対する助成

(注) 上記＿下線部については、公益信託に関する法律（令和6年法律第30号）の施行の日（公布の日（令和6年5月22日）から起算して2年を超えない範囲内において政令で定める日）以後、削除されます。（令6改措令附1三）。

《特例の適用手続》

この特例の適用を受ける場合には、その適用を受けようとする者の相続税の申告書に、その適用を受ける旨を記載し、次のような書類を添付して、相続税の申告書の提出期限までに納税地の税務署長に提出する必要があります（措法70⑤、措規23の4③）。

（1） 支出をした財産の明細書（相続税申告書第14表）

（2） 特定公益信託の信託財産とするために支出した金銭の受領をした特定公益信託の受託者のその受領した金銭が特定公益信託の信託財産とするためのものである旨、その金銭の額及び受領年月日を証する書類

（3） 主務大臣の認定に係る書類（認定年月日の記載があるものに限ります。）

《非課税要件を満たさなくなった場合の課税と修正申告》

上記（一）から（八）までに掲げる目的に関して主務大臣の認定を受けて信託財産とするための金銭の受入れをした特定公益信託が、その受入れの日から2年を経過した日までに認定特定公益信託に該当

—719—

第五章第二節《租税特別措置法上の非課税財産》

しないこととなった場合には、その受け入れた金銭の額は、その金銭を支出した者の相続税の課税価格に算入されることになります（措法70④）。

（注） 上記＿＿＿下線部については、公益信託に関する法律（令和6年法律第30号）の施行の日（公布の日（令和6年5月22日）から起算して2年を超えない範囲内において政令で定める日）以後、次のように改められます（令6改所法等附1九ヘ）。

> **《2の財産を受け入れた公益信託がその受入れの日から2年を経過した日までに終了した場合等の取扱い》**
>
> 　2の財産を受け入れた公益信託がその受入れの日から2年を経過した日までに終了（信託の併合による終了を除きます。）をした場合又はその公益信託の受託者がその財産を同日までにその公益信託事務（公益信託に関する法律第7条第3項第4号に規定する公益信託事務をいう。）の用に供しない場合若しくは供しなくなった場合には、2の規定にかかわらず、その財産の価額は、2の相続又は遺贈に係る相続税の課税価格の計算の基礎に算入されることになります（措法70④）。

　この場合、相続税の申告書を提出した者は、上記の2年を経過した日の翌日から4か月以内に修正申告書を提出し、かつ増加した相続税を納付しなければなりません（措法70⑥）。

3　相続税の申告期限までに認定特定非営利活動法人に贈与した財産

　相続又は遺贈により財産を取得した者が、その相続又は遺贈により取得した財産を1の相続税の申告書の提出期限までに特定非営利活動促進法第2条第3項に規定する認定特定非営利活動法人（いわゆる認定NPO法人）に対し、その法人の行う同条第1項に規定する特定非営利活動に係る事業に関連する贈与をした場合には、その贈与によりその贈与者又はその親族その他その者と特別の関係にある者の相続税又は贈与税の負担が不当に減少する結果となると認められる場合（1の（注4）に同じ。）を除き、贈与した財産は相続税の課税価格に算入しないことになっています（措法70⑩）。

（注） 上記＿＿＿下線部については、公益信託に関する法律（令和6年法律第30号）の施行の日（公布の日（令和6年5月22日）から起算して2年を超えない範囲内において政令で定める日）以後、「取得した財産を」とあるのは「取得した財産の全部又は一部を」と改められます（令6改所法等附1九ヘ）。

　なお、非課税規定の適用を受ける場合の手続、贈与を受けた法人が非課税の対象法人に該当しなくなった場合の課税及びその場合の修正申告書の提出と納税については、1に準ずることとされています。

（注1） 3の規定の適用を受けようとする者が、その適用を受けようとする者の相続税の申告書に、認定特定非営利活動法人の3の贈与を受けた旨、その贈与を受けた年月日及び財産の明細並びにその認定特定非営利活動法人のその財産の使用目的を記載した書類を添付することとされています（措規23の5）。

（注2） 特定非営利活動促進法第2条の規定は、次のとおりです。

　　第1項　この法律において「特定非営利活動」とは、別表に掲げる活動に該当する活動であって、不特定かつ多数のものの利益の増進に寄与することを目的とするものをいう。

　　第2項　この法律において「特定非営利活動法人」とは、特定非営利活動を行うことを主たる目的とし、次の各号のいずれにも該当する団体であって、この法律の定めるところにより設立された法人をいう。

　　　一　次のいずれにも該当する団体であって、営利を目的としないものであること。

　　　　イ　社員の資格の得喪に関して、不当な条件を付さないこと。

　　　　ロ　社員のうち報酬を受ける者の数が、役員総数の3分の1以下であること。

　　　二　その行う活動が次のいずれにも該当する団体であること。

　　　　イ　宗教の教義を広め、儀式行事を行い、及び信者を教化育成することを主たる目的とするものでないこと。

　　　　ロ　政治上の主義を推進し、支持し、又はこれに反対することを主たる目的とするものでないこと。

　　　　ハ　特定の公職（公職選挙法第3条に規定する公職をいう。以下同じ。）の候補者（当該候補者になろうとする者を含む。以下同じ。）若しくは公職にある者又は政党を推薦し、支持し、又はこ

－720－

第五章第二節《租税特別措置法上の非課税財産》

れらに反対することを目的とするものでないこと。

第3項 この法律において「認定特定非営利活動法人」とは、第44条第1項の認定を受けた特定非営利活動法人をいう。

第4項 この法律において「特例認定特定非営利活動法人」とは、第58条第1項の特例認定を受けた特定非営利活動法人をいう。

※ 第1項に規定する「別表に掲げる活動」とは、次に掲げる活動をいいます。

（一） 保健、医療又は福祉の増進を図る活動

（二） 社会教育の推進を図る活動

（三） まちづくりの推進を図る活動

（四） 観光の振興を図る活動

（五） 農山漁村又は中山間地域の振興を図る活動

（六） 学術、文化、芸術又はスポーツの振興を図る活動

（七） 環境の保全を図る活動

（八） 災害救援活動

（九） 地域安全活動

（十） 人権の擁護又は平和の推進を図る活動

（十一） 国際協力の活動

（十二） 男女共同参画社会の形成の促進を図る活動

（十三） 子どもの健全育成を図る活動

（十四） 情報化社会の発展を図る活動

（十五） 科学技術の振興を図る活動

（十六） 経済活動の活性化を図る活動

（十七） 職業能力の開発又は雇用機会の拡充を支援する活動

（十八） 消費者の保護を図る活動

（十九） 前各号に掲げる活動を行う団体の運営又は活動に関する連絡、助言又は援助の活動

（二十） 前各号に掲げる活動に準ずる活動として都道府県又は指定都市の条例で定める活動

第六章　相続税の課税価格及び税額の計算

本章は相続時精算課税の適用がない場合について解説しています。相続時精算課税の適用がある場合の計算については、第七章を参照してください。

第一節　相続税の課税価格とその計算

1　相続税の課税方式

　相続税は、相続又は遺贈により財産を取得したすべての者に係る相続税の総額を計算し、その総額を基礎としてそれぞれこれらの事由により財産を取得した者に係る相続税額として計算した金額により、課税されます（相法11）。

　このような現在の相続税制度は、遺産課税方式の要素を加味した遺産取得課税方式といわれています。つまり、相続税の総額は、遺産を誰が相続したか、あるいは、どのような割合で相続したかに関係なく、民法に定める法定相続人の数及び法定相続分に従って計算し、そして、各相続人等の負担すべき相続税額は、その総額を基礎にして、課税価格の合計額に対するその者の課税価格の割合であん分して計算することになります。

　次に、具体的な相続税額はどの程度の金額になるかを、遺産額（課税価格）と相続人の数に応じて試算した資料がありますので、参考のため掲げておきます。

【相続税額の試算表①】（平成27年1月1日以後の相続分）（単位＝千円）

〔税額の1,000円未満切捨て〕

遺産の総額＼相続人	配偶者と子1人	配偶者と子2人	配偶者と子3人	配偶者と子4人
2億円	16,700	13,500	12,174	11,250
3億円	34,600	28,600	25,400	23,500
5億円	76,050	65,550	59,624	55,000
10億円	197,500	178,100	166,349	156,500

【相続税額の試算表②】（平成26年12月31日までの相続分）（単位＝千円）

〔税額の1,000円未満切捨て〕

遺産の総額＼相続人	配偶者と子1人	配偶者と子2人	配偶者と子3人	配偶者と子4人
2億円	12,500	9,500	8,124	6,750
3億円	29,000	23,000	19,999	18,000
5億円	69,000	58,500	52,749	47,500
10億円	185,500	166,500	155,749	145,000

(注)　相続人が配偶者のみの場合は、常に税額はゼロなので掲載を省略しています。

　①　相続人は法定相続分により遺産を取得し（したがって配偶者の税額はゼロ）、

　②　子はすべて成人しており、かつ養子はいない、という前提で税額を計算しています。

2 相続税の課税価格

　相続税を計算する際の基礎となるのは、相続又は遺贈により取得した財産の価額の合計額ですが、これを「相続税の課税価格」といいます。相続税の計算に当たっては、まず、この「課税価格」を確定する必要があります（小規模宅地等・特定計画山林の課税価格の特例は3・4で説明しています。）。この場合の「相続税の課税価格」は、695ページの【納税義務者の区分別の課税財産】の表に掲げる納税義務者の①から③までの区分ごとに、それぞれに定める課税対象となる財産の価額の合計額となります（相法11の2）。

　なお、相続又は遺贈により取得した財産のうちに(イ)非課税財産があるときは、これを除外して課税価格を計算し（相法12）、(ロ)相続又は遺贈（包括遺贈及び被相続人からの相続人に対する遺贈に限ります。）によって、被相続人の債務（公租公課を含みます。）を承継し、又は葬式費用を負担したときには、その取得した財産の価額から、承継した債務及び葬式費用の金額を控除し（相法13）、(ハ)<u>相続開始前7年以内</u>に被相続人から贈与を受けているときは、その財産（第四章第五節《相続開始前7年以内に被相続人から贈与を受けた財産》の特定贈与財産を除き、その財産のうち相続の開始前3年以内に取得した財産以外の財産にあっては、その財産の価額の合計額から100万円を控除した残高）の価額を加算した金額（相法19）が「課税価格」になります。

- **(注1)**　ここにいう「財産」とは、金銭に見積もることができるすべてのものをいい、その「評価」については第六編で説明します。
- **(注2)**　上記の＿＿＿線部分の規定は、令和5年12月31日以前に贈与により取得する財産に係る相続税については、「相続の開始前7年以内」とあるのは、「相続の開始前3年以内」とします（令5改法附19①）。
- **(注3)**　令和6年1月1日から令和8年12月31日までの間に相続又は遺贈により財産を取得する者については、上記＿＿＿部分の「相続の開始前7年以内」とあるのは「相続の開始前3年以内」となります（令5改法附19②）。
- **(注4)**　令和9年1月1日から令和12年12月31日までの間に相続又は遺贈により財産を取得する者については、上記＿＿＿部分の「相続の開始前7年以内」とあるのは「令和6年1月1日からその相続開始の日までの間」となります（令5改法附19③）。

（1）　遺産が未分割である場合の課税価格

　相続若しくは包括遺贈により取得した財産に係る相続税について申告書を提出する場合又は更正若しくは決定をする場合において、その相続又は包括遺贈により取得した財産の全部又は一部が共同相続人又は包括受遺者によってまだ分割されていないときは、その分割されていない財産については、各共同相続人又は包括受遺者が民法（第904条の2《寄与分》を除きます。）に定める相続分又は包括遺贈の割合に従ってその財産を取得したものとしてその課税価格を計算します（相法55、相基通11の2-2）。

　ただし、申告書を提出した後、又は更正若しくは決定した後において財産の分割があり、共同相続人又は包括受遺者がその分割により取得した財産に係る課税価格が民法（第904条の2《寄与分》を除きます。）に定める相続分又は包括遺贈の割合に従って計算した課税価格と異なることとなった場合は、分割後の課税価格により期限後申告書又は修正申告書の提出、若しくは更正の請求をすることができます（相法30、31、32）。

　分割以前の遺産は、共同相続人の共有になっており（民法898）、各相続人は、まだ、特定の遺産を確定的に取得したわけではありません。

　したがって、取得者課税の原則からすれば、個々の相続財産が、各々の相続人に最終的に帰属することが定まった後において、相続税の課税をするのが本当ですが、実際問題として遺産分割は相続開始後かなりの期間を経過してから行われる場合が多いため、遺産分割後に相続税の課税を行うとすれば、相続税の課税上いろいろな不都合が生じます。このような不都合をなくすため、相続税法では、未分割遺産に対しては、各相続人が民法（第904条の2《寄与分》を除きます。）に定めている相続分によって財産を取得したものとして課税する方法を採用しています。

第六章第一節《相続税の課税価格とその計算》

　なお、みなし相続等の財産は遺産分割の対象になりませんから、これらの財産については、法定相続分又は包括遺贈の割合に応ずる本来の相続財産価額に加算して、各人の課税価格を計算することになります。

（2）　相続の放棄の場合の課税価格

　相続は「承認」だけでなく、所定の方式により「放棄」することもできます（第二章第一節の5（681ページ）参照）。「放棄」があると、その相続人は初めから相続人とならなかったものとみなされます（民法939）から、相続税の課税価格の計算に際しては、その者を相続人として扱いません。

（3）　胎児が生まれる前における共同相続人の相続分

　相続開始の時において胎児がある場合で、相続税の申告期限までにまだ生まれていない場合におけるその胎児の相続能力については、既に説明しましたように、民法上は、胎児は相続について既に生まれたものとみなされることになっています（民法886）。

　しかしながら、これだけでもって、本来人格のない胎児を納税義務者とするのは問題がありますので、相続税の取扱いとしては、相続人のうちに民法第886条《相続に関する胎児の権利能力》の規定により既に生まれたものとみなされる胎児がある場合で、相続税の申告書提出の時（更正又は決定をする時を含みます。）においてまだその胎児が生まれていないときは、その胎児がいないものとした場合における各相続人の相続分によって課税価格を計算することに取り扱われます（相基通11の2－3）。

（4）　裁判確定前における共同相続人の課税価格

　相続について、民法第787条《認知の訴え》又は第892条《推定相続人の廃除》から第894条《推定相続人の廃除の取消し》までの規定による認知、相続人の廃除又はその取消しに関する裁判の確定、同法第884条《相続回復請求権》に規定する相続の回復、同法第919条第2項《相続の承認及び放棄の撤回及び取消し》の規定による相続の放棄の取消しその他の事由による相続人に関する争いがある場合、遺留分侵害額の請求に基づき返還すべき、又は弁償すべき額が確定した場合、相続若しくは遺贈又は贈与により取得した財産についての権利の帰属に関する訴えについての判決があった場合、民法第778条の4《相続の開始後に新たに子と推定された者の価額の支払請求権》又は第910条《相続の開始後に認知された者の価額の支払請求権》に規定する請求があったことにより弁済すべき額が確定した場合で、相続税の申告書を提出する時又は課税価格及び相続税額を更正し若しくは決定する時において、まだこれらのことが未確定の場合には、これらのことがないものとした場合における各相続分を基礎として課税価格を計算します（相基通11の2－4）。

（5）　相続開始の年に被相続人からの贈与による財産の取得がある場合の課税価格

　相続又は遺贈により財産を取得した者が、その相続開始の年において、被相続人からの贈与により取得した財産（被相続人を特定贈与者とする相続時精算課税の適用を受ける財産を除きます。）の価額は、特定贈与財産を除き、贈与税の課税価格に算入せず、相続税の課税価格に加算して計算することとされています（相基通11の2－5）。

（6）　代償分割の場合の課税価格

　相続が開始すると、相続財産は被相続人の指定、相続人間の協議等により分割され、各相続人が具体的に取得することになります。この場合、通常は相続財産そのものを分割（現物分割）することになります。しかし、相続財産の中には、経営資産（例えば、農業における農地）のように、分割することが困難なもの、あるいは分割することが合理的でないとされるようなものがあります。そこで、このような場合には、共同相続人又は包括受遺者のうち1人又は数人が被相続人の財産の一部又は全部を取得し、その財産を取得した者が他の共同相続人又は包括受遺者に対して債務を負担するという遺産分割（以下「代償分割」といいます。）の方法が採られることがあります。このような代償分割が行われた場合の各相続人等の課税価格は、次によることとされています（相基通11の2－9）。

　①　代償財産の交付を受けた者……相続又は遺贈により取得した現物の財産の価額と交付を受けた代償財産の価額との合計額

－724－

② 代償財産の交付をした者………相続又は遺贈により取得した現物の財産の価額から交付をした
　　　代償財産の価額を控除した金額

　なお、上記①及び②の代償財産の価額は、代償分割の対象となった財産を現物で取得した者が他の
共同相続人又は包括受遺者に対して負担した債務（以下「**代償債務**」といいます。）の額の相続開始の
時における金額によるものとされます。ただし、次に掲げる場合に該当するときは、その代償財産の
価額はそれぞれ次に掲げるところによります（相基通11の2−10）。

イ　共同相続人及び包括受遺者の全員の協議に基づいて代償財産の額を次のロの算式に準じて又は
　合理的と認められる方法によって計算して申告があった場合……その申告があった金額
ロ　イ以外の場合で、代償債務の額が、代償分割の対象となった財産が特定され、かつ、その財産
　の代償分割の時における通常の取引価額を基として決定されているとき……次の算式により計算
　した金額　　　　　　　　代償債務の額×$\dfrac{代償分割対象財産の相続開始時の価額（相続税評価額）}{代償分割対象財産の代償分割時の価額}$

　以上のことを具体的に示すと、次のようになります。
〔具体例〕
　　相続人は、A、B及びCの3人。
　　Aは、相続財産である土地及び家屋（相続税評価額4億8,000万円、代償分割時の時価6億円）を
取得し、Bに対し2億円、Cに対しては1億円を支払う。
　イ　原則による場合
　　A……4億8,000万円−（2億円＋1億円）＝1億8,000万円
　　B……2億円
　　C……1億円
　　計……1億8,000万円＋2億円＋1億円＝4億8,000万円
　ロ　前記ただし書に該当する場合
　　B……2億円×$\dfrac{4億8,000万円}{6億円}$＝1億6,000万円

　　C……1億円×$\dfrac{4億8,000万円}{6億円}$＝8,000万円

　　A……4億8,000万円−（1億6,000万円＋8,000万円）＝2億4,000万円
　　計……2億4,000万円＋1億6,000万円＋8,000万円＝4億8,000万円
　（注）　この場合、BとCについては、取得財産の価額と、相続税の課税価格に差異が生じますが、贈与税
　　　　は課税されません。

　なお、代償分割において、代償債務が不動産等であるときは、代償債務の負担者に対して譲渡所得
が課税されることになります。これは、代償債務としての財産は、その者の固有財産であり、他の相
続人等の相続分を取得するために提供（負担）したものですから、その時の価額でもって譲渡したこ
とになるからです。

（7）　譲渡担保の取扱い
　いわゆる譲渡担保（金銭消費貸借の担保としてその担保物の所有権の移転登記をしたもの又は債務
金額によって買戻しする特約のあるものをいいます。）については、原則として次に掲げるところによ
ります（相基通11の2−6）。
①　債権者については、債権金額に相当する金額を課税価格の計算の基礎に算入し、その譲渡担保の
　目的になっている財産の価額に相当する金額は、これに算入しません。
②　債務者については、その譲渡担保の目的になっている財産の価額に相当する金額を課税価格の計
　算の基礎に算入し、債務に相当する金額は控除します。

−725−

第六章第一節《相続税の課税価格とその計算》

（8） 売買契約中の土地の取扱い

土地の売買契約が締結され、その取引に関する売買契約の当事者の義務の全部が履行される前に、売買契約の売主又は買主に相続が開始した場合におけるその土地の課税価格については、原則として次に掲げるところによります。

① 売主に相続が開始した場合には、相続又は遺贈により取得した財産は、その売買契約に基づく土地の譲渡の対価のうち相続開始時における未収入金とします。

② 買主に相続が開始した場合には、相続又は遺贈により取得した財産は、その売買契約についての土地の引渡請求権等とし、その財産取得者の負担すべき債務は、相続開始時における未払金とします。

（注1） 上記②の土地の引渡請求権等の価額は、原則としてその売買契約に基づく土地の譲渡の対価の額によるものとしますが、その売買契約の日から相続開始の日までの期間が通常の売買の例に比較して長期間であるなどその対価の額が相続開始の日におけるその土地の時価として適当でない場合には、別途適切な売買実例等を検討して評価した価額によります。

（注2） 売買契約中の土地の上に存する権利及び建物等についても上記①又は②に準じて取り扱われます。

3　小規模宅地等についての相続税の課税価格の特例

（1）　制度の概要

この特例は、個人が相続又は遺贈により取得した財産のうちに、その相続の開始の直前において、その相続若しくは遺贈に係る被相続人又はその被相続人と生計を一にしていたその被相続人の親族の事業（事業に準ずるものを含みます。（2）の①の「**準事業**」参照。）の用又は居住の用（居住の用に供することができない事由として下表の①、②に掲げる事由により相続の開始の直前においてその被相続人の居住の用に供されていなかった場合（事業の用又は被相続人等（被相続人と下表の①、②の入居又は入所の直前において生計を一にし、かつ、その建物に引き続き居住している被相続人の親族を含みます。）以外の者の居住の用に供されている場合を除きます。）におけるその事由により居住の用に供されなくなる直前のその被相続人の居住の用を含みます。）に供されていた宅地等（土地又は土地の上に存する権利をいいます。以下3において同じ。）又は郵便局舎の敷地の用に供されていた宅地等で一定の要件に該当するもの（以下「**特例対象宅地等**」といいます。）がある場合には、その相続又は遺贈により財産を取得した者に係るすべての特例対象宅地等のうち、その個人がこの特例の適用を受けるものとして選択をしたもの（以下「**選択特例対象宅地等**」といいます。）については、限度面積要件を満たす場合のその選択特例対象宅地等（これを「**小規模宅地等**」といいます。）に限り、通常の方法によって計算した小規模宅地等の価額から次に掲げる区分に応じそれぞれに掲げる減額割合をその小規模宅地等の価額に乗じて計算した金額を控除した金額を、相続税の課税価格に算入するというものです（措法69の4、措令40の2②、措規23の2②、郵政民営化法180）。

	介護保険法第19条第1項に規定する要介護認定、同条第2項に規定する要支援認定を受けていた被相続人又は介護保険法施行規則第140条の62の4第2号に該当していた被相続人が次に掲げる住居又は施設に入居又は入所をしていたこと。
①	イ　老人福祉法第5条の2第6項に規定する認知症対応型老人共同生活援助事業が行われる住居、同法第20条の4に規定する養護老人ホーム、同法第20条の5に規定する特別養護老人ホーム、同法第20条の6に規定する軽費老人ホーム又は同法第29条第1項に規定する有料老人ホーム ロ　介護保険法第8条第28項に規定する介護老人保健施設又は同条第29項に規定する介護医療院 ハ　高齢者の居住の安定確保に関する法律第5条第1項に規定するサービス付き高齢者向け住宅（イに規定する有料老人ホームを除きます。）

-726-

	障害者の日常生活及び社会生活を総合的に支援するための法律第21条第1項に規定する障害支援区分の認定を受けていた被相続人が同法第5条第11項に規定する障害者支援施設（同条第10項に規定する施設入所支援が行われるものに限ります。）又は同条第17項に規定する共同生活援助を行う住居に入所又は入居をしていたこと。
②	

（注1）　特例対象宅地等には、被相続人から贈与（死因贈与を除きます。）により取得したものは含まれないため、第四章第五節に規定する加算対象贈与財産及び相続時精算課税の適用を受ける財産については、3の特例の適用はありません（措通69の4－1）。

（注2）　特例対象宅地等には、配偶者居住権は含まれませんが、個人が相続又は遺贈により取得した、配偶者居住権に基づく敷地利用権（配偶者居住権の目的となっている建物等の敷地の用に供される宅地等（土地又は土地の上に存する権利で、建物等の敷地の用に供されているものに限ります。）を当該配偶者居住権に基づき使用する権利をいいます。）及び配偶者居住権の目的となっている建物等の敷地の用に供される宅地等が含まれます（措通69の4－1の2）。

	小規模宅地等の区分	減額割合
①	特定事業用宅地等である小規模宅地等 特定居住用宅地等である小規模宅地等 特定同族会社事業用宅地等である小規模宅地等	100分の80
②	貸付事業用宅地等である小規模宅地等	100分の50

（2）　特例対象宅地等の範囲

　（1）で説明した特例対象宅地等とは、次の①又は②に該当する宅地等をいいます（措法69の4①、措令40の2①④、措規23の2①③）。

①　相続の開始の直前において、その相続若しくは遺贈に係る被相続人又はその被相続人と生計を一にしていたその被相続人の親族（以下「**被相続人等**」といいます。）の**事業**（事業と称するに至らない不動産の貸付けその他これに類する行為で相当の対価を得て継続的に行うもの〔以下「**準事業**」といいます。〕を含みます。）の用又は居住の用に供されていた宅地等で次に掲げる建物又は構築物以外の建物又は構築物の敷地の用に供されているもの

　イ　温室その他の建物で、その敷地が耕作（農地法第43条第1項の規定により耕作に該当するものとみなされる農作物の栽培を含みます。ロにおいて同じ。）の用に供されるもの

　ロ　暗渠その他の構築物で、その敷地が耕作の用又は耕作若しくは養畜のための採草若しくは家畜の放牧の用に供されるもの

②　平成24年10月1日から相続の開始の直前までの間において、郵便局舎の敷地の用に供されていた宅地等で、日本郵便株式会社法第2条第4項に規定する郵便局の用に供するため日本郵便株式会社（平成19年10月1日から平成24年9月30日までの間にあっては、平成24年改正法第3条《郵便局株式会社法の一部改正》の規定による改正前の郵便局株式会社法第2条第2項に規定する郵便局の用に供するため郵便局株式会社）に対し貸し付けられていた建物の敷地の用に供されていた土地又は土地の上に存する権利（**郵便局舎の敷地の用に供されていた宅地等**）（措通69の4－28）

　なお、宅地等のうち、所得税法第2条第1項第16号に規定する棚卸資産及び同法第35条第1項に規定する雑所得の基因となるものは、特例対象宅地等にはなりません。また、その宅地等のうちに、被相続人等の事業の用及び居住の用以外の用に供されていた部分があるときは、これらの部分は、特例対象宅地等の範囲から除かれます。

第六章第一節《相続税の課税価格とその計算》

（イ）　被相続人等の事業の用に供されていた宅地等の範囲

①の被相続人等の事業の用に供されていた宅地等（以下「**事業用宅地等**」といいます。）とは、次に掲げる宅地等（①に規定する建物又は構築物（以下「建物等」といいます。）の敷地の用に供されていたものに限ります。以下同じ。）をいいます（措通69の４－４）。

〈イ〉　他に貸し付けられていた宅地等（その貸付けが①の事業に該当する場合に限ります。）

〈ロ〉　〈イ〉に掲げる宅地等を除き、被相続人等の事業（①の事業をいいます。以下〈ハ〉までにおいて同じ。）の用に供されていた建物等で、被相続人等が所有していたもの又は被相続人の親族（被相続人と生計を一にしていたその被相続人の親族を除きます。以下〈ニ〉において「その他親族」といいます。）が所有していたもの（被相続人等がその建物等をその親族から無償（相当の対価に至らない程度の対価の授受がある場合を含みます。以下同じ。）で借り受けていた場合におけるその建物等に限ります。）の敷地の用に供されていたもの

　　ただし、相続又は遺贈により取得した宅地等が、当該相続の開始の直前において配偶者居住権に基づき使用又は収益されていた建物等の敷地の用に供されていたものである場合には、当該宅地等のうち、次に掲げる宅地等が事業用宅地等に該当するものとされます（措通69の４－４の２）。

〈ハ〉　他に貸し付けられていた宅地等（当該貸付けが事業に該当する場合に限られます。）

〈ニ〉　〈ハ〉に掲げる宅地等を除き、被相続人等の事業の用に供されていた建物等（被相続人等又はその他親族が所有していた建物等をいいます。）で、被相続人等が配偶者居住権者（当該配偶者居住権を有する者をいいます。）であるもの又はその他親族が配偶者居住権者であるもの（被相続人等が当該建物等を配偶者居住権者である当該その他親族から無償で借り受けていた場合における当該建物等に限ります。）の敷地の用に供されていたもの

（ロ）　事業用建物等の建築中等に相続が開始した場合

被相続人等の事業の用に供されている建物等の移転又は建替えのためその建物等を取り壊し、又は譲渡し、これらの建物等に代わるべき建物等（被相続人又は被相続人の親族の所有に係るものに限ります。）の建築中に、又はその建物等の取得後被相続人等が事業の用に供する前に被相続人について相続が開始した場合で、その相続開始直前においてその被相続人等のその建物等に係る事業の準備行為の状況からみてその建物等を速やかにその事業の用に供することが確実であったと認められるときは、その建物等の敷地の用に供されていた宅地等は、事業用宅地等に該当するものとして取り扱われます。なお、その被相続人と生計を一にしていたその被相続人の親族又はその建物等若しくはその建物等の敷地の用に供されていた宅地等を相続若しくは遺贈により取得したその被相続人の親族が、その建物等を相続税の申告期限までに事業の用に供しているとき（相続税の申告期限においてその建物等を事業の用に供していない場合であっても、それがその建物等の規模等からみて建築に相当の期間を要することによるものであるときは、その建物等の完成後速やかに事業の用に供することが確実であると認められるときを含みます。）は、その相続開始直前においてその被相続人等がその建物等を速やかにその事業の用に供することが確実であったものとして差し支えないこととされます（措通69の４－５）。

（注）　その建築中又は取得に係る建物等のうちに被相続人等の事業の用に供されると認められる部分以外の部分があるときは、事業用宅地等の部分は、その建物等の敷地のうち被相続人等の事業の用に供されると認められるその建物等の部分に対応する部分に限られます。

（ハ）　使用人の寄宿舎等の敷地

被相続人等の営む事業に従事する使用人の寄宿舎等（被相続人等の親族のみが使用していたものを除きます。）の敷地の用に供されていた宅地等は、被相続人等のその事業に係る事業用宅地等に該当するものとされます（措通69の４－６）。

（ニ）　被相続人等の居住の用に供されていた宅地等の範囲

①の被相続人等の居住の用に供されていた宅地等（以下「**居住用宅地等**」といいます。）とは、次に

－728－

第六章第一節《相続税の課税価格とその計算》

掲げる宅地等をいうものとされます（措通69の4－7）。

〈イ〉　相続の開始の直前において、被相続人等の居住の用に供されていた家屋で、被相続人が所有していたもの（被相続人と生計を一にしていたその被相続人の親族が居住の用に供していたものである場合には、その親族が被相続人から無償で借り受けていたものに限ります。）又は被相続人の親族が所有していたもの（その家屋を所有していた被相続人の親族がその家屋の敷地を被相続人から無償で借り受けており、かつ、被相続人等がその家屋をその親族から借り受けていた場合には、無償で借り受けていたときにおけるその家屋に限ります。）の敷地の用に供されていた宅地等

〈ロ〉　（1）に定める事由により被相続人の居住の用に供されなくなる直前まで、被相続人の居住の用に供されていた家屋で、被相続人が所有していたもの又は被相続人の親族が所有していたもの（その家屋を所有していた被相続人の親族がその家屋の敷地を被相続人から無償で借り受けており、かつ、被相続人がその家屋を当該親族から借り受けていた場合には、無償で借り受けていたときにおける当該家屋に限ります。）の敷地の用に供されていた宅地等（被相続人の居住の用に供されなくなった後、（1）の事業の用又は新たに被相続人等以外の者の居住の用に供された宅地等を除きます。）

　　（注）　上記〈イ〉及び〈ロ〉の宅地等のうちに被相続人等の居住の用以外の用に供されていた部分があるときは、被相続人等の居住の用に供されていた部分に限られますが、その居住の用に供されていた部分が、被相続人の居住の用に供されていた1棟の建物（建物の区分所有等に関する法律第1条の規定に該当する建物を除きます。）に係るものである場合には、当該1棟の建物の敷地の用に供されていた宅地等のうち被相続人の親族の居住の用に供されていた部分が含まれます。

　　※　「建物の区分所有等に関する法律第1条の規定に該当する建物」とは、区分所有建物である旨の登記がされている建物のことをいいます（措通69の4－7の4）。

（ホ）　要介護認定等の判定時期

　被相続人が、（1）の表の①に規定する要介護認定若しくは要支援認定又は同表の②に規定する障害支援区分（平成26年3月31日までの間にあっては障害程度区分）の認定を受けていたかどうかは、被相続人が、被相続人の相続の開始の直前においてその認定を受けていたかにより判定します（措通69の4－7の3）。

（ヘ）　居住用建物の建築中等に相続が開始した場合

　被相続人等の居住の用に供されると認められる建物（その建物が被相続人又は被相続人の親族の所有に係るものに限ります。）の建築中に、又はその建物の取得後被相続人等が居住の用に供する前に被相続人について相続が開始した場合には、その建物の敷地の用に供されていた宅地等が①の被相続人等の居住の用に供されていた居住用宅地等に該当するかどうか及び居住用宅地等の部分については、**（ロ）**に準じて取り扱われます（措通69の4－8）。

　　（注）　**（ヘ）**の取扱いは、相続の開始の直前において被相続人等が自己の居住の用に供している建物（被相続人等の居住の用に供されると認められる建物の建築中等に限り一時的に居住の用に供していたにすぎないと認められる建物を除きます。）を所有していなかった場合に限り適用があることに留意してください。

（ト）　店舗兼住宅等の敷地の持分の贈与について贈与税の配偶者控除等の適用を受けたものの居住の用に供されていた部分の範囲

　この特例の適用がある店舗兼住宅等の敷地の用に供されていた宅地等で、相続の開始の年の前年以前に被相続人からその持分の贈与につき贈与税の配偶者控除の適用を受けたもの（第五編第五章第三節の3の（3）のただし書（1153ページ参照）の取扱いを適用して贈与税の申告があったものに限ります。）又は相続の開始の年に被相続人からその持分の贈与につき特定贈与財産に該当することとなったもの（第四章第五節の**【特定贈与財産】**の**（注4）**（710ページ参照）の後段の取扱いを適用して相続税の申告があったものに限ります。）であっても、被相続人等の居住の用に供されていた部分の判定は、その相続の開始の直前における現況によって行うことになります（措通69の4－9）。

　　上記の取扱いは、贈与時において、その贈与を受けた持分の割合が店舗兼住宅等の居住の用に供している部分の割合以下である場合において、贈与税の配偶者控除の適用を最大限適用できるようにす

る取扱いの適用を受けた場合でも、相続税の課税に当たっては、あくまでも相続開始時の現況に基づいて店舗部分と居住用部分のあん分計算を行う趣旨です。

（3）　小規模宅地等の意義

　この特例の適用対象となる小規模宅地等とは、（2）で説明した「特例対象宅地等」のうち、その個人がこの特例の適用を受けるものとして選択をしたものが、限度面積要件を満たす場合におけるその選択特例対象宅地等をいいます。

　この場合の「限度面積要件」とは、その相続又は遺贈により特例対象宅地等を取得した者に係る次に掲げる選択特例対象宅地等の区分に応じ、それぞれに定める要件をいいます（措法69の4②）。

①	特定事業用宅地等又は特定同族会社事業用宅地等（③のイにおいて「特定事業用等宅地等」といいます。）である選択特例対象宅地等	その選択特例対象宅地等の面積の合計が400㎡以下であること。
②	特定居住用宅地等である選択特例対象宅地等	その選択特例対象宅地等の面積の合計が330㎡以下であること。
③	貸付事業用宅地等である選択特例対象宅地等	次のイ、ロ及びハの規定により計算した面積の合計が200㎡以下であること。 イ　特定事業用等宅地等である選択特例対象宅地等がある場合のその選択特例対象宅地等の面積を合計した面積に400分の200を乗じて得た面積 ロ　特定居住用宅地等である選択特例対象宅地等がある場合のその選択特例対象宅地等の面積を合計した面積に330分の200を乗じて得た面積 ハ　貸付事業用宅地等である選択特例対象宅地等の面積を合計した面積

イ　限度面積の計算方法

　上記の表の③の要件に該当する場合を算式で示すと、次のようになります（措通69の4－10）。

$$A \times \frac{200}{400} + B \times \frac{200}{330} + C \leqq 200㎡$$

（注）　算式中の符号は、次のとおりです。

　A＝その相続又は遺贈により財産を取得した者に係るすべての選択特例対象宅地等である特定事業用等宅地等の面積の合計

　B＝その相続又は遺贈により財産を取得した者に係るすべての選択特例対象宅地等である特定居住用宅地等の面積の合計

　C＝その相続又は遺贈により財産を取得した者に係るすべての選択特例対象宅地等である貸付事業用宅地等の面積の合計

（注）　令和2年4月1日以後に相続又は遺贈により取得する財産について、この特例を受けるものとしてその全部又は一部の選択をしようとする特例対象宅地等が配偶者居住権の目的となっている建物の敷地の用に供される宅地等又はその宅地等を配偶者居住権に基づき使用する権利の全部又は一部である場合には、特例対象宅地等の面積は、その面積に、それぞれその敷地の用に供される宅地等の価額又はその権利の価額がこれらの価額の合計額のうちに占める割合を乗じて得た面積であるものとみなして限度面積を計算

します（措令40の２⑥）。

ロ　限度面積要件を満たさない場合

選択特例対象宅地等が限度面積要件を満たしていない場合は、その選択特例対象宅地等のすべてについてこの特例の適用がないことになります。

なお、この場合、その後に提出された期限後申告書及び修正申告書において、その選択特例対象宅地等が限度面積要件を満たすこととなったときは、その選択特例対象宅地等については、この特例の適用があります（（**注**）の場合を除きます。）（措通69の４－11）。

　（**注**）　小規模宅地等の特例、特定計画山林の特例又は個人の事業用資産についての納税猶予及び免除を重複適用する場合に限度額要件等を満たさないとき（措通69の４－12）

　　　　　３の小規模宅地等、４の選択特定計画山林猶予対象宅地等又は第八章第四節「個人の事業用資産についての相続税の納税猶予及び免除」の猶予対象宅地等について３、４の特例又は第八章第四節の１の適用を重複して受けようとする場合に、その選択特定計画山林の価額が租税特別措置法第69条の５第５項に規定する限度額を超えるとき又はその猶予対象宅地等の面積が限度面積を超えるときは、その小規模宅地等の全てについて３の特例の適用はありません。

　　　　　なお、その後の期限後申告書及び修正申告書において、その限度額又はその限度面積を超えないこととなったときは、その小規模宅地等について３の特例の適用があることとなります。

ハ　特例対象宅地等のうち特例の適用を受けるものの選択

特例対象宅地等のうち特例の適用を受けるものの選択は、相続税申告書「第11・11の２表の付表」（1052〜1057ページの様式参照）に記載することにより行います（特例対象宅地等を取得した者が２人以上いる場合又は特例対象宅地等を取得した者のほかに４の**(3)**に規定する特例対象山林及び特例対象受贈山林並びに特定事業用資産に係る猶予対象宅地等及び特例受贈事業用資産に係る猶予対象受贈宅地等を取得した者がいる場合は、その選択について全員が同意したことを証する届出も必要とされますが、この届出も上記の付表１に記載して行います。）（措法69の４⑦、措令40の２⑤）。

（4）　減額対象となる小規模宅地等の意義

上記(3)ハにより選択した小規模宅地等のうち、特定事業用宅地等、特定居住用宅地等、特定同族会社事業用宅地等及び貸付事業用宅地等に該当するものについて、(1)の表の減額割合が適用されますが、これらの宅地等の意義は次のとおりです（措法69の４③、措令40の２⑦〜㉒、措規23の２④〜⑦）。

イ　特定事業用宅地等

特定事業用宅地等とは、被相続人等の事業（不動産貸付業、駐車場業、自転車駐車場業及び準事業を除きます。以下**イ**において同じ。）の用に供されていた宅地等で、次表に掲げる要件のいずれかを満たす被相続人の親族（その親族から相続又は遺贈によりその宅地等を取得したその親族の相続人を含みます。①において同じ。）が相続又は遺贈により取得したもの（平成31年４月１日以後の相続又は遺贈により取得した宅地等については、その相続開始前３年以内に新たに事業の用に供された宅地等（「３年以内事業用宅地等」といいます。以下同じです。）を除き、被相続人等の事業の用に供されていた宅地等のうちこの要件に該当する部分（①又は②に掲げる要件に該当する被相続人の親族が相続又は遺贈により取得した持分の割合に応ずる部分）に限ります。）をいいます。

①	その被相続人の親族が相続開始時から相続税法第27条、第29条又は第31条第２項の規定による相続税の申告書の提出期限（以下**(4)**において「申告期限」といいます。）までの間にその宅地等の上で営まれていた被相続人の事業を引き継ぎ、申告期限まで引き続きその宅地等を有し、かつ、その事業を営んでいること
②	その被相続人の親族が被相続人と生計を一にしていた者で、相続開始時から申告期限（その親族が申告期限前に死亡した場合は、その死亡の日。二の①を除き、以下**(4)**において同じ。）まで引き続きその宅地等を有し、かつ、相続開始前から申告期限まで引き続きその宅地等を自己の事業

－731－

第六章第一節《相続税の課税価格とその計算》

> の用に供していること

(注1) 相続開始前3年以内に新たに事業の用に供された宅地等であっても、一定の規模以上の事業を行っていた被相続人等の事業の用に供されていた宅地等については、3年以内事業宅地等に該当しません。

なお、上記の「一定の規模以上の事業」とは、次の算式を満たす場合におけるその事業をいいます。

（算式）

$$\frac{\text{下記の事業の用に供されていた一定の資産（※）のうち被相続人等が有していたものの相続開始時の価額の合計額}}{\text{新たに事業の用に供された宅地等の相続開始時の価額}} \geqq 15\%$$

> ※ 上記の「一定の資産」とは、次に掲げる資産（その資産のうちにその事業の用以外の用に供されていた部分がある場合には、その事業の用に供されていた部分に限ります。）をいいます。
> ① その宅地等の上に存する建物（その附属設備を含みます。）又は構築物
> ② 所得税法第2条第1項第19号に規定する減価償却資産でその宅地等の上で行われるその事業に係る業務の用に供されていたもの（上記①に掲げるものを除きます。）

ただし、被相続人が相続開始前3年以内に開始した相続又はその相続に係る遺贈により事業の用に供されていた宅地等を取得し、かつ、その取得の日以後その宅地等を引き続き事業の用に供していた場合におけるその宅地等については、被相続人が相続により取得した事業用宅地等の上で事業を営んでいた期間が3年未満の場合であっても特定事業用宅地等の範囲から除外されません。

(注2) 所得税法等の一部を改正する法律（平成31年法律第6号）附則により、平成31年4月1日から令和4年3月31日までの間に相続又は遺贈により取得した宅地等のうち、平成31年3月31日までに事業の用に供された宅地等については、3年以内事業宅地等に該当しないものとする経過措置が設けられています。

(注3) 被相続人から相続又は遺贈により財産を取得した人が、特定事業用宅地等についてこの特例の適用を受ける場合には、その人を含め、その被相続人から相続又は遺贈により財産を取得した人の全てが、「個人の事業用資産についての相続税の納税猶予及び免除」（第八章第四節（847ページ）参照）の適用を受けることができません。

（イ）　不動産貸付業等の範囲

被相続人等の不動産貸付業、駐車場業又は自転車駐車場業については、その規模、設備の状況及び営業形態等を問わずすべてイ及びニに規定する不動産貸付業、駐車場業又は自転車駐車場業に該当します（措通69の4－13）。

（ロ）　下宿等

下宿等のように部屋を使用させるとともに食事を供する事業は、特定事業用宅地等の適用対象事業から除かれる不動産貸付業等には該当しないものとされます（措通69の4－14）。したがって、前記イの①又は②の要件を満たせば80%の減額対象となります。

（ハ）　宅地等を取得した親族が申告期限までに死亡した場合

被相続人の事業用宅地等を相続又は遺贈により取得した被相続人の親族がその相続に係る相続税の申告期限までに死亡した場合には、その親族から相続又は遺贈によりその宅地等を取得したその親族の相続人が、イの①の要件を満たせば、その宅地等は特定事業用宅地等に該当することになります（措通69の4－15）。

> （注）　その相続人についてイの①の要件に該当するかどうかを判定する場合において、①の申告期限は、相続税法第27条第2項（第十二章第一節の8《申告義務の承継》（913ページ）参照）の規定による申告期限をいい、また、被相続人の事業を引き継ぐとは、その相続人が被相続人の事業を直接引き継ぐ場合も含まれることに留意してください。

（ニ）　申告期限までに転業又は廃業があった場合

イの①の要件の判定については、①の申告期限までに、①に規定する親族がその宅地等の上で営まれていた被相続人の事業の一部を他の事業（イに規定する事業に限ります。）に転業しているときであっても、その親族はその被相続人の事業を営んでいるものとして取り扱われます。

なお、その宅地等が被相続人の営む2以上の事業の用に供されていた場合において、その宅地等を取得した①に規定する親族が①の申告期限までにそれらの事業の一部を廃止したときにおけるその廃止に

－732－

第六章第一節《相続税の課税価格とその計算》

係る事業以外の事業の用に供されていたその宅地等の部分については、その宅地等の部分を取得したその親族について①の要件を満たす限り、特定事業用宅地等に該当するものとされます（措通69の4－16）。

　　(注)　イの②の要件の判定については、上記のなお書に準じて取り扱われます。

　(ホ)　災害のため事業が休止された場合

　イの①又は②の要件の判定において、被相続人等の事業の用に供されていた施設が災害により損害を受けたため、①又は②の申告期限においてその事業が休業中である場合には、イに規定する親族（①の場合にあっては、その親族の相続人を含みます。）によりその事業の再開のための準備が進められていると認められるときに限り、その施設の敷地は、その申告期限においてもその親族のその事業の用に供されているものとして取り扱われます（措通69の4－17）。

　(ヘ)　申告期限までに宅地等の一部の譲渡又は貸付けがあった場合

　イの①又は②の要件の判定については、被相続人等の事業用宅地等の一部が①又は②の申告期限までに譲渡され、又は他に貸し付けられ、イの親族（①の場合にあっては、その親族の相続人を含みます。）の①又は②に規定する事業の用に供されなくなったときであっても、その譲渡され、又は貸し付けられた宅地等の部分以外の宅地等の部分については、その親族について①又は②の要件を満たす限り、特定事業用宅地等に当たるものとして取り扱われます（措通69の4－18）。

　(ト)　申告期限までに事業用建物等を建て替えた場合

　イの①又は②の要件の判定において、イに規定する親族（①の場合にあっては、その親族の相続人を含みます。）の事業の用に供されている建物等が①又は②の申告期限までに建替え工事に着手された場合に、その宅地等のうちその親族によりその事業の用に供されると認められる部分については、その申告期限においてもその親族のその事業の用に供されているものとして取り扱われます（措通69の4－19）。

　(チ)　宅地等を取得した親族が事業主となっていない場合

　イの①に規定する事業を営んでいるかどうかは、事業主としてその事業を行っているかどうかにより判定しますが、①に規定する親族が就学中であることその他当面事業主となれないことについてやむを得ない事情があるため、その親族の親族が事業主となっている場合には、①に規定する親族がその事業を営んでいるものとして取り扱われます（措通69の4－20）。

　　(注)　事業を営んでいるかどうかは、会社等に勤務するなど他に職を有し、又はその事業の他に主たる事業を有している場合であっても、その事業の事業主となっている限りこれに該当します。

ロ　特定居住用宅地等

　特定居住用宅地等とは、被相続人等の居住の用に供されていた宅地等（その宅地等が2以上ある場合には、(イ)の宅地等によります。）で、その被相続人の配偶者又は次表に掲げる要件のいずれかを満たすその被相続人の親族（被相続人の配偶者を除きます。以下ロにおいて同じ。）が相続又は遺贈により取得したもの（被相続人等の居住の用に供されていた宅地等のうち、被相続人の配偶者が相続若しくは遺贈により取得した持分の割合に応ずる部分又は次表に定める要件に該当する部分（①から③までに掲げる要件に該当する被相続人の親族が相続又は遺贈により取得した持分の割合に応ずる部分に限ります。）に限ります。）をいいます（措法69の4③二、措令40の2⑫⑬⑭、措規23の2④）。

①	その親族が相続開始の直前においてその宅地等の上に存するその被相続人の居住の用に供されていた1棟の建物（その被相続人、その被相続人の配偶者又はその親族の居住の用に供されていた部分として次に掲げる部分に限ります。）に居住していた者であって、相続開始時から申告期限まで引き続きその宅地等を有し、かつ、その建物に居住していること。		
	イ	被相続人の居住の用に供されていた1棟の建物が建物の区分所有等に関する法律第1条の規定に該当する建物である場合	その被相続人の居住の用に供されていた部分
	ロ	イに掲げる場合以外の場合	被相続人又はその被相続人の親族

第六章第一節《相続税の課税価格とその計算》

		の居住の用に供されていた部分
②	その親族（その被相続人の居住の用に供されていた宅地等を取得した者であって無制限納税義務者又は非居住制限納税義務者のうち日本国籍を有する者に限ります。）が次に掲げる要件の全てを満たすこと（その被相続人の配偶者又は相続開始の直前においてその被相続人の居住の用に供されていた家屋に居住していた親族でその被相続人の民法第5編第2章の規定による相続人〔相続の放棄があった場合には、その放棄がなかったものとした場合における相続人〕がいない場合に限ります。）。 イ　相続開始前3年以内に日本国内にあるその親族、その親族の配偶者、その親族の3親等内の親族又はその親族と特別の関係がある法人（**注2**）が所有する家屋（相続開始の直前においてその被相続人の居住の用に供されていた家屋を除きます。）に居住したことがないこと。 ロ　その被相続人の相続開始時にその親族が居住している家屋を相続開始前のいずれの時においても所有していたことがないこと。 ハ　相続開始時から申告期限まで引き続きその宅地等を有していること。	
③	その親族がその被相続人と生計を一にしていた者であって、相続開始時から申告期限まで引き続きその宅地等を有し、かつ、相続開始前から申告期限まで引き続きその宅地等を自己の居住の用に供していること。	

(**注1**)　「その親族の配偶者、その親族の3親等内の親族又はその親族と特別の関係がある法人」とは、相続の開始の直前においてその親族の配偶者、その親族の3親等内の親族又はその親族と特別の関係がある法人である者をいいます（措通69の4-22）。

(**注2**)　「その親族と特別の関係がある法人」とは、次に掲げる法人をいいます（措令40の2⑮）。
　　　A　②の親族及び次に掲げる者（以下「親族等」といいます。）が法人の発行済株式又は出資（その法人が有する自己の株式又は出資を除きます。）の総数又は総額（以下「発行済株式総数等」といいます。）の10分の5を超える数又は金額の株式又は出資を有する場合におけるその法人
　　　　a　その親族の配偶者
　　　　b　その親族の3親等内の親族
　　　　c　その親族と婚姻の届出をしていないが事実上婚姻関係と同様の事情にある者
　　　　d　その親族の使用人
　　　　e　aからdまでに掲げる者以外の者でその親族から受けた金銭その他の資産によって生計を維持しているもの
　　　　f　cからeまでに掲げる者と生計を一にするこれらの者の配偶者又は3親等内の親族
　　　B　親族等及びこれとAの関係がある法人が他の法人の発行済株式総数等の10分の5を超える数又は金額の株式又は出資を有する場合における当該他の法人
　　　C　親族等及びこれとA又はBの関係がある法人が他の法人の発行済株式総数等の10分の5を超える数又は金額の株式又は出資を有する場合における当該他の法人
　　　D　親族等が理事、監事、評議員その他これらの者に準ずるものとなっている持分の定めのない法人

（イ）　被相続人等の居住の用に供されていた宅地等が2以上ある場合
次に掲げる場合の区分に応じそれぞれ次に定める宅地等をいいます（措令40の2⑪）。
A　被相続人の居住の用に供されていた宅地等が2以上ある場合（Cに掲げる場合を除きます。）は、その被相続人が主としてその居住の用に供していた一の宅地等
B　被相続人と生計を一にしていた被相続人の親族の居住の用に供されていた宅地等が2以上ある場合（Cに掲げる場合を除きます。）は、その親族が主としてその居住の用に供していた一の宅地等（その親族が2人以上ある場合には、その親族ごとにそれぞれ主としてその居住の用に供していた一の宅地等）
C　被相続人及びその被相続人と生計を一にしていたその被相続人の親族の居住の用に供されてい

-734-

第六章第一節《相続税の課税価格とその計算》

た宅地等が２以上ある場合は、次に掲げる場合の区分に応じそれぞれ次に定める宅地等

ⅰ　その被相続人が主としてその居住の用に供していた一の宅地等とその親族が主としてその居住の用に供していた一の宅地等とが同一である場合は、その一の宅地等

ⅱ　ⅰに掲げる場合以外の場合は、その被相続人が主としてその居住の用に供していた一の宅地等及びその親族が主としてその居住の用に供していた一の宅地等

（ロ）　被相続人の居住用家屋に居住していた親族の範囲

ロの②に規定するその被相続人の居住の用に供されていた家屋に居住していた親族とは、その被相続人に係る相続の開始の直前においてその家屋で被相続人と共に起居していたものをいいます。この場合において、その被相続人の居住の用に供されていた家屋については、その被相続人が１棟の建物でその構造上区分された数個の部分の各部分（以下「独立部分」といいます。）を独立して住居その他の用途に供することができるものの独立部分の一に居住していたときは、その独立部分をいうものとされます（措通69の４−21）。

（ハ）　災害のため居住の用に供されていない場合

ロの①又は③の要件の判定において、被相続人等の居住の用に供されていた家屋が災害により損害を受けたため、①又は③の申告期限においてその居住の用に供されていない場合には、イの**（ホ）**《災害のため事業が休止された場合》に準じて取り扱われます（措通69の４−17(注)）。

（ニ）　申告期限までに居住用家屋を建て替えた場合

ロの①又は③の要件の判定において、ロに規定する親族の居住の用に供されている家屋が①又は③に規定する申告期限までに建替え工事に着手された場合には、イの**（ト）**に準じて取り扱われます（措通69の４−19　(注)）。

ハ　特定同族会社事業用宅地等

特定同族会社事業用宅地等とは、相続開始の直前に被相続人及びその被相続人の親族その他その被相続人と下記に掲げる**特別の関係がある者**が有する株式の総数又は出資の総額がその株式又は出資に係る法人の発行済株式の総数又は出資の総額の10分の５を超える法人の事業（不動産貸付業、駐車場業、自転車駐車場業及び準事業を除きます。以下ハにおいて同じ。）の用に供されていた宅地等で、その宅地等を相続又は遺贈により取得したその被相続人の親族（申告期限においてその法人の法人税法第２条第15号に規定する役員《清算人を除きます。》である者に限ります。）が、相続開始時から申告期限まで引き続きその宅地等を有し、かつ、申告期限まで引き続きその法人の事業の用に供されている場合のその宅地等（法人の事業の用に供されていた宅地等のうちこの要件に該当する部分（被相続人の親族が相続又は遺贈により取得した持分の割合に応ずる部分に限ります。）に限ります。）をいいます（措法69の４③三、措令40の２⑦⑱、措規23の２⑤）。

〈特別の関係がある者〉

次に掲げる者をいいます（措令40の２⑯）。

（一）　被相続人と婚姻の届出をしていないが事実上婚姻関係と同様の事情にある者

（二）　被相続人の使用人

（三）　被相続人の親族及び（一）、（二）に掲げる者以外の者で被相続人から受けた金銭その他の資産によって生計を維持しているもの

（四）　（一）から（三）までに掲げる者と生計を一にするこれらの者の親族

（五）　次に掲げる法人

イ　被相続人（その被相続人の親族及びその被相続人に係る（一）から（四）までに掲げる者を含みます。以下（五）において同じ。）が法人の発行済株式総数等の10分の５を超える数又は金額の株式又は出資を有する場合におけるその法人

ロ　被相続人及びこれとイの関係がある法人が他の法人の発行済株式総数等の10分の５を超える数又は金額の株式又は出資を有する場合における当該他の法人

ハ　被相続人及びこれとイ又はロの関係がある法人が他の法人の発行済株式総数等の10分の5を超える数又は金額の株式又は出資を有する場合における当該他の法人

〈議決権に制限のある株式等の取扱い〉

ハにおいて、株式若しくは出資又は発行済株式には、相続開始の時に会社法第108条第1項第3号に掲げる事項の全部について制限のある株式、同法第105条第1項第3号に掲げる議決権の全部について制限のある株主が有する株式、同法第308条第1項又は第2項の規定により議決権を有しないものとされる者が有する株式その他議決権のない株式又は出資は含めません（措令40の2⑰、措規23の2⑥⑦）。

（イ）　法人の事業の用に供されていた宅地等の範囲

ハに規定する法人の事業の用に供されていた宅地等とは、次に掲げる宅地等のうちハに規定する法人（申告期限において清算中の法人を除きます。）の事業の用に供されていたものをいうものとされます（措通69の4－23）。

〈イ〉　その法人に貸し付けられていた宅地等（その貸付けが（2）の①に規定する事業に該当する場合に限ります。）

〈ロ〉　その法人の事業の用に供されていた建物等で、被相続人が所有していたもの又は被相続人と生計を一にしていたその被相続人の親族が所有していたもの（その親族がその建物等の敷地を被相続人から無償で借り受けていた場合におけるその建物等に限ります。）で、その法人に貸し付けられていたもの（その貸付けが（2）の①に規定する事業に該当する場合に限ります。）の敷地の用に供されていたもの

（ロ）　法人の社宅等の敷地

ハの要件の判定において、ハに規定する法人の社宅等（被相続人等の親族のみが使用していたものを除きます。）の敷地の用に供されていた宅地等は、その法人の事業の用に供されていた宅地等に該当するものとされます（措通69の4－24）。

（ハ）　申告期限までに事業の一部が廃止された場合

ハの宅地等が法人の営む二以上の事業の用に供されていた場合において、その法人がその申告期限までにそれらの事業の一部を廃止したときについては、イの（ニ）《申告期限までに転業又は廃業があった場合》のなお書に準じて取り扱われます（措通69の4－16(注)）。

（ニ）　災害のため事業が休止された場合

ハの法人の事業の用に供されていた施設が災害により損害を受けたため、その申告期限においてその事業が休業中である場合には、イの（ホ）《災害のため事業が休止された場合》に準じて取り扱われます（措通69の4－17(注)）。

（ホ）　申告期限までに土地等の一部の譲渡又は貸付けがあった場合

ハの宅地等の一部が申告期限までに譲渡され、又は他に貸し付けられ、その法人の事業の用に供されなくなった場合については、イの（ヘ）《申告期限までに宅地等の一部の譲渡又は貸付けがあった場合》に準じて取り扱われます（措通69の4－18(注)）。

（ヘ）　申告期限までに事業用建物を建て替えた場合

ハの法人の事業の用に供されている建物等が申告期限までに建替え工事に着手された場合については、イの（ト）《申告期限までに事業用建物等を建て替えた場合》に準じて取り扱われます（措通69の4－19(注)）。

ニ　貸付事業用宅地等

貸付事業用宅地等とは、被相続人等の事業（不動産貸付業、駐車場業、自転車駐車場業及び準事業などの貸付事業をいいます。）の用に供されていた宅地等で、次に掲げる要件のいずれかを満たす被相続人の親族（その親族から相続又は遺贈によりその宅地等を取得したその親族の相続人を含みます。①において同じ。）が相続又は遺贈により取得したもの（特定同族会社事業用宅地等及び相続開始前3年以内に新たに貸付事業の用に供された宅地等（相続開始の日まで3年を超えて引き続き貸付事業のうち準事業以外のもの（以下「**特定貸付事業**」といいます。）を行っていた被相続人等のその貸付事業の用に供されたものを除きます。）を除き、被相続人の親族が相続又は遺贈により取得した持分の割合

－736－

第六章第一節《相続税の課税価格とその計算》

に応ずる部分に限ります。）をいいます（措法69の4③四、措令40の2⑦⑩⑲㉒）。

①	その親族が、相続開始時から申告期限までの間にその宅地等に係る被相続人の貸付事業を引き継ぎ、申告期限まで引き続きその宅地等を有し、かつ、その貸付事業の用に供していること
②	その被相続人の親族がその被相続人と生計を一にしていた者であって、相続開始時から申告期限まで引き続きその宅地等を有し、かつ、相続開始前から申告期限まで引き続きその宅地等を自己の貸付事業の用に供していること

(注1)　特定貸付事業を行っていた被相続人（以下「**第一次相続人**」といいます。）が、その第一次相続人の死亡に係る相続開始前3年以内に相続又は遺贈（以下「**第一次相続**」といいます。）によりその第一次相続に係る被相続人の特定貸付事業の用に供されていた宅地等を取得していた場合には、その第一次相続人の特定貸付事業の用に供されていた宅地等に係るニの貸付事業用宅地等の適用については、その第一次相続に係る被相続人が当該第一次相続があった日まで引き続き特定貸付事業を行っていた期間は、その第一次相続人が特定貸付事業を行っていた期間に該当するものとみなされます（措令40の2㉑）。

(注2)　平成30年4月1日から令和3年3月31日までの間に相続又は遺贈により取得をする宅地等については、ニ中「相続開始前3年以内に新たに貸付事業の用に供された宅地等」とあるのは、「平成30年4月1日以後に新たに貸付事業の用に供された宅地等」とされます（平30改法附118④）。

(注3)　（被相続人等の貸付事業の用に供されていた宅地等）

　　　宅地等が被相続人等の貸付事業の用に供されていた宅地等に該当するかどうかは、その宅地等が相続開始の時において現実に貸付事業の用に供されていたかどうかで判定しますが、貸付事業の用に供されていた宅地等には、その貸付事業に係る建物等のうちに相続開始の時において一時的に賃貸されていなかったと認められる部分がある場合におけるその部分に係る宅地等の部分が含まれます（措通69の4－24の2）。

(※)　（2）の(ロ)《事業用建物等の建築中等に相続が開始した場合》（措通69の4－5）（728ページ参照）の取扱いがある場合を除き、新たに貸付事業の用に供する建物等を建築中である場合や、新たに建築した建物等に係る賃借人の募集その他の貸付事業の準備行為が行われているに過ぎない場合には、その建物等に係る宅地等は貸付事業の用に供されていた宅地等に該当しません。

(注4)　（新たに貸付事業の用に供されたか否かの判定）

　　　ニの「新たに貸付事業の用に供された」とは、貸付事業の用以外の用に供されていた宅地等が貸付事業の用に供された場合又は宅地等若しくはその上にある建物等につき「何らの利用がされていない場合」のその宅地等が貸付事業の用に供された場合をいいます。

　　　したがって、賃貸借契約等につき更新がされた場合は、新たに貸付事業の用に供された場合に該当しないこととなります。

　　　また、次に掲げる場合のように、貸付事業に係る建物等が一時的に賃貸されていなかったと認められるときには、その建物等に係る宅地等は、上記の「何らの利用がされていない場合」に該当しないこととなります（措通69の4－24の3）。

イ　継続的に賃貸されていた建物等につき賃借人が退去をした場合において、その退去後速やかに新たな賃借人の募集が行われ、賃貸されていたとき（新たな賃借人が入居するまでの間、その建物等を貸付事業の用以外の用に供していないときに限ります。）

ロ　継続的に賃貸されていた建物等につき建替えが行われた場合において、建物等の建替え後速やかに新たな賃借人の募集が行われ、賃貸されていたとき（その建替え後の建物等を貸付事業の用以外の用に供していないときに限ります。）

ハ　継続的に賃貸されていた建物等が災害により損害を受けたため、その建物等に係る貸付事業を休業した場合において、その貸付事業の再開のためのその建物等の修繕その他の準備が行われ、その貸付事業が再開されていたとき（休業中にその建物等を貸付事業の用以外の用に供していないときに限ります。）

(※1)　建替えのための建物等の建築中に相続が開始した場合には（2）の(ロ)《事業用建物等の建築中等に相続が開始した場合》（措通69の4－5）（728ページ参照）の取扱いが、また、災害による損害のための休業中に相続が開始した場合には（4）のイの(ホ)《災害のため事業が休止された場合》（措通69の4－17）（733ページ参照）の取扱いが、それぞれあることとなります。

(※2)　イ、ロ又はハに該当する場合には、その宅地等に係る「新たに貸付事業の用に供された」時は、

－737－

第六章第一節《相続税の課税価格とその計算》

　　　　　イの退去前、ロの建替え前又はハの休業前の賃貸に係る貸付事業の用に供された時となることと
　　　　　なります。
　　　（※３）　ロに該当する場合において、建替え後の建物等の敷地の用に供された宅地等のうちに、建替え
　　　　　　前の建物等の敷地の用に供されていなかった宅地等が含まれるときは、その供されていなかった
　　　　　　宅地等については、新たに貸付事業の用に供された宅地等に該当することとなります。
　（注５）　（特定貸付事業の意義）
　　　　　特定貸付事業は、貸付事業のうち準事業以外のものをいいますが、被相続人等の貸付事業が準事業以外
　　　の貸付事業に当たるかどうかについては、社会通念上事業と称するに至る程度の規模でその貸付事業が行
　　　われていたかどうかにより判定することとなります（措通69の４－24の４）。
　　　　　なお、この判定に当たっては、次によることとなります。
　　　イ　被相続人等が行う貸付事業が不動産の貸付けである場合において、その不動産の貸付けが不動産所得
　　　　（所得税法第26条第１項《不動産所得》に規定する不動産所得をいいます。以下イにおいて同じ。）を
　　　　生ずべき事業として行われているときは、その貸付事業は特定貸付事業に該当し、その不動産の貸付け
　　　　が不動産所得を生ずべき事業以外のものとして行われているときは、その貸付事業は準事業に該当する
　　　　こと。
　　　ロ　被相続人等が行う貸付事業の対象が駐車場又は自転車駐車場であって自己の責任において他人の物
　　　　を保管するものである場合において、その貸付事業が同法第27条第１項《事業所得》に規定する事業所
　　　　得を生ずべきものとして行われているときは、その貸付事業は特定貸付事業に該当し、その貸付事業が
　　　　同法第35条第１項《雑所得》に規定する雑所得を生ずべきものとして行われているときは、その貸付事
　　　　業は準事業に該当すること。
　　　（※）　イ又はロの判定を行う場合においては、所得税基本通達26－９《建物の貸付けが事業として行われ
　　　　　ているかどうかの判定》及び27－２《有料駐車場等の所得》の取扱いがあります。
　（注６）　（特定貸付事業が引き続き行われていない場合）
　　　　　相続開始前３年以内に宅地等が新たに被相続人等が行う特定貸付事業の用に供された場合において、そ
　　　の供された時から相続開始の日までの間にその被相続人等が行う貸付事業が特定貸付事業に該当しない
　　　こととなったときは、その宅地等は、相続開始の日まで３年を超えて引き続き特定貸付事業を行っていた
　　　被相続人等の貸付事業の用に供されたものに該当せず、貸付事業用宅地等の対象となる宅地等から除か
　　　れることとなります（措通69の４－24の５）。
　　　（※）　被相続人等が行っていた特定貸付事業が（注４）（措通69の４－24の３）に掲げる場合に該当する場
　　　　　合には、その特定貸付事業は、引き続き行われているものに該当することとなります。
　（注７）　（特定貸付事業を行っていた「被相続人等のその貸付事業の用に供された」の意義）
　　　　　特定貸付事業を行っていた「被相続人等のその貸付事業の用に供された」とは、特定貸付事業を行って
　　　いた被相続人等が、宅地等をその自己が行っていた特定貸付事業の用に供した場合をいうのであって、次
　　　に掲げる場合はこれに該当しないこととなります（措通69の４－24の６）。
　　　イ　被相続人が特定貸付事業を行っていた場合に、被相続人と生計を一にする親族が宅地等を自己の貸付
　　　　事業の用に供したとき
　　　ロ　被相続人と生計を一にする親族が特定貸付事業を行っていた場合に、被相続人又はその親族以外の被
　　　　相続人と生計を一にする親族が宅地等を自己の貸付事業の用に供したとき
　（注８）　（相続開始前３年を超えて引き続き貸付事業の用に供されていた宅地等の取扱い）
　　　　　相続開始前３年を超えて引き続き被相続人等の貸付事業の用に供されていた宅地等については、特定貸
　　　付事業以外の貸付事業に係るものであっても、上表の①又は②の要件を満たすその被相続人の親族が取得
　　　した場合には、貸付事業用宅地等に該当することとなります（措通69の４－24の７）。
　　　（※）　被相続人等の貸付事業の用に供されていた宅地等が（注４）（措通69の４－24の３）に掲げる場合に
　　　　　該当する場合には、その宅地等は引き続き貸付事業の用に供されていた宅地等に該当することとなり
　　　　　ます。

　ホ　特定宅地等
　個人が相続又は遺贈により取得した財産のうちに、郵政民営化法第180条第１項《相続税に係る課税
の特例》に規定する特定宅地等（以下「特定宅地等」といいます。）がある場合において、その特定宅

－738－

第六章第一節《相続税の課税価格とその計算》

地等は、同項の規定により**イ**の特定事業用宅地等に該当する特例対象宅地等とみなして、**3**《小規模宅地等についての相続税の課税価格の特例》及び**4**《特定計画山林についての相続税の課税価格の計算の特例》を適用します（措通69の4－27）。

（注）　郵政民営化法第180条については下記の《**参考**》をご覧ください。

《**参考**》

郵政民営化法　第180条《相続税に係る課税の特例》

　個人が相続又は遺贈（贈与をした者の死亡により効力を生ずる贈与を含む。以下この項において同じ。）により取得をした財産のうちに、次に掲げる要件のすべてを満たす土地又は土地の上に存する権利で政令で定めるもの（以下この項において「特定宅地等」という。）がある場合には、当該特定宅地等を租税特別措置法第69条の4第3項第1号に規定する特定事業用宅地等に該当する同条第1項に規定する特例対象宅地等とみなして、同条及び同法第69条の5の規定を適用する。

（一）　施行日前に当該相続若しくは遺贈に係る被相続人又は当該被相続人の相続人と旧公社との間の賃貸借契約に基づき旧公社法第20条第1項に規定する郵便局の用に供するため旧公社に対し貸し付けられていた建物で政令で定めるものの敷地の用に供されていた土地又は土地の上に存する権利のうち、施行日から当該被相続人に係る相続の開始の直前までの間において当該賃貸借契約（施行日の直前に効力を有するものに限る。）の契約事項に政令で定める事項以外の事項の変更がない賃貸借契約に基づき、引き続き、施行日から平成24年改正法施行日の前日までの間にあっては平成24年改正法第3条の規定による改正前の郵便局株式会社法第2条第2項に規定する郵便局の用に供するため郵便局株式会社、平成24年改正法施行日から当該相続の開始の直前までの間にあっては日本郵便株式会社法第2条第4項に規定する郵便局の用に供するため日本郵便株式会社に対し貸し付けられていた建物で政令で定めるもの（次号において「郵便局舎」という。）の敷地の用に供されていたもの（以下この項において「宅地等」という。）であること。

（二）　当該相続又は遺贈により当該宅地等の取得をした相続人から当該相続の開始の日以後5年以上当該郵便局舎を日本郵便株式会社（当該相続が平成24年改正法施行日前に開始した場合には、当該相続の開始の日から平成24年改正法施行日の前日までの間にあっては郵便局株式会社、平成24年改正法施行日以後にあっては日本郵便株式会社）が引き続き借り受けることにより、当該宅地等を当該相続の開始の日以後5年以上当該郵便局舎の敷地の用に供する見込みであることにつき、財務省令で定めるところにより証明がされたものであること。

（三）　当該宅地等について、既にこの項の規定の適用を受けたことがないものであること。

2　前項の規定の適用に関し必要な事項は、政令で定める。

郵政民営化法施行令　第20条《相続税に係る課税の特例》

　法第180条第1項に規定する土地又は土地の上に存する権利で政令で定めるものは、次に掲げる要件を満たすもの（郵政民営化法等の一部を改正する等の法律（平成24年法律第30号。以下「平成24年改正法」という。）第3条の規定による改正前の郵便局株式会社法（平成17年法律第100号）第4条第1項に規定する業務（同条第2項に規定する業務を併せ行っている場合の当該業務を含む。）の用に供されていた部分以外の部分があるときは、当該業務の用に供されていた部分に限る。）とする。

（一）　法の施行の日（以下「施行日」という。）前から法第180条第1項の相続又は遺贈に係る被相続人（以下この条において「被相続人」という。）に係る相続の開始の直前まで引き続き当該被相続人が有していたものであること。

（二）　所得税法（昭和40年法律第33号）第2条第1項第16号に規定する棚卸資産（これに準ずるものとして財務省令で定めるものを含む。）に該当しないものであること。

2　法第180条第1項第1号に規定する旧公社に対し貸し付けられていた建物で政令で定めるものは、同号の旧公社との賃貸借契約の当事者である被相続人又は当該被相続人の相続人が有していた建物とする。

3　法第180条第1項第1号に規定する政令で定める事項は、次に掲げる事項とする。

（一）　当該賃貸借契約に係る日本郵便株式会社（施行日から平成24年改正法の施行の日（以下「平成24年改正法施行日」という。）の前日までの間にあっては、郵便局株式会社）の営業所、事務所、その他の施設（以下この号において「支社等」という。）の名称若しくは所在地又は支社等の長

（二）　当該賃貸借契約に係る被相続人又は当該被相続人の相続人の氏名又は住所

（三）　当該賃貸借契約において定められた契約の期間

（四）　当該賃貸借契約に係る法第180条第1項に規定する特定宅地等及び同項第1号に規定する郵便局舎の所在地の行政区画、郡、区、市町村内の町若しくは字若しくはこれらの名称又は地番

4　法第180条第1項第1号に規定する郵便局株式会社及び日本郵便株式会社に対し貸し付けられていた建物で政令で定めるものは、郵便局株式会社及び日本郵便株式会社との賃貸借契約の当事者である被相続人又は当該被相続人の相続人が有していた建物とする。

郵政民営化に関する法人税及び相続税に係る課税の特例に関する省令　第2条《相続税に係る課税の特例》

　法第180条第1項第2号に規定する財務省令で定める証明は、総務大臣の次に掲げる事項を証する書類を相続税法（昭和25年法律第73号）第27条又は第29条の規定による申告書（これらの申告書に係る国税通則法（昭和37年法律第66号）第18条第2項に規定する期限後申告書及びこれらの申告書に係る同法第19条第3項に規定する修正申告書を含む。）に添付することにより行うものとする。

（一）　当該土地又は土地の上に存する権利が法第180条第1項第1号に規定する宅地等に該当する旨

（二）　法第180条第1項第2号に規定する相続人から相続の開始の日以後5年以上同項第1号に規定する郵便局舎を日本郵便株式会社（当該相続が郵政民営化法等の一部を改正する等の法律（平成24年法律第30号）の施行の日前に開始した場合における当該相続の開始の日から同法の施行の日の前日までの間にあっては、郵便局株式会社）が引き続き借り受けることにより、当該土地又は土地の上に存する権利を当該相続の開始の日以後5年以上当該郵便局舎の敷地の用に供する見込みである旨

2　令第20条第1項第2号に規定する財務省令で定めるものは、所得税法（昭和40年法律第33号）第35条第1項に規定する雑所得の基因となる土地又は土地の上に存する権利とする。

日本郵便株式会社法　第4条《業務の範囲等》

　会社は、その目的を達成するため、次に掲げる業務を営むものとする。

（一）　郵便法（昭和22年法律第165号）の規定により行う郵便の業務

（二）　銀行窓口業務

（三）　前号に掲げる業務の健全、適切かつ安定的な運営を維持するために行う、銀行窓口業務契約の締結及び当該銀行窓口業務契約に基づいて行う関連銀行に対する権利の行使

（四）　保険窓口業務

（五）　前号に掲げる業務の健全、適切かつ安定的な運営を維持するために行う、保険窓口業務契約の締結及び当該保険窓口業務契約に基づいて行う関連保険会社に対する権利の行使

（六）　国の委託を受けて行う印紙の売りさばき

（七）　前各号に掲げる業務に附帯する業務

2　会社は、前項に規定する業務を営むほか、その目的を達成するため、次に掲げる業務を営むことができる。

（一）　お年玉付郵便葉書等に関する法律（昭和24年法律第224号）第1条第1項に規定するお年玉付郵便葉書等及び同法第5条第1項に規定する寄附金付郵便葉書等の発行

（二）　地方公共団体の特定の事務の郵便局における取扱いに関する法律（平成13年法律第120号）第3条第5項に規定する事務取扱郵便局において行う同条第1項第1号に規定する郵便局取扱事務に係る業務

（三）　前号に掲げるもののほか、郵便局を活用して行う地域住民の利便の増進に資する業務

（四）　前3号に掲げる業務に附帯する業務

3　会社は、前2項に規定する業務のほか、前2項に規定する業務の遂行に支障のない範囲内で、前2項に規定する業務以外の業務を営むことができる。

4　会社は、第2項第3号に掲げる業務及びこれに附帯する業務並びに前項に規定する業務を営もうとするときは、あらかじめ、総務省令で定める事項を総務大臣に届け出なければならない。

5　第1項の規定は、同項第2号の規定により会社が営む銀行窓口業務以外の銀行代理業又は同項第4号の規定により会社が営む保険窓口業務以外の保険募集若しくは所属保険会社等の事務の代行を第2項又は第3項の規定により会社が営むことを妨げるものではない。

（5）　小規模宅地等の課税価格の計算

　小規模宅地等の相続税の課税価格に算入する価額は、その宅地等につき通常の方法により評価した価額（自用地、借地権、貸宅地、貸家建付地等として財産評価基本通達等により評価した価額をいいます。以下「評価額」といいます。）から、その評価額にその小規模宅地等の区分に応じた減額割合（80%又は50%）を乗じて計算した金額を差し引いた金額となります。

第六章第一節《相続税の課税価格とその計算》

（6）　特例対象宅地等が未分割である場合の適用除外

　この特例は、その相続又は遺贈に係る相続税法第27条の規定による申告書の提出期限（以下（6）、（7）において「**申告期限**」といいます。）までに共同相続人又は包括受遺者によって分割されていない特例対象宅地等については、適用されません。ただし、未分割の特例対象宅地等が申告期限から3年以内に分割された場合は、その分割された特例対象宅地等については、特例の対象とすることができます（措法69の4④）。

　　（注）　相続税の申告期限までにこの特例の適用を受けようとする特例対象宅地等が分割されていない場合には、その事情及び分割の予定等を記載した「申告期限後3年以内の分割見込書」（743ページ参照）を申告書に添付して提出します。

　また、申告期限から3年の期間に遺産の分割ができない場合であっても、そのできないことについて、次に掲げるようなやむを得ない事情がある場合には、税務署長の承認を受けた場合に限り、それぞれに掲げる分割ができることとなった日の翌日から4か月以内に分割された場合（その相続又は遺贈により財産を取得した者が4の規定の適用を受けている場合を除きます。）は、この特例の適用が受けられます（措法69の4④ただし書のかっこ書、措令40の2㉓、相令4の2①、相基通19の2－10）。

　この場合、相続税の申告期限後3年を経過する日の翌日から2月を経過する日までに、そのやむを得ない事情の詳細等を記載した承認申請書を、その事情があることを証する書類とともに、所轄税務署長に提出する必要があります（措法69の4④ただし書のかっこ書、措令40の2㉓、相令4の2②、相規1の6①②。）。

分割されなかったことについてのやむを得ない事情	分割ができることとなった日
①　相続税の申告期限の翌日から3年を経過する日において、その相続又は遺贈に関する訴えが提起されている場合（その相続又は遺贈に関する和解又は調停の申立てが成立せず民事訴訟法第275条第2項《訴え提起前の和解》、家事事件手続法第286条第6項《異義の申立て等》、民事調停法第19条《調停不成立等の場合の訴の提起》により訴えが提起されたとみなされる場合を含みます。）	判決の確定、和解、請求の放棄又は認諾の調書作成の日、訴えの取下げその他その訴訟の完結の日
②　相続税の申告期限の翌日から3年を経過する日において、その相続又は遺贈に関する和解、調停又は審判の申立てがされている場合（①又は④に掲げる場合に該当することとなった場合を除きます。）	和解、調停の成立、審判の確定、申立ての取下げその他これらの申立てに係る事件の終了の日
③　相続税の申告期限の翌日から3年を経過する日において、その相続又は遺贈に関して、民法第908条第1項若しくは第4項《遺産の分割の方法の指定及び遺産の分割の禁止》の規定により遺産の分割が禁止され、又は同法第915条第1項《相続の承認又は放棄をすべき期間》ただし書の規定により相続の承認若しくは放棄の期間が伸長されている場合（その相続又は遺贈に関する調停又は審判の申立てがされている場合において、分割の禁止をする旨の調停が成立し、又はその分割の禁止若しくはその期間の伸長をする旨の審判若しくはこれに代わる裁判が確定したときを含みます。）	その分割の禁止されている期間又はその伸長がされている期間が経過した日
④　①②③に掲げる場合のほか、その相続又は遺贈に係る宅地等が、その相続税の申告期限の翌日から3年を経過する日までに分割されなかったこと及びその宅地等の分割が遅れたことについて、税務署長においてやむを得ない事情があると認める場合	その事情の消滅の日

　なお、特例対象宅地等が未分割であるため、この特例を適用しないで相続税の申告書を提出した個

－741－

第六章第一節《相続税の課税価格とその計算》

人が、その後その特例対象宅地等が分割されたことによりこの特例を適用して計算した相続税額が、先に申告した相続税額を下回ることとなったときは、国税通則法に定める更正の請求の期限経過後においても、その事実を知った日の翌日から４か月以内であれば、更正の請求をすることができることとされています。また、既に分割された特例対象宅地等について申告期限までに４の（２）に規定する特例対象山林の全部又は一部が分割されなかったことにより、この特例の適用を受けようとする特例対象宅地等の選択ができず特例の適用を受けなかった場合において、申告期限から３年以内（３年以内に特例対象山林が分割されなかったことにつきやむを得ない事情があり、所轄税務署長の承認を受けた場合は、その特例対象山林の分割ができることとなった日の翌日から４か月以内）にその特例対象山林が分割されたことにより、その選択ができることとなったとき（その相続若しくは遺贈又は贈与により財産を取得した個人がこの特例又は４の特例を受けている場合を除きます。）も更正の請求をすることによりこの特例の適用が受けられます（措法69の４⑤により準用される相法32①八、措令40の２㉔～㉖、相令４の２）。

－742－

第六章第一節《相続税の課税価格とその計算》

被相続人の氏名 _____

申告期限後3年以内の分割見込書

　相続税の申告書「第11表（相続税がかかる財産の明細書）」に記載されている財産のうち、まだ分割されていない財産については、申告書の提出期限後3年以内に分割する見込みです。

　なお、分割されていない理由及び分割の見込みの詳細は、次のとおりです。

　　1　分割されていない理由

　　　　_____
　　　　_____
　　　　_____
　　　　_____

　　2　分割の見込みの詳細

　　　　_____
　　　　_____
　　　　_____
　　　　_____

　　3　適用を受けようとする特例等

　　⑴　配偶者に対する相続税額の軽減（相続税法第19条の2第1項）

　　⑵　小規模宅地等についての相続税の課税価格の計算の特例
　　　　（租税特別措置法第69条の4第1項）

　　⑶　特定計画山林についての相続税の課税価格の計算の特例
　　　　（租税特別措置法第69条の5第1項）

　　⑷　特定事業用資産についての相続税の課税価格の計算の特例
　　　　（所得税法等の一部を改正する法律(平成21年法律第13号)による
　　　　改正前の租税特別措置法第69条の5第1項）

（資4－21－A4統一）

（※様式は変更される場合がありますのでご注意ください。）

第六章第一節《相続税の課税価格とその計算》

遺産が未分割であることについてやむを得ない事由がある旨の承認申請書

_____年_____月_____日提出

税務署
受付印

_____税務署長

※欄は記入しないでください。

〒
住　所
（居所）_____

申請者　氏　名_____

（電話番号　　　　　－　　　　　－　　　　　）

遺産の分割後、
・配偶者に対する相続税額の軽減（相続税法第19条の2第1項）
・小規模宅地等についての相続税の課税価格の計算の特例
　　　　　　　　（租税特別措置法第69条の4第1項）
・特定計画山林についての相続税の課税価格の計算の特例
　　　　　　　　（租税特別措置法第69条の5第1項）
・特定事業用資産についての相続税の課税価格の計算の特例
　（所得税法等の一部を改正する法律（平成21年法律第13号）によ
　る改正前の租税特別措置法第69条の5第1項）
の適用を受けたいので、

遺産が未分割であることについて、
・相続税法施行令第4条の2第2項
・租税特別措置法施行令第40条の2第23項又は第25項
・租税特別措置法施行令第40条の2の2第8項又は第11項
・租税特別措置法施行令等の一部を改正する政令（平成21年
　政令第108号）による改正前の租税特別措置法施行令第40
　条の2の2第19項又は第22項
に規定する

やむを得ない事由がある旨の承認申請をいたします。

1　被相続人の住所・氏名

住　所_____ 氏　名_____

2　被相続人の相続開始の日　　　平成
　　　　　　　　　　　　　　　　令和　_____年_____月_____日

3　相続税の申告書を提出した日　平成
　　　　　　　　　　　　　　　　令和　_____年_____月_____日

4　遺産が未分割であることについてのやむを得ない理由

```
┌─────────────────────────────────────┐
│                                     │
│                                     │
│                                     │
└─────────────────────────────────────┘
```

（注）やむを得ない事由に応じてこの申請書に添付すべき書類
① 相続又は遺贈に関し訴えの提起がなされていることを証する書類
② 相続又は遺贈に関し和解、調停又は審判の申立てがされていることを証する書類
③ 相続又は遺贈に関し遺産分割の禁止、相続の承認若しくは放棄の期間が伸長されていることを証する書類
④ ①から③までの書類以外の書類で財産の分割がされなかった場合におけるその事情の明細を記載した書類

○　相続人等申請者の住所・氏名等

住　所（居　所）	氏　名	続　柄

○　相続人等の代表者の指定　　　代表者の氏名_____

関与税理士		電話番号	

※	通信日付印の年月日	（確認）	名簿番号
	年　月　日		

（資4－22－1－A4統一）　　（令3.3）

（※様式は変更される場合がありますのでご注意ください。）

第六章第一節《相続税の課税価格とその計算》

《共同相続人等が特例対象宅地等の分割前に死亡している場合の取扱い》

相続又は遺贈により取得した特例対象宅地等の全部又は一部が共同相続人又は包括受遺者(以下「共同相続人等」といいます。)によって分割される前に、その相続(以下「第一次相続」といいます。)に係る共同相続人等のうちいずれかが死亡した場合において、第一次相続により取得した特例対象宅地等の全部又は一部が、その死亡した者の共同相続人等及び第一次相続に係るその死亡した者以外の共同相続人等によって分割され、その分割によりその死亡した者の取得した特例対象宅地等として確定させたものがあるときは、この特例の適用に当たっては、その特例対象宅地等は分割によりその死亡した者が取得したものとして取り扱うことができるものとされています(措通69の4-25)。

> **(注)** 第一次相続に係る共同相続人等のうちいずれかが死亡した後、第一次相続により取得した財産の全部又は一部が家庭裁判所の審判等で分割されている場合で、その審判等の中でその死亡した者の具体的相続分(民法第900条から第904条の2まで(第902条の2を除きます。)の相続分をいいます。)のみが全額又は割合により示されているにすぎないときでも、その死亡した者の共同相続人等の全員の合意でその死亡した者の具体的相続分に対応する財産として特定させたもののうちに特例対象宅地等があるときには、上記の取扱いができます(措通69の4-25(注))。

《申告書の提出期限後に分割された特例対象宅地等について特例の適用を受ける場合の留意点》

相続税の申告書の提出期限後に特例対象宅地等の全部又は一部が分割された場合には、その分割された日において他に分割されていない特例対象宅地等又は4の(2)に規定する特例対象山林があるときであっても、その分割された特例対象宅地等の全部又は一部について、この特例の適用を受けるために上記の準用規定(措法69の4⑦)による更正の請求を行うことができるのは、その分割された日の翌日から4月以内に限られており、その期間経過後においてその分割された特例対象宅地等について上記の準用規定による更正の請求をすることはできません(措通69の4-26)。

(7) この特例の適用を受けるための申告手続

この特例の適用を受けるためには、相続税の申告書(期限後申告書及び修正申告書を含みます。)に特例を受ける旨及びその計算に関する明細を記載(相続税の申告書第11・11の2表の付表1・付表2、2の2に記載します。)し、次に掲げる区分に応じそれぞれに掲げる書類を添付して、その申告書を提出しなければなりません(措法69の4⑦、措規23の2⑧)。

| ① 特定事業用宅地等である小規模宅地等について特例の適用を受けようとする場合 | 次に掲げる書類
イ 小規模宅地等に係る相続税の課税価格に算入すべき価額の計算に関する明細書《相続税の申告書第11・11の2表の付表2の1、2の2、2の3》
ロ 〈イ〉から〈ハ〉に掲げる書類(ただし、特例対象宅地等及び特例対象山林及び特例対象受贈山林のすべてを1人が取得した場合には、〈ハ〉の書類は不要です。)《選択同意書＝相続税の申告書第11・11の2表の付表1》
 〈イ〉 その特例対象宅地等を取得した個人がそれぞれこの特例の適用を受けるものとして選択をしようとするその特例対象宅地等又はその一部について(1)の①又は②に掲げる小規模宅地等の区分その他の明細を記載した書類
 〈ロ〉 その特例対象宅地等を取得したすべての個人に係る〈イ〉の選択をしようとするその特例対象宅地等又はその一部のすべてが(3)に規定する限度面積要件のうちのいずれか一の要件を満たすものである旨を記載した書類
 〈ハ〉 その特例対象宅地等又はその特例対象山林若しくはその特例対象受贈山林を取得したすべての個人の〈イ〉の選択についての同意を証する書類
ハ 遺言書の写し、財産の分割の協議に関する書類(その書類にその分割に係るすべての共同相続人及び包括受遺者が自署し、自己の印を押して |

-745-

	いるものに限ります。）の写し（自己の印に係る印鑑証明書が添付されているものに限ります。）その他の財産の取得の状況を証する書類
	ニ　その小規模宅地等が相続開始前３年以内に新たに被相続人等の事業の用に供されたものである場合には、その事業の用に供されていた資産のその相続開始の時における種類、数量、価額及びその所在場所その他の明細を記載した書類でその事業が一定の規模以上のものであることを明らかにするもの
②　特定居住用宅地等である小規模宅地等について特例の適用を受けようとする場合（③に掲げる場合を除きます。）	次に掲げる書類（その被相続人の配偶者が特例の適用を受けようとするときはイに掲げる書類とし、（４）の口の①又は③に掲げる要件を満たす被相続人の親族（以下②及び③において「親族」といいます。）がこの特例の適用を受けようとするときはイ及びハからホまでに掲げる書類） イ　①のイからハまでに掲げる書類 ロ　その親族が個人番号を有しない場合にあっては、その親族が当その特定居住用宅地等である小規模宅地等を自己の居住の用に供していることを明らかにする書類 ハ　（４）の口の②に掲げる親族が個人番号を有しない場合にあっては、相続の開始の日の３年前の日からその相続の開始の日までの間におけるその親族の住所又は居所を明らかにする書類 ニ　相続の開始の日の３年前の日からその相続の開始の直前までの間にハの親族が居住の用に供していた家屋が（４）の口の②のイに掲げる家屋以外の家屋である旨を証する書類 ホ　相続の開始の時においてハの親族が居住している家屋を当該親族が相続開始前のいずれの時においても所有していたことがないことを証する書類
③　特定居住用宅地等である小規模宅地等（（１）に掲げる事由により相続の開始の直前においてその相続に係る被相続人の居住の用に供されていなかった場合におけるその事由により居住の用に供されなくなる直前のその被相続人の居住の用に供されていた宅地等（土地又は土地の上に存する権利をいいます。）に限ります。）について特例の適用を受けようとする場合	次に掲げる書類 イ　②のイからホまでに掲げる書類（その被相続人の配偶者が特例の適用を受けようとするときは②のイに掲げる書類とし、（４）の口の①又は③に掲げる要件を満たす親族がこの特例の適用を受けようとするときは②のイ及びハからホまでに掲げる書類） ロ　その相続の開始の日以後に作成されたその被相続人の戸籍の附票の写し ハ　介護保険の被保険者証の写し又は障害者の日常生活及び社会生活を総合的に支援するための法律第22条第８項に規定する障害福祉サービス受給者証の写しその他の書類で、その被相続人がその相続の開始の直前において介護保険法第19条第１項に規定する要介護認定若しくは同条第２項に規定する要支援認定又は障害者の日常生活及び社会生活を総合的に支援するための法律第21条第１項に規定する障害支援区分の認定を受けていたことを明らかにするもの ニ　その被相続人が当該相続の開始の直前において入居又は入所していた（１）の表の①のイからハまでに掲げる住居若しくは施設又は同表の②の施設若しくは住居の名称及び所在地並びにこれらの住居又は施設がこれらの規定のいずれの住居又は施設に該当するかを明らかにする書類
④　特定同族会社事業用宅地等である小規模宅地等について特例の適用を受けようとする場合	次に掲げる書類 イ　①のイからハまでに掲げる書類 ロ　（４）のハの法人の定款（相続開始の時に効力を有するもの）の写し ハ　相続の開始の直前において口の法人の発行済株式の総数又は出資の総額及び（４）のハに規定する被相続人等が有するその法人の株式の総数又

—746—

第六章第一節《相続税の課税価格とその計算》

	は出資の総額を記した書類（その法人が証明したものに限ります。）
⑤　貸付事業用宅地等である小規模宅地等について特例の適用を受けようとする場合	次に掲げる書類 イ　①のイからハまでに掲げる書類 ロ　その貸付事業用宅地等である小規模宅地等が相続開始前３年以内に新たに被相続人等の貸付事業の用に供されたものである場合には、その被相続人等（（４）のニの（注１）の第一次相続に係る被相続人を含みます。）が当該相続開始の日まで３年を超えて特定貸付事業を行っていたことを明らかにする書類
⑥　申告期限までに特例対象宅地等の全部又は一部が共同相続人又は包括受遺者によって分割されていないその特例対象宅地等についてその申告期限後にその特例対象宅地等の全部又は一部が分割されることにより特例の適用を受けようとする場合	その旨並びに分割されていない事情及び分割の見込みの詳細を明らかにした書類
⑦　申告期限までに特例対象山林の全部又は一部が共同相続人又は包括受遺者によって分割されなかったことにより特例の適用を受けるものとしての選択がされず特例の適用を受けなかった場合でその申告期限後にその特例対象山林の全部又は一部が分割されることによりその申告期限において既に分割された特例対象宅地等について特例の適用を受けようとするとき	その旨並びに分割されていない事情及び分割の見込みの詳細を明らかにした書類

　なお、相続税の申告書の提出がなかった場合又は前記の記載若しくは添付がない相続税の申告書の提出があった場合においても、その提出又は記載若しくは添付がなかったことについてやむを得ない事情があると税務署長が認めるときは、その記載をした書類並びに上表の添付書類を提出した場合に限り、この特例を適用することができます（措法69の４⑧）。

4　特定計画山林についての相続税の課税価格の計算の特例

（1）　制度の概要

　被相続人の親族が相続又は遺贈若しくは相続時精算課税の適用を受ける贈与により取得した財産のうちに、森林施業計画の定められた区域内に存する立木又は土地等（土地又は土地の上に存する権利をいいます。以下同じ。）がある場合には、一定の要件を満たすもののうち、この特例の適用を受けるものとして選択をした選択特定計画山林については、通常の方法によって計算したその財産の価額から、その財産の価額に

－747－

５％を乗じて計算した金額を控除した金額を、相続税の課税価格に算入するというものです（措法69の５）。

（２）　相続又は遺贈により取得した森林経営計画区域内の立木又は土地等についての特例の要件

イ　特例の適用を受けられる人（特定計画山林相続人等）

　この特例の適用を受けられる人は、次の①と②に掲げるすべての要件を満たす人をいいます（措法69の５②三イ（１）（２））。

①　特定森林経営計画対象山林（**ロ**の**（イ）**参照）を相続又は遺贈により取得した人で、被相続人の親族であること

②　相続開始の時から相続税の申告期限まで引き続き選択特定計画山林である特定森林経営計画対象山林について市町村長等の認定を受けた森林経営計画に基づき施業を行っていること

　　（注）　被相続人から遺贈（特定遺贈又は受贈者に特定の財産的利益を与える死因贈与に限ります。）により特定森林経営計画対象山林を取得した個人が、その遺贈があったことを知った時からその相続税の申告期限までの間にその特定森林経営計画対象山林に係る森林経営計画について市町村長等の新たな認定を受けた場合には、その個人がその被相続人に係る相続開始の時からその市町村長等の新たな認定を受けた日まで引き続きその被相続人に係る相続開始の前に市町村長等の認定を受けていた森林経営計画に基づいてその特定森林経営計画対象山林について施業を行っていたものとみなされます（措令40の２の２⑳）。

ロ　特例の対象となる資産（特定計画山林）

　特定計画山林の特例の対象となる森林経営計画の定められた区域内の立木又は土地等とは、次の**（イ）**から**（ハ）**までに掲げるすべての要件を満たすものをいいます。

（イ）　相続開始の直前に被相続人が有していた立木又は土地等のうち、相続開始の前に森林法第11条第５項（同法第12条第３項において読み替えて準用する場合並びに木材の安定供給の確保に関する特別措置法第８条の規定により読み替えて適用される場合及び同法第９条第２項又は第３項において読み替えて適用される森林法第12条第３項において読み替えて準用する場合を含みます。）の規定による市町村長等の認定を受けた森林法第11条第１項に規定する森林経営計画（同条第５項第２号ロに規定する公益的機能別森林施業を実施するための同条第１項に規定する森林経営計画のうち森林法施行規則第39条第２項第２号に規定する特定広葉樹育成施業森林に係るもの（特定広葉樹育成施業森林を対象とする部分に限ります。）及び森林法第16条又は木材の安定供給の確保に関する特別措置法第９条第４項の規定による認定の取消しがあったものを除きます。**（３）**において同じ。）の区域内（森林の保健機能の増進に関する特別措置法第２条第２項第２号に規定する森林保健施設の整備に係る地区内〔以下「リゾート施設の整備に係る地区内」といいます。〕を除き、森林法施行規則第36条第１号に規定する計画的伐採対象森林に限ります。）に存するものであること（以下「**特定森林経営計画対象山林**」といいます。）（措法69の５②一、措規23の２の２①②）

（ロ）　特定森林経営計画対象山林のうち、次に掲げるすべての要件を満たす区域内に存するものであること（措法69の５②四イ、措令40の２の２④⑤、措規23の２の２②）

①　被相続人又はその被相続人から相続又は遺贈により特定森林経営計画対象山林を取得したその被相続人の親族がその被相続人に係る相続開始の前に市町村長等の認定を受けていた特定森林経営計画対象山林に係る森林経営計画が定められていた区域内に存するものであること

②　被相続人に係る相続税の申告期限を経過する時において現に効力を有する次に掲げるいずれかの森林経営計画の定められた区域内に存するもの（リゾート施設の整備に係る地区内に存するものを除き、森林法施行規則第36条第１号に規定する計画的伐採対象森林に限ります。）であること

　〈イ〉　被相続人がその被相続人に係る相続開始の前に市町村長等の認定を受けていた特定森林経営計画対象山林に係る森林経営計画

　〈ロ〉　被相続人がその被相続人に係る相続開始の前に市町村長等の認定を受けていた特定森林経営計画対象山林に係る森林経営計画について、その被相続人から相続又は遺贈によりその特定森林経営計画対象山林を取得したその被相続人の親族が、その相続開始の時からその相続又は

第六章第一節《相続税の課税価格とその計算》

遺贈に係る相続税の申告期限までの間に森林法第12条第3項（木材の安定供給の確保に関する特別措置法第9条第2項又は第3項の規定により読み替えて適用される場合を含みます。次の〈ホ〉及び（3）のロ（ロ）の②の〈ハ〉において同じ。）において読み替えて準用する森林法第11条第5項の規定による変更の認定を受けた場合のその変更後の森林経営計画（その相続開始の時から相続税の申告期限までの間にその特定森林経営計画対象山林について効力を有する森林経営計画においてその被相続人の親族が施業を行わないとされた区域を除きます。以下次の〈ハ〉、〈ホ〉及び〈ヘ〉において同じ。）

〈ハ〉 被相続人が相続開始の前に市町村長等の認定を受けていた特定森林経営計画対象山林に係る森林経営計画について、その被相続人から相続又は遺贈により特定森林経営計画対象山林を取得したその被相続人の親族がその相続開始の時からその相続又は遺贈に係る相続税の申告期限までの間に市町村長等の新たな認定（以下「市町村長等の新認定」といいます。）を受けた場合のその市町村長等の新認定を受けた森林経営計画

〈ニ〉 被相続人から相続又は遺贈により特定森林経営計画対象山林を取得したその被相続人の親族がその相続開始の前に市町村長等の認定を受けていた特定森林経営計画対象山林に係る森林経営計画（その被相続人と共同で市町村長等の認定を受けていた森林経営計画を除きます。）

〈ホ〉 被相続人から相続又は遺贈により特定森林経営計画対象山林を取得したその被相続人の親族がその相続開始の前に市町村長等の認定を受けていた特定森林経営計画対象山林に係る森林経営計画（その被相続人と共同で市町村長等の認定を受けていた森林経営計画を除きます。）について、その被相続人の親族がその相続開始の時からその相続又は遺贈に係る相続税の申告期限までの間に森林法第12条第3項において読み替えて準用する同法第11条第5項の規定による変更の認定を受けた場合のその変更後の森林経営計画

〈ヘ〉 被相続人から相続又は遺贈により特定森林経営計画対象山林を取得したその被相続人の親族がその相続開始の前に市町村長等の認定を受けていた特定森林経営計画対象山林に係る森林経営計画（その被相続人と共同で市町村長等の認定を受けていた森林経営計画を除きます。）について、その被相続人の親族がその相続開始の時からその相続又は遺贈に係る相続税の申告期限までの間に市町村長等の新認定を受けた場合のその市町村長等の新認定を受けた森林経営計画

③ その相続税の申告期限を経過する時において現に効力を有する②に掲げる森林経営計画において、この特例の適用を受けようとする被相続人の親族が施業を行うこととされている区域内に存するものであること

(ハ) 特定計画山林相続人等が相続又は遺贈により取得した特定森林経営計画対象山林である選択特定事業用資産を相続開始の時から相続税の申告期限まで引き続きそのすべてを有していることその他これに準ずる場合であること（措法69の5①）

(注) 相続開始の時からその相続に係る相続税の申告期限までの間に、市町村長等の認定を受けた森林経営計画に定めるところに従い伐採された立木（特定森林経営計画対象山林である選択特定計画山林に限ります。）については、特定計画山林相続人等がその相続税の申告期限まで、その伐採された立木以外の特定森林経営計画対象山林である選択特定計画山林のすべてを有している場合に限り、引き続き有していることに準ずる場合とされます（措令40の2の2③一）。

なお、相続開始の直前までに伐採された立木は、特定森林経営計画対象山林には該当しません。

（3） 相続時精算課税の贈与により取得した森林経営計画区域内の立木又は土地等についての特例の要件

イ 特例の適用を受けられる人（特定計画山林相続人等）

相続時精算課税の適用を受ける特定受贈森林経営計画対象山林（**ロ**の**(イ)**参照）を贈与により取得した人で次の①と②に掲げるすべての要件を満たす人をいいます（措法69の5②三ロ（1）（2））。

―749―

① その特定受贈森林経営計画対象山林に係る相続時精算課税適用者であること

② その特定受贈森林経営計画対象山林に係る贈与の時から被相続人である特定贈与者の死亡により開始した相続に係る相続税の申告期限まで引き続き選択特定計画山林である特定受贈森林経営計画対象山林について市町村長等の認定を受けた森林経営計画に基づき施業を行っていること

ロ　特例の対象となる資産（特定計画山林）

特定計画山林の特例の対象となる森林経営計画の定められた区域内の立木又は土地等とは、次の**(イ)**から**(ハ)**までに掲げるすべての要件を満たすものをいいます。

(イ)　被相続人である特定贈与者が贈与をした立木又は土地等のうち、その贈与の前に市町村長等の認定を受けた森林経営計画が定められている区域内に存するものであること（以下**「特定受贈森林経営計画対象山林」**といいます。）（措法69の5②二）

(ロ)　特定受贈森林経営計画対象山林のうち、次に掲げるすべての要件を満たす区域内に存するものであること（措法69の5②四ロ、措令40の2の2⑥⑦、措規23の2の2②）

① 被相続人である特定贈与者が贈与の前に受けていた市町村長等の認定に係る森林経営計画が定められている区域内（リゾート施設の整備に係る地区内を除き、森林法施行規則第36条第1号に規定する計画的伐採対象森林に限ります。②において同じ。）に存するものであること

② 被相続人である特定贈与者からの贈与に係る贈与税等の申告期限（特定贈与者がその贈与をした年の中途において死亡した場合で、その期限までに特定贈与者の相続税の申告期限が到来するときは、相続税の申告期限）を経過する時において現に効力を有する次に掲げるいずれかの森林経営計画の定められている区域内に存するものであること

〈イ〉 被相続人である特定贈与者がその特定贈与者に係る贈与の前に市町村長等の認定を受けていた特定受贈森林経営計画対象山林に係る森林経営計画について、その贈与により特定受贈森林経営計画対象山林を取得した特定贈与者の推定相続人がその贈与の時からその贈与に係る贈与税等の申告期限までの間に市町村長等の新認定を受けた場合のその新認定を受けた森林経営計画

〈ロ〉 被相続人である特定贈与者からの贈与により特定受贈森林経営計画対象山林を取得した特定贈与者の推定相続人がその贈与の前にその特定受贈森林経営計画に係る森林経営計画（その特定贈与者と共同で市町村長等の認定を受けていたものを除きます。以下〈ハ〉〈ニ〉において同じ。）について市町村長等の認定を受けていた場合のその認定を受けていた森林経営計画

〈ハ〉 被相続人である特定贈与者からの贈与により特定受贈森林経営計画対象山林を取得したその特定贈与者の推定相続人がその贈与の前に市町村長等の認定を受けていたその特定受贈森林経営計画に係る森林経営計画について、その特定贈与者の推定相続人がその贈与の時からその贈与に係る贈与税等の申告期限までの間に森林法第12条第3項において読み替えて準用する同法第11条第5項の規定による変更の認定を受けた場合のその変更の認定を受けた後の森林経営計画

〈ニ〉 被相続人である特定贈与者からの贈与により特定受贈森林経営計画対象山林を取得したその特定贈与者の推定相続人がその贈与の前に市町村長等の認定を受けていたその特定受贈森林経営計画に係る森林経営計画について、その特定贈与者の推定相続人がその贈与の時からその贈与に係る贈与税等の申告期限までの間に市町村長等の新認定を受けた場合のその新認定を受けた森林経営計画

③ 相続税の申告期限を経過する時において現に効力を有する②に掲げる森林経営計画において、この特例の適用を受けようとする特定贈与者の推定相続人が施業を行うこととされている区域内に存するものであること

(ハ)　特定計画山林相続人等が相続又は遺贈により取得した特定受贈森林経営計画対象山林である選択特定計画山林を相続開始の時から相続税の申告期限まで引き続きそのすべてを有していることそ

第六章第一節《相続税の課税価格とその計算》

の他これに準ずる場合であること（措法69の5①）

（注） 相続開始の時からその相続に係る相続税の申告期限までの間に、市町村長等の認定を受けた森林経営計画に定めるところに従い伐採された立木（特定受贈森林経営計画対象山林である選択特定計画山林に限ります。）については、特定計画山林相続人等がその相続税の申告期限まで、その伐採された立木以外の特定受贈森林経営計画対象山林である選択特定計画山林のすべてを有している場合に限り、引き続き有していることに準ずる場合とされます（措令40の2の2③一）。

ハ　贈与税の申告要件

特定贈与者からの贈与により取得した特定受贈森林経営計画対象山林について4の特例を受けようとする特定計画山林相続人等は、被相続人である特定贈与者ごとに書類（特定受贈森林経営計画対象山林の明細、市町村長等の認定を受けていた森林経営計画の計画書の写しなどの書類）を作成し、4の特例の適用を受ける旨の贈与税の申告書に添付してその申告期限内に所轄税務署長に提出しなければなりません（措法69の5⑧、措令40の2の2⑬、措規23の2の2⑧⑨）。

上記の申告期限内に上記の書類が提出されていないときは、4の特例の適用は受けられません（措法69の5⑪）。

（4）　他の特例の適用を受ける場合の不適用

4の特例は、（1）の相続に係る被相続人から相続若しくは遺贈又は相続時精算課税に係る贈与により財産を取得した者が、3の小規模宅地等の特例の規定の適用を受け、又は受けている場合には適用されません（措法69の5④）。

（5）　特定計画山林の特例、小規模宅地等の特例又は個人の事業用資産についての納税猶予及び免除を重複適用する場合

小規模宅地等として選択した宅地等の面積（3の（3）の③のイ〜ハ参照）及び猶予適用宅地等面積の合計が200㎡未満である場合には、特定森林経営計画対象山林若しくは特定受贈森林経営計画対象山林である選択特定計画山林について、次に掲げる算式により計算した価額をその選択特定計画山林の価額としてこの特例を適用することができます（措法69の5⑤、措通69の5－12）。

$$A \times \frac{200\text{㎡} - B}{200\text{㎡}}$$

（注） 算式中の符号は次のとおりです。

Aは特定計画山林相続人等に係るすべての特定（受贈）森林経営計画対象山林である特定計画山林の価額の合計額

Bは、選択宅地等面積

（6）　課税価格に算入する価額の計算

特定森林経営計画対象山林若しくは特定受贈森林経営計画対象山林である選択特定計画山林についての相続税の課税価格に算入すべき価額は、次に掲げる区分に応じ、その選択特定計画山林の価額（贈与により取得した選択特定計画山林が相続時精算課税の適用を受ける場合には、その選択特定計画山林の価額から相続時精算課税に係る基礎控除をした残額）からその価額に次に掲げる割合を乗じて計算した金額を控除した金額となります（措法69の5①）。

選択特定事業用資産の区分	減額割合
特定森林経営計画対象山林又は特定受贈森林経営計画対象山林である選択特定事業用資産	5％

（注） 相続税法第26条（第六編第四章**第二節7**）の規定が適用になる立木についての相続税の課税価格に算入すべき価額は、まず、立木の時価から15％を乗じて計算した金額を控除し、次に、その残額から5％（特定事業用資産の特例）を乗じて計算した金額を控除した金額（立木の時価から19.25％を乗じて計算した金額を

－751－

控除した金額）となります。

（7）　未分割の場合の適用除外

　この特例は、相続税の申告期限までに共同相続人又は包括受遺者によって分割されていない特定対象山林には適用されません。

　ただし、次のいずれかに該当する場合はこの特例の適用を受けることができます（措法69の5③）。
① 　申告期限から3年以内に分割された場合
② 　申告期限後3年を経過する日までに分割できない一定のやむを得ない事情があり、所轄税務署長の承認を受けて、分割できることとなった日の翌日から4か月以内に分割された場合

　　（注）1　「やむを得ない事情」「分割できることとなった日」などは3の小規模宅地等の特例と同様です（同（6）
　　　　　参照）（措令40の2の2⑧）。
　　　　2　相続税の申告期限までにこの特例の適用を受けようとする特定対象山林が分割されていない場合には、
　　　　　その事情及び分割の予定等を記載した「申告期限後3年以内の分割見込書」を相続税の申告書に添付して
　　　　　提出します。
　　　　　　なお、上記①又は②により分割された特定対象山林及び既に分割されていたが他の特定対象山林又は特
　　　　　例対象宅地等が①又は②により分割されたことにより選択できることとなった特定対象山林についてこ
　　　　　の特例の適用を受けようとする場合には、その分割が行われた日の翌日から4か月以内に税務署長あて更
　　　　　正の請求書を提出する必要があります（措法69の5⑥、措令40の2の2⑨～⑪）。
　　　　3　上記②による税務署長の承認を受けようとする人は、相続税の申告期限後3年を経過する日の翌日から
　　　　　2か月以内に、この特例の適用を受けようとする特定対象山林が分割できないことについてのやむを得な
　　　　　い事情の詳細を記載した承認申請書を提出する必要があります（措法69の5③ただし書のかっこ書、措令
　　　　　40の2の2⑧、相令4の2②）。

（8）　申告手続

　この特例の対象となる資産、「小規模宅地等の特例」の対象となり得る宅地等又は「個人の事業用資産の納税猶予」の対象となり得る宅地等を取得した相続人等が2人以上いる場合には、この特例の適用を受けようとする資産の選択についてその全員が同意しており、かつ、原則として相続税の申告期限までに分割されていることが必要です。

　また、相続税の申告書（期限後申告書及び修正申告書を含みます。）に特例を受ける旨及びその計算に関する明細を記載（相続税の申告書第11・11の2表の付表1、付表4〔特定計画山林について特例を適用する場合〕に記載します。）し、次に掲げる書類などを添付して、その申告書を提出しなければなりません（措法69の5⑦、措令40の2の2①②、措規23の2の2⑥⑦）。
① 　この特例の規定の適用を受けるものとして選択をしようとする特定計画山林の全部又は一部につ
　いてその明細及びそのすべてが特定事業用資産に該当する旨を記載した書類
② 　特例対象山林若しくは特例対象受贈山林、小規模宅地等についての相続税の課税価格の計算の特
　例に規定する特例対象宅地等又は個人の事業用資産の納税猶予に規定する猶予対象宅地等若しくは
　猶予対象受贈宅地等を取得したすべての個人のこの特例の選択についての同意を証する書類（これ
　らの資産のすべてを取得した個人が1人である場合は、添付不要）
③ 　遺言書の写し、遺産分割協議書の写し（各相続人の印鑑証明書の添付されたものに限ります。）そ
　の他財産の取得の状況を証する書類

　　（注）　特定森林経営計画対象山林又は特定受贈森林経営計画対象山林である選択特定計画山林についての特例
　　　　は、提出期限から2か月以内に、相続税の申告期限まで特定森林経営計画対象山林又は特定受贈森林経営計
　　　　画対象山林に係る森林経営計画に基づき施業が行われていた旨その他の事項を証する市町村長等の証明書
　　　　を提出しなければなりません（措法69の5⑩、措規23の2の2⑭）。

　なお、相続税の申告書の提出がなかった場合又は添付書類の提出がなかった場合等においても、やむを得ない事情があると税務署長が認めるときは、一定の要件を満たせばこの特例を適用することができます（措法69の5⑪）。

5　特定土地等及び特定株式等に係る相続税の課税価格の計算の特例

（1）　特定土地等及び特定株式等に係る相続税の課税価格の計算の特例

　特定非常災害（特定非常災害の被害者の権利利益の保全等を図るための特別措置に関する法律第2条第1項の規定により特定非常災害として指定された非常災害をいいます。以下同じ。）に係る同項の特定非常災害発生日（以下「特定非常災害発生日」といいます。）前に相続又は遺贈（相続に係る被相続人から贈与により取得した財産で相続時精算課税の規定の適用を受けるものに係る贈与を含みます。以下5において同じ。）により財産を取得した者があり、かつ、相続税の申告書の提出期限が特定非常災害発生日以後である場合において、その者が取得した財産（特定非常災害発生日の属する年（特定非常災害発生日が1月1日から贈与税の申告書の提出期限までの間にある場合には、その前年。以下同じ。）の1月1日から特定非常災害発生日の前日までの間に取得したもので、相続税法第19条《相続開始前7年以内に贈与があった場合の相続税額》又は第21条の9《相続時精算課税の選択》第3項の規定の適用を受けるものに限ります。）で特定非常災害発生日において所有していたもののうちに、特定非常災害により被災者生活再建支援法第3条第1項の規定の適用を受ける地域（同項の規定の適用がない場合には、特定非常災害により相当な損害を受けた地域として財務大臣が指定する地域。以下「特定地域」といいます。）内にある土地若しくは土地の上に存する権利（以下「特定土地等」といいます。）又は特定地域内に保有する資産の割合が高い法人として一定の法人(**注1**)の株式若しくは出資（金融商品取引法第2条第16項に規定する金融商品取引所に上場されている株式その他これに類するものとして一定のもの(**注2**)を除きます。以下「特定株式等」といいます。）があるときは、特定土地等又は特定株式等については、相続税法第11条の2に規定する相続税の課税価格に算入すべき価額又は同法第19条若しくは第21条の15の規定により相続税の課税価格に加算される贈与により取得した財産の価額は、同法第22条の規定にかかわらず、特定非常災害の発生直後の価額としての金額(**注3**)とすることができます（措法69の6①）。

　また、上記の適用については、特定非常災害発生日前に民法第958条の2《特別縁故者に対する相続財産の分与》第1項の規定により相続財産の全部又は一部を与えられた者があり、かつ、相続財産の全部又は一部の遺贈に係る相続税法第29条第1項又は第31条第2項の規定により提出すべき申告書の提出期限が特定非常災害発生日以後である場合において、相続財産の全部又は一部で当該特定非常災害発生日においてその者が所有していたもののうち特定土地等又は特定株式等があるときについても適用があります（措法69の6②）。

(**注1**)　上記の「資産の割合が高い法人として一定の法人」とは、相続等により財産を取得した者が相続等によりその法人の株式又は出資を取得した時において、その法人の保有していた資産の価額（取得した時における時価をいいます。以下同じ。）の合計額のうちに占める特定地域内にあった動産（金銭及び有価証券を除きます。）、不動産、不動産の上に存する権利及び立木（以下「動産等」といいます。）の価額の合計額の割合が10分の3以上である法人をいいます（措令<u>40の2の3</u>①）。

㊟　上記____下線部については、公益信託に関する法律（令和6年法律第30号）の施行の日以後、「40の2の3」が「40の3」とされます。（令6改措令附1三）

(**注2**)　上記の「株式その他これに類するものとして一定のもの」とは、次に掲げる株式又は出資をいいます（措令<u>40の2の3</u>②、措規23の2の3）。

①　金融商品取引法第2条第8項第10号ハに規定する店頭売買有価証券に該当する株式又は出資

②　金融商品取引所が金融商品取引法第121条の規定による内閣総理大臣への届出をするため当該届出を行うことを明らかにした株式（措令第40条の2の3第2項第1号に掲げる株式等（同項に規定する株式等をいいます。）に該当するものを除きます。）及び同法第67条第1項の認可金融商品取引業協会が同法第67条の11第1項に規定する店頭売買有価証券登録原簿に登録することを明らかにした株式

㊟　上記____下線部については、公益信託に関する法律（令和6年法律第30号）の施行の日以後、「40の2の3」が「40の3」とされます。（令6改措令附1三）

第六章第一節《相続税の課税価格とその計算》

（注３） 上記の「特定非常災害の発生直後の価額としての金額」とは、次に掲げる財産の区分に応じ、それぞれに掲げる金額をいいます（措令40の２の３③）。

　　① 特定土地等……その特定土地等（その特定土地等の上にある不動産を含みます。）の状況が特定非常災害の発生直後も引き続き相続等により取得した時の現況にあったものとみなして、特定非常災害の発生直後における特定土地等の価額として評価した額に相当する金額

　　② 特定株式等……その特定株式等を相続等により取得した時において特定株式等に係る株式の発行法人又は出資のされている法人が保有していた特定地域内にある動産等(その法人が特定非常災害発生日において保有していたものに限ります。）の特定株式等を相続等により取得した時の状況が、特定非常災害の発生直後の現況にあったものとみなして、相続等により取得した時における特定株式等の価額として評価した額に相当する金額

　　㊟ 上記____下線部については、公益信託に関する法律（令和６年法律第30号）の施行の日以後、「40の２の３」が「40の３」とされます。（令６改措令附１三）

（注４） 上記の適用は、申告書（期限後申告書及び修正申告書を含みます。）又は更正の請求書にこれらの適用を受けようとする旨の記載がある場合に限り、適用されます。また、その記載がなかったことにつき税務署長においてやむを得ない事情があると認めるときは、この限りでありません（措法69の６③）。

（２） 相続税の申告書の提出期限の特例

同一の被相続人から相続又は遺贈により財産を取得した全ての者のうちに（1）の適用を受けることができる者がいる場合において、当該相続若しくは遺贈により取得した者又はその者の相続人（包括受遺者を含みます。）が相続税の申告書の提出期限が特定日の前日以前であるときは、その申告書の提出期限は特定日とされます（措法69の８①）。

また、同一の被相続人から遺贈により財産を取得した全ての者のうちに（1）のまた書の適用を受けることができる者がいる場合において、遺贈により財産を取得した者又はその者の相続人が相続税法第29条第１項の規定若しくは同条第２項において準用する同法第27条第２項の規定又は同法第31条第２項の規定により提出すべき申告書の提出期限が特定日の前日以前であるときは、当該申告書の提出期限は、特定日とされます（措法69の８②）。

（注） 上記の「特定日」とは、特定非常災害に係る国税通則法第11条の規定により延長された申告に関する期限と特定非常災害発生日の翌日から10か月を経過する日とのいずれか遅い日をいいます。

6 債 務 控 除

（１） 無制限納税義務者の債務控除

相続又は遺贈（包括遺贈及び被相続人からの相続人に対する遺贈に限ります。）によって財産を取得した者が、居住無制限納税義務者又は非居住無制限納税義務者（第三章第一節の１の①又は②（688ページ）参照）の場合には、その取得した財産の価額から、①被相続人の債務で相続開始の際、現に存するもの（公租公課を含みます。）及び②被相続人に係る葬式費用のうちで、その者の負担に属する部分の金額を債務控除額として控除します（相法13①）。

（注１） 「その者の負担に属する部分の金額」とは、相続又は遺贈によって財産を取得した者が実際に負担する金額をいうのですが、未分割遺産に対する課税の規定（相法55本文）に該当する場合には、民法第900条から第902条までの規定によるその者の相続分又は包括遺贈の割合に応じて負担する金額をいい、申告後に分割した場合の規定（相法55ただし書）に該当する場合には、その者が負担することが確定した金額をいいます（相基通13－３）。

（注２） 相続を放棄した者及び相続権を失った者が負担する債務については、たとえその者が遺贈によって財産を取得している場合であっても、その財産の価額から控除することはできません。しかし、葬式費用を実際に負担した場合には、その葬式費用は、その者が遺贈によって取得した財産の価額から債務控除しても差し支えないことになっています（相基通13－１）。

① 被相続人の債務で相続開始の際、現に存するもの（公租公課を含む。）

イ 相続又は遺贈によって財産を取得した者の、その取得財産価額から控除される債務の金額は、被

－754－

相続人の債務で相続人又は包括受遺者が承継したものでなければなりません。したがって、民法第885条の規定により、相続財産の中から支弁する相続財産に関する費用、例えば、遺言執行のための費用等は、被相続人の債務ではないので債務控除することはできません（相基通13－2）。

　また、被相続人の一身に専属する債務や、金銭に見積もることのできない債務も同様に債務控除することはできません。

ロ　相続人又は包括受遺者の取得財産価額から控除することができる債務の金額は、確実と認められるものに限ります。この場合、債務が確実であるということは必ずしも、書面の証拠があることを必要とするという意味ではありません。

　また、債務の金額が確定していなくても債務のあることが確実と認められるものについては、相続開始当時の現況によってその確実であると認められる範囲の金額だけを控除します（相法14①、相基通14－1）。

ハ　「公租公課」とは、国税及び地方税である都道府県税、市区町村税のほか、公共団体が強制的に徴収するものをいいます。

　この場合、控除すべき公租公課は、被相続人の納付すべきもので、相続人又は包括受遺者において承継したものであればよいのですから、納税義務が生じているものであれば、まだ、納期の到来しないものも含むことになっています。

　したがって、相続開始前の事実について、被相続人に課せられるべきであった公租公課、例えば被相続人が取得した不動産に対する不動産取得税、被相続人の行っていた事業において生じた事業税、消費税等は、相続開始の際に現に存する債務に該当するものとして、債務控除することができます。ただし相続の登記に要した登録免許税その他の費用は被相続人の債務ではありませんから、債務控除できません。

　つぎに、課税価格又は相続税額の申告、更正又は決定があった後において債務控除すべき公租公課（相続人の責めに帰すべき事由により納付し、又は徴収されることになった延滞税及び加算税、地方税の延滞金及び加算金を除きます。）に異動が生じたときは、課税価格及び相続税額について、更正することになります（相法14②、相令3、相基通14－2）。

　なお、平成27年7月1日以後については、債務の確定している公租公課の金額には、被相続人が、国外転出をする場合の譲渡所得等の特例の適用がある場合の納税猶予（所法137の2）及び贈与等により非居住者に資産が移転した場合の譲渡所得等の特例の適用がある場合の納税猶予（所法137の3）（第一編第二章第五節《国外転出をする場合の譲渡所得の特例等》）の規定の適用を受けていた場合における納税猶予分の所得税額を含まないこととされています（相法14③）。

　ただし、猶予期間中に対象資産の譲渡があったことにより納税猶予期間が終了したこと等により納税猶予されていた所得税を納付した場合には、その時点で債務控除が可能となります。

ニ　相続人又は包括受遺者が承継した債務のうち、墓所、霊びょう、祭具類等及び宗教、慈善、学術その他公益事業用の財産で相続税が課税されない財産の取得、維持又は管理のために生じた債務については、債務控除することができません（相法13③）。

　ただし、公益事業用財産に係る債務については、その財産が一定期間内に公益事業の用に供されていないとして非課税財産としての要件を欠いて課税価格に算入されることとなった場合には、債務控除することができます。

ホ　保証債務及び連帯債務については、次に掲げるところにより取り扱います（相基通14－3）。

（イ）保証債務は、債務として控除することはできません。ただし、主たる債務者が弁済不能の状態にあるため、保証債務者がその債務を履行しなければならない場合で、かつ、主たる債務者に求償して返還を受ける見込みがない場合には、主たる債務者の弁済不能の部分の金額は、その保証債務者の債務として控除することができます。

（ロ）連帯債務については、連帯債務者のうちで債務控除を受けようとする者の負担すべき金額が

明らかとなっている場合には、その負担金額を控除し、連帯債務者のうちに弁済不能の状態にある者があり、かつ、求償しても弁済を受ける見込みがなく、その弁済不能者の負担部分をも負担しなければならないと認められる場合には、その負担しなければならないと認められる部分の金額についても、債務控除をすることができます。

ヘ　相続開始の時において、既に消滅時効の完成した債務は、確実と認められる債務には、該当しません（相基通14-4）。

②　葬式費用

イ　葬式費用は、相続開始時に現に存する被相続人の債務ではないのですが、相続開始に伴う必然的な支出ですから、相続税の課税価格から控除することが社会通念上妥当と認められるので、相続税法では、特に規定を設けて、債務と同様に取得財産の価額から、その費用を控除することにしています。

ロ　債務控除ができる葬式費用の金額は、被相続人の葬式費用で次に掲げるようなものをいいます（相基通13-4）。

（イ）　葬式若しくは葬送に際し、又はこれらの前において、埋葬、火葬、納骨又は遺がい若しくは遺骨の回送その他に要した費用（仮葬式と本葬式とを行うものにあっては、その両者の費用）

（ロ）　葬式に際し、施与した金品で、被相続人の職業、財産その他の事情に照らして相当程度と認められるものに要した費用

（ハ）　（イ）及び（ロ）に掲げるもののほか、葬式の前後に生じた出費で通常葬式に伴うものとして認められるもの

（ニ）　死体の捜索又は死体若しくは遺骨の運搬に要した費用

ハ　次に掲げるようなものは葬式に関連した費用といえますが、葬式費用として取り扱われませんので債務控除することはできません（相基通13-5）。

①　香典返戻費用

②　墓碑及び墓地の買入費並びに墓地の借入料

③　法会に要する費用

④　医学上又は裁判上の特別の処置に要した費用

（2）　制限納税義務者の債務控除

相続又は遺贈（包括遺贈及び被相続人からの相続人に対する遺贈に限ります。）により財産を取得した者が、その取得の時に日本に住所を有していない場合、すなわち制限納税義務者である場合には、相続税法の施行地（日本国内）にある取得財産の価額から、被相続人の債務で次に掲げるものの金額のうち、その者の負担に属する部分の金額を控除します（相法13②）。

①　その財産に係る公租公課

②　その財産を目的とする留置権、特別の先取特権、質権又は抵当権で担保される債務

③　①、②に掲げる債務のほか、その財産の取得、維持又は管理のために生じた債務

④　その財産に関する贈与の義務

⑤　①から④までに掲げる債務のほか、被相続人が死亡の際、相続税法の施行地内に、営業所又は事業所を有していた場合においては、その営業所又は事業所に係る営業上又は事業上の債務

（3）　特別寄与料を支払った者の債務控除

特別寄与者が支払を受けるべき特別寄与料の額がその特別寄与者に係る課税価格に算入される場合には、その特別寄与料を支払うべき相続人の課税価格は、相続又は遺贈により取得した財産から特別寄与料の額のうちその相続人が負担すべき金額を控除した金額とされます（相法13④）。

第六章第二節《相続税の税額とその計算等》

第二節　相続税の税額とその計算等

1　相続税の総額とその計算

　相続税の総額は、同一の被相続人から、相続又は遺贈により財産を取得したすべての者に係る相続税の課税価格の合計額からその遺産に係る基礎控除額を控除した金額を、その被相続人の「法定相続人の数」に応じた相続人が、法定相続分に応じて取得したものと仮定した場合における各取得金額について、それぞれの金額を次の各級に区分し、順次各税率を適用して算出した金額の合計額とされています（相法16）。

　（注）　上記の「法定相続人の数」は、次の(1)の場合と同様です。

〈平成27年１月１日以後の相続又は遺贈に適用〉

1,000万円以下の金額	100分の10	1億円を超え2億円以下の金額	100分の40
1,000万円を超え3,000万円以下の金額	100分の15	2億円を超え3億円以下の金額	100分の45
3,000万円を超え5,000万円以下の金額	100分の20	3億円を超え6億円以下の金額	100分の50
5,000万円を超え1億円以下の金額	100分の30	6億円を超える金額	100分の55

　（注）　以上の税率による速算表を762ページに掲げています。

〈平成26年12月31日以前の相続又は遺贈に適用〉

1,000万円以下の金額	100分の10	5,000万円を超え1億円以下の金額	100分の30
1,000万円を超え3,000万円以下の金額	100分の15	1億円を超え3億円以下の金額	100分の40
3,000万円を超え5,000万円以下の金額	100分の20	3億円を超える金額	100分の50

　なお、次の(1)の①②により法定相続人の数に算入されない養子がいる場合の申告書記載例を掲げておきます。

【相続税の総額の計算書】抜すい

④　　　法定相続人		⑤ 左 の 法 定 相 続 人 に 応 じ た 法定相続分	第1
氏　　　名	被相続人との続柄		⑥
山田花子	妻	$\frac{1}{2}$	
山田太郎	長男	$\frac{1}{2}\times\frac{1}{3}=\frac{1}{6}$	
山田桜子	長女	$\frac{1}{2}\times\frac{1}{3}=\frac{1}{6}$	
山田一郎	養子	$\left. \frac{1}{2}\times\frac{1}{3}=\frac{1}{6} \right.$	
山田二郎	養子		

法定相続人の数	Ⓐ 4人	合計	1	⑧

（1）　遺産に係る基礎控除

　相続税の総額を計算するに当たって控除する「遺産に係る基礎控除額」は、相続税の課税最低限度額でもあり、次の算式によって計算します（相法15①）。

—757—

第六章第二節《相続税の税額とその計算等》

〈平成27年1月1日以後の相続又は遺贈に適用〉

> 3,000万円＋600万円×法定相続人の数＝遺産に係る基礎控除額

〈平成26年12月31日以前の相続又は遺贈に適用〉

> 5,000万円＋1,000万円×法定相続人の数＝遺産に係る基礎控除額

　上記算式の中の「**法定相続人の数**」は、民法第5編第2章に規定する相続人の数（相続を放棄した者がある場合には相続の放棄がなかったものとして計算します。）をいいますが、法定相続人の数に算入する養子の数については、次のような制限規定が設けられています。

　①　**養子のうち法定相続人の数に算入される人数**

　被相続人に養子がいるときは、法定相続人の数に算入される養子の数は次の（一）、（二）の場合に応じ、それぞれに掲げる人数とされます（相法15②）。

（一）	被相続人に実子がある場合又は被相続人に実子がなく、養子の数が1人である場合	1人
（二）	被相続人に実子がなく、養子の数が2人以上である場合	2人

（注1）　上記①により法定相続人の数に算入される養子の数を判定する場合において、次のイ、ロに掲げる者は実子とみなされます。（相法15③）

　　イ　民法第817条の2第1項《特別養子縁組の成立》に規定する養子（特別養子）又は被相続人の配偶者の実子で被相続人の養子となった者（連れ子養子）及び被相続人と配偶者の婚姻前にその配偶者の特別養子であった者で、その婚姻後に被相続人の養子となった者（相令3の2）

　　ロ　実子若しくは養子又はその直系卑属が相続開始以前に死亡し、又は相続権を失ったため、民法第5編第2章の規定による相続人（代襲相続人）（相続の放棄があった場合には、その放棄がなかったものとした場合における相続人）となったその者の直系卑属

（注2）　被相続人の兄弟姉妹の中に被相続人の親と養子縁組をした者があっても、その人は被相続人の養子ではありませんから、「被相続人に養子がいる場合」には該当しません（相基通15−5）。

（注3）　（注1）のイの「被相続人の配偶者の実子で被相続人の養子となった者」とは、被相続人とその配偶者との婚姻期間（婚姻後民法第728条第2項の規定により姻族関係が終了するまでの期間をいいます。以下同じ。）において被相続人の養子であった者をいいます。また、「その婚姻後に被相続人の養子となったもの」とは、その被相続人と配偶者との婚姻期間中において被相続人の養子となった者をいいます（相基通15−6）。

　②　**相続税の負担を不当に減少させる結果となる場合の法定相続人の数に算入される養子の数の否認**

　①の（一）又は（二）に掲げる場合において同（一）又は（二）に定める養子の数を法定相続人の数に算入することが、相続税の負担を不当に減少させる結果となると認められる場合においては、税務署長は相続税の更正又は決定に際し、税務署長の認めるところにより、その養子の数を法定相続人の数に算入しないで相続税の課税価格（相続開始前7年以内に被相続人から贈与を受けた財産の価額が相続税の課税価格に加算されることとなる場合にはその財産の価額を加算したところにより、又は相続時精算課税の適用がある場合には、これらの規定により相続税の課税価格とみなされる金額）及び相続税額を計算することができることとされています（相法63）。

　なお、この取扱いにより、法定相続人の数に算入されないこととなる養子がいるときは、その養子を除いた養子の数により①の取扱いを適用することとなります（相基通63−2）。

（注）　①及び②により法定相続人の数に算入されないこととされた養子については、（1）〜（3）の基礎控除の額及び相続税の総額の計算のほか、生命保険金、退職手当金の非課税限度額の計算においてもその者は法定相続人の数に含まれないことになります（ただし民法上の相続人であることには違いありませんので、生命保険金・死亡退職金の非課税規定、未成年者控除、障害者控除の適用はあります。相基通12−9（注）3等参

−758−

照。)。
　なお、相続人のうちに代襲相続人がおり、かつ、その者が被相続人の養子となっているときの「法定相続人の数」の算定に当たっては、その者は実子１人として算定することになります（相基通15－4）。また、相続税の申告書を提出する日までに出生していない胎児については、相続人の数には入れないで計算し、生まれたときに計算をしなおすことになっています（相基通15－3、32－1）。
　遺産に係る基礎控除額の計算を計算例によって説明しますと、次のようになります。

〔計算例１〕

　この場合の法定相続人は４人ですから（民法887、890）、遺産に係る基礎控除額は5,400万円になります。
　　3,000万円＋600万円×４人＝5,400万円

〔計算例２〕

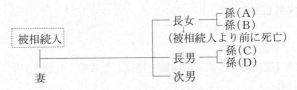

　この場合、長女が被相続人より前に死亡していますので、法定相続人は５人（妻、長男、次男、孫（A）、孫（B））となり（民法887、890）、遺産に係る基礎控除額は、次の計算により6,000万円になります。
　　3,000万円＋600万円×５人＝6,000万円

〔計算例３〕

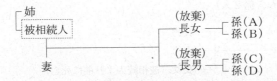

　この場合、長女、長男が相続放棄したとすれば法定相続人は妻と姉になりますが（民法887、890）、遺産に係る基礎控除の計算は、放棄した者があっても放棄がなかったものとして相続人数を計算することになっていますから、この場合の相続人の数は３人（妻、長女、長男）になります（相法15①）。
　したがって、遺産に係る基礎控除額は次の計算により4,800万円になります。
　　3,000万円＋600万円×３人＝4,800万円

〔計算例４〕

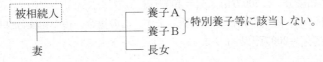

　養子の数は２人ですが、実子がいますから養子のうち法定相続人の数に算入される人数は１人となります（相法15②一）。したがって4,800万円が遺産に係る基礎控除額となります。
　　3,000万円＋600万円×３人＝4,800万円
　なお、養子の数の制限規定は、「法定相続人の数」を計算する際にのみ適用されますから、養子のうち誰を法定相続人の数に算入するか（又はしないか）を特定する必要はありません。(2)の〔**計算例**〕においても同様です。

〔計算例5〕

法定相続人がなく、特別縁故者が相続財産を取得したときは、遺贈により取得したものとみなされますが（相法4）、この場合、遺産に係る基礎控除額は3,000万円となります（相基通15－1）。

　　3,000万円＋600万円×0人＝3,000万円

（2）　民法に規定する相続分

相続税の総額は前述のように課税価格の合計額から、その遺産に係る基礎控除額を控除した金額を(1)に述べました法定相続人の数に応じた法定相続人が法定相続分（民法第900条、第901条に規定する相続分）に応じて取得したと仮定した場合における各取得金額につき、それぞれの金額を基礎として計算することとされています。

法定相続分については、第二章第一節の4で述べましたから、ここでは、計算例に基づいて具体的に「相続分」を説明します。

〔計算例1〕

① 相　続　人（妻、子4人）
② 遺　産　額（遺産に係る基礎控除額を控除した残額）1,200万円
③ 相続分の計算
　　妻の相続分　　　1,200万円×1/2＝600万円
　　子の相続分　　　1,200万円×1/2＝600万円
　　子それぞれの相続分　600万円×1/4＝150万円

〔計算例2〕

① 相　続　人（妻、子2人、孫2人）

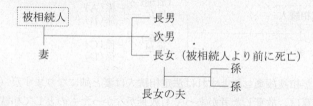

② 遺　産　額（遺産に係る基礎控除額を控除した残額）2,400万円
③ 相続分の計算
　　妻の相続分　　　2,400万円×1/2＝1,200万円
　　子の相続分　　　2,400万円×1/2＝1,200万円
　　子それぞれの相続分　1,200万円×1/3＝400万円

長女の子（孫）は、長女の相続分を代襲します。この場合、孫の相続分は均等ですからそれぞれ、400万円×1/2＝200万円となります。

〔計算例3〕

① 相　続　人（妻、父母）

② 遺　産　額（遺産に係る基礎控除額を控除した残額）1,500万円
③ 相続分の計算
　　妻の相続分　　　　1,500万円×2/3＝1,000万円
　　父母の相続分　　　1,500万円×1/3＝500万円
　　父と母のそれぞれの相続分　500万円×1/2＝250万円

〔計算例４〕
① 相　続　人（妻、兄、甥（Ａ）、姪（Ｂ））

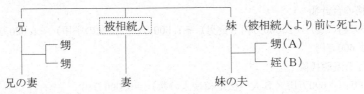

② 遺　産　額（遺産に係る基礎控除額を控除した残額）2,400万円
③ 相続分の計算
　　妻の相続分　　　　2,400万円×3/4＝1,800万円
　　兄と妹の相続分　　2,400万円×1/4＝600万円
　　兄と妹のそれぞれの相続分　600万円×1/2＝300万円
　　甥（Ａ）と姪（Ｂ）は妹の相続分を代襲します。この場合、甥（Ａ）と姪（Ｂ）の相続分は均等ですから両者のそれぞれの相続分は、（600万円×1/2（妹の相続分））×1/2＝150万円となります。

〔計算例５〕
① 相続人（妻、養子Ａ及びＢ、長女）

② 遺産額（遺産に係る基礎控除額を控除した残額）3,600万円
③ 相続分の計算　　妻の相続分　　　3,600万円×1/2＝1,800万円
　　　　　　　　　子の相続分　　　3,600万円×1/2＝1,800万円
　　　　　　　　　養子と長女のそれぞれの相続分　　1,800万円×1/2＝900万円
　　養子の数は２人ですが、実子がいますから養子のうち法定相続人の数に算入される人数は１人となります。したがって子の人数は、養子１人、長女１人の計２人として相続分を計算することになります。
　　（注）　上記の養子と長女のそれぞれの相続分については、相続税法の規定に基づいて計算しています（（１）の①参照）。

（３）　相続税の総額の計算の方法
　以上説明しましたように、相続税の総額は、①相続又は遺贈により財産を取得した人ごとに計算した課税価格の合計額、②遺産に係る基礎控除額、③法定相続分、④相続税の税率などを基礎にして計算することになっています。

〔計算例〕
・相続財産　　遺産の総額　　１億3,000万円
　　　　　　　債務控除額　　400万円（葬式費用を含みます。）
・相　続　人

第六章第二節《相続税の税額とその計算等》

　　　　妻、長男、長女の子２人（長女は相続開始前に死亡している。）、次男（相続放棄）
・上記相続財産について、各相続人間でそれぞれ次のとおり分割した。
　　　　妻　　　　　7,600万円（取得額8,000万円、債務及び葬式費用400万円）
　　　　長男　　　　2,000万円
　　　　長女の子、甲　1,500万円
　　　　長女の子、乙　1,500万円
この場合の相続税の総額の計算は、次のようにして行います。
① 　課税価格の合計額
　　　7,600万円（妻）＋2,000万円（長男）＋1,500万円（長女の子甲）＋1,500万円（長女の子乙）
　　　＝１億2,600万円
② 　遺産に係る基礎控除
　　　3,000万円＋600万円×５人（法定相続人の数）＝6,000万円
③ 　①から②を控除した金額
　　　１億2,600万円－6,000万円＝6,600万円
④ 　③の金額を法定相続分により取得したとした場合の各相続人の取得金額
　　　　妻　　　　　6,600万円×½＝3,300万円
　　　　長男　　　　6,600万円×½×⅓＝1,100万円
　　　　長女の子、甲　6,600万円×½×⅓×½＝550万円
　　　　〃　　　乙　6,600万円×½×⅓×½＝550万円
　　　　次男　　　　6,600万円×½×⅓＝1,100万円
⑤ 　各相続人ごとの相続税額（相続税の速算表により計算します。）
　　　　妻　　　　　　　3,300万円×20％－200万円＝460万円
　　　　長男　　　　　　1,100万円×15％－50万円＝115万円
　　　　長女の子、甲　　550万円×10％＝55万円
　　　　〃　　　乙　　　550万円×10％＝55万円
　　　　次男　　　　　　1,100万円×15％－50万円＝115万円
⑥ 　相続税の総額
　　　460万円＋115万円＋55万円＋55万円＋115万円＝800万円

相続税の速算表①（平成27年１月１日以後の相続又は遺贈に適用）

法定相続分に応ずる取得金額	税　率	速算控除額
1,000万円以下	10％	－
3,000万円　〃	15％	50万円
5,000万円　〃	20％	200　〃
１億円　〃	30％	700　〃
２億円　〃	40％	1,700　〃
３億円　〃	45％	2,700　〃
６億円　〃	50％	4,200　〃
６億円　超	55％	7,200　〃

第六章第二節《相続税の税額とその計算等》

相続税の速算表②（平成26年12月31日以前の相続又は遺贈に適用）

法定相続分に応ずる取得金額	税 率	速算控除額
1,000万円以下	10%	—
3,000万円 〃	15%	50万円
5,000万円 〃	20%	200 〃
1億円 〃	30%	700 〃
3億円 〃	40%	1,700 〃
3億円 超	50%	4,700 〃

2 各相続人等が納付する相続税額とその計算

（1） 相続税額の算出

相続又は遺贈により財産を取得した者の、納付すべき相続税額は、相続税の総額を基として次の算式により計算した金額になります。

$$相続税の総額 \times \frac{B：その相続人又は受遺者の相続税の課税価格}{A：相続又は遺贈により財産を取得した者の相続税の課税価格の合計額}$$

$$＝各相続人等の相続税額（相法17）$$

（注） 上記算式中のB/Aの値は、相続税の申告書の提出をする場合には、各人について求めた値の合計額が1になるよう端数整理し、各人の値を小数点以下第2位にとどめて計算しても差し支えありません（相基通17－1）。

以上により、各相続人等の相続税額が算出されたときは、次の各種の加算又は控除を行い、その後の金額が、実際に納付すべき相続税額となります。

① その者が、被相続人の子（代襲相続人を含み、被相続人の直系卑属がその被相続人の養子となっている場合は含みません。）、父母及び配偶者以外の者であるときは、（2）により相続税額にその20%相当額を加算します（相法18）。

② その者が、相続開始前7年以内にその相続に係る被相続人から贈与により財産を取得したことがある場合には、その贈与により取得した財産で贈与税の課税価格の基礎に算入されるもの（第四章第五節《相続開始前7年以内に被相続人から贈与を受けた財産》の特定贈与財産を除き、その財産のうち相続の開始前3年以内に取得した財産以外の財産にあっては、その財産の価額の合計額から100万円を控除した残高）の価額を相続税の課税価格に加算した価額をもって相続税の課税価格とみなして計算した相続税額から、その贈与財産につき課せられた贈与税相当額を控除します（相法19）。

（注） 上記＿＿部分の規定は、令和5年12月31日以前に贈与により取得する財産に係る相続税については、「7年」とあるのは「3年」とします（令5改相令附19①）。

③ その者が、被相続人の配偶者であるときは、所定の方式（（4）（765ページ）参照）によって算出された配偶者に対する税額軽減額相当額を控除します（相法19の2）。

④ その者が、被相続人の法定相続人（制限納税義務者を除きます。）で、かつ、未成年者であるときは、相続税額からその者が18歳（令和4年3月31日以前は「20歳」）に達するまでの各1年につき、10万円を控除します（相法19の3）。

⑤ その者が、被相続人の法定相続人（非居住無制限納税義務者又は制限納税義務者を除きます。）で、かつ、障害者であるときは、相続税額から85歳に達するまでの各1年につき、10万円（その者が特別障害者であるときは、20万円）を控除します（相法19の4）。

⑥ その者の被相続人が、相続開始前10年以内に相続（前の被相続人からの被相続人に対する遺贈を含みます。）により財産を取得し、これについて相続税が課せられているときは、相次相続控除の適用があります（相法20）。

－763－

⑦　その者が、相続税法の施行地外にある財産を取得し、その地の法令により相続税に相当する税が課せられたときは、相続税額からその課せられた税額に相当する金額を控除します（相法20の２）。

※　なお、改正後の④⑤に該当する者が、その者又はその者の扶養義務者の平成27年１月１日前に相続又は遺贈により取得した財産に係る相続税について未成年者控除又は障害者控除の適用を受けたことがある者である場合には、その者又はその扶養義務者がこの控除を受けることができる金額については一定の経過措置が設けられています（平25改法附12、13）。

（注）　②から⑦までの相続税の税額控除は、（１）相続開始前７年以内の贈与財産に係る贈与税額控除、（２）配偶者に対する相続税額の軽減、（３）未成年者控除、（４）障害者控除、（５）相次相続控除、（６）在外財産に対する相続税額の控除の順に行います（相基通20の２－４）。

（２）　相続税額の加算

相続又は遺贈により財産を取得した者が、その被相続人の一親等の血族（その被相続人の直系卑属が相続開始前に死亡し、又は相続権を失ったため、代襲して相続人となったその被相続人の直系卑属を含みます。）及び配偶者以外の者である場合には、その者の相続税額は、相続税の総額のあん分計算により算出した金額に、その100分の20に相当する金額を加算した金額とされています（相法18①）。

上記の一親等の血族には、その被相続人の直系卑属がその被相続人の養子となっている場合（いわゆる孫養子）を含めないこととされています。ただし、その被相続人の直系卑属が相続開始以前に死亡し、又は相続権を失ったため、代襲して相続人となっている場合は、この限りではありません（相法18②）。

すなわち、養子とした孫は２割加算の規定が適用されますが、この孫養子が代襲して相続人となっている場合は２割加算の規定は適用されません。

（注）　養子又は養親が、相続又は遺贈により被相続人である養親又は養子の財産を取得した場合においては、これらの者は、被相続人の一親等の法定血族ですから、これらの者については、この加算の規定は適用されません（相基通18－３）。

（３）　贈与税額の控除

相続又は遺贈により財産を取得した者が、その相続の開始前<u>７年</u>以内に被相続人から贈与により財産を取得している場合には、本来の相続税の課税価格に、その贈与により取得した財産の価額を加算した金額を基として計算した相続税課税価格となります。

（注）　上記＿＿＿部分の規定は、令和５年12月31日以前に贈与により取得する財産に係る相続税については、「７年」とあるのは、「３年」とします（令５改相令附19①）。

この場合、相続開始のあった年の前年以前に贈与を受けた財産については贈与税が課税されることになっていますので、相続税と贈与税とが二重に課税されることになります。そこでこれを避けるために、既に課税された贈与税、又は課税されるべき贈与税があるときは、その相続税額からこれらの贈与税額を控除した税額が、その納付すべき相続税額となります。

相続税額から控除する贈与税額は、その年分の贈与税額に、その年分の贈与による取得財産の価額の合計額のうちに被相続人からの贈与により取得した財産の価額（その財産のうち相続の開始前３年以内に取得した財産以外の財産にあっては、第四章第五節の規定によりその財産の価額の合計額から100万円を控除する前のその財産の価額）の占める割合を乗じて計算します（相法19、相令４）。

この算出方法を算式で示すと、次のとおりです（相基通19－７）。

$$A \times \frac{C}{B}$$

算式中の符号は、次のとおりです。

Ａは、その年分の贈与税額（相続時精算課税の適用を受けて計算される贈与税額を除きます。）

Ｂは、その年分の贈与税の課税価格（709ページに規定する特定贈与財産及び相続時精算課税の適用を受けて贈与税の課税価格がある場合には、その価額を控除した後の課税価格）

Ｃは、その年中に贈与により取得した財産の価額の合計額のうち第四章第五節の規定により相続税の課税

価格に加算された部分の金額（その財産のうち同節の相続の開始前３年以内に取得した財産以外の財産にあっては、その財産の価額の合計額から同節の規定により100万円を控除する前のその財産の価額）

ただし、その年分の贈与税について第五編第五章第五節《直系尊属から贈与を受けた場合の贈与税の税率の特例》の(1)の規定により贈与税額を算出した場合には、次の①又は②に掲げる財産の別に上記の算式により算出した金額を合計した金額とします。

① 特例贈与財産

Aは、その年分の第五編第五章第五節《直系尊属から贈与を受けた場合の贈与税の税率の特例》の(1)の表の①に掲げる金額

Bは、その年分の贈与税の特例贈与財産の価額の合計額

Cは、その年分の特例贈与財産の価額の合計額のうち第四章第五節の規定により相続税の課税価格に加算された部分の価額（当該特例贈与財産のうち同節の相続の開始前３年以内に取得した財産以外の財産にあっては、当該財産の価額の合計額から同節の規定により100万円を控除する前の当該財産の価額）

② 一般贈与財産

Aは、その年分の同表の②に掲げる金額

Bは、その年分の贈与税の一般贈与財産の価額（特定贈与財産がある場合には、その価額を控除した後の価額）の合計額

Cは、その年分の一般贈与財産の価額の合計額のうち第四章第五節の規定により相続税の課税価格に加算された部分の価額（当該一般贈与財産のうち同節の相続の開始前３年以内に取得した財産以外の財産にあっては、当該財産の価額の合計額から同節の規定により100万円を控除する前の当該財産の価額）

（4） 配偶者に対する相続税額の軽減

被相続人の配偶者が相続又は遺贈により財産を取得した場合、その配偶者については、前記(3)までの計算により算出した金額から、次に掲げる金額を配偶者の税額軽減額として控除できます（相法19の２①）。この制度は、配偶者が相続又は遺贈により取得した財産は、夫婦が共同して蓄積したものが多いこと、また、配偶者の老後の生活の保障のため等を理由として設けられたものです。

イ 配偶者の税額軽減額の計算

被相続人の配偶者が、その被相続人から相続又は遺贈により財産を取得した場合には、次の②に掲げる金額を配偶者の税額軽減額として控除できます。したがって、次の①に掲げる金額から②に掲げる金額を控除した残りの金額が納付すべき相続税額になり、①に掲げる金額が②に掲げる金額以下であるときは、納付すべき相続税額は、ないものとされます（相法19の２①）。

① その配偶者について算出された相続税額（贈与税額控除後の金額）……税額軽減限度額

② 相続税の総額（１（757ページ）参照）に、次の＜イ＞又は＜ロ＞のうち少ない方の金額が、相続又は遺贈により財産を取得した全ての者に係る相続税の課税価格の合計額のうちに占める割合を乗じて算出した金額……税額軽減額

＜イ＞ 相続又は遺贈により財産を取得した全ての者に係る相続税の課税価格の合計額に配偶者の法定相続分（相続の放棄があった場合には、その放棄がなかったものとした場合の法定相続分によります。）を乗じて算出した金額（その金額が１億6,000万円に満たない場合は１億6,000万円）

＜ロ＞ 配偶者に係る相続税の課税価格に相当する金額

　　②の計算式

上記②の計算を算式で示しますと、次のとおりとなり、Cの計算で求めた金額が配偶者の税額軽減額となります。

A……課税価格の合計額×配偶者の法定相続分（相続の放棄があった場合には、その放棄がなかったものとした場合の法定相続分によります。）（計算した金額が１億6,000万円に満たない場合は１億6,000万円）＝＜イ＞

第六章第二節《相続税の税額とその計算等》

$$B\cdots\cdots \begin{pmatrix}\text{配偶者が協議分}\\\text{割等により取得}\\\text{した財産の価額}\end{pmatrix}-\begin{pmatrix}\text{配偶者の債務控除額（未分割財産がある}\\\text{ときは、その財産のうち配偶者の法定相}\\\text{続分相当額を超える部分の債務控除額}\\\text{に限る。）（相基通19の2－6）}\end{pmatrix}+\begin{pmatrix}\text{配偶者の前}\underline{7年}\text{以内の受贈財}\\\text{産価額（709ページの特定贈与}\\\text{財産の価額を控除する。）}\end{pmatrix}=\langleロ\rangle$$

$$C\cdots\cdots \text{相続税の総額}\times\frac{\langleイ\rangle\text{と}\langleロ\rangle\text{の少ない方の金額}}{\text{課税価格の合計額}}=\begin{array}{l}\text{税　　額}\\\text{軽減額}\end{array}$$

（注1） 税額軽減の適用が受けられる配偶者は、婚姻の届出（民法739①）をしている者に限られます。

（注2） 婚姻の期間については、全く制約がありません。

（注3） 配偶者が代償分割に基づいて他の相続人に対して負担する代償財産を給付する債務は、〈ロ〉の配偶者が取得した財産の価額から控除することとされています（相基通19の2－6）。

（注4） 上記＿＿＿部分は、令和5年12月31日以前に贈与により取得する財産に係る相続税については、「7年」とあるのは「3年」とします（令5改相令附19①）。

ロ　特例を適用する場合の適用要件等

①　配偶者の課税価格等

　この特例の計算の基礎となる課税価格は、原則として相続税の申告期限までに、その相続又は遺贈により取得した財産について、全部又は一部の遺産分割が行われている場合のその分割により配偶者が取得した財産に対応する課税価格に限られています。ただし、その分割されていない財産について申告期限から3年以内に分割された場合は、配偶者の税額軽減の対象とすることとされています（相法19の2②）。なお、申告期限において相続税の申告書を提出している配偶者が、その申告期限から3年以内に分割された財産について配偶者の税額軽減を受けるときは、更正の請求を行うこととなります（第十二章第四節の2の表内(10)（918ページ）参照）（相法32①八）。

　また、申告期限後3年を経過する日までに遺産の分割ができない場合であっても、そのできないことについて、次に掲げるようなやむを得ない事情がある場合には、税務署長の承認を受けた場合に限り、それぞれに掲げる分割ができることとなった日の翌日から4か月以内に分割した財産について配偶者の税額軽減が受けられます（相法19の2②ただし書のかっこ書、相令4の2①）。

　この場合、相続税の申告期限後3年を経過する日の翌日から2月を経過する日までに、そのやむを得ない事情の詳細等を記載した申請書を、その事情があることを証する書類とともに、所轄税務署長に提出する必要があります（相法19の2②ただし書のかっこ書、相令4の2②、相規1の6①②、相基通19の2－10）。

分割されてなかったことについてのやむを得ない事情	分割ができることとなった日
①　相続税の申告期限の翌日から3年を経過する日において、その相続又は遺贈に関する訴えが提起されている場合（相続又は遺贈に関する和解又は調停の申立てが成立せず民事訴訟法第275条第2項《訴え提起前の和解》、家事事件手続法第286条第6項《異議の申立て等》、民事調停法第19条《調停不成立等の場合の訴の提起》により訴えが提起されたとみなされる場合も含みます。）	判決の確定、和解、請求の放棄又は認諾の調書作成の日、訴えの取下げその他訴訟の完結の日
②　相続税の申告期限の翌日から3年を経過する日において、その相続又は遺贈に関する和解、調停又は審判の申立てがされている場合（①又は④に該当する場合を除きます。）	和解、調停の成立、審判の確定、申立ての取下げの日その他これらの申立てに係る事件の終了の日
③　相続税の申告期限の翌日から3年を経過する日において、その相続又は遺贈に関して、民法第908条第1項又は第4項《遺産の分割の方法の指定及び遺産の分割の禁止》の規定により遺産の分割が禁止され、又は同法第915条第1項《相続の承認又	その分割が禁止されている期間又は伸長されている期間が経過した日

－766－

は放棄をすべき期間》ただし書の規定により相続の承認若しくは放棄の期間が伸長されている場合（その相続又は遺贈に関する調停又は審判の申立てがされている場合において、分割の禁止をする旨の調停が成立し、又はその分割の禁止若しくはその期間の伸長をする旨の審判若しくはこれに代わる裁判が確定したときを含みます。）	
④　その他、その相続又は遺贈に係る財産が、その相続税の申告期限の翌日から３年を経過する日までに分割されなかったこと及びその財産の分割が遅れたことについて、税務署長がやむを得ない事情があると認める場合	その事情の消滅の日

　税法の規定により申告期限が延長される場合、すなわち、災害等による申告期限の延長が認められる場合（通則法11）又は相続税の申告書を提出すべき者が申告期限前に当該申告書を提出しないで死亡した場合（相法27②）などは、その延長された申告期限内に分割すれば、この特例の適用が受けられます。

　　(注)　この遺産分割により取得した財産には、次のようなものが含まれます。
　　　①　配偶者だけが相続人又は受遺者である場合（他の相続人が相続放棄をしたため配偶者だけが相続人である場合を含みます。）……全部の財産
　　　②　特定遺贈により配偶者に遺贈された場合……その特定遺贈された財産
　　　③　みなし相続財産とされる生命保険金、退職手当金等がある場合に、配偶者が受取人等とされているとき……配偶者が受取人等であるそのみなし相続財産のうち、非課税財産とされる金額を超える部分の金額
　　　④　相続開始前７年以内の配偶者に対する贈与で相続財産に加算されるものがあるとき……その配偶者の相続財産に加算される贈与財産の額
　　　⑤　遺産分割の調停、審判等が行われた場合……その調停、審判等により配偶者に分割されることとされた財産

②　適用要件

　特例の適用を受けるためには、相続税の申告書（期限後申告書及び修正申告書を含みます。）又は国税通則法第23条第３項《更正の請求》に規定する更正の請求書に特例の適用を受ける旨及びその計算に関する明細の記載（相続税の申告書（第５表）に記載します。）をした書類その他次に掲げる書類を添付して、その申告書を提出しなければなりません（相法19の２③、相規１の６）。

　　(注)　配偶者の税額軽減を受けることによって納付すべき相続税額が「０」となる人であっても、相続税の申告書の提出はしなければなりません。

　なお、相続税の申告書又は更正の請求書を提出する際に、遺産の全部又は一部が共同相続人又は包括受遺者によってまだ分割されていない場合において、その申告書又は更正の請求書の提出後に分割される遺産について配偶者に対する税額軽減の適用を受けようとするときは、申告書にその旨、並びに分割されていない事情及び分割の見込みの詳細を記載しなければなりません（相規１の６③二）。

〈添付する書類〉

　　遺言書の写し、遺産分割協議書（その遺産分割協議書にその相続に係るすべての共同相続人及び包括受遺者が自署し、印鑑証明を得た自己の印を押しているものに限られます。）の写し（相続人又は包括受遺者全員の印鑑証明書の添付が必要です。）、その他財産の取得の状況を証する書類（生命保険金や退職金の支払通知書などの書類）

　　また、相続税の申告期限後３年を経過する日の翌日から２月を経過する日までに、遺産の分割ができないことについて、やむを得ない事情の詳細等を記載した申請書を所轄税務署長に提出する時には、次に掲げる事情に応じて、それぞれに掲げる書類を添付しなければなりません。

〈イ〉　相続又は遺贈に関する訴えの提起がされていること……訴えの提起がされていることを証する書類

—767—

第六章第二節《相続税の税額とその計算等》

〈ロ〉　相続又は遺贈に関する和解、調停又は審判の申立てがされていること（〈ハ〉に該当する場合を除きます。）……これらの申立てがされていることを証する書類

〈ハ〉　相続又は遺贈に関し、民法第908条第1項若しくは第4項《遺産分割の方法の指定及び遺産の分割の禁止》の規定により遺産の分割が禁止されている場合又は民法第915条第1項《相続の承認又は放棄をすべき期間》ただし書の規定により相続の承認若しくは放棄の期間が伸長されていること……これらの事実及びその分割が禁止されている期間又はその相続の承認若しくは放棄が伸長された期間を証する書類

〈ニ〉　〈イ〉から〈ハ〉までに掲げる事情以外の事情……財産の分割がなされなかった事情の詳細を記載した書類

ハ　書類の添付がない申告書の提出があった場合等のゆうじょ規定

前記ロ②の書類の添付がない申告書又は更正の請求書の提出があった場合においても、その添付がなかったことについて、税務署長がやむを得ない事情があると認めたときは、前記ロ②に掲げる書類の提出があった場合に限って、この特例を適用することができます（相法19の2④）。

ニ　隠蔽し又は仮装されていた財産に係る増加税額の適用除外

イの相続又は遺贈により財産を取得した者が、隠蔽仮装行為に基づき、相続税法第27条の規定による相続税の申告書を提出しており、又はこれを提出していなかった場合において、その相続又は遺贈に係る相続税についての調査があったことによりその相続税について更正又は決定があるべきことを予知して期限後申告書又は修正申告書を提出するときは、これらの申告書に係る配偶者の相続税額の軽減規定の適用については、イの②の「相続税の総額」とあるのは「相続税の総額でその相続に係る被相続人の配偶者が行った隠蔽仮装行為による事実に基づく金額に相当する金額をその財産を取得した全ての者に係る相続税の課税価格に含まないものとして計算したもの」と、「課税価格の合計額のうち」とあるのは「課税価格の合計額からその相当する金額を控除した残額のうち」と、イの②の〈イ〉の「課税価格の合計額」とあるのは「課税価格の合計額から隠蔽仮装行為による事実に基づく金額に相当する金額（その配偶者に係る相続税の課税価格に算入すべきものに限ります。）を控除した残額」と、イの②の〈ロ〉の「課税価格」とあるのは「課税価格から隠蔽仮装行為による事実に基づく金額に相当する金額（その配偶者に係る相続税の課税価格に算入すべきものに限ります。）を控除した残額」とされます（相法19の2⑤）。

(注1)　「隠蔽仮装行為」とは、相続又は遺贈により財産を取得した者が行う行為でその財産を取得した者に係る相続税の課税価格の計算の基礎となるべき事実の全部又は一部を隠蔽し、又は仮装することをいいます（相法19の2⑥）。

(注2)　ニの規定は、当初の申告において隠蔽し、又は仮装されていた財産については、その後の期限後申告又は修正申告に当たっても、配偶者の税額軽減の対象としないというものですが、隠蔽又は仮装があった場合でも、調査に基づく更正又は決定があることを予知しないで自ら正しい申告をしたときは、税額軽減を受けることができます。

なお、この場合の「配偶者の税額軽減額」の計算方法は**ホ**に掲げる金額によります。

ホ　隠蔽仮装行為があった場合の配偶者の税額軽減額の計算方法

ニの規定の適用がある場合における配偶者の税額軽減額は、イの②の計算は次によることとなります（次の①～④の金額をそれぞれ次の金額に読み替えて計算したところの金額とされます。）（相基通19の2－7の2）。

① 相続税の総額　　次の算式により算出した相続税の課税価格の合計額に係る相続税の総額（100円未満の端数切捨て又はその全額が100円未満のときは全額切捨て）

　　　a－（b＋c）

② 課税価格の合計額　上記①の算式により算出した相続税の課税価格の合計額

③ イの②〈イ〉の金額　　次の算式により算出した金額（1,000円未満の端数切捨て又はその全額が

1,000円未満のときは全額切捨て）に配偶者の法定相続分（相続の放棄があった場合には、その放棄がなかったものとした場合における法定相続分によります。）を乗じて算出した金額（相続人（相続の放棄があった場合には、その放棄がなかったものとした場合における相続人）がその配偶者のみである場合には、課税価格の合計額とします。）に相当する金額と１億6,000万円のいずれか多い金額

　　　a－（d＋e）

④　**イ**の②〈ロ〉の金額　　次の算式により算出した金額（1,000円未満の端数切捨て又はその全額が1,000円未満のときは全額切捨て）

　　　f－（g＋e）

（**注1**）　算式中の符号は次のとおりです。

　　　aは、**イ**の②〈イ〉の「課税価格の合計額」（その合計額の基となった各人の課税価格について端数処理を行っている場合には、その処理をする前の金額の合計額とする。）

　　　bは、被相続人から相続又は遺贈により財産を取得した者（以下**ホ**において「納税義務者」という。）が相続又は遺贈により取得した財産の価額のうち被相続人の配偶者が行った**ニ**に規定する隠蔽仮装行為による事実に基づく金額（以下**ホ**において「隠蔽仮装行為に係る金額」という。）とその納税義務者の債務及び葬式費用のうちその配偶者が行った隠蔽仮装行為に係る金額との合計額（その合計額がその納税義務者に係る相続又は遺贈により取得した財産の価額の合計額（債務控除の規定の適用がある場合にはこれらの規定による控除後の金額をいう。以下**ホ**において「純資産価額」という。）を上回る場合には、その納税義務者に係る純資産価額とする。）

　　　cは、納税義務者につき相続開始前<u>7年</u>以内に贈与があった場合の相続税額の規定により相続税の課税価格に加算される財産の価額のうち被相続人の配偶者が行った隠蔽仮装行為に係る金額

　　　dは、被相続人の配偶者が相続又は遺贈により取得した財産の価額のうち納税義務者が行った隠蔽仮装行為に係る金額とその配偶者の債務及び葬式費用のうちその納税義務者が行った隠蔽仮装行為に係る金額との合計額（その合計額がその配偶者に係る純資産価額を上回る場合には、その配偶者に係る純資産価額とする。）

　　　eは、被相続人の配偶者につき相続開始前<u>7年</u>以内に贈与があった場合の相続税額の規定により相続税の課税価格に加算される財産の価額のうち納税義務者が行った隠蔽仮装行為に係る金額

　　　fは、**イ**の②〈ロ〉の「配偶者の課税価格に相当する金額」に掲げる課税価格（その課税価格について端数処理を行っている場合には、その処理をする前の金額とする。）に相当する金額

　　　gは、被相続人の配偶者が相続又は遺贈により取得した財産の価額（**ロ**の①に規定する分割されていない財産の価額を除く。）のうち納税義務者が行った隠蔽仮装行為に係る金額とその配偶者の債務及び葬式費用のうちその納税義務者が行った隠蔽仮装行為に係る金額との合計額（その合計額が**イ**の②〈ロ〉の配偶者の課税価格に相当する金額の計算の基となった純資産価額に相当する金額を上回る場合には、その純資産価額に相当する金額）

（**注2**）　上記（**注1**）の<u>　　</u>部分は、令和５年12月31日以前に贈与により取得する財産に係る相続税については、「7年」とあるのは「3年」とします（令５改相令附19①）。

（**注3**）　隠蔽仮装行為に係る金額が次に掲げる財産に係るものである場合には、当該財産に係る隠蔽仮装行為に係る金額は、それぞれ次に定める金額となります。

　　⑴　相続時精算課税の適用を受ける財産（令和６年１月１日以後の贈与により取得したものに限ります。）……当該隠蔽仮装行為に係る金額又は当該財産を贈与により取得した日の属する年中に特定贈与者から贈与により取得した財産の価額の合計額から相続時精算課税に係る基礎控除をした残額のいずれか少ない金額

　　⑵　加算対象贈与財産のうち相続の開始前３年以内に取得した財産以外の財産……当該隠蔽仮装行為に係る金額又は当該財産の価額の合計額から100万円を控除した残額のいずれか少ない金額

〔**計算例１**〕

　課税価格の合計額が１億8,000万円で、妻は$\frac{1}{2}$の9,000万円を取得し、子供（成年者）２人が$\frac{1}{4}$の4,500万円ずつ取得しました。

①　遺産に係る基礎控除　　　3,000万円＋600万円×３人＝4,800万円

第六章第二節《相続税の税額とその計算等》

② 課税遺産価額　　　　　　１億8,000万円－4,800万円＝１億3,200万円
③ 相続税の総額の計算
　　　妻……（１億3,200万円×½）×30％－700万円＝1,280万円
　　　子２人……（１億3,200万円×½×½）×20％－200万円＝460万円
　　　1,280万円（妻）＋460万円（子）＋460万円（子）＝2,200万円
④ 各人の相続税額

$$2,200万円×\frac{9,000万円}{１億8,000万円}（0.50）＝1,100万円………妻$$

$$2,200万円×\frac{4,500万円}{１億8,000万円}（0.25）＝550万円………子はそれぞれ同額となります。$$

⑤ 配偶者の税額軽減額

$$2,200万円×\frac{9,000万円}{１億8,000万円}＝1,100万円$$

⑥ 各人の納付税額
　　　妻の納付税額は、配偶者の税額軽減額を控除しますので、0となります。
　　　1,100万円－1,100万円＝0
　　　子の納付税額は、税額控除がないので、④の各人の相続税額（100円未満切捨て）が納付税額となります。
　　　したがって、それぞれ550万円が納付税額となります。

〔計算例２〕
　　課税価格の合計額が１億2,000万円で、相続人は妻と被相続人の母の２人であり、妻が7,000万円を取得し、母が5,000万円を取得しました。
① 遺産に係る基礎控除　　　3,000万円＋600万円×２人＝4,200万円
② 課税遺産価額　　　　　　１億2,000万円－4,200万円＝7,800万円
③ 相続税の総額の計算　　妻　（7,800万円×⅔）×30％－700万円＝860万円
　　　　　　　　　　　　　母　（7,800万円×⅓）×15％－50万円＝340万円
　　　　　　　　　　　860万円（妻）＋340万円（母）＝1,200万円
④ 各人の相続税額（算出税額）

$$1,200万円×\frac{7,000万円}{１億2,000万円}（0.583→0.58）＝6,960,000円………妻$$

$$1,200万円×\frac{5,000万円}{１億2,000万円}（0.416→0.42）＝5,040,000円………母$$

⑤ 配偶者の税額軽減額

$$1,200万円×\frac{7,000万円}{１億2,000万円}＝7,000,000円→6,960,000円（配偶者の算出税額より多いときは、$$
　　　　　　　　　　　　　　　　　　　　　　軽減額は算出税額にとどめられます。）

⑥ 各人の納付税額
　　妻の納付税額は、配偶者の税額軽減額を控除しますので、0となります。
　　　6,960,000円－6,960,000円＝0
　　母の納付税額は、税額控除がないので④の税額5,040,000円が納付税額となります。

〔計算例３〕
　　相続税の課税価格が１億円で、被相続人の妻がその全額を取得しました。（法定相続人が妻だけの場合）
① 遺産に係る基礎控除　　　3,000万円＋600万円×１人＝3,600万円
② 課税価格の合計額　　　　１億円－3,600万円＝6,400万円

－770－

第六章第二節《相続税の税額とその計算等》

③ 相続税の総額の計算

6,400万円×30％－700万円＝1,220万円

④ 妻の算出税額

妻が全額の遺産を取得しているので、1,220万円の全額が妻の算出税額となります。

⑤ 配偶者の税額軽減額

妻はその法定相続分(100％)に相当する遺産を取得したので、算出税額の全額が軽減額となります。

$$1,220万円（相続税の総額）× \frac{1億円}{1億円} ＝1,220万円（軽減額）$$

⑥ 納付税額

妻の算出税額から配偶者の税額軽減額を控除しますので、0となります。

1,220万円－1,220万円＝0

（5） 未成年者控除

相続又は遺贈によって財産を取得した者（制限納税義務者に該当する者を除きます。）が法定相続人（相続の放棄があった場合には、その放棄がなかったものとした場合における相続人）に該当し、かつ、未成年者（満18歳（令和4年3月31日以前は「20歳」）未満の者をいいます。）であるときは、その未成年者の納付すべき相続税額は、相続税法第15条から19条の2までの規定により算出した相続税額に相当する金額から、その未成年者が満18歳（令和4年3月31日以前は「20歳」）に達するまでの年数（当該年数が1年未満であるとき、又はこれに1年未満の端数があるときは、これを1年として計算します。）に10万円（平成26年12月31日以前に相続又は遺贈により取得する財産については、6万円）を乗じて算出した金額を控除した金額となります。この場合に控除しきれないときは、控除しきれない部分の金額は、その未成年者の扶養義務者の相続税額から控除することができます。

また、未成年者控除を受けることができる者が以前にこの控除を受けたことがある場合には、以前にこの控除を受けた金額が、前の相続の際に受けることができた控除額に満たなかった場合におけるその満たなかった金額《控除不足額》と今回の相続開始時の年齢に応じて上記により計算した金額とのうち、いずれか少ない方の金額しか控除が受けられないことになっています（相法19の3①～③）。

〈平成25年改正に係る経過措置〉

なお、未成年者控除は、平成25年の改正により平成27年1月1日以後に係る控除額が、1年につき6万円から10万円に引き上げられていますので、未成年者が第1回の相続を平成26年12月31日以前にしている場合には、上記の控除不足額の計算は前回の相続の際には改正後の未成年者控除が適用されたものとして計算した控除額から既往に控除を受けた金額を差し引いた残額、すなわち、改正後の未成年者控除額を基として計算した控除不足額によることとされています（平25改法附12）。

(注1) 未成年者控除の規定は、民法の一部を改正する法律（平成30年法律第59号）による改正前の民法第753条《婚姻による成年擬制》の規定により成年に達したものとみなされた者についても適用されます（相基通19の3－2）。

(注2) 民法第886条《相続に関する胎児の権利能力》に規定する胎児が、生きて生まれた場合におけるその者の未成年者控除額は、180万円（令和4年3月31日以前は200万円、平成26年12月31日以前は120万円）になります（相基通19の3－3）。

〔計算例1〕 相続人は12歳6か月の未成年者とします。

（18歳－12歳6か月）＝5年6か月となりこれを切り上げて6年とします。

10万円×6年＝60万円……未成年者控除額

〔計算例2〕 過去に未成年者控除を受けている場合

① 平成20年3月父から相続した未成年者で当時の年齢は1歳3か月（扶養義務者の相続税額はないものとします。）

相続税額97万円……イ

－771－

未成年者控除の限度額６万円×（20歳－１歳）＝114万円……ロ

　　控除される金額　イ＜ロであるためイの金額（97万円）……ハ

②　①の未成年者が令和６年５月母から相続した場合（相続時の年齢は17歳５か月で、扶養義務者の相続税はないものとします。）

　　相続税額150万円……ニ

　　未成年者控除の限度額10万円×（18歳－17歳）＝10万円……ホ

〈イ〉　改正後の控除額による上記①の相続の際の未成年者控除の限度額

　　　10万円×（18歳－１歳）＝170万円……ヘ

〈ロ〉　ヘを基準とした控除不足額

　　　ヘ－ハ＝170万円－97万円＝73万円……ト

〈ハ〉　ト＞ホであるためホの金額（10万円）が控除される金額となります。

　　　差引相続税額　150万円－10万円＝140万円

（6）　障害者控除

　相続又は遺贈によって財産を取得した者（非居住無制限納税義務者又は制限納税義務者（第三章第一節の１（688ページ）又は２（689ページ）参照）に該当する者を除きます。）が法定相続人（相続の放棄があった場合には、その放棄がなかったものとした場合における相続人）に該当し、かつ、障害者（**注１**参照）であるときは、その障害者の納付すべき相続税額は、相続税法第15条から19条の３までの規定により算出した相続税額に相当する金額から、その障害者が85歳（相続開始の日が、平成22年３月31日以前の場合には満70歳）に達するまでの年数（当該年数が１年未満であるとき、又はこれに１年未満の端数があるときは、これを１年として計算します。）に10万円（平成26年12月31日以前に相続又は遺贈により取得する財産については、６万円）（その者が、特別障害者（**注２**参照）であるときは、20万円（平成26年12月31日以前に相続又は遺贈により取得する財産については、12万円））を乗じて算出した金額を控除した金額となります。この場合に控除する金額が、その障害者について計算した相続税に相当する金額よりも多いため控除しきれないときは、その控除しきれない部分の金額は、その障害者の扶養義務者の相続税額から控除することができます。

　つぎに、障害者控除を受けることができる者が以前に、この控除を受けたことがある場合には、以前にこの控除を受けた金額が、前の相続の際に受けることができた控除額に満たなかった場合における、その満たなかった金額の範囲内でしか控除が受けられないことになっています（相法19の４①～③）。

　（**注１**）　障害者とは、精神上の障害により事理を弁識する能力を欠く常況にある者、失明者その他の精神又は身体に障害がある者で次に掲げる者をいいます（相令４の４①）。

　　①　精神上の障害により事理を弁識する能力を欠く常況にある者又は児童相談所、知的障害者更生相談所、精神保健福祉センター若しくは精神保健指定医の判定により知的障害者とされた者

　　②　精神保健及び精神障害者福祉に関する法律第45条第２項《精神障害者保健福祉手帳の交付》の規定により精神障害者保健福祉手帳の交付を受けている者

　　③　身体障害者福祉法第15条第４項《身体障害者手帳の交付》の規定により交付を受けた身体障害者手帳に身体上の障害がある者として記載されている者

　　④　戦傷病者特別援護法第４条《戦傷病者手帳の交付》の規定により戦傷病者手帳の交付を受けている者

　　⑤　原子爆弾被爆者に対する援護に関する法律第11条第１項《認定》の規定による厚生労働大臣の認定を受けている者

　　⑥　常に就床を要し、複雑な介護を要する者のうち、その障害の程度が①又は③の者に準ずる者として市町村長又は特別区の区長（社会福祉法に定める福祉に関する事務所が老人福祉法第５条の４第２項各号に掲げる業務を行っている場合には、その福祉に関する事務所の長。以下「市町村長等」といいます。）の認定を受けている者

　　⑦　精神又は身体に障害のある年齢65歳以上の者で、その障害の程度が①又は③の者に準ずる者として市

第六章第二節《相続税の税額とその計算等》

町村長等の認定を受けている者

なお、この障害者には、特別障害者を含んでいますので、特別障害者（**注２**参照）を除いたものが、一般障害者になります。

（**注２**）　特別障害者とは、障害者のうち精神又は身体に重度の障害がある者で、次に掲げる者をいいます（相令４の４②）。

①　（**注１**）の①の者のうち、精神上の障害により事理を弁識する能力を欠く常況にある者又は児童相談所、知的障害者更生相談所、精神保健福祉センター若しくは精神保健指定医により、重度の知的障害者とされた者

②　（**注１**）の②の者のうち、同②の精神障害者保健福祉手帳に精神保健及び精神障害者福祉に関する法律施行令第６条第３項に規定する障害等級が１級である者として記載されている者

③　（**注１**）の③の者のうち、身体障害者手帳に身体上の障害の程度が１級又は２級である者として記載されている者

④　（**注１**）の④の者のうち、戦傷病者手帳に精神上又は身体上の障害の程度が恩給法別表第１号表の２の特別項症から第３項症までである者として記載されている者

⑤　（**注１**）の⑤に該当する者

⑥　（**注１**）の⑥の者のうち、その障害の程度が上記①又は③の者に準ずる者として市町村長等の認定を受けている者

⑦　（**注１**）の⑦の者のうち、その障害の程度が上記①又は③の者に準ずる者として市町村長等の認定を受けている者

（**注３**）　相続開始の時において、精神障害者保健福祉手帳の交付を受けていない者、身体障害者手帳の交付を受けていない者又は戦傷病者手帳の交付を受けていない者であっても、次に掲げる要件のいずれにも該当する者は、（**注１**）の②、③若しくは④に掲げる一般障害者若しくは（**注２**）の②、③若しくは④に掲げる特別障害者に該当するものとして取り扱われます（相基通19の４－３）。

①　相続税の期限内申告書を提出する時において、これらの手帳の交付を受けていること又はこれらの手帳の交付を申請中であること。

②　交付を受けているこれらの手帳、精神障害者保健福祉手帳の交付を受けるための精神保健及び精神障害者福祉に関する法律施行規則第23条第２項第１号に規定する医師の診断書若しくは同項第２号に規定する精神障害を支給事由とする給付を現に受けていることを証する書類又は身体障害者手帳若しくは戦傷病者手帳の交付を受けるための身体障害者福祉法第15条第１項若しくは戦傷病者特別援護法施行規則第１条第４号に規定する医師の診断書により、相続開始の時の現況において、明らかにこれらの手帳に記載される程度の障害があると認められる者であること。

（**注４**）　障害者控除については、その控除額が昭和50年に２万円から３万円（特別障害者は４万円から６万円）に、昭和63年に３万円から６万円（特別障害者は６万円から12万円）に引き上げられています。

〔計算例１〕一般障害者の場合

相続人が15歳６か月の一般障害者の場合の障害者控除額は、次のとおりです。

（85歳－15歳６か月）＝69年６か月　となり、これを切り上げて70年として計算することになりますから、

10万円×70年＝700万円……障害者控除額

〔計算例２〕特別障害者の場合

相続人が28歳10か月の特別障害者の場合の障害者控除額は、次のとおりです。

（85歳－28歳10か月）＝56年２か月　となり、これを切り上げて57年として計算することになりますから、

20万円×57年＝1,140万円……障害者控除額

〔計算例３〕過去に障害者控除を受けている場合

①　平成13年に父から相続、17歳の一般障害者（扶養義務者の相続税額はないものとします。）

相続税額　106万円……………………………………………………イ

障害者控除の限度額　６万円×（70歳－17歳）＝318万円　……ロ

控除される金額　イ＜ロであるためイの金額（106万円）………ハ

②　①の障害者が令和６年に母から相続した場合（相続時の年齢40歳で、扶養義務者の相続税額はな

－773－

いものとします。）

相続税額　500万円　……………………………………………………ニ

障害者控除の限度額　10万円×（85歳－40歳）＝450万円　……ホ

控除される金額

〈イ〉　改正後の控除額による上記①の相続の際の障害者控除の限度額

　　　10万円×（85歳－17歳）＝680万円……………………………ヘ

〈ロ〉　ヘを基準とした控除不足額

　　　ヘ－ハ＝680万円－106万円＝574万円……………………………ト

〈ハ〉　ト＞ホであるためホの金額（450万円）が控除される額となります。

差引相続税額　500万円－450万円＝50万円

　（注）　相続又は遺贈（被相続人からの贈与により取得した財産で相続時精算課税の適用を受けるものに係る贈
　　　　与を含みます。）により財産を取得した特別障害者が、前の相続の時に一般障害者として障害者控除を受
　　　　けていた場合において、今回控除を受けることができる金額の算出方法を算式で示すと、次のとおりとな
　　　　ります（相基通19の4－4）。

　　　　　　　　｛20万円×（85－Y）＋10万円×（Y－X）｝－A

　　（注）　算式中の符号は、次のとおりです。

　　　　　　　X………初めて障害者控除の規定の適用を受ける一般障害者の当該相続（以下「前の相続」とい
　　　　　　　　　　　う。）開始時の年齢

　　　　　　　Y………前の相続に係る相続税額の計算上障害者控除の規定の適用を受けた者の今回の相続開
　　　　　　　　　　　始時の年齢

　　　　　　　A………前の相続に係る相続税額の計算上控除を受けた障害者控除額

（7）　相次相続控除

　相続人（相続を放棄した者及び相続権を失ったものを含まない）が相続又は遺贈により財産を取得
した場合に、その相続（以下「第2次相続」といいます。）の被相続人が死亡前10年以内に開始した相
続（以下「第1次相続」といいます。）によって財産（相続時精算課税の適用を受けた贈与財産を含み
ます。）を取得したことがある場合には、第2次相続の相続人の納付すべき相続税額はその者について
相続税法第15条から19条の4までの規定により算出した相続税額に相当する金額から次の算式により
計算した金額を控除した金額となります（相法20、相基通20－3）。

$$A\times\frac{C}{B-A}\times\frac{D}{C}\times\frac{10-E}{10}＝各相続人の相次相続控除額$$

A：第1次相続により取得した財産（**注2**）につき課せられた第2次相続の被相続人の相続税額（相続時精算課税
　　の適用を受ける財産につき課せられた贈与税があるときは、その贈与税の税額（在外財産に対する贈与税額の
　　控除前の税額とし、延滞税、利子税及び各種加算税に相当する税額を除きます。）を控除した後の金額をいい
　　ます。）

B：第1次相続によって第2次相続の被相続人が取得した財産（**注2**）の価額（（令和6年1月1日以後に贈与に
　　より取得した財産については、当該贈与により取得した年分ごとに相続時精算課税に係る基礎控除をした残額
　　の合計額。）の合計額から債務控除をした後の金額）

C：第2次相続によって相続人及び受遺者の全員が取得した財産（**注2**）の価額の合計額（債務控除をした後の金
　　額）

D：第2次相続によって相続人が取得した財産（**注2**）の価額（債務控除をした後の金額）

E：第1次相続開始の時から第2次相続開始の時までの年数（1年未満は切り捨てます。）

（注1）　上記算式中の $\frac{C}{B-A}$ の割合が $\frac{100}{100}$ を超えるときは $\frac{100}{100}$ として計算します。

（注2）　相続時精算課税の適用を受けた贈与財産を含みます。

（注3）　相続を放棄した人又は相続権を失った人については、たとえその人が遺贈によって財産をもらっている

第六章第二節《相続税の税額とその計算等》

　　場合でも、相次相続控除を受けることはできません（相基通20－1）。

〔計算例〕

　平成29年1月15日、甲の死亡により相続人乙は5,000万円の財産を取得し相続税640万円を納付しました。その後令和6年3月15日、乙の死亡により相続人丙、丁、戊は、それぞれ4,000万円の財産を取得しました。

　この場合、丙の納付すべき相続税額から控除される相次相続控除額は次のようになります。

$$640万円 \times \frac{1億2,000万円}{5,000万円-640万円} \times \frac{4,000万円}{1億2,000万円} \times \frac{10-7}{10} = 64万円$$

$\dfrac{1億2,000万円}{5,000万円-640万円}$ の割合が、$\dfrac{100}{100}$ を超えるので、その割合を $\dfrac{100}{100}$ として計算します。

　（注）　丁、戊に係る相次相続控除の計算は丙と同一となります。

（8）　在外財産に対する相続税額の控除

　相続又は遺贈によって外国にある財産を取得した場合にその財産に対して外国の法令によって日本の相続税に相当する税金を課税されたときは、その財産について、外国と日本とで二重に相続税を課税されるのを回避するため、外国で課税された相続税額に当たる金額を相続税から控除することができます（相法20の2）。

　なお、この場合の控除税額は、外国の法令により課された税額を、その納付すべき日における対顧客直物電信売相場により邦貨に換算した金額によることとされています。

　ただし、外国税額を納付する場合、常に納付すべき日に外国に送金するとは限らないため、送金が著しく遅延して行われるときを除いて、日本国内から実際に送金する日における対顧客直物電信売相場によって邦貨換算することもできます（相基通20の2－1）。

第七章　相続時精算課税

　相続税とこれを補完する機能を有する贈与税の関係については第一章で触れましたが、平成15年度改正で、生前贈与に対して贈与税を簡易かつ軽課し、贈与者の死亡時の相続税において受贈者に対し生前贈与に係る贈与税をも含めて精算するという、両税を一体のものとして課税する相続時精算課税制度が創設されました。
（相続時精算課税については、第五編　贈与税の第六章でも解説していますので、参照してください。）

第一節　適用対象者・選択の届出

1　適用対象者

　相続時精算課税の適用を受けることができる者は、次に掲げる者とされています。
（1）　贈与者
　贈与をした年の1月1日において、60歳以上（平成26年12月31日以前に贈与により取得する財産については、「65歳以上」とされます。）の者とされています（相法21の9①）。
（2）　受贈者
　贈与により財産を取得した者が贈与者の推定相続人である直系卑属のうち、贈与を受けた年の1月1日において18歳（令和4年3月31日以前は「20歳」）以上である者とされています（相法21の9①）。
（贈与者の配偶者は、直系卑属ではないので受贈者となることはできません。）
〈贈与者・受贈者の範囲〉

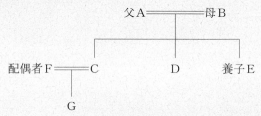

　父A、母Bは60歳以上であれば贈与者の要件を満たします。
　D、養子E、孫Gは18歳（令和4年3月31日以前は「20歳」）以上であれば受贈者の要件を満たします。（配偶者Fは、直系卑属ではないので推定相続人となりません。）
（3）　年の中途で推定相続人となった者
　贈与のあった年の中途においてその贈与者の養子となったことその他の事由により、その贈与者の推定相続人（配偶者を除きます。）となったときは、（2）の受贈者の年齢要件を満たせば適用対象となる受贈者となることができます。ただし、同じ年の贈与であっても推定相続人となった前の贈与については、相続時精算課税の適用は受けられません（相法21の9④）。この贈与については贈与税の暦年課税(注)が適用されます。
（相続時精算課税の適用を受けている受贈者が推定相続人でなくなった場合の取扱いは2の(5)を参照してください。）
　　(注)　贈与税の暦年課税とは、相続時精算課税による贈与税の課税ではなく、110万円の基礎控除が適用される贈与税の課税をいいます。

【叔父から財産の贈与（①～③）を受けた場合】

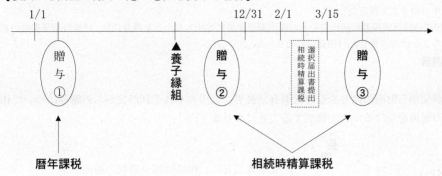

※　養子縁組前の贈与①については、暦年課税により贈与税額を計算し、養子縁組以後の贈与②及び③は、相続時精算課税により贈与税額を計算します。
（4）　相続時精算課税適用者の特例
①　平成27年1月1日以後に贈与により財産を取得した者がその贈与をした者の孫（その年1月1日において18歳（令和4年3月31日以前は「20歳」）以上である者に限ります。）であり、かつ、その贈与をした者がその年1月1日において60歳以上の者である場合には、その贈与により財産を取得した者については、相続時精算課税を適用することができます（措法70の2の6①）。
②　その年1月1日において18歳（令和4年3月31日以前は「20歳」）以上の者が同日において60歳以上の者からの贈与により財産を取得した場合において、その贈与により財産を取得した者がその年の中途においてその贈与をした者の孫となったときは、孫となった時前にその贈与をした者からの贈与により取得した財産については、①による相続時精算課税の適用はできません（措法70の2の6②）。
③　相続時精算課税選択届出書を提出した者が、その届出書に係る贈与をした者の孫でなくなった場合においてもその贈与をした者からの贈与により取得した財産については、相続時精算課税を適用することができます（措法70の2の6③）。

2　選択の届出

　この相続時精算課税の適用を受けるかどうかは選択できますので、適用を受けようとする受贈者は、次の(1)の「**相続時精算課税選択届出書**」を提出しなければなりません。
（1）　相続時精算課税選択届出書の提出
　相続時精算課税選択届出書は、贈与を受けた財産に係る贈与税の申告期間内（贈与を受けた年の翌年2月1日から3月15日まで）に、贈与をした者ごとに作成して、受贈者の納税地（＝住所地）の所轄税務署長に提出することとされています。贈与税の申告書を提出する必要があるときは、その申告書に添付します（相法21の9②、相令5①）。
　届出書には、受贈者と贈与者の氏名、生年月日、住所又は居所及び個人番号（個人番号を有しない者等にあっては、氏名、生年月日及び住所又は居所）並びに贈与をした者との続柄その他参考となるべき事項を記載し、下記の(注1)に掲げる書類を添付することとされています（相令5②、相規10①）。
　なお、贈与税の申告書を提出しない場合には、その旨も記載します。
（注1）　届出書に添付する書類は次のものです（相規11①）。
　　　　受贈者や特定贈与者の戸籍の謄本又は抄本その他の書類で、次の内容を証する書類
　　　　・受贈者の氏名・生年月日
　　　　・受贈者が特定贈与者の直系卑属である推定相続人又は孫であること
（注2）　届出書を提出した受贈者を「**相続時精算課税適用者**」、その届出書に係る贈与者を「**特定贈与者**」といいます（相法21の9⑤）。
（注3）　贈与により取得した財産について、相続時精算課税の適用を受けようとする者は、その年分の贈与税の

申告書の提出を要しない場合であっても、相続時精算課税選択届出書をその提出期限までに提出する必要があります（ゆうじょ規定なし）。

なお、相続時精算課税選択届出書をその提出期限までに提出しなかった場合には、相続時精算課税の適用を受けることはできません（相基通21の9－3）。

(2) 選択の例示
（事例1）

長男、二男が父から財産の贈与を受けた場合、長男、二男のそれぞれが父からの贈与について相続時精算課税の適用を受けるか否か検討することになります。

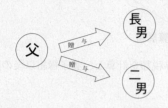

（事例2）

子が父母から財産の贈与を受けた場合、子は父母のそれぞれについて相続時精算課税の適用を受けるか否か検討することになります。

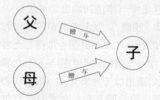

(3) 贈与の年の中途で贈与者が死亡した場合の選択の届出

贈与のあった年の中途において贈与者が死亡した場合に、相続時精算課税の適用を受けようとする受贈者は、相続時精算課税選択届出書を次の①又は②のいずれか早い日までに贈与者の死亡に係る相続税の納税地の所轄税務署長に提出しなければなりません（相令5③④、相基通21の9－2）。

① 贈与税の申告書の提出期限（贈与を受けた年の翌年の3月15日）

② その贈与をした者の死亡に係る相続税の申告書の提出期限（贈与者についての相続の開始があったことを知った日の翌日から10か月以内の日）

この場合において、その贈与者の死亡に係る相続税の申告書を提出しなければならないときは、その届出書をその相続税の申告書に添付しなければならないこととされています（相令5④）。（相続税の申告書を提出する必要がないときには、その届出書をその贈与者の死亡に係る相続税の納税地の所轄税務署長に提出しなければなりません。）

(注1) 贈与の年の中途で贈与者が死亡した場合の相続時精算課税適用者(相続時精算課税の適用を受けようとする者を含みます。)の相続税と贈与税の取扱いは、次のようになります。
　イ 贈与税は申告不要（相法28④）
　ロ 相続税は第三節の1の(1)又は(2)の規定の適用

(注2) 相続時精算課税選択届出書を提出する前に受贈者が死亡した場合の選択の届出は、第四節の2を参照してください。

(4) 相続時精算課税選択届出書の提出の効果と届出書の撤回

相続時精算課税選択届出書に係る特定贈与者から贈与により取得する財産については、届出書により相続時精算課税を適用した年分以後、すべて相続時精算課税の適用を受けることとなります（相法21の9③）。

いったん提出された相続時精算課税選択届出書は、撤回することができません（相法21の9⑥）。

（5） 相続時精算課税適用者が推定相続人でなくなった場合の取扱い

相続時精算課税適用者が、特定贈与者の推定相続人でなくなった場合（例えば養子縁組の解消）においても、その特定贈与者からの贈与により取得した財産については相続時精算課税が適用されます（相法21の9⑤）。

第二節　贈与税の課税

相続時精算課税を選択した場合の贈与税の課税は次によります。（第五編　贈与税の第六章ではより詳しく解説していますので、参照してください。）

1　課税価格、基礎控除及び特別控除

相続時精算課税適用者が特定贈与者からの贈与により取得した財産については、特定贈与者ごとに、その年中において贈与により取得した財産の価額の合計額を課税価格とすることとされています（相法21の10）。

令和6年1月1日以後、相続時精算課税適用者がその年中において特定贈与者からの贈与により取得した財産に係るその年分の贈与税については、贈与税の課税価格から110万円（基礎控除）を控除します（法21の11の2①、措法70の3の2①）。

(注1)　相続時精算課税適用者が同一年中において2人以上の特定贈与者からの贈与により財産を取得した場合における特定贈与者ごとの贈与税の課税価格から控除される相続時精算課税に係る基礎控除の額の計算を算式で示せば、次のとおりです（相基通21の11の2-2）。

$$110万円 \times \frac{特定贈与者ごとの贈与税の課税価格}{特定贈与者ごとの贈与税の課税価格の合計額}$$

㊟1　上記の算式により計算した特定贈与者ごとの相続時精算課税に係る基礎控除の額に1円未満の端数がある場合には、特定贈与者ごとの相続時精算課税に係る基礎控除の額の合計額が110万円になるようにその端数を調整して差し支えありません。

㊟2　上記算式中の「特定贈与者」には、贈与をした年の中途において死亡した特定贈与者も含まれます。

(注2)　相続時精算課税適用者が同一年中に2人以上の特定贈与者からの贈与により財産を取得している場合において、当該贈与に係るその年分の贈与税の申告書の提出期限の経過後に、当該年分の贈与税の課税価格に異動が生じたときにおける特定贈与者ごとの相続時精算課税に係る基礎控除の額は、当該異動後の贈与税の課税価格を基礎として計算した金額となります（相基通21の11の2-3）。

相続時精算課税適用者がその年中において特定贈与者からの贈与により取得した財産に係るその年分の贈与税については、特定贈与者ごとの相続時精算課税に係る贈与税の基礎控除額を控除した後の贈与税の課税価格からそれぞれ次に掲げる金額のうちいずれか低い金額（特別控除額）を控除します（相法21の12①）。

イ	2,500万円（既にこの特別控除を適用し控除した金額がある場合には、その金額の合計額を控除した残額）
ロ	特定贈与者ごとの相続時精算課税に係る贈与税の基礎控除額を控除した後の贈与税の課税価格

2　税　率

相続時精算課税適用者がその年中において特定贈与者からの贈与により取得した財産に係るその年分の贈与税の額は、特定贈与者ごとに、1により計算した相続時精算課税に係る贈与税の基礎控除額を控除した後の課税価格から、1により計算した特別控除額を控除した後の金額にそれぞれ20%の税率を乗じて計算した金額とされます（相法21の13）。

—779—

第三節　相続税の課税価格及び税額の計算

相続時精算課税を適用した相続税の計算は、特定贈与者からの贈与により取得した財産と相続又は遺贈により取得した財産の合計した額を相続税の課税価格として計算しますが、相続時精算課税適用者の納付すべき相続税額については、既に支払った贈与税額を控除して算出することとされています。

1　課税価格

（1）　相続財産を取得した場合

特定贈与者について相続が開始した場合に、その特定贈与者から相続又は遺贈により財産を取得した相続時精算課税適用者については、その特定贈与者からの贈与により取得した財産で相続時精算課税の適用を受けるものの贈与の時における価額から相続時精算課税に係る贈与税の基礎控除額を控除した残額を相続税の課税価格に加算した価額をもって、相続税の課税価格とされます（相法21の15①、相基通21の15－2）。

（注1）　加算される贈与財産

特定贈与者からの贈与により取得した財産のうち、第五編第四章《贈与税の非課税財産》の非課税財産以外の贈与税の課税価格計算の基礎に算入されるすべてのものであり、贈与税が課されているかどうかを問いません。従って、第二節1の特別控除額に相当する金額も加算されることとなります（相基通21の15－1）。

（注2）　令和5年12月31日以前に特定贈与者からの贈与により取得した財産に係る上記の規定により相続税の課税価格に加算される金額については、当該財産の価額から相続時精算課税に係る基礎控除の額は控除しません（相基通21の15－2（注3））。

（2）　相続財産を取得しなかった場合

特定贈与者について相続が開始した場合に、その特定贈与者から相続又は遺贈により財産を取得しなかった相続時精算課税適用者については、その特定贈与者からの贈与により取得した財産で相続時精算課税の適用を受けるものをその特定贈与者から相続（相続時精算課税適用者がその特定贈与者の相続人以外の者である場合は、遺贈）により取得したものとみなして相続税の計算をします（相法21の16①）。

したがって、相続又は遺贈により財産を取得していなくても、特定納税義務者として納税義務があることになります。

（2）の場合に、特定贈与者から相続又は遺贈により取得したものとみなされた財産に係る相続税の規定の適用については、次のとおりです。（相法21の16③）

① 　その財産の価額は、上記の贈与の時における価額とされます。

② 　その財産の価額から相続時精算課税に係る贈与税の基礎控除額を控除をした残額を相続税の課税価格に算入します。

（3）　相続時精算課税に係る土地又は建物の価額の特例

① 　制度の概要

令和6年1月1日以後、相続時精算課税適用者が特定贈与者からの贈与により取得した土地又は建物が、その贈与を受けた日から特定贈与者の死亡に係る相続税の申告書の提出期限までの間に災害（**注**1）によって相当の被害（**注2**）を受けた場合（相続時精算課税適用者（相続税法第21条の17又は第21条の18の規定により相続時精算課税適用者に係る権利又は義務を承継したその相続人及び包括受遺者を含みます。以下同じです。）が、その土地又は建物を贈与により取得した日から災害が発生した日まで引き続き所有していた場合に限ります。）において、相続時精算課税適用者が贈与税の納税地の所轄税務署長の承認を受けたときは、土地又は建物の贈与の時における価額（想定価額）からその災害に

－780－

より被害を受けた部分に対応するものとして計算した金額（被災価額）を控除した残額が、特定贈与者の死亡に係る相続税の課税価格に加算又は算入されます（措法70の3の3①、措令40の5の3②）。

　ただし、本特例は、相続時精算課税の適用に係る贈与により取得した土地又は建物について、災害により発生した物理的な被害を対象として講じられたものであることから、同種の災害を対象としている災害被害者に対する租税の減免、徴収猶予等に関する法律の規定の適用を受けようとする場合又は受けた場合には、適用されません（措法70の3の3③）。

　（注1）　「災害」とは、震災、風水害、冷害、雪害、干害、落雷、噴火その他の自然現象の異変による災害及び火災、鉱害、火薬類の爆発その他の人為による異常な災害並びに害虫、害獣その他の生物による異常な災害をいいます（措法70の3①、措令40の5の3①）。

　（注2）　「相当の被害」とは、次の財産の区分に応じそれぞれ次に定める程度の被害をいいます（措令40の5の3③）。

　　　　土地　　土地の贈与の時における価額のうちにその土地に係る被災価額の占める割合が10分の1以上となる被害

　　　　建物　　建物の想定価額のうちにその建物に係る被災価額の占める割合が10分の1以上となる被害

②　想定価額の計算

　災害により被害を受けた建物の想定価額の算出方法を算式で示せば、次のとおりです。（措通70の3の3-4）

（算式）

$$A \times \frac{B-C}{B}$$

　（注）　上記算式中の符号は次のとおりです。

　　　Aは、災害により被害を受けた建物の特定贈与者からの贈与の時における価額

　　　Bは、次に掲げる建物の区分に応じ、それぞれ次に定める年数

　①　当該建物を贈与により取得した日において、当該建物の想定使用可能期間の年数（建物の全部が事務所用であるものとした場合における当該建物に係る減価償却資産の耐用年数等に関する省令別表第一に定める耐用年数をいいます。）の全部を経過している建物……次の算式により算出した年数

（算式）

$$\text{当該建物の想定使用可能期間の年数} \times \frac{20}{100}$$

　②　上記①に掲げる建物以外の建物……次の算式により算出した年数

（算式）

$$\left\{ \text{当該建物の想定使用可能期間の年数} - \text{当該建物の新築の日から当該贈与の日までの期間の年数} \right\} + \text{当該建物の新築の日から当該贈与の日までの期間の年数} \times \frac{20}{100}$$

　　　Cは、当該建物の贈与の日から災害が発生した日までの期間の年数（上記Bの年数を限度とします。）

　㊟1　上記B及びCの年数が1年未満である場合又はこれらの年数に1年未満の端数がある場合には、それぞれこれらの年数又は端数は切り捨てます。

　　2　当該建物に増改築等がされている場合における上記B②の当該建物の新築の日から当該贈与の日までの期間の年数は、当該増改築等にかかわらず、当該建物の新築の日から当該贈与の日までの経過年数によります。

③　被災価額の計算等

　土地又は建物が災害により被害を受けた部分の価額から保険金、損害賠償金その他これらに類するものにより補填される金額を控除した残額をいいます（措令40の5の3②二）。

　被災価額は、被害を受けた土地又は建物ごとに計算し、「保険金、損害賠償金その他これらに類するもの」により補填される金額が確定していない場合には、当該保険金等の見積額に基づいて計算します。（措通70の3の3-6）

④ 特例の適用を受けるための手続

a 納税者による申請・申請書の提出

本特例の適用に係る承認を受けようとする相続時精算課税適用者は、次に掲げる事項を記載した申請書を、災害が発生した日から3年を経過する日（同日までに相続時精算課税適用者が死亡した場合には、同日とその相続時精算課税適用者の相続人（包括受遺者を含みます。）がその相続時精算課税適用者の死亡による相続の開始があったことを知った日の翌日から6月を経過する日とのいずれか遅い日。）までに贈与税の納税地の所轄税務署長に提出しなければなりません（措法70の3の3①、措令40の5の3⑤、措規23の6の2④）。

- イ　相続時精算課税適用者の氏名、住所又は居所及び生年月日
- ロ　特定贈与者の氏名及び住所又は居所
- ハ　災害により被害を受けた次の財産の区分に応じそれぞれ次に定める事項
  - （イ）　土地……土地の贈与の時における価額並びにその土地の所在、地番、地目及び面積
  - （ロ）　建物……建物の贈与の時における価額並びにその建物の想定価額及びその計算の根拠を明らかにする事項並びに所在、家屋番号及び床面積
- ニ　土地又は建物を贈与により取得した年分及びその贈与に係る贈与税の申告書を提出した税務署の名称
- ホ　災害が発生した日
- ヘ　災害による被害を受けた部分の価額及び保険金、損害賠償金その他これらに類するものにより補填される金額
- ト　被災価額及びその計算の根拠を明らかにする事項
- チ　その他参考となるべき事項

b 申請書の添付書類

上記の申請書には、次の財産の区分に応じそれぞれ次に定める書類を添付しなければなりません（措令40の5の3⑥、措規23の6の2⑤）。

- イ　土地　次に掲げる書類
  - （イ）　土地の登記事項証明書その他の書類で相続時精算課税適用者が土地を贈与の日から災害が発生した日まで引き続き所有していたことを明らかにするもの
  - （ロ）　土地が災害により被害を受けたこと及び災害が発生した日を明らかにする書類
  - （ハ）　土地の原状回復に要する費用に係る見積書の写しその他の書類で土地が災害により被害を受けた部分の価額及び保険金、損害賠償金その他これらに類するものにより補填される金額を明らかにするもの
  - （ニ）　その他参考となるべき書類
- ロ　建物　次に掲げる書類
  - （イ）　建物の登記事項証明書その他の書類で建物の新築をした年月日及び相続時精算課税適用者が建物を贈与の日から災害が発生した日まで引き続き所有していたことを明らかにするもの
  - （ロ）　市町村長又は特別区の区長の証明書その他の書類で建物が災害により被害を受けたこと及び災害が発生した日を明らかにするもの
  - （ハ）　建物の修繕に要する費用に係る見積書の写し、保険金の支払通知書の写しその他の書類で建物が災害により被害を受けた部分の価額及び保険金、損害賠償金その他これらに類するものにより補填される金額を明らかにするもの
  - （ニ）　その他参考となるべき書類

c 税務署長による手続

上記の申請書の提出を受けた税務署長は、申請書の内容を審査し、その申請に対して承認又は却下をし、その旨を申請者に通知することとされています。また、税務署長は、その承認をする場合には、

第七章第三節《相続税の課税価格及び税額の計算》

その審査した被災価額を併せて通知することとされています（措令40の５の３⑦⑧）。

d　被災価額に異動を生ずべき事由が生じた場合の手続

　上記ハの承認を受けた相続時精算課税適用者は、被災価額に異動を生ずべき事由が生じた場合には、遅滞なく、次の事項を記載した届出書に、保険金の支払通知書の写しその他の書類で次のロの事項を明らかにするものを添付し、これを所轄税務署長に提出しなければなりません（措令40の５の３⑨、措規23の６の２⑦⑧）。

　イ　上記ａイ～ニの事項

　ロ　保険金、損害賠償金その他これらに類するものの支払を受けたことその他の被災価額に異動を生ずる事由

　ハ　異動を生ずる被災価額に係る上記ａの申請書を提出した税務署の名称

　ニ　その他参考となるべき事項

第七章第三節《相続税の課税価格及び税額の計算》

災害により被害を受けた場合の相続時精算課税に係る
土地又は建物の価額の特例に関する承認申請書

税務署
受付印

令和_____年____月____日提出

_____税務署長

※
欄
は
記
入
し
な
い
で
く
だ
さ
い
。

住所（居所）　〒_____

氏名　_____　生年月日_____年____月____日
（電話番号　　　　　　－　　　　　　－　　　　　）

　私は、次のとおり、_____年_____月_____日に発生した_____により被害を
受けた土地又は建物について、租税特別措置法第70条の3の3第1項の規定の適用を受けたいので、租税特別措置法施
行令第40条の5の3第5項の規定により、承認申請します。

1　特定贈与者に関する事項

住所又は居所	
フリガナ	
氏　名	

2　被害を受けた土地又は建物に関する事項(注1)

財産の種類	土地　・　建物　　※該当する方を○で囲んでください。	所在及び地番又は家屋番号	
		不動産番号(注2)	
地　目		面積（床面積）　　　　　　　　　　　　㎡	
贈与税の申告状況等(注3)　（取得した年分）　　　年分　（申告した税務署名）　　署			

3　被災価額及び被災割合の計算等

① 土地又は建物の贈与の時における価額(注4)			円
想定価額の計算（建物の場合）	Ⓐ 建物の想定使用可能期間	（贈与時の建物の構造）※裏面《参考》参照 _____	年
	Ⓑ新築日から贈与日までの年数	（新築日）　　　　　　　　　（贈与日）____年__月__日 から _____年__月__日 … 　年(注5)	年
	Ⓒ贈与日における未経過年数	〔A 贈与日において想定使用可能期間の年数の全部を経過している建物〕（Ⓐ≦Ⓑの場合）（Ⓐの年数）　　　年　×　20／100(注5)	年
		〔B A以外の建物〕（Ⓐ＞Ⓑの場合）（Ⓐの年数）　　（Ⓑの年数）　　（Ⓑの年数）（　年　－　　　年）＋　　　年 × 20／100(注5)	年
	Ⓓ贈与から災害発生日までの年数	（贈与日）　　　　　　　　　（災害発生日）____年__月__日 から _____年__月__日 … 　年(注5)　（Ⓒの年数が上限）	年
	Ⓔ災害発生日における未経過年数	（Ⓒの年数）　　（Ⓓの年数）　　年　－　　　年	年
	② 想定価額(注)零となる場合には、この特例の適用はありません。	（①の価額）　　　　　　　　（Ⓔの年数）　　　　　　　　　　（Ⓒの年数）　　円　　×　　年　　　　　年	円
③ 被害を受けた部分の価額			円
④ 保険金等により補填される金額　　※金額が確定していない場合には、見積額を記載します。			円
⑤ 被災価額（（③－④）× 持分割合（_____分の_____）(注6)			円
⑥ 「土地の①の価額」又は「建物の②の想定価額」と⑤のいずれか少ない金額			円
⑦ 被災割合　　　　⑥　　　　　　× 100　　※土地の場合は①、建物の場合は②により計算します。（①又は②）※　　　　　　　(注)10%未満の場合には、この特例の適用はありません。			％

※　(注1) から (注6) までについては、裏面をご覧ください。

関与税理士		電話番号	

※	通信日付印の年月日　　年　　月　　日	（確　認）	届出番号	入　力

（資17－25－A4統一）（令5.12）

－784－

（4） 課税価格の計算上の留意点

	相続財産を取得した場合	相続財産を取得しなかった場合
債務控除 （相法13）	相続時精算課税の適用を受ける贈与財産についても控除の適用があります（相法21の15②、21の16①、相令5の4①、相基通13－9）。	
	相続時精算課税適用者が、無制限納税義務者又は制限納税義務者の区分に応じ、控除が適用されます。（ただし、相続時精算課税適用者が相続人に該当せず、かつ特定遺贈のみで財産を取得した場合は、控除の適用はありません。）（相基通13－9（1））	相続時精算課税適用者が、相続開始時に国内に住所を有する場合は無制限納税義務者と同様に、住所を有しない場合は制限納税義務者と同様に、控除の適用があります。（ただし、相続時精算課税適用者が相続人又は包括受遺者に該当しない場合は、控除の適用はありません。）（相基通13－9（2））
相続開始前7年以内の贈与 （相法19）	相続時精算課税の適用を受ける贈与財産については、相法19の適用はありません（相法21の15②、21の16②）。 （**注1**）　相続時精算課税の適用を受ける年分前の贈与財産については、相法19の適用があります（相基通19－11）。 （**注2**）　相法19の規定は、被相続人から相続又は遺贈により財産を取得しなかった場合は適用されませんが、相続時精算課税適用者については、被相続人から相続又は遺贈により財産を取得しなかった者でも加算対象期間内の贈与財産（相続時精算課税の適用を受ける財産を除きます。）には適用されます（相基通19－11）。	

2　税額の計算

原則として通常の例により計算しますが、次の調整規定に注意してください。

遺産に係る基礎控除 (相法15)	相続時精算課税の適用を受ける贈与財産の価額も基礎控除の対象となります（相法21の14）。
相続税額の2割加算 (相法18)	相続時精算課税の適用を受ける贈与財産の取得時に被相続人の一親等の血族**(注1)**であった場合に、その贈与財産に対応する相続税額として政令で定める部分は、加算の対象とされません（相法21の15②、21の16②、相令5の2の2）。

(注1)　その被相続人の直系卑属が相続開始以前に死亡し、又は相続権を失ったため、代襲して相続人となったその被相続人の直系卑属を含み、被相続人の直系卑属がその被相続人の養子となっている場合を含みません（相法18）。

(注2)　加算の対象とされない部分の金額は次の算式によります（相基通18-5）。

$$\text{相続時精算課税適用者に係る相続税額} \times \frac{\text{相続時精算課税の適用を受ける財産で一親等の血族であった期間内にその特定贈与者から取得したものの取得時の価額}}{\text{相続時精算課税の規定により課税価格に算入された財産の価額}}$$

㊟　分子の「相続時精算課税の適用を受ける財産で一親等の血族であった期間内にその特定贈与者から取得したものの取得時の価額」は次によります。

⑴　令和6年1月1日以後に当該特定贈与者からの贈与により取得した財産の場合……当該相続時精算課税適用者が当該特定贈与者から贈与を受けた年分ごとに次の算式により算出した金額の合計額

$$\begin{array}{l}\text{当該相続時精算課税適用者の相続時精算課税の}\\\text{適用を受ける財産で当該特定贈与者の一親等の}\\\text{血族であった期間内に当該特定贈与者から取得}\\\text{したもの（以下「一親等時贈与財産」といいます。）}\\\text{の当該取得の時の価額}\end{array} - \begin{array}{l}\text{当該期間内の当該特定贈与者に}\\\text{係る各年分の贈与税の相続時精}\\\text{算課税に係る基礎控除の額(※)}\end{array}$$

※　同一年中に当該特定贈与者から一親等時贈与財産と一親等時贈与財産以外の相続時精算課税の適用を受ける財産（以下「一親等時贈与財産以外の財産」といいます。）のいずれも取得した年分については、次の算式により算出した金額（法施行令第5条の2の2第1項に規定する「調整控除額」をいう。）となる。

$$\begin{array}{l}\text{当該年分において当該特定贈与者}\\\text{からの贈与により取得した財産の}\\\text{価額から控除した相続時精算課税}\\\text{に係る基礎控除の額}\end{array} \times \frac{\text{当該年分における一親等時贈与財産の当該取得の時の価額}}{\begin{array}{l}\text{当該年分における一親等時贈与財産の当該取}\\\text{得の時の価額と一親等時贈与財産以外の財産}\\\text{の当該取得の時の価額との合計額}\end{array}}$$

⑵　令和5年12月31日以前に当該特定贈与者からの贈与により取得した財産の場合……一親等時贈与財産の当該取得の時の価額

贈与税額控除 (相法19)	1の**(4)**の「相続開始前7年以内の贈与」で相法19の適用なしとされた贈与財産に係る贈与税額については、控除の適用はありません。
未成年者控除 (相法19の3)	相続時精算課税の適用を受ける贈与財産も控除の対象とされ、その未成年者の扶養義務者として相続時精算課税適用者に控除の適用があります（相法21の15②、21の16②、相令5の4）。
障害者控除 (相法19の4)	特定納税義務者については、その相続開始の時に国内に住所を有しない者には控除の適用はありません（相法19の4①③、21の16②）。

相次相続控除 （相法20）	第二次相続に係る被相続人から相続により取得した財産には、その被相続人からの相続時精算課税の適用を受ける贈与財産を含みます（相法20、21の15②、21の16①、相基通20－3、20－4）。

3 贈与税額の控除及び還付

（1） 贈与税額の控除

　相続時精算課税を適用して相続税を計算する場合に、第二節で説明した特定贈与者からの贈与により取得した財産につき課せられた贈与税があるときは、2で計算した相続税額（相法20の2までの規定により算出した金額）からその贈与税の税額相当額を控除した金額が、その相続時精算課税適用者の納付すべき相続税額となります（相法21の15③、21の16④、相令5の3）。

　控除する贈与税額は、相法21の8《在外財産に対する贈与税額の控除》の規定による控除前の税額とし、延滞税、利子税、過少申告加算税、無申告加算税及び重加算税に相当する税額を除きます（相法21の15③、21の16④）。

（2） 贈与税額の還付

　（1）の贈与税額を控除するに当たって、相続税額から控除してもなお控除しきれなかった金額がある場合において、その控除しきれなかった金額（注1）に相当する税額は還付されます。還付を受けるためには相続税の申告書（第五節2の（2）参照）を提出することが要件とされています（相法33の2①④）。

(注1) 　相法21の8の規定の適用を受けた贈与財産に係る贈与税の場合は、外国税額の控除額を控除した残額とされます（相法33の2①）。

(注2) 　（2）の還付金について還付加算金の計算規定（相法33の2②③⑦）が設けられています。

(注3) 　更正・決定があった場合は、更正・決定後の金額が還付されます（相法33の2⑤⑥）。

第七章第三節《相続税の課税価格及び税額の計算》

《贈与税額・相続税額の計算図》

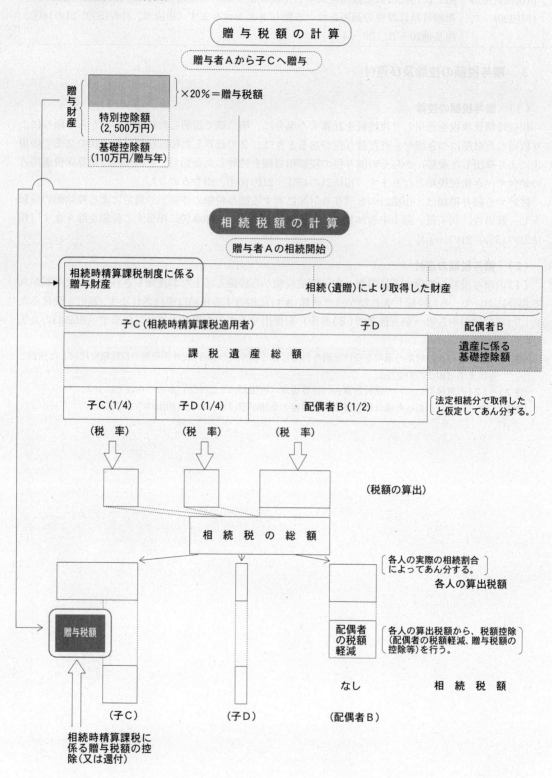

―788―

《計算例》
(設例)
(単位:千円)

相続人	法定相続分	相続又は遺贈により取得した財産の価額	相続時精算課税の適用を受けた贈与財産の価額(各贈与年の相続時精算課税に係る贈与税の基礎控除額を控除した後の合計額)	相続時精算課税における贈与税額の合計額
甲(子)	1／4	100,000	50,000	5,000
乙(子)	1／4	1,000	50,000	5,000
丙(子)	1／4	—	20,000	0
丁(子)	1／4	19,000	—	—

イ 課税価格の合計額
  甲 100,000千円＋50,000千円＝150,000千円
  乙 1,000千円＋50,000千円＝ 51,000千円
  丙   20,000千円
  丁   19,000千円
    課税価格の合計額 240,000千円

ロ 課税遺産総額
  240,000千円－(3,000万円＋600万円×4人)＝186,000千円

ハ 各人の相続税額

  甲 ────→ 18,250千円
  乙 ────→ 6,205千円
  丙 ────→ 2,433千円
  丁 ────→ 2,312千円
(中央囲み:相続税の通常の例により計算)

ニ 納付すべき相続税額等
  甲 18,250千円－5,000千円＝13,250千円
  乙   6,205千円－5,000千円＝ 1,205千円
  丙   2,433千円
  丁   2,312千円

第四節　納税の権利・義務の承継

１　特定贈与者よりも先に相続時精算課税適用者が死亡した場合

　相続時精算課税適用者が特定贈与者の死亡以前に死亡した場合は、その相続時精算課税適用者の相続人（包括受遺者を含みます。以下第四節において同じ。）は、その相続時精算課税適用者が有していた相続時精算課税の適用を受けていたことに伴う納税に係る権利又は義務を承継します。ただし、その相続人に特定贈与者がいる場合は、その特定贈与者はその納税に係る権利又は義務を承継しません（相法21の17①）。

　上記の承継の場合に、次の場合の取扱いは次によります。
① 　相続時精算課税適用者の相続人が２人以上いる場合
　　各相続人（特定贈与者を除きます。）が承継により納税する額（又は還付を受ける額）については、法定相続分・代襲相続分・指定相続分（民法900～902）の規定による相続分（相続人に特定贈与者がいても、いないものとして相続分を計算します。）によりあん分して計算した額とされます。この場合に相続財産の価額が承継する相続税額を超える相続人は、その超える額を限度として他の相続人が承継する相続税額を納付する責任があります（相法21の17③、相令５の５）。
② 　相続時精算課税適用者の相続人が限定承認をした場合
　　限定承認をした相続人は相続により取得した財産（相続時精算課税適用者からの遺贈又は贈与により取得した財産を含みます。）の限度においてのみ納税の権利・義務を承継します（相法21の17②）。
③ 　特定贈与者よりも先に承継者が死亡した場合
　　承継者の相続人（特定贈与者を除きます。）がその相続時精算課税適用者の納税に係る権利又は義務を承継します。この場合、上記の各取扱いが準用されます（相法21の17④）。
④ 　相続時精算課税適用者の相続人が特定贈与者のみである場合
　　権利義務は誰にも承継されないで消滅します。特定贈与者の死亡に係る相続時精算課税適用者の相続税の申告は不要です（相基通21の17－３）。
　（注１）　相続時精算課税適用者の相続人が２人以上あるときに各相続人が承継する相続時精算課税の適用に伴う権利義務の割合について、基本的な設例を示せば、次のとおりです（相基通21の17－２）。

《設例１》

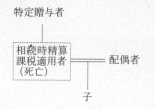

　　　　　この場合において、特定贈与者の死亡前に相続時精算課税適用者が死亡したときには、配偶者及び子が相続時精算課税の適用に伴う権利義務を承継することになり、その割合は、配偶者と子がそれぞれ２分の１ずつとなります。
　　　　※　子は18歳以上であれば代襲相続人として特定贈与者からの贈与を受け、その贈与により取得した財産についての相続時精算課税の適用について、この納税に係る権利又は義務の承継とは別に選択するか否かを判断することとなります。

《設例２》

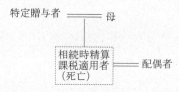

　　　　　この場合において、特定贈与者の死亡前に相続時精算課税適用者が死亡したときには、母及び配偶者が相続時精算課税の適用に伴う権利義務を承継することになり（特定贈与者には承継されません。）、その割合は、母が３分の１、配偶者が３分の２となります。

第七章第四節《納税の権利・義務の承継》

(注2)　相続時精算課税適用者が被相続人である特定贈与者の死亡の日前に死亡している場合は、相続税の申告書の付表（＝第1表の付表1〈納税義務等の承継に係る明細書《兼相続人の代表者指定届出書》〉）を提出します。

2　受贈者が相続時精算課税選択届出書の提出前に死亡した場合

（1）　受贈者の相続人による相続時精算課税選択届出書の提出

受贈者が相続時精算課税の適用を受けることができる第一節1の要件を満たしている場合に、その受贈者が相続時精算課税選択届出書の提出期限前にその届出書を提出しないで死亡したときは、その受贈者の相続人（その贈与者を除きます。以下2において同じ。）は、その相続の開始があったことを知った日の翌日から10か月以内(注1)に相続時精算課税選択届出書をその受贈者の納税地の所轄税務署長に共同して提出(注2)することができます（相法21の18①）。

(注1)　相続人が納税管理人の届出をしないでその期間内に国内に住所・居所を有しないこととなるときは、その有しないこととなる日までとされています。

(注2)　提出手続
　　イ　贈与税の申告書を提出すべき場合は、相続時精算課税選択届出書は申告書に添付すること（相令5の6①）
　　ロ　届出書にはその受贈者の相続人であることを証する書類その他の財務省令で定める書類を添付すること（相令5の6②、相規11②）
　　ハ　受贈者の相続人が2人以上の場合は、届出書に相続人が連署して提出すること（相令5の6③）

（2）　納税の権利・義務の承継

（1）により相続時精算課税選択届出書を提出した受贈者の相続人は、受贈者が有することとなる相続時精算課税の適用を受けることに伴う納税に係る権利又は義務を承継します（相法21の18②）。

(注1)　（2）の場合は、1の①、②を準用します。

(注2)　受贈者の相続人が届出書を提出しないで死亡した場合は、（1）（2）を準用します（相法21の18③）。

-791-

第七章第五節《申告及び還付等》

第五節　申告及び還付等

1　申　告

　特定贈与者である被相続人からの贈与により取得した財産で相続時精算課税の適用を受けるものの申告は、相続又は遺贈の場合と同様です（相法27①）。ただし、申告書の記載事項については、相続時精算課税選択届出書や贈与税の申告書を提出した税務署名その他の事項が追加（第四節の納税の権利・義務の承継の場合の相続税の申告書には、更に記載事項が追加）されています（相規13①②）。

　特定贈与者から相続又は遺贈により財産を取得しなかった相続時精算課税適用者についても、その特定贈与者からの贈与により取得した財産は、その特定贈与者から相続による取得とみなして申告することとなります。

　　(注)　相続時精算課税適用者に係る「相続の開始があったことを知った日」
　　　　通常の相続の場合の規定（相基通27−4）にかかわらず、特定贈与者が死亡したこと又は特定贈与者について民法の失踪の宣告に関する審判の確定のあったことを知った日とされます（相基通27−4なお書）。

2　還　付

（1）　相続税額から控除しきれなかった贈与税額の還付

　第三節3の（1）の贈与税額を控除するに当たって、相続税額から控除してもなお控除しきれなかった金額に相当する税額は還付されます。還付を受けるためには相続税の申告書を提出することが要件とされています（相法33の2①④）。

　　(注)　相続税の申告書の付表（＝第1表の付表2〈還付される税額の受取場所〉）を提出します。

（2）　還付申告

　相続時精算課税適用者は、相続税の申告書を提出すべき場合のほかに、相続時精算課税に係る贈与税額の還付を受けるための申告書を住所地の所轄税務署長に提出することができます（相法27③、62①）。しかし、提出先は、被相続人の死亡時の住所が国内にあればその死亡時の住所地の所轄税務署長とされます（相法附則③）。その申告書には、相続時精算課税の適用を受ける財産の相続税の課税価格、還付を受ける税額その他の事項（相規15）を記載することとされています。

　この還付のための申告書は、相続開始の日後5年間、提出することができます（相基通27−8）。

3　延納及び物納の取扱い

　延納の延納期間及び利子税については、課税相続財産の価額（相続又は遺贈により取得した財産で相続税額の計算の基礎となったものの価額の合計額をいいます。）のうちに不動産等の価額が占める割合に応じて規定されていますが、この課税相続財産の価額には相続時精算課税の適用を受けた贈与により取得した財産の価額は含まれないこととされています（相法38①）。

　また、この課税相続財産の価額については、相続開始の年において、特定贈与者である被相続人からの贈与により取得した相続時精算課税の適用を受けるもの（令和6年1月1日以後に取得した財産で、かつ、相続税法第21条の15第1項又は第21条の16第3項の規定の適用により、当該財産の価額の合計額から相続時精算課税に係る基礎控除をした残額が零となる場合における当該財産を除きます。）のうちに不動産等がある場合については、「相続又は遺贈により取得した財産」に含むこととなります（相基通38−3）。

　なお、物納に充てることができる財産から相続時精算課税の適用を受ける財産が除外されています（相法41②）。

−792−

第七章第五節《申告及び還付等》

4　贈与税の申告内容の開示

　相続又は遺贈（当該相続に係る被相続人からの贈与により取得した財産で相続時精算課税の適用を
受けるものに係る贈与を含みます。）により財産を取得した者は、当該相続又は遺贈により財産を取得
した他の者（以下「他の共同相続人等」といいます。）がある場合には、その被相続人に係る相続税の
申告書の提出又は更正の請求に必要となるときに限り、次に掲げる金額（他の共同相続人が２人以上
ある場合にあっては、全ての共同相続人等のその金額の合計額）についてその相続に係る被相続人の
死亡の時における住所地等の所轄税務署長に開示の請求をすることができます（相法49①）。

①　他の共同相続人等が被相続人から贈与により取得した次に掲げる加算対象贈与財産の区分に応じ
　それぞれ次に定める贈与税の課税価格に係る金額の合計額

| イ | 相続開始前３年以内に取得した加算対象贈与財産 | 贈与税の申告書に記載された贈与税の課税価格の合計額 |
| ロ | 上記イに掲げる加算対象贈与財産以外の加算対象贈与財産 | 贈与税の申告書に記載された贈与税の課税価格の合計額から100万円を控除した残額 |

②　他の共同相続人等が被相続人からの贈与により取得した相続時精算課税適用財産に係る贈与税の
　申告書に記載された相続時精算課税に係る基礎控除後の贈与税の課税価格の合計額

　開示請求があった場合は、税務署長はその請求をした者に対し、請求後２か月以内に開示すること
とされています（相法49③）。

（注１）　次に掲げる者も開示の請求ができるとされています（相基通49－１）。
　　イ　相続税の申告書を提出すべき者が申告書提出前に死亡した場合に、相続税の納付義務を承継した者
　　ロ　第四節の相続時精算課税の適用に伴う権利義務を承継した者
（注２）　開示請求の方法等
　　イ　開示請求書に、他の共同相続人等の氏名など財務省令で定める事項を記載し、その他の共同相続人等
　　　がその被相続人の相続人等であることを証する書類その他の財務省令で定める書類を添付し、所轄税務
　　　署長に提出します（相令27①②、相規29①②④⑤⑥）。
　　ロ　開示の請求は、被相続人に係る相続の開始の日の属する年の３月16日以後にすることができます（相
　　　令27③）。
　　ハ　請求先は、原則として被相続人の死亡の時における住所地等の所轄税務署長となります（相令27④）。
　　ニ　開示に当たっては、上表①及び②に掲げる金額ごとに開示されます（相令27⑤）。

第八章　農地等についての相続税の納税猶予及び免除等の特例

第一節　農地についての相続税の納税猶予及び免除等の特例

　農業を営んでいた被相続人から、相続又は遺贈により、その農業の用に供されていた農地、採草放牧地等を取得した相続人が、農業を営む場合には、その農業の用に供される農地等に対する相続税額のうち、その農地等の恒久的な農地等としての価格を超える部分に対応する相続税額については、その相続した農地等について相続人が農業を営んでいる限り、その納税が猶予されます（措法70の6）。

　この猶予された相続税額（以下「農地等納税猶予税額」といいます。）は、次のいずれかに該当することとなった場合には、その納税が免除されます。

（1）　特例の適用を受けた相続人が死亡した場合

（2）　特例の適用を受けた相続人（特定貸付等を行っていない者に限ります。）が、この特例の適用を受けている農地等（「特例農地等」といいます。）の全部を贈与税の納税猶予が適用される生前一括贈与をした場合

（3）　特例の適用を受けた相続人（特例農地等のうちに都市営農農地を有しない者に限ります。）が相続税の申告期限から農業を20年間継続した場合（三大都市圏の特定市以外の区域内に所在する市街化区域内農地（生産緑地等を除きます。）に対応する農地等納税猶予税額の部分に限ります。）

　※　平成21年12月15日の改正農地法の施行以前に相続が開始した場合（改正後の租税特別措置法が適用される一定の場合を除きます。）については、特例農地等のうちに都市営農農地を有しない場合について20年間で猶予税額が免除されます。

　※　都市農地の貸借の円滑化に関する法律の施行の日（平成30年9月1日）以後に相続又は遺贈により取得をする生産緑地内の市街化区域農地等は20年免除が廃止されています（措法70の6⑥㊴）。

　この特例の適用を受けている農業相続人は、農地等納税猶予税額の全部について免除されるまで又は農地等納税猶予税額の全部について納税の猶予が打ち切られるまでの間、相続税の申告期限から3年目ごとに、引き続いてこの特例の適用を受ける旨及び特例農地等に係る農業経営に関する事項を記載した届出書（この届出書を「継続届出書」といいます。）を提出しなければなりません。

　また、納税猶予を受けている相続税額は、上記継続届出書の提出がない場合のほか、農業経営を廃止した場合や特例農地の譲渡等があった場合などには、その相続税額の全部又は一部を納付しなければなりません。この場合に納付する相続税額については、相続税の申告期限の翌日から納税猶予の期限までの期間（日数）に応じた利子税がかかります。

　なお、平成21年度の農地法改正に伴う改正（平成21年12月15日施行）により、農業経営基盤強化促進法の規定による一定の貸付けを行った場合（特定貸付け）や、納税猶予の特例の適用を受けている人が、障害や疾病などの事由で特例の適用を受けている農地等での営農が困難な状態となったために、その農地等について賃借権等の設定による貸付けを行った場合（営農困難時貸付け）について、納税猶予の継続を認める特例が創設されています。

　また、平成30年度の税制改正により、相続税の納税猶予を適用している場合の都市農地の貸付けの特例が創設されています。

−794−

第八章第一節《農地についての相続税の納税猶予及び免除等の特例》

1　この特例の適用を受けるための要件

この特例の適用を受けるためには、次の要件に該当していなければなりません。

（1）　被相続人の範囲

農業を営んでいた被相続人とは、次に掲げる者のいずれかに該当する被相続人をいいます（措法70の6、措令40の7①）。

①　生前において有していた農地及び採草放牧地について、死亡の日まで農業を営んでいた個人（**4**の**(6)**の適用を受ける農業相続人を含みます。）

②　生前において、農地等を一括贈与した場合の贈与税の納税猶予の適用に係る贈与をした個人（当該贈与に係る贈与税につき当該個人が死亡したことにより租税特別措置法第70条の4第34項の規定の適用があった場合に限ります。）

③　①又は②に掲げる者からの相続又は遺贈（死因贈与を含みます。）により農地等を取得（租税特別措置法第70条の5《農地等の贈与者が死亡した場合の相続税の課税の特例》の規定により相続又は遺贈により取得したとみなされる場合の取得を含みます。）した相続人で、その相続等による相続税の申告書の提出期限前に、その申告書を提出しないで死亡した者（第一次農業相続人）

なお、この場合の農業を営む個人とは、耕作又は養畜の行為を反覆、かつ、継続的に行う個人をいいます。したがって、個人が耕作若しくは養畜による生産物を自家消費に充てている場合又は会社、官庁等に勤務するなど、他に職を有し若しくは他に主たる事業を有している場合であっても、その耕作又は養畜の行為を反覆、かつ、継続的に行っている限り、その者は農業を営む個人に該当することになります。

また、住居及び生計を一にする親族の2人以上の者が、農業を営む個人に該当する場合には、それらの者が所得税の課税上農業の事業主となっているかどうかは問いません（措通70の6－4、70の4－6）。

（注）　上記①の死亡の日まで農業を営んでいた個人には、被相続人が死亡の日まで農業を営んでいなかった場合においても、既往において相当の期間農業を営んでおり、かつ、次のイ又はロに掲げる事実があるときは、その死亡の日前に、その被相続人の親族に農業経営が移譲されている場合において、その被相続人が所有する農地のうちに、利用意向調査に係る農地で、農地法第36条第1項各号に該当するときにおけるその農地について、租税特別措置法第70条の6第1項の規定の適用を受けようとする場合を除き、当該被相続人もこれに含まれるものとして取り扱います（措通70の6－6）。

イ　被相続人が老齢又は病弱のため、生前において、その者と住居及び生計を一にする親族並びにその者が行っていた耕作又は養畜の事業に従事していたその他の二親等内の親族に農業経営を移譲していたこと。

（注）　被相続人とその親族が住居又は生計を一にしない場合であっても、その住居又は生計を一にしない理由が農地法第2条第2項《世帯員の定義》に掲げる事由に該当するときには、その事由に基づき住居又は生計を一にしない期間は、なお、住居又は生計を一にしているものとして取り扱います。

ロ　被相続人が独立行政法人農業者年金基金法第18条第2号に規定する特例付加年金又は同法附則第6条第3項の規定によりなお効力を有するものとされる農業者年金基金法の一部を改正する法律附則第8条第1項に規定する経営移譲年金の支給を受けるため、相続開始の日前に、その者の親族に農業経営を移譲していたこと。

（2）　農業相続人の範囲

農業相続人とは、（1）の被相続人が農業の用に供していた農地、採草放牧地又はこれらとともに準農地を取得した相続人で、次のいずれかに該当するものをいいます（措法70の6①、措令40の7②）。

①　その相続又は遺贈により取得した農地、採草放牧地について、相続税の申告期限までに農業経営を開始し、その後引き続き農業経営を行うと認められる者であることについて農業委員会（農

－795－

第八章第一節《農地についての相続税の納税猶予及び免除等の特例》

業委員会を置かない市町村にあっては、市町村長。以下同じ。）が証明した者

② 農地等の生前贈与を受けた受贈者で、経営移譲年金の支給を受けるため、その農地等につき使用貸借権を設定しその推定相続人に農地等を使用させている者が、その農地等の贈与者が死亡したため、その農地等を相続又は遺贈により取得したものとみなされる場合において、その受贈者が使用貸借権の設定後引き続きその設定に係る推定相続人に農地等を使用させ、かつ自らもその農地等に係る農業に従事しており、相続後もその状態が継続すると認められることにつき、農業委員会が証明した場合のその受贈者

③ ①又は②に掲げる者が、第一次農業相続人（上記(1)の③）に該当する場合には、その者に係る第二次農業相続人(注3)である者

(注1) 農業相続人には、次のイからへに掲げる者が含まれます（措通70の6-7の2）。

イ 第五編第七章《農地についての贈与税の納税猶予制度の特例》の贈与者が死亡し、特例適用農地等の受贈者が特例適用農地等を相続又は遺贈により取得したものとみなされる場合において、相続税の申告期限まで特例適用農地等に係る農業経営を開始し、その後引き続きその農業経営を行うと認められる受贈者

ロ 営農困難時貸付け（4の(9)（819ページ）参照）の適用を受ける受贈者に係る贈与者が死亡し、その受贈者が営農困難時貸付けを行っている特例適用農地等が贈与者から相続又は遺贈により取得したものとみなされる場合の受贈者

ハ 農業経営者又は農業相続人が死亡した場合において、その農業経営者又は農業相続人の相続人がその農業経営者又は農業相続人から相続又は遺贈により取得した農地又は採草放牧地について相続税の申告期限までに特定貸付けを行ったときのその農業経営者又は農業相続人の相続人

ニ 第五編第七章《農地についての贈与税の納税猶予制度の特例》の贈与者が死亡した場合において、その受贈者が特例適用農地等のうち農地又は採草放牧地についてその贈与者の死亡に係る相続税の申告期限において特定貸付けを行っているときのその受贈者

ホ 4の(13)《認定都市農地貸付け又は農園用地貸付けを行った農地についての相続税の課税の特例》の農業経営者又は農業相続人が死亡した場合において、当該農業経営者又は農業相続人の相続人が当該農業経営者又は農業相続人から相続又は遺贈により取得した農地について相続税の申告期限までに4の(12)《相続税の納税猶予を適用している場合の都市農地の貸付けの特例》の認定都市農地貸付け又は農園用地貸付け（「認定都市農地貸付け等」といいます。）を行ったときの当該農業経営者又は農業相続人の相続人

ヘ 第五編第七章第一節《農地についての贈与税の納税猶予及び免除の特例》の贈与者が死亡した場合において、当該受贈者が特例適用農地等のうち農地について当該贈与者の死亡に係る相続税の申告期限において認定都市農地貸付け等を行っているときの当該受贈者

(注2) 引き続き農業経営を行うと認められる者かどうかの判定をする場合において、相続又は遺贈により農地又は採草放牧地を取得した相続人が、未成年者（成年に達した後も引き続き就学している者を含みます。）に該当し、かつ、その未成年者と住居及び生計を一にする親族が、その未成年者の取得した農地又は採草放牧地につき農業経営を行うときは、その未成年者は農業経営を行う者に該当するものとして取り扱っています（措通70の6-8）。

〔※ この農業経営を行う者には、(注1)のロからへまでの者で相続又は遺贈により取得をした農地又は採草放牧地を営農困難時貸付けにより貸し付けている者、特定貸付者又は認定都市農地等貸付者が含まれます。〕

ただし、その未成年者が、次の(1)から(4)までに掲げるいずれかの事実が生じた場合には、その者が自ら農業経営を行うときを除き、その事実が生じた日において農業経営を廃止したものとして取り扱います（措通70の6-9）。

(1) その未成年者が成年に達したこと（引き続き就学している場合を除きます。）。

(2) その未成年者が成年に達した後、就学を了したこと。

(3) その未成年者とその未成年者の取得した農地又は採草放牧地につき農業経営を行っているその未成年者の親族とが住居又は生計を一にしないこととなったこと。

(4) その未成年者の取得した農地又は採草放牧地につき農業経営を行っていた親族が農業経営を行わ

－796－

第八章第一節《農地についての相続税の納税猶予及び免除等の特例》

ないこととなったこと。

(注3) 第二次農業相続人とは、その第一次相続人からの相続又は遺贈により、その農地及び採草放牧地を取得した相続人で、その相続又は遺贈に係る相続税の申告期限までにその取得をした農地及び採草放牧地に係る農業経営を開始し、その後引き続きその農業の経営を行うと認められる者であることについて農業委員会が証明した者をいいます（措令40の7②）。なお、上記①～③の農業委員会の証明は、農地及び採草放牧地を取得した相続人が、その農地及び採草放牧地の所在地の農業委員会に対して申請を行うことになっています（措規23の8①）。

（3）　特例の対象となる農地等

農業相続人が、特例の適用を受けることができる農地等は、次の要件に該当する農地、採草放牧地、準農地及び一時的道路用地等（4の**(8)**（818ページ）参照）です。

① 　被相続人から相続又は遺贈により取得した農地等であること。

通常の相続又は遺贈により取得した農地等はもちろん、生前一括贈与に係る贈与税の特例の適用を受けた農地等で贈与者の死亡に伴い相続又は遺贈により取得したものとみなされるもの（措法70の5①）若しくは贈与者が、その贈与をした年に死亡し、その贈与者からの相続又は遺贈により相続財産を取得したことによって、その農地等が相続税の課税価格に加算されることとなった場合（措令40の7④）も含みます。

② 　相続税の申告期限内に遺産分割協議により分割された農地等であること。

特例の適用を受けることができる農地等は、申告期限内に農業相続人により実際に取得されている必要があるため、申告書の提出期限内に分割されているものに限られます（措法70の6⑤）。

③ 　農地及び採草放牧地は、被相続人が農業の用に供していたものであること（措法70の6、措令40の7③）。

なお、被相続人から農地及び採草放牧地のそれぞれの一部を取得した場合も適用されます。

この農地及び採草放牧地は、農地法第2条第1項に規定する農地、採草放牧地をいい、平成4年1月1日以後の相続等により取得する農地及び採草放牧地については「特定市街化区域農地等」に該当するもの及び平成26年4月1日以後に相続等により取得した農地については、農地法第32条第1項又は第33条第1項の規定による同法第32条第1項に規定する利用意向調査に係るもののうち同法第36条第1項各号に該当するとき（同項ただし書に規定する正当の事由があるときを除きます。）におけるその農地は除かれます。また、この農地及び採草放牧地には、農地法第43条第1項の規定により農作物の栽培を耕作に該当するものとみなして適用する同法第2条第1項に規定する農地並びにこれらの農地の上に存する地上権、永小作権、賃借権も含まれますので、他人から農地を借りて農業を営んでいた被相続人から、その借りている農地の権利を相続又は遺贈によって取得し農業を営む農業相続人（小作人）も、この特例の適用を受けることができます。特例の適用を受けることのできる「農地」、「採草放牧地」とは次に掲げるものをいいます（措通70の6－1、70の4－1）。

イ 　農地とは、耕作の目的に供される土地をいい、耕作の目的に供されている土地とは、現に耕作されている土地のほか、現に耕作されていない土地のうち正常な状態の下においては耕作されていると認められるものが含まれます。したがって、現に耕作されている土地であっても、いわゆる家庭菜園や通常であれば耕作されないような土地、例えば運動場、工場敷地等を一時耕作しているものは、農地に該当しません。

(注) 1 　「耕作」とは、土地に労資を加え、肥培管理を行って作物を栽培することをいい、肥培管理とは作物の生育を助けるため、その土地及びそこに植栽される作物について行う耕うん、整地、播種、かんがい、排水、施肥、農薬散布、除草等の一連の人為的作業をいいます。

2 　「現に耕作されていない土地のうち正常な状態の下においては耕作されていると認められるもの」とは、措通70の4－12（第五編第七章第一節の1の**(3)**のイ（1187ページ参照））の(1)ないし(3)に掲げる土地その他通常であれば耕作されていると認められる土地をいいます。

－797－

ロ 採草放牧地とは、農地以外の土地で、主として耕作又は養畜の事業のための採草又は家畜の放牧の目的に供されるものをいいます。この場合、農地以外の土地で主として採草又は養畜の事業のための採草又は家畜の放牧の目的に供されている土地のほか、現にこれらの目的に供されていない土地のうち正常な状態の下においてはこれらの目的に供されていると認められるものが含まれます。

なお、主として耕作又は養畜の事業のための採草又は家畜の放牧の目的に供される土地であっても、肥培管理が行われているものは、農地に該当し、採草放牧地には該当しません。

(※) 1 「養畜」とは、家畜、家きん、毛皮獣などの生産、育成、肥育、採卵又は採乳を行うことをいいます。

2 「現にこれらの目的に供されていない土地のうち正常な状態の下においてはこれらの目的に供されていると認められるもの」とは、措通70の4−12の(1)ないし(3)に掲げる土地その他通常であれば主として耕作又は養畜の事業のための採草又は家畜の放牧の目的に供されていると認められる土地をいいます。

④ 特定市街化区域農地等でないこと（平成4年1月1日以後に相続又は遺贈により取得したものに限ります。）。

特定市街化区域農地等とは、都市計画法第7条第1項に規定する市街化区域内に所在する農地及び採草放牧地で、平成3年1月1日において次に掲げる区域内に所在するもののうち都市営農農地等（※）以外のものをいいます（(注1)参照）。

イ 東京都の特別区の区域

ロ 首都圏、近畿圏、中部圏にある政令指定都市（横浜、川崎、名古屋、京都、大阪、神戸の各市をいいます。）の区域

ハ ロに掲げた市以外の市でその区域の全部又は一部が「既成市街地等」（528ページ）又は「近郊整備地帯等」にあるものの区域

※ 都市営農農地等とは、都市計画法第7条第1項に規定する市街化区域内に所在する次に掲げる農地又は採草放牧地で平成3年1月1日において上記イからハまでに掲げる区域内に所在するものをいいます。

㋑ 都市計画法第8条第1項第14号に掲げる生産緑地地区内にある農地又は採草放牧地（生産緑地法第10条（同法第10条の5の規定により読み替えて適用する場合を含みます。）又は第15条第1項の規定による買取りの申出がされたもの並びに同法第10条第1項に規定する申出基準日までに同法第10条の2第1項の特定生産緑地の指定がされなかったもの、同法第10条の3第2項に規定する指定期限日までに特定生産緑地の指定の期限の延長がされなかったもの及び同法第10条の6第1項の規定による指定の解除がされたものを除きます。）（(注2)、(注3)参照）

㋺ 都市計画法第8条第1項第1号に掲げる田園住居地域内にある農地（㋑の農地を除きます。）

㋩ 都市計画法第58条の3第2項に規定する地区計画農地保全条例による制限を受ける同条第1項に規定する区域内にある農地（㋑及び㋺の農地を除きます。）

なお、平成4年1月1日以後の相続等により取得した特例農地等につき後日買取りの申出等があったことにより特定市街化区域農地等に該当することとなった場合の納税猶予の打切り及び買換え等の特例については、4の(5)を参照してください。

第八章第一節《農地についての相続税の納税猶予及び免除等の特例》

(**注1**)　「**特定市街化区域農地等**」とは、都市計画法第7条第1項に規定する市街化区域内に所在する農地又は採草放牧地で、平成3年1月1日において次表に掲げる市（東京都の特別区を含みます。）の区域内にあるもののうち都市営農農地等に該当しないものをいいます（措通70の4－2）。

区　分	都府県名	都　　　　市　　　　名
首都圏（106市）	茨城県（5市）	竜ヶ崎市、水海道市、取手市、岩井市、牛久市
	埼玉県（36市）	川口市、川越市、浦和市、大宮市、行田市、所沢市、飯能市、加須市、東松山市、岩槻市、春日部市、狭山市、羽生市、鴻巣市、上尾市、与野市、草加市、越谷市、蕨市、戸田市、志木市、和光市、桶川市、新座市、朝霞市、鳩ヶ谷市、入間市、久喜市、北本市、上福岡市、富士見市、八潮市、蓮田市、三郷市、坂戸市、幸手市
	東京都（27市）	特別区 、 武蔵野市 、 三鷹市 、八王子市、立川市、青梅市、府中市、昭島市、調布市、町田市、小金井市、小平市、日野市、東村山市、国分寺市、国立市、福生市、多摩市、稲城市、狛江市、武蔵村山市、東大和市、清瀬市、東久留米市、保谷市、田無市、秋川市
	千葉県（19市）	千葉市、市川市、船橋市、木更津市、松戸市、野田市、成田市、佐倉市、習志野市、柏市、市原市、君津市、富津市、八千代市、浦安市、鎌ヶ谷市、流山市、我孫子市、四街道市
	神奈川県（19市）	(横浜市)、(川崎市)、横須賀市、平塚市、鎌倉市、藤沢市、小田原市、茅ヶ崎市、逗子市、相模原市、三浦市、秦野市、厚木市、大和市、海老名市、座間市、伊勢原市、南足柄市、綾瀬市
中部圏（28市）	愛知県（26市）	(名古屋市)、岡崎市、一宮市、瀬戸市、半田市、春日井市、津島市、碧南市、刈谷市、豊田市、安城市、西尾市、犬山市、常滑市、江南市、尾西市、小牧市、稲沢市、東海市、尾張旭市、知立市、高浜市、大府市、知多市、岩倉市、豊明市
	三重県（2市）	四日市市、桑名市
近畿圏（56市）	京都府（7市）	(京都市)、宇治市、亀岡市、向日市、長岡京市、城陽市、八幡市
	大阪府（32市）	(大阪市)、守口市、東大阪市、堺市、岸和田市、豊中市、池田市、吹田市、泉大津市、高槻市、貝塚市、枚方市、茨木市、八尾市、泉佐野市、富田林市、寝屋川市、河内長野市、松原市、大東市、和泉市、箕面市、柏原市、羽曳野市、門真市、摂津市、泉南市、藤井寺市、交野市、四條畷市、高石市、大阪狭山市
	兵庫県（8市）	(神戸市)、 尼崎市 、 西宮市 、 芦屋市 、伊丹市、宝塚市、川西市、三田市
	奈良県（9市）	奈良市、大和高田市、大和郡山市、天理市、橿原市、桜井市、五条市、御所市、生駒市

　※　　□は前記④のイに掲げる区域、（　）書は同④のロに掲げる区域、その他は同④のハに掲げる区域に所在する市を示しています。なお、┈┈書は同④のハに掲げる区域のうち首都圏整備法の既成市街地又は近畿圏整備法の既成都市区域に所在する市を示しています。

(**注2**)　「都市計画法第8条第1項第14号の生産緑地地区内にある農地又は採草放牧地」には、旧生産緑地法（生産緑地法の一部を改正する法律（平成3年法律第39号）による改正前の生産緑地法）第3号第1項《第1種生産緑地地区に関する都市計画》の規定により定められている第1種生産緑地地区の区域内にある農地又は採草放牧地が含まれます。なお、旧生産緑地地区の区域内にある土地等は生産緑

第八章第一節《農地についての相続税の納税猶予及び免除等の特例》

地法第10条の2第1項の特定生産緑地の指定の対象とならないため、その区域内にある農地又は採草放牧地については、「都市営農農地等」の説明のイにある「申出基準日までに特定生産緑地の指定がされなかったもの」に該当しません（措通70の4－3）。

（注3）　「都市営農農地等」の説明のイにある「生産緑地法第10条（同法第10条の5の規定により読み替えて適用する場合を含みます。）又は第15条第1項の規定により買取りの申出がされたもの」とは、生産緑地法施行規則（昭和49年建設省令第11号）第6条《買取申出書の様式》又は第9条《買取り希望の申出手続》に定める「別記様式第2「生産緑地買取申出書」」又は「別記様式第3「生産緑地買取希望申出書」」により市長（東京都の特別区の区長を含みます。）に対し買取りの申出がされた農地又は採草放牧地をいいます。

　　　なお、この特例の適用を受ける農地又は採草放牧地が農地又は採草放牧地の上に存する権利である場合においても同様です（措通70の4－4）。

⑤　準農地は、③の農地及び採草放牧地とともに取得したものに限られること。

　　準農地とは、「農業振興地域の整備に関する法律」で定める農用地区域内の土地で、農業振興地域整備計画において、農業上の用途区分が農地、採草放牧地とされているものであって、10年以内に農業相続人（農業相続人が（2）の②に該当する受贈者であるときは、使用貸借権によりその受贈者の農地等を使用するその推定相続人を含みます。）が開発して農地又は採草放牧地として農業の用に供することが適当である旨の市町村長の証明がある土地をいいます（措令40の7⑤）。

⑥　相続税の期限内申告書に、この制度の適用を受ける旨の記載をしたものであること。

　　この特例は、農業相続人が、相続又は遺贈により取得した農地のうち、任意にその適用を受けたいものを選択し、その適用を受ける旨を相続税の期限内申告書に記載した農地等（この農地等を**「特例農地等」**といいます。）について適用されます。

　　ただし、その記載に当たっては、

イ　農地、採草放牧地は、農業相続人がその農業の用に供するものであること。

ロ　準農地は、イの農地、採草放牧地とともに、この特例の適用を受けようとするものであること。

などの規制が設けられています。

　　なお、代償分割の方法で遺産の分割を行い、他の共同相続人の所有に属する農地、採草放牧地又は準農地を取得した場合、その農地等は、被相続人が有していたものではなく、かつ、被相続人の農業の用に供されていたものではありませんので特例農地等には該当しません（措通70の6－11）。

（注）　相続時精算課税適用者が特定贈与者より贈与により取得した農地等に係る相続税の納税猶予の適用

　　　相続時精算課税適用者が特定贈与者から贈与により取得した農地等については、その農地等が措法第70条の5第1項（農地等の贈与者が死亡した場合の相続によるみなし取得）により相続又は遺贈により取得したものとみなされる特例適用農地等に該当しない場合（措令第40条の7第4項に該当する場合を除く。）には、この納税猶予の適用はありません（措通70の6－2の2）。

2　申告手続

（1）　期限内申告要件

農地等に対する相続税の納税猶予の特例の適用を受けるためには、相続税の期限内申告書に納税猶予の適用を受けたい旨を記載し、

①　農地、採草放牧地及び準農地の明細並びにその農地、採草放牧地及び準農地に係る納税猶予分の相続税の額の計算に関する明細

②　提供しようとする担保の種類、数量、価額及びその所在場所の明細を記載した書類

　　ただし、その担保が保証人の保証であるときは、個人の場合は、その保証人の住所、氏名及びその資産状態の明細、法人の場合は、本店又は主たる事務所の所在地、名称及びその資産状態の

－800－

明細を記載します。

③　担保の提供に関する書類

④　被相続人が死亡の日まで農業の用に供していた農地、採草放牧地及び準農地である旨のその物件所在地を管轄する農業委員会の証明書

⑤　申告書を提出する者が、その被相続人の相続人に該当することを証する書類（戸籍謄本など）及び農業相続人に該当する者である旨の農業委員会の証明書

⑥　申告書を提出する者が１の（２）の②に掲げる受贈者であるときは、その旨及び同②の推定相続人の氏名、住所、その推定相続人に使用させている農地等の地目、面積及び所在場所等の明細

⑦　遺言書の写し又は財産の分割の協議に関する書類（その書類に当該相続又は遺贈に係る全ての共同相続人及び包括受遺者が自署し、自己の印を押しているものに限る。）の写しその他の財産の取得の状況を証する書類

⑧　遺産分割協議書に押印した印章の印鑑証明書

⑨　特例農地等の地目、面積、及びその所在場所その他の明細並びにその特例農地等の農業投資価格及びこれを基準として計算したその特例農地等の価額を記載した書類

⑩　特例農地等のうちに次に掲げる特例農地等がある場合には、それぞれの書類

　　イ　農地法第43条第１項の規定により農作物の栽培を耕作に該当するものとみなして適用する同法第２条第１項に規定する農地である場合は、その農地が同法第43条第２項に規定する農作物栽培高度化施設の用に供されているものである旨を証するその農地の所在地を管轄する農業委員会の書類

　　ロ　都市営農農地等である場合は、その都市営農農地等が農地又は採草放牧地に該当する旨を証するその都市営農農地等の所在地の市長又は特別区の区長の書類の写し

　　ハ　市街化区域内農地等（相続又は遺贈により当該特例農地等の取得をした日において都市営農農地等である特例農地等を有しない農業相続人が有するものに限り、生産緑地地区内にあるものを除きます。）の場合は、その市街化区域内農地等が特例農地等であることを証するその市街化区域内農地等の所在地の市町村長の書類

　　ニ　準農地の場合は、準農地に該当する旨の市町村長の証明書

⑪　特例農地等が農地の生前一括贈与に係る贈与者の死亡により相続等により取得したものとみなされたものである場合において、その受贈者が贈与者の死亡の日前１年以内に行った農地等の譲渡又は買取りの申出等につき税務署長の買換え等の承認を受けた農地等がある場合には、譲渡又は申出等の年月日、譲渡農地等の明細書

など財務省令で定められている書類を添付して所轄税務署長に提出します（措法70の６㉛、措規23の8③）。

（２）　納税猶予に係る担保提供・３年ごとの継続届出書提出要件

この納税猶予の特例は、相続税の申告書の提出期限までに、次のいずれかの方法によって担保を提供した場合に限って認められます。

①　納税猶予分の額に相当する担保を提供すること。

②　特例農地等の全部を担保に提供すること。

担保の提供について、①又は②の方法のいずれを選択するかは農業相続人の自由です。いずれの場合でも、相続税の申告書の提出期限の翌日から起算して３年を経過するごとの日までに納税猶予を引き続いて受けたい旨及び特例農地等に係る農業経営に関する事項を記載した継続届出書を提出しなければなりません（措法70の６㉜、措令40の７㉝）。

　　（注）　平成17年３月31日以前の農地等の相続等に係る納税猶予については、特例農地等のうちに都市営農農地等が含まれている農業相続人のみ継続届出書に農業経営に関する事項の記載が必要とされていました。

　　　　　　また、②の特例農地等の全部を担保として提供した農業相続人（平成４年１月１日以後の相続等に係

第八章第一節《農地についての相続税の納税猶予及び免除等の特例》

る納税猶予については、特例農地等のうちに都市営農農地等が含まれている農業相続人を除きます。）は、この継続届出書を提出する必要はないこととされていました（旧措法70の6㉛）。

なお、この期限内申告要件や担保提供要件については、税務署長のゆうじょ規定が定められておりません。したがってこれらの要件を満たしていない場合には、一切納税猶予の特例の適用が受けられないことになりますのでご注意ください。（継続届出書提出要件については、ゆうじょ規定（措法70の6㉝）が定められています。）

3　特例の適用を受ける場合の相続税の計算

同じ被相続人から相続又は遺贈により財産を取得した者の中に、この特例の適用を受ける農業相続人がある場合の相続税の計算方法は次のとおりです（措法70の6②）。

（1）　特例の適用を受けない者

特例適用農地等の通常の相続税評価額を農業投資価格におきかえた課税価格(注)を基にして相続税の総額及び納付税額を計算します。したがって、この特例の適用を受けない者が、相続税法第18条から第20条の2（諸控除等）までの規定の適用を受ける者である場合における加算又は控除される税額は、農業投資価格ベースを基にした税額が基礎となります。

(注)　相続税法第19条（相続開始前7年以内に贈与があった場合）又は同第21条の14から第21条の18まで（相続時精算課税に係る相続税額）の適用がある場合は、これらにより課税価格とみなされた金額とされます。

（2）　特例の適用を受ける農業相続人

次のイ、ロの金額の合計額がその者の相続税額となりますが、このうちイの金額が納税猶予される税額となります。

　イ　特例適用農地等を通常の相続税評価額による課税価格を基にして計算した相続税の総額から、特例農地等を農業投資価格におきかえて計算した相続税の総額を控除した金額

　ロ　特例適用農地等の通常の相続税評価額を農業投資価格におきかえた課税価格を基にして計算したその者の相続税額

この場合、農業相続人が、相続税法第18条から第20条の2までの規定の適用を受ける者である場合における加算又は控除される税額は、上記イ、ロの合計税額が基礎となります。

〔**計算例**〕（相続税の速算表は762ページ参照）

○　遺産　　農地150アール（通常の相続税評価額10アール当たり5,000千円、農業投資価格10アール当たり700千円）

　　　　　　その他の財産　65,000千円（宅地、家屋、有価証券、現金等）

○　相続人　被相続人の妻、長男、次男

○　分割状況　　遺産分割協議により次のとおり相続

　　　　長男（農業相続人）　　農地80アール（40,000千円相当）

　　　　次男　　　　　　　　　農地30アール、その他の財産35,000千円（50,000千円相当）

　　　　妻　　　　　　　　　　農地40アール、その他の財産30,000千円（50,000千円相当）

①　農業投資価格ベースによる計算

　イ　課税価格の合計額

　　　　長男…700,000円（農業投資価格）$\times \dfrac{80アール}{10アール} = 5,600,000円$

　　　　次男…5,000,000円（通常価格）$\times \dfrac{30アール}{10アール} + 35,000,000円 = 50,000,000円$

　　　　妻……5,000,000円（通常価格）$\times \dfrac{40アール}{10アール} + 30,000,000円 = 50,000,000円$

　　　　　　　　　　　　　　　　　　　　　　　　　　　合計　105,600,000円

　ロ　遺産に係る基礎控除額

—802—

第八章第一節《農地についての相続税の納税猶予及び免除等の特例》

30,000,000円（定額控除）＋6,000,000円×3人（法定相続人）＝48,000,000円

ハ　課税される遺産総額

105,600,000円－48,000,000円＝57,600,000円

ニ　相続税の総額の基となる税額

妻…57,600,000円×½×15%（税率）－50万円（速算控除額）＝3,820,000円

子…57,600,000円×½×½×15%（税率）－50万円（速算控除額）＝1,660,000円

ホ　相続税の総額

3,820,000円＋1,660,000円×2＝7,140,000円

ヘ　各相続人のあん分割合

長男…5,600,000円÷105,600,000円≒0.053→0.06

妻及び次男…50,000,000円÷105,600,000円≒0.473→0.47

ト　各相続人の算出税額

長男…7,140,000円×0.06＝428,400円

妻…7,140,000円×0.47＝3,355,800円

次男…7,140,000円×0.47＝3,355,800円

○　妻については、配偶者の税額軽減により0となる（配偶者の法定相続分による取得金額以下の分割による取得であるため）。

② 農業相続人（長男）の相続税額

a　通常の相続税評価額による相続税の計算

$5,000,000$円（通常の相続税評価額）$\times \dfrac{150アール}{10アール}$＋65,000,000円（その他の財産）

＝140,000,000円

30,000,000円（定額控除）＋6,000,000円×3人（法定相続人）＝48,000,000円（基礎控除）

140,000,000円－48,000,000円＝92,000,000円（課税価格）

92,000,000円×½×20%（税率）－2,000,000円（速算控除額）＝7,200,000円（妻の税額）

〔92,000,000円×½×½×15%（税率）－500,000円（速算控除額）〕×2＝5,900,000円（その他の者の税額）

7,200,000円＋5,900,000円＝13,100,000円（相続税の総額）

b　算出税額

13,100,000円－7,140,000円＝5,960,000円（相続税の総額の差額）

5,960,000円＋428,400円（長男の①のトの算出税額）＝6,388,400円

c　猶予税額

13,100,000円－7,140,000円＝5,960,000円

d　差引納付税額

6,388,400円（b）－5,960,000円（c）＝428,400円（100円未満切捨て）

　この計算によって算出された相続税額のうち、次男の税額3,355,800円（100円未満切捨て）と長男の税額428,400円は、相続税の申告期限までに納付しなければならないことになります（相法33）。

　なお、以上の計算結果を一般計算と特例計算（納税猶予適用）に分けて表示すると次表のとおりです。

－803－

第八章第一節《農地についての相続税の納税猶予及び免除等の特例》

(単位＝円)

	相続人	配偶者	長　男 (農業相続人)	次　男	合　計
一般計算	課税価格 (あん分割合)	50,000,000 (36%)	40,000,000 (28%)	50,000,000 (36%)	140,000,000
	各人の算出税額	4,716,000	3,668,000	4,716,000	13,100,000
	配偶者の税額軽減額	△4,716,000			△4,716,000
	納付税額	0	3,668,000	4,716,000	8,384,000
特例計算	課税価格 (あん分割合)	50,000,000 (47%)	5,600,000 (6%)	50,000,000 (47%)	105,600,000
	各人の算出税額	3,355,800	428,400	3,355,800	7,140,000
	配偶者の税額軽減額	△3,355,800			△3,355,800
	納税猶予税額		5,960,000		5,960,000
	納付税額	0	428,400	3,355,800	3,784,200

（３）　農業投資価格

　農業投資価格とは、特例農地等に該当する農地、採草放牧地又は準農地について、その所在する地域において恒久的に耕作又は養畜の用に供されるべき農地法第２条第１項に規定する農地若しくは採草放牧地又はその農地若しくは採草放牧地に開発されるべき土地として、自由な取引が行われるものとした場合に、通常成立すると認められる価格として、その地域の所轄国税局長が「土地評価審議会」の意見を聴いた上で決定した価格をいいます（措法70の６②③）。(1516ページの別表１のイ参照)

－804－

第八章第一節《農地についての相続税の納税猶予及び免除等の特例》

4　納税猶予分の相続税に係る納税猶予とその猶予の打切り等

（1）　納税猶予税額の免除

　農地等納税猶予税額は、次の①から④のいずれかの納税猶予期限に免除されます（措法70の6⑥㉟）。

① 　特例農地等のうちに都市営農農地等を有する農業相続人の場合……その死亡の日

② 　特例農地等のうちに生産緑地等を有する農業相続人（①の農業相続人を除きます。）の場合……その死亡の日（相続税の申告書の提出期限の翌日から20年を経過する日までの間に、その農業相続人が相続又は遺贈により取得をした特例農地等のうちその取得をした日において次に掲げる特例農地等であるものに係る相続税の全てについて、納税の猶予に係る期限が到来している場合にあっては、その死亡の日又はその20年を経過する日のいずれか早い日）

　　イ 　生産緑地等（都市営農農地等に該当するものを除きます。）

　　ロ 　市街化区域内農地等以外のもの

③ 　特例農地等の取得をした日において特例農地等のうちに市街化区域内農地等以外のものを有する農業相続人（①及び②の農業相続人を除きます。）の場合……その死亡の日（相続税の申告書の提出期限の翌日から20年を経過する日までの間に、その農業相続人が相続又は遺贈により取得をした特例農地等のうちその取得をした日において市街化区域内農地等以外のものである特例農地等に係る相続税の全てについて、納税の猶予に係る期限が到来している場合にあっては、その死亡の日又はその20年を経過する日のいずれか早い日）

④ 　特例農地等の取得をした日において特例農地等の全てが市街化区域内農地等である農業相続人（①及び②の農業相続人を除きます。）の場合……その死亡の日又は相続税の申告書の提出期限の翌日から20年を経過する日のいずれか早い日

※ 　市街化区域内農地等に対応する農地等納税猶予税額の部分の計算（措通70の6－97）

　　イ 　相続税の申告書の提出期限の翌日から20年を経過する日において農業相続人（相続又は遺贈により取得をした日において都市営農農地等である特例農地等を有していないものに限る。）が有する特例農地等のすべてが当該取得をした日において市街化区域内農地等に係るものである場合

$$
\text{措法70の6①に規定する相続税に相当する金額} - \text{措法70の6⑦に規定する譲渡特例農地等に係る相続税及び措法70の6⑧に規定する特定農地等に係る相続税}
$$

　　ロ 　イに掲げる場合以外の場合

$$
\text{納税猶予分の相続税額（A）} \times \frac{\text{農業相続人が相続又は遺贈により取得をした日において市街化区域内農地等である特例農地等の取得の時における農業投資価格控除後の価額}}{\text{農業相続人が取得をしたすべての特例農地等の取得の時における農業投資価格控除後の価額の合計額}} - \text{当該取得の日において市街化区域内農地等である特例農地等に係る措法70の6⑦に規定する譲渡特例農地等に係る相続税及び措法70の6⑧に規定する特定農地等に係る相続税}
$$

　　　　なお、その計算した金額に100円未満の端数があるとき又はその金額が100円未満であるときは、その端数金額又はその全額を切り捨て、その切り捨てた金額は、納税猶予税額として残ることとなります。

　　なお、上記の納税猶予期限までに、特例農地等を生前一括贈与した場合（後掲の「贈与税」編を参照してください。）には、その猶予される期限が、それぞれ次に掲げる日となり、①及び②のイの場合は同日において納税猶予分の相続税額は免除されます（措法70の6①㉟）。

① 　特例農地等の全部について生前一括贈与をした場合……その贈与をした日

② 　特例農地等の一部について生前一括贈与をした場合

　　イ 　生前一括贈与をした特例農地等の農業投資価格控除後の価額に対応する納税猶予分の相続税

－805－

は、その贈与をした日

ロ　生前一括贈与の対象とならなかった特例農地等の農業投資価格控除後の価額に対応する納税猶予分の相続税は、その贈与をした日の翌日から2か月を経過する日

（2）　納税猶予分の相続税の全部について納税猶予が打ち切られる場合

上記(1)に述べた納税猶予期限が到来するまでの間に、次表の事実が生じた場合には、猶予税額の全部について納税猶予が打ち切られ、その事実が生じた日の翌日から2か月を経過する日に納税猶予の期限が到来しますので、農業相続人は、その猶予税額の全部を、その期限までに納付しなければなりません（措法70の6①ただし書、㉟）。なお、特例農地の買換えについては(4)で、農地の生前贈与に係る贈与税の納税猶予の継続適用を受ける使用貸借権の設定のあった農地等について、その使用貸借権を譲渡等した場合の取扱いは、(6)で、また、特例農地等を農用地利用集積等促進計画の定めるところによる賃借権等の設定に基づいて貸し付け、その貸し付けた農地等に代わるものとして農業相続人の農業の用に供する農地等を農用地利用集積等促進計画の定めるところによる賃借権等の設定に基づいて借り受けた場合の取扱いは、(7)で述べます。

①	特例農地等の面積の20%を超えて任意に譲渡等した場合
②	特例農地等に係る農業経営を廃止した場合
③	3年ごとの継続適用の届出書を提出すべき農業相続人が届出書を提出期限（3年を経過するごとの日）までに提出しなかった場合

（注）　担保の変更命令に応じない場合にも、納税猶予の期限が繰り上げられ、その猶予税額の全部を納付しなければなりません（措法70の6㊱）。

イ　上表の①にいう任意譲渡等した場合の面積割合は、次の算式によります（措法70の6①）。

$$\frac{（今回の「任意譲渡等」の面積）＋（前回までに「任意譲渡等」された面積の合計）}{\left(\begin{array}{c}今回の「任意譲渡等」の直前\\における特例農地等の面積\end{array}\right)＋\left(\begin{array}{c}前回までに「譲渡等」された\\特例農地等の面積の合計\end{array}\right)}$$

上記の算式により20%を超えるかどうかを計算するに当たっては、次の諸点に留意してください。

（イ）　「譲渡等」とは、次のものをいいます。

〈イ〉　譲渡（任意に譲渡するもののほか、収用等による譲渡も含まれます。）

〈ロ〉　贈与（農地等の生前一括贈与の特例の適用を受ける贈与は除かれます。）

〈ハ〉　転用（採草放牧地の農地への転用及び準農地の農地又は採草放牧地への転用は除かれます。また、農地、採草放牧地若しくは準農地をその農業相続人の耕作又は養畜の事業に係る事務所、作業場、倉庫その他の施設又はこれらの事業に従事する使用人の宿舎の敷地にするための転用も除かれます（措令40の7⑧）。）

〈ニ〉　特例農地等に対する地上権、永小作権、使用貸借による権利、賃借権の設定（特例農地等につき民法第269条の2《地下又は空間を目的とする地上権》第1項の地上権の設定があった場合において農業相続人が特例農地等を耕作又は養畜の用に供しているときにおけるその設定を除きます。）

〈ホ〉　特例農地等について耕作の放棄（農地法第36条の規定による勧告があった場合）

〈ヘ〉　相続又は遺贈により取得した農地又は採草放牧地の上に存する権利の消滅（ただし、所有権を取得したことによって、これらの権利が消滅する場合は除きます。）

（ロ）　今回の「任意譲渡等」の直前における特例農地等の面積とは、その任意譲渡等の直前において有している特例農地等で、次の〈イ〉、〈ロ〉の合計面積をいいます。

〈イ〉　その農業相続人の耕作又は養畜の用に供されている農地又は採草放牧地の面積

〈ロ〉　準農地のうち、地上権、賃借権、使用貸借などの権利が設定されたもの及び農地、採草放牧地や養畜の事業に係る事務所等以外のものに転用されたものを除いた面積

(ハ)　「任意譲渡等」の範囲について

　　特例農地等の面積の20％を超えて任意譲渡等した場合には、納税猶予の全部が打ち切られることになりますが、収用交換等の譲渡のように法的規制に基づく場合やこれに準ずるような理由によって譲渡した場合にも、全部の納税猶予が打切りになるのは、適当な措置とはいえないため、収用交換等による譲渡等は、上記の20％の範囲には入れないこととされています。

　　したがって、これによって、上記算式の分子の「任意譲渡等」には入りませんので、収用交換等による譲渡があった場合には、面積割合が20％を超えても、それに見合う猶予税額を納付すればよいことになります。

　　なお、この20％の範囲の枠外とされる譲渡等は、次に該当するものです（措法70の6①、措令40の7⑩）。

〈イ〉　租税特別措置法第33条の4第1項に規定する収用交換等による譲渡等の場合

〈ロ〉　都市計画法第8条第1項第14号に掲げる生産緑地地区内にある土地（相続等により取得した日前に生産緑地法第10条又は第15条第1項の規定による買取りの申出がされたものを除きます。）が、生産緑地法第11条第1項又は第12条第2項の規定に基づき、同法第11条第2項に規定する地方公共団体等に買い取られる場合

〈ハ〉　農地法第2条第3項に規定する農地所有適格法人に現物出資した場合（その出資をした者が、その農地所有適格法人の常時従事者となる場合に限ります。）

〈ニ〉　市町村又は農業協同組合が都道府県知事の承認を受けてする旧農地法第75条の7第1項の協議若しくは同法第75条の5第1項の裁定に基づき草地利用権が設定され、又は裁定に基づき草地利用権に係る土地等が買い取られた場合（その設定又は買取りに係る土地所有者等が、その設定又は買取りに係る草地利用権に係る土地を他の者とともに共同利用する場合に限ります。）

〈ホ〉　農業振興地域の整備に関する法律第8条第2項第1号に規定する農用地区域として定められている区域内にある特例農地等について、農業経営基盤強化促進法第7条第1号に規定する農地売買等事業のために譲渡をした場合

〈ヘ〉　農業経営基盤強化促進法第4条第3項に規定する農地利用集積円滑化事業（同項第1号に掲げる事業（同号ハに掲げるものを除きます。）及び同項第2号に掲げる事業に限ります。）のために譲渡をした場合

(注1)　上記〈ロ〉から〈ニ〉までに該当する場合には、それぞれに該当することを地方公共団体の長や農業委員会、都道府県知事が証明した書類を、1月以内に納税地の所轄税務署長に提出しなければなりません（措規23の8⑤）。

(注2)　上記〈ハ〉の場合における常時従事者が、常時従事者でなくなったとき、又は〈ニ〉の場合における共同利用者が、共同利用者でなくなったときは、その後特例農地等を任意譲渡したときの20％の範囲の計算に当たっては、上記算式の分子の「前回までに任意譲渡等された面積」に含まれてくることになります（措令40の7⑩ただし書）。

ロ　特例農地等の面積の20％を超えて任意譲渡等した場合の20％を超えるかどうかの計算は、次に掲げるそれぞれの場合に応じた算式によって行うことになります（措通70の6-27、70の4-26）。

①　既往において(4)の①のハ若しくは(5)のロの③に該当する農地又は採草放牧地（以下「代替取得農地等」といいます。）を取得していない場合又は(4)の②に規定する代替特例農地等で、同②のハの規定に該当する農地若しくは採草放牧地（以下「付替特例農地等」といいます。）を農業の用に供していない場合

$$\frac{B+C}{A}$$

② 既往において(4)の①のハに該当する代替取得農地等を取得している場合

$$\frac{B+C}{A+(F-D+E)}$$

③ 既往において、付替特例農地等を農業の用に供している場合

$$\frac{B+C}{A+(F-D'+E')}$$

④ 既往において(5)のロの③に該当する代替取得農地等を取得している場合

$$\frac{B+C}{A+(F-D''+E'')}$$

(注) 算式中の符号は、次のとおりです。

A……相続又は遺贈により取得した特例農地等の相続時の面積をいいます。

B……今回譲渡等（収用交換等による譲渡等を除きます。）した特例農地等の面積をいいます。

C……既往において譲渡等（収用交換等による譲渡等を除きます。）した特例農地等の面積をいい、この面積は、(4)の①のイの規定により譲渡等をしなかったものとみなされるものの面積を除き、(4)の①のロの規定により譲渡等されたものとみなされるものの面積を含みます。

D……既往において(4)の①のイの規定により譲渡等をしなかったものとみなされた特例農地等の面積をいい、次の算式によって計算します。

$$譲渡等した特例農地等の面積 \times \frac{譲渡等の対価の額のうち代替取得農地等の取得に充てる見込金額}{譲渡等をした特例農地等の対価の額}$$

E……Dの面積のうち、(4)の①のロの規定により、その後譲渡等されたものとみなされた特例農地等の面積をいい、次の算式によって計算します。

$$Dの面積 \times \frac{Dの面積に係る譲渡等の対価の額のうち代替取得農地等の取得に充てられなかった金額}{Dの面積に係る譲渡等の対価の額}$$

F……代替取得農地等又は付替特例農地等の面積をいいます。

D'……既往において(4)の②のイの規定により譲渡等がなかったものとみなされた特例農地等の面積をいい、次の算式によって計算します。

$$譲渡等をした特例農地等の面積 \times \frac{譲渡等の対価の額に相当する代替特例農地等の価額}{譲渡等をした特例農地等の対価の額}$$

E'……D'の面積のうち、(4)の②のロの規定により譲渡等されたものとみなされた特例農地等の面積をいい、次の算式によって計算します。

$$D'の面積 \times \frac{代替特例農地等のうち農業の用に供していない部分に相当する価額}{D'の面積に係る譲渡等の対価の額}$$

D''……既往において(5)のロの①の規定により譲渡等がなかったものとみなされた特定農地等の面積をいい、次の算式によって計算します。

$$譲渡等をする見込みである特定農地等の面積 \times \frac{譲渡等の対価の見積額のうち代替取得農地等の取得に充てる見込金額}{譲渡等をする見込みである特定農地等の対価の見積額}$$

E''……D''の面積のうち、(5)のロの②の規定によりその後買取りの申出等があったものとみなされた特定農地等の面積をいい、次の算式によって計算します。

$$D''の面積 \times \frac{D''の面積に係る譲渡等の対価の額のうち代替取得農地等の取得に充てられなかった金額}{D''の面積に係る譲渡等の対価の額}$$

※ 一部免除があった場合（措通70の6－30の2）

措法70の6㊴四の規定により、相続税の申告書の提出期限の翌日から20年を経過する日において、農業相続人が有する特例農地等のうちの一部（市街化区域内農地）に対応する納税猶予税額が免除される場合については、その免除の時において措法70の6①一に規定する20％を超えるかどうかの

第八章第一節《農地についての相続税の納税猶予及び免除等の特例》

計算を行う必要はありません。

なお、免除後に特例農地等の譲渡等があった時は、当該市街化区域内農地の面積は上記（2）ロのAの面積には含めず、当該20％の計算を行います。

〔計算例1〕既往において代替取得農地等を取得していない場合

① 相続又は遺贈により取得した特例農地等の相続時の面積……10ha

② 今回譲渡等（収用交換等による譲渡等を除きます。）をした特例農地等の面積…… 2 ha

③ 既往において譲渡等（収用交換等による譲渡等を除きます。）した特例農地等の面積……0.5ha

（計算）

イ 「A」の数値（①）……10ha

ロ 「B」の数値（②）…… 2 ha

ハ 「C」の数値（③）……0.5ha

ニ 100分の20を超えるかどうかの計算

$$\frac{B+C}{A}=\frac{2+0.5}{10}=\frac{2.5}{10}>\frac{20}{100}$$

この場合には、措置法第70条の6第1項第1号の規定（20％超）に該当します。

〔計算例2〕既往において（4）の①のハに該当する代替取得農地等を取得している場合

① 相続又は遺贈により取得した特例農地等の相続時の面積………20ha

② 既往において譲渡等した特例農地等の面積……… 4 ha

　うち収用交換等による譲渡等に係る特例農地等の面積……………0.5ha

　　差　　　引……………………………………………………3.5ha

③ ②のうち、（4）の①のイの規定により譲渡等をしなかったものと

　みなされた農地等の面積……… 3 ha

④ ③のうち、（4）の①のロの規定により譲渡等をしたとみなされた特例農地等の面積…… 2 ha

⑤ 代替取得農地等の面積………2.5ha

⑥ 今回譲渡等した特例農地等の面積……… 1 ha

　うち収用交換等による譲渡等に係る特例農地等の面積……………0

　　差　　　引……………………………………………………… 1 ha

（計算）

イ 「A」の数値（①）　　　　　　20ha

ロ 「B」の数値（⑥）　　　　　　 1 ha

ハ 「C」の数値　②－③＋④＝3.5－3＋2＝2.5ha

ニ 「D」の数値（③）　　　　　　 3 ha

ホ 「E」の数値（④）　　　　　　 2 ha

ヘ 「F」の数値（⑤）　　　　　　2.5ha

ト 100分の20を超えるかどうかの計算

$$\frac{B+C}{A+(F-D+E)}=\frac{1+2.5}{20+(2.5-3+2)}=\frac{3.5}{21.5}<\frac{20}{100}$$

この場合には、措置法第70条の6第1項第1号の規定（20％超）には該当しません。

〔計算例3〕既往において（5）のロの③に該当する代替取得農地等を取得している場合

① 相続又は遺贈により取得した特例農地等の相続時の面積………20ha

② 既往において買取りの申出等があった特例農地等の面積……… 4 ha

　うち譲渡等に係る特例農地等の面積………3.5ha

③ ②のうち、（5）のロの①の規定により譲渡等がなかったものと

　みなされた特例農地等の面積……… 3 ha

－809－

第八章第一節《農地についての相続税の納税猶予及び免除等の特例》

④　③のうち(5)の□の②の規定により買取りの申出等があったもの
　　とみなされた特例農地等の面積………１ha

⑤　代替取得農地等の面積………４ha

⑥　今回譲渡等をした特例農地等の面積………4.5ha
　　うち収用交換等による譲渡等に係る特定農地等の面積………０
　　差　　　引……………………………………………………………4.5ha

（計算）

　イ　「A」の数値（①）　　　　　20ha
　ロ　「B」の数値（⑥）　　　　　4.5ha
　ハ　「C」の数値　　　　　　　　　0
　ニ　「D″」の数値（③）　　　　　3ha
　ホ　「E″」の数値（④）　　　　　1ha
　ヘ　「F」の数値（⑤）　　　　　4ha
　ト　100分の20を超えるかどうかの計算

$$\frac{B+C}{A+(F-D''+E'')}=\frac{4.5+0}{20+(4-3+1)}=\frac{4.5}{22}>\frac{20}{100}$$

　　　この場合には、措置法第70条の６第１項第１号の規定（20％超）に該当します。

（３）　納税猶予分の相続税の一部について納税猶予が打ち切られる場合

　上記(1)に述べた納税猶予期限（同日前に(2)により納税猶予の全部打切りが行われるときは、その事実があった日）が到来するまでの間に、次の事実が生じた場合には、猶予税額のうち、その事実に対応する部分の納税猶予が打ち切られ、その事実の生じた日の翌日から２か月を経過する日に納税猶予期限が到来しますので、農業相続人は、その対応する猶予税額を、その期限までに納付しなければなりません（措法70の６①⑦⑧、措令40の７⑱）。（平成４年１月１日以後の相続等に係る特例農地等について買取りの申出等があった場合の納税猶予の打切りについては、(5)参照）

①	特例農地等の面積の20％以内の部分について、任意に譲渡等した場合
②	収用等により又は買取りの申出等があった農地等につき譲渡をした場合（措令40の７⑨）
③	相続税の申告書の提出期限から10年を経過する日において「未開発の準農地」がある場合

　上記の「未開発の準農地」とは、準農地のうち、次のイ又はロに掲げるもの以外のものをいいます。

　イ　農地又は採草放牧地に開発して農業相続人の農業の用に供されているもの

　ロ　農地又は採草放牧地の保全又は利用上必要な道路、用水路、排水路、かんがい用施設、その他これらに類する施設となっているもの（措令40の７⑰）

　　なお、未開発の準農地には、使用貸借の権利や賃借権の設定されたもの（他人に貸し付けたもの）及び転用されたものは含まれません。

（注）　地下地上権の設定された農地等がある場合の取扱い（昭54.３.10直資２-75）

　　　　相続税の納税猶予の適用を受けた農地等について、水資源開発公団が行う用水事業のために、用水路施設の設置又は所有を目的とする地上権が設定された場合、その地上権の範囲が地下の部分であり、かつ、その農地等について用水路施設設置工事完了後、その所有者の農業の用に供することになっているときは、その地上権の価額に対応する部分の相続税の納税猶予が打ち切られることとされています。

（４）　特例農地等の買換えの場合の納税猶予の継続

①　特例農地等を譲渡等した場合において、譲渡等の日から１年以内に、その対価の額の全部又は一部をもって農地又は採草放牧地（三大都市圏の特定市の特例適用農地等を収用交換等のために譲渡

－810－

した場合には、譲渡後1年以内に農地等に該当することとなる見込みのある土地）を取得する見込みであることについて税務署長の承認を受けたときは、任意譲渡等の20％の範囲及び譲渡等した特例農地等に係る納税猶予の打切りについては、次に掲げるような買換え部分については適用されません（措法70の6⑲）。

イ　税務署長が承認した譲渡等はなかったものとされます。

ロ　譲渡等した日から1年を経過する日において、税務署長が承認した譲渡等の対価の額のうち、農地又は採草放牧地の取得に充てられていない対価の額に相当する特例農地等は、1年を経過する日に譲渡等したものとされます。

ハ　譲渡等した日から1年を経過する日までに、税務署長が承認した譲渡等の対価で、農地又は採草放牧地を取得した場合には、その取得した農地又は採草放牧地は、譲渡等をしなかった特例農地等として、納税猶予を継続して受けることができます。

なお、贈与税の納税猶予の適用に係る生前一括贈与を受けた特例農地等を譲渡等し、1年以内に農地又は採草放牧地を取得する見込みで、税務署長の承認を受けている場合において、その譲渡等した日から1年以内に贈与者が死亡したことに伴い、生前一括贈与により取得した農地等が相続により取得したとみなされた農地等について相続税の納税猶予の適用を受けたときは、その譲渡等及び承認は相続税の納税猶予に係る特例農地等の譲渡等及び買換えについての税務署長の承認とみなされます（措令40の7㉛）。したがって、譲渡等した日から1年以内に農地又は採草放牧地を取得していないときは、その1年を経過する日に譲渡等したものとされ、また1年以内に農地又は採草放牧地を取得したときは、その買換え取得した農地又は採草放牧地は、特例農地等とみなされて、相続税の納税猶予を継続して受けることができます。

(注)　特例農地等につき、土地改良法又は土地区画整理法の規定による換地処分があった場合にも「換地処分」は納税猶予の規定上「譲渡等」に該当することになりますので、納税猶予を継続して適用を受けるためには、承認申請書の提出が必要です。

② 平成26年4月1日以後の譲渡については、三大都市圏の特定市の特例農地等を収用交換等のために譲渡した場合において、譲渡後1年以内に、特例農地等以外の農地等又は譲渡後1年以内に農地等に該当することとなる土地（その譲渡があった日において納税猶予適用者が有していたものに限り、譲渡をした特例農地等に係る相続等の開始前において有していたものを除きます。以下「代替特例農地等」といいます。）で、譲渡時における価額がその譲渡対価の額の全部又は一部に相当するものを譲渡をした特例農地等に代わるものとして農業の用に供する見込みであることにつき、税務署長の承認を受けたときは、次のとおりとされました（措法70の6⑳）。

イ　その譲渡はなかったものとみなされます。

ロ　譲渡後1年を経過する日において、その譲渡対価の額の全部又は一部に相当する価額の代替特例農地等が農業の用に供されていない場合には、譲渡した特例農地等のうち、その農業の用に供されていないものに相当する部分については、その日において譲渡がされたものとみなされます。

ハ　譲渡後1年を経過する日までに、その譲渡対価の額の全部又は一部に相当する価額の代替特例農地等が農業の用に供された場合には、その農業の用に供された代替特例農地等は、特例農地等とみなされます。

③ 買換えについて税務署長の承認を受けるための手続

上記①に掲げる税務署長の承認を受けようとする場合には、その譲渡等した日から1月以内に次の事項を記載した承認申請書を納税地の所轄税務署長に提出しなければなりません（措令40の7㉙）。

イ　申請者の氏名及び住所

ロ　その譲渡等に係る特例農地等の明細、その特例農地等の被相続人からの相続又は遺贈による取得の時における農業投資価格控除後の価額及びその計算の明細並びにその譲渡等の対価の額

ハ　取得しようとする農地又は採草放牧地の明細、取得予定年月日及び取得価額の見積額

－811－

ニ その他参考となるべき事項

なお、この申請書の提出があった日から1月以内に税務署長が、その申請の承認又は却下の処分をしないときは、その申請の承認があったものとみなされます（措令40の7⑳）。

（5） 買取りの申出等があった場合の納税猶予の一部打切り及び買換え等の承認を受けた場合の納税猶予の継続（平成4年1月1日以後の相続又は遺贈により取得した農地等について適用）

イ 納税猶予の一部打切り

上記(1)に述べた納税猶予期限〔同日前に(2)の規定による納税猶予の全部打切りがあった場合には、その事実があった日〕が到来するまでの間に、次の①又は②の事実（以下、「**買取りの申出等**」といいます。）が生じた場合には、納税猶予税額のうち、買取りの申出等があった農地等に対応する納税猶予税額について納税猶予が打ち切られ、買取りの申出等があった日から2か月を経過する日（買取りの申出等があった日以後その2か月を経過する日以前に農業相続人が死亡した場合には、その農業相続人の相続人が農業相続人の死亡による相続があったことを知った日の翌日から6か月を経過する日）に納税猶予の期限が到来しますので、農業相続人は、その対応する納税猶予税額をその納税猶予の期限までに納付しなければなりません（措法70の6⑧）。

① 特例農地等のうちに都市営農農地等がある場合において、その都市営農農地等について次に掲げる場合に該当したとき

　イ 生産緑地法第10条（同法第10条の5の規定により読み替えて適用する場合を含みます。）又は第15条第1項の規定による買取りの申出があった場合

　ロ 生産緑地法第10条の6第1項の規定による指定の解除があった場合

② 特例農地等が都市計画の決定又は変更（平成3年改正前の旧生産緑地法に基づく第二種生産緑地地区に関する都市計画の失効を含みます。）により、新たに特定市街化区域農地等に該当することとなったとき（市街化区域への編入又は生産緑地地区外への編入）（その変更により田園住居地域内にある農地又は地区計画農地保全条例による制限を受ける区域内にある農地でなくなった場合を除きます。）

（注） 都市営農農地等である特例農地等について、特定生産緑地の指定がされなかった場合及び指定期限日までに特定生産緑地の指定の期限の延長がされなかった場合であっても、これらの場合はイに該当しないため、納税猶予の期限は確定しないことに注意してください。

　　ただし、これらの場合に該当する農地又は採草放牧地については、都市営農農地等に該当しないこととなるため、その農地又は採草放牧地を贈与により取得してもこの特例の適用はありません（措通70の6－41の2、70の4－37の2）。

ロ 買取りの申出等に係る特例農地等の買換え又は都市営農農地等に該当予定につき税務署長の承認を受けた場合の納税猶予の継続

特例農地等につき買取りの申出等があった日から1年以内にその買取りの申出等があった農地等の全部又は一部の譲渡等をする見込みであり、かつ、その譲渡等があった日から1年以内に譲渡等の対価の全部又は一部をもって特例対象となる農地又は採草放牧地を取得する見込みであること、又は買取りの申出等があった日から1年以内に該当農地等の全部又は一部が都市営農農地等に該当することとなる見込みであることにつき、税務署長の承認を受けたときは、上記の**イ**にかかわらず、その承認を受けた買取りの申出等に係る特例農地等については、次に掲げるところにより承認内容どおりの買換取得農地等又は都市営農農地等に該当することとなった農地等に対応する納税猶予税額について納税猶予の継続が認められます（措法70の6㉑）。

① 税務署長が承認した買取りの申出等に係る農地等の譲渡等又は買取りの申出等はなかったものとされます。

② 買取りの申出等があった日から1年を経過する日までに税務署長の承認に係る譲渡等をしなかった場合又は都市営農農地等に該当する見込みの農地等が都市営農農地等に該当することとならなか

った場合、及び同日において税務署長が承認した譲渡等の対価のうち、農地又は採草放牧地の取得に充てられていない金額があるときは、これらに該当する部分の買取りの申出等に係る特例農地等は、その1年を経過する日において買取りの申出等があったものとされます（同日から2か月を経過する日が納税猶予の期限とされます。）。

③ 買取りの申出等があった日から1年を経過する日までに都市営農農地等に該当することとなった農地等又は税務署長が承認した譲渡等の対価で農地又は採草放牧地を取得したときのその代替取得農地等は、特例農地等として引き続き納税猶予を受けることができます。

なお、贈与税の納税猶予の適用を受けた生前一括贈与に係る農地等につき、上記イの①又は②に掲げる事実が生じたことにより、贈与税についての上記に準ずる税務署長の承認を受けている場合において、その贈与者が買取りの申出等があった日から1年以内に死亡したことによりその農地等が相続により取得したものとみなされて相続税の納税猶予の適用対象とされる場合には、その農地等についての買取りの申出等又は税務署長の承認とみなされます（措令40の7⑩）。したがって、買取りの申出等があった日から1年以内にその農地等が都市営農農地等に該当することとなった場合又は税務署長の承認に係る代替取得農地等を取得した場合には、これらの農地等は相続税の納税猶予の対象となる特例農地等とみなされ、相続税の納税猶予が継続されることになります。

ハ 税務署長の承認を受けるための手続

上記のロに掲げる税務署長の承認を受けようとする場合に、その買取りの申出等があった日から1か月以内に、次の事項を記載した承認申請書を納税地の所轄税務署長に提出しなければなりません（宥じょ規定はありません。）（措令40の7㊳）。

① 申請者の氏名及び住所

② その買取りの申出等に係る特例農地等の明細、その特例農地等の被相続人からの相続又は遺贈による取得の時における農業投資価格控除後の価額及びその計算の明細

③ 買取りの申出等の内容及びその年月日

④ 買取りの申出等があった特例農地等を譲渡等する見込みの場合には、その譲渡等の予定年月日、その譲渡等の対価の見積額及び代替取得農地等の明細、取得予定年月日並びに取得価額の見積額

⑤ 買取りの申出等があった日から1年以内に特例農地等が都市営農農地等に該当することとなる見込みの場合には、その該当することとなる予定年月日

⑥ その他参考となるべき事項

なお、この申請書の提出があった日から1か月以内に、税務署長がその申請の承認又は却下の処分をしないときは、その申請の承認があったものとみなされます（措令40の7㊴）。

また、この承認申請書について税務署長の承認を受けた農業相続人は、後日取得した代替取得農地等又は都市営農農地等に該当することとなった農地等について、それらの農地等が平成3年1月1日において特定市街化区域農地等の判定上の特定の区・市の区域内に所在する場合には特例農地等に該当する旨、都市営農農地等に該当する場合には都市営農農地等に該当する旨を証する市長又は東京都特別区の区長の書類（又はその写し）を添付した所定の届出書を承認申請に係る所轄税務署長に提出しなければなりません（措規23の8⑳㉑、23の7㉕㉖）。

（6） 使用貸借に係る権利を譲渡等した場合の取扱い

贈与税の納税猶予の適用を受けた受贈者が経営移譲年金の支給を受けるため、その農地等に使用貸借権の設定をして後継者たる推定相続人に農地等を使用させている場合において、贈与者が死亡したため、受贈者が農業相続人としてその農地等につき相続税の納税猶予の適用を受けているときにおいて、その後継者たる推定相続人がその使用貸借権を譲渡等し又は農業経営を廃止した場合には、農業相続人が譲渡等し又は廃止したものとみなし、その後継者が受贈者の推定相続人でなくなった場合には、その日において農業相続人が農業経営を廃止したものとみなして納税猶予の打切りを行うこととされます。以下各場合について説明します。

イ　推定相続人が使用貸借権を譲渡等した場合

　推定相続人が農地の生前贈与による受贈者である農業相続人から設定を受けた使用貸借権を譲渡等した場合には、農業相続人がその使用貸借権を譲渡等したものとみなされます（措法70の６⑨）。したがって、推定相続人が使用貸借権を譲渡等した場合において、次の算式により計算した割合が20％を超えれば、農業相続人の特例農地等のすべてについて納税猶予が打ち切られることになり、その割合が20％以下であれば、譲渡等した使用貸借権に係る農地等の部分に対応する税額の納税猶予が打ち切られることになって、その事実が生じてから２か月以内にそれぞれの税額を納付しなければならないことになります（措法70の６①⑦⑨）。

$$\frac{\left(\begin{array}{l}\text{今回の推定相続人が「任意譲渡}\\\text{等」した使用貸借権等に係る農}\\\text{地等の面積}\end{array}\right)+\left(\begin{array}{l}\text{前回までに農業相続人が「任意譲渡等」した農}\\\text{地等の面積と推定相続人が「任意譲渡等」した}\\\text{使用貸借権等に係る農地等の面積との合計}\end{array}\right)}{\left(\begin{array}{l}\text{今回の「使用貸借権等の任意譲}\\\text{渡等」の直前の農業供用中の農}\\\text{地等の面積}\end{array}\right)+\left(\begin{array}{l}\text{前回までに農業相続人が「譲渡等」した農地等}\\\text{の面積と推定相続人が「譲渡等」した使用貸借}\\\text{権等に係る農地等の面積との合計}\end{array}\right)}$$

(注)　上記算式による計算に当たっては、次の事項に留意してください。

　① 今回の推定相続人がした「任意譲渡等」には、次のものは含まれません（措法70の６①一、措令40の７⑲一）。

　　〈イ〉 措法第33条の４第１項に規定する収用交換等又は買取りの申出等があった特例農地等に係る使用貸借権の譲渡等

　　〈ロ〉 農業相続人が使用貸借権の設定された農地等を譲渡等したことに伴う使用貸借権の譲渡等

　② 「使用貸借権等の任意譲渡等」の直前における農業供用中の農地等の面積については、措法第70条の４第６項の規定の適用に係る推定相続人の農業の用に供されている農地等の面積によります（措令40の７⑲一）。

　③ 前回までに推定相続人が譲渡等した使用貸借権には、①の〈ロ〉の使用貸借権の譲渡等は含まれません（措令40の７⑲一）。

　④ 推定相続人が使用貸借権の設定に係る農地等を転用した場合には、農業相続人が転用したものとみなされます（措令40の７⑲四）。

ロ　推定相続人が農業経営を廃止した場合

　① 推定相続人が設定を受けた使用貸借権に係る農地等に係る農業経営を廃止した場合には、農業相続人が農業経営を廃止したものとみなされます（措法70の６①二、⑨一）。

　　したがって、その廃止により農業相続人の特例農地等のすべてについて納税猶予が打ち切られ、その事実が生じてから２か月以内に猶予税額の全部を納付しなければならないことになります。

　② 推定相続人が死亡した場合には、その農業経営が廃止されることになるので、納税猶予も打ち切られることになりますが、贈与税の場合と同様に、次の場合には特例が設けられています（措令40の７⑲二、三）。

　　イ 他の推定相続人等が新たに使用貸借権の設定を受けて農業経営を開始した場合には、納税猶予が継続されます。

　　ロ 農業相続人が自らその農地等についての農業経営を再開した場合にも、納税猶予が継続されます。

ハ　農業相続人の推定相続人に該当しないこととなった場合

　使用貸借権の設定を受けている推定相続人が農業相続人の推定相続人に該当しないこととなった場合には、その該当しないこととなった日に農業相続人が農業経営を廃止したものとみなされます（措法70の６⑨二）。

　したがって、推定相続人に該当しなくなったことによって、農業相続人の特例農地等のすべてについて納税猶予が打ち切られます。

第八章第一節《農地についての相続税の納税猶予及び免除等の特例》

（7） 特例適用農地等を農用地利用集積等促進計画の定めるところによる賃借権等の設定により貸し付けた場合（相続税の借換え特例）

　農地等についての相続税の納税猶予の適用を受けている者（以下「農業相続人」といいます。）が、納税猶予の適用を受けている農地又は採草放牧地（以下「特例適用農地等」といいます。）の全部又は一部を農地中間管理事業の推進に関する法律第18条第8項に規定する農用地利用集積等促進計画の定めるところによる使用貸借による権利又は賃借権（以下「賃借権等」といいます。）の設定に基づいて貸し付けた場合において、その貸し付けた農地等（以下「貸付特例適用農地等」といいます。）に代わるものとして農業相続人の農業の用に供する農地等を農用地利用集積等促進計画の定めるところによる賃借権等の設定に基づいて借り受けたときには、一定の要件を満たす場合に限り、その貸付特例適用農地等に係る賃借権等の設定はなかったものとみなされ、継続して相続税の納税猶予が受けられます（以下この制度を「相続税の借換え特例」といいます。）（措法70の6⑩）。

イ　適用要件

　相続税の納税猶予の継続適用が認められるためには、次の要件のすべてに該当していることが必要です（措法70の6⑩、措令40の7㉑、措規23の8⑩により読み替えて準用する措規23の7⑮）。

① 農業相続人が、貸付特例適用農地等に代わるものとして農用地利用集積等促進計画の定めるところによる賃借権等の設定に基づいて借り受けている農地又は採草放牧地（以下「借受代替農地等」といいます。）の面積がその貸付特例適用農地等の面積の80％以上であること

② 借受代替農地等に係る賃借権等の設定をした日がその借受代替農地等に係る貸付特例適用農地等に係る賃借権等の設定をした日以前2か月以内の日であること

③ 貸付特例適用農地等に係る賃借権等の存続期間の満了日が貸付特例適用農地等に係るすべての借受代替農地等に係る賃借権等の存続期間の満了日以前の日であること

④ 借受代替農地等につき口の規定により届け出たものであること

ロ　納税猶予の継続適用を受けるための手続

　農業相続人が貸付特例適用農地等に係る賃借権等の設定をし、借受代替農地等を借り受けた場合において、納税猶予の継続適用を受けるためには、貸付特例適用農地等についてこの（7）の規定の適用を受ける旨及びイの要件を満たすものである旨並びに所要の事項を記載した「借換届出書」に所要の書類を添付して、貸付特例適用農地等に係る賃借権等の設定をした日から2か月以内に納税地の所轄税務署長に提出しなければならないことになっています（措法70の6⑪、措令40の7㉒）。

【借換届出書の記載事項】（措規23の8⑪により読み替えて準用する措規23の7⑯）

① 届出者の氏名及び住所又は居所

② 貸付特例適用農地等に係る事項で次に掲げるもの

〈イ〉 貸付特例適用農地等（貸付特例適用農地等に係る農用地利用集積計画の定めるところによる賃借権等の設定に基づき貸し付けた農地又は採草放牧地が2以上ある場合には、それぞれの農地又は採草放牧地をいいます。以下②において同じ。）の所在、地番、地目及び面積

〈ロ〉 貸付特例適用農地等に係る被相続人の氏名、住所及びその被相続人から相続又は遺贈によりその貸付特例適用農地等を取得した年月日

〈ハ〉 貸付特例適用農地等が相続税の納税猶予の適用を受けている農地又は採草放牧地の一部である場合には、納税猶予の適用を受けている農地又は採草放牧地の全部の面積

③ 貸付特例適用農地等に係る借受代替農地等の賃借権等の設定に関する事項で次に掲げるもの（貸付特例適用農地等に係る借受代替農地等が2以上ある場合には、それぞれの借受代替農地等の賃借権等の設定に関する事項をいいます。以下同じ。）

〈イ〉 借受代替農地等の所在、地番、地目及び面積

〈ロ〉 借受代替農地等に係る農用地利用集積等促進計画の農地中間管理事業の推進に関する法律第18条第7項に規定する公告があった年月日

－815－

第八章第一節《農地についての相続税の納税猶予及び免除等の特例》

〈ハ〉　借受代替農地等に係る農用地利用集積等促進計画において定められている借受代替農地等に係る賃借権等の設定を行った者の氏名及び住所

〈ニ〉　借受代替農地等に係る賃借権等の種類、設定をした日及び存続期間

④　貸付特例適用農地等に係る借受代替農地等のすべてに係る土地の面積の合計の貸付特例適用農地等に係る土地の面積に対する割合

⑤　その他参考となるべき事項

【借換届出書に添付する書類】（措規23の8⑫により読み替えて準用する措規23の7⑰）

①　貸付特例適用農地等に係る農用地利用集積等促進計画につき農地中間管理事業の推進に関する法律第18条第7項の規定による公告をした者のその公告をした旨及びその公告の年月日を証する書類

②　借受代替農地等に係る農用地利用集積等促進計画につき農地中間管理事業の推進に関する法律第18条第7項の規定による公告をした者のその公告をした旨及びその公告の年月日を証する書類

③　借換届出書に記載した貸付特例適用農地等に係る賃借権等の設定に関する事項、貸付特例適用農地等に係る農用地利用集積等促進計画の定めるところによる賃借権等の設定に基づき貸し付けた農地又は採草放牧地が2以上ある場合には、それぞれの農地又は採草放牧地に係る賃借権等の設定に関する事項及び借受代替農地等に係る賃借権等の設定に関する事項を明らかにする書類並びに【借換届出書の記載事項】の④に規定する割合の計算の明細を記載した書類

なお、借換届出書は、農用地利用集積等促進計画の定めるところによる賃借権等の設定に基づき貸し付けた特例適用農地等が2以上ある場合には、同計画において定められている賃借権等の存続期間（始期及び終期）が同一であるものごとに提出しなければなりません。また、2以上の農用地利用集積等促進計画によりその貸し付けが行われた場合には、それぞれの農用地利用集積等促進計画ごとに、かつ、その貸付けに係る賃借権等の存続期間が同一であるものごとに借換届出書を提出しなければなりません（措通70の6－53により準用する措通70の4－57）。

(注)　イの面積要件及び期間要件の判定も借換届出書ごとに行うことに留意してください。

ハ　賃借権等の設定があったものとして納税猶予が打ち切られる場合

貸付特例適用農地等につき、次に掲げる場合のいずれかに該当することとなった場合には、それぞれに掲げる日から2か月を経過する日に納税猶予期限が確定します（措法70の6⑫）。

①　貸付特例適用農地等に係る借受代替農地等のすべてに係る土地の面積の合計（農業相続人の農業の用に供されていない土地の面積を除きます。）の貸付特例適用農地等に係る土地の面積に対する割合が80％未満となった場合（②に掲げる場合を除きます。）……その事実が生じた日

(注)　80％以上の割合要件を満たす限りにおいては、借受代替農地等の一部に係る賃借権等が消滅した場合であっても、納税猶予期限は確定しません（措通70の6－59により準用する措通70の4－63）。〔②に掲げる場合を除きます。〕

②　貸付特例適用農地等に係る借受代替農地等の全部又は一部につき耕作の放棄があった場合……その借受代替農地等について農地法第36条第1項の規定による勧告があった日

(注)　②の場合には、貸付特例適用農地等の全部について賃借権等のあったものとして、納税猶予の期限が確定します（措通70の6－59の2により準用する措通70の4－63の2）。

③　貸付特例適用農地等を借り受けた者（農地中間管理事業の推進に関する法律第2条第4項に規定する農地中間管理機構が借り受けた者である場合には、その農地中間管理機構から借り受けた者）がその貸付特例適用農地等の全部又は一部につき、農地等としてその者の農業の用に供していない場合（当該貸付特例適用農地等につき耕作の放棄があった場合を含みます。）……その農業相続人がその事実が生じたことを知った日

(注)　農業相続人が自己の都合により貸付特例適用農地等の全部又は一部に係る賃借権等を解約した場合には、③に該当します（措通70の6－60により準用する措通70の4－64）。

－816－

第八章第一節《農地についての相続税の納税猶予及び免除等の特例》

ニ　再借受代替農地等を借り受けた場合又は賃借権等を消滅させた場合の納税猶予の継続

ハの①又は③に該当する場合であっても、農業相続人が、それぞれに掲げる日から２か月を経過する日までに、次に掲げる措置を講じ、納税地の所轄税務署長に対し、一定の事項を記載した変更の借換え特例の届出書に一定の書類を添付して提出した場合には、引き続き納税猶予が継続されます（措法70の６⑬、措令40の７㉓㉔）。

① 自己の農業の用に供する農地等を新たに農用地利用集積等促進計画の定めるところによる賃借権等の設定に基づいて借り受けたこと（その借受けに係る農地等の賃借権等の存続期間の満了の日が、その農地等に係る貸付特例適用農地等に係る賃借権等の存続期間の満了の日以後であるものに限ります。）により80％以上の割合要件を満たすこととなったとき

② その貸付特例適用農地等の全部に係る賃借権等を消滅させたとき

ホ　１年ごとの継続届出書の提出

この相続税の借換え特例の適用を引き続き受けようとする農業相続人は、納税地の所轄税務署長に対し、借換届出書ごとにそれを提出した日の翌日から起算して１年を経過するごとの日まで（以下「期限内」といいます。）に、貸付特例適用農地等に係る賃借権等の状況その他一定の事項を記載した継続届出書に一定の書類を添付して提出しなければなりません（措法70の６⑭）。

なお、継続届出書が期限内に提出されなかった場合には、その提出期限の翌日から２か月を経過する日に納税猶予期限が確定します。

ただし、その継続届出書が期限内に提出されなかったことについて納税地の所轄税務署長がやむを得ない事情があると認める場合において、その提出があったときにはこの限りではありません（措法70の６⑮）。

ヘ　賃借権等が消滅した場合の届出書の提出

貸付特例適用農地等につき、次に掲げるいずれかの場合に該当することとなった場合には、農業相続人は納税地の所轄税務署長に対し、それぞれに掲げる賃借権等が消滅した日から２か月以内に一定の事項を記載した届出書（以下「終了届出書」といいます。）を提出しなければなりません（措令40の７㉘）。

① 貸付特例適用農地等に係る賃借権等の存続期間が満了したことによりその賃借権等が消滅した場合

② 貸付特例適用農地等に係る賃借権等の存続期間の満了前にその賃借権等の解約が行われたことによりその賃借権等が消滅した場合

(注１)　ヘに該当する場合において、農業相続人が納税地の所轄税務署長に対し、前記ニの変更の届出書を提出する場合には、終了届出書の提出は要しません（措通70の６－61により準用する措通70の４－65（注））。

(注２)　(7)の規定は、基盤強化法等改正法の施行の日（令和５年４月１日）以後に相続又は遺贈（贈与をした者の死亡により効力を生ずる贈与を含みます。以下同じです。）により取得をする特例農地等に係る相続税について適用し、同日前に相続又は遺贈により取得をした特例農地等に係る相続税については、なお従前の例によります（令４改法附51⑪）。

(注３)　基盤強化法等改正法の施行の日（令和５年４月１日）以後に改正前の(7)の農地等の全部又は一部が基盤強化法等改正法附則第５条第２項の規定によりなおその効力を有するものとされる同改正前の(7)に規定する農用地利用集積計画の定めるところにより貸し付けられ、又は借り受けられる場合には、改正後の(7)に規定する農用地利用集積等促進計画の定めるところにより貸し付けられ、若しくは借り受けられたものとみなして、(7)の規定が適用されます（令４改法附51⑮）。

－817－

第八章第一節《農地についての相続税の納税猶予及び免除等の特例》

（8） 一時的道路用地等の用に供するための地上権等の設定

　農地等について相続税の納税猶予の適用を受けている農業相続人が、納税猶予期限前に納税猶予の適用を受けている特例農地等の全部又は一部を**一時的道路用地等**の用に供するために地上権、賃借権又は使用貸借による権利の設定（民法第269条の2第1項の地上権の設定を除きます。以下（8）において「地上権等の設定」といいます。）に基づき貸付けを行った場合において、その貸付けに係る期限（以下「貸付期限」といいます。）の到来後遅滞なく一時的道路用地等の用に供していた特例農地等をその農業相続人の農業の用に供する見込みであることにつき、納税地の所轄税務署長の承認を受けたときには、次によります（措法70の6㉒）。

①	上記の承認に係る地上権等の設定は、なかったものとして納税猶予が継続されます。
②	その農業相続人が、その貸付期限から2か月を経過する日までにその一時的道路用地等の用に供されていた特例農地等の全部又は一部をその農業相続人の農業の用に供していない場合には、その特例農地等のうちその農業相続人の農業の用に供していない部分は、同日において地上権等の設定があったものとして納税猶予が打ち切られます。
③	一時的道路用地等の用に供されている特例農地等の全部又は一部のうちに準農地がある場合は、その準農地については相続税の申告書の提出期限から10年を経過する日又は貸付期限から2か月を経過する日のいずれか遅い日までに農地若しくは採草牧草地としてその農業相続人の農業の用に供されていないときは、納税猶予が打ち切られます。

（注1）　「一時的道路用地等」とは、道路法による道路に関する事業、河川法が適用される河川に関する事業、鉄道事業法による鉄道事業者がその鉄道事業で一般の需要に応ずるものの用に供する施設に関する事業その他これらの事業に準ずる事業としてその事業に係る主務大臣が認定したもののために一時的に使用する道路、水路、鉄道その他の施設の用地で代替性のないものとして主務大臣が認定したものをいいます。

（注2）　一時的道路用地等に係る事業が、道路に関する事業、河川に関する事業及び鉄道事業である場合には、事業に係る主務大臣の認定は要しません。ただし、その場合でも一時的道路用地等として地上権等の設定に基づき貸し付けられる特例農地等が代替性のない施設の用地であることの主務大臣の認定は必要とされます（措通70の6－68により準用する措通70の4－73）。

（注3）　一時的道路用地等の用に供するための地上権等の設定に基づく貸付けは、その一時的道路用地等に係る事業の施行者に対して行わなければなりません。したがって、その事業の施行者から業務を請け負った業者等に対してその貸付けを行った場合には、（8）の適用はありません（措通70の6－69により準用する措通70の4－74）。

イ　所轄税務署長の承認を受けるための手続

　（8）の所轄税務署長の承認を受けようとする農業相続人は、一時的道路用地等の用に供するために地上権等の設定に基づき貸付けを行った特例農地等についてこの特例の適用を受けようとする旨の申請書で、地上権等の設定に基づき貸し付けた特例農地等の明細、その貸し付けた特例農地等を自己の農業の用に供する予定年月日その他一定の事項を記載したものに、所要の書類を添付して、その貸付けを行った日から1か月以内に、納税地の所轄税務署長に提出しなければなりません（措令40の7㊷㊸）。

　なお、上記の申請書の提出があった場合において、その提出の日から1か月以内に申請の承認又は却下の処分がなかったときは、申請の承認があったものとみなされます（措令40の7㊹）。

ロ　1年ごとの継続貸付届出書の提出

　（8）の適用を受ける農業相続人は、所轄税務署長の承認を受けた日の翌日から起算して1年を経過するごとの日までに、一時的道路用地等の用に供されている特例農地等に係る地上権等の設定に関する事項その他一定の事項を記載した届出書（継続貸付届出書）を納税地の所轄税務署長に提出しなけ

－818－

ればなりません（措法70の6㉓）。

　なお、継続貸付届出書がその提出期限までに提出されなかった場合には、その提出期限の翌日から２月を経過する日に地上権等の設定があったものとして納税猶予期限が確定します。

　ただし、その継続貸付届出書がその提出期限までに提出されなかったことについて、納税地の所轄税務署長がやむを得ない事情があると認める場合において、その提出があったときはこの限りではありません（措法70の6㉔）。

ハ　農業相続人が死亡した場合の特例の適用

　（8）の適用を受けている農業相続人が死亡した場合においては、次に掲げる場合を除き、農業相続人の相続人に係る（8）の適用については、一時的道路用地等の用に供されている特例農地等はその農業相続人がその死亡の日まで農業の用に供していたものとみなして、また、その特例農地等は（8）の承認を受けた特例農地等とみなして、本章の規定が適用されます。この場合において、その死亡による相続又は遺贈に係る相続税の課税価格に算入すべき特例農地等の価額は、一時的道路用地等の用に供されていないものとした場合におけるその特例農地等としての価額によります（措法70の6㉕、措令40の7㊼）。

① 　農業相続人の耕作若しくは養畜の事業に係る事務所、作業場、倉庫その他の施設又はこれらの事業に従事する使用人の宿舎の敷地であったものが、一時的道路用地等の用に供されていた場合

② 　農地等の保全又は利用上必要な道路、用水路、排水路、かんがい用施設その他これらに類する施設の用地であったものが、一時的道路用地等の用に供されていた場合

ニ　地上権等が消滅した場合の届出書の提出

　（8）の適用を受けている農業相続人は、一時的道路用地等の用に供されている特例農地等につき、貸付期限の到来により地上権等が消滅した場合又はその貸付期限の到来前に地上権等の解約が行われたことにより地上権等が消滅した場合には、その消滅した旨、その特例農地等を農業相続人の農業の用に供している旨その他一定の事項を記載した届出書に、農業委員会の証明書でその農業相続人の農業の用に供されている旨を証するものその他の書類を添付し、これを地上権等が消滅した日から2か月以内に、納税地の所轄税務署長に提出しなければなりません（措令40の7㊾）。

ホ　事業の施行の遅延により貸付期限が延長される場合の届出書の提出

　（8）の適用を受けている特例農地等を一時的道路用地等の用に供している場合において、一時的道路用地等に係る事業の施行の遅延により貸付期限が延長されることとなったときは、農業相続人は、引き続き（8）の適用を受けようとする旨、貸付期限の延長に係る特例農地等の明細等を記載した届出書に、貸付期限を延長する事情の詳細を記載したその事業の施行者の書類その他一定の書類を添付して、これを貸付期限の到来する日から1か月以内に、納税地の所轄税務署長に提出しなければなりません（措令40の7�51）。

（9）　営農困難時貸付けの特例

　農業相続人が、障害、疾病その他の事由により相続税の納税猶予の適用を受ける農地等についてその農業相続人の農業の用に供することが困難な状態となった場合において、その農地等について地上権、永小作権、使用貸借による権利又は賃借権の設定（民法第269条の2第1項の地上権の設定を除きます。以下「権利設定」といいます。）に基づく貸付け（以下「営農困難時貸付け」といいます。）を行ったときは、その営農困難時貸付けを行った日から2か月以内に、営農困難時貸付けを行っている旨の届出書を納税地の所轄税務署長に提出したときに限り、営農困難時貸付けを行った特例農地等（以下「営農困難時貸付特例農地等」といいます。）に係る権利設定はなかったものと、農業経営は廃止していないものとみなされます（措法70の6㉘において準用する70の4㉒）。

（注）　（9）については、農地法等の一部を改正する法律（平成21年法律第57号）の施行の日（平成21年12月15日）以前に相続又は遺贈により取得した特例農地等に係る相続税についてもその農業相続人の選択により適用されます（平21改所法等附66⑦⑧）。

第八章第一節《農地についての相続税の納税猶予及び免除等の特例》

イ　営農困難な状態

（9）の農業の用に供することが困難な状態は、農業相続人（相続税の申告書の提出期限において既に次に掲げる事由が生じていた者は除かれます。）に次に掲げる事由が生じている状態とされます（措令40の7�55において準用する措令40の6�51）。

① 当該農業相続人が精神保健及び精神障害者福祉に関する法律第45条第2項の規定により精神障害者保健福祉手帳（精神保健及び精神障害者福祉に関する法律施行令（昭和25年政令第155号）第6条第3項に規定する障害等級が1級である者として記載されているものに限ります。）の交付を受けていること

② 当該農業相続人が身体障害者福祉法第15条第4項の規定により身体障害者手帳（身体上の障害の程度が一級又は二級である者として記載されているものに限ります。）の交付を受けていること

③ 当該農業相続人が介護保険法第19条第1項の規定により同項に規定する要介護認定（同項の要介護状態区分が要介護認定等に係る介護認定審査会による審査及び判定の基準等に関する省令（平成11年厚生省令第58号）第1条第1項第5号に掲げる区分に該当するものに限ります。）を受けていること

④ 当該農業相続人が相続税の申告書の提出期限後に農業に従事することを不可能にさせる故障として農林水産大臣が財務大臣と協議して定めるものを有するに至ったことにつき、市町村長又は特別区の区長の認定を受けていること

　（注）　提出期限後に新たに当該事由が生じた者並びに②の身体障害者手帳の交付を受けている者のうち、提出期限後に身体障害者手帳に記載された身体上の障害の程度が2級から1級に変更された者及び身体上の障害の程度が1級又は2級である障害が当該身体障害者手帳に新たに記載された者は適用対象となります。

ロ　営農困難時貸付けの意義

営農困難時貸付けは、相続税の納税猶予の適用を受ける特例農地等について一定の特定貸付けにより行われるものでなければなりません。ただし、その特例農地等が農地中間管理事業の推進に関する法律第8条第1項の都道府県知事の認可を受けた同法第2条第3項に規定する農地中間管理事業を行う同条第4項に規定する農地中間管理機構が存する場合における当該農地中間管理機構の同条第3項に規定する事業実施地域に存しない場合又はその特定貸付けの申込みを行った日後1年を経過する日までにその特定貸付けを行うことができなかった場合（その特定貸付けの申込みをその1年を経過する日まで引き続き行っている場合に限ります。）には、その特定貸付けによるほか権利設定に基づく特定貸付けにより行うことができます（措令40の7�56）。

ハ　営農困難時貸付けの範囲

営農困難時貸付けは、賃借権等の設定による貸付けであって農地中間管理事業の推進に関する法律第2条第3項に規定する農地中間管理事業のために行われるものにより行われるものでなければなりません（措令40の7�56）。

ニ　権利消滅の場合の納税猶予の継続等

（9）の適用を受ける営農困難時貸付特例農地等につき耕作の放棄又は地上権、永小作権、使用貸借による権利若しくは賃借権の消滅（以下「権利消滅」といいます。）があった場合には、その営農困難時貸付特例農地等（営農困難時貸付特例農地等のうち耕作の放棄又は権利消滅があった部分に限ります。）は、次の取扱い（当該営農困難時貸付特例農地等に係る耕作の放棄があった場合には、①は除かれます。）によることとされています（措法70の6㊘において準用する措法70の4㉓）。

① 権利消滅があった時において、営農困難時貸付特例農地等についての権利設定があったものとみなされます。

② 営農困難時貸付特例農地等について、新たな営農困難時貸付けを行った場合又は（9）の適用を受ける農業相続人の農業の用に供した場合において、その耕作の放棄又は権利消滅があった日か

－820－

ら２か月以内に、新たな営農困難時貸付けを行っている旨又は相続人の農業の用に供している旨その他一定の事項を記載した届出書を納税地の所轄税務署長に提出したときに限り、その営農困難時貸付特例農地等のうち、新たな営農困難時貸付けを行った部分又は農業相続人の農業の用に供した部分については、その耕作の放棄又は①の権利設定及び新たな営農困難時貸付けに係る権利設定はなかったものと、農業経営は廃止していないものとみなされます。

③　（9）の適用を受ける農業相続人がその耕作の放棄又は権利消滅があった日の翌日から１年を経過する日（以下「延長期日」といいます。）までに新たな営農困難時貸付けを行う見込みであることにつき、耕作の放棄又は権利消滅があった日から２か月以内に納税地の所轄税務署長の承認の申請をした場合において、税務署長の承認を受けたときに限り、その承認に係る営農困難時貸付特例農地等については、その耕作の放棄及び①の権利設定はなかったものと、農業経営は廃止していないものとみなされます。

④　③の承認を受けた農業相続人が、その承認に係る営農困難時貸付特例農地等について、新たな営農困難時貸付けを行った場合又は農業相続人の農業の用に供した場合において、これらの場合に該当することとなった日から２か月以内に、新たな営農困難時貸付けを行っている旨又は当該農業相続人の農業の用に供している旨その他一定の事項を記載した届出書を納税地の所轄税務署長に提出しなければなりません。この場合において、営農困難時貸付特例農地等のうち、新たな営農困難時貸付けを行った部分については、新たな営農困難時貸付けに係る権利設定はなかったものと、農業経営は廃止していないものとみなされます。

⑤　③の承認に係る営農困難時貸付特例農地等のうち、④の届出書に係る部分以外の部分にあっては③の承認に係る延長期日において、延長期日前に農業相続人の農業の用に供した場合（④の届出書の提出がなかった場合に限ります。）における当該農業相続人の農業の用に供した部分にあっては当該農業相続人の農業の用に供した日において、それぞれ権利設定があったものとみなされます。

ホ　旧法猶予適用者の扱い

次に掲げる農業相続人（旧法猶予適用者といいます。）が、営農困難時貸付特例の適用を受けた場合には、平成21年度改正後の租税特別措置法第70条の６の規定が適用されることになります（ただし、同法第70条の６⑤《納税猶予期限》及び㉟《猶予税額の免除》の規定は除かれています。）（平26改所法等附則128⑧）。

①　租税特別措置法の一部を改正する法律（平成３年法律第16号）附則第19条第５項の規定によりなおその効力を有するものとされる同法による改正前の租税特別措置法第70条の６第１項本文の規定の適用を受けている同項に規定する農業相続人

②　租税特別措置法等の一部を改正する法律（平成12年法律第13号）第１条の規定による改正前の租税特別措置法第70条の６第１項本文の規定の適用を受けている同項に規定する農業相続人

③　租税特別措置法等の一部を改正する法律（平成13年法律第７号）第１条の規定による改正前の租税特別措置法第70条の６第１項本文の規定の適用を受けている同項に規定する農業相続人

④　所得税法等の一部を改正する法律（平成15年法律第８号）附則第123条第11項の規定によりなお従前の例によることとされる場合における同法第12条の規定による改正前の租税特別措置法第70条の６第１項本文の規定の適用を受けている同項に規定する農業相続人

⑤　所得税法等の一部を改正する法律（平成17年法律第21号）附則第55条第17項の規定によりなお従前の例によることとされる場合における同法第５条の規定による改正前の租税特別措置法第70条の６第１項本文の規定の適用を受けている同項に規定する農業相続人

⑥　所得税法等の一部を改正する法律（平成21年法律第13号）附則第66条第６項の規定によりなおその効力を有するものとされる同法第５条の規定による改正前の租税特別措置法第70条の６第１項本文の規定の適用を受けている同項に規定する農業相続人

第八章第一節《農地についての相続税の納税猶予及び免除等の特例》

⑦　所得税法等の一部を改正する法律（平成26年法律第10号）附則第128条第7項の規定によりなおその効力を有するものとされる同法第10条の規定による改正前の租税特別措置法第70条の6第1項本文の規定の適用を受けている同項に規定する農業相続人

⑧　所得税法等の一部を改正する法律（平成28年法律第15号）附則第127条第9項の規定によりなお従前の例によることとされる場合における同法第10条の規定による改正前の租税特別措置法第70条の6第1項本文の規定の適用を受けている同項に規定する農業相続人

(10)　相続税の納税猶予を適用している場合の特定貸付けの特例

イ　制度の概要

農地についての相続税の納税猶予を適用している農業相続人（以下(10)において「猶予適用者」といいます。）が、納税猶予期限までに特例農地等（市街化区域内農地等を除きます。）のうち農地又は採草放牧地の全部又は一部について農地中間管理事業の推進に関する法律第2条第3項に規定する農地中間管理事業（同項第7号に掲げる業務を行う事業を除きます。）のために行われる使用貸借による権利又は賃借権（以下(10)において「賃借権等」といいます。）の設定による貸付け（以下(10)において「特定貸付け」といいます。）を行い、特定貸付けを行った日から2か月以内に、特定貸付けを行っている旨その他の事項を記載した届出書を納税地の所轄税務署長に提出した場合には、特定貸付けを行った農地又は採草放牧地の全部又は一部に係る賃借権等の設定はなかったものと、農業経営は廃止していないものとみなされます（措法70の6の2①）。

（注1）　この特例の適用を受けるためには、次に掲げる事項を記載した届出書に、（注2）の書類を添付し、これをその行った特定貸付けごとに提出する必要があります（措令40の7の2①、措規23の8の2①）。

イ　特例農地等のうち農地又は採草放牧地の全部又は一部について、特定貸付けを行っている旨及び適用を受けようとする旨

ロ　届出者の氏名及び住所又は居所

ハ　特定貸付農地等の所在、地番、地目及び面積

ニ　ホに掲げる旧法猶予適用者（特例農地等のうちに相続又は遺贈により取得をした日において都市営農農地等を有しないものに限ります。（注2）のロにおいて同じです。）がこの特例の適用を受けようとする場合には、その特例農地等が同日において次に掲げる特例農地等のうちいずれかに該当するかの別

（イ）　都市計画法第8条第1項第14号に掲げる生産緑地地区内にある特例農地等

（ロ）　市街化区域内農地等である特例農地等（（イ）に掲げるものを除く。）

（ハ）　市街化区域内農地等以外の特例農地等

ホ　特定貸付けを行った年月日

ヘ　特定貸付農地等を借り受けた者の氏名及び住所若しくは居所又は名称及び本店若しくは主たる事務所の所在地

ト　特定貸付けに係る賃借権等の存続期間

チ　特定貸付農地等に係る被相続人の氏名及びその死亡の時における住所又は居所並びに被相続人から相続又は遺贈により特定貸付農地等を取得した年月日

リ　その他参考となるべき事項

（注2）　届出書に添付する必要のある書類は次に掲げる書類です（措規23の8の2②）。

イ　次に掲げる場合の区分に応じそれぞれ次に定める書類

（イ）　（ロ）及び（ハ）に掲げる場合以外の場合……特定貸付農地等について猶予適用者が特定貸付けを行った年月日を証する農地中間管理事業の推進に関する法律第2条第4項に規定する農地中間管理機構の書類並びにその特定貸付けにつき農地法第3条第1項第14号の2の届出を受理した旨及びその届出を受理した年月日を証するその特定貸付農地等の所在地を管轄する農業委員会の書類

（ロ）　特定貸付農地等について猶予適用者が行った特定貸付けが農地中間管理事業の推進に関する法律第18条第8項に規定する農用地利用集積等促進計画の定めるところにより行われる場合……その特定貸付農地等に係る農用地利用集積等促進計画につき同条第7項の規定による公告をした者のその公告をした旨及びその公告の年月日を証する書類

－822－

第八章第一節《農地についての相続税の納税猶予及び免除等の特例》

  (ハ) 特定貸付農地等について猶予適用者が行った特定貸付けが福島復興再生特別措置法第17条の27に規定する農用地利用集積等促進計画の定めるところにより行われる場合……特定貸付農地等に係る農用地利用集積等促進計画につき同法第17条の26の規定による公告をした旨及びその公告の年月日を証する福島県知事の書類

  ロ 特例農地等のうちに相続又は遺贈により取得をした日において(注2)のニの(ロ)の市街化区域内農地等である特例農地等を有する旧法猶予適用者がこの特例の適用を受けようとする場合には、その特例農地等が同日において(注2)のニの(ロ)である旨及び特例農地等の明細を記載した特例農地等の所在地の市町村長の書類

ロ 特定貸付けの期限が到来した場合の手続

 特定貸付農地等の貸付けに係る期限(当該期限の到来前に特定貸付けに係る賃借権等の消滅があった場合には、当該消滅の日。以下(10)において「貸付期限」といいます。)が到来した場合において、猶予適用者は、貸付期限から2か月以内に、貸付期限が到来した特定貸付農地等について、新たな特定貸付けを行っている旨又は当該猶予適用者の農業の用に供している旨その他の事項を記載した届出書を納税地の所轄税務署長に提出した場合には、貸付期限が到来した特定貸付農地等のうち新たな特定貸付けを行った部分については、新たな特定貸付けに係る賃借権等の設定はなかったものと、農業経営は廃止していないものとみなされます(措法70の6の2③により読み替えて準用する措法70の4の2③)。

ハ 2か月以内に新たな特定貸付けを行うことができない場合の手続

 猶予適用者が貸付期限の翌日から1年を経過する日(以下「貸付猶予期日」といいます。)までに新たな特定貸付けを行う見込みであることにつき、その貸付期限から2か月以内に納税地の所轄税務署長に承認の申請をし、当該税務署長の承認を受けた場合には、貸付期限の翌日から1年を経過する日まで納税猶予が継続され、その間に特定貸付農地等について新たな特定貸付けを行えばよいことになります(措法70の6の2③により読み替えて準用する措法70の4の2④)。

ニ 特定貸付けの期限を延長した場合の手続

 ハの承認を受けた猶予適用者が特定貸付農地等について新たな特定貸付けを行った日又は猶予適用者の農業の用に供した日から2か月以内に新たな特定貸付けを行っている旨又は猶予適用者の農業の用に供している旨その他の事項を記載した届出書を納税地の所轄税務署長に提出した場合には、承認を受けた特定貸付農地等のうち新たな特定貸付けを行った部分については、新たな特定貸付けに係る賃借権等の設定はなかったものと、農業経営は廃止していないものとみなされます(措法70の6の2③により読み替えて準用する措法70の4の2⑤)。

ホ 旧法猶予適用者の扱い

 次に掲げる農業相続人(「旧法猶予適用者」といいます。)は、この特例の適用を受けることができます(措法70の6の2②)。

① 租税特別措置法の一部を改正する法律(平成3年法律第16号)附則第19条第5項の規定によりなおその効力を有するものとされる同法による改正前の租税特別措置法第70条の6第1項本文の規定の適用を受けている同項に規定する農業相続人

② 租税特別措置法等の一部を改正する法律(平成12年法律第13号)附則第19条第5項第2号に掲げる同法第1条の規定による改正前の租税特別措置法第70条の6第1項本文の規定の適用を受けている同項に規定する農業相続人

③ 租税特別措置法等の一部を改正する法律(平成13年法律第7号)附則第32条第9項第3号に掲げる同法第1条の規定による改正前の租税特別措置法第70条の6第1項本文の規定の適用を受けている同項に規定する農業相続人

④ 所得税法等の一部を改正する法律(平成15年法律第8号)附則第123条第11項の規定によりなお従前の例によることとされる場合における同法第12条の規定による改正前の租税特別措置法第70条の

第八章第一節《農地についての相続税の納税猶予及び免除等の特例》

6第1項本文の規定の適用を受けている同項に規定する農業相続人

⑤　所得税法等の一部を改正する法律（平成17年法律第21号）附則第55条第17項の規定によりなお従前の例によることとされる場合における同法第5条の規定による改正前の租税特別措置法第70条の6第1項本文の規定の適用を受けている同項に規定する農業相続人

⑥　所得税法等の一部を改正する法律（平成21年法律第13号）附則第66条第6項の規定によりなおその効力を有するものとされる同法第5条の規定による改正前の租税特別措置法第70条の6第1項本文の規定の適用を受けている同項に規定する農業相続人

⑦　所得税法等の一部を改正する法律（平成26年法律第10号）附則第128条第7項の規定によりなおその効力を有するものとされる同法第10条の規定による改正前の租税特別措置法第70条の6第1項本文の規定の適用を受けている同項に規定する農業相続人

⑧　所得税法等の一部を改正する法律（平成28年法律第15号）附則第127条第9項の規定によりなお従前の例によることとされる場合における同法第10条の規定による改正前の租税特別措置法第70条の6第1項本文の規定の適用を受けている同項に規定する農業相続人

⑨　所得税法等の一部を改正する法律（平成30年法律第7号）附則第118条第11項から第13項までの規定によりなお従前の例によることとされる場合における同法第15条の規定による改正前の租税特別措置法第70条の6第1項本文の規定の適用を受けている同項に規定する農業相続人

⑩　所得税法等の一部を改正する法律（令和2年法律第8号）附則第108条第2項第10号に掲げる同法第15条の規定による改正前の租税特別措置法第70条の6第1項本文の規定の適用を受けている同項に規定する農業相続人

⑪　所得税法等の一部を改正する法律（令和4年法律第4号）附則第51条第11項の規定によりなお従前の例によることとされる場合における同法第11条の規定による改正前の租税特別措置法第70条の6第1項本文の規定の適用を受けている同項に規定する農業相続人

(11)　特定貸付けを行った農地又は採草放牧地についての相続税の課税の特例

イ　制度の概要

(10)の特定貸付けを行っている者（以下「特定貸付者」といいます。）が死亡した場合において、その特定貸付者の相続人が特定貸付者から特定貸付けを行っていた農地又は採草放牧地を相続又は遺贈により取得をしたときは、その特定貸付けを行っていた農地又は採草放牧地は特定貸付者がその死亡の日まで農業の用に供していたものとみなされ、納税猶予の特例を適用することができます（措法70の6の3①）。

ロ　農業相続人が死亡した場合

農業経営者又は農業相続人が死亡した場合において、その農業経営者又は農業相続人の相続人が相続又は遺贈により取得をした農地又は採草放牧地について相続税の申告期限までに特定貸付けを行ったときは、その農地又は採草放牧地は相続人の農業の用に供する農地又は採草放牧地に該当するものとみなされ、納税猶予の特例を適用することができます（措法70の6の3②）。

ハ　贈与者が死亡した場合

一方、贈与税の納税猶予の適用を受けている受贈者に係る贈与者が死亡した場合において、その受贈者が贈与税の納税猶予の適用を受けている農地等のうち農地又は採草放牧地についてその贈与者の死亡に係る相続税の申告期限までに第五編第七章の4の(11)に規定する特定貸付け又は(10)に規定する特定貸付けを行ったときは、その農地又は採草放牧地は受贈者の農業の用に供する農地又は採草放牧地に該当するものとみなされ、納税猶予の特例を適用することができます（措法70の6の3③）。

ニ　届出書の提出期限

上記イからハの特例の適用がある場合における(10)のイの適用については、「から2か月以内」とあるのは「の翌日から2か月以内を経過する日又は相続税の申告書の提出期限のいずれか遅い日まで」

第八章第一節《農地についての相続税の納税猶予及び免除等の特例》

とします（措法70の6の3④）。

(12) 相続税の納税猶予を適用している場合の都市農地の貸付けの特例

イ 制度の概要

相続税の納税猶予制度の適用を受ける農業相続人（以下「猶予適用者」といいます。）が、納税猶予制度の適用を受ける特例農地等（生産緑地地区内にある農地であって、生産緑地法の規定による買取りの申出がされたもの及び特定生産緑地の指定の解除がされたものを除きます。）の全部又は一部について次の①又は②の貸付けを行った場合において、これらの貸付けを行った日から2か月以内にその貸付けを行った旨の届出書を納税地の所轄税務署長に提出した場合には、これらの貸付けを行った特例農地等の全部又は一部（以下「貸付都市農地等」といいます。）に係る地上権、永小作権、使用貸借による権利又は賃借権（以下「賃借権等」といいます。）の設定はなかったものと、農業経営は廃止していないものとみなされます（措法70の6の4①）。

① 認定都市農地貸付け……賃借権又は使用貸借による権利の設定による貸付けであって都市農地の貸借の円滑化に関する法律第7条第1項第1号に規定する認定事業計画の定めるところにより行われるもの

② 農園用地貸付け……次に掲げる貸付けをいいます。

　イ 特定農地貸付けに関する農地法等の特例に関する法律（以下「特定農地貸付法」といいます。）第3条第3項の承認（市民農園整備促進法第11条第1項の規定により承認を受けたものとみなされる場合におけるその承認を含みます。以下同じ。）を受けた地方公共団体又は農業協同組合がその承認に係る特定農地貸付法第2条第2項に規定する特定農地貸付けの用に供するために猶予適用者との間で締結する賃借権その他の使用及び収益を目的とする権利の設定に関する契約に基づく貸付け

　ロ 特定農地貸付法第3条第3項の承認（その承認の申請書に適正な貸付けを確保するために必要な事項として一定の事項が記載された特定農地貸付法第2条第2項第5号イに規定する貸付協定が添付されたものに限ります。）を受けた地方公共団体及び農業協同組合以外の者が行う特定農地貸付法第2条第2項に規定する特定農地貸付けのうち、猶予適用者が特定農地貸付法第3条第1項の貸付規程に基づき行う貸付け

　ハ 都市農地の貸借の円滑化に関する法律第11条において準用する特定農地貸付法第3条第3項の承認を受けた地方公共団体及び農業協同組合以外の者が都市農地の貸借の円滑化に関する法律第10条に規定する特定都市農地貸付けの用に供するために猶予適用者との間で締結する賃借権又は使用貸借による権利の設定に関する契約に基づく貸付け

ロ 認定都市農地貸付けの期限が到来した場合の手続

認定都市農地貸付けに係る期限（その期限の到来後に認定都市農地貸付けに係る賃借権等の消滅があった場合には、その消滅の日。以下(12)において「貸付期限」といいます。）が到来した場合において猶予適用者は、貸付期限から2か月以内に、貸付期限が到来した認定都市農地貸付けについて、新たな認定都市農地貸付けを行っている旨又は猶予適用者の農業の用に供している旨その他の事項を記載した届出書を納税地の所轄税務署長に提出した場合には、貸付期限が到来した貸付都市農地等のうち新たな認定都市農地貸付けを行った部分については、賃借権等の設定はなかったものと、農業経営は廃止していないものとみなされます（措法70の6の4③により読み替えて準用する措法70の4の2③、措令40の7の4②）。

ハ 農園用地貸付けの期限が到来した場合等の手続

① 貸付期限が到来した場合

農園用地貸付けを行っている貸付都市農地等の貸付期限（その期限の到来後に農園用地貸付けに係る賃借権等の消滅があった場合には、その消滅の日）が到来した場合において猶予適用者は、貸付期限から2か月以内に、貸付期限が到来した農園用地貸付けについて、新たな農園用地貸付けを

－825－

第八章第一節《農地についての相続税の納税猶予及び免除等の特例》

行っている旨又は猶予適用者の農業の用に供している旨その他の事項を記載した届出書を納税地の所轄税務署長に提出した場合には、貸付期限が到来した貸付都市農地等のうち新たな農園用地貸付けを行った部分については、賃借権等の設定はなかったものと、農業経営は廃止していないものとみなされます(措法70の6の4④により読み替えて準用する措法70の4の2③、措令40の7の4④)。

② 賃借権その他の使用及び収益を目的とする権利の設定に関する契約の解除等があった場合

　次に掲げる場合のいずれかに該当することとなった場合には、次に定める日において農園用地貸付けに係る貸付都市農地等について、賃借権等の設定があったものとみなされて、相続税の納税猶予税額の全部又は一部について猶予期限が確定することとされています(措法70の6の4⑤)。

イ　イの②のイ又はハの貸付けについて、猶予適用者が締結する賃借権等の設定に関する契約が解除された場合……その解除された日

ロ　イの②のイからハまでの貸付けについて、特定農地貸付法第3条第3項の承認(都市農地の貸借の円滑化に関する法律第11条において準用する場合を含みます。)の取消し又は市民農園整備促進法第10条の規定による認定の取消しがあった場合……これらの取消しがあった日

ハ　イの②のロの貸付けについて、その貸付けに係る協定の廃止等があった場合……その廃止等があった日

　これらの事実に該当した場合において、猶予適用者が、これらの事実が生じた日から2か月以内にその貸付都市農地等について新たな認定都市農地貸付け等を行うか、又は自らの農業の用に供し、その旨の届出書をこれらの事実が生じた日から2か月以内に納税地の所轄税務署長に提出したときは、新たな認定都市農地貸付け等を行った部分については、これらの事実は生じなかったものと、新たな認定都市農地貸付け等に係る賃借権等の設定はなかったものと、農業経営は廃止していないものとみなされて、納税猶予が継続されます(措法70の6の4⑥により読み替えて準用する措法70の4の2③、措令40の7の4⑥)。

(13) 認定都市農地貸付け又は農園用地貸付けを行った農地についての相続税の課税の特例

イ　制度の概要

　認定都市農地貸付け又は農園用地貸付けを行っていた被相続人が死亡した場合には、これらの貸付けを行っていた農地は、その被相続人がその死亡の日まで農業の用に供していたものとみなされ、その被相続人の相続人は、期限内申告書の提出等所定の要件を満たせば、その農地について相続税の納税猶予の適用をすることができます(措法70の6の5①)。

ロ　被相続人が納税猶予の適用を受けていなかった場合

　被相続人が納税猶予の適用を受けていなかった場合又は適用を受けていたが認定都市農地貸付け又は農園用地貸付けを行っていなかった場合であっても、相続人が相続又は遺贈により取得した農地について申告期限までに新たにこれらの貸付けを行った場合には、その貸し付けた農地についても、相続人の農業の用に供する農地に該当するものとみなされて、相続税の納税猶予を適用することができます(措法70の6の5②)。

ハ　贈与税の納税猶予の適用を受けている受贈者に係る贈与者が死亡した場合

　贈与税の納税猶予の適用を受けている受贈者に係る贈与者が死亡したときは、受贈者が贈与税の納税猶予の適用を受けている農地等については、租税特別措置法第70条の5《農地等の贈与者が死亡した場合の相続税の課税の特例》の規定により、贈与者から相続により取得したものとみなされて、相続税の課税対象とされますが、受贈者は、その贈与者の死亡に係る相続税の申告期限までに贈与税の納税猶予の適用を受けていた農地について新たに認定都市農地貸付け又は農園用地貸付けを行った場合には、その農地はその受贈者の農業の用に供しているものとみなされて、相続税の納税猶予を適用することができます(措法70の6の5③)。

5　納税猶予分の相続税に係る利子税の納付

（1）　納税猶予が打ち切られた場合の利子税の納付

　納税猶予期限が到来するまでに、納税猶予が打ち切られ、その猶予税額の全部又は一部の納付を要することとなった場合には、本来、申告期限において納付すべきであった相続税の納付が、それまで延期されていたのと同様ですから、申告期限からの利子税を併せて納付しなければならないことになっています。

　この利子税については、次に掲げるいずれかの場合に該当する納税猶予分の相続税の額を基礎として、相続税の申告書の提出期限の翌日から、その納税猶予の期限までの期間に応じ、㋑都市営農農地等を有する農業相続人の納税猶予税額及び㋺㋑の農業相続人以外の農業相続人の納税猶予税額のうち市街化区域外の特例農地等に対応する部分については、年3.6％とされ、㋺の者が有する市街化区域内の特例農地等に対応する部分については、年6.6％の場合で計算した額を納付しなければなりません（措法70の6㊵）。

① 　特例農地等の20％を超える面積を任意譲渡等した場合、又は特例農地等に係る農業経営を廃止した場合……納税猶予分の相続税の全部

② 　特例農地等の一部を譲渡等した場合又は買取りの申出等があった農地等について、買換え等の特例承認を受けなかったため、納税猶予の一部打切りが行われた場合（上記①に該当する場合を除きます。）又は申告期限から10年を経過した日において未開発の準農地がある場合……その一部打切りが行われた農地等及びその未開発準農地に係る納税猶予分の相続税額

③ 　3年ごとの継続適用の届出書の提出がなかった場合……納税猶予分の相続税の全部

④ 　特例農地等の一部について贈与税の納税猶予が適用される生前一括贈与が行われた場合……生前一括贈与をしなかった特例農地等の農業投資価格控除後の価額に対応する納税猶予分の相続税額

⑤ 　税務署長の担保変更命令に応じないため、納税猶予の期限が繰り上げられた場合……納税猶予分の相続税の全部

（2）　利子税の割合の特例

〈平成26年1月1日以後〉

　（1）に規定する利子税の割合は、（1）の規定にかかわらず、各年の**特例基準割合**（※）が年7.3％の割合に満たない場合には、その年中においては、その利子税の割合に当該特例基準割合が年7.3％の割合のうちに占める割合を乗じて計算した割合（その割合に0.1％未満の端数があるときは、これを切り捨てます。）とされます（措法93⑤）。

$$\left[\text{年}3.6\%（又は年6.6\%）\times \frac{\text{特例基準割合}}{\text{年}7.3\%}\right]=\text{利子税の特例割合}$$

> ※ 　平成26年1月1日以後の期間について、「特例基準割合」とは、各年の前々年の10月から前年の9月までの各月における銀行の新規の短期貸出約定平均金利の合計を12で除して得た割合（その割合に0.1％未満の端数があるときは、これを切り捨てます。）として各年の前年の12月15日までに財務大臣が告示する割合に、年1％の割合を加算した割合となります（措法93②、平25改法附90①）。

〈令和3年1月1日以後〉

　（1）に規定する利子税の年3.6％の割合は、（1）の規定にかかわらず、各年の**利子税特例基準割合**（※）が年7.3％の割合に満たない場合には、その年中においては、その利子税の割合に当該利子税特例基準割合が年7.3％の割合のうちに占める割合を乗じて計算した割合（その割合に0.1％未満の端数があるときはこれを切り捨てます。）とされます（措法93⑤、96①）。

第八章第一節《農地についての相続税の納税猶予及び免除等の特例》

$$\left[\text{年3.6％（又は年6.6％）} \times \frac{\text{利子税特例基準割合}}{\text{年7.3％}} \right] = \text{利子税の特例割合}$$

（2）の規定の適用がある場合における利子税の額の計算において、その計算の過程における金額に1円未満の端数が生じたときは、これを切り捨てます（措法96②）。

> ※ 令和3年1月1日以後の期間について、「利子税特例基準割合」とは、平均貸付割合（各年の前々年の9月から前年の8月までの各月における短期貸付けの平均利率（当該各月において銀行が新たに行った貸付け（貸付期間が1年未満のものに限ります。）に係る利率の平均をいいます。）の合計を12で除して計算した割合として各年の前年の11月30日までに財務大臣が告示する割合をいいます。）に年0.5％の割合を加算した割合となります（措法93②）。

なお、都市計画の決定、変更等により新たに特定市街化区域農地等に該当することとなり、納税猶予の一部打切りが行われる場合（都市営農農地等の買取りの申出により一部打切りが行われる場合は除かれます。）の一部打切税額については、利子税率年6.6％、延納期間5年以内の延納が認められます（物納は認められません。）が、この場合の利子税年6.6％の割合には、（2）の特例は適用されず、第十二章第八節の5の（2）《延納の利子税の割合の特例》（930ページ参照）が適用されます（措法70の6㊳三、93②）。

（3） 収用交換等により特例農地等を譲渡した場合の利子税の特例

農地等の納税猶予の特例の適用を受けていた農業相続人が、特例農地等の全部又は一部につき租税特別措置法第33条の4第1項《収用交換等の場合の譲渡所得等の特別控除》に規定する収用交換等による譲渡をしたことにより、納税猶予税額を納付（納税猶予期限の確定）することとなった場合には、農業相続人の納付すべき利子税の額は、（1）により計算した額（（2）の適用がある場合は、（2）の特例割合により計算した額）の2分の1に相当する金額（平成26年4月1日から令和8年3月31日までの間に特例農地等を収用交換等により譲渡した場合には、零）とされます（措法70の8③）。

この利子税の特例は、農業相続人が、この特例の適用を受けたい旨及び次に掲げる事項を記載した届出書に、公共事業施行者の農地等につき収用交換等による譲渡を受けたことを証する書類（次の②に掲げる事項の記載のあるものに限ります。）を添付して、納税の猶予に係る期限までに納税地の所轄税務署長に提出した場合（税務署長においてやむを得ない事情があると認める場合には、その届出書をその期限後に提出した場合を含みます。）に限り適用されます（措法70の8⑤、措規23の13④）。（この届出書の様式は、1084ページのとおりです。）

① 届出者の氏名及び住所又は居所
② 収用交換等による譲渡をした特例農地等の地目、面積及びその所在場所その他の明細並びにその収用交換等による譲渡をした年月日
③ ②の農地等の譲渡先の名称及び所在地
④ その他参考となるべき事項

　（注） 納税の猶予に係る期限後に届出書を提出する場合には、その届出書に上記①から④までに掲げる事項のほかその届出書をその期限までに提出することができなかった事情の詳細を記載しなければなりません（措規23の13③）。

6 納税猶予分の相続税の免除

特例農地等についての納税猶予の適用を受ける農業相続人が、次表に掲げるいずれかに該当することとなった場合には、それまでの納税猶予に係る相続税は、免除されます（措法70の6㊴）。

	免除される場合	免除税額
①	農業相続人が死亡した場合	納税猶予分の相続税の全部

－828－

②	農業相続人が特例農地等の全部について贈与税の納税猶予の適用がある生前一括贈与をした場合	納税猶予分の相続税の全部
③	農業相続人が特例農地等の一部について贈与税の納税猶予の適用がある生前一括贈与をした場合	納税猶予分の相続税のうち、その生前一括贈与をした特例農地等に対応する部分の税額
④	農業相続人（平成４年１月１日以後の相続等に係る特例農地等のうちに都市営農農地等がある者を除きます。）がその被相続人からの相続等によって取得した特例農地等に係る相続税の申告書の提出期限の翌日から20年を経過した場合	納税猶予分の相続税のうち、特例農地等のうち市街化区域内農地等（都市営農農地等を除きます。）に係る農業投資価格控除後の価額に対応する部分の一定の金額

7　農業委員会の通知義務

（１）　農林水産大臣又は都道府県知事、市町村長若しくは農業委員会は、納税猶予の適用を受ける特例農地等について、その所有権の移転、その使用及び収益を目的とする権利の設定若しくは移転、転用（採草放牧地の農地への転用、準農地の採草放牧地又は農地への転用を除きます。）、耕作の放棄又は買取りの申出等に関して、法令の規定に基づいて許可、あっせん、通知、届出の受理その他の行為をしたことによってこれらの事実を知った場合には、遅滞なく、これらの事実が生じたことを国税庁長官又はその特例農地等の所在地の所轄税務署長に対し、書面をもって通知をしなければならないこととなっています（措法70の６㊶、措規23の８㉝）。

（２）　農業委員会（農業委員会が設置されていない市町村にあっては市町村長）は、相続税の納税猶予を受けている農業相続人が、その相続税の申告書の提出期限の翌日から10年を経過する日において有している納税猶予に係る準農地の全部について、利用の形態その他の現況を、その10年経過日から１か月を経過する日までに、準農地の所在地の所轄税務署長に書面をもって通知しなければならないことになっています（措法70の６㊷、措規23の８㉞）。

8　山林・非上場株式等についての相続税の納税猶予制度との調整規定

　農地等についての相続税の納税猶予制度の特例を受ける農業相続人が「山林についての相続税の納税猶予及び免除」（措法70の６の６①）、「特定の美術品についての相続税の納税猶予及び免除」（措法70の６の７①）、「個人の事業用資産についての相続税の納税猶予及び免除」（措法70の６の10）、「非上場株式等についての相続税の納税猶予及び免除」（措法70の７の２①）、「非上場株式等の贈与者が死亡した場合の相続税の納税猶予及び免除」（措法70の７の４①）、「非上場株式等についての相続税の納税猶予及び免除の特例」（措法70の７の６①）、「非上場株式等の特例贈与者が死亡した場合の相続税の納税猶予及び免除の特例」（措法70の７の８①）又は「医療法人の持分についての相続税の納税猶予及び免除」（措法70の７の12①）の適用を受ける者である場合において、調整前農地等猶予税額（注１）、調整前山林猶予税額、調整前美術品猶予税額、調整前事業用資産猶予税額、調整前株式等猶予税額及び調整前持分猶予税額（注２）の合計額が猶予可能税額を超えるときにおける特例農地等に係る納税猶予分の相続税額は、猶予可能税額（注３）に調整前農地等猶予税額が当該合計額に占める割合を乗じて計算した金額（100円未満の端数があるときは、その端数金額を切り捨てます。）となります（措令40の７⑯）。

（注１）　納税猶予分の相続税額で措令40の７⑮の規定により計算されたものをいいます。

（注２）　措法70の６の６、措法70の６の７、措法70の７の２、措法70の７の４、措法70の７の６、措法70の７の８又は措法70の７の12に規定する納税猶予分の相続税額で措令40の７の６⑤〜⑨、措令40の７の７④〜⑩、措

第八章第一節《農地についての相続税の納税猶予及び免除等の特例》

令40の7の10⑨～⑫、措令40の8の2⑬～⑲（措令40の8の4⑧において準用する場合を含みます。）、措令40の8の6⑯～㉑（措令40の8の8⑧において準用する場合を含みます。）又は措令40の8の12④～⑨の規定により計算されたものをいいます。

（注3）　措法70の6②二に定める金額をいいます。

第二節　山林についての相続税の納税猶予及び免除の特例

1　特例の内容

　「山林についての納税猶予の特例」が平成24年度の税制改正において創設され、平成24年4月1日以後に相続又は遺贈により取得をする山林に係る相続税について適用されることとなりました。

　すなわち特定森林経営計画(**注1**)が定められている区域内に存する山林（立木又は土地をいいます。）を有していた個人として一定の被相続人から相続又は遺贈により特例施業対象山林(**注2**)の取得をした林業経営相続人が、その相続に係る相続税の期限内申告書の提出により納付すべき相続税の額のうち、次の要件の全てを満たす特例山林に係る納税猶予分の相続税額に相当する相続税については、その相続税の申告書の提出期限までにその納税猶予分の相続税額に相当する担保を提供した場合に限り、その林業経営相続人の死亡の日まで、その納税が猶予されます（措法70の6の6①、措規23の8の6③④）。

　（1）　その特定森林経営計画において、作業路網の整備を行う山林として記載されているものであること。

　（2）　都市計画法第7条第1項に規定する市街化区域内に所在するものでないこと。

　（3）　立木にあっては、その相続の開始の日からその立木が森林法第10条の5第1項に規定する市町村森林整備計画に定める標準伐期齢（同条第2項第5号の公益的機能別施業森林区域内に存する立木にあっては、財務省令で定める林齢）に達する日までの期間がその林業経営相続人の当該相続の開始の時における平均余命期間（その相続の開始の日からその林業経営相続人に係る余命年数〔厚生労働省作成の完全生命表に掲げる年齢及び性別に応じた平均余命をいいます。〕を経過する日までの期間〔当該期間が30年を超える場合には、30年〕をいいます。）を超えること。

　ここでいう財務省令で定める林齢とは、次に掲げる立木に応じた林齢になります。

　①　森林法施行規則第39条第1項に規定する水源涵養機能維持増進森林の区域内に存する立木………標準伐期齢に10年を加えた林齢

　②　①の区域以外に存する立木のうち長伐期施業森林（標準伐期齢のおおむね2倍以上に相当する林齢を超える林齢において主伐を行う森林施業を推進すべき森林として市町村森林整備計画において定められている森林をいいます。）の区域内に存する立木………長伐期施業森林につき市町村森林整備計画に定められている林齢

　③　①及び②以外の立木………標準伐期齢

　なお、本制度は、相続税の申告書の提出期限までに、その相続又は遺贈により取得をした山林（特定森林経営計画が定められている区域内に存するものに限ります。）の全部又は一部が共同相続人又は包括受遺者によってまだ分割されていない場合には、適用されません（措法70の6の6⑧）。

　（**注1**）　特定森林経営計画とは、市町村長等の認定を受けた森林法第11条第1項に規定する森林経営計画であって、次の要件の全てを満たすものをいいます（措法70の6の6②二、措規23の8の6⑥⑦）。

　　　イ　その対象とする山林が同一の者により一体として整備することを相当とするものであること（具体的には、森林法施行令第3条に規定する基準に適合するもののうち、森林法施行規則第33条第2号に掲げる場合に該当するものであることになります。）

　　　ロ　その森林経営計画に森林法第11条第3項に規定する事項が記載されていること

　　　ハ　イ及びロに掲げるもののほか、当該森林経営計画の内容が同一の者による効率的な山林の経営（施業又は当該施業と一体として行う保護をいいます。）を実現するために必要とされる要件を満たしていること

　（**注2**）　特例施業対象山林とは、被相続人が相続の開始の直前に有していた山林のうちその相続の開始の前に特定森林経営計画が定められている区域内に存するもの（森林保健施設の整備に係る地区内に存するものを

第八章第二節《山林についての相続税の納税猶予及び免除の特例》

除きます。）であって、次に掲げる要件の全てを満たすものをいいます（措法70の6の6②三、措令40の7の6④）。

イ　被相続人又はその被相続人からその有する山林の全部の経営の委託を受けた者により当該相続の開始の直前まで引き続き特定森林経営計画に従って適正かつ確実に経営が行われてきた山林であること

ロ　特定森林経営計画に記載されている山林のうち作業路網の整備を行う部分が、同一の者により一体として効率的な施業を行うことができるものとして次に掲げる要件を満たしていること

a　特定森林経営計画が定められている区域内に存する山林であって、その面積の合計が100ヘクタール以上であること

b　自然的条件及び作業路網の整備の状況に照らして、同一の者により、造林、保育、伐採及び木材の搬出を一体として効率的に行うことができると認められる山林であること

（1）　被相続人の範囲

一定の被相続人とは、特定森林経営計画が定められている区域内に存する山林を有していた個人で、次の要件の全てを満たす者をいいます（措令40の7の6①）。

① 相続の開始の直前において、特定森林経営計画が定められている区域内に存する山林（森林保健施設の整備に係る地区内に存するものを除きます。）であって、その山林に係る土地について作業路網の整備が行われる部分の面積の合計が100ヘクタール以上であるものを有していた者であること（措令40の7の6①一）。

② 次に掲げる事項について、その死亡前に農林水産大臣の証明を受けた者であること（措令40の7の6①二、措規23の8の6①）。

イ　特定森林経営計画の達成のために必要な機械その他の設備を利用することができること。

ロ　特定森林経営計画が定められている区域内に存する山林の全てについて、特定森林経営計画に従って適正かつ確実に経営及び作業路網の整備を行うものと認められること。

ハ　特定森林経営計画に従って山林の経営の規模の拡大を行うものと認められること。

③ 特定森林経営計画に従って当初認定起算日（その者が当該当初認定起算日後に森林法第17条第1項の包括承継人となる場合にあっては、同項の認定森林所有者等の死亡の日）からその死亡の直前（その者がその有する山林（立木又は土地をいいます。）の全部の経営をその者の推定相続人に委託をしているときは、その委託をした時の直前）まで継続して、次の山林の全ての経営を適正かつ確実に行ってきた者であることについて、農林水産大臣の証明がされた者であること（措令40の7の6①三、措規23の8の6②）。

イ　その有する山林（当該山林を含む一の一体的かつ連続的な山林の面積が著しく小さい場合における山林、分収林契約並びに分収造林契約及び分収育林契約に係る山林並びに入会林野に係る山林を除く。）

ロ　他の山林の所有者から経営の委託を受けた山林

（2）　林業経営相続人の範囲

林業経営相続人とは、被相続人から相続又は遺贈により相続の開始の直前に有していた全ての山林（特定森林経営計画が定められている区域内に存するものに限ります。）の取得をした個人であって、次に掲げる要件の全てを満たす者をいいます（措法70の6の6②四、措規23の8の6⑧）。

① その個人が、相続の開始の直前において、被相続人の推定相続人であること

② その個人が、相続の開始の時から相続税の申告書の提出期限（提出期限前にその個人が死亡した場合には、その死亡の日）まで引き続き相続又は遺贈により取得をした山林の全てを有し、かつ、特定森林経営計画に従ってその経営を行っていること

③ その個人が、特定森林経営計画に従って山林の経営を適正かつ確実に行うものと認められる要件として次の要件のすべてを満たしていること

イ　森林法施行規則第99条第3号に掲げる要件に該当することについて同令第100条第1項本文の確認を受けた被相続人のその確認に係る推定相続人であること

－832－

第八章第二節《山林についての相続税の納税猶予及び免除の特例》

　ロ　特定森林経営計画について森林法第16条の規定により市町村長等の認定が取り消されたことがある場合にあっては、その取消しの日から起算して10年を経過している者であること。
　ハ　特定森林経営計画についてその期間満了時までに引き続いて市町村長等の認定を受けなかったことがある場合にあっては、その期間満了の日から10年を経過している者であること。
　ニ　被相続人の死亡により森林法第17条第1項の規定の適用があった場合にあっては、その死亡に係る同条第2項の届出書をその死亡後遅滞なく提出していること。
　ホ　その有する山林（次に掲げるものを除き、被相続人から相続又は遺贈により取得したものに限ります。）について作業路網の整備が行われる部分の面積の合計が100ヘクタール以上であること。
　　a　森林保健施設の整備に係る地区内に存する山林
　　b　所有山林を含む一の一体的かつ連続的な山林の面積が著しく小さい場合におけるその所有山林
　　c　分収林契約並びに分収造林契約及び分収育林契約に係る山林並びに入会林野に係る山林
　ヘ　その有する山林（ホのb及びcに掲げるものを除き、被相続人から相続又は遺贈により取得したものを含みます。）の全て及びその個人が他の山林の所有者から経営の委託を受けた山林の全てが、特定森林経営計画が定められている区域内に存すること
　ト　次に掲げる事項について、農林水産大臣の確認を受けた者であること
　　a　特定森林経営計画の達成のために必要な機械その他の設備を利用することができること
　　b　相続又は遺贈により被相続人から取得をした特定森林経営計画が定められている区域内に存する山林の全てについて、特定森林経営計画に従って適正かつ確実に経営（山林の経営の規模の拡大及び作業路網の整備を含みます。）を行うことができること
　チ　その個人が被相続人が有する山林の全部の経営の委託を受けている場合にあっては、森林法施行規則第99条第2号に掲げる要件に該当することについてその委託を受けた日から被相続人の相続の開始の直前まで引き続いて同令第100条第1項本文の農林水産大臣の確認を受けてきた者であること。

2　特例の適用を受けるための手続

　山林についての納税猶予の特例の適用を受けようとする相続人が提出する相続税の申告書に、特例施業対象山林の全部につき特例の適用を受けようとする旨の記載がない場合又は次に掲げる書類の添付がない場合には、適用されません（措法70の6の6⑩、措規23の8の6㉑）。
① 特例施業対象山林の明細及び納税猶予分の相続税額の計算に関する明細を記載した書類その他の一定の書類（注1）
② 特例施業対象山林に係る被相続人の死亡の日の翌日以後最初に到来する経営報告基準日の翌日から5月を経過する日が被相続人の死亡に係る相続税の申告書の提出期限までに到来する場合には、特例施業対象山林の経営に関する事項（注2）を記載した書類
③ 相続の開始の時において、相続人が1の(2)の①から③までに掲げる要件その他一定の要件（注3）を満たしていることを証する書類として一定のもの（注4）
（注1）　その他の一定の書類とは、次に掲げる書類をいいます（措規23の8の6㉑）。
　　　a　林業経営相続人が被相続人の死亡による相続の開始があったことを知った日その他参考となるべき事項を記載した書類
　　　b　被相続人から相続又は遺贈により取得した特例施業対象山林の面積及びその所在場所並びに当該特例施業対象山林（立木に限ります。）が標準伐期齢に達する日までの期間、林業経営相続人の相続の開始の時における平均余命期間及び当該標準伐期齢に達する日までの期間が当該相続の開始の時における平均余命期間を超えるかどうかの別その他特例施業対象山林についての明細を記載した書類

－833－

第八章第二節《山林についての相続税の納税猶予及び免除の特例》

  c 納税猶予分の相続税額の計算に関する明細を記載した書類

  d 市町村長の証明書で、特定森林経営計画の当初認定起算日から特例の適用に係る相続の開始の直前（その相続に係る被相続人がその有する山林の全部の経営をその推定相続人に委託をしている場合には、その委託をした日の直前。eにおいて同じ。）まで継続して特定森林経営計画に従って適正かつ確実に経営が行われ、認定が継続してきたことを証するもの

  e 農林水産大臣の証明書で特定森林経営計画の当初認定起算日から特例の適用に係る相続の開始の直前まで森林法施行規則第99条第2号に掲げる要件に該当することについて引き続いて同令第100条第1項本文の農林水産大臣の確認を受けていたことを証するもの及び同令第99条第1号に掲げる要件に該当することについての同項の農林水産大臣の確認（被相続人が最初に受けたものに限ります。）に係る同令第100条第6項の確認書

  f 農林水産大臣の証明書で、特定森林経営計画及び特例施業対象山林がそれぞれ1の**(注1)**のイからハまで並びに1の**(注2)**のイ及びロに掲げる要件を満たしていることを証するもの

  g aの相続の開始があったことを知った日が当該相続の開始の日と異なる場合にあっては、相続に係る林業経営相続人が相続の開始があったことを知った日を明らかにする書類

  h 遺言書の写し、財産の分割の協議に関する書類（当該書類に当該相続に係る全ての共同相続人及び包括受遺者が自署し、自己の印を押しているものに限ります。）の写し（当該自己の印に係る印鑑証明書が添付されているものに限ります。）その他の財産の取得の状況を証する書類

  i 林業経営相続人の戸籍の謄本又は抄本その他の書類で、当該林業経営相続人がaの相続の開始の直前において当該林業経営相続人に係る被相続人の推定相続人であった旨を明らかにする書類

  j 森林法施行規則第99条第3号（被相続人がその有する山林の全部の経営をその推定相続人に委託をしている場合には、同号及び同条第4号）に掲げる要件に該当することについて被相続人が受けた同令第100条第1項本文の農林水産大臣の確認に係る同条第6項の確認書

  k 相続の開始の直前及び相続税の申告書の提出期限を経過する時において現に効力を有する特定森林経営計画（特例施業対象山林に係るものに限ります。）に係る計画書の写し及び当該特定森林経営計画に係る市町村長等の認定に係る通知の写し

  l その他参考となるべき書類

(注2) 特例施業対象山林の経営に関する事項とは、次に掲げる事項のことをいいます（措規23の8の6㉒）。

  a 林業経営相続人の氏名及び住所又は居所

  b 被相続人から相続又は遺贈により特例山林の取得をした日

  c 特例山林の所在場所

  d 経営報告基準日の翌日から5か月を経過する日が当該経営報告基準日の翌年である場合にあっては、当該経営報告基準日の属する年分の所得税法第32条第1項《山林所得》に規定する山林所得に係る収入金額

  e その他参考となるべき事項

(注3) その他一定の要件とは、森林法第11条第5項第4号及び第6号（これらの規定を同法第12条第3項において準用する場合を含みます。）に掲げる要件に該当することをいいます（措規23の8の6㉓）。

(注4) 証する書類として一定のものとは、次に掲げる場合の区分に応じそれぞれに定める書類のことをいいます（措規23の8の6㉔）。

  A Bに掲げる場合以外の場合……次に掲げる書類

   a 森林法第17条第2項の届出書の写し

   b 森林法施行規則第99条第1号に掲げる要件に該当することについての同令第100条第1項本文の農林水産大臣の確認（同条第2項第2号に掲げる場合に該当するものに限ります。）に係る同条第6項の確認書

   c 経営報告基準日の翌日から5か月を経過する日が被相続人の死亡に係る相続税の申告書の提出期限までに到来する場合にあっては、当該経営報告基準日以後に受ける森林法施行規則第99条第2号に掲げる要件に該当することについての同令第100条第1項本文の農林水産大臣の確認に係る同条第6項の確認書

   d 市町村長の証明書で、次の要件に該当することを証するもの

    ㋑ 特定森林経営計画について森林法第16条の規定により市町村長等の認定が取り消されたことが

            −834−

第八章第二節《山林についての相続税の納税猶予及び免除の特例》

ある場合にあっては、その取消しの日から起算して10年を経過している者であること。

㋺　特定森林経営計画についてその期間満了時までに引き続いて市町村長等の認定を受けなかったことがある場合にあっては、当該期間満了の日から10年を経過している者であること。

㋩　その有する山林（次に掲げるものを除き、被相続人から相続又は遺贈により取得したものに限ります。）について作業路網の整備が行われる部分の面積の合計が100ヘクタール以上であること。

（イ）　森林の保健機能の増進に関する特別措置法〔平成元年法律第71号〕第2条第2項第2号に規定する森林保健施設の整備に係る地区内に存する山林

（ロ）　所有山林を含む一の一体的かつ連続的な山林の面積が著しく小さい場合における当該所有山林

（ハ）　分収林特別措置法第2条第3項に規定する分収林契約並びに国有林野の管理経営に関する法律第10条に規定する分収造林契約及び同法第17条の3に規定する分収育林契約に係る山林並びに入会林野等に係る権利関係の近代化の助長に関する法律第2条第1項に規定する入会林野に係る山林

㋥　その有する山林（㋩の（ロ）及び（ハ）に掲げるものを除き、被相続人から相続又は遺贈により取得したものを含みます。）の全て及び当該個人が他の山林の所有者から経営の委託を受けた山林の全てが、特定森林経営計画が定められている区域内に存すること。

　　e　その他参考となるべき書類
　B　特例の適用を受けようとする相続人が被相続人が有する山林の全部の経営の委託を受けている場合……次に掲げる書類
　　a　市町村長の証明書で、その委託を受けた日から被相続人の死亡の日の前日まで継続して特定森林経営計画に従って適正かつ確実に経営が行われ、認定が継続してきたことを証するもの
　　b　農林水産大臣の証明書でその委託を受けた日から被相続人の死亡の日の前日まで森林法施行規則第99条第2号に掲げる要件に該当することについて引き続いて同令第100条第1項本文の農林水産大臣の確認を受けていたことを証するもの及び同令第99条第1号に掲げる要件に該当することについての同項本文の農林水産大臣の確認（相続人が最初に受けたものに限ります。）に係る同令第100条第6項の確認書
　　c　Aのcからeまでに掲げる書類

3　納税猶予分の相続税額の計算

（1）　納税猶予分の相続税額の計算

　林業経営相続人の相続税の額は、特例山林の価額（相続税法第13条《債務控除》の規定により控除すべき債務がある場合において、控除未済債務額(**注**)があるときは、その特例山林の価額からその控除未済債務額を控除した残額〔以下3において「**特定価額**」といいます。〕）を林業経営相続人に係る相続税の課税価格とみなして、相続税法第13条《債務控除》から第19条《相続開始前7年以内に贈与があった場合の相続税額》まで、第21条の15第1項及び第2項並びに第21条の16第1項及び第2項の規定を適用して計算した林業経営相続人の相続税の額（林業経営相続人が相続税法第19条の2《配偶者に対する相続税額の軽減》から第20条の2《在外財産に対する相続税額の軽減》まで、第21条の15又は第21条の16の規定の適用を受ける者である場合において、林業経営相続人に係る納付すべき相続税の額の計算上これらの規定により控除された金額の合計額が次に掲げる金額の合計額を超えるときは、当該超える部分の金額を控除した残額）となります（措令40の7の6⑤）。

①　特定価額に100分の20を乗じて計算した金額を林業経営相続人に係る相続税の課税価格とみなして、相続税法第15条から第19条まで、第21条の15第1項及び第2項並びに第21条の16第1項及び第2項の規定を適用して計算した当該林業経営相続人の相続税の額

②　イに掲げる金額からロに掲げる金額を控除した残額

　イ　相続税法第11条から第19条まで、第21条の15第1項及び第2項並びに第21条の16第1項及び第2項の規定を適用して計算した林業経営相続人の相続税の額

－835－

第八章第二節《山林についての相続税の納税猶予及び免除の特例》

　　ロ　特定価額を林業経営相続人に係る相続税の課税価格とみなして、相続税法第13条から第19条まで、第21条の15第１項及び第２項並びに第21条の16第１項及び第2項の規定を適用して計算した当該林業経営相続人の相続税の額

　（注）　「控除未済債務額」とは、次のイの金額からロの金額を控除した金額（その金額が零を下回る場合には、零）をいいます（措令40の７の６⑤⑥）。

イ	相続税法第13条《債務控除》の規定により控除すべき林業経営相続人の負担に属する部分の金額
ロ	イの林業経営相続人が１の適用に係る相続又は遺贈（その相続又は遺贈に係る被相続人からの贈与により取得した財産で第七章第一節の２の（４）《相続時精算課税選択届出書の提出の効果と届出書の撤回》に掲げる相続時精算課税の適用を受けるものに係る贈与を含みます。）により取得した財産の価額から（１）に掲げる特例山林の価額を控除した残額

（２）　農地等についての相続税の納税猶予等の特例がある場合の納税猶予分の相続税額の計算

　　納税猶予分の相続税額を計算する場合において、１の規定の適用を受ける林業経営相続人に係る被相続人から相続又は遺贈により財産の取得をした者のうちに第一節《農地についての相続税の納税猶予制度の特例》の適用を受ける者があるときにおけるその財産の取得をした全ての者に係る相続税の課税価格は、同節の３《特例の適用を受ける場合の相続税の計算》により計算される相続税の課税価格となります（措令40の７の６⑨）。

（３）　農地・非上場株式等についての相続税の納税猶予制度との調整

　　山林の納税猶予の特例の適用を受ける林業経営相続人が第一節《農地についての相続税の納税猶予及び免除の特例》、第三節《特定の美術品についての相続税の納税猶予及び免除》、第四節《個人の事業用資産についての相続税の納税猶予及び免除》、第九章第一節《非上場株式等についての相続税の納税猶予及び免除》の１、同章第二節の２《非上場株式等の贈与者が死亡した場合の相続税の納税猶予及び免除》、第十章第一節《非上場株式等についての相続税の納税猶予及び免除の特例》の１、同章第二節の２《非上場株式等の特例贈与者が死亡した場合の相続税の納税猶予及び免除の特例》又は第十一章第一節《医療法人の持分についての相続税の納税猶予及び免除》の１の規定の適用を受ける者である場合において、調整前山林猶予税額（納税猶予分の相続税額で（１）及び（２）により計算されたものをいいます。）、調整前農地等猶予税額(注１)、調整前美術品猶予税額(注２)、調整前事業用資産猶予税額(注３)、調整前株式等猶予税額(注４)及び調整前持分猶予税額(注５)の合計額が猶予可能税額（林業経営相続人が山林の納税猶予の特例の適用を受けないものとした場合における林業経営相続人が納付すべき相続税の額をいいます。）を超えるときにおける特例山林に係る納税猶予分の相続税額は、猶予可能税額に調整前山林猶予税額がその合計額に占める割合を乗じて計算した金額となります（措令40の７の６⑩）。

　（注１）　「調整前農地等猶予税額」とは、租税特別措置法第70条の６第１項に規定する納税猶予分の相続税額で租税特別措置法施行令第40条の７第16項の規定により計算されたものをいいます。

　（注２）　「調整前美術品猶予税額」とは、租税特別措置法第70条の６の７第１項に規定する納税猶予分の相続税額で租税特別措置法施行令第40条の７第16項第２号の規定により計算されたものをいいます。

　（注３）　「調整前事業用資産猶予税額」とは、租税特別措置法第70条の６の10第１項に規定する納税猶予分の相続税額で租税特別措置法施行令第40条の７第16項第３号の規定により計算されたものをいいます。

　（注４）　「調整前株式等猶予税額」とは、租税特別措置法第70条の７の２第１項、租税特別措置法第70条の７の４第１項、租税特別措置法第70条の７の６第１項又は租税特別措置法第70条の７の８第１項に規定する納税猶予分の相続税額で租税特別措置法施行令第40条の７第16項第４号の規定により計算されたものをいいます。

　（注５）　「調整前持分猶予税額」とは、租税特別措置法第70条の７の12第１項に規定する納税猶予分の相続税額で租税特別措置法施行令第40条の７第16項第５号の規定により計算されたものをいいます。

第八章第二節《山林についての相続税の納税猶予及び免除の特例》

4　林業経営困難時に推定相続人に経営委託を行った場合の納税猶予の継続

　納税猶予の適用を受ける林業経営相続人が、障害、疾病その他の事由により特例山林について経営を行うことが困難な状態として一定の状態となった場合において、特例山林の全部の経営を林業経営相続人の推定相続人で一定の者に委託（以下「経営委託」といいます。）をしたときは、その経営委託をした日から2か月以内に、その経営委託をした旨の届出書に一定の書類を添付して納税地の所轄税務署長に提出したときに限り、6の**(1)**の適用については、その経営委託をした特例山林（以下「経営委託山林」といいます。）に係る山林の経営は、廃止していないものとみなされ、納税猶予が継続されます（措法70の6の6⑥）。

（1）　特例山林について経営を行うことが困難な状態として一定の状態

　「特例山林について経営を行うことが困難な状態として一定の状態」とは、林業経営相続人（相続税の申告書の提出期限において既に次に掲げる事由が生じていた者（提出期限後に新たに事由が生じた者並びにロの身体障害者手帳の交付を受けている者のうち、提出期限後に身体障害者手帳に記載された身体上の障害の程度が2級から1級に変更された者及び身体上の障害の程度が1級又は2級である障害が身体障害者手帳に新たに記載された者を除きます。）を除きます。）に次に掲げる事由が生じている状態をいいます（措令40の7の6⑰）。

イ　林業経営相続人が精神保健及び精神障害者福祉に関する法律第45条第2項の規定により精神障害者保健福祉手帳（精神保健及び精神障害者福祉に関する法律施行令第6条第3項に規定する障害等級が1級である者として記載されているものに限ります。）の交付を受けていること。

ロ　林業経営相続人が身体障害者福祉法第15条第4項の規定により身体障害者手帳（身体上の障害の程度が1級又は2級である者として記載されているものに限ります。）の交付を受けていること。

ハ　林業経営相続人が介護保険法第19条第1項の規定により同項に規定する要介護認定（同項の要介護状態区分が要介護認定等に係る介護認定審査会による審査及び判定の基準等に関する省令第1条第1項第5号に掲げる区分に該当するものに限ります。）を受けていること。

ニ　上記イからハまでに掲げる事由のほか、林業経営相続人が提出期限後に山林の経営を行うことを不可能にさせる故障として農林水産大臣が財務大臣と協議して定めるものを有するに至ったことにつき、市町村長の認定を受けていること。

（2）　推定相続人で一定の者

　「推定相続人で一定の者」とは、林業経営相続人から林業経営相続人の有する特例山林の全部の経営の委託を受けた個人であって、次に掲げる要件の全てを満たす者をいいます（措令40の7の6⑱、措規23の8の6⑰）。

イ　その個人が、経営委託を受けた日において、林業経営相続人の推定相続人であること。

ロ　その個人が、特定森林経営計画に従って特例山林の経営を適正かつ確実に行うものと認められる要件として、次の要件を満たしていること。

　（イ）　森林法施行規則第99条第3号及び第4号に掲げる要件に該当することについて同令第100条第1項本文の確認を受けた4の適用を受けようとする林業経営相続人のその確認に係る推定相続人であること。

　（ロ）　特定森林経営計画について森林法第16条の規定により市町村長等の認定が取り消されたことがある場合にあっては、その取消しの日から起算して10年を経過している者であること。

　（ハ）　特定森林経営計画についてその期間満了時までに引き続いて市町村長等の認定を受けなかったことがある場合にあっては、当該期間満了の日から10年を経過している者であること。

　（ニ）　その個人が林業経営相続人から経営委託を受けた山林（1の**(2)**のホのaからcまでに掲げるものを除きます。）について作業路網の整備が行われる部分の面積の合計が100ヘクタール以上であること。

－837－

（ホ） その有する山林（1の（2）のホのb及びcに掲げるものを除きます。）の全て及びその個人が他の山林の所有者から経営の委託を受けた山林の全てが、特定森林経営計画が定められている区域内に存すること。

（ヘ） 次に掲げる事項について、農林水産大臣の確認を受けた者であること。

A 特定森林経営計画の達成のために必要な機械その他の設備を利用することができること。

B 特定森林経営計画が定められている区域内に存する山林の全てについて、特定森林経営計画に従って適正かつ確実に経営（その山林の経営の規模の拡大及び作業路網の整備を含みます。）を行うことができること。

5　納税猶予期間中の継続届出書の提出

（1）　継続届出書の提出

納税猶予の適用を受ける林業経営相続人は、被相続人の死亡の日の翌日から猶予中相続税額の全部につき納税の猶予に係る期限が確定する日までの間に経営報告基準日（特例山林に係る被相続人の死亡の日の翌日以後最初に到来する経営報告基準日の翌日から5か月を経過する日が当該相続税の申告書の提出期限までに到来する場合における最初に到来する経営報告基準日を除きます。）が存する場合には、届出期限（経営報告基準日の翌日から5か月を経過する日をいいます。）までに、引き続いて納税猶予の特例の適用を受けたい旨及び一定の事項（注1）を記載した届出書（注2）を納税地の所轄税務署長に提出しなければなりません（措法70の6の6⑪、措規23の8の6㉖）。

（注1） 「一定の事項」とは、次に掲げる事項をいいます（措令40の7の6㉑）。
　　① 林業経営相続人の氏名及び住所
　　② 被相続人から相続又は遺贈により特例山林の取得をした日
　　③ 特例山林の所在地
　　④ 当該届出書を提出する日の直前の経営報告基準日の属する年の前年までの各年分（当該経営報告基準日の直前の経営報告基準日がない場合又は相続税の申告書の提出期限までに存する場合にあっては相続税の申告書の提出期限の属する年の前年までの各年分を除き、その直前の経営報告基準日が当該相続税の申告書の提出期限後に存する場合にあっては当該直前の経営報告基準日の属する年の前年までの各年分を除きます。）の所得税法第32条第1項《山林所得》に規定する山林所得に係る収入金額
　　⑤ 経営委託をしている場合にあっては、その経営委託をしている者
　　⑥ その他の一定の事項

（注2） 継続届出書には、特例山林（林業経営相続人が7の適用を受けた者である場合には、7の適用に係る経営委託山林）に係る次に掲げる書類（届出書を提出する日の直前の経営報告基準日に係るものに限ります。）を添付する必要があります（措規23の8の6㉕）。
　　① 市町村長の証明書で、特定森林経営計画に従って適正かつ確実に経営が行われてきたことを証するもの
　　② 森林法施行規則第99条第2号に掲げる要件に該当することについての同令第100条第1項本文の農林水産大臣の確認に係る同条第6項の確認書
　　③ その他参考となるべき書類

（2）　継続届出書が提出されなかった場合

（1）の届出書が届出期限までに納税地の所轄税務署長に提出されない場合には、届出期限における猶予中相続税額に相当する相続税については、届出期限の翌日から2か月を経過する日（届出期限の翌日から当該2か月を経過する日までの間に林業経営相続人が死亡した場合には、林業経営相続人の相続人が林業経営相続人の死亡による相続の開始があったことを知った日の翌日から6か月を経過する日）をもって納税の猶予に係る期限とされます（措法70の6の6⑬）。

-838-

第八章第二節《山林についての相続税の納税猶予及び免除の特例》

6 納税猶予の打切り

（1） 納税猶予の全部打切り

　納税猶予の特例の適用を受ける林業経営相続人又は特例山林について次のいずれかに掲げる場合に該当することとなった場合には、それぞれに定める日から2か月を経過する日（それぞれに定める日から2か月を経過する日までの間に林業経営相続人が死亡した場合には、林業経営相続人の相続人〔包括受遺者を含みます。〕が林業経営相続人の死亡による相続の開始があったことを知った日の翌日から6か月を経過する日）をもって納税の猶予に係る期限となります（措法70の6の6③）。

① 　林業経営相続人による特定森林経営計画に従った特例山林の経営が適正かつ確実に行われていない場合において、特定森林経営計画に係る農林水産大臣、都道府県知事又は市町村長（以下「農林水産大臣等」といいます。）から林業経営相続人の納税地の所轄税務署長にその該当する旨の通知があったとき………通知があった日

② 　林業経営相続人が特例山林の譲渡、贈与若しくは転用（特例山林の土地を立木の生育以外の用に供する行為のことをいいます。）をし、若しくは特例山林につき地上権、永小作権、使用貸借による権利若しくは賃借権の設定をした場合（租税特別措置法第33条の4《収用交換等の場合の譲渡所得等の特別控除》第1項に規定する収用交換等による譲渡があった場合を除きます。）又は特例山林が路網未整備等（作業路網の一部の整備が適正に行われていない場合又は一体的かつ効率的な経営に適さなくなった山林となった場合をいいます。）に該当することとなった場合において、その譲渡等又は路網未整備等があった特例山林に係る土地の面積が、林業経営相続人のその時の直前における特例山林に係る土地の面積（その時より前に特例山林につき譲渡等又は路網未整備等があった場合には、譲渡等又は路網未整備等に係る土地の面積を加算した面積）の100分の20を超えるとき………農林水産大臣等から林業経営相続人の納税地の所轄税務署長に当該100分の20を超えることとなった譲渡等又は路網未整備等に係る通知があった日

③ 　特例山林に係る山林の経営を廃止した場合………その廃止した日

④ 　林業経営相続人のその年分の所得税法第32条第1項に規定する山林所得に係る収入金額が零となった場合………その収入金額が零となった年の12月31日

⑤ 　林業経営相続人が納税猶予の特例の適用を受けることをやめる旨を記載した届出書を納税地の所轄税務署長に提出した場合………当該届出書の提出があった日

（2） 納税猶予の一部打切り

　猶予中相続税額に相当する相続税の全部につき納税の猶予に係る期限が確定する日までに、林業経営相続人が特例山林の一部の譲渡等をした場合又は特例山林が路網未整備等に該当することとなった場合には、猶予中相続税額のうち、譲渡等をした特例山林又は路網未整備等に該当することとなった特例山林の価額に対応する部分に相当する相続税（**注**）については、農林水産大臣等から林業経営相続人の納税地の所轄税務署長に譲渡等又は路網未整備等があった旨の通知があった日から2か月を経過する日（その通知があった日から2か月を経過する日までの間に林業経営相続人が死亡した場合には、林業経営相続人の相続人が林業経営相続人の死亡による相続の開始があったことを知った日の翌日から6か月を経過する日）をもって納税の猶予に係る期限となります（措法70の6の6④）。

> （**注**）　「猶予中相続税額のうち、譲渡等をした特例山林又は路網未整備等に該当することとなった特例山林の価額に対応する部分の金額に相当する相続税」とは、譲渡等又は路網未整備等の直前における猶予中相続税額に、譲渡等をした特例山林又は当該路網未整備等に該当することとなった特例山林の価額が譲渡等又は路網未整備等の直前における特例山林の価額に占める割合を乗じて計算した金額のことをいいます（措令40の7の6⑯）。

（3） 担保変更等の命令に応じない場合の打切り

　税務署長は、次に掲げる場合には、猶予中相続税額に相当する相続税に係る納税猶予の期限を繰り

第八章第二節《山林についての相続税の納税猶予及び免除の特例》

上げることができます（措法70の6の6⑭）。

① 納税猶予の適用を受ける林業経営相続人が担保について国税通則法第51条第1項《担保変更等》の規定による命令に応じない場合

② 林業経営相続人から提出された5の（1）の届出書に記載された事項と相違する事実が判明した場合

7　納税猶予税額の免除

（1）　概要

納税猶予の適用を受ける林業経営相続人が死亡した場合には、猶予中相続税額に相当する相続税が免除されます。この場合において、林業経営相続人の相続人は、その死亡した日から同日以後6か月を経過する日（「免除届出期限」といいます。）までに、次の事項を記載した届出書を納税地の所轄税務署長に提出しなければなりません（措法70の6の6⑰、措規23の8の6㉙）。

① 届出書を提出する者の氏名及び住所又は居所並びに死亡した林業経営相続人との続柄

② 死亡した林業経営相続人の氏名及びその死亡の時における住所又は居所並びにその死亡した年月日

③ 相続税の免除を受けようとする旨及び当該免除を受けようとする相続税の額

④ その他参考となるべき事項

（2）　届出手続

納税猶予の適用を受ける林業経営相続人の相続人（包括受遺者を含みます。）は、届出書を提出する場合には、林業経営相続人が死亡した日の直前の経営報告基準日（林業経営相続人が相続税の申告書の提出期限の翌日から同日以後最初に到来する経営報告基準日までの間に死亡した場合には、その相続税の申告書の提出期限）の翌日からその死亡した日までの間における林業経営相続人又は林業経営相続人による特定森林経営計画に従った特例山林の経営が適正かつ確実に行われていない場合若しくは6の（1）の②から⑤までに掲げる場合又は6の（2）の譲渡等をした場合若しくは路網未整備等に該当することとなった場合に該当する事由の有無その他の一定の事項（注1）を明らかにする所定の書類（注2）を届出書に添付しなければなりません（措令40の7の6㉓）。

（注1）　「一定の事項」とは、次に掲げる事項をいいます（措規23の8の6㉗）。

　　① 林業経営相続人の氏名及びその死亡の時における住所又は居所

　　② 被相続人から納税猶予に係る相続又は遺贈により特例山林の取得をした日

　　③ 特例山林の所在場所

　　④ 林業経営相続人の死亡の日の直前の経営報告基準日の属する年の前年までの各年分（経営報告基準日の直前の経営報告基準日がない場合又は相続税の申告書の提出期限までに存する場合にあっては相続税の申告書の提出期限の属する年の前年までの各年分を除き、その直前の経営報告基準日が相続税の申告書の提出期限後に存する場合にあってはその直前の経営報告基準日の属する年の前年までの各年分を除きます。）の所得税法第32条第1項《山林所得》に規定する山林所得に係る収入金額

　　⑤ 林業経営相続人の死亡の日における猶予中相続税額

　　⑥ 林業経営相続人の死亡の日において当該林業経営相続人が有する特例山林の面積及び当該林業経営相続人に係る被相続人の氏名

　　⑦ 林業経営相続人の死亡の日の直前の経営報告基準日の翌日から死亡の日までの間に納税猶予に係る期限が到来した猶予中相続税額がある場合には、6の（1）又は（2）のいずれの場合に該当したかの別及び該当した日並びに猶予中相続税額及びその明細

　　⑧ その他参考となるべき事項

（注2）　「所定の書類」とは、次の掲げる書類をいいます（措規23の8の6㉘）。

　　① 市町村長の証明書で、被相続人に係る相続の開始の日から林業経営相続人の死亡の日の前日（その林業経営相続人が4の適用を受けた者である場合には、4の適用に係る経営委託をした日の前日。②において同じ。）までの間継続して林業経営相続人によって特定森林経営計画に従って適正かつ確実に経

—840—

営が行われてきたことを証するもの

② 農林水産大臣の証明書で、被相続人に係る相続の開始の日から林業経営相続人の死亡の日の前日まで森林法施行規則第99条第2号に掲げる要件に該当することについて引き続いて同令第100条第1項の農林水産大臣の確認を受けてきたこと並びに5の(1)又は(2)に該当しなかつたことを証するもの

③ 林業経営相続人が4の適用を受けた者である場合には、市町村長の証明書で、4の適用に係る経営委託をした日から林業経営相続人の死亡の日の前日までの間継続して4の適用に係る経営受託者によって特定森林経営計画に従って適正かつ確実に経営が行われてきたことを証するもの

④ 林業経営相続人が4の適用を受けた者である場合には、農林水産大臣の証明書で、4の適用に係る経営委託をした日から林業経営相続人の死亡の日の前日まで森林法施行規則第99条第2号に掲げる要件に該当することについて4の適用に係る経営受託者が引き続いて同令第100条第1項本文の農林水産大臣の確認を受けてきたことを証するもの

⑤ その他参考となるべき書類

8　納税猶予の打切り等があった場合の利子税の納付

　納税猶予の適用を受けた林業経営相続人は、次の表の①から③の左欄に掲げる場合に該当する場合には、①から③の中欄に掲げる金額を基礎とし、林業経営相続人が納税猶予の適用を受けるために提出する相続税の申告書の提出期限の翌日から①から③の右欄に掲げる日（①の右欄に掲げる日以前2か月以内に林業経営相続人が死亡した場合には、林業経営相続人の相続人が林業経営相続人の死亡による相続の開始があったことを知った日の翌日から6か月を経過する日）までの期間に応じ、年3.6パーセントの割合を乗じて計算した金額に相当する利子税を、①から③の中欄に掲げる金額に相当する相続税にあわせて納付しなければなりません（措法70の6の6⑲）。

①	6の(1)《納税猶予の全部打切り》の適用があった場合（③の左欄に掲げる場合に該当する場合を除きます。）	猶予中相続税額	6の(1)の①から⑤に定める日から2か月を経過する日
②	6の(2)《納税猶予の一部打切り》又は5の(2)《継続届出書が提出されなかった場合》の適用があった場合（③の左欄に掲げる場合に該当する場合を除きます。）	これらの規定により納税の猶予に係る期限が確定する猶予中相続税額	これらの規定による納税の猶予に係る期限
③	6の(3)《担保変更等の命令に応じない場合の打切り》の適用があった場合	6の(3)により納税の猶予に係る期限が繰り上げられる猶予中相続税額	6の(3)により繰り上げられた納税の猶予に係る期限

第三節　特定の美術品についての相続税の納税猶予及び免除

(注)　本節は平成30年度改正により創設されたもので、文化財保護法及び地方教育行政の組織及び運営に関する
　　　法律の一部を改正する法律（平成30年法律第42号）の施行の日（平成31年4月1日）以後に相続又は遺贈に
　　　より取得する特定美術品に係る相続税について適用されます（平30改法附118⑲）。

1　制度の概要

　寄託先美術館（**注1**）の設置者と特定美術品（**注2**）の寄託契約（**注3**）を締結し、認定保存活用計画（**注4**）に基づきその特定美術品を寄託先美術館の設置者に寄託していた者からその特定美術品を相続又は遺贈により取得した相続人（以下「寄託相続人」といいます。）が、その特定美術品の寄託先美術館の設置者への寄託を継続する場合には、寄託相続人が相続税の申告書の提出により納付すべき相続税の額のうち、その特定美術品に係る納税猶予分の相続税額に相当する相続税については、相続税の申告書の提出期限までに納税猶予分の相続税額に相当する担保を提供した場合に限り、寄託相続人の死亡の日まで、その納税が猶予されます（措法70の6の7①）。

(**注1**)　「寄託先美術館」とは、博物館法（昭和26年法律第285号）第2条第1項に規定する博物館又は同法第
　　　31条第2項の規定により博物館に相当する施設として指定された施設のうち、特定美術品の公開（公衆の
　　　観覧に供することをいいます。）及び保管を行うものをいいます（措法70の6の7②五）。

(**注2**)　「特定美術品」とは、認定保存活用計画に記載された次に掲げるものをいいます（措法70の6の7②一）。

　　　イ　文化財保護法第27条第1項の規定により重要文化財として指定された絵画、彫刻、工芸品その他の有
　　　　　形の文化的所産である動産

　　　ロ　文化財保護法第58条第1項に規定する登録有形文化財（建造物であるものを除きます。以下「登録有
　　　　　形文化財」といいます。）のうち世界文化の見地から歴史上、芸術上又は学術上特に優れた価値を有す
　　　　　るもの

(**注3**)　「寄託契約」とは、特定美術品の所有者と寄託先美術館の設置者との間で締結された特定美術品の寄託
　　　に関する契約で、契約期間その他一定の事項の記載があるものをいいます（措法70の6の7②二）。

(**注4**)　「認定保存活用計画」とは、次に掲げるものをいいます（措法70の6の7②三）。

　　　イ　文化財保護法第53条の2第3項第3号に掲げる事項が記載されている同法第53条の6に規定する認
　　　　　定重要文化財保存活用計画

　　　ロ　文化財保護法第67条の2第3項第2号に掲げる事項が記載されている同法第67条の5に規定する認
　　　　　定登録有形文化財保存活用計画

2　特例の適用を受けるための手続等

（1）　申告要件

　本制度の適用を受けようとする寄託相続人が提出する相続税の期限内申告書に、特定美術品につき本制度の適用を受けようとする旨の記載並びに特定美術品の明細及び納税猶予分の相続税額の計算に関する明細を記載した書類等の添付をする必要があります。これらの記載又は添付がない場合には、本制度は適用されません（措法70の6の7⑧）。

（2）　分割要件

　相続税の申告書の提出期限までに、特定美術品が共同相続人又は包括受遺者によってまだ分割されていない場合には、その分割されていない特定美術品は、相続税の申告書に本制度の適用を受ける旨の記載をすることができません（措法70の6の7⑦）。

（3）　担保の提供等

　本制度は本来申告期限までに納付すべき相続税の納税を猶予するものであることから7のとおり猶予される相続税額に相当する担保を提供する必要があります。

－842－

3 納税猶予分の相続税の計算

（1） 納税猶予分の相続税額の計算

　寄託相続人の相続税の額は、特定美術品の価額（相続税法第13条《債務控除》の規定により控除すべき債務がある場合において、控除未済債務額（**注1**）があるときは、その特定美術品の価額からその控除未済債務額を控除した残額。〔以下3において「**特定価額**」といいます。〕）を寄託相続人に係る相続税の課税価格とみなして、相続税法第13条《債務控除》から第19条《相続開始前7年以内に贈与があつた場合の相続税額》まで、第21条の15第1項及び第2項並びに第21条の16第1項及び第2項の規定を適用して計算した寄託相続人の相続税の額（寄託相続人が相続税法第19条の2《配偶者に対する相続税額の軽減》から第20条の2《在外財産に対する相続税額の軽減》まで、第21条の15又は第21条の16の規定の適用を受ける者である場合において、寄託相続人に係る納付すべき相続税の額の計算上これらの規定により控除された金額の合計額が次に掲げる金額の合計額を超えるときは、当該超える部分の金額を控除した残額）となります（措令40の7の7④）。

① 特定価額に100分の20を乗じて計算した金額を寄託相続人に係る相続税の課税価格とみなして、相続税法第13条から第19条まで、第21条の15第1項及び第2項並びに第21条の16第1項及び第2項の規定を適用して計算した寄託相続人の相続税の額

② イに掲げる金額からロに掲げる金額を控除した残額

　イ　相続税法第11条から第19条まで、第21条の15第1項及び第2項並びに第21条の16第1項及び第2項の規定を適用して計算した寄託相続人の相続税の額

　ロ　特定価額を寄託相続人に係る相続税の課税価格とみなして、相続税法第13条から第19条まで、第21条の15第1項及び第2項並びに第21条の16第1項及び第2項の規定を適用して計算した寄託相続人の相続税の額

（注1） 「控除未済債務額」とは、次のイに掲げる金額からロに掲げる金額を控除した金額（その金額が零を下回る場合には、零とします。）をいいます（措令40の7の7⑤）。

　　イ　相続税法第13条《債務控除》の規定により控除すべき寄託相続人の負担に属する部分の金額

　　ロ　イの寄託相続人に係る（イ）に掲げる価額と（ロ）に掲げる金額との合計額から（ハ）に掲げる価額を控除した残額

　　　（イ）　寄託相続人が1の適用に係る相続又は遺贈により取得した財産の価額

　　　（ロ）　寄託相続人が被相続人からの贈与により取得した財産で第七章第一節2の（4）の規定の適用を受けるものの価額から同章第二節1の基礎控除額（同節3を含みます。）による控除をした残額

　　　（ハ）　寄託相続人が1の適用に係る相続又は遺贈により取得した1の適用を受ける特定美術品の価額

（注2） 特定美術品が2以上ある場合には、寄託相続人が被相続人から相続又は遺贈により取得をした全ての特定美術品の価額の合計額（相続税法第13条《債務控除》の規定により控除すべき債務がある場合において控除未済債務額があるときは、その特定美術品の価額の合計額からその控除未済債務額を控除した残額）がその寄託相続人に係る相続税の課税価格とみなされます（措令40の7の7⑧）。

（注3） （注2）の場合において、特定美術品の異なるものごとの納税猶予分の相続税額は、（注2）の規定を適用して計算した納税猶予分の相続税額に特定美術品の異なるものごとの価額が全ての特定美術品の価額の合計額に占める割合を乗じて計算した金額となります（措令40の7の7⑨）。

（2） 農地等についての相続税の納税猶予等の特例がある場合の相続税額の計算

　納税猶予分の相続税額を計算する場合において、本制度の適用を受ける寄託相続人に係る被相続人から相続又は遺贈により財産の取得をした者のうちに第一節《農地についての相続税の納税猶予及び免除の特例》の適用を受ける者があるときにおけるその財産の取得をした全ての者に係る相続税の課税価格は、同節の3《特例の適用を受ける場合の相続税の計算》の（1）により計算される相続税の課税価格となります（措令40の7の7⑩）。

第八章第三節《特定の美術品についての相続税の納税猶予及び免除》

（3） 農地・非上場株式等についての相続税の納税猶予制度との調整

　本制度の適用を受ける寄託相続人が第一節《農地についての相続税の納税猶予及び免除の特例》、第二節《山林についての相続税の納税猶予及び免除の特例》の1、第四節《個人の事業用資産についての相続税の納税猶予及び免除》、第九章第一節《非上場株式等についての相続税の納税猶予及び免除》の1、同章第二節の2《非上場株式等の贈与者が死亡した場合の相続税の納税猶予及び免除》、第十章第一節《非上場株式等についての相続税の納税猶予及び免除の特例》の1、同章第二節の2《非上場株式等の特例贈与者が死亡した場合の相続税の納税猶予及び免除の特例》又は第十一章第一節《医療法人の持分についての相続税の納税猶予及び免除》の1の規定の適用を受ける者である場合において、調整前美術品猶予税額（納税猶予分の相続税額で(1)及び(2)により計算されたものをいいます。）、調整前農地等猶予税額(注1)、調整前山林猶予税額(注2)、調整前事業用資産猶予税額(注3)、調整前株式等猶予税額(注4)及び調整前持分猶予税額(注5)の合計額が猶予可能税額（寄託相続人が特定美術品の納税猶予の特例の適用を受けないものとした場合における寄託相続人が納付すべき相続税の額をいいます。）を超えるときにおける特定美術品に係る納税猶予分の相続税額は、猶予可能税額に調整前美術品猶予税額がその合計額に占める割合を乗じて計算した金額となります（措令40の7の7⑪）。

- **(注1)**　「調整前農地等猶予税額」とは、租税特別措置法第70条の6第1項に規定する納税猶予分の相続税額で租税特別措置法施行令第40条の7第16項の規定により計算されたものをいいます。
- **(注2)**　「調整前山林猶予税額」とは、租税特別措置法第70条の6の6第1項に規定する納税猶予分の相続税額で租税特別措置法施行令第40条の7第16項第1号の規定により計算されたものをいいます。
- **(注3)**　「調整前事業用資産猶予税額」とは、租税特別措置法第70条の6の10第1項に規定する納税猶予分の相続税額で租税特別措置法施行令第40条の7第16項第3号の規定により計算されたものをいいます。
- **(注4)**　「調整前株式等猶予税額」とは、租税特別措置法第70条の7の2第1項、租税特別措置法第70条の7の4第1項、租税特別措置法第70条の7の6第1項又は租税特別措置法第70条の7の8第1項に規定する納税猶予分の相続税額で租税特別措置法施行令第40条の7第16項第4号の規定により計算されたものをいいます。
- **(注5)**　「調整前持分猶予税額」とは、租税特別措置法第70条の7の12第1項に規定する納税猶予分の相続税額で租税特別措置法施行令第40条の7第16項第5号の規定により計算されたものをいいます。

4　納税猶予期間中の継続届出書の提出

（1）　継続届出書の提出

　本制度の適用を受ける寄託相続人は、相続税の申告書の提出期限の翌日から納税猶予分の相続税額に相当する相続税につき納税の猶予に係る期限が確定する日までの間、相続税の申告書の提出期限の翌日から起算して3年を経過するごとの日（以下「**届出期限**」といいます。）までに、引き続き本制度の適用を受けたい旨及び次の事項を記載した継続届出書に、寄託先美術館の設置者が発行する一定の事項を証する書類を添付して、これを納税地の所轄税務署長に提出しなければなりません（措法70の6の7⑨、措令40の7の7㉒㉓）。

- ①　寄託相続人の氏名及び住所
- ②　被相続人から相続又は遺贈により特定美術品の取得をした日
- ③　特定美術品の明細
- ④　特定美術品に係る寄託先美術館の名称及び所在地
- ⑤　その他参考となるべき事項

（2）　継続届出書が提出されなかった場合

　継続届出書が届出期限までに納税地の所轄税務署長に提出されない場合には、届出期限における納税猶予分の相続税額に相当する相続税については、届出期限の翌日から2か月を経過する日（届出期限の翌日からその2か月を経過する日までの間に相続税に係る寄託相続人が死亡した場合には、寄託相続人の相続人が寄託相続人の死亡による相続の開始があったことを知った日の翌日から6か月を経

－844－

過する日）をもって納税の猶予に係る期限とされます（措法70の6の7⑪）。

（3）　ゆうじょ規定

継続届出書が届出期限までに提出されなかった場合においても、税務署長が届出期限内にその提出がなかったことについてやむを得ない事情があると認める場合において、その事情の詳細を記載した継続届出書で所定の書類が添付されたものが税務署長に提出されたときは、継続届出書が届出期限内に提出されたものとみなされます（措法70の6の7⑮、措令40の7の7㉕）。

5　納税猶予の打切り

（1）　納税猶予の打切り

次のいずれかに掲げる場合に該当することとなった場合には、それぞれに定める日から2か月を経過する日（それぞれに定める日からその2か月を経過する日までの間に寄託相続人が死亡した場合には、その寄託相続人の相続人がその寄託相続人の死亡による相続の開始があったことを知った日の翌日から6か月を経過する日）が納税の猶予に係る期限となります（措法70の6の7③）。

① 特定美術品を譲渡した場合（特定美術品を寄託先美術館の設置者に贈与した場合を除きます。）……その譲渡があったことについての文化庁長官からの通知を寄託相続人の納税地の所轄税務署長が受けた日

② 特定美術品が滅失（災害による滅失を除きます。）をし、又は寄託先美術館において亡失し、若しくは盗み取られた場合……これらの事由が生じたことについての文化庁長官からの通知を寄託相続人の納税地の所轄税務署長が受けた日

③ 特定美術品に係る寄託契約の契約期間が終了をした場合……その終了の日

④ 特定美術品に係る認定保存活用計画の認定が取り消された場合……その認定が取り消された日

⑤ 認定保存活用計画の計画期間が満了した日から4か月を経過する日において認定保存活用計画に記載された特定美術品について新たな認定を受けていない場合……その計画期間が満了した日から4か月を経過する日

⑥ 特定美術品について、重要文化財の指定が解除された場合又は登録有形文化財の登録が抹消された場合（災害による滅失に基因して解除され、又は抹消された場合を除きます。）……その指定が解除された日又は登録が抹消された日

⑦ 寄託先美術館について、登録博物館の登録を取り消された場合又は登録を抹消された場合（寄託先美術館が博物館に相当する施設である場合には、取消し又は抹消に類する事由が生じた場合）……その取り消され、若しくは抹消され、又は事由が生じた日

（2）　担保変更等の命令に応じない場合の打切り

税務署長は、次に掲げる場合には、納税猶予分の相続税額に相当する相続税に係る納税の猶予に係る期限を繰り上げることができます（措法70の6の7⑫）。

① 寄託相続人が担保について変更の命令に応じない場合

② 継続届出書に記載された事項と相違する事実が判明した場合

（3）　納税猶予の打切り等があった場合の利子税の納付

本制度の適用を受けた寄託相続人は、次のいずれかに掲げる場合に該当する場合には、納税猶予分の相続税額を基礎とし、相続税の申告書の提出期限の翌日からそれぞれ次に定める納税の猶予に係る期限までの期間に応じ、年3.6パーセントの割合を乗じて計算した金額に相当する利子税を、その納税猶予分の相続税額に係る相続税に併せて納付しなければなりません（措法70の6の7⑯）。

① （1）の①から⑦までに該当した場合……本制度の適用を受ける相続税に係る（1）の①から⑦までの期限

② 4の（2）に該当した場合……その納税の猶予に係る期限

③ （2）に該当した場合……繰り上げられた納税の猶予に係る期限

第八章第三節《特定の美術品についての相続税の納税猶予及び免除》

6 納税猶予税額の免除

本制度の適用を受ける寄託相続人が死亡した場合、寄託相続人が特定美術品を寄託している寄託先美術館の設置者に特定美術品の贈与をした場合又は特定美術品が災害により滅失した場合には、特定美術品に係る納税猶予分の相続税額に相当する相続税は、免除されます（措法70の6の7⑭）。

また、この免除を受けようとする寄託相続人又はその相続人は、次に掲げる事項を記載した届出書に一定の書類を添付して、これをその事由が生じた日後遅滞なく、納税地の所轄税務署長に提出しなければなりません（措令40の7の7㉓）。

① 届出書を提出する者の氏名及び住所
② ①の者が寄託相続人の相続人である場合には、その寄託相続人の氏名及び住所並びにその届出書を提出する者とその寄託相続人との続柄
③ 上記に該当することとなった事情の詳細及びその事情の生じた日
④ 上記の規定による相続税の免除を受けようとする旨
⑤ 免除を受ける相続税の額
⑥ その他参考となるべき事項

7 納税猶予分の相続税額に係る担保の提供

本制度の適用を受けようとする寄託相続人の納税猶予分の相続税額に係る担保の提供については、次のとおりです（措法70の6の7⑥、措令40の7の7⑲）。

① 国税通則法第50条《担保の種類》の規定にかかわらず、寄託相続人が特定美術品を担保として提供することを約する書類その他の一定の書類を納税地の所轄税務署長に提出する方法により特定美術品を担保として提供することができます。
② 担保として提供しようとする特定美術品には、保険を付ける必要があります。
③ ①の場合には、税務署長は、寄託相続人と①の特定美術品に関する寄託契約を締結している寄託先美術館の設置者にその特定美術品を保管させることができます。

—846—

第四節　個人の事業用資産についての相続税の納税猶予及び免除

1　特例適用の要件

特定事業用資産を有していた個人として（1）に掲げる者（以下本節において「**被相続人**」といいます。）から相続又は遺贈によりその事業に係る特定事業用資産の全て（特定事業用資産の全部又は一部が数人の共有に属する場合には、被相続人以外の者が有していた共有持分に係る部分を除きます。）の取得（平成31年1月1日から令和10年12月31日までの間の取得で、最初の特例の適用に係る相続又は遺贈による取得及びその取得の日又は相続の開始前に贈与により取得した特定事業用資産に係る事業と同一の事業資産について第五編第七章第二節《個人の事業用資産についての贈与税の納税猶予及び免除》の1の適用を受けようとする場合又は受けている場合における最初の特例の適用に係る贈与の日から1年を経過する日までの相続又は遺贈による取得に限ります。）をした特例事業相続人等が、相続税の申告書の提出により納付すべき相続税の額のうち、特定事業用資産で特例の適用を受けようとする旨の記載があるもの（以下「**特例事業用資産**」といいます。）に係る納税猶予分の相続税額に相当する相続税については、相続税の申告書の提出期限までに納税猶予分の相続税額に相当する担保を提供した場合に限り、相続税法第33条の規定にかかわらず、特例事業相続人等の死亡の日まで、その納税が猶予されます（措法70の6の10①、措令40の7の10②）。

（1）　被相続人の範囲

1に掲げる被相続人とは、次に掲げる場合の区分に応じそれぞれに定める者です（措令40の7の10①）。

① 特定事業用資産を有していた者が特例の適用に係る相続の開始の直前において特定事業用資産に係る事業を行っていた者である場合……その事業について、相続の開始の日の属する年、その前年及びその前々年の所得税法第2条第1項第37号に規定する確定申告書を青色申告書（租税特別措置法第25条の2第3項の規定の適用に係るものに限ります。）により所得税の納税地の所轄税務署長に提出している者

② ①に掲げる場合以外の場合……次に掲げる要件の全てを満たす者

　イ　①の相続の開始の直前において、①に掲げる者と生計を一にする親族（特例の適用を受けようとする者が相続の開始前に贈与（贈与をした者の死亡により効力を生ずる贈与を除きます。）により取得した特定事業用資産に係る事業と同一の事業に係る他の資産について第五編第七章第二節の1の適用を受けようとする場合又は受けている場合には、同1の適用に係る贈与者で同1の（1）の①に掲げる者からの贈与の直前において、その者と生計を一にしていたその者の親族）であること。

　ロ　①に掲げる者の相続の開始の時（特例の適用を受けようとする者が相続の開始前に贈与により取得した特定事業用資産に係る事業と同一の事業に係る他の資産について同1の適用を受けようとする場合又は受けている場合には、贈与者で同1の（1）の①に掲げる者からの贈与の時）後に開始した相続に係る被相続人であること。

（2）　被相続人から親族へ贈与した特定事業用資産の価額が相続税の課税価格に加算される場合

被相続人から第五編第七章第二節の1の適用に係る贈与により特定事業用資産の取得をした個人が、その贈与の日の属する年において被相続人の相続が開始し、かつ、被相続人からの相続又は遺贈（贈与をした者の死亡により効力を生ずる贈与を含みます。）により財産の取得をしたことにより相続税法第19条又は第21条の15の規定によりその贈与により取得をした特定事業用資産の価額が相続税の課税価格に加算される場合（特定事業用資産について相続税法は第21条の15の規定の適用がある場合を含みます。）には、その贈与により取得をした特定事業用資産は、その個人が被相続人からの相続又

は遺贈により取得をしたものとみなされます（措令40の7の10③）。

2　用語の意義

本節における用語の意義は、次のとおりです（措法70の6の10②）。

①　特定事業用資産

被相続人（被相続人と生計を一にする配偶者その他の親族及び特例の適用を受けようとする者（特例の適用を受けようとする特定事業用資産に係る事業と同一の事業に係る他の資産について第五編第七章第二節の1の特例の適用を受けようとする者又は受けている者に限ります。）の同1の特例の適用に係る贈与者（同1の(1)の①に掲げる者であって、贈与者からの贈与の直前において被相続人と生計を一にしていたその被相続人の親族であるものに限ります。）を含みます。）の事業（不動産貸付業、駐車場業及び自転車駐車場業を除きます。）の用に供されていた次に掲げる資産（被相続人の特例の適用に係る相続の開始の日の属する年の前年分の事業所得に係る青色申告書（所得税法第2条第1項第40号に規定する青色申告書をいい、租税特別措置法第25条の2第3項の規定の適用に係るものに限ります。）の貸借対照表に計上されているものに限ります。）の区分に応じそれぞれ次に掲げるものをいいます（措令40の7の10⑤、40の7の8⑤）。

イ　宅地等（土地又は土地の上に存する権利をいい、(1)に掲げる建物又は構築物の敷地の用に供されているもののうち(2)に掲げるものに限ります。）……宅地等の面積の合計のうち400㎡（被相続人から相続又は遺贈により取得をした宅地等について、第六章第一節の3《小規模宅地等についての相続税の課税価格の計算の特例》の(1)の適用を受ける者がいる場合には、同(1)に掲げる小規模宅地等に相当する面積として(3)に掲げるところにより計算した面積を400㎡から控除した面積）以下の部分

ロ　建物（贈与の直前において、贈与者の事業の用に供されていた建物のうち棚卸資産に該当しない建物とし、その建物のうちにその事業の用以外の用に供されていた部分があるときは、贈与者のその事業の用に供されていた部分に限ります。）……その建物の床面積の合計のうち800㎡以下の部分（措令40の7の10⑧により読み替えて準用する措令40の7の8⑦）

ハ　減価償却資産（所得税法第2条第1項第19号に規定する減価償却資産をいい、ロに掲げるものを除きます。）……地方税法第341条第4号に規定する償却資産、自動車税又は軽自動車税において営業用の標準税率が適用される自動車その他これらに準ずる減価償却資産で第五編第七章第二節の2の(3)に掲げるもの

②　特例事業相続人等

被相続人から特例の適用に係る相続又は遺贈により特定事業用資産の取得をした個人で、次に掲げる要件（被相続人が60歳未満で死亡した場合には、ロに掲げる要件を除きます。）の全てを満たす者をいいます。

イ　その個人が、中小企業における経営の承継の円滑化に関する法律第2条に規定する中小企業者であって同法第12条第1項の経済産業大臣（同法第16条の規定に基づく政令の規定により経済産業大臣の権限に属する事務を都道府県知事が行うこととされている場合には、その都道府県知事）の認定を受けていること。

ロ　その個人が、相続の開始の直前において特定事業用資産に係る事業に従事していたこと。

ハ　その個人が、相続の開始の時から相続税の申告書の提出期限（提出期限前にその個人が死亡した場合には、その死亡の日）までの間に特定事業用資産に係る事業を引き継ぎ、提出期限まで引き続き特定事業用資産の全てを有し、かつ、自己の事業の用に供していること。

ニ　その個人が、相続税の申告書の提出期限において、所得税法第229条の規定により特定事業用資産に係る事業について開業の届出書を提出していること及び同法第143条の承認（同法第147条の規定により承認があったものとみなされる場合の承認を含みます。）を受けていること又は承認を受ける

見込みであること。

ホ　その個人の特定事業用資産に係る事業が、相続の開始の時において、資産保有型事業、資産運用型事業並びに風俗営業等の規制及び業務の適正化等に関する法律第2条第5項に規定する性風俗関連特殊営業のいずれにも該当しないこと。

ヘ　その個人に係る被相続人から相続又は遺贈により財産を取得した者が、特定事業用宅地等について第六章第一節の3《小規模宅地等についての相続税の課税価格の計算の特例》の(1)の適用を受けていないこと。

ト　その個人が、被相続人の事業を確実に承継すると認められる要件として円滑化省令第17条第1項の確認（同項第3号に係るものに限るものとし、円滑化省令第18条第7項の規定による変更の確認を受けたときは、その変更後のものとされます。）を受けた者であること（措規23の8の9④）。

③　納税猶予分の相続税額
　特例の適用に係る特例事業用資産の価額を特例事業相続人等に係る相続税の課税価格とみなして、相続税法第13条から第19条までの規定を適用して3に掲げるところにより計算した当該特例事業相続人等の相続税の額をいいます。

④　資産保有型事業
　第五編第七章第二節の2の④に掲げる事業をいいます。

⑤　資産運用型事業
　第五編第七章第二節の2の⑤に掲げる事業をいいます。

（1）　特定事業用資産の対象となる建物又は構築物
　特定事業用資産の対象となる建物又は構築物は、次に掲げる建物又は構築物以外の建物又は構築物です（措規23の8の9②により読み替えて準用する措規23の8の8①）。

①　温室その他の建物で、その敷地が耕作（農地法第43条第1項の規定により耕作に該当するものとみなされる農作物の栽培を含みます。）の用に供されるもの

②　暗渠その他の構築物で、その敷地が耕作の用又は耕作若しくは養畜のための採草若しくは家畜の放牧の用に供されるもの

（2）　建物又は構築物の敷地の用に供されているもののうち特定事業用資産の対象となるもの
　2の①のイに掲げる建物又は構築物の敷地の用に供されているもののうち特定事業用資産の対象となるものは、第五編第七章第二節の1の特例の適用に係る贈与（その贈与が1の(1)の②に掲げる者からのものである場合にあっては1の(1)の①に掲げる者からの贈与とし、贈与の時前に相続又は遺贈により取得した資産について本節の特例の適用を受けようとする場合又は受けている場合にあっては最初の本節の特例の適用に係る相続の開始とされます。）の直前において、2の①に掲げる贈与者の事業の用に供されていた宅地等（土地又は土地の上に存する権利をいいます。）のうち所得税法第2条第1項第16号に規定する棚卸資産に該当しない宅地等とし、その宅地等のうちにその事業の用以外の用に供されていた部分があるときは、贈与者のその事業の用に供されていた部分に限られます（措令40の7の10⑥により読み替えて準用する措令40の7の8⑥）。

（3）　小規模宅地等に相当する面積
　2の①のイに掲げる小規模宅地等に相当する面積は、次に掲げる場合の区分に応じそれぞれに掲げる面積とされます（措令40の7の10⑦）。

①　被相続人から相続又は遺贈により財産を取得した者が、特定同族会社事業用宅地等である小規模宅地等について第六章第一節の3《小規模宅地等についての相続税の課税価格の計算の特例》の(1)の適用を受ける場合（②に掲げる場合に該当する場合を除きます。）……同3の(1)の適用を受けるものとしてその者が選択をした当該特定同族会社事業用宅地等の面積

②　被相続人から相続又は遺贈により財産を取得した者が、貸付事業用宅地等である小規模宅地等について同3の(1)の適用を受ける場合……同3の(1)の適用を受けるものとしてその者が選択をし

た同3の(3)の表内③のイからハまで (730ページ参照) により計算した面積の合計に2を乗じて計算した面積

③ ①又は②に掲げる場合以外の場合……零

（４） 個人の事業用資産についての贈与税の納税猶予及び免除制度の準用

第五編第七章第二節の2の(6)《事業の資産状況を確認する期間》、同2の(8)《必要経費に算入されないもの》及び同2の(9)《特定事業用資産に係る事業の資産の運用状況を確認する期間》の規定は、特例の適用がある場合における同2の④に掲げる期間、同2の④のハに掲げる必要経費に算入されないもの及び同2の⑤に掲げる期間について、それぞれ準用されます（措令40の7の10⑭）。

3　納税猶予の相続税額の計算

特例事業相続人等の相続税の額は、特例事業用資産の価額（相続税法第13条の規定により控除すべき債務がある場合において、特定債務額があるときは、特例事業用資産の価額から特定債務額を控除した残額。②において「特定価額」といいます。）を相続税の課税価格とみなして、相続税法第13条から第19条まで、第21条の15第1項及び第2項の規定を適用して計算した相続税の額（特例事業相続人等が同法第19条の2から第20条の2まで、第21条の15又は第21条の16の規定の適用を受ける者である場合において、納付すべき相続税の額の計算上これらの規定により控除された金額の合計額が①に掲げる金額から②に掲げる金額を控除した残額を超えるときは、その超える部分の金額を控除した残額）とされます（措令40の7の10⑨）。

① 相続税法第11条から第19条まで、第21条の15第1項及び第2項並びに第21条の16第1項及び第2項の規定を適用して計算した特例事業相続人等の相続税の額

② 特定価額を特例事業相続人等に係る相続税の課税価格とみなして、相続税法第13条から第19条まで、第21条の15第1項及び第2項並びに第21条の16第1項及び第2項の規定を適用して計算した特例事業相続人等の相続税の額

（１）　「特定債務額」の意義

特定債務額とは、次の①に掲げる金額から②に掲げる金額を控除した金額（その金額が零を下回る場合には、零）に③に掲げる金額を加えた金額をいいます（措令40の7の10⑩）。

① 相続税法第13条の規定により控除すべき特例事業相続人等の負担に属する部分の金額から③に掲げる金額を控除した残額

② ①の特例事業相続人等に係るイに掲げる価額とロに掲げる金額との合計額からハに掲げる価額を控除した残額

　イ　当該特例事業相続人等が1の適用に係る相続又は遺贈により取得した財産の価額

　ロ　当該特例事業相続人等が被相続人からの贈与により取得した財産で第七章第一節2の(4)の規定の適用を受けるものの価額から同章第二節1の基礎控除額（同節3を含みます。）による控除をした残額

　ハ　2の②のハに規定する特例事業用資産の価額

③ 相続税法第13条の規定により控除すべき特例事業相続人等の負担に属する部分の金額から特例事業用資産に係る事業に関する債務と認められるもの以外の債務（その事業に関するもの以外のものであることが金銭の貸付けに係る消費貸借に関する契約書その他の書面により明らかにされているものに限ります。）の金額を控除した残額

（２）　農地等についての相続税の納税猶予等の特例の適用がある場合の納税猶予分の相続税額の計算

納税猶予分の相続税額を計算する場合において、特例事業相続人等に係る被相続人から相続又は遺贈により財産の取得をした者のうちに第一節《農地等についての相続税の納税猶予及び免除等》の適用を受ける者がいるときにおけるその財産の取得をした全ての者に係る相続税の課税価格は、同節の

第八章第四節《個人の事業用資産についての相続税の納税猶予及び免除》

3 《特例の適用を受ける場合の相続税の計算》の(1)(802ページ参照)により計算される相続税の課税価格とされます（措令40の7の10⑫）。

4　適用を受けるための手続

1の規定は、特例の適用を受けようとする特例事業相続人等のその被相続人から相続又は遺贈により取得をした事業の用に供される資産に係る相続税の申告書に、その資産の全部若しくは一部につき特例の適用を受けようとする旨の記載がない場合又はその資産の明細、納税猶予分の相続税額の計算に関する明細及び次に掲げる事項を記載した書類の添付がない場合には、適用されません（措法70の6の10⑨、措規23の8の9⑫）。

なお、申告書の提出期限までに、相続又は遺贈により取得をした被相続人の事業の用に供されていた資産の全部又は一部が共同相続人又は包括受遺者によってまだ分割されていない場合における特例の適用については、その分割されていない資産は、相続税の申告書に特例の適用を受ける旨の記載をすることができません（措法70の6の10⑦）。

① 次に掲げる事項を記載した書類
　イ　特例事業相続人等に係る被相続人の死亡による相続の開始があったことを知った日
　ロ　その他参考となるべき事項
② ①のイの相続の開始があったことを知った日がその相続の開始の日と異なる場合にあっては、その相続に係る特例事業相続人等がその相続の開始があったことを知った日を明らかにする書類
③ 遺言書の写し、財産の分割の協議に関する書類（その書類に相続に係る全ての共同相続人及び包括受遺者が自署し、自己の印を押しているものに限ります。）の写し（当該自己の印に係る印鑑証明書が添付されているものに限ります。）その他の財産の取得の状況を明らかにする書類
④ 被相続人から特例の適用に係る相続又は遺贈により取得した次に掲げる特定事業用資産の区分に応じそれぞれ次に定める書類
　イ　2の①のハに掲げる資産（地方税法第341条第4号に規定する償却資産に限ります。）……その資産についての地方税法第393条の規定による通知に係る通知書の写しその他の書類（同法第341条第14号に規定する償却資産課税台帳に登録をされている次に掲げる事項が記載されたものに限ります。）
　　a　当該資産の所有者の住所及び氏名
　　b　当該資産の所在、種類、数量及び価格
　ロ　2の①のハに掲げる資産（自動車に限ります。）並びに第五編第七章第二節の2の(3)の②及び③に掲げる資産……道路運送車両法第58条第1項の規定により交付を受けた自動車検査証（当該相続の開始の日において効力を有するものに限ります。）の写し又は地方税法第20条の10の規定により交付を受けたこれらの資産に係る同条の証明書の写しその他の書類でこれらの資産が自動車税及び軽自動車税において営業用の標準税率が適用されていること又は同2の(3)の②若しくは③に掲げる資産に該当することを明らかにするもの
　ハ　同2の(3)の①に掲げる資産（所得税法施行令第6条第9号ロ及びハに掲げる資産に限ります。）……その資産が所在する敷地が耕作の用に供されていることを証する書類
⑤ 特例事業相続人等に係る被相続人が60歳以上で死亡した場合には、特例事業相続人等が相続の開始の直前において④の特定事業用資産に係る2の②のロに掲げる事業に従事していた旨及びその事実の詳細を記載した書類
⑥ 円滑化省令第7条第14項の認定書（円滑化省令第6条第16項第8号又は第10号の事由に係るものに限ります。）の写し及び円滑化省令第7条第11項（同条第13項において準用する場合を含みます。）の申請書の写し
⑦ 円滑化省令第17条第5項の確認書の写し及び同条第4項の申請書の写し

—851—

第八章第四節《個人の事業用資産についての相続税の納税猶予及び免除》

⑧　①のイの被相続人から相続又は遺贈により２の①のイに掲げる資産、特例対象宅地等又は特例対象山林若しくは特例対象受贈山林を取得した個人が１人でない場合には、これらを取得した全ての個人の特例の適用を受けるものの選択についての同意を証する書類

⑨　①のイの被相続人から相続又は遺贈により２の①のロに掲げる資産を取得した個人が１人でない場合には、その資産を取得した全ての個人の１の規定の適用を受けるものの選択についての同意を証する書類

⑩　その他参考となるべき書類

5　納税猶予期間中の継続届出書の提出

（1）　継続届出書の提出

　特例事業相続人等は、相続税の申告書の提出期限の翌日から猶予中相続税額に相当する相続税の全部につき１、５の（2）、６、７の（1）又は７の（2）による納税の猶予に係る期限が確定する日までの間に特例相続報告基準日（特定申告期限の翌日から３年を経過するごとの日をいいます。）が存する場合には、届出期限（特例相続報告基準日の翌日から３か月を経過する日をいいます。）までに、引き続いて特例の適用を受けたい旨及び次に掲げる事項（７の（4）の適用があった場合には、第九章の５の（1）の①から⑪の事項に準ずる事項）を記載した届出書に①に掲げる書類を添付して、納税地の所轄税務署長に提出しなければなりません（措法70の６の10⑩、措令40の７の10㉖、措規23の８の９⑭）。

①　特例事業相続人等の氏名及び住所

②　被相続人から特例事業用資産の取得をした年月日

③　特例事業用資産に係る事業の所在地

④　その届出書を提出する直前の特例相続報告基準日の属する年の前年以前の各年（その特例相続報告基準日の直前の特例相続報告基準日の属する年の前年以前の各年を除きます。）における１の事業に係る所得税法第27条第１項に規定する事業所得の総収入金額

⑤　基準日における猶予中相続税額

⑥　基準日において特例事業相続人等が有する特例事業用資産の明細及び当該特例事業相続人等に係る被相続人の氏名

⑦　特例事業用資産に係る事業に係る次に掲げる事項

　イ　基準日の属する年の前年12月31日における第五編第七章第二節の２の④のイからハまでに掲げる額、これらの明細及び同④の割合

　ロ　基準日の属する年の前年における第五編第七章第二節の２の⑤の総収入金額、運用収入の合計額、これらの明細及び同⑤の割合

　ハ　基準日の直前の特例相続報告基準日（その基準日が最初の特例相続報告基準日である場合には、１に掲げる相続税の申告書の提出期限。⑧及び⑨において同じです。）の翌日からその基準日までの間に２の（4）において準用する第五編第七章第二節の２の（6）《事業の資産状況を確認する期間》のただし書又は２の（4）において準用する同節の２の（9）《特定事業用資産に係る事業の資産の運用状況を確認する期間》のただし書に規定する場合に該当することとなった場合には、次に掲げる事項

　　（イ）　２の（4）において準用する第五編第七章第二節の２の（6）のただし書又は２の（4）において準用する同節の２の（9）のただし書に規定する事由の詳細及びこれらの事由の生じた年月日

　　（ロ）　２の（4）において準用する第五編第七章第二節の２の（6）のただし書の割合を100分の70未満に減少させた事情又は２の（4）において準用する同節の２の（9）のただし書の割合を100分の75未満に減少させた事情の詳細及びこれらの事情の生じた年月日

⑧　基準日の直前の特例相続報告基準日の翌日から当該基準日までの間に特例事業相続人等につき７

の（2）により納税の猶予に係る期限が確定した猶予中相続税額がある場合には、7の（2）に該当した旨及び該当した日並びに当該猶予中相続税額及びその計算の明細

⑨　8の（4）の適用を受けた場合（基準日の直前の特例相続報告基準日の翌日から当該基準日までの間に再計算免除相続税の額の通知があった場合に限ります。）には、その旨、認可決定日及び再計算免除相続税の額

⑩　その他参考となるべき事項

① 継続届出書の添付書類

（1）に掲げる添付書類は、特例事業用資産に係る次に掲げる書類（7の（4）の適用があった場合には、第九章の5の（1）の①及び②の書類に準ずる書類）です（措規23の8の9⑬）。

イ　その特例相続報告基準日における4の④に掲げる書類

ロ　その特例相続報告基準日（（1）の⑥から⑨まで及び②において「基準日」といいます。）の属する年の前年以前3年内の各年における当該特例事業用資産に係る事業に係る次に掲げる書類（特例事業相続人等が営む事業が当該特例事業用資産に係る事業のみである場合には、（イ）に掲げる書類を除く。）

（イ）　当該事業に係る貸借対照表及び損益計算書

（ロ）　当該特例事業用資産とその他の資産の内訳を記載した書類で当該特例事業用資産が（イ）の貸借対照表に計上されていることを明らかにするもの

ハ　その他参考となるべき書類

② 期間の末日が基準日後に到来する場合

2の（4）において準用する第五編第七章第二節の2の（6）のただし書又は2の（4）において準用する同節の2の（9）のただし書に規定する期間（7の（4）の適用があった場合には、第九章の2の⑧のただし書又は同2の⑨のただし書の期間に準ずる期間）の末日が基準日後に到来する場合には、（1）の届出書に（1）の⑦のハの（ロ）に掲げる事項（7の（4）の適用があった場合には、第九章の5の（1）の⑦のニのbに掲げる事項に準ずる事項）を記載することを要しません。この場合において、特例事業相続人等は、その期間の末日から2か月を経過する日（同日がその届出書に係る（1）に掲げる届出期限前に到来する場合には、その届出期限）までに次に掲げる事項（7の（4）の適用があった場合には、第九章の5の（1）の⑦の（注）に掲げる事項に準ずる事項）を記載した書類を納税地の所轄税務署長に提出しなければなりません（措規23の8の9⑮）。

イ　特例事業相続人等の氏名及び住所

ロ　特例事業用資産に係る事業の所在地

ハ　（1）の⑦のハの（ロ）に掲げる事項

（2） 継続届出書が提出されなかった場合

（1）の届出書が届出期限までに納税地の所轄税務署長に提出されない場合には、届出期限における猶予中相続税額に相当する相続税については、届出期限の翌日から2か月を経過する日をもって納税の猶予に係る期限とされます（措法70の6の10⑫）。

6　担保の変更の命令に応じない場合等の納税猶予期限の繰上げ

税務署長は、次に掲げる場合には、猶予中相続税額に相当する相続税に係る1の規定による納税の猶予に係る期限を繰り上げることができます。この場合においては、国税通則法第49条第2項及び第3項の規定を準用することになります（措法70の6の10⑬）。

①　特例事業相続人等が担保について国税通則法第51条第1項の規定による命令に応じない場合

②　特例事業相続人等から提出された5の（1）の届出書に記載された事項と相違する事実が判明した場合

第八章第四節《個人の事業用資産についての相続税の納税猶予及び免除》

7　納税猶予の打切り

（1）　納税猶予の打切り

　特例事業相続人等、特例事業用資産又は特例事業用資産に係る事業について次のいずれかに掲げる場合に該当することとなった場合には、次に掲げる日から2か月を経過する日をもって納税の猶予に係る期限とされます（措法70の6の10③）。

① 　特例事業相続人等がその事業を廃止した場合又は特例事業相続人等について破産手続開始の決定があった場合……その事業を廃止した日又はその決定があった日

② 　事業が資産保有型事業、資産運用型事業又は風俗営業等の規制及び業務の適正化等に関する法律第2条第5項に規定する性風俗関連特殊営業のいずれかに該当することとなった場合……その該当することとなった日

③ 　特例事業相続人等のその年のその事業に係る事業所得の総収入金額が零となった場合……その年の12月31日

④ 　特例事業用資産の全てが特例事業相続人等のその年の事業所得に係る青色申告書の貸借対照表に計上されなくなった場合……その年の12月31日

⑤ 　特例事業相続人等が所得税法第150条第1項の規定により同法第143条の承認を取り消された場合又は同法第151条第1項の規定による青色申告書の提出をやめる旨の届出書を提出した場合……その承認が取り消された日又はその届出書の提出があった日

⑥ 　特例事業相続人等が特例の適用を受けることをやめる旨を記載した届出書を納税地の所轄税務署長に提出した場合……その届出書の提出があった日

⑦ 　当該特例事業相続人等が2の②のニの承認を受ける見込みであることにより特例の適用を受けた場合において、所得税法第145条の規定により当該承認の申請が却下されたとき……その申請が却下された日

（2）　納税猶予税額の一部確定

　特例事業用資産の全部又は一部が特例事業相続人等の事業の用に供されなくなった場合（（1）のそれぞれに掲げる場合及びその事業の用に供することが困難になった場合として①に掲げる場合を除きます。）には、納税猶予分の相続税額（既に（2）の規定の適用があった場合には、（2）の適用があった特例事業用資産の価額に対応するものとして③に掲げるところにより計算した金額を除きます。以下「猶予中相続税額」といいます。）のうち、その事業の用に供されなくなった部分に対応する部分の額として④に掲げるところにより計算した金額に相当する相続税については、その事業の用に供されなくなった日から2か月を経過する日をもって納税の猶予に係る期限とされます（措法70の6の10④）。

①　事業の用に供することが困難になった場合

　（2）に掲げる事業の用に供することが困難になった場合とは、特例事業用資産の陳腐化、腐食、損耗その他これらに準ずる事由により特例事業用資産を廃棄した場合です。この場合において、特例事業用資産の全部又は一部の廃棄をした特例事業相続人等は、次に掲げる事項を記載した届出書にその廃棄をしたことが確認できる書類として②に掲げる書類を添付し、これをその廃棄をした日から2か月以内に納税地の所轄税務署長に提出しなければなりません（措令40の7の10⑮）。

イ　特例事業相続人等の氏名及び住所

ロ　その廃棄をした特例事業用資産の明細及び特例事業用資産の相続の開始の時における価額

ハ　特例事業用資産の廃棄の委託をした場合には、その委託を受けた事業者の氏名又は名称及び住所又は事業所の所在地

ニ　その他参考となるべき事項

②　廃棄をしたことが確認できる書類

　廃棄をしたことが確認できる書類とは、特例事業用資産の次に掲げる場合の区分に応じそれぞれに

－854－

掲げる書類です（措規23の8の9⑦において準用する措規23の8の8⑩）。

イ　特例事業用資産の廃棄を委託した場合……廃棄に要した費用の支出に係る領収書の写し並びに廃棄の委託を受けた事業者が交付する書類の写しでその委託に係る特例事業用資産の明細及び特例事業相続人等がその事業者に特例事業用資産の廃棄を委託した旨が記載されているもの

ロ　特例事業用資産の廃棄を委託しない場合……廃棄に要した機具の明細、機具に係る賃借料その他廃棄の方法の詳細を記載した書類

③　特例事業用資産の価額に対応するものとして計算した金額

特例事業用資産の価額に対応するものとして計算した金額は、特例事業相続人等に係る納税猶予分の相続税額のうち（2）に掲げる場合に該当したことにより納税の猶予に係る期限が確定したものの合計額です（措令40の7の10⑯）。

④　事業の用に供されなくなった部分に対応する部分の額として計算した金額

（2）に掲げる事業の用に供されなくなった部分に対応する部分の額として計算した金額は、その事業の用に供されなくなった時の直前における納税猶予分の相続税額（既に（2）に掲げる場合に該当したことにより納税の猶予に係る期限が確定した相続税の金額を除きます。）に、イに掲げる金額がロに掲げる金額に占める割合を乗じて計算した金額です（措令40の7の10⑰）。

イ　その事業の用に供されなくなった特例事業用資産の相続の開始の時における価額

ロ　その事業の用に供されなくなった時の直前においてその事業の用に供されていた全ての特例事業用資産の相続の開始の時における価額

（3）　特例事業用資産の譲渡である場合の納税猶予税額の一部確定

（2）の場合において、（2）の事業の用に供されなくなった事由が特例事業用資産の譲渡であるときは、その譲渡があった日から1年以内にその譲渡の対価の額の全部又は一部をもって特例事業相続人等の事業の用に供される資産（2の①のイ若しくはロに掲げる資産又は2の①のハに掲げる資産に限ります。）を取得する見込みであることにつき、①に掲げるところにより、納税地の所轄税務署長の承認を受けたときにおける（2）の適用については、次に掲げるところによります（措法70の6の10⑤）。

①　その承認に係る特例事業用資産は、③の取得の日まで特例事業相続人等の事業の用に供されていたものとみなされます。

②　譲渡があった日から1年を経過する日において、その承認に係る譲渡の対価の額の全部又は一部がその事業の用に供される資産の取得に充てられていない場合には、その譲渡に係る特例事業用資産のうちその充てられていないものに対応するものとして③に掲げる部分は、同日においてその事業の用に供されなくなったものとみなされます。

③　譲渡があった日から1年を経過する日までに当該承認に係る譲渡の対価の額の全部又は一部が当該事業の用に供される資産の取得に充てられた場合には、その取得をした資産は、特例の適用を受ける特例事業用資産とみなされます。

①　税務署長の承認を受けようとする場合

（3）の税務署長の承認を受けようとする特例事業相続人等は、特例事業用資産について（3）の適用を受けようとする旨及び次に掲げる事項を記載した申請書を当該譲渡があった日から1か月以内に納税地の所轄税務署長に提出しなければなりません（措令40の7の10⑱）。

イ　申請者の氏名及び住所

ロ　その譲渡に係る特例事業用資産の明細、特例事業用資産の相続の開始の時における価額及びその譲渡の対価の額

ハ　その譲渡があった日から1年以内に（3）の事業の用に供される資産に該当することとなる見込みのある資産の明細、取得予定年月日及び取得価額の見積額

ニ　その他参考となるべき事項

第八章第四節《個人の事業用資産についての相続税の納税猶予及び免除》

② 申請の承認に係るみなし規定

①の規定による申請書の提出があった場合において、その提出があった日から1か月以内に当該申請の承認又は却下の処分がなかったときは、その申請の承認があったものとみなされます（措令40の7の10⑲）。

③ 事業の用に供される資産の取得に充てられなかったものに対応する部分

（3）の②に掲げる事業の用に供される資産の取得に充てられなかったものに対応する部分は、特例事業用資産のうち、譲渡の対価でその譲渡があった日から1年を経過する日までに（3）の②の事業の用に供される資産の取得に充てられなかったものの額がその譲渡の対価の額に占める割合を、その譲渡に係る特例事業用資産の相続の開始の時における価額に乗じて計算した金額に相当する部分とされます（措令40の7の10⑳）。

④ 書類の記載事項

特例事業用資産の譲渡につき（3）の税務署長の承認を受けた特例事業相続人等は、その譲渡があった日から1年を経過する日までにその承認に係る譲渡の対価の額の全部又は一部を（3）の③に掲げる事業の用に供される資産の取得に充てた場合には、その取得後遅滞なく、次に掲げる事項を記載した書類を税務署長に提出しなければなりません（措規23の8の9⑧において準用する措規23の8の8⑪）。

イ　その書類を提出する者の氏名及び住所

ロ　その承認に係る譲渡があった日及びその譲渡の対価の額

ハ　その取得をした資産の2の①のイからハまでの区分、その所在その他の明細並びにその取得年月日及び取得価額

ニ　その他参考となるべき事項

（4）　現物出資による全ての特例事業用資産の移転である場合の納税猶予税額の一部確定

（2）の場合において、（2）の事業の用に供されなくなった事由が特定申告期限（特例事業相続人等の最初の特例の適用に係る相続に係る相続税の申告書の提出期限又は最初の第五編第七章第二節の1の特例の適用に係る贈与の日の属する年分の同1に掲げる贈与税の申告書の提出期限のいずれか早い日をいいます）の翌日から5年を経過する日後の会社の設立に伴う現物出資による全ての特例事業用資産の移転であるときは、特例事業用資産の移転につき、①に掲げるところにより、納税地の所轄税務署長の承認を受けたときにおける（2）の適用については、その承認に係る移転はなかったものと、現物出資により取得した株式又は持分は特例事業用資産と、それぞれみなされます（措法70の6の10⑥）。

① 申請書の記載事項

（4）の税務署長の承認を受けようとする特例事業相続人等は、（4）の移転に係る特例事業用資産について（4）の適用を受けようとする旨及び次に掲げる事項を記載した申請書に②の書類を添付し、これを移転があった日から1か月以内に納税地の所轄税務署長に提出しなければなりません（措令40の7の10㉒）。

イ　申請者の氏名及び住所

ロ　その移転に係る特例事業用資産の明細、特例事業用資産の相続の開始の時における価額並びにその移転により設立された会社の名称、本店の所在地及び定款に記載された特例事業用資産の出資の額

ハ　その移転により取得をした株式等の明細、取得年月日及び取得時の価額

ニ　その他参考となるべき事項

② 申請書の添付書類

申請書の添付書類は、（4）の会社又は特例事業用資産に係る事業に係る次に掲げる書類です（措規23の8の9⑨において準用する措規23の8の8⑫）。

−856−

第八章第四節《個人の事業用資産についての相続税の納税猶予及び免除》

イ　承継会社の定款の写し
ロ　承継会社の登記事項証明書（法人番号等の提供により、添付の省略が可能です。）
ハ　5の(1)に掲げる事項に準ずる事項を記載した書類及び5の(1)に規定する書類に準ずる書類
ニ　その他参考となるべき書類

（5）　利子税の納付

　特例事業相続人等は、次の表の左欄に掲げる場合に該当する場合には、同表の中欄に掲げる金額を基礎とし、特例事業相続人等が特例の適用を受けるために提出する相続税の申告書の提出期限の翌日から同表の右欄に掲げる日までの期間に応じ、年3.6パーセントの割合を乗じて計算した金額に相当する利子税を、同表の中欄に掲げる金額に相当する相続税に併せて納付しなければなりません（措法70の6の10㉖）。

イ　(1)の適用があった場合（ニからヘまでの左欄に掲げる場合に該当する場合を除きます。）	猶予中相続税額	(1)による納税の猶予に係る期限
ロ　(2)の適用があった場合（ニからヘまでの左欄に掲げる場合に該当する場合を除きます。）	(2)により納税の猶予に係る期限が確定する猶予中相続税額	(2)による納税の猶予に係る期限
ハ　5の(2)の適用があった場合（ニの左欄に掲げる場合に該当する場合を除きます。）	5の(2)により納税の猶予に係る期限が確定する猶予中相続税額	5の(2)による納税の猶予に係る期限
ニ　6の適用があった場合	6により納税の猶予に係る期限が繰り上げられる猶予中相続税額	6により繰り上げられた納税の猶予に係る期限
ホ　8の(2)の①又は②の規定の適用があった場合（ニの左欄に掲げる場合に該当する場合を除きます。）	8の(2)の①のイ及びロに掲げる金額の合計額又は8の(2)の②のロに掲げる金額	これらに掲げる場合に該当することとなった日から2か月を経過する日
ヘ　8の(3)の適用があった場合（ニの左欄に掲げる場合に該当する場合を除きます。）	8の(3)の①のイ及びロに掲げる金額の合計額又は8の(3)の②のイ及びロに掲げる金額の合計額	これらに掲げる場合に該当することとなった日から2月を経過する日
ト　8の(4)の適用があった場合（ニの左欄に掲げる場合に該当する場合を除きます。）	8の(4)の②に掲げる金額	8の(4)による納税の猶予に係る期限

8　納税猶予税額の免除

（1）　特例事業相続人等の死亡等による納税猶予税額の免除

　特例事業相続人等が次の①から③に掲げる場合のいずれかに該当することとなった場合（その該当することとなった日前に猶予中相続税額に相当する相続税の全部につき5の(2)、6、7の(1)又は7の(2)による納税の猶予に係る期限が確定した場合を除きます。）には、猶予中相続税額に相当する相続税が免除されます。この場合において、特例事業相続人等又は特例事業相続人等の相続人（包括受遺者を含みます。）は、その該当することとなった日から同日（②に掲げる場合に該当することとな

-857-

った場合にあっては、②の特例事業用資産の贈与を受けた者が特例事業用資産について第五編第七章第二節の１の適用に係る贈与税の申告書を提出した日）以後６か月を経過する日（「**免除届出期限**」といいます。）までに、①に掲げるところにより、次のイからハに掲げる事項（７の（４）の適用があった場合には、第九章の９の（１）の③に掲げる事項に準ずる事項）を記載した届出書を納税地の所轄税務署長に提出しなければなりません（措法70の６の10⑮、措規23の８の９⑱）。

①	特例事業相続人等が死亡した場合
②	特定申告期限の翌日から５年を経過する日後に、特例事業相続人等が特例事業用資産の全てにつき第五編第七章第二節の１の適用に係る贈与をした場合
③	特例事業相続人等がその有する特例事業用資産に係る事業を継続することができなくなった場合（当該事業を継続することができなくなったことについて③に掲げるやむを得ない理由がある場合に限ります。）

イ　表の①に該当するものとして（１）により相続税の免除を受けようとする場合……次に掲げる事項
　（イ）　（１）の届出書を提出する者の氏名及び住所並びに死亡した特例事業相続人等との続柄並びに当該死亡した特例事業相続人等に係る特例事業用資産に係る事業の所在地
　（ロ）　（イ）の死亡した特例事業相続人等の氏名及び住所並びにその死亡した年月日
　（ハ）　（１）による相続税の免除を受けようとする旨及び当該免除を受けようとする相続税の額
　（ニ）　その他参考となるべき事項
ロ　表の②に該当するものとして（１）により相続税の免除を受けようとする場合……次に掲げる事項
　（イ）　イの（ハ）に掲げる事項
　（ロ）　（１）の届出書を提出する特例事業相続人等の氏名及び住所並びに当該届出書を提出する特例事業相続人等に係る特例事業用資産に係る事業の所在地
　（ハ）　（１）の届出書を提出する特例事業相続人等から表の②の贈与により表の②の特例事業用資産の取得をした者の氏名及び住所並びに当該取得をした年月日
　（ニ）　その他参考となるべき事項
ハ　表の③に該当するものとして（１）の規定により相続税の免除を受けようとする場合……次に掲げる事項
　（イ）　ロの（イ）及び（ロ）に掲げる事項
　（ロ）　特例事業相続人等が③のイからハに掲げる事由のいずれに該当するかの別及びその該当することとなった年月日
　（ハ）　その他参考となるべき事項

① **免除届出書の提出**
　特例事業相続人等又は特例事業相続人等の相続人（包括受遺者を含みます。）は、（１）の届出書を提出する場合には、（１）の①から③に掲げる場合のいずれかに該当することとなった日の直前の特例相続報告基準日（特例の適用に係る相続税の申告書の提出期限の翌日から同日以後３年を経過する日までの間に（１）の①から③に掲げる場合のいずれかに該当することとなった場合において、その期間内に特例相続報告基準日がないときは、相続税の申告書の提出期限）の翌日からその該当することとなった日までの間における特例事業相続人等又は特例事業用資産に係る事業が７の（１）のそれぞれに掲げる場合又は７の（２）に掲げる場合に該当する事由の有無、次に掲げる事項（７の（４）の適用があった場合には、第九章の９の（１）の①の事項に準ずる事項）を明らかにする②に掲げる書類を届出書に添付しなければなりません（措令40の７の10㉗、措規23の８の９⑯）。
イ　（１）の①から③に掲げる場合のいずれかに該当するかの別

－858－

第八章第四節《個人の事業用資産についての相続税の納税猶予及び免除》

ロ　特例事業相続人等の氏名及び住所

ハ　被相続人から特例の適用に係る相続又は遺贈により特例事業用資産の取得をした年月日

ニ　その死亡等の日（(1)の①から③に掲げる場合のいずれかに該当することとなった日をいいます。）の属する年の前年以前の各年（その死亡等の日の直前の特例相続報告基準日の属する年の前年以前の各年を除きます。）における特例事業用資産に係る事業に係る総収入金額

ホ　その死亡等の日における猶予中相続税額

ヘ　その死亡等の日において特例事業相続人等が有する特例事業用資産の明細及び特例事業相続人等に係る被相続人の氏名

ト　特例事業用資産に係る事業に係る次に掲げる事項

　（イ）　その死亡等の日の属する年の前年12月31日における第五編第七章第二節の2の④のイからハまでに掲げる額、これらの明細及び同2の④の割合

　（ロ）　その死亡等の日の属する年の前年における同節の2の⑤の総収入金額、運用収入の合計額、これらの明細及び同2の⑤の割合

　（ハ）　その死亡等の日の直前の特例相続報告基準日（直前の特例相続報告基準日がない場合には、1に掲げる相続税の申告書の提出期限。チ及び②のイにおいて同じです。）の翌日からその死亡等の日までの間に2の(4)において準用する第五編第七章第二節の2の(6)のただし書又は2の(4)において準用する同節の2の(9)のただし書に掲げる場合に該当することとなった場合には、これらの規定に規定する事由の詳細及びこれらの事由の生じた年月日（これらの事由が生じた日からその死亡等の日までの間に2の(4)において準用する同節の2の(6)のただし書の割合が100分の70未満となった場合又は2の(4)において準用する同節の2の(9)のただし書の割合が100分の75未満となった場合には、これらの事由の詳細及びこれらの事由の生じた年月日並びにこれらの割合を減少させた事情の詳細及びこれらの事情の生じた年月日）

チ　その死亡等の日の直前の特例相続報告基準日の翌日からその死亡等の日までの間に特例事業相続人等につき7の(1)又は7の(2)により納税の猶予に係る期限が確定した猶予中相続税額がある場合には、7の(1)のそれぞれ又は7の(2)のいずれの場合に該当したかの別及び該当した日並びに猶予中相続税額及びその計算の明細

リ　その他参考となるべき事項

②　免除届出書の添付書類

　①に掲げる添付書類は、特例事業相続人等に係る次に掲げる書類（7の(4)の適用があった場合には、第九章の9の(1)の②の書類に準ずる書類）です（措規23の8の9⑰）。

イ　その死亡等の日の直前の特例相続報告基準日の属する年からその死亡等の日の属する年の前年までの各年における特例事業用資産に係る事業に係る次に掲げる書類（特例事業相続人等が営む事業が特例事業用資産に係る事業のみである場合には、(イ)に掲げる書類を除きます。）

　（イ）　その事業に係る貸借対照表及び損益計算書

　（ロ）　特例事業用資産とその他の資産の内訳を記載した書類で特例事業用資産が(イ)の貸借対照表に計上されていることを明らかにするもの

ロ　特例事業相続人等が(1)の③に該当する場合にあっては、特例事業相続人等の精神障害者保健福祉手帳の写し、身体障害者手帳の写し又は介護保険の被保険者証の写しその他の書類で当該特例事業相続人等が③に掲げる事由のいずれかに該当することとなったこと及びその該当することとなった年月日を明らかにするもの

ハ　その他参考となるべき書類

③　事業を継続することができなくなったやむを得ない理由

　(1)の③に掲げるやむを得ない理由は、贈与税の申告書の提出期限後に特例事業相続人等が次に掲げる事由のいずれかに該当することとなったことです（措規23の8の9⑲において準用する措規23の

－859－

8の8㉓)。

イ　精神保健及び精神障害者福祉に関する法律（昭和25年法律第123号）第45条第2項の規定により精神障害者保健福祉手帳（精神保健及び精神障害者福祉に関する法律施行令（昭和25年政令第155号）第6条第3項に規定する障害等級が1級である者として記載されているものに限ります。）の交付を受けたこと。

ロ　身体障害者福祉法（昭和24年法律第283号）第15条第4項の規定により身体障害者手帳（身体上の障害の程度が1級又は2級である者として記載されているものに限ります。）の交付を受けたこと。

ハ　介護保険法第19条第1項の規定による同項に規定する要介護認定（同項の要介護状態区分が要介護認定等に係る介護認定審査会による審査及び判定の基準等に関する省令第1条第1項第5号に掲げる区分に該当するものに限ります。）を受けたこと。

（2）　特例事業用資産の全部を譲渡等したとき又は特例事業用資産に係る事業を廃止したときの納税猶予税額の免除

　特例事業相続人等が次に掲げる場合のいずれかに該当することとなった場合（その該当することとなった日前に猶予中相続税額に相当する相続税の全部につき5の（2）、6、7の（1）又は7の（2）による納税の猶予に係る期限が確定した場合を除きます。）において、特例事業相続人等は、それぞれに掲げる相続税の免除を受けようとするときは、その該当することとなった日から2か月を経過する日までに、免除を受けたい旨、免除を受けようとする相続税に相当する金額（「**免除申請相続税額**」といいます。）及びその計算の明細、①に掲げる事項を記載した申請書（その免除の手続に必要な書類として②に掲げる書類を添付したものに限ります。）を納税地の所轄税務署長に提出しなければなりません（措法70の6の10⑰）。

①　特例事業相続人等が特例事業用資産の全てについて、特例事業相続人等の特別関係者以外の者のうちの1人の者として③に掲げるものに対して譲渡若しくは贈与（以下「譲渡等」といいます。）をした場合又は民事再生法の規定による再生計画(同法第196条第4号に規定する住宅資金特別条項を定めた再生計画並びに同法第221条第1項に規定する小規模個人再生及び同法第239条第1項に規定する給与所得者等再生に係る再生計画を除きます。）の認可の決定に基づきその再生計画（法人税法施行令第24条の2第1項に規定する事実（一般に公表された債務処理を行うための手続についての準則が、産業競争力強化法第135条第1項に規定する中小企業再生支援協議会が定めたものである場合に限ります。）が生じた場合にあっては、債務処理計画（法人税法施行令第24条の2第1項第1号から第3号まで及び第4号又は第5号に掲げる要件に該当する債務処理に関する計画です。））を遂行するために譲渡等をした場合において、次に掲げる金額の合計額が当該譲渡等の直前における猶予中相続税額に満たないとき……猶予中相続税額からその合計額を控除した残額に相当する相続税（措令40の7の10㉚において準用する措令40の7の8㉞）

イ　譲渡等があった時における譲渡等をした特例事業用資産の時価に相当する金額（その金額が譲渡等をした特例事業用資産の譲渡等の対価の額より低い金額である場合には、譲渡等の対価の額）

ロ　譲渡等があった日以前5年以内において、特例事業相続人等の特別関係者が特例事業相続人等から受けた必要経費不算入対価等の合計額

②　特例事業相続人等について破産手続開始の決定があった場合……イに掲げる金額からロに掲げる金額を控除した残額に相当する相続税

イ　破産手続開始の決定の直前における猶予中相続税額

ロ　破産手続開始の決定があった日以前5年以内において、特例事業相続人等の特別関係者が特例事業相続人等から受けた必要経費不算入対価等の合計額

①　免除申請書の記載事項

　免除申請書には次に掲げる事項を記載する必要があります（措規23の8の9⑳）。

イ　免除申請書を提出する者の氏名及び住所

ロ　相続税の免除を受けようとする旨並びに免除を受けようとする相続税の額及びその計算の明細

ハ　ロの免除が（２）のいずれに該当するかの別並びにその該当することとなった事情の詳細及びその事情が生じた年月日

ニ　その他参考となるべき事項

② 　免除申請書の添付書類

　免除申請書には、次に掲げる書類を添付する必要があります（措規23の８の9㉑）。

イ　（２）の①に該当するものとして相続税の免除を受けようとする場合……次に掲げる書類

　（イ）　次に掲げる場合の区分に応じそれぞれ次に定める書類

　　　a　（２）の①の１人の者に対して譲渡等をする場合……譲渡等があったことを明らかにする書類、譲渡等を受けた者が③に掲げる者に該当することを明らかにする書類並びにその者の氏名又は名称及び住所又は所在地が確認できる書類

　　　b　再生計画又は債務処理計画を遂行するために譲渡等をする場合……次に掲げる計画の区分に応じそれぞれ次に掲げる書類

　　　（a）　再生計画　特例事業相続人等に係る再生計画（民事再生法第174条第１項の規定により認可の決定がされたものに限る。）の写し及び当該再生計画の認可の決定があったことを証する書類

　　　（b）　債務処理計画　特例事業相続人等に係る債務処理計画（当該債務処理計画に係る法人税法施行令第24条の２第１項第１号に規定する一般に公表された債務処理を行うための手続についての準則が、産業競争力強化法第135条第１項に規定する中小企業再生支援協議会が定めたものである場合に限る。）の写し及び当該債務処理計画が成立したことを証する書類

　（ロ）　譲渡等の直前における猶予中相続税額、（２）の①のイに掲げる金額及び（２）の①のロに掲げる合計額を記載した書類

　（ハ）　その他参考となるべき事項を記載した書類

ロ　（２）の②に該当するものとして相続税の免除を受けようとする場合……次に掲げる書類

　（イ）　（２）の②の特例事業相続人等について破産手続開始の決定があったことを証する書類

　（ロ）　（２）の②のイに掲げる猶予中相続税額及び（２）の②のロに掲げる合計額を記載した書類

　（ハ）　その他参考となるべき事項を記載した書類

③ 　特例事業相続人等の特別関係者以外の者のうちの１人の者

　（２）の①に掲げる特例事業相続人等の特別関係者以外の者のうちの１人の者とは、次に掲げる者をいいます（措令40の７の10㉙において準用する措令40の７の8㉝）。

イ　譲渡等の時において、所得税法第143条の承認（同法第147条の規定により承認があったものとみなされる場合の承認を含みます。）を受けている個人

ロ　持分の定めのある法人（医療法人を除きます。）

ハ　持分の定めのない法人（一般社団法人（公益社団法人を除きます。）及び一般財団法人（公益財団法人を除きます。）を除きます。）

（３）　その他の場合による納税猶予税額の免除

　特例事業相続人等が次に掲げる場合のいずれかに該当することとなった場合（特例事業相続人等の特例事業用資産に係る事業の継続が困難な事由として①に掲げる事由が生じた場合に限るものとし、その該当することとなった日前に猶予中相続税額に相当する相続税の全部につき５の（２）、６、７の（１）又は７の（２）による納税の猶予に係る期限が確定した場合を除きます。）において、特例事業相続人等は、次の①又は②に掲げる相続税の免除を受けようとするときは、その該当することとなった日から２か月を経過する日までに、免除を受けたい旨、免除を受けようとする相続税に相当する金額（「**免除申請相続税額**」といいます。）及びその計算の明細、②に掲げる事項を記載した申請書（免除の手続に必要な書類として③に掲げる書類を添付したものに限ります。）を納税地の所轄税務署長に提出しな

第八章第四節《個人の事業用資産についての相続税の納税猶予及び免除》

ければなりません（措法70の6の10⑱）。

① 特例事業相続人等が特例事業相続人等の特別関係者以外の者に対して特例事業用資産の全ての譲渡等をした場合において、次に掲げる金額の合計額が譲渡等の直前における猶予中相続税額に満たないとき……猶予中相続税額からその合計額を控除した残額に相当する相続税

イ 譲渡等の対価の額（その額が譲渡等をした時における譲渡等をした特例事業用資産の時価に相当する金額の2分の1以下である場合には、その2分の1に相当する金額）を相続により取得をした特例事業用資産の相続の開始の時における価額とみなして、2の③により計算した金額

ロ 譲渡等があった日以前5年以内において、特例事業相続人等の特別関係者が特例事業相続人等から受けた必要経費不算入対価等の合計額

② 特例事業用資産に係る事業の廃止をした場合において、次に掲げる金額の合計額が当該廃止の直前における猶予中相続税額に満たないとき……猶予中相続税額からその合計額を控除した残額に相当する相続税

イ 当該廃止の直前における特例事業用資産の時価に相当する金額を相続により取得をした特例事業用資産の相続の開始の時における価額とみなして、2の③により計算した金額

ロ 当該廃止の日以前5年以内において、特例事業相続人等の特別関係者が特例事業相続人等から受けた必要経費不算入対価等の合計額

① **事業の継続が困難な事由**

特例事業用資産に係る事業の継続が困難な事由とは、次に掲げる事由です（措令40の7の10㉛において準用する措令40の7の8㉟、措規23の8の8㉕）。

イ 特例事業相続人等又はその事業が（3）に掲げる場合のいずれかに該当することとなった日の属する年の前年以前3年内の各年（以下「直前3年内の各年」といいます。）のうち2以上の年において、その事業に係る所得税法第27条第2項に規定する事業所得の金額が零未満であること。

ロ 直前3年内の各年のうち2以上の年において、その事業に係る各年の所得税法第27条第1項に規定する事業所得に係る総収入金額が、その各年の前年の総収入金額を下回ること。

ハ 特例事業相続人等が心身の故障その他の事由により特例事業用資産に係る事業に従事することができなくなったこと。

② **免除申請書の記載事項**

免除申請書には、次に掲げる事項を記載する必要があります（措規23の8の9㉒）。

イ 免除申請書を提出する者の氏名及び住所

ロ 相続税の免除を受けようとする旨並びに免除を受けようとする相続税の額及びその計算の明細

ハ （3）に掲げる場合に該当することとなった事情の詳細及びその事情が生じた年月日

ニ （3）の①のイの譲渡等の対価の額

ホ ①に掲げる事由のいずれに該当するかの別及びそれぞれに掲げる事由が生じることとなった事情の詳細

ヘ その他参考となるべき事項

③ **免除申請書の添付書類**

免除申請書には、次に掲げる書類を添付する必要があります（措規23の8の9㉓）。

イ （3）の①の譲渡等に係る契約書の写しその他の書類で（3）のいずれに該当するかを証するもの

ロ ②のニの対価の額を証する書類

ハ 貸借対照表、損益計算書その他の書類で①に掲げる事由のいずれに該当するかを明らかにするもの

ニ （3）の①の譲渡等又は（3）の②の事業の廃止の直前における猶予中相続税額、（3）のそれぞれのイに掲げる金額及び（3）のそれぞれのロに掲げる合計額を記載した書類

ホ その他参考となるべき事項を記載した書類

—862—

（4） 特例事業相続人等について再生計画の認可の決定があった場合の免除

　特例事業相続人等について民事再生法の規定による再生計画の認可の決定があった場合（再生計画の認可の決定に準ずる（2）の①に掲げる事実が生じた場合を含みます。）において、特例事業相続人等の有する資産につき①に掲げる評定が行われたとき（認可の決定があった日（（2）の①に掲げる事実が生じた場合にあっては、債務処理計画が成立した日。以下「認可決定日」といいます。）以後通知が発せられた日前に猶予中相続税額に相当する相続税の全部につき5の（2）、6、7の（1）又は7の（2）による納税の猶予に係る期限が確定した場合を除くものとし、再生計画を履行している特例事業相続人等にあっては、監督委員又は管財人が選任されている場合に限ります。）は、再計算猶予中相続税額をもって特例事業用資産に係る猶予中相続税額とされます。この場合において、②に掲げる金額に相当する相続税については、通知が発せられた日から2か月を経過する日をもって納税の猶予に係る期限とし、猶予中相続税額から次に掲げる金額の合計額を控除した残額に相当する相続税（「**再計算免除相続税**」といいます。）については、免除されます（措法70の6の10⑲）。

①	再計算猶予中相続税額
②	認可決定日以前5年以内において、特例事業相続人等の特別関係者が特例事業相続人等から受けた必要経費不算入対価等の合計額

① 評定の範囲

　（4）に掲げる評定とは、次に掲げる事実の区分に応じそれぞれに掲げる評定です（措令40の7の10㉜において準用する措令40の7の8㊱）。

イ　民事再生法の規定による再生計画の認可の決定があったこと……特例事業相続人等が有する特例事業用資産について再生計画の認可の決定があった時の価額により行う評定

ロ　（4）に掲げる（2）の①に掲げる事実……特例事業相続人等が法人税法施行令第24条の2第1項第1号イに規定する事項に従って行う同項第2号の資産評定

② 再計算猶予中相続税額の意義

　（4）に掲げる「再計算猶予中相続税額」とは、特例事業用資産（猶予中相続税額に対応する部分に限ります。）の認可決定日における価額を相続により取得をした特例事業用資産の相続の開始の時における価額とみなして、2の③により計算した金額をいいます（措法70の6の10⑳）。

③ 特例の適用要件

　（4）の規定は、（4）の適用を受けようとする特例事業相続人等が、認可決定日から2か月を経過する日までに、（4）の適用を受けたい旨、再計算猶予中相続税額及びその計算の明細、④に掲げる事項を記載した申請書（認可の決定があった再生計画（債務処理計画を含みます。）に関する⑤に掲げる書類を添付したものに限ります。）を納税地の所轄税務署長に提出する必要があります（措法70の6の10㉑）。

④ 免除申請書の記載事項

　免除申請書には、次に掲げる事項を記載する必要があります（措規23の8の9㉔において準用する措規23の8の8㉘）。

イ　③の申請書を提出する者の氏名及び住所

ロ　（4）に掲げる場合に該当することとなった事情の詳細及びその事情が生じた年月日

ハ　その他参考となるべき事項

⑤ 免除申請書の添付書類

　免除申請書には、次に掲げる書類を添付する必要があります（措規23の8の9㉕において準用する措規23の8の8㉙）。

イ　民事再生法の規定による再生計画の認可の決定があった場合……次に掲げる書類

第八章第四節《個人の事業用資産についての相続税の納税猶予及び免除》

（イ）　特例事業相続人等に係る再生計画（民事再生法第174条第１項の規定により認可の決定がされたものに限ります。）の写し及びその再生計画の認可の決定があったことを証する書類

（ロ）　特例事業相続人等の有する資産及び負債につき①の①に掲げる評定に基づいて作成された貸借対照表

（ハ）　その他参考となるべき事項を記載した書類

ロ　（２）の①に掲げる事実が生じた場合……次に掲げる書類

（イ）　特例事業相続人等に係る（２）の②のイの（イ）のｂの（ｂ）の書類

（ロ）　法人税法施行規則第８条の６第１項第１号中「内国法人、その役員及び株主等（株主等となると見込まれる者を含む。）並びに」とあるのを「特例事業相続人等及び」と、「当該内国法人」とあるのを「当該特例事業相続人等」と読み替えた場合における同号に掲げる者が作成した書類で特例事業相続人等に係る債務処理計画が（２）の①に掲げるものである旨を証するもの

（ハ）　その他参考となるべき事項を記載した書類

－864－

第五節　個人の事業用資産の贈与者が死亡した場合の相続税の課税の特例

1　特例適用の要件

　第五編第七章第二節《個人の事業用資産についての贈与税の納税猶予及び免除》の1の適用を受ける特例事業受贈者に係る贈与者が死亡した場合（その死亡の日前に猶予中贈与税額に相当する贈与税の全部につき同節の4の(2)、5、6の(1)又は6の(2)による納税の猶予に係る期限が確定した場合並びにその死亡の時以前に特例事業受贈者が死亡した場合及び同節の7の(1)の④に掲げる場合に該当した場合を除きます。）には、贈与者の死亡による相続又は遺贈に係る相続税については、特例事業受贈者が贈与者から相続（特例事業受贈者が贈与者の相続人以外の者である場合には、遺贈）により特例受贈事業用資産（同節の6の(3)の③又は同節の6の(4)により特例受贈事業用資産とみなされたものを含み、猶予中贈与税額に対応する部分に限ります。）の取得をしたものとみなされます。この場合において、その死亡による相続又は遺贈に係る相続税の課税価格の計算の基礎に算入すべき特例受贈事業用資産の価額については、贈与者から同節の1の適用に係る贈与により取得をした特例受贈事業用資産の当該贈与の時（同節の7の(4)の適用があった場合には、同節の7の(4)に掲げる認可決定日）における価額（同節の2の③のイの特例受贈事業用資産の価額をいいます。）を基礎として計算するものとされます（措法70の6の9①）。

（1）　1により相続又は遺贈により取得をしたものとみなされる特例受贈事業用資産の価額の計算

　1（(2)により読み替えて適用する場合を含みます。）により相続又は遺贈により取得をしたものとみなされる特例受贈事業用資産の価額の計算については、次の取扱いに留意する必要があります（措通70の6の9－1）。

① 　特例受贈事業用資産の価額は、特例対象贈与の時（(2)により読み替えて適用する1による場合には、前の贈与者が行った前の贈与の時）における特例受贈事業用資産の価額によりますが、第五編第七章第二節の7の(4)の適用があった場合には、認可決定日における当該特例受贈事業用資産の価額によります.

　(注1)　「前の贈与者」とは、次に掲げる場合の区分に応じ、それぞれに掲げる者に特例受贈事業用資産の贈与をした者をいいます。

　　　イ　贈与者に対する贈与が、贈与をした者の同節の7の(1)（③に係る部分に限ります。）の適用に係るもの(以下このイにおいて「免除対象贈与」といいます。）である場合　特例受贈事業用資産に係る 免除対象贈与をした者のうち最初に同節の1の適用を受けた者

　　　ロ　イに掲げる場合以外の場合　贈与者

　(注2)　「前の贈与」とは、(注1)のイ又はロに掲げる場合の区分に応じ、それぞれに掲げる者に対する特例受贈事業用資産の贈与をいいます。

　(注3)　特例受贈事業用資産が、相続時精算課税制度の適用を受けているものであっても、その特例受贈事業用資産の価額から相続時精算課税に係る基礎控除の額は控除しません。

② 　納税猶予分の贈与税額（第五編第七章第二節の2の③に掲げる納税猶予分の贈与税額をいい、同節の7の(4)の適用があった場合には、同(4)の②に掲げる再計算猶予中贈与税額とされます。）の計算において同節の2の③の債務の金額が控除された場合には、①の価額に次の算式による割合を乗じて計算した価額によります。

　（算式）

$$\frac{A-B}{A}$$

　(注1)　上記算式中の符号は次のとおり。

　　　Ａ＝納税猶予分の贈与税額の計算に係る特例受贈事業用資産の価額の合計額

第八章第五節《個人の事業用資産の贈与者が死亡した場合の相続税の課税の特例》

　　　　B＝納税猶予分の贈与税額の計算において控除された第五編第七章第二節の2の③の債務の金額
　（注2）　上記により計算した価額に1円未満の端数がある場合には、その端数金額を切り捨てて差し支えあり
　　　ません。
③　「相続又は遺贈により取得をしたものとみなされる特例受贈事業用資産」には、同節の6の(2)
　の①の届出に係る特例受贈事業用資産が含まれます。

（2）　納税猶予額の免除の適用に係る場合の読み替え

　　第五編第七章第二節の1の適用を受ける特例事業受贈者の同節の1の適用に係る贈与が特例事業受
　贈者に係る贈与者の同節の7の(1)（③に係る部分に限ります。）の適用に係る贈与である場合におけ
　る1の適用については、1中「係る贈与者」とあるのは「係る前の贈与者（同節の1の(2)に掲げる
　場合の区分に応じそれぞれに掲げる者に特定事業用資産の贈与をした者をいいます。）」と、「贈与者」
　とあるのは「前の贈与者」と、「贈与により取得」とあるのは「前の贈与（同節の1の(2)に掲げる場
　合の区分に応じそれぞれに掲げる者に対する特定事業用資産の贈与をいいます。）により同節の1の
　(2)に掲げる者が取得」と、「贈与の」とあるのは「前の贈与の」とされます（措法70の6の9②、措
　令40の7の9）。

2　物納財産の不適格

　　1の前段に掲げる特例受贈事業用資産について1（1の(2)により読み替えて適用する場合を含み
　ます。）の適用を受ける場合における相続税法第41条第2項（同法第48条の2第6項において準用する
　場合を含みます。）の規定の適用については、同法第41条第2項中「財産を除く」とあるのは、「財産
　及び第四編第八章第五節《個人の事業用資産の贈与者が死亡した場合の相続税の課税の特例》の1（租
　税特別措置法第70条の6の9第1項）（同1の(2)により読み替えて適用する場合を含みます。）によ
　り相続又は遺贈により取得をしたものとみなされる同1に掲げる特例受贈事業用資産を除きます」と
　されます（措法70の6の9③）。

－866－

第九章　非上場株式等についての相続税の納税猶予及び免除

第一節　非上場株式等を相続した場合の相続税の納税猶予及び免除

1　制度の概要

　円滑化法認定を受けた一定の会社（以下「**認定承継会社**」といいます。）の**非上場株式等**（議決権に制限のないものに限ります。）を有していた一定の個人（以下「**被相続人**」といいます。）から相続又は遺贈により認定承継会社の非上場株式等の取得をした**経営承継相続人等**が、その相続に係る相続税の申告書の提出により納付すべき相続税の額のうち、非上場株式等のうち一定のもの（以下「**対象非上場株式等**」といいます。）に係る納税猶予分の相続税額に相当する相続税については、相続税の申告書の提出期限までに一定の担保を提供した場合に限り、経営承継相続人等の死亡の日まで、その納税が猶予されます（措法70の7の2①）。

① 　A≦Bの場合……A以上の数又は金額に相当する非上場株式等の相続

② 　A＞Bの場合……Bの全ての相続

　A：相続開始の直前における認定承継会社の議決権に制限のない発行済株式又は出資の総数又は総額×2/3－相続開始の直前において経営承継相続人等が有していたその認定承継会社の非上場株式等の数又は金額

　B：相続開始の直前において経営承継相続人等が有していた認定承継会社の非上場株式等の数又は金額

（注1） 　「非上場株式等」とは、次に掲げる株式等をいいます（措法70の7②二、措規23の9⑦⑧）。

　　① 　その会社の株式に係る会社の株式の全てが、次の掲げる要件を満たす株式

　　　イ 　金融商品取引所に上場されていないこと。

　　　ロ 　金融商品取引所への上場の申請がされていないこと。

　　　ハ 　金融商品取引所に類するものであって、外国に所在するものに上場がされていないこと又はその上場の申請がされていないこと。

　　　ニ 　金融商品取引法第67条の11第1項に規定する店頭売買有価証券登録原簿に登録がされていないこと又はその登録の申請がされていないこと。

　　　ホ 　店頭売買有価証券登録原簿に類するものであって、外国に備えられるものに登録がされていないこと又はその登録の申請がされていないこと。

　　② 　合名会社、合資会社又は合同会社の出資のうち上記①のハ又はホに掲げる要件を満たすもの

（注2） 　非上場株式等は、議決権に制限のない株式等に限られていることから、次に掲げる株式等は含まれません（措通70の7の2－3）。

　　a 　相続税法第19条の規定の適用を受ける株式等

　　b 　相続時精算課税の適用を受ける株式等

　　c 　第五編第八章の8の(3)《非上場株式等の贈与の日の属する年にその贈与者が死亡した場合》の規定の適用を受ける株式等

　　d 　「非上場株式等の贈与者が死亡した場合の相続税の課税の特例」（第二節の1・措法70の7の3）の規定により贈与者から相続又は遺贈により取得をしたものとみなされる対象受贈非上場株式等

　　e 　dの対象受贈非上場株式等につき「非上場株式等の贈与者が死亡した場合の相続税の納税猶予及び免除」（第二節の2・措法70の7の4）の規定に係る贈与者から相続又は遺贈により取得した対象受贈非上場株式等に係る認定贈与承継会社と同一の会社の株式等

－867－

第九章第一節《非上場株式等を相続した場合の相続税の納税猶予及び免除》

　　f　「非上場株式等の特例贈与者が死亡した場合の相続税の課税の特例」（第十章第二節の１・措法70の７
　　　　の７）の規定により特例贈与者から相続又は遺贈により取得をしたものとみなされる特例対象受贈非上
　　　　場株式等

　（※１）　上記dの対象受贈非上場株式等については、第二節の２の適用に係る要件を満たせば、第二節の２
　　　　　の適用の対象となります。

　（※２）　上記fの特例対象受贈非上場株式等については、「非上場株式等の特例贈与者が死亡した場合の相
　　　　　続税の納税猶予及び免除の特例」（第十章第二節の２・措法70の７の８）の適用に係る要件を満たせ
　　　　　ば第十章第二節の２の適用の対象となります。

（１）　納税猶予が受けられる者（経営承継相続人等の範囲）

　納税猶予の適用が受けることができる「経営承継相続人等」とは、被相続人から相続又は遺贈により
認定承継会社の非上場株式等の取得をした個人で、次に掲げる要件の全てを満たす者をいいます（措
法70の７の２②三、措規23の10⑧）。

①　相続の開始の日の翌日から５か月を経過する日において、認定承継会社の代表権を有しているこ
　と。

②　相続の開始の時において、次の算式を満たすこと。

　　B／A　＞　50／100

　A：認定承継会社に係る総株主等議決権数（総株主又は総社員の議決権の数をいいます。以下同
　　じ。）

　B：その個人及びその個人の同族関係者等の有する認定承継会社の非上場株式等に係る議決権の数
　　の合計

（注）　上記の「その個人の同族関係者等」とは、次に掲げる者をいいます（措令40の８の２⑪）。

　　イ　その個人の親族

　　ロ　その個人と婚姻の届出をしていないが事実上婚姻関係と同様の事情にある者

　　ハ　その個人の使用人

　　ニ　その個人から受ける金銭その他の資産によって生計を維持している者（イからハに掲げる者を除きま
　　　　す。）

　　ホ　ロからニに掲げる者と生計を一にするこれらの者の親族

　　ヘ　次に掲げる会社

　　　a　その個人（イからホに掲げる者を含みます。）が有する会社の株式等に係る議決権の数の合計が、そ
　　　　の会社に係る総株主等議決権数の100分の50を超える数である場合におけるその会社

　　　b　その個人及びaに掲げる会社が有する他の会社の株式等に係る議決権の数の合計が、当該他の会社に
　　　　係る総株主等議決権数の100分の50を超える数である場合における当該他の会社

　　　c　その個人及びa又はbに掲げる会社が有する他の会社の株式等に係る議決権の数の合計が、当該他の
　　　　会社に係る総株主等議決権数の100分の50を超える数である場合における当該他の会社

③　相続の開始の時において、その個人が有する認定承継会社の非上場株式等に係る議決権の数が、
　その個人の同族関係者等のうちいずれの者が有する認定承継会社の非上場株式等に係る議決権の数
　をも下回らないこと。

④　その個人が、相続の開始の時から相続に係る相続税の申告書の提出期限（提出期限前にその個人
　が死亡した場合には、その死亡の日）まで、引き続きその相続又は遺贈により取得をした認定承継
　会社の対象非上場株式等の全てを有していること。

⑤　その個人が、認定承継会社の非上場株式等について「非上場株式等についての贈与税の納税猶予
　及び免除の特例」（第五編第九章・措法70の７の５）、「非上場株式等についての相続税の納税猶予及
　び免除の特例」（第十章第一節・措法70の７の６）又は「非上場株式等の特例贈与者が死亡した場合
　の相続税の納税猶予及び免除の特例」（第十章第二節の２・措法70の７の８）の規定の適用を受けて
　いないこと。

⑥　その個人が、その相続の開始の直前において、その会社の役員であったこと（ただし、相続に係
　る被相続人が70歳未満で死亡した場合は、この限りではありません。）。

－868－

第九章第一節《非上場株式等を相続した場合の相続税の納税猶予及び免除》

（2） 被相続人の範囲

納税猶予の適用を受けようとする経営承継相続人等に係る「被相続人」とは、相続の開始前において、認定承継会社の代表権（制限が加えられた代表権を除きます。）を有していた個人で、次に掲げる要件の全てを満たす者をいいます（措令40の8の2①）。

① その相続の開始の直前（その個人がその相続の開始の直前において認定承継会社の代表権を有しない場合には、その個人が代表権を有していた期間内のいずれかの時及びその相続の開始の直前）において、次の算式を満たすこと。

B／A＞ 50／100

A：認定承継会社に係る総株主等議決権数

B：その個人及びその個人の同族関係者等の有する認定承継会社の非上場株式等に係る議決権の数の合計

② その個人が有する認定承継会社の非上場株式等に係る議決権の数が、その個人の同族関係者等（経営承継相続人等となる者を除きます。）のうちいずれの者が有する非上場株式等に係る議決権の数をも下回らないこと。

（3） 認定承継会社の範囲

納税猶予の適用に係る「認定承継会社」とは、中小企業における経営の承継の円滑化に関する法律（以下「円滑化法」といいます。）第2条に規定する中小企業者のうち、円滑化法第12条第1項の経済産業大臣（同法第16条の規定に基づく政令の規定により都道府県知事が行うこととされている場合にあっては、その都道府県知事）の認定（以下「円滑化法認定」といいます。）を受けた会社で、相続の開始の時において、次に掲げる要件の全てを満たすものをいいます（措法70の7の2②一）。

① その会社の常時使用従業員（**注**）の数が1人以上であること。

(**注**)　「常時使用従業員」とは、会社の従業員であって、次に掲げるいずれかの者とされています（措規23の10⑤により準用する措規23の9④）。

厚生年金保険法第9条、船員保険法第2条第1項、健康保険法第3条第1項又は高齢者の医療の確保に関する法律第50条に規定する被保険者のうち、一定の者

② その会社が、資産保有型会社又は資産運用型会社のうち資産管理会社に該当しないこと。

(**注1**)　「資産保有型会社」とは、資産状況確認期間（相続開始の日の属する事業年度の直前の事業年度の開始の日から猶予中相続税額（※）の全部につき納税の猶予に係る期限が確定する日までの期間のうち一定の期間をいいます。(**注2**)において同じです。）中のいずれかの日において、次の算式を持たす会社をいいます【形式要件】（措法70の7の2②八、措令40の8の2㉔㉕、措規23の10⑫）。

(**※**)　「猶予中相続税額」とは、納税猶予分の相続税額から、既に一部確定した税額を除いたものをいいます（措法70の7の2②五）。

$$\frac{B+C}{A+C} \geqq \frac{70}{100}$$

A：そのいずれかの日におけるその会社の総資産の貸借対照表に計上されている帳簿価額の総額

B：そのいずれかの日におけるその会社の特定資産（有価証券、不動産、現預金、ゴルフ会員権、貴金属等をいいます。以下同じ。）の帳簿価額の合計額

C：そのいずれかの日以前5年以内において、経営承継相続人当及び経営承継相続人等の同族関係者等がその会社から受けた次のⅰ及びⅱに掲げる額の合計額

ⅰ：その会社から受けたその会社の株式等に係る剰余金の配当又は利益の配当（相続の開始前に受けたものを除きます。）の額

ⅱ：その会社から支給された給与（相続の開始前に支給されたものを除きます。）の額のうち、法人税法第34条《役員給与の損金不算入》又は第36条《過大な使用人給与の損金不算入》の規定によりその会社の各事業年度の所得の金額の計算上損金の額に算入されないこととなる金額

(**注2**)　「資産運用型会社」とは、資産状況確認期間中に終了するいずれかの事業年度（相続の開始の日の属する事業年度の直前の事業年度を含みます。）において次の算式を満たす会社をいいます【形式要件】（措法70の7の2②九、措令40の8の2㉔㉗）。

−869−

第九章第一節《非上場株式等を相続した場合の相続税の納税猶予及び免除》

$$\frac{B}{A} \geqq \frac{75}{100}$$

　　　A：そのいずれかの事業年度における総収入金額

　　　B：そのいずれかの事業年度における特定資産の運用収入の合計額

（注3） 次の全ての要件に該当する場合には、事業実態があることとされ、資産保有型会社又は資産運用型会社に該当しないものとされます【事業実態要件】（措令40の8の2⑦、措規23の10⑥）。

イ　会社の事業が相続の開始の日まで3年以上継続して、商品販売等の業務又は役務提供で継続して対価を得て行われるものを行っていること。

ロ　相続の開始の時において、親族外従業員の数が5人以上であること。

ハ　相続の開始の時において、親族外従業員が勤務している事務所、店舗等を所有し又は賃借していること。　　等

③　その会社（特定会社）の株式等及びその特定会社と特別の関係がある会社（以下「特別関係会社」といいます。）のうちその特定会社と密接な関係を有する会社（以下「特定特別関係会社」といいます。）の株式等が、非上場株式等に該当すること。

（注1） 「特別関係会社」とは、円滑化法認定を受けた会社並びに円滑化法認定を受けた会社の代表権を有する者及びその代表権を有する者と次に掲げる特別の関係がある者（ヘの（ハ）に掲げる会社を除きます。）が有する他の会社の株式等に係る議決権の数の合計が、当該他の会社に係る総株主等議決権数の50％を超える数である場合における当該他の会社とされています（措令40の8の2⑧）。

イ　代表権を有する者の親族

ロ　代表権を有する者と婚姻の届出をしていないが事実上婚姻関係と同様の事情にある者

ハ　代表権を有する者の使用人

ニ　代表権を有する者から受ける金銭その他の資産によって生計を維持している者（イからハに掲げる者を除きます。）

ホ　ロからニに掲げる者と生計を一にするこれらの者の親族

ヘ　次に掲げる会社

　（イ）　代表権を有する者（円滑化法認定を受けた会社及びイからホに掲げる者を含みます。以下ヘにおいて同じ。）が有する会社の株式等に係る議決権の数の合計が、その会社に係る総株主等議決権数の50％を超える数である場合におけるその会社

　（ロ）　代表権を有する者及び（イ）に掲げる会社が有する他の会社の株式等に係る議決権の数の合計が、当該他の会社に係る総株主等議決権数の50％を超える数である場合における当該他の会社

　（ハ）　代表権を有する者及び（イ）又は（ロ）に掲げる会社が有する他の会社の株式等に係る議決権の数の合計が、当該他の会社に係る総株主等議決権数の50％を超える数である場合における当該他の会社

（注2） 「特定特別関係会社」とは、イ及びホの「の親族」を「と生計を一にする親族」と読み替えたものとなります（措令40の8の2⑨）。

④　その会社及び特定特別関係会社が、風俗営業会社（風俗営業等の規制及び業務の適正化等に関する法律第2条第5項に規定する性風俗関連特殊営業に該当する事業を営む会社をいいます。）に該当しないこと。

⑤　その会社の特別関係会社が外国会社に該当する場合には、その会社の常時使用従業員の数が5人以上であること。

⑥　その会社の相続の開始の日の属する事業年度の直前の事業年度（その相続の開始の日がその贈与の日の属する事業年度の末日である場合には、その贈与の日の属する事業年度及びその事業年度の直前の事業年度）における総収入金額が、零を超えること（措令40の8の2⑩一）。

⑦　その会社が発行する会社法第108条第1項第8号に掲げる事項についての定めがある種類の株式をその会社に係る経営承継相続人等以外の者が有していないこと（措令40の8の2⑩二）。

⑧　その会社の特定特別関係会社が、円滑化法第2条に規定する中小企業者に該当すること（措令40の8の2⑩三）。

－870－

第九章第一節《非上場株式等を相続した場合の相続税の納税猶予及び免除》

（4）　納税猶予の対象となる対象非上場株式等

納税猶予の対象となる対象非上場株式等とは、相続又は遺贈により取得をした非上場株式等（議決権に制限のないものに限ります。以下同じ。）のうち、申告書に納税猶予の適用を受けようとする旨の記載があるもので、その相続の開始の時における認定承継会社の発行済株式又は出資（議決権に制限のない株式等に限ります。）の総数又は総額の３分の２（その相続の開始の直前においてその相続に係る経営承継相続人等が有していた認定承継会社の非上場株式等があるときは、その総数又は総額の３分の２から経営承継相続人等が有していた認定承継会社の非上場株式等の数又は金額を控除した残数又は残額）に達するまでの部分とされます（措令40の８の２④）。

具体的には、次に掲げる場合の区分に応じ、それぞれ次に掲げる株式の数又は出資の金額に達するまでの部分をいうこととされています（措通70の７の２）。

（算式）

①　$A＋B≧C×\dfrac{2}{3}$の場合……$C×\dfrac{2}{3}－B$

②　$A＋B＜C×\dfrac{2}{3}$の場合……A

- （注１）　上記算式中の符号は次のとおりです。
  - Ａ：経営承継相続人等がその相続又は遺贈により取得をした認定承継会社の非上場株式等（議決権に制限のない株式等に限ります。）の数又は金額
  - Ｂ：経営承継相続人等がその相続の開始の直前において有していた認定承継会社の非上場株式等の数又は金額
  - Ｃ：その相続の開始の時における認定承継会社の発行済株式又は出資（議決権に制限のない株式等に限ります。）の総数又は総額
- （注２）　複数の認定承継会社に係る非上場株式等を相続又は遺贈により取得をした場合の対象非上場株式等に該当するかの判定は、それぞれの認定承継会社ごとに行うこととなります。
- （注３）　上記①又は②により計算された株式の数又は出資の金額のうち、相続税の申告書に相続税の納税猶予の適用を受ける旨の記載がある部分が対象非上場株式等に該当することとなります。

（5）　被相続人から親族へ贈与した非上場株式等の価額が相続税の課税価格に加算される場合

被相続人からの贈与（その贈与が贈与税の納税猶予に係る贈与である場合に限ります。）により非上場株式等の取得をしている個人が、その贈与の日の属する年において被相続人の相続が開始し、かつ、被相続人からの相続又は遺贈（贈与をした者の死亡により効力を生ずる贈与を含みます。）により財産の取得をしたことにより相続税法第19条《相続開始前７年以内に贈与があった場合の相続税額》又は第21条の15《相続時精算課税に係る相続税額》の規定によりその贈与により取得をした非上場株式等の価額が相続税の課税価格に加算されることとなる場合（非上場株式等について相続税法第21条の16《相続時精算課税に係る相続税額》の規定の適用がある場合を含みます。）には、その贈与により取得をした非上場株式等は、その個人が被相続人からの相続又は遺贈により取得をしたものとみなされます（措令40の８の２②）。

2　適用を受けるための手続

（1）　期限内申告

相続に係る相続税の申告書の提出期限までに、相続又は遺贈により取得をした非上場株式等の全部又は一部が共同相続人又は包括受遺者によってまだ分割されていない場合における納税猶予の適用については、その分割されていない非上場株式等は、相続税の申告書に納税猶予の適用を受ける旨の記載ができません（措法70の７の２⑦）。

納税猶予の適用を受けるためには、相続税の申告書を申告期限内に提出し、その申告書に非上場株式等の全部若しくは一部につき納税猶予の適用を受けようとする旨を記載し、その非上場株式等の明細及び納税猶予分の相続税額の計算に関する明細及び次に掲げる事項を記載した書類を添付しなければなりません（措法70の７の２⑨、措規23の10㉒）。

第九章第一節《非上場株式等を相続した場合の相続税の納税猶予及び免除》

① 次に掲げる事項を記載した書類
　イ　経営承継相続人等に係る被相続人の死亡による相続の開始があったことを知った日
　ロ　その他参考となるべき事項
② ①のイの相続の開始の時における認定承継会社の定款の写し
③ ①のイの相続の開始の直前及びその相続の開始の時における認定承継会社の株主名簿の写しその他の書類で認定承継会社の全ての株主又は社員の氏名又は名称及び住所又は所在地並びにこれらの者が有する認定承継会社の株式等に係る議決権の数が確認できるもの
④ ①のイの相続の開始があったことを知った日がその相続の開始の日と異なる場合にあっては、その相続に係る経営承継相続人等がその相続の開始があったことを知った日を明らかにする書類
⑤ 遺言書の写し、財産の分割の協議に関する書類の写しその他の財産の取得の状況を明らかにする書類
⑥ 円滑化省令第7条第14項の認定書の写し及び円滑化省令第7条第3項の申請書の写し
⑦ 現物出資等資産に該当するものがある場合には、認定承継会社の資産の価額の合計額等、現物出資等資産の明細等を記載した書類
⑧ その他参考となるべき書類

（2）　担保の提供方法

　納税猶予の適用を受けようとする経営承継相続人等が行う担保の提供については、国税通則法施行令第16条《担保の提供手続》に定める手続によるほか、認定承継会社（株券不発行会社又は持分会社であるものに限ります。）の対象非上場株式等を担保として提供する場合には、経営承継相続人等が対象非上場株式等を担保として提供することを約する書類その他次の書類を納税地の所轄税務署長に提出する方法によることとされています（措令40の8の2⑤、措規23の10②）。

①	株券不発行会社である認定承継会社	イ　経営承継相続人等が対象非上場株式等である株式に質権の設定をすることについて承諾した旨を記載した書類 ロ　イの経営承継相続人等の印に係る印鑑証明書 ハ　認定承継会社が交付した会社法第149条第1項の書面及び認定承継会社の代表権を有する者の印に係る印鑑証明書
②	持分会社である認定承継会社	イ　経営承継相続人等が対象非上場株式等である出資の持分に質権の設定をすることについて承諾した旨を記載した書類 ロ　イの経営承継相続人等の印に係る印鑑証明書 ハ　認定承継会社がイの質権の設定について承諾したことを証する書類で次に掲げるいずれかのもの （イ）　質権の設定について承諾した旨が記載された公正証書 （ロ）　質権の設定について承諾した旨が記載された私署証書で登記所又は公証人役場において日付のある印章が押されているもの及び認定承継会社の印に係る印鑑証明書 （ハ）　質権の設定について承諾した旨が記載された書類で郵便法第48条第1項の規定により内容証明を受けたもの及び認定承継会社の印に係る印鑑証明書

　（注）　認定承継会社（株券不発行会社又は持分会社であるものに限ります。）の対象非上場株式等が担保として提供されている場合において、担保を解除したときは、経営承継相続人等が対象非上場株式等を担保と

して提供することを約する書類、上表の①のイ及びハ又は②のイ及びハに掲げる書類が返還されます（措令40の8の2⑥、措規23の10③）。

（3）　担保の変更等

①　担保の変更等があった場合

納税猶予の適用を受けようとする経営承継相続人等が納税猶予分の相続税額につき対象非上場株式等の全てを担保として提供した場合には、対象非上場株式等の価額の合計額が納税猶予分の相続税額に満たないときであっても、納税猶予分の相続税額に相当する担保が提供されたものとみなされます。ただし、その後において、次に掲げる場合に該当することとなった場合は、この限りでありません（措法70の7の2⑥、措令40の8の2㊴）。

イ　提供された担保の全部又は一部につき変更があった場合

ロ　担保として提供された対象非上場株式等に係る認定承継会社が、対象非上場株式等に係る株券を発行する旨の定款の定めを廃止する定款の変更をした場合

ハ　担保として提供された対象非上場株式等に係る認定承継会社（株券不発行会社であるものに限ります。）が、対象非上場株式等に係る株券を発行する旨の定款の定めを設ける定款の変更をした場合

　　　(注)　イの「担保の全部又は一部につき変更があった場合」とは、例えば、次のようなものをいいます（措通70の7の2-31）。

　　　　（イ）　担保として提供された対象非上場株式等に係る認定承継会社が合併により消滅した場合

　　　　（ロ）　担保として提供された対象非上場株式等に係る認定承継会社が株式交換等により他の会社の株式交換完全子会社等になった場合

　　　　（ハ）　担保として提供された対象非上場株式等に係る認定承継会社が組織変更した場合

　　　　（ニ）　担保として提供された対象非上場株式等である株式の併合又は分割があった場合

　　　　（ホ）　担保として提供された対象非上場株式等に係る認定承継会社が会社法第185条《株式無償割当て》に規定する株式無償割当てをした場合

　　　　（ヘ）　担保として提供された対象非上場株式等の名称変更があったことその他の事由により担保として提供された対象非上場株式等に係る株券の差替えの手続が必要となった場合

　　　　（ト）　担保財産の変更等が行われたため、対象非上場株式等の全てが担保として提供されていないこととなった場合

　　　　（チ）　担保として提供された対象非上場株式等について、一定の要件に該当しないこととなった場合

②　特定事由により担保の全部又は一部を解除することがやむを得ないと認められる場合

対象非上場株式等（担保として提供されたものに限ります。）に係る認定承継会社について合併（合併により認定承継会社が消滅する場合に限ります。）、株式交換その他の事由（以下「特定事由」といいます。）が生じ、又は生ずることが確実であると認められ、かつ、その提供された担保の全部又は一部を解除することがやむを得ないと認められる場合において、対象非上場株式等に係る経営承継相続人等が特定事由が生じた後遅滞なく対象非上場株式等の全部又は一部を再び担保として提供することが確実であると見込まれるときは、税務署長は、経営承継相続人等の申請に基づき、その提供された担保の全部又は一部を解除することができます。この場合において、①のただし書の規定の適用については、次に掲げるところによります（措令40の8の2㊵）。

イ　担保の解除は、なかったものとみなされます。

ロ　経営承継相続人等が、対象非上場株式等の全部又は一部について、特定事由が生じた日から2か月を経過する日までに再び担保として提供しなかった場合には、同日において国税通則法第51条第1項《担保の変更等》の規定による命令に応じなかったものとみなされます。

③　申請書の提出

②の申請は、特定事由が生じた日から1か月を経過する日までに、対象非上場株式等について②の適用を受けようとする旨、担保の解除を受けようとする理由、担保の解除を受けようとする対象非上場株式等の数又は金額及び特定事由が生じた日又は生ずると見込まれる日を記載した申請書に次に掲げる書類を添付したものをもってしなければなりません（措令40の8の2㊶、措規23の10⑳により準

-873-

用する措規23の9㉒、23の10㉑)。

イ　②の適用を受けようとする経営承継相続人等が特定事由が生じた日から２か月を経過する日までに対象非上場株式等を再び担保として提供することを約する書類

ロ　合併契約書、株式交換契約書若しくは株式移転計画書の写し又は登記事項証明書その他の書類でイの特定事由が生じた日又は生ずると見込まれる日を明らかにする書類

ハ　その他参考となるべき書類

3　納税猶予分の相続税額の計算

（1）　認定承継会社が１社である場合の納税猶予分の相続税額の計算

　対象非上場株式等の価額を経営承継相続人等に係る相続税の課税価格とみなして、相続税法第13条《債務控除》から第19条《相続開始前３年以内に贈与があった場合の相続税額》までの規定を適用して計算した金額をいいます（措法70の７の２②五）。

　経営承継相続人等の相続税の額は、対象非上場株式等の価額（相続税法第13条《債務控除》の規定により控除すべき債務がある場合において、控除未済債務額(注)があるときは、対象非上場株式等の価額から控除未済債務額を控除した残額。以下「特定価額」といいます。）を経営承継相続人等に係る相続税の課税価格とみなして、相続税法第13条から第19条まで、第21条の15第１項及び第２項並びに第21条の16第１項及び第２項の規定を適用して計算した経営承継相続人等の相続税の額（経営承継相続人等が相続税法第19条の２から第20条の２まで、第21条の15又は第21条の16の規定の適用を受ける者である場合において、経営承継相続人等に係る１に掲げる納付すべき相続税の額の計算上これらの規定により控除された金額の合計額が次の①及び②に掲げる金額の合計額を超えるときは、その超える部分の金額を控除した残額）とされています（措令40の８の２⑬）。

①　特定価額に100分の20を乗じて計算した金額を経営承継相続人等に係る相続税の課税価格とみなして、相続税法第13条から第19条まで、第21条の15第１項及び第２項並びに第21条の16第１項及び第２項の規定を適用して計算した経営承継相続人等の相続税の額

②　イに掲げる金額からロに掲げる金額を控除した残額

イ　相続税法第11条から第19条まで、第21条の15第１項及び第２項並びに第21条の16第１項及び第２項の規定を適用して計算した経営承継相続人等の相続税の額

ロ　特定価額を経営承継相続人等に係る相続税の課税価格とみなして、相続税法第13条から第19条まで、第21条の15第１項及び第２項並びに第21条の16第１項及び第２項の規定を適用して計算した経営承継相続人等の相続税の額

(注)　（1）の「控除未済債務額」とは、次のaに掲げる金額からbに掲げる金額を控除した金額（その金額が零を下回る場合には、零とします。）をいいます（措令40の８の２⑭）。

　a　相続税法第13条の規定により控除すべき経営承継相続人等の負担に属する部分の金額

　b　aの経営承継相続人等に係るイの価額とロの金額との合計額からハの価額を控除した残額

　　イ　経営承継相続人等が１の適用に係る相続又は遺贈により取得した財産の価額

　　ロ　経営承継相続人等が被相続人からの贈与により取得した財産で第七章第一節２の(4)の適用を受けるものの価額から同章第二節１の基礎控除（同節３を含みます。）を控除した残額

　　ハ　対象非上場株式等の価額

（2）　認定承継会社が２社以上である場合の納税猶予分の相続税額の計算

①　対象非上場株式等に係る認定承継会社が２以上ある場合における納税猶予分の相続税額の計算においては、対象非上場株式等に係る経営承継相続人等が被相続人から納税猶予の適用に係る相続又は遺贈により取得をした全ての認定承継会社の対象非上場株式等の価額の合計額（相続税法第13条《債務控除》の規定により控除すべき債務がある場合において、控除未済債務額があるときは、対象非上場株式等の価額の合計額から控除未済債務額を控除した残額）が経営承継相続人等に係る相続税の課税価格とみなされます（措令40の８の２⑰）。

第九章第一節《非上場株式等を相続した場合の相続税の納税猶予及び免除》

② 上記の場合において、対象非上場株式等に係る認定承継会社の異なるものごとの納税猶予分の相続税額は、次の算式により計算した金額（100円未満の端数は切捨て）となります（措令40の8の2⑱）。

$$A \times \frac{B}{C}$$

A：上記①により計算した金額（端数処理前の金額）

B：認定承継会社の異なるものごとの対象非上場株式等の価額

C：全ての認定承継会社に係る対象非上場株式等の価額の合計額

（3） 農地等についての相続税の納税猶予等の特例の適用がある場合の納税猶予分の相続税額の計算

納税猶予分の相続税額を計算する場合において、被相続人から相続又は遺贈により財産の取得をした者のうちに「農地についての相続税の納税猶予及び免除」（措法70の6①）の適用を受ける者があるときにおけるその財産の取得をした全ての者に係る相続税の課税価格は、租税特別措置法第70条の6第2項第1号の規定により計算される相続税の課税価格（農業投資価格ベースの課税価格）とされます（措令40の8の2⑲）。

（4） 農地等についての相続税の納税猶予制度との調整

相続税の納税猶予の適用を受ける経営承継相続人等が「農地についての相続税の納税猶予及び免除」（措法70の6①）、「山林についての相続税の納税猶予及び免除」（措法70の6の6①）、「特定の美術品についての相続税の納税猶予及び免除」（措法70の6の7①）、「個人の事業用資産についての相続税の納税猶予及び免除」（措法70の6の10）又は「医療法人の持分についての相続税の納税猶予及び免除」（措法70の7の12）の適用を受ける者である場合において、調整前株式等猶予税額（納税猶予分の相続税額で**(1)**から**(3)**までの規定により計算されたものをいいます。）、調整前農地等猶予税額（租税特別措置法第70条の6第1項に規定する納税猶予分の相続税額で租税特別措置法施行令第40条の7第16項の規定により計算されたものをいいます。）、調整前山林猶予税額（租税特別措置法第70条の6の6第1項に規定する納税猶予分の相続税額で租税特別措置法施行令第40条の7第16項第1号の規定により計算されたものをいいます。）、調整前美術品猶予税額（租税特別措置法第70条の6の7第1項に規定する納税猶予分の相続税額で租税特別措置法施行令第40条の7第16項第2号の規定により計算されたものをいいます。）、調整前事業用資産猶予税額（租税特別措置法第70条の6の10第1項に規定する納税猶予分の相続税額で租税特別措置法施行令第40条の7第16項第3号の規定により計算されたものをいいます。）及び調整前持分猶予税額（租税特別措置法第70条の7の12第1項に規定する納税猶予分の相続税額で租税特別措置法施行令第40条の7第16項第5号の規定により計算されたものをいいます。）の合計額が猶予可能税額（経営承継相続人等が租税特別措置法第70条の7の2第1項の適用を受けないものとした場合における納付すべき相続税の額をいいます。）を超えるときにおける特例非上場株式等に係る納税猶予分の相続税額は、その猶予可能税額に調整前株式等猶予税額がその合計額に占める割合を乗じて計算した金額をいいます（措令40の8の2⑳）。

4 納税猶予期間中の継続届出書の提出

（1） 継続届出書の提出

納税猶予の適用を受ける経営承継相続人等は、相続税の申告書の提出期限の翌日から猶予中相続税額に相当する相続税の全部につき納税猶予に係る期限が確定する日までの間に**経営報告基準日**が存する場合には、届出期限（**第1種基準日**の翌日から5か月を経過する日及び**第2種基準日**の翌日から3か月を経過する日をいいます。）までに、引き続いて相続税の納税猶予の適用を受けたい旨及び次の掲げる事項等を記載した届出書に①に掲げる書類を添付して、納税地の所轄税務署長に提出しなければなりません（措法70の7の2⑩、措令40の8の2㊷、措規23の10㉕）。

第九章第一節《非上場株式等を相続した場合の相続税の納税猶予及び免除》

① 経営承継相続人等の氏名及び住所

② 被相続人から相続又は遺贈により対象非上場株式等の取得をした年月日

③ 特例非上場株式等に係る認定承継会社の名称及び本店の所在地

④ その届出書を提出する日の直前の経営報告基準日までに終了する各事業年度（経営報告基準日の直前の経営報告基準日及び相続税の申告書の提出期限までに終了する事業年度を除きます。）における総収入金額

⑤ その経営報告基準日における猶予中相続税額

⑥ その経営報告基準日において経営承継相続人等が有する対象非上場株式等の数又は金額及び経営承継相続人等に係る被相続人の氏名

⑦ その経営報告基準日が**経営承継期間**後である場合には、認定承継会社に係る次に掲げる事項

　イ　報告基準日の属する事業年度の直前の事業年度末における資本金の額及び準備金の額又は出資の総額

　ロ　報告基準日の属する事業年度の直前の事業年度末における１の(3)の②の(**注１**)のAからCまでに掲げる額、これらの明細及び割合

　ハ　報告基準日の属する事業年度の直前の事業年度におけるの１の(3)の②の(**注２**)のA、Bの総収入金額、運用収入の合計額、これらの明細及び割合

⑧ 報告基準日の直前の経営報告基準日（報告基準日が最初の経営報告基準日である場合には、相続税の申告書の提出期限）の翌日から基準日までの間に認定承継会社が商号の変更をした場合、本店の所在地を変更した場合、合併により消滅した場合、株式交換等により他の会社の株式交換完全子会社等となった場合、会社分割をした場合、組織変更をした場合又は解散をした場合には、その旨

⑨ その他参考となるべき事項

(**注１**)　「経営報告基準日」とは、第１種基準日又は第２種基準日をいいます。

(**注２**)　「第１種基準日」とは、経営承継期間のいずれかの日で、相続税の申告書の提出期限の翌日から１年を経過するごとの日をいいます。

(**注３**)　「第２種基準日」とは、経営承継期間の末日の翌日から猶予中相続税額の全部につき納税の猶予に係る期限が確定する日までの期間のいずれかの日で、経営承継期間の末日の翌日から３年を経過するごとの日をいいます。

(**注４**)　「経営承継期間」とは、納税猶予の適用に係る相続税の申告書の提出期限の翌日から次に掲げる日のいずれか早い日又は相続に係る経営承継相続人等若の死亡の日の前日のいずれか早い日までの期間をいいます。

　イ　経営承継相続人等の最初の納税猶予の適用に係る相続税の申告書の提出期限の翌日以後５年を経過する日

　ロ　経営承継相続人等の最初の「非上場株式等についての贈与税の納税猶予及び免除」（第五編第八章・措法70の７）の適用に係る贈与に係る贈与税の申告書の提出期限の翌日以後５年を経過する日

① **継続届出書の添付書類**

　(1)に掲げる書類は、対象非上場株式等に係る認定承継会社に係る次に掲げる書類（その経営報告基準日が、経営承継期間内である場合にはロに掲げる書類を除き、経営承継期間後である場合にはニに掲げる書類を除きます。）です（措規23の10㉓）。

イ　その経営報告基準日における定款の写し

ロ　登記事項証明書

ハ　その経営報告基準日における株主名簿の写しその他の書類で株主又は社員の氏名又は名称及び住所又は所在地並びにこれらの者が有する株式等に係る議決権の数が確認できる書類（認定承継会社が証明したものに限ります。）

ニ　円滑化省令第12条第４項（同条第15項において準用する場合を含みます。）の報告書の写し及びその報告書に係る同条第37項の確認書の写し

ホ　その経営報告基準日（以下「報告基準日」といいます。）の直前の経営報告基準日（その報告基準

－876－

第九章第一節《非上場株式等を相続した場合の相続税の納税猶予及び免除》

日が最初の経営報告基準日である場合には、本制度の適用に係る相続税の申告書の提出期限）の翌日から報告基準日までの間に会社分割又は組織変更があった場合には、会社分割に係る吸収分割契約書若しくは新設分割計画書の写し又は組織変更に係る組織変更計画書の写し

ヘ　その他参考となるべき事項

② 　合併又は株式交換等があった場合の添付書類の追加

　経営承継相続人等は、その有する対象非上場株式等に係る認定承継会社について報告基準日の直前の経営報告基準日の翌日から報告基準日までの間に合併又は株式交換等があった場合には、次に掲げる書類（経営承継期間内に合併又は株式交換等があった場合には、イに掲げる書類を除き、経営承継期間後に合併又は株式交換等があった場合にはロのｂに掲げる書類を除きます。）を①の書類とあわせて届出書に添付しなければなりません（措規23の10㉔）。

イ　合併又は株式交換等に係る合併契約書又は株式交換契約書若しくは株式移転計画書の写し

ロ　次に掲げる書類（合併又は株式移転により合併承継会社又は交換等承継会社が設立される場合には、合併又は株式移転がその効力を生ずる直前に係るものを除きます。）

　ａ　合併又は株式交換等がその効力を生ずる日における合併承継会社又は交換等承継会社の株主名簿その他の書類で合併承継会社又は交換等承継会社の全ての株主又は社員の氏名又は名称及び住所又は所在地並びにこれらの者が有する認定承継会社の株式等に係る議決権の数が確認できる書類

　ｂ　合併又は株式交換等に係る円滑化省令第12条第9項又は第10項の報告書の写し及びその報告書に係る同条第37項の確認書の写し

（2）　継続届出書が提出されなかった場合

　（1）の届出書が届出期限までに納税地の所轄税務署長に提出されない場合には、届出期限における猶予中相続税額に相当する相続税については、届出期限の翌日から2か月を経過する日（届出期限の翌日から2か月を経過する日までの間に相続税に係る経営承継相続人等が死亡した場合には、経営承継相続人等の相続人が経営承継相続人等の死亡による相続の開始があったことを知った日の翌日から6か月を経過する日）をもって納税の猶予に係る期限とされます（措法70の7の2⑫）。

5　担保の変更の命令に応じない場合等の納税猶予期限の繰上げ

　税務署長は、次に掲げる場合には、猶予中相続税額に相当する相続税の猶予に係る期限を繰り上げることができます。この場合においては、国税通則法第49条第2項及び第3項《納税の猶予の取消し》の規定を準用することになります（措法70の7の2⑬）。

① 　経営承継相続人等が担保について国税通則法第51条第1項《担保の変更等》の規定による命令に応じない場合

② 　経営承継相続人等から提出された4の（1）の届出書に記載された事項と相違する事実が判明した場合

6　経営承継期間内の納税猶予の打切り

（1）　経営承継期間内の納税猶予の全部確定

　経営承継期間内に納税猶予の適用を受ける経営承継相続人等又は対象非上場株式等に係る認定承継会社について次のいずれかに該当することとなった場合には、次に掲げる日から2か月を経過する日（それぞれに掲げる日からその2か月を経過する日までの間に経営承継相続人等が死亡した場合には、経営承継相続人等の相続人（包括受遺者を含みます。）が経営承継相続人等の死亡による相続の開始があったことを知った日の翌日から6か月を経過する日）をもって相続税の納税猶予に係る期限とされます（措法70の7の2③）。

① 　経営承継相続人等がその有する対象非上場株式等に係る認定承継会社の代表権を有しないことと

－877－

第九章第一節《非上場株式等を相続した場合の相続税の納税猶予及び免除》

なった場合（代表権を有しないこととなったことについて次に掲げる理由がある場合を除きます。）
……その有しないこととなった日（措規23の10⑮により準用する措規23の9⑰）

イ　精神保健及び精神障害者福祉に関する法律第45条第2項の規定により精神障害者保健福祉手帳
（精神保健及び精神障害者福祉に関する法律施行令第6条第3項に規定する障害等級が1級であ
る者として記載されているものに限ります。）の交付を受けたこと。

ロ　身体障害者福祉法第15条第4項の規定により身体障害者手帳（身体上の障害の程度が1級又は
2級である者として記載されているものに限ります。）の交付を受けたこと。

ハ　介護保険法第19条第1項の規定による同項に規定する要介護認定（同項の要介護状態区分が要
介護認定等に係る介護認定審査会による審査及び判定の基準等に関する省令第1条第1項第5号
に掲げる区分に該当するものに限ります。）を受けたこと。

ニ　イからハに掲げる事由に類すると認められること。

②　従業員数確認期間（認定承継会社の非上場株式等について納税猶予の適用を受けるために提出す
る最初の相続税の申告書の提出期限の翌日から同日以後5年を経過する日（経営承継相続人等が同
日までに死亡した場合には、その死亡の日の前日）までの期間をいいます。）内に存する各基準日（そ
の提出期限の翌日から1年を経過するごとの日をいいます。）におけ認定承継会社の常時使用従業員
の数の合計を従業員数確認期間の末日において従業員数確認期間内に存する基準日の数で除して計
算した数が、常時使用従業員の雇用が確保されているものとして相続の開始の時における常時使用
従業員の数に100分の80を乗じて計算した数（その数に1人未満の端数があるときは、これを切り捨
てた数とし、その相続の開始の時における常時使用従業員の数が1人のときは1人とします。）を下
回る数となった場合……従業員数確認期間の末日（措令40の8の2㉘）

（注）　相続の開始の時に次の事由が生じたときは、次のそれぞれに掲げる数に調整割合（その事由がその効
力を生ずる日から従業員数確認期間の末日までの間に存する基準日の数を従業員数確認期間内に存す
る基準日の数で除して得た割合をいいます。）を乗じて計算した数と最初の相続の開始の時における認
定承継会社の常時使用従業員の数とを合計した数として②の計算を行います（措規23の10⑯により準用
する措規23の9⑱）。

a　吸収合併（認定承継会社が消滅する場合に限ります。）……吸収合併がその効力を生ずる直前におけ
る吸収合併により存続する会社及び吸収合併により消滅する会社（認定承継会社を除きます。）の常時
使用従業員の数

b　新設合併……新設合併がその効力を生ずる直前における新設合併により消滅する会社（認定承継会
社を除きます。）の常時使用従業員の数

c　株式交換（認定承継会社が株式交換完全子会社等となる場合に限ります。）……株式交換がその効力
を生ずる直前における株式交換に係る交換等承継会社の常時使用従業員の数

③　次の算式を満たすこととなった場合……その満たすこととなった日

B／A≦50／100

A：認定承継会社の総株主等議決権数

B：経営承継相続人等及び経営承継相続人等と同族関係等のある者の有する議決権の数（認定承
継会社に係るものに限ります。）の合計

④　経営承継相続人等と同族関係等のある者のうちいずれかの者が、経営承継相続人等が有する認定
承継会社の非上場株式等に係る議決権の数を超える数の非上場株式等に係る議決権を有することと
なった場合……その有することとなった日

⑤　経営承継相続人等が適用対象非上場株式等の一部の譲渡又は贈与（以下「譲渡等」といいます。）
をした場合……譲渡等をした日

⑥　経営承継相続人等が適用対象非上場株式等の全部の譲渡等をした場合（適用対象非上場株式等に
係る認定承継会社が株式交換又は株式移転（以下「株式交換等」といいます。）により他の会社の株
式交換完全子会社等となった場合を除きます。）……譲渡等をした日

－878－

第九章第一節《非上場株式等を相続した場合の相続税の納税猶予及び免除》

⑦　認定承継会社が会社分割をした場合（会社分割に際して吸収分割承継会社等の株式等を配当財産とする剰余金の配当があった場合に限ります。）　……会社分割がその効力を生じた日

⑧　認定承継会社が組織変更をした場合（組織変更に際して認定承継会社の株式等以外の財産の交付があった場合に限ります。）　……組織変更がその効力を生じた日

⑨　認定承継会社が解散をした場合（合併により消滅する場合を除きます。）又は会社法その他の法律の規定により解散をしたものとみなされた場合……解散をした日又はそのみなされた解散の日

⑩　認定承継会社が資産保有型会社又は資産運用型会社（事業実態がないものに限ります。）に該当することとなった場合……その該当することとなった日（措令40の8の2㉚）

⑪　認定承継会社の事業年度における総収入金額が零となった場合……事業年度終了の日（措規23の10⑦により準用する措規23の9⑥）

⑫　認定承継会社が、会社法第447条第1項若しくは第626条第1項の規定により資本金の額の減少をした場合又は同法第448条第1項の規定により準備金の額の減少をした場合（同法第309条第2項第9号イ及びロに該当する場合、認定承継会社が減少をする資本金の額の全部を準備金とする場合又は減少をする準備金の額の全部を資本金とする場合若しくは会社法第449条第1項ただし書に該当する場合を除きます。）……資本金の額の減少又は準備金の額の減少がその効力を生じた日（措規23の10⑰により準用する措規23の9⑲）

⑬　経営承継相続人等が納税猶予の適用を受けることをやめる旨を記載した届出書を納税地の所轄税務署長に提出した場合……届出書の提出があった日

⑭　認定承継会社が合併により消滅した場合（適格合併をした場合を除きます。）……合併がその効力を生じた日（措規23の10⑱により準用する措規23の9⑳）

⑮　認定承継会社が株式交換等により他の会社の株式交換完全子会社等となった場合（適格交換等をした場合を除きます。）……株式交換等がその効力を生じた日（措規23の10⑲により準用する措規23の9㉑）

⑯　認定承継会社の株式等が非上場株式等に該当しないこととなった場合……その該当しないこととなった日

⑰　認定承継会社又は認定承継会社の特定特別関係会社が風俗営業会社(注)に該当することとなった場合……その該当することとなった日

　(注)　「風俗営業会社」とは、風俗営業等の規制及び業務の適正化等に関する法律第2条第5項に規定する性風俗関連特殊営業に該当する事業を営む会社をいい、「その該当することとなった日」とは、風営法第27条第1項、第31条の2第1項、第31条の7第1項、第31条の12第1項又は第31条の17第1項の届出書を提出した日とされています（措通70の7−26）。

⑱　認定承継会社が発行する会社法第108条第1項第8号に掲げる事項についての定めがある種類の株式を認定承継会社に係る経営承継相続人等以外の者が有することとなったとき……その有することとなった日（措令40の8の2㉛一）

⑲　認定承継会社（株式会社であるものに限ります。）が対象非上場株式等の全部又は一部の種類を株主総会において議決権を行使することができる事項につき制限のある株式に変更した場合……その変更した日（措令40の8の2㉛二）

⑳　認定承継会社（持分会社であるものに限ります。）が定款の変更により認定承継会社に係る経営承継相続人等が有する議決権の制限をした場合……その制限をした日（措令40の8の2㉛三）

（2）　経営承継期間内の納税猶予税額の一部確定

　経営承継期間内に納税猶予の適用を受ける経営承継相続人等又は対象非上場株式等に係る認定承継会社について次の表の左欄に掲げる場合に該当することとなった場合には、同表の中欄に掲げる金額に相当する相続税については、同表の右欄に掲げる日から2か月を経過する日（同表の右欄に掲げる日から2か月を経過する日までの間に経営承継相続人等が死亡した場合には、経営承継相続人等の相

−879−

続人が経営承継相続人等の死亡による相続の開始があったことを知った日の翌日から6か月を経過する日）をもって納税の猶予に係る期限とされます（措法70の7の2④、措令40の8の2㉜㉝）。

イ　経営承継相続人等がその有する対象非上場株式等に係る認定承継会社の代表権を有しないこととなった場合において、経営承継相続人等が対象非上場株式等の一部につき贈与税の納税猶予に係る贈与をしたとき	贈与の直前における猶予中相続税額に、その贈与をした対象非上場株式等の数又は金額がその贈与の直前における対象非上場株式等の数又は金額に占める割合を乗じて計算した金額（計算した金額に100円未満の端数があるとき、又はその全額が100円未満であるときは、その端数金額又はその全額を切り捨てます。）	その贈与をした日
ロ　認定承継会社が適格合併をした場合又は適格交換等をした場合において、対象非上場株式等に係る経営承継相続人等が、適格合併をした場合における合併又は適格交換等をした場合における株式交換等に際して、吸収合併存続会社等及び他の会社（認定承継会社が株式交換等により他の会社の株式交換完全子会社等となった場合における当該他の会社をいいます。）の株式等以外の金銭その他の資産の交付を受けたとき	認定承継会社が適格合併をした場合における合併又は適格交換等をした場合における株式交換等がその効力を生ずる直前における猶予中相続税額に、合併又は株式交換等に際して吸収合併存続会社等又は左欄の他の会社が交付しなければならない株式等以外の金銭その他の資産の額が合併前純資産額又は交換等前純資産額に占める割合を乗じて計算した金額（計算した金額に100円未満の端数があるとき、又はその全額が100円未満であるときは、その端数金額又はその全額を切り捨てます。）	その合併又は当該株式交換等がその効力を生じた日

7　経営承継期間後の納税猶予の打切り

経営承継期間の末日の翌日から猶予中相続税額に相当する相続税の全部につき納税猶予に係る期限が確定する日までの間において、納税猶予の適用を受ける経営承継相続人等又は対象非上場株式等に係る認定承継会社について次の①から⑥に該当することとなった場合には、それぞれに定める相続税については、それぞれに定める日から2か月を経過する日（次に定める日から2か月を経過する日までの間に経営承継相続人等が死亡した場合には、経営承継相続人等の相続人が経営承継相続人等の死亡による相続の開始があったことを知った日の翌日から6か月を経過する日）が納税猶予に係る期限とされます（措法70の7の2⑤、措令40の8の2㉞〜㊳）。

①	6の(1)の⑥又は⑨から⑬までに掲げる場合	猶予中相続税額	6の(1)の⑥又は⑨から⑬までに掲げる日
②	経営承継相続人等が対象非上場株式等の一部の譲渡等をした場合	猶予中相続税額のうち、譲渡等をした対象非上場株式等の数又は金額に対応する部分の額（猶予中相続税額に、次の算式により計算した割合を乗じて得た金額をいいます。） 〔算式〕 譲渡等をした対象非上場株式等の数又は金額／譲渡等の直前における対象非上場株式等の数又は金額	譲渡等をした日
③	認定承継会社が合併により消滅した場合	猶予中相続税額（合併に際して吸収合併存続会社等の株式等の交付があった場合には、株式等の価額に対応する部分（猶予中相続税額に、次の算式により計算し	合併がその効力を生じた日

		た割合を乗じて得た金額をいいます。）の額を除きます。） 〔算式〕 $\dfrac{合併前純資産額－合併に際して吸収合併存続会社等が消滅する認定承継会社の全ての株主等に対して交付しなければならない金銭等（株式等以外の金銭その他の資産をいいます。以下同じ。）の額}{合併前純資産額}$	
④	認定承継会社が株式交換等により他の会社の株式交換完全子会社等となった場合	猶予中相続税額（株式交換等に際して当該他の会社の株式等の交付があった場合には、株式等の価額に対応する部分（猶予中相続税額に、次の算式により計算した割合を乗じて得た金額をいいます。）の額を除きます。） 〔算式〕 $\dfrac{交換等前純資産額－株式交換等に際して当該他の会社が株式交換完全子会社等の全ての株主等に対して交付しなければならない金銭等の額}{交換等前純資産額}$	株式交換等がその効力を生じた日
⑤	6の(1)の⑦に該当した場合	猶予中相続税額のうち、会社分割に際して認定承継会社から配当された吸収分割承継会社等の株式等の価額に対応する部分の額（猶予中相続税額に、次の算式により計算した割合を乗じて得た金額をいいます。） 〔算式〕 $\dfrac{配当分純資産額(※)}{分割前純資産額}$ (※) 承継純資産額× $\dfrac{会社分割に際して、認定承継会社から認定承継会社の全ての株主等に対して配当された吸収分割承継会社等の株式等の数又は金額}{会社分割に際して、吸収分割承継会社等から認定承継会社が交付を受けた吸収分割承継会社等の株式等の数又は金額}$	会社分割がその効力を生じた日
⑥	6の(1)の⑧に該当した場合	猶予中相続税額のうち、組織変更に際して認定承継会社から交付された認定承継会社の株式等以外の財産の価額に対応する部分の額（猶予中相続税額に、次の算式により計算した割合を乗じて得た金額をいいます。） 〔算式〕 $\dfrac{組織変更に際して認定承継会社から認定承継会社の全ての株主等に対して交付された金銭等の額}{組織変更前純資産額}$	組織変更がその効力を生じた日

8 納税猶予税額の免除

（1） 経営承継相続人等の死亡等による納税猶予税額の免除

　納税猶予の適用を受ける経営承継相続人等が、次のいずれかに該当することとなった場合に該当する場合（「死亡等」といいます。）には、その相続税は、免除されます。

　この場合において、経営承継相続人等又は経営承継相続人等の相続人は、その該当することとなった日から同日（②に該当する場合には、対象非上場株式等の贈与を受けた者が対象非上場株式等について贈与税の納税猶予の適用に係る贈与税の申告書を提出した日）以後6か月を経過する日（「**免除届出期限**」といいます。）までに、次のイ及びロに掲げる事項を記載した届出書（「**免除届出書**」といいます。）を納税地の所轄税務署長に提出しなければなりません（措法70の7の2⑯、措令40の8の2㊹、措規23の10㉚）。

①	経営承継相続人等が死亡した場合	猶予中相続税額に相当する相続税
②	経営承継期間の末日の翌日以後に、経営承継相続人等が対象非上場株式等につき贈与税の納税猶予の適用に係る贈与をした場合	贈与の直前における猶予中相続税額に、その贈与をした対象非上場株式等の数又は金額がその贈与の直前における対象非上場株式等の数又は金額のうちに占める割合を乗じて計算した金額（その計算した金額に100円未満の端数があるとき、又はその全額が100円未満であるときは、その端数金額又はその全額を切り捨てます。）に相当する相続税

イ　表の①に掲げる場合……次に掲げる事項
　（イ）　（1）の届出書を提出する者の氏名及び住所又は居所並びに死亡した経営承継相続人等との続柄並びにその死亡した経営承継相続人等に係る認定承継会社の商号
　（ロ）　（イ）の死亡した経営承継相続人等の氏名及び住所並びにその死亡した年月日
　（ハ）　（1）による相続税の免除を受けようとする旨及びその免除を受けようとする相続税の額
　（ニ）　その他参考となるべき事項
ロ　表の②に掲げる場合……次に掲げる事項
　（イ）　（1）の届出書を提出する経営承継相続人等の氏名及び住所又は居所並びに当該届出書を提出する経営承継相続人等に係る認定承継会社の商号
　（ロ）　（イ）の届出書を提出する経営承継相続人等から贈与により対象非上場株式等の取得をした者の氏名及び住所、その取得をした年月日
　（ハ）　（1）による相続税の免除を受けようとする旨並びにその免除を受けようとする相続税の額及びその明細
　（ニ）　その他参考となるべき事項

① 免除届出書の提出

　納税猶予の適用を受ける経営承継相続人等又は経営承継相続人等の相続人（包括受遺者を含みます。）は、免除届出書を提出する場合には、次に掲げる事項等を明らかにする書類を添付しなければなりません（措令40の8の2㊸、措規23の10㉘）。
イ　（1）の表の①又は②のいずれに該当するかの別
ロ　経営承継相続人等の氏名及び住所
ハ　被相続人から相続又は遺贈により対象非上場株式等の取得をした年月日
ニ　対象非上場株式等に係る認定承継会社の名称及び本店の所在地
ホ　その死亡等の日（経営承継相続人等が死亡した日又は経営承継相続人等が（1）の表の②の適用に係る贈与をした日をいいます。）までに終了する各事業年度（その死亡等の日の直前の経営報告基準日及び相続税の申告書の提出期限までに終了する事業年度を除きます。）における認定承継会社の総

－882－

第九章第一節《非上場株式等を相続した場合の相続税の納税猶予及び免除》

収入金額

ヘ　その死亡等の日における猶予中相続税額

ト　その死亡等の日において経営承継相続人等が有する対象非上場株式等の数又は金額及び経営承継相続人等に係る被相続人の氏名

チ　その他参考となるべき事項

② **免除届出書の添付書類**

　添付書類は、次のとおりです（措規23の10㉙）。

イ　その死亡等の日における定款の写し

ロ　登記事項証明書（死亡等の日以後に作成されたものに限ります。）

ハ　その死亡等の日における株主名簿の写しその他の書類で株主又は社員の氏名又は名称及び住所又は所在地並びにこれらの者が有する議決権の数が確認できる書類（認定承継会社が証明したものに限ります。）

ニ　円滑化省令第12条第8項（同条第17項において準用する場合を含みます。）の報告書の写し及びその報告書に係る同条第37項の確認書の写し

ホ　その死亡等の日の直前の経営報告基準日の翌日からその死亡等の日までの間に会社分割又は組織変更があった場合には、会社分割に係る吸収分割契約書若しくは新設分割計画書の写し又は組織変更に係る組織変更計画書の写し

ヘ　その死亡等の日の直前の経営報告基準日の翌日からその死亡等の日までの間に合併又は株式交換等があった場合には、合併又は株式交換等に係る4の(1)の②の書類

ト　その他参考となるべき事項

（2）　その他の場合による納税猶予税額の免除

　納税猶予の適用を受ける経営承継相続人等又は対象非上場株式等に係る認定承継会社が次に掲げる場合のいずれかに該当し、それぞれ次に掲げる相続税の免除を受けようとするときは、その該当することとなった日から2か月を経過する日（その該当することとなった日から2か月を経過する日までの間に経営承継相続人等が死亡した場合には、経営承継相続人等の相続人が経営承継相続人等の死亡による相続の開始があったことを知った日の翌日から6か月を経過する日。「申請期限」といいます。）までに、その免除を受けたい旨、免除を受けようとする相続税に相当する金額（「免除申請相続税額」といいます。）及びその計算の明細、①に掲げる事項を記載した申請書（その免除の手続に必要な書類として②に掲げる書類を添付したものに限ります。）を納税地の所轄税務署長に提出しなければなりません（措法70の7の2⑰）。

①　経営承継期間後に、経営承継相続人等が対象非上場株式等に係る認定承継会社の非上場株式等の全部の譲渡等をした場合（経営承継相続人等の同族関係者以外の者のうち、持分の定めのある法人（医療法人を除きます。）又は個人で、③に掲げる一定の要件を満たす者に対して行う場合又は民事再生法の規定による再生計画若しくは会社更生法の規定による更生計画の認可の決定等を受け、その再生計画若しくは更生計画に基づき非上場株式等を消却するために行うときに限り、④に掲げる場合に該当する場合を除きます。）において、次に掲げる金額の合計額が譲渡等の直前における猶予中相続税額に満たないとき……猶予中相続税額からその合計額を控除した残額に相当する相続税（措令40の8の2㊺㊻）

イ　譲渡等の直前において被相続人から対象非上場株式等に係る認定承継会社の発行済株式又は出資（議決権があるものに限ります。）の総数又は総額の全てを相続又は遺贈により取得したものとした場合の認定承継会社の株式又は出資の1単位当たりの価額に、譲渡等の直前において経営承継相続人等が有していた対象非上場株式等の数又は金額を乗じて得た金額（その金額が譲渡等をした対象非上場株式等の譲渡等の対価の額より小さい金額である場合には、譲渡等の対価の額）（措規23の10㉞により準用する措規23の9㊱）

－883－

ロ　譲渡等があった日以前5年以内において、経営承継相続人等及び経営承継相続人等と生計を一にする者が認定承継会社から受けた剰余金の配当等の額その他認定承継会社から受けた次に掲げる金額の合計額（措令40の8の2⑪⑯）

（イ）　その会社から受けたその会社の株式等に係る剰余金の配当又は利益の配当（最初の相続の開始の時前に受けたものを除きます。）の額

（ロ）　その会社から支給された給与（債務の免除による利益その他の経済的な利益を含み、最初の相続の開始の時前に支給されたものを除きます。）の額のうち、法人税法第34条又は第36条の規定によりその会社の各事業年度の所得の金額の計算上損金の額に算入されないこととなる金額

②　経営承継期間後に、対象非上場株式等に係る認定承継会社について破産手続開始の決定又は特別清算開始の命令があった場合……イに掲げる金額からロに掲げる金額を控除した残額に相当する相続税

イ　認定承継会社の解散（会社法その他の法律の規定により解散をしたものとみなされる場合のその解散を含みます。ロにおいて同じです。）の直前における猶予中相続税額

ロ　認定承継会社の解散前5年以内において、経営承継相続人等及び経営承継相続人等と生計を一にする者が認定承継会社から受けた剰余金の配当等の額その他認定承継会社から受けた次に掲げる金額の合計額（措令40の8の2⑪⑯）

（イ）　その会社から受けたその会社の株式等に係る剰余金の配当又は利益の配当（最初の相続の開始の時前に受けたものを除きます。）の額

（ロ）　その会社から支給された給与（債務の免除による利益その他の経済的な利益を含み、最初の相続の開始の時前に支給されたものを除きます。）の額のうち、法人税法第34条又は第36条の規定によりその会社の各事業年度の所得の金額の計算上損金の額に算入されないこととなる金額

③　経営承継期間後に、対象非上場株式等に係る認定承継会社が合併により消滅した場合（吸収合併存続会社等が経営承継相続人等と特別の関係がある者以外のものであり、かつ、合併に際して吸収合併存続会社等の株式等の交付がない場合に限ります。）において、次に掲げる金額の合計額が、合併がその効力を生ずる直前における猶予中相続税額に満たないとき……猶予中相続税額からその合計額を控除した残額に相当する相続税

イ　合併がその効力を生ずる直前において被相続人から対象非上場株式等に係る認定承継会社の発行済株式又は出資（議決権があるものに限ります。）の総数又は総額の全てを相続又は遺贈により取得したものとした場合の認定承継会社の株式又は出資の1単位当たりの価額に、その合併がその効力を生ずる直前において経営承継者が有していた特例非上場株式等の数又は金額を乗じて得た金額（その金額が合併対価（吸収合併存続会社等が合併に際して消滅する認定承継会社の株主又は社員に対して交付する財産をいいます。）の額より小さい金額である場合には、合併対価の額）（措規23の10㉞により準用する措規23の9㊱）

ロ　合併がその効力を生ずる日以前5年以内において、経営承継相続人等及び経営承継相続人等と生計を一にする者が認定承継会社から受けた剰余金の配当等の額その他認定承継会社から受けた次に掲げる金額（措令40の8の2⑪⑯）

（イ）　その会社から受けたその会社の株式等に係る剰余金の配当又は利益の配当（最初の相続の開始の時前に受けたものを除きます。）の額

（ロ）　その会社から支給された給与（債務の免除による利益その他の経済的な利益を含み、最初の相続の開始の時前に支給されたものを除きます。）の額のうち、法人税法第34条又は第36条の規定によりその会社の各事業年度の所得の金額の計算上損金の額に算入されないこととなる金額

第九章第一節《非上場株式等を相続した場合の相続税の納税猶予及び免除》

④　経営承継期間の末日の翌日以後に、特例非上場株式等に係る認定承継会社が株式交換等により他の会社の株式交換完全子会社等となった場合（当該他の会社が当該経営承継相続人等と特別の関係がある者以外のものであり、かつ、株式交換等に際して当該他の会社の株式等の交付がない場合に限ります。）において、次に掲げる金額の合計額が株式交換等がその効力を生ずる直前における猶予中相続税額に満たないとき……猶予中相続税額からその合計額を控除した残額に相当する相続税

イ　株式交換等がその効力を生ずる直前において被相続人から対象非上場株式等に係る認定承継会社の発行済株式又は出資（議決権があるものに限ります。）の総数又は総額の全てを相続又は遺贈により取得したものとした場合の認定承継会社の株式又は出資の１単位当たりの価額に、その株式交換等がその効力を生ずる直前において経営承継相続人等が有していた対象非上場株式等の数又は金額を乗じて得た金額（その金額が交換等対価（当該他の会社が株式交換等に際して株式交換完全子会社等となった認定承継会社の株主に対して交付する財産をいいます。）の額より小さい金額である場合には、交換等対価の額）（措規23の10㉞により準用する措規23の９㊱）

ロ　株式交換等がその効力を生ずる日以前５年以内において、経営承継相続人等及び経営承継相続人等と生計を一にする者が認定承継会社から受けた剰余金の配当等の額その他認定承継会社から受けた次に掲げる金額の合計額（措令40の８の２㊼㉖）

（イ）　その会社から受けたその会社の株式等に係る剰余金の配当又は利益の配当（最初の相続の開始の時前に受けたものを除きます。）の額

（ロ）　（イ）の会社から支給された給与（債務の免除による利益その他の経済的な利益を含み、最初の相続税の納税猶予の適用に係る相続の開始の時前に支給されたものを除きます。）の額のうち、法人税法第34条又は第36条の規定によりその会社の各事業年度の所得の金額の計算上損金の額に算入されないこととなる金額

①　**免除申請書の記載事項**

免除申請書には、次に掲げる事項を記載する必要があります（措規23の10㉛）。

イ　免除申請書を提出する者の氏名及び住所又は居所

ロ　相続税の免除を受けようとする旨並びに免除を受けようとする相続税の額及びその計算の明細

ハ　ロの免除が（２）の①から④のいずれの規定に基づくものであるかの別並びにそれぞれに掲げる場合に該当することとなった事情の詳細及びその事情が生じた年月日

ニ　その他参考となるべき事項

②　**免除申請書の添付書類**

免除申請書には、次に掲げる書類を添付する必要があります（措規23の10㉜）。

イ　（２）の①に該当するものとして相続税の免除を受けようとする場合……次に掲げる書類

（イ）　次に掲げる場合の区分に応じそれぞれ次に掲げる書類

a　③に掲げる一定の者に対してその譲渡等をする場合……その譲渡等があったことを明らかにする書類、譲渡等後の認定承継会社の登記事項証明書（譲渡等後に作成されたものに限ります。）及び譲渡等後の認定承継会社の株主名簿の写しその他の書類で認定承継会社の全ての株主又は社員の氏名又は名称及び住所又は所在地並びにこれらの者が有する認定承継会社の株式等に係る議決権の数が確認できる書類（認定承継会社の証明したものに限ります。）

b　再生計画、更生計画又は債務処理計画に基づき対象非上場株式等を消却するために譲渡等をする場合……譲渡等後の認定承継会社の株主名簿の写しその他の書類で認定承継会社の全ての株主又は社員の氏名又は名称及び住所又は所在地が確認できる書類（認定承継会社の証明したものに限ります。）並びに次に掲げる計画の区分に応じそれぞれ次に定める書類

（a）　再生計画……認定承継会社に係る再生計画（民事再生法第２条第３号に規定する再生計画で同法第174条第１項の規定により認可の決定がされたものに限ります。）の写し及び再生計画の認可の決定があったことを証する書類

－885－

第九章第一節《非上場株式等を相続した場合の相続税の納税猶予及び免除》

（b） 更生計画……認定承継会社に係る更生計画（会社更生法第2条第2項に規定する更生計画で同法第199条第1項の規定により認可の決定がされたものに限ります。）の写し及び更生計画の認可の決定があったことを証する書類

（c） 債務処理計画……認定承継会社に係る債務処理計画の写し及び債務処理計画が成立したことを証する書類

（ロ） 譲渡等の直前における猶予中相続税額、（2）の①のイの金額及び同①のロの合計額を記載した書類

（ハ） その他参考となるべき事項を記載した書類

ロ （2）の②に該当するものとして相続税の免除を受けようとする場合

（イ） 認定承継会社について破産手続開始の決定又は特別清算開始の命令があったことを証する書類

（ロ） （2）の②のイの猶予中相続税額及び（2）の②のロの合計額を記載した書類

（ハ） その他参考となるべき事項を記載した書類

ハ （2）の③に該当するものとして相続税の免除を受けようとする場合

（イ） 合併があったことを明らかにする書類

（ロ） 合併がその効力を生ずる日の直前における猶予中相続税額、（2）の③のイの金額及び（2）の③のロの合計額を記載した書類

（ハ） その他参考となるべき事項を記載した書類

ニ （2）の④に該当するものとして相続税の免除を受けようとする場合

（イ） 株式交換等があったことを明らかにする書類

（ロ） 株式交換等がその効力を生ずる直前における猶予中相続税額、（2）の④のイの金額及び（2）の④のロの合計額を記載した書類

（ハ） その他参考となるべき事項を記載した書類

③ 一定の要件を満たす者（認定承継会社の経営を実質的に支配する者）

（2）の①に掲げる一定の要件を満たす者は、譲渡等があった後の認定承継会社の経営を実質的に支配する者として、次に掲げる要件の全てを満たす者をいいます（措規23の10㉝により準用する措規23の9㉟）。

イ （2）の①の譲渡等後において、ある者及びその者の同族関係者の有する認定承継会社の非上場株式等に係る議決権の数の合計が、認定承継会社の総株主等議決権数の100分の50を超える数を有すること。

ロ イの譲渡等後において、イの者が有する認定承継会社の非上場株式等の議決権の数が、その者と特別の関係がある者のうちいずれの者が有する認定承継会社の非上場株式等に係る議決権の数をも下回らないこと。

ハ イの譲渡等後において、イの者（その者が持分の定めのある法人（医療法人を除きます。）である場合には、その法人の会社法第329条第1項に規定する役員又は業務を執行する社員その他これらに類する者でその法人の経営に従事している者）が認定承継会社の代表権を有すること。

9 利子税の納付

相続税の納税猶予の適用を受けた経営承継相続人等は、次の表の左欄に掲げる場合に該当する場合には、同表の中欄に掲げる金額を基礎とし、経営承継相続人等が相続税の納税猶予の適用を受けるために提出する相続税の申告書の提出期限の翌日から同表の右欄に掲げる日（同表のイ、ハ又はへからチまでの右欄に掲げる日以前2か月以内に経営承継相続人等が死亡した場合には、経営承継相続人等の相続人が経営承継相続人等の死亡による相続の開始があったことを知った日の翌日から6か月を経

－886－

過する日）までの期間に応じ、年3.6パーセントの割合を乗じて計算した金額に相当する利子税を、同表の中欄に掲げる金額に相当する相続税にあわせて納付しなければなりません（措法70の7の2㉘）。

イ　6の(1)の適用があった場合（ホの左欄に掲げる場合に該当する場合を除きます。）	猶予中相続税額	6の(1)に掲げる日から2か月を経過する日
ロ　6の(2)の適用があった場合（ホの左欄に掲げる場合に該当する場合を除きます。）	6の(2)の表のイ及びロの中欄に掲げる猶予中相続税額	6の(2)の表のイ及びロの右欄に掲げる日から2か月を経過する日
ハ　7の規定の適用があった場合（ホからチまでの左欄に掲げる場合に該当する場合を除きます。）	7の表の①から⑥の中欄に掲げる猶予中相続税額	7の表の①から⑥の右欄に掲げる日から2か月を経過する日
ニ　4の(2)の適用があった場合（ホの左欄に掲げる場合に該当する場合を除きます。）	4の(2)により納税の猶予に係る期限が確定する猶予中相続税額	4の(2)による納税の猶予に係る期限
ホ　5の適用があった場合	5により納税の猶予に係る期限が繰り上げられる猶予中相続税額	5により繰り上げられた納税の猶予に係る期限
ヘ　8の(2)の①の適用があった場合（ホの左欄に掲げる場合に該当する場合を除きます。）	8の(2)の①のイ及びロに掲げる金額の合計額	8の(2)の①の譲渡等をした日から2か月を経過する日
ト　8の(2)の②の適用があった場合（ホの左欄に掲げる場合に該当する場合を除きます。）	8の(2)の②のロに掲げる金額	8の(2)の②の認定承継会社が解散をした日から2か月を経過する日
チ　8の(2)の③又は④の適用があった場合（ホの左欄に掲げる場合に該当する場合を除きます。）	8の(2)の③のイ及びロ又は8の(2)の④のイ及びロに掲げる金額の合計額	8の(2)の③又は④の合併又は株式交換等がその効力を生じた日から2か月を経過する日

　なお、相続税の納税猶予の適用を受けた経営承継相続人等が上表のハからチまでの左欄に掲げる場合に該当する場合（同表のニ又はホの左欄に掲げる場合に該当する場合にあっては、経営承継期間後にこれらの規定に規定する場合に該当することとなった場合に限ります。）における利子税の計算については、「年3.6パーセント」とあるのは、「年3.6パーセント（経営承継期間については、年零パーセント）」とされます（措法70の7の2㉙）。

10　その他の規定

（1）　他の納税猶予との重複適用の排除

　相続税の納税猶予は、被相続人から相続又は遺贈により取得をした非上場株式等に係る会社の株式等について、相続税の納税猶予の適用を受けている他の経営承継相続人等又は「非上場株式等についての贈与税の納税猶予及び免除」（第五編第八章・措法70の7）の規定の適用を受けている経営承継受贈者（「贈与者等の死亡等による納税猶予税額の免除」（第五編第八章の8の(1)）（表の③に係る部分に限ります。）の規定の適用に係る贈与をした経営承継受贈者を除きます。）若しくは「非上場株式等の贈与者が死亡した場合の納税猶予及び免除」（第二節の2・措法70の7の4）の規定の適用を受けている経営相続承継受贈者がある場合（相続税の納税猶予の適用を受けようとする者が経営承継受贈者又は経営相続承継受贈者である場合を除きます。）には、非上場株式等については、適用されません（措

—887—

第九章第一節《非上場株式等を相続した場合の相続税の納税猶予及び免除》

法70の7の2⑧)。

（2） 現物出資等がある場合の適用除外

　対象非上場株式等に係る認定承継会社が相続税の納税猶予の適用を受けようとする経営承継相続人等及び経営承継相続人等と特別の関係がある者から現物出資又は贈与により取得をした資産（相続の開始前３年以内に取得をしたものに限ります。ロにおいて「現物出資等資産」といいます。）がある場合において、相続の開始の時における、イに掲げる金額に対するロに掲げる金額の割合が100分の70以上であるときは、経営承継相続人等については、相続税の納税猶予は適用されません（措法70の7の2㉚)。

イ　認定承継会社の資産の価額の合計額

ロ　現物出資等資産の価額（認定承継会社が相続の開始の時において現物出資等資産を有していない場合には、その相続の開始の時に有しているものとしたときにおける現物出資等資産の価額）の合計額

（3） 雇用確保要件を満たせなかった場合における納税猶予税額に対する延納・物納の利用

　雇用確保要件が満たされなかったために猶予期限が確定した場合における猶予税額（確定税額）について、相続税法上の「延納・物納」が利用できます。

① 延納制度の利用

イ　納税猶予税額の納付について、猶予期限までに納付することを困難とする事由がある場合には、延納制度の利用が可能です（措法70の7の2⑭九）。

ロ　延納申請期限は、経営承継期間の末日から5か月を経過する日とされます（措法70の7の2⑭十前段）。

ハ　納税猶予期限の翌日から上記ロの延納申請期限までの間については、年6.6%(注)の利子税の納付が必要とされます（措法70の7の2⑭十後段、同号イ）。

ニ　延納期間は5年間とされ（措法70の7の2⑭十前段）、延納期間中の利子税は年6.6%(注)とされます（相法52①、措法70の7の2⑭十前段）。

　(注)　この利子税の割合については、利子税の割合の特例（措法93③三、⑤）が適用されます。

② 物納制度の利用

イ　納税猶予税額の納付について、延納によっても納付が困難な場合には、物納制度の利用が可能です（措法70の7の2⑭九）。

ロ　物納申請期限は、経営承継期間の末日から5か月を経過する日とされます（措法70の7の2⑭十前段）。また、特定物納の申請書の提出期限は、延納申請期限の翌日から5年（本則：10年）を経過する日とされます（措法70の7の2⑭十前段）。

ハ　納税猶予期限の翌日から上記ロの物納申請期限までの間については、年7.3%(注)の利子税の納付が必要とされます（措法70の7の2⑭十後段、同号ロ）。

　(注)　この利子税の割合については、利子税の割合の特例（措法93①四）が適用されます。

第二節　非上場株式等の贈与者が死亡した場合の相続税の課税の特例

1　非上場株式等の贈与者が死亡した場合の相続税の課税の特例

（1）　制度の概要

「非上場株式等についての贈与税の納税猶予及び免除」（第五編第八章・措法70の7）の適用を受ける経営承継受贈者に係る贈与者が死亡した場合（その死亡の日前に猶予中贈与税額に相当する贈与税の全部につき同章の4の（2）、5、6及び7の規定による納税の猶予に係る期限が確定した場合及びその死亡の時以前に経営承継受贈者が死亡した場合を除きます。）には、贈与者の死亡による相続又は遺贈に係る相続税については、経営承継受贈者が贈与者から相続（経営承継受贈者が贈与者の相続人以外の者である場合には、遺贈）により贈与税の納税猶予の適用に係る対象受贈非上場株式等（猶予中贈与税額に対応する部分に限るものとし、合併により対象受贈非上場株式等に係る認定贈与承継会社が消滅した場合には、対象受贈非上場株式等に相当する株式とされます。2において同じ。）の取得をしたものとみなされます。

また、この場合において、その死亡による相続又は遺贈に係る相続税の課税価格の計算の基礎に算入すべき対象受贈非上場株式等の価額については、贈与者から贈与税の納税猶予の適用に係る贈与により取得をした対象受贈非上場株式等のその贈与の時における価額を基礎として計算するものとされます（措法70の7の3①、措規23の11）。

①　（1）により相続又は遺贈により取得したものとみなされる対象受贈非上場株式等の価額の計算

（1）により相続又は遺贈により取得をしたものとみなされる対象受贈非上場株式等の価額の計算は、次の算式により算定してもよいこととされています（措通70の7の3−1）。

$$A \times \frac{B}{C}$$

（注1）　上記の算式中の符号は次のとおりです。

A：（1）の贈与者から対象贈与により取得をした対象受贈非上場株式等の贈与の時における価額（その対象受贈非上場株式等が、相続時精算課税制度の適用を受けているものであっても、その対象受贈非上場株式等の価額から相続時精算課税に係る基礎控除の額は控除しません。）

B：（1）の贈与者の死亡直前の贈与者に係る経営承継受贈者の猶予中贈与税額

C：（1）の贈与者から対象贈与により取得をした対象受贈非上場株式等に係る納税猶予分の贈与税額

（注2）　その死亡した贈与者から複数の認定贈与承継会社の非上場株式等を贈与により取得をした場合のA及びBの価額は、それぞれの認定贈与承継会社ごとに算定することになります。

②　贈与者の死亡の日前に納税猶予の期限が確定した対象受贈非上場株式等

贈与税の納税猶予の適用に係る贈与者が死亡した場合のその死亡（（2）に掲げる場合を除きます。）に係る相続税の課税関係は、次に掲げるところによることとなります（措通70の7の3−2）。

イ　贈与者の死亡の時において贈与税の納税猶予の適用を受けている対象受贈非上場株式等贈与者の死亡の時において、現に贈与税の納税猶予の適用を受けている対象受贈非上場株式等は、経営承継受贈者が贈与者から相続（経営承継受贈者が贈与者の相続人以外の者である場合には遺贈）により取得をしたものとみなされ、対象贈与の時の価額を基礎として計算した価額で相続税が課税されることになります。なお、対象受贈非上場株式等は、2の（1）の適用に係る要件を満たせば、2の（1）の規定の適用対象となります。

（注）　対象受贈非上場株式等は、相続税の納税猶予並びに「非上場株式等についての相続税の納税猶予及び免除の特例」（第十章第一節・措法70の7の6）及び「非上場株式等の特例贈与者が死亡した場合の相続税の納税猶予及び免除の特例」（第十章第二節の2・措法70の7の8）の適用対象とならないこととされています。

—889—

ロ　贈与者の死亡の日前に納税猶予に係る贈与税の全部又は一部について納税猶予の期限が確定している対象受贈非上場株式等

（イ）　納税猶予に係る納税猶予分の贈与税額について租税特別措置法第70条の7第2項第5号イ（暦年課税）の規定により計算している場合

　　その適用に係る特例対象贈与がその贈与者の死亡に係る相続税の加算対象期間内にあった場合において、その贈与者の死亡の日前に、その納税猶予に係る贈与税の全部又は一部についての納税猶予の期限が確定しており、かつ、経営承継受贈者が贈与者から相続又は遺贈により財産を取得している場合におけるその期限の確定に係る特例受贈非上場株式等は、相続税法第19条《相続開始前7年以内に贈与があった場合の相続税額》の規定により、特例対象贈与の時における価額で相続税が課税されます。

　　なお、その特例受贈非上場株式等は、第一節の1及び本節の2の(1)の適用対象となりません。

（ロ）　納税猶予に係る納税猶予分の贈与税額について租税特別措置法第70条の7第2項第5号ロ（相続時精算課税）の規定により計算している場合

　　贈与者の死亡の日前に、納税猶予に係る贈与税の全部又は一部についての納税猶予の期限が確定している場合におけるその期限の確定に係る特例受贈非上場株式等は、相続税法第21条の15《相続時精算課税に係る相続税額》又は第21条の16の規定により、特例対象贈与の時における価額で相続税が課税されます。

　　なお、その特例受贈非上場株式等は、第一節の1及び本節の2の(1)の適用対象となりません。

（2）　前の贈与者が死亡した場合の相続税の課税の特例

　経営承継受贈者の贈与税の納税猶予の適用に係る贈与が贈与者の第五編第八章の8の(1)（表の③に係る部分に限ります。）の適用に係る贈与である場合については、経営承継受贈者に係る前の贈与者が死亡した場合には、前の贈与者の死亡による相続税については、経営承継受贈者が贈与者から相続により贈与税の納税猶予の適用に係る対象受贈非上場株式等の取得をしたものとみなされます（措法70の7の3②、措令40の8の3）。

　この場合において、その死亡による相続等に係る相続税の課税価格の計算の基礎に算入すべき対象受贈非上場株式等の価額については、前の贈与者から贈与税の納税猶予の適用に係る前の贈与により対象受贈非上場株式等の前の贈与の時における価額（対象受贈非上場株式等の価額をいいます。）を基礎として計算することとなります。

（3）　物納財産の不適格

　（1）の前段に掲げる対象受贈非上場株式等について(1)の適用を受ける場合における物納に充てることができる財産は、納税義務者の課税価格計算の基礎となった財産又はその財産により取得した財産（相続時精算課税の適用を受ける贈与によって取得した財産及び(1)の規定により相続又は遺贈により取得をしたものとみなされる対象受贈非上場株式等を除きます。）で相続税法の施行地にあるもののうち一定のものとされます（措法70の7の3③、相法41②）。

2　非上場株式等の贈与者が死亡した場合の相続税の納税猶予及び免除

（1）　制度の概要

　「非上場株式等の贈与者が死亡した場合の相続税の課税の特例」（1・措法70の7の3）により贈与者から相続又は遺贈により取得をしたものとみなされた対象受贈非上場株式等につきこの特例の適用を受けようとする**経営相続承継受贈者**が、その相続に係る相続税の申告書の提出により納付すべき相続税の額のうち、対象受贈非上場株式等で一定のもの（以下「**対象相続非上場株式等**」といいます。）に係る納税猶予分の相続税額に相当する相続税については、相続税の申告書の提出期限までに一定の担保を提供した場合に限り、経営相続承継受贈者の死亡の日まで、その納税が猶予されます（措法70の7の4①）。

第九章第二節《非上場株式等の贈与者が死亡した場合の相続税の課税の特例》

（２） 経営相続承継受贈者の範囲

　この特例の適用を受けることができる「経営相続承継受贈者」とは、経営承継受贈者であって、次に掲げる要件の全てを満たすものをいいます（措法70の７の４②三）。

① 相続の開始の時において、対象受贈非上場株式等に係る認定相続承継会社の代表権を有していること。

② 相続の開始の時において、次の算式を満たすこと（措令40の８の４⑦）。

　Ｂ／Ａ＞50／100

　　Ａ：認定相続承継会社に係る総株主等議決権数（総株主又は総社員の議決権の数をいいます。以下同じ。）

　　Ｂ：その個人及びその個人の同族関係者等の有する当該認定相続承継会社の非上場株式等の議決権の数の合計

③ 相続の開始の時において、その者が有する認定相続承継会社の非上場株式等に係る議決権の数が、その者の同族関係者のうちいずれの者が有する認定相続承継会社の非上場株式等に係る議決権の数をも下回らないこと。

（３） 認定相続承継会社の範囲

　この特例の適用に係る「認定相続承継会社」とは、認定贈与承継会社で、相続の開始の時において、次に掲げる要件の全てを満たすものをいいます。

① その会社の常時使用従業員の数が１人以上であること。

② その会社が、資産保有型会社又は資産運用型会社（経営実態がないものに限ります。）に該当しないこと。

③ その会社（特定会社）の株式等及びその特定会社の特定特別関係会社の株式等が、非上場株式等に該当すること。

④ その会社及び特定特別関係会社が、風俗営業会社に該当しないこと。

⑤ その会社の特別関係会社が会社法第２条第２号に規定する外国会社に該当する場合（その会社又はその会社との間に支配関係がある法人が特別関係会社の株式等を有する場合に限ります。）にあっては、その会社の常時使用従業員の数が５人以上であること。

⑥ その会社の相続の開始の日の属する事業年度の直前の事業年度における総収入金額が、零を超えること。

⑦ その会社が発行する会社法第108条第１項第８号に掲げる事項についての定めがある種類の株式をその会社に係る経営承継受贈者以外の者が有していないこと。

⑧ その会社の特定特別関係会社が、円滑化法第２条に規定する中小企業者に該当すること。

（４） 納税猶予制度の対象となる対象相続非上場株式等の範囲

　経営相続承継受贈者がこの適用を受けることができる「対象相続非上場株式等」とは、相続又は遺贈により取得したものとみなされる対象受贈非上場株式等（相続の開始の時に有していたものに限ります。）のうち、相続税の申告書にこの特例の規定の適用を受けようとする旨の記載があるもので、その相続の開始の時における認定相続承継会社の発行済株式又は出資（議決権に制限のない株式等に限ります。）の総数又は総額の３分の２（対象受贈非上場株式等の贈与税の納税猶予の適用に係る贈与の直前において経営相続承継受贈者が有していた認定相続承継会社の非上場株式等（議決権に制限のないものに限ります。）がある場合は、その総数又は総額の３分の２から経営相続承継受贈者が有していた認定相続承継会社の非上場株式等の数又は金額を控除した残数又は残額）に達するまでの部分をいいます（措令40の８の４①、措規23の12①）。

（５） 適用を受けるための手続

① 適用を受けるための手続

　この特例の適用を受けるためには、対象受贈非上場株式等の全部若しくは一部につきこの特例の適

－891－

第九章第二節《非上場株式等の贈与者が死亡した場合の相続税の課税の特例》

用を受けようとする旨を記載した相続税の申告書に、次に掲げる書類を添付して申告期限内に提出すしなければなりません（措法70の7の4⑦）。

イ　対象受贈非上場株式等の明細及び納税猶予分の相続税額の計算に関する明細その他②に掲げる事項を記載した書類

ロ　対象受贈非上場株式等に係る贈与者の死亡の日の翌日以後最初に到来する経営相続報告基準日の翌日から5か月（贈与者が経営相続承継期間の翌日以後に死亡した場合にあっては、3か月）を経過する日が贈与者の死亡に係る相続税の申告書の提出期限までに到来する場合には、対象受贈非上場株式等に係る認定相続承継会社の経営に関する事項として③に掲げるものを記載した書類

ハ　相続の開始の時において、経営相続承継受贈者が（3）に掲げる全ての要件を満たし、かつ、対象受贈非上場株式等に係る認定相続承継会社が（2）に掲げる全ての要件その他一定の要件（注）を満たしていることを証する書類

　　（注）　相続税の申告書の提出期限までに認定相続承継会社が円滑化省令第13条第1項の確認を受けている必要があります（措規23の12⑦）。

② **上記①のイに掲げる添付書類の記載事項**

上記①のイに掲げる添付書類の記載事項は、次に掲げる事項です（措規23の12⑤）。

イ　経営相続承継受贈者に係る贈与者の死亡によるこの特例の適用に係る相続の開始があったことを知った日

ロ　その他参考となるべき事項

③ **上記①のロに掲げる添付書類の記載事項**

上記①のロに掲げる添付書類の記載事項は、次に掲げる事項です（措規23の12⑥）。

イ　経営相続承継受贈者の氏名及び住所

ロ　経営相続承継受贈者に係る贈与者から「非上場株式等についての贈与税の納税猶予及び免除」（第五編第八章・措法70の7）の規定の適用に係る贈与により対象受贈非上場株式等の取得をした年月日

ハ　認定相続承継会社の商号及び本店の所在地

ニ　（5）の相続税の申告書を提出する日の直前の経営相続報告基準日までに終了する各事業年度（経営相続報告基準日の直前の経営贈与報告基準日までに終了する事業年度を除きます。）における総収入金額

ホ　経営相続報告基準日における猶予中贈与税額

ヘ　経営相続報告基準日において経営相続承継受贈者が有する対象相続非上場株式等の数又は金額

ト　経営相続報告基準日における認定相続承継会社の資本金の額若しくは準備金の額又は出資の総額

チ　認定相続承継会社が商号の変更をした場合、本店の所在地を変更した場合、合併により消滅した場合又は株式交換若しくは株式移転により他の会社の株式交換完全子会社等となった場合又は解散をした場合には、その旨

リ　その他参考となるべき事項

（6）　担保の提供

この特例の適用を受けるためには、申告期限までに納税猶予分の相続税額に相当する担保を提供しなければなりません（措令40の8の4②）。

なお、対象相続非上場株式等の全部を担保として提供した場合には、納税猶予分の相続税額に相当する担保が提供されたものとみなされます（措法70の7の4④）。

（7）　「非上場株式等についての相続税の納税猶予及び免除」の規定の準用

「非上場株式等についての贈与税の納税猶予及び免除」（第一節・措法70の7の2）の3から10については、この制度の規定を適用する場合に準用されます。

なお、この制度の適用を受けた場合には、継続届出書の提出期限の判定及び納税猶予期限の確定事

－892－

由が全部確定事由に該当するか、一部確定事由に該当するかの判定等の基礎となる基準日等（経営相続承継期間、経営相続報告基準日をいいます。）は、下記のとおりとなります（措法70の7の4②五、六、③、⑧）。

① 経営相続承継期間

対象贈与に係る贈与税の申告書の提出期限の翌日から経営相続承継期間のいずれか早い日までの間に当該対象贈与に係る贈与者について相続が開始した場合におけるその相続の開始の日からそのいずれか早い日又はその対象贈与に係る経営相続承継受贈者の死亡の日のいずれか早い日までの期間をいいます。

② 経営相続報告基準日

第1種相続基準日又は第2種相続基準日をいいます。

イ 第1種相続基準日

経営相続承継期間のいずれかの日で、対象贈与に係る贈与税の申告期限の翌日から起算して1年を経過するごとの日をいいます。

ロ 第2種相続基準日

経営相続承継期間の末日の翌日から納税猶予分の相続税額の全部につき納税の猶予に係る期限が確定する日までの期間のいずれかの日で、当該経営相続承継期間の末日の翌日から3年を経過するごとの日をいいます。

第十章　非上場株式等についての相続税の納税猶予及び免除の特例

第一節　非上場株式等についての相続税の納税猶予及び免除の特例

1　制度の概要

　特例経営承継相続人等が、**特例認定承継会社**の非上場株式等（議決権に制限のないものに限ります。以下同じ。）を有していた一定の個人（以下「**特例被相続人**」といいます。）から相続又は遺贈により特例認定承継会社の非上場株式等の取得（平成30年1月1日から令和9年12月31日までの間の最初の相続税の納税猶予の特例の適用に係る相続又は遺贈による取得及びその取得の日から特例経営承継期間の末日までの間(**注**)に相続税の申告書の提出期限が到来する相続又は遺贈による取得に限ります。）をした場合には、その非上場株式等のうち**特例対象非上場株式等**に係る納税猶予分の相続税額に相当する相続税については、相続税の申告期限までに一定の担保を提供した場合に限り、その特例経営承継相続人等の死亡の日まで、その納税が猶予されます（措法70の7の6①）。

　(**注**)　この特例の適用を受ける前に「非上場株式等についての贈与税の納税猶予制度の特例」（第五編第九章・措法70の7の5）の適用を受けている者については、平成30年1月1日から令和9年12月31日までの間の最初の贈与税の納税猶予制度の特例（措法70の7の5）の適用に係る贈与の日から特例経営承継期間の末日までの間となります（措令40の8の6④）。

（1）　特例認定承継会社の範囲

　中小企業者のうち特例円滑化法認定（円滑化法第12条第1項第1号の認定で円滑化省令第6条第1項第12号又は第14号の事由に係るものをいいます。）を受けた会社で、一般の非上場株式等についての納税猶予制度（以下「一般相続税猶予制度」といいます。）と同様の要件を満たすものをいいます（措法70の7の6②一、措令40の8の6⑦～⑨）。

　なお、特例円滑化法認定を受けるためには、認定経営革新等支援機関の指導及び助言を受けて特例承継計画を作成し、これについて、令和8年3月31日までに都道府県知事の確認を受ける必要があります（円滑化省令6①十二・十四、7⑥十、⑨、16、17）。

（2）　特例経営承継相続人等の範囲

　特例被相続人から相続税の納税猶予の特例の適用に係る相続又は遺贈により特例認定承継会社の非上場株式等の取得をした個人で、次に掲げる要件の全てを満たす者（その者が2人又3人以上ある場合には、特例認定承継会社が定めた2人又は3人までに限ります。）をいいます(措法70の7の6②七)。

① その個人が、その相続の開始の日の翌日から5か月を経過する日において、特例認定承継会社の代表権（制限が加えられた代表権を除きます。）を有していること。

② その相続の開始の時において、次の算式を満たすこと（措令40の8の6⑭）。

　B／A＞50／100

　　A：特例認定承継会社に係る総株主等議決権数（総株主又は総社員の議決権の数をいいます。）
　　B：その個人及びその個人の同族関係者等の有する特例認定承継会社の非上場株式等の議決権の数の合計

③ 次に掲げる場合の区分に応じそれぞれ次に定める要件を満たしていること。

　イ　その個人が1人の場合……その相続の開始の時において、その者の議決権の数が、その者の同

族関係者等（既に同一の会社についてこの特例、「非上場株式等についての贈与税の納税猶予及び免除」（第五編第八章・措法70の7）、「非上場株式等についての相続税の納税猶予及び免除」（本編第九章第一節・措法70の7の2）又は「非上場株式等の贈与者が死亡した場合の相続税の納税猶予及び免除」（本編第九章第二節の2・措法70の7の4）の適用を受けている者を除きます。）のうちいずれの者が有する議決権の数をも下回らないこと。

ロ　その個人が2人又は3人の場合……その相続の開始の時において、これらの者の議決権の数が、総株主等議決権数の100分の10以上であること及びこれらの者の同族関係者のうちいずれの者が有する議決権の数をも下回らないこと。

④　その個人が、その相続の開始の時からその相続に係る相続税の申告書の提出期限（提出期限前にその個人が死亡した場合には、その死亡の日）まで引き続きその相続又は遺贈により取得をした特例認定承継会社の特例対象非上場株式等の全てを有していること。

なお、同一の会社について、一般相続税猶予制度とこの特例を重複して適用することはできません（措法70の7の6②七ホ）。また、特例経営承継相続人等は、都道府県知事の確認を受けた特例承継計画に定められた特例後継者である必要があります（措法70の7の6②七ヘ、措規23の12の3⑪）。

（3）　特例被相続人の範囲

「特例被相続人」とは、次に掲げる場合の区分に応じそれぞれに定める者です（措令40の8の6①）。

①　最初の相続又は遺贈に係る特例被相続人……相続の開始前において、特例認定承継会社の代表権を有していた個人で、次に掲げる要件の全てを満たすものをいいます。

イ　相続の開始の直前（その個人がその相続の開始の直前においてその特例認定承継会社の代表権を有しない場合には、その個人が代表権を有していた期間内のいずれかの時及びその相続の開始の直前）において、その個人及びその同族関係者の有するその特例認定承継会社の非上場株式等に係る議決権の数の合計が、その特例認定承継会社の総株主等議決権数の100分の50を超える数であること。

ロ　相続の開始の直前（その個人がその相続の開始の直前においてその特例認定承継会社の代表権を有しない場合には、その個人が代表権を有していた期間内のいずれかの時及びその相続の開始の直前）において、その個人が有するその特例認定承継会社の非上場株式等に係る議決権の数が、その個人の同族関係者（その特例認定承継会社の特例経営承継相続人等となる者を除きます。）のうちいずれの者が有するその非上場株式等に係る議決権の数をも下回らないこと。

②　2回目以降の相続又は遺贈に係る特例被相続人……その特例認定承継会社についてこの特例を受けるための2回目以降の相続又は遺贈、すなわち、次に掲げる者のいずれかに該当する者が存する場合の特例被相続人の要件は、特例認定承継会社の非上場株式等を有していた個人とされています。

イ　その特例認定承継会社の非上場株式等について、この特例、「非上場株式等についての贈与税の納税猶予及び免除の特例」（第五編第九章・措法70の7の5）又は「非上場株式等の特例贈与者が死亡した場合の相続税の納税猶予及び免除の特例」（本章第二節の2・措法70の7の8）の適用を受けている者

ロ　上記①の者からこの特例の適用に係る相続又は遺贈によりその特例認定承継会社の非上場株式等の取得をしている者でその相続に係る相続税の申告期限が到来していないため、まだその申告をしていないもの

ハ　特例贈与者から「非上場株式等についての贈与税の納税猶予及び免除の特例」（第四編第九章・措法70の7の5）の規定の適用に係る贈与によりその特例認定贈与承継会社の非上場株式等の取得をしている者でその贈与に係る贈与税の申告期限が到来していないため、まだその申告をしていないもの

（4）　特例対象非上場株式等の範囲

この特例の対象となる特例対象非上場株式等とは、相続又は遺贈により取得した特例認定承継会社

第十章第一節《非上場株式等についての相続税の納税猶予及び免除の特例》

の非上場株式等（議決権に制限のないものに限ります。）のうち相続税の申告書にこの特例の適用を受けようとする旨の記載があるものをいいます。なお、一般相続税納税猶予制度においては、発行済株式総数の3分の2までという適用上限（措法70の7の2①）がありますが、この特例にはこの制限はありません。また、特例経営承継相続人等が「非上場株式等についての贈与税の納税猶予及び免除の特例」（措法70の7の5・第五編第九章）の適用を受けていた場合において、同特例の適用に係る特例贈与者がその相続開始の直前に保有していた特例認定承継会社の非上場株式等についてもこの特例の適用対象なります。

（5）　納税猶予分の相続税額の計算

　一般相続税猶予制度では、非上場株式等の課税価格の80％に対応する相続税額が納税猶予分の相続税額とされていましたが、この特例では、特例対象非上場株式等の課税価格の全てに対応する相続税額が納税猶予分の相続税額とされています（措法70の7の6②八、措令40の8の6⑯～㉒）。

　具体的には、この特例の適用に係る特例対象非上場株式等の価額（その特例対象非上場株式等に係る特例認定承継会社又はその特例認定承継会社の特別関係会社であってその特例認定承継会社との間に支配関係がある法人（以下「特例認定承継会社等」といいます。）が外国会社（その特例認定承継会社の特別関係会社に該当するものに限ります。）等の株式等（投資信託及び投資法人に関する法律に規定する投資口を含みます。）を有する場合には、その特例認定承継会社等がその株式等を有していなかったものとして計算した価額）を特例経営承継相続人等に係る相続税の課税価格とみなして、相続税法第13条から第19条までの規定を適用して計算したその特例経営承継相続人等の相続税の額が納税猶予分の相続税額となります。

（6）　特例経営承継期間

　「特例経営承継期間」は、この特例の適用を受けるための最初の相続に係る相続税の申告書の提出期限（先に贈与税の納税猶予制度の特例の適用を受けている場合には、その最初の贈与に係る贈与税の申告書の提出期限）から5年間とされています（措法70の7の6②六）。

2　納税猶予期限が確定する場合（猶予税額の全部又は一部の納付）

　一般相続税猶予制度を準用していますので、これと同じ事由により納税猶予期限が確定しますが、雇用確保要件（5年間平均で8割確保）については準用していません。したがって、特例経営承継期間の5年間の平均の常時使用従業員数が相続開始時の常時使用従業員数の8割を下回った場合であっても、これのみをもって納税猶予期限が確定することはありません（措法70の7の6③）。

　ただし、この場合には、その8割を下回った理由について、都道府県知事の確認を受けなければなりません。この際、特例経営承継期間の末日の翌日から4か月を経過する日までに、その8割を下回った理由について、認定経営革新等支援機関の所見の記載があり、かつ、この理由が経営状況の悪化である場合又はその認定経営革新等支援機関が正当と認められないと判断した場合には、その認定経営革新等支援機関による経営力の向上に係る指導及び助言を受けた旨の記載のある報告書の写しを都道府県知事に提出しなければなりません（円滑化省令20①③⑭）。

　そして、特例経営承継相続人等は、納税地の所轄税務署長に対し、特例経営承継期間の末日に係る継続届出書に上記の報告書の写し及び都道府県知事の確認書の写しを添付して提出しなければなりません（措法70の7の6⑦、措規23の12の3⑰四）。これらの書類の添付がない継続届出書が提出されたときには、納税猶予期限は確定し、猶予税額の全部を納付する必要があります（措法70の7の6⑨）。

3　納税猶予税額の免除

（1）　時価（相続税評価額）の2分の1までの部分に対応する猶予税額の免除

　この特例の適用を受ける特例経営承継相続人等又は特例対象非上場株式等に係る特例認定承継会社が次の①から④までのいずれかに掲げる場合に該当することとなった場合（その特例認定承継会社の

－896－

第十章第一節《非上場株式等についての相続税の納税猶予及び免除の特例》

事業の継続が困難な事由として一定の事由(**注**)が生じた場合に限ります。)において、その特例経営承継相続人等は、その①から④までの相続税の免除を受けようとするときは、その該当することとなった日から2か月を経過する日(その該当することとなった日からその2か月を経過する日までの間に特例経営承継相続人等が死亡した場合には、その特例経営承継相続人等の相続人がその特例経営承継相続人等の死亡による相続の開始があったことを知った日の翌日から6か月を経過する日。以下「申請期限」といいます。)までに、免除を受けたい旨、免除を受けようとする相続税に相当する金額及びその計算の明細その他の事項を記載した申請書(免除の手続に必要な書類その他の書類を添付したものに限ります。)を納税地の所轄税務署長に提出しなければなりません(措法70の7の6⑬)。

① 特例経営承継期間の末日の翌日以後に、特例経営承継相続人等が特例対象非上場株式等の全部又は一部の譲渡等をした場合(その特例経営承継相続人等の同族関係者以外の者に対して行う場合に限ります。)において、次に掲げる金額の合計額がその譲渡等の直前における猶予中相続税額(その譲渡等をした特例対象非上場株式等の数又は金額に対応する部分の額に限ります。)に満たないとき……その猶予中相続税額からその合計額を控除した残額に相当する相続税

イ 譲渡等の対価の額(その額がその譲渡等をした時における譲渡等をした数又は金額に対応する特例対象非上場株式等の相続税評価額の2分の1以下である場合には、相続税評価額の2分の1に相当する金額)をこの特例の適用に係る相続により取得をした特例対象非上場株式等のその相続開始の時における価額とみなして計算した納税猶予分の相続税額

ロ 譲渡等があった日以前5年以内において、特例経営承継相続人等及びその特例経営承継相続人等の同族関係者がその特例認定承継会社から受けた剰余金の配当等の額とその特例認定承継会社から受けた法人税法の規定により過大役員給与等とされる金額との合計額

② 特例経営承継期間の末日の翌日以後に、特例対象非上場株式等に係る特例認定承継会社が合併により消滅した場合(吸収合併存続会社等が特例経営承継相続人等の同族関係者以外のものである場合に限ります。)において、次に掲げる金額の合計額がその合併がその効力を生ずる直前における猶予中相続税額に満たないとき……その猶予中贈与税額からその合計額を控除した残額に相当する贈与税

イ 合併対価(吸収合併存続会社等が合併に際して消滅する特例認定承継会社の株主又は社員に対して交付する財産をいいます。)の額(その額がその合併がその効力を生ずる直前における特例対象非上場株式等の相続税評価額の2分の1以下である場合には、相続税評価額の2分の1に相当する金額)をこの特例の適用に係る相続により取得をした特例対象非上場株式等のそ相続開始の時における価額とみなして計算した納税猶予分の相続税額

ロ 合併がその効力を生ずる日以前5年以内において、特例経営承継相続人等及びその特例経営承継相続人等の同族関係者がその特例認定承継会社から受けた剰余金の配当等の額とその特例認定承継会社から受けた法人税法の規定により過大役員給与等とされる金額の合計額

③ 特例経営承継期間の末日の翌日以後に、特例対象非上場株式等に係る特例認定承継会社が株式交換等により他の会社の株式交換完全子会社等となった場合(当該他の会社が特例経営承継相続人等の同族関係者以外のものである場合に限ります。)において、次に掲げる金額の合計額が株式交換等がその効力を生ずる直前における猶予中相続税額に満たないとき……その猶予中相続税額からその合計額を控除した残額に相当する相続税

イ 交換等対価(当該他の会社が株式交換等に際して株式交換完全子会社等となった特例認定承継会社の株主に対して交付する財産をいいます。)の額(その額がその株式交換等がその効力を生ずる直前における特例対象非上場株式等の相続税評価額の2分の1下である場合には、相続税評価額の2分の1に相当する金額)をこの特例の適用に係る相続により取得をした特例対象非上場株式等のその相続開始の時における価額とみなして計算した納税猶予分の相続税額

ロ 株式交換等がその効力を生ずる日以前5年以内において、特例経営承継相続人等及びその特例

-897-

第十章第一節《非上場株式等についての相続税の納税猶予及び免除の特例》

　　　経営承継相続人等の同族関係者がその特例認承継会社から受けた剰余金の配当等の額とその特例
　　認定承継会社から受けた法人税法の規定により過大役員給与等とされる金額の合計額
④　特例経営承継期間の末日の翌日以後に、特例対象非上場株式等に係る特例認定承継会社が解散を
　した場合において、次に掲げる金額の合計額がその解散の直前における猶予中相続税額に満たない
　とき……その猶予中相続税額からその合計額を控除した残額に相当する相続税
　イ　解散の直前における特例対象非上場株式等の相続税評価額をこの特例の適用に係る相続により
　　取得をした特例対象非上場株式等のその相続開始の時における価額とみなして計算した納税猶予
　　分の相続税額
　ロ　解散の日以前5年以内において、特例経営承継相続人等及びその特例経営承継相続人等の同族
　　関係者がその特例認定承継会社から受けた剰余金の配当等の額及びその特例認定承継会社から受
　　けた法人税法の規定により過大役員給与とされる金額の合計額
　（注）　上記（1）の「特例認定承継会社の事業の継続が困難な事由として一定の事由」とは、次のいずれか（特
　　　例認定承継会社が解散をした場合にあっては、ホを除きます。）に該当する場合をいいます（措令40の8の
　　　6㉙、措規23の12の3㉓～㉖）。
　　イ　直前事業年度（特例経営承継相続人等又は特例認定承継会社が上記①から④までのいずれかに該当す
　　　ることとなった日の属する事業年度の前事業年度をいいます。）及びその直前の3事業年度（直前事業年
　　　度の終了の日の翌日以後6か月を経過する日後に上記①から④のいずれかに該当することとなった場合
　　　には2事業年度）のうち2以上の事業年度において、特例認定承継会社の経常損益金額（会社計算規則
　　　第91条第1項に規定する経常損益金額をいいます。）が零未満であること。
　　ロ　直前事業年度及びその直前の3事業年度（直前事業年度の終了の日の翌日以後6か月を経過する日後
　　　に上記①から④までのいずれかに該当することとなった場合には、2事業年度）のうち2以上の事業年
　　　度において、各事業年度の平均総収入金額（総収入金額（会社計算規則第88条第1項第4号に掲げる営
　　　業外収益及び同項第6号に掲げる特別利益以外のものに限ります。）を総収入金額に係る事業年度の月数
　　　で除して計算した金額をいいます。以下同じ。）が、各事業年度の前事業年度の平均総収入金額を下回る
　　　こと。
　　ハ　次に掲げる事由のいずれか（直前事業年度の終了の日の翌日以後6か月を経過する日後に上記①から
　　　④までのいずれかに該当することとなった場合には、下記(イ)に掲げる事由）に該当すること。
　　（イ）　特例認定承継会社の直前事業年度の終了の日における負債（利子（特例経営承継相続人等の同族
　　　　関係者に対して支払うものを除きます。）の支払の基因となるものに限ります。（ロ）において同じ。）
　　　　の帳簿価額が、直前事業年度の平均総収入金額に6を乗じて計算した金額以上であること。
　　（ロ）　特例認定承継会社の直前事業年度の前事業年度の終了の日における負債の簿価額が、その事業年
　　　　度の平均総収入金額に6を乗じて計算した金額以上であること。
　　ニ　次に掲げる事由のいずれかに該当すること。
　　（イ）　判定期間（直前事業年度の終了の日の1年前の日の属する月から同月以後1年を経過する月まで
　　　　の期間をいいます。）における業種平均株価（※）が、前判定期間（判定期間の開始前1年間をいいま
　　　　す。（ロ）において同じ。）における業種平均株価を下回ること。
　　（ロ）　前判定期間における業種平均株価が、前々判定期間（前判定期間の開始前1年間をいいます。）に
　　　　おける業種平均株価を下回ること。
　　（※）　業種平均株価とは、判定期間、前判定期間又は前々判定期間に属する各月における上場株式平
　　　　均株価（金融商品取引法第130条の規定により公表された上場会社の株式の毎日の最終の価格を利用
　　　　して算出した価格の平均値をいい、具体的には、非上場株式等の相続税評価額の算定に用いるため
　　　　に国税庁において公表する業種目別株価となります。）を合計した数を12で除して計算した価格をい
　　　　います。
　　ホ　特例経営承継相続人等（上記①から③までのいずれかに該当することとなった時において特例認定承
　　　継会社の役員又は業務を執行する社員であった者に限ります。）が心身の故障その他の事由により当該特
　　　例認定承継会社の業務に従事することができなくなったこと。

（2）　実際の譲渡等の価額が相続税評価額の2分の1を下回った場合の納税猶予
　（1）の①から③までに該当する場合で、かつ、次の①から③までに該当する場合において、特例経
営承継相続人等が下記（3）の適用を受けようとするときは、（1）にかかわらず、申請期限までに（1）

－898－

第十章第一節《非上場株式等についての相続税の納税猶予及び免除の特例》

の①から③までのそれぞれの①及び②に掲げる金額の合計額に相当する担保を提供した場合で、かつ、その申請期限までにこの特例の適用を受けようとする旨、その金額の計算の明細その他の事項を記載した申請書を納税地の所轄税務署長に提出した場合に限り、再計算対象猶予税額（（1）の①に該当する場合には猶予中相続税額のうちその譲渡等をした特例対象非上場株式等の数又は金額に対応する部分の額をいい、（1）の②又は③に該当する場合には猶予中相続税に相当する金額をいいます。）からその合計額を控除した残額を免除し、その合計額（（1）の①に該当する場合には、その合計額に猶予中相続税額からその再計算対象猶予税額を控除した残額を加算した金額）を猶予中相続税額とすることができます（措法70の7の6⑭）。

① （1）の①の対価の額がその譲渡等をした時における特例対象非上場株式等の相続税評価額の2分の1以下である場合

② （1）の②の合併対価の額が合併がその効力を生ずる直前における特例対象非上場株式等の相続税評価額の2分の1以下である場合

③ （1）の③の交換等対価の額が株式交換等がその効力を生ずる直前における特例対象非上場株式等の相続税評価額の2分の1以下である場合

（3） 実際の譲渡等の価額が相続税評価額の2分の1を下回った場合の猶予税額の免除

（1）の①から③までに該当することとなった日から2年を経過する日において、（2）により猶予中相続税額とされた金額に相当する相続税の納税の猶予に係る期限及び免除については、次に掲げる場合の区分に応じそれぞれ次に定めるところによります（措法70の7の6⑮）。

① 次に掲げる会社がその2年を経過する日においてその事業を継続している場合（**注1**）……特例再計算相続税額（**注2**）（上記（2）の②又は③に該当する場合には、その合併又は株式交換等に際して交付された株式等以外の財産の価額に対応する部分の額に限ります。）に相当する相続税については、その2年を経過する日から2か月を経過する日（その2年を経過する日からその2か月を経過する日までの間に特例経営承継相続人等が死亡した場合には、その特例経営承継相続人等の相続人がその特例経営承継相続人等の死亡による相続の開始があったことを知った日の翌日から6か月を経過する日。以下「再申請期限」といいます。）をもって納税猶予に係る期限となりますので、この相続税及び納税猶予期間に対応する利子税を納付しなければなりません。また、上記（2）により猶予中相続税額とされた金額から特例再計算相続税額を控除した残額に相当する相続税については免除することとされました。

　イ （2）の①の場合におけるその譲渡等をした特例対象非上場株式等に係る会社

　ロ （2）の②の場合におけるその合併に係る吸収合併存続会社等

．ハ （2）の③の場合におけるその株式交換等に係る株式交換完全子会社等

② ①のイからハまでの会社がその2年を経過する日において事業を継続していない場合……（2）により猶予中相続税額とされた金額（（2）の①に該当する場合にはその譲渡等をした特例対象非上場株式等の数又は金額に対応する部分の額に、（2）の②又は③に該当する場合にはその合併又は株式交換等に際して交付された株式等以外の財産の価額に対応する部分の額に限ります。）に相当する相続税については、再申請期限をもって納税猶予に係る期限となりますので、この相続税及び納税猶予期間に対応する利子税を納付しなければなりません。

（**注1**）　「事業を継続している場合」とは、次の要件の全てを満たす場合をいいます（措令40の8の6㊳、措規23の12の3㉚）。

　　　i 商品の販売その他の業務を行っていること。

　　　ii （1）の①から③までに該当することとなった時の直前における特例認定承継会社の常時使用従業員のうちその総数の2分の1に相当する数（その数に1人未満の端数があるときはこれを切り捨てた数とし、その該当することとなった時の直前における常時使用従業員の数が1人のときは1人とします。）以上の者が、その該当することとった時から上記の2年を経過する日まで引き続き（1）の①から③までに掲げる会社の常時使用従業員であること。

—899—

第十章第一節《非上場株式等についての相続税の納税猶予及び免除の特例》

　　　iii　iiの常時使用従業員が勤務している事務所、店舗、工場その他これらに類するものを所有し、又は賃
　　　　借していること。
　（注2）　「特例再計算相続税額」とは、実際の譲渡等の対価の額、合併対価の額又は交換等対価の額に相当する
　　　　金額を相続により取得をした特例対象非上場株式等のその相続開始の時における価額とみなして計算し
　　　　た納税猶予分の相続税額に、それぞれ（1）の①のロ、（2）の②又は（3）の②に掲げる金額を加算した金額
　　　　をいいます（措法70の7の6⑯）。

（4）　相続税の免除に係る手続

　（3）の①により相続税の免除を受けようとする特例経営承継受相続人等は、再申請期限までに、免
除を受けたい旨、免除を受けようとする相続税に相当する金額及びその計算の明細その他の事項を記
載した申請書（その免除の手続に必要な書類その他の書類を添付したものに限ります。）を納税地の所
轄税務署長に提出しなければなりません（措法70の7の6⑰）。

（5）　免除申請書を提出した特例経営承継相続人等への通知

　税務署長は、（1）から（3）までの申請書の提出があった場合において、これらの申請書に記載され
た事項について調査を行い、これらの申請書に係る相続税の免除をし、又はこれらの申請書に係る申
請の却下をします。この場合において、税務署長は、これらの申請書に係る申請期限又は再申請期限
の翌日から起算して6か月以内に、その免除をした相続税の額又はその却下をした旨及びその理由を
記載した書面により、これをこれらの申請書を提出した特例経営承継相続人等に通知するものとされ
ています（措法70の7の6⑱）。

第二節　非上場株式等の特例贈与者が死亡した場合の相続税の課税の特例

1　非上場株式等の特例贈与者が死亡した場合の相続税の課税の特例

（1）　制度の概要

「非上場株式等についての贈与税の納税猶予及び免除の特例」（第五編第九章・措法70の7の5）の適用を受ける特例経営承継受贈者に係る特例贈与者が死亡した場合には、その特例贈与者の死亡による相続又は遺贈に係る相続税については、特例経営承継受贈者がその特例贈与者**(注)**から相続（特例経営承継受贈者がその特例贈与者の相続人以外の者である場合には、遺贈）により贈与税の納税猶予の特例の適用に係る特例対象受贈非上場株式等の取得をしたものとみなされます。

この場合において、その死亡による相続又は遺贈に係る相続税の課税価格の計算の基礎に算入すべき特例対象受贈非上場株式等の価額については、その特例贈与者から贈与税の納税猶予の特例の適用に係る贈与により取得をした特例対象受贈非上場株式等のその贈与の時における価額を基礎として計算するものとされます（措法70の7の7①、措規23の12の4①）。

（注）　特例対象受贈非上場株式等が、特例経営承継受贈者である特例贈与者又は経営承継受贈者である特例贈与者からの免除対象贈与（その非上場株式等について受贈者が贈与税の納税猶予制度の適用を受ける場合における贈与をいいます。）により取得したものである場合におけるその特例対象受贈非上場株式等に係る贈与税については、免除対象贈与をした最初の特例経営承継受贈者又は経営承継受贈者にその特例対象受贈非上場株式等の贈与をした者となり、特例対象受贈非上場株式等の価額については、この贈与の時における価額となります（措法70の7の7②）。

（2）　（1）により相続又は遺贈により取得をしたものとみなされる特例対象受贈非上場株式等の価額の計算

（1）により相続又は遺贈により取得をしたものとみなされる特例対象受贈非上場株式等の価額の計算は、次の算式により算定してもよいこととされています（措通70の7の7－1）。

$$A \times \frac{B}{C}$$

（注1）　上記算式中の符号は次のとおりです。

　　A：特例贈与者から特例対象贈与により取得をした特例対象受贈非上場株式等の当該特例対象贈与の時における価額（その特例対象受贈非上場株式等が、相続時精算課税制度の適用を受けているものであっても、その特例対象受贈非上場株式等の価額から相続時精算課税に係る基礎控除の額は控除しません。）

　　B：特例贈与者の死亡直前の特例贈与者に係る経営承継受贈者の猶予中贈与税額

　　C：特例贈与者から特例対象贈与により取得をした特例対象受贈非上場株式等に係る納税猶予分の贈与税額

（注2）　その死亡した特例贈与者から複数の特例認定贈与承継会社の非上場株式等を相続又は遺贈により取得をしたものとみなされる場合のA及びBの価額は、それぞれの特例認定贈与承継会社ごとに算定することになります。

（注3）　その死亡した特例贈与者から同一の特例認定贈与承継会社の非上場株式等を相続又は遺贈により取得をしたものとみなされる特例経営承継受贈者が複数ある場合には、それぞれの特例経営承継受贈者ごとに算定することになります。

2　非上場株式等の特例贈与者が死亡した場合の相続税の納税猶予及び免除の特例

（1）　制度の概要

1の規定によりの特例贈与者から相続又は遺贈により取得をしたものとみなされた特例対象受贈非上場株式等につきこの（1）の規定の適用を受けようとする特例経営相続承継受贈者が、その相続に係

第十章第二節《非上場株式等の特例贈与者が死亡した場合の相続税の課税の特例》

る相続税の申告書の提出により納付すべき相続税の額のうち、特例対象受贈非上場株式等（特例認定相続承継会社の株式等（株式又は出資をいいます。）に限ります。）でその相続税の申告書に(1)の規定の適用を受けようとする旨の記載があるもの（以下「特例対象相続非上場株式等」といいます。）に係る納税猶予分の相続税額に相当する相続税については、相続税の申告書の提出期限までに納税猶予分の相続税額に相当する担保を提供した場合に限り、特例経営相続承継受贈者の死亡の日まで、その納税が猶予されます（措法70の7の8①）。

（2） 特例対象相続非上場株式等の範囲

「特例対象相続非上場株式等」とは、特例経営相続承継受贈者が相続の開始の時に有していた特例対象受贈非上場株式等をいいます（措通70の7の8－1）。

(注1) 複数の特例認定相続承継会社に係る特例対象受贈非上場株式等を1の規定により相続又は遺贈により取得をしたものとみなされた場合の特例対象相続非上場株式等に該当するかどうかの判定は、それぞれの特例認定相続承継会社ごとに行うこととなります。

(注2) 同一の特例認定相続承継会社に係る特例対象受贈非上場株式等を1の規定により相続又は遺贈により取得をしたものとみなされた特例経営相続承継受贈者が複数ある場合の特例対象相続非上場株式等に該当するかどうかの判定は、それぞれの特例経営相続承継受贈者ごとに行うこととなります。

−902−

第十一章　医療法人の持分に係る相続税の納税猶予及び免除

第一節　医療法人の持分についての相続税の納税猶予及び免除

1　特例適用の要件

　個人が経過措置医療法人（平成18年医療法等改正法附則第10条の２に規定する経過措置医療法人をいいます。）の持分を有していた他の個人（以下、「被相続人」といいます。）から相続又は遺贈により経過措置医療法人の持分を取得した場合において、経過措置医療法人がその相続に係る期限内申告書（その期限内申告書の提出期限前にその持分を取得した個人（以下、「相続人等」といいます。）が死亡した場合には、その相続人等の相続人（包括受遺者を含みます。）が提出する期限内申告書を含みます。以下、「相続税の申告書」といいます。）の提出期限において認定医療法人（平成26年改正医療法施行日（平成26年10月１日）から令和８年12月31日までの間に厚生労働大臣認定を受けた医療法人に限ります。）であるときは、その相続人等が相続税の申告書の提出により納付すべき相続税の額のうち、その持分の価額で相続税の申告書に特例の適用を受けようとする旨の記載があるものに係る納税猶予分の相続税額（（1）により計算した税額をいいます。）に相当する相続税については、申告書の提出期限までに納税猶予分の相続税額に相当する担保を提供した場合に限り、認定移行計画(**注１**)に記載された移行期限(**注２**)まで、その納税が猶予されます（措法70の７の12①②）。

(注１)　認定移行計画とは、持分なし医療法人に移行するための取組みの内容などが記載された計画で厚生労働大臣の認定を受けたものをいいます。

(注２)　移行期限とは、認定移行計画に記載された持分なし医療法人に移行する期限をいい、認定の日から３年以内とされています。

（1）　納税猶予分の相続税額の計算

　相続人等の相続税の額は、特例の適用に係る持分の価額（相続税法第13条の規定により控除すべき債務がある場合において、控除未済債務額(**注１**)があるときは、その持分の価額から控除未済債務額を控除した残額で、以下、「特定価額」といいます。）をその相続人等に係る相続税の課税価格とみなして、相続税法第13条から第19条まで並びに第21条の15第１項及び第２項の規定を適用して計算したその相続人等の相続税の額（その相続人等が相続税法第19条の２から第20条の２まで又は第21条の15の規定の適用を受ける者である場合において、その相続人等に係る１に規定する納付すべき相続税の額の計算上これらの規定により控除された金額の合計額が次の①の金額から②の金額を控除した残額を超えるときは、その超える部分の金額を控除した残額）とされます（措令40の８の12④）。

① 相続税法第11条から第19条まで並びに第21条の15第１項及び第２項の規定を適用して計算したその相続人等の相続税の額

② 特定価額をその相続人等に係る相続税の課税価格とみなして、相続税法第13条から第19条まで並びに第21条の15第１項及び第２項の規定を適用して計算したその相続人等の相続税の額

(注１)　控除未済債務額とは、次のイの金額からロの金額を控除した金額（その金額が零を下回る場合には、零）をいいます（措令40の８の12⑤）。

イ 相続税法第13条の規定により控除すべき相続人等の負担に属する部分の金額

ロ イの相続人等に係る(イ)の価額と(ロ)の金額との合計額から(ハ)の価額を控除した残額

　(イ) 該相続人等が１の適用に係る相続又は遺贈(贈与をした者の死亡により効力を生ずる贈与を含み

ます。）により取得した財産の価額

　　（ロ）　相続人等が被相続人からの贈与（贈与をした者の死亡により効力を生ずる贈与を除きます。）により取得した財産で第七章第一節２の**(4)**の適用を受けるものの価額から同章第二節１の基礎控除（同節３を含みます。）を控除した残額

　　（ハ）　相続人等が１の適用に係る相続又は遺贈により取得した１の適用に係る持分の価額

(注２)　認定医療法人が２以上ある場合の納税猶予分の相続税額は、相続人等が被相続人から相続又は遺贈（贈与をした者の死亡により効力を生ずる贈与を含みます。）により取得をした全ての認定医療法人の持分の価額の合計額をその相続人等に係る相続税の課税価格とみなして計算します（措令40の８の12⑦）。

　　この場合、それぞれの認定医療法人ごとの納税猶予分の相続税額は、納税猶予分の相続税額に、認定医療法人の異なるものごとの持分の価額が上記の全ての持分の価額の合計額に占める割合を乗じて計算した金額とされます（措令40の８の12⑧）。

(注３)　納税猶予分の相続税額を計算する場合において、被相続人から相続又は遺贈により財産の取得をした者のうちに農地等についての相続税の納税猶予（措法70の６）の適用を受ける者がいるときは、その財産の取得をした全ての者に係る相続税の課税価格は、農地等の価額について農業投資価格を基にした価額により計算される相続税の課税価格とされます（措令40の８の12⑨）。

(注４)　特例の適用を受ける相続人等が「農地等についての相続税の納税猶予及び免除（措法70の６）」、「山林についての相続税の納税猶予及び免除（措法70の６の６）」、「特定の美術品についての相続税の納税猶予及び免除（措法70の６の７）」、「個人の事業用資産についての相続税の納税猶予及び免除」（措法70の６の10）又は「非上場株式等についての相続税の納税猶予及び免除（措法70の７の２、70の７の４、70の７の６又は70の７の８）」の適用を受ける者である場合において、調整前持分猶予税額、調整前農地等猶予税額、調整前山林猶予税額、調整前美術品猶予税額、調整前事業用資産猶予税額又は調整前株式等猶予税額の合計額が猶予可能税額を超えるときは、納税猶予分の相続税額は、猶予可能税額に調整前持分猶予税額がその合計額に占める割合を乗じて計算した金額とされます（措令40の８の12⑩）。

（２）　申告書の提出期限までの間に払戻しを受けた場合又は譲渡等をした場合の不適用

　特例の適用を受けようとする相続人等が、相続の開始の時からその相続に係る相続税の申告書の提出期限までの間に経過措置医療法人の持分に基づき出資額に応じた払戻しを受けた場合若しくはその持分の譲渡をした場合又は第二節《医療法人の持分についての相続税の税額控除》の１の適用を受ける場合には、本節の１の規定は、適用されません（措法70の７の12③）。

（３）　分割要件

　１の相続に係る相続税の申告書の提出期限までに、その相続又は遺贈により取得した経過措置医療法人の持分の全部又は一部が共同相続人又は包括受遺者によってまだ分割されていない場合における特例の適用については、その分割されていない持分は、申告書に特例の適用を受ける旨の記載をすることができません（措法70の７の12④）。

（４）　申告手続

　特例の適用を受けようとする相続人等のその被相続人から相続又は遺贈により取得した認定医療法人の持分に係る相続税の申告書に、その持分につき特例の適用を受けようとする旨の記載がない場合又はその持分の明細及び納税猶予分の相続税額の計算に関する明細その他一定の書類**(注)**の添付がない場合には、適用されません（措法70の７の12⑧）。

(注)　（４）の一定の書類とは、次に掲げるものをいいます（措規23の12の８④）。

　　イ　特例の適用に係る認定医療法人が厚生労働大臣認定を受けていることを証する書類

　　ロ　認定医療法人の認定移行計画の写し

　　ハ　特例の適用に係る相続の開始の直前及びその相続の開始の時における認定医療法人の出資者名簿の写し

　　ニ　（２）に規定する場合に該当しない旨を記載した書類

　　ホ　遺言書の写し、財産の分割の協議に関する書類（その書類に１の相続に係る全ての共同相続人及び包括受遺者が自署し、自己の印を押しているものに限ります。）の写し（その自己の印に係る印鑑証明書が添付されているものに限ります。）その他の財産の取得の状況を証する書類

　　ヘ　その他参考となるべき書類

（5） 相続人等が相続税の申告期限前に死亡した場合

期限内申告書の提出期限前に、相続人等が死亡した場合には、その相続人等の相続人（包括受遺者を含みます。）が当該持分の価額について1の適用を受ける旨の相続税の申告書を提出したとき（1の適用に係る要件を満たしている場合に限ります。）は、その申告書は、1の適用のある申告書となります（措通70の7の12－1）。

この場合において、相続人等の相続人が2人以上ある場合には、その相続人は相続税の申告書を共同して提出することができます。

なお、相続人等の相続人が2人以上ある場合には、各相続人はそれぞれ1の適用を選択することができます。

2　担保の提供

特例の適用を受けようとする相続人等が行う担保の提供については、国税通則法施行令第16条に定める手続によるほか、認定医療法人の持分を担保として提供する場合には、持分を担保として提供することを約する書類のほか、次に掲げる書類を納税地の所轄税務署長に提出する方法によることができます（措令40の8の12①、措規23の12の8①）。

① 認定医療法人の持分に質権の設定をすることについて承諾した旨を記載した書類（相続人等が自署し、自己の印を押しているものに限ります。）

② 相続人等の印に係る印鑑証明書

③ 認定医療法人が質権の設定について承諾したことを証する書類で次に掲げるいずれかのもの

　イ　その質権の設定について承諾した旨が記載された公正証書

　ロ　その質権の設定について承諾した旨が記載された私署証書で登記所又は公証人役場において日付のある印が押されているもの（認定医療法人の印を押しているものに限ります。）及び認定医療法人の印に係る印鑑証明書

　ハ　その質権の設定について承諾した旨が記載された書類（認定医療法人の印を押しているものに限ります。）で郵便法第48条第1項の規定により内容証明を受けたもの及び認定医療法人の印に係る印鑑証明書

3　免　除　規　定

認定医療法人の認定移行計画に記載された移行期限までに次のいずれかに掲げる場合に該当することとなった場合には、次の①又は②の金額に相当する相続税は、免除されます（措法70の7の12⑪により準用する措法70の7の9⑪）。

① 相続人等が有している認定医療法人の持分の全てを放棄した場合……納税猶予分の相続税額の全額

② 認定医療法人が基金拠出型医療法人への移行をする場合において、相続人等が有している認定医療法人の持分の一部を放棄し、その残余の部分をその基金拠出型医療法人の基金として拠出したとき……納税猶予分の相続税額から4の(2)で納付することとなる金額を控除した残額

（注1）　認定医療法人の持分の放棄は、厚生労働大臣が定める書類を認定医療法人に提出して行うこととなります（措規23の12の8③により準用する措規23の12の6③）。

（注2）　基金拠出型医療法人とは、平成18年医療法等改正法附則第10条の3第2項第1号ハに規定する基金拠出型医療法人をいいます（措法70の7の9②六）。

（注3）　納税猶予分の相続税額の免除を受けようとする場合には、次の①～④に掲げる事項を記載した届出書に、一定の書類（注4）を添付して、相続税の納税地の所轄税務署長に提出しなければなりません（措令40の8の12⑮により準用する措令40の8の9⑪）。

　　　① 届出書を提出する者の氏名及び住所

　　　② 3の①による相続税の免除を受けようとする旨

③　免除を受ける相続税の額（３の②の場合にあっては、免除を受ける相続税の額及びその計算の明細）

④　その他参考となるべき事項

(**注４**)　(**注３**)の一定の書類とは、次の書類をいいます（措規23の12の４⑤により準用する措規23の12の２⑤）。

①　３の①に該当することとなった場合……次に掲げる書類

イ　相続人等が認定医療法人の持分の放棄をする際に認定医療法人に提出した(**注１**)の書類（認定医療法人が受理した年月日の記載があるものに限ります。）の写し

ロ　相続人等による認定医療法人の持分の放棄の直前及び放棄の時における認定医療法人の出資者名簿の写し

②　３の②に該当することとなった場合……次に掲げる書類

イ　①に掲げる書類

ロ　３の②の基金拠出型医療法人の定款（認定医療法人から基金拠出型医療法人への移行のための医療法第54条の９第３項の規定による都道府県知事の認可を受けたものに限ります。）の写し

ハ　免除を受ける相続税の額及びその計算の明細の根拠を明らかにする書類

４　納　　付

（１）　納税猶予分の相続税額の全額の猶予期限が確定する場合

特例の適用を受ける相続人等又は特例の適用に係る認定医療法人について次の①から⑥までに該当する場合には、納税猶予分の相続税額に相当する相続税については、それぞれ①から⑥までの日から２か月を経過する日（それぞれの日から２か月を経過する日までの間に相続人等が死亡した場合には、その相続人等の相続人が相続人等の死亡による相続の開始があったことを知った日の翌日から６か月を経過する日）をもって納税の猶予に係る期限とされます（措法70の７の12⑤により準用する措法70の７の９⑤）。

①　相続人等が相続税の申告期限から認定医療法人の認定移行計画に記載された移行期限までの間に認定医療法人の持分に基づき出資額に応じた払戻しを受けた場合……その払戻しを受けた日

②　相続人等が相続税の申告期限から認定医療法人の認定移行計画に記載された移行期限までの間に認定医療法人の持分の譲渡をした場合……その譲渡をした日

③　認定医療法人の認定移行計画に記載された移行期限までに平成18年医療法等改正法附則第10条の２に規定する新医療法人への移行をしなかった場合……その移行期限

④　認定医療法人の認定移行計画について平成18年医療法等改正法附則第10条の４第２項の規定により厚生労働大臣認定が取り消された場合……その厚生労働大臣認定が取り消された日

⑤　認定医療法人が解散をした場合（合併により消滅をする場合を除きます。）……その解散をした日

⑥　認定医療法人が合併により消滅をした場合（合併により医療法人を設立する場合において相続人等が持分に代わる金銭その他の財産の交付を受けないときその他一定の場合(**注**)を除きます。）……その消滅をした日

(**注**)　上記⑥のその他一定の場合とは、次に掲げる場合です（措令40の８の12⑫により準用される措令40の８の９⑧）。

イ　合併により医療法人を設立する場合において、相続人等が合併により消滅する認定医療法人の持分に代わる金銭その他の財産の交付を受けないとき

ロ　合併後存続する医療法人が合併により平成18年医療法等改正法附則第10条の２に規定する新医療法人となる場合において、相続人等が合併により消滅する認定医療法人の持分に代わる金銭その他の財産の交付を受けないとき

（２）　納税猶予分の相続税額の一部の猶予期限が確定する場合

認定医療法人が認定移行計画に記載された移行期限までに基金拠出型医療法人への移行をする場合において、相続人等が有する認定医療法人の持分の一部を放棄し、その残余の部分を基金拠出型医療法人の平成18年医療法等改正法附則第10条の３第２項第１号ハに規定する基金（以下「基金」といいます。）として拠出したときは、納税猶予分の相続税額のうち基金として拠出した額に対応する部分の

—906—

金額に相当する相続税については、基金拠出型医療法人への移行のための定款の変更に係る医療法第54条の9第3項の規定による都道府県知事の認可があった日から2か月を経過する日（認可があった日から2か月を経過する日までの間に相続人等が死亡した場合には、相続人等の相続人が相続人等の死亡による相続の開始があったことを知った日の翌日から6か月を経過する日）をもって納税の猶予に係る期限とされます（措法70の7の12⑥により準用する措法70の7の9⑥）。

（注） 基金として拠出した額に対応する相続税額は次のとおり計算します（措令40の8の12⑬により準用する措令40の8の9⑨）。

（算式）

$$\text{納税猶予分の相続税額} \times \frac{\text{基金拠出額} - \text{拠出時の持分の価額} \times \left(1 - \text{納税猶予割合}\right)}{\text{拠出時の持分の価額} \times \text{納税猶予割合}}$$

※上記の算式中の「納税猶予割合」とは、被相続人から相続又は遺贈により取得した持分の価額がその持分の価額と相続又は遺贈の直前において相続人等が有していた認定医療法人の持分の価額との合計額に占める割合をいいます（措令40の8の12⑬により準用する措令40の8の9⑩）。

（3）　担保の変更命令に従わない場合

税務署長は、相続人等が2の担保について国税通則法第51条第1項の規定による命令に応じない場合には、納税猶予分の相続税額に相当する相続税に係る納税の猶予に係る期限を繰り上げ、納付を求めることができるとされています（措法70の7の12⑨により準用する措法70の7の9⑨）。

5　利子税の納付

4により納税猶予分の相続税額の全部又は一部を納付する相続人等は、その納付する相続税額を基礎とし、相続税の申告期限の翌日から4の納税の猶予に係る期限までの期間に応じ、年6.6%の割合を乗じて計算した金額に相当する利子税を、4の相続税と併せて納付しなければなりません（措法70の7の12⑫により準用する措法70の7の9⑫）。

（注） 上記の利子税の割合（6.6%）は、利子税の割合の特例が適用されます（措法93）。

6　納税義務の承継

認定医療法人の認定移行計画に記載された移行期限までに相続人等が死亡した場合には、その相続人等に係る納税猶予分の相続税額に係る納付の義務は、その相続人等の相続人に承継されます（措法70の7の12⑬により準用する措法70の7の9⑬）。

なお、相続人が複数いる場合に各相続人が承継する割合は、次のとおりです（措令40の8の12⑯により準用する措令40の8の9⑫）。

① 3又は5に該当することとなったときまでに死亡した相続人等が有していた認定医療法人の持分が共同相続人又は包括受遺者によって分割されている場合……その共同相続人又は包括受遺者が相続又は遺贈により取得した認定医療法人の持分の価額が相続人等が有していた認定医療法人の持分の価額のうちに占める割合

② ①以外の場合……国税通則法第5条第2項に規定する相続分

第二節　医療法人の持分についての相続税の税額控除

1　適用の要件

相続人等が経過措置医療法人の持分を有していた被相続人から相続又は遺贈により経過措置医療法人の持分を取得した場合において、その経過措置医療法人が相続の開始の時において認定医療法人（相続税の申告期限又は令和8年12月31日のいずれか早い日までに厚生労働大臣認定を受けた経過措置医療法人を含みます。）であり、かつ、その持分を取得した相続人等が相続の開始の時から相続税の申告期限までの間に厚生労働大臣認定を受けた経過措置医療法人の持分の全部又は一部を放棄したときは、相続人等については、相続税法第15条から第20条の2まで及び第21条の15第3項の規定により計算した金額から放棄相当相続税額を控除した残額をもって、その納付すべき相続税額となります（措法70の7の13①）。

- **(注1)**　相続人等が相続の開始の時から相続税の申告期限までの間に、経過措置医療法人の持分に基づき出資額に応じた払戻しを受けた場合又はその持分の譲渡をした場合には、特例の適用はありません（措法70の7の13③）。
- **(注2)**　認定医療法人の持分の全部又は一部の放棄は、厚生労働大臣が定める書類をその認定医療法人に提出してするものとされています（措規23の12の9①）。

2　放棄相当相続税額

放棄相当相続税額は、次のとおりです（措法70の7の13②、措令40の8の13①②）。

① 相続人等が有している認定医療法人の持分の全てを放棄した場合には、第一節の1の(1)により計算した金額となります。

② 認定医療法人が基金拠出型医療法人への移行をする場合において、相続人等が有する認定医療法人の持分の一部を放棄し、その残余の部分をその基金拠出型医療法人の基金として拠出したときは、①により計算した金額に次のイに掲げる金額がロに掲げる金額に占める割合（その割合が1を超える場合には、1とします。）を乗じて計算した金額となります。

イ 認定医療法人の持分のうち放棄をした部分に対応する部分のその放棄の直前における金額

ロ その放棄の直前において相続人等が有していた認定医療法人の持分の価額に相当する金額に〈イ〉に掲げる価額が〈イ〉と〈ロ〉に掲げる金額の合計額に占める割合を乗じて計算した金額

　〈イ〉 相続又は遺贈（贈与をした者の死亡により効力を生ずる贈与を含みます。）により取得した持分の価額

　〈ロ〉 〈イ〉の相続又は遺贈の直前において相続人等が有していた認定医療法人の持分の価額

3　申告手続

特例の適用を受けようとする相続人等は、相続又は遺贈により取得した持分に係る相続税の申告書に、その持分について特例の適用を受けようとする旨を記載し、その持分の明細及び放棄相当相続税額の計算に関する明細その他一定の書類**(注)**を添付する必要があります（措法70の7の13④）。

- **(注)**　3の一定の書類は、次のとおりです（措規23の12の9②）。
  - ①　2の①に該当することとなった場合……次に掲げる書類
    - イ　第一節の1の(4)の(注)のイからハまで、ホ及びへに掲げる書類
    - ロ　1の(注1)に該当しない旨を記載した書類
    - ハ　特例の適用を受ける相続人等が認定医療法人の持分の放棄をする際に認定医療法人に提出した1の**(注2)**の書類（認定医療法人がその書類を受理した年月日の記載があるものに限ります。）の写し
    - ニ　特例の適用を受ける相続人等による認定医療法人の持分の放棄の直前及び放棄の時における認定医

療法人の出資者名簿の写し
② 2の②に該当することとなった場合……次に掲げる書類
　イ ①に定める書類
　ロ 2の②の基金拠出型医療法人の定款（認定医療法人から基金拠出型医療法人への移行のための医療法第54条の9第3項の規定による都道府県知事の認可を受けたものに限ります。）の写し
　ハ 1の放棄相当相続税額の計算の明細の根拠を明らかにする書類

第十二章　相続税の申告と納税

　相続税は、所得税や法人税と同様に、申告納税制度を採用しています。すなわち、相続又は遺贈によって財産を取得した者及びその被相続人に係る相続時精算課税適用者は、その取得した財産について相続税の課税価格及び税額を計算し、納付税額が算出されるときは、所定の期限までに、一定の事項を記載した申告書を税務署長に提出するとともにその税額を納めなければなりません。

　不正な申告書を提出したり又は所定の期限までに申告書を提出しなかった場合には、税務署長から更正や決定を受け、相続税の本税のほかに延滞税や加算税を納めなければなりません。しかし、所定の期限までに申告しなかった場合でも、税務署長から決定の通知を受けるまでは期限後の申告書を提出することが認められています。また、いったん提出した申告書に誤りがあった場合には、更正の請求又は修正申告をすることができます（災害等の場合の申告期限の延長は第七節参照）。

　税金は金銭で一時に納めるのが原則ですが、相続税は相続又は遺贈によって取得した財産に対して課税される税金で、財産取得的性格を有しているため、一時に多額の税金を納めることが困難な場合も少なくありません。そこで、相続税額が10万円を超え、かつ、納期限までに金銭納付を困難とする事由がある場合には、納税者の申請により担保を提供（延納税額が100万円超又は延納期間が4年以上の場合）して、税務署長の許可を受ければ、年賦延納の方法により相続税を納付することができますし、また、相続税を延納によっても金銭で納めることが困難な場合には、納税者の申請によって税務署長の許可を受ければ相続や遺贈によって取得した財産で物納することもできます。

第一節　申告書の提出

1　申告書の提出義務者

　被相続人から相続又は遺贈（相続時精算課税の適用を受ける贈与を含みます。以下この節において同じ。）により財産を取得した場合に、その取得したすべての者の相続税の課税価格の合計額（**注**）が、遺産に係る基礎控除額（第六章第二節の1の**(1)**（757ページ）参照）を超え、かつ、相続税法第15条から第19条まで、第19条の3から第20条の2まで及び第21条の14から第21条の18までの規定を適用して相続税額を計算したときに納付すべき税額がある者は、相続税の申告をしなければなりません（相法27①）。

　なお、配偶者の税額軽減の適用を受けようとするときは申告が要件となっていますので、税額軽減を適用すれば納付税額が算出されない場合であっても、申告書を提出しなければなりません。

　　(注)　相続税法第19条の相続開始前7年以内に贈与があった場合の特例又は第21条の14から第21条の18までの相続時精算課税の適用がある場合は、これらの規定により相続税の課税価格とみなされた金額とされます。

2　申告書の提出期限

①　相続税の申告書の提出期限は、その**相続の開始があったことを知った日の翌日から10か月以内**です。したがって、相続税の申告書を提出しなければならない者は、その相続の開始があったことを知った日の翌日から10か月以内（その者が納税管理人の届出をしないでこの期間内に国内に住所及び居所を有しないこととなるときは、その住所及び居所を有しないこととなる日まで）に、相続税の申告書を提出しなければなりません（相法27①）。

　　例えば、2月1日に相続の開始があったことを知った者は、12月1日（12月1日が土日の場合は、

－910－

月曜日となります。）までに相続税の申告書を提出しなければならないことになります。

② 家庭裁判所の審判により、相続財産法人から相続財産の全部又は一部の分与を受けた者は、その分与があったことを知った日の翌日から10か月以内（その者が納税管理人の届出をしないでその期間内に国内に住所及び居所を有しないこととなるときは、その住所及び居所を有しないこととなる日まで）に、相続税の申告書を提出しなければなりません（相法29①）。

③ 相続の開始があったことを知った日とは、自己のために相続の開始があったことを知った日をいいますが、例えば、次に掲げる者については、それぞれ次に掲げる日をいいます。なお、その相続に係る被相続人を特定贈与者とする相続時精算課税適用者に係る「相続の開始があったことを知った日」とは、次に掲げる日にかかわらず、その特定贈与者が死亡したこと又はその特定贈与者について民法第30条《失踪の宣告》の規定による失踪の宣告に関する審判の確定のあったことを知った日となります（相基通27－4）。

イ 民法第30条《失踪の宣告》及び第31条《失踪の宣告の効力》の規定により、失踪の宣告を受け死亡したものとみなされた者の相続人又は受遺者については、これらの者がその失踪の宣告に関する審判の確定のあったことを知った日

ロ 相続開始後に、相続人となるべき者について、民法第30条《失踪の宣告》の規定による失踪の宣告があり、その死亡したものとみなされた日が、その相続開始前であることにより相続人となった者については、その者がその失踪の宣告に関する審判の確定のあったことを知った日

ハ 民法第32条第1項《失踪の宣告の取消し》の規定による失踪の宣告の取消しがあったことにより相続開始後において相続人となった者については、その者がその失踪の宣告の取消しに関する審判の確定のあったことを知った日

ニ 民法第787条《認知の訴え》の規定による認知に関する裁判又は同法第894条第2項《推定相続人の廃除の取消し》の規定による相続人の廃除の取消しに関する裁判の確定により、相続開始後において相続人となった者については、その者がその裁判の確定を知った日

ホ 民法第775条《嫡出否認の訴え》の規定による嫡出否認に関する裁判又は同法第892条《推定相続人の廃除》若しくは同法第893条《遺言による推定相続人の廃除》の規定による相続人の廃除に関する裁判の確定により、相続開始後において相続人となった者については、その者がその裁判の確定を知った日

ヘ 民法第886条《相続に関する胎児の権利能力》の規定により、相続について既に生まれたものとみなされる胎児については、法定代理人がその胎児の生まれたことを知った日

ト 相続開始の事実を知ることのできる弁識能力のない幼児等については、法定代理人がその相続の開始があったことを知った日（相続開始の時に法定代理人がないときは、後見人の選任された日）

チ 遺贈（被相続人からの相続人に対する遺贈は除きます。）によって財産を取得した者については、自己のためにその遺贈のあったことを知った日

リ 停止条件付きの遺贈（被相続人からの相続人に対する遺贈は除きます。）によって財産を取得した者については、その条件が成就した日

（注1） これらの提出期限内に提出された申告書（次の8の規定により提出された申告書を含みます。）を「**期限内申告書**」といいます（相法1の2二）。

（注2） 災害その他やむを得ない理由があるときには、期限が延長されることもあります（通則法11）。なお、このことについては第七節で説明します。

第十二章第一節《申告書の提出》

3　申告書の提出先

居住無制限納税義務者、居住制限納税義務者又は特定納税義務者は、相続税法の施行地にある住所地が納税地となり（相法62①）、相続税の申告書は、相続又は遺贈によって財産を取得した各相続人又は受遺者の納税地の所轄税務署長に提出しなければなりません（相法27①）。また、相続人又は受遺者の住所及び居所が相続税法の施行地にない場合（非居住無制限納税義務者又は非居住制限納税義務者の場合）には、納税地を定めて、その納税地の所轄税務署長に申告しなければならないこととされています（相法62②）。

しかし、被相続人が死亡した時の住所が相続税法の施行地にある場合には、これらの規定にかかわらず、**被相続人が死亡した時の住所地の所轄税務署長に提出する**こととされています（相法附則③）。

4　申告書の記載事項

相続税の申告書に記載しなければならない事項は、課税価格、税額、被相続人から相続又は遺贈により財産を取得したすべての者に係る課税価格の合計額及び相続税の総額、納税義務者・被相続人の氏名及び住所又は居所、取得した財産の種類、数量、価額及び所在場所の明細、財産の取得事由及びその取得年月日並びに非課税財産に関する明細等、相続時精算課税の適用がある場合は、課税価格とみなされた金額及び前記の各事項の他に、相続時精算課税選択届出書を提出した税務署名及びその提出に係る年分並びにその適用を受ける贈与財産についての明細等です（相規13①）。これらの事項については、所定の申告書用紙に印刷されていますから、これに従って記載すればよいわけです。

（注1）　相続時精算課税の納税の権利・義務の承継をした者が提出する申告書の記載事項は別に規定（相規13②）が設けられています。

（注2）　第十四章に申告書の様式及び書き方を示してありますから参照してください。

5　相続時精算課税適用者の還付申告

相続時精算課税適用者（第七章第一節の1（776ページ）参照）は、1により申告書を提出すべき場合のほかに、相続時精算課税に係る贈与税額の還付を受けるための申告書を納税地の所轄税務署長に提出することができます（相法27③）。

その申告書には、相続時精算課税の適用を受ける財産の相続税の課税価格、還付を受ける税額その他の事項（相規15）を記載することとされています。

6　申告書の共同提出

相続税の申告書（5の申告書を含みます。）は、同一の被相続人から相続又は遺贈により財産を取得した者等で、申告書を提出しなければならない者又は提出することができる者が2人以上ある場合には、その申告書の提出先の税務署長が同一であれば、共同して申告書を提出することができます。この場合は、同一の申告書に連署して申告することとされています（相法27⑤、相令7）。

7　申告書の添付書類

相続税の申告書には、被相続人の死亡時の財産、債務、その被相続人から相続又は遺贈により取得した財産又は承継した債務の各人ごとの明細、その他財務省令に定める事項を記載した明細書その他書類を添付しなければなりません（相法27④）。

なお、農地についての相続税の納税猶予制度の適用を受ける場合には、前記第八章第一節の「2　申告手続（1）　期限内申告要件」に定める書類を添付する必要があります。

（注1）　財務省令に定める事項とは次のものをいいます。（相規16①）。

①　被相続人の氏名及びその死亡の時における住所又は居所（その被相続人に係る相続人のうちに相続時

−912−

精算課税適用者がいる場合には、その相続時精算課税適用者が相続時精算課税選択届出書を提出した後の住所又は居所の異動の明細を含みます。）

② 被相続人の死亡の時における財産の種類、数量、価額及び所在場所の明細

③ 被相続人の死亡の時における債務の債権者別の種類及び金額の明細並びに債権者の氏名又は名称及び住所若しくは居所又は本店若しくは主たる事務所の所在地

④ 被相続人から相続又は遺贈により財産を取得したすべての者が、これらの事由により取得した財産又は承継した債務の各人ごとの明細

⑤ 被相続人の相続税法第19条の3第1項《未成年者控除》に規定する相続人に関する事項

⑥ 相続税法第66条の2第1項《特定の一般社団法人等に対する課税》の適用がある場合には、次に掲げる事項

　　イ　被相続人の死亡の時において特定一般社団法人等が有する財産の種類、数量、価額及び所在場所の明細

　　ロ　イの特定一般社団法人等の純資産額の算定に係る一定の金額の明細

⑦ その他参考となるべき事項

（注2）　財務省令で定める書類は次の書類をいいます（相規16③）。

① 次に掲げるいずれかの書類（その書類を複写機により複写したものを含みます。）

　　イ　相続の開始の日から10日を経過した日以後に作成された戸籍の謄本で被相続人の全ての相続人を明らかにするもの

　　ロ　不動産登記規則（平成17年法務省令第18号）第247条第5項（法定相続情報一覧図）の規定により交付を受けた同条第1項に規定する法定相続情報一覧図の写しのうち、被相続人と相続人との関係を系統的に図示したものであってその被相続人の子が実子又は養子のいずれであるかの別が記載されたもの（被相続人に養子がある場合には、その写し及びその養子の戸籍の謄本又は抄本）

② 相続時精算課税適用者がいる場合は、相続開始の日以後に作成されたその被相続人及びその相続時精算課税適用者の戸籍の附票の写し又は当該写しを複写機により複写したもの

③ 相続税法第66条の2第1項《特定の一般社団法人等に対する課税》の適用がある場合には、相続の開始の日以後に作成されたその特定一般社団法人等の登記事項証明書

〔※上記②にある相続時精算課税適用者の戸籍の附票の写しについては、相続時精算課税適用者が平成27年1月1日において20歳未満の者である場合には、提出不要です（平27改規附2③）。〕

8　申告義務の承継

　相続税の申告書を提出しなければならない者が、その申告書の提出期限前に申告書を提出しないで死亡した場合には、その者の相続人（包括受遺者を含みます。）は、死亡した者が提出しなければならなかった申告書（第一次相続に係る申告書）を、その死亡した者に係る相続（第二次相続）の開始があったことを知った日の翌日から10か月以内（その者が納税管理人の届出をしないでその期間内に国内に住所及び居所を有しないこととなる場合には、住所及び居所を有しないこととなる日まで）に、死亡した者の納税地の所轄税務署長に提出しなければなりません（相法27②、相令6、相規14）。

9　未分割遺産の申告

　相続税の申告は、原則として、相続人又は受遺者が相続又は遺贈により取得した財産について、課税価格及び税額を計算して申告しなければならないのですが、実際問題としては、相続税の申告書を提出する場合において、まだ遺産の分割がされていないため各相続人等の取得部分が確定しないときがあります。

　このように、相続税の申告書を提出する場合において、まだ遺産の分割が行われていないときは、民法（第904条の2《寄与分》を除きます。）に定める相続分（民法第900条から第903条までに規定する相続分をいいます。）又は包括遺贈の割合により、相続財産及び承継債務の金額を計算し、これにより相続税の申告をすることとされています（相法55、相基通55-1）。

10 贈与税の申告内容の開示

相続人の中に被相続人から加算対象贈与財産（相続税法第19条第1項に規定する加算対象贈与財産をいいます。以下10において同じ。）を贈与により取得した者又は相続時精算課税適用者がいる場合は、相続税の申告書を作成する上で、被相続人からどのような贈与を受けていたかを知る必要があります。

そこで、相続又は遺贈（相続時精算課税の適用を受けた贈与を含みます。以下10において同じ。）により財産を取得した者は、他の共同相続人等（その相続又は遺贈により財産を取得した他の者をいいます。）がある場合には、被相続人に係る相続税の期限内申告書、期限後申告書若しくは修正申告書の提出又は更正の請求に必要となるときに限り、次に掲げる金額（他の共同相続人が二人以上ある場合にあっては、全ての他の共同相続人等の当該金額の合計額）について、所轄税務署長に開示の請求をすることができます（相法49①）。

① 他の共同相続人等が被相続人から贈与により取得した次に掲げる加算対象贈与財産の区分に応じそれぞれ次に定める贈与税の課税価格に係る金額の合計額

　イ　相続の開始前3年以内に取得した加算対象贈与財産…贈与税の申告書に記載された贈与税の課税価格の合計額

　ロ　上記イに掲げる加算対象贈与財産以外の加算対象贈与財産…贈与税の申告書に記載された贈与税の課税価格から100万円を控除した残額

② 他の共同相続人等が被相続人から贈与により取得した相続税法第21条の9第3項の規定の適用を受けた財産に係る贈与税の申告書に記載された同法第21条の11の2第1項の規定による基礎控除後の贈与税の課税価格の合計額

第二節　期限後申告

相続税の申告書を提出しなければならない者は、期限内申告書の提出期限後であっても税務署長から相続税の課税価格及び税額の決定の通知があるまでは、相続税の申告書を提出することができます（通則法18）。

この期限後に提出される申告書を「**期限後申告書**」といいます（相法1の2三）。この「期限後申告書」を提出した場合には、原則として無申告加算税（納付税額の15％〔※平成29年1月1日以後に法定申告期限が到来する場合には、その提出が調査対象税目、調査対象期間等の一定の事項の通知（以下「調査通知」といいます。）から決定予知までの場合には、10％とされます。〕。納付税額が50万円を超える場合は、その超える部分は5％加算）がかかります。ただし、申告書を提出しなかったことについて正当な理由がある場合には、この無申告加算税はかかりません（通則法66①②）。

なお、令和6年1月1日以後に法定申告期限が到来する場合には、国税通則法第66条第1項に該当する場合において、加算後累積納付税額（その計算の基礎となった事実のうちに同項各号に規定する申告、更正又は決定前の税額の計算の基礎とされていなかったことについて当該納税者の責めに帰すべき事由がないと認められるものがあるときは、その事実のみに基づいて同項各号に規定する申告、更正又は決定があったものとした場合におけるその申告、更正又は決定に基づき同法第35条第2項の規定により納付すべき税額を計算し、その金額を控除した税額）が300万円を超えるときは、同法第66条第1項及び第2項の規定にかかわらず、加算後累積納付税額を次に掲げる税額に区分してそれぞれの税額にそれぞれの割合（期限後申告書又は同法第66条第1項第2号の修正申告書の提出が、その申告に係る国税についての調査があったことにより当該国税について更正又は決定があるべきことを予知してされたものでないときは、その割合から5％を減じた割合）を乗じて計算した金額の合計額から累積納付税額を次に掲げる税額に区分してそれぞれの税額にそれぞれの割合を乗じて計算した金額の合計額を控除した金額とします（通則法66②③④、通令27⑥）。

① 50万円以下の部分に相当する税額　　　　　　　　　　　15％

② 50万円を超え300万円以下の部分に相当する税額　　　20％
③ 300万円を超える部分に相当する税額　　　　　　　　30％

　（注）　「加算後累積納付税額」とは、通則法第66条第１項第２号の修正申告の提出又は更正があったとき、その国税に係る累積納付税額を加算した金額をいいます。

　　　　「累積納付税額」とは、同条第１項第２号の修正申告書の提出又は更正前にされたその国税についての次に掲げる納付すべき税額の合計額をいう（同条第７項において準用する同法第65条第５項（第１号に係る部分に限る。）の規定の適用があったときは、同法第65条第５項の規定により控除すべきであった金額を控除した金額とする。）。

　　　① 期限後申告書の提出又は同法第25条の規定による決定に基づき同法第35条第２項の規定により納付すべき税額

　　　② 修正申告書の提出又は更正に基づき同法第35条第２項の規定により納付すべき税額

　また、平成29年１月１日以後に法定申告期限が到来する場合には、期限後申告があった日の前日から起算して５年前の日までの間に、相続税について無申告加算税（決定予知によるものに限ります。）又は重加算税を課されたことがあるときは、無申告加算税の割合又は重加算税の割合についてそれぞれの割合に10％加算されます（通則法66⑥一）。

　※令和６年１月１日以後に法定申告期限が到来する場合には、期限後申告（調査があったことにより当該国税について決定を予知してされたものでない場合において、調査通知が行われたものを除きます。）に係る国税の課税期間の初日の属する年の前年及び前々年に課税期間が開始した当該国税の属する税目について、無申告加算税（同法同条第８項の規定の適用があるものを除きます。）若しくは第68条第２項の重加算税（以下「特定無申告加算税等」といいます。）を課されたことがあり、又は特定無申告加算税等に係る賦課決定をすべきと認めるときは、無申告加算税の割合又は重加算税の割合についてそれぞれ10％加算されます（通則法66⑥二、68④二）。

　期限後申告が、その申告に係る相続税について調査があったことにより、決定があることを予知してされたものでないときは〔※平成29年１月１日以後に法定申告期限が到来する場合には、調査通知前のものに限ります。〕、その申告に係る無申告加算税は、納付税額の５％になります。この場合、期限後申告が調査により決定があることを予知されたものでなく、期限内申告書の提出の意思があったと認められ、かつ期限後申告が法定申告期限から１か月以内に行われたときは、無申告加算税は課されません（通則法66⑧⑨）。

　そして、この期限内申告書の提出の意思があったと認められる場合とは、次のいずれにも該当する場合をいいます（通則法令27の２）。

① その期限後申告書の提出のあった日の前日から起算して５年前の日までの間に、その期限後申告書に係る国税の属する税目について、通則法66①一に該当する無申告加算税又は重加算税を課されたことがない場合であって、同条⑨の適用を受けていないこと

② その期限後申告書に係る納付すべき税額の全額が法定納期限までに納付されていること

　また、相続税の申告書の提出期限後において、遺産の分割、相続人の異動、遺留分の減殺請求など第四節の２《特別の事由が生じた場合の更正の請求》の(1)から(8)までに掲げる事由若しくは保険金請求権等の買取りに係る買取額(保険業法第270条の６の10第３項)の支払を受けたことにより新たに納付すべき相続税額があることとなった者は、相続税の期限後申告書を提出することができます(相法30①、相基通30－1、30－3)。

第三節　修　正　申　告

　相続税の申告書を提出した後で、申告漏れとなっていた財産があったり、財産の評価又は計算の誤り等のために、先に提出した申告書に記載した課税価格、相続税額に不足額があることを発見した場合には、更正の通知があるまでは、前に提出した申告書を修正すべき事項その他所定の事項を記載した修正申告書を、納税地の所轄税務署長に対して提出することができます（通則法19）。また、申告によ

り既に確定した相続税額が、遺産の分割、相続人の異動、遺留分の減殺請求など第四節の２《特別の事由が生じた場合の更正の請求》の（１）から（８）までに掲げる事由により不足額を生じた場合には相続税の修正申告書を納税地の所轄税務署長に提出することができます（相法31①）。このほか、相続財産法人から相続財産の分与を受けた者が、そのために既に確定した相続税額に不足を生じた場合には、財産の分与があったことを知った日の翌日から10か月以内（その者が納税管理人の届出をしないでその期間内に国内に住所及び居所を有しないこととなるときは、その住所及び居所を有しないこととなる日まで）に相続税の修正申告書を納税地の所轄税務署長に提出しなければならないこととされています（相法31②）。

なお、税務署長から更正又は決定を受けた課税価格又は税額に不足額がある場合にも、それを修正するための修正申告書を提出することができます。税務署長は、いったん更正又は決定した後でも、更に誤りを発見した場合には再更正（通則法26）をすることができることになっていますので、課税価格又は税額に不足額のあることに気付いた場合には、少しでも早く修正申告する方が有利です。

この修正申告書を提出した場合には、その申告によって増加した税額に対して、原則として、①期限内申告書を提出していた場合には過少申告加算税（増加税額の10％〔※平成29年１月１日以後に法定申告期限が到来する場合には、調査通知から更正予知までの場合には、５％とされます。〕。ただし、期限内申告税額と50万円とのうち、いずれか多い方の金額を超える部分の増加税額については15％〔※平成29年１月１日以後に法定申告期限が到来する場合には、調査通知から更正予知までの場合には、10％とされます。〕）、②期限後申告書を提出していた場合には無申告加算税（増加税額の15％〔※平成29年１月１日以後に法定申告期限が到来する場合には、調査通知から更正予知までの場合には、10％とされます。〕。50万円超の部分は、その超える部分は５％加算）が課されます。ただし、この加算税についても正当な理由がある場合には、その正当な理由があると認められる部分については課されないことになっています（通則法65①②④、66①②⑦）。

平成29年１月１日以後に法定申告期限が到来する場合には、修正申告があった日の前日から起算して５年前の日までの間に、相続税について無申告加算税（更正予知によるものに限ります。）又は重加算税を課されたことがあるときは、無申告加算税の割合（15％、20％）又は重加算税の割合（35％、40％）についてそれぞれの割合に10％加算されます（通則法68④一）。

また、修正申告書に係る申告又は更正について、第二節※と同様です。

なお、修正申告が、その申告に係る相続税について、調査があったことにより、更正があることを予知してされたものでないときは〔※平成29年１月１日以後に法定申告期限が到来する場合には、調査通知前のものに限ります。〕、その申告に係る過少申告加算税は課されませんし、その申告に係る無申告加算税は納付税額の５％になります（通則法65⑥、66⑧）。

もし、修正申告書を提出することができる者が、その提出前に死亡した場合には、その死亡した者の相続人が死亡した者に代わってこの申告書を提出することができます（通則法19①）。

　（注）　期限内申告書を提出した者が、その申告書の提出期限内にその申告に係る課税価格、相続税額を修正した申告書を提出した場合にはその修正した申告書は修正申告書とはしないで、期限内申告書として取り扱います（相基通31－１）。

第四節　更　正　の　請　求

相続税の申告書を提出した後で、財産の評価又は計算の誤りやその他の理由により、相続税額を過大に申告した場合には、救済手続として「更正の請求」をすることができます。また、更正の請求をできる者が、その請求前に死亡した場合には、その死亡した者の相続人が、死亡した者に代わって請求することができます。

更正の請求があった場合には、税務署長はその請求の内容について調査を行い、その結果に基づいて更正し、又は更正すべき理由がない旨をその請求者に通知します。しかし、納付すべき税金につい

第十二章第四節《更正の請求》

ては、更正の請求があった場合でも、原則として、その徴収は猶予されませんのでその申告書の提出期限までに納付しなければなりません。ただし、税務署長において、相当の理由があると認めるときは、その国税の全部又は一部の徴収を猶予することができます（通則法23④⑤）。

1　一般の場合の更正の請求

　納税申告書（期限内申告書、期限後申告書又は修正申告書）を提出した者は、それらの申告書を提出した後で、財産の評価や計算の誤り等のために、課税価格又は税額を過大に申告していることを発見したときは、法定申告期限から5年以内に限り、その課税価格又は税額を正当な額に訂正するよう「更正の請求書」を納税地の所轄税務署長に提出することができます（通則法23①）。

2　特別の事由が生じた場合の更正の請求

　納税申告書（期限内申告書、期限後申告書又は修正申告書）を提出した後又は税務署長から更正若しくは決定の通知を受けた後に、次のいずれかの事由によって、その申告、更正又は決定に係る課税価格及び税額が過大となったときは、その事由が生じたことを知った日の翌日から4か月以内に限って、その課税価格や税額を正当な額に訂正するよう「更正の請求書」を納税地の所轄税務署長に提出することができます（相法32①、相令8①②③）。

(1)	相続税の申告書の提出期限までに遺産分割が行われなかったため、民法（第904条の2《寄与分》を除きます。）に定める相続分又は包括遺贈の割合に従って課税価格が計算されていた場合（相法55）に、その後、その財産の分割が行われ、共同相続人又は包括受遺者がその分割によって取得した財産の課税価格が、民法（第904条の2《寄与分》を除きます。）に定める相続分又は包括遺贈の割合に従って計算された課税価格と異なることとなったこと。
(2)	民法第787条《認知の訴え》又は第892条《推定相続人の廃除》から第894条《推定相続人の廃除の取消し》までの規定による認知、相続人の廃除又はその取消しに関する裁判の確定、同法第884条《相続回復請求権》に規定する相続の回復、同法第919条第2項《相続の承認及び放棄の撤回及び取消し》の規定による相続の放棄の取消しその他の事由により相続人に異動が生じたこと。
(3)	遺留分侵害額の請求に基づき支払うべき金銭の額が確定したこと。
(4)	遺贈に係る遺言書が発見され、又は遺贈の放棄があったこと。
(5)	第九節3（6）❶《物納の条件付き許可》の規定により条件を付して物納の許可がされた場合（同節4（2）の規定によりその許可が取り消され、又は取り消されることとなる場合に限ります。）において、物納に充てた土地の土壌が特定有害物質（土壌汚染対策法2①）その他これに類する有害物質により汚染されていること又はその土地の地下に廃棄物（廃棄物の処理及び清掃に関する法律2①）その他の物で除去しなければその土地の通常の使用ができないものがあること、が判明したこと。
(6)	相続若しくは遺贈又は贈与により取得した財産についての権利の帰属に関する訴えについての判決があったこと。
(7)	民法第778条の4《相続の開始後に新たに子と推定された者の価額の支払請求権》又は第910条《相続の開始後に認知された者の支払請求権》の規定による請求があったことにより弁済すべき額が確定したこと。
(8)	条件付の遺贈について、条件が成就したこと。
(9)	民法第958条の2第1項《特別縁故者に対する相続財産の分与》の規定により、相続財産法人

－917－

第十二章第五節《税額の納付》

	に係る財産が、被相続人の特別縁故者などに分与されたこと又は民法第1050条第1項に規定する特別寄与料の支払額が確定したこと。
(10)	相続（遺贈）によって取得した財産が未分割となっていた場合に申告期限後3年以内にその財産が分割されたこと又は相続（遺贈）に関して訴えが提起されるなどやむを得ない事情（第六章第二節2の（4）のロの①（766ページ）参照）により、未分割となっていた相続（遺贈）財産について、分割が確定したことにより配偶者の税額軽減の適用を受けた結果、その相続税額に差異が生じたこと（（1）に該当する場合を除きます。）。
(11)	所得税法第137条の2第13項《国外転出をする場合の譲渡所得等の特例の適用がある場合の納税猶予》の規定により同条第1項の規定の適用を受ける同項に規定する国外転出をした者に係る同項に規定する納税猶予分の所得税額に係る納付の義務を承継したその者の相続人が納税猶予分の所得税額に相当する所得税を納付することとなったこと、所得税法第137条の3第15項《贈与等により非居住者に資産が移転した場合の譲渡所得等の特例の適用がある場合の納税猶予》の規定により同条第7項に規定する適用贈与者等に係る同条第4項に規定する納税猶予分の所得税額に係る納付の義務を承継した適用贈与者等の相続人が納税猶予分の所得税額に相当する所得税を納付することとなった又は所得税法第137条の3第2項《贈与等により非居住者に資産が移転した場合の譲渡所得等の特例の適用がある場合の納税猶予》の規定の適用を受ける同項の相続人が同項に規定する相続等納税猶予分の所得税額に相当する所得税を納付することとなったこと。

(注) (10)の規定は、未分割であった小規模宅地等が分割された場合及び分割された未選択の小規模宅地等が選択された場合について準用されます（措法69の4⑤）（第六章第一節の3の（6）（741ページ）参照）。また同様に、未分割であった特定計画山林が分割された場合及び分割された未選択の特定計画山林が選択された場合についても準用されます（措法69の5⑥）（第六章第一節の4の（7）（752ページ）参照）。

第五節　税額の納付

　相続税の期限内申告書（第三節に述べました相続財産法人から財産を与えられた者が提出する修正申告書でその提出期限内に提出されたもの（相法31②）を含みます。）を提出した者は、申告書の提出期限（納期限）までに、その申告書に記載した税額を納付しなければなりません（相法33）。また、期限後申告書又は一般の修正申告書を提出した者は、その提出の日にそれぞれ申告書に記載した税額（修正申告についてはその修正申告により増加した税額）を納付しなければなりません（通則法35②）。なお、更正処分による増加税額及び決定処分による税額の納付期限は、その更正通知書又は決定通知書の発せられた日の翌日から起算して1か月以内とされています（通則法35②）。

　税金の納付場所は、日本銀行本支店、日本銀行の代理店及び歳入代理店である銀行、郵便局又は税務署ですが、納付の際には、納付書に所定の事項を記載して提出しなければなりません。

　所定の期限までに納付しなかった場合には、遅れた期間に応じて、**延滞税**を納付しなければなりません。この延滞税は、未納の税金について、法定期限の翌日から納付のあった日までの日数に応じ、その未納の税額に年7.3%の割合を乗じて計算します。ただし、納期限の翌日から2か月を経過する日の翌日以後の期間については年14.6%の割合を乗じて計算します（通則法60②）。

　なお、期限後申告又は修正申告をした場合の加算税については、税務署長から送達された決定通知書に記載された税額を、その通知書が発せられた日の翌日から起算して1か月を経過する日までに、納付することになっています（通則法35③）。

　(注) 各年の延滞税特例基準割合（平均貸付割合に年1%の割合を加算した割合をいいます。）が年7.3%の割合に満たない場合には、その年中においては、年14.6%の割合にあってはその延滞税特例基準割合に年

-918-

7.3％の割合を加算した割合とし、年7.3％の割合にあってはその延滞税特例基準割合に年１％の割合を加算した割合（その加算した割合が年7.3％の割合を超える場合には、年7.3％の割合）となります（措法94①）。

延滞税の額の計算において、上記で計算した割合に0.1％未満の端数があるときはこれを切り捨てます（措法96①）。

《延滞税の計算》

延滞税は、次の式により計算される金額となります。

$$\frac{納付すべき本税の額（※１） \times 延滞税の割合（※２） \times 期間（日数）（※３）}{365} = 延滞税の額（※４）$$

※１　本税の額が10,000円未満の場合には、延滞税を納付する必要はありません。
　　　また、本税の額に10,000円未満の端数があるときは、これを切り捨てて計算します。
　２　延滞税の割合
　　イ　納期限の翌日から２か月を経過する日まで……年「7.3％」と「延滞税特例基準割合」＋１％のいずれか低い割合
　　ロ　納期限の翌日から２か月を経過した日以後……年「14.6％」と「延滞税特例基準割合」＋7.3％のいずれか低い割合
　３　法定納期限の翌日から本税完納の日までの期間となります。
　４　計算した延滞税の額が1,000円未満となる場合は納付する必要はありません。
　　　また、その額が1,000円以上で100円未満の端数があるときは、これを切り捨てた額となります。

第六節　連帯納付の義務

相続税の納付義務は、原則として、相続又は遺贈により財産を取得した者が負っていますが、納付の義務をこれらの者のみに限定してしまうことは、同一の相続によって財産を取得した相続人の間に負担の公平を害することとなり、また、国においても租税債権保全のうえから適当でない問題も生ずることが予想されます。

そこで、同一の被相続人から相続又は遺贈（相続時精算課税の適用を受ける贈与を含みます。この節において「相続又は遺贈等」といいます。）によって財産を取得した者が２人以上ある場合には、その全ての者は、その相続又は遺贈等によって取得した財産についての相続税並びにその被相続人が納めるべき相続税及び贈与税について、相続又は遺贈等によって受けた利益の価額に相当する金額を限度として、互いに連帯納付の責任を負うことになっています（相法34①②）。

ただし、相続税の申告期限又は分納税額の納期限が到来する次の相続税については、連帯納付義務を負わないこととされています（相令10の２）。

① 　申告期限から５年を経過した場合
② 　延納の許可を受けた場合
③ 　次の納税猶予の適用を受けた場合
　イ　農地等についての相続税の納税猶予及び免除等（措法70の６）
　ロ　山林についての相続税の納税猶予及び免除（措法70の６の６）
　ハ　特定の美術品についての相続税の納税猶予及び免除（措法70の６の７）
　ニ　個人の事業用資産についての相続税の納税猶予及び免除（措法70の６の10）
　ホ　非上場株式等についての相続税の納税猶予及び免除（措法70の７の２）
　ヘ　非上場株式等についての贈与者が死亡した場合の相続税の納税猶予及び免除（措法70の７の４）

ト　非上場株式等についての相続税の納税猶予及び免除の特例（措法70の7の6）
　チ　非上場株式等の特例贈与者が死亡した場合の相続税の納税猶予及び免除の特例（措法70の7の8）
　リ　医療法人の持分についての相続税の納税猶予及び免除（措法70の7の12）
　（注）　連帯納付の責任に基づいて相続税の納付があった場合において、その納付が相続若しくは遺贈により財産を取得した本来の納税義務者がその取得した財産を費消するなどにより資力を喪失して相続税を納付することが困難であることによりなされたときは、本来の納税義務者への贈与（債務肩代わりによる経済的利益の供与）はなかったものとされます（相基通34－3）。このような事情がない場合に連帯納付の責任に基づいて相続税の納付があった場合には、贈与税の課税関係が生じることになります。

　また、相続税の課税価格の計算の基礎となった財産が、贈与、遺贈又は寄附行為により移転があった場合には、その贈与又は遺贈によって財産を取得した者又はその寄附行為によって設立された法人は、その贈与等をした者が納めるべき相続税のうち、取得した財産の価額に対応する部分の金額について、その受けた利益の価額に相当する金額を限度として、連帯納付の責任を負わなければなりません（相法34③）。

第七節　納税等についての特例

　申告や納税は一定の期限までに行うのが原則ですから、期限までに申告しなかったり、完納しないと、先に述べたように、本税のほかに加算税や延滞税も納付しなければならないなどの不利益が生じます。しかし納税者が災害を受けた場合などには、期限までに申告や納税をするのは容易なことではありません。そこでこのような特別な事情が生じた場合の特別措置として次のような制度を設けています。

1　納期限の延長

　災害その他やむを得ない理由によって国税についての申告、申請、納付などがその期限までに行えないと認められるときは、災害のやんだ日から2か月以内の範囲でその期限が延長されます。
　この場合、災害による被害が広い地域に及ぶときは、国税庁長官が延長する期日と地域を告示します。そして、その地域の納税者は、告示された期限までに申告や納税などをすればよいことになります。告示されなかった地域の人は、税務署にそれぞれ申請し、期限の延長の承認を受けることになります（通則法11、通則法令3）。申告や納税の期限が延長された場合は、延長後の期限が法定期限となり、その期限までは、無申告加算税及び延滞税は免除されることになっています（通則法63②）。
　胎児が申告期限直前に出生するなど、相続人の異動や取得遺産価額の異動が申告期限の直前に起きた場合なども、上記の災害に準じて申告期限の延長が認められます（相基通27－5・27－6）。

2　納　税　の　猶　予

　災害により、納税者がその財産に相当な損失を受けた場合には、災害のやんだ日から2か月以内に、所定の申請書を税務署長に提出すれば、その財産の損失の程度に応じ、納期限から1年以内の期間を限り、税金の全部又は一部について納税の猶予を受けることができます（通則法46①）。
　また、納税者がその財産について災害を受けたり、盗難にあったり、又は納税者やその人と同居している親族が病気にかかったり負傷したりしたことなどにより、税金を一時に納めることができなくなった場合にも、その納めることができない税金については、税務署長に担保を提供して所定の申請書を提出すれば、1年以内の期間を限り、納税の猶予を受けることができます（通則法46②）。
　なお、納税の猶予の場合には、その期間に対応する部分の延滞税は免除される場合もあります（通則法63①）。

3　災害により被害を受けた場合の相続税の軽減・免除

　相続税の納税義務者が、相続又は遺贈により取得した財産について地震その他の災害により被害を受けた場合は、次の特例の適用を受けることができます。

（1）　相続税の申告書の提出期限前に被害を受けた場合

　相続税の納税義務者が、災害により、相続又は遺贈により取得した財産について、相続税の期限内申告書の提出期限前に被害を受けた場合において次の①又は②の要件のいずれかに該当するときは、その者の納付すべき相続税については、これらの財産の価額は、その被害を受けた部分の価額（保険金、損害賠償金等により補てんされた金額を除きます。以下（2）までにおいて同じ。）を控除して計算することができます（災免法6①、災免令12①）。

① 　災害により被害を受けた部分の価額が相続税の課税価格の計算の基礎となるべき財産の価額（債務控除後の金額をいいます。）の10分の1以上であること。

② 　動産（金銭及び有価証券を除きます。）、不動産（土地及び土地の上に存する権利を除きます。）及び立木（以下これらの財産を「**動産等**」といいます。）について災害により被害を受けた部分の価額が相続税の課税価格の計算の基礎となるべき動産等の価額の10分の1以上であること。

> （**注**）　相続税の期限内申告書に、被害を受けた財産について被害を受けた部分の価額を控除した価額により課税価格及び相続税額を記載するとともに、その財産の被害の状況その他一定の事項を記載した計算明細書を添付して提出する必要があります（災免令12③）。

（2）　相続税の申告書の提出期限後に被害を受けた場合

　相続税の納税義務者が、災害により、相続又は遺贈により取得した財産について、相続税の期限内申告書の提出期限後に被害を受けた場合において次の①又は②の要件のいずれかに該当するときは、その者が被害を受けた日以後に納付すべき相続税額（延滞税、利子税及び加算税や、既に納付済の税額、滞納税額は除かれます。）のうち、次の算式により計算した税額の免除を受けることができます（災免法4、災免令11①）。

① 　災害により被害を受けた部分の価額が相続税の課税価格の計算の基礎となった財産の価額（債務控除後の金額をいいます。）の10分の1以上であること。

② 　動産等について災害により被害を受けた部分の価額が相続税の課税価格の計算の基礎となった動産等の価額の10分の1以上であること。

$$\text{被害のあった日以後}\text{に納付すべき税額} \times \frac{\text{被害を受けた部分の価額}}{\substack{\text{相続税の課税価格の計算の基礎とな}\\\text{った財産の価額（債務控除後の額）}}} = \text{免除税額}$$

> （**注**）　（2）の特例の適用を受けるには、免除を受けようとする旨、被害の状況及び被害を受けた部分の価額その他一定の事項を記載した免除承認申請書を、災害のやんだ日から2か月以内に、納税地の所轄税務署長に提出しなければなりません（災免令11②）。

第八節　延　　　納

　租税は、金銭をもって一時に納付することを原則としていますが、相続税は、相続又は遺贈によって取得した財産を課税標準として課税するものであり、その取得する財産の内容によっては、期限までに完納することが困難な場合も考えられます。そこで相続税法では、年賦延納の制度を設け、一定の要件を備えた場合に限ってそれを認めることにしています（相法38）。

1　延納の要件

　相続税を延納するためには、申請によって延納の許可を受けることが必要です。この延納の許可を受けるための要件は次表のとおりですが、この要件のすべてに該当すればその納付を困難とする金額

を限度として5年以内の年賦延納をすることができます（相法38①③）。

(1)	納付すべき相続税額が10万円を超えること。 （**注**）　税額が10万円を超えるかどうかは、期限内申告、期限後申告、修正申告、更正又は決定によって納付すべき相続税額のそれぞれごとに判定することになっています（相基通38-1）。
(2)	納税義務者について納期限までに、又は納付すべき日に金銭で納付することを困難とする事由があること。
(3)	延納税額が100万円以下で、かつ、延納期間が3年以下の場合を除き担保を提供すること。
(4)	年賦延納をしようとする相続税の納期限までに、又は納付すべき日に所定の事項を記載した延納申請書に担保の提供を要する場合にはその提供に関する書類を添えて提出すること（相法39①）。

《納付を困難とする金額》

　納期限又は納付すべき日に金銭で納付することが困難とする事由がある場合の納付を困難とする金額は、納付すべき相続税額から現金で即納することができる金額を控除した残額の範囲内の金額とされます（相令12①）。

　具体的には、次の算式により算出します（相基通38-2）。

$$A-\{(B+C+D)-([E\times3]+F)\}$$

--- 算式中の符号 ---

　Aは、納付すべき相続税額。

　Bは、納税義務者がAに係る納期限又は納付すべき日において有する現金の額。

　なお、ここにいう現金とは、強制通用力を有する日本円を単位とする通貨のほか、証券ヲ以テスル歳入納付ニ関スル法律により国税の納付に充てることのできる証券を含むものとする。

　Cは、納税義務者がAに係る納期限又は納付すべき日において有する預貯金の額。

　なお、ここにいう預貯金とは、第三章第三節《財産の所在》の4に規定する金融機関等に対する預金、貯金、積金、寄託金又は貯蓄金をいう。

　Dは、納税義務者がAに係る納期限又は納付すべき日において有する換価の容易な財産の価額。

　なお、ここにいう換価の容易な財産とは、次のような財産をいう。

　　・評価が容易であり、かつ、市場性のある財産で速やかに売却等の処分をすることができるもの

　　・納期限又は納付すべき日において確実に取り立てることができると認められる債権

　　・積立金・保険等の金融資産で容易に契約が解除でき、かつ、解約等による負担が少ないもの

　おって、許可限度額の計算に当たっては、納期限又は納付すべき日における当該財産の時価（又は債権額）相当額により行うものとする。

　Eは、生活のため通常必要とされる1月分の費用。

　なお、生活のため通常必要とされる1月分の費用とは、次の①の額から②の額を控除した額とする。

①　国税徴収法第76条第1項第1号から第4号までの規定に基づき算出される金額相当額（前年の収入金額、所得税、地方税及び社会保険料の額に1／12を乗じた額に基づき計算するものとする。なお、申請者が給与所得者でない場合は、その事業等に係る収入金額等を給与等とみなして計算するものとする。）に治療費、養育費、教育費並びに申請者及び申請者と生計を一にする配偶者その他の親族の資力・職業・社会的地位等の個別事情を勘案して社会通念上適当と認められる範囲の金額を加味した額

②　申請者と生計を一にしている収入のある配偶者及び申請者（配偶者を含む。）の扶養控除の対象とならない親族に係る生活費の額並びに申請者（配偶者を含む。）の扶養控除の対象となる親族に係る生活費の額のうち配偶者が負担する額

　　（注）　①の額に申請者及び申請者と生計を一にする配偶者その他の親族の1月分収入額の合計額に占

—922—

第十二章第八節《延　　納》

　　　める申請者の1月分収入額の割合を乗じた額を用いて差し支えない。

　Ｆは、事業の継続のために当面必要な運転資金の額。

　なお、事業の継続のために当面必要な運転資金の額とは、事業の内容に応じた事業資金の循環期間の中で事業経費の支払や手形等の決済のための資金繰りが最も窮屈になる日のために留保を必要とする資金の額をいい、Ａに係る納期限又は納付すべき日の翌日から資金繰りの最も窮屈になると見込まれる日までの期間の総支出見込金額から総収入見込金額を差引いた額（前年同時期の事業の実績を踏まえて推計した額による。）とする。

　（注）　前年の申告所得税の確定申告等に係る収支内訳書等から求めた1年間の事業に係る経費の中から、臨時的な支出項目及び減価償却費を除いた額を基礎とし、最近の事業の実績に変動がある場合には、その実績を踏まえて算出した額を加味した額に1／12（商品の回転期間が長期にわたること等の場合は事業の実態に応じた月数／12月）を乗じた額を用いて差し支えない。

参考《延納許可限度額》

①	納付すべき相続税額	
現金納付額	②	納期限において有する現金、預貯金その他の換価が容易な財産の価額に相当する金額
	③	申請者及び生計を一にする配偶者その他の親族の3か月分の生活費
	④	申請者の事業の継続のために当面（3か月）必要な運転資金の額
	⑤	納期限に金銭で納付することが可能な金額（これを「現金納付額」といいます。）（②－③－④）
⑥	延納許可限度額（①－⑤）	

《不動産等の価額が10分の5以上である相続財産に係る延納期間》

　相続財産の合計額のうちに①不動産（不動産業者等が棚卸資産として所有している不動産を含みます。以下同じ。）、②不動産の上に存する権利、③立木、④事業用の減価償却資産（被相続人の事業の用に供されていた所得税法第2条第1項第19号に規定する減価償却資産をいいます。）、⑤同族会社（注1）の発行する株式又は出資等《ただし金融商品取引所に上場している株式その他これに類する株式（注2）は除きます。》の財産の価額の合計額（①＋②＋③＋④＋⑤。以下、この章において「**不動産等の価額**」といいます。）が占める割合が10分の5以上であるときは、その税額を、不動産等の価額に対応する部分の税額と、その他の部分の税額とに区分し、前者については15年以内（ただし7の計画伐採立木に対応する部分の税額については、20年以内（特定森林計画立木部分の税額については40年以内）、9の特例《不動産等の占める割合が4分の3以上》の適用を受ける場合の「不動産等部分の税額」については、20年以内）の年賦延納を、後者については、10年以内の年賦延納をすることができます（相法38①、措法70の6㊳、70の8の2①、70の10①、相令13、措令40の11、相基通38－4、38－7）。

　（注1）　延納を申請する者又はその親族その他その者と特別の関係がある者が法人の発行済株式又は出資（その法人が有する自己株式・出資を除きます。）の総数又は総額の10分の5を超える株式・出資を有する場合のその法人

　（注2）　金融商品取引法に規定する店頭売買有価証券登録原簿に登録されている法人の株式、外国の金融商品取引所に類するものに上場している株式など（相規19）

　この場合、不動産等の価額対応部分の税額は、次の算式により計算します（相令14）。

$$\begin{array}{l}\text{不動産等の価額} \\ \text{対応部分の税額}\end{array} = \begin{array}{l}\text{納付すべき相続税額} \\ （*1）（*2）\end{array} \times \frac{\begin{array}{l}\text{課税相続財産中の不動産等の価額} \\ \text{（農地等に係る納税猶予額があるときは、} \\ \text{農業投資価格による不動産等の価額）}\end{array}}{\begin{array}{l}\text{課税相続財産の価額} \\ \text{（農地等に係る納税猶予額があるときは、} \\ \text{農業投資価格による課税相続財産の価額）}\end{array}}$$

－923－

第十二章第八節《延　　納》

（＊１）　物納の許可がされた場合は、物納の許可がされた税額を控除した税額となります。

（＊２）　特例農地等についての納税猶予税額は含まれません（措令40の7⑮）。

（注3）　代償分割の方法により相続財産が分割された場合の「不動産等の価額が占める割合」の計算は、次によります（相基通38−9）。

①　代償財産の交付を受けた者　　相続又は遺贈により取得した現物の財産の価額と交付を受けた代償財産の価額との合計額をもって計算します。

②　代償財産の交付をした者　　相続又は遺贈により取得した財産中、代償分割の対象とならなかった財産の価額と代償分割の対象となった財産の価額から代償財産の価額に相当する金額をそれぞれの種類ごとに控除して計算した価額との合計額をもって計算します。この場合、その代償分割が包括的に行われた場合には、その代償財産の価額は、代償分割の対象となった財産の価額によってあん分して計算した額によります。

2　担　　保

（1）　担保の種類

年賦延納をする場合に提供することができる担保の種類は、次のものとされています（通則法50）。

なお、担保として提供する財産は、相続又は遺贈により取得した財産でなくてもよいことになっています。また所有者の承諾を得て他人のものを担保として提供することもできます。

①	国債及び地方債
②	社債（特別の法律により設立された法人が発行する債券を含みます。）その他の有価証券で、税務署長において確実と認めるもの（（**注**）参照）（4（1）において「社債等」といいます。）
③	土地
④	建物、立木及び登記される船舶並びに登録を受けた飛行機、回転翼航空機及び自動車並びに登記を受けた建設機械で、保険に附したもの（4（1）において「建物等」といいます。）
⑤	鉄道財団、工場財団、鉱業財団、軌道財団、運河財団、漁業財団、港湾運送事業財団、道路交通事業財団及び観光施設財団（4（1）において「鉄道財団等」といいます。）
⑥	税務署長が確実と認める保証人の保証
⑦	金銭

（**注**）　相続又は遺贈により取得した取引相場のない株式を担保とした延納申請があった場合に、次のいずれかに該当する事由があるときは、その株式を延納の担保として認めることができることとされています（相基通39−2）。

イ　相続又は遺贈により取得した財産のほとんどが取引相場のない株式であり、かつ、その株式以外に延納の担保として提供すべき適当な財産がないと認められること。

ロ　取引相場のない株式以外に財産があるが、その財産が他の債務の担保となっており、延納の担保として提供することが適当でないと認められること。

（2）　担保の選定

担保として提供されたものは、延納税額を完納しなかった場合には、公売されてその代金が延納税額や利子税額等に充てられることになっています。そのため担保は延納税額のほか、加算税、利子税、延滞税及び担保の処分に要する費用を十分に担保できる価額のもので、かつ、可能な限り処分がしやすく、価額の変動のおそれの少ないものが優先して選定されます（通則法基通（徴）50⑧⑨）。

したがって、未分割遺産、共有財産の持分、農地法による転用を受けられない農地等は、担保として適当ではありません。

−924−

〈参考〉担保として不適格な財産

　担保となる財産は、その担保に係る国税を徴収できる金銭価値を有するものでなければならないことから、一般的に次に掲げるようなものは担保として不適格とされます。

（1）　法令上担保権の設定又は処分が禁止されているもの

（2）　違法建築、土地の違法利用のため建物除去命令等がされているもの

（3）　共同相続人間で所有権を争っている場合など、係争中のもの

（4）　売却できる見込みのないもの

（5）　共有財産の持分（共有者全員が持分全部を提供する場合を除く。）

（6）　担保に係る国税の附帯税を含む全額を担保としていないもの

（7）　担保の存続期間が延納期間より短いもの

（8）　第三者又は法定代理人等の同意が必要な場合に、その同意が得られないもの

　なお、担保を選定する場合の優先順位は、おおむね次のようになります。

①　金融機関を保証人とする保証

②　国債及び地方債

③　社債その他の有価証券

④　不動産

⑤　①から④までに掲げる以外の担保

（3）　担保の見積価額

　延納の担保物の見積価額は、次のとおりです（通則法基通（徴）50⑩）。

①　国債については、その券面金額（証券が発行されていない場合には、登録金額）。ただし、割引の方法によって発行された国債で担保として提供する日から5年以内に償還期限の到来しないものについては、発行価額と券面金額との差額を発行の日から償還の日までの間の年数をもって除して得た金額に、発行の日から担保として提供する日までの間の年数（1年未満の端数が生じたときは、その端数を切り捨てます。）に4を加えた数を乗じて得た金額をその発行価額に加算した金額

②　地方債及び社債その他の有価証券については時価の80％に相当する金額以内において担保の提供期間中の予想される価額変動を考慮した金額

③　土地については、時価の80％以内において適当と認める金額

④　建物、立木及び工場財団等については、時価の70％以内において担保の提供期間中の予想される価値の減耗等を考慮した金額

3　延　納　期　間

　一般の場合、延納期間の最高は延納税額を10万円で除した年数（その年数に端数がある場合には、その端数を1年として計算した年数）となり、その年数が5年を超える場合は5年で頭打ちとなります。

　例えば、納付すべき相続税額が63万円で、一時に金銭で納付する税額が15万円、延納をしようとする税額が48万円であるとすれば、

　　　　48万円÷10＝4.8……5年

で、延納できる期間は5年以内です。そこで、5年間の延納をするとした場合の各年の分納税額は、

　　　　48万円÷5＝9.6万円

となります（1,000円未満の端数が出れば、その全額をまとめて第1年分の延納税額に加算します（相令14④）。）。つぎに1で述べました15年を最長期間とする年賦延納をする場合は、延納税額を10万円で除した年数（その年数に端数があるときは、その端数を1年として計算した年数、ただし延納最長期間を限度とします。）が延納期間となります（相法38①）。（7の計画伐採立木に係る延納税額又は9の不動産等部分の税額についても上記に準じて計算した期間が延納期間となります。）

　例えば延納しようとする税額が126万円で、うち不動産等の価額対応部分の税額を86万円としますと

第十二章第八節《延　　納》

126万円÷10＝12.6……13年

で、延納できる期間は13年以内となり、最高期間の13年間の延納をするとした場合の各年の分納税額は、次のとおりとなります。

① 不動産等に係る部分

86万円÷13年＝66,000円（66,153…よって１年分66,000円と端数2,000円）

② その他の部分

40万円÷10年＝40,000円

③ 各年の分納税額

第１年分　　66,000円＋40,000円＋2,000円＝108,000円

※　2,000円は、①の各年分の1,000円未満の端数の合計額です。

第２年分から第10年分まで各年　　66,000円＋40,000円＝106,000円

第11年分から第13年分までの各年　　66,000円

（注）　相続税額の一部について延納申請がなされ、他の一部につき物納申請税額又は納税猶予税額（措置法第70条の６第１項に規定する納税猶予分の相続税の額をいいます。）がある場合において、その延納申請の許可のときまでに、①物納申請が却下又は取り下げられているとき若しくは取り下げられたとみなされているとき、②納税猶予が認められないこととなっているときは、延納期間及び延納年割額の計算に当たっては、これらの物納申請又は納税猶予がなかったものとして計算したところにより延納を許可するものとされます（相基通39－５）。

4　延納許可申請の手続

（1）　一般的な手続

❶　延納申請書等の作成・提出

相続税の延納の申請をする場合には、次の事項を記載した**延納申請書**に担保提供関係書類を添付し、次の〈イ〉から〈ハ〉までに掲げる延納しようとする相続税額の別に応じた相続税の納期限までに又は納付すべき日に提出することになっています（相法39①、相基通39－１）。

〈イ〉　期限内申告分の相続税額である場合は、その納期限（申告書の提出期限）

〈ロ〉　期限後申告分又は修正申告分の相続税額である場合は、その申告書の提出の日

〈ハ〉　更正分又は決定分の相続税額である場合は、その更正通知書又は決定通知書が発せられた日から１月を経過する日

（注）　第十四章に延納申請書等の様式及び書き方を記していますので参照してください。（延納申請書などの用紙は、税務署にあります。）

【記載事項】

次に掲げる事項を記載しますが、この場合において、不動産等の割合が10分の５以上である場合（相法52①一イ）又は不動産等の割合が10分の５未満で立木の価額が占める割合が30％を超える場合（相法52①一ロ）に該当するときは、ホ又はヘに掲げる事項については、延納を求めようとする相続税額を不動産等に係る延納相続税額又は相続税法第52条第１項第１号ロに掲げる税額とその他の部分の延納相続税額とに区分した内訳並びにその区分ごとに適用される利子税の割合、期間、分納税額及び納期限を併せて記載しなければなりません（相規20①）。

イ　納税義務者の氏名及び住所又は居所並びに納税管理人の氏名、住所及び納税地

ロ　納付すべき相続税額

ハ　納期限までに又は納付すべき日に金銭で納付することを困難とする金額及びその困難とする理由

ニ　現金で納付することが可能な金額及びその計算の明細

ホ　延納を求めようとする相続税額及び期間並びに分納税額及びその納期限

ヘ　延納を求めようとする相続税額に併せて納付する利子税の額の計算に用いる割合

ト　担保を提供する場合には、提供する旨、担保の種類、数量、価額及びその所在場所（その担保が

－926－

第十二章第八節《延　　納》

保証人の保証である場合には、その保証人の氏名又は名称及び住所若しくは居所又は本店若しくは
主たる事務所の所在地）

チ　その他参考となるべき事項

【担保提供関係書類】

担保の提供に関する書類で、次の担保の区分に応じ次に定める書類とされています（相規20②）。

担保の区分			書　　　　　類
有価証券	国債	登録国債	登録国債担保権登録済通知書
		その他国債	供託書正本
	地方債	登録地方債	担保権登録内容証明書
		その他地方債	供託書正本
	社債等	登録社債	担保権登録内容証明書
		その他社債等	供託書正本
	その他有価証券		供託書正本
土地			担保となる土地の登記事項証明書又は担保となる土地に係る不動産番号等の明細書、固定資産税評価明細書（相続税の課税価格計算の基礎となった財産を担保に提供するときは不要）、抵当権設定登記承諾書、印鑑証明書
建物等			担保となる建物等の登記事項証明書又は担保となる建物等に係る不動産番号等の明細書、固定資産税評価明細書（相続税の課税価格計算の基礎となった財産を担保に提供するときは不要）、抵当権設定登記承諾書、印鑑証明書、裏書承認等のある保険証券等
鉄道財団等			「土地」の場合と同じ
保証人の保証	保証人が個人		納税保証書、保証人の印鑑証明書・土地建物の登記事項証明書又は土地建物に係る不動産番号等の明細書・納税証明書又は源泉徴収票
	保証人が法人		納税保証書、代表者の印鑑証明書、保証法人の商業登記簿謄本又は保証法人に係る法人番号等の明細書、議事録の写し

（注1）　上表の「社債等」、「建物等」及び「鉄道財団等」は2の（1）参照。

（注2）　上表の「書類」欄の下線付きの書類は、税務署長が提出を求めた場合に必要となりますので、税務署長が
　　　　提出を求めた場合には、これらの書類を速やかに提出することを納税義務者が約する書類の提出が必要です。

❷　税務署長の許可又は却下

延納申請書の提出があった場合には、税務署長は申請の内容を調査し、その調査に基づきその申請
書の提出期限から3か月以内にその申請の許可又は却下します。（延納条件や担保の変更を求める場
合があります。）この許可又は却下した場合は、その許可した延納税額及び延納条件又はその却下した
旨及びその理由を、書面で申請者に通知します（相法39②③）。

（注）　みなし許可は（6）を参照。

（2）　担保提供関係書類の提出期限延長の手続

❶　担保提供関係書類提出期限延長届出書の提出

延納申請書の提出期限までに担保提供関係書類の全部又は一部の提出ができない場合には、その提
出期限までに延納申請書に「**担保提供関係書類提出期限延長届出書**」を添付して提出することにより、
担保提供関係書類の提出期限を3か月以内で申請者の定める日（記載がないときは、3か月経過日）
まで延長できます（相法39⑥⑦）。

－927－

(注) (1)❶の延納申請の後、申請者が担保提供関係書類の一部が不足していたことに気付いた場合には、延納申請書等の提出期限の1か月以内（（3）イの補完通知があるまでに限ります。）であれば、担保提供関係書類提出期限延長届出書を提出することにより、❶の担保提供関係書類提出期限延長届出書の提出があったものとして取り扱われます（相令15②）。

❷ 担保提供関係書類の提出期限の再延長

❶により担保提供関係書類の提出期限を延長したが、延長後の提出期限においてもまだ担保提供関係書類を提出できない場合には、その延長後の提出期限までに再度「担保提供関係書類提出期限延長届出書」を提出することにより、その提出期限を3か月以内で再延長することができます。「担保提供関係書類提出期限延長届出書」は何度でも提出できるので、一度の提出で3か月の範囲で提出期限の延長を順次行うことにより、延納申請期限から最長6か月間、その提出期限を延長することができます（相法39⑧）。

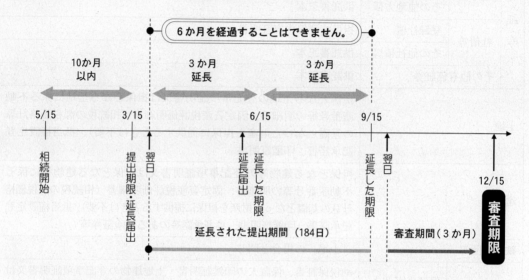

(3) 税務署長の書類補完要請

イ 補完通知

税務署長は、提出された延納申請書等に記載不備や不足書類があるときは、申請者に対しその訂正や追加提出を求める通知書を送付します（相法39⑩⑪）。

ロ 申請書等の再提出

訂正した書類又は追加した書類の提出期限は、通知書を受けた日の翌日から20日以内です。期間内に訂正又は追加書類の提出がない場合は延納申請を取り下げたものとみなされます（相法39⑫）。

ハ 補完期限延長届出

ロの期限までに訂正等した書類を提出できない場合には、ロの期限までに「担保提供関係書類補完期限延長届出書」を提出することで、その提出期限を3か月以内で申請者の定める日（記載がないときは、3か月経過日）まで延長することができます（相法39⑬⑭）。

「担保提出関係書類補完期限延長届出書」は何度でも提出できるので、一度の提出で3か月の範囲で提出期限の延長を順次行うことにより、通知書を受けた日から最長6か月間、その提出期限を延長することができます（相法39⑮）。

(4) 税務署長の審査期間

税務署長は(1)❷により延納申請の内容を調査し3か月以内に許可又は却下しますが、延納申請に係る担保財産が多数その他の事由があるときは6か月とされます。審査期間が延長される場合は、そ

の旨を申請者に通知されます（相法39㉓㉖）。

（5） 担保の変更

イ　変更通知・変更期限

　　税務署長は、延納許可をしようとするときに担保として適当でないと認めるときは、担保の変更を求める旨及びその理由を記載した通知書を送付します。通知を受けた日の翌日から20日以内に変更した担保提供関係書類の提出がなかったときは、延納申請が却下されます（相法39㉒ただし書、㉔㉕）。

ロ　変更期限の延長届出

　　イの期限までに変更した担保提供関係書類の提出ができない場合は、イの期限までに「変更担保提供関係書類提出期限延長届出書」を提出することにより、その提出期限を３か月以内で申請者の定める日（記載がないときは、３か月経過日）まで延長することができます（相法39⑱⑲）。

　　（注） イによる変更した担保提供関係書類の提出期限後に提出書類の不足に気付いた場合には、（2）❶**（注）**と同様の取扱いがあります（相令15⑤）。

　　「変更担保提供関係書類提出期限延長届出書」は何度でも提出できるので、一度の提出で３か月の範囲で提出期限の延長を順次行うことにより、通知を受けた日から最長６か月間、その提出期限を延長することができます（相法39⑳）。

（6） 延納許可・却下

　　税務署長は（1）❷により延納申請を許可した場合は延納許可通知書を送付しますが、同❷の期間（（2）～（5）による延長期間を含みます。）内に許可又は却下をしない場合には、その延納の許可があったとみなされます（相法39②㉘）。

　　一方、（1）❷により延納申請を却下した場合又は延納申請を取り下げたものとみなされた場合は延納却下通知書その他を送付します。申請者は金銭で相続税を納付することになります。

5　延納税額に対する利子税

（1）　利子税の割合（（2）の特例の適用がない場合）

　　延納の許可（物納申請の却下の場合又は物納の撤回の場合の延納の許可を含みます。）を受けた場合は、相続財産の状況等に応じ、それぞれ、次の割合で利子税がかかります（相法52①、措法70の8の2③、70の9①、70の10②、70の11）。これを一覧表にすれば下表のとおりです。また様式については、937～939ページ及び1065、1067ページ参照。

①　原則（延納年限が５年の場合）……年6％（**8**の特別緑地保全地区等内の土地に係る税額については、年4.2％）

②　相続財産中に占める不動産等の価額の割合が50％以上75％未満の場合……不動産等の価額に対応する部分の税額（④及び⑤に該当する部分を除きます。）については年3.6％（**8**の特別緑地保全地区等内の土地に係る税額についても、年3.6％）、動産等の価額に対応する部分の税額については年5.4％

③　相続財産中に占める不動産等の価額の割合が75％以上である場合……**9**の不動産等部分の税額については年3.6％

④　②又は③以外で相続財産中に占める立木の価額の割合が30％を超える場合……延納税額中の立木の割合に相当する部分に限り年4.8％

⑤　相続財産中に占める森林経営計画が定められている区域内の立木の価額《計画伐採立木》の割合が20％以上であり、かつ、所定の手続によりその旨を申し出た場合……延納税額中のその立木の割合に相当する部分に限り年1.2％

第十二章第八節《延　　納》

区　　　　　分		分　納　税　額	延納期間 （最長）	延納利子税 割合
① 不動産等の価額が75％以上の場合	〈イ〉不動産等の価額に対応する税額（〈ロ〉を除く。）	年賦均等額	20年	年3.6％
	〈ロ〉計画伐採立木の価額が20％以上の場合の森林計画立木部分の税額	年賦均等額と計画伐採立木の伐採の時期及び材積に応ずる年賦不均等額との選択	20 (40)	年1.2
	〈ハ〉動産等の価額に対応する税額	年賦均等額	10	年5.4
② 不動産等の価額が50％以上75％未満の場合	〈イ〉不動産等の価額に対応する税額（〈ロ〉を除く。）	年賦均等額	15	年3.6
	〈ロ〉計画伐採立木の価額が20％以上の場合の森林計画立木部分の税額	年賦均等額と計画伐採立木の伐採の時期及び材積に応ずる年賦不均等額との選択	20 (40)	年1.2
	〈ハ〉動産等の価額に対応する税額	年賦均等額	10	年5.4
③ 不動産等の価額が50％未満の場合	〈イ〉立木の価額が30％を超える場合の立木の価額に対応する税額（〈ロ〉を除く。）	年賦均等額	5	年4.8
	〈ロ〉計画伐採立木の価額が20％以上の場合の森林計画立木部分の税額	年賦均等額と計画伐採立木の伐採の時期及び材積に応ずる年賦不均等額との選択	5	年1.2
	〈ハ〉その他の財産の価額に対応する税額（〈ニ〉を除く。）	年賦均等額	5	年6.0
	〈ニ〉特別緑地保全地区等内土地部分の税額	年賦均等額	5	年4.2

（**注**）　上表の「延納期間」欄の（40）は、特定森林計画立木部分の税額の延納最長期間です。

　一方、延納の申請が却下された場合や延納申請を取り下げたものとみなされた場合にも、納期限又は納付すべき日の翌日から、その却下の日又はみなす取下げの日までの期間について、年7.3％（特例基準割合が年7.3％に満たない場合には、特例基準割合）の利子税がかかります（相法52④、措法93①）。

　延納申請を自ら取り下げた場合は上記の適用がなく、延滞税がかかります（相基通52−3）。

（2）　延納の利子税の割合の特例

　（1）の①から⑤までに掲げる利子税の割合は、（1）の規定にかかわらず、各分納期間の開始の日の属する年の**延納特例基準割合**（各年の前々年の9月から前年の8月までの各月における銀行の新規の短期貸出約定平均金利の合計を12で除して得た割合として各年の前年の11月30日までに財務大臣が告示する割合に、年0.5％の割合を加算した割合）が年7.3％の割合に満たない場合には、その分納期間においては、その利子税の割合に延納特例基準割合が年7.3％の割合のうちに占める割合を乗じて計算した割合とされます（措法93②③④）。

$$\left[\text{延納利子税割合} \times \frac{\text{延納特例基準割合}}{\text{年7.3\%}} \right] = \begin{array}{l}\text{利子税の}\\\text{特例割合}\end{array}$$

（**注1**）　利子税の額の計算において、上記で計算した割合に0.1％未満の端数があるときはこれを切り捨てるものとし、上記で計算した割合及び加算した割合が年0.1％未満の割合であるときは年0.1％の割合と

−930−

第十二章第八節《延　　納》

します（措法96①）。

- **(注2)** （2）に規定する分納期間とは、延納に係る分納税額にあわせて納付しなければならない利子税の額の計算の基礎となる期間をいいます（措法93③）。
- **(注3)** （2）の規定の適用がある場合における利子税の額の計算において、その計算の過程における金額に1円未満の端数が生じたときは、これを切り捨てます（措法96②）。

（3）　利子税の納付

利子税は、各年の分納税額を納めるときに、その分納税額とともに納付しなければなりません。

なお、分納税額と一緒に納付する利子税の額は、具体的には次のように計算します（相法52）。

$$\left(\text{延納税額} - \begin{array}{c}\text{前回までに分納期}\\\text{限が到来した税額}\end{array}\right) \times \begin{array}{c}\text{利子税}\\\text{の年率}\end{array} \times \frac{\begin{array}{c}\text{前回の分納期限の翌日からその}\\\text{回の分納期限までの期間の日数}\end{array}}{365}$$

（4）　納付額の充当の順序

延納税額のうちに利子税の割合が高い部分と低い部分がある場合の納付額の充当の順序は、次のとおりとなります（相令28の2、措令40の9②、40の10③、40の11③）。

- ①　充当すべき分納税額が、その納付した者によって指定されている場合は、その指定された分納税額に充当します。
- ②　①の指定がない場合は、納付金額が納付の日以後最初に納期限の到来する分納税額に比し
  - 〈イ〉　不足するときは、その分納税額のうち利子税の割合が高い部分の税額から
  - 〈ロ〉　同じであるときは、その分納税額に
  - 〈ハ〉　超過するときは、まず、その分納税額に充当し、超過額は、次回以降の分納税額の合計額中利子税の割合の高い部分の税額から

  それぞれ充当します。

〔計算例〕

分納税額が、次のように定まっているものについて、第5年目の分納期限の直前に1,000万円が納付された場合

不動産等部分	20年目まで	各年	100万円	（（1）の表の①の〈イ〉の税額）
動産等部分	10年目まで	〃	60万円	
計	10年目まで		160万円	
	11年目から20年目まで	〃	100万円	

（充当のしかた）

- ①　まず、第5年目の分納額160万円に充当します。
- ②　つぎに第6年目以降の動産等部分の分納額に充当します。　60万円×（10年目－5年目）＝300万円
- ③　①、②に充当した残額540万円は、不動産等部分の分納期限の早いものから充当していきます。

  540万円÷100万円＝5.4……5年間分の全部とその翌年分の一部

  したがって、第6年目から第10年目までの全額と第11年目の100万円のうち40万円に充当することになります。

《延納の許可があった場合の延滞税》

延納の許可があった場合における相続税に係る延滞税については、その相続税額のうち延納の許可を受けたものとその他のものとに区分し、更にその延納の許可を受けたものを各分納税額ごとに区分して、それぞれの税額ごとに国税通則法の延滞税に関する規定が適用されます。この場合に、その延納の許可を受けた税額のうちに、期限後申告、修正申告、更正又は決定により納付すべきものがあるときは、その納付すべき税額に係る延滞税のうち相続税法第33条の規定による納期限の翌日から国税通則法第35条第2項の規定による納期限又は納付すべき日（期限後申告又は修正申告の場合は、その期限後申告書又

－931－

は修正申告書を提出した日をいい、更正又は決定を受けた場合は、更正通知書又は決定通知書が発せられた日の翌日から起算して1か月を経過する日をいいます。）までの期間に対応するものとその他のものとに区分し、更にその他のものについては各分納税額ごとに区分して延滞税が計算されます（相法51①）。

また、期限後申告、修正申告、更正又は決定により納付すべき相続税額につき延納の許可を受けた者は、その延納税額に係る延滞税で第五節（相法33）の規定による納期限の翌日から国税通則法第35条第2項の規定による納期限又は納付すべき日までの期間に対応するものを、その延納に係る第1回に納付すべき分納税額に併せて納付しなければなりません（相法51④）。

6 延納条件の変更、取消し

延納の許可を受けた者は、その後の資力の状況の変化などによって、延納の条件の変更を求めることができます。その場合には、次に掲げる事項を記載した申請書を、その延納を許可した税務署長に提出しなければなりません。延納条件変更申請書が提出された場合は、税務署長は、その申請から1か月以内に許可又は却下を行います（相法39㉚㉛、相規20⑦）。

① 納税義務者の氏名、住所又は居所又は法人番号（法人番号を有しない者にあっては、氏名及び住所又は居所）並びに納税管理人の氏名、住所及び納税地
② 許可されている延納期間、分納税額及び納期限
③ 変更を求めようとする延納期間、分納税額、納期限及び変更を求めようとする理由
④ 延納条件の変更を求めようとする相続税額に、不動産等に係る延納相続税額とその他の部分の延納相続税額とがある場合は、変更を求めようとする相続税額を、それぞれの部分に区分した延納税額の内訳並びにその区分ごとに適用される利子税の割合、延納期間、分納税額及び分納期限
⑤ その他参考となるべき事項

　　(注1)　上記の規定は、延納の許可を受けた者が、延納の許可後資力の状況の変化等により許可に係る延納の条件ではその履行が困難である場合などにおいて、分納期限が到来していない分納税額について延納の条件の変更を求めることができるという趣旨のものです（相基通39-14）。

　　　　ただし、分納期限が経過しても分納税額の履行がない場合で、その不履行が一時的な資金繰りの悪化によるものであるときは、その延納の許可を受けた者の弁明を聴いた上で、その分納期限経過後おおむね2か月以内に、延納の条件を変更しても差し支えないものとされています。

　　　　なお、延納の条件を変更する範囲は次のとおりです。
　　イ　分納期限の延長　　分納期限を延長する変更については、次回の分納期限（当初の延納の許可に係る分納期限）の前日までを限度とします。
　　ロ　分納期限の再延長　　分納期限を延長した後においても、その延長に係る延納の条件の変更事由が継続するなどやむを得ない事情が存する場合には、その延長後の分納期限について、次回の分納期限（最初の延長に係る分納期限）の前日まで延長（再延長）しても差し支えないものとされます。
　　※　分納期限の延長、再延長について図示すると次のとおりです。

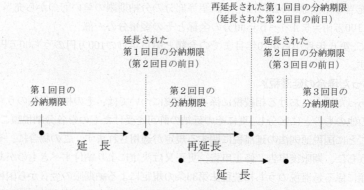

　　ハ　延納期間の延長　　延納の申請に基づいて許可された延納期間（年数）については、その申請者

第十二章第八節《延　　納》

について申請当時法律上延納できることとされている期間（年数）まで延長できるものとされます。

　　　ニ　延長できる最終の分納期限　　イからハにより延長できる最終の分納期限は、その延納の許可を
　　　受けた者について法律上延納できることとされている最終納期限を限度とします。

　　(注2)　延納の条件を変更する場合において、提供されている担保物の価額が条件変更後の延納税額を担保
　　　するのに不十分であると認められるときは、増担保の提供等が求められます（相基通39－15）。

《税務署長による延納条件の変更・延納取消し》

　延納の許可を受けた者が、その後の資力の状況の変化などにより当初の許可のままの条件で、延納
を継続して認めることが適当でないと認められる場合には、税務署長は、その申請者の弁明を聴いた
うえで（所定期限までに正当な理由もなく弁明をしない場合には弁明を聴くことなく）、その許可を取
り消し、又は延納期間の短縮その他延納条件の変更をすることができます。これらの場合には、その
旨及びその理由を書面により申請者に通知します（相法39㉜㉝、相基通39－16）。

《特定物納》

　相続税の納付方法として延納を選択した納税者が、その後の資力の変化等により、延納条件の変更
を行ったとしても延納を継続することが困難な事由が生じた場合には、その納付を困難とする金額を
限度として、その相続税の申告期限から10年以内の申請により、延納から物納に変更することができ
ます。これを特定物納といいます（相法48の2）。

　なお、詳しくは第九節5を参照してください。

●相続税の延納条件の変更等の取扱い

　相続税の延納の条件の変更、許可の取消し、分納税額の未納の場合の処理等については、次のよう
な取扱いが定められています（平成5年5月28日課資2－138通達）。

① 延納条件の変更ができる場合

　延納の許可後、次のような事情が生じた場合には、税務署長は、原則として、分納期限未到来の延
納税額について延納の条件の変更をすることができることとされています。

　　イ　延納の許可を受けた者につき、相続財産の譲渡が計画どおりいかない等のため一時的に資金繰
　　　りが悪化し、許可に係る延納の条件では履行が困難となった場合

　　ロ　計画伐採立木に係る相続税の延納の許可を受けた者につき、森林法第12条の規定による森林経
　　　営計画の変更があり、許可に係る延納の条件が適当でなくなった場合

　　ハ　延納税額の数回分が繰上納付されたため、その納付の状況が許可に係る延納の条件と著しく異
　　　なることとなったような場合

② 延納条件の変更の範囲

　延納の許可後、その許可に係る延納の条件では履行が困難であるという事由で、税務署長が延納の
条件を変更できる範囲は、次のとおりです。

　　イ　分納期限の延長……分納期限を延長する変更は、次回の分納期限（当初の許可に係るもの）の
　　　前日までを限度とします。ただし、最初の分納期限の延長が行われた後、①のイに掲げる事由が
　　　継続するなどやむを得ない事情が存する場合には、その延長後の分納期限について、次回の分納
　　　期限（最初の延長に係るもの）の前日まで延長しても差し支えないものとされています。

　　ロ　延納期間の延長……延納の申請に基づいて許可された延納期間（年数）については、その申請
　　　者について申請当時法律上延納できることとされている期間（年数）まで延長することができる
　　　ものとされています。

　　ハ　延長できる最終の分納期限……イ及びロにより延長できる最終の分納期限は、その延納の許可
　　　を受けた者について法律上延納できることとされている最終納期限を限度とします。

　　(注)　税務署長が延納の条件を変更する場合には、提供されている担保物の価額が条件変更後の延納税額を担
　　　保するに不十分であると認められるときは、増担保の提供又は担保の変更を求めるものとされています。

－933－

第十二章第八節《延　　納》

③　延納条件の変更手続

　延納条件の変更は、原則として延納の許可を受けた者からの申請により、分納期限未到来の延納税額について行われます。ただし、①のイに掲げる事由により分納期限（当初の許可又は最初の延長に係るもの）が経過しても分納税額の納付がない場合には、税務署長は、その分納期限経過後おおむね２か月以内に、延納の許可を受けた者の弁明を聴いた上、延納の条件を変更することができるものとされています。

④　延納の許可の取消し

　延納の許可を受けた者が、延納の条件に違反した場合等には、税務署長はその許可を取り消すことができることとされていますが、①のイに掲げる事由により分納期限（当初の許可又は最初の延長に係るもの）が経過しても分納税額の納付がないときには、③により延納の条件の変更の可否を検討することとされ、その間は、強制換価手続が開始されたとき、延納の許可を受けた者が死亡し、その相続人が限定承認をしたときなどその分納税額の徴収上支障がある場合を除き、延納の許可の取消しを行わないものとされます。

⑤　分納税額が未納の場合の処理

　分納期限（延納の条件の変更後のものを含みます。）を経過しても分納税額の納付がないもの（納税猶予中のものを除きます。）については、税務署長は次により処理するものとされています。

　イ　③により延納の条件の変更の可否を検討する。

　ロ　④により延納の許可の取消しをしない間においては、その分納税額について納付の催告に止め、督促状を発しないこととする。

　ハ　イにより延納の条件の変更の可否を検討した結果、延納の許可を受けた者が延納の条件の変更に応じなかったとき又は担保不足等により延納の条件の変更が認められないとき、あるいは、④により延納の許可を取り消したときには、督促状を発し、一般の例により徴収の手続をとる。

7　計画伐採に係る相続税の延納の特例 （937ページの明細書参照）

①　相続税法第38条第１項の規定により相続税額について延納の許可をする場合において、相続又は遺贈により取得した財産でその相続税額の基礎となったものの価額《課税相続財産の価額》のうちに占める、租税特別措置法第69条の５第２項第１号（第六章第一節の４《特定計画山林についての相続税の課税価格の計算の特例》の（２）の**ロ**の（**イ**）（748ページ）参照）に規定する森林経営計画が定められている区域内に存する立木（**森林保健施設**（森林の保健機能の増進に関する特別措置法第２条第２項第２号に規定する森林保健施設をいいます。以下同じ。）の整備に係る地区内に存する立木を除き、一体として効率的に森林施業を行うこととされているものに限ります。）《**計画伐採立木**》の価額の割合が10分の２以上であり、かつ、課税相続財産の価額のうちに占める不動産等の価額の割合が10分の５以上である場合の、その延納の許可をする相続税額のうちその立木の価額に対応するものとして、政令で定めるところにより計算した部分の税額《**森林計画立木部分の税額**》については、その延納期間は20年以内（森林法第５条第２項第６号に規定する公益的機能別施業森林の区域のうち財務省令で定める区域内の計画伐採立木に係る森林計画立木部分の税額《**特定森林計画立木部分の税額**》については40年以内）とされます。ただし、延納税額を10万円で除して得た年数（１年未満の端数は１年とします。）が延納最長期間とされます（措法70の８の２①）。

　なお、課税相続財産の価額のうちに占める計画伐採立木の価額の占める割合が10分の２以上である場合には、納税者の申請により、３に述べました分納税額の計算規定（延納税額÷延納年数＝分納税額）にかかわらず、その立木のその森林経営計画に基づく伐採の時期及び材積を基礎として、納付すべき分納税額を定めることができます（措法70の８の２②）。（計画伐採立木に対応する部分の税額の延納利子税の割合は、年1.2％（**５**の**（２）**（930ページ）の特例に注意してください。）とされます。）

－934－

第十二章第八節《延　　納》

(注)　計画伐採立木に対応する部分の税額として政令で定めるところにより計算した部分の税額とは、延納の許可をする相続税額に、相続又は遺贈等により取得した財産で相続税額の計算の基礎となったものの価額の合計額のうちに計画伐採立木の価額の占める割合を乗じて計算した金額をいいます（措令40の9①）。

②　この特例の適用を受けるには、相続税法第39条第1項に規定する申請書に、森林施業計画の明細、その他一定の事項を記載した書類を添付して、これを納税地の所轄税務署長に提出しなければなりません（措法70の8の2⑥）。

③　森林経営計画の認定の取消しがあった場合（5年を1期とする森林経営計画の終期において新たな認定を受けなかった場合を含みます。）には、残余の分納税額の納期限が到来します。ただし、既に延納をした年数が15年（延納許可年数が15年未満のときはその許可年数）に満たないときは、その満たない年数を延納期間として一般の延納制度の適用を受けることができます（措法70の8の2⑦、措令40の9③）。

8　特別緑地保全地区等内の土地に係る相続税の延納利子税の特例（939ページの明細書参照）

相続税法第38条第1項の規定により相続税額について延納の許可を受けた者に係る課税相続財産の価額のうちに都市緑地法第12条の規定による特別緑地保全地区又は古都における歴史的風土の保存に関する特別措置法第6条第1項の規定による歴史的風土特別保存地区並びに森林法第25条又は第25条の2の規定により第25条第1項第1号から第3号まで《水源のかん養、土砂の流出の防備、土砂の崩壊の防備》に掲げる目的を達成するため保安林として指定された区域内にある土地の価額がある場合には、延納の許可を受けた相続税額のうち当該土地の価額に対応するものとして次の算式により計算した部分の税額《**特別緑地保全地区等内土地部分の税額**》についての利子税の税率は、年4.2%（相続財産中に占める不動産等の価額の割合が50%以上の場合は、年3.6%）の割合（5の（2）（930ページ）の特例に注意してください。）によります（措法70の9①、措令40の10①②③要約）。

$$\begin{matrix} \text{特別緑地保全} \\ \text{地区等内土地} \\ \text{部分の税額} \end{matrix} = \begin{matrix} \text{納付すべき相続税額} \\ \text{(注1)(注2)} \end{matrix} \times \dfrac{\begin{matrix}\text{課税相続財産中の特別緑地保全地区等内の土地の価額}\\ \text{(特例農地等については農業投資価格を基準として}\\ \text{計算した価額)}\end{matrix}}{\begin{matrix}\text{課税相続財産の価額}\\ \text{(特例農地等については農業投資価格を基準として}\\ \text{計算した価額)}\end{matrix}}$$

(注1)　物納が許可された場合は、物納の許可がされた税額を控除した税額となります。

(注2)　特例農地等についての納税猶予税額は含まれません（措令40の7⑮）。

なお、この特例の適用を受けようとする者は、延納申請書に、特別緑地保全地区等内にある土地の明細書その他財務省令で定める書類〔当該土地が特別緑地保全地区等内にあることについての当該土地の所在地の都道府県知事の証明書をいいます。〕を添付して、これを納税地の所轄税務署長に提出しなければなりません（措法70の9③、措規23の15）。

9　不動産等の割合が4分の3以上の場合の相続税の延納の特例

①　相続税の延納を申請する者のうちその者の相続財産の合計額のうちに〈イ〉不動産（不動産業者等が棚卸資産として所有している不動産を含みます。以下同じ。）、〈ロ〉不動産の上に存する権利、〈ハ〉立木、〈ニ〉事業用の減価償却資産のほか、〈ホ〉同族会社（その者及びその者と特別の関係がある者が法人の発行済株式又は出資〈その法人が有する自己株式又は出資を除きます。〉の総数又は総額の10分の5超を有する場合のその法人）の株式又は出資（ただし金融商品取引所等に上場している株式等は除きます。）の財産の価額の合計額（〈イ〉＋〈ロ〉＋〈ハ〉＋〈ニ〉＋〈ホ〉。以下、**9**において**「不動産等の価額」**といいます。）の占める割合が4分の3以上である者がいるときはその者の申請により、**1**の取扱いにかかわらず、その税額を、不動産等の価額に対応する部分の税額（以下「**不**

−935−

動産等部分の税額」といいます。）と、その他の部分の税額とに区分し、前者（7の計画伐採立木に対応する部分の税額を除きます。）については20年以内（延納税額の総額が200万円未満であるときは、延納税額を10万円で除して得た年数〈1年未満の端数は1年とします〉以内）の年賦延納を、後者については、10年以内の年賦延納をすることができます（措法70の10①、措令40の11①）。この場合、不動産等部分の税額は、次の算式により計算します（措令40の11②）。

$$
\begin{array}{c}
\text{不動産等} \\
\text{部分の税額}
\end{array}
=
\begin{array}{c}
\text{納付すべき相続税額} \\
\text{（注1）（注2）}
\end{array}
\times
\dfrac{
\begin{array}{c}
\text{課税相続財産中の不動産等の価額} \\
\text{（農地等に係る納税猶予額があるときは、農業投資価} \\
\text{格を基準として計算した不動産等の価額）}
\end{array}
}{
\begin{array}{c}
\text{課税相続財産の価額} \\
\text{（農地等に係る納税猶予額があるときは、農業投資価} \\
\text{格を基準として計算した課税相続財産の価額）}
\end{array}
}
$$

（注1）　物納が許可された場合は、物納の許可がされた税額を控除した税額となります。

（注2）　特例農地等についての納税猶予税額は含まれません（措令40の7⑭）。

② 　この特例の適用を受けようとする者は、延納申請書に、不動産等の明細書を添付して、これを納税地の所轄税務署長に提出しなければなりません（措法70の10④）。

③ 　①において述べた不動産等部分の税額に係る延納利子税の税率は、年3.6％とされます（措法70の10②）。……5の(2)（930ページ参照）の利子税の割合の特例に注意してください。

④ 　①及び③の特例（5の(2)（930ページ参照）の特例を含みます。）は、物納申請の却下又は物納の撤回による延納の許可により納付すべきこととなる相続税の延納期間及び利子税の税率についても準用されます（措法70の10⑤）。

第十二章第八節《延　　納》

森林計画伐採立木に係る相続税の延納の明細書

納税者氏名

1　延納申請税額

① 納付すべき相続税額	円
② ①のうち 物納申請税額	
③ ①のうち納税猶予を する税額	
④ 差引（①－②－③）	
⑤ ④のうち 現金で納付する税額	
⑥ 延納申請税額 （④－⑤）	

2　計画伐採立木等の場合

	区　　分	課税相続財産の価額〔③の税額がある場合には農業投資価格等によります〕	割　　合
割合の判定	計画伐採立木 の価額 ⑦		⑪（⑦／⑩） 0.
	立木（⑦を含む。）の価額 ⑧		⑫（⑧／⑩） 0.
	不動産等（⑦、⑧を含む。）の価額 ⑨		⑬（⑨／⑩） 0.
	全体の課税相続財産の価額 ⑩		
割合の計算	計画伐採立木 の価額 ⑭（千円未満の端数切捨て） ,000		⑱(小数点第三位未満切上げ) ⑭／⑰ 0.
	立木（⑦を含む。）の価額 ⑮（千円未満の端数切捨て） ,000		⑲(小数点第三位未満切上げ) ⑮／⑰ 0.
	不動産等（⑦、⑧を含む。）の価額 ⑯（千円未満の端数切捨て） ,000		⑳(小数点第三位未満切上げ) ⑯／⑰ 0.
	全体の課税相続財産の価額 ⑰（千円未満の端数切捨て） ,000		

3　延納申請税額の内訳　　　　　4　延納申請年数　　5　利子税の割合

					4 延納申請年数	5 利子税の割合
不動産等の割合が75%以上の場合	計画伐採立木に係る 延納相続税額	④×⑱と⑥とのいずれか少ない方の金額	㉑ 0 0		（最高） 20年以内　年	年　　％ 1.2
	不動産等に係る 延納相続税額	④×⑳と⑥とのいずれか少ない方の金額－㉑	㉒ 0 0		（最高） 20年以内	3.6
	動産等に係る 延納相続税額	（⑥－㉑－㉒）	㉓		（最高） 10年以内	5.4
不動産等の割合が50%以上75%未満の場合	計画伐採立木に係る 延納相続税額	④×⑱と⑥とのいずれか少ない方の金額	㉔ 0 0		（最高） 20年以内	1.2
	不動産等に係る 延納相続税額	④×⑳と⑥とのいずれか少ない方の金額－㉔	㉕ 0 0		（最高） 15年以内	3.6
	動産等に係る 延納相続税額	（⑥－㉔－㉕）	㉖		（最高） 10年以内	5.4
不動産等の割合が50%未満の場合	計画伐採立木に係る 延納相続税額	④×⑱と⑥とのいずれか少ない方の金額	㉗ 0 0		（最高） 5年以内	1.2
	立木に係る 延納相続税額	④×⑲と⑥とのいずれか少ない方の金額－㉗	㉘ 0 0		（最高） 5年以内	4.8
	その他の財産に係る 延納相続税額	（⑥－㉗－㉘）	㉙		（最高） 5年以内	6.0

－937－

第十二章第八節《延　　納》

6　分納税額、分納期限及び分納税額の計算の明細

期間	分納期限	延納相続税額の分納税額 [1,000円未満切捨て ⑳端数金額は第1回に含めます] ㉒ 計画伐採立木に係る税額 (㉑×㊱)又は㉑÷4の年数、(㉑×㊱)又は㉑÷4の年数若しくは、(㉑×㊱)又は(㉑÷4の年数) 円	㉓ 不動産等又は立木に係る税額 (㉓÷4の年数)又は(㉓÷4の年数) 円	㉔ 動産等又はその他の財産に係る税額 (㉔÷4の年数)又は(㉔÷4の年数) 円	分納税額計 (㉒+㉓+㉔) 円	(㊱の各期間内に計画伐採する立木の伐採時期及び材積) 伐採時期	材積 ㎥	伐採時期	材積 ㎥	伐採時期	材積 ㎥	㉟ 材積合計 ㎥	㊱ 構成割合 ㉟/㉟ % 未満 [四捨五入] %
第1回	令和　年　月　日	,000	,000	,000	,000								
第2回	令和　年　月　日	,000	,000	,000	,000								
第3回	令和　年　月　日	,000	,000	,000	,000								
第4回	令和　年　月　日	,000	,000	,000	,000								
第5回	令和　年　月　日	,000	,000	,000	,000								
第6回	令和　年　月　日	,000	,000	,000	,000								
第7回	令和　年　月　日	,000	,000	,000	,000								
第8回	令和　年　月　日	,000	,000	,000	,000								
第9回	令和　年　月　日	,000	,000	,000	,000								
第10回	令和　年　月　日	,000	,000	,000	,000								
第11回	令和　年　月　日	,000	,000	,000	,000								
第12回	令和　年　月　日	,000	,000	,000	,000								
第13回	令和　年　月　日	,000	,000	,000	,000								
第14回	令和　年　月　日	,000	,000	,000	,000								
第15回	令和　年　月　日	,000	,000	,000	,000								
第16回	令和　年　月　日	,000	,000	,000	,000								
第17回	令和　年　月　日	,000	,000	,000	,000								
第18回	令和　年　月　日	,000	,000	,000	,000								
第19回	令和　年　月　日	,000	,000	,000	,000								
第20回	令和　年　月　日	,000	,000	,000	,000								
計		㉒、㉙又は㉑の金額 円	㉙又は㉑の金額 円	(⑥の金額) 円	(⑥の金額) 円	㉟ 延納期間中に計画伐採する立木の材積合計（㊱欄）						㎥	100

― 938 ―

第十二章第八節《延　　納》

特別緑地保全地区等内の土地に係る相続税の延納の明細書

納税者氏名	

1　延納申請税額

		円
①	納付すべき相続税額	
②	①のうち物納申請税額	
③	①のうち納税猶予をする税額	
④	差引（①－②－③）	
⑤	④のうち現金で納付する税額	
⑥	延納申請税額（④－⑤）	

2　特別緑地保全地区等内土地の割合

区分		課税相続財産の価額 ③の税額がある場合には農業投資価格等によります	割合
割合の判定	特別緑地保全地区等内土地の価額	⑦	
	立木の価額	⑧	⑪（⑧／⑩）0.
	不動産等（⑦、⑧を含む。）の価額	⑨	⑫（⑨／⑩）0.
	全体の課税相続財産の価額	⑩	
割合の計算	特別緑地保全地区等内土地の価額	⑬（千円未満の端数切捨て）,000	⑰（小数点第三位未満切上げ）⑬／⑯ 0.
	立木の価額	⑭（千円未満の端数切捨て）,000	⑱（小数点第三位未満切上げ）⑭／⑯ 0.
	不動産等（⑦、⑧を含む。）の価額	⑮（千円未満の端数切捨て）,000	⑲（小数点第三位未満切上げ）⑮／⑯ 0.
	全体の課税相続財産の価額	⑯（千円未満の端数切捨て）,000	

3　延納申請税額の内訳

4　延納申請年数　5　利子税の割合

不動産等の割合（⑪）が50％未満の場合	特別緑地保全地区等内土地に係る延納相続税額	④×⑰と⑥とのいずれか少ない方の金額	⑳ 00	（最高）5年以内	4.2
	立木に係る延納相続税額	④×⑱と⑥とのいずれか少ない方の金額	㉑ 00	（最高）5年以内	4.8
	その他の財産に係る延納相続税額	（⑥－⑳－㉑）	㉒	（最高）5年以内	6.0

6　分納期限及び分納税額

期間	分納期限	延納相続税額の分納税額 1,000円未満の端数が生ずる場合には、端数金額は第1回に含めます。			分納税額計
		㉓特別緑地保全地区等内土地に係る税額（⑳÷4の年数）	㉔立木に係る税額（㉑÷4の年数）	㉕その他の財産に係る税額（㉒÷4の年数）	
第1回	令和　年　月　日	円	円	円	円
第2回	令和　年　月　日	,000	,000	,000	,000
第3回	令和　年　月　日	,000	,000	,000	,000
第4回	令和　年　月　日	,000	,000	,000	,000
第5回	令和　年　月　日	,000	,000	,000	,000
計		（⑳の金額）円	（㉑の金額）円	（㉒の金額）円	（⑥の金額）円

7　特別緑地保全地区等内土地の価額

所在地番	特別緑地保全地区等内の土地の区分	地積	相続税評価額	備考
	緑・歴・保	㎡	円	
	緑・歴・保	㎡	円	
	緑・歴・保	㎡	円	
	緑・歴・保	㎡	円	
	緑・歴・保	㎡	円	
合　計			⑦	

第九節　物　　　納

　租税は、原則として、金銭で納付することを建前としており、相続税についても同様に一時に金銭で納付することを原則としています。しかし、相続税が財産税の性格をもっていることから、金銭で一時に多額の相続税を納付することが困難な場合が往々にしてあります。このような場合の救済制度として、また、租税の金銭納付の原則の例外として、相続税の物納制度が認められています。

　すなわち、相続又は遺贈により取得した財産が土地や家屋などのように換金し難いものが大部分であることなどにより、一時に金銭で納付することはもちろん、延納の方法によっても、なお延納期間内に納付することができる見通しのたたないときは、税務署長の許可を得てその課税価格の基礎となった財産でもって金銭に替え納付することができることとされています。

　納税義務者は、その納付すべき相続税額を延納によっても金銭で納付することを困難とする事由がある場合においては、その納付を困難とする金額を限度として、物納を申請することができることとされています（相法41①）。しかし、延滞税、利子税及び加算税については物納の対象となりません。

　なお、物納の制度は、贈与税及び連帯納付義務に係る金額については認められず、また期限後申告又は修正申告若しくは更正又は決定により納付すべき相続税額に併せて納付すべき延滞税又は加算税についても適用はありません（相法41①、相基通41－２）。

1　物納の要件

　相続税の物納をしようとする場合には、申請によって物納の許可を受けることになっていますが、この物納の許可を受けるためには、次のいずれの要件にも当てはまらなければなりません（相法41①）。

①	納税義務者が相続税額を延納によっても金銭で納付することを困難とする事由があること
②	申請書を提出すること
③	①の納付を困難とする金額を限度とすること

《納付を困難とする金額》

　③の「納付を困難とする金額」とは、納付すべき相続税額（相令12①一）から金銭で納付することが可能な金額（相令12①二）及び延納によって納付することができる金額を控除した残額（物納の許可限度額）とされます（相令17）。

　具体的には、次の算式により算出します（相基通41－１）。

　　Ａ－｛（Ｂ－Ｃ－Ｄ）×Ｅ＋Ｆ＋（Ｇ－Ｈ）｝

----- 算式中の符号 -----

　Ａは、第八節《延納》の１の**《納付を困難とする金額》**の算式により計算した額。

　Ｂは、前年の申告所得税の確定申告書等に係る収支内訳書等から求めた１年間の事業に係る収入金額（給与所得者の場合は前年の給与等に係る支給金額）から臨時的な収入に係る金額を控除した額。ただし、最近の事業の実績に変動がある場合は、その実績を踏まえて算出した額を加味して差し支えないものとする。

　Ｃは、第八節１の**《納付を困難とする金額》**の算式のＥの額に12を乗じた額。

　Ｄは、事業の継続のために必要な運転資金の額。事業の継続のために必要な運転資金の額とは、前年の申告所得税の確定申告書等に係る収支内訳書等から求めた１年間の事業に係る経費の中から、臨時的な支出項目及び減価償却費を除いた額を当該金額とする。ただし、最近の事業の実績に変動がある場合には、その実績を踏まえて算出した額を加味して差し支えないものとする。

　Ｅは、当該物納申請税額を延納申請税額であるとみなした場合に、第八節１の規定により延納が認め

られる最長年数とする。

　Ｆは、第八節１の《**納付を困難とする金額**》の算式のＥの額に３を乗じた額に同算式のＦの額を加えた額。

　Ｇは、臨時的収入の額。

　なお、臨時的収入の額とは、おおむね１年以内に発生が見込まれる臨時的な金銭収入（貸付金の返還、退職金の給付の確定等）をいうものとする。

　Ｈは、臨時的支出の額。

　なお、臨時的支出の額とは、おおむね１年以内に発生が見込まれる臨時的な支出（事業用資産の購入等）をいうものとする。

参考　《物納許可限度額》

①	納付すべき相続税額	
②	現金納付額（（**注**）の④）	
延納によって納付することができる金額	③　年間の収入見込額	
	④　申請者及び生計を一にする配偶者その他の親族の年間の生活費	
	⑤　申請者の事業の継続のために必要な運転資金（経費等）の額	
	⑥　年間の納付資力（③－④－⑤）	
	⑦　おおむね１年以内に見込まれる臨時的な収入	
	⑧　おおむね１年以内の臨時的な支出	
	⑨　（**注**）の②及び③	
	⑩　延納によって納付することができる金額（⑥×最長延納年数＋（⑦－⑧＋⑨））	
⑪	物納許可限度額（①－②－⑩）	

（**注**）　《現金納付額》

①　納期限において有する現金、預貯金その他の換価が容易な財産の価額に相当する金額
②　申請者及び生計を一にする配偶者その他の親族の３か月分の生活費
③　申請者の事業の継続のために当面（３か月）必要な運転資金の額
④　現金納付額（「納期限に金銭で納付することが可能な金額」）（①－②－③）

《超過物納》

　物納申請に当たって、どの財産を物納に充てるかは次の２に留意して選定することになりますが、金銭納付を困難とする金額に見合う価額の財産がなく、その財産の性質、形状その他の特徴により金銭納付を困難とする金額を超える価額の財産を物納に充てることについて次のような場合のやむを得ない事情があると税務署長が認めるときは、その金銭納付を困難とする金額を超える価額の財産を物納に充てることが認められます（相法41①後段、相基通41－３）。

① 　その財産が土地の場合で、金銭納付を困難とする金額に相当する価額となるように分割しようとするときには、分割後に物納に充てようとする不動産（以下「**分割不動産**」という。）又は分割不動産以外の不動産について、例えば、分筆することにより、その地域における宅地としての一般的な広さを有しなくなるなど、通常の用途に供することができない状況が生じることとなると認められる場合

② 　建物、船舶、動産などのように、分割することが困難な財産である場合

③　法令等の規定により一定の数量又は面積以下に分割することが制限されている場合

(注)　金銭納付を困難とする金額を超える価額の財産による物納が許可される場合において、その財産の収納価額と物納許可に係る相続税額の差額は、金銭で還付されます（相基通41－4）。

2　物納できる財産・できない財産

(1)　物納に充てることができる財産

　物納に充てることができる財産は、納税義務者の課税価格計算の基礎となった財産又はその財産により取得した財産（相続時精算課税の適用を受ける贈与によって取得した財産を除きます。）で相続税法の施行地にあるもののうち次に掲げるもの（**(4)**の管理処分不適格財産を除きます。）です（相法41②、相規21の2、相基通41－6）。

①	不動産及び船舶
②	次に掲げる有価証券（その権利の帰属が社債、株式等の振替に関する法律（平成13年法律第75号）の規定により振替口座簿の記載又は記録により定まるもの及び登録国債を含みます。） イ　国債証券及び地方債証券 ロ　社債券（特別の法律により法人の発行する債券を含み、短期社債等に係る有価証券を除きます。） ハ　株券（特別の法律により法人の発行する出資証券を含みます。） ニ　投資信託及び投資法人に関する法律（昭和26年法律第198号）第2条第4項《定義》に規定する証券投資信託の受益証券 ホ　貸付信託法（昭和27年法律第195号）第2条第1項《定義》に規定する貸付信託の受益証券 ヘ　金融商品取引所（金融商品取引法（昭和23年法律第25号）第2条第16項《定義》に規定する金融商品取引所をいいます。）に上場されている有価証券で次に掲げるもの 　a　新株予約権証券 　b　投資信託及び投資法人に関する法律第2条第3項に規定する投資信託（ニに規定する証券投資信託を除きます。）の受益証券 　c　投資信託及び投資法人に関する法律第2条第15項に規定する投資証券（トにおいて「投資証券」といいます。） 　d　資産の流動化に関する法律（平成10年法律第105号）第2条第13項《定義》に規定する特定目的信託の受益証券 　e　信託法第185条第3項《受益証券の発行に関する信託行為の定め》に規定する受益証券発行信託の受益証券 ト　投資信託及び投資法人に関する法律第2条第12項に規定する投資法人（その規約に同条第16項に規定する投資主の請求により投資口（同条第14項に規定する投資口をいいます。）の払戻しをする旨が定められているものに限ります。）の投資証券で、その規約に請求を行うことができる日が1か月につき1日以上である旨が定められているもの
③	動産

　上記の「課税価格計算の基礎となった財産」には、加算対象贈与財産を含みます（相基通41－5）。

　また、相続又は遺贈により取得した財産が不動産の共有持分である場合において、その財産を取得した納税義務者がその持分に応じて分割した後の不動産を物納に充てようとするときには、その不動産は前記の「課税価格計算の基礎となった財産又はその財産により取得した財産」に該当し、その不動産による物納が認められます。

　なお、被相続人と不動産を共有していた者がその被相続人の持分を相続又は遺贈により取得した場

－942－

合において、その持分に応じて特定した不動産を物納に充てようとするときについても、同様に取り扱われます（相基通41－9）。

(注1)　②のロの短期社債等とは、社債、株式等の振替に関する法律に規定する短期社債、投資信託及び投資法人に関する法律に規定する短期投資法人債、信用金庫法に規定する短期債、保険業法に規定する短期社債、資産の流動化に関する法律に規定する特定短期社債、農林中央金庫法に規定する短期農林債をいいます（相法41③）。

(注2)　②のロの「特別の法律により法人の発行する債券」、②のハの「特別の法律により法人の発行する出資証券」とは、例えば次に掲げるような債券及び出資証券をいいます（相基通41－11）。

①　債券
　イ　商工債、農林債、長期信用銀行債等の金融債
　ロ　放送債券
　ハ　都市基盤整備債券等の政府機関債
②　出資証券
　　日本銀行出資証券

(注3)　②のトの「請求を行うことができる日が1か月につき1日以上である旨が定められているもの」とは、目論見書等に「請求を行うことができる日が1か月につき1日以上である」と明記されているもののほか、請求等に係る記載内容から「請求を行うことができる日が1か月につき1日以上である」ことが確認できるものを含みます（相基通41－16）。

（2）　物納に充てる順位

（1）の②のロからホまでに掲げる財産（金融商品取引所に上場されているものその他の換価の容易な次に掲げる有価証券を除きます。）又は（1）の③に掲げる財産を物納に充てることができる場合は、税務署長において特別の事情があると認める場合を除くほか、（1）の②のロからホまでに掲げる財産については（1）の①に掲げる財産及び（1）の②に掲げる財産のうち換価の容易な（1）の②のイ、ヘ及びびト並びに次に掲げる有価証券、（1）の③に掲げる財産については（1）の①及び②に掲げる財産で、納税義務者が物納の許可の申請の際現に有するもののうちに適当な価額のものがない場合に限ります（相法41⑤、相規21の2②③）。

イ　金融商品取引所（金融商品取引法第2条第16項《定義》に規定する金融商品取引所をいう。ロにおいて同じ。）に上場されているもの

ロ　（1）の②のニに掲げる証券投資信託（その投資信託約款（投資信託及び投資法人に関する法律（昭和26年法律第198号）第4条第1項《投資信託契約の締結》に規定する投資信託約款をいいます。）に受益者の請求により当該証券投資信託に係る信託契約の一部解約をする旨及びその請求を行うことができる日が1か月につき1日以上である旨が定められているものに限ります。）の受益証券で金融商品取引所に上場されていないもの

なお、（3）の物納劣後財産と上記により物納に充てることができる順位が後順位の財産がある場合には、まず、上記に掲げる順位に従って物納に充てることのできる財産を区分し、その先順位財産の中に物納劣後財産として物納に充てることができる財産がない場合には、上記による次順位の財産を物納に充てることができます。

(参考)　物納に充てることのできる順位は、次の①から⑤の順となります（相基通41－15）。

第1順位	①不動産・船舶・国債証券・地方債証券・金融商品取引所に上場されている株券等の有価証券・金融商品取引所に上場されていない投資法人の投資証券等のうち、その規約又は約款に投資主又は受益者の請求により投資口の払戻し又は信託契約の一部解約をする旨及び当該払戻し又は当該一部解約の請求を行うことができる日が1か月につき1日以上である旨が定められている有価証券 ②うち劣後財産

第2順位	③金融商品取引所に上場されていない株券等の有価証券（第1順位のものを除きます。） ④うち劣後財産
第3順位	⑤動産

〔（注3）の特定登録美術品は左記順位にかかわらず物納に充てることができます。〕

- **（注1）** （2）及び（3）の「特別の事情がある場合」とは、例えば、その財産を物納すれば居住し又は営業を継続して、通常の生活を維持するのに支障が生じるような場合をいいます（相基通41−13）。

- **（注2）** （2）及び（3）の「適当な価額のものがない場合」とは、物納財産の順位に従い財産を納付するときは、その財産の収納価額が、物納の許可限度額（相令17）を超えるような場合をいいます。

  ただし、その財産の収納価額が物納の許可限度額を超える場合で、次に掲げるものであるときは、「適当な価額のものがない場合」に該当しないとされます（相基通41−14）。

  イ　1の《超過物納》の規定が適用される場合

  ロ　その財産が土地の場合で、物納の許可限度額に相当する価額となるように分割しても、分割不動産又は分割不動産以外の不動産について、いずれもその地域における宅地としての一般的な広さが確保されるなど、通常の用途に供することができると認められるような場合

- **（注3）** その物納申請財産が、特定登録美術品（美術品の美術館における公開の促進に関する法律第2条第3号に規定する登録美術品で、その物納の許可の申請に係る相続の開始時において既に同法第3条第1項に規定する登録を受けているものをいいます。）であるときは、上記（2）にかかわらず、物納が認められます。

  なお、この物納の特例の適用を受けようとする者は、相続税物納申請書に、次に掲げる事項を記載した書類及び物納に充てようとする特定登録美術品に係る美術品の美術館における公開の促進に関する法律施行規則第17条に規定する評価価格通知書（その物納の許可の申請に係る相続があったことにより、同規則第16条第1項の規定による申請を行った個人に対し通知されたものに限ります。）の写しを添付して所轄税務署長に提出しなければなりません（措法70の12①②、措規23の17）。

  ①　物納に充てようとする特定登録美術品について美術品の美術館における公開の促進に関する法律施行規則第16条第1項の規定による価格の評価の申請を行った個人の氏名及び住所又は居所

  ②　その特定登録美術品の名称、員数及び種類

  ③　その特定登録美術品の寸法、重量、材質その他の特徴

  ④　その特定登録美術品につき相続税の課税価格に算入した価額

  ⑤　美術品の美術館における公開の促進に関する法律施行規則第3条の美術品登録簿に記載されたその特定登録美術品の登録年月日及び登録番号

  ⑥　その他参考となるべき事項

（3）　物納劣後財産

（1）の表の①〜③の財産のうち物納劣後財産（物納財産ではあるが他の財産に対して物納の順位が後れるものとして次表で定めるものをいう。以下同じ。）を物納に充てることができる場合は、税務署長において特別の事情**（注）**があると認める場合を除くほか、それぞれ（1）の表の①〜③の財産のうち物納劣後財産に該当しないもので納税義務者が物納の許可の申請の際現に有するもののうちに適当な価額のものがない場合**（注）**に限られます（相法41④）。

（注）　それぞれ（2）の**（注1）（注2）**を参照。

─── **《物納劣後財産の表》**（相令19）───

①　地上権、永小作権若しくは耕作を目的とする賃借権、地役権又は入会権が設定されている土地

②　法令の規定に違反して建築された建物及びその敷地

③　次に掲げる事業が施行され、その施行に係る土地につき、それぞれ次に規定する法律の定めるところにより仮換地の指定（仮に使用又は収益をすることができる権利の目的となるべき土地又はその部分を含みます。）又は一時利用地の指定がされていない土地（その指定後において使用又は収益をすることができないその仮換地又は一時利用地に係る土地を含みます。）

イ　土地区画整理法による土地区画整理事業

ロ　新都市基盤整備法による土地整理

ハ 大都市地域における住宅及び住宅地の供給の促進に関する特別措置法による住宅街区整備事業

ニ 土地改良法による土地改良事業

④ 現に納税義務者の居住の用又は事業の用に供している建物又はその敷地（その納税義務者がその建物及びその敷地について物納の許可を申請する場合を除きます。）

⑤ 配偶者居住権の目的となっている建物及びその敷地

⑥ 劇場、工場、浴場その他の維持又は管理に特殊技能を要する建物及びこれらの敷地

⑦ 建築基準法第43条第1項《敷地と道路の関係》に規定する道路に2m以上接していない土地

⑧ 都市計画法第29条第1項又は第2項《開発行為の許可》の規定による都道府県知事の許可を受けなければならない同法第4条第12項《定義》に規定する開発行為をする場合において、その開発行為が同法第33条第1項第2号《開発許可の基準》に掲げる基準（都市計画法施行令第25条第2号《法33条第1項各号を適用するについて必要な技術的細目》に掲げる技術的細目に係るものに限ります。）に適合しないときにおけるその開発行為に係る土地

⑨ 都市計画法第7条第2項《区域区分》に規定する市街化区域以外の区域にある土地（宅地として造成することができるものを除きます。）

⑩ 農業振興地域の整備に関する法律第8条第1項《市町村の定める農業振興地域整備計画》の農業振興地域整備計画において同条第2項第1号の農用地区域として定められた区域内の土地

⑪ 森林法第25条又は第25条の2《指定》の規定により保安林として指定された区域内の土地

⑫ 法令の規定により建物の建築をすることができない土地（建物の建築をすることができる面積が著しく狭くなる土地を含みます。）

⑬ 過去に生じた事件又は事故その他の事情により、正常な取引が行われないおそれのある不動産及びこれに隣接する不動産

⑭ 事業を休止（一時的な休止を除きます。）をしている法人に係る株式に係る株券

（注） 上表④かっこ書の規定は、相続人が居住の用又は事業の用に供している建物とその敷地が併せて物納申請された場合をいうものであり、その土地（底地）のみが物納申請された場合には適用がなく、その土地（底地）は劣後財産となります（相基通41−12）。

（4） 物納できない財産（管理処分不適格財産）

次表の管理処分不適格財産は、（1）の物納に充てることができる財産から除かれますので、物納することができません（相法41②かっこ書）。

〈管理処分不適格財産の表〉（相令18、相規21）

不動産	イ 担保権の設定が登記されていることその他これに準ずる事情がある不動産	① 抵当権の目的となっている不動産 ② 譲渡により担保の目的となっている不動産 ③ 差押えがされている不動産 ④ 買戻しの特約が付されている不動産 ⑤ その他処分の制限がされている不動産
	ロ 権利の帰属について争いがある不動産	① 所有権の存否又は帰属について争いがある不動産 ② 地上権、永小作権、賃借権その他の所有権以外の使用及び収益を目的とする権利の存否又は帰属について争いがある不動産
	ハ 境界が明らかでない土地	① 境界標の設置がされていないことにより他の土地との境界を認識することができない土地（ただし、申請される財産の取引（売買）において、通常行われる境界の確認方法により境界

−945−

第十二章第九節《物　　納》

		が確認できるものを除きます。）
		②　土地使用収益権（地上権、賃借権等）が設定されている土地の範囲が明確でない土地
	ニ　隣接する不動産の所有者その他の者との争訟によらなければ通常の使用ができないと見込まれる不動産	①　隣接地に存する建物等が境界線を越えるその土地（ひさし等で軽微な越境の場合で、隣接する不動産の所有者の同意があるものを除きます。） ②　物納財産である土地に存する建物等が隣接地との境界線を越えるその土地（ひさし等で軽微な越境の場合で、隣接する不動産の所有者の同意があるものを除きます。） ③　土地使用収益権の設定契約の内容が、設定者にとって著しく不利なその土地 ④　建物の使用・収益をする契約の内容が、設定者にとって著しく不利なその建物 ⑤　賃貸料の滞納がある不動産その他収納後の円滑な契約の履行に著しい支障を及ぼす事情が存すると見込まれる不動産 ⑥　その敷地を通常の地代により国が借り受けられる見込みのない土地上の建物
不動産	ホ　他の土地に囲まれて公道に通じない土地で民法第210条《公道に至るための他の土地の通行権》の規定による通行権の内容が明確でないもの	
	ヘ　借地権の目的となっている土地で、その借地権を有する者が不明であることその他これに類する事情のあるもの	
	ト　他の不動産（他の不動産の上に存する権利を含みます。）と社会通念上一体として利用されている不動産若しくは利用されるべき不動産又は二以上の者の共有に属する不動産	①　共有物である不動産（共有者全員が申請する場合を除きます。） ②　がけ地、面積が著しく狭い土地又は形状が著しく不整形である土地でこれらのみでは使用することが困難なもの ③　私道の用に供されている土地（他の申請財産と一体として使用されるものを除きます。） ④　敷地とともに物納申請がされている建物以外の建物（当該建物の敷地に借地権が設定されているものを除きます。） ⑤　他の不動産と一体となってその効用を有する不動産
	チ　耐用年数（所得税法の規定に基づいて定められている耐用年数をいいます。）を経過している建物（通常の使用ができるものを除きます。）	
	リ　敷金の返還に係る債務その他の債務を国が負担することとなる不動産	①　敷金その他の財産の返還に係る債務を国が負うこととなる不動産

第十二章第九節《物　　納》

不動産		②　土地区画整理事業等が施行されている場合において、収納の時までに発生した土地区画整理法の規定による賦課金その他これに類する債務を国が負うこととなる不動産 ③　土地区画整理事業等の清算金の授受の義務を国が負うこととなる不動産
	ヌ　管理又は処分を行うために要する費用の額が、その収納価額と比較して過大となると見込まれる不動産	①　土壌汚染対策法に規定する特定有害物質その他これに類する有害物質により汚染されている不動産 ②　廃棄物の処理及び清掃に関する法律に規定する廃棄物その他の物で除去しなければ通常の使用ができないものが地下にある不動産 ③　農地法の規定による許可を受けずに転用されている土地 ④　土留等の設置、護岸の建設その他の現状を維持するための工事が必要となる不動産
	ル　公の秩序又は善良の風俗を害するおそれのある目的に使用されている不動産その他社会通念上適切でないと認められる目的に使用されている不動産	①　風俗営業等の規制及び業務の適正化等に関する法律に規定する風俗営業、性風俗関連特殊営業又は特定遊興飲食店営業の用に供されている不動産 ②　暴力団員による不当な行為の防止等に関する法律に規定する暴力団の事務所その他これに類する施設の用に供されている不動産
	ヲ　引渡しに際して通常必要とされている行為がされていない不動産（イに掲げるものを除きます。）	①　物納財産である土地の上の建物が既に滅失している場合において、その建物の滅失の登記がされていない土地 ②　物納財産である不動産に存する廃棄物の処理及び清掃に関する法律に規定する廃棄物その他の物が除去されていないもの ③　生産緑地法に規定する生産緑地のうち「生産緑地の買取りの申出」又は「生産緑地の買取り希望の申出」の規定による買取りの申出がされていないもの
	ワ　地上権、永小作権、賃借権その他の使用及び収益を目的とする権利が設定されている不動産で、次に掲げる者がその権利を有しているもの （1）　暴力団員による不当な行為の防止等に関する法律に規定する暴力団員又は暴力団員でなくなった日から5年を経過しない者 （2）　暴力団員等によりその事業活動を支配されている者 （3）　法人で暴力団員等を役員等とするもの	

-947-

株式（※）	1　譲渡に関して金融商品取引法その他の法令の規定により一定の手続が定められている株式で、その手続がとられていない株式	①　物納財産である株式を一般競争入札により売却することとした場合（金融商品取引法4条1項の届出及び同法15条2項の目論見書の交付が必要とされる場合に限ります。）において、その届出に係る書類及び目論見書の提出がされる見込みがないもの ②　物納株式を一般競争入札により売却することとした場合（金融商品取引法4条6項の通知書の提出及び目論見書の交付が必要とされる場合に限ります。）において、その通知書及び目論見書の提出がされる見込みがないもの
	2　譲渡制限株式 3　質権その他の担保権の目的となっている株式 4　権利の帰属について争いのある株式 5　二以上の者の共有に属する株式（共有者全員がその株式について物納の許可を申請する場合を除きます。） 6　暴力団員等によりその事業活動を支配されている株式会社又は暴力団員等を役員とする株式会社が発行した株式	
上記以外の財産	物納財産の性質が不動産又は株式に定める財産に準ずるものとして税務署長が認めるもの	

〔※上記の株式には、その権利の帰属が社債、株式等の振替に関する法律（平成13年法律第75号）の規定により振替口座簿の記載又は記録により定まるものを含みます。〕

3　物納許可申請の手続

（1）　一般的な手続

❶　物納申請書等の作成・提出

　物納の申請をする場合には、次の事項を記載した**物納申請書**に物納手続関係書類を添付し、相続税の納期限までに又は納付すべき日に提出することになっています（相法42①）。

　物納申請書の提出期限は具体的には次に掲げる期限又は日とされます（相基通42－1）。

（イ）　期限内申告書又は特別の事由が生じた場合の修正申告書を提出した場合に納付する相続税額　　　これらの申告書の提出期限

（ロ）　期限後申告書又は修正申告書（（イ）の修正申告書を除きます。）を提出した場合に納付する相続税額　　　これらの申告書の提出の日

（ハ）　更正又は決定を行った場合に納付する相続税額　　　その更正通知書又は決定通知書が発せられた日の翌日から起算して1月を経過する日

　（**注**）　第十五章に物納申請書等の様式を掲載していますので参照してください。

【記載事項】（相規22①）

イ　納税義務者の氏名、住所又は居所、個人番号又は法人番号（個人番号又は法人番号を有しない者

にあっては、氏名及び住所又は居所）並びに納税管理人の氏名、住所及び納税地

ロ　納付すべき相続税額

ハ　物納を求めようとする税額

ニ　延納によっても金銭で納付することを困難とする金額及びその困難とする事由

ホ　延納によって納付することができる額及びその計算の明細

ヘ　物納に充てようとする財産の種類、数量、価額及び所在場所

ト　物納劣後財産を物納に充てようとする場合には、その事由その他その財産を物納に充てようとする特別の事由

チ　有価証券（換価の容易なものを除きます。）又は動産を物納に充てようとする場合には、その事由その他その財産を物納に充てようとする特別の事由

リ　物納に充てようとする財産がその財産の取得の時から物納申請書の提出の時までにその状況に著しい変化を生じたものである場合には、その変化の状況の詳細

ヌ　その他参考となるべき事項

【物納手続関係書類】

　次の物納に充てようとする財産の区分に応じ次に定める書類とされていますが、物納に充てようとする土地、建物に特別な事情が存する場合にはその事情に応じて一定の書類を追加して提出を要します（相規22②③④）。

財産の区分		書　　類
土地	下記以外	登記事項証明書又は不動産番号等の明細書、公図の写し・所在図（住宅地図）、地積測量図、境界確認書・道路明示証、土地の維持管理に要する費用の明細書、税務署長が提出を求めた場合の書類（所有権移転登記承諾書、印鑑証明書）を提出する旨の確約書
	特別の事情（**注**1）がある土地	それぞれの事情に応じ、土地賃貸借契約書の写し、通行承諾書など
建物	下記以外	登記事項証明書又は不動産番号等の明細書、公図の写し・所在図（住宅地図）、建物図面・各階平面図及び間取図、建物の維持管理に要する費用の明細書、税務署長が提出を求めた場合の書類（所有権移転登記承諾書、印鑑証明書）を提出する旨の確約書、区分所有建物の場合の建物管理規約
	特別の事情（**注**2）がある建物	それぞれの事情に応じ、土地賃貸借契約書・建物賃貸借契約書の写しなど
投資証券及び証券投資信託の受益証券		金融商品取引法第2条第10項《定義》に規定する目論見書その他これに類する書類で、請求を行うことができる日が1か月につき1日以上であることを明らかにするもの
非上場株式に係る株券		株式発行法人の登記事項証明書・決算書・株主名簿の写し・税務署長が履行を求めた場合の手続（物納申請の株式の売却手続書類等の提出）を履行する旨の確約書
立木		登記事項証明書、公図の写し・所在図（住宅地図）、樹齢・樹種等を特定するための必要書類、税務署長が提出を求めた場合の書類（所有権移転登記承諾書、印鑑証明書）を提出する旨の確約書
船舶		登記事項証明書、税務署長が提出を求めた場合の書類（所有権移転登記承諾書、印鑑証明書、譲渡証明書等の収納手続に必要な書類）を提出する旨の確約書

| 動産 | 動産の価額の計算明細書、税務署長が提出を求めた場合の書類を提出する旨の確約書 |

(注1) 物納申請土地の上に建物がない場合・ある場合（申請者が物納後その土地を国から借りる場合／申請前から貸し付けている土地）、物納申請土地の借地人とその土地の上の建物の所有者が相違する場合、物納申請土地の隣地の建物等が越境している場合、物納申請土地が建築基準法の道路に接していない場合及び仮換地の場合が定められています（相規22③）。
(注2) 物納申請建物とその敷地が物納財産の場合・その敷地に借地権が設定されている場合（借家人がいる場合／物納後その建物を国から借りる場合）が定められています（相規22④）。
(注3) 法定されていない書類の提出が求められる場合があります。
(注4) 2以上の財産を物納に充てようとする場合に他の財産について同一の書類を提出するときは、重ねて提出する必要はありません（相規22⑤）。

❷ 税務署長の許可又は却下

物納申請書の提出があった場合には、税務署長は申請の内容を調査し、その調査に基づきその申請書の提出期限から3か月以内に物納財産ごとにその申請を許可又は却下します。この許可又は却下した場合は、その許可した税額及び物納財産又はその却下した旨及びその理由を、書面で申請者に通知します（相法42②③）。

(注) みなし許可は(6)❷を参照。

（2） 物納手続関係書類の提出期限延長の手続

❶ 物納手続関係書類提出期限延長届出書の提出

物納申請書の提出期限までに物納手続関係書類の全部又は一部の提出ができない場合には、その提出期限までに物納申請書に「**物納手続関係書類提出期限延長届出書**」を添付して提出することにより、物納手続関係書類の提出期限を3か月以内で申請者の定める日（記載がないときは、3か月経過日）まで延長できます（相法42④⑤、相令19の2①）。

(注) 《提出した書類に漏れがある場合》
　　　物納申請後、物納手続関係書類の提出漏れがあることに気付いた場合には、物納申請期限から1か月以内（税務署長から提出書類について不足している旨の通知があった場合は、通知の日まで）であれば、『物納手続関係書類提出期限延長届出書』を提出することにより、当初の物納申請期限に物納手続関係書類提出期限延長届出書の提出がされたものとして取り扱われます（相令19の2②）。

❷ 物納手続関係書類の提出期限の再延長

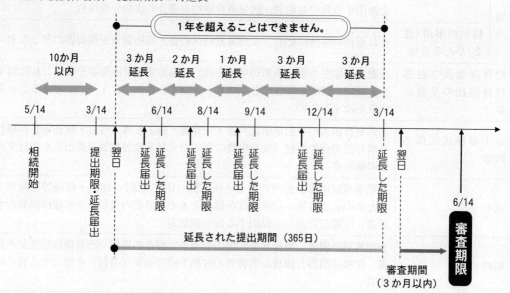

第十二章第九節《物　　納》

❶により物納手続関係書類の提出期限を延長したが、延長後の提出期限においてもまだ物納手続関係書類を提出できない場合には、その延長後の提出期限までに再度「物納手続関係書類提出期限延長届出書」を提出することにより、その提出期限を3か月以内で再延長することができます。「物納手続関係書類提出期限延長届出書」は何度でも提出できるので、一度の提出で3か月の範囲で提出期限の延長を順次行うことにより、物納申請書の提出期限から最長1年間、その提出期限を延長することができます（相法42⑥）。

（3）　税務署長の書類補完要請

イ　補完通知

　　税務署長は、提出された物納申請書等に記載不備や不足書類があるときは、申請者に対しその訂正や追加提出を求める通知書を送付します（相法42⑧⑨）。

ロ　申請書等の再提出

　　訂正した書類又は追加した書類の提出期限は、通知書を受けた日の翌日から20日以内です。期間内に訂正又は追加書類の提出がない場合は物納申請を取り下げたものとみなされます（相法42⑩）。

ハ　補完期限延長届出

　　ロの期限までに訂正等した書類を提出できない場合には、ロの期限までに「物納手続関係書類補完期限延長届出書」を提出することで、その提出期限を3か月以内で申請者の定める日（記載がないときは、3か月経過日）まで延長することができます（相法42⑪、相令19の2③）。

　　「物納手続関係書類補完期限延長届出書」は何度でも提出できるので、一度の提出で3か月の範囲で提出期限の延長を順次行うことにより、通知書を受けた日から最長1年間、その提出期限を延長することができます（相法42⑬）。

（4）　税務署長の審査期間

税務署長は(1)❷により物納申請の内容を調査し3か月以内に許可又は却下しますが、物納財産が多数であることその他の事由があるときは6か月以内、積雪などの事由があるときは9か月以内とされます。審査期間が延長される場合は、その旨を申請者に書面により通知します（相法42⑯⑰⑲）。

（5）　収納に必要な措置命令

イ　措置通知

　　税務署長は、物納許可をしようとするときに、申請者に対し、1年を超えない範囲内の期限を定めて廃棄物の撤去その他の物納財産を収納するために必要な措置を命ずる通知書を送付します。期限までに措置がとられないときは物納申請が却下されます。申請者は、措置をとった場合には、遅滞なくその旨の届出書を提出します（相法42⑳〜㉒、㉗）。

　　なお、収納するために必要な措置とは、①現状を維持するために必要な土留め、崩落防止措置、②越境樹木の枝打ち、倒木等の撤去、③地下埋設物、土壌汚染物等の除去、④ゴミその他の投棄物の撤去のようなものをいいます（相基通42−11）。

ロ　措置の期限延長届出

　　イの措置をとる期限までにその措置をとれない場合は、措置の期限までに「収納関係措置期限延長届出書」を提出することにより、その措置の期限を3か月以内で申請者の定める日（記載がないときは、3か月経過日）まで延長することができます（相法42㉓、相令19の2④）。

　　「収納関係措置期限延長届出書」は何度でも提出できるので、一度の提出で3か月の範囲で提出期限の延長を順次行うことにより、通知書を受けた日から最長1年間、その措置の期限を延長することができます（相法42㉕）。

（6）　物納許可

❶　条件付き許可

税務署長は、物納許可をする場合に物納財産の性質その他の事情に照らし必要があると認めるとき

−951−

は必要限度内で次のような条件を付することができ、その旨申請者に通知書を送付します（相法42㉚、相基通42−14）。

① 物納許可後、物納財産の収納のために必要な所有権移転手続等を要する場合

……所有権移転手続等を行うこと（有価証券の名義変更及び引渡し並びに動産の引渡し等）

② 通常の確認調査等では土壌汚染等の隠れた瑕疵がないことが確認できない場合

……瑕疵が判明した場合にはその瑕疵を除去等すること（土壌汚染の除去、地下埋設物の撤去や国が除去等を行った場合のその除去費用の支払など）

③ 取引相場のない株式の物納を許可する場合

……物納財産の収納後に一般競争入札によりその株式を売却する場合に、売却に必要な有価証券届出書等を提出すること

❷ みなす許可

税務署長は（1）❷により物納申請を許可した場合は物納許可通知書を送付しますが、同❷の期間（（2）〜（5）による延長期間を含みます。）内に許可又は却下をしない場合には、その物納の許可があったとみなされます（相法42㉛）。

❸ 収納価額

物納財産の収納価額は、相続税の課税価格計算の基礎となったその相続財産の価額になります。（小規模宅地等の課税価格の特例等の適用を受けた相続財産はその特例適用後の価格となります。）ただし、収納の時までにその財産の状況に著しい変化が生じた場合には、収納の時の現況により評価した価額となります（相法43①）。

「その財産の状況に著しい変化を生じた」かどうかの判定は、原則として許可の時における物納財産の現況によることとされています（相基通43−1）。

したがって、物納の許可を通知した後であっても、その物納財産の引渡し、所有権移転の登記等により第三者に対抗することの要件を充足するまでの間に、納税義務者の責めによりその財産の状況に著しい変化を生じたときは、収納のときの現況によって、その財産の収納価額を定めることができます（相基通43−2）。

「収納の時までに、その財産の状況に著しい変化を生じたとき」とは、例えば、次のような場合をいいます（相基通43−3）。

① 土地の地目変換があった場合（地目変換があったかどうかは土地台帳面の地目のいかんにかかわりません。）

② 荒地となった場合

③ 竹木の植付け又は伐採をした場合

④ 所有権以外の物権又は借地権の設定、変更又は消滅があった場合

⑤ 家屋の損壊（単なる日時の経過によるものは含みません。）又は増築があった場合

⑥ 自家用家屋が貸家となった場合

⑦ 引き続き居住の用に供する土地又は家屋を物納する場合

⑧ 震災、風水害、落雷、火災その他天災により法人の財産が甚大な被害を受けたことその他の事由によりその法人の株式又は出資証券の価額が評価額より著しく低下したような場合

※ 証券取引所に上場されている株式の価額が証券市場の推移による経済界の一般的事由に基づき低落したような場合には、「その他の事由」に該当しないものとして取り扱われます。

⑨ 相続開始の時において清算中の法人又は相続開始後解散した法人がその財産の一部を株主又は出資者に分配した場合（この場合において、その法人の株式又は出資証券については、課税価格計算の基礎となった評価額からその分配した金額を控除した金額を収納価額として物納に充てることができます。）

⑩ 以上に掲げた場合のほか、その財産の使用、収益又は処分について制限が付けられた場合

第十二章第九節《物 納》

(注) 相続財産である不動産を分割し、分割不動産を物納に充てる場合の収納価額は、原則として次の算式により計算した金額によります（相基通43－4）。

$$K \times \frac{A}{A+B} = 分割不動産の収納価額$$

※ 算式中の符号は、次のとおり。
K＝分割前の課税価格計算の基礎となった価額
A＝分割不動産について、相続開始時の財産評価基本通達の定めにより評価した価額
B＝分割前の不動産のうち、分割不動産以外の不動産について、相続開始時の財産評価基本通達の定めにより評価した価額

（7） 物納却下

税務署長は(1)❷により物納申請を却下した場合は物納却下通知書を送付しますが、申請者は金銭で納付する方法以外に、却下の理由に従い次の方法を選択することができます。

イ 延納申請

却下の理由が金銭納付を困難とする理由がない場合は、却下の日の翌日から20日以内に延納申請書を提出して延納の申請をすることができます。（この場合は延納の規定が準用されます。）（相法44）

ロ 物納再申請

却下の理由が管理処分不適格財産又は物納劣後財産に該当の場合は、却下の日の翌日から20日以内に他の財産により物納申請書を提出して物納の再申請をすることができます。（この場合は上記の物納の規定が準用されます。）この物納再申請は却下された財産ごとに一回限り行うことができます（相法45、相基通45－1）。

4 物納の撤回・物納許可の取消し

（1） 物納の撤回

賃借権などが設定されている不動産について物納許可を受けた後に、物納に係る税額を金銭で一時に納付又は延納により納付することができることとなったときは、物納許可後1年以内に限り「物納撤回承認申請書」又は「物納申請撤回承認兼延納申請書」を提出すれば認められます。ただしその不動産が既に換価されていたときなどは物納撤回申請は却下されます（相法46①②）。

（2） 物納許可の取消し

3(6)❶により条件付き物納許可された場合で、物納財産について一定の事項の履行を求める条件があるときに、申請者が履行期限までに一定の事項の履行をしないときは、税務署長は条件付き物納許可の通知日後5年以内にその一定の事項を履行することを求める旨の通知書を送付して、その通知書に記載された期限までにその記載された内容に基づいて措置が行われないときは物納の許可を取り消します（相法48①②）。

5 特定物納

（1） 特定物納の要件

相続税の延納の許可を受けた者が、その後の資力の変化等により延納条件の変更を行ったとしても延納によって納付することが困難となった場合には、その納付を困難とする金額を限度として、その相続税の申告期限から10年以内の物納申請により物納に変更することができます（相法48の2①②）。

（2） 特定物納の手続の概要 （相法48の2）

項　　目	特 定 物 納 制 度
申請期限	相続税の申告期限から10年以内

第十二章第九節《物　　納》

申請税額の範囲	申請時に分納期限の到来していない延納税額のうち、延納によって納付を継続することが困難な金額の範囲内（利子税・延滞税は含まれない（相基通48の2－1））
物納に充てることができない財産	管理処分不適格財産 課税価格計算の特例を受けている財産（措法69の4⑧、69の5⑫）
収納価額（原則）	特定物納申請の時の価額（相続税評価額（相基通48の2－5））
物納手続関係書類の提出期限	申請書と同時に提出。提出期限の延長をすることはできない（相基通48の2－8）。
申請書又は関係書類の訂正等の期限（補完期限）	補完通知書を受けた日の翌日から起算して20日以内で、期限の延長はできない（相基通48の2－8）。
収納に必要な措置の期限（措置期限）	措置通知書に記載された期限までに届出することにより、期限の延長ができる。
物納却下の場合	延納中の状態に戻る（相基通48の2－4）。 却下された日又はみなす取下げの日若しくは自ら取下げをした日までに、納期限が到来した分納税額については、それぞれの日の翌日から1か月以内に利子税を含めて納付する。
みなす取下げの場合	
取下げの場合	
物納の撤回	できない。
利子税の納付	当初の延納条件による利子税（不動産割合によって年2.0％～3.3％）を納付する。

6　利子税等

（1）　利子税の納付

　物納の許可があった場合は、その物納に係る相続税額の納期限又は納付すべき日（注1）の翌日から納付があったものとされる日（注2）までの期間につき利子税がかかります。利子税の割合は年7.3％（各年の前々年の9月から前年の8月までの各月における銀行の新規の短期貸出約定平均金利の合計を12で除して得た割合として各年の前年の11月30日までに財務大臣が告示する割合に、年0.5％の割合を加算した割合が年7.3％に満たない場合には、その加算した割合）です（相法53①、措法93①②）。

　（注1）　利子税の額の計算において、上記で計算した割合に0.1％未満の端数があるときはこれを切り捨てます（措法96①）。

　（注2）　3（1）❶参照。ただし、更正又は決定があった場合は、更正通知書又は決定通知書を発した日となります。

　（注3）　物納財産の引渡し、所有権移転登記など法令により第三者に対抗することができる要件を充足した時をいいます（相法43②）。

《利子税がかかる期間の具体例》

①　物納申請期限までに物納手続関係書類を提出できなかったため「物納手続関係書類提出期限延長届出書」を提出した場合の、その延長期限までの期間

②　提出された物納手続関係書類に記載不備や不足書類があったときに、税務署長から書類の提出又は訂正を求める通知書が送付された場合の、申請者がその通知を受けた日の翌日から起算して20日を経過する日までの期間

③　上記②の期間内に物納手続関係書類の提出又は訂正ができなかったため「物納手続関係書類補完

期限延長届出書」を提出した場合の、その延長期限までの期間

④　物納申請された財産について、税務署長から収納のために必要な措置を求める通知書が送付された場合の、この通知を発した日の翌日から起算して、求められた措置を了した旨を届け出た日までの期間

⑤　物納許可があった日の翌日から起算して7日を経過する日から納付があったものとされた日までの期間

　なお、物納申請が却下された場合や物納申請を取り下げたものとみなされた場合にも、納期限又は納付すべき日の翌日から、その却下の日又はみなす取下げの日までの期間について、利子税がかかります（相法53⑥）。（物納申請を自ら取り下げた場合は前記の適用がなく、延滞税がかかります（相基通53－2）。）

　また、物納の撤回が承認された場合又は物納許可取消しがあった場合の利子税についても、納期限又は納付すべき日の翌日から物納の撤回に係る一時に納付すべき相続税の納付の日（収納から物納の撤回の承認までの期間を除きます。）又は許可取消しの日まで利子税がかかります（相法53③⑦）。

〈参考〉物納に係る利子税の計算方法

　物納申請に係る利子税は、次の式により計算される金額となります。

$$\frac{\text{納付すべき本税の額（注1）} \times \text{利子税の割合} \times \text{期間（日数）（注2）}}{365} = \text{利子税の額（注3）}$$

（注1）　本税の額が10,000円未満の場合には、利子税を納付する必要はありません。
　　　　　また、本税の額に10,000円未満の端数があるときは、これを切り捨てて計算します。

（注2）　法定納期限の翌日から納付があったものとみなされる日までの期間となります。

（注3）　計算した利子税の額が1,000円未満となる場合は納付する必要はありません。
　　　　　また、その額が1,000円以上で100円未満の端数があるときは、これを切り捨てた額となります。

（2）　利子税の免除される期間

　（1）本文の場合において、納期限又は納付すべき日の翌日（物納手続関係書類提出期限延長届出書の提出があった場合は、その最終物納手続関係書類提出期限延長届出書に係る物納手続関係書類の提出期限の翌日）から納付があったとされた日までの期間（物納手続関係書類の訂正又は提出を行う期間その他の一定の期間を除きます。）に対応する部分の利子税は、納付を要しません（相法53②）。

（3）　延滞税の納付

　法定納期限までに納付がされない場合には、第五節で解説しているように延滞税がかかりますが、物納申請の場合で次のような場合は延滞税がかかります。

①　物納が却下されて税額を納付する場合に、納期限の翌日から却下の日までは利子税が、却下の日の翌日から本税を完納する日までの期間は延滞税がかかります。

②　物納許可が取り消されて税額を納付する場合に、許可された日の翌日から許可取消しの日までは利子税が、許可取消しの日の翌日から本税を完納する日までの期間は延滞税がかかります。

第十三章　相続税の更正及び決定

　相続税は所得税、法人税などと同様に申告納税制度をとっていますから、納税義務のある者が、自己の税額を計算し、納付するのが本来のあり方です。

　しかし、定められた期限までに申告がなかったり、また、申告があっても、その申告額に誤りのあるような場合があります。

　このような場合には、税務署長は、その調査したところに基づいて課税価格や税額を決定したり、又は申告のあった課税価格や税額を更正することになっています。

　しかし、長期間にわたり納税者を不安定な状態においておくことは適当ではありませんので、この更正や決定ができる期間を定めて、その期間が経過すると、税務署長は原則として更正や決定ができないこととなっています。

第一節　更　　　　　正

　提出された相続税の申告書（期限内申告書、期限後申告書及び修正申告書をいいます。）に記載されている課税価格や税額の計算が税法の規定に従ってなされていなかったとき、民法第958条の３の規定により相続財産の分与があったときその他その課税価格や税額が税務署長が調査したところと違っている場合において、その修正申告書の提出がない場合には、税務署長の調査したところにより、その申告書に記載された課税価格や税額を更正して、納税者に書面で通知することになっています（通則法24、28）。

　この更正は、必ずしも申告があった税額などを増額するためばかりでなく、減額するためにも行われます（前に述べた更正の請求に基づく更正の処分も、この更正に含まれます。）。

　この更正処分により、申告税額が増額された場合には、この増加した税額については、原則として、
①期限内申告書の提出があった場合には延滞税のほかに過少申告加算税（追徴税額の10％。ただし、期限内申告税額と50万円とのうち、いずれか多い方の金額を超える部分の増加税額については15％）
②期限後申告書の提出があった場合には延滞税のほかに無申告加算税（追徴税額の15％。50万円超の部分は、20％）
が課せられます。ただし、事実を隠ぺいし、又は仮装して過少申告等をしたため、更正を受けたような場合には、これらの加算税の代わりに重加算税（追徴税額の35％又は40％）が課税されます（通則法60、65、66、68）。

　平成29年１月１日以後に法定申告期限が到来する場合には、更正があった日の前日から起算して５年前の日までの間に、相続税について無申告加算税（更正予知によるものに限ります。）又は重加算税を課されたことがあるときは、無申告加算税の割合（15％、20％）又は重加算税の割合（35％、40％）についてそれぞれの割合に10％加算されます。

第二節　決　　　　　定

　相続税の申告義務のある者が、相続税の申告書をその期限内に提出しなかった場合には、税務署長はその調査したところによって、課税価格や税額を決定して書面で通知することになっています（通則法25、28）。

　この場合は、延滞税のほかにその決定によって納付すべき税額について、無申告加算税（納付税額の15％。50万円超の部分は、20％）が課せられます。

ただし、事実を隠ぺいし、又は仮装してそれに基づいて申告をしていなかったため決定を受けた場合には、無申告加算税の代わりに重加算税（徴収税額の40％）が課せられます（通則法60、66、68）。

平成29年1月1日以後に法定申告期限等が到来する場合には、決定があった日の前日から起算して5年前の日までの間の相続税について、無申告加算税（更正予知によるものに限ります。）又は重加算税を課されたことがあるときは、無申告加算税の割合（15％、20％）又は重加算税の割合（40％）についてそれぞれの割合に10％加算されます。

なお、相続税法では、次のような場合には、その申告期限前であっても相続税の課税価格や税額を決定することができることになっています（相法35②）。

①　相続税の申告義務があると認められる者（相法27①）やその申告義務者が死亡したためその相続人などが申告義務を承継する場合（相法27②）において、第一次相続に係る被相続人が死亡した日の翌日から10か月を経過したとき。

②　相続財産法人に係る財産を与えられたために相続税の申告義務があると認められる者（相法29①）や、その申告義務者が死亡したために、その相続人などが申告義務を承継する場合（相法29②）において、相続財産の分与があった日の翌日から10か月を経過したとき。

この決定を受けた場合には、申告期限までに相続税の申告書を提出する必要がなくなります（相法27⑥、29②）。

第三節　特別な場合の更正、決定

税務署長は、次の事由による更正の請求（相法32一～六）に基づいて、更正した場合において、①その更正の請求をした者の被相続人から相続又は遺贈により財産を取得した他の者（その被相続人から相続時精算課税の適用を受ける財産を贈与により取得した者を含みます。以下、本節において同じ。）の課税価格や税額に異動が生じた場合又は、②新たに納付すべき税額があることとなった場合には、これらの者については、その事実に基づいて、その相続税の課税価格や税額を更正又は決定することになります。

しかしこの更正又は決定は、その請求があった日から1年を経過した日と、次の「第五節　更正、決定等の期間制限」に説明する更正や決定ができないこととなる日のいずれか遅い日より後には、できないことになっています（相法35③）。

①　未分割遺産について分割の確定があったこと。

②　認知、相続人の廃除などに関する裁判の確定などによって相続人に異動が生じたこと。

③　遺留分侵害額の請求に基づき支払額が確定したこと。

④　遺贈についての遺言書の発見又は遺贈の放棄があったこと。

⑤　条件付物納許可の物納に充てた土地の土壌汚染又は地下に廃棄物等があることが判明したこと。

⑥　財産について権利の帰属に関する訴えの判決があったこと。

⑦　相続開始後に新たに子と推定された者又は認知された者の請求により遺産分割後に弁済額が確定したこと。

⑧　条件付の遺贈の条件の成就の到来。

第四節　再　更　正

　更正又は決定後において、税務署長はその更正又は決定をした課税価格等又は税額等が過大又は過少であることを知ったときは、その調査により、その更正又は決定に係る課税価格等又は税額等を更に更正することができます（通則法26）。この更正を再更正といいます。

第五節　更正、決定等の期間制限

　更正や決定については、次のような一定の期間制限が定められており、無制限にはできないことになっています（通則法70、71）。

　その期間については、更正決定等は、①通常の場合は申告期限（還付請求申告書についてはその提出の日）から5年間とされており、②偽りその他不正の行為により相続税を不当に免れていた場合には申告期限から7年間とされており、この期間を経過した日以後は更正をすることができないことになっています（通則法70①、④）。

　令和5年4月1日以後に相続税の申告書の提出期限が到来する相続について、共同相続人等のうち一部の者から更正決定等をすることができないこととなる日前6月以内に相続税について更正の請求がされた場合において、その請求に係る更正に伴いその請求をした者以外の共同相続人等に係る相続税の課税価格又は相続税額に異動を生ずるとき（共同相続人等のうち一部の者からされた更正の請求が、その更正の請求をした者以外の共同相続人等について上記の規定により更正決定等をすることができないこととなる日6月以内にされた場合に限ります。）は、次の①又は②については、上記の規定にかかわらず、その請求があった日から6月を経過する日まで、することができます（相法36）。

①　その更正の請求をした者以外の共同相続人等に係る上記の課税価格又は税額に異動を生ずる相続税に係る更正又は決定

②　①の更正若しくは決定又は①の相続税に係る期限後申告書若しくは修正申告書の提出に伴い相続税に係る加算税についてする賦課決定

第六節　更正又は決定があった場合の通知と納税

　税務署長が、以上に述べたところにより、相続税の課税価格又は税額を更正し、又は決定した場合においては、更正通知書又は決定通知書によって納税義務者に通知しなければならないことになっています。

　更正通知書又は決定通知書を受け取った場合には、その通知の日から1か月以内に、その通知書に記載された税額を国に納付しなければなりません（通則法35②）。

第七節　同族会社等の行為又は計算の否認等

1　同族会社等の行為又は計算の否認

　同族会社等（法人税法第2条第10号に規定する同族会社又は所得税法第157条第1項第2号に掲げる法人をいいます。）の行為又は計算で、その行為又は計算を容認した場合に、その株主若しくは社員又はその親族その他これらの者と特別の関係のある者の相続税の負担を、不当に減少させる結果となると認められるものがある場合には、税務署長は、その者の相続税について、同族会社等の行為や計算にかかわらず調査に基づいて、その認めるところにより課税価格を計算して更正又は決定をすること

-958-

ができるものとされています。この規定は、同族会社等の行為又は計算の否認の規定（法人税法第132条第1項又は所得税法第157条第1項）の適用があった場合の前記の株主等の相続税の更正又は決定に準用されます（相法64①②③）。

　なお、同族会社等であるかどうかの判定は、その行為又は計算の事実があったときの状況により行われます。

2　組織再編法人の行為又は計算の否認

　合併、分割、現物出資若しくは現物分配又は株式交換等・株式移転（以下「合併等」といいます。）をした法人又は合併等により資産及び負債の移転を受けた法人の行為又は計算で、これを容認した場合にはその合併等をした法人若しくはその合併等により資産及び負債の移転を受けた法人の株主若しくは社員又はこれらの者と特別の関係がある者の相続税の負担を不当に減少させる結果となると認められるものがあるときは、税務署長は、その者の相続税について、これらの法人の行為や計算にかかわらず調査に基づいて、その認めるところにより課税価格を計算して更正又は決定をすることができるものとされています（相法64④）。

第十四章　更正や決定に不服がある場合等

　納税者が税務署長から更正や決定を受け、それについて不服がある場合の救済手続として、次のようなものがあります。

1　再調査の請求・審査請求

　相続税の課税価格についての更正や決定に対して不服のある者は、税務署長等が行った処分の通知を受けた日の翌日から3か月以内に、①税務署長等に対する再調査の請求又は②国税不服審判所長に対する審査請求のいずれかを選択してすることができます（通則法75①②）。

　なお、①の再調査の請求を行った場合でも、税務署長等の再調査の請求に係る決定（以下「再調査決定」といいます。）後の処分になお不服があるときには、再調査決定書の謄本の送達があった日の翌日から1か月以内に、国税不服審判所長に対して審査請求をすることができます（通則法75③、77②）。

　（注1）　再調査の請求をした日の翌日から起算して3か月を経過しても再調査決定がない場合には、再調査決定を経ないで国税不服審判所長に対して審査請求をすることができます（通則法75④）。

　（注2）　審査請求をした日の翌日から起算して3か月を経過しても裁決がない場合には、裁決を経ないで裁判所に訴訟を提起することができます（通則法115①）。

　なお、国税不服審判所長の審査請求についての裁決は、担当審判官及び参加審判官の議決に基づいて行うことになっています（通則法98④）。

2　国税不服審判所の役割

　国税不服審判所は、納税者と税務署との間に生じた問題を公平な立場で解決するために設けられている機関で、第三者的な立場で納税者の不服を審査し、かつ自らこれを裁決します。

　審議に当たっては担当審判官1名と参加審判官2名以上をもって構成する合議体の合議によって、行うことになっています（通則法94）。

　なお、国税不服審判所は国税局所在地のほか、大阪国税局管内においては、京都、神戸の各市に支所が設けられています。

3　国税不服審判所長の審査請求についての裁決に不服がある場合

　国税不服審判所長の審査請求についての裁決に対しても、なお不服のある者は、審査請求に対する裁決があったことを知った日の翌日から6か月以内に、裁判所に対して訴訟を提起することができます（行政事件訴訟法14）。

　訴訟は、原則として、審査請求についての裁決を経た後でなければすることができません（不服申立前置主義）。ただし、①審査請求をした日の翌日から起算して3か月たったとき、②更正、決定等の取消しを求める訴えを提起した者が、その訴訟の係属している間にその更正、決定等による国税の課税標準等についてされた他の更正、決定等の取消しを求めようとするとき、又は③審査請求についての裁決を経ることによって著しい損害を生ずるおそれのあるようなときは、審査請求についての裁決を経ないでも、訴訟を提起することができます（通則法115）。

第十五章　相続税の申告書等の書き方

第一節　相続税の申告書及び添付書類

1　申　告　書

相続税の申告に当たって提出する書類は、次のとおりです。

相続税の申告書……第1表・第1表続　相続税の申告書

〃　　……第1表の付表1　納税義務等の承継に係る明細書（兼相続人の代表者指定届出書）

〃　　……第1表の付表2　還付される税額の受取場所

〃　　……第1表の付表3　受益者等が存しない信託等に係る相続税額の計算明細書

〃　　……第1表の付表4　人格のない社団等又は持分の定めのない法人に課される相続税額の計算明細書

〃　　……第1表の付表5　特定一般社団法人等に課される相続税額の計算明細書

〃　　……第1表の付表5（別表1・別表2）　特定一般社団法人等に課される相続税額の計算明細書（別表1・別表2）

〃　　……第2表　相続税の総額の計算書

〃　　……第3表　財産を取得した人のうちに農業相続人がいる場合の各人の算出税額の計算書

〃　　……第4表　相続税額の加算金額の計算書

〃　　……第4表の付表　相続税額の加算金額の計算書付表

〃　　……第4表の2　暦年課税分の贈与税額控除額の計算書

〃　　……第5表　配偶者の税額軽減額の計算書

〃　　……第5表の付表　配偶者の税額軽減額の計算書（付表）

〃　　……第6表　未成年者控除額・障害者控除額の計算書

〃　　……第7表　相次相続控除額の計算書

〃　　……第8表　外国税額控除額・農地等納税猶予税額の計算書

〃　　……第8の2表　株式等納税猶予税額の計算書（一般措置用）

〃　　……第8の2表の付表1・第8の2表の付表2　非上場株式等についての相続税の納税猶予及び免除の適用を受ける対象非上場株式等の明細書

〃　　……第8の2表の付表3　非上場株式等についての相続税の納税猶予及び免除の適用を受ける対象相続非上場株式等の明細書（一般措置用）

〃　　……第8の2表の付表4　非上場株式等についての相続税の納税猶予及び免除の適用に係る会社が災害等により被害を受けた場合の明細書（一般措置用）

〃　　……第8の2の2表　特例株式等納税猶予税額の計算書（特例措置用）

〃　　……第8の2の2表の付表1　非上場株式等についての相続税の納税猶予及び免除の特例の適用を受ける特例対象非上場株式等の明細書（特例措置用）

〃　　……第8の2の2表の付表2　非上場株式等についての相続税の納税猶予及び免除の特例の適用を受ける特例対象相続非上場株式等の明細書（特例措置用）

〃　　……第8の2の2表の付表3　非上場株式等についての相続税の納税猶予及び免除の特例の適用に係る会社が災害等により被害を受けた場合の明細書

－961－

第十五章《相続税の申告書等の書き方》

（特例措置用）

相続税の申告書……第8の3表　山林納税猶予税額の計算書	
〃　　　　……第8の3表の付表　山林についての納税猶予の適用を受ける特例山林及び特例施業対象山林の明細書	
〃　　　　……第8の4表　医療法人持分納税猶予税額・税額控除額の計算書	
〃　　　　……第8の4表の付表　医療法人の持分の明細書・基金拠出型医療法人へ基金を拠出した場合の医療法人持分税額控除額の計算明細書	
〃　　　　……第8の5表　美術品納税猶予税額の計算書	
〃　　　　……第8の5表の付表　特定の美術品についての納税猶予の適用を受ける特定美術品の明細書	
〃　　　　……第8の6表　事業用資産納税猶予税額の計算書	
〃　　　　……第8の6表の付表1　個人の事業用資産についての相続税の納税猶予及び免除の適用を受ける特定事業用資産の明細書	
〃　　　　……第8の6表の付表2　個人の事業用資産についての相続税の納税猶予及び免除の適用を受ける特例受贈事業用資産の明細書（一般用）	
〃　　　　……第8の6表の付表2の2　個人の事業用資産についての相続税の納税猶予及び免除の適用を受ける特例受贈事業用資産の明細書（株式等用）	
〃　　　　……第8の6表の付表3　個人の事業用資産についての相続税の納税猶予及び免除の適用に係る宅地等及び建物の明細書	
〃　　　　……第8の6表の付表4　個人の事業用資産についての相続税の納税猶予及び免除の適用に係る特定債務額の計算明細書	
〃　　　　……第8の7表　納税猶予税額等の調整計算書	
〃　　　　……第8の8表　税額控除額及び納税猶予税額の内訳書	
〃　　　　……第9表　生命保険金などの明細書	
〃　　　　……第10表　退職手当金などの明細書	
〃　　　　……第11表　相続税がかかる財産の合計表（相続時精算課税適用財産を除きます。）	
〃　　　　……第11表の付表1　相続税がかかる財産の明細書（土地・家屋等用）	
〃　　　　……第11表の付表2　相続税がかかる財産の明細書（有価証券用）	
〃　　　　……第11表の付表3　相続税がかかる財産の明細書（現金・預貯金等用）	
〃　　　　……第11表の付表4　相続税がかかる財産の明細書（事業（農業）用財産・家庭用財産・その他の財産用）	
〃　　　　……第11の2表　相続時精算課税適用財産の明細書、相続時精算課税分の贈与税額控除額の計算書	
〃　　　　……第11・11の2表の付表1・第11・11の2表の付表1続　小規模宅地等についての課税価格の計算明細書	
〃　　　　……第11・11の2表の付表1（別表1・別表1の2）　小規模宅地等についての課税価格の計算明細書（別表1・別表1の2）	
〃　　　　……第11・11の2表の付表1（別表2）　特定事業用宅地等についての事業規模の判定明細	
〃　　　　……第11・11の2表の付表2　小規模宅地等の特例、特定計画山林の特例又は個人の事業用資産の納税猶予の適用にあたっての同意及び特定計画山林についての課税価格の計算明細書	
〃　　　　……第11・11の2表の付表2の2　特定事業用資産等についての課税価格の計算明細書	
〃　　　　……第11・11の2表の付表3　特定受贈同族会社株式等である選択特定事業用資産	

－962－

第十五章《相続税の申告書等の書き方》

についての課税価格の計算明細

相続税の申告書……第11・11の2表の付表3の2　特定受贈同族会社株式等について会社分割等が
　　　　　　　　　　　あった場合の特例の対象となる価額等の計算明細

　　〃　　　　……第11・11の2表の付表4　特定森林経営計画対象山林又は特定受贈森林経営計
　　　　　　　　　　　画対象山林である選択特定計画山林についての課税価格の計算明細

　　〃　　　　……第11の3表　個人の事業用資産の贈与者が死亡した場合の相続税の課税の特例
　　　　　　　　　　　の適用に係る特例受贈事業用資産の明細書

　　〃　　　　……第12表　農地等について納税猶予の適用を受ける特例農地等の明細書
　　〃　　　　……第13表　債務及び葬式費用の明細書
　　〃　　　　……第14表　純資産価額に加算される暦年課税分の贈与財産価額及び特定贈与財産
　　　　　　　　　　　価額・出資持分の定めのない法人などに遺贈した財産・特定の公益法
　　　　　　　　　　　人などに寄附した相続財産・特定公益信託のために支出した相続財産
　　　　　　　　　　　の明細書

　　〃　　　　……第15表・第15表続　相続財産の種類別価額表

2　本人確認書類の写し

　相続税の申告書に記載されたマイナンバー（個人番号）について、税務署で本人確認（①番号確認
及び②身元確認）を行うため、次の本人確認書類の写しを添付する必要があります。

　なお、税務署の窓口で相続税の申告書を提出する場合には、本人確認書類の写しを添付せずに、本
人確認書類を提示しても構いません。

　また、下記3の書類と重複するものがある場合には、重ねて提出する必要はありません。

【本人確認書類】

①	番号確認書類（マイナンバー（12桁）を確認できる書類）として次に掲げるいずれかの書類 ・マイナンバーカード（個人番号カード）【裏面】(**注1**)　・通知カード(**注2**) ・住民票の写し（マイナンバーの記載があるものに限ります。）　　など
②	身元確認書類（記載されたマイナンバーの持ち主であることを確認できる書類）として次に掲げるいずれかの書類 ・マイナンバーカード（個人番号カード）【表面】(**注1**)　・運転免許証　・身体障害者手帳 ・パスポート　・在留カード　・公的医療保険の被保険者証(**注3**)　　など

（**注1**）　マイナンバーカードの表面で身元確認、裏面で番号確認を行いますので、本人確認書類として写しを添
　　　　付する場合は、表面と裏面の両面の写しが必要となります。

（**注2**）　通知カードは令和2年5月25日に廃止されていますが、通知カードに記載された氏名、住所などが住民
　　　　票に記載されている内容と一致している場合に限り、引き続き番号確認書類として利用できます。

（**注3**）　「公的医療保険の被保険者証」の写しを添付する場合、写しの保険者番号及び被保険者等記号・番号部
　　　　分を復元できない程度に塗り潰してください。

3　添　付　書　類

　相続税の申告書に添付する主な書類は次のとおりです。なお、重複する書類がある場合には、重ね
て提出する必要はありません。

（1）　一般の場合（（2）～（16）の特例等の適用を受けない場合）

①	次のいずれかの書類 イ　被相続人の全ての相続人を明らかにする戸籍の謄本（相続開始の日から10日を経過した 　　日以後に作成されたもの）

−963−

ロ　図形式の法定相続情報一覧図の写し（子の続柄が実子又は養子のいずれであるかが分かるように記載されたものに限ります。）

　　　なお、被相続人に養子がいる場合には、その養子の戸籍の謄本又は抄本の提出も必要です。

　　ハ　イ又はロをコピー機で複写したもの

②	遺言書の写し又は遺産分割協議書の写し（**注**）

　（**注**）　②の書類については、提出をお願いしている書類です。

（２）　相続時精算課税適用者がいる場合

①	（１）の①に掲げる書類
②	遺言書の写し又は遺産分割協議書の写し（**注**）
③	被相続人の戸籍の附票の写し（相続開始の日以後に作成されたもの）（コピー機で複写したものを含みます。）

　（**注**）　②の書類については、提出をお願いしている書類です。

（３）　相続開始の年に被相続人から贈与によって取得した特定贈与財産の価額について贈与税の課税価格に算入する（相続税の課税価格に加算しない）場合

①	登記事項証明書などで贈与を受けた者が居住用不動産を取得したことを証する書類（不動産番号の記載のある書類の添付によりこれに代えることができます。）
②	贈与を受けた配偶者の戸籍の附票の写し（被相続人からの贈与を受けた日から10日を経過した日以後に作成されたもの）

（４）　配偶者の税額軽減の適用を受ける場合

①	（１）の①に掲げる書類
②	遺言書の写し又は遺産分割協議書の写し
③	相続人全員の印鑑証明書（遺産分割協議書に押印したもの）
④	申告期限後３年以内の分割見込書（申告期限内に分割ができない場合に提出してください。）

（５）　小規模宅地等の特例の適用を受ける場合（**注１**）

①	（１）の①に掲げる書類		
②	遺言書の写し又は遺産分割協議書の写し		
③	相続人全員の印鑑証明書（遺産分割協議書に押印したもの）		
④	申告期限後３年以内の分割見込書（申告期限内に分割ができない場合に提出してください。）		
⑤	特定居住用宅地等に該当する宅地等（**注２**）	1	次に掲げる被相続人の親族（配偶者を除きます。）が、被相続人等の居住の用に供されていた宅地等について特例の適用を受ける場合 ・被相続人の居住の用に供されていた一棟の建物に居住していた親族 ・被相続人と生計を一にしていた親族
			特例の適用を受ける宅地等を自己の居住の用に供していることを明らかにする書類（特例の適用を受ける人がマイナンバー（個人番号）を有する場合には提出不要です。）
		2	被相続人の親族で、相続開始前３年以内に自己等が所有する家屋に

-964-

第十五章《相続税の申告書等の書き方》

			居住したことがないことなど一定の要件を満たす人が、被相続人の居住の用に供されていた宅地等について特例の適用を受ける場合
			イ　相続開始前3年以内における住所又は居所を明らかにする書類（特例の適用を受ける人がマイナンバー（個人番号）を有する場合には提出不要です。） ロ　相続開始前3年以内に居住していた家屋が、自己、自己の配偶者、三親等内の親族又は特別の関係がある一定の法人の所有する家屋以外の家屋である旨を証する書類 ハ　相続開始の時において自己の居住している家屋を相続開始前のいずれの時においても所有していたことがないことを証する書類
		3	被相続人が養護老人ホームに入所していたことなど一定の事由により相続開始の直前において被相続人の居住の用に供されていなかった宅地等について特例の適用を受ける場合
			イ　被相続人の戸籍の附票の写し（相続開始の日以後に作成されたもの） ロ　介護保険の被保険者証の写しや障害者の日常生活及び社会生活を総合的に支援するための法律第22条第8項に規定する障害福祉サービス受給者証の写しなど、被相続人が介護保険法第19条第1項に規定する要介護認定、同条第2項に規定する要支援認定を受けていたこと若しくは介護保険法施行規則第140条の62の4第2号に該当していたこと又は障害者の日常生活及び社会生活を総合的に支援するための法律第21条第1項に規定する障害支援区分の認定を受けていたことを明らかにする書類 ハ　施設への入所時における契約書の写しなど、被相続人が相続開始の直前において入居又は入所していた住居又は施設の名称及び所在地並びにその住居又は施設が次のいずれに該当するかを明らかにする書類 　（イ）　老人福祉法第5条の2第6項に規定する認知症対応型老人共同生活援助事業が行われる住居、同法第20条の4に規定する養護老人ホーム、同法第20条の5に規定する特別養護老人ホーム、同法第20条の6に規定する軽費老人ホーム又は同法第29条第1項に規定する有料老人ホーム 　（ロ）　介護保険法第8条第28項に規定する介護老人保健施設又は同条第29項に規定する介護医療院 　（ハ）　高齢者の居住の安定確保に関する法律第5条第1項に規定するサービス付き高齢者向け住宅（（イ）の有料老人ホームを除きます。） 　（ニ）　障害者の日常生活及び社会生活を総合的に支援するための法律第5条第11項に規定する障害支援施設（同条第10項に規定する施設入所支援が行われるものに限ります。）又は同条第17項に規定する共同生活援助を行う住居
⑥	特定事業用宅地等に該当する宅地等		一定の郵便局舎の敷地の用に供されている宅地等の場合には、総務大臣が交付した証明書

—965—

第十五章《相続税の申告書等の書き方》

		イ　特例の対象となる法人の定款（相続開始の時に効力を有するものに限ります。）の写し
⑦	特定同族会社事業用宅地等に該当する宅地等	ロ　特例の対象となる法人の相続開始の直前における発行済株式の総数又は出資の総額及び被相続人及び被相続人の親族その他被相続人と特別の関係がある者が有するその法人の株式の総数又は出資の総額を記載した書類（特例の対象となる法人が証明したものに限ります。）
⑧	貸付事業用宅地等に該当する宅地等	貸付事業用宅地等が相続開始前3年以内に新たに被相続人等の貸付事業の用に供されたものであるときには、被相続人等が相続開始の日まで3年を超えて特定貸付事業を行っていたことを明らかにする書類

（注1）　小規模宅地等の特例の適用を受ける場合には、①～④に掲げる書類を提出するとともに、この特例の適用を受ける宅地等の区分（⑤～⑧）に応じ、それぞれ⑤～⑧に掲げる書類を提出してください。

（注2）　⑤の宅地等について特例の適用を受ける場合には、⑤の1から3の場合に該当するときは、それぞれ⑤の1から3に掲げる書類で、特例の適用を受ける人に係るものを提出してください。

（6）　特定計画山林の特例の適用を受ける場合

①	（1）の①に掲げる書類
②	遺言書の写し又は遺産分割協議書の写し
③	相続人全員の印鑑証明書（遺産分割協議書に押印したもの）
④	申告期限後3年以内の分割見込書（申告期限内に分割ができない場合に提出してください。）
⑤	市町村長等の認定を受けた森林経営計画書の写し
⑥	その他特例の適用要件を確認する書類

（7）　特定受贈同族会社株式等に係る特定事業用資産の特例の適用を受ける場合

①	（1）の①に掲げる書類
②	遺言書の写し又は遺産分割協議書の写し
③	相続人全員の印鑑証明書（遺産分割協議書に押印したもの）
④	その他特例の適用要件を確認する書類

（8）　農地等についての相続税の納税猶予及び免除等の適用を受ける場合

①	（1）の①に掲げる書類
②	遺言書の写し又は遺産分割協議書の写し
③	相続人全員の印鑑証明書（遺産分割協議書に押印したもの）
④	相続税の納税猶予に関する適格者証明書
⑤	（1）　特例農地等のうちに都市営農農地等がある場合には、その都市営農農地等が特例の対象となる農地又は採草放牧地に該当する旨の市長（区長）の証明書 （2）　特例農地等のうちに市街化区域内農地等（相続又は遺贈により取得した日において都市営農農地等を有しない農業相続人が有するものに限り、生産緑地地区内にあるものを除きます。）がある場合には、その市街化区域内農地等が市街化区域内農地等である特例農地等に該当することを証する市長村長の書類
⑥	特例農地のうちに準農地がある場合には、その土地が準農地に該当する旨の市長村長の証明書

—966—

第十五章《相続税の申告書等の書き方》

⑦	特例農地等のうちに、農地法第43条第1項の規定により農作物の栽培を耕作に該当するものとみなして適用する同法第2条第1項に規定する農地がある場合には、その農地が同法第43条第2項に規定する農作物栽培高度化施設の用に供されているものである旨の農業委員会の証明書
⑧	その他特例の適用要件を確認する書類
⑨	担保提供書及び担保提供関係書類　※担保提供関係書類の主なもの（担保が特例農地等の場合） ・登記事項証明書（不動産番号の記載のある書類の添付によりこれに代えることができます。） ・固定資産評価証明書など特例農地等の評価の明細 ・抵当権設定に必要な書類（抵当権設定登記承諾書、印鑑証明書）

(注)　特定貸付け等を行っている農地又は採草放牧地について、農地等についての相続税の納税猶予及び免除等の適用を受ける場合には、特定貸付けに関する届出書又は認定都市農地貸付け等に関する届出書及びその添付書類を相続税の申告書に添付して提出します。

※　特定貸付け等を行った日の翌日から2か月を経過する日が相続税の申告書の提出期限後となる場合で、申告書に届出書を添付して提出ができないときには、申告書に農業相続人が特定貸付け又は認定都市農地貸付け若しくは農園用地貸付けを行った特定貸付農地等に関する明細書又は貸付都市農地等に関する明細書を添付して提出し、届出書は特定貸付け等を行った日から2か月以内に提出します。

（9）　非上場株式等についての相続税の納税猶予及び免除の特例の適用を受ける場合（特例措置）

①	（1）の①に掲げる書類
②	遺言書の写し又は遺産分割協議書の写し
③	相続人全員の印鑑証明書（遺産分割協議書に押印したもの）
④	中小企業における経営の承継の円滑化に関する法律施行規則第7条第14項の都道府県知事の認定書の写し及び同条第7項の申請書の写し
⑤	中小企業における経営の承継の円滑化に関する法律施行規則第17条第5項の都道府県知事の確認書の写し及び同条第2項の申請書の写し
⑥	会社の定款の写し
⑦	その他特例の適用要件を確認する書類
⑧	担保提供書及び担保提供関係書類　※担保提供関係書類の主なもの（担保が（特例）対象（相続）非上場株式等の場合） （1）　株式の場合 　イ　株券発行会社の場合 　　・供託書正本（株券を法務局（供託所）に供託する必要があります。） 　ロ　株券不発行会社の場合 　　・相続人等が所有する非上場株式についての質権設定の承諾書　・印鑑証明書（質権設定の承諾書に押印したもの） 　　※　質権設定後に、会社法第149条第1項の書面及び印鑑証明書（その書面に押印したもの）を提出する必要があります。 （2）　出資の持分の場合 　・質権設定の承諾書　・印鑑証明書　・（特例）対象（相続）非上場株式等に係る会社が自社の持分に質権を設定されることについて承諾したことを証する書類（非上場株式等についての相続税の納税猶予の（特例の）適用を受ける（特例）経営（相続）承継相続人等（受

－967－

第十五章《相続税の申告書等の書き方》

贈者）が持分の全部を担保提供する場合に限ります。）

(10) 非上場株式等の特例贈与者が死亡した場合の相続税の納税猶予及び免除の特例の適用を受ける場合を受ける場合（特例措置）

①	（1）の①に掲げる書類
②	遺言書の写し又は遺産分割協議書の写し
③	中小企業における経営の承継の円滑化に関する法律施行規則第13条第12項の都道府県知事の確認書の写し及び同条第4項又は第5項において準用する同条第2項の申請書の写し
④	会社の定款の写し
⑤	その他特例の適用要件を確認する書類
⑥	担保提供書及び担保提供関係書類　（9）の⑧に同じ

(注)　②の書類については、提出をお願いしている書類です。

(11) 非上場株式等についての相続税の納税猶予及び免除の適用を受ける場合（一般措置）

①	（1）の①に掲げる書類
②	遺言書の写し又は遺産分割協議書の写し
③	相続人全員の印鑑証明書（遺産分割協議書に押印したもの）
④	中小企業における経営の承継の円滑化に関する法律施行規則第7条第14項の都道府県知事の認定書の写し及び同条第3項（同条5項において準用する場合を含みます。）の申請書の写し
⑤	会社の定款の写し
⑥	その他特例の適用要件を確認する書類
⑦	担保提供書及び担保提供関係書類　（9）の⑧に同じ

(12) 非上場株式等の贈与者が死亡した場合の相続税の納税猶予及び免除の適用を受ける場合（一般措置）

①	（1）の①に掲げる書類
②	遺言書の写し又は遺産分割協議書の写し
③	中小企業における経営の承継の円滑化に関する法律施行規則第13条第12項の都道府県知事の確認書の写し及び同条第2項（同条3項において準用する場合を含みます。）の申請書の写し
④	会社の定款の写し
⑤	その他特例の適用要件を確認する書類
⑥	担保提供書及び担保提供関係書類　（9）の⑧に同じ

(注)　②の書類については、提出をお願いしている書類です。

(13) 山林についての相続税の納税猶予及び免除の適用を受ける場合

①	（1）の①に掲げる書類
②	遺言書の写し又は遺産分割協議書の写し
③	相続人全員の印鑑証明書（遺産分割協議書に押印したもの）
④	特例の適用要件に該当することについての市町村長の証明書及び農林水産大臣の証明書並びに農林水産大臣の確認書

第十五章《相続税の申告書等の書き方》

⑤	市町村長等の認定を受けた森林経営計画書の写し及びその森林経営計画の市町村長等の認定に係る通知の写し
⑥	森林法第17条第２項の届出書の写し
⑦	その他特例の適用要件を確認する書類
⑧	担保提供書及び担保提供関係書類　※担保提供関係書類の主なもの（担保が特例山林の場合） ・登記事項証明書（不動産番号の記載のある書類の添付によりこれに代えることができます。） ・固定資産評価証明書など特例山林の評価の明細 ・抵当権設定に必要な書類（抵当権設定登記承諾書、印鑑証明書）

(14) 医療法人の持分についての相続税の納税猶予及び免除・税額控除の適用を受ける場合

①	（１）の①に掲げる書類
②	遺言書の写し又は遺産分割協議書の写し
③	相続人全員の印鑑証明書（遺産分割協議書に押印したもの）
④	認定医療法人が厚生労働大臣の認定を受けていることを証する書類
⑤	認定医療法人の認定移行計画の写し
⑥	相続開始の直前及び相続開始の時における認定医療法人の出資者名簿の写し
⑦	医療法人の持分についての相続税の税額控除の適用を受ける場合 認定医療法人の持分の放棄をする際に認定医療法人に提出した厚生労働大臣が定める「出資持分の放棄申出書」（認定医療法人が受理した年月日の記載があるものに限ります。）の写し
⑧	医療法人の持分についての相続税の税額控除の適用を受ける場合 相続人等による認定医療法人の持分の放棄の直前及びその放棄の時におけるその認定医療法人の出資者名簿の写し
⑨	医療法人の持分についての相続税の税額控除の適用を受ける場合(認定医療法人が基金拠出型医療法人への移行をする場合において、持分の一部を放棄し、その残余の部分を基金として拠出したときに限ります。) 基金拠出型医療法人の定款(認定医療法人から基金拠出型医療法人への移行のための医療法第54条の９第３項の規定による都道府県知事の認可を受けたものに限ります。)の写し
⑩	その他特例の適用要件を確認する書類
⑪	医療法人の持分についての相続税の納税猶予及び免除の適用を受ける場合 担保提供書及び担保提供関係書類　※担保提供関係書類の主なもの(担保が特例の適用に係る認定医療法人の持分の場合) ・相続人等が有する認定医療法人の持分についての質権設定の承諾書　・印鑑証明書　・特例の適用に係る認定医療法人が、相続人等が有する持分に質権を設定されることについて承諾した旨が記載された公正証書など、租税特別措置法施行規則第23条の12の８第１項第３号に規定する書類

(注)　医療法人の持分についての相続税の納税猶予及び免除の適用を受ける場合には、①～⑥及び⑪に掲げる書類を、医療法人の持分についての相続税の税額控除の適用を受ける場合には、①～⑨に掲げる書類（⑨については、一定の場合に限ります。）を提出してください。

(15)　特定の美術品についての相続税の納税猶予及び免除の適用を受ける場合

①	（1）の①に掲げる書類
②	遺言書の写し又は遺産分割協議書の写し
③	相続人全員の印鑑証明書（遺産分割協議書に押印したもの）
④	認定保存活用計画に係る計画書の写し及び認定に係る通知の写し
⑤	評価価格通知書の写し
⑥	寄託契約書など、寄託先美術館の設置者に寄託していたことを明らかにする書類
⑦	その他特例の適用要件を確認する書類
⑧	担保提供書及び担保提供関係書類　※担保提供関係書類の主なもの（担保が特定美術品の場合） ・寄託相続人が寄託先美術館の設置者に対し特定美術品を税務署長のために保管することを命じたこと及び寄託先美術館の設置者が当該保管について承諾したことを証する確定日付のある証書　・印鑑証明書　・特定美術品に付された保険に係る保険証券の写し　・特定美術品に付された保険に係る保険金請求権に質権を設定することの承認を請求するための書類

(16)　個人の事業用資産についての相続税の納税猶予及び免除の適用を受ける場合

①	（1）の①に掲げる書類
②	遺言書の写し又は遺産分割協議書の写し
③	相続人全員の印鑑証明書（遺産分割協議書に押印したもの）
④	中小企業における経営の承継の円滑化に関する法律施行規則第7条第14項の都道府県知事の認定書の写し及び同条第11項の申請書の写し
⑤	中小企業における経営の承継の円滑化に関する法律施行規則第17条第5項の都道府県知事の確認書の写し及び同条第4項の申請書の写し
⑥	地方税法第393条の規定による通知に係る通知書の写しなど、租税特別措置法施行規則第23条の8の9第12項第4号に規定する特定事業用資産の区分に応じて定める書類
⑦	被相続人が60歳以上で死亡した場合には、後継者が相続開始の直前において特定事業用資産に係る租税特別措置法第70条の6の10第2項第2号ロに規定する事業に従事していた旨及びその事実の詳細を記載した書類
⑧	その他特例の適用要件を確認する書類
⑨	担保提供書及び担保提供関係書類　※担保提供関係書類の主なもの（担保がこの特例の適用を受ける宅地等の場合） ・登記事項証明書（不動産番号の記載のある書類の添付によりこれに代えることができます。） ・固定資産評価証明書などその宅地等の評価の明細　・抵当権設定に必要な書類（抵当権設定登記承諾書、印鑑証明書）

第二節　相続税の申告書の書き方（令和6年分）

（注）　申告書の作成に当たっては、黒ボールペンを使用してください。

（1）　一般の場合

①　相続税のかかる財産（「課税財産」といいます。）及び被相続人の債務等について、第9表から第15表を作成します。

　（注）　作成に当たり課税財産の評価が必要なものについては、「土地及び土地の上に存する権利の評価明細書」、「取引相場のない株式（出資）の評価明細書」等を最初に作成しておきます。

②　課税価格の合計額及び相続税の総額を計算するため、第1表、第2表を作成します。

③　税額控除の額を計算するため、第4表から第8表までを作成し、第1表及び第8の8表に税額控除額を転記し各人の納付すべき相続税額を算定します。

　　この順序を図にしますと、次のとおりとなります（(1)から(17)までの順序で各表を記載していきます。）。

　（注）　一般の場合とは、ここでは、相続時精算課税適用者又は相続税の納税猶予等の適用を受ける人がいない場合をいいます。

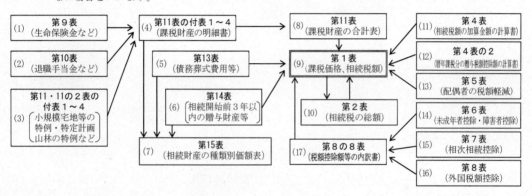

（2）　相続時精算課税適用者がいる場合

イ　納付すべき税額のある相続時精算課税適用者がいる場合
　　（1）に掲げる表のほか、「第11の2表」を作成します。

ロ　還付される税額のある相続時精算課税適用者がいる場合
　　上記イに掲げる表のほか、「第1表の付表2」を作成します。

（3）　相続税の納税猶予等の適用を受ける人がいる場合

（1）に掲げる表のほか、次の場合の区分に応じた申告書を作成します。

イ　農地等についての相続税の納税猶予及び免除の適用を受ける農業相続人がいる場合	第3表、第8表、第12表
ロ　非上場株式等についての相続税の納税猶予及び免除又は非上場株式等の贈与者が死亡した場合の相続税の納税猶予及び免除（一般措置）の適用を受ける経営承継相続人等又は経営相続承継受贈者がいる場合	第8の2表、第8の2表の付表1～4
ハ　非上場株式等についての相続税の納税猶予及び免除の特例又は非上場株式等の特例贈与者が死亡した場合の相続税の納税猶予及び免除の特例（特例措置）の適用を受ける特例経営承継相続人等又は特例経営相続承継受贈	第8の2の2表、第8の2の2表の付表1～3

者がいる場合	
ニ　山林についての相続税の納税猶予及び免除の適用を受ける林業経営相続人がいる場合	第8の3表、第8の3表の付表
ホ　医療法人の持分についての相続税の納税猶予及び免除の適用を受ける相続人等がいる場合	第8の4表、第8の4表の付表
ヘ　医療法人の持分についての相続税の税額控除の適用を受ける相続人等がいる場合（この場合には、「第8の8表」の作成は不要です。）	第8の4表、第8の4表の付表
ト　特定の美術品についての相続税の納税猶予及び免除の適用を受ける寄託相続人がいる場合	第8の5表、第8の5表の付表
チ　個人の事業用資産についての相続税の納税猶予及び免除の適用を受ける特例事業相続人等がいる場合	第8の6表、第8の6表の付表1〜4など
リ　イ〜チのうち2以上に該当する者がいる場合	イ〜チに掲げる表、第8の7表

第十五章《相続税の申告書等の書き方》

《OCR用申告書を使用する場合》

申告書第1表、第1表（続）、第11・11の2表の付表2、第15表、第15表（続）については、OCR対応用の申告書を使用することになっていますのでご注意ください。

1　第9表　生命保険金などの明細書

（1）「1　相続や遺贈によって取得したものとみなされる保険金など」欄は、被相続人の死亡によって相続人その他の人が、相続や遺贈によって取得したものとみなされる保険金などを受け取っている場合に記入します。

（2）「2　課税される金額の計算」欄は、保険金などの受取人が相続人（相続の放棄をした人や相続権を失った人は含まれません。）である場合に記入します。

2　第10表　退職手当金などの明細書

（1）「1　相続や遺贈によって取得したものとみなされる退職手当金など」欄は、被相続人の死亡によって相続人その他の人が、相続や遺贈によって取得したものとみなされる退職手当金などを受け取っている場合に記入します。

（2）「2　課税される金額の計算」欄は、退職手当金などの受取人が相続人（相続の放棄をした人や相続権を失った人は含まれません。）である場合に記入します。

3　第11・11の2表の付表1　小規模宅地等についての課税価格の計算明細書

この表は、相続や遺贈によって財産を取得した人が、「小規模宅地等についての相続税の課税価格の計算の特例」の適用を受ける場合に記入します。

（1）「1　特例の適用にあたっての同意」欄

この欄は、小規模宅地等の特例の対象となり得る宅地等を取得した全ての人の氏名を記入します。その全ての人の同意がなければ特例の適用を受けることができません。

（2）「2　小規模宅地等の明細」欄

「選択した小規模宅地等」の各欄はその宅地等の利用区分ごとに記入します。

イ　「小規模宅地等の種類」欄は、この特例の適用を受ける宅地等（利用の単位となっている1区画の宅地等）ごとに1番から記入します。

なお、この特例の適用を受ける宅地等を2人以上で共有取得した場合には、取得者ごとに記入しますが、「宅地等の番号」欄には、同じ番号を記入します。

ロ　「⑤　③のうち小規模宅地等（「限度面積要件」を満たす宅地等）の面積」欄は、この特例の適用を受ける宅地等の面積（③欄）のうち特例の対象として選択した宅地等の面積を記入します。

（3）「○　限度面積要件の判定」欄

「2　小規模宅地等の明細」の「⑤　③のうち小規模宅地等（「限度面積要件」を満たす宅地等）の面積」欄で選択した宅地等の全てが、限度面積要件を満たすものであることを判定するために、該当する小規模宅地等の種類ごとの面積の合計を記入し、計算します。

（4）小規模宅地等についての課税価格の計算明細書（別表1）

イ　この計算明細書は、特例の対象として小規模宅地等を選択する一の宅地等（注）が、次のいずれかに該当する場合に一の宅地等ごとに作成します。

（イ）相続又は遺贈により一の宅地等を2人以上の相続人又は受遺者が取得している場合

（ロ）一の宅地等の全部又は一部が、貸家建付地である場合において、貸家建付地の評価額の計算上「賃貸割合」が「1」でない場合

（注）一の宅地等とは、一棟の建物又は構築物の敷地をいいます。ただし、マンションなどの区分所有建

—973—

第十五章《相続税の申告書等の書き方》

物の場合には、区分所有された建物の部分に係る敷地をいいます。

ロ 「1 一の宅地等の所在地、面積及び評価額」

一の宅地等について、宅地等の「所在地」、「面積」及び相続開始の直前における宅地等の利用区分に応じて「面積」及び「評価額」を記入します。

（イ） 「①宅地等の面積」欄は、一の宅地等が持分である場合には、持分に応ずる面積を記入してください。

（ロ） 上記イの(ロ)に該当する場合には、⑪欄については、⑤欄の面積を基に自用地として評価した金額を記入してください。

ハ 「2 一の宅地等の取得者ごとの面積及び評価額」

「1 一の宅地等の所在地、面積及び評価額」の「相続開始の直前における宅地等の利用区分」欄のAからFまでの宅地等の「面積」及び「評価額」を、宅地等の取得者ごとに記入します。

（イ） 「持分割合」欄は、宅地等の取得者が相続又は遺贈により取得した持分割合を記入します。一の宅地等を1人で取得した場合には、「1／1」と記入します。

（ロ） 「1 持分に応じた宅地等」は、上記のAからFまでに記入した一の宅地等の「面積」及び「評価額」を「持分割合」を用いて按分して計算した「面積」及び「評価額」を記入します。

（ハ） 「2 左記の宅地等のうち選択特例対象宅地等」は、「1 持分に応じた宅地等」に記入した「面積」及び「評価額」のうち、特例の対象として選択する部分を記入します。なおBの宅地等の場合は、上段に「特定同族会社事業用宅地等」として選択する部分の、下段に「貸付事業用宅地等」として選択する部分の「面積」及び「評価額」をそれぞれ記入します。

「2 左記の宅地等のうち選択特例対象宅地等」に記入した宅地等の「面積」及び「評価額」は、「申告書11・11の2表の付表1」の「2 小規模宅地等の明細」の「③ 取得者の持分に応ずる宅地等の面積」欄及び「④ 取得者の持分に応ずる宅地等の価額」欄に転記します。

（ニ） 「3 特例の対象とならない宅地等（1－2）」には、「1 持分に応じた宅地等」のうち「2 左記の宅地等のうち選択特例対象宅地等」欄に記入した以外の宅地等について記入します。この欄に記入した「面積」及び「評価額」は、申告書第11表に転記します。

（5） 小規模宅地等についての課税価格の計算明細書（別表1の2）

イ この計算明細書は、特例の対象として小規模宅地等を選択する一の宅地等（**注**）が配偶者居住権の目的となっている建物の敷地の用に供される宅地等（以下「居住建物の敷地の用に供される土地」といいます。）又はその宅地等を配偶者居住権に基づき使用する権利（以下「配偶者居住権に基づく敷地利用権」といいます。）の全部又は一部である場合に作成します。

（**注**） 一の宅地等とは、一棟の建物又は構築物の敷地をいいます。ただし、マンションなどの区分所有建物の場合には、区分所有された建物の部分に係る敷地をいいます。

ロ 「1 一の宅地等の所在地、面積及び評価額」欄

（イ） 一の宅地等について、宅地等の「所在地」、「面積」並びに相続開始の直前における宅地等の利用区分に応じて「面積」及び配偶者居住権に基づく敷地利用権と居住建物の敷地の用に供される土地の「評価額」を記入します。

（ロ） 「① 宅地等の面積」欄は、一の宅地等が持分である場合には、持分に応ずる面積を記入してください。

（ハ） ⑨欄及び⑩欄は、1次相続（配偶者居住権の設定に係る相続をいいます。以下同じです。）の場合には原則として「0」と記入してください。

ハ 「2 一の宅地等の取得者ごとの面積及び評価額」欄

「1 一の宅地等の所在地、面積及び評価額」欄のAからFまでの宅地等の「面積」及び「評価額」を、宅地等の取得者ごとに記入します。

なお、配偶者居住権に基づく敷地利用権を取得した人の欄（ⅰ）と居住建物の敷地の用に供され

－974－

第十五章《相続税の申告書等の書き方》

る土地を取得した人の欄（ⅱ、ⅲ）で記載方法が異なります。それぞれの記載方法は、次のとおりです。

（イ）　配偶者居住権に基づく敷地利用権を取得した人の欄（ⅰ）

　　①　「2　左記の宅地等のうち選択特例対象宅地等」は、「1　利用区分に応じた宅地等」に記入した「面積」及び「評価額」のうち、特例の対象として選択する部分を記入します。なお、Bの宅地等の場合は、上段に「特定同族会社事業用宅地等」として選択する部分の、下段に「貸付事業用宅地等」として選択する部分の「面積」及び「評価額」をそれぞれ記入します。

　　　　「2　左記の宅地等のうち選択特例対象宅地等」に記入した宅地等の「面積」及び「評価額」は、「申告書第11・11の2表の付表1」の「2　小規模宅地等の明細」の「③　取得者の持分に応ずる宅地等の面積」欄及び「④　取得者の持分に応ずる宅地等の価額」欄に転記します。

　　②　「3　特例の対象とならない宅地等（1－2）」には、「1　利用区分に応じた宅地等」のうち「2　左記の宅地等のうち選択特例対象宅地等」欄に記入した以外の宅地等について記入します。この欄に記入した「面積」及び「評価額」は、申告書第11表の付表1に転記します。

　　③　1次相続の場合には、B及びCの各欄への記入は不要です。

（ロ）　居住建物の敷地の用に供される土地を取得した人の欄（ⅱ、ⅲ）

　　①　「持分割合」欄は、宅地等の取得者が相続又は遺贈により取得した持分割合を記入します。一の宅地等を1人で取得した場合には、「1／1」と記入します。

　　②　「1　持分に応じた宅地等」は、「1　一の宅地等の所在地、面積及び評価額」欄のAからFまでに記入した一の宅地等の「面積」及び「評価額」を「持分割合」を用いてあん分して計算した「面積」及び「評価額」を記入します。

　　③　「2　左記の宅地等のうち選択特例対象宅地等」は、「1　持分に応じた宅地等」に記入した「面積」及び「評価額」のうち、特例の対象として選択する部分を記入します。なお、Bの宅地等の場合は、上段に「特定同族会社事業用宅地等」として選択する部分の、下段に「貸付事業用宅地等」として選択する部分の「面積」及び「評価額」をそれぞれ記入します。

　　　　「2　左記の宅地等のうち選択特例対象宅地等」に記入した宅地等の「面積」及び「評価額」は、「申告書第11・11の2表の付表1」の「2　小規模宅地等の明細」の「③　取得者の持分に応ずる宅地等の面積」欄及び「④　取得者の持分に応ずる宅地等の価額」欄に転記します。

　　④　「3　特例の対象とならない宅地等（1－2）」には、「1　持分に応じた宅地等」のうち「2　左記の宅地等のうち選択特例対象宅地等」欄に記入した以外の宅地等について記入します。この欄に記入した「面積」及び「評価額」は、申告書第11表の付表1に転記します。

4　第11・11の2表の付表2　小規模宅地等の特例、特定計画山林の特例又は個人の事業用資産の納税猶予の適用にあたっての同意及び特定計画山林についての課税価格の計算明細書

この表は、被相続人から相続、遺贈又は相続時精算課税に係る贈与によって取得した財産のうちに次の①～③が2以上ある場合に記入します。

①　「小規模宅地等の特例」の対象となり得る宅地等
②　「特定計画山林の特例」の対象となり得る山林
③　「個人の事業用資産の納税猶予」の対象となり得る宅地等

（1）　「（1）　特例の適用にあたっての同意」欄

「特例の対象となる財産を取得した全ての人の氏名」欄には、特例の対象となり得る財産を取得した人全員の氏名を記入します。特例の適用を受けない人の氏名も必ず記入してください。

（2）　「（2）　特例の適用を受ける財産の明細」欄

特例の適用に当たり該当する明細の番号（①～③）を○で囲んでください。

－975－

（3）　「2　特定計画山林の特例の対象となる特定計画山林等の調整限度額の計算」欄

　　この欄は、「特定計画山林の特例」を適用し、かつ、「小規模宅地等の特例」又は「個人の事業用資産の納税猶予」を適用する場合に記入します。

　　・「③　特例適用残面積」欄が０になる場合には特定事業用資産の特例の適用を受けることはできません。

5　第11・11の２表の付表３　特定受贈同族会社株式等である選択特定事業用資産についての課税価格の計算明細

　　この表は、特例の対象として特定受贈同族会社株式等である特定事業用資産を選択する場合に記入します。

（1）　「①　１単位当たりの時価」欄は、贈与の時の価額を記入します。（ただし、選択した特定受贈同族会社株式等について平成21年改正前の租税特別措置法施行令第40条の２の２第10項に規定する会社分割等があった場合には、第11・11の２表の付表３の２の⑰欄又は⑱欄の金額を記入します。）

（2）　⑦欄の金額と⑦欄の金額に係る第11・11の２表の付表３の２の⑲欄の金額の合計額を第11の２表の「2　相続時精算課税適用財産（１の③）の明細」の②の「価額」欄に記入します。

（3）　上記に記入しきれないときは、適宜の用紙に特定受贈同族会社株式等である選択特定事業用資産の明細を記載して添付してください。

（4）　小規模宅地等の特例を適用した場合には、第11・11の２表の付表２の２の「3　特定計画山林の対象となる特定計画山林等の調整限度額の計算」の⑤欄の価額を上記「⑧」の金額を限度として、特定受贈同族会社株式等を特定事業用資産の特例の対象として選択することができます。

6　第11・11の２表の付表３の２　特定受贈同族会社株式等について会社分割等があった場合の特例の対象となる価額等の計算明細

　　この表は、特定事業用資産相続人等が有する特定受贈同族会社株式等について平成21年改正前の租税特別措置法施行令第40条の２の２第10項に規定する会社分割、株式分割、株式無償割当て、株式交換、剰余金の配当その他の事由があった場合に記入します。

　　なお、この表は、会社分割等があった都度、特定事業用資産相続人等ごとに記入します。

7　第11・11の２表の付表４　特定森林経営計画対象山林又は特定受贈森林経営計画対象山林である選択特定計画山林についての課税価格の計算明細

　　この表は、特定森林経営計画対象山林又は特定受贈森林経営計画対象山林である選択特定計画山林について、「特定計画山林の特例」の適用を受ける場合に記入します。

　　「1　特定森林経営計画対象山林である選択特定計画山林の明細」及び「2　特定受贈森林経営計画対象山林である選択特定計画山林の明細」の「①　立木・土地等の価額」欄は、相続人や包括受遺者が取得した立木については、標準価額を基として計算した価額の85％相当額の価額を記入します。

8　第11表の付表１　相続税がかかる財産の明細書（土地・家屋用）

　　この明細書は、相続税がかかる財産のうち、土地（土地の上に存する権利を含みます。）又は家屋等の明細を記入します。相続時精算課税の適用財産については、この表によらず、第11の２表に記載します。また、特定の公益法人などに寄附した財産については、この表の記載から除き、第14表に記載します。

イ　「細目」及び「利用区分」欄

　　次の「取得した財産の細目、利用区分の記載要領」により、記入します。

－976－

第十五章《相続税の申告書等の書き方》

《取得した財産の細目、利用区分の記載要領》

種　類	細　目	利　用　区　分
土　地	田	自用地、貸付地、賃借権（耕作権）、永小作権の別
	畑	
	宅　地	自用地（事業用、居住用、その他）、貸宅地、貸家建付地、借地権（事業用、居住用、その他）、配偶者居住権に基づく敷地利用権（事業用、居住用、その他）、配偶者居住権の目的となっている建物の敷地の用に供される土地（事業用、居住用、貸付用、その他）などの別
	山　林	普通山林、保安林の別（これらの山林の地上権又は賃借権であるときは、その旨）
	その他の土地	原野、牧場、池沼、鉱泉地、雑種地の別（これらの土地の地上権、賃借権、温泉権又は引湯権であるときは、その旨）
家　屋　等		家屋については自用家屋、貸家、配偶者居住権の目的となっている建物（自用、貸付用）の別、その構造と用途、構築物については駐車場、養魚池、広告塔などの別、配偶者居住権などの家屋の上に存する権利についてはその名称

ロ　「国外」欄

　　取得した土地又は家屋等の所在場所が国外である場合には「1」を記入します。

ハ　「特例」欄

　　取得した財産について特例を適用する場合に、適用する特例に応じて、次の「特例コード表」の該当する番号を記入します。

《特例コード表》

番　号	特　例
1	租税特別措置法第69条の4《小規模宅地等についての相続税の課税価格の計算の特例》
2	租税特別措置法第69条の5《特定計画山林についての相続税の課税価格の計算の特例》
3	租税特別措置法第69条の6《特定土地等及び特定株式等に係る相続税の課税価格の計算の特例》
4	災害被害者に対する租税の減免、徴収猶予等に関する法律第6条《相続税又は贈与税の計算》

（注）　上記以外の特例を適用する場合は、当該特例の条文番号等を直接「特例」欄に記入してください（例：▲▲法第◆条）。

ニ　「持分割合」欄

　　被相続人が有していた持分割合を記入します。被相続人が単独で所有していた財産については、この欄の記入は必要ありません。

　　「居住用の区分所有財産」については、区分所有補正率を掛けた値を記入します。

ホ　「備考」欄

　　取得した財産が区分所有財産である場合は、その区分所有財産に係る敷地利用権（敷地権）の割合を記入します。

ヘ　「財産を取得した人の番号」欄

　　財産を取得した人に対応する第11表の「1　遺産の分割状況及び財産取得者の一覧」の「項番」欄の番号を記入します。

9　第11表の付表2　相続税がかかる財産の明細書（有価証券用）

　　この明細書は、相続税がかかる財産のうち、有価証券の明細を記入します。相続時精算課税の適用財産については、この表によらず、第11の2表に記載します。また、特定の公益法人などに寄附した財産については、この表の記載から除き、第14表に記載します。

－977－

第十五章《相続税の申告書等の書き方》

イ 「細目」及び「銘柄」欄

次の「取得した財産の細目、銘柄の記載要領」により、記入します。

《取得した財産の細目、銘柄の記載要領》

種　類	細　　　目		銘　柄
有価証券	特定同族会社(**注**)の株式、出資	配当還元方式によったもの	その銘柄
		その他の方式によったもの	
	上記以外の株式、出資		
	公債、社債		
	証券投資信託、貸付信託の受益証券		

(**注**) 「特定同族会社」とは、相続や遺贈によって財産を取得した人及びその親族その他の特別関係者（相続税法施行令第31条第1項に掲げる者をいいます。）の有する株式の数又は出資の金額が、その会社の発行済株式の総数又は出資の総額の50%超を占めている非上場会社をいいます。

ロ 「国外」欄

取得した有価証券の所在場所が国外である場合には、「1」を記入します。

なお、取得した有価証券のうち、国内にある金融商品取引業者等の営業所等に設けられた口座において管理されていたものについては、この欄の記入は必要ありません。

ハ 「特例」欄

取得した財産について特例を適用する場合に、適用する特例に応じて、8のハに掲げた「特例コード表」の該当する番号を記入してください。

10　第11表の付表3　相続税がかかる財産の明細書（現金・預貯金等用）

この明細書は、相続税がかかる財産のうち、現金又は預貯金等の明細を記入します。相続時精算課税の適用財産については、この表によらず、第11の2表に記載します。また、特定の公益法人などに寄附した財産については、この表の記載から除き、第14表に記載します。

イ 「口座種別等」欄

次の「取得した財産の口座種別等の記載要領」により、記入します。

《取得した財産の口座種別等の記載要領》

種　類	細　目	口座種別等
現金、預貯金等		現金、普通預金、当座預金、定期預金、通常貯金、定額貯金、定期積金、金銭信託などの別

ロ 「国外」欄

取得した預貯金等の預け入れをしていた営業所又は事業所の所在場所が国外である場合には、「1」を記入します。

ハ 「備考」欄

家族名義の財産を記入する場合は、その財産の名義を記入します。

11　第11表の付表4　相続税がかかる財産の明細書（事業（農業）用財産・家庭用財産・その他の財産用）

この明細書は、相続税がかかる財産のうち、事業（農業）用財産、家庭用財産又はその他の財産の明細を記入します。相続時精算課税の適用財産については、この表によらず、第11の2表に記載します。また、特定の公益法人などに寄附した財産については、この表の記載から除き、第14表に記載します。

－978－

第十五章《相続税の申告書等の書き方》

イ 「細目」欄

次の「取得した財産の細目、財産の名称等の記載要領」により、記入します。

《取得した財産の細目、財産の名称等の記載要領》

種　類	細　目	財産の名称等
事業（農業）用財産	機械、器具、農機具、その他の減価償却資産	機械、器具、農機具、自動車、船舶などについてはその名称と年式、牛馬等についてはその用途と年齢、果樹についてはその樹種と樹齢、営業権についてはその事業の種目と商号など
	商品、製品、半製品、原材料、農産物等	商品、製品、半製品、原材料、農産物等の別に、その合計額を「価額」欄に記入し、それらの明細は、適宜の用紙に記載して添付してください。
	売掛金	
	その他の事業（農業）用財産	電話加入権、受取手形、その他その財産の名称
家庭用財産		その名称と銘柄
その他の財産（利益）	生命保険金等	
	退職手当金等	
	立　木	その樹種と樹齢（保安林であるときは、その旨）
	代償財産	
	金地金	その名称
	生命保険（共済）契約に関する権利	その保険の契約に係る保険会社等の名称
	損害保険（建物更生共済）に係る権利	その保険の契約に係る保険会社等の名称
	暗号資産	その名称
	貸付金、預け金等	その債務者の名称
	配当期待権	配当期待権の基となる株式等の銘柄
	その他	1　事業に関係のない自動車、特許権、著作権、貸付金、未収配当金、未収家賃、書画・骨とうなどの別 2　自動車についてはその名称と年式、書画・骨とうなどについてはその名称と作者名など 3　相続や遺贈によって取得したものとみなされる財産（生命保険金等及び退職手当金等を除きます。）については、その財産（利益）の内容 4　教育資金管理残額、結婚・子育て資金管理残額**(注)**の別

(注)　「教育資金管理残額」とは、租税特別措置法第70条の2の2第12項第1号《直系尊属から教育資金の一括贈与を受けた場合の贈与税の非課税》に規定する管理残額をいい、「結婚・子育て資金管理残額」とは、同法第70条の2の3第12項第2号《直系尊属から結婚・子育て資金の一括贈与を受けた場合の贈与税の非課税》に規定する管理残額をいいます。

ロ 「国外」欄

取得した財産の所在場所が国外である場合には、「1」を記入します。

ハ 「特例」欄

取得した財産について特例を適用する場合に、適用する特例に応じて、8のハに掲げた「特例コード表」の該当する番号を記入します。

-979-

第十五章《相続税の申告書等の書き方》

12 第12表 農地等についての納税猶予の適用を受ける特例農地等の明細書

この表は、被相続人から相続や遺贈によって財産を取得した人のうちに農業相続人がいる場合に、次によって記入します。

（1） 「特例農地等の明細」欄には、第11表に記載した農地等のうち、その農業相続人が納税猶予の適用を受けようとするものについて、それぞれ該当する事項を記入します。

なお、この記入に当たっては、農地等が所在する区域により農地等を区分し、区分ごとに田、畑、採草放牧地、準農地、一時的道路用地等、営農困難時貸付農地等、特定貸付農地等、貸付都市農地等の順で記入し、それぞれの「計」を付すとともに「合計」欄にその合計を記入します。

また、「地上権、永小作権、使用貸借による権利、賃借権（耕作権）の場合のその別」欄には、他人から借り受けて農業の用に供している農地等について、地上権、永小作権、使用貸借による権利又は賃借権（耕作権）の別を記入します。

（2） 「農業投資価格により計算した取得財産の価額」欄は、上記（1）の「特例農地等の明細」欄に記入した農地等の農業投資価格による価額及び通常価額を基として記入します。

13 第8の2表の付表1 非上場株式等についての相続税の納税猶予及び免除の適用を受ける対象非上場株式等の明細書（一般措置用）

この表は、非上場株式等についての相続税の納税猶予及び免除の適用を受ける対象非上場株式等について、その明細を記入します。なお、経営承継相続人等が被相続人から贈与により当該特例非上場株式等に係る会社の株式等を取得している場合で、その株式等の贈与に係る贈与税の申告において所得税法等の一部を改正する法律（平成21年法律第13号）による改正前の租税特別措置法第69条の5、同法第70条の3の3又は第70条の3の4の規定の適用を受けているときはこの明細書によらず第8の2表の付表2を使用してください。

（1） 「1　対象非上場株式等に係る会社」欄

イ　⑦欄は、具体的にその役職を、例えば、「代表取締役」と記入します。なお、代表権に制限のある代表者については、この納税猶予及び免除の適用を受けることはできません。

ロ　⑧欄は、中小企業における経営の承継の円滑化に関する法律施行規則第6条第1項第8号又は第10号に掲げる事由に該当するものとして中小企業における経営の承継の円滑化に関する法律第12条第1項の都道府県知事の認定を受けた年月日及び認定番号をそれぞれ記入します。

ハ　⑨欄は、対象非上場株式等に係る会社又はその会社の特別関係会社（租税特別措置法施行令第40条の8の2第8項の特別の関係がある会社をいいます。（2）ハにおいて同じです。）であって対象非上場株式等に係る会社との間に支配関係（租税特別措置法施行令第40条の8第9項に規定する関係をいいます。（2）ハにおいて同じです。）がある法人が保有する会社法第2条第2号に規定する外国会社（対象非上場株式等に係る会社の特別関係会社に該当するものに限ります。）、租税特別措置法施行令第40条の8の2第12項第1号に掲げる法人（対象非上場株式等に係る会社が資産保有型会社等に該当する場合に限ります。）又は同項第2号に規定する医療法人の株式等の有無について記入します。

（2） 「2　対象非上場株式等の明細」欄

イ　①から③欄までの「総数等」及び「数等」には、議決権に制限のある株式等の数等は含まれません。

ロ　③欄の数等は、「3　納税猶予及び免除の適用を受ける株式等の数等の限度数（限度額）の計算」の④欄の数等が限度となります。

ハ　④欄の金額は、相続開始の時における価額を記入します。

なお、対象非上場株式等に係る会社又はその会社の特別関係会社であって対象非上場株式等に

－980－

係る会社との間に支配関係がある法人（以下「会社等」といいます。）が会社法第2条第2号に規定する外国会社（対象非上場株式等に係る会社の特別関係会社に該当するものに限ります。）、租税特別措置法施行令第40条の8の2第12項第1号に掲げる法人（対象非上場株式等に係る会社が資産保有型会社等に該当する場合に限ります。）又は同項第2号に規定する医療法人の株式等を有する場合の納税猶予分の相続税額の計算の基となる対象非上場株式等の価額は、会社等がそれらの株式等を有していなかったものとして計算した価額となります。

　ニ　A欄の金額（⑤欄の金額）を第8の2表の「1　株式等納税猶予税額の基となる相続税の総額の計算」の①欄に移記します。なお、第8の2表の付表1・付表2・付表3の作成がある場合は、各付表のA欄の金額の合計額を第8の2表の「1　株式等納税猶予税額の基となる相続税の総額の計算」の①欄に記入します。

（3）　「4　最初の非上場株式等についての贈与税の納税猶予及び免除等の適用に関する事項」欄
　イ　「相続等」とは、相続又は遺贈をいいます。
　ロ　①欄は、取得の原因を丸で囲んでください。
　ハ　③欄は、最初の贈与又は相続等によるその会社の非上場株式等の取得について、非上場株式等についての贈与税の納税猶予及び免除等の適用を受け、又は受けようとする贈与税又は相続税の申告書の提出先の税務署名を記入してください。
　ニ　④欄は、最初の贈与又は相続等によるその会社の非上場株式等の取得に係る贈与者又は被相続人の氏名を記入してください。

（4）　「5　会社が現物出資又は贈与により取得した資産の明細書」欄
　イ　「経営承継相続人等と特別の関係がある者」とは、経営承継相続人等の親族などその経営承継相続人等と租税特別措置法施行令第40条の8の2第11項に定める特別の関係がある者をいいます。
　ロ　①欄の金額は、相続開始の時における価額を記入します。なお、会社が相続開始の時において現物出資又は贈与により取得した資産を既に有していない場合は、その相続開始の時に有していたものとしたときにおける価額を記入します。
　ハ　③欄の金額は会社の全ての資産の相続開始の時における価額の合計額を記入します。
　ニ　④欄の保有割合が70％以上の場合は、この特例の適用を受けることはできません。
　ホ　明細書に記入しきれないときは、適宜の用紙に現物出資又は贈与により取得した資産の明細を記載し添付します。

14　第8の2表の付表2　非上場株式等についての相続税の納税猶予及び免除の適用を受ける対象非上場株式等の明細書

　この表は、非上場株式等について納税猶予及び免除の適用を受ける経営承継相続人等が被相続人から贈与により取得した特定受贈同族会社株式等又は特定同族株式等のうち所得税法等の一部を改正する法律（平成21年法律第13号）附則第64条第2項又は第7項の規定により相続又は遺贈により取得したものとみなされる対象非上場株式等及びその特定受贈同族会社株式等又はその特定同族株式等に係る会社の株式等で相続又は遺贈により取得した対象非上場株式等について、その明細を記入します。

（1）　特定受贈同族会社株式等・特定同族株式等
　イ　この明細書において「特定受贈同族会社株式等」とは、経営承継相続人等が税務署に提出した「特定受贈同族会社株式等に係る届出書（所得税法等の一部を改正する法律（平成21年法律第13号）による改正前の租税特別措置法第69条の5第10項）」に記載された株式等をいいます。
　ロ　この明細書において「特定同族株式等」とは、次の（イ）及び（ロ）の株式等をいいます。
　（イ）　平成20年12月31日以前に相続時精算課税に係る贈与により取得した株式等（贈与税の申告書に所得税法等の一部を改正する法律（平成21年法律第13号）による改正前の租税特別措置法

－981－

第十五章《相続税の申告書等の書き方》

第70条の３の３又は第70条の３の４の規定の適用を受ける旨の記載があるものに限ります。）

　（ロ）　同法第70条の３の３第３項第１号ロに規定する選択年中における（イ）の株式等の最初の相続時精算課税に係る贈与の日から同項第４号に規定する確認日（原則として、選択年の翌年３月15日から４年を経過する日をいいます。）までに被相続人から贈与により取得した（イ）の株式等に係る会社と同一の会社の株式等（（イ）の株式等を除きます。）

　ハ　特定受贈同族会社株式等又は特定同族株式等について「非上場株式等についての相続税の納税猶予及び免除」の適用を受けるには、平成22年３月31日までに「特定受贈同族会社株式等・特定同族株式等についての相続税の納税猶予の適用に関する届出書」を経営承継相続人等の住所地を所轄する税務署へ提出していることが要件となります。

　　また、上記届出書の提出がない場合は、相続又は遺贈により取得した特定受贈同族会社株式等又は特定同族株式等に係る会社と同一の会社の株式等についてこの特例の適用を受けることはできません。

（２）　「１　対象非上場株式等に係る会社」欄

　イ　⑦欄は、具体的にその役職を、例えば、「代表取締役」と記入します。

　　なお、代表権に制限のある代表者については、この特例の適用を受けることはできません。

　ロ　⑨欄は、中小企業における経営の承継の円滑化に関する法律施行規則第６条第１項第８号又は第10号に掲げる事由に該当するものとして中小企業における経営の承継の円滑化に関する法律第12条第１項の都道府県知事の認定を受けた年月日及び認定番号をそれぞれ記入します。

　ハ　⑩欄は、対象非上場株式等に係る会社又はその会社の特別関係会社（租税特別措置法施行令第40条の８の２第８項の特別の関係がある会社をいいます。（３）ホにおいて同じです。）であって対象非上場株式等に係る会社との間に支配関係（租税特別措置法施行令第40条の８第９項に規定する関係をいいます。（３）ホにおいて同じです。）がある法人が保有する会社法第２条第２号に規定する外国会社（対象非上場株式等に係る会社の特別関係会社に該当するものに限ります。）、租税特別措置法施行令第40条の８の２第12項第１号に掲げる法人（対象非上場株式等に係る会社が資産保有型会社等に該当する場合に限ります。）又は同項第２号に規定する医療法人の株式等の有無について記入します。

（３）　「２　対象非上場株式等の明細」欄

　イ　（１）欄の発行済株式の総数等及び（２）の①から③欄の株式等の数等には、議決権に制限のある株式等の数等は含まれません。

　ロ　（２）の「イ　特定受贈同族会社株式等に係る対象非上場株式等」及び「ロ　特定同族株式等に係る対象非上場株式等」の②欄は、相続開始の直前において保有している株式等の数等を記入します。

　　なお、②欄の贈与により取得した株式等の全部について、納税猶予及び免除の適用を受けない場合は、実際に相続又は遺贈により取得した株式等（「ハ　イ及びロ以外の対象非上場株式等」に記載された株式等をいいます。）についてもこの特例の適用を受けることはできません。

　（注）　贈与により取得した時以後において、その株式等について併合・分割・株式無償割当てがあった場合やその株式等に係る会社について合併・会社分割・株式交換等があった場合は、税務署にお尋ねください（ハにおいて同じです。）。

　ハ　（２）の「イ　特定受贈同族会社株式等に係る対象非上場株式等」及び「ロ　特定同族株式等に係る対象非上場株式等」の④欄の価額は、贈与の時における価額を記入します。

　ニ　（２）の「イ　特定受贈同族会社株式等に係る対象非上場株式等」及び「ロ　特定同族株式等に係る対象非上場株式等」の欄に記入しきれないときは、適宜の用紙に対象非上場株式等の明細を記載し添付してください。

第十五章《相続税の申告書等の書き方》

ホ　（2）の「ハ　イ及びロ以外の対象非上場株式等」に係る④欄の価額は、相続開始の時における
価額を記入します。

　なお、対象非上場株式等に係る会社又はその会社の特別関係会社であって対象非上場株式等に
係る会社との間に支配関係がある法人（以下「会社等」といいます。）が会社法第2条第2号に規
定する外国会社（対象非上場株式等に係る会社の特別関係会社に該当するものに限ります。）又は
租税特別措置法施行令第40条の8の2第12項第1号に掲げる法人（対象非上場株式等に係る会社
が資産保有型会社等に該当する場合に限ります。）又は同項第2号に規定する医療法人の株式等を
有する場合の納税猶予分の相続税額の計算の基となる対象非上場株式等の価額は、会社等がそれ
らの株式等を有していなかったものとして計算した価額となります。

ヘ　Ａ欄の金額（⑤欄の金額）を第8の2表の「1　株式等納税猶予税額の基となる相続税の総額
の計算」の①欄に移記します。

　なお、この明細書以外に第8の2表の付表1・付表2・付表3の作成がある場合は、各付表の
Ａ欄の金額の合計額を第8の2表の「1　株式等納税猶予税額の基となる相続税の総額の計算」
の①欄に記入します。

（4）　「最初の非上場株式等についての贈与税の納税猶予及び免除等の適用に関する事項」欄

イ　「相続等」とは、相続又は遺贈をいいます。

ロ　①欄は、取得の原因を丸で囲んでください。

ハ　③欄は、最初の贈与又は相続等によるその会社の非上場株式等の取得について、非上場株式等
についての贈与税の納税猶予及び免除等の適用を受け、又は受けようとする贈与税又は相続税の
申告書の提出先の税務署名を記入してください。

ニ　④欄は、最初の贈与又は相続等によるその会社の非上場株式等の取得に係る贈与者又は被相続
人の氏名を記入してください。

（5）　「5　会社が現物出資又は贈与により取得した資産の明細書」欄

イ　「経営承継相続人等と特別の関係がある者」とは、経営承継相続人等の親族などその経営承継
相続人等と租税特別措置法施行令第40条の8の2第11項に定める特別の関係がある者をいいま
す。

ロ　①欄の金額は、相続開始の時における価額を記入します。

　なお、会社が相続開始の時において現物出資又は贈与により取得した資産を既に有していない
場合は、その相続開始の時に有していたものとしたときにおける価額を記入します。

ハ　③欄の金額は会社の全ての資産の相続開始の時における価額の合計額を記入します。

ニ　④欄の保有割合が70％以上の場合は、この特例の適用を受けることはできません。

ホ　明細書に記入しきれないときは、適宜の用紙に現物出資又は贈与により取得した資産の明細を
記載し添付してください。

（6）　「6　租税特別措置法施行令等の一部を改正する政令（平成21年政令第108号）附則第43条第1
項第3号の同意」欄

イ　この明細書の経営承継相続人等が「2　対象非上場株式等の明細」のイの株式等についてこの
制度の適用を受けようとする場合は、この制度の適用をその経営承継相続人等が受けることにつ
いて、租税特別措置法施行令等の一部を改正する政令（平成21年政令第108号）による改正前の租
税特別措置法施行令第40条の2第3項に規定する「特例対象受贈株式等」、「特例対象株式等」、
「特例対象受贈山林」、「特例対象山林」又は「特例対象宅地等」を取得した全ての人の同意が必
要です。

ロ　イの「特例対象受贈株式等」、「特例対象株式等」、「特例対象受贈山林」、「特例対象山林」又は
「特例対象宅地等」を取得した個人がこの明細書の経営承継相続人等のみである場合は、記入を
要しません。

－983－

第十五章《相続税の申告書等の書き方》

15　第8の2表の付表3　非上場株式等についての相続税の納税猶予及び免除の適用を受ける対象相続非上場株式等の明細書（一般措置用）

　この表は、非上場株式等についての納税猶予及び免除の適用を受ける対象相続非上場株式等について、その明細を記入します。

（1）「1　対象相続非上場株式等に係る会社」欄

　イ　租税特別措置法第70条の7第1項の規定の適用を受けた対象受贈非上場株式等に係る会社が、その株式等の贈与の時から相続開始の直前までにおいて、合併により消滅した場合はその合併により存続した会社又は設立した会社、株式交換等により他の会社の株式交換完全子会社等となった場合はその他の会社について①から⑧までの各欄を記入します。

　ロ　⑦欄は、具体的にその役職を、例えば、「代表取締役」と記入します。なお、代表権に制限のある代表者については、この特例の適用を受けることはできません。

　ハ　⑧欄は、中小企業における経営の承継の円滑化に関する法律施行規則第13条第1項（同条第3項において準用する場合を含みます。）の都道府県知事の確認を受けた年月日及び確認番号をそれぞれ記入します。

　ニ　⑨欄は、特例相続非上場株式等に係る会社又はその会社の特別関係会社（租税特別措置法施行令第40条の8の4第4項の規定において準用する租税特別措置法施行令第40条の8の2第8項の特別の関係がある会社をいいます。）であって対象相続非上場株式等に係る会社との間に支配関係（租税特別措置法施行令第40条の8第9項に規定する関係をいいます。）がある法人が保有する会社法第2条第2号に規定する外国会社（対象相続非上場株式等に係る会社の特別関係会社に該当するものに限ります。）又は租税特別措置法施行令第40条の8の4第8項の規定において準用する租税特別措置法施行令第40条の8の2第12項第1号に掲げる法人の株式等（対象非上場株式等に係る会社が資産保有型会社等に該当する場合に限ります。）又は同項第2号に規定する医療法人の出資の有無について記入します。

（2）「2　対象相続非上場株式等の明細」欄

　イ　①から③欄までの「総数等」及び「数等」には、議決権に制限のある株式等の数等は含まれません。

　ロ　次の場合で②欄の数等又は④欄の金額の記入に当たって分からないことがあった場合は、税務署にお尋ねください。

　・　贈与により取得した時以後において、株式等について併合・分割・株式無償割当てがあった場合やその株式等に係る会社について合併・会社分割・株式交換等があった場合

　・　租税特別措置法第70条の7第15項第3号の規定の適用に係る贈与により取得した株式等がある場合

　ハ　③欄の数等は、「3　納税猶予及び免除の適用を受ける株式等の数等の限度数（限度額）の計算」の④欄の数等が限度となります。

　ニ　④欄の金額は、贈与の時における価額を基礎として計算した価額を記入します。贈与の時に、贈与税の納税猶予税額を租税特別措置法第70条の7第2項第5号イに規定する認定贈与承継会社等が外国会社等の株式等を有していないものとして計算していた場合には、税務署にお尋ねください。

　ホ　対象相続非上場株式等に係る会社又はその会社の特別関係会社（租税特別措置法施行令第40条の8の4第4項の規定において準用する租税特別措置法施行令第40条の8の2第8項の特別の関係がある会社をいいます。）であって対象相続非上場株式等に係る会社との間に支配関係（租税特別措置法施行令第40条の8第9項に規定する関係をいいます。）がある法人（以下「会社等」といいます。）が会社法第2条第2号に規定する外国会社（対象相続非上場株式等に係る会社の特別関

－984－

係会社に該当するものに限ります。）、租税特別措置法施行令第40条の8の4第8項の規定において準用する租税特別措置法施行令第40条の8の2第12項第1号に掲げる法人（対象非上場株式等に係る会社が資産保有型会社等に該当する場合に限ります。）又は同項第2号に規定する医療法人の株式等を有する場合の納税猶予分の相続税額の計算の基となる対象相続非上場株式等の価額は、租税特別措置法第70条の7の4第1項の対象受贈非上場株式等の租税特別措置法第70条の7第1項の規定の適用に係る贈与の時における対象受贈非上場株式等に係る会社の株式等の価額を基礎として会社等が外国会社等の株式等を有していなかったものとして計算した価額となります。

ヘ　A欄の金額（⑤欄の金額）を第8の2表の「1　株式等納税猶予税額の基となる相続税の総額の計算」の①欄に移記します。なお、第8の2表の付表1・付表2・付表3の作成がある場合は、各付表のA欄の金額の合計額を第8の2表の「1　株式等納税猶予税額の基となる相続税の総額の計算」の①欄に記入します。

（3）　「3　納税猶予及び免除の適用を受ける株式等の数等の限度数（限度額）の計算」欄

　　この欄は、「2　対象相続非上場株式等の明細」の③欄に記載することができる株式等の数等の限度数（限度額）の計算をします。

（4）　最初の非上場株式等についての贈与税の納税猶予及び免除等の適用に関する事項

　　この欄は、経営相続承継受贈者が、「2　対象相続非上場株式等の明細」の受贈年月日前に贈与又は相続等により取得した上記（1）の対象相続非上場株式等に係る会社の非上場株式等について、「非上場株式等についての贈与税の納税猶予及び免除（租税特別措置法第70条の7）」又は「「非上場株式等についての相続税の納税猶予及び免除（同法第70条の7の2）」の規定の適用を受けている場合において、最初のその贈与又は相続等によるその会社の非上場株式等の取得に関する事項等について記入します。

16　第8の2表の付表4　非上場株式等についての相続税の納税猶予及び免除の適用に係る会社が災害等により被害を受けた場合の明細書（一般措置用）

　　この表は、災害等が発生した日から同日以後1年を経過する日までの間に相続又は遺贈により取得をした（租税特別措置法第70条の7の3の規定により取得をしたものとみなされる場合を含みます。）株式等について非上場株式等についての納税猶予の特例の適用を受けようとする場合で、租税特別措置法第70条の7の2第35項若しくは第37項又は同法第70条の7の4第18項の規定の適用を受けるときに、会社の被害の態様等について、その明細を記入します。

17　第8の2の2表の付表1　非上場株式等についての相続税の納税猶予及び免除の特例の適用を受ける特例対象非上場株式等の明細書（特例措置用）

　　この表は、非上場株式等についての相続税の納税猶予及び免除の特例の適用を受ける特例対象非上場株式等について、その明細を記入します。

（1）　「1　特例対象非上場株式等に係る会社」欄

イ　⑦欄は、具体的にその役職を、例えば、「代表取締役」と記入します。なお、代表権に制限のある代表者については、この納税猶予及び免除の特例の適用を受けることはできません。

ロ　⑧欄は、中小企業における経営の承継の円滑化に関する法律施行規則第16条第1号に規定する特例承継計画に係る同令規則第17条第2項の申請書を都道府県知事に提出した日並びにその特例承継計画につき同条第5項の都道府県知事の確認を受けた日及び確認番号をそれぞれ記入します。

ハ　⑨欄は、中小企業における経営の承継の円滑化に関する法律施行規則第6条第1項第12号又は第14号に掲げる事由に該当するものとして中小企業における経営の承継の円滑化に関する法律第

—985—

第十五章《相続税の申告書等の書き方》

12条第1項の都道府県知事の認定を受けた年月日及び認定番号をそれぞれ記入します。

ニ　⑩欄は、特例対象非上場株式等に係る会社又はその会社の特別関係会社（租税特別措置法施行令第40条の8の6第7項において準用する同令第40条の8の2第8項の特別の関係がある会社をいいます。（2）のロにおいて同じです。）であって特例対象非上場株式等に係る会社との間に支配関係（租税特別措置法施行令第40条の8の5第8項において準用する同令第40条の8第9項に規定する関係をいいます。（2）のロにおいて同じです。）がある法人が保有する会社法第2条第2号に規定する外国会社（特例対象非上場株式等に係る会社の特別関係会社に該当するものに限ります。）、租税特別措置法施行令第40条の8の6第15項において準用する同令第40条の8の2第12項第1号に掲げる法人（特例対象非上場株式等に係る会社が資産保有型会社等に該当する場合に限ります。）又は同項第2号に規定する医療法人の株式等の有無について記入します。

（2）　「2　特例対象非上場株式等の明細」欄

イ　①から③欄までの「総数等」及び「数等」には、議決権に制限のある株式等の数等は含まれません。

ロ　④欄の金額は、相続開始の時における価額を記入します。

なお、特例対象非上場株式等に係る会社又はその会社の特別関係会社であって特例対象非上場株式等に係る会社との間に支配関係がある法人（以下「会社等」といいます。）が会社法第2条第2号に規定する外国会社（特例対象非上場株式等に係る会社の特別関係会社に該当するものに限ります。）、租税特別措置法施行令第40条の8の6第15項において準用する同令第40条の8の2第12項第1号に掲げる法人（特例対象非上場株式等に係る会社が資産保有型会社等に該当する場合に限ります。）又は同項第2号に規定する医療法人の株式等を有する場合の納税猶予分の相続税額の計算の基となる特例対象非上場株式等の価額は、会社等がそれらの株式等を有していなかったものとして計算した価額となります。

ハ　A欄の金額（⑤欄の金額）を第8の2の2表の「1　特例株式等納税猶予税額の基となる相続税の総額の計算」の①欄に転記します。

なお、第8の2の2表の付表1・付表2の作成がある場合は、各付表のA欄の合計額を第8の2の2表の「1　特例株式等納税猶予税額の基となる相続税の総額の計算」の①欄に記入します。

（3）　「3　最初の非上場株式等についての贈与税の納税猶予及び免除の特例等の適用に関する事項」欄

イ　「相続等」とは、相続又は遺贈をいいます。

ロ　①欄は、取得の原因を丸で囲んでください。

ハ　③欄は、最初の贈与又は相続等によるその会社の非上場株式等の取得について、非上場株式等についての贈与税の納税猶予及び免除の特例等の適用を受け、又は受けようとする贈与税又は相続税の申告書の提出先の税務署名を記入してください。

ニ　④欄は、最初の贈与又は相続等によるその会社の非上場株式等の取得に係る贈与者又は被相続人の氏名を記入してください。

（4）　「4　会社が現物出資又は贈与により取得した資産の明細書」欄

イ　「特例経営承継相続人等と特別の関係がある者」とは、特例経営承継相続人等の親族などその特例経営承継相続人等と租税特別措置法施行令第40条の8の6第14項において準用する同令第40条の8の2第11項に定める特別の関係がある者をいいます。

ロ　①欄の金額は、相続開始の時における価額を記入します。

なお、会社が相続開始の時において現物出資又は贈与により取得した資産を既に有していない場合は、その相続開始の時に有していたものとしたときにおける価額を記入します。

ハ　③欄の金額は会社の全ての資産の相続開始の時における価額の合計額を記入します。

ニ　④欄の保有割合が70%以上の場合は、この特例の適用を受けることはできません。

－986－

第十五章《相続税の申告書等の書き方》

ホ　明細書に記入しきれないときは、適宜の用紙に現物出資又は贈与により取得した資産の明細を
記載し添付してください。

18　第8の2の2表の付表2　非上場株式等についての相続税の納税猶予及び免除の特例の適用を受ける特例対象相続非上場株式等の明細書（特例措置用）

この表は、非上場株式等についての相続税の納税猶予及び免除の特例の適用を受ける特例対象相続
非上場株式等について、その明細を記入します。

（1）　「1　特例対象相続非上場株式等に係る会社」欄

イ　租税特別措置法第70条の7の5第1項の規定の適用を受けた特例対象受贈非上場株式等に係
る会社が、その株式等の贈与の時から相続開始の直前までにおいて、合併により消滅した場合は
その合併により存続した会社又は設立した会社、株式交換等により他の会社の株式交換完全子会
社等となった場合はその場合の他の会社について①から⑧までの各欄を記入します。

ロ　⑦欄は、具体的にその役職を、例えば、「代表取締役」と記入します。なお、代表権に制限のあ
る代表者については、この特例の適用を受けることはできません。

ハ　⑧欄は、中小企業における経営の承継の円滑化に関する法律施行規則第13条第4項又は第5項
において準用する同条第1項の都道府県知事の確認を受けた年月日及び確認番号をそれぞれ記入
します。

ニ　⑨欄は、特例対象相続非上場株式等に係る会社又はその会社の特別関係会社（租税特別措置法
施行令第40条の8の8第5項において準用する租税特別措置法施行令第40条の8の2第8項に規
定する特別の関係がある会社をいいます。）であって特例対象相続非上場株式等に係る会社との間
に支配関係（租税特別措置法施行令第40条の8の5第8項において準用する租税特別措置法施行
令第40条の8第9項に規定する関係をいいます。）がある法人が保有する会社法第2条第2号に規
定する外国会社（特例対象相続非上場株式等に係る会社の特別関係会社に該当するものに限りま
す。）、租税特別措置法施行令第40条の8の8第8項において準用する租税特別措置法施行令第40
条の8の2第12項第1号に掲げる法人の株式等（特例対象相続非上場株式等に係る会社が資産保
有型会社等に該当する場合に限ります。）又は同項第2号に規定する医療法人の出資の有無につい
て記入します。

（2）　「2　特例対象相続非上場株式等の明細」欄

イ　①から③欄までの「総数等」及び「数等」には、議決権に制限のある株式等の数等は含まれま
せん。

ロ　次の場合で②欄の数等又は④欄の金額の記入に当たってお分かりにならないことがありました
ら、税務署にお尋ねください。

・　贈与により取得した時以後において、株式等について併合・分割・株式無償割当てがあった
場合やその株式等に係る会社について合併・会社分割・株式交換等があった場合

・　租税特別措置法第70条の7の5第11項において準用する同法第70条の7第15項第3号の規定
の適用に係る贈与により取得した株式等がある場合

ハ　④欄の金額は、贈与の時における価額を基礎として計算した価額を記入します。贈与の時に、
贈与税の納税猶予税額を租税特別措置法第70条の7の5第2項第8号イに規定する特例認定贈与
承継会社等が外国会社等の株式等を有していないものとして計算していた場合には、税務署にお
尋ねください。

ニ　特例対象相続非上場株式等に係る会社又はその会社の特別関係会社（租税特別措置法施行令第
40条の8の8第5項において準用する租税特別措置法施行令第40条の8の2第8項に規定する特
別の関係がある会社をいいます。）であって特例対象相続非上場株式等に係る会社との間に支配関
係（租税特別措置法施行令第40条の8の5第8項において準用する租税特別措置法施行令第40条

－987－

第十五章《相続税の申告書等の書き方》

の８第９項に規定する関係をいいます。）がある法人（以下「会社等」といいます。）が会社法第
２条第２号に規定する外国会社（特例対象相続非上場株式等に係る会社の特別関係会社に該当す
るものに限ります。）、租税特別措置法施行令第40条の８の８第８項において準用する租税特別措
置法施行令第40条の８の２第12項第１号に掲げる法人（特例対象相続非上場株式等に係る会社が
資産保有型会社等に該当する場合に限ります。）又は同項第２号に規定する医療法人の株式等を有
する場合の納税猶予分の相続額の計算の基となる特例対象相続非上場株式等の価額は、租税特別
措置法第70条の７の８第１項の特例対象受贈非上場株式等の租税特別措置法第70条の７の５第１
項の規定の適用に係る贈与の時における特例対象受贈非上場株式等に係る会社の株式等の価額を
基礎として会社等が外国会社等の株式等を有していなかったものとして計算した金額となりま
す。詳しくは税務署にお尋ねください。

ホ　Ａ欄の金額（⑤欄の金額）を第８の２の２表の「１　特例株式等納税猶予税額の基となる相続
税の総額の計算」の①欄に転記します。

なお、第８の２の２表の付表１・付表２の作成がある場合は、各付表のＡ欄の合計額を第８の
２の２表の「１　特例株式等納税猶予税額の基となる相続税の総額の計算」の①欄に記入します。

（３）「３　最初の非上場株式等についての贈与税の納税猶予及び免除の特例等の適用に関する事項」
欄

この欄は、特例経営相続承継受贈者が、「２　特例対象相続非上場株式等の明細」の受贈年月日前に
贈与又は相続等により取得した上記(１)の特例対象相続非上場株式等に係る会社の非上場株式等につ
いて、「非上場株式等についての贈与税の納税猶予及び免除の特例（租税特別措置法第70条の７の５）」
又は「非上場株式等についての相続税の納税猶予及び免除の特例（同法第70条の７の６）」の規定の適
用を受けている場合において、最初のその贈与又は相続等によるその会社の非上場株式等の取得に関
する事項等について記入します。

19　第８の２の２表の付表３　非上場株式等についての相続税の納税猶予及び免除の特例の適用に係る会社が災害等により被害を受けた場合の明細書（特例措置用）

この表は、災害等が発生した日から同日以後１年を経過する日までの間に相続又は遺贈により取得
をした（租税特別措置法第70条の７の７の規定により取得をしたものとみなされる場合を含みます。）
株式等について非上場株式等についての相続税の納税猶予及び免除の特例の適用を受けようとする場
合で、租税特別措置法第70条の７の６第26項の規定において準用する同法第70条の７の２第35項若し
くは第37項又は同法第70条の７の８第14項の規定において準用する同法第70条の７の２第35項の規定
の適用を受けるときに、会社の被害の態様等について、その明細を記入します。

20　第８の３表　山林納税猶予税額の計算書

この表は、林業経営相続人に該当する人が山林についての納税猶予税額（山林納税猶予税額）を算
出するために使用します。

（１）「１　山林納税猶予税額の基となる相続税の総額の計算」欄

イ　③欄の「第１表の（①＋②）」の金額は、林業経営相続人が租税特別措置法第70条の６第１項
の規定による農地等についての納税猶予及び免除等の適用を受ける場合は、「第３表の①欄」の
金額となります。また、⑦欄の「第１表の⑥欄」の金額は、相続又は遺贈により財産を取得した
人のうちに租税特別措置法第70条の６第１項の規定による農地等についての納税猶予及び免除
等の適用を受ける人がいる場合は、「第３表の⑥欄」の金額となります。

ロ　⑪及び⑫欄は第２表の「④　法定相続人」の「氏名」欄及び「⑤　左の法定相続人に応じた法
定相続分」欄からそれぞれ転記します。

－988－

第十五章《相続税の申告書等の書き方》

（2）　「2　山林納税猶予額の計算」欄

イ　⑥欄の算式中の「第1表の⑨」の金額について、相続又は遺贈により財産を取得した人のうちに租税特別措置法第70条の6第1項の規定による農地等についての納税猶予及び免除等の適用を受ける人がいる場合には、「第1表の⑩」の金額とします。

ロ　⑧欄の金額を林業経営相続人の第8の8表の「2　納税猶予税額」の「山林納税猶予税額④」欄に転記します。なお、林業経営相続人が他の相続税の納税猶予等の適用を受ける場合は、⑧欄の金額によらず、第8の7表の⑳欄の金額を林業経営相続人の第8の8表の「2　納税猶予税額」の「山林納税猶予税額④」欄に転記します。

21　第8の3表の付表　山林についての納税猶予の適用を受ける特例山林及び特例施業対象山林の証明書

この表は、山林についての納税猶予及び免除の適用を受ける特例山林及び特例施業対象山林について、その明細等を記入します。

（1）　「1　林業経営相続人に関する事項」欄

平均余命とは、厚生労働省の作成に係る完全生命表に掲げる年齢及び性別に応じた平均余命をいいます。

（2）　「2　特例施業対象山林・特例山林の明細」欄

イ　「路網整備を行わない山林等」の欄には、路網整備を行わない山林又は市街化区域内の山林に該当する場合は「×」と記入します。

ロ　⑩欄の「標準伐期齢等」とは、森林法第10条の5第1項に規定する市町村森林整備計画に定める標準伐期齢をいいます。ただし森林法施行規則第39条第1項に規定する水源かん養機能維持増進森林の区域内に存する立木については、標準伐期齢に10年を加えた林齢をいい、それ以外の区域に存する立木のうち標準伐期齢のおおむね2倍以上に相当する林齢を超える林齢において主伐を行う森林施業を推進すべき森林として市町村森林整備計画において定められている森林（以下「長伐期施業森林」といいます。）の区域内に存する立木については、その長伐期施業森林につき市町村森林施業計画に定められている林齢をいいます。

ハ　⑪欄は、「④＜⑩」の場合には「適」を、それ以外の場合には「否」を〇で囲んでください。

ニ　上記に記入しきれないときは、適宜の用紙に特例施業対象山林・特例山林の明細を記載して添付してください。

（3）　「特例施業対象山林の経営に関する事項」欄

イ　この欄は、経営報告基準日の翌日から5か月を経過する日が相続税の申告期限までに到来し、かつ、その5か月を経過する日がその経営報告基準日の翌年である場合に記入します。

ロ　「経営報告基準日の属する年分の山林所得に係る収入金額」の欄には、所得税法第32条第1項に規定する山林所得に係る収入金額を記入します。

22　第8の4表　医療法人持分納税猶予税額・税額控除額の計算書

この表は、「医療法人の持分についての納税猶予及び免除」又は「医療法人の持分についての税額控除」の適用を受ける人（以下この表において「医療法人持分相続人等」と表記しています。）が、医療法人の持分に係る納税猶予税額（医療法人持分納税猶予税額）又は税額控除額（医療法人持分税額控除額）を算出するために使用します。

（1）　「1　医療法人持分納税猶予税額又は医療法人持分税額控除額の基となる相続税の総額の計算」欄

イ　③欄の「第1表の（①＋②）」の金額は、医療法人持分相続人等が租税特別措置法第70条の6第1項の規定による農地等についての納税猶予及び免除等の適用を受ける場合は、「第3表の

第十五章《相続税の申告書等の書き方》

①」欄の金額となります。また、⑥欄の「第1表の⑥」の金額は、相続又は遺贈により財産を取得した人のうちに租税特別措置法第70条の6第1項の規定による農地等についての納税猶予及び免除等の適用を受ける人がいる場合は、「第3表の⑥」欄の金額となります。

　ロ　⑨及び⑩欄は、第2表の「④　法定相続人」の「氏名」欄及び「⑤　左の法定相続人に応じた法定相続分」欄からそれぞれ転記します。

（2）　「2　医療法人持分納税猶予税額又は医療法人持分税額控除額の計算」欄

　イ　⑤欄の算式中の「第1表の⑨」の金額は、相続又は遺贈により財産を取得した人のうちに租税特別措置法第70条の6第1項の規定による農地等についての納税猶予及び免除等の適用を受ける人がいる場合は、医療法人持分相続人等の「第1表の⑩」の金額となります。

　ロ　⑧欄について、特例の適用に係る医療法人が1法人の場合は、⑧欄の記入は行わず、⑦欄の金額を⑨欄に記入します（100円未満切捨て）。なお、「医療法人持分納税猶予税額等」とは、租税特別措置法第70条の7の12第2項に規定する納税猶予分の相続税額に相当する金額を、イからハまでの各欄の算式中の「持分の価額」とは、第8の4表の付表の「医療法人の持分の明細」のA欄の金額をいいます。

　　　また、特例の適用に係る医療法人が4法人以上ある場合は、適宜の用紙に医療法人ごとの医療法人持分納税猶予税額又は医療法人持分税額控除額を記載して添付してください。

　ハ　⑩欄は、イ又はロの場合に応じ、医療法人持分納税猶予税額をA欄に、又は医療法人持分税額控除額をB欄に記入します。なお、ロの場合には、放棄の態様（（イ)又は(ロ)）に応じ、（イ)のときには⑨欄の金額を、（ロ)のときには⑨欄の金額に基づき算出した第8の4表の付表の「基金拠出型医療法人へ基金を拠出した場合の医療法人持分税額控除額の計算明細」のFの金額を、それぞれB欄に転記します。また、その算出した⑩欄のA又はB欄の金額を医療法人持分相続人等の第8の8表の「2　納税猶予税額」の「医療法人持分納税猶予税額⑤」又は第1表の「医療法人持分税額控除額⑱」欄に転記します。なお、医療法人持分相続人等が、他の相続税の納税猶予等の適用を受ける場合には、第8の7表の㉒欄のA又はB欄の金額を医療法人持分相続人等の第8の8表の「2　納税猶予税額」の「医療法人持分納税猶予税額⑤」又は第1表の「医療法人持分税額控除額⑱」欄に転記します。

23　第8の4表の付表　医療法人の持分の明細書・基金拠出型医療法人へ基金を拠出した場合の医療法人持分税額控除額の計算明細書

（1）　「医療法人の持分の明細」欄

　医療法人の持分についての納税猶予及び免除又は医療法人の持分についての税額控除の適用を受ける人（以下この表において「医療法人持分相続人等」と表記しています。）が、相続又は遺贈により取得した特例の適用に係る医療法人の持分の明細を記入します。

・　特例の適用に係る医療法人が2法人以上ある場合には、その医療法人ごとにこの明細を作成します。この場合、特例の適用に係る医療法人ごとの持分の価額の合計額を第8の4表の1の①欄に転記します。

（2）　「基金拠出型医療法人へ基金を拠出した場合の医療法人持分税額控除額の計算明細」欄

　被相続人の相続の開始の時からその相続に係る相続税の申告書の提出期限までの間に、医療法人が基金拠出型医療法人に移行した場合において、医療法人持分相続人等がその医療法人の持分の一部を放棄し、その残余の部分をその基金拠出型医療法人の基金として拠出したときの医療法人持分税額控除額（放棄相当相続税額）を算出するために使用します。

　イ　3の①欄の「第8の4表の2の⑨」の金額は、特例の適用に係る医療法人が2法人以上ある場合は、「第8の4表の2の⑧のイ、ロ又はハ」の金額として医療法人持分税額控除額（放棄相当相続税額）を計算します。この場合、その算出した医療法人持分税額控除額のFの金額を第8の

－990－

４表の２の⑩欄のロの(ロ)のＢ欄に転記します。

ロ　医療法人持分相続人等が、他の相続税の納税猶予等の適用を受ける場合には、３の①欄中「第
８の４表の２の⑨」の金額とあるのは、「第８の７表の３の㉑」の金額として医療法人持分税額
控除額（放棄相当相続税額）を計算します。この場合、その算出した医療法人持分税額控除額の
Ｆの金額を第８の７表の３の㉒欄のロの(ロ)のＢ欄に転記します。

24　第8の5表　美術品納税猶予税額の計算書

この表は、寄託相続人に該当する人が特定の美術品についての納税猶予税額（美術品納税猶予税額）
を算出するために使用します。

（１）　「１　美術品納税猶予税額の基となる相続税の総額の計算」欄

イ　③欄の「第１表の①＋②」の金額は、寄託相続人が租税特別措置法第70条の６第１項の規定に
よる農地等についての納税猶予及び免除等の適用を受ける場合は、「第３表の①欄」の金額とな
ります。また、⑦欄の「第１表の⑥欄」の金額は、相続又は遺贈により財産を取得した人のうち
に租税特別措置法第70条の６第１項の規定による農地等について納税猶予及び免除等の適用を
受ける人がいる場合は、「第３表の⑥欄」の金額となります。

ロ　⑪及び⑫欄は第２表の「④　法定相続人」の「氏名」欄及び「⑤　左の法定相続人に応じた法
定相続分」欄からそれぞれ転記します。

（２）　「２　美術品納税猶予税額の計算」欄

イ　ｃ欄の算式中の「第１表の⑨」の金額について、相続又は遺贈により財産を取得した人のうち
に租税特別措置法第70条の６第１項の規定による農地等についての納税猶予及び免除等の適用
を受ける人がいる場合は、「第１表の⑩」の金額とします。

ロ　⑧欄について、特定美術品が１のみの場合は、⑧欄の記入は行わず、⑦欄の金額を⑨欄に記入
します（100円未満切捨て）。なお、イからハまでの各欄の算式中の「特定美術品に係る価額」と
は第８の５表の付表の「２　特定美術品の明細」のＡ欄の金額をいいます。また、特定美術品が
４以上ある場合は、適宜の用紙に特定美術品ごとの特定美術品に係る美術品納税猶予税額を記載
し添付してください。

ハ　⑨欄のＡ欄の金額を寄託相続人の第８の８表の「２　納税猶予税額」の「美術品納税猶予税額
⑥」欄に転記します。なお、寄託相続人が他の相続税の納税猶予等の適用を受ける場合は、⑨欄
のＡ欄の金額によらず、第８の７表の㉓欄の金額を寄託相続人の第８の８表の「２　納税猶予税
額」の「美術品納税猶予税額⑥」欄に転記します。

25　第8の5表の付表　特定の美術品についての納税猶予の適用を受ける特定美術品の明細書

この表は、特定の美術品についての納税猶予及び免除の適用を受ける特定美術品について、その明
細等を記入します。

（１）　「２　特定美術品の明細」欄

寄託相続人が相続又は遺贈により取得した特定美術品の明細等を記入します。

イ　③欄については、いずれか該当するものを丸で囲んでください。

ロ　④欄には、文化財保護法第27条第１項の規定により重要文化財と指定された年月日及び指定書
の記号番号又は同法第58条第１項の規定により登録有形文化財として登録された年月日及び登
録番号を記載してください。

ハ　⑤欄には、文化庁長官により通知される「重要文化財（登録有形文化財）に係る評価価格通知
書」に記載されている「評価した価格」を記載してください。

—991—

第十五章《相続税の申告書等の書き方》

（2）　「3　寄託先美術館に関する事項」欄

・　③欄の「契約期間」欄には、特定美術品の所有者と寄託先美術館の設置者との間で締結された特
　定美術品の寄託に関する契約の契約期間を記載してください。

（3）　「4　認定保存活用計画の認定状況等」欄

・　「認定保存活用計画」とは、文化財保護法第53条の2第3項第3号に掲げる事項が記載されてい
　る同法第53条の6に規定する「認定重要文化財保存活用計画」又は同法第67条の2第3項第2号に
　掲げる事項が記載されている同法第67条の5に規定する「認定登録有形文化財保存活用計画」をい
　います。

（4）　「5　認定保存活用計画が終了している場合等」欄

　イ　被相続人がこの特例の適用を受けようとする特定美術品に係る認定保存活用計画の計画期間
　　が満了した日以後4か月以内に死亡した場合において、その死亡の日前にその特定美術品に係る
　　新たな認定保存活用計画に係る文化財保護法第53条の2第1項又は第67条の2第1項の規定に
　　よる認定の申請をし、かつ、同日においてその認定を受けていないときをいいます。

　ロ　この特例の適用に係る相続の開始の日から相続税の申告書の提出期限までの間に次の(イ)又
　　は(ロ)に掲げる場合に該当した場合において、寄託相続人が相続税の申告書の提出期限から1年
　　を経過する日までに新たな寄託先美術館の設置者との間で寄託契約を締結し、かつ、特定美術品
　　を新寄託先美術館の設置者に寄託する見込みであるときをいいます。

　　(イ)　特例の適用を受けようとする特定美術品に係る寄託契約の契約期間が寄託先美術館の設置
　　　者からの契約の解除又は契約の更新を行わない旨の申出により終了した場合

　　(ロ)　特定美術品を寄託された寄託先美術館について、博物館法の規定により登録を取り消され、
　　　若しくは登録を抹消された場合又は博物館に相当する施設としての指定が取り消された場合

26　第8の6表　事業用資産納税猶予税額の計算書

　この表は、特例事業相続人等に該当する人が個人の事業用資産についての相続税の納税猶予及び免
除に係る納税猶予税額（事業用資産納税猶予税額）を算出するために使用します。

（1）　「1　事業用資産納税猶予税額の基となる相続税の総額の計算」欄

　イ　④欄の「第1表の⑥欄」の金額は、相続又は遺贈により財産を取得した人のうちに租税特別措
　　置法第70条の6第1項の規定による農地等についての納税猶予及び免除等の適用を受ける人が
　　いる場合は、「第3表の⑥欄」の金額となります。

　ロ　⑦及び⑧欄は第2表の「④　法定相続人」の「氏名」欄及び「⑤　左の法定相続人に応じた法
　　定相続分」欄からそれぞれ転記します。

（2）　「2　事業用資産納税猶予税額の計算」欄

　イ　b欄の算式中の「第1表の⑨」の金額について、相続又は遺贈により財産を取得した人のうち
　　に租税特別措置法第70条の6第1項の規定による農地等についての納税猶予及び免除等の適用
　　を受ける人がいる場合は、「第1表の⑩」の金額とします。

　ロ　⑤欄のA欄の金額を特例事業相続人等の第8の8表の「2　納税猶予税額」の「事業用資産納
　　税猶予税額⑦」欄に転記します。なお、特例事業相続人等が他の相続税の納税猶予等の適用を受
　　ける場合は、⑤欄のA欄の金額によらず、第8の7表の㉔欄の金額を特例事業相続人等の第8の
　　8表の「2　納税猶予税額」の「事業用資産納税猶予税額⑦」欄に転記します。

27　第8の6表の付表1　個人の事業用資産についての相続税の納税猶予及び免除の適
　　　用を受ける特定事業用資産の明細書

　この表は、相続又は遺贈により取得をした個人の事業用資産について「個人の事業用資産について
の相続税の納税猶予及び免除」の適用を受ける特定事業用資産の明細を記入します。

－992－

租税特別措置法第70条の６の９の規定により相続又は遺贈により取得したものとみなされた特例受贈事業用資産についてこの特例の適用を受ける場合には、この明細書によらず第８の６表の付表２又は第８の６表の付表２の２を使用してください。

（１）　「特定事業用資産に係る事業」欄

　イ　特定事業用資産に係る事業が２以上ある場合の①欄及び②欄は、主たるものを記載します。

　ロ　⑥欄は、中小企業における経営の承継の円滑化に関する法律施行規則第16条第３号に規定する個人事業承継計画に係る同令第17条第４項の申請書を都道府県知事に提出した日並びにその個人事業承継計画につき同条第１項３号の都道府県知事の確認を受けた日及び確認番号をそれぞれ記入します。

　ハ　⑦欄は、中小企業における経営の承継の円滑化に関する法律施行規則第６条第16項第８号又は第10号に掲げる事由に該当するものとして中小企業における経営の承継の円滑化に関する法律第12条第１項の都道府県知事の認定を受けた年月日及び認定番号をそれぞれ記入します。

（２）　「特定事業用資産の明細」欄

　被相続人等の事業の用に供されていた資産（相続開始日の前年分の事業所得に係る青色申告書（租税特別措置法第25条の２第３項の規定の適用に係るものに限ります。）の貸借対照表に計上されているものに限ります。）について記載してください。

　イ　（１）③、（２）③及び（３）④の「価額」欄の金額は、相続開始の時における価額を記入します。

　ロ　「個人の事業用資産についての相続税の納税猶予及び免除」の対象となり得る宅地等を被相続人から相続又は遺贈（以下「相続等」といいます。）により取得した者が１人でない場合、又はその対象となり得る建物を被相続人から相続等により取得した者が１人でない場合等については、第８の６表の付表３等に「特例の適用に当たっての同意」を記入してください。

　ハ　（１）④及び（２）④の面積については、第８の６表の付表３により限度面積の判定を行ってください。

（３）　「事業を行っていた者に関する事項」欄

　被相続人が２の特定事業用資産に係る事業を行っていた者と生計を一にする親族である場合に、その事業を行っていた者からの特例事業相続人等の当該事業に係る資産の取得に関する事項等について記入します。

　イ　①欄は、上記（２）の特定事業用資産に係る事業を行っていた者の氏名を記載します。

　ロ　②欄は、取得の原因を丸で囲んでください。

　ハ　③欄は、特定事業用資産に係る事業を行っていた者からその事業の用に供されていた資産を取得した年月日を記載してください。

　　なお、被相続人が特定事業用資産に係る事業を行っていた者でない場合（事業を行っていた者と生計を一にする親族である場合）には、その被相続人から相続等により取得した資産について「個人の事業用資産についての相続税の納税猶予又は免除」の適用を受けるには、その相続等による取得が、令和10年12月31日までの取得で、その事業を行っていた者からその資産の取得をした日から１年を経過する日までの取得に限られます。

（４）　「最初の特例の適用に関する事項」欄

　特例事業相続人等が、その相続前に贈与又は相続等により取得した上記（２）の特定事業用資産に係る事業の用に供されていた資産について、「個人の事業用資産についての贈与税の納税猶予及び免除（租税特別措置法第70条の６の８）」又は「個人の事業用資産についての相続税の納税猶予及び免除（租税特別措置法第70条の６の10）」の規定の適用を受けている場合又は受けようとしている場合において、最初のその贈与又は相続等によるその個人の事業用資産の取得に関する事項等について記入します。

　イ　①欄は、上記（２）の特定事業用資産に係る事業の用に供されていた資産に係る最初の贈与又は

相続等に係る贈与者又は被相続人の氏名を記入してください。

ロ　②欄は、取得の原因を丸で囲んでください。

ハ　④欄は、上記（2）の特定事業用資産に係る事業の用に供されていた資産に係る最初の贈与又は相続等による取得について、個人の事業用資産についての贈与税の納税猶予及び免除等の適用を受け、又は受けようとする贈与税又は相続税の申告書の提出先の税務署名を記入してください。

（5）　「特例事業用資産の価額」欄

　Ａ欄の金額を第8の6表の「1　事業用資産納税猶予税額の基となる相続税の総額の計算」の①欄に転記します。

　なお、第8の6表の付表1のほか、第8表の6の付表2又は第8表の6の付表2の2の作成がある場合には、各付表のＡ欄の合計額を第8の6表の「1　事業用資産納税猶予税額の基となる相続税の総額の計算」の①欄に記入します。

28　第8の6表の付表2　個人の事業用資産についての相続税の納税猶予及び免除の適用を受ける特例受贈事業用資産の明細書（一般用）

　この表は、租税特別措置法第70条の6の9の規定により相続又は遺贈（以下「相続等」といいます。）により取得したものとみなされた特例受贈事業用資産（同法第70条の6の8第6項の承認に係る株式等を除きます。）について「個人の事業用資産についての相続税の納税猶予及び免除」の適用を受ける場合に、その特例受贈事業用資産の明細を記入します。

　相続等により取得した個人の事業用資産についてこの特例の適用を受ける場合には、この明細書によらず「第8の6表の付表1」を使用し、また、同法第70条の6の8第6項の承認に係る株式等についてこの特例の適用を受ける場合には、「第8の6表の付表2の2」を使用してください。

（1）　「特例受贈事業用資産に係る事業」欄

　イ　特例受贈事業用資産（租税特別措置法第70条の6の9の規定により相続又は遺贈により取得したものとみなされたものをいいます。以下同じです。）に係る事業が2以上ある場合の①欄及び②欄は、主たるものを記載します。

　ロ　⑤欄は、中小企業における経営の承継の円滑化に関する法律施行規則第13条第6項（同条第8項において準用する場合を含みます。）の都道府県知事の確認を受けた年月日及び確認番号をそれぞれ記載します。

（2）　「受贈宅地等及び受贈建物に関する明細」欄

　特例事業相続人等が被相続人から受けた贈与について租税特別措置法第70条の6の8第1項の規定の適用を受けるものとして同項に規定する贈与税の申告書に記載した特例受贈事業用資産である宅地等及び建物（以下それぞれ「受贈宅地等」及び「受贈建物」といいます。）の明細を記載します。

　イ　①ｂ及び②ｂの「面積」は、贈与税の申告書に記載した受贈宅地等及び受贈建物の面積を記載します。

　ロ　相続開始の時までに譲渡等をしたことにより、現に所有していない受贈宅地等及び受贈建物についても記載してください。

（3）　「特例の適用を受ける特例受贈事業用資産の明細」欄

　租税特別措置法第70条の6の9の規定により相続等により取得したものとみなされた特例受贈事業用資産のうち、この特例の適用を受けるものについて記載します。

　イ　「(1)宅地等」欄について

　　（イ）　ａからｃの各欄は、「第11の3表」の3(1)欄の記載に基づき記載してください。なお、当該宅地等が、受贈宅地等に係る買換資産である場合には、(1)欄に記載せず、(4)欄に記載します。

　　（ロ）　ｄ欄の「この特例の適用を受ける宅地等の面積」については、「第8の6表の付表3」の2

－994－

第十五章《相続税の申告書等の書き方》

（2）欄に転記し、限度面積の判定を行ってください。

ロ　「（2）建物」欄について

「第11の3表」の3（2）欄の記載に基づき記載してください。なお、当該建物が、受贈宅地等に係る買換資産である場合には、（2）欄に記載せず、（4）欄に記載してください。

ハ　「（3）減価償却資産」欄について

「第11の3表」の3（3）欄の記載に基づき記載してください。なお、当該減価償却資産が、受贈宅地等に係る買換資産である場合には、（3）欄に記載せず、（4）欄に記載してください。

ニ　「受贈宅地等に係る買換資産」欄について

（イ）　a及びb欄は、「2受贈宅地等及び受贈建物に関する明細」①欄に記載した宅地等のうち、租税特別措置法第70条の6の8第5項の承認に係るものについて、同欄の記載に基づき記載します。

（ロ）　②欄のd欄からf欄は、「第11の3表」の3（1）から（3）欄の記載に基づき記載してください。なお、d欄の「種類等」は、買換資産が宅地等又は建物である場合には、「宅地等」又は「建物」と記載し、買換資産が減価償却資産である場合には、その名称を記載してください。

（ハ）　h欄の「gのうち特例の適用を受ける面積」については、「第8の6表の付表3」の2（2）欄に転記し、限度面積の判定を行ってください。

（4）「特例事業用資産の価額」欄

受贈宅地等の譲渡をした場合において、租税特別措置法第70条の6の8第5項の承認を受け、その譲渡の対価により取得した買換資産がある場合に記載します。

なお、「買換資産」には、その買換資産に係る買換資産も含まれます。

A欄の金額を「第8の6表」の「1　事業用資産納税猶予税額の基となる相続税の総額の計算」の①欄に転記します。

なお、この明細書のほか、「第8の6表の付表1」又は「第8の6表の付表2の2」の作成がある場合には、各付表のA欄の合計額を「第8の6表」の「1事業用資産納税猶予税額の基となる相続税の総額の計算」の①欄に記入します。

29　第8の6表の付表2の2　個人の事業用資産についての相続税の納税猶予及び免除の適用を受ける特例受贈事業用資産の明細書（株式等用）

この表は、租税特別措置法第70条の6の9の規定により相続又は遺贈（以下「相続等」といいます。）により取得したものとみなされた特例受贈事業用資産が同法第70条の6の8第6項の承認に係る株式等である場合において、その株式等について「個人の事業用資産についての相続税の納税猶予及び免除」の適用を受ける場合のその明細を記入します。

相続等により取得をした個人の事業用資産についてこの特例の適用を受ける場合には、この明細書によらず「第8の6表の付表1」を使用し、また、租税特別措置法第70条の6の8第6項の承認に係る株式等以外の特例受贈事業用資産についてこの特例の適用を受ける場合には、「第8の6表の付表2」を使用してください。

（1）　特例受贈事業用資産である株式等に係る会社

イ　租税特別措置法第70条の6の8第6項の承認（以下「現物出資承認」といいます。）を受けた株式等に係る会社が、その設立の時から相続開始の直前までにおいて、合併により消滅した場合は当該合併により存続した会社又は設立した会社、株式交換等により他の会社の株式交換完全子会社となった場合は当該他の会社について①から⑦までの各欄を記入します。

ロ　⑧欄は、中小企業における経営の承継の円滑化に関する法律施行規則第13条第9項（同条第11項において準用する場合を含みます。）の都道府県知事の確認を受けた年月日及び確認番号をそれぞれ記載します。

−995−

第十五章《相続税の申告書等の書き方》

（2）　特例受贈事業用資産である株式等の明細

　イ　　A欄の金額を「第8の6表」の「1　事業用資産納税猶予税額の基となる相続税の総額の計算」の①欄に転記します。

　　　なお、この明細書のほか、「第8の6表の付表1」又は「第8の6表の付表2」の作成がある場合は、各付表のA欄の合計額を「第8の6表」の「1　事業用資産納税猶予税額の基となる相続税の総額の計算」の①欄に記入します。

　ロ　　①欄及び②欄は、「第11の3表」の3（4）欄の記載に基づき記載してください。

　ハ　　③欄に記載することができる株式等の数等は、4②d欄の数等が限度となります。

（3）　受贈宅地等及び受贈建物に関する明細

　特例事業相続人等が被相続人から受けた贈与について租税特別措置法第70条の6の8第1項の規定の適用を受けるものとして同項に規定する贈与税の申告書に記載した特例受贈事業用資産である宅地等及び建物（以下それぞれ「受贈宅地等」及び「受贈建物」といいます。）の明細を記載します（現物出資した受贈宅地等にはチェックをしてください。）。

　イ　　①b及び②bの「面積」は、贈与税の申告書に記載した受贈宅地等及び受贈建物の面積を記載します。

　ロ　　fの「現物出資受贈宅地等の価額」欄は、チェックの入った項目のcの合計を記載してください。

　ハ　　現物出資前に譲渡等をしたことにより、現物出資時に所有していなかった受贈宅地等及び受贈建物についても記載してください。

　ニ　　①欄の記載事項を「第8の6表の付表3」の2（2）①欄に、②欄の記載事項を「第8の6表の付表3」の3（1）欄に、それぞれ転記してください。

（4）　特例の適用を受ける株式等の限度数（限度額）の計算

　2③欄に記載することができる株式等の数等の限度数（限度額）の計算をします。

　イ　　①f欄の「eのうち、この特例の適用を受ける面積」については、「第8の6表の付表3」の2（2）欄に転記し、限度面積の判定を行ってください。

　ロ　　②d欄の数等に1株未満の端数が生じた場合には、切り上げて差し支えありません。

30　第8の6表の付表3　個人の事業用資産についての相続税の納税猶予及び免除の適用に係る宅地等及び建物の明細書

（1）　「特例の適用に当たっての同意」欄

　「個人の事業用資産についての相続税の納税猶予及び免除」の対象となり得る宅地等を被相続人から相続又は遺贈（以下「相続等」といいます。）により取得した者が1人でない場合、又はその対象となり得る建物を被相続人から相続等により取得した者が1人でない場合に記入します。

（2）　「この特例の適用を受ける宅地等に係る限度面積の判定」欄

　この特例の適用を受けるものとして「第8の6表の付表1」又は「第8の6表の付表2」若しくは「第8の6表の付表2の2」に記載した宅地等について、限度面積を判定する場合に使用します。2（2）及び（3）の宅地等の明細に記入しきれない場合は、適宜の用紙に記載し添付してください。

　限度面積の判定（（2）④及び（3）②）の結果が「否」となる場合、この特例を受けることはできません。

　イ　　（2）の①b欄については、各特例事業相続人等に係る「第8の6表の付表2」の2①b及び「第8の6表の付表2の2」の3①bの所在地及び面積を記載してください。

　ロ　　（2）の②欄については、①b欄に記載した特例受贈事業用資産である宅地等の面積のうち、特例の適用を受ける宅地等の面積の合計が「ニ」の限度面積の範囲内となるよう選択をした宅地等の面積を記載してください。

－996－

第十五章《相続税の申告書等の書き方》

（3）　「この特例の適用を受ける建物に係る限度面積の判定」欄

この特例の適用を受けるものとして「第8の6表の付表1」又は「第8の6表の付表2」若しくは「第8の6表の付表2の2」に記載した建物について、限度面積を判定する場合に使用します。3（1）及び（2）の建物の明細に記入しきれない場合は、適宜の用紙に記載し添付してください。

・　（1）の「所在場所」及び「面積」は、各特例事業相続人等に係る「第8の6表の付表2」の2②ｂ及び「第8の6表の付表2の2」の3②ｂの面積を記載してください。

31　第8の6表の付表4　個人の事業用資産についての相続税の納税猶予及び免除の適用に係る特定債務額の計算明細書

この表は、「個人の事業用資産についての相続税の納税猶予及び免除」の規定の適用を受ける特例事業相続人等が相続税法第13条の規定により控除すべき債務がある場合において、各特例事業相続人等に係る特定債務額を算出するために使用します。

イ　2欄の「特例事業用資産に係る事業に関するものと認められるもの以外の債務の金額の明細」に記載する債務は、当該事業に関するもの以外のものであることについて、金銭の貸付に係る消費貸借に関する契約書等の書面により、明らかにされるものに限られますので、当該書面の写しを併せて提出してください。

また、この明細に記入しきれない場合は、適宜の用紙に記載し添付してください。

ロ　4欄の「第1表の（①＋②）」の金額は、特例事業相続人等が租税特別措置法第70条の6第1項の規定による農地等についての納税猶予及び免除等の適用を受ける場合は、「第3表の①欄」の金額となります。

ハ　各特例事業相続人等に係る特定債務額（7欄のＢの金額）は、その特例事業相続人等に係る第8の6表の1（1）の「②　特定債務額」欄に転記します。

32　第8の7表　納税猶予税額等の調整計算書

この表は、次の相続税の特例のうち2以上の特例の適用を受ける人（以下この表において、「相続人等」と表記しています。）が、特例ごとの納税猶予税額又は税額控除額の調整の計算のために使用します。

・　農地等についての納税猶予及び免除等（租税特別措置法第70条の6第1項）
・　非上場株式等についての納税猶予及び免除（租税特別措置法第70条の7の2第1項又は第70条の7の4第1項）
・　非上場株式等についての納税猶予及び免除の特例（租税特別措置法第70条の7の6第1項又は第70条の7の8第1項）
・　山林についての納税猶予及び免除（租税特別措置法第70条の6の6第1項）
・　医療法人の持分についての納税猶予及び免除（租税特別措置法第70条の7の12第1項）又は医療法人の持分についての税額控除（租税特別措置法第70条の7の13第1項）
・　特定の美術品についての納税猶予及び免除（租税特別措置法第70条の6の7第1項）
・　個人の事業用資産についての納税猶予及び免除（租税特別措置法第70条の6の10第1項）

（1）　「1　調整前猶予税額等の明細」欄

この欄は、相続人等に係る農地等納税猶予税額、株式等納税猶予税額、特例株式等納税猶予税額、山林納税猶予税額、医療法人持分納税猶予税額若しくは医療法人持分税額控除額（以下この表において「医療法人持分納税猶予税額等」と表記しています。）、美術品納税猶予税額又は事業用資産納税猶予税額についてその明細を記入します。

⑧欄の金額が⑨欄の金額を越える場合（「⑧＞⑨」の場合）は、「2　各納税猶予税額等の調整」欄を記入します。

—997—

第十五章《相続税の申告書等の書き方》

なお、⑧欄の金額が⑨欄の金額以下の場合（「⑧≦⑨」の場合）は、「2　各納税猶予税額等の調整」欄は記入を要しません。

（2）　「2　各納税猶予税額等の調整」欄

　　この欄は、（1）の⑧欄の金額が（1）の⑨欄の金額を超える場合（「⑧＞⑨」の場合）において、納税猶予税額等の調整の計算をするときに記入します。

　　なお、（1）の⑧欄の金額が（1）の⑨欄の金額以下の場合（「⑧≦⑨」の場合）は記入を要しません。

（3）　「3　納税猶予税額等」欄

　イ　この欄は、（1）又は（2）により算出した納税猶予税額等を基に、特例ごとの納税猶予税額又は税額控除額を記入します。

　ロ　⑰、⑱、⑲、⑳、㉑、㉓及び㉔欄の各欄には、（1）又は（2）により算出した納税猶予税額等を記入します。

　ハ　⑰、⑱、⑲、⑳、㉒、㉓又は㉔欄の金額は、相続人等の第8の8表の「2　納税猶予税額」の「農地等納税猶予税額①」、「株式等納税猶予税額②」、「特例株式等納税猶予税額③」、「山林納税猶予税額④」、「医療法人持分納税猶予税額⑤」若しくは第1表の「医療法人持分税額控除額㉑」、第8の8表の「2　納税猶予税額」の「美術品納税猶予税額⑥」又は「事業用資産納税猶予税額⑦」欄にそれぞれ転記します。

　ニ　㉒欄は、㉑欄の金額を基に、イ又はロの場合に応じ、A又はB欄を記入します。なお、ロの場合には、放棄の態様（（イ）又は（ロ））に応じ、（イ）のときには㉑欄の金額を、（ロ）のときには㉑欄の金額に基づき算出した第8の4表の付表の「基金拠出型医療法人へ基金を拠出した場合の医療法人持分税額控除額の計算明細」のFの金額を、それぞれのB欄に転記します。

33　第13表　債務及び葬式費用の明細書

（1）　「1　債務の明細」

　イ　「債務の明細」欄は、次によって記入します。

　　（イ）　「種類」及び「細目」欄は、公租公課、銀行借入金、未払金、買掛金その他の債務の別に区分し、次の表のように記入します。

種　類	細　　　　　目
公租公課	公租公課については、所得税及び復興特別所得税、市町村民税、固定資産税などの税目とその年度を記入します。
銀行借入金	銀行借入金については、当座借越、証書借入れ、手形借入れなどと記入します。
未　払　金	未払金については、その未払金の発生原因を、例えば、土地の未払金などと記入します。
買　掛　金	買掛金については、この欄は記入する必要はありません。
そ　の　他	その他の債務については、その債務の内容を記入します。

　　（ロ）　「債権者」欄には、債権者の氏名や名称と住所や所在地を記入します。この場合、公租公課については、税務署名や市町村名などを「氏名又は名称」欄に記入し、「住所又は所在地」欄は記入しなくても差し支えありません。

　　（ハ）　「金額」欄には、個々の債務ごとに相続開始の時における被相続人の債務の金額を記入するとともに、「合計」欄にその合計額を記入します。

　ロ　「負担することが確定した債務」欄には、個々の債務について申告書を提出する時までに、債務を負担する人が決まっている場合だけその負担する人の氏名と負担する金額を記入します。

（2）　「2　葬式費用の明細」

　イ　「葬式費用の明細」欄には、葬式費用の支払先ごとに支払年月日とその支払金額を記入するとともに、「合計」欄にその合計額を記入します。

ロ 「負担することが確定した葬式費用」欄には、申告書を提出する時までに、葬式費用を負担する人が決まっている場合にだけ記入します。

（3） 「3 債務及び葬式費用の合計額」

「債務」欄と「葬式費用」欄は、次によって記入します。

イ 「負担することが確定した債務①」欄と「負担することが確定した葬式費用④」欄には、「1 債務の明細」及び「2 葬式費用の明細」に記入した各人の負担することが確定した金額の合計額を、負担する人ごとに、それぞれ記入します。

ロ 「負担することが確定していない債務②」欄と「負担することが確定していない葬式費用⑤」欄には、「1 債務の明細」と「2 葬式費用の明細」に記入した債務又は葬式費用の合計額から各人の負担することが確定した債務又は葬式費用の合計額を差し引き、その差し引いた後の金額を、各相続人が相続分に応じてそれぞれ負担するとした場合に計算される各相続人の金額を記入します。

> （注） 上記の相続分とは、原則として、民法第900条から第902条までの規定による相続分をいいます。
> なお、負担することが確定していない債務を、相続人がその相続分に応じて負担することとして計算した金額が相続や遺贈によって取得した財産の価額を超える場合には、その超える部分の金額を、その相続人以外の相続人が負担することとして申告しても差し支えありません。

34 第14表 純資産価額に加算される暦年課税分の贈与財産価額及び特定贈与財産価額・出資持分の定めのない法人などに遺贈した財産・特定の公益法人などに寄附した相続財産・特定公益信託のために支出した相続財産の明細書

（1） 「1 純資産価額に加算される暦年課税分の贈与財産価額及び特定贈与財産価額の明細」

この表は、相続、遺贈や相続時精算課税に係る贈与によって財産を取得した人（注）が、その相続開始前3年以内に被相続人から暦年課税に係る贈与によって取得した財産がある場合に、次により記入します。

イ 「相続開始前3年以内に暦年課税に係る贈与を受けた財産の明細」の「①価額」欄には、相続開始の時の価額ではなく、贈与を受けた財産の贈与を受けた時の価額を記入します。

ロ 「② ①の価額のうち特定贈与財産の価額」欄には、相続開始前3年以内に被相続人から贈与を受けた財産のうち特定贈与財産に該当する部分の価額を記入します。

ハ 「贈与を受けた人ごとの③欄の合計額」欄には、「③相続税の課税価格に加算される価額」欄に記入した金額に基づいて贈与を受けた人ごとの合計額を記入します。

ニ 「（受贈配偶者）」欄及び「（受贈財産の番号）」欄には、「② ①の価額のうち特定贈与財産の価額」欄において、相続開始の年に被相続人から贈与を受けた居住用不動産や金銭の全部又は一部を特定贈与財産としている場合には、被相続人の配偶者の氏名及び「番号」欄の該当番号をそれぞれ記入します。

> （注） 被相続人から租税特別措置法第70条の2の2第12項第1号《直系尊属から結婚・子育て資金の一括贈与を受けた場合の贈与税の非課税》に規定する管理残額及び同法第70条の2の3第12項第2号《直系尊属から結婚・子育て資金の一括贈与を受けた場合の贈与税の非課税》に規定する管理残額以外の財産を取得しなかった人は除きます（相続時精算課税に係る贈与によって財産を取得している人を除きます。）。

（2） 「2 出資持分の定めのない法人などに遺贈した財産の明細」

この表は、被相続人が人格のない社団又は財団や学校法人、社会福祉法人、宗教法人などの出資持分の定めのない法人に遺贈した財産のうち、相続税がかからないものの明細を記入します。

> （注） 被相続人から公益法人等が遺贈により財産を取得した場合において、その公益法人等が個人とみなされて相続税が課税されるときは、その遺贈された財産については、この表には記入しませんが、第11表に記入する必要がありますので、ご注意ください。

—999—

第十五章《相続税の申告書等の書き方》

（3）「3　特定の公益法人などに寄附した相続財産又は特定公益信託のために支出した相続財産の明
細」

　　この表は、相続税の申告期限までに、相続や遺贈によって取得した財産を国、地方公共団体、租
税特別措置法施行令第40条の3第1項に掲げる法人（租税特別措置法施行令の一部を改正する政令
（平成20年政令第161号）附則第57条第1項の規定により、なおその効力を有することとされる旧租
税特別措置法施行令第40条の3第1項第2号及び第3号に規定する法人を含みます。）、特定非営利
活動促進法第2条第3項に規定する認定特定非営利活動法人に寄附した場合又は相続や遺贈によっ
て取得した金銭を租税特別措置法施行令第40条の4第3項の要件に該当する特定公益信託の信託財
産とするために支出した場合で、相続税がかからない財産に該当するものがあるときに、その寄附
又は支出した財産の明細などを記入します。

　（注）　この非課税の特例の適用を受けるためには、期限内申告書に一定の受領書、証明書等の添付が必要です。

35　第11の2表　相続時精算課税適用財産の明細書・相続時精算課税分の贈与税額控除額の計算書

　この表は、被相続人から相続時精算課税に係る贈与によって取得した財産（以下「相続時精算課税
適用財産」といいます。）がある場合に記入します。

（1）「1　相続税の課税価格に加算する相続時精算課税適用財産の価額及び納付すべき相続税額から控除すべき贈与税額の明細」欄

　　この欄は、相続税の課税価格に加算する相続時精算課税適用財産の価額及び納付すべき相続税額
から控除すべき贈与税額を計算するために、贈与を受けた人ごとに記入します。

　イ　租税特別措置法第70条の6の9《個人の事業用資産の贈与者が死亡した場合の相続税の課税の
特例》、第70条の7の3《非上場株式等の贈与者が死亡した場合の相続税の課税の特例》又は第70
条の7の7《非上場株式等の特例贈与者が死亡した場合の相続税の課税の特例》の規定の適用に
より相続又は遺贈により取得したものとみなされる財産は、その財産の種類に応じて第11表の付
表1、付表2又は付表4に記入します（この表には記入しません。）。

　ロ　「③　①の年分に被相続人から相続時精算課税に係る贈与を受けた財産の価額の合計額」欄の
金額は、「2　相続時精算課税適用財産（1の③）の明細」の「②」の「価額」欄の金額に基づき
記入します。

　ハ　「④　③から控除する相続時精算課税に係る基礎控除額」欄は、被相続人である特定贈与者に
係る贈与税の申告書第2表の「相続時精算課税に係る基礎控除額」欄の金額を記入します。なお、
「①　贈与を受けた年分」欄が令和5年分以前の場合は、「0」と記入します。

　ニ　「合計　⑧」欄の金額を第1表のその人の「相続時精算課税適用財産の価額②」欄及び第15表
のその人の㉛欄にそれぞれ転記します。

　ホ　「合計　⑨」欄の金額を第1表のその人の「相続時精算課税分の贈与税額控除額⑰」欄に転記
します。

（2）「2　相続時精算課税適用財産（1の③）の明細」欄

　イ　この明細は、被相続人である特定贈与者に係る贈与税の申告書第2表に基づき記入します。

　ロ　②の「価額」欄には、被相続人である特定贈与者に係る贈与税の申告書第2表の「財産の価額」
欄の金額を記入します。ただし、特定事業用資産の特例の適用を受ける場合には、第11・11の2
表の付表3の⑦欄の金額と⑦欄の金額に係る第11・11の2表の付表3の2の⑲欄の金額の合計額
を、特定計画山林の特例の適用を受ける場合には、第11・11の2表の付表4の「2　特定受贈森
林経営計画対象山林である選択特定計画山林の明細」の⑤欄の金額を記入します。また、租税特
別措置法第70条の3の3《相続時精算課税に係る土地又は建物の価額の特例》の承認を受けてい
る場合には、その承認に係る財産の価額から同条の規定による災害により被害を受けた部分に対

－1000－

第十五章《相続税の申告書等の書き方》

応する金額を控除した金額を記入します。

36　第15表　相続財産の種類別価額表

この表には、次によって財産を取得した人ごとに取得財産等の価額を記入し、その合計額を「合計」欄に記入します。

- イ　①から⑦まで及び⑩から㉚までの各欄には、第11表の付表1〜4に記入したすべての財産について、細目ごとにその価額を記入します。

　　この場合、未分割財産については、細目ごとの未分割の財産の価額に各人の相続分に応じて計算した金額を記入します。
- ロ　⑧及び⑨の各欄には、第12表に記入した特例農地等に該当する田、畑、採草放牧地等の通常価額の合計額及び農業投資価格による価額の合計額を移記します。
- ハ　㉛欄には、第11の2表の「合計　⑧」（④の合計額）欄の金額を記入します。
- ニ　㉝及び㉞の各欄には、第13表の「3　債務及び葬式費用の合計額」の「債務」欄と「葬式費用」欄の金額を移記します。
- ホ　㊲欄には、第14表の「1　純資産価額に加算される暦年課税分の贈与財産価額及び特定贈与財産価額の明細」の「贈与を受けた人ごとの③欄の合計額」の④欄の金額を移記します。

37　第11表　相続税がかかる財産の合計表

この表には、遺産の分割状況及び各人の取得財産の価額の合計額等を記入します。相続時精算課税の適用財産については、この表によらず、第11の2表に記載します。また、特定の公益法人などに寄附した財産については、この表の記載から除き、第14表に記載します。

財産を取得した人が10名を超える場合は、この合計表を追加して記入します。

（1）　遺産の分割状況及び財産取得者の一覧

　　遺産の分割状況及び相続税がかかる財産を取得した人全ての氏名を記入します。

　　「遺産の分割状況」欄は、遺産の分割状況に応じた番号を記入します。

　　「分割の日」欄は、遺産の全部又は一部について分割がされている場合には、その分割の日を記入します。

　　「財産取得者の一覧」欄には、財産を取得した人の氏名を、項番とともに記入します。

（2）　取得財産の価額の合計表

　　「財産を取得した人の番号」欄は、（1）の「財産の取得者の一覧」に記入した番号を記入します。

　　「①　分割財産の価額」欄は、第11表の付表1から付表4の「分割が確定した財産」の「取得財産の価額」欄に記入した価額について、財産を取得した人ごとに合計した金額を記入します。

　　「②　未分割財産の価額」欄は、第11表の付表1から付表4の「財産の明細」に記入した財産のうち、未分割である財産の価額の合計額を各相続人が相続分（寄与分を除きます。）に応じて取得するとした場合に計算される金額を記入します。

　　「③　取得財産の価額」欄の金額は、第1表のその人の「取得財産の価額①」欄に転記します。

38　第1表・第1表続　相続税の申告書（課税価格、相続税額の計算書）

第1表と第1表続は、「被相続人」欄及び「財産を取得した人」欄に所要事項を記入した後、次の順序に従って記入します。

①　「課税価格の計算」

②　「各人の算出税額の計算」

　（注）　「各人の算出税額の計算」欄は、第2表の計算をした後に記入します。

③　「各人の納付・還付税額の計算」

－1001－

第十五章《相続税の申告書等の書き方》

（注）　「各人の納付・還付税額の計算」欄は、第４表から第８表までの計算をした後に記入します。

（1）　「課税価格の計算」欄

　　　この欄は、次によって記入します。

　イ　「取得財産の価額①」欄には、第11表の「2　取得財産の価額の合計表」の「③　取得財産の価額」欄の各人の金額を移記します。

　ロ　「相続時精算課税適用財産の価額②」欄には、被相続人から相続時精算課税に係る贈与によって取得した財産がある場合に、第11の2表の「1　相続税の課税価格に加算する相続時精算課税適用財産の価額及び納付すべき相続税額から控除すべき贈与税額の明細」の「合計⑧」欄の各人の金額を移記します。

　ハ　「債務及び葬式費用の金額③」欄には、第13表の「3　債務及び葬式費用の合計額」の「合計⑦」欄の各人ごとの金額を移記します。

　ニ　「純資産価額に加算される暦年課税分の贈与財産価額⑤」欄には、第14表の「1　純資産価額に加算される暦年課税分の贈与財産価額及び特定贈与財産価額の明細」の「贈与を受けた人ごとの③欄の合計額」の各人ごとの④欄の金額を移記します。

（2）　「各人の算出税額の計算」欄

　　　この欄は、第2表の記入が終わった後、まず第2表の⑧欄の金額を「相続税の総額⑦」欄に移記した上、各欄に記載してある算式によるほか、次によって記入します。

　イ　「一般の場合」の「あん分割合⑧」欄には、農業相続人がいない場合は、$\dfrac{\text{「その人の課税価格⑥」}}{\text{「課税価格の合計額Ⓐ」}}$によって計算した割合を記入します。

　　　なお、財産を取得した人のうちに農業相続人がいるときは、この欄は記入する必要がありません。また、上記によって計算した割合に小数点以下2位未満の端数があるときは、全員の割合の合計額が1.00になるように、小数点以下2位未満の端数を調整して、例えば、「0.50」、「0.17」、「0.17」、「0.16」と記入しても差し支えありません。

　ロ　「農地等納税猶予の適用を受ける場合⑩」欄は、財産を取得した人のうちに農業相続人がいる場合に、第3表の記入が終わった後、すべての人が記入します。

　ハ　「相続税額の2割加算が行われる場合の加算金額⑪」欄には、第4表に記載がある場合に、同表の「相続税額の加算金額⑥」欄の金額を移記します。

（3）　「各人の納付・還付税額の計算」欄

　　　この欄は、第4表から第8表までの記入が終わった後、それぞれ該当する事項を記入します。

　　　この場合、「差引税額⑯」欄には、一般の場合には、（⑨＋⑪−⑮）によって計算した金額を記入し、農業相続人がいる場合には、（⑩＋⑪−⑮）によって計算した金額を記入します。

　　　「相続時精算課税分の贈与税額控除額⑰」欄には、第11の2表の「1　相続税の課税価格に加算する相続時精算課税適用財産の価額及び納付すべき相続税額から控除すべき贈与税額の明細」の「合計⑨」欄の各人の金額を移記します。

　　　「小計⑲」欄の金額が赤字となる場合には左端に△を付します。

　（注）　⑲欄の金額のうちに贈与税の外国税額控除額（第11の2表の1⑩）がある場合の㉒欄の金額は、⑲欄の金額によらず、次の算式により計算します。

　　　（算式）

　　　　　⑲欄の金額−左記の金額のうち贈与税の外国税額控除額の金額

　　　※　上記の算式で計算する場合の⑲欄の金額は、正の数として計算します。

（4）　「税理士法書面添付」欄

　　　税理士の方が、税理士法第30条《税務代理の権限の明示》、第33条の2《計算事項、審査事項等を記載した書面の添付》に規定する書面を作成し、申告書と併せて提出される場合には、該当する□の中に✔印の記入をお願いします。

−1002−

第十五章《相続税の申告書等の書き方》

39　第2表　相続税の総額の計算書

　この表は、「①　課税価格の合計額」の㋐欄に第1表の「課税価格⑥」の「（各人の合計）」欄の④の金額を移記し、⑧欄までを次により記入します。

（1）　「②　遺産に係る基礎控除額」の「㋺」欄には、次の（2）により記入した④欄の法定相続人の数（④の人数）を記入します。

（2）　「④　法定相続人」欄には、相続人が相続や遺贈によって財産を取得したかどうかにかかわらず、法定相続人全員の氏名及び被相続人との続柄を記入します。この場合の法定相続人とは、相続の放棄をした人があってもその放棄がないとした場合の相続人のことをいいます。

　　（注）　被相続人に養子があるときは、遺産に係る基礎控除額を計算する場合の法定相続人の数に含めるその養子の数が制限される場合があります。この制限される場合における養子についても、「④　法定相続人」欄に全員記入し、「⑤　左の法定相続人に応じた法定相続分」欄には、次の記載例のように記入します。
　　　　　なお、この例の場合、「④　法定相続人」の最下欄の「**法定相続人の数④**」欄の人数は4人となります。

④ 法定相続人 （（注）1参照）		⑤ 左の法定相続人に応じた法定相続分	第1
氏　　名	被相続人との続柄		⑥
山田花子	妻	$\frac{1}{2}$	
山田太郎	長男	$\frac{1}{2}\times\frac{1}{3}=\frac{1}{6}$	
山田桜子	長女	$\frac{1}{2}\times\frac{1}{3}=\frac{1}{6}$	
山田一郎	養子	$\frac{1}{2}\times\frac{1}{3}=\frac{1}{6}$	
山田二郎	養子		

法定相続人の数	④ 4人	合計	1	⑧

（3）　「⑤　左の法定相続人に応じた法定相続分」欄には、「$\frac{1}{2}$」、「$\frac{1}{2}\times\frac{1}{3}=\frac{1}{6}$」などと各法定相続人の法定相続分を記入します。

（4）　「⑦　相続税の総額の基となる税額」欄には、⑥欄の各人ごとの金額について第2表の「相続税の速算表」を用いて計算した税額を記入します。

（5）　「⑧　相続税の総額」欄の金額を第1表の「相続税の総額⑦」欄に移記します。

（6）　財産を取得した人のうちに農業相続人がいる場合には、「①　課税価格の合計額」の㋬欄に、第3表の「課税価格⑥」の「（各人の合計）」欄の④の金額を移記し、㋥及び⑨から⑪までの欄を上記（4）に準じて記入した後、⑪欄の金額を第3表の「相続税の総額⑦」欄に移記します。

40　第3表　財産を取得した人のうちに農業相続人がいる場合の各人の算出税額の計算書

　この表は、財産を取得した人のうちに農業相続人がいる場合に、すべての人が記入します。

（1）　「課税価格の計算」欄

　イ　「取得財産の価額」の「農業相続人①」欄には、各農業相続人の第12表の「⑤　農業投資価格により計算した取得財産の価額」欄の金額を記入し、「その他の人②」欄には、農業相続人以外の人の第1表の「取得財産の価額①」欄と「相続時精算課税適用財産の価額②」欄の合計額を記入します。

－1003－

第十五章《相続税の申告書等の書き方》

ロ 「債務及び葬式費用の金額③」欄には、各人の第1表の「債務及び葬式費用の金額③」欄の金額を記入します。

ハ 「純資産価額に加算される暦年課税分の贈与財産価額⑤」欄には、第1表の各人の「純資産価額に加算される暦年課税分の贈与財産価額⑤」欄の金額を記入します。

（2） 「各人の算出税額の計算」欄

イ 「相続税の総額⑦」欄には第2表の「⑪相続税の総額」欄の金額を記入します。（上記39の（6）参照）

ロ 「あん分割合⑧」欄の記入については38の（2）のイを参照してください。

ハ 「農業相続人の納税猶予の基となる税額」の「農業投資価格超過額⑪」欄には、各農業相続人の第12表の「③農業投資価格超過額」欄の金額を移記します。

41 第8の2表　株式等納税猶予税額の計算書（一般措置用）

この表は、経営承継相続人等又は経営相続承継受贈者に該当する人が非上場株式等についての相続税の納税猶予及び免除に係る納税猶予額（株式等納税猶予税額）を算出するために使用します。

（注） 経営承継相続人等及び経営相続承継受贈者に該当する人を、以下この表では「経営承継人」と表記しています。

（1） 「1　株式等納税猶予税額の基となる相続税の総額の計算」欄

イ ③欄の「第1表の（①＋②）」の金額は、経営承継人が租税特別措置法第70条の6第1項の規定による農地等についての納税猶予及び免除等の適用を受ける場合は、「第3表の①欄」の金額となります。また、⑦欄の「第1表の⑥欄」の金額は、相続又は遺贈により財産を取得した人のうちに租税特別措置法第70条の6第1項の規定による農地等についての納税猶予及び免除等の適用を受ける人がいる場合は、「第3表の⑥欄」の金額となります。

ロ ⑪及び⑫欄は第2表の「④法定相続人」の「氏名」欄及び「⑤左の法定相続人に応じた法定相続分」欄からそれぞれ移記します。

（2） 「2　株式等納税猶予税額の計算」欄

イ c欄の算式中の「第1表の⑨」の金額について、相続又は遺贈により財産を取得した人のうちに租税特別措置法第70条の6第1項の規定による農地等についての納税猶予及び免除等の適用を受ける人がいる場合は、「第1表の⑩」の金額とします。

ロ ⑧欄について、対象非上場株式等又は対象相続非上場株式等に係る会社が1社のみの場合は、⑧欄の記入は行わず、⑦欄の金額を⑨欄のＡ欄に記入します（100円未満切捨て）。なお、イからハまでの各欄の算式中の「株式等に係る価額」とは第8の2表の付表1及び付表2の「2　対象非上場株式等の明細」の⑤欄並びに第8の2表の付表3の「2　対象相続非上場株式等の明細」の⑤欄の金額をいいます。また、会社が4社以上ある場合は、適宜の用紙に会社ごとの株式等納税猶予税額を記載し添付してください。

ハ ⑨欄のＡ欄の金額を経営承継人の第8の8表の「2　納税猶予税額」の「株式等納税猶予税額②」欄に転記します。なお、経営承継人が他の相続税の納税猶予等の適用を受ける場合は、⑨欄のＡ欄の金額によらず、第8の7表の⑱欄の金額を経営承継人の第8の8表の「2　納税猶予税額」の「株式等納税猶予税額②」欄に転記します。

42 第4表　相続税額の加算金額の計算書

この表は、相続、遺贈や相続時精算課税に係る贈与によって財産を取得した人のうちに、被相続人の一親等の血族（代襲して相続人となった直系卑属を含みます。）及び配偶者以外の人がいる場合に記入します。

（注） 一親等の血族であっても相続税額の加算の対象となる場合があります。

（1） 相続時精算課税適用者である孫が相続開始の時までに被相続人の養子となった場合は、「相続

－1004－

時精算課税に係る贈与を受けている人で、かつ、相続開始の時までに被相続人との続柄に変更があった場合」には含まれませんので②欄から④欄までの記入は不要です。

（２）　「被相続人の一親等の血族であった期間内にその被相続人から相続時精算課税に係る贈与によって取得した財産の価額の合計額②」欄には、次に掲げる場合の区分に応じ、それぞれ次の金額の合計額を記入します。

(1)　令和５年12月31日以前に被相続人からの贈与により取得した財産の場合……被相続人の一親等の血族であった期間内にその被相続人から相続時精算課税に係る贈与によって取得した財産の価額

(2)　令和６年１月１日以後に被相続人からの贈与により取得した財産の場合……被相続人から贈与を受けた年分ごとに次の算式により算出した金額の合計額

（算式）

$$\left[\begin{array}{l}\text{被相続人の一親等の血族であった期間内}\\\text{にその被相続人から相続時精算課税に係}\\\text{る贈与によって取得した財産の価額}\end{array}\right] - \left[\begin{array}{l}\text{その期間内の被相続人に係る各年分の贈与税}\\\text{の相続時精算課税に係る基礎控除額（※）}\end{array}\right]$$

※　同一年中に被相続人の一親等の血族であった期間と一親等の血族に該当しない期間のいずれの期間内にもその被相続人から相続時精算課税に係る贈与を受けた年分については、次の算式により算出した金額となります。

（算式）

$$\left[\begin{array}{l}\text{その年分において被相続人か}\\\text{らの贈与により取得した財産}\\\text{の価額から控除した相続時精}\\\text{算課税に係る基礎控除額}\end{array}\right] \times \dfrac{\text{その年分の被相続人の一親等の血族であった期間内にその被相続}}{\text{その年分の被相続人から相続時精算課税に係る贈与によって取得}}$$
$$\dfrac{\text{人から相続時精算課税に係る贈与によって取得した財産の価額}}{\text{した財産の価額}}$$

（３）　各人の「相続税の加算額⑥」欄の金額を第１表のその人の「相続税額の２割加算が行われる場合の加算金額⑪」欄に転記します。

43　第４表の付表　相続税額の加算金額の計算書付表

この表は、相続、遺贈や相続時精算課税に係る贈与によって財産を取得した人のうちに、被相続人の一親等の血族（代襲して相続人となった直系卑属を含みます。）及び配偶者以外の人がいる場合において、それらの人のうちで、租税特別措置法第70条の２の３第12項第２号《直系尊属から結婚・子育て資金の一括贈与を受けた場合の贈与税の非課税》に規定する管理残額（令和３年３月31日までに被相続人から取得した信託受益権又は金銭等に係る部分に限ります。）で被相続人から相続や遺贈により取得したものとみなされたものがある人が記入します。

（注）　一親等の血族であっても相続税額の加算の対象となる場合があります。

・　各人のⒶ欄の金額を第４表のその人の⑤欄に転記します。

44　第４表の２　暦年課税分の贈与税額控除額の計算書

この表は、第14表の「１　純資産価額に加算される暦年課税分の贈与財産価額及び特定贈与財産価額の明細」欄に記入した財産のうち相続税の課税価格に加算されるものについて、贈与税が課税されている場合に記入します。

（１）　③、⑪又は⑲欄（その年分の暦年課税分の贈与税額）は、その年中に贈与により取得した財産が「特例贈与財産」のみである場合には、その年分の暦年課税分の贈与税額の金額となります。

ただし、同年中に「特例贈与財産」と「一般贈与財産」の両方を贈与により取得し、租税特別措

－1005－

置法第70条の2の5第3項の規定の適用を受け贈与税額を計算している場合には、同項第1号に掲げる金額となります（1円未満の端数があるときは、その端数金額を切り捨てます。）。

（2）　⑦、⑮又は㉓欄（その年分の暦年課税分の贈与税額）は、その年中に贈与により取得した財産が「一般贈与財産」のみである場合には、その年分の暦年課税分の贈与税額の金額となります。

　　　ただし、同年中に「一般贈与財産」と「特例贈与財産」の両方を贈与により取得し、租税特別措置法第70条の2の5第3項の規定の適用を受け贈与税額を計算している場合には、同項第2号に掲げる金額となります（1円未満の端数があるときは、その端数金額を切り捨てます。）。

45　第5表　配偶者の税額軽減額の計算書

この表は、被相続人の配偶者が、配偶者の税額軽減の適用を受ける場合に記入します。

この場合、その記入に当たっては、次のことに注意してください。

（1）　「分割財産の価額から控除する債務及び葬式費用の金額」の「④（②－③）の金額」欄又は「⑭（⑫－⑬）の金額」欄は、債務と葬式費用の金額が未分割財産の価額よりも大きい場合だけ、その差額を記入し、その他の場合には、0と記入します。

　　(注)　「分割財産の価額から控除する債務及び葬式費用の金額」欄は、配偶者が負担する債務や葬式費用があるときに、その債務や葬式費用の金額をまず未分割財産の価額から先に控除し、それによって控除しきれない金額があるときは、その金額を分割財産の価額から控除するためのものです。

（2）　「⑩配偶者の税額軽減の基となる金額」欄又は「⑳配偶者の税額軽減の基となる金額」欄には、次の例のように1円の位まで計算した金額を記入します。

　　(例)　⑦欄（相続税の総額）　　　　　　　　　　　　　　　　　　　　　　28,600,000円
　　　　　⑧欄〔①の金額と⑥の金額とのう〕
　　　　　　　　〔ちいずれか少ない方の金額〕　　　　　　　　　　　　　　79,217,000円
　　　　　⑨欄（課税価格の合計額）　　　　　　　　　　　　　　　　　　　200,000,000円
　　　　28,600,000円×79,217,000円÷200,000,000円＝11,328,031円

（3）　「1　一般の場合」の「配偶者の税額軽減の限度額」欄の「（第1表の配偶者の⑨又は⑩の金額）」は、財産を取得した人のうちに農業相続人がいない場合には、第1表の「算出税額⑨」欄の金額を記入し、被相続人の配偶者が農業相続人である場合には、第1表の「算出税額⑩」欄の金額を記入します。

（4）　この表を修正申告書又は期限後申告書の第5表として使用する場合において、相続税法第19条の2第5項《隠蔽又は仮装があった場合の配偶者の相続税額の軽減の不適用》の規定の適用があるときには、「課税価格の合計額のうち配偶者の法定相続分相当額」の（第1表のⒶの金額）、⑥、⑦、⑨、「課税価格の合計額のうち配偶者の法定相続分相当額」の（第3表のⒶの金額）、⑯、⑰及び⑲の各欄は、第5表の付表で計算した金額を移記します。

　　(注)　第5表の付表は、税務署に備え付けてあります。

46　第6表　未成年者控除額・障害者控除額の計算書

（1）　「1　未成年者控除」欄

　　　この表は、相続、遺贈や相続時精算課税に係る贈与によって財産を取得した法定相続人のうちに、満18歳(注)にならない人がいる場合に記入します。

　　　なお、過去に未成年者控除の適用を受けた人で、その控除額に制限がある場合には、今回受けることができる金額を②欄に記入するとともに、欄外にその計算の明細を記載し、「10万円×（18歳(注)－　歳)」の該当文字を二本線で抹消してください。

　　(注)　令和4年3月31日以前は「20歳」となります。

（2）　「2　障害者控除」欄

　　　この表は、相続、遺贈や相続時精算課税に係る贈与によって財産を取得した法定相続人のうちに、

一般障害者又は特別障害者がいる場合に記入します。なお、過去に障害者控除の適用を受けた人の②欄の記入については、上記（1）の未成年者控除の場合と同じです。

47　第7表　相次相続控除額の計算書

　この表は、今回の相続開始前10年以内に被相続人が相続によって財産を取得して相続税を課税されている場合に記入します。

　「2　各相続人の相次相続控除額の計算」欄は、被相続人から相続、遺贈や相続時精算課税に係る贈与によって財産を取得した人のうちに農業相続人がいる場合には、「（2）　相続人のうちに農業相続人がいる場合」に記入し、その他の場合には、「（1）　一般の場合」に記入します。

48　第8表　外国税額控除額・農地等納税猶予税額の計算書

（1）　「1　外国税額控除」欄

　この表は、課税される財産のうちに外国にあるものがあり、その財産について外国において日本の相続税に相当する税金が課税された場合に記入します。

イ　⑤欄は、在外財産（被相続人から相続開始の年に暦年課税に係る贈与によって取得した財産及び相続時精算課税適用財産を含みます。）の価額からその財産についての債務の金額を控除した価額を記入します。

　なお、在外財産が令和6年1月1日以後の贈与により取得した相続時精算課税適用財産である場合のその在外財産の価額は、その贈与を受けた年と同一年中に被相続人である特定贈与者から贈与により取得した相続時精算課税適用財産の価額の合計額からその年分の相続時精算課税に係る基礎控除額を控除した残額が限度となります。

ロ　⑥欄の「取得財産の価額」は、第1表の④欄の金額と被相続人から相続開始の年に暦年課税に係る贈与によって取得した財産の価額の合計額によります。

ハ　各人の⑧欄の金額を第8の8表の「1　税額控除額」のその人の「外国税額控除額④」欄に転記します。

（2）　「2　農地等納税猶予税額」

　この表は、農業相続人について該当する金額を記入します。

イ　各人の⑦欄の金額を第8の8表の「2　納税猶予税額」のその人の「農地等納税猶予税額①」欄に転記します。なお、その人が、他の相続税の納税猶予等の適用を受ける場合は、第8の7表の⑰欄の金額を第8の8表の「2　納税猶予税額」のその人の「農地等納税猶予税額①」欄に転記します。

ロ　この申告が修正申告である場合の「農地等納税猶予税額⑦」欄に記入する金額は、⑦欄の「①＋②－⑥」の金額が修正前の「農地等納税猶予税額」の金額を超える場合には、当該修正前の「農地等納税猶予税額」の金額にとどめます。ただし、納税猶予の適用を受ける特例農地等（期限内申告において第12表に記入した特例農地等に限ります。）の評価誤り又は税額の計算誤りがあった場合で、その誤りだけを修正するものであるときの「農地等納税猶予税額⑦」欄の金額は、当該修正前の「農地等納税猶予税額」の金額を超えることができます。

49　第8の8表　税額控除額及び納税猶予税額の内訳書

　この内訳書は、（1）の税額控除又は（2）の納税猶予の適用を受ける人がいる場合に作成します。この内訳書で計算した合計欄の金額を第1表の「⑫・⑬以外の税額控除額⑭」及び「納税猶予税額⑳」欄に転記します。

（1）　「税額控除額」欄

　この表は、「未成年者控除」、「障害者控除」、「相次相続控除」又は「外国税額控除」の適用を受け

－1007－

第十五章《相続税の申告書等の書き方》

る人が第1表の「⑫・⑬以外の税額控除額⑭」欄に記入する金額の計算のために使用します。
　（注）　各人の⑤欄の金額を第1表のその人の「⑫・⑬以外の税額控除額⑭」欄に転記します。
（2）　「納税猶予税額」欄
　　　この表は、次の相続税の特例の適用を受ける人が第1表の「納税猶予税額⑳」欄に記入する金額
　　の計算のために使用します。
　イ　農地等についての納税猶予及び免除等（租税特別措置法第70条の6第1項）
　ロ　非上場株式等についての納税猶予及び免除（租税特別措置法第70条の7の2第1項又は第70条
　　　の7の4第1項）
　ハ　非上場株式等についての納税猶予及び免除の特例（租税特別措置法第70条の7の6第1項又は
　　　第70条の7の8第1項）
　ニ　山林についての納税猶予及び免除（租税特別措置法第70条の6の6第1項）
　ホ　医療法人の持分についての納税猶予及び免除（租税特別措置法第70条の7の12第1項）
　ヘ　特定の美術品についての納税猶予及び免除（租税特別措置法第70条の6の7第1項）
　ト　個人の事業用資産についての納税猶予及び免除（租税特別措置法第70条の6の10第1項）

　（注1）　上記イからトまでの特定又は医療法人についての相続税の税額控除（租税特別措置法第70条の7の13
　　　　　第1項）のうち2以上の特例の適用を受ける人がいる場合は、その人の①〜⑦欄には、第8の7表の「3
　　　　　納税猶予税額等」のうち①〜⑦欄に対応する欄の金額を転記します。
　（注2）　各人の⑧欄の金額を第1表のその人の「納税猶予税額⑳」欄に転記します。

第十五章《相続税の申告書等の書き方》

第三節　相続税の延納申請書について

1　申請期限及び申請書の提出先

（1）　延納申請書は、納期限までに納税地の所轄税務署長に提出してください。
（2）　延納申請書には、担保提供関係書類（6参照）を添付します。

2　延納を申請することができる場合

　税額が10万円を超え、かつ、納税義務者について納期限までに又は納付すべき日に金銭で納付することを困難とする事由がある場合は、延納の申請ができます（延納税額が100万円超又は延納期間が4年以上であるときは、担保の提供が必要です。）。

3　延納の期間

　延納の期間は原則として5年以内ですが、相続税については、相続財産価額の4分の3以上が不動産等で占められているときは、不動産等部分の税額については20年以内（不動産等の割合が2分の1以上4分の3未満の場合の不動産等に対応する部分の税額については15年以内）、その他の部分については10年以内とすることができます。ただし、延納税額によって、期間が制限されることがあります（第十二章第八節（921ページ）参照）。

　　　（注）　「不動産等」とは、不動産（不動産業者等が棚卸資産として所有するものを含みます。）や不動産の上に存する権利、立木、事業用の減価償却資産、特定同族会社の株式や出資をいいます。この場合の特定同族会社とは、相続や遺贈によって財産を取得した人とその特別関係者の有する株式の数又は出資の金額が、その会社の発行済株式総数又は出資総額の50%超を占めている非上場会社をいいます。

4　担保の種類

　担保として提供できるものは、おおむね次のとおりです。

（1）　国債及び地方債並びに税務署長等が確実と認める社債（特別の法律により設立された法人が発行する債券を含みます。）その他の有価証券
（2）　土　地
（3）　建物、立木及び登記される船舶並びに登録を受けた飛行機、回転翼航空機及び自動車並びに登記を受けた建設機械で、保険に附したもの
（4）　鉄道財団、工場財団、鉱業財団、軌道財団、運河財団、漁業財団、港湾運送事業財団、道路交通事業財団及び観光施設財団
（5）　税務署長等が確実と認める保証人の保証

5　利　子　税

　延納が許可されると分納税額の納付と同時に、延納税額について次の割合で計算した利子税を納めることになります（930ページの表参照）。

（1）　相続税で5年以下の延納しかできない場合（次の（2）〜（4）に該当しない場合となります。）……年6.0%（特別緑地保全地区、歴史的風土特別保存地区又は水源のかん養、土砂の流出並びに崩壊の防備を目的として指定された保安林の区域内の土地（森林保健施設の整備区域内にあるものを除きます。）に対応する税額（以下**「特別緑地保全地区等内土地部分の税額」**といいます。）については、年4.2%）
（2）　相続税で5年を超え15年以下の延納ができる場合（不動産等の価額が相続財産の価額の2分の

－1009－

１以上４分の３未満の場合で、延納税額が50万円を超える場合）……不動産等の価額に対応する税額（特別緑地保全地区等内土地部分の税額を含みます。）については年3.6％、その他の財産の価額に対応する税額については年5.4％

（３）　相続税で20年までの延納ができる場合（不動産等の価額が相続財産の４分の３以上の場合）……不動産等の価額に対応する税額(特別緑地保全地区等内土地部分の税額を含みます。)については、年3.6％、その他の財産の価額に対応する税額については、年5.4％

（４）　不動産等の価額が相続財産の価額の２分の１未満の場合において、立木の価額が相続財産の価額の10分の３を超えるときの延納税額のうちその立木の価額に対応する部分の税額（（５）の税額を除く。）……年4.8％

（５）　森林経営計画が定められている区域内の立木（森林保健施設の整備区域内にあるものを除きます。）《計画伐採立木》の価額が相続財産価額の10分の２以上の場合には、延納税額のうち、その立木の価額に対応する部分の税額……年1.2％

≪延納利子税の割合の特例≫

上記（１）から（５）までの規定を適用する場合において、各分納期間の**延納特例基準割合**が年7.3％に満たないときは、利子税の割合の特例が適用されますので、第十二章第八節の５の**(2)**（930ページ）を参照してください。

６　担保提供関係書類

延納申請書に添付して提出すべき担保提供関係書類（例示：土地又は建物の場合）

土　　地	登記事項証明書（登記簿謄本）又は担保提供する土地に係る不動産番号等の明細書、固定資産税評価証明書など土地の評価の明細、抵当権設定に必要な書類（抵当権設定登記承諾書、印鑑証明書）を提出する旨の申出書
建　　物	登記事項証明書（登記簿謄本）又は担保提供する建物に係る不動産番号等の明細書、固定資産税評価証明書など建物の評価の明細、抵当権設定に必要な書類（抵当権設定登記承諾書、印鑑証明書）を提出する旨の申出書、裏書承認等のある保険証券等

第四節　相続税の物納申請書について

1　申請期限及び申請書の提出先

　物納申請書に物納手続関係書類（4参照）を添付して、納期限までに納税地（被相続人の住所地）の所轄税務署長に提出してください。

2　物納を申請することができる場合

　延納によっても金銭で納付することが困難な場合に限り、納付することを困難とする金額を限度として物納の申請ができます。

3　物納に充てることができる財産の種類及び順位

　物納に充てることのできる財産の種類及び順位は、次のとおりです。
1　不動産、船舶、国債、地方債、上場株式等（特別の法律により法人の発行する債券及び出資証券を含み、短期社債等を除きます。）、左記のうち物納劣後財産
2　非上場株式等（特別の法律により法人の発行する債券及び出資証券を含み、短期社債等を除きます。）、左記のうち物納劣後財産
3　動　　産

4　物納手続関係書類（例示：更地の場合）

	共　　　　通	土地の状況によって追加が必要なもの	
更地（借地権等の設定がないもの）	所在図（住宅地図）、公図の写し、登記事項証明書（登記簿謄本）又は物納に充てる更地に係る不動産番号等の明細書、地積測量図、境界確認書・道路明示証、土地の維持管理に要する費用の明細書、所有権移転に必要な書類（所有権移転登記承諾書、印鑑証明書）を提出する旨の申出書	建物等の越境がある場合	越境物の撤去等を約する旨の確認書
		建築基準法上の道路に接していない場合	隣地を通行することを承諾した書類
		電柱がある場合	電柱等に係る土地使用承諾書の写し
		仮換地の場合	仮換地指定通知書の写し

5　物納申請の却下

　物納財産として申請された財産が管理又は処分に不適当であるときは、物納財産の変更を求めたり、その他物納申請の要件に該当しない場合等には、申請を却下することがあります。却下の理由により、延納申請又は物納再申請ができる場合があります。

第五節　物納の撤回・特定物納

1　物納の撤回

物納許可を受けた後1年以内に、物納撤回承認申請書又は物納申請撤回承認兼延納申請書を提出してください。

2　特定物納

相続税の延納の許可を受けた者が、その相続税の申告期限から10年以内に物納に変更するときに申請書を提出してください。

第十五章《相続税の申告書等の書き方》

遺産分割協議書の記載例

遺産分割協議書の書式は特に定まっているわけではありませんが、参考のために一つの記載例を示せば、次のとおりです。

遺 産 分 割 協 議 書

被相続人大阪太郎の遺産については、同人の相続人の全員において分割協議を行った結果、各相続人がそれぞれ次のとおり遺産を分割し、取得することに決定した。

1　相続人大阪花子が取得する財産
 （1）　○○市○○町36番地　　　　　　宅地288.5㎡
 （2）　同所　　　家屋番号8番　　　木造瓦葺二階建居宅1棟　床面積104.15㎡
 （3）　……………………………

2　相続人神戸和子が取得する財産
 （1）　○○商事株式会社株式　20,000株
 （2）　○○化学株式会社株式　15,000株
 （3）　……………………………

3　相続人大阪一郎が取得する財産
 （1）　○○商事株式会社株式　32,000株
 （2）　○○銀行大阪支店普通預金　145,400円
 （3）　……………………………

4　相続人大阪二郎が取得する財産
 （1）　○○商事株式会社株式　30,000株
 （2）　○○電力株式会社株式　　5,000株
 （3）　……………………………

5　相続人大阪三郎が取得する財産
 （1）　○○市○○町2-15　　　　宅地　87㎡
 （2）　同所　家屋番号16番　　木造瓦葺二階建居宅1棟　床面積　62㎡
 （3）　……………………………

6　相続人大阪一郎は、被相続人大阪太郎の次の債務を承継する。
 （1）　○○商事株式会社からの借入金　1,026,100円
 （2）

上記のとおり相続人全員による遺産分割の協議が成立したので、これを証するため本書を作成し、次に各自署名押印する。
×年×月×日

　　　○○市○○町36番地　　　　　　　相　続　人　　大　阪　花　子　㊞
　　　神戸市中央区○○通3丁目6番地　　相　続　人　　神　戸　和　子　㊞
　　　大阪市○○区○○町72番地　　　　相　続　人　　大　阪　一　郎　㊞
　　　○○市○○町36番地　　　　　　　相　続　人　　大　阪　二　郎
　　　大阪市住吉区○○町32番地　大阪二郎の特別代理人　乙　野　春　子　㊞
　　　○○市○○町36番地　　　　　　　相　続　人　　大　阪　三　郎
　　　大阪市阿倍野区○○12番地　大阪三郎の特別代理人　丙　野　三　郎　㊞

（注1）　相続人のうちに未成年者がいる場合には、遺産の分割協議に当たって、家庭裁判所においてその未成年者の特別代理人の選任を受けなければならない場合があります。

（注2）　遺産分割協議書に押印する印は、その人の住所地の市区町村長の印鑑証明を受けた印を使用してください。

－1013－

第十五章《相続税の申告書等の書き方》

〔申告書の記載例　一般の場合（相続人のうちに相続時精算課税適用者がいる場合）〕

相続税の申告書　修正　FD3563

	○○税務署長	
	7年2月5日提出	

相続開始年月日　**令和6年5月10日**

※申告期限延長日　　年　月　日

○フリガナは、必ず記入してください。

		各人の合計	財産を取得した人	参考として記載している場合（参考）
フリガナ		（被相続人）ニッポン　タロウ	ニッポン　ハナコ	
氏　名		**日本太郎**	**日本花子**	
個人番号又は法人番号			××××××××○○○○	
生年月日		**昭和23年10月19日**（年齢**75**歳）	**昭和30年9月21日**（年齢**68**歳）	
住所（電話番号）		**○○県○○○市○○○3丁目5番16号**	〒○○○－××××　**○○○市○○○3丁目5番16号**（×××－×××－××××）	
被相続人との続柄　職業		○○商事㈱代表取締役	**妻**　　**なし**	
取得原因		該当する取得原因を○で囲みます。	（相続）遺贈・相続時精算課税に係る贈与	
※整理番号				

課税価格の計算

		各人の合計	財産を取得した人
取得財産の価額（第11表③）	①	498392151 円	256646350 円
相続時精算課税適用財産の価額（第11の2表1⑧）	②	246626035	
債務及び葬式費用の金額（第13表3⑦）	③	274159940	33359600
純資産価額（①＋②－③）（赤字のときは0）	④	495602246	253286750
純資産価額に加算される暦年課税分の贈与財産価額（第14表①）	⑤	3000000	1000000
課税価格（④＋⑤）（1,000円未満切捨て）	⑥	498600000	254286000

各人の算出税額の計算

		各人の合計	財産を取得した人
法定相続人の数　遺産に係る基礎控除額		3人 48	Ⓑ 左の欄には、第2表の②欄の回の人数及び⑧の金額を記入します。
相続税の総額	⑦	130505000	左の欄には、第2表の⑧欄の金額を記入します。
一般の場合（⑩の場合を除く） あん分割合（各人の⑥）Ⓐ	⑧	1.00	0.51
算出税額（⑦×各人の⑧）	⑨	130505000 円	66557550 円
農地等納税猶予の適用を受ける場合　算出税額（第3表⑨）	⑩		
相続税額の2割加算が行われる場合の加算金額（第4表⑥）	⑪		円

各人の納付・還付税額の計算

税額控除		各人の合計	財産を取得した人
暦年課税分の贈与税額控除額（第4表の2⑤）	⑫	90000	
配偶者の税額軽減額（第5表○又は○）	⑬	65252500	65252500
⑫・⑬以外の税額控除額（第8の8表1⑤）	⑭	4250000	217204
計	⑮	65767500	65469704
差引税額（⑨＋⑪－⑮）又は（⑩＋⑪－⑮）（赤字のときは0）	⑯	64737400	1087846
相続時精算課税分の贈与税額控除額（第11の2表⑧）	⑰	00	00
医療法人持分税額控除額（第8の4表2B）	⑱		
小計（⑯－⑰－⑱）（黒字のときは100円未満切捨て）	⑲	64737400	1087800
納税猶予税額（第8の8表2⑧）	⑳	00	00
申告納税額　申告期限までに納付すべき税額（⑲－⑳）	㉑	64737400	1087800
還付される税額（⑲－⑳）	㉒	△	△

この修正申告書が修正申告書である場合	小計	㉓	
	納税猶予税額	㉔	
	申告納税額（還付の場合は、頭に△を記載）	㉕	
	小計の増加額（⑲－㉓）	㉖	
	この申告書により納付すべき税額又は減少する税額（還付の場合は、頭に△を記載）（㉑又は㉒）－㉕	㉗	

申告区分	年分		グループ番号	補完番号		補完番号	
名簿番号		申告年月日		関与区分	書面添付	検算	管理補完　確認

作成税理士の事務所所在地・署名・電話番号

313-1132　○○市××町1丁目1番1号　**大阪一男**

税理士法書面提出 30条□ 33条の2□

この申告が修正申告である場合の異動の内容等

（資4－20－1－1－A4統→）第1表（令6.7）

──右側縦書き──

第1表（令和6年1月分以降用）

（注）⑲欄の金額が赤字となる場合は、⑲欄の左端に△を付してください。なお、この場合で、⑲欄の金額のうちに贈与税の外国税額控除額（第11の2表1⑩）があるときの②欄の金額については、「相続税の申告のしかた」を参照してください。（その人の分は申告書とは取り扱いません。）

この申告書で提出しない人である場合（参考として記載している場合）は、※を○で囲んでください。

──左側縦書き──

税務署受付印

○この申告書は機械で読み取りますので、黒ボールペンで記入してください。

また、申告書と添付資料を一緒にとじないでください。

※の項目は記入する必要がありません。

（注） 上記の申告書第1表及び次ページ以下の第1表（続）は、OCR用の申告書です。

─1014─

第十五章《相続税の申告書等の書き方》

相続税の申告書(続)　修正　FD3564

第1表（続）（令和6年1月分以降用）

		財産を取得した人	参考として記載している場合	財産を取得した人	参考として記載している場合
フリガナ		ニッポン イチロウ		クボ カズコ	
氏　名		日本一郎	参考	久保和子	参考
個人番号又は法人番号		×××× ○○○○ △△△△		×××× ○○○○ ×××	
生年月日		昭和58年3月24日（年齢41歳）		昭和60年2月14日（年齢39歳）	
住所（電話番号）		〒○○○-××××　○○○市○○○3丁目5番16号（×××-×××-××××）		〒○○○-××××　○○○市○○○6丁目3番1号（×××-×××-××××）	
被相続人との続柄　職業		長男　○○商事(株)代表取締役		長女　なし	
取得原因		(相続) 遺贈 相続時精算課税に係る贈与		(相続) 遺贈・相続時精算課税に係る贈与	
※整理番号					

区分	項目		日本一郎	久保和子
課税価格の計算	取得財産の価額（第11表③）	①	129067118	112678683
	相続時精算課税適用財産の価額（第11の2表1⑧）	②	24626035	
	債務及び葬式費用の金額（第13表3⑦）	③	24056340	
	純資産価額（①+②-③）（赤字のときは0）	④	129636813	112678683
	純資産価額に加算される暦年課税分の贈与財産価額（第14表1④）	⑤		2000000
	課税価格（④+⑤）（1,000円未満切捨て）	⑥	129636000	114678000
各人の算出税額の計算	法定相続人の数　遺産に係る基礎控除額			
	相続税の総額	⑦		
	一般の場合（⑩の場合を除く）　あん分割合 各人の⑥/⑥	⑧	0.26	0.23
	算出税額（⑦×各人の⑧）	⑨	33931300	30016150
	農地等納税猶予の適用を受ける場合　算出税額（第3表⑬）	⑩		
	相続税額の2割加算が行われる場合の加算金額（第4表1⑥）	⑪		
各人の納付・還付税額の計算	税額控除　暦年課税分の贈与税額控除額（第4表の2㉕）	⑫		90000
	配偶者の税額軽減額（第5表○又は○）	⑬		
	⑫・⑬以外の税額控除額（第8の8表1⑤）	⑭	111169	96627
	計	⑮	111169	186627
	差引税額（⑨+⑪-⑮又は⑩+⑪-⑮）（赤字のときは0）	⑯	33820131	29829523
	相続時精算課税分の贈与税額控除額（第11の2表1⑨）	⑰	00	00
	医療法人持分税額控除額（第8の4表2B）	⑱		
	小計（⑯-⑰-⑱）（黒字のときは100円未満切捨て）	⑲	33820100	29829500
	納税猶予税額（第8の8表2⑧）	⑳	00	00
	申告納税額（⑲-⑳）　申告期限までに納付すべき税額	㉑	33820100	29829500
	還付される税額	㉒	△	△
この申告書が修正申告書である場合	この申告書が　小計	㉓		
	修正前の　納税猶予税額	㉔		
	申告納税額（還付の場合は、頭に△を記載）	㉕		
	小計の増加額（⑲-㉓）	㉖		
	この申告により納付すべき税額又は還付される税額（還付の場合は、頭に△を記載）（㉑又は㉒-㉕）	㉗		

左欄外（縦書き）：
○フリガナは、必ず記入してください。
○この申告書は機械で読み取りますので、黒ボールペンで記入してください。
※の項目は記入する必要がありません。

右欄外（縦書き）：
←この申告書で提出しない人（参考として記載している場合）は（参）を○で囲んでください。

（注）⑲欄の金額が赤字等となる場合は、⑲欄の左端に△を付してください。なお、この場合で、⑲欄の金額のうちに贈与税の外国税額控除額（第11の2表1⑩）があるときの㉒欄の金額については、「相続税の申告のしかた」を参照してください。（その人の分は申告書とは取り扱いません。）

（資4-20-2-1-A4統一）第1表（続）（令6.7）

第十五章《相続税の申告書等の書き方》

相 続 税 の 総 額 の 計 算 書

被相続人 **日本太郎**

第2表（令和5年1月分以降用）

この表は、第1表及び第3表の「相続税の総額」の計算のために使用します。

なお、被相続人から相続、遺贈や相続時精算課税に係る贈与によって財産を取得した人のうちに農業相続人がいない場合は、この表の㋭欄及び㋬欄並びに⑨欄から⑪欄までは記入する必要がありません。

① 課税価格の合計額	② 遺 産 に 係 る 基 礎 控 除 額	③ 課 税 遺 産 総 額
㋑（第1表⑥Ⓐ）**498,600**,000 円	3,000万円＋（600万円× ㋺ **3** 人 ）＝ ㋩ **4,800** 万円 （Ⓐの法定相続人の数）	㋥（㋑-㋩）**450,600**,000 円
（第3表⑥Ⓐ）,000	㋺の人数及び㋩の金額を第1表Ⓑへ転記します。	㋬（㋭-㋩）,000

④ 法定相続人 （（注）1参照）		⑤ 左の法定相続人に応じた法定相続分	第1表の「相続税の総額⑦」の計算		第3表の「相続税の総額⑦」の計算	
氏 名	被相続人との続柄		⑥ 法定相続分に応ずる取得金額（㋥×⑤）（1,000円未満切捨て）	⑦ 相続税の総額の基となる税額〔下の「速算表」で計算します。〕	⑨ 法定相続分に応ずる取得金額（㋬×⑤）（1,000円未満切捨て）	⑩ 相続税の総額の基となる税額〔下の「速算表」で計算します。〕
日本花子	妻	$\frac{1}{2}$	**225,300**,000 円	**74,385,000** 円	,000 円	円
日本一郎	長男	$\frac{1}{2}×\frac{1}{2}=\frac{1}{4}$	**112,650**,000	**28,060,000**	,000	
久保和子	長女	$\frac{1}{2}×\frac{1}{2}=\frac{1}{4}$	**112,650**,000	**28,060,000**	,000	
			,000		,000	
			,000		,000	
			,000		,000	
			,000		,000	
			,000		,000	
			,000		,000	
法定相続人の数	Ⓐ **3** 人	合計 1	⑧ 相続税の総額（⑦の合計額）（100円未満切捨て）**130,505,0**00		⑪ 相続税の総額（⑩の合計額）（100円未満切捨て）00	

(注) 1　④欄の記入に当たっては、被相続人に養子がある場合や相続の放棄があった場合には、「相続税の申告のしかた」をご覧ください。
　　　2　⑧欄の金額を第1表⑦欄へ転記します。財産を取得した人のうちに農業相続人がいる場合は、⑧欄の金額を第1表⑦欄へ転記するとともに、⑪欄の金額を第3表⑦欄へ転記します。

相 続 税 の 速 算 表

法定相続分に応ずる取得金額	10,000千円以下	30,000千円以下	50,000千円以下	100,000千円以下	200,000千円以下	300,000千円以下	600,000千円以下	600,000千円超
税　　　率	10%	15%	20%	30%	40%	45%	50%	55%
控　除　額	－	500千円	2,000千円	7,000千円	17,000千円	27,000千円	42,000千円	72,000千円

この速算表の使用方法は、次のとおりです。
⑥欄の金額×税率－控除額＝⑦欄の税額　　　⑨欄の金額×税率－控除額＝⑩欄の税額
例えば、⑥欄の金額30,000千円に対する税額（⑦欄）は、30,000千円×15%－500千円＝4,000千円です。

○連帯納付義務について
　相続税の納税については、各相続人等が相続、遺贈や相続時精算課税に係る贈与により受けた利益の価額を限度として、お互いに連帯して納付しなければならない義務があります。

第2表（令6.7）　　　　　　　　　　　　　　　　　　　　　　　　（資4－20－3－A4統 ）

－1016－

第十五章《相続税の申告書等の書き方》

相続税額の加算金額の計算書

被相続人	

第4表（令和6年1月分以降用）

この表は、相続、遺贈や相続時精算課税に係る贈与によって財産を取得した人のうちに、被相続人の一親等の血族（代襲して相続人となった直系卑属を含みます。）及び配偶者以外の人がいる場合に記入します。

（注）　一親等の血族であっても相続税額の加算の対象となる場合があります。詳しくは「相続税の申告のしかた」をご覧ください。

加算の対象となる人の氏名						
各人の税額控除前の相続税額 （第1表⑨又は第1表⑩の金額）	①	円	円	円	円
相続開始の時までに被相続人との続柄に変更があった場合で、被相続人の養子となっている人（その被相続人の直系卑属に該当する被相続人の養子を除きます。）は、相続時精算課税に係る贈与を受けている人で記入します。	被相続人の一親等の血族であった期間内にその被相続人から相続時精算課税に係る贈与によって取得した財産の価額の合計額	②	円	円	円	円
	被相続人から相続、遺贈や相続時精算課税に係る贈与によって取得した財産などで相続税の課税価格に算入された財産の価額 （第1表①＋第1表②＋第1表⑤）	③				
	加算の対象とならない相続税額 （①×②÷③）	④				
管理残額がある場合の加算の対象とならない相続税額 （第4表の付表Ⓐ）	⑤	円	円	円	円
相続税額の加算金額 （①×0.2） ただし、上記④又は⑤の金額がある場合には、 （（①−④−⑤）×0.2）となります。	⑥	円	円	円	円

（注）　1　相続時精算課税適用者である孫が相続開始の時までに被相続人の養子となった場合は、「相続時精算課税に係る贈与を受けている人で、かつ、相続開始の時までに被相続人との続柄に変更があった場合」には含まれませんので②欄から④欄までの記入は不要です。

　　　2　②欄には、次に掲げる場合の区分に応じ、それぞれ次の金額の合計額を記入します。

　　　（1）　令和5年12月31日以前に被相続人からの贈与により取得した財産の場合

　　　　　　被相続人の一親等の血族であった期間内にその被相続人から相続時精算課税に係る贈与によって取得した財産の価額

　　　（2）　令和6年1月1日以後に被相続人からの贈与により取得した財産の場合

　　　　　　被相続人から贈与を受けた年分ごとに次の算式により算出した金額の合計額

　　　　（算式）

$$\left[\begin{array}{l}\text{被相続人の一親等の血族であった期間内にその被相続人から}\\\text{相続時精算課税に係る贈与によって取得した財産の価額}\end{array}\right] - \left[\begin{array}{l}\text{その期間内の被相続人に係る各年分の贈与税}\\\text{の相続時精算課税に係る基礎控除額(※)}\end{array}\right]$$

　　　　※　同一年中に被相続人の一親等の血族であった期間と一親等の血族に該当しない期間のいずれの期間内にもその被相続人から相続時精算課税に係る贈与を受けた年分については、次の算式により算出した金額となります。

　　　　（算式）

$$\left[\begin{array}{l}\text{その年分において被相続人から}\\\text{の贈与により取得した財産の価}\\\text{額から控除した相続時精算課税}\\\text{に係る基礎控除額}\end{array}\right] \times \dfrac{\left[\begin{array}{l}\text{その年分の被相続人の一親等の血族であった期間内にその被相続}\\\text{人から相続時精算課税に係る贈与によって取得した財産の価額}\end{array}\right]}{\left[\begin{array}{l}\text{その年分の被相続人から相続時精算課税に係る贈与によって取得}\\\text{した財産の価額}\end{array}\right]}$$

　　　3　各人の⑥欄の金額を第1表のその人の「相続税額の2割加算が行われる場合の加算金額⑪」欄に転記します。

第4表（令6.7）　　　　　　　　　　　　　　　　　　　　　　　　　　（資4−20−5−1−A4統一）

第十五章《相続税の申告書等の書き方》

暦年課税分の贈与税額控除額の計算書

被相続人　**日本太郎**

第4表の2（平成31年1月分以降用）

この表は、第14表の「1 純資産価額に加算される暦年課税分の贈与財産価額及び特定贈与財産価額の明細」欄に記入した財産のうち相続税の課税価格に加算されるものについて、贈与税が課税されている場合に記入します。

控除を受ける人の氏名		**久保和子**		

			贈与税の申告書の提出先	税務署	税務署	税務署
相続開始の年の前年分（　　年分）	被相続人から暦年課税に係る贈与によって租税特別措置法第70条の2の5第1項の規定の適用を受ける財産（特例贈与財産）を取得した場合					
	相続開始の年中に暦年課税に係る贈与によって取得した特例贈与財産の価額の合計額	①	円	円	円	
	①のうち被相続人から暦年課税に係る贈与によって取得した特例贈与財産の価額の合計額（贈与税額の計算の基礎となった価額）	②				
	その年分の暦年課税分の贈与税額（裏面の「2」参照）	③				
	控除を受ける贈与税額（特例贈与財産分）（③×②÷①）	④				
	被相続人から暦年課税に係る贈与によって租税特別措置法第70条の2の5第1項の規定の適用を受けない財産（一般贈与財産）を取得した場合					
	相続開始の年の前年中に暦年課税に係る贈与によって取得した一般贈与財産の価額の合計額（贈与税の配偶者控除後の金額）	⑤	円	円	円	
	⑤のうち被相続人から暦年課税に係る贈与によって取得した一般贈与財産の価額の合計額（贈与税額の計算の基礎となった価額）	⑥				
	その年分の暦年課税分の贈与税額（裏面の「3」参照）	⑦				
	控除を受ける贈与税額（一般贈与財産分）（⑦×⑥÷⑤）	⑧				

			贈与税の申告書の提出先	税務署	税務署	税務署
相続開始の年の前々年分（　　年分）	被相続人から暦年課税に係る贈与によって租税特別措置法第70条の2の5第1項の規定の適用を受ける財産（特例贈与財産）を取得した場合					
	相続開始の年の前々年中に暦年課税に係る贈与によって取得した特例贈与財産の価額の合計額	⑨	円	円	円	
	⑨のうち被相続人から暦年課税に係る贈与によって取得した特例贈与財産の価額の合計額（贈与税額の計算の基礎となった価額）	⑩				
	その年分の暦年課税分の贈与税額（裏面の「2」参照）	⑪				
	控除を受ける贈与税額（特例贈与財産分）（⑪×⑩÷⑨）	⑫				
	被相続人から暦年課税に係る贈与によって租税特別措置法第70条の2の5第1項の規定の適用を受けない財産（一般贈与財産）を取得した場合					
	相続開始の年の前々年中に暦年課税に係る贈与によって取得した一般贈与財産の価額の合計額（贈与税の配偶者控除後の金額）	⑬	円	円	円	
	⑬のうち被相続人から暦年課税に係る贈与によって取得した一般贈与財産の価額の合計額（贈与税額の計算の基礎となった価額）	⑭				
	その年分の暦年課税分の贈与税額（裏面の「3」参照）	⑮				
	控除を受ける贈与税額（一般贈与財産分）（⑮×⑭÷⑬）	⑯				

			贈与税の申告書の提出先	○○ 税務署	税務署	税務署
相続開始の年の前々々年分（　　年分）	被相続人から暦年課税に係る贈与によって租税特別措置法第70条の2の5第1項の規定の適用を受ける財産（特例贈与財産）を取得した場合					
	相続開始の年の前々々年中に暦年課税に係る贈与によって取得した特例贈与財産の価額の合計額	⑰	円 **2,000,000**	円	円	
	⑰のうち相続開始の日から遡って3年前の日以後に被相続人から暦年課税に係る贈与によって取得した特例贈与財産の価額の合計額（贈与税額の計算の基礎となった価額）	⑱	**2,000,000**			
	その年分の暦年課税分の贈与税額（裏面の「2」参照）	⑲	**90,000**			
	控除を受ける贈与税額（特例贈与財産分）（⑲×⑱÷⑰）	⑳	**90,000**			
	被相続人から暦年課税に係る贈与によって租税特別措置法第70条の2の5第1項の規定の適用を受けない財産（一般贈与財産）を取得した場合					
	相続開始の年の前々々年中に暦年課税に係る贈与によって取得した一般贈与財産の価額の合計額（贈与税の配偶者控除後の金額）	㉑	円	円	円	
	㉑のうち相続開始の日から遡って3年前の日以後に被相続人から暦年課税に係る贈与によって取得した一般贈与財産の価額の合計額（贈与税額の計算の基礎となった価額）	㉒				
	その年分の暦年課税分の贈与税額（裏面の「3」参照）	㉓				
	控除を受ける贈与税額（一般贈与財産分）（㉓×㉒÷㉑）	㉔				

暦年課税分の贈与税額控除額計（④+⑧+⑫+⑯+⑳+㉔）	㉕	**90,000** 円	円	円

(注) 各人の㉕欄の金額を第1表のその人の「暦年課税分の贈与税額控除額⑫」欄に転記します。

第4表の2 (令6.7)

(資4−20−5−3−A4 統一)

−1018−

第十五章《相続税の申告書等の書き方》

配偶者の税額軽減額の計算書

被相続人　**日　本　太　郎**

第5表（令和6年1月分以降用）

私は、相続税法第19条の2第1項の規定による配偶者の税額軽減の適用を受けます。

1　一般の場合

この表は、①被相続人から相続、遺贈や相続時精算課税に係る贈与によって財産を取得した人のうちに農業相続人がいない場合又は②配偶者が農業相続人である場合に記入します。

課税価格の合計額のうち配偶者の法定相続分相当額	（第1表のⒶの金額）　〔配偶者の法定相続分〕
	498,600,000円 × **1/2** ＝ **249,300,000** 円
	上記の金額が16,000万円に満たない場合には、16,000万円

㋑※　**249,300,000** 円

配偶者の税額軽減額を計算する場合の課税価格	①分割財産の価額（第11表2の配偶者の①の金額）	分割財産の価額から控除する債務及び葬式費用の金額		⑤純資産価額に加算される暦年課税分の贈与財産価額（第1表の配偶者の⑤の金額）	⑥（①－④＋⑤）の金額（⑤の金額より小さいときは⑤の金額）（1,000円未満切捨て）
		②債務及び葬式費用の金額（第1表の配偶者の③の金額）	④（②－③）の金額（③の金額が②の金額より大きいときは0）		
		③未分割財産の価額（第11表2の配偶者の②の金額）			
円	**256,646,350** 円	**3,359,600** 円	**3,359,600** 円	**1,000,000** 円	**254,286**,000 円

⑦相続税の総額（第1表の⑦の金額）	⑧㋑の金額と⑥の金額のうちいずれか少ない方の金額	⑨課税価格の合計額（第1表のⒶの金額）	⑩配偶者の税額軽減の基となる金額（⑦×⑧÷⑨）
130,505,000 円	**249,300,000** 円	**498,600**,000 円	**65,252,500** 円

配偶者の税額軽減の限度額	（第1表の配偶者の⑨又は⑩の金額）（第1表の配偶者の⑫の金額）
	（ **66,557,550** 円 － **0** 円）

㋺　**66,557,550** 円

配偶者の税額軽減額	（⑩の金額と㋺の金額のうちいずれか少ない方の金額）

㋬　**65,252,500** 円

（注）㋬の金額を第1表の配偶者の「配偶者の税額軽減額⑬」欄に転記します。

2　配偶者以外の人が農業相続人である場合

この表は、被相続人から相続、遺贈や相続時精算課税に係る贈与によって財産を取得した人のうちに農業相続人がいる場合で、かつ、その農業相続人が配偶者以外の場合に記入します。

課税価格の合計額のうち配偶者の法定相続分相当額	（第3表のⒶの金額）　〔配偶者の法定相続分〕
	,000円 × ── ＝ 円
	上記の金額が16,000万円に満たない場合には、16,000万円

㋥※　円

配偶者の税額軽減額を計算する場合の課税価格	⑪分割財産の価額（第11表2の配偶者の①の金額）	分割財産の価額から控除する債務及び葬式費用の金額		⑮純資産価額に加算される暦年課税分の贈与財産価額（第1表の配偶者の⑤の金額）	⑯（⑪－⑭＋⑮）の金額（⑮の金額より小さいときは⑮の金額）（1,000円未満切捨て）
		⑫債務及び葬式費用の金額（第1表の配偶者の③の金額）	⑭（⑫－⑬）の金額（⑬の金額が⑫の金額より大きいときは0）		
		⑬未分割財産の価額（第11表2の配偶者の②の金額）			
円	円	円	円	円	※ ,000 円

⑰相続税の総額（第3表の⑦の金額）	⑱㋥の金額と⑯の金額のうちいずれか少ない方の金額	⑲課税価格の合計額（第3表のⒶの金額）	⑳配偶者の税額軽減の基となる金額（⑰×⑱÷⑲）
00 円	円	,000 円	円

配偶者の税額軽減の限度額	（第1表の配偶者の⑩の金額）（第1表の配偶者の⑫の金額）
	（ 円 － 円）

㋬　円

配偶者の税額軽減額	（⑳の金額と㋬の金額のうちいずれか少ない方の金額）

㋬　円

（注）㋬の金額を第1表の配偶者の「配偶者の税額軽減額⑬」欄に転記します。

※　相続税法第19条の2第5項（（隠蔽又は仮装があった場合の配偶者の相続税額の軽減の不適用））の規定の適用があるときには、「課税価格の合計額のうち配偶者の法定相続分相当額」の（第1表のⒶの金額）、⑥、⑦、⑨、「課税価格の合計額のうち配偶者の法定相続分相当額」の（第3表のⒶの金額）、⑯、⑰及び⑲の各欄は、第5表の付表で計算した金額を転記します。

第5表（令6.7）

（資4−20−6−1−A4統一）

第十五章《相続税の申告書等の書き方》

未成年者控除額 障害者控除額の計算書

被相続人

第6表（令和5年1月分以降用）

1 未成年者控除

（この表は、相続、遺贈や相続時精算課税に係る贈与によって財産を取得した法定相続人のうちに、満18歳にならない人がいる場合に記入します。）

未成年者の氏名						計
年齢（1年未満切捨て）	①	歳	歳	歳	歳	
未成年者控除額	②	10万円×(18歳－＿＿歳) ＝ 0,000円	10万円×(18歳－＿＿歳) ＝ 0,000円	10万円×(18歳－＿＿歳) ＝ 0,000円	10万円×(18歳－＿＿歳) ＝ 0,000円	円 0,000
未成年者の第1表の（⑨＋⑪－⑫－⑬）又は（⑩＋⑪－⑫－⑬）の相続税額	③	円	円	円	円	円

(注) 1 過去に未成年者控除の適用を受けた人は、②欄の控除額に制限がありますので、「相続税の申告のしかた」をご覧ください。
2 ②欄の金額と③欄の金額のいずれか少ない方の金額を、第8の8表1のその未成年者の「未成年者控除額①」欄に転記します。
3 ②欄の金額が③欄の金額を超える人は、その超える金額（②－③の金額）を次の④欄に記入します。

控除しきれない金額（②－③）	④	円	円	円	円	計Ⓐ 円

（扶養義務者の相続税額から控除する未成年者控除額）

Ⓐ欄の金額は、未成年者の扶養義務者の相続税額から控除することができますから、その金額を扶養義務者間で協議の上、適宜配分し、次の⑥欄に記入します。

扶養義務者の氏名						計
扶養義務者の第1表の（⑨＋⑪－⑫－⑬）又は（⑩＋⑪－⑫－⑬）の相続税額	⑤	円	円	円	円	円
未成年者控除額	⑥					

(注) 各人の⑥欄の金額を未成年者控除を受ける扶養義務者の第8の8表1の「未成年者控除額①」欄に転記します。

2 障害者控除

（この表は、相続、遺贈や相続時精算課税に係る贈与によって財産を取得した法定相続人のうちに、一般障害者又は特別障害者がいる場合に記入します。）

		一般障害者		特別障害者		計
障害者の氏名						
年齢（1年未満切捨て）	①	歳	歳	歳	歳	
障害者控除額	②	10万円×(85歳－＿＿歳) ＝ 0,000円	10万円×(85歳－＿＿歳) ＝ 0,000円	20万円×(85歳－＿＿歳) ＝ 0,000円	20万円×(85歳－＿＿歳) ＝ 0,000円	円 0,000
障害者の第1表の（⑨＋⑪－⑫－⑬）－第8の8表1の①又は第1表の（⑩＋⑪－⑫－⑬）－第8の8表1の①の相続税額	③	円	円	円	円	円

(注) 1 過去に障害者控除の適用を受けた人の控除額は、②欄により計算した金額とは異なりますので税務署にお尋ねください。
2 ②欄の金額と③欄の金額のいずれか少ない方の金額を、第8の8表1のその障害者の「障害者控除額②」欄に転記します。
3 ②欄の金額が③欄の金額を超える人は、その超える金額（②－③の金額）を次の④欄に記入します。

控除しきれない金額（②－③）	④	円	円	円	円	計Ⓐ 円

（扶養義務者の相続税額から控除する障害者控除額）

Ⓐ欄の金額は、障害者の扶養義務者の相続税額から控除することができますから、その金額を扶養義務者間で協議の上、適宜配分し、次の⑥欄に記入します。

扶養義務者の氏名						計
扶養義務者の第1表の（⑨＋⑪－⑫－⑬）－第8の8表1の①又は第1表の（⑩＋⑪－⑫－⑬）－第8の8表1の①の相続税額	⑤	円	円	円	円	円
障害者控除額	⑥					

(注) 各人の⑥欄の金額を障害者控除を受ける扶養義務者の第8の8表1の「障害者控除額②」欄に転記します。

第6表(令6.7)

(資4－20－7－A4統一)

第十五章《相続税の申告書等の書き方》

相次相続控除額の計算書

被相続人 **日 本 太 郎**

第7表（令和6年1月分以降用）

この表は、被相続人が今回の相続の開始前10年以内に開始した前の相続について、相続税を課税されている場合に記入します。

1 相次相続控除額の総額の計算

前の相続に係る被相続人の氏名	前の相続に係る被相続人と今回の相続に係る被相続人との続柄	前の相続に係る相続税の申告書の提出先
日 本 太 助	**日本太郎の父**	○ ○ 税務署

① 前の相続の年月日	② 今回の相続の年月日	③ 前の相続から今回の相続までの期間（1年未満切捨て）	④ 10年 － ③ の 年 数
平成 27 年 3 月 10 日	**令和 6 年 5 月 10 日**	**9** 年	**1** 年

⑤ 被相続人が前の相続の時に取得した純資産価額（相続時精算課税適用財産の価額を含みます。）	⑥ 前の相続の際の被相続人の相続税額	⑦ （⑤－⑥）の金額	⑧ 今回の相続、遺贈や相続時精算課税に係る贈与によって財産を取得した全ての人の純資産価額の合計額（第1表の④の合計金額）
19,411,546 円	**4,250,000** 円	**15,161,546** 円	**495,602,246** 円

（⑥の相続税額）
4,250,000 円 × $\frac{⑧の金額\ \mathbf{495,602,246}\ 円}{⑦の金額\ \mathbf{15,161,546}\ 円}$（この割合が1を超えるときは1とします。） × $\frac{（④の年数）\ \mathbf{1}\ 年}{10\ 年}$ ＝ 相次相続控除額の総額 Ⓐ **425,000** 円

2 各相続人の相次相続控除額の計算

(1) 一般の場合 （この表は、被相続人から相続、遺贈や相続時精算課税に係る贈与によって財産を取得した人のうちに農業相続人がいない場合に、財産を取得した相続人の全ての人が記入します。）

今回の相続の被相続人から財産を取得した相続人の氏名	⑨ 相次相続控除額の総額	⑩ 各相続人の純資産価額（第1表の各人の④の金額）	⑪ 相続人以外の人も含めた純資産価額の合計額（第1表の④の各人の合計）	⑫ $\frac{各人の⑩}{Ⓑ}$ の割合	⑬ 各人の相次相続控除額（⑨×各人の⑫の割合）
日本花子		**253,286,750** 円		**0.5110686**	**217,204** 円
日本一郎	（上記Ⓐの金額）	**129,636,813**		**0.2615743**	**111,169**
久保和子	**425,000** 円	**112,678,683**	Ⓑ **495,602,246** 円	**0.2273570**	**96,627**

(2) 相続人のうちに農業相続人がいる場合 （この表は、被相続人から相続、遺贈や相続時精算課税に係る贈与によって財産を取得した人のうちに農業相続人がいる場合に、財産を取得した相続人の全ての人が記入します。）

今回の相続の被相続人から財産を取得した相続人の氏名	⑭ 相次相続控除額の総額	⑮ 各相続人の純資産価額（第3表の各人の④の金額）	⑯ 相続人以外の人も含めた純資産価額の合計額（第3表の④の各人の合計）	⑰ $\frac{各人の⑮}{Ⓒ}$ の割合	⑱ 各人の相次相続控除額（⑭×各人の⑰の割合）
		円			円
	（上記Ⓐの金額）				
			Ⓒ		
	円		円		

（注）1 ⑤欄の相続時精算課税適用財産の価額は、令和6年1月1日以後の贈与により取得した財産の場合、その贈与により取得した年分ごとに、その財産の価額から相続時精算課税に係る基礎控除額を控除した残額となります。

2 ⑥欄の相続税額は、相続時精算課税分の贈与税額控除後の金額をいい、その被相続人が納税猶予の適用を受けていた場合の免除された相続税額並びに延滞税、利子税及び加算税の額は含まれません。

3 各人の⑬又は⑱欄の金額を第8の8表1のその人の「相次相続控除額③」欄に転記します。

第7表（令6.7） （資4－20－8－A4統一）

第十五章《相続税の申告書等の書き方》

外国税額控除額 農地等納税猶予税額 の 計 算 書

被相続人 ☐

第8表（令和6年1月分以降用）

1 外国税額控除

（この表は、課税される財産のうちに外国にあるものがあり、その財産について外国において日本の相続税に相当する税が課税されている場合に記入します。）

外国で相続税に相当する税を課せられた人の氏名	外国の法令により課せられた税		③①の日現在における邦貨換算率	④邦貨換算税額（②×③）	⑤邦貨換算在外純財産の価額	⑥⑤の金額取得財産の価額の割合	⑦相次相続控除後の税額×⑥	⑧控除額④と⑦のうちいずれか少ない方の金額
	国名及び税の名称	①納期限（年月日）②税額						
		‥		円	円		円	円
		‥						
		‥						
		‥						
		‥						

（注）1 ⑤欄は、在外財産（被相続人から相続開始の年に暦年課税に係る贈与によって取得した財産及び相続時精算課税適用財産を含みます。）の価額からその財産についての債務の金額を控除した価額を記入します。

なお、在外財産が令和6年1月1日以後の贈与により取得した相続時精算課税適用財産である場合のその在外財産の価額は、その贈与を受けた年と同一年中に被相続人である特定贈与者から贈与により取得した相続時精算課税適用財産の価額の合計額からその年分の相続時精算課税に係る基礎控除額を控除した残額が限度となります。

2 ⑥欄の「取得財産の価額」は、第1表の④欄の金額と被相続人から相続開始の年に暦年課税に係る贈与によって取得した財産の価額の合計額によります。

3 各人の⑧欄の金額を第8の8表1のその人の「外国税額控除額④」欄に転記します。

2 農地等納税猶予税額 （この表は、農業相続人について該当する金額を記入します。）

農業相続人の氏名				
納税猶予の基となる税額（第3表の各農業相続人の⑫の金額）	①	円	円	円
相続税額の2割加算が行われる場合の加算金額（第4表⑥×第3表の各農業相続人の⑬の金額）	②			
納付する税額の猶予税額控除額の計の算額 税額控除額の計（第1表の各農業相続人の（⑮＋⑰）の金額）	③			
	第3表⑨の各農業相続人の算出税額	④			
	相続税額の2割加算が行われる場合の加算金額（第4表⑥×第3表の各農業相続人の⑬の金額）	⑤			
	（③－（④＋⑤））の金額（赤字のときは0）	⑥			
農地等納税猶予税額（①＋②－⑥）（100円未満切捨て、赤字のときは0）	⑦	00	00	00

（注）1 各人の⑦欄の金額を第8の8表2のその人の「農地等納税猶予税額①」欄に転記します。なお、その人が、他の相続税の納税猶予等の適用を受ける場合は、第8の7表の⑰欄の金額を第8の8表2のその人の「農地等納税猶予税額①」欄に転記します。

2 この申告が修正申告である場合の⑦欄に記入する金額は、⑦欄の「①＋②－⑥」の金額が修正前の「農地等納税猶予税額」の金額を超える場合には、当該修正前の「農地等納税猶予税額」の金額にとどめます。ただし、納税猶予の適用を受ける特例農地等（期限内申告において第12表に記入した特例農地等に限ります。）の評価誤り又は税額の計算誤りがあった場合で、その誤りだけを修正するものであるときの⑦欄の金額は、当該修正前の「農地等納税猶予税額」の金額を超えることができます。

第8表(令6.7)

（資4－20－9－1－A4統一）

第十五章《相続税の申告書等の書き方》

株式等納税猶予税額の計算書（一般措置用）

被相続人	
経営承継人 経営承継相続人等・ 経営相続承継受贈者	

第8の2表（令和5年1月分以降用）

この計算書は、経営承継相続人等又は経営相続承継受贈者に該当する人が非上場株式等についての相続税の納税猶予に係る「一般措置」の適用を受ける場合に納税猶予税額（株式等納税猶予税額）を算出するために使用します。
（注）1　経営承継相続人等及び経営相続承継受贈者に該当する人を、以下この計算書（第8の2表）において「経営承継人」と表記しています。
　　　2　非上場株式等についての相続税の納税猶予に係る「特例措置」の適用を受ける場合には第8の2の2表を使用してください。

私は、第8の2表の付表1・付表2の「2　対象非上場株式等の明細」又は第8の2表の付表3の「2　対象相続非上場株式等の明細」に記載した会社の株式（出資）のうち各明細の③欄の株式等の数等について非上場株式等についての納税猶予及び免除（租税特別措置法第70条の7の2第1項、同法第70条の7の4第1項、所得税法等の一部を改正する法律（平成21年法律第13号）附則第64条第2項又は第7項）の適用を受けます。

1　株式等納税猶予税額の基となる相続税の総額の計算

(1)「特定価額に基づく課税遺産総額」等の計算

①	経営承継人の第8の2表の付表1・付表2・付表3のA欄の合計額	円
②	経営承継人に係る債務及び葬式費用の金額（第1表のその人の③欄の金額）	
③	経営承継人が相続又は遺贈により取得した財産の価額（その経営承継人の第1表の（①＋②）（又は第3表の①欄）の金額）	
④	控除未済債務額（①＋②－③）の金額（赤字の場合は0）	
⑤	特定価額（①－④）（1,000円未満切捨て）（赤字の場合は0）	,000
⑥	特定価額の20%に相当する金額（⑤×20%）（1,000円未満切捨て）	,000
⑦	経営承継人以外の相続人等の課税価格の合計額（その経営承継人以外の者の第1表の⑥欄（又は第3表の⑥欄）の金額の合計）	,000
⑧	基礎控除額（第2表の④欄の金額）	,000,000
⑨	特定価額に基づく課税遺産総額（⑤＋⑦－⑧）	,000
⑩	特定価額の20%に相当する金額に基づく課税遺産総額（⑥＋⑦－⑧）	,000

(2)「特定価額に基づく相続税の総額」等の計算

⑪ 法定相続人の氏名	⑫ 法定相続分	特定価額に基づく相続税の総額の計算		特定価額の20%に相当する金額に基づく相続税の総額の計算	
		⑬法定相続分に応ずる取得金額（⑨×⑫）	⑭相続税の総額の基礎となる税額（第2表の「速算表」で計算します。）	⑮法定相続分に応ずる取得金額（⑩×⑫）	⑯相続税の総額の基礎となる税額（第2表の「速算表」で計算します。）
		円	円	円	円
		,000		,000	
		,000		,000	
		,000		,000	
		,000		,000	
		,000		,000	
		,000		,000	
		,000		,000	
法定相続分の合計	1	⑰相続税の総額（⑭の合計額） 00		⑱相続税の総額（⑯の合計額） 00	

（注）1　⑨の「第1表の（①＋②）」の金額は、経営承継人が租税特別措置法第70条の6第1項の規定による農地等についての納税猶予及び免除等の適用を受ける場合は、「第3表の①欄」の金額となります。また、⑦欄の「第1表の⑥欄」の金額は、相続又は遺贈により財産を取得した人のうちに租税特別措置法第70条の6第1項の規定による農地等についての納税猶予及び免除等の適用を受ける人がいる場合は、「第3表の⑥欄」の金額となります。
　　　2　⑪及び⑫欄は第2表の「④法定相続人」の「氏名」欄及び「⑤左の法定相続人に応じた法定相続分」欄からそれぞれ転記します。

2　株式等納税猶予税額の計算

①	（経営承継人の第1表の（⑮＋⑰－⑫））の金額	円
②	特定価額に基づく経営承継人の算出税額（1の⑰×1の⑤／1の（⑤＋⑦））	
③	特定価額に基づき算出税額の2割加算が行われる場合の加算金額（②×20%）	
a	（②＋③－経営承継人の第1表の⑫）の金額（赤字の場合は0）	
④	特定価額の20%に相当する金額に基づく経営承継人の算出税額（1の⑱×1の⑥／1の（⑥＋⑦））	
⑤	特定価額の20%に相当する金額に基づき相続税額の2割加算が行われる場合の加算金額（④×20%）	
b	（④＋⑤－経営承継人の第1表の⑫）の金額（赤字の場合は0）	
c	経営承継人の第1表の⑨欄に基づく算出税額（その人の第1表の（⑨（又は⑩）＋⑪－⑫）（赤字の場合は0）	
⑥	（①＋a－b－c）の金額（赤字の場合は0）	
⑦	（a－b－⑥）の金額（赤字の場合は0）	
⑧	対象非上場株式等又は対象相続非上場株式等に係る会社が2社以上ある場合の会社ごとの株式等納税猶予税額（注2参照）	
イ	（会社名）　　　　　　　　　　　　に係る株式等納税猶予税額（⑦×イの株式等に係る価額／1の①）（100円未満切捨て）	00
ロ	（会社名）　　　　　　　　　　　　に係る株式等納税猶予税額（⑦×ロの株式等に係る価額／1の①）（100円未満切捨て）	00
ハ	（会社名）　　　　　　　　　　　　に係る株式等納税猶予税額（⑦×ハの株式等に係る価額／1の①）（100円未満切捨て）	00
⑨	**株式等納税猶予税額**（⑦の金額（100円未満切捨て）（又は⑧の金額の合計額））（注3参照）	A 00

（注）1　c欄の算式中の「第1表の⑨」の金額について、相続又は遺贈により財産を取得した人のうちに租税特別措置法第70条の6第1項の規定による農地等についての納税猶予及び免除の適用を受ける人がいる場合は、「第1表の⑩」の金額とします。
　　　2　対象非上場株式等又は対象相続非上場株式等に係る会社が1社のみの場合は、⑧の記入は行わず、⑦の金額を⑨のA欄に記入します（100円未満切捨て）。なお、イからハまでの各欄の算式中の「株式等に係る価額」とは第8の2表の付表1及び付表2の「2　対象非上場株式等の明細」の⑤欄並びに第8の2表の付表3の「2　対象相続非上場株式等の明細」の⑤欄の金額をいいます。また、会社が4社以上ある場合は、適宜の用紙に会社ごとの株式等納税猶予税額を記載し添付してください。
　　　3　⑨欄のA欄の金額を経営承継人の第8の8の2の「株式等納税猶予税額②」欄に転記します。なお、経営承継人が他の相続税の納税猶予等の適用を受ける場合は、⑨欄のA欄の金額によらず、第8の7表の⑧欄の金額と経営承継人の第8の8の2の「株式等納税猶予税額②」欄に転記します。
　　　4　この申告が修正申告である場合の⑦欄に記入する金額は、⑦欄の「a－b－⑥」の金額が修正前の当該金額を超える場合には、当該修正前の金額にとどめます（⑧及び⑨欄も同様です。）。ただし、この制度の適用を受ける対象非上場株式等又は対象相続非上場株式等（期限内申告において第8の2表の付表1及び付表2の「2　対象非上場株式等の明細」並びに第8の2表の付表3の「2　対象相続非上場株式等の明細」に記入した対象非上場株式等又は対象相続非上場株式等に限ります。）の評価誤り又は⑦欄の計算誤りがあった場合で、その誤りだけを修正するものであるときの⑦欄の金額は、当該修正前の金額を超えることができます。

※税務署整理欄	入力		確認		

※の項目は記入する必要がありません。

第8の2表（令6.7）　　　　　　　　　　　　　　　　　　　　　　　　　　　　（資4－20－9－2－A4統一）

－1023－

第十五章《相続税の申告書等の書き方》

非上場株式等についての相続税の納税猶予及び免除の適用を受ける対象非上場株式等の明細書（一般措置用）

被　相　続　人	
経営承継相続人等	

第8の2表の付表1（平成31年1月分以降用）

　この明細書は、「非上場株式等についての相続税の納税猶予及び免除（租税特別措置法第70条の7の2）」の適用を受ける対象非上場株式等について、その明細を記入します。なお、経営承継相続人等が被相続人から贈与により対象非上場株式等に係る会社の株式等を取得している場合で、その株式等の贈与に係る贈与税の申告において所得税法等の一部を改正する法律（平成21年法律第13号）による改正前の租税特別措置法第69条の5、同法第70条の3の3又は第70条の3の4の規定の適用を受けているときはこの明細書によらず第8の2表の付表2を使用してください。
　この明細書の記入に際しては、裏面にご注意ください。

1　対象非上場株式等に係る会社

①	会社名		⑦	相続開始の日から5か月後における経営承継相続人等の役職名		
②	会社の整理番号（会社の所轄税務署名）	（　　　署）				
③	事業種目		⑧	円滑化法の認定の状況	認定年月日	年　　月　　日
④	相続開始の時における資本金の額	円			認定番号	
⑤	相続開始の時における資本準備金の額	円	⑨	会社又はその会社の特別関係会社であってその会社との間に支配関係がある法人が保有する外国会社等の株式等の有無	有	無
⑥	相続開始の時における従業員数	人				

2　対象非上場株式等の明細

①　相続開始の時における発行済株式等の総数等	②　被相続人から相続又は遺贈により取得した株式等の数等	③　②のうち、制度の適用を受ける株式等の数等	④　1株（口・円）当たりの価額（裏面の「2（3）」参照）	⑤　　価　　　額（　③　×　④　）
株・口・円	株・口・円	株・口・円	円　　　　　　　A	円

3　納税猶予及び免除の適用を受ける株式等の数等の限度数（限度額）の計算

　この欄は、「2　対象非上場株式等の明細」の③欄に記載することができる株式等の数等の限度数（限度額）の計算をします。

①　発行済株式等の総数等の3分の2に相当する数等（2の①×$\frac{2}{3}$）（1株・口・円未満の端数切上げ）	②　経営承継相続人等が相続開始前から保有する数等	③　（①－②）の数等（赤字の場合は0）	④　2の③欄の限度となる数等（③欄の数等と2の②欄の数等のうちいずれか少ない方の数等）
株・口・円	株・口・円	株・口・円	株・口・円

4　最初の非上場株式等についての贈与税の納税猶予及び免除等の適用に関する事項

　この欄は、経営承継相続人等が、その相続開始前に贈与又は相続等により取得した上記1の対象非上場株式等に係る会社の非上場株式等について、「非上場株式等についての贈与税の納税猶予及び免除（租税特別措置法第70条の7）」又は「非上場株式等についての相続税の納税猶予及び免除（同法第70条の7の2）」の規定の適用を受けている場合又は受けようとしている場合において、最初のその贈与又は相続等によるその会社の非上場株式等の取得に関する事項等について記入します。

①　取得の原因	②　取得年月日	③　申告した税務署名	④　贈与者又は被相続人の氏名
贈与・相続等	年　　月　　日	署	

5　会社が現物出資又は贈与により取得した資産の明細書

　この明細書は、租税特別措置法施行規則第23条の10第22項第7号の規定に基づき、会社が相続開始前3年以内に経営承継相続人等及び経営承継相続人等と特別の関係がある者（裏面の「4（1）」参照）から現物出資又は贈与により取得した資産の価額（裏面の「4（2）」参照）等について記入します。なお、この明細書によらず会社が別途作成しその内容を証明した書類を添付しても差し支えありません。

取得年月日	種類	細目	利用区分	所在場所等	数量	①　価　　額	出資者・贈与者の氏名・名称
・　・						円	
・　・							
・　・							
②　現物出資又は贈与により取得した資産の価額の合計額（①の合計額）							
③　会社の全ての資産の価額の合計額（②の金額を含みます。）							
④　現物出資等資産の保有割合（$\frac{②}{③}$）						％	

上記の明細の内容に相違ありません。　　　　　　　　　　　　　　　　　令和　　年　　月　　日

所　在　地　_____

会　社　名　_____

代表者氏名　_____

※税務署整理欄	法人管轄署番号	－	入力	確認		

※の項目は記入する必要がありません。

第8の2表の付表1（令6.7）　　　　　　　　　　　　　　　　　　　　　　　　　　（資4－20－9－3－A4統一）

第十五章《相続税の申告書等の書き方》

非上場株式等についての相続税の納税猶予及び免除の適用を受ける対象非上場株式等の明細書
（所得税法等の一部を改正する法律（平成21年法律第13号）附則第64条第2項又は第7項の規定の適用を受ける株式等がある場合）

被 相 続 人	
経営承継相続人等	

第8の2表の付表2（平成31年1月分以降用）

この明細書は、非上場株式等についての納税猶予及び免除の適用を受ける経営承継相続人等が被相続人から贈与により取得した特定受贈同族会社株式等又は特定同族株式等のうち所得税法等の一部を改正する法律（平成21年法律第13号）附則第64条第2項又は第7項の規定により相続又は遺贈により取得したものとみなされる対象非上場株式等及びその特定受贈同族会社株式等又はその特定同族株式等に係る会社の株式等で相続人又は遺贈により取得した対象非上場株式等について、その明細を記入します。この明細書の記入に際しては、裏面にご注意ください。

1 対象非上場株式等に係る会社

①	会社名		⑧	経営承継相続人等が役員等であった期間	・ ・ ～ ・ ・
②	会社の整理番号（会社の所轄税務署名）	（ 署）	⑨ 円滑化法の認定の状況	認定年月日	年 月 日
③	事業種目			認定番号	
④	相続開始の時における資本金の額	円	⑩ 会社又はその会社の特別関係会社であってその会社との間に支配関係がある法人が保有する外国会社等の株式等の有無	有	無
⑤	相続開始の時における資本準備金の額	円			
⑥	相続開始の時における従業員数	人			
⑦	相続開始の日から5か月後における経営承継相続人等の役職名				

2 対象非上場株式等の明細

(1) 相続開始の時における発行済株式等の総数等 　　　　　　　　　　　　　　　株・口・円

(2) 対象非上場株式等の明細

区 分	受贈年月日	① 被相続人から相続又は遺贈により取得した株式等の数等	② 被相続人から贈与により取得した株式等の数等	③ ①又は②のうち制度の適用を受ける株式等の数等	④ 1株（口・円）当たりの価額（裏面「3(5)」参照）	⑤ 価 額（③×④）
イ 特定受贈同族会社株式等に係る対象非上場株式等	・ ・		株・口・円	b	株・口・円	円
	・ ・			b		
ロ 特定同族株式等に係る対象非上場株式等	・ ・			b		
	・ ・			b		
ハ イ及びロ以外の対象非上場株式等		a 株・口・円		c		
合 計		d	e			A

3 納税猶予及び免除の適用を受ける株式等の数等の限度数（限度額）の計算
この欄は、「2 対象非上場株式等の明細」の(2)の③欄に記入することができる株式等の数等の限度数（限度額）の計算をします。

① 発行済株式等の総数等の3分の2に相当する数等（2の(1)×2/3）（1株・口・円未満の端数切上げ）	② 経営承継相続人等が相続開始前から保有する数等	③ 2の(2)の③欄の限度となる数等		
			イ 特定受贈同族会社株式等及び特定同族株式等に係る対象非上場株式等（bの数等の合計）の限度数	ロ 相続又は遺贈により取得した対象非上場株式等（cの数等）の限度数
株・口・円	株・口・円	①≦②の場合	（①－②＋d）の数等（赤字の場合は0）株・口・円	
		①＞②の場合	（d）の数等 株・口・円	（①－②）の数等 株・口・円

4 最初の非上場株式等についての贈与税の納税猶予及び免除等の適用に関する事項
この欄は、経営承継相続人等が、その相続開始前に被相続人から贈与により取得した上記1の対象非上場株式等に係る会社の非上場株式等について、「非上場株式等についての贈与税の納税猶予及び免除（租税特別措置法第70条の7）」又は「非上場株式等についての相続税の納税猶予及び免除（同法第70条の7の2）」の規定の適用を受けている場合又は受けようとしている場合において、最初のその贈与又は相続等によるその非上場株式等の取得に関する事項等について記入します。

① 取得の原因	② 取得年月日	③ 申告した税務署名	④ 贈与者又は被相続人の氏名
贈与・相続等	年 月 日	署	

5 会社が現物出資又は贈与により取得した資産の明細書
この明細書は、租税特別措置法施行規則第23条の10第22項第7号の規定に基づき、会社が相続開始前3年以内に経営承継相続人等及び経営承継相続人等と特別の関係がある者から現物出資又は贈与により取得した資産の価額等について記入します。なお、この明細書によらず会社が別途作成しその内容を証明した書類を添付しても差し支えありません。

取得年月日	種類	細目	利用区分	所在場所等	数量	① 価 額	出資者・贈与者の氏名・名称
・ ・						円	
・ ・							
・ ・							
② 現物出資又は贈与により取得した資産の価額の合計額（①の合計額）							
③ 会社の全ての資産の価額の合計額（②の金額を含みます。）							
④ 現物出資等資産の保有割合（②/③）						%	

上記の明細の内容に相違ありません。　　　　　　　　　　　　　　　　　　　　　令和　　年　　月　　日

所 在 地 _____
会 社 名 _____
代表者氏名 _____

※の項目は記入する必要がありません。

6 租税特別措置法施行令等の一部を改正する政令（平成21年政令第108号）附則第43条第1項第3号の同意

私（私たち）は、この明細書に記載された経営承継相続人等が、被相続人から贈与により取得した「2 対象非上場株式等の明細」のイの株式等について租税特別措置法第70条の7の2第1項の規定の適用を受けることに同意します。

同意すべき人の氏名（裏面「6」参照）

※税務署整理欄	法人管轄署番号	－	入力	確認	

第8の2表の付表2（令6.7）　　　　　　　　　　　　　　　　　　　（資4－20－9－4－A4統一）

－1025－

非上場株式等についての相続税の納税猶予及び免除の適用を受ける対象相続非上場株式等の明細書（一般措置用）

第8の2表の付表3（平成31年1月分以降用）

被相続人	
経営相続承継受贈者	

この明細書は、「非上場株式等の贈与者が死亡した場合の相続税の納税猶予及び免除（租税特別措置法第70条の７の４）」の適用を受ける対象相続非上場株式等について、その明細を記入します。

1　対象相続非上場株式等に係る会社

①　会社名		⑦　相続開始の時における経営相続承継受贈者の役職名		
②　会社の整理番号（会社の所轄税務署名）	（　　　署）			
③　事業種目		⑧　円滑化法の確認の状況	確認年月日	年　月　日
④　相続開始の時における資本金の額	円		確認番号	
⑤　相続開始の時における資本準備金の額	円	⑨　会社又はその会社の特別関係会社であってその会社との間に支配関係がある法人が保有する外国会社等の株式等の有無	有	無
⑥　相続開始の時における従業員数	人			

（注）1　租税特別措置法第70条の７第１項の規定の適用を受けた対象受贈非上場株式等に係る会社が、その株式等の贈与の時から相続開始の直前までにおいて、合併により消滅した場合はその合併により存続した会社又は設立した会社、株式交換等により他の会社の株式交換完全子会社等となった場合はその場合の他の会社について①から⑧までの各欄を記入します。

2　⑦欄は、具体的にその役職を、例えば、「代表取締役」と記入します。
なお、代表権に制限のある代表者については、この制度の適用を受けることはできません。

3　⑧欄は、中小企業における経営の承継の円滑化に関する法律施行規則第13条第１項（同条第３項において準用する場合を含みます。）の都道府県知事の確認を受けた年月日及び確認番号をそれぞれ記入します。

4　⑨欄は、対象相続非上場株式等に係る会社又はその会社の特別関係会社（租税特別措置法施行令第40条の８の４第４項において準用する租税特別措置法施行令第40条の８の２第８項の特別の関係がある会社をいいます。以下同じです。）であって対象相続非上場株式等に係る会社との間に支配関係（租税特別措置法施行令第40条の８第９項に規定する関係をいいます。以下同じです。）がある法人が保有する会社法第２条第２号に規定する外国会社（対象相続非上場株式等に係る会社の特別関係会社に該当するものに限ります。以下同じ。）の株式等、租税特別措置法施行令第40条の８の４第８項において準用する租税特別措置法施行令第40条の８の２第12項第1号に掲げる法人の株式等（対象相続非上場株式等に係る会社が資産保有型会社等に該当する場合に限ります。以下同じです。）又は同項第２号に掲げる医療法人の出資の有無について記入します。

2　対象相続非上場株式等の明細

受贈年月日	①　相続開始の時における発行済株式等の総数等	②　被相続人から贈与により取得した租税特別措置法第70条の７第１項の規定の適用を受けた株式等で相続開始の時において保有していた株式等の数等	③　②のうち制度の適用を受ける株式等の数等	④　1株（口・円）当たりの価額（「(注) 4」参照）	⑤　価額（③×④（ただし「(注) 5」参照））
・　・	株・口・円	株・口・円	株・口・円	円	A　円

（注）1　①から③欄までの「総数等」及び「数等」には、議決権に制限のある株式等の数等は含まれません。

2　次の場合で②欄の数等又は④欄の金額の記入に当たってお分かりにならないことがありましたら、税務署にお尋ねください。
・　贈与により取得した時以後において、株式等について併合・分割・株式無償割当てがあった場合やその株式等に係る会社について合併・会社分割・株式交換等があった場合
・　租税特別措置法第70条の７第15項第３号の規定の適用に係る贈与により取得した株式等がある場合

3　③欄の数等は、「3　納税猶予及び免除の適用を受ける株式等の数等の限度数（限度額）の計算」の④欄の数等が限度となります。

4　④欄の金額は、贈与の時における価額を基礎として計算した価額を記入します。贈与の時に、贈与税の納税猶予税額を租税特別措置法第70条の７第２項第５号イに規定する認定贈与承継会社等が外国会社等の株式等を有していないものとして計算していた場合には、税務署にお尋ねください。

5　対象相続非上場株式等に係る会社又はその会社の特別関係会社であって対象相続非上場株式等に係る会社との間に支配関係がある法人（以下「会社等」といいます。）が会社法第２条第２号に規定する外国会社の株式等、租税特別措置法施行令第40条の８の４第８項において準用する租税特別措置法施行令第40条の8の2第12項第1号に掲げる法人の株式等又は同項第2号に掲げる医療法人の出資を有する場合の納税猶予分の相続税額の計算の基となる対象相続非上場株式等の価額は、租税特別措置法第70条の7の4第1項の対象受贈非上場株式等の租税特別措置法第70条の7第1項の規定の適用に係る贈与の時における対象受贈非上場株式等に係る会社の株式等の価額を基礎として会社等が外国会社等の株式等を有していなかったものとして計算した金額となります。詳しくは税務署にお尋ねください。

6　Ａ欄の金額（⑤欄の金額）を第８の２表の「1　株式等納税猶予税額の基となる相続税の総額の計算」の①欄に転記します。
なお、第８の２表の付表１・付表２・付表３の作成がある場合は、各付表のＡ欄の合計額を第８の２表の「1　株式等納税猶予税額の基となる相続税の総額の計算」の①欄に記入します。

3　納税猶予及び免除の適用を受ける株式等の数等の限度数（限度額）の計算

この欄は、「2　対象相続非上場株式等の明細」の③欄に記載することができる株式等の数等の限度数（限度額）の計算をします。

①　発行済株式等の総数等の３分の２に相当する数等（２の①×$\frac{2}{3}$）（1株・口・円未満の端数切上げ）	②　経営相続承継受贈者が２の②欄に係る贈与の直前において保有していた数等	③　（①－②）の数等（赤字の場合は０）	④　2の③欄の限度となる数等（③欄の数等と2の②欄の数等のうちいずれか少ない方の数等）
株・口・円	株・口・円	株・口・円	株・口・円

4　最初の非上場株式等についての贈与税の納税猶予及び免除等の適用に関する事項

この欄は、経営相続承継受贈者が、「2　対象相続非上場株式等の明細」の受贈年月日前に贈与又は相続等により取得した上記１の対象相続非上場株式等に係る会社の非上場株式等について、「非上場株式等についての贈与税の納税猶予及び免除（租税特別措置法第70条の７）」又は「非上場株式等についての相続税の納税猶予及び免除（同法第70条の７の２）」の規定の適用を受けている場合において、最初のその贈与又は相続等によるその会社の非上場株式等の取得に関する事項等について記入します。

①　取得の原因	②　取得年月日	③　申告した税務署名	④　贈与者又は被相続人の氏名
贈与・相続等	年　月　日	署	

（注）1　「相続等」とは、相続又は遺贈をいいます。

2　①欄は、取得の原因を丸で囲んでください。

3　③欄は、最初の贈与又は相続等によるその会社の非上場株式等の取得について、非上場株式等についての贈与税の納税猶予及び免除等の適用を受けている、又は受けようとする贈与税又は相続税の申告書の提出先の税務署名を記入してください。

4　④欄は、最初の贈与又は相続等によるその会社の非上場株式等の取得に係る贈与者又は被相続人の氏名を記入してください。

※の項目は記入する必要がありません。

※税務署整理欄	法人管轄署番号	－	入力		確認	

第８の２表の付表３（令6.7）　　（資４－20－９－５－Ａ４統一）

第十五章《相続税の申告書等の書き方》

非上場株式等についての相続税の納税猶予及び免除の適用に係る会社が災害等により被害を受けた場合の明細書（一般措置用）

被 相 続 人	
経 営 承 継 人 （経営承継相続人等・ 経営相続承継受贈者）	
対象非上場株式等又は 対象相続非上場株式等 に係る会社の名称	

第8の2表の付表4（平成31年1月分以降用）

　この明細書は、災害等が発生した日から同日以後1年を経過する日までの間に相続又は遺贈により取得をした（租税特別措置法第70条の7の3の規定により取得をしたものとみなされる場合を含みます。）株式等について非上場株式等についての納税猶予及び免除の適用を受けようとする場合で、租税特別措置法第70条の7の2第35項若しくは第37項又は同法第70条の7の4第18項の規定の適用を受けるときに、会社の被害の態様等について、その明細を記入します。

1　規定の適用を受ける旨の確認

　私は、第8の2表の付表1・付表2の「1　対象非上場株式等に係る会社」又は第8の2表の付表3の「1　対象相続非上場株式等に係る会社」に記載した会社が、下記の「2　災害等により被害を受けた会社の被害の態様」の(1)から(3)までのいずれかに該当したので、次の規定の適用を受けます（適用を受ける規定の「□」にレ印を記入します。）。

□　租税特別措置法第70条の7の2第35項の規定の適用を受け、同条第2項第1号に掲げる認定承継会社の要件から、同号ロの資産保有型会社又は資産運用型会社のうち、租税特別措置法施行令第40条の8の2第7項に定めるものに該当しないこととする要件を除きます。

□　租税特別措置法第70条の7の2第37項の規定の適用を受け、同条第2項第3号に掲げる経営承継相続人等の要件から、同号ヘへの認定承継会社の経営を確実に承継するものと認められる要件として、租税特別措置法施行規則第23条の10第8項で定める相続の開始の直前において当該会社の役員であったこととする要件を除きます。

□　租税特別措置法第70条の7の4第18項の規定の適用を受け、同条第2項第1号に掲げる認定相続承継会社の要件から、同号ロの資産保有型会社又は資産運用型会社のうち、租税特別措置法施行令第40条の8の4第3項に定めるものに該当しないこととする要件を除きます。

2　災害等により被害を受けた会社の被害の態様

　次の場合の区分に応じて、それぞれ(1)から(3)までのいずれかの欄について記入してください。

(1)　災害によって被害を受けた事業用資産が総資産の30%以上である場合（貸借対照表の帳簿価額で判定します。）

①	災害が発生した年月日		年　　　月　　　日
②	災害が発生した日の属する事業年度の直前の事業年度終了の時における総資産の価額		円
③	災害により滅失をした資産の価額の合計額 （注）1　滅失には、通常の修繕によっては原状回復が困難な損壊を含みます。 　　　2　資産には、租税特別措置法第70条の7第2項第8号ロに規定する特定資産を含みません。		円
④	（③÷②×100）	30%以上で あれば適用可　→	％

※　(1)に該当する場合には、中小企業における経営の承継の円滑化に関する法律施行規則（以下「円滑化省令」といいます。）第13条の2第4項の確認書（同条第1項第1号に係るものに限ります。）の写し及び同条第2項の規定により都道府県知事に提出した同項の申請書（同号に係るものに限ります。）の写しを添付してください。

(2)　災害によって被害を受けた事業所で雇用されていた常時使用従業員の数が常時使用従業員の総数の20%以上である場合（上記(1)に該当する場合を除きます。）

①	災害が発生した年月日		年　　　月　　　日
②	災害が発生した日の前日における常時使用従業員の総数		人
③	災害により滅失又は損壊をした事業所（注）において、その災害が発生した日の前日に使用していた常時使用従業員の数 （注）災害が発生した日から同日以後6か月を経過する日までの間継続して常時使用従業員が本来の業務に従事することができないと認められる事業所をいいます。		人
④	（③÷②×100）	20%以上で あれば適用可　→	％

※　(2)に該当する場合には、円滑化省令第13条の2第4項の確認書（同条第1項第2号に係るものに限ります。）の写し及び同条第2項の規定により都道府県知事に提出した同項の申請書（同号に係るものに限ります。）の写しを添付してください。

(3)　中小企業信用保険法第2条第5項第3号又は第4号のいずれかの事由に該当し、特定日以後6か月間の売上金額が前年同期間の売上金額の70%以下である場合（上記(1)又は(2)に該当する場合を除きます。）

①	中小企業信用保険法第2条第5項の該当事由（3号・4号）及び特定日（注） （注）特定日とは、中小企業信用保険法第2条第5項第3号又は第4号の経済産業大臣の指定する事由が発生した日をいいます。	□　3号該当　□　4号該当 特定日：　　年　　月　　日	
②	特定日の1年前の日から同日以後6か月を経過する日までの間における売上金額		円
③	特定日から特定日以後6か月を経過する日までの間における売上金額		円
④	（③÷②×100）	70%以下で あれば適用可　→	％

※　(3)に該当する場合には、円滑化省令第13条の2第4項の確認書（同条第1項第5号又は第6号に係るものに限ります。）の写し及び同条第2項の規定により都道府県知事に提出した同項の申請書（これらの号に係るものに限ります。）の写しを添付してください。

第8の2表の付表4（令6.7)　　　　　　　　　　　　　　　　　　　　　　　　　（資4-20-9-11-A4統一）

第十五章《相続税の申告書等の書き方》

特例株式等納税猶予税額の計算書（特例措置用）

被相続人	
特例経営承継人	
〔特例経営承継相続人等・特例経営相続承継受贈者〕	

第8の2の2表 （令和5年1月分以降用）

　この計算書は、特例経営承継相続人等又は特例経営相続承継受贈者に該当する人が非上場株式等についての相続税の納税猶予に係る「特例措置」の適用を受ける場合に納税猶予税額（特例株式等納税猶予税額）を算出するために使用します。
（注）1　特例経営承継相続人等及び特例経営相続承継受贈者に該当する人を、以下この計算書（第8の2の2表）において「特例経営承継人」と表記しています。
　　　2　非上場株式等についての相続税の納税猶予に係る「一般措置」の適用を受ける場合には第8の2の2表を使用してください。

　私は、第8の2の2表の付表1の「2　特例対象非上場株式等の明細」又は第8の2の2表の付表2の「2　特例対象相続非上場株式等の明細」に記載した会社の株式（出資）のうち各明細の③欄の株式等の数等について非上場株式等についての納税猶予及び免除の特例（租税特別措置法第70条の7の6第1項、同法第70条の7の8第1項）の適用を受けます。

1　特例株式等納税猶予税額の基となる相続税の総額の計算

(1)　「特定価額に基づく課税遺産総額」等の計算

		円
①	特例経営承継人の第8の2の2表の付表1・付表2のA欄の合計額	
②	特例経営承継人に係る債務及び葬式費用の金額（第1表のその④欄の金額）	
③	特例経営承継人が相続又は遺贈により取得した財産の価額（その特例経営承継人の第1表の（①＋②）（又は第3表の①欄）の金額）	
④	控除未済債務額（①＋②－③）の金額（赤字の場合は0）	
⑤	特定価額（①－④）（1,000円未満切捨て）（赤字の場合は0）	,000
⑥	特例経営承継人以外の相続人等の課税価格の合計額（その特例経営承継人以外の者の第1表の⑥欄（又は第3表の⑥欄）の金額の合計）	,000
⑦	基礎控除額（第2表のⓐ欄の金額）	,000,000
⑧	特定価額に基づく課税遺産総額（⑤＋⑥－⑦）	,000

(2)　「特定価額に基づく相続税の総額」等の計算

⑨ 法定相続人の氏名	⑩ 法定相続分	特定価額に基づく相続税の総額の計算	
		⑪法定相続分に応ずる取得金額（⑧×⑩）	⑫相続税の総額の基礎となる税額（第2表の「速算表」で計算します。）
		円	円
		,000	
		,000	
		,000	
		,000	
		,000	
		,000	
法定相続分の合計	1	⑬相続税の総額（⑫の合計額）	00

（注）1　③欄の「第1表の（①＋②）」の金額は、特例経営承継人が租税特別措置法第70条の6第1項の規定による農地等についての納税猶予及び免除等の適用を受ける場合は、「第3表の①欄」の金額となります。また、⑥欄の「第1表の⑥欄」の金額は、相続又は遺贈により財産を取得した人のうちに租税特別措置法第70条の6第1項の規定による農地等についての納税猶予及び免除等の適用を受ける人がいる場合は、「第3表の⑥欄」の金額となります。
　　　2　⑨及び⑩欄は第2表の「④法定相続人」の「氏名」欄及び「⑤左の法定相続人に応じた法定相続分」欄からそれぞれ転記します。

2　特例株式等納税猶予税額の計算

		円
①	（特例経営承継人の第1表の（⑮＋⑰－⑫））の金額	
②	特定価額に基づく特例経営承継人の算出税額（1の⑬×1の⑤／1の（⑤＋⑥））	
③	特定価額に基づき相続税の2割加算が行われる場合の加算金額（②×20%）	
a	（②＋③－特例経営承継人の第1表の⑫）の金額（赤字の場合は0）	
b	特例経営承継人の第1表の⑥欄に基づく算出税額（その人の第1表の（⑨（又は⑩）＋⑪－⑫））（赤字の場合は0）	
④	（①＋a－b）の金額（赤字の場合は0）	
⑤	（a－④）の金額（赤字の場合は0）	

⑥　特例対象非上場株式等又は特例対象相続非上場株式等に係る会社が2社以上ある場合の会社ごとの特例株式等納税猶予税額（注2参照）

			00
イ	（会社名）　　　　　　　　　に係る特例株式等納税猶予税額（⑤×イの株式等に係る価額／1の①）（100円未満切捨て）		00
ロ	（会社名）　　　　　　　　　に係る特例株式等納税猶予税額（⑤×ロの株式等に係る価額／1の①）（100円未満切捨て）		00
ハ	（会社名）　　　　　　　　　に係る特例株式等納税猶予税額（⑤×ハの株式等に係る価額／1の①）（100円未満切捨て）		00

⑦	特例株式等納税猶予税額（⑤の金額（100円未満切捨て）（又は⑥の金額の合計額））（注3参照）	A	00

（注）1　b欄の算式中の「第1表の⑥」の金額について、相続又は遺贈により財産を取得した人のうちに租税特別措置法第70条の6第1項の規定による農地等についての納税猶予及び免除等の適用を受ける人がいる場合は、「第1表の⑩」の金額とします。
　　　2　⑥欄について、特例対象非上場株式等又は特例対象相続非上場株式等に係る会社が1社のみの場合は、⑥欄の記入は行わず、⑤欄の金額を⑦欄のA欄に記入します（100円未満切捨て）。なお、イからハまでの各欄の算式中の「株式に係る価額」とは第8の2の2表の付表1の「2　特例対象非上場株式等の明細」の⑤欄のA欄及び第8の2の2表の付表2の「2　特例対象相続非上場株式等の明細」の⑤欄のA欄の金額をいいます。また、会社が4社以上ある場合は、適宜の用紙に会社ごとの特例株式等納税猶予税額を記載し添付してください。
　　　3　⑦欄のA欄の金額を特例経営承継人の第8の8の2表の「特例株式等納税猶予税額③」欄に転記します。なお、特例経営承継人が他の相続税の納税猶予等の適用を受ける場合は、⑦欄のA欄の金額によらず、第8の7表の⑲欄の金額を特例経営承継人の第8の8の2表の「特例株式等納税猶予税額③」欄に転記します。
　　　4　この申告が修正申告である場合の⑤欄に記入する金額は、⑤欄の「a－④」の金額が修正前の当該金額を超える場合には、当該修正前の金額にとどめます（⑥及び⑦欄も同様です。）。ただし、この特例の適用を受ける特例対象非上場株式等又は特例対象相続非上場株式等（期限内申告において第8の2の2表の付表1の「2　特例対象非上場株式等の明細」及び第8の2の2表の付表2の「2　特例対象相続非上場株式等の明細」に記入した特例対象非上場株式等又は特例対象相続非上場株式等に限ります。）の評価誤り又は税額の計算誤りがあった場合で、その誤りだけを修正するものであるときの⑤欄の金額は、当該修正前の金額を超えることができます。

※税務署整理欄	入力		確認			

第8の2の2表（令6.7）　　　　　　　　　　　　　　　　　　　　　　　（資4－20－9－12－A4統一）

第十五章《相続税の申告書等の書き方》

非上場株式等についての相続税の納税猶予及び免除の特例の適用を受ける特例対象非上場株式等の明細書（特例措置用）

	被 相 続 人	

この明細書は、「非上場株式等についての相続税の納税猶予及び免除の特例（租税特別措置法第70条の7の6）」の適用を受ける特例対象非上場株式等について、その明細を記入します。この明細書の記入に際しては、裏面にご注意ください。

	特例経営承継相続人等	

1　特例対象非上場株式等に係る会社

①	会社名		⑧ 特例承継計画の提出及び確認の状況	提 出 年 月 日	年　　月　　日
②	会社の整理番号（会社の所轄税務署名）	（　　　署）		確 認 年 月 日	年　　月　　日
③	事業種目			確 認 番 号	
④	相続開始の時における資本金の額	円	⑨ 円滑化法の認定の状況	認 定 年 月 日	年　　月　　日
⑤	相続開始の時における資本準備金の額	円		認 定 番 号	
⑥	相続開始の時における従業員数	人	⑩ 会社又はその会社の特別関係会社であってその会社との間に支配関係がある法人が保有する外国会社等の株式等の有無	有	無
⑦	相続開始の日から5か月後における特例経営承継相続人等の役職名				

2　特例対象非上場株式等の明細

① 相続開始の時における発行済株式等の総数等	② 被相続人から相続又は遺贈により取得した株式等の数等	③ ②のうち、特例の適用を受ける株式等の数等	④ 1株(口・円)当たりの価額（裏面の2(2)参照）	⑤　　価　　額（③×④）
株・口・円	株・口・円	株・口・円	円	円
				A

3　最初の非上場株式等についての贈与税の納税猶予及び免除の特例等の適用に関する事項

この欄は、特例経営承継相続人等が、その相続開始前に贈与又は相続等により取得した上記1の特例対象非上場株式等に係る会社の非上場株式等について、「非上場株式等についての贈与税の納税猶予及び免除の特例（租税特別措置法第70条の7の5）」又は「非上場株式等についての相続税の納税猶予及び免除の特例（同法第70条の7の6）」の規定の適用を受けようとしている場合において、最初のその贈与又は相続等によるその会社の非上場株式等の取得に関する事項等について記入します。

① 取得の原因	② 取得年月日	③ 申告した税務署名	④ 贈与者又は被相続人の氏名
贈与・相続等	年　　月　　日	署	

4　会社が現物出資又は贈与により取得した資産の明細書

この明細書は、租税特別措置法施行規則第23条の12の3第16項第8号の規定に基づき、会社が相続開始前3年以内に特例経営承継相続人等及び特例経営承継相続人等と特別の関係がある者（裏面の「4（1）」参照）から現物出資又は贈与により取得した資産の価額（裏面の「4（2）」参照）等について記入します。なお、この明細書によらず会社が別途作成しその内容を証明した書類を添付しても差し支えありません。

取得年月日	種類	細目	利用区分	所在場所等	数量	① 価 額	出資者・贈与者の氏名・名称
・ ・						円	
・ ・							
・ ・							
・ ・							

② 現物出資又は贈与により取得した資産の価額の合計額（①の合計額）	
③ 会社の全ての資産の価額の合計額（②の金額を含みます。）	
④ 現物出資等資産の保有割合（②／③）	％

上記の明細の内容に相違ありません。　　　　　　　　　　　　　　令和　　年　　月　　日

所 在 地　_____

会 社 名　_____

代表者氏名　_____

※税務署整理欄	法人管轄署番号	ー	入力	確認

第8の2の2表の付表1（令6.7）

（資4-20-9-13-A4統一）

※の項目は記入する必要がありません。

第8の2の2表の付表1（平成31年1月分以降用）

第十五章《相続税の申告書等の書き方》

非上場株式等についての相続税の納税猶予及び免除の特例の適用を受ける特例対象相続非上場株式等の明細書（特例措置用）

	被相続人	
	特例経営相続承継受贈者	

この明細書は、「非上場株式等の特例贈与者が死亡した場合の相続税の納税猶予及び免除の特例（租税特別措置法第70条の7の8）」の適用を受ける特例対象相続非上場株式等について、その明細を記入します。

1 特例対象相続非上場株式等に係る会社

① 会社名				⑦ 相続開始の時における特例経営相続承継受贈者の役職名		
② 会社の整理番号（会社の所轄税務署名）	（ 署）					
③ 事業種目				⑧ 円滑化法の確認の状況	確認年月日	年 月 日
④ 相続開始の時における資本金の額	円				確認番号	
⑤ 相続開始の時における資本準備金の額	円			⑨ 会社又はその会社の特別関係会社であってその会社との間に支配関係がある法人が保有する外国会社等の株式等の有無	有	無
⑥ 相続開始の時における従業員数	人					

(注) 1 租税特別措置法第70条の7の5第1項の規定の適用を受けた特例対象受贈非上場株式等に係る会社が、その株式等の贈与の時から相続開始の直前までにおいて、合併により消滅した場合はその合併により存続した会社又は設立した会社、株式交換等により他の会社の株式交換完全子会社等となった場合はその他の会社について①から⑧までの各欄を記入します。
 2 ⑦欄は、具体的にその役職を、例えば、「代表取締役」と記入します。
  なお、代表権に制限のある代表者については、この特例の適用を受けることはできません。
 3 ⑧欄は、中小企業における経営の承継の円滑化に関する法律施行規則第13条第4項又は第5項において準用する同条第1項の都道府県知事の確認を受けた年月日及び確認番号をそれぞれ記入します。
 4 ⑨欄は、特例対象相続非上場株式等に係る会社又はその会社の特別関係会社（租税特別措置法施行令第40条の8の8第5項において準用する租税特別措置法施行令第40条の8の2第8項の特別の関係がある会社をいいます。以下同じです。）であって特例対象相続非上場株式等に係る会社との間に支配関係（租税特別措置法施行令第40条の8の8第5項において準用する租税特別措置法施行令第40条の8の2第9項に規定する関係をいいます。以下同じです。）がある法人が保有する会社法第2条第2号に規定する外国会社（特例対象相続非上場株式等に係る会社の特別関係会社に該当するものに限ります。以下同じです。）の株式等、租税特別措置法施行令第40条の8の8第8項において準用する租税特別措置法施行令第40条の8の2第12項第1号に掲げる法人の株式等（特例対象相続非上場株式等に係る会社が資産保有型会社等に該当する場合に限ります。以下同じです。）又は同項第2号に掲げる医療法人の出資の有無について記入します。

2 特例対象相続非上場株式等の明細

受贈年月日	① 相続開始の時における発行済株式等の総数等	② 被相続人から贈与により取得した租税特別措置法第70条の7の5第1項の規定の適用を受けた株式等で相続開始の時において保有していた株式等の数等	③ ②のうち特例の適用を受ける株式等の数等	④ 1株（口・円）当たりの価額（「(注)3」参照）	⑤ 価額（③×④（ただし「(注)4」参照））
・ ・	株・口・円	株・口・円	株・口・円	円	円 A

(注) 1 ①から③欄までの「総数等」及び「数等」には、議決権に制限のある株式等の数等は含まれません。
 2 次の場合で②の数等又は④欄の金額の記入に当たってお分かりにならないことがありましたら、税務署にお尋ねください。
  ・ 贈与により取得した時以後において、株式等について併合・分割・株式無償割当てがあった場合やその株式等に係る会社について合併・会社分割・株式交換等があった場合
  ・ 租税特別措置法第70条の7の5第11項において準用する同法第70条の7の5第15項第3号の規定の適用を受ける贈与により取得した株式等がある場合
 3 ④欄の金額は、贈与の時における価額を基礎として計算した価額を記入します。贈与の時に、贈与税の納税猶予税額を租税特別措置法第70条の7の5第2項第8号イに規定する特例認定贈与承継会社等が外国会社等の株式等を有していないものとして計算していた場合には、税務署にお尋ねください。
 4 特例対象相続非上場株式等に係る会社又はその会社の特別関係会社であって特例対象相続非上場株式等に係る会社との間に支配関係がある法人（以下「会社等」といいます。）が会社法第2条第2号に規定する外国会社の株式等、租税特別措置法施行令第40条の8の8第8項において準用する租税特別措置法施行令第40条の8の2第12項第1号に掲げる法人の株式等又は同項第2号に掲げる医療法人の出資を有する場合その会社の納税猶予分の相続税額の計算の基となる特例対象相続非上場株式等の価額は、租税特別措置法第70条の7の8第1項の特例対象受贈非上場株式等の租税特別措置法第70条の7の5第1項の規定の適用を受けた特例対象受贈非上場株式等に係る会社の株式等の価額を基礎として会社等が外国会社等の株式等を有していなかったものとして計算した金額となります。詳しくは税務署にお尋ねください。
 5 A欄の金額（⑤欄の金額）を第8の2の2表の「1 特例株式等納税猶予税額の基となる相続税の総額の計算」の①欄に転記します。
  なお、第8の2の2表の付表1・付表2の作成がある場合には、各付表のA欄の合計額を第8の2の2表の「1 特例株式等納税猶予税額の基となる相続税の総額の計算」の①欄に記入します。

3 最初の非上場株式等についての贈与税の納税猶予及び免除の特例等の適用に関する事項

この欄は、特例経営相続承継受贈者が、「2 特例対象相続非上場株式等の明細」の受贈年月日前に贈与又は相続等により取得した上記1の特例対象相続非上場株式等に係る会社の非上場株式等について、「非上場株式等についての贈与税の納税猶予及び免除の特例（租税特別措置法第70条の7の5）」又は「非上場株式等についての相続税の納税猶予及び免除の特例（同法第70条の7の6）」の規定の適用を受けている場合において、最初のその贈与又は相続等によるその会社の非上場株式等の取得に関する事項等について記入します。

① 取得の原因	② 取得年月日	③ 申告した税務署名	④ 贈与者又は被相続人の氏名
贈与・相続等	年 月 日	署	

(注) 1 「相続等」とは、相続又は遺贈をいいます。
 2 ①欄は、取得の原因を丸で囲んでください。
 3 ③欄は、最初の贈与又は相続等によるその会社の非上場株式等の取得について、非上場株式等についての贈与税の納税猶予及び免除の特例等の適用を受けている、又は受けようとする相続税の申告書の提出先の税務署名を記入してください。
 4 ④欄は、最初の贈与又は相続等によるその会社の非上場株式等の取得に係る贈与者又は被相続人の氏名を記入してください。

※税務署整理欄	法人管轄署番号	—	入力	確認			

第8の2の2表の付表2（令6.7）

（資4-20-9-14-A4統一）

第十五章《相続税の申告書等の書き方》

非上場株式等についての相続税の納税猶予及び免除の特例の適用に係る会社が災害等により被害を受けた場合の明細書（特例措置用）

被 相 続 人	
特例経営承継人 特例経営承継相続人等・ 特例経営承継相続受贈者	
特例対象非上場株 式等又は特例対象 相続非上場株式等 に係る会社の名称	

第8の2の2表の付表3（平成31年1月分以降用）

　この明細書は、災害等が発生した日から同日以後１年を経過する日までの間に相続又は遺贈により取得をした（租税特別措置法第70条の７の７の規定により取得をしたものとみなされる場合を含みます。）株式等について非上場株式等についての相続税の納税猶予及び免除の特例の適用を受けようとする場合で、租税特別措置法第70条の７の６第26項の規定において準用する同法第70条の７の２第35項若しくは第37項又は同法第70条の７の８第14項の規定において準用する同法第70条の７の２第35項の規定の適用を受けるときに、会社の被害の態様等について、その明細を記入します。

1　規定の適用を受ける旨の確認

　私は、第8の2の2表の付表1の「1　特例対象非上場株式等に係る会社」又は第8の2の2表の付表2の「1　特例対象相続非上場株式等に係る会社」に記載した会社が、下記の「2　災害等により被害を受けた会社の被害の態様」の(1)から(3)までのいずれかに該当したので、次の規定の適用を受けます（適用を受ける規定の「□」にレ印を記入します。）。

□　租税特別措置法第70条の７の６第26項において準用する同法第70条の７の２第35項の規定の適用を受け、同法第70条の７の６第２項第１号に掲げる特例認定承継会社の要件から、同号ロの資産保有型会社又は資産運用型会社のうち、租税特別措置法施行令第40条の８の６第６項において準用する同令第40条の８の２第７項に定めるものに該当しないこととする要件を除きます。

□　租税特別措置法第70条の７の６第26項において準用する同法第70条の７の２第37項の規定の適用を受け、同法第70条の７の６第２項第７号に掲げる特例経営承継相続人等の要件から、同号への特例認定承継会社の経営を確実に承継するものと認められる要件として、租税特別措置法施行規則第23条の12の３第11項で定める相続の開始の直前において当該会社の役員であったこととする要件を除きます。

□　租税特別措置法第70条の７の８第14項において準用する同法第70条の７の２第35項の規定の適用を受け、同法第70条の７の８第２項第２号に掲げる特例認定相続承継会社の要件から、同号ロの資産保有型会社又は資産運用型会社のうち、租税特別措置法施行令第40条の８の８第４項に定めるものに該当しないこととする要件を除きます。

2　災害等により被害を受けた会社の被害の態様

　次の場合の区分に応じて、それぞれ(1)から(3)までのいずれかの欄について記入してください。

(1)　災害によって被害を受けた事業用資産が総資産の30％以上である場合（貸借対照表の帳簿価額で判定します。）

①　災害が発生した年月日		年　　　月　　　日
②　災害が発生した日の属する事業年度の直前の事業年度終了の時における総資産の価額		円
③　災害により滅失をした資産の価額の合計額 （注）　1　滅失には、通常の修繕によっては原状回復が困難な損壊を含みます。 　　　　2　資産には、租税特別措置法第70条の７第２項第８号ロに規定する特定資産を含みません。		円
④　（③÷②×100）	30％以上であれば適用可　→	％

※　(1)に該当する場合には、中小企業における経営の承継の円滑化に関する法律施行規則（以下「円滑化省令」といいます。）第13条の２第４項の確認書（同条第３項の規定により準用される同条第１項第１号に係るものに限ります。）の写し及び都道府県知事に提出した同条第２項の申請書（同条第３項の規定により準用される同条第１項第１号に係るものに限ります。）の写しを添付してください。

(2)　災害によって被害を受けた事業所で雇用されていた常時使用従業員の数が常時使用従業員の総数の20％以上である場合（上記(1)に該当する場合を除きます。）

①　災害が発生した年月日		年　　　月　　　日
②　災害が発生した日の前日における常時使用従業員の総数		人
③　災害により滅失又は損壊をした事業所（注）において、その災害が発生した日の前日に使用していた常時使用従業員の数 （注）災害が発生した日から同日以後６か月を経過する日までの間継続して常時使用従業員が本来の業務に従事することができないと認められる事業所をいいます。		人
④　（③÷②×100）	20％以上であれば適用可　→	％

※　(2)に該当する場合には、円滑化省令第13条の２第４項の確認書（同条第３項の規定により準用される同条第１項第２号に係るものに限ります。）の写し及び都道府県知事に提出した同条第２項の申請書（同条第３項の規定により準用される同条第１項第２号に係るものに限ります。）の写しを添付してください。

(3)　中小企業信用保険法第２条第５項第３号又は第４号のいずれかの事由に該当し、特定日以後６か月間の売上金額が前年同期間の売上金額の70％以下である場合（上記(1)又は(2)に該当する場合を除きます。）

①　中小企業信用保険法第２条第５項の該当事由（３号・４号）及び特定日（注） （注）　特定日とは、中小企業信用保険法第２条第５項第３号又は第４号の経済産業大臣の指定する事由が発生した日をいいます。	□　3号該当　□　4号該当 特定日：　　　年　　月　　日	
②　特定日の１年前の日から同日以後６か月を経過する日までの間における売上金額		円
③　特定日から特定日以後６か月を経過する日までの間における売上金額		円
④　（③÷②×100）	70％以下であれば適用可　→	％

※　(3)に該当する場合には、円滑化省令第13条の２第４項の確認書（同条第３項の規定により準用される同条第１項第５号又は第６号に係るものに限ります。）の写し及び都道府県知事に提出した同条第２項の申請書（同条第３項の規定により準用される同条第１項第５号又は第６号に係るものに限ります。）の写しを添付してください。

第8の2の2表の付表3（令6.7）　　　　　　　　　　　　　　　　　　　　　　　　（資4-20-9-15-A4統一）

－1031－

第十五章《相続税の申告書等の書き方》

山 林 納 税 猶 予 税 額 の 計 算 書

被 相 続 人	
林 業 経 営 相 続 人	

第8の3表（令和5年1月分以降用）

この計算書は、林業経営相続人に該当する人が山林についての納税猶予税額（山林納税猶予税額）を算出するために使用します。

私は、第8の3表の付表の「2 特例施業対象山林・特例山林の明細」に記載した特例施業対象山林のうち特例山林の全てについて租税特別措置法第70条の6の6第1項に規定する山林についての納税猶予及び免除の適用を受けます。

1 山林納税猶予税額の基となる相続税の総額の計算

(1) 「特定価額に基づく課税遺産総額」等の計算

①	林業経営相続人の第8の3表の付表(A+B)欄の金額	円
②	林業経営相続人に係る債務及び葬式費用の金額（第1表のその人の③欄の金額）	
③	林業経営相続人が相続又は遺贈により取得した財産の価額（林業経営相続人の第1表の（①+②）（又は第3表の①欄）の金額）	
④	控除未済債務額（（①+②-③）の金額（赤字の場合は0）	
⑤	特定価額（①-④）（1,000円未満切捨て）（赤字の場合は0）	,000
⑥	特定価額の20%に相当する金額（⑤×20%）（1,000円未満切捨て）	,000
⑦	林業経営相続人以外の相続人等の課税価格の合計額（林業経営相続人以外の者の第1表の⑥欄（又は第3表の⑥欄）の金額の合計）	,000
⑧	基礎控除額（第2表の㋑欄の金額）	,000,000
⑨	特定価額に基づく課税遺産総額（⑤+⑦-⑧）	,000
⑩	特定価額の20%に相当する金額に基づく課税遺産総額（⑥+⑦-⑧）	,000

(2) 「特定価額に基づく相続税の総額」等の計算

⑪ 法定相続人の氏名	⑫ 法定相続分	特定価額に基づく相続税の総額の計算		特定価額の20%に相当する金額に基づく相続税の総額の計算	
		⑬法定相続分に応ずる取得金額（⑨×⑫）	⑭相続税の総額の基礎となる税額（第2表の「速算表」で計算します。）	⑮法定相続分に応ずる取得金額（⑩×⑫）	⑯相続税の総額の基礎となる税額（第2表の「速算表」で計算します。）
		円 ,000	円	円 ,000	円
		,000		,000	
		,000		,000	
		,000		,000	
		,000		,000	
		,000		,000	
		,000		,000	
法定相続分の合計	1	⑰相続税の総額（⑭の合計額）	00	⑱相続税の総額（⑮の合計額）	00

(注) 1 ③欄の「第1表の（①+②）」の金額は、林業経営相続人が租税特別措置法第70条の6第1項の規定による農地等についての納税猶予及び免除等の適用を受ける場合は、「第3表の①欄」の金額となります。また、⑦欄の「第1表の⑥欄」の金額は、相続又は遺贈により財産を取得した人のうちに租税特別措置法第70条の6第1項の規定による農地等についての納税猶予及び免除等の適用を受ける人がいる場合は、「第3表の⑥欄」の金額となります。
2 ⑪及び⑫欄は第2表の「④法定相続人」の「氏名」欄及び「⑤左の法定相続人に応じた法定相続分」欄からそれぞれ転記します。

2 山林納税猶予税額の計算

①	（林業経営相続人の第1表の（⑮+⑰-⑫）の金額	円
②	特定価額に基づく林業経営相続人の算出税額（1の⑰×1の⑤／1の（⑤+⑦））	
③	特定価額に基づき相続税額の2割加算が行われる場合の加算金額（②×20%）	
a	（②+③-林業経営相続人の第1表の⑫）の金額（赤字の場合は0）	
④	特定価額の20%に相当する金額に基づく林業経営相続人の算出税額（1の⑱×1の⑥／1の（⑥+⑦））	
⑤	特定価額の20%に相当する金額に基づき相続税額の2割加算が行われる場合の加算金額（④×20%）	
b	（④+⑤-林業経営相続人の第1表の⑫）の金額（赤字の場合は0）	
⑥	林業経営相続人の第1表の⑥欄に基づく算出税額（その人の第1表の（⑨（又は⑩）+⑪-⑫））（赤字の場合は0）	
⑦	（①+a-b-⑥）の金額（赤字の場合は0）	
⑧	山林納税猶予税額（a-b-⑦）（100円未満切捨て）（赤字の場合は0）	00

(注) 1 ⑥欄の算式中の「第1表の⑨」の金額について、相続又は遺贈により財産を取得した人のうちに租税特別措置法第70条の6第1項の規定による農地等についての納税猶予及び免除等の適用を受ける人がいる場合は、「第1表の⑩」の金額とします。
2 ⑧欄の金額を林業経営相続人の第8の8表2の「山林納税猶予税額④」欄に転記します。なお、林業経営相続人が他の相続税の納税猶予等の適用を受ける場合は、⑧欄の金額によらず、第8の7表の㉒欄の金額を林業経営相続人の第8の8表2の「山林納税猶予税額④」欄に転記します。
3 この申告が修正申告である場合の⑧欄に記入する金額は、⑧欄の「a-b-⑦」の金額が修正前の「山林納税猶予税額」の金額を超える場合には、当該修正前の「山林納税猶予税額」の金額にとどめます。ただし、この特例の適用を受ける特例山林（期限内申告において第8の3表の付表の「2 特例施業対象山林・特例山林の明細」に記入した特例山林に限ります。）の評価誤り又は税額の計算誤りがあった場合で、その誤りだけを修正するものであるときの⑧欄の金額は、当該修正前の「山林納税猶予税額」の金額を超えることができます。

※の項目は記入する必要がありません。

※税務署整理欄	入力		確認	

第8の3表(令6.7)

(資4-20-9-7-A4統一)

-1032-

第十五章《相続税の申告書等の書き方》

山林についての納税猶予の適用を受ける
特例山林及び特例施業対象山林の明細書

第8の3表の付表（平成31年1月分以降用）

被　相　続　人	
林業経営相続人	

この明細書は、山林についての納税猶予及び免除の適用を受ける特例山林及び特例施業対象山林について、その明細等を記入します。

1　林業経営相続人に関する事項

①	特例施業対象山林を相続又は遺贈により取得した日（相続開始年月日）	年　　月　　日
②	相続の開始があったことを知った日（通常は①と同じ日になります。）	年　　月　　日
③	相続の開始の日から林業経営相続人に係る平均余命（1年未満切捨て）を経過する日までの期間	
④	「③の期間」と「30年」のうちいずれか短い期間	

（注）　平均余命とは、厚生労働省の作成に係る完全生命表に掲げる年齢及び性別に応じた平均余命をいいます。

2　特例施業対象山林・特例山林の明細

この欄は、林業経営相続人が相続又は遺贈により取得した特例施業対象山林・特例山林の明細を記入します。

所在場所	路網整備を行わない山林等	土　地			立　木					
		⑤面積	⑥特例山林以外の土地の価額	⑦特例山林の土地の価額	⑧面積	⑨樹種	⑩①の日から標準伐期齢等に達する日までの期間	⑪「④<⑩」の判定	⑫特例山林以外の立木の価額	⑬特例山林の立木の価額
			円	円				適・否	円	円
								適・否		
								適・否		
								適・否		
								適・否		
								適・否		
								適・否		
								適・否		
								適・否		
								適・否		
								適・否		
								適・否		
								適・否		
								適・否		

特例山林の土地の価額の合計額　A		特例山林の立木の価額の合計額　B	

特例山林の価額の合計額（A＋B）	円	（この金額を第8の3表の1(1)の①欄に転記します。）

（注）　1　「路網整備を行わない山林等」の欄には、路網整備を行わない山林又は市街化区域内の山林に該当する場合は「×」と記入します。
　　　　2　⑩欄の「標準伐期齢等」とは、森林法第10条の5第1項に規定する市町村森林整備計画に定める標準伐期齢をいいます。ただし、森林法施行規則第39条第1項に規定する水源かん養機能維持増進森林の区域内に存する立木については、標準伐期齢に10年を加えた林齢をいい、それ以外の区域に存する立木のうち標準伐期齢のおおむね2倍以上に相当する林齢を超える林齢において主伐を行う森林施業を推進すべき森林として市町村森林整備計画において定められている森林（以下「長伐期施業森林」といいます。）の区域内に存する立木については、その長伐期施業森林につき市町村森林整備計画に定められている林齢をいいます。
　　　　3　⑪欄は、「④<⑩」の場合には「適」を、それ以外の場合には「否」を〇で囲んでください。
　　　　4　上記に記入しきれないときは、適宜の用紙に特例施業対象山林・特例山林の明細を記載して添付してください。

3　特例施業対象山林の経営に関する事項

この欄は、経営報告基準日の翌日から5か月を経過する日が相続税の申告期限までに到来し、かつ、その5か月を経過する日がその経営報告基準日の翌年である場合に記入します。

経営報告基準日の属する年分の山林所得に係る収入金額	円

（注）　「経営報告基準日の属する年分の山林所得に係る収入金額」欄は、所得税法第32条第1項に規定する山林所得に係る収入金額を記入します。

※の項目は記入する必要がありません。

※税務署整理欄	入力		確認	

第8の3表の付表(令6.7)

（資4－20－9－8－A4統一）

－1033－

第十五章《相続税の申告書等の書き方》

医療法人持分納税猶予税額・税額控除額の計算書

被 相 続 人	
医療法人持分相続人等	

第8の4表（令和5年1月分以降用）

この計算書は、次に掲げる特例の適用を受ける人（以下この表において「医療法人持分相続人等」と表記しています。）が、医療法人の持分に係る納税猶予税額（医療法人持分納税猶予税額）又は税額控除額（医療法人持分税額控除額）を算出するために使用します。

私は、第8の4表の付表の「医療法人の持分の明細」に記載した医療法人の持分について、次の特例の適用を受けます。（適用を受ける特例の「□」にレ印を記入します。）

□ 医療法人の持分についての納税猶予及び免除（租税特別措置法第70条の7の12第1項）

□ 医療法人の持分についての税額控除（租税特別措置法第70条の7の13第1項）

1 医療法人持分納税猶予税額又は医療法人持分税額控除額の基となる相続税の総額の計算

(1) 「特定価額に基づく課税遺産総額」等の計算

①	医療法人持分相続人等の医療法人の持分の価額（第8の4表の付表のA欄の金額）	円
②	医療法人持分相続人等に係る債務及び葬式費用の金額（その医療法人持分相続人等の第1表の③欄の金額）	
③	医療法人持分相続人等が相続又は遺贈により取得した財産の価額（その医療法人持分相続人等の第1表の（①+②）（又は第3表の①欄）の金額）	
④	控除未済債務額（①+②-③）（赤字の場合は0）	
⑤	特定価額（①-④）（1,000円未満切捨て）（赤字の場合は0）	,000
⑥	医療法人持分相続人等以外の相続人等の課税価格の合計額（その医療法人持分相続人等以外の相続人等の第1表の⑥欄（又は第3表の⑥欄）の金額の合計額）	,000
⑦	基礎控除額（第2表の⑥欄の金額）	,000,000
⑧	特定価額に基づく課税遺産総額（⑤+⑥-⑦）	,000

(2) 「特定価額に基づく相続税の総額」等の計算

⑨ 法定相続人の氏名	⑩ 法定相続分	特定価額に基づく相続税の総額の計算	
		⑪ 法定相続分に応ずる取得金額（⑧×⑩）	⑫ 相続税の総額の基礎となる税額（第2表の「速算表」で計算します。）
		円 ,000	円
		,000	
		,000	
		,000	
		,000	
法定相続分の合計	1	⑬ 相続税の総額（⑫の合計額）	00

(注) 1 ③欄の「第1表の（①+②）」の金額は、医療法人持分相続人等が租税特別措置法第70条の6第1項の規定による農地等についての納税猶予及び免除等の適用を受ける場合は、「第3表の①欄」の金額となります。また、⑥欄の「第1表の⑥欄」の金額は、相続又は遺贈により財産を取得した人のうちに租税特別措置法第70条の6第1項の規定による農地等についての納税猶予及び免除等の適用を受ける人がいる場合は、「第3表の⑥欄」の金額となります。
2 ⑨及び⑩欄は、第2表の「④法定相続人」の「氏名」欄及び「⑤左の法定相続人に応じた法定相続分」欄からそれぞれ転記します。

2 医療法人持分納税猶予税額又は医療法人持分税額控除額の計算

①	（医療法人持分相続人等の第1表の（⑬+⑰-⑫））の金額			円
②	特定価額に基づく医療法人持分相続人等の算出税額（1の⑬×1の⑤／1の（⑤+⑥））			
③	特定価額に基づき相続税額の2割加算が行われる場合の加算金額（②×20%）			
④	（②+③-医療法人持分相続人等の第1表の⑫）の金額（赤字の場合は0）			
⑤	医療法人持分相続人等の第1表の⑥欄の課税価格に基づく算出税額（その医療法人持分相続人等の第1表の（⑨（又は⑩）+⑪-⑫））（赤字の場合は0）（注1参照）			
⑥	（①+④-⑤）の金額（赤字の場合は0）			
⑦	（④-⑥）の金額（赤字の場合は0）			
⑧	特例の適用に係る医療法人が2法人以上ある場合の医療法人ごとの医療法人持分納税猶予税額等（注2参照）			
イ	（医療法人名）　　　　　　　　　　に係る医療法人持分納税猶予税額等（⑦×イの持分の価額／1の①）（100円未満切捨て）			00
ロ	（医療法人名）　　　　　　　　　　に係る医療法人持分納税猶予税額等（⑦×ロの持分の価額／1の①）（100円未満切捨て）			00
ハ	（医療法人名）　　　　　　　　　　に係る医療法人持分納税猶予税額等（⑦×ハの持分の価額／1の①）（100円未満切捨て）			00
⑨	医療法人持分納税猶予税額等（⑦の金額（100円未満切捨て）（又は⑧の金額の合計額））（注2参照）			00

⑩	イ	「医療法人の持分についての納税猶予及び免除」の適用を受ける場合			医療法人持分納税猶予税額（注3参照）（⑨の金額を転記します。）	A 00
	ロ	「医療法人の持分についての税額控除」の適用を受ける場合	(イ)	持分の全てを放棄したとき	医療法人持分税額控除額（注3参照）（⑨の金額を転記します。）	B 00
			(ロ)	持分の一部を放棄し、その残余の部分を基金拠出型医療法人の基金として拠出したとき（※第8の4表の付表の計算明細の各欄を記入します。）	医療法人持分税額控除額（注3参照）（第8の4表の付表のFの金額を転記します。）	B

(注) 1 ⑤欄の算式中の「第1表の⑨」の金額は、相続又は遺贈により財産を取得した人のうちに租税特別措置法第70条の6第1項の規定による農地等についての納税猶予及び免除等の適用を受ける人がいる場合は、医療法人持分相続人等の「第1表の⑩」の金額となります。
2 ⑧欄について、特例の適用に係る医療法人が1法人の場合は、⑧欄の記入は行わず、⑦欄の金額を⑨欄に記入します（100円未満切捨て）。なお、「医療法人持分納税猶予税額等」とは、租税特別措置法第70条の12第2項に規定する納税猶予分の相続税額に相当する金額を、イからハまでの各欄の算式中の「持分の価額」とは、第8の4表の付表の「医療法人の持分の明細」のA欄の金額をいいます。
　また、特例の適用に係る医療法人が4法人以上ある場合は、適宜の用紙に医療法人ごとの医療法人持分納税猶予税額又は医療法人持分税額控除額を記載して添付してください。
3 ⑩欄は、イ又はロの場合に応じ、医療法人持分納税猶予税額をA欄に、又は医療法人持分税額控除額をB欄に記入します。なお、ロの場合には、放棄の態様（(イ)又は(ロ)）に応じ、(イ)のときには⑨欄の金額を、(ロ)のときには⑨欄の金額に基づき算出した第8の4表の付表の「基金拠出型医療法人へ基金を拠出した場合の医療法人持分税額控除額の計算明細」のFの金額を、それぞれのB欄に転記します。また、その算出した⑩欄のA又はB欄の金額を医療法人持分相続人等の第8の8表2の「医療法人持分納税猶予税額⑤」又は第1表の「医療法人持分税額控除額⑱」欄に転記します。なお、医療法人持分相続人等が、他の納税猶予等の適用を受ける場合には、第8の7表の⑳欄のA又はB欄の金額を医療法人持分相続人等の第8の8表2の「医療法人持分納税猶予税額⑤」又は第1表の「医療法人持分税額控除額⑱」欄に転記します。
4 この申告が修正申告である場合の⑦欄に記入する金額は、⑦欄の「④-⑥」の金額が修正前の当該金額を超える場合には、当該修正前の金額にとどめます（⑧、⑨及び⑩欄も同様です。）。ただし、特例の適用を受ける医療法人の持分（期限内申告において第8の4表の付表の「医療法人の持分の明細」に記入した医療法人の持分に限ります。）の評価誤り又は税額の計算誤りがあった場合で、その誤りだけを修正するものであるときの⑦欄の金額は、当該修正前の金額を超えることができます。

※の項目は記入する必要がありません。

※税務署整理欄	入力		確認	

第8の4表（令6.7）

（資4-20-9-6-A4統一）

-1034-

第十五章《相続税の申告書等の書き方》

医療法人の持分の明細書・基金拠出型医療法人へ基金を拠出した場合の医療法人持分税額控除額の計算明細書

	被相続人	

「医療法人の持分の明細」には、医療法人の持分についての納税猶予及び免除又は医療法人の持分についての税額控除の適用を受ける人（以下この表において「医療法人持分相続人等」と表記しています。）が、相続又は遺贈により取得した特例の適用に係る医療法人の持分の明細を記入します。

また、「基金拠出型医療法人へ基金を拠出した場合の医療法人持分税額控除額の計算明細」は、被相続人の相続の開始の時からその相続に係る相続税の申告書の提出期限までの間に、医療法人が基金拠出型医療法人に移行した場合において、医療法人持分相続人等がその医療法人の持分の一部を放棄し、その残余の部分をその基金拠出型医療法人の基金として拠出したときの医療法人持分税額控除額（放棄相当相続税額）を算出するために使用します。

	医療法人持分相続人等	

第8の4表の付表（平成31年1月分以降用）

医療法人の持分の明細

1 医療法人の持分に関する事項

この欄は、医療法人持分相続人等が相続又は遺贈により取得をした医療法人の持分に関する事項を記入します。

① 医療法人の名称等	名 称		医療法人の整理番号	
			医療法人の所轄税務署名	税務署

② 厚生労働大臣の認定年月日	年 月 日
③ 厚生労働大臣の認定を受けた認定移行計画に記載された移行期限	年 月 日

④ 医療法人の持分の保有状況（次の内容に該当する場合には、「□」にレ印を記入します。）

□ 私は、①の医療法人の持分について、被相続人の相続の開始の時からこの相続税の申告書の提出までの間において、その持分に基づき出資額に応じた払戻しを受けたこと又はその持分の譲渡をしたことはありません。また、今後、この相続税の申告書の提出期限までの間においても、その払戻しを受けること又は譲渡をすることはありません。

（注） 上記の内容に該当しない場合には、「医療法人の持分についての納税猶予及び免除」又は「医療法人の持分についての税額控除」の適用を受けることができません。

2 医療法人の持分の明細

この欄は、医療法人持分相続人等が相続又は遺贈により取得した医療法人の持分の明細を記入します。

	医 療 法 人 の 持 分			
相続又は遺贈により取得した持分	医療法人持分相続人等が、被相続人から相続又は遺贈により取得した1の①の医療法人の持分の価額を記入します。	持 分 の 価 額	A	（第8の4表の1の①） 円

（注） 特例の適用に係る医療法人が2法人以上ある場合には、その医療法人ごとにこの明細を作成します。
この場合、特例の適用に係る医療法人ごとの持分の価額の合計額を第8の4表の1の①欄に転記します。

＊ 以下の計算明細は、基金拠出型医療法人に基金を拠出した場合（第8の4表の2の⑩のロ（ロ）に該当する場合）に使用します。

基金拠出型医療法人へ基金を拠出した場合の医療法人持分税額控除額の計算明細

1 医療法人の持分に関する事項

この欄は、基金拠出型医療法人への移行をした「医療法人の持分の明細」に記載した医療法人に関する事項を記入します。

① 「出資持分の放棄申出書」（医療法施行規則（昭和23年厚生省令第50号）附則様式第7）の医療法人への提出年月日	年 月 日
② 医療法人の基金拠出型医療法人への移行のための定款変更に係る都道府県知事の認可があった年月日	年 月 日

2 基金拠出型医療法人へ移行をする医療法人の持分の明細

この欄は、「医療法人の持分の明細」に記載した医療法人について、医療法人持分相続人等が被相続人に係る相続若しくは遺贈の直前又は基金拠出型医療法人への基金の拠出の直前において有していたその医療法人の持分の価額等を記入します。

		医 療 法 人 の 持 分			
① 相続又は遺贈の直前の持分	医療法人持分相続人等が、被相続人に係る相続又は遺贈の直前において有していた「医療法人の持分の明細」の1の①の医療法人の持分の価額を記入します。	持 分 の 価 額	B	円	
② 基金拠出の直前の持分	医療法人持分相続人等が、基金拠出型医療法人への基金として拠出をした年月日及びその拠出の直前において有していた「医療法人の持分の明細」の1の①の医療法人の持分の価額を記入します。	拠出年月日	年 月 日		
		持 分 の 価 額	C	円	

3 医療法人持分税額控除額（放棄相当相続税額）の計算

この欄は、「医療法人の持分の明細」に記載した医療法人に係る医療法人持分納税猶予税額等を基に、その医療法人持分納税猶予税額等のうちその医療法人の持分の放棄をした部分に相当する医療法人持分税額控除額（放棄相当相続税額）を計算します。

① 医療法人持分納税猶予税額等（第8の4表の2の⑨（又は⑧のイ、ロ又はハ）の金額を転記します。）	D	円 00
② 基金として拠出をした額	E	
③ 2の「② 基金拠出の直前の持分」欄の持分の価額のうち放棄をした部分に対応する部分の金額（C－E）		
④ 2の「② 基金拠出の直前の持分」欄の持分の価額のうち特例の適用に係る持分に相当する金額（C×A／（A＋B））		
⑤ 医療法人持分税額控除額 （D×（③／④）（注）の金額 （注） 「③／④」の割合が1を超える場合（「③＞④」の場合）には、Dの金額	F	（第8の4表の2の⑩のロ（ロ）のB） 円

※の項目は記入する必要がありません。

（注）1 3の①欄の「第8の4表の2の⑨」の金額は、特例の適用に係る医療法人が2法人以上ある場合は、「第8の4表の2の⑧のイ、ロ又はハ」の金額として医療法人持分税額控除額（放棄相当相続税額）を計算します。この場合、その算出した医療法人持分税額控除額のFの金額を第8の4表の2の⑩欄のロの（ロ）のB欄に転記します。
2 医療法人持分相続人等が、他の相続税の納税猶予等の適用を受ける場合には、3の①欄中「第8の4表の2の⑨」の金額とあるのは、「第8の7表の3の㉑」の金額として医療法人持分税額控除額（放棄相当相続税額）を計算します。この場合、その算出した医療法人持分税額控除額のFの金額を第8の7表の3の㉒欄のロの（ロ）のB欄に転記します。

※税務署整理欄	法人管轄署番号	－	入力	確認

第8の4表の付表（令6.7）

（資4－20－9－10－A4統一）

－1035－

第十五章《相続税の申告書等の書き方》

事 業 用 資 産 納 税 猶 予 税 額 の 計 算 書

被 相 続 人	
特例事業相続人等	

第8の6表《令和5年1月分以降用》

この計算書は、特例事業相続人等に該当する人が個人の事業用資産についての相続税の納税猶予及び免除に係る納税猶予税額（事業用資産納税猶予税額）を算出するために使用します。

　私は、第8の6表の付表1の「2　特定事業用資産の明細」又は第8の6表の付表2「3　特例の適用を受ける特例受贈事業用資産の明細」若しくは第8の6表の付表2の2「2　特例受贈事業用資産である株式等の明細」に記載した資産のうち各明細の「特例の適用を受ける面積」欄等に係る特定事業用資産又は特例受贈事業用資産について「個人の事業用資産についての相続税の納税猶予及び免除（租税特別措置法第70条の6の10第1項）」の適用を受けます。

1　事業用資産納税猶予税額の基となる相続税の総額の計算

(1)「特定価額に基づく課税遺産総額」等の計算

①	特例事業相続人等の第8の6表の付表1・付表2（2の2）のA欄の合計額	円
②	特例事業相続人等に係る特定債務額（その者の第8の6表の付表4のB）	
③	特定価額（①−②）（1,000円未満切捨て）（赤字の場合は0）	,000
④	特例事業相続人等以外の相続人等の課税価格の合計額（その特例事業相続人等以外の者の第1表の⑥欄（又は第3表の⑥欄）の金額の合計）	,000
⑤	基礎控除額（第2表の⑧欄の金額）	,000,000
⑥	特定価額に基づく課税遺産総額（③+④−⑤）	,000

(2)「特定価額に基づく相続税の総額」等の計算

⑦ 法定相続人の氏名	⑧ 法定相続分	特定価額に基づく相続税の総額の計算	
		⑨法定相続分に応ずる取得金額 （⑥×⑧）	⑩相続税の総額の基礎となる税額 （第2表の「速算表」で計算します。）
		円 ,000	円
		,000	
		,000	
		,000	
		,000	
		,000	
		,000	
		,000	
法定相続分の合計	1	⑪相続税の総額（⑩の合計額）	00

（注）　1　④欄の「第1表の⑥欄」の金額は、相続又は遺贈により財産を取得した人のうちに租税特別措置法第70条の6第1項の規定による農地等についての納税猶予及び免除等の適用を受ける人がいる場合は、「第3表の⑥欄」の金額となります。
　　　　2　⑦及び⑧欄は第2表の「④法定相続人」の「氏名」欄及び「⑤左の法定相続人に応じた法定相続分」欄からそれぞれ転記します。

2　事業用資産納税猶予税額の計算

①	（特例事業相続人等の第1表の（⑯+⑰−⑫）の金額	円
②	特定価額に基づく特例事業相続人等の算出税額（1の⑪×1の③/1の（③+④））	
③	特定価額に基づき相続税額の2割加算が行われる場合の加算金額（②×20%）	
a	（②+③−特例事業相続人等の第1表の⑫）の金額（赤字の場合は0）	
b	特例事業相続人等の第1表の⑤欄に基づく算出税額（その人の第1表の（⑨（又は⑩）+⑪−⑫）（赤字の場合は0）	
④	（①+a−b）の金額（赤字の場合は0）	
⑤	事業用資産納税猶予税額（（a−④）の金額）（赤字の場合は0）（注2参照）	A　00

（注）　1　b欄の算式中の「第1表の⑨」の金額について、相続又は遺贈により財産を取得した人のうちに租税特別措置法第70条の6第1項の規定による農地等についての納税猶予及び免除等の適用を受ける人がいる場合は、「第1表の⑩」の金額とします。
　　　　2　⑤欄のA欄の金額を特例事業相続人等の第8の8表2の「事業資産納税猶予税額⑦」欄に転記します。なお、特例事業相続人等が他の相続税の納税猶予等の適用を受ける場合は、⑤欄のA欄の金額によらず、第8の7表の㉔欄の金額を特例事業相続人等の第8の8表2の「事業用資産納税猶予税額⑦」欄に転記します。
　　　　3　この申告が修正申告である場合の⑤欄に記入する金額は、⑤欄の「a−④」の金額が修正前の「事業用資産納税猶予税額」の金額を超える場合には、当該修正前の「事業用資産納税猶予税額」の金額にとどめます。ただし、この特例の適用を受ける特定事業用資産又は特例受贈事業用資産（期限内申告において第8の6表の付表1の「2　特定事業用資産の明細」又は第8の6表の付表2の「3　特例の適用を受ける特例受贈事業用資産の明細」若しくは第8の6表の付表2の2「2　特例受贈事業用資産である株式等の明細」に記入した特定事業用資産又は特例受贈事業用資産に限ります。）の評価誤り又は税額の計算誤りがあった場合で、その誤りだけを修正するものであるときの⑤欄の金額は、当該修正前の「事業用資産納税猶予税額」の金額を超えることができます。

※の項目は記入する必要がありません。

※税務署整理欄	入力		確認	

第8の6表（令6. 7）　　　　　　　　　　　　　　　　　　　　　　　　　　　　　　　（資4−20−9−20−A4統一）

−1036−

第十五章《相続税の申告書等の書き方》

個人の事業用資産についての相続税の納税猶予及び免除の適用を受ける特定事業用資産の明細書

被 相 続 人	

> この明細書は、相続又は遺贈により取得をした個人の事業用資産について「個人の事業用資産についての相続税の納税猶予及び免除」の適用を受ける特定事業用資産の明細を記入します。
> 租税特別措置法第70条の6の9の規定により相続又は遺贈により取得したものとみなされた特例受贈事業用資産についてこの特例の適用を受ける場合には、この明細書によらず第8の6表の付表2又は第8の6表の付表2の2を使用してください。

特例事業相続人等	

1 特定事業用資産に係る事業

① 屋号			⑥ 個人事業承継計画の提出及び確認の状況	提 出 年 月 日	年 月 日
② 業種名				確 認 年 月 日	年 月 日
③ 特例事業相続人等の開業届出書提出年月日	年 月 日			確 認 番 号	
④ 特例事業相続人等の青色申告の承認申請書の提出年月日	年 月 日		⑦ 円滑化法の認定の状況	認 定 年 月 日	年 月 日
⑤ 相続開始の時における常時使用従業員数	人			認 定 番 号	

（注）この欄の書きかた等については裏面をご覧ください。

2 特定事業用資産の明細

> この欄は、被相続人等の事業の用に供されていた資産（相続開始日の前年分の事業所得に係る青色申告書（租税特別措置法第25条の2第3項の規定の適用に係るものに限ります。）の貸借対照表に計上されているものに限ります。）について記載してください。
> この明細に記入しきれない場合は、適宜の用紙に記載し添付してください。

(1) 宅地等

① 所在場所	② 面積	③ 価額	④ ②のうち、特例の適用を受ける面積	⑤ ④に係る価額
	㎡	円	㎡	円
⑥ 特例の適用を受ける宅地等の価額の合計額				イ

(2) 建物

① 所在場所	② 面積	③ 価額	④ ②のうち、特例の適用を受ける面積	⑤ ④に係る価額
	㎡	円	㎡	円
⑥ 特例の適用を受ける建物の価額の合計額				ロ

(3) 減価償却資産

① 名称	② 所在場所	③ 面積	④ 価額
		㎡	円
⑤ 特例の適用を受ける減価償却資産の価額の合計額			ハ

（注）この欄の書きかた等については裏面をご覧ください。

3 事業を行っていた者に関する事項

> この欄は、被相続人が2の特定事業用資産に係る事業を行っていた者と生計を一にする親族である場合に、その事業を行っていた者からの特例事業相続人等の当該事業に係る資産の取得に関する事項等について記入します。

① 事業を行っていた者の氏名	② ①の者からの取得の原因	③ 取得年月日
	贈与・相続等	年 月 日

4 最初の申告書の提出に関する事項

> この欄は、特例事業相続人等が贈与又は相続等により取得した2の特定事業用資産に係る事業の用に供されていた他の資産について「個人の事業用資産についての贈与税の納税猶予及び免除（租税特別措置法第70条の6の8）」又は「個人の事業用資産についての相続税の納税猶予及び免除（同法第70条の6の10）」の規定の適用を受け又は受けようとしている場合において、これらの規定の適用に係る最初の贈与又は相続税の申告書の提出期限がこの申告書の提出期限前に到来するときに、その最初の申告書に係る事項を記載します。

① 贈与者又は被相続人の氏名	② ①の者からの取得の原因	③ 取得年月日	④ 最初の申告書に係る税務署名
	贈与・相続等	年 月 日	署

5 特例事業用資産の価額 (イ+ロ+ハ)

	A	円

（注）A欄の金額を第8の6表の「1 事業用資産納税猶予税額の基となる相続税の総額の計算」の①欄に転記します。
なお、第8の6表の付表1のほか、第8の6表の付表2又は第8の6表の付表2の2の作成がある場合には、各付表のA欄の合計額を第8の6表の「1 事業用資産納税猶予税額の基となる相続税の総額の計算」の①欄に記入します。

※税務署整理欄	入力		確認			

第8の6表の付表1 (令6.7)　　　　　　　　　　　　　　　　　　　　　　　　　　（資4－20－9－21－A4統一）

※の項目は記入する必要がありません。

第8の6表の付表1（令和2年分以降用）

第８の６表の付表２（令和２年分以降用）

個人の事業用資産についての相続税の納税猶予及び免除の適用を受ける特例受贈事業用資産の明細書（一般用）

被相続人	
特例事業相続人等	

この明細書は、租税特別措置法第70条の６の９の規定により相続又は遺贈（以下「相続等」といいます。）により取得したものとみなされた特例受贈事業用資産（同法第70条の６の８第６項の承認に係る株式等を除きます。）について「個人の事業用資産についての相続税の納税猶予及び免除」の適用を受ける場合に、その特例受贈事業用資産の明細を記入します。

相続等により取得した個人の事業用資産についてこの特例の適用を受ける場合には、この明細書によらず「第８の６表の付表１」を使用し、また、同法第70条の６の８第６項の承認に係る株式等についてこの特例の適用を受ける場合には、「第８の６表の付表２の２」を使用してください。

1　特例受贈事業用資産に係る事業

①　屋号		②　業種名		⑤　円滑化法の確認の状況	確認年月日	年　月　日
③　受贈年月日	年　月　日	④　相続開始の時における常時使用従業員数	人		確認番号	

2　受贈宅地等及び受贈建物に関する明細

この欄は、特例事業相続人等が被相続人から受けた贈与について租税特別措置法第70条の６の８第１項の規定の適用を受けるものとして同項に規定する贈与税の申告書に記載した特例受贈事業用資産である宅地等及び建物（以下それぞれ「受贈宅地等」及び「受贈建物」といいます。）の明細を記載します。

（注）　この明細に記入しきれない場合は、適宜の用紙に記載し添付してください。

①　受贈宅地等に関する事項

a　所在場所	b　面積	a　所在場所	b　面積
	㎡		㎡

②　受贈建物に関する事項

a　所在場所	b　面積	a　所在場所	b　面積
	㎡		㎡

（注）①欄の記載事項を「第８の６表の付表３」の２⑵①欄に、②欄の記載事項を「第８の６表の付表３」の３⑴欄に、それぞれ転記してください。

3　特例の適用を受ける特例受贈事業用資産の明細

この欄は、租税特別措置法第70条の６の９の規定により相続等により取得したものとみなされた特例受贈事業用資産のうち、この特例の適用を受けるものについて記載します。なお、この明細に記入しきれない場合は、適宜の用紙に記載し添付してください。

⑴　宅地等（⑷に該当するものを除きます。）

a　所在場所	b　面積	c　調整価額	d　bのうち、特例の適用を受ける宅地等の面積	e　dに係る価額（c×d/b）
	㎡	円	㎡	円
f　特例の適用を受ける宅地等の価額の合計額				イ　円

⑵　建物（⑷に該当するものを除きます。）

a　所在場所	b　面積	c　調整価額
	㎡	円
d　特例の適用を受ける建物の価額の合計額		ロ　円

⑶　減価償却資産（⑷に該当するものを除きます。）

a　名称	b　所在場所	c　面積	d　調整価額
		㎡	円
e　特例の適用を受ける減価償却資産の合計額			ハ　円

⑷　受贈宅地等に係る買換資産

（注）　この欄は、受贈宅地等の譲渡をした場合において、租税特別措置法第70条の６の８第５項の承認を受け、その譲渡の対価により取得した買換資産がある場合に記載します。なお、「買換資産」には、その買換資産に係る買換資産も含まれます。

①　受贈宅地等に関する事項

a　所在場所	b　面積	c　贈与時の価額
	㎡	円

②　受贈宅地等に係る買換資産に関する事項

d　種類等	e　所在場所		f　調整割合適用前の価額
			円
g　調整面積（b×f/c）	h　gのうち特例の適用を受ける面積	i　調整価額	j　特例の適用を受ける買換資産の価額（i×h/g）
㎡	㎡	円	ニ　円

4　特例事業用資産の価額（イ＋ロ＋ハ＋ニ）	A　円

※の項目は記入する必要がありません。

※税務署整理欄	入力		確認		

第８の６表の付表２（令６.７）

（資４－20－９－22－Ａ４統一）

第十五章《相続税の申告書等の書き方》

個人の事業用資産についての相続税の納税猶予及び免除の適用を受ける特例受贈事業用資産
の明細書（株式等用）

被 相 続 人	
特例事業相続人等	

第8の6表の付表2の2（令和2年分以降用）

　この明細書は、租税特別措置法第70条の6の9の規定により相続又は遺贈（以下「相続等」といいます。）により
取得したものとみなされた特例受贈事業用資産が同法第70条の6の8第6項の承認に係る株式等である場合におい
て、その株式等について「個人の事業用資産についての相続税の納税猶予及び免除」の適用を受ける場合のその明細
を記入します。
　相続等により取得をした個人の事業用資産についてこの特例の適用を受ける場合には、この明細書によらず「第8
の6表の付表1」を使用し、また、租税特別措置法第70条の6の8第6項の承認に係る株式等以外の特例受贈事業
用資産についてこの特例の適用を受ける場合には、「第8の6表の付表2」を使用してください。

1　特例受贈事業用資産である株式等に係る会社

①	会社名			⑥	相続開始の時における発行済株式等の総数等			株・口・円
②	会社の整理番号（会社の所轄税務署名）	（　　署）	⑦	相続開始の時における常時使用従業員数				人
③	事業種目			⑧	円滑化法の確認の状況	確 認 年 月 日	年　月　日	
④	相続開始の時における資本金の額		円			確 認 番 号		
⑤	相続開始の時における資本準備金の額		円		措置法第70条の6の8第6項の承認年月日		年　月　日	

（注）1　租税特別措置法第70条の6の8第6項の承認（以下「現物出資承認」といいます。）を受けた株式等に係る会社が、その設立の時から相続開始の直前までにおいて、
　　　　合併により消滅した場合は当該合併により存続した会社又は設立した会社、株式交換等により他の会社の株式交換完全子会社となった場合は当該他の会社について①
　　　　から⑦までの各欄を記入します。
　　　2　⑦欄の「常時使用従業員数」は、第8の6表の付表1の裏面の《書きかた等》の1(2)を参照してください。
　　　3　⑧欄は、中小企業における経営の承継の円滑化に関する法律施行規則第13条第9項（同条第11項において準用する場合を含みます。）の都道府県知事の確認を受け
　　　　た年月日及び確認番号をそれぞれ記載します。

2　特例受贈事業用資産である株式等の明細

① 相続等により取得したものとみなされた株式等の調整価額	② ①の株式等の数等	③ ②のうち、特例の適用を受ける株式等の数等	④ 価　　額（ ① × ③/② ）
円	株・口・円	株・口・円　A	円

（注）1　A欄の金額を「第8の6表」の「1　事業用資産納税猶予税額の基となる相続税の総額の計算」の①欄に転記します。
　　　　なお、この明細書のほか、「第8の6表の付表1」又は「第8の6表の付表2」の作成がある場合には、各付表のA欄の合計額を「第8の6表」の「1　事業用資産納税猶予税額の基と
　　　　なる相続税の総額の計算」の①欄に記入します。
　　　2　①欄及び②欄は、「第11の3表」の3(4)欄の記載に基づき記載してください。
　　　3　③欄に記載することができる株式等の数等は、4②d欄の数等が限度となります。

3　受贈宅地等及び受贈建物に関する明細

　この欄は、特例事業相続人等が被相続人から受けた贈与について租税特別措置法第70条の6の8第1項の規定の適用を受けるものとして同項に規定する贈与税の申告書に記載した特例
受贈事業用資産である宅地等及び建物（以下それぞれ「受贈宅地等」及び「受贈建物」といいます。）の明細を記載します（現物出資した受贈宅地等にはチェックをしてください。）。
（注）　この明細に記入しきれない場合は、適宜の用紙に記載し添付してください。

① 受贈宅地等に関する事項

a 所在場所	b 面積	c 価額	a 所在場所	b 面積	c 価額
☐	㎡	円	☐	㎡	円
☐					

d 受贈宅地等の面積の合計	㎡	e 受贈宅地等の価額の合計	円	f 現物出資受贈宅地等の価額	円

② 受贈建物に関する事項

a 所在場所	b 面積	a 所在場所	b 面積
	㎡		㎡

（注）1　b及び②bの「面積」は、贈与税の申告書に記載した受贈宅地等及び受贈建物の面積を記載します。
　　　2　fの「現物出資受贈宅地等の価額」欄は、チェックの入った項目のcの合計を記載してください。
　　　3　現物出資に譲渡等をしたことにより、現物出資時に所有していなかった受贈宅地等及び受贈建物についても記載してください。
　　　4　①欄の記載事項を「第8の6表の付表3」の2(2)①欄に、②欄の記載事項を「第8の6表の付表3」の3(1)欄に、それぞれ転記してください。

4　特例の適用を受ける株式等の限度数（限度額）の計算

　この欄は、2③欄に記載することができる株式等の数等の限度数（限度額）の計算をします。

① 株式等の限度数（限度額）の計算の基礎となる面積の計算

a	相続等により取得したものとみなされた株式等の調整割合適用前の価額（第11の3表の3の(4)④）	円
b	現物出資承認を受けた特例受贈事業用資産の贈与の時における価額の合計額	円
c	bのうち現物出資受贈宅地等の価額（3の①f）	円
d	現物出資受贈宅地等に相当する株式等の調整割合適用前の価額（a×c/b）	円
e	限度数（限度額）の計算の基礎となる面積（3の①d×d/3の①e）	㎡
f	eのうち、この特例の適用を受ける面積	㎡

② 限度数（限度額）の計算

a	相続等により取得したものとみなされた株式等の数等（2の②）	株・口・円
b	aのうち、現物出資受贈宅地等に相当する株式等の数等（a×①c/①b）	株・口・円
c	aのうち、現物出資受贈宅地等以外の特例受贈事業用資産に相当する株式等の数等（a－b）	株・口・円
d	限度数（限度額）b×①f/①e＋c	株・口・円

（注）1　①f欄の「eのうち、この特例の適用を受ける面積」については、「第8の6表の付表3」の2(2)欄に転記し、限度面積の判定を行ってください。
　　　2　②d欄の数等に1株未満の端数が生じた場合には、切り上げて差し支えありません。

※税務署整理欄	入力		確認		

※の項目は記入する必要がありません。

第8の6表の付表2の2（令6.7）　　　　　　　　　　　　　　　　　　　　　　　　　　　　　（資4−20−9−23−A4統一）

−1039−

第十五章《相続税の申告書等の書き方》

個人の事業用資産についての相続税の納税猶予及び免除の適用に係る宅地等及び建物の明細書

被 相 続 人 _____

第8の6表の付表3（令和2年分以降用）

1 特例の適用に当たっての同意

　この欄は、「個人の事業用資産についての相続税の納税猶予及び免除」の対象となり得る宅地等を被相続人から相続又は遺贈（以下「相続等」といいます。）により取得した者が1人でない場合、又はその対象となり得る建物を被相続人から相続等により取得した者が1人でない場合に記入します。
　その他、この欄の記載については、裏面の「書きかた等」を参照してください。
　私たちは、下記2(3)又は3(2)の特例事業相続人等が、この特例の適用を受けるものとして選択した2(3)の宅地等又は3(2)の建物について、この特例の適用を受けることに同意します。

(1) 宅地等について		(2) 建物について	
氏名		氏名	

2 この特例の適用を受ける宅地等に係る限度面積の判定

　この表は、この特例の適用を受けるものとして「第8の6表の付表1」又は「第8の6表の付表2」若しくは「第8の6表の付表2の2」に記載した宅地等について、限度面積を判定する場合に使用します。2(2)及び(3)の宅地等の明細に記入しきれない場合は、適宜の用紙に記載し添付してください。
　限度面積の判定（(2)④及び(3)②）の結果が「否」となる場合、この特例を受けることはできません。

(1) 小規模宅地等の特例の適用を受ける面積

a　特定居住用宅地等（第11・11の2表の付表1⑩①の面積	b　特定同族会社事業用宅地等（第11・11の2表の付表1⑩③の面積	c　貸付事業用宅地等（第11・11の2表の付表1⑩④）の面積	d　小規模宅地等の特例適用面積 ・c=0の場合：b ・c>0の場合：2×（a×$\frac{200}{330}$+b×$\frac{200}{400}$+c）
㎡	㎡	㎡	イ　　　　　　　㎡

(2) 特例受贈事業用資産である宅地等に係る限度面積の判定

① 贈与税の申告書に記載された特例受贈事業用資産である宅地等に係る限度面積の判定			② 左記のうち、特例の適用を受ける宅地等の面積（注2）
a　特例事業相続人等の氏名	b　贈与税の申告書に記載された宅地等の明細（注1）		
	所在場所	面積	
		㎡	㎡
合　　計		ロ　　　　　㎡	ハ
③	②の宅地等に係る限度面積（400㎡−(1)イ）		ニ
④	判定（ニ≧ハ）		適 ・ 否

（注）1　①b欄については、各特例事業相続人等に係る「第8の6表の付表2」の2①及び「第8の6表の付表2の2」の3①の所在場所及び面積を記載してください。
　　　　なお、現物出資承認を受けた宅地等については、一括して「所在場所」欄に「第8の6表の付表2の2のとおり」と記載し、「面積」欄は空欄としてください。
　　　2　②欄については、①bに記載した特例受贈事業用資産である宅地等の面積のうち、特例の適用を受ける宅地等の面積の合計が「ニ」の限度面積の範囲内となるよう選択をした宅地等の面積を記載してください。
　　　　なお、現物出資承認を受けた宅地等については、「第8の6表の付表2の2」の4①fの面積を記載してください。

(3) 相続等により取得した特定事業用資産である宅地等に係る限度面積の判定

① 相続等により取得した特定事業用資産である宅地等の明細					
特例事業相続人等の氏名	所在場所	面積	特例事業相続人等の氏名	所在場所	面積
		㎡			㎡
			合　　計		ホ　　　　㎡

（注）「所在場所」及び「面積」は、各特例事業相続人等に係る「第8の6表の付表1」の2(1)①及び④の所在場所及び面積を記載してください。

② ①の宅地等に係る限度面積の判定	a　限度面積（400㎡−(1)イ−(2)①ロ）	b　①の宅地等の面積の合計（(3)①ホ）	c　判定（a≧b）
	㎡	㎡	適 ・ 否

3 この特例の適用を受ける建物に係る限度面積の判定

　この表は、この特例の適用を受けるものとして「第8の6表の付表1」又は「第8の6表の付表2」若しくは「第8の6表の付表2の2」に記載した建物について、限度面積を判定する場合に使用します。3(1)及び(2)の建物の明細に記入しきれない場合は、適宜の用紙に記載し添付してください。

(1) 特例受贈事業用資産である建物の明細

特例事業相続人等の氏名	所在場所	面積	特例事業相続人等の氏名	所在場所	面積
		㎡			㎡
			合　　計		イ　　　　㎡

（注）「所在場所」及び「面積」は、各特例事業相続人等に係る「第8の6表の付表2」の2②及び「第8の6表の付表2の2」の3②の所在場所及び面積を記載してください。

(2) 相続等により取得した特定事業用資産である建物の明細

　限度面積の判定（c）の結果が「否」となる場合、この特例を受けることはできません。

特例事業相続人等の氏名	所在場所	面積	特例事業相続人等の氏名	所在場所	面積
		㎡			㎡
			合　　計		ロ　　　　㎡

（注）「所在場所」及び「面積」は、各特例事業相続人等に係る「第8の6表の付表1」の2(2)①及び④の所在場所及び面積を記載してください。

(2)の建物に係る限度面積の判定	a　限度面積（800㎡−(1)イ）	b　(2)の建物の面積（(2)ロ）	c　判定（a≧b）
	㎡	㎡	適 ・ 否

※の項目は記入する必要がありません。

※税務署整理欄	入力		確認	

第8の6表の付表3（令6. 7）

（資4−20−9−24−A4統一）

第十五章《相続税の申告書等の書き方》

個人の事業用資産についての相続税の納税猶予及び免除の適用に係る特定債務額の計算明細書

被 相 続 人 [　　　　]

この明細書は、「個人の事業用資産についての相続税の納税猶予及び免除」の規定の適用を受ける特例事業相続人等が相続税法第 13 条の規定により控除すべき債務がある場合において、各特例事業相続人等に係る特定債務額を算出するために使用します。

(注)1　2欄の「特例事業用資産に係る事業に関するものと認められるもの以外の債務の金額の明細」に記載する債務は、当該事業に関するもの以外のものであることについて、金銭の貸付に係る消費貸借に関する契約書等の書面により、明らかにされるものに限られますので、当該書面の写しを併せて提出してください。
　　　　また、この明細に記入しきれない場合は、適宜の用紙に記載し添付してください。
　　　2　4欄の「第1表の（①＋②）」の金額は、特例事業相続人等が租税特別措置法第70条の6第1項の規定による農地等についての納税猶予及び免除等の適用を受ける場合は、「第3表の①欄」の金額となります。
　　　3　各特例事業相続人等に係る特定債務額（7欄のBの金額）は、その特例事業相続人等に係る第8の6表の1(1)の「②　特例事業相続人等に係る特定債務額」欄に転記します。

第8の6表の付表4

（平成31年1月分以降用）

特例事業相続人等の氏名				
1　その者に係る債務及び葬式費用の合計額（その者の第13表の3⑦欄の金額）				円
2　1のうち、特例事業用資産に係る事業に関するものと認められるもの以外の債務の金額の明細				
種類	細目	債権者の氏名又は名称	債務の使途	金額
葬式費用	葬式費用	―	―	円
		合計額		A
3　事業関連債務の金額（1－A）				
4　その者が相続又は遺贈により取得した財産の価額（その者の第1表の（①＋②）（又は第3表の①欄）の金額）				
5　その者に係る特例事業用資産の価額（その者の第8の6表の付表1・付表2（2の2）のA欄の合計額）				
6　A－（4－5）（赤字の場合は0）				
7　特定債務額（3＋6）				B

特例事業相続人等の氏名				
1　その者に係る債務及び葬式費用の合計額（その者の第13表の3⑦欄の金額）				円
2　1のうち、特例事業用資産に係る事業に関するものと認められるもの以外の債務の金額の明細				
種類	細目	債権者の氏名又は名称	債務の使途	金額
葬式費用	葬式費用	―	―	円
		合計額		A
3　事業関連債務の金額（1－A）				
4　その者が相続又は遺贈により取得した財産の価額（その者の第1表の（①＋②）（又は第3表の①欄）の金額）				
5　その者に係る特例事業用資産の価額（その者の第8の6表の付表1・付表2（2の2）のA欄の合計額）				
6　A－（4－5）（赤字の場合は0）				
7　特定債務額（3＋6）				B

特例事業相続人等の氏名				
1　その者に係る債務及び葬式費用の合計額（その者の第13表の3⑦欄の金額）				円
2　1のうち、特例事業用資産に係る事業に関するものと認められるもの以外の債務の金額の明細				
種類	細目	債権者の氏名又は名称	債務の使途	金額
葬式費用	葬式費用	―	―	円
		合計額		A
3　事業関連債務の金額（1－A）				
4　その者が相続又は遺贈により取得した財産の価額（その者の第1表の（①＋②）（又は第3表の①欄）の金額）				
5　その者に係る特例事業用資産の価額（その者の第8の6表の付表1・付表2（2の2）のA欄の合計額）				
6　A－（4－5）（赤字の場合は0）				
7　特定債務額（3＋6）				B

※の項目は記入する必要がありません。

※税務署整理欄	入力		確認			

第8の6表の付表4（令6.7）　　　　　　　　　　　　　　　　　　　　　　　　　　（資4－20－9－25－A4統一）

－1041－

第十五章《相続税の申告書等の書き方》

納税猶予税額等の調整計算書

第8の7表（令和5年1月分以降用）

被相続人	
相続人等	

この計算書は、次の相続税の特例のうち2以上の特例の適用を受ける人（以下この表において、「相続人等」と表記しています。）が、特例ごとの納税猶予税額又は税額控除額の調整の計算のために使用します。
- 農地等についての納税猶予及び免除等（租税特別措置法第70条の6第1項）
- 非上場株式等についての納税猶予及び免除（租税特別措置法第70条の7の2第1項又は第70条の7の4第1項）
- 非上場株式等についての納税猶予及び免除の特例（租税特別措置法第70条の7の6第1項又は第70条の7の8第1項）
- 山林についての納税猶予及び免除（租税特別措置法第70条の6の6第1項）
- 医療法人の持分についての納税猶予及び免除（租税特別措置法第70条の7の12第1項）又は医療法人の持分についての税額控除（租税特別措置法第70条の7の13第1項）
- 特定の美術品についての納税猶予及び免除（租税特別措置法第70条の6の7第1項）
- 個人の事業用資産についての納税猶予及び免除（租税特別措置法第70条の6の10第1項）

1 調整前猶予税額等の明細

この欄は、相続人等に係る農地等納税猶予税額、株式等納税猶予税額、特例株式等納税猶予税額、山林納税猶予税額、医療法人持分納税猶予税額若しくは医療法人持分税額控除額（以下この表において「医療法人持分納税猶予税額等」と表記しています。）、美術品納税猶予税額又は事業用資産納税猶予税額についてその明細を記入します。

		円
①	調整前農地等猶予税額（相続人等の第8の2表の⑦の金額）	0 0
②	調整前株式等猶予税額（相続人等の第8の2表の2のAの金額）	0 0
③	調整前特例株式等猶予税額（相続人等の第8の2の2表の2のAの金額）	0 0
④	調整前山林猶予税額（相続人等の第8の3表の2の⑧の金額）	0 0
⑤	調整前医療法人持分猶予税額等（相続人等の第8の4表の2の⑨の金額）	0 0
⑥	調整前美術品猶予税額（相続人等の第8の5表の2のAの金額）	0 0
⑦	調整前事業用資産猶予税額（相続人等の第8の6表の2のAの金額）	0 0
⑧	調整前猶予税額等（①+②+③+④+⑤+⑥+⑦）	0 0
⑨	猶予可能税額等（相続人等の第1表の（⑯－⑰）の金額）（100円未満切捨て）	0 0

（注）　⑧欄の金額が⑨欄の金額を越える場合（「⑧＞⑨」の場合）は、「2　各納税猶予税額等の調整」欄を記入します。
なお、⑧欄の金額が⑨欄の金額以下の場合（「⑧≦⑨」の場合）は、「2　各納税猶予税額等の調整」欄は記入を要しません。

2 各納税猶予税額等の調整

この欄は、1の⑧欄の金額が1の⑨欄の金額を超える場合（「⑧＞⑨」の場合）において、納税猶予税額等の調整の計算をするときに記入します。
なお、1の⑧欄の金額が1の⑨欄の金額以下の場合（「⑧≦⑨」の場合）は記入を要しません。

		円
⑩	調整後の農地等納税猶予税額（⑨×①／⑧）（100円未満切捨て）	0 0
⑪	調整後の株式等納税猶予税額（⑨×②／⑧）（100円未満切捨て）	0 0
⑫	調整後の特例株式等納税猶予税額（⑨×③／⑧）（100円未満切捨て）	0 0
⑬	調整後の山林納税猶予税額（⑨×④／⑧）（100円未満切捨て）	0 0
⑭	調整後の医療法人持分納税猶予税額等（⑨×⑤／⑧）（100円未満切捨て）	0 0
⑮	調整後の美術品納税猶予税額（⑨×⑥／⑧）（100円未満切捨て）	0 0
⑯	調整後の事業用資産納税猶予税額（⑨×⑦／⑧）（100円未満切捨て）	0 0

3 納税猶予税額等

この欄は、1又は2により算出した納税猶予税額等を基に、特例ごとの納税猶予税額又は税額控除額を記入します。

⑰	農地等納税猶予税額等（①の金額（2において調整の計算をした場合には⑩の金額）を転記します。）		（第8の8表2の①）円 0 0
⑱	株式等納税猶予税額（②の金額（2において調整の計算をした場合には⑪の金額）を転記します。）		（第8の8表2の②） 0 0
⑲	特例株式等納税猶予税額（③の金額（2において調整の計算をした場合には⑫の金額）を転記します。）		（第8の8表2の③） 0 0
⑳	山林納税猶予税額（④の金額（2において調整の計算をした場合には⑬の金額）を転記します。）		（第8の8表2の④） 0 0
㉑	医療法人持分納税猶予税額等（⑤の金額（2において調整の計算をした場合には⑭の金額）を転記します。）		0 0

㉒	イ	「医療法人の持分についての納税猶予及び免除」の適用を受ける場合		医療法人持分納税猶予税額（㉑の金額を転記します。）	A（第8の8表2の⑤） 0 0
	ロ	「医療法人の持分についての税額控除」の適用を受ける場合	（イ）持分の全てを放棄したとき	医療法人持分税額控除額（㉑の金額を転記します。）	B（第1表の㉑） 0 0
			（ロ）持分の一部を放棄し、その残余の部分を基金拠出型医療法人の基金として拠出したとき（＊第8の4表の付表の計算明細の各欄を記入します。）	医療法人持分税額控除額（第8の4表の付表のFの金額を転記します。）	B（第1表の㉑） 0 0

㉓	美術品納税猶予税額（⑥の金額（2において調整の計算をした場合には⑮の金額）を転記します。）	（第8の8表2の⑥）円 0 0
㉔	事業用資産納税猶予税額（⑦の金額（2において調整の計算をした場合には⑯の金額）を転記します。）	（第8の8表2の⑦） 0 0

（注）　1　⑰、⑱、⑲、⑳、㉑、㉓及び㉔欄の各欄には、1又は2により算出した納税猶予税額等を記入します。
2　⑰、⑱、⑲、⑳、㉑、㉓又は㉔欄の金額は、相続人等の第8の8表2の「農地等納税猶予税額①」、「株式等納税猶予税額②」、「特例株式等納税猶予税額③」、「山林納税猶予税額④」、「医療法人持分納税猶予税額⑤」若しくは第1表の「医療法人持分税額控除額㉑」、第8の8表2の「美術品納税猶予税額⑥」又は「事業用資産納税猶予税額⑦」欄にそれぞれ転記します。
3　㉒欄は、㉑欄の金額を基に、イ又はロの場合に応じ、A又はB欄を記入します。なお、ロの場合には、放棄の態様（（イ）又は（ロ））に応じ、（イ）のときには㉑欄の金額を、（ロ）のときには㉑欄の金額に基づき算出した第8の4表の付表の「基金拠出型医療法人へ基金を拠出した場合の医療法人持分税額控除額の計算明細」のFの金額を、それぞれのB欄に転記します。

第8の7表（令6.7）

（資4－20－9－9－A4統一）

第十五章《相続税の申告書等の書き方》

税額控除額及び納税猶予税額の内訳書　　FD3572

被相続人　**日本太郎**

第8の8表（令和5年1月分以降用）

（単位は円）

1　税額控除額

この表は、「未成年者控除」、「障害者控除」、「相次相続控除」又は「外国税額控除」の適用を受ける人が第1表の「⑫・⑬以外の税額控除額⑭」欄に記入する金額の計算のために使用します。

		（氏　名）**日本花子**	（氏　名）**日本一郎**
※　整理番号			
未成年者控除額 （第6表1②、③又は⑥）	①		
障害者控除額 （第6表2②、③又は⑥）	②		
相次相続控除額 （第7表⑬又は⑱）	③	217204	111169
外国税額控除額 （第8表1⑧）	④		
合　　計 （①+②+③+④）	⑤	217204	111169

（注）　各人の⑤欄の金額を第1表のその人の「⑫・⑬以外の税額控除額⑭」欄に転記します。

（単位は円）

2　納税猶予税額

この表は、次の相続税の特例の適用を受ける人が第1表の「納税猶予税額㉑」欄に記入する金額の計算のために使用します。

(1)　農地等についての納税猶予及び免除等（租税特別措置法第70条の6第1項）
(2)　非上場株式等についての納税猶予及び免除（租税特別措置法第70条の7の2第1項又は第70条の7の4第1項）
(3)　非上場株式等についての納税猶予及び免除の特例（租税特別措置法第70条の7の6第1項又は第70条の7の8第1項）
(4)　山林についての納税猶予及び免除（租税特別措置法第70条の6の6第1項）
(5)　医療法人の持分についての納税猶予及び免除（租税特別措置法第70条の7の12第1項）
(6)　特定の美術品についての納税猶予及び免除（租税特別措置法第70条の6の7第1項）
(7)　個人の事業用資産についての納税猶予及び免除（租税特別措置法第70条の6の10第1項）

		（氏　名）	（氏　名）
※　整理番号			
農地等納税猶予税額 （第8表2⑦）	①	00	00
株式等納税猶予税額 （第8の2表2A）	②	00	00
特例株式等納税猶予税額 （第8の2の2表2A）	③	00	00
山林納税猶予税額 （第8の3表2⑧）	④	00	00
医療法人持分納税猶予税額 （第8の4表2A）	⑤	00	00
美術品納税猶予税額 （第8の5表2A）	⑥	00	00
事業用資産納税猶予税額 （第8の6表2A）	⑦	00	00
合　　計 （①+②+③+④+⑤+⑥+⑦）	⑧	00	00

（注）1　上記(1)～(7)の特例又は医療法人の持分についての相続税の税額控除（租税特別措置法第70条の7の13第1項）のうち2以上の特例の適用を受ける人がいる場合は、その人の①～⑦欄には、第8の7表の「3　納税猶予税額等」のうち①～⑦欄に対応する欄の金額を転記します。
2　各人の⑧欄の金額を第1表のその人の「納税猶予税額㉑」欄に転記します。

※税務署整理欄	申告区分	年分		名簿番号		申告年月日		グループ番号	

○この申告書は機械で読み取りますので、黒ボールペンで記入してください。

※の項目は記入する必要がありません。

（資4−20−9−16−A4統一）第8の8表（令6.7）

−1043−

第十五章《相続税の申告書等の書き方》

生命保険金などの明細書

| 被相続人 | 日本太郎 |

第9表（令和6年1月分以降用）

1　相続や遺贈によって取得したものとみなされる保険金など

　この表は、相続人やその他の人が被相続人から相続や遺贈によって取得したものとみなされる生命保険金、損害保険契約の死亡保険金及び特定の生命共済金などを受け取った場合に、その受取金額などを記入します。

保険会社等の所在地	保険会社等の名称	受取年月日	受取金額	受取人の氏名
○○区○○2丁目×番×	○○生命保険（相）	6・7・5	29,629,483 円	日本一郎
〃	〃	6・7・5	5,000,000	〃
○○区○○1丁目×番×	××生命保険（相）	6・7・12	10,000,000	〃
△△区○○2丁目×番×	△△生命保険（株）	6・8・2	20,000,000	久保和子
△△区○○1丁目×番×	（株）○○生命保険	6・9・6	10,768,125	〃

（注）　1　相続人（相続の放棄をした人を除きます。以下同じです。）が受け取った保険金などのうち一定の金額は非課税となりますので、その人は、次の2の該当欄に非課税となる金額と課税される金額とを記入します。
　　　2　相続人以外の人が受け取った保険金などについては、非課税となる金額はありませんので、その人は、その受け取った金額そのままを第11表の付表4の「財産の明細」の「価額」欄に転記します。
　　　3　相続時精算課税適用財産は含まれません。

2　課税される金額の計算

　この表は、被相続人の死亡によって相続人が生命保険金などを受け取った場合に、記入します。

保険金の非課税限度額	［第2表のⒶの法定相続人の数］（500万円× 3 人 により計算した金額を右のⒶに記入します。）	Ⓐ 15,000,000 円

保険金などを受け取った相続人の氏名	① 受け取った保険金などの金額	② 非課税金額 （Ⓐ× 各人の①／Ⓑ ）	③ 課税金額 （①－②）
日本　一郎	44,629,483 円	8,878,826 円	35,750,657 円
久保　和子	30,768,125	6,121,174	24,646,951
合　　計	Ⓑ 75,397,608	15,000,000	60,397,608

（注）　1　Ⓑの金額がⒶの金額より少ないときは、各相続人の①欄の金額がそのまま②欄の非課税金額となりますので、③欄の課税金額は0となります。
　　　2　③欄の金額を第11表の付表4の「財産の明細」の「価額」欄に転記します。

第9表（令6.7）

（資4－20－10－A4統一）

第十五章《相続税の申告書等の書き方》

退職手当金などの明細書

被相続人　**日本太郎**

第10表（令和6年1月分以降用）

1　相続や遺贈によって取得したものとみなされる退職手当金など

この表は、相続人やその他の人が被相続人から相続や遺贈によって取得したものとみなされる退職手当金、功労金、退職給付金などを受け取った場合に、その受取金額などを記入します。

勤務先会社等の所在地	勤務先会社等の名称	受取年月日	退職手当金などの名称	受 取 金 額	受取人の氏名
○○区○○1丁目3番5号	○○商事(株)	6・7・5	退職金	40,000,000 円	日本花子
〃	〃	6・7・5	功労金	5,000,000	〃
		・・			
		・・			
		・・			

(注)　1　相続人（相続の放棄をした人を除きます。以下同じです。）が受け取った退職手当金などのうち一定の金額は非課税となりますので、その人は、次の2の該当欄に非課税となる金額と課税される金額とを記入します。

　　　2　相続人以外の人が受け取った退職手当金などについては、非課税となる金額はありませんので、その人は、その受け取った金額そのままを第11表の付表4の「財産の明細」の「価額」欄に転記します。

2　課税される金額の計算

この表は、被相続人の死亡によって相続人が退職手当金などを受け取った場合に、記入します。

退職手当金などの非課税限度額　（500万円×【第2表の㊐の法定相続人の数】 **3** 人　により計算した金額を右の㊐に記入します。）　㊐ **15**,000,000 円

退職手当金などを受け取った相続人の氏名	① 受 け 取 っ た 退職手当金などの金額	② 非課税金額 $\left(㊐ × \dfrac{各人の①}{㋰}\right)$	③ 課 税 金 額 （①－②）
日 本 花 子	45,000,000 円	15,000,000 円	30,000,000 円
合　　　計	㋰ 45,000,000	15,000,000	30,000,000

(注)　1　㋰の金額が㊐の金額より少ないときは、各相続人の①欄の金額がそのまま②欄の非課税金額となりますので、③欄の課税金額は0となります。

　　　2　③欄の金額を第11表の付表4の「財産の明細」の「価額」欄に転記します。

第10表(令6.7)　　　　　　　　　　　　　　　　　　　　　　　　　　　　　　（資4－20－11－A4統一）

第十五章《相続税の申告書等の書き方》

相続税がかかる財産の合計表
（相続時精算課税適用財産を除きます。）

| 被相続人の氏名 | 国税 太郎 |

第11表（令和6年1月分以降用）

この表は、遺産の分割状況及び各人の取得財産の価額の合計額等を記入します。
なお、相続税がかかる財産（相続時精算課税適用財産を除きます。以下同じです。）の明細については、財産の種類に応じて第11表の付表1から付表4に記入してください。
（注）　財産を取得した人が10名を超える場合には、この合計表を追加して記入してください。

1　遺産の分割状況及び財産取得者の一覧

遺産の分割状況及び相続税がかかる財産を取得した人全ての氏名を記入します。

遺産の分割状況		分割の日	全部分割				一部分割			
1：全部分割 2：一部分割 3：全部未分割			元号	年	月	日	元号	年	月	日

財　産　取　得　者　の　一　覧

項　番	財産を取得した人の氏名	項　番	財産を取得した人の氏名
1	日本 花子		
2	日本 一郎		
3	久保 和子		

（注）　1　「遺産の分割状況」欄は、遺産の分割状況に応じた番号を記入します。
　　　　2　「分割の日」欄は、遺産の全部又は一部について分割がされている場合には、その分割の日を記入します。

2　取得財産の価額の合計表

財産を取得 した人の番号	①　分割財産の価額（円）	②　未分割財産の価額（円）	③　取得財産の価額（円） （①＋②）
1	256,646,350	0	256,646,350
2	129,067,118	0	129,067,118
3	112,678,683	0	112,678,683

（注）　1　「財産を取得した人の番号」欄は、上記1の「項番」欄に記入した番号を記入します。
　　　　2　「①分割財産の価額」欄は、第11表の付表1から付表4の「分割が確定した財産」の「取得財産の価額」欄に記入した価額について、財産を取得した人ごとに合計した金額を記入します。
　　　　3　「②未分割財産の価額」欄は、第11表の付表1から付表4の「財産の明細」に記入した財産のうち、未分割である財産の価額の合計額を各相続人が相続分（寄与分を除きます。）に応じて取得するとした場合に計算される金額を記入します。
　　　　4　「③取得財産の価額」欄の金額を第1表のその人の「取得財産の価額①」欄に転記します。

第11表（令6.7）

（資4－20－12－1－A4統一）

第十五章《相続税の申告書等の書き方》

相続税がかかる財産の明細書
（土地・家屋等用）

| 被相続人の氏名 | 日本 太郎 |

第11表の付表1（令和6年1月分以降用）

この明細書は、相続税がかかる財産（相続時精算課税適用財産を除きます。）のうち、土地（土地の上に存する権利を含みます。）又は家屋等の明細を記入します。

項番	財産の明細					分割が確定した財産	
	細目	所在場所 上段：(左)都道府県、(右)市区町村 中段：大字・丁目 下段：地番又は家屋番号		面積(㎡) 固定資産税評価額(円)	単価(円)又は倍数 持分割合	財産を取得した人の番号	取得財産の価額(円)
	利用区分 国外						
	特例 備考			価額(円)			
1	宅地	○○県	○○市	165.00		1	6,435,000
	自用地 (居住用)	○○○3丁目		,	/	2	6,435,000
	1	5番16号		12,870,000			
2	宅地	○○県	○○市	150.00		1	30,810,000
	貸家建付地	○○○3丁目			/		
	1	5番17号		30,810,000			
3	宅地	○○県	○○市	150.00	236,340	1	35,451,000
	貸家建付地	○○1丁目			/		
	1	3番5号		35,451,000			
4	宅地	○○県	○○市	150.00	280,000	1	28,000,000
	自用地 (未利用地)	○○○2丁目			/	3	14,000,000
		3番4号		42,000,000			
5	宅地	○○県	○○市	1,125.00	285,360	3	10,272,960
	貸家建付地	○○1丁目			/		
	6,144/192,000	1番		10,272,960			
6	山林	○○県	○○郡○○町	30,000.00	15	2	3,617,100
	普通山林	○○		241,140	/		
		13番2		3,617,100			
7	家屋等	○○県	○○市	120.00	1.0	1	3,874,960
	自用家屋 (鉄コ2・居宅)	○○○3丁目		3,874,960	/		
		5番16号		3,874,960			

第11表の付表1（令6.7）

（資4-20-12-1-1-A4統一）

第十五章《相続税の申告書等の書き方》

相 続 税 が か か る 財 産 の 明 細 書
（ 有 価 証 券 用 ）

被相続人の氏名 **日 本 太 郎**

第11表の付表2（令和6年1月分以降用）

この明細書は、相続税がかかる財産（相続時精算課税適用財産を除きます。）のうち、有価証券の明細を記入します。

項番	細目 / 銘柄 / 特例	国外 / 備考	所在場所等 上段：金融商品取引業者等の名称 中段：支店等の名称 下段：その他（発行法人の所在地等）	数量（株・口・円） 単価 価額（円）	為替（円）	分割が確定した財産 財産を取得した人の番号	取得財産の価額（円）
1	特定同族会社の株式 （配当還元方式） ㈱○○			1,000		1	50,000
				50円			
			○○市○○3丁目×番×号	50,000			
2	特定同族会社の株式 （その他の方式） ○○商事㈱			5,000		1	69,000,000
				13,800円			
			○○市○○1丁目3番5号	69,000,000			
3	上記以外の株式 ○○建設㈱		△△証券 ○○支店	10,000		1	7,830,000
				783円			
				7,830,000			
4	上記以外の株式 ○○石油㈱		△△証券 ○○支店	5,000		2	3,595,000
				719円			
				3,595,000			
5	上記以外の株式 ○○電鉄㈱		△△証券 ○○支店	10,000		2	5,560,000
				556円			
				5,560,000			
6	上記以外の株式 ○○Company Inc.		△△証券 ○○支店	1,000	150.00	3	14,100,000
				$94			
				14,100,000			
7	公債 10年利付国債 第×××回		△△証券 ○○支店			3	3,158,700
				3,158,700			

第11表の付表2（令6.7）

（資4－20－12－1－2－A4統一）

－1048－

第十五章《相続税の申告書等の書き方》

相続税がかかる財産の明細書

（現金・預貯金等用）

被相続人の氏名　**日本太郎**

第11表の付表3（令和6年1月分以降用）

この明細書は、相続税がかかる財産（相続時精算課税適用財産を除きます。）のうち、現金又は預貯金等の明細を記入します。

項番	財　産　の　明　細				分割が確定した財産	
	口座種別等	所在場所等 上段：金融機関等の名称 中段：支店等の名称 下段：その他（所在地等）	数　量	単　価（円）	財産を取得した人の番号	取得財産の価額（円）
	口座番号　国外					
	備　考		価　額（円）			
1	現金				1	450,000
		○○市○○○3丁目5番16号		450,000		
2	普通預金	○○銀行			1	2,344,900
	1234567	○○支店				
			2,344,900			
3	定期預金	○○銀行			2	38,113,910
	2345678	○○支店				
			38,113,910			
4	定期預金	○○銀行			1	21,609,700
	3456789	○○支店				
			21,609,700			
5	普通預金	××銀行			2	3,676,701
	4567890	××支店				
			3,676,701			
6	定期預金	××銀行			3	28,577,432
	5678901	××支店				
			28,577,432			
7	普通預金	△△銀行			3	2,500,000
	6789012	△△支店				
	久保和子 名義		2,500,000			

第11表の付表3（令6.7）

（資4-20-12-1-3-A4統一）

第十五章《相続税の申告書等の書き方》

相続税がかかる財産の明細書

(事業（農業）用財産・家庭用財産・その他の財産用)

被相続人の氏名	日本太郎

第11表の付表4《令和6年1月分以降用》

この明細書は、相続税がかかる財産（相続時精算課税適用財産を除きます。）のうち、事業（農業）用財産、家庭用財産又はその他の財産の明細を記入します。

項番	財産の明細					分割が確定した財産	
	細目		財産の名称等	数量	倍数	財産を取得した人の番号	取得財産の価額(円)
	特例	国外	財産の所在場所等	単価（円）			
	備考			価額（円）			
1	家庭用財産		家具等一式			1	2,500,000
			○○市○○○3丁目5番16号		2,500,000		
2	生命保険金等					2	35,750,657
					35,750,657		
3	生命保険金等					3	24,646,951
					24,646,951		
4	退職手当金等					1	30,000,000
					30,000,000		
5	立木		ひのき 65年生	3 ha	0.85	2	2,578,050
				1,011,000			
			○○県○○郡○○町○○13番2	2,578,050			
6	その他		ゴルフ会員権（○○カントリークラブ）			2	24,500,000
			○○市○○○3丁目5番16号		24,500,000		
7	その他		未収家賃（○○商事㈱）			1	538,350
			○○市○○1丁目3番5号		538,350		

第11表の付表4（令6.7）

(資4-20-12-1-4-A4統一)

-1050-

第十五章《相続税の申告書等の書き方》

相続時精算課税適用財産の明細書 相続時精算課税分の贈与税額控除額の計算書	被相続人	日本太郎

第11の2表（令和6年1月分以降用）

この表は、被相続人から相続時精算課税に係る贈与によって取得した財産（相続時精算課税適用財産）がある場合に、贈与を受けた人ごとに記入します。

贈与を受けた人の氏名	被相続人から初めて相続時精算課税に係る贈与を受けた年分（相続時精算課税選択届出書の提出に係る年分）	相続時精算課税選択届出書を提出した税務署の名称
日本 一郎	令和2年分	○○税務署

1 相続税の課税価格に加算する相続時精算課税適用財産の価額及び納付すべき相続税額から控除すべき贈与税額の明細

番号	① 贈与を受けた年分	② 贈与税の申告書を提出した税務署の名称	③ ①の年分に被相続人から相続時精算課税に係る贈与を受けた財産の価額の合計額	④ ③から控除する相続時精算課税に係る基礎控除額	⑤ 相続時精算課税適用財産の価額（③－④）（赤字のときは0）	⑥ ⑤の財産に係る贈与税額（贈与税の外国税額控除前の金額）	⑦ ⑥のうち贈与税額に係る外国税額控除額
1	令和2年分	○○税務署	24,626,035 円	0	24,626,035 円	円	円
2							
3							
4							
5							
6							
合　計					⑧ 24,626,035	⑨	⑩

(注) 1 租税特別措置法第70条の6の9（（個人の事業用資産の贈与者が死亡した場合の相続税の課税の特例））、第70条の7の3（（非上場株式等の贈与者が死亡した場合の相続税の課税の特例））又は第70条の7の7（（非上場株式等の特例贈与者が死亡した場合の相続税の課税の特例））の規定の適用により相続又は遺贈により取得したものとみなされる財産は、その財産の種類に応じて第11表の付表1、付表2又は付表4に記入します（この表には記入しません。）。
2 ③欄の金額は、下記2の②の「価額」欄の金額に基づき記入します。
3 ④欄は、被相続人である特定贈与者に係る贈与税の申告書第2表の「相続時精算課税に係る基礎控除額」欄の金額を記入します。なお、「① 贈与を受けた年分」欄が令和5年分以前の場合は、「0」と記入します。
4 ⑧欄の金額を第1表のその人の「相続時精算課税適用財産の価額②」欄及び第15表のその人の㉛欄にそれぞれ転記します。
5 ⑨欄の金額を第1表のその人の「相続時精算課税分の贈与税額控除額⑰」欄に転記します。

2 相続時精算課税適用財産（1の③）の明細

（上記1の「番号」欄の番号に合わせて記入します。）

番号	① 贈与年月日	② 相続時精算課税適用財産の明細					
		種類	細目	利用区分、銘柄等	所在場所等	数量	価額
1	2.5.14	有価証券	特定同族会社の株式（その他の方式）○○商事㈱		○○市○○1丁目3番5号	2,000株	14,624,000 円
1	2.5.14	現金預貯金	定期預金		○○銀行○○支店		10,002,035

(注) 1 この明細は、被相続人である特定贈与者に係る贈与税の申告書第2表に基づき記入します。なお、被相続人である特定贈与者が贈与をした年中に死亡し贈与税の申告が不要である場合は、「相続税の申告のしかた」の記載例を参照してください。
2 ②の「価額」欄には、被相続人である特定贈与者に係る贈与税の申告書第2表の「財産の価額」欄の金額を記入します。ただし、特定事業用資産の特例の適用を受ける場合には、第11・11の2表の付表3の⑦欄の金額と⑦欄の金額に係る第11・11の2表の付表3の2の⑲欄の金額の合計額を、特定計画山林の特例の適用を受ける場合には、第11・11の2表の付表4の「2　特定受贈森林経営計画対象山林である選択特定計画山林の明細」の⑤欄の金額を記入します。また、租税特別措置法第70条の3の3（（相続時精算課税に係る土地又は建物の価額の特例））の承認を受けている場合には、その承認に係る財産の価額から同条の規定による災害により被害を受けた部分に対応する金額を控除した金額を記入します。

第11の2表(令6.7)

(資4-20-12-2-A4統一)

第十五章《相続税の申告書等の書き方》

小規模宅地等についての課税価格の計算明細書

FD3549

被相続人 **日本太郎**

この表は、小規模宅地等の特例（租税特別措置法第69条の4第1項）の適用を受ける場合に記入します。
なお、被相続人から、相続、遺贈又は相続時精算課税に係る贈与により取得した財産のうちに、「特定計画山林の特例」の対象となり得る財産又は「個人の事業用資産についての相続税の納税猶予及び免除」の対象となり得る財産その他一定の財産がある場合には、第11・11の2表の付表2を、「特定事業用資産の特例」の対象となり得る財産がある場合には、第11・11の2表の付表2の2を作成します（第11・11の2表の付表2又は付表2の2を作成する場合には、この表の「1 特例の適用にあたっての同意」欄の記入を要しません。）。
(注) この表の1又は2の各欄に記入しきれない場合には、第11・11の2表の付表1(続)を使用します。

1 特例の適用にあたっての同意

この欄は、小規模宅地等の特例の対象となり得る宅地等を取得した全ての人が次の内容に同意する場合に、その宅地等を取得した全ての人の氏名を記入します。

私(私たち)は、「2 小規模宅地等の明細」の①欄の取得者が、小規模宅地等の特例の適用を受けるものとして選択した宅地等又はその一部（「2 小規模宅地等の明細」の⑤欄で選択した宅地等）の全てが限度面積要件を満たすものであることを確認の上、その取得者が小規模宅地等の特例の適用を受けることに同意します。

氏名	日本花子	日本一郎	久保和子

(注) 小規模宅地等の特例の対象となり得る宅地等を取得した全ての人の同意がなければ、この特例の適用を受けることはできません。

2 小規模宅地等の明細

この欄は、小規模宅地等の特例の対象となり得る宅地等を取得した人のうち、その特例の適用を受ける人が選択した小規模宅地等の明細等を記載し、相続税の課税価格に算入する価額を計算します。

「小規模宅地等の種類」欄は、選択した小規模宅地等の種類に応じて次の1〜4の番号を記入します。

小規模宅地等の種類： 1 特定居住用宅地等、2 特定事業用宅地等、3 特定同族会社事業用宅地等、4 貸付事業用宅地等

小規模宅地等の種類 1〜4の番号を記入します。		選択した小規模宅地等		
		① 特例の適用を受ける取得者の氏名 〔事業内容〕	⑤ ④のうち小規模宅地等（「限度面積要件」を満たす宅地等）の面積	
		② 所在地番	⑥ ④のうち小規模宅地等（④×⑤/④）の価額	
		③ 取得者の持分に応ずる宅地等の面積	⑦ 課税価格の計算に当たって減額される金額（⑥×⑨）	
		④ 取得者の持分に応ずる宅地等の価額	⑧ 課税価格に算入する価額（④−⑦）	
1	①	日本花子 〔　　　　〕	⑤ 82.5 ㎡	
	②	○○市○○○3丁目5番16号	⑥ 32175000 円	
	③	82.5 ㎡	⑦ 25740000 円	
	④	32175000 円	⑧ 6435000 円	
1	①	日本一郎 〔　　　　〕	⑤ 82.5 ㎡	
	②	同上	⑥ 32175000 円	
	③	82.5 ㎡	⑦ 25740000 円	
	④	32175000 円	⑧ 6435000 円	
4	①	日本花子 〔 貸家 〕	⑤ 100. ㎡	
	②	○○市○○○3丁目5番17号	⑥ 30810000 円	
	③	150. ㎡	⑦ 15405000 円	
	④	46215000 円	⑧ 30810000 円	

(注)1 ①欄の〔　〕は、選択した小規模宅地等が被相続人等の事業用宅地等（2、3又は4）である場合に、相続開始の直前にその宅地等の上で行われていた被相続人等の事業について、例えば、飲食サービス業、法律事務所、貸家などのように具体的に記入します。
2 小規模宅地等を選択する一の宅地等が共有である場合又は一の宅地等が貸家建付地である場合において、その評価額の計算上「賃貸割合」が1でないときには、第11・11の2表の付表1（別表1）を作成します。
3 小規模宅地等を選択する宅地等が、配偶者居住権に基づく敷地利用権又は配偶者居住権の目的となっている建物の敷地の用に供される宅地等である場合には、第11・11の2表の付表1（別表1の2）を作成します。
4 ⑧欄の金額を第11表の付表1の「財産の明細」の「価額」欄に転記します。

○ 「限度面積要件」の判定

上記「2 小規模宅地等の明細」の⑤欄で選択した宅地等の全てが限度面積要件を満たすものであることを、この表の各欄を記入することにより判定します。

小規模宅地等の区分	被相続人等の居住用宅地等	被相続人等の事業用宅地等		
小規模宅地等の種類	1 特定居住用宅地等	2 特定事業用宅地等	3 特定同族会社事業用宅地等	4 貸付事業用宅地等
⑨ 減額割合	80/100	80/100	80/100	50/100
⑩ ⑤の小規模宅地等の面積の合計	165 ㎡			100 ㎡
⑪ 限度面積 イ 小規模宅地等のうちに4貸付事業用宅地等がない場合	[1]の⑩の面積　　　㎡≦330㎡	[2]の⑩及び[3]の⑩の面積の合計　　　㎡≦400㎡		
⑪ 限度面積 ロ 小規模宅地等のうちに4貸付事業用宅地等がある場合	[1]の⑩の面積 165 ㎡×200/330	+ [2]の⑩及び[3]の⑩の面積の合計 ㎡×200/400	+ [4]の⑩の面積 100 ㎡	≦200㎡

(注) 限度面積は、小規模宅地等の種類（「4 貸付事業用宅地等」の選択の有無）に応じて、⑪欄（イ又はロ）により判定を行います。「限度面積要件」を満たす場合に限り、この特例の適用を受けることができます。

※ 税務署整理欄	年分		名簿番号		申告年月日		一連番号	グループ番号	補完

第11・11の2表の付表1（令6.7）

(資4-20-12-3-1-A4統一)

第11・11の2表の付表1（令和6年1月分以降用）

○この申告書は機械で読み取りますので、黒ボールペンで記入してください。

※の項目は記入する必要がありません。

−1052−

第十五章《相続税の申告書等の書き方》

小規模宅地等についての課税価格の計算明細書（別表1）

被相続人　**日本太郎**

第11・11の2表の付表1（別表1）（令和6年1月分以降用）

この計算明細書は、特例の対象として小規模宅地等を選択する一の宅地等（注1）が、次のいずれかに該当する場合に一の宅地等ごとに作成します（注2）。
1　相続又は遺贈により一の宅地等を2人以上の相続人又は受遺者が取得している場合
2　一の宅地等の全部又は一部が、貸家建付地である場合において、貸家建付地の評価額の計算上「賃貸割合」が「1」でない場合
（注）1　一の宅地等とは、一棟の建物又は構築物の敷地をいいます。ただし、マンションなどの区分所有建物の場合には、区分所有された建物の部分に係る敷地をいいます。
　　　2　一の宅地等が、配偶者居住権に基づく敷地利用権又は配偶者居住権の目的となっている建物の敷地の用に供される宅地等である場合には、この計算明細書によらず、第11・11の2表の付表1（別表1の2）を使用してください。

1　一の宅地等の所在地、面積及び評価額

一の宅地等について、宅地等の「所在地」、「面積」及び相続開始の直前における宅地等の利用区分に応じて「面積」及び「評価額」を記入します。
(1)　「①宅地等の面積」欄は、一の宅地等が持分である場合には、持分に応ずる面積を記入してください。
(2)　上記2に該当する場合には、⑪欄については、⑥欄の面積を基に自用地として評価した金額を記入してください。

宅地等の所在地	**○○市○○○3丁目5番16号**	①宅地等の面積	**165** ㎡	
	相続開始の直前における宅地等の利用区分	面積（㎡）	評価額（円）	
A	①のうち被相続人等の事業の用に供されていた宅地等（B、C及びDに該当するものを除きます。）	②	⑧	
B	①のうち特定同族会社の事業（貸付事業を除きます。）の用に供されていた宅地等	③	⑨	
C	①のうち被相続人等の貸付事業の用に供されていた宅地等（相続開始の時において継続的に貸付事業の用に供されていると認められる部分の敷地）	④	⑩	
D	①のうち被相続人等の貸付事業の用に供されていた宅地等（Cに該当する部分以外の部分の敷地）	⑤	⑪	
E	①のうち被相続人等の居住の用に供されていた宅地等	⑥ **165**	⑫ **64,350,000**	
F	①のうちAからEの宅地等に該当しない宅地等	⑦	⑬	

2　一の宅地等の取得者ごとの面積及び評価額

上記のAからFまでの宅地等の「面積」及び「評価額」を、宅地等の取得者ごとに記入します。
(1)　「持分割合」欄は、宅地等の取得者が相続又は遺贈により取得した持分割合を記入します。一の宅地等を1人で取得した場合には、「1/1」と記入します。
(2)　「1　持分に応じた宅地等」は、上記のAからFまでに記入した一の宅地等の「面積」及び「評価額」を「持分割合」を用いてあん分して計算した「面積」及び「評価額」を記入します。
(3)　「2　左記の宅地等のうち選択特例対象宅地等」は、「1　持分に応じた宅地等」に記入した「面積」及び「評価額」のうち、特例の対象として選択する部分を記入します。なお、Bの宅地等の場合は、上段に「特定同族会社事業用宅地等」として選択する部分の、下段に「貸付事業用宅地等」として選択する部分の「面積」及び「評価額」をそれぞれ記入します。
　　　「2　左記の宅地等のうち選択特例対象宅地等」に記入した宅地等の「面積」及び「評価額」は、「申告書第11・11の2表の付表1」の「2小規模宅地等の明細」の「③取得者の持分に応ずる宅地等の面積」欄及び「④取得者の持分に応ずる宅地等の価額」欄に転記します。
(4)　「3　特例の対象とならない宅地等（1−2）」には、「1　持分に応じた宅地等」のうち「2　左記の宅地等のうち選択特例対象宅地等」欄に記入した以外の宅地等について記入します。この欄に記入した「面積」及び「評価額」は、申告書第11表の付表1に転記します。

宅地等の取得者氏名	**日本花子**	⑭持分割合	**1／2**			
	1　持分に応じた宅地等		2　左記の宅地等のうち選択特例対象宅地等		3　特例の対象とならない宅地等（1−2）	
	面積（㎡）	評価額（円）	面積（㎡）	評価額（円）	面積（㎡）	評価額（円）
A	②×⑭	⑧×⑭				
B	③×⑭	⑨×⑭				
C	④×⑭	⑩×⑭				
D	⑤×⑭	⑪×⑭				
E	⑥×⑭ **82.5**	⑫×⑭ **32,175,000**	**82.5**	**32,175,000**		
F	⑦×⑭	⑬×⑭				

宅地等の取得者氏名	**日本一郎**	⑮持分割合	**1／2**			
	1　持分に応じた宅地等		2　左記の宅地等のうち選択特例対象宅地等		3　特例の対象とならない宅地等（1−2）	
	面積（㎡）	評価額（円）	面積（㎡）	評価額（円）	面積（㎡）	評価額（円）
A	②×⑮	⑧×⑮				
B	③×⑮	⑨×⑮				
C	④×⑮	⑩×⑮				
D	⑤×⑮	⑪×⑮				
E	⑥×⑮ **82.5**	⑫×⑮ **32,175,000**	**82.5**	**32,175,000**		
F	⑦×⑮	⑬×⑮				

第11・11の2表の付表1（別表1）（令6.7）

（資4−20−12−3−5−A4統一）

第十五章《相続税の申告書等の書き方》

小規模宅地等についての課税価格の計算明細書（別表1の2） 被相続人

　この計算明細書は、特例の対象として小規模宅地等を選択する一の宅地等（注）が配偶者居住権の目的となっている建物の敷地の用に供される宅地等（以下「居住建物の敷地の用に供される土地」といいます。）又はその宅地等を配偶者居住権に基づき使用する権利（以下「配偶者居住権に基づく敷地利用権」といいます。）の全部又は一部である場合に作成します。
　なお、この計算明細書の書きかた等については、裏面をご覧ください。
（注）　一の宅地等とは、一棟の建物又は構築物の敷地をいいます。ただし、マンションなどの区分所有建物の場合には、区分所有された建物の部分に係る敷地をいいます。

1　一の宅地等の所在地、面積及び評価額

宅地等の所在地			①宅地等の面積		㎡

相続開始の直前における宅地等の利用区分		面積（㎡）	評価額（円）	
			配偶者居住権に基づく敷地利用権	居住建物の敷地の用に供される土地
A	①のうち被相続人等の事業の用に供されていた宅地等（B、C及びDに該当するものを除きます。）	②	⑧	⑭
B	①のうち特定同族会社の事業（貸付事業を除きます。）の用に供されていた宅地等	③	⑨（1次相続の場合は0としてください。）	⑮
C	①のうち被相続人等の貸付事業の用に供されていた宅地等（相続開始の時において継続的に貸付事業の用に供されていると認められる部分の敷地）	④	⑩（1次相続の場合は0としてください。）	⑯
D	①のうち被相続人等の貸付事業の用に供されていた宅地等（Cに該当する部分以外の部分の敷地）	⑤	⑪	⑰
E	①のうち被相続人等の居住の用に供されていた宅地等	⑥	⑫	⑱
F	①のうちAからEの宅地等に該当しない宅地等	⑦	⑬	⑲

2　一の宅地等の取得者ごとの面積及び評価額

ⅰ　配偶者居住権に基づく敷地利用権の取得者氏名

	1　利用区分に応じた宅地等		2　左記の宅地等のうち選択特例対象宅地等		3　特例の対象とならない宅地等（1−2）	
	面積（㎡）	評価額（円）	面積（㎡）	評価額（円）	面積（㎡）	評価額（円）
A	$②×\frac{⑧}{⑧+⑭}$	⑧				
B	$③×\frac{⑨}{⑨+⑮}$	⑨				
C	$④×\frac{⑩}{⑩+⑯}$	⑩				
D	$⑤×\frac{⑪}{⑪+⑰}$	⑪				
E	$⑥×\frac{⑫}{⑫+⑱}$	⑫				
F	$⑦×\frac{⑬}{⑬+⑲}$	⑬				

ⅱ　居住建物の敷地の用に供される土地の取得者氏名　　　⑳持分割合

	1　持分に応じた宅地等		2　左記の宅地等のうち選択特例対象宅地等		3　特例の対象とならない宅地等（1−2）	
	面積（㎡）	評価額（円）	面積（㎡）	評価額（円）	面積（㎡）	評価額（円）
A	$②×\frac{⑭}{⑧+⑭}×⑳$	⑭×⑳				
B	$③×\frac{⑮}{⑨+⑮}×⑳$	⑮×⑳				
C	$④×\frac{⑯}{⑩+⑯}×⑳$	⑯×⑳				
D	$⑤×\frac{⑰}{⑪+⑰}×⑳$	⑰×⑳				
E	$⑥×\frac{⑱}{⑫+⑱}×⑳$	⑱×⑳				
F	$⑦×\frac{⑲}{⑬+⑲}×⑳$	⑲×⑳				

ⅲ　居住建物の敷地の用に供される土地の取得者氏名　　　㉑持分割合

	1　持分に応じた宅地等		2　左記の宅地等のうち選択特例対象宅地等		3　特例の対象とならない宅地等（1−2）	
	面積（㎡）	評価額（円）	面積（㎡）	評価額（円）	面積（㎡）	評価額（円）
A	$②×\frac{⑭}{⑧+⑭}×㉑$	⑭×㉑				
B	$③×\frac{⑮}{⑨+⑮}×㉑$	⑮×㉑				
C	$④×\frac{⑯}{⑩+⑯}×㉑$	⑯×㉑				
D	$⑤×\frac{⑰}{⑪+⑰}×㉑$	⑰×㉑				
E	$⑥×\frac{⑱}{⑫+⑱}×㉑$	⑱×㉑				
F	$⑦×\frac{⑲}{⑬+⑲}×㉑$	⑲×㉑				

第11・11の2表の付表1（別表1の2）（令6.7）

（資4−20−12−3−9−A4統一）

第十五章《相続税の申告書等の書き方》

特定事業用宅地等についての事業規模の判定明細

被相続人 [　　　　　　　]

○ この表は、特定事業用宅地等として小規模宅地等の特例（租税特別措置法第69条の4第1項）の適用を受けようとする宅地等のうちに特定宅地等（相続開始前3年以内に新たに被相続人等[注1]の事業[注2]の用に供されたものをいいます。以下同じです。）[注3]が含まれる場合に、その特定宅地等に係る事業が租税特別措置法施行令第40条の2第8項に規定する規模以上のものであることを判定するために使用します。
○ 特定宅地等が複数ある場合には、特定宅地等ごとに作成します。
(注) 1 被相続人又はその被相続人と生計を一にしていたその被相続人の親族をいいます。
　　　 2 租税特別措置法第69条の4第3項第1号に規定する事業をいいます。
　　　 3 平成31年3月31日以前に新たに被相続人等の事業の用に供された宅地等は、特定宅地等には含まれません。

1 相続開始前3年以内に新たに被相続人等の事業の用に供された宅地等の明細
(注) 「②①の宅地等の面積」欄は、その宅地等が数人の共有に属していた場合には、被相続人が有していた持分に応ずる面積を記入してください。

①特定宅地等を含む一の宅地等の所在地			②①の宅地等の面積	㎡
③事業主宰者の氏名		被相続人・生計一親族（いずれかに○）	④③に係る特定宅地等に係る事業内容	

	相続開始の直前における宅地等の利用区分	面積（㎡）	相続開始時の価額（円）
⑤	②のうち④の事業の用に供されていた宅地等		
⑥	⑤のうち相続開始前3年以内に新たに事業の用に供された宅地等（特定宅地等）[事業の用に供された日：平成・令和　　年　　月　　日]		A

2 1④の事業の用に供されていた減価償却資産の明細等
(注) 1 記入の対象となる減価償却資産は、1④の事業の用に供されていた次に掲げるもののうち1③の事業主宰者が有していたものに限ります。
　　　⑴ 1⑥の宅地等の上に存する建物（その附属設備を含む。）又は構築物
　　　⑵ 所得税法第2条第1項第19号に規定する減価償却資産で1⑥の宅地等の上で行われる1④の事業に係る業務の用に供されていたもの（⑴を除きます。）
　　　2 「①相続開始時における価額」欄は、減価償却資産が数人の共有に属していた場合には、1③の事業主宰者が有していた持分に応ずる価額を記入してください。
　　　3 「②事業専用割合」欄は、減価償却資産のうちに1④の事業の用以外の用に供されていた部分がある場合には、1④の事業の用に供されていた部分の割合を記入してください（それ以外の場合には、「$\frac{1}{1}$」と記入してください。）。

種類	細目	利用区分等	所在場所等	面積、数量単価 固定資産税評価額 倍数		①相続開始時における価額	②事業専用割合	③（①×②）
						円	—	円
							—	
							—	
							—	
							—	
							—	
							—	
					計	B		

3 1④の事業が租税特別措置法施行令第40条の2第8項に規定する規模以上の事業であることの判定

(B_____円 ÷ A_____円)×100 ＝ [　　　　．　　　%] ◄ 15%未満になった場合には、1⑥については特例適用不可

第11・11の2表の付表1（別表2）（令6.7）　　　　　　　　　　　　　　（資4－20－12－3－8－A4統一）

第十五章《相続税の申告書等の書き方》

小規模宅地等の特例、特定計画山林の特例又は個人の事業用資産の納税猶予の適用にあたっての同意及び特定計画山林についての課税価格の計算明細書

被相続人 _____

第11・11の2表の付表2 (令和2年4月分以降用)

1 特例の適用にあたっての同意

　この表は、被相続人から相続、遺贈又は相続時精算課税に係る贈与により取得した財産のうちに、①「小規模宅地等の特例」の対象となり得る宅地等及び「個人の事業用資産の納税猶予」の対象となり得る宅地等その他一定の財産がある場合、又は②「特定計画山林の特例」の対象となり得る山林がある場合に記入します。

　なお、「特定事業用資産の特例」の対象となり得る財産がある場合（「個人の事業用資産の納税猶予」の対象となり得る宅地等その他一定の財産がある場合を除きます。）には、第11・11の2表の付表2の2を作成します（この場合には、この表の記入を要しません。）。

(1) 特例の適用にあたっての同意

　(注)　「小規模宅地等の特例」若しくは「特定計画山林の特例」の対象となり得る財産又は「個人の事業用資産の納税猶予」の対象となり得る宅地等その他一定の財産を取得した全ての人の同意が必要です。

	特例の対象となり得る財産を取得した全ての人の氏名
私（私たち）は下記の「(2) 特例の適用を受ける財産の明細」の①から③までの明細において選択した財産の全てが、租税特別措置法第69条の4第1項に規定する小規模宅地等、同法第69条の5第1項に規定する選択特定計画山林又は同法第70条の6の10第1項に規定する特例事業用資産のうち同条第2項第1号イに掲げるものに該当することを確認の上、その財産の取得者が同法第69条の4第1項、第69条の5第1項又は第70条の6の10第1項に規定する特例の適用を受けることに同意します。	

(2) 特例の適用を受ける財産の明細

　(注)　特例の適用を受ける財産の明細の番号を○で囲んでください。

① 小規模宅地等の明細
　第11・11の2表の付表1の「2 小規模宅地等の明細」のとおり。
② 特定（受贈）森林経営計画対象山林である選択特定計画山林の明細
　第11・11の2表の付表4の「1 特定森林経営計画対象山林である選択特定計画山林の明細」又は「2 特定受贈森林経営計画対象山林である選択特定計画山林の明細」のとおり。
③ 特例事業用資産のうち租税特別措置法第70条の6の10第2項第1号イに掲げるものの明細
　第8の6表の付表3の「2 この特例の適用を受ける宅地等に係る限度面積の判定」の(2)及び(3)のとおり。

2 特定計画山林の特例の対象となる特定計画山林等の調整限度額の計算

　この表は、「特定計画山林の特例」を適用し、かつ、「小規模宅地等の特例」又は「個人の事業用資産の納税猶予」を適用する場合に記入します。

　なお、「特定事業用資産の特例」の適用を受ける場合の「特定計画山林の対象となる特定（受贈）森林経営計画対象山林の調整限度額等の計算」については、第11・11の2表の付表2の2で計算します。

(1) 小規模宅地等の特例及び個人の事業用資産の納税猶予の適用を受ける面積

① 限度面積	② 小規模宅地等の特例等の適用を受ける面積（裏面2参照）	③ 特例適用残面積（①－②）
200㎡	㎡	㎡

(2) 特定計画山林の特例の対象となる特定（受贈）森林経営計画対象山林の調整限度額等の計算

④ 特定計画山林の特例の対象として選択することのできる特定（受贈）森林経営計画対象山林である立木又は土地等の価額の合計額	⑤ 特例の対象となる特定（受贈）森林経営計画対象山林の調整限度額（④×③/①）	⑥ ⑤のうち特例の適用を受ける価額（第11・11の2表の付表4の「3 特定（受贈）森林経営計画対象山林である選択特定計画山林の価額の合計額」の「A＋B」欄の金額）	
円	円	円	

　(注)　③欄が0となる場合には、特定（受贈）森林経営計画対象山林について特定計画山林の特例の適用を受けることはできません。

第11・11の2表の付表2 (令6.7)　　　　　　　　　　　　　　　　　　　　（資4－20－12－3－6－A4統一）

－1056－

第十五章《相続税の申告書等の書き方》

特定事業用資産等についての課税価格の計算明細書

被相続人

第11・11の２表の付表２の２（平成31年１月分以降用）

この表は、被相続人から相続、遺贈又は相続時精算課税に係る贈与により取得した財産のうちに、「特定事業用資産の特例」の対象となり得る財産がある場合に記入します（裏面1参照）。

1 特例の適用にあたっての同意

（注）「小規模宅地等の特例」、「特定計画山林の特例」又は「特定事業用資産の特例」の対象となり得る財産を取得した全ての人の同意が必要です。

私（私たち）は下記の「2 特例の適用を受ける財産の明細」の(1)から(3)までの明細において選択した財産の全てが、租税特別措置法第69条の４第１項に規定する小規模宅地等、同法第69条の５第１項に規定する選択特定計画山林又は旧租税特別措置法第69条の５第１項に規定する選択特定事業用資産に該当することを確認の上、その財産の取得者が租税特別措置法第69条の４第１項、第69条の５第１項又は旧租税特別措置法第69条の５第１項に規定する特例の適用を受けることに同意します。	特例の対象となり得る財産を取得した全ての人の氏名

2 特例の適用を受ける財産の明細

（注）特例の適用を受ける財産の明細の番号を○で囲んでください。

(1) 小規模宅地等の明細
　　第11・11の２表の付表１の「2 小規模宅地等の明細」のとおり。
(2) 特定受贈同族会社株式等である選択特定事業用資産の明細
　　第11・11の２表の付表３のとおり。
(3) 特定（受贈）森林経営計画対象山林である選択特定計画山林の明細
　　第11・11の２表の付表４の「1 特定森林経営計画対象山林である選択特定計画山林の明細」又は「2 特定受贈森林経営計画対象山林である選択特定計画山林の明細」のとおり。

3 特定計画山林の特例の対象となる特定計画山林等の調整限度額の計算

この欄は、「特定事業用資産の特例」を適用し、かつ、「小規模宅地等の特例」又は「特定計画山林の特例」を適用する場合に記入します。

(1) 小規模宅地等の特例の適用を受ける面積

	① 限度面積	② 特例の適用を受ける面積（裏面2参照）	③ 特例適用残面積（①－②）
	400㎡	㎡	㎡

(2) 特定事業用資産の特例の対象となる特定受贈同族会社株式等の調整限度額等の計算

④ 特定事業用資産の特例の対象として選択することのできる特定受贈同族会社株式等に係る各法人の株式（出資）の時価総額の等に相当する金額の合計額 ※ 10億円を超える場合は10億円となります。	⑤ 特例の対象となる特定受贈同族会社株式等の調整限度額 $(④×\dfrac{③}{①})$	⑥ ⑤のうち特例の適用を受ける価額（第11・11の２表の付表３の特定受贈同族会社株式等である選択特定事業用資産の価額の合計額（⑧欄の金額））	⑦ 特例適用残価額（⑤－⑥）
円	円	円	円

（注）1 ③欄が０となる場合には、特定受贈同族会社株式等について特定事業用資産の特例の適用を受けることはできません。
　　　2 小規模宅地等の特例の適用がない場合には、⑤欄には④欄の金額を転記します。
　　　3 被相続人が生前に特定受贈同族会社株式等の贈与をしている場合の④欄の金額については、税務署にお尋ねください。

(3) 特定計画山林の特例の対象となる特定（受贈）森林経営計画対象山林の調整限度額等の計算

⑧ 特定計画山林の特例の対象として選択することのできる特定（受贈）森林経営計画対象山林である立木又は土地等の価額の合計額	⑨ 特例の対象となる特定（受贈）森林経営計画対象山林の調整限度額 $(⑧×\dfrac{⑦}{④})$	⑩ ⑨のうち特例の適用を受ける価額（第11・11の２表の付表４の「3 特定（受贈）森林経営計画対象山林である選択特定計画山林の価額の合計額」の「Ａ＋Ｂ」欄の金額）	
円	円	円	

（注）③欄が０となる場合又は⑦欄が０となる場合には、特定（受贈）森林経営計画対象山林について特定計画山林の特例の適用を受けることはできません。

第11・11の２表の付表２の２（令6.7）　　　　　　　　　　　　　　　　　　　　（資４−20−12−３−７−Ａ４統一）

第十五章《相続税の申告書等の書き方》

債務及び葬式費用の明細書

被相続人　**日　本　太　郎**

第13表（令和2年4月分以降用）

1　債務の明細

この表は、被相続人の債務について、その明細と負担する人の氏名及び金額を記入します。
なお、特別寄与者に対し相続人が支払う特別寄与料についても、これに準じて記入します。

債務の明細						負担することが確定した債務	
種類	細目	債権者		発生年月日	金額	負担する人の氏名	負担する金額
		氏名又は名称	住所又は所在地	弁済期限			
公租公課	6年度分固定資産税	○○市役所		6・1・1　・・	345,900 円	日本一郎	345,900 円
〃	〃	○○税事務所		6・1・1　・・	250,800	〃	250,800
〃	〃	○○町役場		6・1・1　・・	4,800	〃	4,800
〃	6年分所得税（準確定申告）	○○税務署		6・5・10　・・	310,800	〃	310,800
〃	6年度分住民税	○○市役所		6・1・1　・・	510,700	〃	510,700
銀行借入金	証書借入れ	○○銀行○○支店	○○市○○○丁目○番○号	27・4・15　7・4・15	22,633,340	〃	22,633,340
合計					24,056,340		

2　葬式費用の明細

この表は、被相続人の葬式に要した費用について、その明細と負担する人の氏名及び金額を記入します。

葬式費用の明細					負担することが確定した葬式費用	
支払先		支払年月日	金額		負担する人の氏名	負担する金額
氏名又は名称	住所又は所在地					
○○寺	○○市○○×丁目×番×号	6・5・12	1,500,000 円		日本花子	1,500,000 円
○○タクシー	○○市○○×丁目×番×号	6・5・12	150,600		〃	150,600
○○商店	○○市○○×丁目×番×号	6・5・12	100,900		〃	100,900
○○酒店	○○市○○×丁目×番×号	6・5・12	20,300		〃	20,300
○○葬儀社	○○市○○×丁目×番×号	6・5・12	1,500,000		〃	1,500,000
その他	（別紙のとおり）	・・	87,800		〃	87,800
合計			3,359,600			

3　債務及び葬式費用の合計額

債務などを承継した人の氏名			（各人の合計）	日本花子	日本一郎		
債務	負担することが確定した債務	①	24,056,340 円		24,056,340 円	円	円
	負担することが確定していない債務	②					
	計（①+②）	③	24,056,340		24,056,340		
葬式費用	負担することが確定した葬式費用	④	3,359,600	3,359,600			
	負担することが確定していない葬式費用	⑤					
	計（④+⑤）	⑥	3,359,600	3,359,600			
合計	計（③+⑥）	⑦	27,415,940	3,359,600	24,056,340		

（注）　1　各人の⑦欄の金額を第1表のその人の「債務及び葬式費用の金額③」欄に転記します。
　　　　2　③、⑥及び⑦欄の金額を第15表の㉝、㉞及び㉟欄にそれぞれ転記します。

第13表（令6.7）

（資4−20−14−A4統一）

−1058−

第十五章《相続税の申告書等の書き方》

純資産価額に加算される暦年課税分の
贈与財産価額及び特定贈与財産価額
出資持分の定めのない法人などに遺贈した財産
特定の公益法人などに寄附した相続財産・
特定公益信託のために支出した相続財産

の明細書

被相続人 **日本太郎**

第14表（令和5年4月分以降用）

1　純資産価額に加算される暦年課税分の贈与財産価額及び特定贈与財産価額の明細

この表は、相続、遺贈や相続時精算課税に係る贈与によって財産を取得した人 (注) が、その相続開始前3年以内に被相続人から暦年課税に係る贈与によって取得した財産がある場合に記入します。

(注)　被相続人から租税特別措置法第70条の2の2第12項第1号（（直系尊属から教育資金の一括贈与を受けた場合の贈与税の非課税））に規定する管理残額及び同法第70条の2の3第12項第2号（（直系尊属から結婚・子育て資金の一括贈与を受けた場合の贈与税の非課税））に規定する管理残額以外の財産を取得しなかった人（その人が被相続人から相続時精算課税に係る贈与によって財産を取得している場合を除きます。）は除きます。

番号	贈与を受けた人の氏名	贈与年月日	相続開始前3年以内に暦年課税に係る贈与を受けた財産の明細					②①の価額のうち特定贈与財産の価額	③相続税の課税価格に加算される価額（①－②）
			種類	細目	所在場所等	数量	①価額		
1	日本花子	6・1・11	土地	宅地	○○市○○ 3丁目5番16号	50.00㎡	19,500,000 円	19,500,000 円	円
2	〃	4・6・2	現金預貯金	現金	〃	〃	1,000,000		1,000,000
3	久保和子	3・10・3	〃	〃	〃	〃	2,000,000		2,000,000
4		・・							

贈与を受けた人ごとの③欄の合計額	氏　名	（各人の合計）	日本花子	久保和子		
	④金額	3,000,000 円	1,000,000 円	2,000,000 円	円	円

上記「②」欄において、相続開始の年に被相続人から贈与によって取得した居住用不動産や金銭の全部又は一部を特定贈与財産としている場合には、次の事項について、「（受贈配偶者）」及び「（受贈財産の番号）」の欄に所定の記入をすることにより確認します。

（受贈配偶者）　　　　　　　　　　　　　　　（受贈財産の番号）

私　**日本花子**　は、相続開始の年に被相続人から贈与によって取得した上記　**1**　の特定贈与財産の価額については贈与税の課税価格に算入します。

なお、私は、相続開始の年の前年以前に被相続人からの贈与について相続税法第21条の6第1項の規定の適用を受けていません。

(注)　④欄の金額を第1表のその人の「純資産価額に加算される暦年課税分の贈与財産価額⑤」欄及び第15表の㉗欄にそれぞれ転記します。

2　出資持分の定めのない法人などに遺贈した財産の明細

この表は、被相続人が人格のない社団又は財団や学校法人、社会福祉法人、宗教法人などの出資持分の定めのない法人に遺贈した財産のうち、相続税がかからないものの明細を記入します。

遺贈した財産の明細					出資持分の定めのない法人などの所在地、名称
種　類	細　目	所　在　場　所　等	数　量	価　額	
				円	
		合　　　計			

3　特定の公益法人などに寄附した相続財産又は特定公益信託のために支出した相続財産の明細

私は、下記に掲げる相続財産を、相続税の申告期限までに、

(1)　国、地方公共団体又は租税特別措置法施行令第40条の3に規定する法人に対して寄附をしましたので、租税特別措置法第70条第1項の規定の適用を受けます。

(2)　租税特別措置法施行令第40条の4第3項の要件に該当する特定公益信託の信託財産とするために支出しましたので、租税特別措置法第70条第3項の規定の適用を受けます。

(3)　特定非営利活動促進法第2条第3項に規定する認定特定非営利活動法人に対して寄附をしましたので、租税特別措置法第70条第10項の規定の適用を受けます。

寄附（支出）年月日	寄附（支出）した財産の明細					公益法人等の所在地・名称（公益信託の受託者及び名称）	寄附（支出）をした相続人等の氏名
	種　類	細　目	所　在　場　所　等	数　量	価　額		
6・10・5	現金預貯金	現金	○○市○○ 3丁目5番16号		2,000,000 円	日本赤十字社	日本花子
・・							
			合　　　計		2,000,000		

(注)　この特例の適用を受ける場合には、期限内申告書に一定の受領書、証明書類等の添付が必要です。

第14表（令6.7）

(資4－20－15－A4統一)

第十五章《相続税の申告書等の書き方》

相続財産の種類別価額表 （この表は、第11表の付表1から第14表までの記載に基づいて記入します。）

（単位は円）　被相続人　**日本太郎**　　FD3539

第15表（令和6年1月分以降用）

○この申告書は機械で読み取りますので、黒ボールペンで記入してください。

種類	細目	番号	各人の合計（被相続人）	（氏名）日本花子
※	整理番号			
土地（土地の上に存する権利を含みます。）	田	①		
	畑	②		
	宅地	③	131403960	100696000
	山林	④	3617100	
	その他の土地	⑤		
	計	⑥	135021060	100696000
	③のうち配偶者居住権に基づく敷地利用権	⑦		
⑥のうち特例農地等	通常価額	⑧		
	農業投資価格による価額	⑨		
家屋等		⑩	22559690	12231050
	⑩のうち配偶者居住権	⑪		
事業（農業）用財産	機械、器具、農耕具、その他の減価償却資産	⑫		
	商品、製品、半製品、原材料、農産物等	⑬		
	売掛金	⑭		
	その他の財産	⑮		
	計	⑯		
有価証券	特定同族会社の株式及び出資 配当還元方式によったもの	⑰	50000	50000
	その他の方式によったもの	⑱	690000000	690000000
	⑰及び⑱以外の株式及び出資	⑲	31085000	7830000
	公債及び社債	⑳	6590700	
	証券投資信託、貸付信託の受益証券	㉑	6902700	
	計	㉒	113628400	76880000
現金、預貯金等		㉓	99456643	26588600
家庭用財産		㉔	2500000	2500000
その他の財産	生命保険金等	㉕	60397608	
	退職手当金等	㉖	30000000	30000000
	立木	㉗	2500000	
	その他	㉘	32250700	7750700
	計	㉙	125226358	37750700
合計（⑥＋⑩＋⑯＋㉒＋㉓＋㉔＋㉙）		㉚	495220291	256646350
相続時精算課税適用財産の価額		㉛	24626035	
不動産等の価額（⑥＋⑩＋⑰＋⑱＋㉗）		㉜	229208800	181977050
債務等	債務	㉝	24056340	
	葬式費用	㉞	3359600	3359600
	合計（㉝＋㉞）	㉟	27415940	3359600
差引純資産価額（㉚＋㉛－㉟）（赤字のときは0）		㊱	495620246	253286750
純資産価額に加算される暦年課税分の贈与財産価額		㊲	3000000	1000000
課税価格（㊱＋㊲）（1,000円未満切捨て）		㊳	498620000	254286000

※の項目は記入する必要がありません。

※税務署整理欄	申告区分	年分		名簿番号		申告年月日			グループ番号	

第15表（令6.7）　　　　　　　　　　　　　　　　　　　　　　　（資4-20-16-1-A4統一）

（注）　上記の申告書第15表及び次ページ以下の第15表（続）は、OCR用の申告書です。

第十五章《相続税の申告書等の書き方》

相続財産の種類別価額表（続）（この表は、第11表の付表1から第14表までの記載に基づいて記入します。）

（単位は円）

FD3540

被相続人（氏名） 日本太郎

○この申告書は機械で読み取りますので、黒ボールペンで記入してください。

種類	細目	番号	日本一郎	久保和子
※	整理番号			
土地（土地の上に存する権利を含みます。）	田	①		
	畑	②		
	宅地	③	6435000	24272960
	山林	④	3617100	
	その他の土地	⑤		
	計	⑥	10052100	24272960
	③のうち配偶者居住権に基づく敷地利用権	⑦		
⑥のうち特例農地等	通常価額	⑧		
	農業投資価格による価額	⑨		
家屋等		⑩		10328640
	⑩のうち配偶者居住権	⑪		
事業（農業）用財産	機械、器具、農耕具、その他の減価償却資産	⑫		
	商品、製品、半製品、原材料、農産物等	⑬		
	売掛金	⑭		
	その他の財産	⑮		
	計	⑯		
有価証券	特定同族会社の株式及び出資 配当還元方式によったもの	⑰		
	その他の方式によったもの	⑱		
	⑰及び⑱以外の株式及び出資	⑲	9155000	14100000
	公債及び社債	⑳		6590700
	証券投資信託、貸付信託の受益証券	㉑	5240700	1662000
	計	㉒	14395700	22352700
現金、預貯金等		㉓	41790611	31077432
家庭用財産		㉔		
その他の財産	生命保険金等	㉕	35750657	24646951
	退職手当金等	㉖		
	立木	㉗	2578050	
	その他	㉘	24500000	
	計	㉙	62828707	24646951
合計 （⑥＋⑩＋⑯＋㉒＋㉓＋㉔＋㉙）		㉚	129063118	112678683
相続時精算課税適用財産の価額		㉛	24626035	
不動産等の価額 （⑥＋⑩＋⑫＋⑰＋⑱＋㉗）		㉜	12630150	34601600
債務等	債務	㉝	24056340	
	葬式費用	㉞		
	合計 （㉝＋㉞）	㉟	24056340	
差引純資産価額 （㉚＋㉛－㉟） （赤字のときは0）		㊱	129636813	112678683
純資産価額に加算される暦年課税分の贈与財産価額		㊲		2000000
課税価格 （㊱＋㊲） （1,000円未満切捨て）		㊳	129636000	114678000

※の項目は記入する必要がありません。

※税務署整理欄	申告区分	年	分		名簿番号		申告年月日		グループ番号	

第15表（続）（令6.7）

（資4-20-16-2-A4統一）

第15表（続）（令和6年1月分以降用）

－1061－

第十五章《相続税の申告書等の書き方》

代替農地等の取得又は都市営農農地等該当に関する承認申請書
（納税猶予事案用）

令和＿＿＿年＿＿＿月＿＿＿日提出

※欄は記入しないでください。

税務署受付印

＿＿＿＿＿＿＿税務署長

〒
住　所　＿＿＿＿＿＿＿＿＿＿＿＿＿＿＿＿＿＿
申請者
氏　名　＿＿＿＿＿＿＿＿＿＿＿＿＿＿＿＿＿＿
（電話番号　　　　－　　　　－　　　　）

租税特別措置法施行令 第40条の6第36項 第40条の7第38項 の規定により 贈与税 相続税 の納税猶予の適用に係る 代替農地等の取得価額の見積額等 都市営農農地等該当見込み等 に関する承認申請をいたします。

買取りの申出等に係る農地又は採草放牧地の明細	農地等の所在地				計
	農地等の地目等、面積	㎡	㎡	㎡	
	贈与を受けた 相続（遺贈）のあった 年月日	年　月　日	年　月　日	年　月　日	
	贈与 相続（遺贈） の時の価額	円	円	円	円
	農業投資価格	円	円	円	円
	農業投資価格超過額	円	円	円	円
	買取りの申出等の内容				
	買取りの申出等の年月日	令和　年　月　日	令和　年　月　日	令和　年　月　日	
譲渡等及び取得見込みの明細の農地又は採草放牧地	譲渡等の予定年月日	令和　年　月　日	令和　年　月　日	令和　年　月　日	
	譲渡等の対価の見積額	円	円	円	円
	取得する農地又は採草放牧地の所在地				
	農地等の地目、面積	㎡	㎡	㎡	
	取得予定年月日	令和　年　月　日	令和　年　月　日	令和　年　月　日	
	取得対価の見積額	円	円	円	円
都市営農農地等該当の農地の明細	都市営農農地等該当予定日	令和　年　月　日	令和　年　月　日	令和　年　月　日	
	都市営農農地等該当見込の農地又は採草放牧地の所在地				
	農地等の地目、面積	㎡	㎡	㎡	

（注）　農地等とは、農地若しくは採草放牧地又は準農地をいいます。

関与税理士		電話番号	

※	通信日付印の年月日	（確　認）	整理簿番号
	年　月　日		

（資12-35-1-A4統一）　　（令3.3）

（※様式は変更される場合がありますのでご注意ください。）

－1062－

第十五章《相続税の申告書等の書き方》

買取りの申出等に伴う代替農地等の取得価額等に関する明細書

（税務署受付印）

＿＿＿＿＿＿税務署長

令和＿＿年＿＿月＿＿日

〒
住　所＿＿＿＿＿＿＿＿＿＿＿＿＿＿＿

氏　名＿＿＿＿＿＿＿＿＿＿＿＿＿＿＿
（電話番号　　　　－　　　　－　　　　）

※欄は記入しないでください。

租税特別措置法施行規則　第23条の7第25項／第23条の8第20項　に規定する代替農地等の取得価額等は、次のとおりです。

譲渡等をした特例農地等の明細	農 地 等 の 所 在 地				
	農 地 等 の 地 目				
	農 地 等 の 面 積	①	㎡	㎡	㎡
	買取りの申出等の内容				
	買取りの申出等の年月日		令和　年　月　日	令和　年　月　日	令和　年　月　日
	譲 渡 等 の 年 月 日		令和　年　月　日	令和　年　月　日	令和　年　月　日
	譲 渡 等 の 態 様				
	譲 渡 の 対 価 の 額	②	円	円	円
	贈 与 価 額農業投資価格超過額	③	円	円	円
取得した農地又は採草放牧地の明細	農 地 等 の 所 在 地				
	地 目 等				
	面 積	④	㎡	㎡	㎡
	農地法の規定による許可又は届出の受理年月日		令和　年　月　日　許可／届出	令和　年　月　日　許可／届出	令和　年　月　日　許可／届出
	取 得 の 態 様				
	取 得 年 月 日		令和　年　月　日	令和　年　月　日	令和　年　月　日
	取 得 価 額	⑤	円	円	円
	買入先　住所又は所在地				
	氏名又は名称				
買取りの申出等があった部分のうち買い取られた部分	① × $\dfrac{②-⑤}{②}$	⑥	㎡	㎡	㎡
	③ × $\dfrac{②-⑤}{②}$	⑦	円	円	円
買取りの申出等があった部分のうち買い取られなかった部分	①× $\dfrac{⑤}{②}$ （1を超えるときは1とする。）	⑧	㎡	㎡	㎡
	③× $\dfrac{⑤}{②}$ （1を超えるときは1とする。）	⑨	円	円	円

関 与 税 理 士		電 話 番 号	

※	検　算	整理簿番号

（資12－36－A4統一）　　　（令3.3）

第十五章《相続税の申告書等の書き方》

都市営農農地等該当に関する明細書

令和＿＿年＿＿月＿＿日

※欄は記入しないでください。

＿＿＿＿＿＿＿＿＿税務署長

〒
住　所＿＿＿＿＿＿＿＿＿＿＿＿＿＿＿

氏　名＿＿＿＿＿＿＿＿＿＿＿＿＿＿＿
（電話番号　　　　　－　　　　－　　　　）

租税特別措置法施行規則 第23条の7第26項　に規定する特定市街化区域農地等に係る農地又は採草放牧地の都市営農
第23条の8第21項

農地等該当に関する明細は、次のとおりです。

告示又は採草放牧地の明細に係る農地	農地等の所在地				
	農地等の地目				
	農地等の面積	①	㎡	㎡	㎡
	告示又は事由の内容				
	告示又は事由が生じた年月日		令和　年　月　日	令和　年　月　日	令和　年　月　日
	贈　与　価　額　農業投資価格超過額	②	円	円	円
該当するに関する明細	都市営農農地等に該当した日		令和　年　月　日	令和　年　月　日	令和　年　月　日
	該当した農地等の面積	③	㎡	㎡	㎡
買取等がされあるのっ部申た分出と	（①－③）の面積	④	㎡	㎡	㎡
	② × $\dfrac{①－③}{①}$	⑤	円	円	円
買取等とがされりなのかる申っ部出た分	③　の　面　積	⑥	㎡	㎡	㎡
	② × $\dfrac{③}{①}$	⑦	円	円	円

（注）　特定市街化区域農地等に係る農地又は採草放牧地が都市営農農地等に該当したことを証する市長、区長の
　　　証明書が必要となります。

関与税理士		電話番号	

※	検　算	整理簿番号

（資12－37－A4統一）　（令3.3）

第十五章《相続税の申告書等の書き方》

相 続 税 延 納 申 請 書

税務署
収受印

税務署長殿　　　　　　　　　（〒　　　　）

令和　年　月　日　　　　　　住　所＿＿＿＿＿＿＿＿＿＿＿＿

フリガナ
氏　名

| 法人番号 | | | | | | | | | | | | |

職　業＿＿＿＿＿＿＿　電　話＿＿＿＿＿

下記のとおり相続税の延納を申請します。

記

1　延納申請税額

	円
① 納 付 す べ き 相 続 税 額	
② ①のうち 物納申請税額	
③ ①のうち納税猶予 をする税額	
④ 差　　　引 （①－②－③）	
⑤ ④のうち現金で 納付する税額	
⑥ 延納申請税額 （④－⑤）	

2　金銭で納付することを困難とする理由

別紙「金銭納付を困難とする理由書」のとおり。

3　不動産等の割合

区　分	課税相続財産の価額 ③の税額がある場合には 農業投資価格等によります。	割　合
割合の判定	立 木 の 価 額 ⑦	⑩（⑦／⑨）（端数処理不要） 0.
	不動産等（⑦を 含む。）の価額 ⑧	⑪（⑧／⑨）（端数処理不要） 0.
	全体の課税相続 財産の価額 ⑨	
割合の計算	立 木 の 価 額 ⑫（千円未満の端数切捨て） ,000	⑮（小数点第三位未満切り上げ）（⑫／⑭） 0.
	不動産等（⑦を 含む。）の価額 ⑬（千円未満の端数切捨て） ,000	⑯（小数点第三位未満切り上げ）（⑬／⑭） 0.
	全体の課税相続 財産の価額 ⑭（千円未満の端数切捨て） ,000	

作成税理士
署名・事務所所在地・電話番号

4　延納申請税額の内訳

			5 延納申請年数	6 利子税の割合
不動産等の 割合（⑪） が75%以上 の場合	不動産等に係る 延納相続税額 ［④×⑯と⑥とのいず れか少ない方の金額］	⑰（100円未満端数切り上げ） 0 0	（最高） 20年以内	3.6
	動産等に係る 延納相続税額 （⑥－⑰）	⑱	（最高） 10年以内	5.4
不動産等の 割合（⑪） が50%以上 75%未満 の場合	不動産等に係る 延納相続税額 ［④×⑯と⑥とのいず れか少ない方の金額］	⑲（100円未満端数切り上げ） 0 0	（最高） 15年以内	3.6
	動産等に係る 延納相続税額 （⑥－⑲）	⑳	（最高） 10年以内	5.4
不動産等の 割合（⑪） が50%未満 の場合	立 木 に 係 る 延納相続税額 ［④×⑮と⑥とのいず れか少ない方の金額］	㉑（100円未満端数切り上げ） 0 0	（最高） 5年以内	4.8
	その他の財産に係る 延納相続税額 （⑥－㉑）	㉒	（最高） 5年以内	6.0

7　不動産等の財産の明細　　別紙不動産等の財産の明細書のとおり

8　担　　保　　　　　　　別紙目録のとおり

税務署 整理欄	郵 送 等 年 月 日 令和　年　月　日	担当者印

－1065－

第十五章《相続税の申告書等の書き方》

9　分納税額、分納期限及び分納税額の計算の明細

㉓ 期　　間	分　納　期　限	延納相続税額の分納税額 〔1,000円未満の端数が生ずる場合には 端数金額は第1回に含めます。〕		分 納 税 額 計 （㉔＋㉕）
		㉔ 不動産等又は立木に 係る税額 （⑰÷「5」欄の年数）、 （⑲÷「5」欄の年数）又は （㉑÷「5」欄の年数）	㉕ 動産等又はその他の 財産に係る税額 （⑱÷「5」欄の年数）、 （⑳÷「5」欄の年数）又は （㉒÷「5」欄の年数）	
第 1 回	令和　年　月　日	円	円	円
第 2 回	年　月　日	，000	，000	，000
第 3 回	年　月　日	，000	，000	，000
第 4 回	年　月　日	，000	，000	，000
第 5 回	年　月　日	，000	，000	，000
第 6 回	年　月　日	，000	，000	，000
第 7 回	年　月　日	，000	，000	，000
第 8 回	年　月　日	，000	，000	，000
第 9 回	年　月　日	，000	，000	，000
第10回	年　月　日	，000	，000	，000
第11回	年　月　日	，000		，000
第12回	年　月　日	，000		，000
第13回	年　月　日	，000		，000
第14回	年　月　日	，000		，000
第15回	年　月　日	，000		，000
第16回	年　月　日	，000		，000
第17回	年　月　日	，000		，000
第18回	年　月　日	，000		，000
第19回	年　月　日	，000		，000
第20回	年　月　日	，000		，000
計		（⑰、⑲又は㉑の金額）	（⑱、⑳又は㉒の金額）	（⑥の金額）

10　その他参考事項

右の欄の該当の箇所を○で囲み住所氏名及び年月日を記入してください。	被相続人、遺贈者	（住所）		
		（氏名）		
	相　続　開　始　遺　贈　年　月　日		令和　　年　　月　　日	
	申告（期限内、期限後、修正）、更正、決定年月日		令和　　年　　月　　日	
	納　　期　　限		令和　　年　　月　　日	
物納申請の却下に係る延納申請である場合は、当該却下に係る「相続税物納却下通知書」の日付及び番号			平成 令和	第　　　　号 年　月　日
担保が保証人（法人）の保証である場合は、保証人である法人の延納許可申請日の直前に終了した事業年度に係る法人税申告書の提出先及び提出日			令和　　年　　月　　日	税務署

第十五章《相続税の申告書等の書き方》

金銭納付を困難とする理由書

（相続税延納・物納申請用）

令和　　年　　月　　日

税務署長　殿

住　所　_____

氏　名　_____

令和　　年　　月　　日付相続（被相続人　　　　　　　　　）に係る相続税の納付については、

納期限までに一時に納付することが困難であり、その納付困難な金額は次の表の計算のとおり
延納によっても金銭で納付することが困難であり、
であることを申し出ます。

1	納付すべき相続税額（相続税申告書第1表㉖の金額）		A	円
2	納期限（又は納付すべき日）までに納付することができる金額		B	円
3	延納許可限度額	【A-B】	C	円
4	延納によって納付することができる金額		D	円
5	物納許可限度額	【C-D】	E	円

	(1) 相続した現金・預貯金等	（イ＋ロ－ハ）	【　　　円】
2 納期限（又は納付すべき日）までに納付することができる金額の計算	イ 現金・預貯金（相続税申告書第15表の金額）	（　　　円）	
	ロ 換価の容易な財産（相続税申告書第11表・第15表該当の金額）	（　　　円）	
	ハ 支払費用等	（　　　円）	
	内訳 相続債務（相続税申告書第15表の金額）	［　　　円］	
	葬式費用（相続税申告書第15表の金額）	［　　　円］	
	その他（支払内容：　　　）	［　　　円］	
	（支払内容：　　　）	［　　　円］	
	(2) 納税者固有の現金・預貯金等	（イ＋ロ＋ハ）	【　　　円】
	イ 現金	（　　　円）	←裏面①の金額
	ロ 預貯金	（　　　円）	←裏面②の金額
	ハ 換価の容易な財産	（　　　円）	←裏面③の金額
	(3) 生活費及び事業経費	（イ＋ロ）	【　　　円】
	イ 当面の生活費（3月分）　うち申請者が負担する額	（　　　円）	←裏面⑪の金額×3/12
	ロ 当面の事業経費	（　　　円）	←裏面⑭の金額×1/12
	Bへ記載する	【(1)＋(2)－(3)】	B 【　　　円】

	(1) 経常収支による納税資金（イ×延納年数（最長20年））＋ロ	【　　　円】	
4 延納によって納付することができる金額の計算	イ 裏面④－（裏面⑪＋裏面⑭）	（　　　円）	
	ロ 上記2(3)の金額	（　　　円）	
	(2) 臨時的収入	【　　　円】	←裏面⑮の金額
	(3) 臨時的支出	【　　　円】	←裏面⑯の金額
	Dへ記載する	【(1)＋(2)－(3)】	D 円

添付資料
□　前年の確定申告書(写)・収支内訳書(写)
□　前年の源泉徴収票(写)
□　その他（　　　　　　　　　　　　　　　　　　　　　）

−1067−

第十五章《相続税の申告書等の書き方》

（裏面）

1　納税者固有の現金・預貯金その他換価の容易な財産

手持ちの現金の額					①		円
預貯金の額	／（　　　　円）		／（　　　　円）		②		円
	／（　　　　円）		／（　　　　円）				
換価の容易な財産	（　　　　円）		（　　　　円）		③		円
	（　　　　円）		（　　　　円）				

2　生活費の計算

給与所得者等：前年の給与の支給額		④	円
事業所得者等：前年の収入金額			
申請者　　　　　　　　　　　100,000 円　×　12		⑤	1,200,000 円
配偶者その他の親族　（　　　　人）×45,000 円　×　12		⑥	円
給与所得者：源泉所得税、地方税、社会保険料（前年の支払額）		⑦	円
事業所得者：前年の所得税、地方税、社会保険料の金額			
生活費の検討に当たって加味すべき金額 ［加味した内容の説明・計算等	］	⑧	円
生活費（1年分）の額　　（⑤＋⑥＋⑦＋⑧）		⑨	円

3　配偶者その他の親族の収入

氏名	（続柄　　　）	前年の収入　（　　　　　　円）	⑩	円
氏名	（続柄　　　）	前年の収入　（　　　　　　円）		
申請者が負担する生活費の額　⑨×（④／（④＋⑩））			⑪	円

4　事業経費の計算

前年の事業経費（収支内訳書等より）の金額		⑫	円
経済情勢等を踏まえた変動等の調整金額 ［調整した内容の説明・計算等	］	⑬	円
事業経費（1年分）の額　　（⑫＋⑬）		⑭	円

5　概ね1年以内に見込まれる臨時的な収入・支出の額

臨時的収入		年　月頃（　　　　円）	⑮	円
		年　月頃（　　　　円）		
臨時的支出		年　月頃（　　　　円）	⑯	円
		年　月頃（　　　　円）		

第十五章《相続税の申告書等の書き方》

延納申請書別紙（担保目録及び担保提供書：土地）

1 担保物件

土地の表示（所在、地番、地目、地積）	価　額	担保権等			
		債務金額	設定年月日	順位	権利者の住所氏名
	円				

2 担保提供書

以下の国税の担保として「1　担保物件」に記載した物件を提供します。

⑴　原　因　　　令和＿＿年＿＿月＿＿日＿＿＿＿による＿＿＿＿＿税及び利子税の額に対する延納担保

⑵　納税額　　　　　　金＿＿＿＿＿＿＿＿＿＿＿＿＿＿＿＿＿＿＿＿円

　　　　内訳　　　　　　＿＿＿税額　金＿＿＿＿＿＿＿＿＿＿＿＿＿＿＿＿＿円

　　　　　　　　　　　　及び利子税の額　金＿＿＿＿＿＿＿＿＿＿＿円

　　　延滞税の額　　　国税通則法所定の額

⑶　担保所有者が納税者（延納申請者）以外の所有の場合

　　　　上記の担保の提供に同意します。

　　　　　令和＿＿＿＿年＿＿＿＿月＿＿＿＿日

　　　　　　　　　　　　　　　住所＿＿＿＿＿＿＿＿＿＿＿＿＿＿＿＿＿＿＿＿＿＿＿

　　　　　　　　　　　　　　　氏名＿＿＿＿＿＿＿＿＿＿＿＿＿＿＿＿＿＿＿＿＿＿＿

－1069－

第十五章《相続税の申告書等の書き方》

延納申請書別紙（担保目録及び担保提供書：建物）

1 担保物件

建物の表示（所在、家屋番号、種類、構造、床面積）	価 額	担保権等			
		債務金額	設定年月日	順位	権利者の住所氏名
	円				

2 担保提供書

以下の国税の担保として「1 担保物件」に記載した物件を提供します。

⑴ 原 因　令和＿＿年＿＿月＿＿日＿＿＿による＿＿＿税及び利子税の額に対する延納担保

⑵ 納税額　　　金＿＿＿＿＿＿＿＿＿＿＿＿＿＿＿円

　　　内訳　　　＿＿税額　金＿＿＿＿＿＿＿＿＿＿＿円
　　　　　　　　及び利子税の額　金＿＿＿＿＿＿＿＿円

　　　延滞税の額　　国税通則法所定の額

⑶ 担保所有者が納税者（延納申請者）以外の所有の場合

　　　　上記の担保の提供に同意します。

　　　　令和＿＿＿年＿＿＿月＿＿＿日

　　　　　　　　　　住所＿＿＿＿＿＿＿＿＿＿＿＿＿＿＿＿＿

　　　　　　　　　　氏名＿＿＿＿＿＿＿＿＿＿＿＿＿＿＿＿＿

－1070－

第十五章《相続税の申告書等の書き方》

延納申請書別紙（担保目録及び担保提供書：有価証券）

1 担保物件

国債、地方債、社債、又はその他の有価証券の表示 （種類及び銘柄、登録、記名、無記名の区分、記号及び番号、額面金額又は払込金額、数量）	単 価	価 額	備 考	
			証券所有者	その他
		円		

2 担保提供書

以下の国税の担保として「1　担保物件」に記載した物件を提供します。

(1) 原　因　　令和＿＿年＿＿月＿＿日＿＿＿＿による＿＿＿＿税及び利子税の額に対する延納担保

(2) 納税額　　　　　金＿＿＿＿＿＿＿＿＿＿＿＿＿＿＿＿＿円

　　　内訳　　　　＿＿税額　金＿＿＿＿＿＿＿＿＿＿＿＿＿円
　　　　　　　　　　　　及び利子税の額　金＿＿＿＿＿＿＿＿＿円

　　　延滞税の額　　　国税通則法所定の額

----

(3) 担保所有者が納税者（延納申請者）以外の所有の場合

　　　　上記の担保の提供に同意します。

　　　　　令和＿＿＿＿年＿＿＿＿月＿＿＿＿日

　　　　　　　　　住所＿＿＿＿＿＿＿＿＿＿＿＿＿＿＿＿＿＿＿＿

　　　　　　　　　氏名＿＿＿＿＿＿＿＿＿＿＿＿＿＿＿＿＿＿＿＿

－1071－

第十五章《相続税の申告書等の書き方》

延納申請書別紙（担保目録及び担保提供書：保証人）

1 担保物件

保証人の表示	住所又は居所			
	氏名又は名称			
	業種又は業種目			

資産内容	区分	価額	債務額	差引価額
	有価証券	円	円	円
	不動産			
	預貯金			
	その他			
	計			

2 担保提供書

以下の国税の担保として「1 担保物件」に記載した物件を提供します。

(1) 原因　令和＿＿年＿＿月＿＿日＿＿＿＿による＿＿＿＿＿税及び利子税の額に対する延納担保

(2) 納税額　　　金＿＿＿＿＿＿＿＿＿＿＿＿＿＿＿＿＿円

　　　内訳　　　＿＿税額　金＿＿＿＿＿＿＿＿＿＿＿＿＿円

　　　　　　　　及び利子税の額　金＿＿＿＿＿＿＿＿＿円

　　　延滞税の額　　国税通則法所定の額

−1072−

第十五章《相続税の申告書等の書き方》

相続税物納申請書

（税務署収受印）

税務署長殿

令和　年　月　日

（〒　－　）

住所 ＿＿＿＿＿＿＿＿＿＿＿＿

フリガナ

氏名 ＿＿＿＿＿＿＿＿＿＿＿＿

法人番号 □□□｜□□□｜□□□□

職業 ＿＿＿＿＿＿　電話 ＿＿＿＿＿

下記のとおり相続税の物納を申請します。

記

1　物納申請税額

① 相 続 税 額		円
同上のうち	②現金で納付する税額	
	③延納を求めようとする税額	
	④納税猶予を受ける税額	
	⑤物納を求めようとする税額（①－（②＋③＋④））	

2　延納によっても金銭で納付することを困難とする理由

（物納ができるのは、延納によっても金銭で納付することが困難な範囲に限ります。）

別紙「金銭納付を困難とする理由書」のとおり。

3　物納に充てようとする財産

別紙目録のとおり。

4　物納財産の順位によらない場合等の事由

別紙「物納劣後財産等を物納に充てる理由書」のとおり。

※　該当がない場合は、二重線で抹消してください。

5　その他参考事項

作成税理士事務所在地電話番号署名

右の欄の該当の箇所を〇で囲み住所氏名及び年月日を記入してください。	被相続人、遺贈者	（住所）			
		（氏名）			
	相 続 開 始　遺 贈 年 月 日	令和	年	月	日
	申告（期限内、期限後、修正）、更正、決定年月日	令和	年	月	日
	納　期　限	令和	年	月	日
納税地の指定を受けた場合のその指定された納税地					
物納申請の却下に係る再申請である場合は、当該却下に係る「相続税物納却下通知書」の日付及び番号		第　号 令和　年　月　日			
物納申請財産が非上場株式である場合は、非上場株式に係る法人の物納許可申請の日前２年間に終了した事業年度の法人税申告書の提出先及び提出日		① 令和　年　月　日　税務署 ② 令和　年　月　日　税務署			

税務署整理欄	郵 送 等 年 月 日	担当者印
	令和　年　月　日	

－1073－

物納財産目録
（国債、地方債、社債、その他の有価証券用）

種類及び銘柄	登録記名無記名の区別	記号及び番号	額面金額又は払込金額	数量	単価	価額	備考
			円	枚	円	円	

※ 受益証券、社債等である場合は、これらを購入した金融機関（及び支店）名を「備考」欄に記載してください。

物 納 財 産 目 録
（土地・家屋用）

土地・家屋の表示				地積又は床面積	価　額	備　考
所　在	地番又は家屋番号	地目又は種類	構　造	㎡	円	

※ 物納申請財産が土地（借地権等の設定された土地を除く。）の場合で、当該土地上に塀、柵等の工作物や樹木がある場合は、次の事項を確認して□にチェックしてください。

　□ 物納により国に当該土地の所有権が移転した後において、土地の定着物である工作物及び樹木については、その所有権を主張することはありません。

※ 相続開始時に生産緑地の指定を受けていた土地であった場合は、当該土地に係る生産緑地法第10条に規定する買取申出年月日又は生産緑地の指定解除年月日を備考欄に記載してください。

※ 地目が田又は畑（農地）の場合で他の用途に使用している場合は、次の事項を確認して□にチェックしてください。

　□ 農地法第4条及び第5条の許可を受けています。

第十五章《相続税の申告書等の書き方》

物　納　財　産　目　録
（立木・船舶用）

| 立木・船舶の表示 | | | | | 価　額 | 備　考〔樹種、数量、樹齢、調査年度、施業方法等〕 |
所在又は船籍港	地番	地目、名称又は構造	トン数	地積又は大きさ		
				m²	円	

−1076−

第十五章《相続税の申告書等の書き方》

相 続 税 の 納 税 猶 予 の 継 続 届 出 書

税務署
受付印

令和〇〇年 〇月〇〇日

〒〇〇〇−〇〇〇〇

〇〇 税務署長

届出者 住所 〇〇市〇〇町6番地

氏 名 **加藤 一郎**

（電話番号 〇〇〇 − 〇〇〇 −〇〇〇〇）

※欄は記入しないでください。

　租税特別措置法第70条の6第1項の規定による相続税の納税の猶予を引き続いて受けたいので、次に掲げる税額等について確認し、同条第32項の規定により関係書類を添付して届け出ます。

農地等の相続（遺贈）があった年月日		平成・令和 **23** 年 **5** 月 **14** 日	
被 相 続 人	住所 **〇〇市〇〇町6番地**	氏名 **加藤 太郎** （昭和25 年 8 月 4 日 生）	

1 納付すべき相続税額のうち納税の猶予の適用を受けた相続税額 ・・・・・・・・ **9,101,700** 円

2 1のうちこの届出書の提出までに特例農地等の譲渡等をしたため、

　既に納税の猶予が確定し納付した相続税額 ・・・・・・・・・・・・・・・・ **650,000** 円

3 1のうち相続税の申告書の提出期限の翌日から20年が経過をした

　ため免除された相続税額 ・・・・・・・・・・・・・・・・・・・・・・ 円

4 1のうち届出日現在において納税の猶予を受けている相続税額

　（1−2−3の金額）・・・・・・・・・・・・・・・・・・・・・・・・ **8,451,700** 円

5 納税猶予の適用を受けた農地等については、＿＿＿年＿＿月＿＿日に　推定相続人
他の推定相続人等　＿＿＿＿＿＿＿＿＿に対して

　使用貸借による権利の設定をしたが現在もその農地等をその　推定相続人
他の推定相続人等　に引き続き使用させています。

6 この届出書の提出期限の属する年の前3年間の各年における特例農地等に係る農業経営に関する事項の概要は、「別紙1 特例農地等に係る農業経営に関する明細書」のとおりです。（特例農地等のうちに都市営農農地等がある場合、平成17年4月1日以降の相続に係る相続税の納税猶予の場合又は平成17年3月31日以前の相続に係る相続税の納税猶予で営農困難時貸付け、特定貸付け若しくは認定都市農地貸付け等を行っている場合）

7 特例農地等に係る営農困難時貸付けに関する事項は、「別紙2 特例農地等に係る営農困難時貸付けに関する明細書」のとおりです。（営農困難時貸付けを行っている場合）

8 特例農地等に係る特定貸付けに関する事項は、「別紙3 特例農地等に係る特定貸付けに関する明細書」のとおりです。（特定貸付けを行っている場合）

9 特例農地等に係る認定都市農地貸付け等に関する事項は、「別紙4 特例農地等に係る認定都市農地貸付け等に関する明細書」のとおりです。（認定都市農地貸付け等を行っている場合）

【添付書類】

①	農業経営を引き続き行っている旨の農業委員会の証明書（上記5に該当する場合には、その推定相続人が農業経営を引き続き行っている旨及び届出者が推定相続人の営む農業に従事している旨の証明書）
②	〔特例農地等のうちに都市営農農地等を有する場合、平成17年4月1日以降の相続に係る相続税の納税猶予の場合又は平成17年3月31日以前の相続に係る相続税の納税猶予で営農困難時貸付け、特定貸付け若しくは認定都市農地貸付け等を行っている場合〕 　別紙1 特例農地等に係る農業経営に関する明細書
③	〔この届出書を提出する前3年間に特例農地等の異動があった場合〕 　特例農地等の異動の明細書
④	〔営農困難時貸付けを行っている場合〕 (1) 別紙2 特例農地等に係る営農困難時貸付けに関する明細書 (2) 営農困難時貸付けを行っている特例農地等に係る貸付けを引き続き行っている旨の農業委員会の証明書
⑤	〔特定貸付けを行っている場合〕 (1) 別紙3 特例農地等に係る特定貸付けに関する明細書 (2) 特定貸付けを行っている特例農地等に係る貸付けを引き続き行っている旨の農業委員会の証明書
⑥	〔認定都市農地貸付け等を行っている場合〕 (1) 別紙4 特例農地等に係る認定都市農地貸付け等に関する明細書 (2) 認定都市農地貸付け等を行っている特例農地等に係る貸付けを引き続き行っている旨の農業委員会の証明書

関与税理士		電話番号			

※	通信日付印の年月日	（確 認）	猶予整理簿	検 算	整理簿番号
	年 月 日				

（資12−12−2−A4統一）（令3.12）

第十五章《相続税の申告書等の書き方》

別　紙　1

特例農地等に係る農業経営に関する明細書

受贈者、相続人 (受遺者)の氏名	

租税特別措置法　第70条の4第27項　の規定による継続届出書の提出期限の属する年の前3年間の各年における特
　　　　　　　　第70条の6第32項

例農地等に係る農業経営に関する明細は、次のとおりです。

1　継続届出書の提出期限の属する年の前1年目における特例農地等に係る農業経営に関する明細

番号	農地等の所在地	地目	面　積 (内作付面積)	作付期間 (種類品名等)	生産量・ 飼育頭羽数 kg(頭羽)	出　荷　量 kg(頭羽)	主な出荷先(氏名・名称)	収入金額
			(　　)	～ (　　)				
			(　　)	～ (　　)				
			(　　)	～ (　　)				
			(　　)	～ (　　)				
			(　　)	～ (　　)				
			(　　)	～ (　　)				
			(　　)	～ (　　)				
			(　　)	～ (　　)				
			(　　)	～ (　　)				
			(　　)	～ (　　)				
			(　　)	～ (　　)				
			(　　)	～ (　　)				
			(　　)	～ (　　)				
合計			(　　)					

(資12－34－1－A4統一)

第十五章《相続税の申告書等の書き方》

付表1

2 継続届出書の提出期限の属する年の前2年目における特例農地等に係る農業経営に関する明細

番号	農 地 等 の 所 在 地	地目	面 積 (内作付面積)	作付期間 (種類品名等)	生産量・飼育頭羽数 kg(頭羽)	出 荷 量 kg(頭羽)	主な出荷先(氏名・名称)	収入金額
			( )	(~)				
			( )	(~)				
			( )	(~)				
			( )	(~)				
			( )	(~)				
			( )	(~)				
			( )	(~)				
			( )	(~)				
			( )	(~)				
			( )	(~)				
			( )	(~)				
			( )	(~)				
			( )	(~)				
			( )	(~)				
			( )	(~)				
			( )	(~)				
			( )	(~)				
			( )	(~)				
合計			( )					

(資12-34-2-A4統一)

第十五章《相続税の申告書等の書き方》

付表 2

3 継続届出書の提出期限の属する年の前 3 年目における特例農地等に係る農業経営に関する明細

番号	農 地 等 の 所 在 地	地目	面 積 (内作付面積)	作付期間 (種類品名等)	生 産 量・ 飼育頭羽数 kg(頭羽)	出 荷 量 kg(頭羽)	主な出荷先(氏名・名称)	収入金額
			( )	(~)				
			( )	(~)				
			( )	(~)				
			( )	(~)				
			( )	(~)				
			( )	(~)				
			( )	(~)				
			( )	(~)				
			( )	(~)				
			( )	(~)				
			( )	(~)				
			( )	(~)				
			( )	(~)				
			( )	(~)				
			( )	(~)				
			( )	(~)				
			( )	(~)				
合計			( )					

(資 1 2 － 3 4 － 3 － A 4 統一)

第十五章《相続税の申告書等の書き方》

	受贈者、相続人（受遺者）の氏名	加藤 一郎	猶予整理簿 ※	検 算 ※

特例農地等の異動の明細書

租税特別措置法　第70条の4第27項　第70条の6第32項　の規定による継続届出書の提出期限前3年間における特例農地等の異動の明細は、次のとおりです。

※欄には記入しないでください。

番号	農地等の所在地番	地目等	面積	贈与価額・農業投資価格超過額	譲渡等の年・月・日／態様
1	○○市○○町○○	田	410 ㎡	3,200,000 円	3・8・20
					・　・
					・　・
					・　・
					・　・
					・　・
					・　・
					・　・
					・　・
					・　・
					・　・
					・　・

(資12-13-A4統一)

－1081－

第十五章《相続税の申告書等の書き方》

代替農地等の取得等に関する承認申請書（納税猶予事案用）

令和 ○○ 年 ○ 月 ○○ 日提出

税務署受付印

○○ 税務署長

〒○○○-○○○○
申請者　住　所　○○市○○町３丁目12番82号

氏　名　　**神戸　太郎**
（電話番号　○○○－○○○－○○○○）

次の規定により、下記のとおり ~~贈与税~~ 相続税 の納税猶予の適用に係る代替農地等の取得価額等に関する承認申請をします。

規定	贈与税	☐ 租税特別措置法施行令第40条の６第29項　（代替農地等の取得）
		☐ 租税特別措置法施行令第40条の６第32項　（代替農地等の付替え）
	相続税	☑ 租税特別措置法施行令第40条の７第29項　（代替農地等の取得）
		☐ 租税特別措置法施行令第40条の７第33項　（代替農地等の付替え）

（注）贈与税又は相続税について、代替農地等の取得と付替えに関する承認を併せて受ける場合には、それぞれの「☐」にレ印をしてください。

記

					計
譲渡等をした特例農地等	所　在　地	○○市○○町○○番地			
	地目等、面積	田　800 ㎡		㎡	
	~~贈与を受けた~~ 相続（遺贈）があった 年月日	27 年 9 月 8 日	年　月　日		
	~~贈与~~ 相続（遺贈） の時の価額	5,000,000 円	円		円
	農業投資価格	1,000,000 円	円		円
	農業投資価格超過額	4,000,000 円	円		円
	譲渡等の年月日、態様	令和 6 年 4 月 11日	令和　年　月　日		
	譲渡等の対価の額	4,800,000 円	円		円
取得等又はする採草放牧地等農地等	所　在　地	××市××町××番地			
	地目等、面積	田　500 ㎡		㎡	
	取得等予定の年月日	令和 7 年 1 月 10日	令和　年　月　日		
	取得価額の見積額（代替農地等の取得の場合）	4,000,000 円	円		円
	譲渡等の時における価額（代替農地等の付替えの場合）	円	円		円
摘要					

関　与　税　理　士		電話番号	

※	通信日付印の年月日	（確　認）	整理簿番号
	年　月　日		

（資12-19-1-A4統一）　（令3.3）

第十五章《相続税の申告書等の書き方》

代 替 農 地 等 の 取 得 価 額 等 の 明 細 書

※欄は記入しないでください。

税務署
受付印

〇〇 _____税務署長

〒〇〇〇−〇〇〇〇
申請者 住 所 〇〇市〇〇町３丁目12番82号

氏 名 __神戸 太郎__

（電話番号 〇〇〇 − 〇〇〇 − 〇〇〇〇）

次の規定による承認申請に係る代替農地等の取得価額等は、下記のとおりです。

規定	贈与税	☐ 租税特別措置法施行令第40条の６第29項（代替農地等の取得）
		☐ 租税特別措置法施行令第40条の６第32項（代替農地等の付替え）
	相続税	☑ 租税特別措置法施行令第40条の７第29項（代替農地等の取得）
		☐ 租税特別措置法施行令第40条の７第33項（代替農地等の付替え）

（注） 贈与税又は相続税について、代替農地等の取得と付替えに関する承認を併せて受けた場合には、それぞれの「☐」にレ印を記入してください。

記

譲渡等をした特例農地等	所 在 地		〇〇市〇〇町〇〇番地		
	地 目 等 、 面 積	①	田 800 ㎡	㎡	㎡
	譲 渡 年 月 日 、 態 様		令和６年６月11日	令和 年 月 日	令和 年 月 日
	贈 与 価 額 農業投資価格超過額	②	4,000,000 円	円	円
	譲 渡 の 対 価 の 額	③	4,800,000 円	円	円
取得等をした農地又は採草放牧地等	所 在 地		××市××町××番地		
	地 目 等 、 面 積	④	田 500 ㎡	㎡	㎡
	取 得 年 月 日		5年 9月 11日	年 月 日	年 月 日
	農地法の規定による許可又は届出の受理年月日		令和６年12月11日 許可 ~~届出~~	令和 年 月 日 許可 届出	令和 年 月 日 許可 届出
	取 得 の 態 様		売買		
	取 得 価 額（代替農地等の取得の場合）	⑤	2,400,000 円	円	円
	譲 渡 等 の 時 に お け る 価 額（代替農地等の付替えの場合）	⑥	円	円	円
	買入先 住 所 又 は 所 在 地		××市××町××番地		
	氏 名 又 は 名 称		甲野 春子		
譲渡等があった分	② × $\dfrac{③−（⑤＋⑥）}{③}$		2,000,000 円	円	円
譲渡等がなかった分	① × $\dfrac{⑤＋⑥}{③}$ 〔1を超えるときは1とする。〕	⑦	400 ㎡	㎡	㎡
	② × $\dfrac{⑤＋⑥}{③}$ 〔1を超えるときは1とする。〕	⑧	2,000,000 円	円	円
摘要					

（注） 1 「農地法の規定による許可又は届出の受理年月日」欄は、代替農地等の取得に関する承認に基づき取得した農地又は採草放牧地について、農地法上の手続を行った場合に記載してください。
　　　 2 「買入先」欄は、代替農地等の取得に関する承認の場合に記載してください。

関 与 税 理 士		電話番号	

※	検 算	整理簿番号

（資12−20−Ａ４統一）　　　（令3.3）

−1083−

第十五章《相続税の申告書等の書き方》

納税猶予の適用を受けている農地等について収用交換等による譲渡を行った場合の利子税の特例の適用に関する届出書

（税務署受付印）

令和＿＿＿年＿＿＿月＿＿＿日

＿＿＿＿＿＿＿＿税務署長

※欄は記入しないでください。

〒
　　　　住所 ＿＿＿＿＿＿＿＿＿＿＿＿＿＿＿＿

届出者

　　　　氏名 ＿＿＿＿＿＿＿＿＿＿＿＿＿＿＿＿
　　　　（電話番号　　　－　　　　－　　　　　）

　租税特別措置法第70条の4第1項又は第70条の6第1項の規定の適用を受けている農地等について、次のとおり収用交換等による譲渡をしたので、納付すべき利子税について同法第70条の8第1項又は第3項の規定の適用を受けるため、同条第2項又は第5項の規定により関係書類を添付して届け出ます。

農地等の　贈　　与　　を受けた年月日　相　続（遺　贈）	昭和平成令和	年　　　月　　　日
贈　与　者　被　相　続　人	住所		氏名	

1　収用交換等により譲渡した農地等の明細

(1)　所在場所　＿＿＿＿＿＿＿＿＿＿＿＿＿＿＿＿＿＿＿＿＿＿＿＿＿＿＿＿

(2)　地　　　目　＿＿＿＿＿＿＿＿＿＿＿＿＿＿＿＿＿＿＿＿

(3)　面　　　積　＿＿＿＿＿＿＿＿＿＿＿＿＿＿＿＿＿＿＿＿＿＿＿＿㎡

　（注）この欄に書ききれない場合には「届出書（付表）」に記載してください。

2　農地等の譲渡をした日　＿＿＿＿＿＿＿＿＿＿＿＿＿＿＿　令和＿＿＿年＿＿＿月＿＿＿日

3　農地等の譲渡先　＿＿＿＿＿＿＿　所在地＿＿＿＿＿＿＿＿＿＿＿＿＿＿＿＿

　　　　　　　　　　　　　　　　　　名　称＿＿＿＿＿＿＿＿＿＿＿＿＿＿＿＿

4　その他参考事項

　※　添付書類

　　○　公共事業施行者の証明書　　　　　○

　　○　　　　　　　　　　　　　　　　　○

関与税理士		電話番号	

※	通信日付印の年月日	（確　認）	整理簿番号
	年　　月　　日		

（資12－56－A4統一）　　（令3.6）

第十五章《相続税の申告書等の書き方》

相 続 税 の 免 除 届 出 書

税務署
受付印

令和〇〇年 〇 月〇〇日

〇〇 税務署長

令和 **6** 年 **7** 月 **10** 日に**おいて、相続税の申告書の提出期限の**
翌日から20年を経過 したので、租税特別措置法第70条の6第39項の規定

により下記の相続税を免除されたいので租税特別措置法施行令第40条の7第65項の規定により届け出ます。

※欄は記入しないでください。

届 出 者

〒**〇〇〇-〇〇〇〇**
住 所 **〇〇市〇〇町1丁目5番63号** 氏 名 **京橋 恵** 農業相続人 との続柄 **本人**

〒
住 所＿＿＿＿＿＿＿＿＿＿ 氏 名＿＿＿＿＿＿＿ 農業相続人 との続柄＿＿＿

〒
住 所＿＿＿＿＿＿＿＿＿＿ 氏 名＿＿＿＿＿＿＿ 農業相続人 との続柄＿＿＿

〒
住 所＿＿＿＿＿＿＿＿＿＿ 氏 名＿＿＿＿＿＿＿ 農業相続人 との続柄＿＿＿

〒
住 所＿＿＿＿＿＿＿＿＿＿ 氏 名＿＿＿＿＿＿＿ 農業相続人 との続柄＿＿＿

〒
住 所＿＿＿＿＿＿＿＿＿＿ 氏 名＿＿＿＿＿＿＿ 農業相続人 との続柄＿＿＿

記

○ 平成／令和 **16** 年 分 相 続 税

○ 免除を受ける相続税の額＿＿＿**4,651,400**＿＿ 円

○ 相続税の一部免除の場合

1 特例農地等の一部につき農地等を贈与（贈与税の納税猶予の適用を受ける贈与に限ります。）を
 した場合（措置法第70条の6第39項第3号）

（納税猶予分の相続税額）　（贈与分の農業投資価格超過額）　　　（免除額）

＿＿＿＿＿＿＿＿ 円 × $\dfrac{\text{＿＿＿＿＿＿円}}{\text{＿＿＿＿＿＿円}}$ ＝ ＿＿＿＿＿＿＿＿ 円

　　　　　　　　　　　　（相続(遺贈)による取得分）　（100円未満は切り
　　　　　　　　　　　　の農業投資価格超過額）　　捨てて下さい。）

2 相続税の申告書の提出期限の翌日から20年を経過した場合（措置法第70条の6第39項第4号）

（納税猶予分の相続税額）／（市街化区域内農地等(一定のもの(※)を除く)である特例農地等の取得の時における農業投資価格超過額）／（市街化区域内農地等(一定のもの(※)を除く)である特例農地等について既に措置法第70条の6第7項又は第8項の規定により確定した相続税額）

［＿＿＿＿＿＿＿ 円 × $\dfrac{\text{＿＿＿＿＿＿円}}{\text{＿＿＿＿＿＿円}}$］－ ＿＿＿＿＿＿＿ 円

　　　　　　　　　　　（相続(遺贈)による取得分）
　　　　　　　　　　　の農業投資価格超過額）

（免除額）

＝ ＿＿＿＿＿＿＿＿ 円（100円未満は切り捨てて下さい。）

（※）上記の一定のものについては、裏面2（4）（※）を参照してくだい。

関与税理士		電 話 番 号	

※	猶予整理簿	検 算	整理簿番号

（資12－26－2－A4統一）（令3.3）

第五編
贈 与 税

第一章　贈与税のあらまし

　個人が贈与によって、不動産、株式、現金などの財産を取得した場合には、その取得した財産に対して贈与税が課税されます。

　贈与というのは、当事者の一方が自己の財産を無償で相手方に与える意思を表示し、相手方がこれを受諾することによって成立する民法上の契約のことをいいます（民法549）。

　贈与の意思表示は書面でも口頭でもよいこととされていますが、書面によった場合には、一般の契約と同じように、これを取り消すことができないものとし、書面によらない贈与については、まだ、その履行の終わらない部分に限り、いつでも取り消すことができるものとされています。

　贈与には、普通の贈与のほかに、特殊な形態の贈与として、次のようなものがあります。

① 定期贈与（民法552）

　例えば、毎年末100万円ずつ贈与するというように、定期的に一定の給付を目的とする贈与で、期間の定めがあればその定めによりますが、期間の定めがない場合には贈与者又は受贈者の死亡によってその効力を失うものとされています。

② 負担付贈与（民法553）

　例えば、土地を贈与すると同時に、金銭の第三者への支払いを約させるというように、受贈者に贈与の目的と対価関係にない一定の給付をすべき義務を負わせる贈与をいい、贈与に関する規定のほか、双務契約に関する規定が適用されます。

③ 死因贈与（民法554）

　例えば、「私が死んだらこの土地と家をやる」というように、贈与者の死亡により効力を生ずる贈与をいいます。

④ その他

　例えば、時価1,000万円の財産を400万円で譲渡し、相手方に時価との差額の利益を与えるというような場合があります。

　なお、以上のうち③の死因贈与については、遺贈に関する規定が準用されますので、贈与税ではなく相続税が課税されることになっています（相法1の3①一）。

　また、本来の贈与により取得した財産でなくても、実質的には、これと同様の経済的利益を伴うものについては、贈与により取得したものとみなして課税される財産があります。

　贈与は上記のような有形、無形の財産によるほか債務の免除による利益の享受などのようにいろいろな形態で行われますが、贈与税はこのような贈与によって受けた財産の価額の1年間の合計額が、原則として110万円（基礎控除額）を超える場合にその超える金額について税金が課税されることになっています。

第一節　相続税との関係

　相続又は遺贈（贈与者の死亡により効力を生ずる贈与を含みます。）によって、財産を取得したときには、相続税が課税されます。しかし、相続又は遺贈によって取得した財産だけを課税の対象とすれば、あらかじめ生存中に、将来相続人となる人たちに財産を贈与することによって、相続税のほ脱や累進税率が回避できることになり、税負担の公平が保てなくなります。したがって、これを防止するとともに税負担の公平を図る意味から、生存中に財産の贈与があった場合には、その財産に対しては贈与税を課税することにしているわけです。

　要するに、贈与税は、相続税で課税されない部分を補完するということで設けられているので、相

−1089−

続税の補完税といわれ、贈与税に関する規定も相続税法の中で相続税といっしょに定められています。

　なお、平成15年度改正で相続税と贈与税とを一体化して課税する相続時精算課税制度が創設されました。

第二節　所得税との関係

　相続や遺贈又は贈与により、個人が財産を無償でもらえば、それだけ財産が増加することになるので、その財産を取得したことによる所得は、本来ならば、所得税が課税されることになるのですが、相続や遺贈又は贈与によって取得した財産に対しては相続税又は贈与税が課税され、所得税は課税されないことになっています（所法9①十七）。

　しかし、個人が法人から財産の贈与を受けた場合には、贈与税ではなく、一時所得などとして所得税が課税されます。これは、贈与税というのは相続税の補完税であるため、相続や遺贈に関係のない法人からの財産の贈与には、贈与税を課税する必要がないからです。

　　（注）　上記＿＿＿下線部分については、公益信託に関する法律（令和6年法律第30号）の施行の日（公布の日（令和6年5月22日）から起算して2年を超えない範囲内において政令で定める日）以後、「受けた場合」の次に「や公益信託から給付を受けた場合」が加えられます（令6改所法等附1九イ）。

　次に、贈与税と譲渡所得との関係ですが、昭和47年分までは、土地や建物などの資産を贈与した個人には、これらの資産を時価で譲渡したものとみなし、その譲渡所得について所得税が課税されることになっていました。しかし、昭和48年4月の所得税法の一部改正により、昭和48年分からの個人間における土地や建物などの資産の贈与については、全て取得価額の引継ぎによる課税の繰延べを行い、みなし譲渡課税は行わないことになりました（所法59、60）。

　以上第一節、第二節において贈与とはどんなことか、贈与税はどういうわけで課税されるか、といったことについて簡単に説明しました。さて、それでは、どんな場合に贈与税がかかるのか、もらった財産の価額はどのようにして決めるのか、税額はどのようにして計算するのか、具体的に順次説明します。

　財産の贈与といえば、普通は、夫婦、親子又は兄弟というような親族の間で行われる場合が多く、また財産の贈与契約書を作成するというような形式を踏んでいない場合も多いので、案外贈与税が課税されることに気付かない例が多いようです。

　贈与税には、110万円の基礎控除のほか夫婦間の贈与の特別な場合に適用される2,000万円の配偶者控除や直系尊属から住宅取得等資金の贈与を受けた場合の非課税の特例などがあります。

　また、相続時精算課税を選択した場合には2,500万円の特別控除があります。

　不動産などを贈与により取得した場合には、納める税金を工面するのにも一苦労します。

　したがって、これからの説明をよく読んで贈与税に対する理解を深めていただくとともに、財産を贈与される場合には、贈与税についての十分な知識をもっておかれることが必要と考えられます。

第二章　納税義務者

　贈与税の納税義務者は、原則として贈与（贈与者の死亡により効力を生ずるいわゆる死因贈与を除きます。以下各章において同じ。）により財産を取得した個人です。しかし、贈与税の税負担の公平を図るため、例外的に、人格のない社団や財団又は公益法人が贈与により財産を取得した場合などであっても個人とみなして、納税義務者としている場合もあります。

第一節　納税義務者の区分

　贈与税の納税義務者は、贈与によって財産を取得した個人ですが、相続税の場合と同様にその財産を取得した時において、その者の住所が、相続税法の施行地（日本国内）にあるか否か、あるいは、日本国籍を有するか否か等により、その納税義務の範囲を異にします。

　　（注）　住所が日本国内にあるか国外にあるかの判定については相続税について述べておりますので、第四編第
　　　　　三章第一節の「5　住所の判定」（690ページ）を参照してください。

1　無制限納税義務者

①　居住無制限納税義務者

　贈与により財産を取得した次に掲げる者であって、その取得した時において日本国内に住所を有しているときは、その取得した財産が国内にあると国外にあるとを問わず、その贈与財産の全部について課税されます（相法1の4①一、2の2①、相基通1の3・1の4共－3（1））。

イ　一時居住者（注1）でない個人

ロ　一時居住者である個人（その贈与をした者が外国人贈与者（注2）又は非居住贈与者（注3）である場合を除きます。）

　　（注1）　「一時居住者」とは、贈与の時において在留資格（出入国管理及び難民認定法（昭和26年政令第319号）
　　　　　別表第1（在留資格）の上欄の在留資格をいいます。（注2）において同じ。）を有する者であって贈与前
　　　　　15年以内において日本国内に住所を有していた期間の合計が10年以下であるものをいいます（相法1の4
　　　　　③一）。

　　（注2）　「外国人贈与者」とは、贈与の時において、在留資格を有し、かつ、日本国内に住所を有していた贈与
　　　　　をした者であって贈与前15年以内において日本国内に住所を有していた期間の合計が10年以下であるも
　　　　　のをいいます（相法1の4③二）。

　　（注3）　「非居住贈与者」とは、贈与の時において日本国内に住所を有していなかったその贈与をした者であっ
　　　　　て、その贈与前10年以内のいずれかの時において日本国内にに住所を有していたことがあるもののうちそ
　　　　　のいずれの時においても日本国籍を有していなかったもの又はその贈与前10年以内のいずれの時におい
　　　　　ても日本国内に住所を有していたことがないものをいいます（相法1の4③三）。

②　非居住無制限納税義務者

　贈与により財産を取得した次に掲げる者であって、その取得した時において日本国内に住所を有していないときは、その取得した財産が国内にあると国外にあるとを問わず、その贈与財産の全部について課税されます（相法1の4①二、2の2①、相基通1の3・1の4共－3（1））。

イ　日本国籍を有する個人であって次に掲げるもの

　（1）　贈与前10年以内のいずれかの時において日本国内に住所を有していたことがあるもの

　（2）　贈与前10年以内のいずれの時においても日本国内に住所を有していたことがないもの（贈与
　　　をした者が外国人贈与者又は非居住贈与者である場合を除きます。）

ロ　日本国籍を有しない個人（贈与をした者が一時居住贈与者又は非居住贈与者である場合を除きま

－1091－

第二章第一節《納税義務者の区分》

す。)

2 制限納税義務者

① 居住制限納税義務者

贈与により日本国内にある財産を取得した個人がその取得した時において、日本国内に住所を有するときは、1の①の居住無制限納税義務者に該当する場合を除き、国内にある財産についてだけ課税されます（相法1の4①三、2の2②、相基通1の3・1の4共－3（2））。

② 非居住制限納税義務者

贈与により日本国内にある財産を取得した個人がその取得した時において、日本国内に住所を有していないときは、1の②の非居住無制限納税義務者に該当する場合を除き、国内にある財産についてだけ課税されます（相法1の4①四、2の2②、相基通1の3・1の4共－3（2））。

　(注)　平成29年4月1日から令和4年3月31日までの間に非居住外国人（平成29年4月1日から贈与の時まで引き続き日本国内に住所を有しない個人であって日本国籍を有しないものをいいます。）から贈与により財産を取得した時において日本国内に住所を有しない者であり、かつ、日本国籍を有しない個人については、所得税法等の一部を改正する等の法律（平成29年法律第4号）附則第31条第2項の規定により「非居住制限納税義務者」となります。

　　　　なお、贈与税の非居住無制限納税義務者（日本国籍を有しない個人に限る。）に該当する者であっても、平成30年4月1日から平成31年3月31日までの間に非居住外国人から贈与により財産を取得した場合には、所得税法等の一部を改正する法律（平成30年法律第7号）附則第43条第2項の規定により非居住制限納税義務者に当たることとなります。

3 国外転出時課税制度に係る納税義務者

　国外転出をする場合の譲渡所得等の特例の適用がある場合の納税猶予（所法137の2）又は贈与等により非居住者に資産が移転した場合の譲渡所得等の特例の適用がある場合の納税猶予（所法137の3）（以下、「国外転出時課税に係る納税猶予」といいます。）（第一編第二章第五節《国外転出をする場合の譲渡所得の特例等》）の規定の適用がある場合における1の①のロ又は②のイの（2）若しくはロの日本国籍を有する個人に係る規定の適用については、次のとおりです（相法1の4②）。

① 所得税法第137条の2第1項（同条第2項の規定により適用する場合を含みます。）の規定の適用を受ける個人が財産の贈与をした場合には、その贈与に係る贈与税の1の①のロ又は②のイの（2）若しくはロの規定の適用については、その個人は、その贈与前10年以内のいずれかの時において相続税法の施行地に住所を有していたものとみなされます。

② 所得税法第137条の3第1項（同条第3項の納税猶予期限の延長を受けている場合を含みます。）の規定の適用を受ける者から同条第1項の規定の適用に係る贈与により財産を取得した者（以下「受贈者」といいます。）が財産の贈与（以下「二次贈与」といいます。）をした場合には、その二次贈与に係る贈与税の1の①のロ又は②のイの（2）若しくはロの規定の適用については、その受贈者は、その二次贈与前10年以内のいずれかの時において相続税法の施行地に住所を有していたものとみなされます。

　　ただし、その受贈者が同条第1項の規定の適用に係る贈与前10年以内のいずれの時においても相続税法の施行地に住所を有していたことがない場合には、この規定の適用はありません。

③ 所得税法第137条の3第2項（同条第3項の納税猶予期限の延長を受けている場合を含みます。）の規定の適用を受ける相続人（包括受遺者を含みます。）が財産の贈与をした場合には、その贈与に係る贈与税の1の①のロ又は②のイの（2）若しくはロの規定の適用については、その相続人は、その贈与前10年以内のいずれかの時において相続税法の施行地に住所を有していたものとみなされます。

　　ただし、その相続人が同条第2項の規定の適用に係る相続の開始前10年以内のいずれの時におい

－1092－

ても相続税法の施行地に住所を有していたことがない場合には、この規定の適用はありません。

第二節　財産の取得の時期

　贈与による財産の取得時期がいつであるかは、財産の評価、申告期限等について重要な問題となります。これについては、次のように取り扱うことになっています（相基通1の3・1の4共－8～10）。
（1）　書面による贈与については、その贈与契約の効力が生じた時
（2）　書面によらない贈与については、その贈与の履行のあった時。ただし、停止条件付きの贈与については、その条件が成就した時
（3）　農地及び採草放牧地の贈与については、農地法第3条第1項若しくは第5条第1項本文の規定による許可のあった日又は届出の効力が生じた日後に贈与があったと認められるもの（例えば、農業委員会等の許可を受けてから一定期間内に贈与するというようなもの）を除き、その許可のあった日又は届出の効力が生じた日
　なお、次の要件の全てに該当する農地については、（3）にかかわらず農地法第3条第1項若しくは第5条第1項に規定する許可又は同項第7号に規定する届出（以下「許可等」といいます。）に関する書類（以下「申請書等」といいます。）を農業委員会に提出した日にその農地の贈与があったものとして取り扱っても差し支えないこととされています（昭48直資2－62）。
①　その農地の所有権の移転についての許可等の効力が、その許可等に係る申請書等を農業委員会等に提出した日の属する年の翌年1月1日から3月15日までの間に生じていること。
②　その農地に係る贈与税の申告書が、その農地の所有権の移転についての許可等の効力が生じた日からその年の3月15日までの間に提出されていること。
（注1）　「許可等の効力が生じた日」とは、農地法第3条第1項又は第5条第1項に規定する許可にあっては、許可書が当該許可の申請者に到達した日をいい、同項第6号に規定する届出にあっては、同法施行令第10条の規定による受理通知書に届出の効力が生じた日として記載された日をいいます。
（注2）　その農地の所有権の移転についての許可等の申請書等の提出があった日からその許可等の効力が生ずる日までの間にその農地の贈与者又は受贈者のいずれか一方が死亡した場合には、たとえその者の死亡後にその許可に係る許可書等が送達されても、その許可等の効力は生ずることにはなりません。
（4）　所有権の移転の登記又は登録の目的となる財産についても、上に述べたところにより判定します。ただし、贈与の日が明確でないものについては、特に反証のない限り、その登記又は登録があった時に贈与があったものとして取り扱うことになっています。
　なお、鉱業権の贈与については、鉱業原簿に登録した日に贈与があったものとして取り扱われます（相基通1の3・1の4共－11）。

第三節　個人とみなされて納税義務者となるもの

　贈与税の納税義務者は、原則として個人だけですが、次の場合には、その社団、財団又は公益法人等を個人とみなして贈与税を課税することとしています。

1　人格のない社団又は財団

　①代表者又は管理者の定めのある人格のない社団又は財団（例えば、ＰＴＡ、校友会などのようなもの）が、個人から贈与によって財産を取得した場合においては、その社団又は財団は個人とみなされて贈与税の納税義務者となります（相法66①）。
　また、②その社団又は財団を設立するために個人から無償で財産の提供があった場合においても、個人とみなされて、贈与税の納税義務者となります（相法66②）。

－1093－

2 公 益 法 人 等

　法人が財産の贈与を受けた場合においては、通常その法人に対しては法人税が課税されます。しかし、法人税は、公益法人等に対しては収益事業から生じた所得に対してのみ課税されることになっており、その他の所得に対しては課税されません（法人税法6）。

　ところで、これらの公益法人のうちには、その行う事業によっては公益性の程度が低く、公益法人とは認めがたいものも存在しますし、また、公益に名を借りて自己の財産を法人名義に変え、実質的にも、形式的にもその法人の支配権を掌握することによって、租税の負担を不当に減少させることも考えられます。

　そこで、相続税法は、このような法人について不当に租税負担を減少させることを防止するため、持分の定めのない法人（持分の定めのある法人で持分を有する者がいないものを含みます。）に対して財産を贈与したことにより、その贈与者の親族その他贈与者と特別の関係がある者の贈与税の負担が不当に減少する結果となると認められるときは、その公益法人は個人とみなされて、贈与税の納税義務者となります（相基通1の3・1の4共－2（3））。

　この場合、その法人が無制限納税義務者となるか、制限納税義務者となるかは、その公益法人の主たる事務所の所在地が日本国内にあるか国外にあるかにより判定されます（相法66③）。

　なお、贈与者と特別の関係がある者とは、次に掲げる者をいいます（相令31）。
（1） 贈与者と婚姻の届出をしていないが事実上婚姻関係と同様の事情にある者及びその者の親族でその者と生計を一にしているもの
（2） 贈与者の使用人及び使用人以外の者で、その贈与者から受ける金銭その他の財産によって生計を維持しているもの、並びにこれらの者の親族でこれらの者と生計を一にしているもの

　「相続税又は贈与税の負担が不当に減少する結果となると認めるとき」かどうかの判定は、原則として、贈与等を受けた法人が次に掲げる要件を満たしているかどうかにより行います（昭39直審（資）24・直資77　14）。

　ただし、当該法人の社員、役員等及び当該法人の職員のうちに、その財産を贈与した者若しくは当該法人の設立に当たり財産を提供した者又はこれらの者と親族その他次の①の特殊の関係がある者が含まれていない事実があり、かつ、これらの者が、当該法人の財産の運用及び事業の運営に関して私的に支配している事実がなく、将来も私的に支配する可能性がないと認められる場合には、次の①の要件を満たさないときであっても、次の②から④までの要件を満たしているときは、「相続税又は贈与税の負担が不当に減少する結果となると認められるとき」に該当しないものとして取り扱われます。

　贈与又は遺贈により財産を取得した持分の定めのない法人が、次の①から④の要件の全てを満たすときは、「相続税又は贈与税の負担が不当に減少する結果となると認められない」ものとされます（相令33③）。
① その運営組織が適正であるとともに、その寄附行為、定款又は規則において、その役員等のうち親族関係を有する者及びこれらと次に掲げる特殊の関係がある者（②において「親族等」といいます。）の数がそれぞれの役員等の数のうちに占める割合は、いずれも3分の1以下とする旨の定めがあること。
　イ　その親族関係を有する役員等と婚姻の届出をしていないが事実上婚姻関係と同様の事情にある者
　ロ　その親族関係を有する役員等の使用人及び使用人以外の者でその役員等から受ける金銭その他の財産によって生計を維持しているもの
　ハ　イ又はロに掲げる者の親族でこれらの者と生計を一にしているもの
　ニ　その親族関係を有する役員等及びイからハまでに掲げる者のほか、次に掲げる法人の法人税法第2条第15号に規定する役員（（イ）において「会社役員」といいます。）又は使用人である者
　（イ）　その親族関係を有する役員等が会社役員となっている他の法人

（ロ）　その親族関係を有する役員等及びイからハまでに掲げる者並びにこれらの者と特殊の関係のある法人を判定の基礎にした場合に同族会社に該当する他の法人

②　その法人に財産の贈与若しくは遺贈をした者、その法人の設立者、社員若しくは役員等又はこれらの者の親族等に対し、施設の利用、余裕金の運用、解散した場合における財産の帰属、金銭の貸付け、資産の譲渡、給与の支給、役員等の選任その他財産の運用及び事業の運営に関して特別の利益を与えないこと。

③　その寄附行為、定款又は規則において、その法人が解散した場合にその残余財産が国若しくは地方公共団体又は公益社団法人若しくは公益財団法人その他の公益を目的とする事業を行う法人（持分の定めのないものに限ります。）に帰属する旨の定めがあること。

④　その法人につき法令に違反する事実、その帳簿書類に取引の全部又は一部を隠ぺいし、又は仮装して記録又は記載をしている事実その他公益に反する事実がないこと。

　　また、一般社団法人又は一般財団法人（以下「一般社団法人等」といいます。）については、次のイからハに掲げる全ての要件に該当しない場合は、相続税又は贈与税の負担が不当に減少する結果となると認められるものとされ、その一般社団法人等に贈与税が課税されます（相法66④、相令33④）。

イ　その贈与の時におけるその定款において上記①の定め及び③の定めがあること。

ロ　その贈与前３年以内に一般社団法人等に係る贈与者に対し、施設の利用、余裕金の運用、解散した場合における財産の帰属、金銭の貸付け、資産の譲渡、給与の支給、役員等の選任その他財産の運用及び事業の運営に関する特別利益を与えたことがなく、かつ、贈与の時におけるその定款において贈与者に対しその特別の利益を与える旨の定めがないこと。

ハ　その贈与前３年以内に国税又は地方税について重加算税又は重加算金を課されたことがないこと。

3　税額の計算方法

　その贈与又は遺贈に係る財産の価額が法人税法の規定によりその人格のない社団等又は持分の定めのない法人（以下「法人等」といいます。）の各事業年度の所得の金額の計算上益金の額に算入されるときであっても、その法人等に対して贈与税又は相続税を課税することとされましたが（相法66①④）、次に掲げる税額の合計額（その税額の合計額が贈与税又は相続税の額を超えるときには、当該贈与税又は相続税の額に相当する額）が控除されます（相令33①）。

①　法人等が贈与又は遺贈により取得した財産の価額から翌期控除事業税等相当額（その財産の価額をその法人等の事業年度の所得とみなして地方税法の規定を適用して計算した事業税（所得割に係るものに限ります。以下同じです。）の額及び当該事業税の額を基に特別法人事業税及び特別法人事業譲与税に関する法律の規定を適用して計算した特別法人事業税の額の合計額をいいます。）を控除した価額をその法人等の事業年度の所得とみなして法人税法の規定を適用して計算した法人税の額及び地方税法の規定を適用して計算した事業税の額

②　①により計算した法人税の額を基に地方税法の規定を適用して計算したその法人等の法人税割に係る道府県民税の額及び法人税割に係る市町村民税の額

③　①により計算した事業税の額を基に特別法人事業税及び特別法人事業譲与税に関する法律の規定を適用して計算した特別法人事業税の額

　なお、法人等に財産の贈与をした者が二以上あるときは、その法人等が贈与により取得した財産について、その贈与をした者の異なるごとに、その贈与した者の各一人のみから取得したものとみなすこととされています（相令33②）。

第三章　贈与税の課税財産

　贈与税は、贈与により取得した財産（相法2の2）及び贈与により取得したものとみなされる財産（相法4～9）に対し課税されます。

　一般に前者を「本来の贈与財産」、後者を「みなし贈与財産」と呼んでいます。

第一節　課税財産の範囲

　贈与税が課税される財産の範囲は、相続税の場合と同様に、贈与による財産の取得者の住所が、日本国内にあるか否か、あるいは、日本国籍を有するか否か等によって次のようになります。

1　無制限納税義務者の場合

　財産を取得した時に、居住無制限納税義務者（第二章第一節の1の①）及び非居住無制限納税義務者（同1の②）については、受贈財産が国内にあると国外にあるとを問わず、その全部が課税財産となります（相法2の2①）。

　ただし、国外で贈与税に相当する課税を受けた場合は、二重課税を排除するために「在外財産に対する贈与税額の控除」の制度が設けられています（相法21の8）。

2　制限納税義務者の場合

　居住制限納税義務者（第二章第一節の2の①）及び非居住制限納税義務者（同2の②）については、日本国内にある財産だけが課税財産となります（相法2の2②）。

　　(注)　納税義務者の区分別の課税財産の範囲については、相続税の場合と同様ですので、第四編第四章の表【納税義務者の区分別の課税財産】（695ページ）（同表④を除きます。）を参照してください。

第二節　本来の贈与により取得した財産

　ここで財産というのは、金銭に見積もることができる経済的価値のある全てのものをいいます。

　したがって、財産には、土地、家屋、株式などのほかに、物権、債権、無体財産権だけでなく、信託受益権、電話加入権等も含まれますし、また、法律上の根拠がなくても経済的価値が認められているもの、例えば、営業権のようなものも財産に含まれます。しかし、質権、抵当権又は地役権（区分地上権に準ずる地役権を除きます。）のように従たる権利は、主たる権利の価値を担保し、又は増加させるにすぎないものですから独立した財産とはなりません（相基通11の2－1）。

　本来の贈与により取得する場合というのは、既に説明したように当事者の明らかな意思表示に基づいて、財産を贈与し、これを取得する場合がこれに該当するわけです。例えば、親が所有していた不動産を贈与登記によって子供名義に変更したり、夫が所有していた株式を妻に贈与し、妻名義に書換えした場合などがその例です。

　このように、財産の贈与は一般に、親子又は夫婦など特殊な関係にある者の間で行われることが多く、それだけに書面などのはっきりした贈与契約に基づいて行われる場合よりも、新たに取得した財産を妻や子供の名義で登記、登録などしたり、実質は贈与であるにもかかわらず売買など贈与以外の形式を採っている場合が多いようです。

　そこで、個人相互間において財産の名義変更があった場合又は他人（自分以外の者をいいます。以下同じ。）の名義で新たに財産を取得した場合などは、原則として、本来の贈与があったものとして取

第三章第二節《本来の贈与により取得した財産》

り扱うことになっています。

1 財産の名義変更があった場合で贈与とされる場合

不動産、株式等の名義の変更があった場合において対価の授受が行われていないとき、又は他人名義で新たに不動産、株式等を取得した場合においては、これらの行為は、原則として贈与として取り扱われます（相基通9－9）。

例えば、次のような場合には、外見的な形式にとらわれることなく、その実質に従って贈与税が課税されます。

（1）　親名義の不動産、有価証券などを子供に贈与したが、形式的には親子間の売買として名義変更をした場合

（2）　親が新たに不動産、有価証券などを他の者から取得し、これを子供に贈与したが、登記又は登録等の上で、子供が直接売買により取得した形式を採っている場合

（3）　妻又は子供が不動産、有価証券などを直接他の者から取得し、自分の財産としたときにおいて、その買入資金が夫又は親から出ている場合

この取扱いは、「ある財産の真実の所有者は、その名義人である」という考え方が前提になっており、例えば、ある財産の名義をAからBに変更するという行為は、その財産の所有権をAからBに移転するのと全く同じとみられるからです。

しかし、財産の名義変更の全てが贈与となるものではなく、その判断に当たっては、名義変更が行われた経過、理由等が重要な要素になります。

したがって、関係者において贈与でない旨の特別の反証をあげた場合は、それに従うべきことはいうまでもありません。

2 財産の名義変更があった場合でも贈与とされない場合

他人の名義で財産を取得したり又は財産の名義変更が行われた場合であっても、次のような場合には、原則として、その財産についての最初の贈与税の申告若しくは決定又は更正の日前に、その財産の本来の取得者の名義又はもとの所有者の名義に戻した場合に限り、その財産の贈与はなかったものとして取り扱われます。

（注）　この場合の更正は、ここでいう財産以外の財産の贈与についてのみ申告し、又は税務署長から決定を受けた後において、更にここでいう財産を課税価格に算入する場合の税務署長の更正をいいます（以下同じです。）。

（1）　他人名義による不動産、船舶、有価証券等の取得が贈与の意思に基づくものでない場合

他人の名義で不動産、船舶、自動車又は有価証券などを取得し、登記又は登録が行われているが、その名義人となった者が、①その名義人となっている事実を全く知らず、かつ、②その財産を使用収益していなかったり、又は管理運用している事実が認められない場合、つまり、他人名義による財産の取得が贈与の意思に基づかない場合です。

しかし、名義人となった者がその事実を知らなかったということの確認は非常に困難ですから、取扱いでは、名義人となった者が外国旅行中であったとか、その財産の登記済証若しくは登録済証を保有していないとか、当時の情況等から客観的にその事実が確認できる場合に限られています。また、名義人となった者が未成年者のときは、その法定代理人がその事実を知っていれば、名義人もその事実を知っていたものとして取り扱われます（昭39直審（資）22・直資68　1、2）。

（2）　過誤等により取得財産を他人名義とした場合

上記の（1）に該当しない場合であっても、共有として登記すべきものを自分単独の名義で登記したとか、また、買った株式の名義を妻の名義にしたというような場合、すなわち、取得した財産を過誤に基づくか又は軽率に自己以外の者の名義に登記や登録などをした場合です。

－1097－

第三章第二節《本来の贈与により取得した財産》

なお、自己の有していた不動産、船舶、自動車、又は有価証券などの名義を他の者の名義に名義変更の登記又は登録等をした場合において、それが過誤に基づき、又は軽率に行われた場合も、同様に取り扱われます。

ただし、これらの場合において、それが過誤に基づき、又は軽率に行われたことが、財産の取得者の年齢、その他により確認できることが要件とされています（昭39直審（資）22・直資68　5）。

（3）　他人名義により取得した財産の処分代金等を取得者の名義とした場合

上記の（1）又は（2）に該当する場合で、他人名義により取得した財産や名義変更のあった財産が、最初の贈与税の申告若しくは決定又は更正の日前に災害等により滅失したり、処分されたりしたため、その財産の名義を本来の取得者や、もとの所有者の名義とすることができないときは、これらの本来の取得者等がその保険金、損害賠償金又は処分に係る譲渡代金等（「保険金等」といいます。次の（4）についても同様です。）を取得し、かつ、その取得していることが保険金等により取得した財産をその者の名義としたこと等により確認できる場合に限り、これらの財産については、（1）又は（2）に該当するものとして贈与がなかったものとして取り扱われます（昭39直審（資）22・直資68　3）。

（4）　取得者等の名義とすることが更正、決定後に行われた場合

（1）、（2）又は（3）に該当する事実がある場合においては、最初の贈与税の申告若しくは決定又は更正の日前に、その名義を本来の取得者又はもとの名義人の名義としなかったため、贈与があったものとして贈与税の更正又は決定があった後であっても、次の全ての要件に該当しているときは、その取扱いは上記に該当するものとして課税価格及び税額を減額更正してもらえることになっています（昭39直審（資）22・直資68　7）。

イ　その更正や決定について異議の申立てがあること。

ロ　その財産の名義を本来の取得者又はもとの名義人の名義としなかったことが、税務署からこれらの取扱いの適用についての説明を受けていない等のため、その取扱いを知らなかったことに基づくものであること。

ハ　イの異議の申立て後速やかにその財産の名義を本来の取得者又はもとの名義人の名義とし、又はその財産の保険金等により取得した財産をこれらの者の名義としたこと。

（注1）　他人名義による財産の取得をした者が死亡した場合

　　　前記（1）に該当する場合で、贈与税の申告若しくは決定又は更正の日前に、本来の取得者が死亡したためその相続人の名義としたときにおいても（1）の適用があるものとして取り扱います。

　　　なお、この場合その財産の価額は、その相続人の相続税の課税価格計算の基礎に算入しなければなりません（昭39直審（資）34・直資103　1）。

（注2）　他人名義による財産の取得に関する取扱いが適用されない場合

　　　上記（1）又は（3）の取扱いは、他人名義により財産を取得した者等がこれらの取扱いを利用して贈与税のほ脱を図ろうとしていると認められる場合には適用されませんし、原則として他人名義により財産を取得した者等が既にこれらの取扱いを受けている場合、又は受けていると認められる場合には、再び適用されないことになっています（昭39直審（資）22・直資68　4）。

（5）　法令等により取得者等の名義とすることができないため他人名義とした場合

他人名義で不動産、船舶、自動車又は有価証券を取得し、登記又は登録等がされたことや、自己の所有していたこれらの財産について名義変更が行われたことが、法令等に基づく所有の制限その他これに準ずる真にやむを得ない理由に基づき、又はそれらの理由が生じたために行われた場合においては、その名義人となった者との合意により名義を借用したものであり、かつ、その事実が確認できる場合に限りこれらの財産について贈与がなかったものとして取り扱われます（昭39直審（資）22・直資68　6）。

（6）　贈与契約の取消し等があった場合

贈与契約が取り消され、又は解除されるという場合には、法定取消権又は法定解除権によって取り消され、又は解除されるという場合のほかに、当事者の合意に基づいて取り消され、又は解除される

—1098—

第三章第二節《本来の贈与により取得した財産》

という場合もありますが、これについては次のように取り扱われます。

イ　法定取消権等に基づいて贈与の取消し等があった場合

　贈与契約が法定取消権又は法定解除権に基づいて取り消され又は解除され、その旨の申出があった場合においては、その取り消され又は解除されたことが、その財産の名義をもとの所有者の名義に変更したことなどにより確認できる場合に限り、その贈与はなかったものとして取り扱われます。

　なお、この申出が贈与税の申告又は決定若しくは更正後にあった場合には、国税通則法第23条第2項の規定により、これらの取消し又は解除があった日の翌日から起算して2か月以内に、贈与税の減額更正の請求をすることができます（昭39直審（資）22・直資68　8、9）。

ロ　当事者の合意解除により贈与の取消しがあった場合

　贈与契約が当事者の合意によって取り消され、又は解除された場合には、その取消し又は解除は認められません。したがって、その贈与契約による財産については贈与税が課税されます（昭39直審（資）22・直資68　11）。

　しかし、当事者の合意による取消し又は解除が、次に掲げる要件の全てに該当し、税務署長がその贈与契約に係る財産について贈与税を課税することにより、著しく負担の公平を害する結果となると認める場合に限り、その贈与はなかったものとして取り扱われます（昭39直審（資）34・直資103　4）。

①　贈与契約の取消し又は解除がその贈与に係る贈与税の法定申告期限までに行われ、かつ、その贈与に係る財産の名義を変更したこと等により確認できること。

②　贈与契約に係る財産が、受贈者によって処分されたり、担保物権その他の財産権の目的とされ又は差押えその他の処分の目的とされていないこと。

③　贈与契約に係る財産について、贈与者又は受贈者が譲渡所得又は非課税貯蓄等に関する所得税その他の租税の申告又は届出をしていないこと。

④　受贈者が贈与契約に係る財産の果実を収受していないこと、又は収受した果実を贈与者に引き渡していること。

3　負担付贈与の取扱い

　負担付贈与があった場合には、贈与された財産の評価額から、負担額を差し引いた価額に相当する財産の贈与があったものとして取り扱われます。この場合土地及び土地の上に存する権利（以下「土地等」といいます。）並びに家屋及びその附属設備又は構築物（以下「家屋等」といいます。）を負担付贈与により取得した場合にはその財産は相続税評価額によらず、その取得時における通常の取引価額によって評価することとされています。ただし、贈与者の取得日から贈与の日までが短期間であるなどのため、贈与者の取得価額が上記の「通常の取引価額」に相当すると認められる場合には、その取得価額によって評価することができます（平成元年直資2−204・直評5）。

(注)　負担付贈与等により取得した上場株式又は気配相場等のある株式の評価方法については、第六編第七章第一節の2（1385ページ）又は同章第二節（1390ページ）を参照してください。

　また、その負担額が第三者の利益となるようなときには、その第三者が、その負担額に相当する金額を贈与により取得したものとして取り扱われます。

　更に、その負担額が、停止条件付きのものであるときには、その条件が成就したときに、その負担額相当額を贈与によって取得したことになります（相基通9−11）。

〔計算例〕

　甲は父乙から、相続税評価額5,000万円、時価（通常取引価額）8,000万円の住宅の贈与を受けましたが、その代わり妹丙に現金500万円を贈与することが条件となっています。

　この場合、甲と丙は、乙からそれぞれ次の金額の贈与を受けたことになります。

　　　　　　　　甲が贈与を受けた金額　　8,000万円−500万円＝7,500万円

　　　　　　　　丙が贈与を受けた金額　　　500万円

−1099−

第三章第三節《贈与によって取得したものとみなされる財産》

4 共有持分の取扱い

共有に属する財産の共有者の一人が、その持分を放棄（相続の放棄の場合は除かれます。）した場合には、その放棄した者の持分は、他の共有者がその持分に応じ贈与により取得したものとして取り扱われます（相基通9－12、民法255参照）。

5 婚姻の取消し又は離婚により財産をもらった場合の取扱い

民法の規定に基づき、婚姻の取消し又は離婚による財産の分与によって取得した財産は、贈与により取得した財産とはならず、贈与税は課税されません。しかし、次の①又は②のような場合には、たとえ名目上は財産の分与として取得したものであっても、その財産は、贈与により取得した財産として取り扱われます（相基通9－8）。

① 財産の分与として取得した財産の額が、婚姻中の夫婦の協力によって得た財産の額その他一切の事情を考慮してもなお不当に多すぎると認められる場合においては、その不当に多すぎる部分

② その離婚が、実は離婚を手段として贈与税や相続税を免れようとするものであると認められる場合においてはその離婚により取得した財産

6 共稼ぎ夫婦の間における住宅資金等の贈与の取扱い

共稼ぎ夫婦の一方が、住宅金融公庫等から個人住宅建設資金や敷地購入資金を借り入れて単独所有の住宅や敷地を取得した場合に、その借入資金の返済がその借入者以外の者の負担において行われているときは、その負担部分は借入者に対する贈与とみられます。しかし、借入金の返済が事実上、その共稼ぎ夫婦の収入によって共同でされていると認められるものは、その所得あん分で負担したものとして取り扱っています。なお、その借入者である夫又は妻が贈与を受けたものとされる金額は、借入した金額を、一度に贈与があったもの（借入金の贈与）とするのではなく、返済の都度贈与（返済資金の贈与）があったものとして取り扱います。したがって、その年に贈与を受けた金額は、その年の返済金の合計額になります（昭34直資58）。

第三節 贈与によって取得したものとみなされる財産

贈与税は、本来の贈与によって財産を取得した場合のほか、次のような場合も贈与とみなされて課税されます。これは、本来の贈与財産のみを課税対象とするだけでは、贈与税の機能が十分果たされないことから、その受ける経済的利益が実質的に本来の贈与と何ら変わらないものについて課税するものです。この財産を「みなし贈与財産」と呼んでいます。

1 保険金受取人以外の者が保険料を負担していた生命保険金又は損害保険金

生命保険契約の保険事故（傷害、疾病その他これに類する保険事故で死亡を伴わないものを除きます。）又は損害保険契約の保険事故（偶然な事故に基因する保険事故で死亡を伴うものに限ります。）の発生により保険金を受け取った者が、その契約に係る保険料の全部又は一部を負担していない場合には、その保険事故が発生した時に、その保険金（次に掲げる損害賠償責任に関する保険又は共済契約に基づく保険金等を除きます。）のうち、その保険金受取人以外の者が負担した保険料の金額に対応する部分は、相続税が課されるものを除き、保険料を負担した者から、贈与によって取得したものとみなされます（相法5）。（生命保険契約、損害保険契約の範囲……第四編第四章第二節の1（696ページ）参照）

これに該当する場合としては、次の(1)の保険期間が満了して、いわゆる満期保険の保険金を受け取った場合と、(2)保険料の負担者でない人の死亡を保険事故として保険金を受け取った場合とがあります。

－1100－

第三章第三節《贈与によって取得したものとみなされる財産》

【損害賠償責任に関する保険契約・共済契約】（相令1の4、相基通5－4、5－1、3－10）

① 自動車損害賠償責任保険（共済）の契約

② 原子力損害賠償責任保険契約

③ 次に掲げる保険又は共済の契約（これらに類する契約を含みます。）に基づき支払われるいわゆる死亡保険金のうち契約者の損害賠償責任に基づく損害賠償金に充てられることが明らかである部分

　イ　自動車保険搭乗者傷害危険担保特約

　ロ　分割払自動車保険搭乗者傷害危険担保特約

　ハ　月掛自動車保険搭乗者傷害危険担保特約

　ニ　自動車運転者損害賠償責任保険搭乗者傷害危険担保特約

　ホ　航空保険搭乗者傷害危険担保特約

　ヘ　観覧入場者傷害保険

　ト　自動車共済搭乗者傷害危険担保特約

　チ　無保険車傷害保険契約

　上記③に掲げる保険又は共済の契約（これらに類する契約を含みます。）に基づく死亡保険金等を相続人が取得した場合の課税関係は、次によることとなります（相基通5－5）。

① 被相続人が契約に係る保険料の全部又は一部を負担した場合……保険金のうち被相続人の負担した保険料の対応する部分は、みなし相続財産に該当します。

② 被相続人及び保険金受取人以外の者が保険料を負担した場合……保険金のうち被相続人及び保険金受取人以外の者が負担した保険料に対応する部分は、みなし贈与財産に該当します（上記③により損害賠償責任に関する保険又は共済に係る契約に基づく保険金として取り扱われる部分を除きます。）。

（1）　満期保険の保険金をもらった場合

　保険金受取人以外の者が保険料の全部又は一部を負担している生命保険契約の期間が満了して保険金を受け取った場合には、保険事故の発生（満期）の時に、受け取った保険金のうち次により計算した金額は、その保険料の負担者から贈与によって取得したものとみなされます。

$$\left(\begin{array}{l}\text{受け取っ}\\\text{た保険金}\end{array}\right) \times \frac{\text{保険金受取人以外の者が負担した保険料の金額}}{\text{保険事故発生の時までに払い込まれた保険料の金額}}$$

　なお、生命保険契約が解約された場合においては、解約返戻金等の支払が行われますが、保険料の負担者以外の者が、この解約返戻金等の支払を受けた場合も、生命保険金に対する課税関係と同様に取り扱われます。

（2）　人の死亡により保険金をもらった場合

　保険料の負担者である被保険者の死亡により保険金を受け取った場合には、その保険金の受取人がその者の相続人であれば相続により、その他の者であれば遺贈により取得したものとして、その保険金のうち被相続人が負担していた保険料に相当する金額に対して、相続税が課税されるのは既に説明したとおりです。

　しかし、この場合に被相続人及び保険金受取人以外の者が保険料を負担していますと、その保険金の受取人は、実際に保険料を負担した者から、次に掲げる保険金をそれぞれ贈与によって取得したものとされます。

① 被相続人及び受取人以外の者が保険料の全額を負担している場合は受け取った保険金の全額

② 被相続人及び受取人以外の者が保険料の一部を負担している場合は受け取った保険金のうち次により計算した金額

$$\left(\begin{array}{l}\text{受け取っ}\\\text{た保険金}\end{array}\right) \times \frac{\text{被相続人及び受取人以外の者が負担した保険料の金額}}{\text{保険事故発生の時までに払い込まれた保険料の金額}}$$

－1101－

第三章第三節《贈与によって取得したものとみなされる財産》

(注1) 相続税が課税される生命保険金に関する次の取扱通達は、上記の贈与税の対象となる生命保険金の取扱いに当たっても準用されることになっています（相基通5－1、5－2、5－3）ので、それぞれを参照してください。

　　相基通3－6《年金により支払を受ける保険金》

　　相基通3－8《保険金とともに支払を受ける剰余金等》

　　相基通3－9《契約者貸付金等がある場合の保険金》

　　相基通3－10《無保険車傷害保険契約に係る保険金》

　　相基通3－11《「保険金受取人」の意義》

　　相基通3－12《保険金受取人の実質判定》

　　相基通3－13《被相続人が負担した保険料等》

　　相基通3－14《保険料の全額》

(注2) 以上に述べた生命保険金については、その保険料を負担した者の被相続人が負担した保険料は、その者が負担した保険料とみなされます（相法5③）。ただし、相続税法第3条第1項第3号《生命保険契約に関する権利》の規定により、保険金受取人（返還金その他これに準ずるものの取得者を含みます。）が、保険料の負担者から、保険契約に関する権利のうち、被相続人が負担した保険料の金額に相当する部分を（保険料の負担者である被相続人から）相続又は遺贈により取得したものとみなされた場合には除かれます（相法5③ただし書）。

(注3) 正規の保険金が支払われない場合に保険金に代えて支払われる「返還金等」も上記の取扱い上は受け取った保険金とみなされますが（相法5②）、いわゆる契約転換制度により生命保険契約を転換前契約から転換後契約に転換した場合において、転換に際し転換前契約に係る契約者貸付金等の額が転換前契約に係る責任準備金（共済掛金積立金、剰余金、割戻金及び前納保険料を含みます。）をもって精算されたときは、その精算された契約者貸付金等の額に相当する金額は、転換前契約に係る契約者が取得した「返還金等」に該当するものとされます（相基通5－7）。

〔計算例1〕

簡易生命保険が満期となって甲はかんぽ生命から1,200万円を受け取りましたが、この保険の払込済保険料は600万円で、そのうち甲が払い込んだのは50万円で、残りは全部甲の父が払い込んでいます。

この場合は、甲の受け取った保険金のうち次の金額が、父から贈与により取得したものとなります。

　　父が払い込んだ保険料　　　　　600万円－50万円＝550万円

　　贈与により取得したものとみなされる金額　　　$1,200万円 \times \dfrac{550万円}{600万円} = 1,100万円$

〔計算例2〕

甲は、父が死亡したことにより、1,200万円の保険金を受け取りましたが、この保険の払込済保険料の金額は600万円で、うち300万円は甲、300万円は乙（甲の兄）が払い込んでいます。この場合は、甲の受け取った保険金のうち次の金額が、乙から贈与により取得したものとみなされます。

$$1,200万円 \times \frac{300万円}{600万円} = 600万円$$

(注) この場合、甲が払い込んだ保険料300万円に対応する受取保険金600万円は、一時所得に係る総収入金額になり、所得税の課税（保険期間5年以下の一時払い保険契約の場合は、源泉分離課税）の対象になります。

また、この例で、払い込まれた保険料600万円を、甲が150万円、乙が150万円、父が300万円それぞれ負担していたとしますと、課税の対象とされる金額は次のようになります。

　　乙から贈与により取得したものとみなされる金額　　　$1,200万円 \times \dfrac{150万円}{600万円} = 300万円$

　　父から相続により取得したものとみなされる金額　　　$1,200万円 \times \dfrac{300万円}{600万円} = 600万円$

－1102－

第三章第三節《贈与によって取得したものとみなされる財産》

一時所得の総収入金額に算入すべき金額　　　　　$1,200万円 \times \dfrac{150万円}{600万円} = 300万円$

2　定期金受取人以外の者が掛金を負担していた定期金

定期金給付契約（生命保険契約を除きます。）の給付事由の発生により、定期金を受け取ることとなった場合に、その契約による掛金又は保険料の全部又は一部を定期金受取人以外の者が負担していたときは、その給付事由の発生の時に、定期金の受取人はその定期金の支給を受ける権利のうち、定期金受取人以外のものが負担した掛金又は保険料に相当する部分を、掛金又は保険料を負担した者から贈与によって取得したものとみなされます（相法6）。

これに該当する場合としては、次の(1)契約上の受取人として定期金に関する権利を取得した場合と、(2)継続受取人として保証期間付定期金に関する権利を取得した場合とがあります。

なお、定期金給付契約の解除や失効などにより、返還金その他これに準ずるものを取得した場合にも、その掛金を受取人以外の者が負担しておれば、定期金に準じて取り扱われます。

（1）　定期金に関する権利を取得した場合

定期金受取人以外の者が掛金又は保険料の全部又は一部を負担していた定期金給付契約の給付事由の発生により、定期金の支給を受けることとなった場合には、その権利のうち、次により計算した金額は、給付事由の発生の時に、その掛金の負担者から贈与によって取得したものとみなされます。

$$\left(\begin{array}{c}定期金に関す \\ る権利の価額\end{array}\right) \times \dfrac{定期金受取人以外の者が負担した掛金又は保険料の金額}{給付事由の発生の時までに払い込まれた掛金又は保険料の金額}$$

定期金に関する権利の価額は、定期金給付契約により、将来一定の給付期間中に受け取ることとなる定期金の合計額を現在の価額になおしたもので、その価額は、相続税法で定めている方法により評価することになっています。

なお、この評価方法については、「第六編　相続税、贈与税の財産評価」で説明していますので、ここでは省略します。

（2）　継続受取人として保証期間付定期金に関する権利を取得した場合

定期金給付契約で、定期金受取人に対しその生存中又は一定期間にわたり、定期金を給付し、かつ、一定期間内にその者が死亡したときは、その死亡後遺族その他の者に対して定期金又は一時金を給付する契約（いわゆる保証期間付定期金）に基づいて、定期金受取人である被相続人の死亡後、その者の相続人その他の者が定期金又は一時金受取人となった場合には、その保証期間付定期金に関する権利のうち被相続人が掛金又は保険料を負担していた部分については、相続又は遺贈により取得したものとなることは既に説明したとおりです。

しかし、この場合に、その契約による掛金又は保険料の全部又は一部を、被相続人及び継続受取人以外の第三者が負担していたときは、相続の開始があった時に、継続受取人が実際に掛金又は保険料を負担した第三者から、次に掲げる定期金に関する権利の価額を、それぞれ贈与によって取得したものとみなされます。

$$\left(\begin{array}{c}保証期間付定期金に \\ 関する権利の価額\end{array}\right) \times \dfrac{第三者が負担した掛金又は保険料の金額}{相続の開始時までに払い込まれた掛金の金額}$$

－1103－

第三章第三節《贈与によって取得したものとみなされる財産》

3　著しく低い対価で譲り受けた財産

（1）　低額譲受けが贈与とされる場合

　著しく低い価額の対価で財産を譲り受けた場合（低額譲受けといいます。）には、その財産を譲り受けたときに、その対価と財産の時価との差額に相当する金額を、その財産を譲渡した者から贈与によって取得したものとみなされます（相法7）。

　すなわち、ある財産の譲渡に関し、いかに低額とはいえ対価の支払があれば、その法律行為は売買であって、無償を前提とする贈与とはいえず、贈与税の課税は行われないことになります。しかし、このような低額譲受けの場合に贈与税の課税が行われないとすれば、一般の贈与と比較して著しく課税の公平を欠くことになります。したがってこれを防止し、課税の公平を期すためにこの規定が設けられています。

　ところで、著しく低い価額であるかどうかは、税法上その判定基準等について特に定めていませんので、その財産の時価などを参考に、社会通念に従って判定することになります。また、譲り受けた財産が二以上である場合には、著しく低い価額であるかどうかは、個々の財産の価額によって判定しないで、財産の譲渡のあった時ごとに、譲り受けた財産等を一括して判定します（相基通7－1）。

　ただし、不特定多数の者の競争により財産を取得する等公開された市場において第三者から財産を取得したような場合には、たとえ、その取得価額が時価に比べて著しく低いと認められる価額であっても、課税上弊害があると認められる場合を除き、ここにいう低額譲受けには該当しないことにしています（相基通7－2）。

　次に財産の時価の決め方が問題ですが、相続税法で評価方法が定められている財産（地上権、永小作権、定期金に関する権利など）は、その評価額により、その他の財産は、原則として財産評価基本通達により評価した価額によるのが原則です。

　ただし、土地及び土地の上に存する権利（以下「土地等」といいます。）並びに家屋及びその附属設備又は構築物（以下「家屋等」といいます。）のうち、負担付贈与又は個人間の対価を伴う取引により取得したものの時価は、財産評価基本通達により評価した価額によらず、その取得時における通常の取引価額によって評価することとされます。なお、贈与者又は譲渡者が取得又は新築した土地等又は家屋等に係る取得価額が課税時期における通常の取引価額に相当すると認められる場合には、その取得価額に相当する金額によって評価することができます（計算例1参照）。（平成元年直資2－204・直評5　1）

(注1)　「取得価額」とは、財産の取得に要した金額並びに改良費及び設備費の額の合計額をいい、家屋等については、その合計金額から、財産評価基本通達130《償却費の額等の計算》の定めによって計算した取得の時から課税時期までの期間の償却費の額の合計額又は減価の額を控除した金額をいいます。なお、低額譲受けに該当するかどうかを判定する場合において、その取引における対価の額がこの土地等又は家屋等の取得価額を下回る場合には、その土地等又は家屋等の価額が下落したことなど合理的な理由があると認められるときを除き、「著しく低い価額の対価で財産の譲渡を受けた場合」に該当するものとされます。

(注2)　負担付贈与等により取得した上場株式及び気配相場等のある株式の評価方法については、第六編第七章第一節の2（1385ページ）又は同章第二節（1390ページ）を参照してください。

(注3)　贈与により取得したものとみなされる金銭の財産の所在は、そのみなされる基因となった財産の種類に応じ、相法10（第四編第三章第三節財産の所在参照）に規定する場所とされます（相法10①十二）。

（2）　低額譲受けであっても贈与とされない場合

　著しく低い価額の対価で財産の譲受けがあった場合でも、その財産を譲り受けた者が資力をなくして、債務を弁済することが困難であるため、その債務の弁済に充てる目的で、その者の扶養義務者から著しく低い価額の対価で、財産を譲り受けたようなときには、その財産の対価の額と時価との差額のうち債務を弁済することが困難である部分の金額は、贈与によって取得したものとはされません（相法7ただし書）。

－1104－

ここで、財産を譲り受けた者が資力をなくして債務を弁済することが困難な場合というのは、財産を譲り受けた人の債務の金額が、その人の持っている積極財産の価額を超えているときのように、社会通念上明らかに債務の弁済が不能（破産手続開始の原因となる程度に至らないものも含まれます。）と認められる場合をいいます。なお、債務には公租公課も含まれます（相基通7－4）。

また、債務を弁済することが困難である部分の金額とは、債務の金額からその人の持っている財産の価額を差し引いた、いわゆる債務超過の部分の金額から、債権者の信用による債務の借換え、労務の提供等の手段により近い将来においてその債務の弁済に充てることができる金額を控除した金額をいうものとされています。ただし、特に課税上弊害がないと認められる場合には、債務超過の部分の金額を、債務を弁済することが困難である部分の金額として取り扱われることになっています（相基通7－5）。

なお、扶養義務者とは、配偶者、並びに民法第877条《扶養義務者》の規定による直系血族及び兄弟姉妹並びに家庭裁判所の審判を受けて扶養義務者となった三親等内の親族をいいますが、これらの者のほかに三親等内の親族でその者と生計を一にしている者については、家庭裁判所の審判がない場合であっても扶養義務者として取り扱われます。なお、扶養義務者に該当するかどうかの判定は贈与の時の状況によります（相基通1の2－1）。

〔計算例1〕

甲は、長男乙に対して宅地（相続税評価額8,000万円、時価1億円、昭和55年に1,000万円で取得）を贈与しましたが、銀行借入金の残額3,000万円を乙が肩代わりすることが条件となっています。

【贈与財産の価額】

10,000万円－（負担額）3,000万円＝（課税価格）7,000万円

(注)　なお、贈与者である甲の所得税においては借入金の引受額を対価とする譲渡があったものとされますので、次のように譲渡所得の税額を計算します。

（収入金額）3,000万円－（取得費）1,000万円＝（課税長期譲渡所得金額）2,000万円

〔計算例2〕

甲は、乙から借りた500万円の返済期日がきたが、甲の財産といえば事業に失敗したので預金が100万円あるだけで、どうしても全額の返済はできない状態にあったため、父から時価（相続税評価額）600万円の株式を100万円で譲ってもらい、これを他に転売して、その代金の中から借金を返済しました。

この例では、通常の場合ですと、低額譲受けによる利益600万円－100万円＝500万円は、甲が父から贈与によって取得したものとみなされます。しかし、実情を調べた結果、たしかに預金が100万円あるだけで、他に財産がなく借金の返済ができない状態であったとしますと、500万円のうち債務超過部分500万円－100万円＝400万円は、贈与されたものとはみなされませんから、500万円－400万円＝100万円だけが贈与によって取得したものとみなされます。

4　債務免除等による利益

（1）　債務の免除等が贈与とされる場合

対価を支払わないで、又は著しく低い価額の対価で債務の免除、引受け又は第三者のためにする債務の弁済による利益を受けた場合には、これらの行為があった時に、その利益を受けた者が、その債務の免除、引受け又は弁済に係る債務の金額に相当する金額（対価の支払があった場合には、その価額を差し引いた金額）を、免除等をした者から贈与により取得したものとみなされます（相法8）。

債務の免除とは、債権者が債務者に対する意思表示によって債務を免除することをいい（民法519）、債務の引受けとは、債務者の債務を引き受け、事実上債務の引受けをした者が債務者となることをいいます。また第三者のためにする債務の弁済とは、債務者の債務を他の者が債務者に代わって弁済することをいいます。

したがって、このような行為があったときは、債務者は、弁済すべき債務がなくなりますから、そ

－1105－

れだけの利益を受けたことになります。つまり、債務者が債務の免除等をした者から金銭などをもらって債務を弁済したことと実質的にはなんら異なりませんので、このような場合には、受けた利益に対して贈与税が課税されることになっています。

また、連帯債務や保証債務については、次のように取り扱われます（相基通8-3）。

① 連帯債務者が、自己の負担すべき債務の部分を超えて弁済した場合には、その超過部分の金額については他の債務者に対して求償することができますが、この場合に、この求償権を放棄しますと、他の債務者はそれだけ利益を受けたことになりますから、その超過部分の金額は贈与があったものとみなされます。

② 保証債務者が主たる債務者の弁済すべき債務を弁済した場合で、その求償権を放棄したときは、その代わって弁済した金額は、保証債務者から主たる債務者に贈与があったものとみなされます。

（2） 連帯納付の責めにより相続税又は贈与税の納付があった場合

相続税法第34条第1項又は第4項の規定による連帯納付の責めに基づいて相続税又は贈与税の納付があった場合において、その納付が相続若しくは遺贈により財産を取得した者又は贈与により財産を取得した者がその取得した財産を費消するなどにより資力を喪失して相続税又は贈与税を納付することが困難であることによりなされたときは、（1）の相基通8-3の取扱いの適用はないことに取り扱われ、贈与税の課税対象とされません（相基通34-3）。

(注) 連帯納付の責めに基づいて相続税又は贈与税の納付があった場合においても上記の場合に該当しないときには、相基通8-3の適用があります。

（3） 債務の免除等が贈与とされない場合

債務の免除等があった場合には、債務者は結果としてそれだけの利益を受けるわけですが、債務の免除、引受け又は第三者のためにする弁済は、債務者が資力をなくしてしまったため、やむを得ず、あるいはいわゆる道義的責任として行われる場合が普通ですから、たとえ現実には利益を受けたとしても、このような場合に贈与税を課することが適当でない場合もあります。

そこで、税法では、債務の免除等が次に掲げるような場合には、贈与とみなされる金額のうち、その債務を弁済することが困難である部分の金額を限度として、贈与税の課税対象から除かれることになっています（相法8ただし書）。

① 債務者が資力を喪失して、債務を弁済することが困難である場合に、その債務の全部又は一部の免除を受けたとき。

② 債務者が資力を喪失して、債務を弁済することが困難である場合に債務者の扶養義務者によってその債務の全部又は一部の引受け又は弁済がなされたとき。

上に述べました①の債務免除には、その債務者の扶養義務者以外の者によってなされたものも含まれますが（相基通8-1）、②の債務の引受け又は弁済は、扶養義務者によってなされた場合に限られています。

なお、この場合の債務を弁済することが困難である部分の金額の取扱いについては、3の**（2）**（1104ページ）の低額譲受けの場合の取扱いと全く同様です。

また、所得税法の規定により、事業所得の総収入金額に算入される割引又は割戻しによる利益（債務免除益）は贈与税の課税対象とはされません（相基通8-2）。

5　その他の利益

前述の1から4まで及び6に該当する場合のほか、対価を支払わないで、又は著しく低い価額の対価で利益を受けた場合には、その利益を受けた者が、その利益の価額に相当する金額を利益を受けさせた者から贈与によって取得したものとみなされます。

しかし、このような場合でも、その行為が、利益を受ける者の資力がなくなって債務を弁済することが困難であるために、その者の扶養義務者からその者の債務の弁済に充てるためになされたもので

-1106-

あるときは、その受けた利益のうち、債務を弁済することが困難である部分の金額については、贈与がなかったものとされます（相法9）。

ここでいう「利益を受けた」とは、おおむね利益を受けた者の財産の増加又は債務の減少があった場合等をいいますが、労務の提供等を受けたような場合は、これに含まれません（相基通9－1）。

具体的にどんな場合がこれに該当するか、そのうち主なものについて説明します。

（1）　同族会社に対する財産の無償提供等により株式や出資の価額が増加した場合

同族会社の株式又は出資の価額が、次の①から④までに掲げるような事由により増加した場合には、その株主又は社員が、その株式又は出資の価額のうち増加した部分に相当する金額を、それぞれ次に掲げる者から贈与により取得したものとみなされます（相基通9－2）。

この場合における贈与による財産の取得の時期は、それぞれ財産の提供があった時、債務の免除があった時、又は財産の譲渡があった時となります。

① 　会社に対して無償で財産の提供があった場合はその財産を提供した者

② 　時価より著しく低い価額で現物出資があった場合はその現物出資をした者

③ 　対価を受けないで会社の債務の免除、引受け又は弁済があった場合はその債務の免除、引受け又は弁済をした者

④ 　会社に対して時価より著しく低い価額の対価で財産の譲渡をした場合はその財産を譲渡した者

なお、同族会社の取締役、業務を執行する社員その他の者が、その会社が資力を喪失したときに、上記①から④までに掲げる行為をしたときは、それらの行為によりその会社が受けた利益に相当する金額のうち、その会社の債務超過額に相当する部分の金額については、贈与によって取得したものとしては取り扱わないこととされています。

この場合において、「その会社が資力を喪失した」とは、法令に基づく会社更生、再生計画認可の決定、会社の整理等の法定手続による整理はもちろん、株主総会の決議、債権者集会の協議等により再建整備のために負債整理に入ったような場合をいうのであって、単に一時的に債務超過となっている場合は、これに該当しません（相基通9－3）。

〔計算例〕

A会社（同族会社、資本金1,000万円（20万株）。株式評価区分は小会社）は、令和6年5月に工場敷地として同社の重役Bから時価1億円（相続税評価額8,000万円）の宅地を1,000万円で譲ってもらいました。

この場合、この宅地を譲り受ける前のこの会社の相続税評価額による総資産価額が6,000万円（帳簿価額は4,000万円）、相続税評価額及び帳簿価額による負債総額（未納法人税等を含みます。）が2,500万円としますと、この会社の株式1株当たりの純資産価額は、

$$\frac{6,000万円－2,500万円－\{(6,000万円－2,500万円)－(4,000万円－2,500万円)\}×0.37}{20万株（株　数）}＝138円$$

となります。

また、この宅地を譲り受けた後の会社の負債総額は、低額譲受けによる受贈益に係る未納法人税等を含め7,000万円になったとしますと、この会社の株式1株当たりの純資産価額は、

$$\frac{15,000万円－7,000万円－\{(15,000万円－7,000万円)－(13,000万円－7,000万円)\}×0.37}{20万株（株　数）}＝363円$$

となります。

－1107－

第三章第三節《贈与によって取得したものとみなされる財産》

（注1） 宅地を譲り受けた後の会社の相続税評価額による総資産価額

$$\underbrace{\cdots\cdots\cdots15,000万円}=\underbrace{6,000万円}_{\substack{\text{譲受け前の}\\\text{総資産価額}\\\text{（相続税評}\\\text{価額）}}}+\underbrace{10,000万円（※）}_{\text{（宅地の価額）}}-\underbrace{1,000万円}_{\text{（宅地の対価）}}$$

（注2） 宅地を譲り受けた後の会社の簿価による総資産価額（宅地の簿価＝買入価格＋受贈益相当額）

$$\underbrace{\cdots\cdots\cdots13,000万円}=\underbrace{4,000万円}_{\substack{\text{譲受け前の}\\\text{総資産価額}\\\text{（簿　価）}}}+\underbrace{10,000万円}_{\substack{\text{（宅地の価額）}\\\text{（簿　価）}}}-\underbrace{1,000万円}_{\text{（宅地の対価）}}$$

（注3） ※……課税時期前3年以内に取得した土地等及び家屋等の1株当たり純資産価額に算入する評価額は、その相続税評価額にはよらず、「通常の取引価額」によることになっています（評基通185。第六編第七章第三節の3の(2)の＊1（1401ページ）参照）。なお、株価（純資産価額）の評価については、「第六編　相続税、贈与税の財産評価」の第七章第三節で詳しく説明しています。

　　したがって、土地を低額で譲り受けたことによりA会社の1株当たりの純資産価額は363円－138円＝225円増加します。事例の会社は株式の評価上の区分は小会社に該当し、「類似業種比準価額×0.5＋1株当たり純資産価額×0.5」と「純資産価額×1.0」のいずれか低い金額をその株式の評価額とされますので、前者による評価額の方が低いと仮定すると、純資産価額の増加額225円×0.5＝112.5円が株式の価額の増加額（類似業種比準価額は一定として計算しています。）となります。したがってB以外の株主は、Bから1株につき112.5円の贈与を受けたとみなされます。仮にBの子である株主Cが3万株持っているとすれば、CはBから112.5円×3万株＝3,375,000円の贈与を受けたこととなります。

（2）　同族会社の募集株式引受権

　　同族会社が新株の発行（その同族会社の有する自己株式の処分を含みます。以下(3)までにおいて同じ。）をする場合において、その新株に係る引受権（以下(2)までにおいて「募集株式引受権」といいます。）の全部又は一部が会社法第206条各号《募集株式の引受け》に掲げる者（その同族会社の株主の親族等（親族その他特別の関係がある者をいいます。以下同じ。）に限ります。）に与えられ、その募集株式引受権に基づき新株を取得したときは、原則として、その株主の親族等が、その募集株式引受権をその株主から贈与によって取得したものとみなされます。ただし、その募集株式引受権が給与所得又は退職所得として所得税の課税対象となった場合は除かれます（相基通9－4）。

　　なお、同族会社である合同会社及び合資会社の増資についても、上記に該当する場合は同様に取り扱われます（相基通9－6）。

　　また、だれからどれだけの数の募集株式引受権の贈与があったかは、次の算式により計算することになっています。なお、その者の親族等が2人以上あるときは、親族等の1人ごとについて計算します（相基通9－5）。

$$A\times\frac{C}{B}＝その者の親族等から贈与により取得したものとされる募集株式引受権数$$

（注1） この算式の符号は、次のとおりです。

　　　Aは、他の株主又は従業員と同じ条件により与えられる募集株式引受権の数を超えて与えられた者のその超える部分の募集株式引受権の数

　　　Bは、その法人の株主又は従業員が他の株主又は従業員と同じ条件により与えられる募集株式引受権のうち、その者の取得した新株の数が、その与えられる募集株式引受権の数に満たない数の総数

　　　Cは、Bの募集株式引受権の総数のうち、Aに規定する者の親族等（親族等が2人以上あるときは、その親族等の1人ごと）の占めているものの数

（注2） 「**親族等**」とは、株主の親族及びその株主と次に掲げる特殊の関係のある者をいいます（相令31①）。

　　イ　その株主と婚姻の届出をしていないが事実上婚姻関係と同様の事情にある者及びその者の親族でその者と生計を一にしているもの

　　ロ　その株主の使用人及び使用人以外の者でその株主から受ける金銭その他の財産によって生計を維持し

－1108－

第三章第三節《贈与によって取得したものとみなされる財産》

ているもの並びにこれらの者の親族でこれらの者と生計を一にしているもの

〔計算例〕

同族会社Ｙ社は1,000万円の資本金を倍額増資しましたが、その内容は次表のとおりです。

この場合乙及び戊が贈与を受けたものとされる募集株式の割当てを受ける権利の数は、それぞれ40,000株と60,000株ですが、だれからどれだけ募集株式の割当てを受ける権利の贈与があったとするかは前記算式により次の表のようになります。

株　　　　主	①旧　　　株	②増資比率 （1：1）に よ る 数	③取得した 新株数	④　増　減　（③－②）	
				増（Ａ）	減（Ｃ）
甲	株 100,000	株 100,000	株 20,000	株 —	株 80,000
乙 （甲の長男）	60,000	60,000	100,000	40,000	—
丙 （甲 の 妻）	30,000	30,000	10,000	—	20,000
丁 （甲 の 弟）	10,000	10,000	10,000	—	—
戊 （甲の二男）	—	—	60,000	60,000	—
計	200,000	200,000	200,000	100,000	100,000 （Ｂ）

① 乙分

○ 乙が甲から贈与により取得したものとされる
募集株式の割当てを受ける権利の数

$$40,000株（Ａ）\times\frac{80,000株（Ｃ）}{100,000株（Ｂ）}=32,000株$$

○ 乙が丙から贈与により取得したものとされる
募集株式の割当てを受ける権利の数

$$40,000株（Ａ）\times\frac{20,000株（Ｃ）}{100,000株（Ｂ）}=8,000株$$

② 戊分

○ 戊が甲から贈与により取得したものとされる
募集株式の割当てを受ける権利の数

$$60,000株（Ａ）\times\frac{80,000株（Ｃ）}{100,000株（Ｂ）}=48,000株$$

○ 戊が丙から贈与により取得したものとされる
募集株式の割当てを受ける権利の数

$$60,000株（Ａ）\times\frac{20,000株（Ｃ）}{100,000株（Ｂ）}=12,000株$$

したがって、仮に１株当たりの株式の割当てを受ける権利の評価額が100円であったとしますと、乙、戊が贈与を受けた金額は、それぞれ次のようになります。

乙　100円×40,000株＝4,000,000円

戊　100円×60,000株＝6,000,000円

（注）　株式の割当てを受ける権利の評価方法は、後述の第六編第七章第四節で説明しますので、ここでは省略します。

（3）　同族会社の新株の発行に伴う失権株が発行されなかった場合

同族会社の新株の発行に際し、会社法第202条第1項《株主に株式の割当てを受ける権利を与える場合》の規定により株式の割当てを受ける権利（以下「株式割当権」といいます。）を与えられた者が株式割当権の全部若しくは一部について同法第204条第4項《募集株式の割当て》に規定する申込みをしなかった場合又はその申込みにより同法第206条第1号に規定する募集株式の引受人となった者が同法第208条第3項《出資の履行》に規定する出資の履行をしなかった場合において、その申込み又は出資の履行をしなかった新株（以下「失権株」といいます。）に係る新株の発行が行われなかったことにより結果的に**新株発行割合**（新株の発行前のその同族会社の発行済株式の総数（その同族会社の有する自己株式の数を除きます。以下同じ。）に対する新株の発行により出資の履行があった新株の総数の割合をいいます。以下同じ。）を超えた割合で新株を取得した者があるときは、その者のうち失権株主

－1109－

第三章第三節《贈与によって取得したものとみなされる財産》

（新株の全部の取得をしなかった者及び結果的に新株発行割合に満たない割合で新株を取得した者をいいます。以下同じ。）の親族等については、次の①の算式で計算した失権株の発行が行われなかったことにより受けた利益の総額のうち次の②の算式により計算した金額に相当する利益をその者の親族等である失権株主のそれぞれから贈与によって取得したものとして取り扱われます（相基通９－７）。

① その者が受けた利益の総額

$$\begin{pmatrix}\text{新株の発行後の１株}\\\text{当たりの価額（A）}\end{pmatrix}\times\begin{pmatrix}\text{その者の新株の発行前に}\\\text{おける所有株式数（B）}+\text{その者が取得し}\\\text{た新株の数（C）}\end{pmatrix}$$

$$-\begin{pmatrix}\text{新株の発行前の１株}\\\text{当たりの価額（D）}\times\text{その者の新株の発行前に}\\\text{おける所有株式数（B）}+\text{新株の１株当たり}\\\text{の払込金額（E）}\times\text{その者が取得し}\\\text{た新株の数（C）}\end{pmatrix}$$

② 親族等である失権株主のそれぞれから贈与により取得したものとする利益の金額

$$\text{その者が受けた利益の総額}\times\frac{\begin{array}{c}\text{親族等である各失権株主}\\\text{が与えた利益の金額（G）}\end{array}}{\text{各失権株主が与えた利益の総額（F）}}$$

（注）イ ①の算式中の「A」は次により計算した価額によります。

$$\frac{（D\times\text{新株の発行前の発行済株式数（H）}）+\begin{pmatrix}E\times\text{新株の発行により出資の履}\\\text{行があった新株の総数（I）}\end{pmatrix}}{（H＋I）}$$

　　ロ ②の算式中の「F」は失権株主のそれぞれについて次により計算した金額の合計額によります。

　　　（D×B＋E×C）－A×（B＋C）

　　ハ ②の算式中の「G」は、失権株主のうち親族等である失権株主のそれぞれについてロの算式により計算した金額によります。

〔計算例〕

同族会社X社は、資本金1,000万円を倍額増資しようとしましたが一部に失権株が発生し、700万円だけの増資になりました。その内容は次のとおりです。

イ 新株の取得状況

株　　　　主	①旧　株　数	②取得新株数	③失　権　株　数	④新株発行割合
甲	10,000株	8,000株	2,000株	超
乙（甲の妻）	5,000	3,000	2,000	未満
丙（甲の長男）	3,000	3,000		超
丁（甲の長女）	2,000	0	2,000	未満
計	20,000（H）	14,000（I）	6,000	70％

ロ １株当たりの新株払込金額　　　　500円

ハ 新株発行直前の１株当たりの価額　　　　4,750円（相続税評価額）

（計算）新株発行割合70％を超えて新株の取得をした甲及び丙について、贈与を受けたとみなされる金額を計算することになります。

① 甲の受けた利益の総額

$$\begin{array}{c}\text{新株発行後の１株}\\\text{当たりの価額（A）}\end{array}=\frac{（4,750円\times20,000株）+（500円\times14,000株）}{20,000株+14,000株}=3,000円$$

3,000円（A）×（10,000株（B）＋8,000株（C））－（4,750円（D）×10,000株（B）＋500円（E）×8,000株（C））＝2,500,000円……甲の受けた利益の総額

② 丙の受けた利益の総額

3,000円（A）×（3,000株（B）＋3,000株（C））－（4,750円（D）×3,000株（B）＋500円（E）×3,000株（C））＝2,250,000円……丙の受けた利益の総額

③ 乙及び丁の与えた利益の額（G）の計算

失権株主乙の与えた利益の額

－1110－

$$(4,750円（D）\times 5,000株（B）+500円（E）\times 3,000株（C））-3,000円（A）\times（5,000株（B）+3,000株（C））=1,250,000円 \quad（＜イ＞）$$

失権株主丁の与えた利益の額

$$(4,750円（D）\times 2,000株（B））-（3,000円（A）\times 2,000株（B））=3,500,000円 \quad（＜ロ＞）$$

$$＜イ＞1,250,000円+＜ロ＞3,500,000円=4,750,000円（F）$$

④　各失権株主から贈与を受けたとみなされる利益の額

$$甲\cdots 2,500,000円 \begin{cases} 2,500,000円\times \dfrac{1,250,000円（＜イ＞）}{4,750,000円（F）}=657,895円\cdots 乙より贈与分 \\[3mm] 2,500,000円\times \dfrac{3,500,000円（＜ロ＞）}{4,750,000円（F）}=1,842,105円\cdots 丁より贈与分 \end{cases}$$

$$丙\cdots 2,250,000円 \begin{cases} 2,250,000円\times \dfrac{1,250,000円（＜イ＞）}{4,750,000円（F）}=592,105円\cdots 乙より贈与分 \\[3mm] 2,250,000円\times \dfrac{3,500,000円（＜ロ＞）}{4,750,000円（F）}=1,657,895円\cdots 丁より贈与分 \end{cases}$$

（4）　無利子の金銭貸与等

　夫と妻、親と子、祖父母と孫等特殊の関係がある者相互間で、無償又は無利子で土地、家屋、金銭等の貸与があった場合には、それらを借りた者は、その地代や家賃又は利子に相当する金額の利益を受けたことになり、その利益相当額は、贈与を受けたものとみなされます。

　ただし、その利益を受けた金額が少額である場合又は課税上弊害がないと認められる場合には、強いて課税されないことになっています（相基通9－10）。

　ところで、これら親族等の間で、金銭の貸与等があった場合には、それらが事実上貸借であるのか、贈与であるのかについての判断が必要です。既に説明しましたように、贈与税も実質課税の建前をとっていますから、次に掲げるような場合には、形式上貸与であっても贈与があったものとして取り扱われます。

イ　貸与等を受けた者に返済資力がない場合又は資力が十分あることから貸与を受ける必要性がないと認められるにもかかわらず貸与を受けた場合のように、実際は贈与であるにもかかわらず、形式的には貸借としている場合

ロ　一応は貸借であっても、返済期限の定めがない場合又は将来返済能力が生じたときに限り返済する（いわゆる出世払い）というような場合又はある時払いの催促なしというような場合など、その返済が行われる可能性が極めて薄く、実質的には贈与と変わりがない場合

ハ　第三者からの貸借で、その債務者に資力又は返済能力がないために、実質的には保証人となった債務者の親族等特殊関係者がその借入金を返済しているような場合

（5）　使用貸借による土地の借受け等があった場合

　個人間において、使用貸借による土地の借受け等があった場合は、次のように取り扱われます。この取扱いは、個人間の貸借関係の実情を踏まえて定められているものですから、当事者のいずれか一方が法人である場合のその一方の個人については、法人税の取扱いに準拠して取り扱うこととなっています（昭48直資2－189）。

　建物又は構築物（以下「建物等」といいます。）の所有を目的として使用貸借による土地の借受けがあった場合においては、借地権（建物等の所有を目的とする地上権又は賃借権をいいます。以下同じ。）の設定に際し、その設定の対価として通常権利金その他の一時金（以下「権利金」といいます。）を支払う取引上の慣行がある地域（以下「借地権の慣行のある地域」といいます。）においても、その土地の使用貸借に係る使用権の価額は、零として取り扱われます。

　この場合において、使用貸借とは、民法第593条に規定する契約をいいます。したがって、例えば、土地の借受者と所有者との間にその借受けに係る土地の公租公課に相当する金額以下の金額の授受が

あるにすぎないものはこれに該当し、その土地の借受けについて地代の授受がないものであっても権利金その他地代に代わるべき経済的利益の授受のあるものはこれに該当しないことになります（昭48直資2-189ほか 1）。

また、借地権を有する者（以下「借地権者」といいます。）からその借地権の目的となっている土地の全部又は一部を使用貸借により借り受けてその土地の上に建物等を建築した場合又は借地権の目的となっている土地の上に存する建物等を取得し、その借地権者からその建物等の敷地を使用貸借により借り受けることとなった場合においては、借地権の慣行のある地域においても、その借地権の使用貸借に係る使用権の価額は、零として取り扱われます。

この場合において、その貸借が使用貸借に該当するものであることについては、その使用貸借に係る借受者、その借地権者及びその土地の所有者についてその事実を1117ページの様式1「借地権の使用貸借に関する確認書」により、確認することとされています（昭48直資2-189ほか 2）。

（注） 上記確認の結果、その貸借が上記の使用貸借に該当しないものであるときは、その実態に応じ、借地権又は転借権の贈与として贈与税の課税関係を生ずることとなります。

借地権の目的となっている土地をその借地権者以外の者が取得し、その土地の取得者とその借地権者との間にその土地の使用の対価としての地代の授受が行われないこととなった場合においては、その土地の取得者は、借地権者からその土地に係る借地権の贈与を受けたものとして取り扱われます。ただし、その土地の使用の対価としての地代の授受が行われないこととなった理由が使用貸借に基づくものでないとしてその土地の取得者からその者の住所地の所轄税務署長に対し、借地権者との連署による「借地権者は従前の土地の所有者との間の土地の賃貸借契約に基づく借地権者としての地位を放棄していない」旨の申出書が提出されたときは、借地権の贈与を受けたものとは取り扱われません（昭48直資2-189ほか 5）。

（注1） 上記の「土地の使用の対価としての地代の授受が行われないこととなった場合」には、例えば、土地の公租公課に相当する金額以下の金額の授受がある場合を含み、権利金その他地代に代わるべき経済的利益の授受のある場合は含まれないことになります。

（注2） 上記の申出書は、様式2「借地権者の地位に変更がない旨の申出書」（1118ページ）を用います。

（6） 相当の地代を支払って土地の借受けがあった場合などの取扱い

個人間において使用貸借による土地の借受けがあった場合には、（5）に述べたように土地使用権の価額はないものとみて贈与税を課税しないことに取り扱われますが、借地権の設定に際し権利金授受の慣行のある地域において、個人間で使用貸借以外の契約による土地の借受けがあった場合や法人と個人の間で土地の貸借があった場合は（5）の取扱いが適用されず、設定された借地権の価額を評価して、これと授受された権利金等の額を比較して贈与の有無が判定されることになります。これについては具体的には次のように取り扱われます（昭60直資2-58・直評9通達）。

イ 借地権の設定に際し、権利金を支払う取引上の慣行のある地域（以下「権利金慣行のある地域」といいます。）において、権利金の支払に代え「相当の地代」を支払うこととして借地権の設定があった場合には、その借地権者の借地権設定による利益（贈与）はなかったものとされます。

なお、この場合の「相当の地代」とは、その土地の自用地としての相続税評価額の課税時期の属する年以前3年間の平均額（以下「**相当の地代基礎価額**」といいます。）（権利金の一部の支払、又は低利による金銭貸付け等による特別の経済的利益の授受があったときは、これらの金額を控除した金額）に対しおおむね年6％相当額の地代をいいます。

（注） 上記なお書により相当の地代基礎価額から控除すべき金額がある場合のその金額は、次の算式により計算します。

$$その権利金又は特別の経済的な利益の額 \times \frac{相当の地代基礎価額}{借地権の設定時におけるその土地の通常の取引価額}$$

ロ 権利金慣行のある地域において借地権を設定するに際し、通常授受される権利金の額に満たない権利金が支払われ（権利金が支払われない場合を含みます。）、かつ、実際の地代が「相当の地代」に

-1112-

第三章第三節《贈与によって取得したものとみなされる財産》

満たないときは、ハの場合を除き、次の算式により求めた金額を借地権の価額とし、これと支払われた権利金等の額との差額に相当する金額が土地の所有者から贈与されたものとされます。

$$\begin{matrix}自用地\\として\\の価額\end{matrix}\times\left\{\begin{matrix}借地権\\割合\end{matrix}\times\left(1-\cfrac{\begin{matrix}実際に支払って\\いる地代の年額\end{matrix}-\begin{matrix}通常の地\\代の年額\end{matrix}}{\begin{matrix}相当の地\\代の年額\end{matrix}-\begin{matrix}通常の地\\代の年額\end{matrix}}\right)\right\}$$

(注1) 上記算式中の「自用地としての価額」は、実際に支払っている権利金の額又は供与した特別の経済的利益の額がある場合に限り、借地権設定時のその土地の通常の取引価額によります。

(注2) この算式における「相当の地代の年額」は、実際に支払っている権利金の額又は供与した特別の経済的利益の額がある場合であってもこれらの金額がないものとして相当の地代基礎価額におおむね6％の地代率を乗じて計算した金額によります。また「通常の地代の年額」が不明のときは、その土地の自用地としての相続税評価額から借地権割合による借地権価額を控除した金額（底地価額）の課税時期の属する年以前3年間の平均額に対しておおむね6％相当額を「通常の地代の年額」とみなして計算してもよいことになっています。

ハ 権利金慣行のある地域において通常の賃貸借契約において通常支払われる地代（通常の地代の年額）を支払うこととして借地権の設定があった場合は、次に掲げる場合に応じ、それぞれに掲げる金額の贈与があったものとされます。

〈イ〉 実際に支払っている権利金の額又は供与した特別の経済的利益の額がない場合　評基通27により計算した金額（第六編第一章第四節の1（1343ページ）参照）

〈ロ〉 実際に支払っている権利金の額又は供与した特別の経済的利益の額がある場合　通常支払われる権利金の額から実際に支払っている権利金の額及び供与した特別の経済的利益の額を控除した金額

6 信託に関する課税の特例

（1） 贈与又は遺贈により取得したとみなす信託に関する権利

イ 信託の効力が生じた場合

信託（退職年金の支給を目的とする信託等を除きます。以下同じ。）の効力が生じた場合において、適正な対価を負担せずにその信託の**受益者等**（受益者としての権利を現に有する者及び特定委託者をいいます。以下同じ。）となる者があるときは、その信託の効力が生じた時において、その信託の受益者等となる者は、その信託に関する権利をその信託の委託者から贈与により取得したものとみなされ、贈与税が課税されます（相法9の2①）。

(注1) 信託から除かれる退職年金の支給を目的とする信託等は、次に掲げる信託です（相令1の6）。

① 確定給付企業年金法第65条第3項《事業主の積立金の管理及び運用に関する契約》に規定する資産管理運用契約に係る信託

② 確定拠出年金法第8条第2項《資産管理契約の締結》に規定する資産管理契約に係る信託

③ 相令第1条の3第8号に規定する適格退職年金契約に係る信託

④ ①～③の信託に該当しない退職給付金に関する信託で、その委託者の使用人（法人の役員を含みます。）又はその遺族をその信託の受益者とするもの

(注2) 特定委託者とは、信託の変更をする権限（他の者との合意により信託の変更をする権限を含み、軽微な変更をする権限（※）を除きます。）を現に有し、かつ、その信託の信託財産の給付を受けることとされている者（受益者としての権利を現に有する者を除きます。）をいいます（相法9の2⑤、相令1の7①②）。なお、停止条件が付された信託財産の給付を受けることとされている者は、該当します（相令1の12④）。

※軽微な変更をする権限とは、信託の目的に反しないことが明らかな場合に限り信託の変更をすることができる権限のことをいいます。

ロ 信託の受益者等が存するに至った場合

受益者等の存する信託について、適正な対価を負担せずに新たにその信託の受益者等が存するに

－1113－

第三章第三節《贈与によって取得したものとみなされる財産》

至った場合（後記ニの適用がある場合を除きます。）には、その受益者等が存するに至った時において、その受益者等となる者は、その信託に関する権利をその信託の受益者等であった者から贈与により取得したものとみなされ、贈与税が課税されます（相法9の2②）。

ハ　信託の受益者等の一部が存しなくなった場合

　　受益者等の存する信託について、その信託の一部の受益者等が存しなくなった場合において、適正な対価を負担せずに既にその信託の受益者等である者がその信託に関する権利について新たに利益を受けることとなるときは、その信託の一部の受益者等が存しなくなった時において、その利益を受ける者は、その利益をその信託の一部の受益者等であった者から贈与により取得したものとみなされ、贈与税が課税されます（相法9の2③）。

ニ　信託が終了した場合

　　受益者等の存する信託が終了した場合において、適正な対価を負担せずにその信託の残余財産の給付を受けるべき、又は帰属すべき者となる者（以下「残余財産受益者等」といいます。）があるときは、残余財産受益者等は、残余財産受益者等となった時において、その信託の残余財産をその信託の受益者等から贈与により取得したものとみなされ、贈与税が課税されます（相法9の2④）。

ホ　信託に関する権利又は利益の所在

　　イからハの贈与により取得したものとみなされる信託に関する権利又は利益を取得した者は、原則としてその信託の信託財産に属する資産及び負債を取得し、又は承継したものとみなされます（相法9の2⑥）。

　(注)　法人税法に規定する集団投資信託、法人課税信託及び退職年金等信託の信託財産に属する資産及び負債については、ホの規定の対象外です（相法9の2⑥ただし書）。

（2）　受益者連続型信託の特例

受益者連続型信託（信託法89①、91等）に関する権利を受益者（受益者が存しない場合は特定委託者）が適正な対価を負担せずに取得した場合において、その権利について利益を受ける期間の制限その他のその受益者連続型信託に関する権利の価値に作用する要因としての制約が付されているものについては、その権利の評価上、その制約は付されていないものとみなされます（相法9の3）。

(注1)　受益者連続型信託とは、次に掲げる信託をいいます（相法9の3、相令1の8）。

① 信託法第91条《受益者の死亡により他の者が新たに受益権を取得する旨の定めのある信託の特例》に規定する信託

② 同法第89条第1項《受益者指定権等》に規定する受益者指定権等を有する者の定めのある信託

③ 受益者等の死亡その他の事由により、その受益者等の有する信託に関する権利が消滅し、他の者が新たな信託に関する権利（その信託の信託財産を含みます。）を取得する旨の定め（受益者等の死亡その他の事由により順次他の者が信託に関する権利を取得する旨の定めを含みます。）のある信託（上記①の信託を除きます。）

④ 受益者等の死亡その他の事由により、その受益者等の有する信託に関する権利が他の者に移転する旨の定め（受益者等の死亡その他の事由により順次他の者に信託に関する権利が移転する旨の定めを含みます。）のある信託

⑤ ①、②、③及び④の信託以外の信託でこれらの信託に類する信託

(注2)　受益者連続型信託に関する権利は、異なる受益者が性質の異なる受益者連続型信託に関する権利（その権利のいずれかに収益に関する権利が含まれるものに限ります。）をそれぞれ有している場合には、収益に関する権利が含まれるものに限ります（相法9の3①かっこ書）。

(注3)　受益者連続型信託に関する権利を有する者が法人（人格のない社団等を含みます。）である場合には、**(2)**の規定は適用されません（相法9の3①ただし書）。

（3）　受益者が存しない信託等の特例

イ　信託の受益者等が存しない信託（相法9の4）

—1114—

第三章第三節《贈与によって取得したものとみなされる財産》

(イ)　信託の受益者等が存しない信託の効力が生じた場合

　　受益者等が存しない信託の効力が生ずる場合において、その信託の受益者等となる者がその信託の委託者の親族であるとき（その信託の受益者等となる者が明らかでない場合にあっては、その信託が終了した場合にその委託者の親族がその信託の残余財産の給付を受けることとなるとき）は、その信託の効力が生ずる時において、その信託の受託者は、その委託者からその信託に関する権利を贈与により取得したものとみなされ、贈与税が課税されます（相法9の4①）。

(ロ)　信託の受益者等が存しないこととなった場合

　　受益者等が存する信託について、その信託の受益者等が不存在となった場合において、その受益者等の次に受益者等となる者がその信託の効力が生じた時の委託者又はその次に受益者等となる者の親族であるとき（その次に受益者等となる者が明らかでない場合にあっては、その信託が終了した場合にその委託者又はその次に受益者等となる者の前の受益者等の親族がその信託の残余財産の給付を受けることとなるときは）は、その受益者等が不存在となった時において、その信託の受託者は、その次に受益者等となる者の前の受益者等からその信託に関する権利を贈与により取得したものとみなされ、贈与税が課税されます（相法9の4②）。

(注1)　(イ)又は(ロ)の受託者が個人以外のものであるときは、その受託者を個人とみなします（相法9の4③）。

(注2)　(イ)、(ロ)及びロの親族とは次の者をいいます（相令1の9）。

　①　六親等内の血族、配偶者及び三親等内の姻族

　②　その信託の受益者等となる者（(イ)又は(ロ)の信託の残余財産の給付を受けることとなる者及び(ロ)の次に受益者等となる者を含みます。）が信託の効力が生じた時（(ロ)に規定する受益者等が不存在となった場合に該当することとなった時及び次のロに規定する契約締結時等を含みます。③において同じ。）において存しない場合には、その者が存するものとしたときにおいて①に掲げる者に該当する者

　③　その信託の委託者（(ロ)の次に受益者等となる者の前の受益者等を含みます。）が信託の効力が生じた時において存しない場合には、その者が存するものとしたときにおいて①に掲げる者に該当する者

(注3)　(イ)又は(ロ)の受託者については、(イ)又は(ロ)の規定により贈与により取得したものとみなされるその信託に関する権利及びその信託に関する権利以外の贈与により取得した財産ごとに、それぞれ別の者とみなして、贈与税額を計算します（(注4)に該当する場合を除きます。）。この場合の贈与税額の計算においては、相法第21条の2第4項〔第四編第四章第五節〕（708ページ）、第21条の4〔第四章第二節〕（1122ページ）及び第21条の6〔第五章第三節〕（1151ページ）並びに第2章第3節〔第四編第七章〕（776ページ）の規定は適用されません（相令1の10①）。

(注4)　(イ)又は(ロ)の適用を受ける信託が2以上ある場合において、その信託の受託者が同一であるときは、信託ごとにそれぞれ別の者とみなして上記(注3)を適用します。ただし、信託の関する権利が贈与により取得したとみなされた場合には、次によります（相令1の10②③）。

　①　信託の受託者が同一であるときは、それぞれ受託者ごとに上記(注3)を適用する。

　②　信託の受託者が異なる場合であっても、委託者が同一であるものの受託者は一の者とみなして贈与税の課税価格及び基礎控除を適用して贈与税額を計算する。この場合、各受託者は、それぞれ贈与税（その贈与税額に贈与税の課税価格に算入される信託に関する権利の価額の合計額のうちに一の受託者に係る信託に関する権利の価額を占める割合を乗じて算出した金額をいう。）を納めるものとする。

(注5)　(注3)及び(注4)で計算した贈与税額から法人税等相当額を控除されます（相令1の10⑤）。

(注6)　(イ)又は(ロ)の適用を受ける信託（以下「特定信託」といいます。）の設定に当たり、委託者が、従前においてその特定信託以外の特定信託（以下「従前特定信託」といいます。）を設定している場合には、その特定信託の設定時に、その特定信託の受託者に対して、従前特定信託の受託者に係る一定の事項を通知しなければならず、また、その従前特定信託の受託者に対して、その特定信託に係る一定の事項を通知しなければなりません（相令1の10⑥⑦）。

—1115—

第三章第三節《贈与によって取得したものとみなされる財産》

（注7）　（イ）又は（ロ）の受託者の住所は、その信託の引受けをした営業所等に存在するものとし、その受託者の国籍は日本国籍を有するものとみなされます（相令1の12①）。

（ハ）　受託者に課される法人税等に相当する額の控除

（イ）又は（ロ）の適用がある場合において、受託者に課される贈与税の額については、（ロ）の（注5）（相令1の10⑤）に基づき、その受託者に課されるべき法人税等の額に相当する額を控除することとされています（相法9の4④）。

ロ　信託の受益者等が存しない信託の受益者等が生じた場合（相法9の5）

受益者等が存しない信託について、その信託の契約締結時等において存しない者がその信託の受益者等となる場合において、その信託の受益者等となる者がその信託の契約締結時等における委託者の親族（イの（ロ）の（注2）参照）であるときは、その存しない者が受益者等となる時において、その信託の受益者等となる者は、その信託に関する権利を個人から贈与により取得したものとみなされ、贈与税が課税されます。

（注1）　契約締結時の範囲は、相令1の11参照

（注2）　贈与者の住所は、その信託の委託者の住所にあるものとみなされます（相令1の12②）。

（4）　受益者等の有する信託に関する権利が全部でない場合

受益者等の有する信託に関する権利がその信託に関する権利の全部でない場合における信託の特例（（1）～（3））の適用については、次のとおりとされています（相令1の12③）。

イ　その信託についての受益者等が一である場合には、その信託に関する権利の全部をその受益者等が有するものとみなされます。

ロ　その信託についての受益者等が二以上存する場合には、その信託に関する権利の全部をそれぞれの受益者等がその有する権利の内容に応じて有するものとみなされます。

（5）　公益信託の委託者

公益信託ニ関スル法律第1条《公益信託》に規定する公益信託の委託者（その相続人その他の一般承継人を含みます。）は、（1）のイの（注2）の特定委託者に該当するものとみなして、相続税法の規定を適用することとされています（相法附則㉔）。

（注）　上記（5）については、公益信託に関する法律（令和6年法律第30号）の施行の日（公布の日（令和6年5月22日）から起算して2年を超えない範囲内において政令で定める日）以後、削られます（令6改所法等附1九ハ、12①）。

7　特別の法人から受けた利益

持分の定めのない法人（持分の定めのある法人で持分を有する者がないものを含みます。）に対して財産の贈与があった場合で、その法人が、施設の利用、余裕金の運用等で設立者、社員、理事その他特定の者に特別の利益を与える法人であるときはその財産の贈与があった時に、これらの法人から特別の利益を受ける者が、その財産の贈与により受ける利益の価額に相当する金額を、法人への贈与者から贈与によって取得したものとみなされます。

ただし、これらの法人に対する財産の贈与が、その財産を贈与した者又はその者と特別な関係がある者の相続税又は贈与税の負担を不当に減少するものと認められ、これらの法人が個人とみなされて贈与税がかかる場合は除かれます（相法65①）。

－1116－

第三章第三節《贈与によって取得したものとみなされる財産》

様式1

借地権の使用貸借に関する確認書

① （借地権者）　　　　　　（借受者）

_____甲野 太郎_____ は、_____甲野 三郎_____ に対し、令和 **6** 年 **2** 月 **9** 日にその借地

している下記の土地 { に建物を建築させることになりました。_____ / <del>の上に建築されている建物を贈与（譲渡）しました。</del> } しかし、その土地の使用

　　　　　　　　　　　　　　　　　（借地権者）

関係は使用貸借によるものであり、_____甲野 太郎_____ の借地権者としての従前の地位には、何ら変

更はありません。

記

土地の所在_____**大阪市中央区日本橋1丁目○○番地**_____

地　　　積_____**330**_____㎡

② 上記①の事実に相違ありません。したがって、今後相続税等の課税に当たりましては、建物の所有者はこ

の土地について何らの権利を有さず、借地権者が借地権を有するものとして取り扱われることを確認します。

令和 **6** 年 **2** 月 **9** 日

借 地 権 者 （住所）**大阪市中央区大手前1丁目○○** （氏名）_____**甲野 太郎**_____

建物の所有者 （住所）**大阪市中央区日本橋1丁目○○** （氏名）_____**甲野 三郎**_____

③ 上記①の事実に相違ありません。

令和 **6** 年 **2** 月 **16** 日

土地の所有者 （住所）**大阪市天王寺区上本町5丁目○○** （氏名）_____**乙野 乙平**_____

㊞

上記①の事実を確認した。

令和　　　年　　　月　　　日

（確認者）_____ 税務署 _____部門　担当者_____

(注) ㊞印欄は記入しないでください。

－1117－

第三章第三節《贈与によって取得したものとみなされる財産》

様式2

借地権者の地位に変更がない旨の申出書

令和 **6** 年 **3** 月 **12** 日

___**東**___ 税務署長

（土地の所有者）
___**大 阪 太 郎**___ は、令和 **6** 年 **3** 月 **4** 日に借地権の目的となっている

（借地権者）
下記の土地の所有権を取得し、以後その土地を___**大 阪 花 子**___に無償で貸し

付けることになりましたが、借地権者は従前の土地の所有者との間の土地の賃貸借契約に

基づく借地権者の地位を放棄しておらず、借地権者としての地位には何らの変更をきたす

ものでないことを申し出ます。

記

土地の所在 ___**大阪市北区天神橋３丁目○○番地**___

地 積 ___**360.50**___ ㎡

土地の所有者 （住所）**大阪市中央区大手前１丁目○○** （氏名） ___**大阪 太郎**___

借 地 権 者 （住所）**大阪市天王寺区上本町５丁目○○** （氏名） ___**大阪 花子**___

第四章　贈与税の非課税財産

　贈与税は、原則として贈与により取得した全ての財産に対して課税することになっていますが、社会政策的見地あるいは国民感情等を考慮して、贈与税を課税することが適当でないと認められる財産については、贈与によって取得した場合でも、その財産には贈与税を課税しないことにしています。このような財産を、贈与税の非課税財産と呼んでいます（相法21の3①）。

第一節　贈与税の非課税財産

1　法人から贈与を受けた財産

　第一章で述べましたように、贈与税は相続税の補完税としての機能を持っていますので、個人から贈与によって取得した財産に対してだけ課税すればよいことになります。したがって、相続や遺贈に関係のない法人から贈与により取得した財産には、贈与税を課税する必要はないわけです（相法21の3①一）。
（注）　上記　　下線部分については、公益信託に関する法律（令和6年法律第30号）の施行の日（公布の日（令和6年5月22日）から起算して2年を超えない範囲内において政令で定める日）以後、見出し中「財産」の次に「及び公益信託から給付を受けた財産」が加えられ、1中「財産には」が「財産や公益信託からの給付により取得した財産には」とされます（令6改所法等附1九ハ）。

　しかし、財産を贈与により取得したことは、それだけ経済的利益を受けたことになりますから、それによる所得は一時所得等として所得税が課税されます（所基通34－1）。
　代表者又は管理人の定めのある人格のない社団又は財団からの贈与により取得した財産も同様に取り扱われます（相基通21の3－2）。

2　扶養義務者から生活費又は教育費として贈与を受けた財産で、通常必要と認められるもの

　夫婦、親子、又は兄弟姉妹等の親族の間では、お互いに扶養する義務があります（民法877）。そこで、このような扶養義務者相互の間で、生活費又は教育費に充てるために財産の贈与があった場合には、その取得財産のうち、生活費又は教育費として通常必要と認められる範囲のものに対しては、贈与税は課税されません（相法21の3①二）。
　ところで、生活費又は教育費の意義及びその取扱いについては、次のようになっています。
（1）　生　活　費
　その人の通常の日常生活を営むのに必要な費用（教育費を除きます。）をいいます。治療費、養育費その他これらに準ずるものも、生活費に含まれることになっていますが、保険金又は損害賠償金により補てんされる部分の金額は除かれます（相基通21の3－3）。
（2）　教　育　費
　被扶養者の教育上通常必要と認められる学資、教材費、文具費等をいいますが、これらの費用であれば、義務教育費でなくてもよいことになっています（相基通21の3－4）。
　しかし、生活費又は教育費に充てるためのものとして取得した財産で贈与税の非課税財産とされるのは、上記の生活費又は教育費として必要な都度、直接これらの用に充てるために贈与によって取得した財産に限られます。したがって、生活費又は教育費の名目で取得した財産を預貯金した場合又は株式の買入代金若しくは不動産の買入代金に充当したような場合などには、その預貯金又は買入代金等の金額は、生活費又は教育費として通常必要と認められるもの以外のものとして取り扱われ、これ

－1119－

には贈与税が課税されます（相基通21の3－5）。

　なお、「通常必要と認められるもの」とは、被扶養者の需要と扶養者の資力、その他一切の事情を勘案して、社会通念上適当と認められる範囲の財産をいいます（相基通21の3－6）。

　したがって、財産の果実（例えば、地代、家賃、配当など）だけを生活費又は教育費に充てるために財産（例えば、土地、家屋、株式など）の名義を変更したような場合には、その名義変更の時に、その利益を受ける者が、その財産を贈与によって取得したものとして課税されます（相基通21の3－7）。

3　公益事業を行う者が贈与を受けた財産で、公益事業の用に供することが確実なもの

　宗教、慈善、学術その他公益を目的とする事業を行う者で、次に掲げるものが贈与により取得した財産で、その公益を目的とする事業の用に供することが確実なものについては、贈与税は課税されません（相法21の3①三）。しかし、このような公益事業を行う者であっても、その事業の運営に当たって、特定の者に利益を与えるなど次の(2)に掲げるような事実がある場合には、その者が贈与を受けた公益事業用財産は贈与税の対象とされます（相令2、4の5）。

（1）　公益事業を行う者の範囲

　公益事業を行う者とは、専ら次に掲げる事業を行う者をいいます。

イ　社会福祉法による社会福祉事業

ロ　更生保護事業法による更生保護事業

ハ　児童福祉法に規定する家庭的保育事業、小規模保育事業又は事業所内保育事業

ニ　学校教育法第1条に定める学校又は就学前の子どもに関する教育、保育等の総合的な提供の推進に関する法律第2条に定める認定こども園を設置し、運営する事業

ホ　宗教、慈善、学術その他公益を目的とする事業で、その事業活動により文化の向上、社会福祉への貢献その他の公益の増進に寄与するところが著しいと認められるもの

（2）　贈与税の課税対象とされる場合

イ　公益事業を行う者が個人である場合

　その者にその財産の贈与をした者又はその者若しくはその贈与をした者の親族その他これらの者と特別の関係のある者に対して、その事業の施設の利用、余裕金の運用その他その事業に関し特別の利益を与えること。

ロ　公益事業を行う者が人格のない社団や財団である場合

（イ）　その社団等の役員その他の機関の構成、その選任方法その他その社団等の事業の運営の基礎となる重要事項について、その事業の運営が特定の者及びその親族その他その特定の者と特別の関係がある者の意思に従ってなされていると認められる事実があること。

（ロ）　その社団等の機関の地位にある者若しくは財産の贈与をした者又はこれらの者の親族その他これらの者と特別の関係がある者に対してその社団等の事業の施設の利用、余裕金の運用、解散した場合の財産の帰属その他その事業に関し特別の利益を与えること。

　なお、以上にあげたほか、公益事業用財産の贈与を受けた者が、その財産をもらった日から2年を経過しても、なおその公益事業の用に供していない場合には、その財産に対しては、その財産をもらった日の属する年分の贈与税が課税されます（相法21の3②、12②）。

（注）　上記＿＿＿下線部分については、公益信託に関する法律（令和6年法律第30号）の施行の日（公布の日（令和6年5月22日）から起算して2年を超えない範囲内において政令で定める日）以後、「供していない場合には」とあるのは、「供しない場合又は供しなくなった場合には」とされます（令6改所法等附1九ハ）。

4　特定公益信託から交付される金品

　所得税法第78条第3項《特定寄附金》に規定する特定公益信託（以下「特定公益信託」といいます。）で学術に関する顕著な貢献を表彰するものとして、若しくは顕著な価値がある学術に関する研究を奨

－1120－

励するものとして財務大臣の指定するものから交付される金品で財務大臣の指定するもの又は学生若しくは生徒に対する学資の支給を行うことを目的とする特定公益信託から交付される金品については、贈与税は課税されません（相法21の3①四）。

(注) 上記＿＿＿下線部分については、公益信託に関する法律（令和6年法律第30号）の施行の日（公布の日（令和6年5月22日）から起算して2年を超えない範囲内において政令で定める日）以後、次のとおりとされます（令6改所法等附1九ハ、12①）。

> **4 公益信託の受託者が贈与により取得した財産**
>
> 公益信託の受託者が贈与により取得した財産（その信託財産として取得したものに限ります。）については、贈与税は課税されません（相法21の3①四）。

5 心身障害者共済制度に基づく給付金の受給権

条例の規定により、地方公共団体が、精神又は身体に障害のある者に関して実施する共済制度で、政令で定めるものに基づいて支給される給付金を受ける権利については、贈与税は課税されません（相法21の3①五）。

この共済制度は、地方公共団体がその条例により、精神又は身体に障害のある者を扶養する者を加入者とし、その加入者が当該地方公共団体に掛金を払い込むことによって、一定の給付事由が生じた後に、その地方公共団体が、心身障害者の扶養のための給付金を定期的に支給するというものです。

6 公職選挙法に基づく選挙において、候補者が選挙運動のため贈与を受けた金品などで同法の規定により報告がなされたもの

衆議院議員、参議院議員、都道府県知事など公職選挙法の適用を受ける公職の候補者が、選挙運動に関し、贈与により取得した金銭、物品その他の財産上の利益で、公職選挙法の規定により、正規の報告がなされているものについては、贈与税は課税されません（相法21の3①六）。

なお、この場合、公職の候補者が法人から贈与を受けた金品等については、上記1に該当しますから、贈与税は課税されません。

また、政治資金規正法の適用を受ける政党（政党交付金の交付を受ける政党等に対する法人格の付与に関する法律により法人格が付与されたものを除きます。）、政治資金団体その他の政治団体が政治資金として、個人から贈与によって取得した金銭、物品その他の財産上の利益については、その政党、政治資金団体その他の政治団体が、上記3の公益を目的とする事業を行う者に該当し、かつ、その取得した財産を政治資金に供することが確実であるときは贈与税は課税されません。この場合、法人からの贈与によって取得した金品等については、上記1に該当しますから、贈与税は課税されません（相基通21の3－8）。

7 社交上必要と認められる香典など

個人から受ける香典、花輪代、年末年始の贈答、祝物又は見舞い等のための金品で、法律上贈与に該当するものであっても、社交上の必要によるもので、贈与者と受贈者の両者の関係等に照らして社会通念上相当と認められるものについては、贈与税が課税されないことになっています（相基通21の3－9）。

8 相続があった年に被相続人から贈与により取得した財産

相続又は遺贈により財産を取得した人が、その相続開始前7年以内に、被相続人から贈与により取得した財産があれば、その財産（特定贈与財産（709ページ参照）を除きます。）の価額（その財産のうち相続の開始前3年以内に取得した財産以外の財産にあっては、その財産の価額の合計額から100万円を控除した残額）を相続税の課税価格に加算して相続税額を算出し、その算出税額からその贈与財産に課せられた贈与税相当額を控除することになっています（相法19）。

－1121－

第四章第二節《特定障害者の信託受益権に係る非課税制度》

(注) ＿＿＿線部分の規定は、令和５年12月31日以前に贈与により取得する財産に係る相続税については、「７年」とあるのは、「３年」となります（令５改法附19①）。

なお、相続又は遺贈により財産を取得した日に応じた加算対象期間は以下のとおりです。

相続又は遺贈により財産を取得した日(注1)	加算対象期間	相続の開始前３年以内に取得した財産以外の財産に係る期間（100万円控除が適用される期間）
令和６年１月１日から令和８年12月31日まで	相続の開始の日から遡って３年目の応当日から当該相続の開始の日までの間	
令和９年１月１日から令和12年12月31日まで	令和６年１月１日から相続の開始の日までの間	令和６年１月１日から、相続の開始の日から遡って３年目の応当日の前日までの間(注2)
令和13年１月１日以後	相続の開始の日から遡って７年目の応当日から当該相続の開始の日までの間	相続の開始の日から遡って７年目の応当日から、当該相続の開始の日から遡って３年目の応当日の前日までの間

(注1) 原則として、「相続の開始の日（被相続人の死亡の日）」により判定することとなります（「相続の開始があったことを知った日」（相法27等）ではありません。）。

(注2) 相続又は遺贈により財産を取得した日が令和９年１月１日である場合においては、相続の開始の日から遡って３年目の応当日が令和６年１月１日となることから、相続の開始前３年以内に取得した財産以外の財産に係る期間（100万円控除が適用される期間）は生じません。

ところで、この場合、相続があった年の前年以前の贈与財産については、容易に贈与税額を計算することができますが、相続があった年の贈与財産については、年分課税のためその年が経過しないと贈与税が確定せず、したがって相続税も確定しないということになります。

そこで、相続税法では、相続があった年に被相続人から贈与によって取得した財産については、贈与税を課税しないで、その財産の価額を相続税の課税価格に加算することにしています（相法21の２④）。

(注) 相続の開始の年にその相続に係る被相続人から贈与により取得した財産でも、居住用不動産又は金銭で特定贈与財産（709ページ参照）に該当するものについては、上記によらず、相続の開始の日の属する年分の贈与税の課税価格に算入されます（相基通19-9）。

しかし、相続があった年に被相続人たる贈与者から贈与により財産を取得した場合でも、その被相続人から相続又は遺贈によって財産を取得しない場合は、加算すべき相続税の課税価格がありませんので、その贈与を受けた財産については、通常の例により、贈与税が課税されることになります。なお、相続時精算課税の適用を受ける贈与財産は相続時精算課税による贈与税の課税価格に算入されますが、第六章第二節４のなお書（相法28④）の贈与税の申告は不要です（相基通21の２-３）。

第二節　特定障害者の信託受益権に係る非課税制度

1　制　度　の　概　要

特定障害者（特別障害者〔重度の心身障害者で相続税法第19条の４第２項に規定する特別障害者をいいますが、制限納税義務者又は非居住無制限納税義務者を除きます。特別障害者の具体的範囲については第四編第六章第二節２の(6)の(注2)（773ページ）を参照してください。〕及び障害者〔特別障害者を除きます。〕のうち一定の者(注)〔制限納税義務者又は非居住無制限納税義務者を除きます。〕をいいます。）を受益者とする特定障害者扶養信託契約に基づき、金銭・有価証券その他の財産が信託

-1122-

第四章第二節《特定障害者の信託受益権に係る非課税制度》

されたときは、その信託受益権の価額のうち6,000万円（特定障害者のうち特別障害者以外の者にあっては3,000万円）までの金額を非課税として贈与税の課税価格に算入しないこととする制度です（相法21の4、相令4の7～4の20）。

（注）　特別障害者以外の特定障害者の範囲（相令4の8、所令10①一、同二、同七）

　　　イ　精神上の障害により事理を弁識する能力を欠く常況にある者又は児童相談所、知的障害者更生相談所（知的障害者福祉法（昭和35年法律第37号）第9条第6項（更生援護の実施者）に規定する知的障害者更生相談所をいいます。）、精神保健福祉センター（精神保健及び精神障害者福祉に関する法律（昭和25年法律第123号）第6条第1項（精神保健福祉センター）に規定する精神保健福祉センターをいいます。）若しくは精神保健指定医の判定により知的障害者とされた者

　　　ロ　精神保健及び精神障害者福祉に関する法律第45条第2項（精神障害者保健福祉手帳の交付）の規定により精神障害者保健福祉手帳の交付を受けている者

　　　ハ　精神又は身体に障害のある年齢65歳以上の者で、その障害の程度がイに掲げる者に準ずるものとして市町村長又は特別区の区長（社会福祉法（昭和26年法律第45号）に定める福祉に関する事務所が老人福祉法（昭和38年法律第133号）第5条の4第2項各号（福祉の措置の実施者）に掲げる業務を行っている場合には、当該福祉に関する事務所の長）の認定を受けている者

2　特定障害者扶養信託契約

　この契約は、個人（委託者）が受託者と締結した特定の財産の信託に関する契約で、次に掲げる要件を備えたものをいいます。

（1）　特定障害者が、信託利益の全部の受益者となっていること（相法21の4②）。

（2）　信託財産は、次に掲げるものであること（相令4の11）。

　イ　金銭

　ロ　有価証券

　ハ　金銭債権

　ニ　立木及び立木の生立する土地で立木とともに信託されるもの

　ホ　継続的に相当の対価を得て他人に使用させる不動産

　ヘ　特定障害者扶養信託契約に基づく信託の受益者である特定障害者の居住の用に供する不動産（その契約に基づいてイからホまでに掲げる財産のいずれかとともに信託されるものに限ります。）

（3）　受託者は、信託会社及び信託業務を営む金融機関に限られ、二以上の信託受益権について、この非課税制度の適用を受ける場合には、同一の受託者の同一営業所であること（相法21の4①③、相令4の9、4の13）。

（4）　信託期間は、特定障害者の死亡の日に終了することとされていること（相令4の12一）。

（5）　信託契約は、取消し又は合意による終了ができず、かつ、その信託期間及び受益者は変更することができない旨の定めがあること（相令4の12二）。

（6）　信託の収益は、特定障害者の生活又は療養の費用に充てるため、定期に、かつ、その実際の必要に応じて適切に分配されることとされていること（相令4の12三）。

（7）　信託財産の運用は、安定した収益の確保を目的として適正に行うこととされているものであること（相令4の12四）。

（8）　信託受益権については、譲渡又は担保に供することができない旨の定めがあること（相令4の12五）。

3　非課税の適用を受けるための手続

　この非課税の適用を受けるためには、特定障害者は信託の際に、「障害者非課税信託申告書」を受託者の営業所を経由して、特定障害者の納税地の所轄税務署長へ提出しなければなりません（相令4の

第四章第三節《直系尊属から教育資金の一括贈与を受けた場合の贈与税の非課税制度》

10①）。

また、信託法の規定等による信託の取消、廃止又は特定障害者の住所変更等があった場合には、それぞれ取消、廃止又は異動の申告書等（相規３～５）を提出しなければならないこととされています（相令４の14～４の16）。

なお、特定障害者が障害者非課税信託申告書に係る特定障害者扶養信託契約に基づく信託受益権の価額のうち、その申告書の提出により、贈与税の非課税の適用を受けた部分の価額は、相続税の課税価格に加算される相続開始前 7 年 以内の贈与財産に含めないこととされています（相法19①）。

また、この贈与税の非課税制度の適用を受けた障害者が相続財産を取得した場合には、相続税の障害者控除の適用を受けることもできます。

（注） ___線部分の規定は、令和５年12月31日以前に贈与により取得する財産に係る相続税については、「７年」とあるのは、「３年」とします（令５改法附19①）。

第三節　直系尊属から教育資金の一括贈与を受けた場合の贈与税の非課税制度

平成25年４月１日から令和８年３月31日までの間に、受贈者（**教育資金管理契約**を締結する日において30歳未満の者に限られます。）が、①その直系尊属と信託会社**(注１)**（以下「受託者」といいます。）との間の教育資金管理契約に基づき「信託受益権」を取得した場合、②その直系尊属からの書面による贈与により取得した金銭を教育資金管理契約に基づき金融機関**(注２)**の営業所等において預金若しくは貯金として預入をした場合又は③教育資金管理契約に基づきその直系尊属からの書面による贈与により取得した金銭若しくは金銭等**(注３)**で金融商品取引業者**(注４)**の営業所等において有価証券を購入した場合には（以下、これら①から③の場合を「**教育資金口座の開設等**」といいます。）、その信託受益権、金銭又は金銭等の価額のうち1,500万円まで（（１）の②に掲げる学校等以外の者に支払う場合には、500万円まで）の金額（既にこの特例の適用を受けて贈与税の課税価格に算入しなかった金額がある場合には、その算入しなかった金額を控除した残額）に相当する部分の価額については、贈与税の課税価格に算入されません。ただし、信託受益権等を取得した日の属する年の前年分の合計所得金額が1,000万円を超える場合は、適用されません（措法70の２の２①）。

(注１)　「受託者」となる信託会社は、信託業法第３条又は第53条第１項の免許を受けたものに限られますが、金融機関の信託業務の兼営等に関する法律により同法第１条第１項に規定する信託業務を営む同項に規定する金融機関が含まれます。

(注２)　本制度の取扱いができる金融機関は、銀行、信用金庫、信用金庫連合会、労働金庫、労働金庫連合会、信用協同組合、信用協同組合連合会（中小企業等協同組合法第９条の９第１項第１号の事業を行う協同組合連合会をいいます。）、農林中央金庫及び株式会社商工組合中央金庫並びに貯金の受入れをする農業協同組合、農業協同組合連合会、漁業協同組合、漁業協同組合連合会、水産加工業協同組合及び水産加工業協同組合連合会です（措令40の４の３①）。

(注３)　「金銭等」とは、公社債投資信託（投資信託及び投資法人に関する法律第２条第４項に規定する証券投資信託のうち、その信託財産を公債又は社債〔会社以外の法人が特別の法律により発行する債券を含みます。〕に対する投資として運用することを目的とするもので、株式又は出資に対する投資として運用しないものをいいます。）の受益証券であって、投資信託及び投資法人に関する法律施行規則（平成12年総理府令第129号）第25条第２号に規定する公社債投資信託（計算期間が１日のものに限ります。）の受益証券をいいます（措令40の４の３②、措規23の５の３①）。

(注４)　有価証券を購入できる金融商品取引業者とは、金融商品取引法第２条第９項に規定する金融商品取引業者で同法第28条第１項に規定する第一種金融商品取引業を行う者をいいます。

（１）　教育資金の範囲

本節において**教育資金**とは、次に掲げる金銭をいいます（措法70の２の２②一）。

第四章第三節《直系尊属から教育資金の一括贈与を受けた場合の贈与税の非課税制度》

① 下記の学校等に直接支払われる入学金、授業料及び入園料並びに施設設備費その他の文部科学大臣が財務大臣と協議して定める金銭（**注**1）（措令40の4の3⑥⑦、措規23の5の3②③）

イ	学校教育法（昭和22年法律第26号）第1条に規定する学校
ロ	学校教育法第124条に規定する専修学校
ハ	学校教育法第134条第1項に規定する各種学校
ニ	a　児童福祉法（昭和22年法律第164号）第39条第1項に規定する保育所 b　児童福祉法第6条の2第1項に規定する障害児通所支援事業（同条第2項に規定する児童発達支援を行う事業に限ります。）が行われる施設 c　児童福祉法第6条の3第9項に規定する家庭的保育事業、同条第10項に規定する小規模保育事業、同条第11項に規定する居宅訪問型保育事業又は同条第12項に規定する事業所内保育事業に係る施設 d　児童福祉法第59条の2第1項に規定する施設であって、子ども・子育て支援法（平成24年法律第65号）第61条第1項に規定する市町村子ども・子育て支援事業計画において教育・保育を目的とする施設として定められているもの e　児童福祉法第59条の2第1項に規定する施設であって、内閣総理大臣及び文部科学大臣が財務大臣と協議して定める事項（**注**2）に該当するもの（dに掲げるものを除きます。）
ホ	就学前の子どもに関する教育、保育等の総合的な提供の推進に関する法律（平成18年法律第77号）第2条第6項に規定する認定こども園（学校教育法第1条に規定する幼稚園及び児童福祉法第39条第1項に規定する保育所を除きます。）
ヘ	a　学校教育法第1条に規定する学校 b　学校教育法第124条に規定する専修学校に相当する外国の教育施設 c　外国において外国の学校教育制度により位置付けられた教育施設その他の教育施設であって文部科学大臣が財務大臣と協議して定めるもの（**注**3）
ト	国立研究開発法人水産研究・教育機構法（平成11年法律第199号）に規定する国立研究開発法人水産研究・教育機構の施設、独立行政法人海技教育機構法（平成11年法律第214号）に規定する独立行政法人海技教育機構の施設、独立行政法人航空大学校法（平成11年法律第215号）に規定する独立行政法人航空大学校及び高度専門医療に関する研究等を行う国立研究開発法人に関する法律（平成20年法律第93号）に規定する国立研究開発法人国立国際医療研究センターの施設
チ	職業能力開発促進法（昭和44年法律第64号）に規定する職業能力開発総合大学校、職業能力開発大学校、職業能力開発短期大学校、職業能力開発校、職業能力開発促進センター及び障害者職業能力開発校（職業能力開発大学校、職業能力開発短期大学校、職業能力開発校及び職業能力開発促進センターにあっては、国若しくは地方公共団体又は同法に規定する職業訓練法人が設置するものに限ります。）

（**注**1）　上記①に掲げる文部科学大臣が財務大臣と協議して定める金銭は、次に掲げる金銭です（平成25年文部科学省告示第68号①）。

　一　入学金、授業料、入園料及び保育料並びに施設設備費

　二　入学又は入園のための試験に係る検定料

　三　在学証明、成績証明その他学生、生徒、児童、幼児又は乳児（②の（**注**）の五において「学生等」といいます。）の記録に係る証明に係る手数料及びこれに類する手数料

　四　前各号に掲げるもののほか、学用品の購入費、修学旅行費又は学校給食費その他学校等における教育

－1125－

第四章第三節《直系尊属から教育資金の一括贈与を受けた場合の贈与税の非課税制度》

　　　　　に伴って必要な費用に充てるための金銭

（注2）　上表ニのeに掲げる内閣総理大臣及び文部科学大臣が財務大臣と協議して定める事項は、文部科学省・厚生労働省告示第1号（平成25年3月30日付）で定められています。

（注3）　上表ヘのcに掲げる文部科学大臣が財務大臣と協議して定める外国の教育施設は、次に掲げる教育施設です（平成25年文部科学省告示第68号③、最終改正令和6年同省告示第101号）。

　　一　外国において外国の学校教育制度において位置付けられた教育施設

　　二　所定の課程を修了した者が当該課程の修了により学校教育法施行規則（昭和22年文部省令第11号）第150条第1号に該当する場合における当該課程を有する教育施設及び同令第155条第1項第4号若しくは第2項第7号又は第177条第7号の規定により文部科学大臣が指定した教育施設

　　三　海外に在留する邦人の子女のための在外教育施設で、文部科学大臣が小学校、中学校又は高等学校の課程と同等の課程を有するものとして認定したもの

　　四　外国人を対象に教育を行うことを目的として我が国において設置された教育施設であって、その教育活動等について、アメリカ合衆国カリフォルニア州に主たる事務所が所在する団体であるウェスタン・アソシエーション・オブ・スクールズ・アンド・カレッジズ、同国コロラド州に主たる事務所が所在する団体であるアソシエーション・オブ・クリスチャン・スクールズ・インターナショナル、同国ジョージア州に主たる事務所が所在する団体であるコグニア、同国マサチューセッツ州に主たる事務所が所在する団体であるニューイングランド・アソシエーション・オブ・スクールズ・アンド・カレッジズ、オランダ王国南ホラント州に主たる事務所が所在する団体であるカウンセル・オブ・インターナショナル・スクールズ又はグレート・ブリテン及び北部アイルランド連合王国ロンドンに主たる事務所が所在する団体であるカウンセル・オブ・ブリティッシュ・インターナショナル・スクールズの認定を受けたもの

　　五　国際連合大学本部に関する国際連合と日本国との間の協定の実施に伴う特別措置法（昭和51年法律第72号）第1条第2項に規定する1972年12月11日の国際連合総会決議に基づき設立された国際連合大学

②　学校等以外の者に、教育に関する役務の提供の対価として直接支払われる金銭その他の教育を受けるために直接支払われる金銭で教育に関する役務の提供の対価、施設の使用料その他の受贈者の教養、知識、技術又は技能の向上のために直接支払われる金銭として文部科学大臣が財務大臣と協議して定めるもの**（注）**（措令40の4の3⑧）

　（注）　上記②に掲げる文部科学大臣が財務大臣と協議して定める金銭は、次に掲げる金銭であって、教育を受けるために支払われるもの（国外において支払われるものを含みます。）として社会通念上相当と認められるもの（受贈者が23歳に達した日の翌日以後に支払われる一から四までに掲げる金銭（教育訓練を受けるために支払われる金銭を除きます。）を除きます。）です（平成25年文部科学省告示第68号②、最終改正令和元年文部科学省告示第15号）。

　　一　教育に関する役務の提供の対価

　　二　施設の使用料

　　三　スポーツ又は文化芸術に関する活動その他教養の向上のための活動に係る指導への対価として支払われる金銭

　　四　第1号に規定する役務の提供又は前号に規定する指導において使用する物品の購入に要する金銭であって、当該役務の提供又は当該指導を行う者に直接支払われるもの

　　五　学用品の購入費、修学旅行費又は学校給食費その他学校等における教育に伴って必要な費用に充てるための金銭であって、学生等の全部又は大部分が支払うべきものと当該学校等が認めたもの

　　六　通学定期券代

　　七　上表ヘに掲げる外国の教育施設に就学するための渡航費（1回の就学につき1回の往復に要するものに限ります。）又は学校等（上表ヘに掲げる外国の教育施設を除きます。）への就学に伴う転居に要する交通費であって公共交通機関に支払われるもの（1回の就学につき1回の往復に要するものに限ります。）

（2）　教育資金管理契約の範囲

　本節において**教育資金管理契約**とは、受贈者の教育に必要な教育資金を管理することを目的とする契約であって次に掲げるものをいいます（措法70の2の2②二、措令40の4の3⑨⑩⑪）。

第四章第三節《直系尊属から教育資金の一括贈与を受けた場合の贈与税の非課税制度》

①	当該受贈者の直系尊属と受託者との間の信託に関する契約で次に掲げる事項が定められているもの イ　信託の主たる目的は、教育資金の管理とされていること。 ロ　受託者がその信託財産として受け入れる資産は、金銭等に限られるものであること。 ハ　当該受贈者を信託の利益の全部についての受益者とするものであること。 ニ　信託財産から教育資金の支払に充てた金銭に相当する額の払出しを受ける場合又は教育資金の支払に充てるための金銭の交付を受ける場合には、受贈者は受託者に領収書等の提出又は提供をすること。 ホ　教育資金管理契約に基づく信託は、取消しができず、かつ、（7）の表の①から⑤に掲げる事由の区分に応じそれぞれ同表に定める日のいずれか早い日に終了すること。 ヘ　教育資金管理契約に基づく信託の受益者は変更することができないこと。 ホ　教育資金管理契約に基づく信託受益権については、その譲渡に係る契約を締結し、又はこれを担保に供することができないこと。
②	当該受贈者と銀行等との間の普通預金その他の預金又は貯金に係る契約（注）で次に掲げる事項が定められているもの イ　教育資金の支払に充てるために預金又は貯金を払い出した場合には、当該受贈者は銀行等に（5）の領収書等の提出又は提供をすること。 ロ　教育資金管理契約に係る預金又は貯金に係る契約は、受贈者が解約の申入れをすることができず、かつ、（7）の表の①から⑤に掲げる事由の区分に応じそれぞれ同表に定める日のいずれか早い日に終了すること。 ハ　教育資金管理契約に係る預金又は貯金については、その譲渡に係る契約を締結し、又はこれを担保に供することができないこと。
③	当該受贈者と金融商品取引業者との間の有価証券の保管の委託に係る契約で次に掲げる事項が定められているもの イ　教育資金の支払に充てるために有価証券の譲渡、償還その他の事由により金銭の交付を受けた場合には、当該受贈者は金融商品取引業者に（5）の領収書等の提出又は提供をすること。 ロ　教育資金管理契約に係る有価証券の保管の委託に関する契約は、受贈者が解約の申入れをすることができず、かつ、（7）の表の①から⑤に掲げる事由の区分に応じそれぞれ同表に定める日のいずれか早い日に終了すること。 ハ　受贈者が有する有価証券の保管の委託に関する契約に係る権利については、譲渡に係る契約を締結することができないこと。 ニ　教育資金管理契約に基づいて保管される有価証券は、これを担保に供することができないこと。

（注）　上表②に掲げるその他の預金又は貯金に係る契約は、次に掲げるものをいいます（措規23の5の3④）。
　　イ　普通預金（普通貯金を含む。）又は貯蓄預金（貯蓄貯金を含む。）に係る契約
　　ロ　定期預金（定期貯金を含む。）又は通知預金（通知貯金を含む。）に係る契約

　贈与者からの書面による贈与により金銭又は金銭等の取得をした受贈者は、取得後2か月以内に、教育資金管理契約（上表②又は③に係るものに限ります。）に基づき、その金銭を預金若しくは貯金として預入をし、又は当該金銭等で有価証券を購入しなければなりません（措令40の4の3④）。

　また、贈与者からの書面による贈与により受益証券の取得をした受贈者が、取得後2か月以内に、その受益証券を受益証券の保管の委託がされている口座から教育資金管理契約（上表③に係るものに限ります。）に基づき有価証券の保管の委託をする口座へ移管をした場合には、有価証券の購入とみなされます（措令40の4の3⑤）。

－1127－

第四章第三節《直系尊属から教育資金の一括贈与を受けた場合の贈与税の非課税制度》

（3）　教育資金口座の開設等

　この特例の適用を受けるためには、教育資金口座の開設等を行った上で、**教育資金非課税申告書（注）**をその教育資金非課税申告書に記載した取扱金融機関の営業所等を経由し、信託がされる日、預金若しくは貯金の預入をする日又は有価証券を購入する日までに、受贈者の納税地の所轄税務署長に提出しなければなりません（措法70の2の2③）。

（注）　　教育資金非課税申告書とは、この特例の適用を受けようとする旨及び次に掲げる事項を記載した申告書をいいます（措法70の2の2②三、措規23の5の3⑤）。
　　　一　受贈者の氏名、住所又は居所及び個人番号（個人番号を有しない者にあっては、氏名及び住所又は居所。以下、同じです。）並びに生年月日
　　　二　贈与者の氏名、住所又は居所、生年月日及び受贈者との続柄
　　　三　贈与者からの信託又は書面による贈与（贈与をした者の死亡により効力を生ずる贈与を除きます。以下同じです。）により取得をした信託受益権、金銭又は金銭等の価額及び当該信託受益権、金銭又は金銭等の価額のうちこの非課税制度の適用を受けようとする価額
　　　四　贈与者からの書面による贈与により金銭又は金銭等の取得をした場合にあっては、その取得の年月日
　　　五　取扱金融機関の営業所等の名称及び所在地
　　　六　受贈者が教育資金非課税申告書等を提出したことがある場合にあっては、その教育資金非課税申告書等に記載した非課税拠出額並びに取扱金融機関の営業所等の名称及び所在地並びに当該教育資金非課税申告書等を提出した税務署の名称
　　　七　その他参考となるべき事項

　また、受贈者（30歳未満の者に限ります。）が既に教育資金非課税申告書を提出している場合（教育資金非課税申告書に記載された金額が1,500万円に満たない場合に限ります。）において、新たに教育資金口座の開設等をしたときは、その信託受益権、金銭又は金銭等の価額について特例の適用を受けようとする旨及び次に掲げる事項を記載した申告書（以下「**追加教育資金非課税申告書**」といいます。）を既に教育資金非課税申告書を提出している取扱金融機関の営業所等を経由し、新たに信託がされる日、預金若しくは貯金の預入をする日又は有価証券を購入する日までに、受贈者の納税地の所轄税務署長に提出した場合に限り、適用を受けることができます。ただし、信託受益権等を取得した日の属する年の前年分の合計所得金額が1,000万円を超える場合は、適用されません（措法70の2の2④・②四、措規23の5の3⑥）。

①	受贈者の氏名、住所又は居所及び個人番号並びに生年月日
②	贈与者の氏名、住所又は居所、生年月日及び前号の受贈者との続柄
③	贈与者からの信託又は書面による贈与により新たに取得をした信託受益権、金銭又は金銭等の価額及びその信託受益権、金銭又は金銭等の価額のうち新たに非課税制度の適用を受けようとする価額
④	贈与者からの書面による贈与により金銭又は金銭等の取得をした場合にあっては、その取得の年月日
⑤	受贈者が既に提出した教育資金非課税申告書等に特例の適用を受けるものとして記載された金額を合計した金額（以下、「非課税拠出額」といいます。）並びに取扱金融機関の営業所等の名称及び所在地並びに教育資金非課税申告書等を提出した税務署の名称
⑥	その他参考となるべき事項

（注）　　教育資金非課税申告書又は追加教育資金非課税申告書には、次に掲げる書類を添付しなければなりません。ただし、受贈者が追加教育資金非課税申告書を提出する場合において、既に提出した教育資金非課税申告書等に係る贈与者についてロに掲げる書類を添付したときは、同書類、同一の年分の合計所得金額についてハに掲げる書類を添付したときは、同書類をそれぞれ添付する必要はありません（措令40の4の3⑫）。

－1128－

第四章第三節《直系尊属から教育資金の一括贈与を受けた場合の贈与税の非課税制度》

- イ　信託又は贈与に関する契約書その他の信託又は贈与の事実及び年月日を証する書類の写し
- ロ　当該受贈者の戸籍の謄本又は抄本、住民票の写しその他の書類で当該受贈者の氏名、生年月日、住所又は居所及び贈与者との続柄を証する書類
- ハ　受贈者のイの信託又は贈与により信託受益権等を取得した日の属する年の前年分の合計所得金額を明らかにする書類

　なお、これらの場合において、教育資金非課税申告書等が取扱金融機関の営業所等に受理されたときは、これらの申告書は、その受理された日に税務署長に提出されたものとみなされます（措法70の2の2⑤）。

（4）　教育資金非課税申告書の再提出等の不適用

　教育資金非課税申告書は、受贈者が既に教育資金非課税申告書を提出している場合（既に提出した教育資金非課税申告書に係る教育資金管理契約が（7）の表の⑤に掲げる事由に該当したことにより終了している場合を除きます。）には提出することができません。

　また、教育資金非課税申告書に特例の適用を受けるものとして記載された金額が1,500万円を超えるものである場合又は追加教育資金非課税申告書に係る教育資金管理契約について既に受理された教育資金非課税申告書と追加教育資金非課税申告書に特例の適用を受けるものとして記載された金額を合計した金額が1,500万円を超えるものである場合には、これらの申告書が受理されません（措法70の2の2⑥）。

（5）　教育資金口座からの払出し・教育資金の支払

　受贈者は、教育資金口座の開設時に選択（一度選択した方法は、変更することができません。）した次に掲げる場合の区分に応じそれぞれに定める日までに、教育資金の支払に充てた金銭に係る領収書その他の書類（電磁的記録（電子的方式、磁気的方式その他の人の知覚によっては認識することができない方式で作られる記録であって、電子計算機による情報処理の用に供されるものをいいます。）を含みます。以下同じ。）でその支払の事実を証するもの（相続税法第21条の3第1項第2号の規定《贈与税の非課税財産》の適用を受けた贈与により取得した財産が充てられた教育費に係るもの及び第四節《直系尊属から結婚・子育て資金の一括贈与を受けた場合の贈与税の非課税》の結婚・子育て資金の支払に充てた金銭に係る領収書等であって取扱金融機関の営業所等に提出したものを除き、その支払が少額の支払として一定の金額（注1）以下のものである場合における当該支払の事実の記載又は記録をした一定の書類（注2）を含みます。以下「領収書等」といいます。）を取扱金融機関の営業所等に提出又は提供をする必要があります（措法70の2の2⑨、措令40の4の3⑮）。

①	教育資金の支払に充てた金銭に相当する額を払い出す方法により専ら払出しを受ける場合	領収書等に記載又は記録がされた支払年月日から1年を経過する日
②	①に掲げる場合以外の場合	領収書等に記載又は記録がされた支払年月日の属する年の翌年3月15日

　上記②を選択した場合には、その年中に払い出した金銭の合計額が教育資金支出額（取扱金融機関の営業所等において教育資金の支払の事実が確認され、かつ、記録された金額を合計した金額をいいます。）の限度となります（措法70の2の2⑪・②五）。

　なお、最初に教育資金口座の開設等をする日の属する年に支払われた教育資金がある場合、領収書等には、教育資金口座の開設等をする日より前に支払われた教育資金を含みません（措令40の4の3⑯）。

（注1）　（5）に掲げる「一定の金額」とは、1回の支払について1万円とし、かつ、その支払の金額とその年中の教育資金の支払のうち既に取扱金融機関の営業所等に提出又は提供をした（注2）に規定する書類に記載又は記録をしたものの金額との合計額について24万円（取扱金融機関と教育資金管理契約を締結した日又は（6）の表の①に掲げる事由に該当したことにより教育資金管理契約が終了した日の属する年にあっては、2

−1129−

第四章第三節《直系尊属から教育資金の一括贈与を受けた場合の贈与税の非課税制度》

万円にその年における締結した日以後又は終了した日以前の期間の月数（当該月数は、暦に従って計算し、1か月に満たない端数を生じたときは、これを1か月とします。）を乗じて計算した金額）です（措規23の5の3⑧）。

(注2) （5）に掲げる「一定の書類」とは、教育資金の支払の金額及び年月日、支払先の氏名又は名称及び住所又は所在地並びに支払の内容その他参考となるべき事項を記載又は記録をした書類（電磁的記録を含みます。）です（措規23の5の3⑨）。

(注3) 受贈者は、電磁的記録により作成された領収書等を取扱金融機関の営業所等に提供する場合には、領収書等に記録された教育資金の支払の金額その他の事項について、取扱金融機関の営業所等がディスプレイの画面への表示ができるようにするための措置を講じなければなりません（措規23の5の3⑩）。

（6） 贈与者死亡時における残額の相続財産への加算

贈与者（受託者との間の教育資金管理契約に基づき受贈者を受益者とする信託をした受贈者の直系尊属、受贈者に対し教育資金管理契約に基づき預金若しくは貯金の預入をするための金銭の書面による贈与をした受贈者の直系尊属又は受贈者に対し教育資金管理契約に基づき有価証券の購入をするための金銭等の書面による贈与をした受贈者の直系尊属をいいます。）が教育資金管理契約に基づき信託をした日、教育資金管理契約に基づき預金若しくは貯金をするための金銭の書面による贈与をした日又は育資金管理契約に基づき有価証券の購入をするための金銭等の書面による贈与をした日からこれらの教育資金管理契約の終了の日までの間に贈与者が死亡した場合には、次に掲げるところによります（措法70の2の2⑫）。

①	受贈者は、贈与者が死亡した事実を知った場合には、速やかに、贈与者が死亡した旨を取扱金融機関の営業所等に届け出なければなりません。この場合において、その届出を受けた取扱金融機関の営業所等は、その贈与者が死亡した日及び同日における非課税拠出額から教育資金支出額（訂正があった場合には、その訂正後のものとし、教育資金については、500万円を限度とします。）を控除した残額として一定の金額（以下「管理残額」といいます。）を記録しなければなりません。
②	受贈者については、管理残額を贈与者から相続（受贈者がその贈与者の相続人以外の者である場合には、遺贈。）により取得したものとみなして、相続税法その他相続税に関する法令の規定が適用されます。
③	取扱金融機関の営業所等は、②の規定の適用があったことを知った場合には、その適用に係る管理残額を記録しなければなりません。
④	管理残額以外の財産を取得しなかった受贈者については、相続開始前7年以内（令和5年12月31日以前の贈与については3年以内）に贈与者からの贈与により管理残額以外の財産を取得していたとしても、その贈与財産については、相続税の課税価格に加算しないこととされます。

なお、（6）（①に係る部分を除きます。）の規定は、贈与者の死亡の日において受贈者が次の場合に該当するとき（ロ又はハに該当する場合にあっては、受贈者がその旨を明らかにする書類（電磁的記録を含みます。）を(6)の①の規定による届出と併せて提出又は提供をした場合に限ります。）には、適用されません。ただし、贈与者から相続又は遺贈により財産を取得した全ての者に係る(6)の②の規定の適用がないものとした場合における相続税の課税価格の合計額（以下「贈与者に係る相続税の課税価格の合計額」といいます。）が5億円を超えるときは、管理残額は、相続又は遺贈により取得したものとみなされ、贈与者の死亡に係る相続税の課税財産に含まれます（措法70の2の2⑬）。

イ　23歳未満である場合

ロ　学校等に在学している場合

ハ　教育訓練を受けている場合

－1130－

第四章第三節《直系尊属から教育資金の一括贈与を受けた場合の贈与税の非課税制度》

（7） 教育資金口座に係る契約の終了

　教育資金口座に係る契約は、次に掲げる事由の区分に応じそれぞれに定める日のいずれか早い日に終了します（措法70の2の2⑯）。

①	受贈者が30歳に達したこと（受贈者が30歳に達した日において学校等に在学している場合又は教育訓練を受けている場合（受贈者がこれらの場合に該当することについて取扱金融機関の営業所等に届け出た場合（**注**1）に限ります。）を除きます。）	受贈者が30歳に達した日
②	受贈者（30歳以上の者に限ります。③において同じです。）がその年中のいずれかの日において学校等に在学した日又は教育訓練を受けた日があることを取扱金融機関の営業所等に届け出なかったこと（**注**2）	その年の12月31日
③	受贈者が40歳に達したこと	受贈者が40歳に達した日
④	受贈者が死亡したこと	受贈者が死亡した日
⑤	教育資金口座等の残高が0になり、かつ、受贈者と取扱金融機関との間でこれらの教育資金管理契約を終了させる合意があったこと	その教育資金管理契約が当該合意に基づき終了する日

（**注**1）　上表①の届出は、受贈者が30歳に達した日の属する月の翌月末日までに、受贈者が30歳に達した日において学校等に在学していた旨又は教育訓練を受けていた旨等の一定の事項を記載した届出書に、これらの事由に該当することを明らかにする書類を添付して行います（措令40の4の3㉒）。

（**注**2）　その年の12月31日までに、その年中のいずれかの日において受贈者が学校等に在学していた旨又は教育訓練を受けていた旨等一定の事項を記載した届出書に、これらの事由に該当することを明らかにする書類を添付して行います。ただし、受贈者が30歳に達した日の属する年にあっては、届出書を提出する必要はありません（措令40の4の3㉓）。

　上表（④を除きます。）に掲げる事由に該当したことにより、教育資金口座に係る契約が終了した場合において、非課税拠出額から教育資金支出額（（6）の②により相続により取得したものとみなされた管理残額を含みます。）を控除した残額があるときは、その残額が受贈者の上表（④を除きます。）に定める日の属する年の贈与税（**注**）の課税価格に算入されます（措法70の2の2⑰）。

　また、上表④に掲げる事由に該当したことにより、教育資金口座に係る契約が終了した場合には、非課税拠出額から教育資金支出額を控除した残額については、贈与税の課税価格に算入されません（措法70の2の2⑱）。

　なお、上表（④を除きます。）に掲げる事由により教育資金管理契約が終了した場合の領収書等の取扱いは、次のとおりです（措令40の4の3⑰）。

イ　領収証等には、教育資金管理契約が終了する日後に支払われた教育資金に係るものは含まれません。

ロ　教育資金管理契約が終了した日において取扱金融機関の営業所等に対してまだ提出又は提供をしていない領収書等がある場合には、受贈者は、教育資金管理契約が終了する日の属する月の翌月末日までに、その領収書等を取扱金融機関の営業所等に提出又は提供をしなければなりません。

（**注**）　上記の「残額に係る贈与税」の取扱いについては、次のとおりとなります（措令40の4の3㉖）。

イ	受贈者が、次のA又はBに掲げる場合の区分に応じ、それぞれA又はBに定める者から教育資金管理契約の終了の日において贈与により取得したものとみなして、相続税法その他贈与税に関する法令の規定が適用されます。 A　教育資金管理契約の終了の日において贈与者が生存している場合……贈与者

－1131－

第四章第三節《直系尊属から教育資金の一括贈与を受けた場合の贈与税の非課税制度》

	B　教育資金管理契約の終了の日前に贈与者が死亡した場合……個人
ロ	イのBに掲げる場合に該当する場合における相続税法第1条の4《贈与税の納税義務者》の規定の適用については、その個人は日本国籍を有するものと、その個人の住所は、その贈与者の死亡の時における住所にあるものとそれぞれみなされます。
ハ	受贈者に係る贈与者が2以上ある場合には、残額に各贈与者から取得をした信託受益権又は金銭等（教育資金管理契約の終了の日前に各贈与者が死亡した場合において、その死亡につき（6）の②の適用があつたときは、その各贈与者から取得をしたものを除きます。）のうち特例の適用を受けて贈与税の課税価格に算入しなかった金額に相当する部分の価額が教育資金管理契約に係る非課税拠出額（教育資金管理契約の終了の日前に死亡した贈与者がある場合において、その死亡につき（6）の②の適用があったときは、非課税拠出額からその死亡した贈与者から取得をした信託受益権又は金銭等のうち第三節の本文の規定の適用を受けて贈与税の課税価格に算入しなかった金額に相当する部分の価額を控除した残額）のうちに占める割合をそれぞれ乗じて算出した金額をその各贈与者（教育資金管理契約の終了の日前に各贈与者が死亡した場合には、個人）からそれぞれ取得をしたものとみなして、相続税法その他贈与税に関する法令の規定が適用されます。

（8）　教育資金管理契約が終了した場合の贈与税の課税関係等

（7）により教育資金管理契約が終了した場合において、非課税拠出額から教育資金支出額（（6）の②により相続により取得したものとみなされた管理残額及び経過措置管理残額を含みます。）を控除した残額があるときのその残額に係る終了時の贈与税の課税関係は、次の表のとおりとなります（措通70の2の2-13）。

終 了 事 由	終了の日における贈与者の状況	贈与税の課税関係	
		課税価格への算入の有無	課税方式
（1）　受贈者が（2）以外の一定の事由(注1)に該当したこと。	生　　存	有(注3)	暦年課税(注4)又は相続時精算課税(注5)
	死亡(注2)	有(注3)	暦年課税
（2）　受贈者が死亡したこと。		無(注6)	

（注1）　一定の事由とは、次に掲げる事由をいいます。

① 受贈者が30歳に達したこと（受贈者が30歳に達した日において学校等に在学している場合又は教育訓練を受けている場合において、受贈者がこれらの場合に該当することについて（7）の（注1）により取扱金融機関の営業所等に届出書を提出（その届出書に記載すべき事項についての電磁的方法による提供を含みます。）したときを除きます。）。

② 受贈者（30歳以上の者に限ります。③において同じです。）が、その年中のいずれかの日において学校等に在学した日又は雇用保険法第60条の2第1項に規定する教育訓練を受けた日があることを（7）の（注2）により取扱金融機関の営業所等に届出書を提出（その届出書に記載すべき事項についての電磁的方法による提供を含みます。）しなかったこと。

③ 受贈者が40歳に達したこと。

④ 教育資金管理契約に係る信託財産の価額、預金若しくは貯金の額又は有価証券の価額が零となった場合において、受贈者と取扱金融機関との間で当該教育資金管理契約を終了させる合意があったこと。

（注2）　終了の日に贈与者が死亡している場合には、個人からの贈与により取得したものとみなされ、相続税法第1条の4《贈与税の納税義務者》の規定の適用については、その個人は日本国籍を有するものと、その個人の住所は贈与者の死亡の時における住所にあるものと、それぞれみなされること、また、旧法適用残額（残額のうち令和5年3月31日以前に取得をした信託受益権又は金銭等で第三節本文の規定の適用を受けて贈与税の課税価格に算入しなかった金額に相当する部分の価額に対応する金額をいいます。）に対する第五章第五節《直系尊属から贈与を受けた場合の贈与税の税率の特例》（本文のただし書き及びまた書き部分を除きます。）の規定の適用については、その個人は受贈者の直系尊属とみなされます。

—1132—

第四章第三節《直系尊属から教育資金の一括贈与を受けた場合の贈与税の非課税制度》

(注3) 贈与者が2以上ある場合には、当該残額に次の割合を乗じて算出した金額を各贈与者（教育資金管理契約の終了の日前に当該各贈与者が死亡した場合には、個人）からそれぞれ取得をしたものとみなされることに留意してください。

$$\frac{各贈与者から取得した信託受益権又は金銭等（※1）のうち贈与税の課税価格に算入しなかった金額に相当する部分の価額}{非課税拠出額（※2）}$$

※1 教育資金管理契約の終了の日前に各贈与者が死亡した場合において、その死亡につき(6)の②の適用があったときは、その死亡した贈与者から取得をしたもののうち、次に掲げる場合の区分に応じ、それぞれ次に定めるものを除くことに留意してください。

① その各贈与者の死亡の日において受贈者が23歳未満である場合等に該当しない場合

平成31年4月1日から令和3年3月31日までの間（その各贈与者の死亡前3年以内に限ります。）及び令和3年4月1日以後にその各贈与者から取得をした信託受益権又は金銭等

② その各贈与者の死亡の日において受贈者が23歳未満である場合等に該当する場合

令和5年4月1日以後にその各贈与者から取得をした信託受益権又は金銭等

※2 教育資金管理契約の終了の日前に死亡した贈与者がある場合において、その死亡につき(6)の②の適用があったときは、次に掲げる場合の区分に応じ、それぞれ次に定める信託受益権又は金銭等のうち第三節本文の規定の適用を受けて贈与税の課税価格に算入しなかった金額に相当する部分の価額を控除した金額となることに留意してください。

① その贈与者の死亡の日において受贈者が23歳未満である場合等に該当しない場合

平成31年4月1日から令和3年3月31日までの間（その贈与者の死亡前3年以内に限ります。）及び令和3年4月1日以後にその贈与者から取得をした信託受益権又は金銭等

② その贈与者の死亡の日において受贈者が23歳未満である場合等に該当する場合

令和5年4月1日以後にその贈与者から取得をした信託受益権又は金銭等

(注4) 残額のうち令和5年4月1日以後に贈与者から取得をした信託受益権又は金銭等で、第三節本文の規定の適用を受けて贈与税の課税価格に算入しなかった金額に相当する部分の価額に対応する金額については、第五章第五節(1)の一般贈与財産とみなされることに留意してください。

(注5) 受贈者が贈与者に係る相続時精算課税適用者である場合には、贈与者から取得をしたものとみなされた残額について相続時精算課税が適用され、相続時精算課税適用者でない場合には、相続時精算課税の適用要件を満たしていれば当該残額について相続時精算課税を選択できます。

(注6) (7)の表の④に掲げる事由により教育資金管理契約が終了した場合には、同④に定める日において残額があるときであってもその残額については贈与税の課税価格に算入されません。

（9）　その他

① 教育資金口座等の開設後に贈与者が死亡した場合

教育資金口座等の開設をした日からこれらの教育資金管理契約の終了の日までの間に贈与者が死亡した場合において、受贈者が特例の適用を受けたときは、受贈者がその信託又は贈与により取得をした信託受益権又は金銭等の価額（特例の適用を受けて贈与税の課税価格に算入しなかった金額に相当する部分の価額に限ります。）については、相続税法第19条第1項《相続開始前3年以内に贈与があった場合の相続税額》の規定は、適用されません（措令40の4の3⑲）。

② 非課税拠出額減価額がある場合

既に提出した教育資金非課税申告書等に係る教育資金管理契約に基づいて信託された金銭等若しくは教育資金管理契約に係る贈与により取得をした金銭等の一部につき信託法第11条第1項の規定による取消権の行使があったこと若しくは民法第424条第1項の規定による取消権の行使があったことによりその教育資金非課税申告書等に記載された非課税拠出額が減少することとなった場合又は教育資金管理契約に基づく信託若しくは教育資金管理契約に係る贈与が遺留分を侵害するものとして行われた遺留分侵害額の請求に基づき非課税拠出額の一部に相当する額の金銭を支払うべきことが確定した場合には、その教育資金非課税申告書等を提出した受贈者は、遅滞なく、その旨、その減少することとなった理由、その非課税拠出額のうち減少することとなった部分の価額又はその請求に基づき支払

-1133-

うべき金銭の額（以下「非課税拠出額減価額」といいます。）及び下表に掲げる事項を記載した申告書（以下「教育資金非課税取消申告書」といいます。）を、その教育資金管理契約に係る取扱金融機関の営業所等を経由し、納税地の所轄税務署長に提出しなければなりません（措令40の4の3㉗、措規23の5の3⑱）。

a	受贈者の氏名、住所又は居所及び個人番号並びに生年月日
b	受贈者が既に提出した教育資金非課税申告書等に係る取扱金融機関の営業所等の名称及び所在地
c	教育資金非課税申告書等に記載した非課税拠出額、贈与者の氏名及び教育資金非課税申告書等を提出した税務署の名称
d	非課税拠出額のうち②のイの遺留分による減殺の請求又は②のロの取消権の行使があった部分の額並びに遺留分による減殺の請求又は取消権の行使の基因となった事情の詳細及びその事情の生じた年月日
e	その他参考となるべき事項

　この場合において、教育資金非課税取消申告書(注)が取扱金融機関の営業所等に受理されたときは、その受理された日に税務署長に提出されたものとみなされます（措令40の4の3㉘）。
　(注)　教育資金非課税取消申告書の提出があった場合には、教育資金非課税取消申告書に係る教育資金非課税申告書等に記載された非課税拠出額についての提出があった後における本制度の適用については、非課税拠出額のうち教育資金非課税取消申告書に記載された非課税拠出額減価額に相当する金額は、特例の適用を受けた部分の価額には含まれません（措令40の4の3㉙）。
③　教育資金管理契約に係る贈与が無効であった場合
　既に提出した教育資金非課税申告書等に係る教育資金管理契約（（2）の①に係るものに限ります。）の締結に関する行為若しくは教育資金管理契約（（2）の①又は③に係るものに限ります。）に係る贈与が無効であったこと若しくはその行為若しくはその贈与が取り消すことのできる行為であったことにより取り消されたことにより教育資金非課税申告書等に記載された非課税拠出額がないこととなった場合又は教育資金管理契約に基づく信託若しくは教育資金管理契約に係る贈与が遺留分を侵害するものとして行われた遺留分侵害額の請求に基づき非課税拠出額に相当する額の金銭を支払うべきことが確定した場合には、教育資金非課税申告書等を提出した受贈者は、遅滞なく、その旨及び次に掲げる事項を記載した申告書（以下「教育資金非課税廃止申告書」といいます。）を、当該教育資金管理契約に係る取扱金融機関の営業所等を経由し、納税地の所轄税務署長に提出しなければなりません（措令40の4の3㉚、措規23の5の3⑲）。

a	受贈者の氏名、住所又は居所及び個人番号並びに生年月日
b	受贈者が既に提出した教育資金非課税申告書等に係る取扱金融機関の営業所等の名称及び所在地
c	教育資金非課税申告書等に記載した非課税拠出額、贈与者の氏名及び教育資金非課税申告書等を提出した税務署の名称
d	非課税拠出額がないこととなった事情又は遺留分侵害額の請求の基因となった事情の詳細及びその事情の生じた年月日
e	その他参考となるべき事項

　この場合において、教育資金非課税廃止申告書(注)が取扱金融機関の営業所等に受理されたときは、

その受理された日に税務署長に提出されたものとみなされます（措令40の4の3㉛）。

　（**注**）　教育資金非課税廃止申告書の提出があった場合には、教育資金非課税申告書等に記載された非課税拠出額についての提出があった後におけるこの制度の適用については、特例の適用がなかったものとみなされます（措令40の4の3㉜）。

④　教育資金管理契約に関して異動があった場合

イ　住所の変更等があった場合

　教育資金非課税申告書を提出した受贈者が、その提出後、その住所若しくは居所又は氏名の変更をした場合には、遅滞なく、その旨及び次に掲げる事項を記載した申告書を、当該教育資金非課税申告書に係る教育資金管理契約に基づく事務を取り扱う取扱金融機関の営業所等を経由し、納税地（住所又は居所を変更したことにより納税地の異動があった場合には、その異動前の納税地）の所轄税務署長に提出しなければなりません（措令40の4の3㉝、措規23の5の3⑳）。

　なお、その申告書（個人番号を有する受贈者が提出するものに限り、個人番号の変更をした場合に提出するものを除きます。）を受理した取扱金融機関の営業所等の長は、その申告書に、その申告書を提出した受贈者の個人番号を付記しなければなりません（措規23の5の3㉑）。

a	受贈者の氏名、住所又は居所及び個人番号並びに生年月日（その受贈者が氏名又は住所若しくは居所の変更をした場合には、その受贈者の氏名、住所又は居所及び生年月日）
b	変更前の氏名、住所若しくは居所又は個人番号及び変更後の氏名、住所若しくは居所又は個人番号
c	その他参考となるべき事項

ロ　営業所等を移管する場合

　教育資金非課税申告書を提出した受贈者が、その提出後、教育資金管理契約に基づく事務を取り扱う取扱金融機関の営業所等（以下「移管前の営業所等」といいます。）に対してその事務の全部を移管前の営業所等以外の営業所等（以下「移管先の営業所等」といいます。）に移管すべきことを依頼し、かつ、その移管があった場合には、受贈者は、遅滞なく、その旨及び次に掲げる事項を記載した申告書を、移管前の営業所等を経由し、納税地の所轄税務署長に提出しなければならない（措令40の4の3㉞、措規23の5の3㉒）。

a	受贈者の氏名、住所又は居所及び個人番号並びに生年月日
b	移管前の営業所等の名称及び所在地並びに移管先の営業所等の名称及び所在地
c	その他参考となるべき事項

ハ　教育資金管理契約に関する異動申告書の提出

　イ又はロの場合において、これらの規定による申告書（以下「異動申告書」といいます。）が取扱金融機関の営業所等に受理されたときは、異動申告書は、その受理された日に税務署長に提出されたものとみなされます（措令40の4の3㉟）。

ニ　異動申告書に係る移管先の営業所等

　ロによる異動申告書の提出があった後においては、異動申告書を提出した受贈者に係る**(3)**及び**(4)**の適用については、異動申告書に係る移管先の営業所等は、取扱金融機関の営業所等とみなされます（措令40の4の3㊱）。

第四章第三節《直系尊属から教育資金の一括贈与を受けた場合の贈与税の非課税制度》

別表第十一(一)

教 育 資 金 非 課 税 申 告 書

税務署長殿　　　　　　　　　　　　　　　　　　　令和　　年　　月　　日

受 贈 者	ふ り が な 氏　　　　　名	
	住 所 又 は 居 所	
	個 人 番 号	
	生 年 月 日 （年齢）	平・令　　　．　　　．　　　　　（　　　歳）
受 贈 者 の 代 理 人	ふ り が な 氏　　　　　名	
	住 所 又 は 居 所	

　下記の信託受益権、金銭又は金銭等について租税特別措置法第70条の2の2第1項本文の規定の適用を受けたいので、この旨申告します。

贈与者		贈与者から取得をしたもの			左のうち非課税の適用を受ける信託受益権、金銭又は金銭等の価額
		信託受益権、金銭又は金銭等の別	信託受益権、金銭又は金銭等の価額	金銭又は金銭等の取得年月日	
ふりがな		信託受益権			
氏　　名					
住所又は居所		金銭			
生年月日	明・大・昭・平　　．　　．ꞏ	金銭等			
続柄					
ふりがな		信託受益権			
氏　　名					
住所又は居所		金銭			
生年月日	明・大・昭・平　　．　　．ꞏ	金銭等			
続柄					

取扱金融機関の営業所等	名　称		法人番号	
	所在地			

既に教育資金非課税申告書又は追加教育資金非課税申告書を提出したことがある場合	非課税拠出額	取扱金融機関の営業所等		提出先の税務署
		名称	所在地	
				税務署

（摘要）

取扱金融機関の営業所等の受理年月日

（用紙　日本産業規格　Ａ４）

第四章第三節《直系尊属から教育資金の一括贈与を受けた場合の贈与税の非課税制度》

別表第十一(二)

追加教育資金非課税申告書

税務署長殿　　　　　　　　　　　　　　　　　　　　令和　　年　　月　　日

<table>
<tr><td rowspan="4">受贈者</td><td>ふ　り　が　な</td><td></td></tr>
<tr><td>氏　　　　　名</td><td></td></tr>
<tr><td>住　所　又　は　居　所</td><td></td></tr>
<tr><td>個　人　番　号</td><td></td></tr>
<tr><td></td><td>生年月日（年齢）</td><td>平・令　　　．　　　．　　　　　　（　　　歳）</td></tr>
<tr><td rowspan="3">受贈者の代理人</td><td>ふ　り　が　な</td><td></td></tr>
<tr><td>氏　　　　　名</td><td></td></tr>
<tr><td>住　所　又　は　居　所</td><td></td></tr>
</table>

　下記の信託受益権、金銭又は金銭等について租税特別措置法第70条の2の2第1項本文の規定の適用を受けたいので、この旨申告します。

<table>
<tr><td rowspan="2" colspan="2">贈与者</td><td colspan="3">贈与者から新たに取得をしたもの</td><td rowspan="2">左のうち新たに非課税の適用を受ける信託受益権、金銭又は金銭等の価額</td></tr>
<tr><td>信託受益権、金銭又は金銭等の別</td><td>信託受益権、金銭又は金銭等の価額</td><td>金銭又は金銭等の取得年月日</td></tr>
<tr><td>ふりがな</td><td></td><td rowspan="3">信託受益権

金銭

金銭等</td><td></td><td></td><td></td></tr>
<tr><td>氏　　名</td><td></td><td></td><td></td><td></td></tr>
<tr><td>住所又は居所</td><td></td><td></td><td></td><td></td></tr>
<tr><td>生年月日</td><td>明・大・昭・平　　．　　．</td><td></td><td></td><td></td><td></td></tr>
<tr><td>続柄</td><td></td><td></td><td></td><td></td><td></td></tr>
<tr><td>ふりがな</td><td></td><td rowspan="3">信託受益権

金銭

金銭等</td><td></td><td></td><td></td></tr>
<tr><td>氏　　名</td><td></td><td></td><td></td><td></td></tr>
<tr><td>住所又は居所</td><td></td><td></td><td></td><td></td></tr>
<tr><td>生年月日</td><td>明・大・昭・平　　．　　．</td><td></td><td></td><td></td><td></td></tr>
<tr><td>続柄</td><td></td><td></td><td></td><td></td><td></td></tr>
</table>

<table>
<tr><td rowspan="2">既に提出した教育資金非課税申告書又は追加教育資金非課税申告書</td><td rowspan="2">非課税拠出額</td><td colspan="3">取扱金融機関の営業所等</td><td>提出先の税務署</td></tr>
<tr><td>名称</td><td></td><td>法人番号</td><td></td></tr>
<tr><td></td><td>所在地</td><td colspan="2"></td><td>税務署</td></tr>
</table>

（摘要）

取扱金融機関の営業所等の受理年月日

（用紙　日本産業規格　Ａ４）

－1137－

第四節　直系尊属から結婚・子育て資金の一括贈与を受けた場合の贈与税の非課税制度

　平成27年4月1日から令和7年3月31日までの間に、個人（**結婚・子育て資金管理契約**を締結する日において18歳以上50歳未満の者に限ります。以下「受贈者」といいます。）が、結婚・子育て資金に充てるため、①その直系尊属と信託会社（**注1**）（以下「受託者」といいます。）との間の結婚・子育て資金管理契約に基づき「信託受益権」を取得した場合、②その直系尊属からの書面による贈与により取得した金銭を結婚・子育て資金管理契約に基づき金融機関（**注2**）の営業所等において預金若しくは貯金として預入をした場合又は③結婚・子育て資金管理契約に基づきその直系尊属からの書面による贈与により取得した金銭等（**注3**）で金融商品取引業者（**注4**）の営業所等において有価証券を購入した場合には、その信託受益権、金銭又は金銭等の価額のうち1,000万円までの金額（既にこの特例の適用を受けて贈与税の課税価格に算入しなかった金額がある場合には、その算入しなかった金額を控除した残額）に相当する部分の価額については、贈与税の課税価格に算入されません。ただし、信託受益権等を取得した日の属する年の前年分の合計所得金額が1,000万円を超える場合は、適用されません（措法70の2の3①）。

- (**注1**)　「受託者」となる信託会社は、信託業法第3条又は第53条第1項の免許を受けたものに限られますが、金融機関の信託業務の兼営等に関する法律により同法第1条第1項に規定する信託業務を営む同項に規定する金融機関が含まれます。
- (**注2**)　本制度の取扱いができる金融機関は、銀行、信用金庫、信用金庫連合会、労働金庫、労働金庫連合会、信用協同組合、信用協同組合連合会（中小企業等協同組合法第9条の9第1項第1号の事業を行う協同組合連合会をいいます。）、農林中央金庫及び株式会社商工組合中央金庫並びに貯金の受入れをする農業協同組合、農業協同組合連合会、漁業協同組合、漁業協同組合連合会、水産加工業協同組合及び水産加工業協同組合連合会です（措令40の4の4①）。
- (**注3**)　「金銭等」とは、公社債投資信託（投資信託及び投資法人に関する法律第2条第4項に規定する証券投資信託のうち、その信託財産を公債又は社債〔会社以外の法人が特別の法律により発行する債券を含みます。〕に対する投資として運用することを目的とするもので、株式又は出資に対する投資として運用しないものをいいます。）の受益証券であって、資信託及び投資法人に関する法律施行規則第25条第2号に規定する公社債投資信託（計算期間が1日のものに限ります。）の受益証券をいいます（措令40の4の4②、措規23の5の4①）。
- (**注4**)　有価証券を購入できる金融商品取引業者とは、金融商品取引法第2条第9項に規定する金融商品取引業者で同法第28条第1項に規定する第1種金融商品取引業を行う者をいいます。
- (**注5**)　上記②又は③の場合には、受贈者は書面による贈与により金銭又は金銭等を取得後2か月以内（通常は贈与契約日後2か月以内となります。）に、結婚・子育て資金管理契約に基づき、その金銭を預金若しくは貯金として預入をし、又はその金銭等で有価証券を購入しなければなりません（措令40の4の4④）。
　なお、上記③の場合に、贈与者の証券口座から受贈者の証券口座へ受益証券を移管したときは、有価証券の購入があったものとみなされます（措令40の4の4⑤）。

（1）　結婚・子育て資金の範囲

本節において**結婚・子育て資金**とは、次に掲げる金銭をいいます（措法70の2の3②一）。

① 受贈者の結婚に際して支出する費用で次に掲げるものに充てる金銭（措令40の4の4⑥）

イ	受贈者の婚姻の日の1年前の日以後に支払われる婚姻に係る婚礼（結婚披露を含みます。）のために要する費用として内閣総理大臣が財務大臣と協議して定めるもの（**注1**）
ロ	受贈者又は受贈者の配偶者の居住の用に供する家屋の賃貸借契約（受贈者が締結をするものに限ります。）であって受贈者の婚姻の日の1年前の日から婚姻の日後1年を経過する日までの期間に締結されるものに基づきその締結の日（その期間内に締結をされた受贈者又は受贈

第四章第四節《直系尊属から結婚・子育て資金の一括贈与を受けた場合の贈与税の非課税制度》

	者の配偶者の居住の用に供する家屋の賃貸借契約が2以上ある場合には、これらの賃貸借契約のうち、最初の賃貸借契約の締結の日）以後3年を経過する日までに支払われる家賃、敷金その他これらに類する費用として内閣総理大臣が財務大臣と協議して定めるもの（**注2**）
ハ	受贈者が、受贈者及び受贈者の配偶者の居住の用に供するための家屋に転居（受贈者の婚姻の日の1年前の日から婚姻の日以後1年を経過する日までの期間にする転居に限ります。）をするための費用として内閣総理大臣が財務大臣と協議して定めるもの（**注3**）

- （**注1**） 上記イに掲げる内閣総理大臣が財務大臣と協議して定める費用は、婚礼（結婚披露を含みます。）のための施設の提供、衣服の貸与、贈答品の販売その他の便益の提供及びこれらに付随する物品の給付（以下（**注1**）において「婚礼事業」といいます。）の対価として支払われる金銭であって、婚礼事業を行う事業者に支払われるものです（平成27年内閣府告示第48号①）。
- （**注2**） 上記ロに掲げる内閣総理大臣が財務大臣と協議して定める費用は、次に掲げる費用です（平成27年内閣府告示第48号②）。
  - 一 家賃、敷金及び共益費その他賃貸借契約（当該賃貸借契約が2以上ある場合には、これらの賃貸借契約のうち主としてその居住の用に供すると認められる一の家屋の賃貸借契約〔その家屋の賃貸借契約の締結の日の属する最初の月が別の賃貸借契約の効力の存する月である場合には、その月についてはいずれの賃貸借契約も含みます。〕をいいます。以下（**注2**）において「賃貸借契約」といいます。）に基づき支払われる金銭であって、その賃貸借契約の締結の日以後3年を経過する日までに支払われるもの
  - 二 礼金、仲介手数料及び契約更新料その他借賃以外に授受される金銭であって、賃貸人又は宅地建物取引業者（宅地建物取引業法（昭和27年法律第176号）第2条第3号に規定する宅地建物取引業者をいいます。）に支払われるもの
- （**注3**） 上記ハに掲げる内閣総理大臣が財務大臣と協議して定める費用は、転居のための生活の用に供する家具その他の資産の運送に要する費用であって、運送業を営む者に支払われるものです（平成27年内閣府告示第48号③）。

② 受贈者（その受贈者の配偶者を含みます。）の妊娠、出産又は育児に要する費用で次に掲げるものに充てる金銭（措令40の4の4⑦）

イ	受贈者（その受贈者の配偶者を含みます。）の不妊治療のために要する費用又は妊娠中に要する費用として内閣総理大臣が財務大臣と協議して定めるもの（**注1**）
ロ	受贈者（その受贈者の配偶者を含みます。）の出産の日以後1年を経過する日までに支払われるその出産に係る分べん費その他これに類する費用として内閣総理大臣が財務大臣と協議して定めるもの（**注2**）（イに掲げる費用を除きます。）
ハ	受贈者の学校教育法第1条に規定する小学校就学前の子（ニにおいて単に「子」といいます。）の医療のために要する費用として内閣総理大臣が財務大臣と協議して定めるもの（**注3**）
ニ	学校教育法第1条に規定する幼稚園、児童福祉法第39条第1項に規定する保育所その他これらに類する施設として一定のもの（**注4**）を設置する者に支払う子に係る保育料その他これに類する費用として内閣総理大臣が財務大臣と協議して定めるもの（**注5**）

- （**注1**） 上記イに掲げる内閣総理大臣が財務大臣と協議して定める費用は、次に掲げる費用です（平成27年内閣府告示第48号④、最終改正平成28年内閣府告示第118号）。
  - 一 人工授精その他不妊治療に要する費用（不妊治療に係る医薬品（処方箋に基づき調剤されたものに限ります。以下同じです。）に要するものを含みます。）であって、病院（医療法（昭和23年法律第205号）第1条の5第1項に規定する病院をいいます。以下同じです。）、診療所（同条第2項に規定する診療所をいいます。以下同じです。）又は薬局（医薬品、医療機器等の品質、有効性及び安全性の確保等に関する法律（昭和35年法律第145号）第2条第12項に規定する薬局をいいます。以下同じです。）に支払われるもの

—1139—

第四章第四節《直系尊属から結婚・子育て資金の一括贈与を受けた場合の贈与税の非課税制度》

二　母子保健法（昭和40年法律第141号）第13条第1項の規定による妊婦に対する健康診査に要する費用又は妊娠に起因する疾患の治療に要する費用（当該治療に係る医薬品に要するものを含みます。）であって、病院、診療所、助産所（医療法第2条第1項に規定する助産所をいいます。以下同じです。）又は薬局に支払われるもの

(注2)　上記ロに掲げる内閣総理大臣が財務大臣と協議して定める費用は、次に掲げる費用です（平成27年内閣府告示第48号⑤、最終改正平成28年内閣府告示第118号）。

一　分べん費、入院費、検査・薬剤料及び処置・手当料その他出産のための入院から退院までの間に要する費用、出産に起因する疾患の治療に要する費用（当該治療に係る医薬品に要するものを含みます。）又は母子保健法第13条第1項の規定による産婦に対する健康診査に要する費用であって、病院、診療所、薬局、助産所又は地方公共団体に支払われるもの

二　母子の心身の健康保持又は子育て支援のための宿泊施設の提供、相談、指導及び助言その他の便益の提供（以下二において「産後ケア」といいます。）の対価として支払われる金銭であって、産後ケアを行う病院、診療所、助産所又は地方公共団体（当該地方公共団体から委託を受けて産後ケアを行う者を含みます。）に支払われるもの（6泊分又は7回分に相当する金額を限度とします。）

(注3)　上記ハに掲げる内閣総理大臣が財務大臣と協議して定める費用は、治療、予防接種法（昭和23年法律第68号）の規定による予防接種、母子保健法第12条第1項及び第13条第1項の規定による乳幼児に対する健康診査又は医薬品の対価として支払われる金銭であって、病院、診療所、助産所又は薬局に支払われるものです（平成27年内閣府告示第48号⑥、最終改正平成28年内閣府告示第118号）。

(注4)　上記ニに掲げる「保育所その他これらに類する施設として一定のもの」とは、次に掲げる施設です（措規23の5の4②）。

一　就学前の子どもに関する教育、保育等の総合的な提供の推進に関する法律第2条第6項に規定する認定こども園

二　児童福祉法第6条の2の2第1項に規定する障害児通所支援事業（同条第3項に規定する放課後等デイサービスを行う事業を除きます。）、同法第6条の3第3項に規定する子育て短期支援事業、同条第6項に規定する地域子育て支援拠点事業、同条第7項に規定する一時預かり事業、同条第8項に規定する小規模住居型児童養育事業、同条第9項に規定する家庭的保育事業、同条第10項に規定する小規模保育事業、同条第11項に規定する居宅訪問型保育事業、同条第12項に規定する事業所内保育事業、同条第13項に規定する病児保育事業、同条第14項に規定する子育て援助活動支援事業、同条第19項に規定する子育て世帯訪問支援事業、同条第21項に規定する親子関係形成支援事業又は同法第6条の4に規定する里親に係る施設

三　児童福祉法第7条第1項に規定する児童福祉施設（一、二に掲げる施設、同法第36条に規定する助産施設、同法第39条第1項に規定する保育所、同法第44条の2第1項に規定する児童家庭支援センター及び同法第44条の3第1項に規定する里親支援センターを除きます。）

四　児童福祉法第7条第2項に規定する障害児入所支援が行われる独立行政法人国立病院機構法（平成14年法律第191号）に規定する独立行政法人国立病院機構又は高度専門医療に関する研究等を行う国立研究開発法人に関する法律（平成20年法律第93号）に規定する国立研究開発法人国立精神・神経医療研究センターの設置する医療機関であって内閣総理大臣が財務大臣と協議して定めるもの（平成27年内閣府告示第48号⑧）

五　児童福祉法第59条の2第1項に規定する施設であって、子ども・子育て支援法第61条第1項に規定する市町村子ども・子育て支援事業計画において教育・保育を目的とする施設として定められているもの

六　母子及び父子並びに寡婦福祉法（昭和39年法律第129号）第20条に規定する母子家庭日常生活支援事業、同法第31条の5第1項に規定する母子家庭生活向上事業、同法第31条の7第4項に規定する父子家庭日常生活支援事業又は同法第31条の11第1項に規定する父子家庭生活向上事業に係る施設

七　一から六に掲げるもののほか、保育を目的とする施設であって内閣総理大臣が財務大臣と協議して定めるもの（平成27年内閣府告示第48号⑨）

(注5)　上記ニに掲げる内閣総理大臣が財務大臣と協議して定める費用は、次に掲げる費用です（平成27年内閣府告示第48号⑦）。

一　入園料、保育料及び施設設備費

二　入園のための試験に係る検定料

第四章第四節《直系尊属から結婚・子育て資金の一括贈与を受けた場合の贈与税の非課税制度》

　　　三　在園証明その他記録に係る証明に係る手数料及びこれに類する手数料
　　　四　一から三に掲げるもののほか、行事への参加に要する費用及び食事の提供に要する費用その他育児に
　　　　伴って必要な費用

（２）　結婚・子育て資金管理契約の範囲

　本節において**結婚・子育て資金管理契約**とは、結婚・子育て資金を管理することを目的とする契約
であって次に掲げるものをいいます（措法70の２の３②二、措令40の４の４⑧⑨⑩）。

①	受贈者の直系尊属と受託者との間の信託に関する契約で次に掲げる事項が定められているもの 　イ　信託の主たる目的は、結婚・子育て資金の管理とされていること。 　ロ　受託者がその信託財産として受け入れる資産は、金銭等に限られるものであること。 　ハ　受贈者を信託の利益の全部についての受益者とするものであること。 　ニ　信託財産から結婚・子育て資金の支払に充てた金銭に相当する額の払出しを受ける場合又は結婚・子育て資金の支払に充てるための金銭の交付を受ける場合には、受贈者は受託者に領収書等を提出すること。 　ホ　結婚・子育て資金管理契約に基づく信託は、取消しができず、かつ、**(10)**の表に掲げる事由の区分に応じ同表に定める日のいずれか早い日に終了すること。 　ヘ　結婚・子育て資金管理契約に基づく信託の受益者は変更することができないこと。 　ト　結婚・子育て資金管理契約に基づく信託受益権については、その譲渡に係る契約を締結し、又はこれを担保に供することができないこと。
②	受贈者と銀行等との間の普通預金その他の預金又は貯金に係る契約**(注)**で次に掲げる事項が定められているもの 　イ　結婚・子育て資金の支払に充てるために預金又は貯金を払い出した場合には、受贈者は銀行等に（８）に規定する領収書等を提出すること。 　ロ　結婚・子育て資金管理契約に係る預金又は貯金に係る契約は、受贈者が解約の申入れをすることができず、かつ、**(10)**の表に掲げる事由の区分に応じ同表に定める日のいずれか早い日に終了すること。 　ハ　結婚・子育て資金管理契約に係る預金又は貯金については、その譲渡に係る契約を締結し、又はこれを担保に供することができないこと。
③	受贈者と金融商品取引業者との間の有価証券の保管の委託に係る契約で次に掲げる事項が定められているもの 　イ　結婚・子育て資金の支払に充てるために有価証券の譲渡、償還その他の事由により金銭の交付を受けた場合には、当該受贈者は金融商品取引業者に（８）に規定する領収書等を提出すること。 　ロ　結婚・子育て資金管理契約に係る有価証券の保管の委託に関する契約は、受贈者が解約の申入れをすることができず、かつ、**(10)**の表に掲げる事由の区分に応じ同表のいずれか早い日に終了すること。 　ハ　受贈者が有する有価証券の保管の委託に関する契約に係る権利については、譲渡に係る契約を締結することができないこと。 　ニ　結婚・子育て資金管理契約に基づいて保管される有価証券は、これを担保に供することができないこと。

　(注)　　上表②に掲げるその他の預金又は貯金に係る契約は、次に掲げるものをいいます（措規23の５の４③）。
　　　イ　普通預金（普通貯金を含みます。）又は貯蓄預金（貯蓄貯金を含みます。）に係る契約
　　　ロ　定期預金（定期貯金を含みます。）又は通知預金（通知貯金を含みます。）に係る契約

第四章第四節《直系尊属から結婚・子育て資金の一括贈与を受けた場合の贈与税の非課税制度》

（3） 適用を受けるための手続

初めてこの特例の適用を受けるためには、適用を受けようとする受贈者が「**結婚・子育て資金非課税申告書**」(**注**)をその結婚・子育て資金非課税申告書に記載した取扱金融機関の営業所等を経由し、信託がされる日、預金若しくは貯金の預入をする日又は有価証券を購入する日までに、その受贈者の納税地の所轄税務署長に提出する必要があります（措法70の2の3③）。

(**注**)　**結婚・子育て資金非課税申告書**とは、この特例の適用を受けようとする旨及び次に掲げる事項を記載した申告書をいいます（措規23の5の4④）。

　一　受贈者の氏名、住所又は居所及び個人番号（個人番号を有しない者にあっては、氏名及び住所又は居所。以下同じです。）並びに生年月日

　二　贈与者の氏名、住所又は居所、生年月日及び受贈者との続柄

　三　贈与者からの信託又は書面による贈与（贈与をした者の死亡により効力を生ずる贈与を除きます。）により取得をした信託受益権、金銭又は金銭等の価額及びその信託受益権、金銭又は金銭等の価額のうちこの特例の適用を受けようとする価額

　四　贈与者からの書面による贈与により金銭又は金銭等の取得をした場合にあっては、その取得の年月日

　五　取扱金融機関の営業所等の名称及び所在地

　六　受贈者が結婚・子育て資金非課税申告書等を提出したことがある場合にあっては、その結婚・子育て資金非課税申告書等に記載した非課税拠出額並びに取扱金融機関の営業所等の名称及び所在地並びにその結婚・子育て資金非課税申告書等を提出した税務署の名称

　七　その他参考となるべき事項

また、結婚・子育て資金非課税申告書には、次の書類を添付する必要があります（措令40の4の4⑪）。

イ　信託又は贈与に関する契約書その他の信託又は贈与の事実及び年月日を証する書類の写し

ロ　受贈者の戸籍の謄本又は抄本、住民票の写しその他の書類で受贈者の氏名、生年月日、住所又は居所及び贈与者との続柄を証する書類

ハ　信託受益権等を取得した日の属する年の前年分の合計所得金額を明らかにする書類

（4） 追加の贈与を受けた場合の手続

受贈者が既に結婚・子育て資金非課税申告書を提出している場合（結婚・子育て資金非課税申告書に記載された金額が1,000万円に満たない場合に限ります。）において、結婚・子育て資金非課税申告書に係る結婚・子育て資金管理契約に基づき、受贈者が新たにその直系尊属の行為により信託受益権を取得したとき、その直系尊属からの書面による贈与により取得した金銭を銀行等の営業所等において預金若しくは貯金として預入をしたとき、又はその直系尊属からの書面による贈与により取得した金銭等で金融商品取引業者の営業所等において有価証券を購入したときは、受贈者は、信託受益権、金銭又は金銭等の価額について特例の規定の適用を受けようとする旨その他一定の事項(**注**)を記載した申告書（**以下「追加結婚・子育て資金非課税申告書」**といいます。）を当初の結婚・子育て資金非課税申告書を提出した取扱金融機関の営業所等を経由し、新たに信託がされる日、預金若しくは貯金の預入をする日又は有価証券を購入する日までに、受贈者の納税地の所轄税務署長に提出した場合に限り、特例の適用を受けることができます。ただし、信託受益権等を取得した日の属する年の前年分の合計所得金額が1,000万円を超える場合は、適用されません（措法70の2の3④）。

(**注**)　（4）の一定の事項とは、次に掲げる事項です（措規23の5の4⑤）。

　一　受贈者の氏名、住所又は居所及び個人番号並びに生年月日

　二　贈与者の氏名、住所又は居所、生年月日及び受贈者との続柄

　三　贈与者からの信託又は書面による贈与により新たに取得をした信託受益権、金銭又は金銭等の価額及び当該信託受益権、金銭又は金銭等の価額のうち新たに特例の適用を受けようとする価額

　四　贈与者からの書面による贈与により金銭又は金銭等の取得をした場合にあっては、その取得の年月日

　五　受贈者が既に提出した結婚・子育て資金非課税申告書等に記載した非課税拠出額並びに取扱金融機関の営業所等の名称及び所在地並びにその結婚・子育て資金非課税申告書等を提出した税務署の名称

第四章第四節《直系尊属から結婚・子育て資金の一括贈与を受けた場合の贈与税の非課税制度》

六　その他参考となるべき事項

また、追加結婚・子育て資金非課税申告書には、次の書類を添付する必要があります。ただし、受贈者が追加結婚・子育て資金非課税申告書を提出する場合において、既に提出した結婚・子育て資金非課税申告書等に係る贈与者について次のロに掲げる書類をその結婚・子育て資金非課税申告書等に添付したときは、ロに掲げる書類を添付することを要しません（措令40の4の4⑪）。

イ　信託又は贈与に関する契約書その他の信託又は贈与の事実及び年月日を証する書類の写し

ロ　受贈者の戸籍の謄本又は抄本、住民票の写しその他の書類で受贈者の氏名、生年月日、住所又は居所及び贈与者との続柄を証する書類

ハ　信託受益権等を取得した日の属する年の前年分の合計所得金額を明らかにする書類

（5）　重複提出等の禁止

結婚・子育て資金非課税申告書は、受贈者が既に結婚・子育て資金非課税申告書を提出している場合（既に提出した結婚・子育て資金非課税申告書に係る結婚・子育て資金管理契約が(10)の表のハに掲げる事由に該当したことにより終了している場合を除きます。）には提出することができません。

また、結婚・子育て資金非課税申告書にこの特例の適用を受けるものとして記載された金額が1,000万円を超えるものである場合又は追加結婚・子育て資金非課税申告書に係る結婚・子育て資金管理契約について既に受理された結婚・子育て資金非課税申告書及び追加結婚・子育て資金非課税申告書にこの特例の適用を受けるものとして記載された金額を合計した金額が1,000万円を超えるものである場合には、取扱金融機関の営業所等は、これらの申告書を受理することができないこととされています（措法70の2の3⑥）。

（6）　結婚・子育て資金非課税取消申告書

既に提出した結婚・子育て資金非課税申告書等に係る結婚・子育て資金管理契約に基づいて信託された金銭等若しくは結婚・子育て資金管理契約に係る贈与により取得をした金銭等の一部につき信託法第11条第1項の規定による取消権の行使があったこと若しくは民法第424条第1項の規定による取消権の行使があったことにより結婚・子育て資金非課税申告書等に記載された非課税拠出額が減少することとなった場合又は教育資金管理契約に基づく信託若しくは教育資金管理契約に係る贈与が遺留分を侵害するものとして行われた遺留分侵害額の請求に基づき非課税拠出額の一部に相当する額の金銭を支払うべきことが確定した場合には、結婚・子育て資金非課税申告書等を提出した受贈者は、遅滞なく、その旨、その減少することとなった理由、その非課税拠出額のうち減少することとなった部分の価額又はその請求に基づき支払うべき金銭の額等の事項を記載した**「結婚・子育て資金非課税取消申告書」**(注)をその結婚・子育て資金管理契約に係る取扱金融機関の営業所等を経由し、納税地の所轄税務署長に提出する必要があります（措令40の4の4㉖）。

また、結婚・子育て資金非課税取消申告書が提出された場合には、そこに記載された減少することとなった部分の価額は、この特例の適用を受けた非課税拠出額に含まれないこととされます。

(注)　結婚・子育て資金非課税取消申告書には、次に掲げる事項を記載することとなります（措規23の5の4⑪）。

一　受贈者の氏名、住所又は居所及び個人番号並びに生年月日

二　受贈者が既に提出した結婚・子育て資金非課税申告書等に係る取扱金融機関の営業所等の名称及び所在地

三　結婚・子育て資金非課税申告書等に記載した非課税拠出額、贈与者の氏名及び当該結婚・子育て資金非課税申告書等を提出した税務署の名称

四　非課税拠出額のうち遺留分による減殺の請求又は取消権の行使があった部分の額並びに遺留分による減殺の請求又は取消権の行使の基因となった事情の詳細及びその事情の生じた年月日

五　その他参考となるべき事項

（7）　結婚・子育て資金非課税廃止申告書

既に提出した結婚・子育て資金非課税申告書等に係る結婚・子育て資金管理契約の締結に関する行為若しくは結婚・子育て資金管理契約に係る贈与が無効であったこと若しくはその行為若しくはその

第四章第四節《直系尊属から結婚・子育て資金の一括贈与を受けた場合の贈与税の非課税制度》

贈与が取り消すことのできる行為であったことにより取り消されたことにより結婚・子育て資金非課税申告書等に記載された非課税拠出額がないこととなった場合又は教育資金管理契約に基づく信託若しくは教育資金管理契約に係る贈与が遺留分を侵害するものとして行われた遺留分侵害額の請求に基づき非課税拠出額の一部に相当する額の金銭を支払うべきことが確定した場合には、結婚・子育て資金非課税申告書等を提出した受贈者は、「**結婚・子育て資金非課税廃止申告書**」(注)をその結婚・子育て資金管理契約に係る取扱金融機関の営業所等を経由し、納税地の所轄税務署長に提出する必要があります（措令40の4の4㉙）。

(注) 結婚・子育て資金非課税廃止申告書には、次に掲げる事項を記載することとなります（措規23の5の4⑫）。
　一　受贈者の氏名、住所又は居所及び個人番号並びに生年月日
　二　受贈者が既に提出した結婚・子育て資金非課税申告書等に係る取扱金融機関の営業所等の名称及び所在地
　三　結婚・子育て資金非課税申告書等に記載した非課税拠出額、贈与者の氏名及び結婚・子育て資金非課税申告書等を提出した税務署の名称
　四　非課税拠出額がないこととなった事情又は遺留分侵害額の請求の基因となった事情の詳細及びその事情の生じた年月日
　五　その他参考となるべき事項

（8）　領収書等の提出

　この特例の適用を受ける受贈者は、結婚・子育て資金管理契約の締結の際に選択した次のイ又はロに掲げる場合の区分に応じそれぞれに定める日までに、結婚・子育て資金の支払に充てた金銭に係る領収書その他の書類又は記録でその支払の事実を証するもの（以下「**領収書等**」といいます。）を、取扱金融機関の営業所等に提出しなければなりません（措法70の2の3⑨）。

イ　結婚・子育て資金の支払に充てた金銭に相当する額を払い出す方法により専ら払出しを受ける場合……その領収書等に記載された支払年月日から1年を経過する日

ロ　イに掲げる場合以外の場合……その領収書等に記載された支払年月日の属する年の翌年3月15日

（9）　贈与者の死亡時の相続税課税

　贈与者が結婚・子育て資金管理契約に基づき信託をした日、預金若しくは貯金をするための金銭の書面による贈与をした日又は有価証券の購入をするための金銭等の書面による贈与をした日からこれらの結婚・子育て資金管理契約の終了の日までの間に、贈与者が死亡した場合には、受贈者について、贈与者が死亡した日における**非課税拠出額**(注1)から**結婚・子育て資金支出額**(注2)を控除した残額（以下「**管理残額**」(注3)といいます。）を贈与者から相続（受贈者が贈与者の相続人以外の者である場合には、遺贈。）により取得したものとみなして相続税法の規定を適用します（措法70の2の3⑫二）。

(注1) 「**非課税拠出額**」とは、結婚・子育て資金非課税申告書又は追加結婚・子育て資金非課税申告書にこの特例の適用を受けるものとして記載された金額を合計した金額（1,000万円を限度とします。）をいいます（措法70の2の3②四）。

(注2) 「**結婚・子育て資金支出額**」とは、取扱金融機関（受贈者の直系尊属又は受贈者と結婚・子育て資金管理契約を締結した金融機関等をいいます。以下同じです。）の営業所等において結婚・子育て資金の支払の事実が確認され、かつ、記録された金額を合計した金額をいいます（措法70の2の3②五）。

(注3) **管理残額**は、贈与者が死亡した日における結婚・子育て資金管理契約に係る非課税拠出額から同日における結婚・子育て管理契約に係る結婚・子育て資金支出額（相続又は遺贈により取得したものとみなされた金額がある場合には、その金額を含みます。）を控除した残額に、贈与者から取得をした信託受益権又は金銭等のうちこの特例の適用を受けて贈与税の課税価格に算入しなかった金額に相当する部分の価額が非課税拠出額（同日前に死亡した他の贈与者がある場合には、非課税拠出額から当該他の贈与者から取得をした信託受益権又は金銭等のうちこの特例の適用を受けて贈与税の課税価格に算入しなかった金額に相当する部分の価額を控除した残額）のうちに占める割合を乗じて算出した金額となります（措令40の4の4㉔）。

(注4) 贈与者から相続又は遺贈により管理残額以外の財産を取得しなかった受贈者については、相続税法第19

—1144—

第四章第四節《直系尊属から結婚・子育て資金の一括贈与を受けた場合の贈与税の非課税制度》

条の規定は適用されません（措法70の2の3⑫四）。

(10) 結婚・子育て資金管理契約の終了事由

結婚・子育て資金管理契約は、次に掲げる事由に応じ、次に掲げる日のいずれか早い日に終了します（措法70の2の3⑬）。

イ	受贈者が50歳に達したこと……受贈者が50歳に達した日
ロ	受贈者が死亡したこと……受贈者が死亡した日
ハ	結婚・子育て資金管理契約に係る信託財産の価額が零となった場合、結婚・子育て資金管理契約に係る預金若しくは貯金の額が零となった場合又は結婚・子育て資金管理契約に基づき保管されている有価証券の価額が零となった場合において受贈者と取扱金融機関との間でこれらの結婚・子育て資金管理契約を終了させる合意があったこと……結婚・子育て資金管理契約がその合意に基づき終了する日

(11) 結婚・子育て資金管理契約の終了時の課税関係

(10)の表のイ又はハの事由に該当したことにより結婚・子育て資金管理契約が終了した場合において、結婚・子育て資金管理契約に係る非課税拠出額から結婚・子育て資金支出額（受贈者の結婚に際して支出する費用で一定のものについては、300万円を限度とし、相続又は遺贈により取得したものとみなされた管理残額を含みます。）を控除した残額があるときは、次に定めるところによります（措法70の2の3⑭）。

イ	その残額については、結婚・子育て資金管理契約に係る受贈者の(10)のイ又はハに定める日の属する年の贈与税の課税価格に算入する。
ロ	第五章第五節の適用については、その残額は、同節(1)の一般贈与財産とみなす。

(注) (10)の表のロの事由に該当したことにより結婚・子育て資金管理契約が終了した場合には、その残額は贈与税の課税価格に算入されません（措法70の2の3⑮）。

—1145—

第四章第四節《直系尊属から結婚・子育て資金の一括贈与を受けた場合の贈与税の非課税制度》

別表第十二㈠

結 婚 ・ 子 育 て 資 金 非 課 税 申 告 書

税務署長殿　　　　　　　　　　　　　　　　　　　　令和　　年　　月　　日

受贈者	ふりがな	
	氏　　　名	
	住 所 又 は 居 所	
	個 人 番 号	
	生 年 月 日（年齢）	昭・平　　　．　　　．　　　　　（　　　歳）

　下記の信託受益権、金銭又は金銭等について租税特別措置法第70条の2の3第1項本文の規定の適用を受けたいので、この旨申告します。

贈与者	贈与者から取得をしたもの			左のうち非課税の適用を受ける信託受益権、金銭又は金銭等の価額
	信託受益権、金銭又は金銭等の別	信託受益権、金銭又は金銭等の価額	金銭又は金銭等の取得年月日	
ふりがな 氏　名 住所又は居所 生年月日　明・大・昭・平 続柄	信託受益権 金銭 金銭等			
ふりがな 氏　名 住所又は居所 生年月日　明・大・昭・平 続柄	信託受益権 金銭 金銭等			

取扱金融機関の営業所等	名　称		法人番号	
	所在地			

既に結婚・子育て資金非課税申告書又は追加結婚・子育て資金非課税申告書を提出したことがある場合	非課税拠出額	取扱金融機関の営業所等		提出先の税務署
		名称	所在地	
				税務署

（摘要）	取扱金融機関の営業所等の受理年月日
	（点線の円）

（用紙　日本産業規格　Ａ４）

第四章第四節《直系尊属から結婚・子育て資金の一括贈与を受けた場合の贈与税の非課税制度》

別表第十二㈡

追　加　結　婚　・　子　育　て　資　金　非　課　税　申　告　書

税務署長殿　　　　　　　　　　　　　　　　　　　　令和　　年　　月　　日

受贈者	ふ り が な	
	氏　　　名	
	住 所 又 は 居 所	
	個 人 番 号	
	生 年 月 日 （ 年 齢 ）	昭・平　　　.　　　.　　　　　（　　　　歳）

下記の信託受益権、金銭又は金銭等について租税特別措置法第70条の2の3第1項本文の規定の適用を受けたいので、この旨申告します。

贈与者		贈与者から新たに取得をしたもの			左のうち新たに非課税の適用を受ける信託受益権、金銭又は金銭等の価額
		信託受益権、金銭又は金銭等の別	信託受益権、金銭又は金銭等の価額	金銭又は金銭等の取得年月日	
ふりがな		信託受益権 金銭 金銭等			
氏　名					
住所又は居所					
生年月日	明・大・昭・平				
続柄					
ふりがな		信託受益権 金銭 金銭等			
氏　名					
住所又は居所					
生年月日	明・大・昭・平				
続柄					

既に提出した結婚・子育て資金非課税申告書又は追加結婚・子育て資金非課税申告書	非課税拠出額	取扱金融機関の営業所等			提出先の税務署
		名称		法人番号	
		所在地			税務署

（摘要）

取扱金融機関の営業所等の
受理年月日

（用紙　日本産業規格　Ａ４）

－1147－

第五章　贈与税の課税価格及び税額の計算

　本章は相続時精算課税の適用がない場合について解説しています。相続時精算課税の適用がある場合の計算については、第六章を参照してください。

第一節　課税価格の計算

　贈与税の課税価格は、その年の1月1日から12月31日までの間に贈与によって取得した財産の価額の合計額によって計算します。したがって、贈与税の税額を計算する際には、まず、この課税価格を計算しなければなりません。

　この課税価格の計算の基礎となる贈与によって取得した財産には、第四章で説明した非課税財産を除き、第三章で説明した課税財産が全て含まれます。

　また、個々の財産の価額は、その財産の贈与があった時の時価によることになっています。この時価については地上権など特定の財産については、相続税法でその評価方法を定めていますが、その他の財産については国税庁長官が定めた財産評価基本通達によって評価した価額によることになっています。財産の評価方法については第六編を参照してください。なお、**負担付贈与**又は**低額譲渡**など個人間の対価を伴う取引により取得した場合の①土地等及び建物等の価額については、その「通常の取引価額」により評価し、②上場株式の価額については、「課税時期の最終価格」によって評価することとなっています。詳細は第三章第二節の3《負担付贈与の取扱い》(1099ページ)、同章第三節の3の(1)《低額譲受けが贈与とされる場合》(1104ページ)及び第六編第七章第一節の2《負担付贈与等により取得した上場株式の評価》(1385ページ)を参照してください。

　課税価格の計算は次のとおり、贈与によって財産を取得した者により異なります。

1　納税義務者が個人の場合

(1)　無制限納税義務者に該当する者の課税価格

　贈与により財産を取得した者がその年中における財産の取得について居住無制限納税義務者又は非居住無制限納税義務者に該当する者である場合においては、その者については、その年中において贈与により取得した財産の価額の合計額をもって、贈与税の課税価格とされます（相法21の2①）。

　　（注）　財産の所在場所が日本国内か国外かについては、相続税で述べた「財産の所在」（第四編第三章第三節）（691ページ）によって判定することになります。

(2)　制限納税義務者に該当する者の課税価格

　贈与により財産を取得した者がその年中における贈与による財産の取得について制限納税義務者に該当する者である場合においては、その者については、その年中において贈与により取得した財産で日本国内にあるものの価額の合計額をもって、贈与税の課税価格とされます（相法21の2②）。

(3)　無制限納税義務者と制限納税義務者のいずれにも該当する者の課税価格

　贈与により財産を取得した者がその年中における贈与による財産の取得について、居住無制限納税義務者と制限納税義務者のいずれにも該当する場合又は非居住無制限納税義務者と制限納税義務者のいずれにも該当する場合においては、その者については、その者が①日本国内に住所を有していた期間内に贈与により取得した財産の価額及び②日本国内に住所を有していなかった期間内に贈与により取得した財産で次の区分に応じそれぞれに定める財産の価額の合計額をもって、贈与税の課税価格とされます（相法21の2③、相令4の4の2①②）。

－1148－

第五章第一節《贈与税の課税価格の計算》

① 日本国内に住所を有していた期間内に贈与により取得した財産の場合
　イ　贈与により財産を取得した者がその取得した時において居住無制限納税義務者である場合　その贈与により取得した財産
　ロ　贈与により財産を取得した者がその取得した時において居住制限納税義務者である場合　その贈与により取得した財産で日本国内にあるもの
② 日本国内に住所を有していなかった期間内に贈与により取得した財産の場合
　イ　贈与により財産を取得した者がその取得した時において非居住無制限納税義務者である場合　その贈与により取得した財産
　ロ　贈与により財産を取得した者がその取得した時において非居住制限納税義務者である場合　その贈与により取得した財産で日本国内にあるもの

（4）　相続開始の年に被相続人から贈与された財産がある場合

　相続又は遺贈により財産を取得した者が、相続開始の年においてその相続に係る被相続人から贈与された財産で、相続税の課税価格に算入されるものは、（1）から（3）までの規定にかかわらず、贈与税の課税価格に算入されません（相法21の2④）。

　　(注)　相続開始の年にその相続に係る被相続人から贈与により取得した居住用不動産又は金銭で特定贈与財産（709ページ参照）に該当するものについては、相続税の課税価格に加算されませんから、贈与税の課税価格に算入することになります（相基通19−9）。

2　納税義務者が人格のない社団、財団又は公益法人の場合

　人格のない社団又は財団が2人以上の者から財産の贈与を受けた場合には、個人の納税義務者の場合のように贈与を受けた財産の価額の合計額を課税価格としないで、贈与者の異なるごとに、贈与者各1人のみから贈与を受けたものとみなして、それぞれ別々に課税価格を求めて贈与税額を算出し、その合計額をもって納付すべき贈与税額とします（相法66①）。

　例えば、校友会などが甲から200万円、乙から160万円の贈与を受けた場合には、課税価格は、200万円＋160万円＝360万円ではなく、200万円と160万円のそれぞれが課税価格となり、それぞれの価格から基礎控除額を控除して税額を計算します。

　また、持分の定めのない法人が財産の贈与を受けた場合で、その贈与により贈与者の親族その他特別の関係がある者の相続税又は贈与税の負担が不当に減少する結果となると認められるときも同様に取り扱われます。

第五章第一節《贈与税の課税価格の計算》

3　課税価格の計算についての留意事項

（1）　納税義務の範囲

無制限納税義務者又は制限納税義務者のいずれに該当するかは、贈与によって財産を取得した時ごとに定まることになります（相基通21の2－1）。

（2）　民法上の組合からの贈与

民法上の組合から財産の贈与を受けたときは、その贈与に係る財産は、その組合の組合員からその出資の価額に応じて取得したものとされます（相基通21の2－2）。

（3）　相続又は遺贈により財産を取得しなかった者の贈与税の課税価格

相続開始の年において、相続に係る被相続人からの贈与により財産を取得した者が被相続人からの相続又は遺贈により財産を取得しなかった場合は、1の（4）（相令4の4の2③）又は（5）（相法21の2④）の規定は適用されず、その贈与により取得した財産の価額は、贈与税の課税価格に算入されます（相基通21の2－3（1））。

（注）　相続時精算課税の適用を受ける贈与税の課税価格は、第六章第二節1の（注2）参照。

（4）　負担付贈与の課税価格

負担付贈与に係る贈与財産の価額は、負担がないものとした場合におけるその贈与財産の価額（土地等及び建物等については、通常の取引価額によります。第三章第二節の3（1099ページ）参照。また、上場株式の価額は、課税時期の最終価格によります。第六編第七章第一節（1385ページ）参照。）から、その負担額を控除した価額によります（相基通21の2－4）。

4　特定土地等及び特定株式等に係る贈与税の課税価格の計算の特例

（1）　特定土地等及び特定株式等に係る贈与税の課税価格の計算の特例

個人が特定非常災害（特定非常災害の被害者の権利利益の保全等を図るための特別措置に関する法律第2条第1項の規定により特定非常災害として指定された非常災害をいいます。以下同じ。）に係る同項の特定非常災害発生日（以下「特定非常災害発生日」といいます。）の属する年の1月1日から特定非常災害発生日の前日までの間に贈与により取得した財産で特定非常災害発生日において所有していたもののうちに、特定非常災害により被災者生活再建支援法第3条第1項の規定の適用を受ける地域（同項の規定の適用がない場合には、特定非常災害により相当な損害を受けた地域として財務大臣が指定する地域。以下「特定地域」といいます。）内にある土地若しくは土地の上に存する権利（以下「特定土地等」といいます。）又は特定地域内に保有する資産の割合が高い法人として一定の法人（注1）の株式若しくは出資（金融商品取引法第2条第16項に規定する金融商品取引所に上場されている株式その他これに類するものとして一定のもの（注2）を除きます。以下「特定株式等」といいます。）がある場合には、特定土地等又は特定株式等については、相続税法第21条の2又は第21条の10に規定する贈与税の課税価格に算入すべき価額は、同法第22条の規定にかかわらず、特定非常災害発生日に係る特定非常災害の発生直後の価額としての金額（注3）とすることができます（措法69の7①）。

（注1）　上記の「資産の割合が高い法人として一定の法人」とは、贈与（贈与をした者の死亡により効力を生ずる贈与を除きます。）により財産を取得した者が贈与によりその法人の株式又は出資を取得した時において、その法人の保有していた資産の価額（取得した時における時価をいいます。以下同じ。）の合計額のうちに占める特定地域内にあった動産（金銭及び有価証券を除きます。）、不動産、不動産の上に存する権利及び立木（以下「動産等」といいます。）の価額の合計額の割合が10分の3以上である法人をいいます（措令40の2の3①）。

　㊟　上記＿＿下線部については、公益信託に関する法律（令和6年法律第30号）の施行の日以後、「40の2の3」が「40の3」とされます。（令6改措令附1三）

（注2）　上記の「株式その他これに類するものとして一定のもの」とは、次に掲げる株式又は出資をいいます（措令40の2の3②、措規23の2の3）。

　①　金融商品取引法第2条第8項第10号ハに規定する店頭売買有価証券に該当する株式又は出資

第五章第三節《贈与税の配偶者控除》

　　② 　金融商品取引所が金融商品取引法第121条の規定による内閣総理大臣への届出をするため当該届出を行うことを明らかにした株式（①の株式等に該当するものを除きます。）及び同法第67条第1項の認可金融商品取引業協会が同法第67条の11第1項に規定する店頭売買有価証券登録原簿に登録することを明らかにした株式

　　㊟　上記＿＿＿下線部については、公益信託に関する法律（令和6年法律第30号）の施行の日以後、「40の2の3」が「40の3」とされます。（令6改措令附1三）

(注3) 　上記の「特定非常災害の発生直後の価額としての金額」とは、次に掲げる財産の区分に応じ、それぞれに掲げる金額をいいます（措令40の2の3③）。

　　① 　特定土地等……その特定土地等（その特定土地等の上にある不動産を含みます。）の状況が特定非常災害の発生直後も引き続き贈与により取得した時の現況にあったものとみなして、特定非常災害の発生直後における特定土地等の価額として評価した額に相当する金額

　　② 　特定株式等……その特定株式等を贈与により取得した時において特定株式等に係る株式の発行法人又は出資のされている法人が保有していた特定地域内にある動産等（その法人が特定非常災害発生日において保有していたものに限ります。）の特定株式等を贈与により取得した時の状況が、特定非常災害の発生直後の現況にあったものとみなして、贈与により取得した時における特定株式等の価額として評価した額に相当する金額

　　㊟　上記＿＿＿下線部については、公益信託に関する法律（令和6年法律第30号）の施行の日以後、「40の2の3」が「40の3」とされます。（令6改措令附1三）

(注4) 　上記の適用については、申告書（期限後申告書及び修正申告書を含みます。）又は更正請求書にこれらの適用を受けようとする旨の記載がある場合に限り、適用されます。また、その記載がなかったことにつき税務署長がやむを得ない事情があると認めるときは、この限りでありません（措法69の7②）。

（2）　贈与税の申告書の提出期限の特例

　特定非常災害発生日の属する年の1月1日から12月31日までの間に贈与により財産を取得した個人で**(1)**の適用を受けることができるものが相続税法第28条第1項の規定により提出すべき申告書の提出期限が特定日**(注)**の前日以前である場合には、当該申告書の提出期限は、特定日となります（措法69の8③）。

　なお、当該個人の相続人が相続税法第28条第2項において準用する同法第27条第2項の規定により提出すべき申告書の提出期限が特定日の前日以前であるときは、当該申告書の提出期限は、特定日となります（措法69の8④）。

(注) 　上記の「特定日」とは、特定非常災害に係る国税通則法第11条の規定により延長された申告に関する期限と特定非常災害発生日の翌日から10か月を経過する日とのいずれか遅い日をいいます。

第二節　　贈与税の基礎控除

　贈与税については、基礎控除として第一節で述べた課税価格から**110万円**を控除します（措法70の2の4①、相法21の5）。この基礎控除は、贈与税の申告の有無に関係なく認められます。したがって、1年間に贈与を受けた財産の価額の合計額が110万円以下であれば、基礎控除後の課税価格がなくなりますから、贈与税は課税されません。

　また、納税者が人格のない社団又は財団などの場合には、贈与者各1人から贈与を受けた財産の価額がそれぞれ110万円以下であれば、贈与を受けた財産全体の価額が相当の金額に上っても、それぞれの基礎控除後の課税価格がありませんから、やはり贈与税は課税されません。

第三節　　贈与税の配偶者控除

1　制　度　の　概　要

　その年において贈与によりその者との婚姻期間が20年以上である配偶者から次の①又は②の財産を取得し

－1151－

た場合には、その年分の贈与税について基礎控除110万円のほかに2,000万円が控除されます（相法21の6）。

① 専ら居住の用に供する土地若しくは土地の上に存する権利又は家屋で日本国内にあるもの（以下「**居住用不動産**」といいます。）を、贈与を受けた年の翌年3月15日までに受贈者の居住の用に供し、かつ、その後引き続き居住の用に供する見込みであるもの

② 居住用不動産を取得するための金銭で、贈与を受けた年の翌年3月15日までに居住用不動産の取得に充てられ、かつその取得した居住用不動産を同日までに受贈者の居住の用に供し、かつ、その後引き続き居住の用に供する見込みである場合におけるその金銭の額

なお、この配偶者控除はたとえ控除不足があっても、同一の配偶者からの贈与について一度しか適用を受けることができません（同一の配偶者からの贈与でなければ二度以上この控除の適用を受けることができます。）。

また、①と②の財産の合計金額が2,000万円に満たない場合は、その合計額までしか控除されません。

2　婚姻期間の取扱い

婚姻期間が20年以上の配偶者に該当するか否かの判定は、財産の贈与の時の現況によるものとされ、また婚姻期間の計算は、民法第739条第1項（婚姻の届出）の届出のあった日から起算してその贈与の日までの期間（その期間中に受贈者が、その贈与をした者の配偶者でなかった期間がある場合には、その配偶者でなかった期間を除きます。）により計算します（相令4の6①②）。したがって、事実上の婚姻をしていても、入籍がされていない期間は、ここでいう婚姻期間には含まれません。

その計算した婚姻期間に1年未満の端数があるときはその端数を切り捨てます。したがって、婚姻期間が19年を超え20年未満であるときは配偶者控除の適用は受けられません（相基通21の6－7）。

3　居住用不動産の範囲

（1）　併用住宅の場合又は土地だけを取得した場合

2により判定して贈与税の配偶者控除の適用を受けられる者（以下「**受贈配偶者**」といいます。）が取得した次に掲げる土地若しくは土地の上に存する権利（以下「**土地等**」といいます。）又は家屋は、居住用不動産として配偶者控除の適用対象となります（相基通21の6－1）。

① 受贈配偶者が取得した土地等又は家屋で、例えば、その取得の日の属する年の翌年3月15日現在において、店舗兼住宅及びその店舗兼住宅の敷地の用に供されている土地等のように、その専ら居住の用に供している部分と居住の用以外の用に供されている部分がある場合における居住の用に供している部分の土地等及び家屋（居住の用に供している部分の判定は（2）参照）

なお、この場合において、その居住の用に供している部分の面積が、その土地等又は家屋の面積のそれぞれのおおむね10分の9以上であるときは、その土地等又は家屋の全部が居住用不動産に該当します。

② 受贈配偶者がその者の専ら居住の用に供する家屋の存する土地等のみを取得した場合で、その家屋の所有者が受贈配偶者の配偶者又は受贈配偶者と同居するその者の親族であるときにおけるその土地等

なお、この場合における土地等には、受贈配偶者の配偶者又は受贈配偶者と同居するその者の親族の有する借地権の設定されている土地（いわゆる底地）及び配偶者居住権の目的となっている家屋の敷地の用に供される土地等を含みます（③においても同様です。）。

③ 受贈配偶者が、例えば、店舗兼住宅の用に供する家屋の存する土地等のみを取得した場合で、受贈配偶者がその家屋のうち住宅の部分に居住し、かつ、その家屋の所有者が受贈配偶者の配偶者又は受贈配偶者と同居するその者の親族であるときにおけるその居住の用に供している部分の土地等

（2）　店舗兼住宅等の居住用部分の判定

受贈配偶者の居住の用に供している家屋のうちに居住の用以外の用に供されている部分のある家屋

第五章第三節《贈与税の配偶者控除》

及びその家屋の敷地の用に供されている土地等（以下「店舗兼住宅等」といいます。）のうちその居住の用に供している部分は、次により計算した面積の比により、土地等又は家屋の全体の価額をあん分して計算することになります（相基通21の6－2）。

① 家屋のうちその居住の用に供している部分は、次の算式により計算した面積に相当する部分とします。

$$\left(\begin{array}{c}\text{家屋のうちその居住}\\\text{の用に専ら供してい}\\\text{る部分の床面積（A）}\end{array}+\begin{array}{c}\text{家屋のうちその居住の用と居}\\\text{住の用以外の用とに併用され}\\\text{ている部分の床面積（B）}\end{array}\times\dfrac{\text{A}}{\begin{array}{c}\text{家屋の}\\\text{総床面積}\end{array}}\right)-\text{（B）}$$

② 土地等のうちその居住の用に供している部分は、次の算式により計算した面積に相当する部分とします。

$$\begin{array}{c}\text{土地等のうちそ}\\\text{の居住の用に専}\\\text{ら供している部}\\\text{分の面積}\end{array}+\begin{array}{c}\text{土地等のうちその居}\\\text{住の用と居住の用以}\\\text{外の用とに併用され}\\\text{ている部分の面積}\end{array}\times\dfrac{\begin{array}{c}\text{家屋の面積のうち①の算}\\\text{式により計算した面積}\end{array}}{\text{家屋の総床面積}}$$

（3） 店舗兼住宅等の持分の贈与があった場合の居住用部分の判定

配偶者から店舗兼住宅等の持分の贈与を受けた場合には、理論的には（2）により求めたその店舗兼住宅等の居住の用に供している部分の割合にその贈与を受けた持分の割合を乗じて計算した部分が、居住用不動産として贈与を受けた部分となります。ただし、贈与を受けた共有持分が優先的に居住用部分として使用されているものと考えて、配偶者控除の適用対象範囲をできるだけ拡充する趣旨から、次の①、②のいずれか少ない割合を店舗兼住宅等の土地等又は家屋の価額に乗じて計算した価額を、贈与を受けた居住用不動産の価額として申告があったときは、これを認める取扱いとなっています（相基通21の6－3）。

① 贈与を受けた持分の割合

② 居住の用に供している部分の割合（この割合は（2）により居住の用に供しているものとして計算された割合に受贈配偶者とその配偶者との持分の割合を合計した割合を乗じて計算します。）

（注） 相続の開始の年にその相続に係る被相続人から贈与により取得した居住用不動産で特定贈与財産（709ページ参照）に該当するものについて、贈与税の配偶者控除の規定を適用する場合において710ページの（注4）により上記に準じてその居住用不動産に該当する部分の計算を行っているときは、配偶者控除の適用を受ける居住用不動産についても上記により計算します。

〔計算例〕

店舗兼住宅等で居住用部分が土地家屋いずれも60％と判定された不動産（評価額3,000万円）のうち50％の持分を配偶者から贈与により取得した場合

① 3,000万円×50％＝1,500万円（贈与された持分の割合に相当する部分）

② 3,000万円×60％＝1,800万円（居住用部分の割合に相当する部分）

③ ①と②のいずれか少ない方の金額……1,500万円（贈与を受けた居住用不動産の価額）

（4） 贈与を受けた金銭等で店舗兼住宅等を取得した場合

配偶者から贈与によって取得した金銭、及び当該金銭以外の資金をもって、店舗兼住宅等を取得した場合のように、居住用不動産と居住用不動産以外の財産を取得した場合には、配偶者控除の適用上は、配偶者から贈与によって取得した金銭をまず居住用不動産の取得に充てたものとして取り扱われます（相基通21の6－5）。

4 適用を受けるための手続

この配偶者控除の適用を受けるためには、必ず次の手続が必要です（相法21の6②、相規9）。

イ 贈与税の申告書を提出すること。

ロ 贈与税の申告書に、配偶者控除の適用を受ける旨やその控除額の明細を記載すること。

－1153－

第五章第三節《贈与税の配偶者控除》

　　ハ　贈与税の申告書に配偶者控除を受けようとする年の前年以前に今回贈与をする配偶者からの贈
　　　与につき贈与税の配偶者控除の適用を受けていない旨を記載すること。
　　ニ　贈与税の申告書に、次の書類を添付すること。
　　（イ）　贈与者との婚姻期間を証明する書類として、財産の贈与を受けた日から10日を経過した日
　　　　以後に作成された戸籍の謄本又は抄本及び戸籍の附票の写し
　　（ロ）　居住用不動産を取得したことを証明する書類として、その不動産の登記事項証明書又はそ
　　　　の不動産に係る不動産番号等の明細書その他の書類で贈与を受けた者がその居住用不動産を取
　　　　得したことを証するもの
　以上の手続を踏まなかった場合でも、そのことについて税務署長がやむを得ない事情があったと認
めた場合には、配偶者控除が適用されます（相法21の6③）ので、そのようなときは、税務署でお尋
ねください。

5　相続税の課税価格との関係

　相続又は遺贈により財産を取得した者が、その相続の開始前7年以内に、その相続に係る被相続人
から財産の贈与を受けたことがある場合には、その者についてはその贈与によって取得した財産（以
下「加算対象贈与財産」といいます。））の価額（「加算対象贈与財産のうちその相続の開始前3年以内
に取得した財産以外の財産にあっては、その財産の価額の合計額から100万円を控除した残額）を相続
税の課税価格に加算した価額を相続税の課税価格とみなすこととされています（相法19①）が、生前
贈与により取得した居住用不動産（又は、居住用不動産を取得するための金銭）について贈与税の配
偶者控除の適用を受けた配偶者が、贈与を受けた日から7年以内にその贈与をした配偶者が死亡した
ことにより相続財産を取得した場合には、贈与税の配偶者控除の適用を受けた受贈財産のうち控除を
受けた配偶者控除額に相当する金額は加算しないでよいことになっています。
　また、居住用不動産の贈与があった年にその贈与をした者が死亡し、かつ、その財産の贈与を受け
た者が相続財産を取得したときは、その居住用不動産の価額を贈与税の課税価格に算入することとし
て相続税の申告時に一定の手続をした場合（709ページの【特定贈与財産】の②参照）に限り、贈与税
の配偶者控除の規定の適用があるものとした場合に控除されることとなる金額は、相続税の課税価格
に加算されないことになっています（相法21の2④）。
（注）　上記の　　部分の規定は、令和5年12月31日以前に取得する財産に係る相続税については、「その相続の
　　　開始前7年以内」とあるのは「その相続の開始前3年以内」とし、「（以下「加算対象贈与財産」といいます。））
　　　の価額（「加算対象贈与財産のうちその相続の開始前3年以内に取得した財産以外の財産にあっては、その
　　　財産の価額の合計額から100万円を控除した残額」とあるのは「の価額」と、「7年以内」とあるのは「3年
　　　以内」とします（令5改法附19①）。
　なお、相続又は遺贈により財産を取得した日に応じた加算対象期間は以下のとおりです。

相続又は遺贈により財産を取得した日（注1）	加算対象期間	相続の開始前3年以内に取得した財産以外の財産に係る期間（100万円控除が適用される期間）
令和6年1月1日から令和8年12月31日まで	相続の開始の日から遡って3年目の応当日から当該相続の開始の日までの間	
令和9年1月1日から令和12年12月31日まで	令和6年1月1日から相続の開始の日までの間	令和6年1月1日から、相続の開始の日から遡って3年目の応当日の前日までの間（注2）
令和13年1月1日以後	相続の開始の日から遡って	相続の開始の日から遡って7年目の応当日

—1154—

	7年目の応当日から当該相続の開始の日までの間	から、当該相続の開始の日から遡って3年目の応当日の前日までの間

(注1) 原則として、「相続の開始の日（被相続人の死亡の日）」により判定することとなります（「相続の開始があったことを知った日」（相法27等）ではありません。）。

(注2) 相続又は遺贈により財産を取得した日が令和9年1月1日である場合においては、相続の開始の日から遡って3年目の応当日が令和6年1月1日となることから、相続の開始前3年以内に取得した財産以外の財産に係る期間（100万円控除が適用される期間）は生じません。

第四節　暦年課税の場合の贈与税額の計算

贈与税の税額は、配偶者控除及び基礎控除後の課税価格に税率を乗じて計算します。

贈与税の税率表①

〈平成27年1月1日以後の直系尊属以外からの贈与に適用（一般税率）〉

200万円以下の金額	10%	600万円を超え1,000万円以下の金額	40%
200万円を超え300万円以下の金額	15〃	1,000 〃 1,500 〃	45〃
300 〃 400 〃	20〃	1,500 〃 3,000 〃	50〃
400 〃 600 〃	30〃	3,000万円を超える金額	55〃

（直系尊属から贈与を受けた場合の贈与税の税率の特例については、第五節を参照してください。）

贈与税の税率表②

〈平成26年12月31日以前の贈与に適用〉

200万円以下の金額	10%	400万円を超え600万円以下の金額	30%
200万円を超え300万円以下の金額	15〃	600 〃 1,000 〃	40〃
300 〃 400 〃	20〃	1,000万円を超える金額	50〃

この税率表によって税額を計算する場合には、配偶者控除及び基礎控除後の課税価格を各級に区分し、各級に対応する税率を適用して算出した金額を合計して、贈与税額を求めるのが原則です。

しかし、実際に税額を計算する場合には、税率表によるよりも、速算表（下表参照）による方が計算が早く便利です。速算表によりますと、配偶者控除及び基礎控除後の課税価格に、これに対応する税率を乗じて算出した金額から、控除額を差し引くと、その金額が求める贈与税額となります。

贈与税の速算表①

〈平成27年1月1日以後の直系尊属以外からの贈与に適用（一般税率）〉

基礎控除、配偶者控除後の課税価格	税　率	控　除　額
200万円以下	10%	―
200万円超　300 〃	15	10万円
300 〃 400 〃	20	25 〃
400 〃 600 〃	30	65 〃
600 〃 1,000 〃	40	125 〃
1,000 〃 1,500 〃	45	175 〃
1,500 〃 3,000 〃	50	250 〃
3,000 〃	55	400 〃

第五章第五節《直系尊属から贈与を受けた場合の贈与税の税率の特例》

贈与税の速算表②

〈平成26年12月31日以前の贈与に適用〉

基礎控除、配偶者控除後の課税価格	税　率	控　除　額
200万円以下	10%	—
200万円超　　300　〃	15	10万円
300　〃　　400　〃	20	25 〃
400　〃　　600　〃	30	65 〃
600　〃　1,000　〃	40	125 〃
1,000　〃	50	225 〃

　例えば、配偶者控除及び基礎控除後の課税価格が300万円であるとしますと、税額の計算は次のように
なります。

$$300万円 \times 15\% - 100,000円 = 350,000円$$

　なお、算出した税額（相続時精算課税において計算された贈与税額があれば、その合計額）に100
円未満の端数があったり、又はその全額が100円未満のときは、その端数又はその全額を切り捨てます
（相基通21の７－１）。

〔計算例〕　配偶者控除の適用がある場合

　甲は令和６年中に、夫の乙から2,500万円、夫の父の丙から250万円の贈与を受けました。なお、夫
の乙から取得した財産については、配偶者控除の適用があるものとします。

甲の課税価格	2,500万円＋250万円＝	2,750万円
配偶者控除額（限度額2,000万円）		△2,000万円
基礎控除額		△　110万円
差　　　引		640万円

甲の令和６年分の贈与税額は、640万円×40%－1,250,000円＝1,310,000円

第五節　直系尊属から贈与を受けた場合の贈与税の税率の特例

　平成27年１月１日以後に直系尊属からの贈与により財産を取得した者（その年１月１日において18
歳以上の者に限ります。）のその年中のその財産に係る贈与税の額は、第四節の税率ではなく基礎控除
後の課税価格を基に次に掲げる特例税率（以下「特例税率」といいます）により計算した金額とされ
ます（措法70の２の５①）。

特例税率による贈与税の税率表

〈平成27年１月１日以後の直系尊属からの贈与に適用〉

200万円以下の金額	10%	1,000万円を超え1,500万円以下の金額	40%
200万円を超え400万円以下の金額	15 〃	1,500　〃　　3,000　〃	45 〃
400　〃　　600　〃	20 〃	3,000　〃　　4,500　〃	50 〃
600　〃　1,000　〃	30 〃	4,500万円を超える金額	55 〃

－1156－

第五章第五節《直系尊属から贈与を受けた場合の贈与税の税率の特例》

特例税率による贈与税の速算表
〈平成27年1月1日以後の直系尊属からの贈与に適用〉

基礎控除後の課税価格	税　率	控　除　額
200万円以下	10%	―
200万円超　400　〃	15	10万円
400　〃　600　〃	20	30　〃
600　〃　1,000　〃	30	90　〃
1,000　〃　1,500　〃	40	190　〃
1,500　〃　3,000　〃	45	265　〃
3,000　〃　4,500　〃	50	415　〃
4,500　〃	55	640　〃

　ただし、相続時精算課税適用者が特定贈与者から贈与により取得した財産については、この特例は適用できません(措法70の2の5⑤)。

　また、その年の1月1日において18歳以上の者が、贈与により財産を取得した場合において、その年の中途にその贈与をした者の直系卑属となったときは、直系卑属となった時前にその贈与をした者からの贈与により取得した財産については、贈与税の特例税率は適用できません(措法70の2の5②)。

（1）　特例税率と一般税率がある場合の贈与税の計算

　贈与税の特例税率の適用を受ける財産（以下「特例贈与財産」といいます。）を取得した者がその年中に贈与により贈与税の特例税率の適用を受けない財産（以下「一般贈与財産」といいます。）を取得した場合における贈与税の額は、次の①及び②の金額を合計した金額とします（措法70の2の5③）。

①	$\text{A} \times 特例税率 \times \dfrac{特例贈与財産の価額}{合計贈与価額}$
②	$\text{A} \times 一般税率 \times \dfrac{一般贈与財産の価額}{合計贈与価額}$

（注1）　Aは、贈与税の基礎控除及び贈与税の配偶者控除後の課税価格とします。

（注2）　合計贈与価額とは、贈与税の課税価格の計算の基礎に算入されるものに限り、贈与税の配偶者控除後のものです。

（注3）　②の一般贈与財産の価額は、贈与税の配偶者控除後のものです。

（2）　申告手続

　特例の適用を受ける者は、贈与税の申告書（期限後申告書及び修正申告書を含みます。）又は更正の請求書に特例の適用を受ける旨を記載し、贈与税の額の計算に関する明細書、贈与により財産を取得した者の戸籍の謄本又は抄本その他の書類でその者の氏名、生年月日及びその者がその贈与をした者の直系卑属に該当することを証する書類を添付しなければなりません(措法70の2の5④、措規23の5の5)。

　なお、既にこれらのことを証する書類を添付した申告書又は更正の請求書を提出している場合には、これらのことを証する書類にかえ、その申告書又は更正の請求書を提出した税務署の名称及びその提出に係る年分を記載した書類を添付することになります。

　また、贈与税の基礎控除及び配偶者控除後の課税価格が300万円以下である場合には、この書類（贈与税の額の計算に関する明細書を除きます。）の提出は必要ありません。

第六節　在外財産に対する贈与税額の控除

　外国にある財産を贈与により取得した場合に、その財産のある国において我が国の贈与税に相当する税が課せられたときには、我が国の相続税法に基づいて計算した算出贈与税額から、その国において課せられた税額を控除することになっています（相法21の8）。

　この制度は、我が国と外国との二重課税を防止するために設けられている制度です。

　しかし、その控除すべき税額が次の算式により計算した金額を超える場合には、その超える部分の金額については控除されません。

$$算出贈与税額 \times \frac{その者が、贈与により取得した外国に所在する財産の価額}{その年分の贈与税の課税価格に算入された財産の価額の合計額} = \begin{array}{l}在外財産に対す\\る贈与税額控除\\の限度額\end{array}$$

　(注)　第六節の控除は、暦年課税（第五節の（1）の場合には、①又は②の金額の別）又は第六章の相続時精算課税の別（相続時精算課税に係る特定贈与者が2以上ある場合には、さらに当該特定贈与者の別）にそれぞれ適用するものとされます（相基通21の8−2）。

—1158—

第六章　相続時精算課税と住宅取得等資金の贈与の特例

　贈与税は相続税の補完税としての側面を有していますが、一生に一度課税される相続税に比べ、暦年に分割できる贈与税は基礎控除が小さく、税率の累進度が急であるなど、親から子への資産移転に係る税負担は相続税よりも重いものとなっていました。

　平成15年度改正で、生前における贈与による資産の移転の円滑化に資することを目的として相続時精算課税制度が創設されました。本章では、相続時精算課税の取扱いのうち贈与税に関する部分を中心に解説しています。

　(相続時精算課税については、第四編　相続税の第七章で詳しく解説していますので、参照してください。)

第一節　適用対象者・選択の届出

1　適用対象者

　相続時精算課税の適用を受けることができる者は、次に掲げる者とされています。

(1)　贈与者

　贈与をした年の1月1日において、60歳以上(平成26年12月31日以前に贈与により取得した財産については、「65歳以上」とされます。)の者とされています(相法21の9①、平25改法附10②)。

(2)　受贈者

　贈与により財産を取得した者が贈与者の推定相続人である直系卑属のうち、贈与を受けた年の1月1日において18歳以上である者とされています(相法21の9①)。

(3)　相続時精算課税適用者の特例

①　平成27年1月1日以後に贈与により財産を取得した者がその贈与をした者の孫(その年1月1日において18歳以上である者に限ります。)であり、かつ、その贈与をした者がその年1月1日において60歳以上の者である場合には、その贈与により財産を取得した者については、相続時精算課税の適用をすることができます(措法70の2の6①)。

②　その年1月1日において18歳以上の者が同日において60歳以上の者からの贈与により財産を取得した場合において、その贈与により財産を取得した者がその年の中途においてその贈与をした者の孫となったときは、孫となった時前にその贈与をした者からの贈与により取得した財産については、①による相続時精算課税の適用はできません(措法70の2の6②)。

③　相続時精算課税選択届出書を提出した者が、その届出書に係る贈与をした者の孫でなくなった場合においてもその贈与をした者からの贈与により取得した財産については、相続時精算課税を適用することができます(措法70の2の6③)。

2　選択の届出

　この相続時精算課税の適用を受けるかどうかは選択できますので、適用を受けようとする受贈者は、次の(1)の「**相続時精算課税選択届出書**」を提出しなければなりません。

(1)　相続時精算課税選択届出書の提出

　相続時精算課税選択届出書は、贈与を受けた財産に係る贈与税の申告期間内(贈与を受けた年の翌年2月1日から3月15日まで)に、贈与をした者ごとに作成して贈与税の申告書に添付し、受贈者の

第六章第一節《相続時精算課税の適用対象者・選択の届出》

納税地（＝住所地）の所轄税務署長に提出することとされています（相法21の9②、相令5①）。

届出書には、受贈者と贈与者の氏名、生年月日、住所又は居所及び続柄その他の事項を記載し、下記の(注1)に掲げる書類を添付することとされています（相令5②、相規10①）。

(注1) 届出書に添付する書類は次のものです（相規11①）。

受贈者や特定贈与者の戸籍の謄本又は抄本その他の書類で次の内容を証する書類

・受贈者の氏名、生年月日

・受贈者が特定贈与者の直系卑属である推定相続人であること

(注2) 届出書を提出した受贈者を「**相続時精算課税適用者**」、その届出書に係る贈与者を「**特定贈与者**」といいます（相法21の9⑤）。

(注3) 贈与により取得した財産について、相続時精算課税の適用を受けようとする者は、その年分の贈与税の申告書の提出を要しない場合であっても、相続時精算課税選択届出書をその提出期限までに提出する必要があります（ゆうじょ規定なし）（相基通21の9－3）。

（2） 相続時精算課税選択届出書の提出の効果と届出書の撤回

相続時精算課税選択届出書に係る特定贈与者から贈与により取得する財産については、**届出書により相続時精算課税を適用した年分以後、全て相続時精算課税の適用を受ける**こととなります（相法21の9③）。

いったん提出された相続時精算課税選択届出書は、撤回することができません（相法21の9⑥）。

第六章第一節《相続時精算課税の適用対象者・選択の届出》

相続時精算課税選択届出書

（令和2年分以降用）

令和 **6** 年 **2** 月 **26** 日

＿＿＿**××**＿＿＿税務署長

受贈者	住所又は居所	〒**123-4567** 電話（**○××** - **31** - **2131** ） **××市○○町○番×号**
	フリガナ	**コウノ　ハナコ**
	氏名 （生年月日）	**甲野　花子** （大・㋭・平 **58** 年 **7** 月 **3** 日）
	特定贈与者との続柄	**子**

私は、下記の特定贈与者から令和 **5** 年中に贈与を受けた財産については、相続税法第21条の9第1項の規定の適用を受けることとしましたので、下記の書類を添えて届け出ます。

記

1　特定贈与者に関する事項

住所又は居所	**××市○○町○番×号**
フリガナ	**ヤマノ　ハルオ**
氏名	**山野　春夫**
生年月日	明・大・㋭・平 **29** 年 **12** 月 **12** 日

2　年の途中で特定贈与者の推定相続人又は孫となった場合

推定相続人又は孫となった理由	
推定相続人又は孫となった年月日	令和　　年　　月　　日

（注）孫が年の途中で特定贈与者の推定相続人となった場合で、推定相続人となった時前の特定贈与者からの贈与について相続時精算課税の適用を受けるときには、記入は要しません。

3　添付書類

次の書類が必要となります。

なお、贈与を受けた日以後に作成されたものを提出してください。

（書類の添付がなされているか確認の上、□に✓印を記入してください。）

☑　**受贈者や特定贈与者の戸籍の謄本又は抄本**その他の書類で、次の内容を証する書類

（1）　受贈者の氏名、生年月日

（2）　受贈者が特定贈与者の直系卑属である推定相続人又は孫であること

（※）1　租税特別措置法第70条の6の8（（個人の事業用資産についての贈与税の納税猶予及び免除））の適用を受ける特例事業受贈者が同法第70条の2の7（（相続時精算課税適用者の特例））の適用を受ける場合には、「(1)の内容を証する書類」及び「その特例事業受贈者が特定贈与者からの贈与により租税特別措置法第70条の6の8第1項に規定する特例受贈事業用資産の取得をしたことを証する書類」となります。

2　租税特別措置法第70条の7の5（（非上場株式等についての贈与税の納税猶予及び免除の特例））の適用を受ける特例経営承継受贈者が同法第70条の2の8（（相続時精算課税適用者の特例））の適用を受ける場合には、「(1)の内容を証する書類」及び「その特例経営承継受贈者が特定贈与者からの贈与により租税特別措置法第70条の7の5第1項に規定する特例対象受贈非上場株式等の取得をしたことを証する書類」となります。

（注）この届出書の提出により、特定贈与者からの贈与については、特定贈与者に相続が開始するまで相続時精算課税の適用が継続されるとともに、その贈与を受ける財産の価額は、相続税の課税価格に加算されます（この届出書による相続時精算課税の選択は撤回することができません。）。

作成税理士		電話番号	

※	税務署整理欄	届出番号		-		名簿					確認	

※欄には記入しないでください。

（資5-42-A4統一）（令4.12）

○「相続時精算課税選択届出書」は、必要な添付書類とともに**申告書第一表及び第二表**と一緒に提出してください。

（注）　令和6年分の用紙は変更される場合があります。

－1161－

第六章第二節《相続時精算課税を選択した場合の贈与税の課税》

第二節　贈与税の課税

相続時精算課税を選択した場合の贈与税の課税は次によります。

1　課税価格

相続時精算課税適用者が特定贈与者からの贈与により取得した財産については、特定贈与者ごとに、その年中において贈与により取得した財産の価額の合計額を課税価格とすることとされています（相法21の10）。従って、特定贈与者ごとに課税価格が計算されることとなるので、特定贈与者が2人いれば課税価格も2つあることになります。

（注1）　相続時精算課税適用者が特定贈与者から贈与により取得した財産については、相法21の5《贈与税の基礎控除》、21の6《贈与税の配偶者控除》、21の7《贈与税の税率》及び措法70の2の4《贈与税の基礎控除の特例》の規定は適用されません（相法21の11、措法70の2の4①）。

（注2）　相続開始の年に特定贈与者である被相続人からの贈与により取得した相続時精算課税の適用を受ける財産の価額は、上記により贈与税の課税価格に算入される（4のなお書による贈与税の申告は不要）とともに、第三節により相続税の課税価格にも加算又は算入されることとなります（相基通11の2-5後段、21の2-3(2)）。

2　基礎控除

（1）　基礎控除額

相続時精算課税に係る基礎控除の額は、各年分において、相続時精算課税適用者ごとに110万円となります（相法21の11の2、措法70の3の2①）。

（2）　特定贈与者が2以上ある場合における相続時精算課税に係る基礎控除額

相続時精算課税に係る基礎控除の額については、特定贈与者ごとに2,500万円の控除額が定められている特別控除と異なり、相続時精算課税適用者につき110万円が限度とされています。

そのため、同一年中に2人以上の特定贈与者からの贈与により財産を取得した場合には、それぞれの特定贈与者の相続時精算課税に係る基礎控除の額は、110万円をそれぞれの特定贈与者の贈与税の課税価格であん分して計算した金額となります（相令5の2、措令40の5の2）。

3　特別控除

（1）　特別控除額

相続時精算課税適用者がその年中において特定贈与者からの贈与により取得した財産に係るその年分の贈与税については、特定贈与者ごとの相続時精算課税に係る基礎控除額の控除後の贈与税の課税価格からそれぞれ次に掲げる金額のうちいずれか低い金額（特別控除額）を控除します（相法21の12①）。

イ	2,500万円（既にこの特別控除を適用し控除した金額がある場合には、その金額の合計額を控除した残額）
ロ	特定贈与者ごとの相続時精算課税に係る基礎控除額の控除後の贈与税の課税価格

（2）　特別控除の適用要件

特別控除の適用に当たっては、贈与税の期限内申告書に、特別控除を受ける金額及び既にこの特別控除を適用し控除した金額がある場合には、その金額その他財務省令で定める事項の記載がある場合に限り適用するとされています（相法21の12②、相規12）。

また、贈与税の期限内申告書の提出がなかった場合にはゆうじょ規定がないことから、特別控除の

－1162－

適用はありません（相基通21の12－1）。

　(注)　特定贈与者からの贈与により取得した財産について、特別控除を受ける金額など上記の事項の記載がない期限内申告書の提出があった場合において、税務署長がその記載がなかったことについてやむを得ない事情があると認めるときは、その記載をした書類の提出があった場合に限り、特別控除を適用することができるとされています（相法21の12③）。

4　税　　率

　相続時精算課税適用者がその年中において特定贈与者からの贈与により取得した財産に係るその年分の贈与税の額は、特定贈与者ごとに、相続時精算課税に係る基礎控除額控除後の贈与税の課税価格（**2**により計算した特別控除額がある場合にはその控除後の金額）を控除した後の贈与税の課税価格（**注**1）にそれぞれ20％の税率を乗じて計算した金額とされます（相法21の13）。

　　贈与税額＝〔**1**の課税価格－**2**の基礎控除額－**3**の特別控除額（2,500万円）〕×20％（**注**2）

　従って、その特定贈与者からの贈与により取得した財産の課税価格の合計額が特別控除額を超えるまでは贈与税の税額はありません。

　(注1)　1,000円未満の端数は切り捨て（相基通21の2－5）ます。

　(注2)　暦年課税による税額との合計額の100円未満の端数は切り捨て（相基通21の7－1）ます。

（計算例1）特定贈与者1人から財産の贈与を受けた場合

> 　子が父から3年にわたり（1年目に1,110万円、2年目に1,410万円、3年目に910万円）財産の贈与を受け、1年目から相続時精算課税の適用を受ける場合

① 　1年目の計算

　　　　贈与額　　　　　基礎控除額　　基礎控除後の課税価格
　　　1,110万円　－　　110万円　＝　　1,000万円

　　基礎控除後の課税価格　特別控除額(※)
　　　1,000万円　　　－　　1,000万円　＝　　0万円

　　　※　特別控除額の計算　（基礎控除後の課税価格）
　　　　（2,500万円－0万円）　＞　　　1,000万円　　∴1,000万円

② 　2年目の計算

　　　　贈与額　　　　　基礎控除額　　基礎控除後の課税価格
　　　1,410万円　－　　110万円　＝　　1,300万円

　　基礎控除後の課税価格　特別控除額(※)
　　　1,300万円　　　－　　1,300万円　＝　　0万円

　　　※　特別控除額の計算
　　　　　　　　　　（1年目の特別控除額）（基礎控除後の課税価格）
　　　　（2,500万円　－　1,000万円）　＞　1,300万円　　∴1,300万円

③ 　3年目の計算

　　　　贈与額　　　　基礎控除額　　基礎控除後の課税価格
　　　910万円　－　　110万円　＝　　　800万円

　　基礎控除後の課税価格　特別控除額(※)　　　　　　　　　　　　　　　　税率　　　贈与税額
　　　800万円　　　－　　200万円　＝　　600万円　　　600万円×20％　＝　120万円

　　　※　特別控除額の計算
　　　　　　　　　　（1、2年目の特別控除額の合計額）（基礎控除後の課税価格）
　　　　（2,500万円　－　　2,300万円）　＜　　　800万円　　∴200万円

－1163－

第六章第二節《相続時精算課税を選択した場合の贈与税の課税》

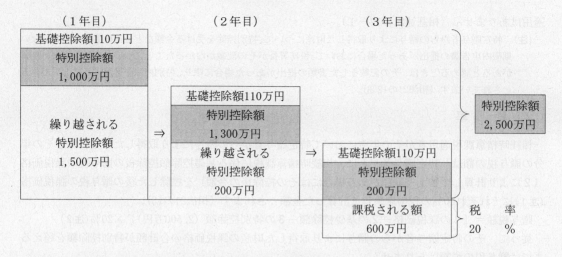

(計算例２) 同一年中に特定贈与者２人以上から財産の贈与を受けた場合

> 子が同一年中に父から3,000万円、母から2,500万円の財産の贈与を受け、父母それぞれからの受贈財産について相続時精算課税の適用を受ける場合

① 父から贈与を受けた財産に係る贈与税額の計算

　　贈与額　　　基礎控除額(※)　基礎控除後の課税価格
　　3,000万円 － 60万円 ＝ 2,940万円

　※父から贈与を受けた財産に係る基礎控除の計算

$$110万円 \times \frac{3,000万円}{3,000万円 + 2,500万円} = 60万円$$

　基礎控除後の課税価格　特別控除額
　　2,940万円 － 2,500万円 ＝ 440万円

　　　　　　　　　税率　　　贈与税額
　　440万円 × 20％ ＝ 88万円 ──────────────── ①

② 母から贈与を受けた財産に係る贈与税額の計算

　　贈与額　　　基礎控除額(※)　基礎控除後の課税価格
　　2,500万円 － 50万円 ＝ 2,450万円

　※母から贈与を受けた財産に係る基礎控除の計算

$$110万円 \times \frac{2,500万円}{3,000万円 + 2,500万円} = 50万円$$

　基礎控除後の課税価格　特別控除額
　　2,450万円 － 2,450万円 ＝ 0万円 ──────────────── ②

③ 納付すべき税額

　　① ＋ ② ＝ 88万円

(計算例３) 同一年中に特定贈与者及び特定贈与者以外の贈与者から財産の贈与を受けた場合

> 子が同一年中に父から3,110万円、母から200万円の財産の贈与を受け、父からの受贈財産について相続時精算課税の適用を受ける場合

① 父から贈与を受けた財産に係る贈与税額の計算（相続時精算課税）

　　贈与額　　　基礎控除額　基礎控除後の課税価格
　　3,110万円 － 110万円 ＝ 3,000万円

－1164－

第六章第三節《相続時精算課税を適用した場合の相続税の課税価格及び税額の計算》

基礎控除後の課税価格　　特別控除額（※）
　3,000万円　－　2,500万円　＝　　500万円

　　　　　　　　　　　　税率　　　　　贈与税額
　　500万円　×　20%　＝　100万円 ··· ①

② 　母から贈与を受けた財産に係る贈与税額の計算（暦年課税）
　　課税価格　　　　基礎控除額　　　　　　　　　　　　　税率　　　贈与税額
　　200万円　－　110万円＝　90万円　　　　90万円　×　10%　＝　9万円 ······················ ②

③ 　納付すべき税額
　　① ＋ ② ＝ 109万円

4　申　告

　相続時精算課税の適用を受ける贈与財産については、申告書の提出期限や提出先は暦年課税の贈与税と同様に、贈与のあった年の翌年の2月1日から3月15日までに受贈者の住所地の所轄税務署長に申告します（相法28①）。特別控除の適用により贈与税額がない場合でも申告は必要です。

　なお、相続時精算課税の適用を受ける財産を贈与した特定贈与者がその贈与をした年の中途で死亡したときは、その贈与財産については贈与税の申告書の提出を要しません（相法28④）。（相続税は第三節1の（1）又は（2）によります。）

　ただし、相続開始の年においてその特定贈与者からの贈与により財産を取得した者で、その前年以前に相続時精算課税選択届出書を提出していない者が、相続時精算課税の適用を受けるためには、届出書を贈与のあった年の翌年の2月1日から3月15日までにその特定贈与者の死亡に係る相続税の納税地の所轄税務署長に提出しなければなりません（相令5③）。

　また、贈与税の申告期限までに特定贈与者の死亡に係る相続税の申告書の提出期限が到来するときは、相続税の申告期限までに相続時精算課税選択届出書を提出しなければなりません。この場合において、特定贈与者の死亡に係る相続税の申告書を提出するときは、相続時精算課税選択届出書の提出は、その申告書に添付してしなければなりません（相令5④）。

第三節　相続税の課税価格及び税額の計算

　相続時精算課税を適用した場合の相続税の計算は、特定贈与者からの贈与により取得した財産を相続又は遺贈により取得した財産とみなして通常の例により相続税を計算しますが、相続時精算課税適用者の納付すべき相続税額については、既に納付した贈与税額を控除して算出することとされています。

1　課税価格及び税額の計算

（1）　相続財産を取得した場合の課税価格

　特定贈与者について相続が開始した場合に、その特定贈与者から相続又は遺贈により財産を取得した相続時精算課税適用者については、その特定贈与者からの贈与により取得した財産で相続時精算課税の適用を受けるものの価額（贈与時の価額によります。）から相続時精算課税に係る基礎控除額を控除した残額を相続税の課税価格に加算した価額を相続税の課税価格とされます（相法21の15①）。

　なお、令和5年12月31日以前に特定贈与者からの贈与により取得した財産については、相続時精算課税に係る基礎控除の額は控除しません。

（2）　相続財産を取得しなかった場合の課税価格

　特定贈与者について相続が開始した場合に、その特定贈与者から相続又は遺贈により財産を取得しなかった相続時精算課税適用者については、その特定贈与者からの贈与により取得した財産で相続時精算課税の適用を受けるものをその特定贈与者から相続（相続時精算課税適用者がその特定贈与者の

－1165－

相続人以外の者である場合は、遺贈）により取得したものとみなして相続税の計算をします（相法21の16①）。この場合に、相続税の課税価格に算入される贈与財産の価額は、その特定贈与者からの贈与時の価額によります。また、贈与財産の価額から相続時精算課税に係る基礎控除額を控除した残額を相続税の課税価格に算入します（相法21の16③）。

なお、令和５年12月31日以前に特定贈与者からの贈与により取得した財産については、相続時精算課税に係る基礎控除の額は控除しません。

（３）　税額の計算

原則として通常の例により計算します。

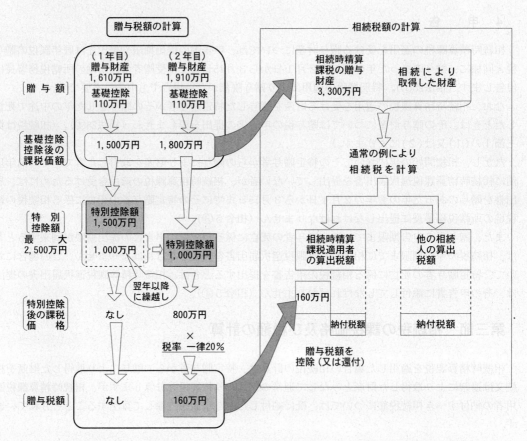

2　贈与税額の控除及び還付

（１）　贈与税額の控除

相続時精算課税を適用して相続税を計算する場合に、第二節で説明した特定贈与者からの贈与により取得した財産につき課せられた贈与税があるときは、上記の相続税額からその相続時精算課税の適用を受ける贈与税の税額相当額を控除した金額が、その相続時精算課税適用者の納付すべき相続税額となります（相法21の15③、21の16④、相令５の２の２）。

控除する贈与税額は、相法21の８《在外財産に対する贈与税額の控除》の規定による控除前の税額とし、延滞税、利子税、過少申告加算税、無申告加算税及び重加算税に相当する税額を除きます（同上）。

（２）　贈与税額の還付

（１）の贈与税額を控除するに当たって、相続税額から控除してもなお控除しきれなかった金額がある場合において、その控除しきれなかった金額(注)に相当する税額は還付されます。還付を受けるた

－1166－

めには相続税の申告書を提出することが要件とされています（相法33の2①④）。

　(注)　相法21の8《在外財産に対する贈与税額の控除》の規定の適用を受けた贈与財産に係る贈与税の場合は、外国税額控除額を控除した残額とされます（相法33の2①）。

第四節　納税の権利・義務の承継

1　特定贈与者よりも先に相続時精算課税適用者が死亡した場合

　相続時精算課税適用者が特定贈与者の死亡以前に死亡した場合は、その相続時精算課税適用者の相続人（包括受遺者を含みます。）がその相続時精算課税適用者が有していた相続時精算課税の適用を受けていたことに伴う納税に係る権利又は義務を承継します。ただし、その相続人に特定贈与者がいる場合は、その特定贈与者はその納税に係る権利又は義務を承継しません（相法21の17①）。

2　受贈者が相続時精算課税選択届出書の提出前に死亡した場合

　受贈者が相続時精算課税の適用を受けることができる第一節1の要件を満たしている場合に、その受贈者が相続時精算課税選択届出書の提出期限前にその届出書を提出しないで死亡したときは、その受贈者の相続人（包括受遺者を含み、その贈与者を除きます。以下2において同じ。）は、その相続の開始があったことを知った日の翌日から10月以内に相続時精算課税選択届出書に一定の書類を添付して、その受贈者の納税地の所轄税務署に共同して提出することができます（相法21の18①）。

　上記により相続時精算課税選択届出書を提出した受贈者の相続人は、受贈者が有することとなる相続時精算課税の適用を受けることに伴う納税に係る権利又は義務を承継します（相法21の18②）。

　なお、相続人が2人以上いる場合には、相続時精算課税選択届出書の提出は、これらの者が一の相続時精算課税選択届出書に連署して行わなければならず、そのうち1人でも欠けた場合には、相続時精算課税の適用を受けることはできません（相令5の5③、相基通21の18－2）。

第五節　相続税の申告及び還付等

1　申　　告

　被相続人からの贈与により取得した財産で相続時精算課税の適用を受けるものの申告は、相続又は遺贈の場合と同様です（相法27①）。

　特定贈与者から相続又は遺贈により財産を取得しなかった相続時精算課税適用者についても、その特定贈与者からの贈与により取得した財産は、その特定贈与者からの相続又は遺贈による取得とみなして申告することとなります。

2　還　　付

　相続時精算課税適用者は、相続税の申告書を提出すべき場合のほかに、第三節2の相続税額から控除しきれなかった贈与税額の還付を受けるための相続税の申告書を提出することができます（相法27③）。

3　贈与税の申告内容の開示

　相続若しくは遺贈又は相続時精算課税の適用を受ける贈与により財産を取得した者は、他の共同相続人等がある場合には、その被相続人に係る相続税の期限内申告書等の提出に必要となるときに限り、他の共同相続人等がその被相続人から贈与により取得した加算対象贈与財産又は他の共同相続人等がその被相続人から取得した相続時精算課税の適用を受けた財産に係る贈与税の申告書に記載された贈

第六章第六節《特定の贈与者から住宅取得等資金の贈与を受けた場合の相続時精算課税の特例》

与税の課税価格の合計額について所轄税務署長に開示の請求をすることができます（相法49①②）。

第六節　特定の贈与者から住宅取得等資金の贈与を受けた場合の相続時精算課税の特例

　平成15年1月1日から令和8年12月31日までの間に、贈与者からの贈与により住宅取得等資金を取得した特定受贈者については贈与者が60歳未満であっても相続時精算課税を選択することができます（措法70の3）。

（1）　贈与者

　住宅取得等資金の贈与をした年の1月1日において60歳未満の者とされています（措法70の3①）。
（贈与者が60歳以上であれば、相続時精算課税の年齢要件を満たします。）

（2）　特定受贈者

　次の要件を満たす者をいいます（措法70の3③一）。
① 　贈与税の無制限納税義務者に該当する個人であること
② 　住宅取得等資金の贈与者の直系卑属である推定相続人（孫を含みます。）であること
③ 　住宅取得等資金の贈与を受けた年の1月1日において18歳以上の者であること

（3）　特例が受けられる場合（措法70の3①、③二〜五）

	特例が受けられる場合	住宅取得等資金の範囲
新築住宅の取得等	特定受贈者が贈与を受けた年の翌年3月15日までにその住宅取得等資金の全額で住宅用家屋の新築（注1）若しくは建築後使用されたことのない住宅用家屋の取得又はこれらの住宅用家屋の新築若しくは取得とともにするその敷地の用に供されている土地又は土地の上に存する権利（土地等）の取得（その住宅用家屋の新築に先行してするその敷地の用に供されることとなる土地等の取得を含みます。）をし、同日までにこれらの住宅用家屋を自己の居住の用に供した場合又は同日後遅滞なく自己の居住の用に供することが確実であると見込まれる場合	左記の住宅用家屋の新築又は取得（これらの住宅用家屋の新築又は取得とともにするその敷地の取得を含みます。）の対価に充てるための金銭
既存住宅の取得	特定受贈者が贈与を受けた年の翌年3月15日までにその住宅取得等資金の全額で既存住宅用家屋の取得又は既存住宅用家屋の取得とともにするその敷地の用に供されている土地等の取得をし、同日までに既存住宅用家屋を自己の居住の用に供した場合又は同日後遅滞なく自己の居住の用に供することが確実であると見込まれる場合	左記の既存住宅用家屋の取得（既存住宅用家屋の取得とともにするその敷地の取得を含みます。）の対価に充てるための金銭
増改築等	特定受贈者が贈与を受けた年の翌年3月15日までにその住宅取得等資金の全額で自己の居住の用に供している住宅用家屋につき増改築等（注2）又はその家屋の増改築等とともにするその敷地の用に供されることとなる土地等の取得をし、同日までに増改築等をした住宅用家屋を自己の居住の用に供した場合又は同日後遅滞なく自己の居住の用に供することが確実であると見込まれる場合	左記の所有家屋の増改築等（増改築等とともにするその敷地の取得を含みます。）の対価に充てるための金銭

－1168－

第六章第六節《特定の贈与者から住宅取得等資金の贈与を受けた場合の相続時精算課税の特例》

(注1) 新築に準ずる状態として、屋根（その骨組みを含みます。）を有し、土地に定着した建造物として認められる時以後の状態を含みます（措規23の6①）。

(注2) 増改築等の完了に準ずる状態として、増改築部分の屋根（その骨組みを含みます。）を有し、既存の家屋と一体となって土地に定着した建造物として認められる時以後の状態を含みます（措規23の6②）。

① 特例の対象とならない住宅取得等資金

特定受贈者の配偶者その他の特定受贈者と特別の関係がある者として次に掲げる者との請負契約その他の契約に基づき新築若しくは増改築をする場合又は次の者から取得する場合の住宅取得等資金は特例の対象から除かれています（措法70の3③五、措令40の5⑥）。

イ　特定受贈者の配偶者及び直系血族

ロ　特定受贈者の親族（配偶者及び直系血族を除きます。）でその特定受贈者と生計を一にしているもの

ハ　特定受贈者と婚姻の届出をしていないが事実上婚姻関係と同様の事情にある者及びその者の親族でその者と生計を一にしているもの

ニ　特定受贈者の配偶者及びイ、ロ、ハに掲げる者以外の者で、特定受贈者から受ける金銭その他の財産によって生計を維持しているもの及びその者の親族でその者と生計を一にしているもの

② 生計を一にする親族が居住の用に供した場合

「居住の用に供した場合」又は「居住の用に供することが確実であると見込まれる場合」には、住宅用家屋等の新築、取得又は増改築等をした特定受贈者が、転勤、転地療養その他のやむを得ない事情により、配偶者、扶養親族その他その者と生計を一にする親族（「生計を一にする親族」といいます。）と日常の起居を共にしていない場合において、その者と生計を一にする親族が居住の用に供し、又は居住の用に供することが確実であると見込まれる場合で、そのやむを得ない事情が解消した後はその者が共にその住宅用家屋等に居住することとなると認められる場合も該当するものとして、この特例の適用を受けることができます（措通70の3－1）。

(注) 上記の取扱いは、その者と生計を一にする親族が住宅用家屋等を居住の用に供する前に、そのやむを得ない事情が解消している場合には、適用がないことに留意してください。

③ 住宅用家屋の新築若しくは取得とともに取得するその敷地の用に供されている土地等

住宅用家屋の新築若しくは取得とともに取得するその敷地の用に供されている土地等とは、次に掲げる場合の区分に応じ次に掲げる土地等をいいます（措通70の3－2）。

イ 住宅用家屋の新築の場合

・家屋の新築請負契約と同時に締結された売買契約若しくは家屋の新築請負契約を締結することを条件とする売買契約によって取得した土地等

・家屋を新築する前に取得したその家屋の敷地の用に供されることとなる土地等

ロ 住宅用家屋の取得の場合

家屋とその敷地を同時に取得する売買契約によって取得したいわゆる建売住宅、分譲マンションの土地等

(注) 贈与により取得した金銭が上記イに該当する土地等の取得の対価に充てられ、住宅用家屋の新築（措置法規則第23条の6第1項に規定する新築に準ずる状態を含みます。以下(注)において同じです。）の対価に充てられた金銭がない場合であっても、当該土地等の取得の対価に充てられた金銭は住宅取得等資金に該当します。ただし、当該贈与があった日の属する年の翌年の3月15日までに、住宅用家屋の新築をしていない場合には、当該贈与により取得した金銭については措置法第70条の3第1項の規定の適用はありません。

なお、贈与により住宅取得等資金の取得をした特定受贈者が、その取得をした日の属する年の翌年3月15日（以下「取得期限」といいます。）までにその住宅取得等資金の全額を建築後使用されたことのある住宅用家屋（耐震基準に適合するもの以外のものに限ります。）で一定のもの（以下「要耐震改修住宅用家屋」といいます。）の取得のための対価に充てて当該要耐震改修住宅用家屋の取得をした場合において、その要耐震改修住宅用家屋の取得の日（引渡しの日）までに耐震改修を行うことにつき建

－1169－

第六章第六節《特定の贈与者から住宅取得等資金の贈与を受けた場合の相続時精算課税の特例》

築物の耐震改修の促進に関する法律第17条第1項の申請等をし、かつ、取得期限までに耐震改修によりその要耐震改修住宅用家屋が耐震基準に適合することとなったことにつき証明がされたときは、その要耐震改修住宅用家屋の取得は既存住宅用家屋の取得と、その要耐震改修住宅用家屋は既存住宅用家屋とそれぞれみなして、特例の適用を受けることができます（措法70の3⑦　他）。

（4）　住宅用家屋及び増改築等の要件

区　分		要　件
日本国内の	1．新築若しくは建築後使用されたことのない住宅用家屋 措法70の3③二、措令40の5①	①　特定受贈者の居住の用に供する家屋でその床面積の2分の1以上に相当する部分が専ら居住の用に供されるもの（居住の用に供する家屋が2以上ある場合は、主として居住の用に供すると認められる一の家屋に限ります。）（措令40の5①） ②　床面積が40㎡以上（区分所有建物である場合には、その区分所有する部分の床面積が40㎡以上）であるもの（措令40の5①）
	2．既存住宅等家屋（建築後使用されたことのある住宅用家屋） 措法70の3③三、措令40の5②③	①　1．の①及び②に該当するものであること（措令40の5①） ②　その家屋が、建築基準法施行令第3章及び第5章の4の規定又は国土交通大臣が財務大臣と協議して定める地震に対する安全性に係る基準に適合するもの若しくは昭和57年1月1日以後に建築されたものであること ③　上記の①のうちの床面積要件及び②の要件に該当するものであることにつき、贈与税の申告書に添付するその家屋の登記事項証明書及び②の要件に該当することを明らかにする書類で国土交通大臣が財務大臣と協議して定めるものにより証明がされたもの又は確認を受けたものであること（措令40の5②③、措規23の6④）
	3．住宅用家屋の増改築等 措法70の3③四、措令40の5④⑤	①　特定受贈者が所有し、居住の用に供している家屋（その者が主として居住の用に供すると認められるもの）につき行う⑤に掲げる増改築等の工事で、工事費用が100万円以上であるもの ②　工事をした家屋に居住用以外の部分がある場合は、居住用部分の工事費用が全体の工事費用の2分の1以上であること ③　工事をした家屋が特定受贈者の居住の用に供されるものでその床面積の2分の1以上に相当する部分が専ら居住の用に供されるものであること ④　増改築等後の床面積が1．の②に該当するものであること ⑤　増改築等の工事は、次に掲げる工事で、その工事に該当するものであることが証明されたもの 【戸建住宅】 イ　増築、改築、建築基準法第2条第14号に規定する大規模の修繕及び同条第15号に規定する大規模の模様替 ロ　家屋のうち居室、調理室、浴室、便所、洗面所、納戸、玄関及び廊下の一室の床又は壁の全部について行う修繕又は模様替 ハ　建築基準法施行令第3章及び第5章の4の規定又は地震に対する安全性に係る基準に適合させるための修繕又は模様替 ニ　高齢者等が自立した日常生活を営むのに必要な構造及び設備の基準に適

－1170－

第六章第六節《特定の贈与者から住宅取得等資金の贈与を受けた場合の相続時精算課税の特例》

	合させるための修繕又は模様替
	ホ　エネルギーの使用の合理化に資する修繕又は模様替
	ヘ　給水管、排水管又は雨水の浸入を防止する部分（住宅の品質確保の促進等に関する法律施行令第5条第2項に規定する雨水の浸入を防止する部分をいいます。）に係る修繕又は模様替（瑕疵を担保すべき責任の履行に関し保証保険契約が締結されているものに限ります。）
	ト　エネルギーの使用の合理化に著しく資する住宅用の家屋、大規模な地震に対する安全性を有する住宅用の家屋又は高齢者等が自立した日常生活を営むのに特に必要な構造及び設備の基準に適合する住宅用の家屋としての基準に適合させるための修繕又は模様替
	【区分所有建築物】
	イ　建築基準法第2条第5号に規定する主要構造部である床及び最下階の床の過半又は主要構造部である階段の過半について行う修繕又は模様替
	ロ　間仕切壁の室内に面する部分の過半について行う修繕又は模様替で間仕切壁の一部について位置の変更を伴うもの
	ハ　主要構造部である壁の室内に面する部分の過半について行う修繕又は模様替で壁の過半について遮音又は熱の損失の防止のための性能を向上させるもの
	ニ　【戸建住宅】のロ～ト

（5）　添付書類

特例の適用を受けるためには、贈与税の申告書に次の書類の添付が必要です（相令5②、相規11①、平27改相規附2②）。

	添　付　書　類
①	相続時精算課税選択届出書
②	受贈者の戸籍の謄本又は抄本その他の書類で、次の内容を証する書類 イ　受贈者の氏名、生年月日 ロ　受贈者が贈与者の推定相続人（孫を含みます。）であること
③	住宅取得等のための金銭の贈与を受けた日の属する年分のその贈与者に係る贈与税の額の計算に関する明細書（「申告書第二表（相続時精算課税の計算明細書）」に必要事項を記入します。）

上記の書類のほか、次の区分に応じ、それぞれ次の書類等が必要となります（措規23の6③～⑧・抄録）。

①　新築又は取得の場合

A　住宅取得等資金の贈与を受けた年（以下「贈与年」といいます。）の翌年の3月15日までに住宅用家屋の新築又は取得をして居住した人

⇒次の表に掲げる書類

	添　付　書　類
①	自己の配偶者、親族など特別の関係がある人以外の人から住宅用家屋（その敷地の用に供されている土地等を取得する場合は、その土地等を含みます。）の新築又は取得をしたことを明らかにする書類 （注）　上記の内容が登記事項証明書等で明らかになる場合は、登記事項証明書等で差し支えありません。

－1171－

第六章第六節《特定の贈与者から住宅取得等資金の贈与を受けた場合の相続時精算課税の特例》

②	新築又は取得をした住宅用家屋に関する登記事項証明書又は新築又は取得をした住宅用家屋に係る不動産番号等の明細書（取得した住宅用家屋が建築後使用されたことのある家屋で、登記事項証明書等によって床面積が明らかでないときには、これを明らかにする書類も必要です。） （注）　贈与を受けた住宅取得等のための金銭によりその住宅用家屋の敷地の用に供されている土地等を取得するときには、その「土地等に関する登記事項証明書等」も併せて提出する必要があります。
③	取得した家屋が(4)の2.の②の(ロ)のみに該当する場合には、次に掲げるいずれかの書類 イ　耐震基準適合証明書 　（注）　その家屋の取得の日前2年以内にその証明のための家屋の調査が終了したものに限ります。 ロ　建設住宅性能評価書の写し 　（注）　その家屋の取得の日前2年以内に評価されたもので、耐震等級（構造躯体の倒壊等防止）に係る評価が等級1、等級2又は等級3であるものに限ります。 ハ　既存住宅売買瑕疵担保責任保険契約が締結されていることを証する書類 　（注）　その家屋の取得の日前2年以内に締結されたものに限ります。

B　贈与年の翌年の3月15日までに住宅用家屋の新築又は取得をしたが、居住していない人

⇒Aの表の①から③までの書類のほか、次の表に掲げる書類

	添　付　書　類
①	住宅用家屋の新築又は取得後直ちに居住の用に供することができない事情及び居住の用に供する予定時期を記載した書類
②	住宅用家屋を遅滞なく居住の用に供することを約する書類

C　贈与年の翌年の3月15日までに住宅用家屋の新築に係る工事が完了していない人

⇒Aの表の①の書類のほか、次の表に掲げる書類

	添　付　書　類
①	住宅用家屋の新築の工事の請負契約書その他の書類でその家屋が住宅用家屋に該当すること及び床面積を明らかにするもの又はその写し
②	住宅用家屋の新築工事の状態が屋根（その骨組みを含みます。）を有し、土地に定着した建造物と認められる時以後の状態にあることを証するこの工事を請け負った建設業者等の書類で、この工事の完了予定年月日の記載があるもの
③	住宅用家屋を遅滞なく居住の用に供すること及び居住の用に供したときには遅滞なくその家屋に関する登記事項証明書又は住宅用家屋に係る不動産番号等の明細書を所轄税務署長に提出することを約する書類で、居住の用に供する予定時期の記載のあるもの （注）　住宅用家屋を居住の用に供したときには、遅滞なく登記事項証明書等を提出する必要があります。 　　　なお、贈与を受けた住宅取得等のための金銭によりその住宅用家屋の敷地の用に供されている土地等を取得するときには、その「土地等に関する登記事項証明書等」も併せて提出する必要があります。

－1172－

第六章第六節《特定の贈与者から住宅取得等資金の贈与を受けた場合の相続時精算課税の特例》

②　増改築等の場合

A　贈与年の翌年の３月15日までに住宅用の家屋の増改築等をして居住した人

⇒次の表に掲げる書類

	添　付　書　類
①	自己の配偶者、親族など特別の関係がある人以外の人から増改築等（増改築等とともにするその敷地の用に供されることとなる土地等の取得を含みます。）をしたことを明らかにする書類
②	居住の用に供している家屋の増改築等に係る工事が、次に掲げるいずれかの工事に該当するものであることを証する書類等 イ　その工事が増築、改築、建築基準法第２条第14号に規定する大規模の修繕又は同条第15号に規定する大規模の模様替である場合には、建築主事から交付を受けた建築基準法第６条第１項に規定する確認済証の写し、建築主事等から交付を受けた建築基準法第７条第５項に規定する検査済証の写し又は建築士、指定確認検査機関、登録住宅性能評価機関又は住宅瑕疵担保責任保険法人（以下「建築士等」といいます。）から交付を受けた増改築等工事証明書 ロ　その工事が区分所有建物について行う次に掲げるいずれかの修繕又は模様替である場合には、建築士等から交付を受けた増改築等工事証明書 　　ⅰ　その区分所有する部分の主要構造部である床及び最下階の床の過半又は主要構造部である階段の過半について行う修繕又は模様替 　　ⅱ　その区分所有する部分の間仕切壁の室内に面する部分の過半について行う修繕又は模様替（その間仕切壁の一部について位置の変更を伴うものに限ります。） 　　ⅲ　その区分所有する部分の主要構造部である壁の室内に面する部分の過半について行う修繕又は模様替（その修繕又は模様替に係る壁の過半について遮音又は熱の損失の防止のための性能を向上させるものに限ります。） ハ　その工事が家屋（区分所有建物については受贈者が区分所有する部分に限ります。）のうち居室、調理室、浴室、便所、洗面所、納戸、玄関、廊下の一室の床又は壁の全部について行う修繕又は模様替である場合には、建築士等から交付を受けた増改築等工事証明書 ニ　その工事が家屋について行う次の規定又は基準に適合させるための修繕又は模様替である場合には、建築士等から交付を受けた増改築等工事証明書 　　ⅰ　建築基準法施行令第３章及び第５章の４の規定 　　ⅱ　地震に対する安全上耐震関係規定に準ずるものとして国土交通大臣が定める基準 ホ　高齢者等が自立した日常生活を営むのに必要な構造及び設備の基準に適合させるための修繕又は模様替である場合には、建築士等から受けた増改築等工事証明書 ヘ　エネルギーの使用の合理化に資する修繕又は模様替である場合には、建築士等から受けた増改築等工事証明書 ト　給水管、排水管又は雨水の浸入を防止する部分に係る修繕又は模様替である場合には、建築士等から受けた増改築等工事証明書及びリフォーム工事瑕疵担保責任保険契約が締結されていることを証する書類 チ　エネルギーの使用の合理化に著しく資する住宅用の家屋、大規模な地震に対する安全性を有する住宅用の家屋又は高齢者等が自立した日常生活を営むのに特に必要な構造及び設備の基準に適合する住宅用の家屋としての基準に適合させるための修繕又は模様替である場合には、指定確認検査機関、登録住宅性能評価機関又は住宅瑕疵担保責任保険法人

−1173−

第六章第六節《特定の贈与者から住宅取得等資金の贈与を受けた場合の相続時精算課税の特例》

	から受けた増改築等工事証明書
③	増改築等家屋に関する登記事項証明書又は増改築家屋に係る不動産番号等の明細書 （登記事項証明書によって床面積が明らかでないときには、それを明らかにする書類も必要です。） （注）　贈与を受けた増改築等のための金銭によりその増改築等の敷地の用に供されることとなる土地等を取得する場合には、その「土地等に関する登記事項証明書等」も併せて提出する必要があります。
④	増改築等家屋の増改築等に係る工事の請負契約書その他の書類で、その増改築等をした年月日並びにその増改築等に係る工事に要した費用の額及びその明細を明らかにするもの又はその写し

B　贈与年の翌年の3月15日までに住宅用の家屋の増改築等が完了したが、居住していない人

⇒Aの表の①から④までの書類のほか、次の表に掲げる書類

	添　付　書　類
①	増改築等後直ちにその増改築等をした家屋（「増改築等家屋」といいます。）を居住の用に供することができない事情及び居住の用に供する予定時期を記載した書類
②	増改築等家屋を遅滞なく居住の用に供することを約する書類

C　贈与年の翌年の3月15日までに住宅用の家屋の増改築等が完了していない人

⇒Aの表の①の書類のほか、次の表に掲げる書類

	添　付　書　類
①	工事の請負契約書その他の書類又はその写しで、増改築等をしている家屋が(4)の3．の③④に該当することとなることを明らかにするもの
②	増改築等をしている家屋の増改築等に係る工事の状態が、増築又は改築部分の屋根（その骨組みを含みます。）を有し、既存の家屋と一体となって土地に定着した建造物と認められる時以後の状態にあることを証するこの工事を請け負った建設業者等の書類で、この工事の完了予定年月日の記載があるもの
③	増改築等に係る工事が完了したときは遅滞なくAの表の②から④までの書類を所轄税務署長に提出することを約する書類 （注）　増改築等に係る工事が完了したときは遅滞なくAの表の②から④までの書類を提出する必要があります。

（6）　災害対応

　本節の特例について、災害（注）により居住用家屋が滅失をした場合や災害に基因するやむを得ない事情により居住用家屋を期限までに居住の用に供せない場合などについて、次の措置が講じられ、平成29年1月1日以後に贈与により取得をする住宅取得等資金に係る贈与税について適用されます。（平29改法附88⑦）。

（注）　「災害」とは、震災、風水害、火災、冷害、雪害、干害、落雷、噴火その他の自然現象の異変による災害及び鉱害、火薬類の爆発その他の人為による異常な災害並びに害虫、害獣その他の生物による異常な災害をいいます（以下同じ。）（措令40の4の2⑪）。

①　災害により住宅が滅失した場合の居住要件の免除

　住宅取得等資金に係る贈与税の特例は、贈与の年の翌年3月15日までに住宅を新築等し、同年12月31日までにその住宅で居住することが必要とされていますが、次に掲げる場合に該当するときは、この居住要件は免除されます（措法70の3⑧⑨）。

—1174—

第六章第六節《特定の贈与者から住宅取得等資金の贈与を受けた場合の相続時精算課税の特例》

イ　贈与税の申告後に被災した場合　次のいずれかに該当するとき

（イ）　特定受贈者が住宅用家屋の新築又は建築後使用されたことのない住宅用家屋の取得をしてその特定受贈者が贈与により住宅取得等資金の取得をした日の属する年の翌年3月15日後遅滞なくこれらの住宅用家屋をその特定受贈者の居住の用に供することが確実であると見込まれることにより特例の適用を受けた場合において、これらの住宅用家屋が災害により滅失（通常の修繕によっては原状回復が困難な損壊を含みます。以下同じ。）をしたことによってその居住の用に供することができなくなったとき

（ロ）　特定受贈者が既存住宅用家屋をその特定受贈者が贈与により住宅取得等資金の取得をした日の属する年の翌年3月15日後遅滞なくその特定受贈者の居住の用に供することが確実であると見込まれることにより特例の適用を受けた場合において、その既存住宅用家屋が災害により滅失をしたことによってその居住の用に供することができなくなったとき

（ハ）　特定受贈者が増改築等をした住宅用の家屋をその特定受贈者が贈与により住宅取得等資金の取得をした日の属する年の翌年3月15日後遅滞なくその特定受贈者の居住の用に供することが確実であると見込まれることにより特例の適用を受けた場合において、その住宅用の家屋が災害により滅失をしたことによってその居住の用に供することができなくなったとき

ロ　贈与税の申告前に被災した場合

　特例の適用期間内にその年1月1日において60歳未満の者からの贈与により金銭の取得をした個人が、その金銭を住宅用の家屋（要耐震改修住宅用家屋を含みます。以下同じ。）の新築若しくは取得又は増築の対価に充ててその贈与により金銭の取得をした日の属する年の翌年3月15日までに新築若しくは取得又は増築をした場合において、その新築若しくは取得又は増築をした住宅用の家屋が災害によって滅失をしたことにより同日までにその居住の用に供することができなくなったとき

②　贈与税の申告後に被災した場合における居住期限の延長

　住宅取得等資金について特例の適用を受けた特定受贈者が、贈与により住宅取得等資金の取得をした日の属する年の翌年3月15日後において、次に掲げる場合に該当するときには、新築等をした住宅の居住期限が、贈与により住宅取得等資金の取得をした日の属する年の翌年12月31日から1年延長されます（措法70の3⑩）。

イ　特定受贈者が住宅用家屋の新築又は建築後使用されたことのない住宅用家屋の取得をしてその特定受贈者が贈与により住宅取得等資金の取得をした日の属する年の翌年3月15日後遅滞なくこれらの住宅用家屋をその特定受贈者の居住の用に供することが確実であると見込まれることにより特例の適用を受けた場合において、災害に基因するやむを得ない事情によりこれらの住宅用家屋を同年12月31日までにその特定受贈者の居住の用に供することができなかったとき

ロ　特定受贈者が既存住宅用家屋をその特定受贈者が贈与により住宅取得等資金の取得をした日の属する年の翌年3月15日後遅滞なくその特定受贈者の居住の用に供することが確実であると見込まれることにより特例の適用を受けた場合において、災害に基因するやむを得ない事情によりその既存住宅用家屋を同年12月31日までにその特定受贈者の居住の用に供することができなかったとき

ハ　特定受贈者が増改築等をした住宅用の家屋をその特定受贈者が贈与により住宅取得等資金の取得をした日の属する年の翌年3月15日後遅滞なくその特定受贈者の居住の用に供することが確実であると見込まれることにより特例の適用を受けた場合において、災害に基因するやむを得ない事情によりその住宅用の家屋を同年12月31日までにその特定受贈者の居住の用に供することができなかったとき

③　住宅の取得前に被災した場合の取得期限の延長

　特例の適用期間内にその年1月1日において60歳未満の者からの贈与により金銭の取得をした個人が、その金銭を住宅用の家屋の新築若しくは取得又は増築の対価に充ててその新築若しくは取得又は増築をした場合において、災害に基因するやむを得ない事情によりその贈与により金銭の取得をした

－1175－

第六章第六節《特定の贈与者から住宅取得等資金の贈与を受けた場合の相続時精算課税の特例》

日の属する年の翌年３月15日までにその新築若しくは取得又は増築ができなかったときは、この期限が１年延長されます（措法70の３⑪）。

第七節　直系尊属から住宅取得等資金の贈与を受けた場合の贈与税の非課税制度

　令和6年1月1日から令和8年12月31日までの間にその直系尊属からの贈与により住宅取得等資金の取得をした特定受贈者については、贈与により取得をした住宅取得等資金のうち住宅資金非課税限度額（既にこの特例の適用を受けて贈与税の課税価格に算入しなかった金額がある場合には、その算入しなかった金額を控除した残額）までの金額については、贈与税の課税価格に算入されません（措法70の2）。

〈住宅資金非課税限度額〉（措法70の2②六）

贈与を受けた日	省エネ等住宅	左記以外の住宅
令和6年1月1日〜令和8年12月31日	1,000万円	500万円

　(注)　平成21年分から令和5年分までの贈与税の申告で「住宅取得等資金の贈与を受けた場合の贈与税の非課税（旧措法70の2）の適用を受けた人が、令和6年1月1日以後に贈与により取得する住宅取得等資金については、本節の適用はありません。（令6改所法等附54⑥）

（1）　特定受贈者

次の要件を満たす者をいいます（措法70の2②一）。

① 　贈与税の無制限納税義務者に該当する個人であること

② 　住宅取得等資金の贈与を受けた年の1月1日において18歳以上の者であって、その年の合計所得金額が2,000万円以下**（注）**であること

　(注)　住宅取得資金を充てて新築、取得又は増改築等をした住宅用の家屋が40㎡以上50㎡未満である場合には、1,000万円以下。

（2）　直系尊属の範囲

　直系尊属には、特定受贈者の養親及びその養親の直系尊属は含まれますが、例えば、次に掲げるものは含まれません（措通70の2-1）。

① 　特定受贈者の配偶者の直系尊属（民法第727条《縁組による親族関係の発生》に規定する親族関係がある場合を除きます。②において同じ。）

② 　特定受贈者の父母が養子の縁組による養子となっている場合において、特定受贈者がその養子の縁組前に出生した子である場合のその父母の養親及びその養親の直系尊属

③ 　特定受贈者が民法第817条の2第1項《特別養子縁組の成立》に規定する特別養子縁組による養子である場合のその実方の父母及び実方の直系尊属

　(注)　養親及びその養親の直系尊属から住宅取得等資金を贈与により取得した場合において、その贈与の時に民法第727条に規定する親族関係がないときは、この特例を適用することはできません。

（3）　特例が受けられる場合（措法70の2①、②五）

	特例が受けられる場合	住宅取得等資金の範囲
新築住宅の取得等	特定受贈者が贈与を受けた年の翌年3月15日までにその住宅取得等資金の全額で住宅用家屋の新築**(注1)**若しくは建築後使用されたことのない住宅用家屋の取得又はこれらの住宅用家屋の新築若しくは取得とともにするその敷地の用に供されている土地又は土地の上に存する権利（土地等）の取得（その住宅用家屋の新築に先行してするその敷地の用に供されることとなる土地等の取得を	左記の住宅用家屋の新築又は取得（これらの住宅用家屋の新築又は取得とともにするその敷地の

第六章第七節《直系尊属から住宅取得等資金の贈与を受けた場合の贈与税の非課税制度》

	含みます。）をし、同日までにこれらの住宅用家屋を自己の居住の用に供した場合、又は同日後遅滞なく自己の居住の用に供することが確実であると見込まれる場合	取 得 を 含 み ま す。）の対価に充てるための金銭
既存住宅の取得	特定受贈者が贈与を受けた年の翌年3月15日までにその住宅取得等資金の全額で既存住宅用家屋の取得又は既存住宅用家屋の取得とともにするその敷地の用に供されている土地等の取得をし、同日までに既存住宅用家屋を自己の居住の用に供した場合、又は同日後遅滞なく自己の居住の用に供することが確実であると見込まれる場合	左記の既存住宅用 家 屋 の 取 得（既存住宅用家屋の取得とともにするその敷地の取得を含みます。）の対価に充てるための金銭
増 改 築 等	特定受贈者が贈与を受けた年の翌年3月15日までにその住宅取得等資金の全額で自己の居住の用に供している住宅用家屋につき増改築等(注2)又はその家屋の増改築等とともにその敷地の用に供されることとなる土地等の取得をし、同日までに増改築等をした住宅用家屋を自己の居住の用に供した場合、又は同日後遅滞なく自己の居住の用に供することが確実であると見込まれる場合	左記の所有家屋の増改築等（増改築等とともにするその敷地の取得を含みます。）の対価に充てるための金銭

(注1) 新築に準ずる状態として、屋根（その骨組みを含みます。）を有し、土地に定着した建造物として認められる時以後の状態を含みます（措規23の5の2①）。

(注2) 増改築等の完了に準ずる状態として、増改築部分の屋根.（その骨組みを含みます。）を有し、既存の家屋と一体となって土地に定着した建造物として認められる時以後の状態を含みます（措規23の5の2②）。

① 特例の対象とならない住宅取得等資金

特定受贈者の配偶者その他の特定受贈者と特別の関係がある者として次に掲げる者との請負契約その他の契約に基づき新築若しくは増改築をする場合又は次の者から取得する場合の住宅取得等資金は特例の対象から除かれています（措法70の2②五、措令40の4の2⑦）。

イ 特定受贈者の配偶者及び直系血族

ロ 特定受贈者の親族（配偶者及び直系血族を除きます。）でその特定受贈者と生計を一にしているもの

ハ 特定受贈者と婚姻の届出をしていないが事実上婚姻関係と同様の事情にある者及びその者の親族でその者と生計を一にしているもの

ニ 特定受贈者の配偶者及びイ、ロ、ハに掲げる者以外の者で、特定受贈者から受ける金銭その他の財産によって生計を維持しているもの及びその者の親族でその者と生計を一にしているもの

② 生計を一にする親族が居住の用に供した場合

「居住の用に供した場合」又は「居住の用に供することが確実であると見込まれる場合」には、住宅用家屋等の新築、取得又は増改築等をした特定受贈者が、転勤、転地療養その他のやむを得ない事情により、配偶者、扶養親族その他その者と生計を一にする親族（「生計を一にする親族」といいます。）と日常の起居を共にしていない場合において、その者と生計を一にする親族が居住の用に供し、又は居住の用に供することが確実であると見込まれる場合で、そのやむを得ない事情が解消した後はその者が共にその住宅用家屋等に居住することとなると認められる場合も該当するものとして、この特例の適用を受けることができます（措通70の2-2）。

(注) 上記の取扱いは、その者と生計を一にする親族が住宅用家屋等を居住の用に供する前に、そのやむを得ない事情が解消している場合には、適用がないことに留意してください。

③ 住宅用家屋の新築若しくは取得とともに取得するその敷地の用に供されている土地等

-1178-

第六章第七節《直系尊属から住宅取得等資金の贈与を受けた場合の贈与税の非課税制度》

　住宅用家屋の新築若しくは取得とともに取得するその敷地の用に供されている土地等とは、次に掲げる場合の区分に応じ次に掲げる土地等をいいます（措通70の２－３）。

イ　住宅用家屋の新築の場合

・家屋の新築請負契約と同時に締結された売買契約若しくは家屋の新築請負契約を締結することを条件とする売買契約によって取得した土地等

・家屋を新築する前に取得したその家屋の敷地の用に供されることとなる土地等

ロ　住宅用家屋の取得の場合

　家屋とその敷地を同時に取得する売買契約によって取得したいわゆる建売住宅、分譲マンションの土地等

（注）　贈与により取得した金銭が上記イに該当する土地等の取得の対価に充てられ、住宅用家屋の新築（措置法規則第23条の５の２第１項に規定する新築に準ずる状態を含みます。以下（注）において同じです。）の対価に充てられた金銭がない場合であっても、当該土地等の取得の対価に充てられた金銭は住宅取得等資金に該当します。ただし、当該贈与があった日の属する年の翌年の３月15日までに、住宅用家屋の新築をしていない場合には、当該贈与により取得した金銭については措置法第70条の２第１項の規定の適用はありません。

　なお、贈与により住宅取得等資金の取得をした特定受贈者が、その取得をした日の属する年の翌年３月15日（以下「取得期限」といいます。）までにその住宅取得等資金の全額を建築後使用されたことのある住宅用家屋（耐震基準に適合するもの以外のものに限ります。）で一定のもの（以下「要耐震改修住宅用家屋」といいます。）の取得のための対価に充てて当該要耐震改修住宅用家屋の取得をした場合において、その要耐震改修住宅用家屋の取得の日（引渡しの日）までに耐震改修を行うことにつき建築物の耐震改修の促進に関する法律第17条第１項の申請等をし、かつ、取得期限までに耐震改修によりその要耐震改修住宅用家屋が耐震基準に適合することとなったことにつき証明がされたときは、その要耐震改修住宅用家屋の取得は既存住宅用家屋の取得と、その要耐震改修住宅用家屋は既存住宅用家屋とそれぞれみなして、特例の適用を受けることができます（措法70の２⑦　他）。

（４）　住宅用家屋及び増改築等の要件

区　分	要　件
日本国内の　1．新築若しくは建築後使用されたことのない住宅用家屋〔措法70の２②二、措令40の４の２①②〕	①　特定受贈者の居住の用に供する家屋でその床面積の２分の１以上に相当する部分が専ら居住の用に供されるもの（居住の用に供する家屋が２以上ある場合は、主として居住の用に供すると認められる一の家屋に限ります。）（措令40の４の２①②） ②　床面積が240㎡以下で、かつ、50㎡以上（（１）の②の合計所得金額が1,000万円以下の場合は40㎡以上）（区分所有建物である場合には、その区分所有する部分の床面積が240㎡以下で、かつ、50㎡以上（（１）の②の合計所得金額が1,000万円以下の場合は40㎡以上））であるもの（措令40の４の２①②）
2．既存住宅等家屋（建築後使用されたことのある住宅用家屋）〔措法70の２②三、措令40の４〕	①　1．の①及び②に該当するものであること（措令40の４の２①②） ②　その家屋が、建築基準法施行令第３章及び第５章の４の規定又は国土交通大臣が財務大臣と協議して定める地震に対する安全性に係る基準に適合するもの若しくは昭和57年１月１日以後に建築されたものであること ③　上記の①のうちの床面積要件及び②の要件に該当するものであることにつき、贈与税の申告書に添付するその家屋の登記事項証明書及び②の要件に該当することを明らかにする書類で国土交通大臣が財務大臣と協議して定めるものにより証明がされたもの又は確認を受けたものであること（措令40の４の２③④、措規23の５の２③）

－1179－

第六章第七節《直系尊属から住宅取得等資金の贈与を受けた場合の贈与税の非課税制度》

の2③④	
3．住宅用家屋の増改築等 措法70の2②四、措令40の4の2⑤⑥	①　特定受贈者が所有し、居住の用に供している家屋（その者が主として居住の用に供すると認められるもの）につき行う⑤に掲げる増改築等の工事で、工事費用が100万円以上であるもの ②　工事をした家屋に居住用以外の部分がある場合は、居住用部分の工事費用が全体の工事費用の2分の1以上であること ③　工事をした家屋が特定受贈者の居住の用に供されるものでその床面積の2分の1以上に相当する部分が専ら居住の用に供されるものであること ④　増改築等後の床面積が1．の②に該当するものであること ⑤　増改築等の工事は、次に掲げる工事で、その工事に該当するものであることが証明されたもの又は確認を受けたもの 【戸建住宅】 イ　増築、改築、建築基準法第2条第14号に規定する大規模の修繕及び同条第15号に規定する大規模の模様替 ロ　家屋のうち居室、調理室、浴室、便所、洗面所、納戸、玄関及び廊下の一室の床又は壁の全部について行う修繕又は模様替 ハ　建築基準法施行令第3章及び第5章の4の規定又は地震に対する安全性に係る基準に適合させるための修繕又は模様替 ニ　高齢者等が自立した日常生活を営むのに必要な構造及び設備の基準に適合させるための修繕又は模様替 ホ　エネルギーの使用の合理化に資する修繕又は模様替 ヘ　給水管、排水管又は雨水の浸入を防止する部分（住宅の品質確保の促進等に関する法律施行令第5条第2項に規定する雨水の浸入を防止する部分をいいます。）に係る修繕又は模様替（瑕疵を担保すべき責任の履行に関し保証保険契約が締結されているものに限ります。） ト　エネルギーの使用の合理化に著しく資する住宅用の家屋、大規模な地震に対する安全性を有する住宅用の家屋又は高齢者等が自立した日常生活を営むのに特に必要な構造及び設備の基準に適合する住宅用の家屋としての基準に適合させるための修繕又は模様替 【区分所有建築物】 イ　建築基準法第2条第5号に規定する主要構造部である床及び最下階の床の過半又は主要構造部である階段の過半について行う修繕又は模様替 ロ　間仕切壁等の室内に面する部分の過半について行う修繕又は模様替で間仕切壁の一部について位置の変更を伴うもの ハ　主要構造部である壁の室内に面する部分の過半について行う修繕又は模様替で壁の過半について遮音又は熱の損失の防止のための性能を向上させるもの ニ　【戸建住宅】のロ～ト

第六章第七節《直系尊属から住宅取得等資金の贈与を受けた場合の贈与税の非課税制度》

（5）　添付書類

特例の適用を受けるためには、贈与税の申告書に次の書類等の添付が必要です（措規23の５の２③④⑦〜⑩・抄録）。

	添　付　書　類
①	住宅取得等のための金銭の贈与を受けた日の属する年分のその贈与者に係る贈与税の額の計算に関する明細書（「申告書第一表の二（住宅取得等資金の非課税の計算明細書）」に必要事項を記入する必要があります。）
②	受贈者の戸籍の謄本その他の書類で、次の内容を証する書類 イ　受贈者の氏名、生年月日 ロ　贈与者が受贈者の直系尊属に該当すること
③	住宅取得等のための金銭の贈与を受けた日の属する年分の所得税に係る合計所得金額を明らかにする書類 　（所得税の確定申告書を提出した人は、その提出した年月日及び税務署名を「申告書第一表の二」に記入します。記入した場合には、別途「合計所得金額を明らかにする書類」を提出する必要はありません。）
④	住宅用家屋の新築又は増改築等に係る工事の請負契約書の写しや売買契約書の写しなど、新築、取得又は増改築等に係る契約の締結をした日を明らかにする書類
⑤	第六節の（5）の①又は②に掲げる書類

（6）　省エネ等住宅の要件

省エネ等住宅とは、次の①又は②に掲げる要件のいずれかを満たすものであるものにつき、次表の証明書などを贈与税の申告書に添付することにより証明がされたものをいいます（措法70の２②六、措令40の４の２⑧⑨、措規23の５の２⑤⑥、平成24年国土交通省告示第390号（最終改正令和６年同省告示第320号））。

①　その新築をした住宅用の家屋又は取得をした建築後使用されたことのない住宅用の家屋がエネルギーの使用の合理化に著しく資する住宅用の家屋であること（断熱等性能等級５以上及び一次エネルギー消費量等級６以上であること）。

②　その住宅用の家屋が、エネルギーの使用の合理化に資する住宅用の家屋（断熱等性能等級４以上若しくは一次エネルギー消費量等級４以上であること）（新築をした住宅用の家屋又は取得をした建築後使用されたことのない住宅用の家屋を除きます。）、地震に対する安全性に係る基準に適合する住宅用の家屋（耐震等級（構造躯体の倒壊等防止）２以上若しくは免震建築物であること）又は高齢者等（年齢65歳以上である者、要介護認定を受けているもの、要支援認定を受けている者又は障害者に該当する者（措法41の３の２①））が自立した日常生活を営むのに必要な構造及び設備の基準に適合する住宅用の家屋（高齢者等配慮対策等級（専用部分）等級３以上であること）であること。

(注)　特定受贈者が令和６年１月１日以後に贈与により取得をする住宅取得等資金を充てて住宅用家屋の新築又は建築後使用されたことのない住宅用家屋の取得をする場合において、これらの住宅用家屋が改正前のエネルギーの使用の合理化に著しく資する住宅用の家屋であることにつき国土交通大臣が財務大臣と協議して定める基準に適合することにつき証明がされたもの）に該当し、かつ、次のイ又はロに掲げる要件のいずれかを満たすときは、これらの住宅用家屋を改正後の上記①に掲げる要件を満たす住宅用の家屋とみなして、本節の規定が適用されます（令６改所法等附54⑤）。

　イ　これらの住宅用家屋が令和５年12月31日以前に建築基準法第６条第１項の規定による確認を受けているものであること。

　ロ　これらの住宅用家屋が令和６年６月30日以前に建築されたものであること。

第六章第七節《直系尊属から住宅取得等資金の贈与を受けた場合の贈与税の非課税制度》

証明書などの種類	証明対象の家屋
住宅性能証明書	①　新築をした住宅用の家屋 ②　建築後使用されたことのない住宅用の家屋
建設住宅性能評価書の写し	③　建築後使用されたことのある住宅用の家屋(**注1**) ④　増改築等をした住宅用の家屋(**注2**)
住宅省エネルギー性能証明書	
長期優良住宅建築等計画の認定通知書等の写し及び住宅用家屋証明書（その写し）又は認定長期優良住宅建築証明書	①　新築をした住宅用の家屋 ②　建築後使用されたことのない住宅用の家屋 ③　建築後使用されたことのある住宅用の家屋(**注1**)
低炭素建築物新築等計画認定通知書等の写し及び住宅用家屋証明書（その写し）又は認定低炭素住宅建築証明書	

(**注1**)　建築後使用されたことのある住宅用の家屋の場合は、その取得の日前2年以内又は取得の日以降に、その証明のための家屋の調査が終了したもの又は評価されたものに限ります。

(**注2**)　住宅用の家屋の増改築等をした場合に、省エネ等基準に適合させるための工事であることについての証明がされた「増改築等工事証明書」を、「住宅性能証明書」又は「建設住宅性能評価書の写し」に代えることができます。

(**注3**)　<u>住宅取得等資金を贈与により取得した日の属する年の翌年3月15日において住宅用の家屋が新築に準ずる状態にある場合又は災害に基因するやむを得ない事情により同日までに住宅用の家屋の新築若しくは取得ができなかった場合、その住宅用の家屋の工事が完了したとき、又はその住宅用の家屋の新築若しくは取得をしたときは、遅滞なく上表の証明書などをその贈与の日の属する年分の贈与税に係る納税地の所轄税務署長に提出することを約する書類の添付が必要です（措規23の5の2⑤二）。</u>

（7）　非課税の適用順序

相続又は遺贈により財産を取得した者が、その相続又は遺贈に係る被相続人から相続開始の日の属する年の3年前の年に2回以上にわたってこの特例の適用を受けることのできる住宅取得等資金の贈与を受け、その年分の贈与税につきこの特例の適用を受けている場合で、その贈与により取得した住宅取得等資金の価額の合計額がこの特例の適用を受けることができる金額を超え、かつ、その贈与に係る住宅取得等資金のうちに相続開始前3年以内の贈与に該当するものと該当しないものとがあるときにおける相続税法第19条《相続開始前3年以内に贈与があった場合の相続税額》の適用に当たっては、この特例の適用を受ける住宅取得等資金は、まず、相続税の課税価格の計算上、相続開始前3年以内の贈与に該当する住宅取得等資金から適用されたものとして取り扱われます（措通70の2-12）。

（8）　他の特例等との適用関係

この特例は、暦年課税の基礎控除（相法21の5、措法70の2の4）、相続時精算課税の特別控除（相法21の12）と併せて適用が可能です。

（9）　災害対応

本節の特例について、災害(**注**)により居住用家屋が滅失をした場合や災害に基因するやむを得ない事情により居住用家屋を期限までに居住の用に供せない場合などについて、次の措置が講じられ、平成29年1月1日以後に贈与により取得をする住宅取得等資金に係る贈与税について適用されます（平29改法附88④）。

(**注**)　「災害」とは、震災、風水害、火災、冷害、雪害、干害、落雷、噴火その他の自然現象の異変による災害及び鉱害、火薬類の爆発その他の人為による異常な災害並びに害虫、害獣その他の生物による異常な災害を

－1182－

第六章第七節《直系尊属から住宅取得等資金の贈与を受けた場合の贈与税の非課税制度》

いいます（以下同じ。）（措令40の4の2⑪）。

① 災害により住宅が滅失した場合の居住要件の免除

住宅取得等資金に係る贈与税の特例は、贈与の年の翌年3月15日までに住宅を新築等し、同年12月31日までにその住宅で居住することが必要とされていますが、次に掲げる場合に該当するときは、この居住要件は免除されます（措法70の2⑧⑨）。

イ 贈与税の申告後に被災した場合　次のいずれかに該当するとき

　（イ） 特定受贈者が住宅用家屋の新築又は建築後使用されたことのない住宅用家屋の取得をしてその特定受贈者が贈与により住宅取得等資金の取得をした日の属する年の翌年3月15日後遅滞なくこれらの住宅用家屋をその特定受贈者の居住の用に供することが確実であると見込まれることにより特例の適用を受けた場合において、これらの住宅用家屋が災害により滅失（通常の修繕によっては原状回復が困難な損壊を含みます。以下同じ。）をしたことによってその居住の用に供することができなくなったとき

　（ロ） 特定受贈者が既存住宅用家屋をその特定受贈者が贈与により住宅取得等資金の取得をした日の属する年の翌年3月15日後遅滞なくその特定受贈者の居住の用に供することが確実であると見込まれることにより特例の適用を受けた場合において、その既存住宅用家屋が災害により滅失をしたことによってその居住の用に供することができなくなったとき

　（ハ） 特定受贈者が増改築等をした住宅用の家屋をその特定受贈者が贈与により住宅取得等資金の取得をした日の属する年の翌年3月15日後遅滞なくその特定受贈者の居住の用に供することが確実であると見込まれることにより特例の適用を受けた場合において、その住宅用の家屋が災害により滅失をしたことによってその居住の用に供することができなくなったとき

ロ 贈与税の申告前に被災した場合

特例の適用期間内にその直系尊属からの贈与により金銭の取得をした個人が、その金銭を住宅用の家屋（要耐震改修住宅用家屋を含みます。以下同じ。）の新築若しくは取得又は増築の対価に充ててその贈与により金銭の取得をした日の属する年の翌年3月15日までに新築若しくは取得又は増築をした場合において、その新築若しくは取得又は増築をした住宅用の家屋が災害によって滅失をしたことにより同日までにその居住の用に供することができなくなったとき

② 贈与税の申告後に被災した場合における居住期限の延長

住宅取得等資金について特例の適用を受けた特定受贈者が、贈与により住宅取得等資金の取得をした日の属する年の翌年3月15日後において、次に掲げる場合に該当するときには、新築等をした住宅の居住期限が、贈与により住宅取得等資金の取得をした日の属する年の翌年12月31日から1年延長されます（措法70の2⑩）。

イ 特定受贈者が住宅用家屋の新築又は建築後使用されたことのない住宅用家屋の取得をしてその特定受贈者が贈与により住宅取得等資金の取得をした日の属する年の翌年3月15日後遅滞なくこれらの住宅用家屋をその特定受贈者の居住の用に供することが確実であると見込まれることにより特例の適用を受けた場合において、災害に基因するやむを得ない事情によりこれらの住宅用家屋を同年12月31日までにその特定受贈者の居住の用に供することができなかったとき

ロ 特定受贈者が既存住宅用家屋をその特定受贈者が贈与により住宅取得等資金の取得をした日の属する年の翌年3月15日後遅滞なくその特定受贈者の居住の用に供することが確実であると見込まれることにより特例の適用を受けた場合において、災害に基因するやむを得ない事情によりその既存住宅用家屋を同年12月31日までにその特定受贈者の居住の用に供することができなかったとき

ハ 特定受贈者が増改築等をした住宅用の家屋をその特定受贈者が贈与により住宅取得等資金の取得をした日の属する年の翌年3月15日後遅滞なくその特定受贈者の居住の用に供することが確実であると見込まれることにより特例の適用を受けた場合において、災害に基因するやむを得ない事情によりその住宅用の家屋を同年12月31日までにその特定受贈者の居住の用に供することができなかっ

－1183－

第六章第七節《直系尊属から住宅取得等資金の贈与を受けた場合の贈与税の非課税制度》

たとき

③　住宅の取得前に被災した場合の取得期限の延長

　特例の適用期間内にその直系尊属からの贈与により金銭の取得をした個人が、その金銭を住宅用の家屋の新築若しくは取得又は増築の対価に充ててその新築若しくは取得又は増築をした場合において、災害に基因するやむを得ない事情によりその贈与により金銭の取得をした日の属する年の翌年3月15日までにその新築若しくは取得又は増築ができなかったときは、この期限が1年延長されます（措法70の2⑪）。

④　住宅取得等資金の贈与税の非課税の再適用

　特例の適用を受けた特定受贈者が新築若しくは取得をした住宅用家屋、取得をした既存住宅用家屋又は増改築等をした住宅用の家屋が被災者生活再建支援法第2条第2号に規定する政令で定める自然災害により滅失をした場合において、その特定受贈者が特例の適用期限内に再びその直系尊属からの贈与により金銭の取得をし、その金銭を住宅用の家屋の新築若しくは取得又は増築の対価に充てて新築若しくは取得又は増築をするときは、過去の本特例の適用はないものとして、再度本特例の適用を受けることができます（措法70の2⑫⑬）。

—1184—

第七章　農地等についての贈与税の納税猶予及び免除の特例

第一節　農地についての贈与税の納税猶予及び免除の特例

　農業を営んでいる個人が、その経営を子供達に行わせるため農地等を贈与した場合には、その贈与を受けた子供等に贈与税が課税されますが、昭和39年度の税制改正で農業基本法の趣旨にかんがみ、農地の細分化防止と後継者育成の見地から、農業経営に不可欠であり、しかも、農地法上の制約から経営と所有とが不可分とされている農地等について、これを後継者に生前一括贈与した場合の贈与税の納期限の特例制度が設けられてきました。

　ところで、昭和50年度の税制改正においては、最近における農地の価額が宅地期待益含みのものとなっていることにより、農業を継続する意思を有しながら宅地期待益含みの水準で課税が行われるために農地の一部を手放さざるを得ない人が生じる場合もありますので、これらのことを考慮して、農地等に対する相続税について納税猶予の制度が創設されました（第四編第八章第一節「農地についての相続税の納税猶予制度の特例」（794ページ）を参照してください。）。

　そこで、従来の生前一括贈与についての贈与税の納期限の特例制度についても、相続税の納税猶予制度と合わせるため、新たに納税猶予制度に切り替えて存続することとされました（措法70の４）。

　また、平成４年度の税制改正においては、平成４年１月１日以後の贈与により取得した農地又は採草放牧地のうち「特定市街化区域農地等」に該当するものについては、贈与税の納税猶予制度は適用されないこととされました。また、贈与税の納税猶予の適用を受ける農地等のうちに「都市営農農地等」を有する受贈者については、特例農地等の全部を納税猶予の担保として提供した場合にも３年ごとの納税猶予継続届出書の提出を要するものとし、その届出書には提出の年前３年間の農業経営に係る生産及び出荷の状況並びに収入金額を記載し、かつその明細を記した書類を添付しなければならないこととされました（平成７年度の改正により、平成７年１月１日以後の農地等の贈与についてこの特例の適用を受ける場合は、都市営農農地等以外の特例適用農地等についても都市営農農地等と同様に、特例農地等の全部を担保に供したときでも、３年ごとの納税猶予継続届出書等の提出が義務付けられました。）。

　上記の用語の定義は次のとおりです。

① **特定市街化区域農地等**……都市計画法第７条第１項に規定する市街化区域内に所在する農地及び採草放牧地で、平成３年１月１日において次に掲げる区域内に所在するもののうち都市営農農地等以外のものをいいます（799ページの（**注１**）参照）。

イ　東京都の特別区の区域

ロ　首都圏、近畿圏、中部圏にある政令指定都市（横浜、川崎、名古屋、京都、大阪、神戸の各市をいいます。）の区域

ハ　ロに掲げた市以外の市でその区域の全部又は一部が「既成市街地等」（528ページ）又は「近郊整備地帯等」にあるものの区域

② **都市営農農地等**……都市計画法第７条第１項に規定する市街化区域内に所在する次に掲げる農地又は採草放牧地で平成３年１月１日において①のイからハまでに掲げる区域内に所在するものをいいます。

イ　都市計画法第８条第１項第14号に掲げる生産緑地地区内にある農地又は採草放牧地（生産緑地

－1185－

法第10条（同法第10条の５の規定により読み替えて適用する場合を含みます。）又は第15条第１項の規定による買取りの申出がされたもの並びに同法第10条第１項に規定する申出基準日までに同法第10条の２第１項の特定生産緑地の指定がされなかったもの、同法第10条の３第２項に規定する指定期限日までに特定生産緑地の指定の期限の延長がされなかったもの及び同法第10条の６第１項の規定による指定の解除がされたものを除きます。）（799ページ〜800ページの（**注２**）、（**注３**）参照）

ロ　都市計画法第８条第１項第１号に掲げる田園住居地域内にある農地（イの農地を除きます。）

ハ　都市計画法第58条の３第２項に規定する地区計画農地保全条例による制限を受ける同条第１項に規定する区域内にある農地（イ及びロの農地を除きます。）

なお、平成４年１月１日以後の贈与により取得した特例農地等につき後日買取りの申出等があったことにより特定市街化区域農地等に該当することとなった場合の納税猶予の打切り及び買換え等の特例については、４の**(5)**を参照してください。

1　この特例の適用を受けるための要件

この特例の適用を受けるためには、次の要件のすべてに該当していなければなりません。

（1）　贈与者の範囲

贈与者は、贈与の日まで３年以上引き続き農業を営んでいた個人ですが、農地等を贈与した年の前年以前に農地等を推定相続人に贈与して相続時精算課税の適用を受けている場合やその農地等を贈与した年にその贈与以外に農地等の贈与をしている場合のその個人は除かれます（措法70の４①、措令40の６①）。また既にこの特例の適用に係る贈与をした人は除かれます。

なお、贈与者が措法第70条の４第１項に規定する「農業を営む個人」に該当するかどうかを判定する場合における「農業を営む個人」の意義については、相続税の納税猶予の適用の場合と同様です（第四編第八章第一節を参照してください。）。

（2）　受贈者の範囲

受贈者は、（1）の贈与者が農業の用に供していた農地、採草放牧地又はこれらとともに準農地を取得した受贈者で、次の要件の全てに該当しているものとして、**農業委員会**（農業委員会を設置しない市町村にあっては市町村長。以下本章において同じ。）が証明をした個人であることとされています（措令40の６⑥、措規23の７②）。

イ　贈与を受ける者は、贈与者の推定相続人のうちの１人で、その贈与のあった日において年齢が18歳以上であること。

ロ　その取得の日まで３年以上引き続いて農業に従事していたこと。

ハ　その贈与による農地等の取得後速やかにその農地等に係る農業経営を行うと認められること。

ニ　その証明の時において効率的かつ安定的な農業経営の基準として農林水産大臣が定めるものを満たす農業経営を行っていること。

なお、上記の農業委員会の証明は、農地及び採草放牧地を取得した受贈者が、その農地及び採草放牧地の所在地の農業委員会に対して申請を行うことになっています（措規23の７②）。

（**注１**）　「３年以上引き続いて農業に従事していたこと」とは、大学、高等学校等の農業に関する学科を学んだ期間及び学生、生徒又は給与所得者等として、農繁期及び休祭日等に農業に従事していた期間を含めて判断しても差し支えないものとされています（措通70の４−11）。

（**注２**）　「推定相続人」とは、贈与をした日現在において最先順位の相続権（代襲相続権を含みます。）を有している者をいいます（措通70の４−９）。

(参考) 最先順位の相続権を有している者を例示すれば、次のとおりです。

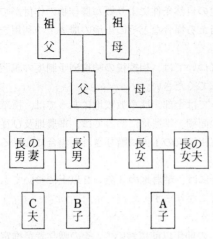

① 左図で、父の最先順位の相続権を有している者とは、母、長男及び長女の3人だけです。
② 左図で、仮に、既に長男が死亡している場合の父の最先順位の相続権を有している者とは、母、B子、C夫及び長女の4人です。この場合、B子、C夫は、長男の代襲相続権を有している者になります。

(注3) 農林水産大臣が定める基準は、次のいずれかに該当することとされています（平成28年農林水産省告示第897号）。
① 農業経営基盤強化促進法第12条第1項の規定による農業経営改善計画の認定（同法第13条第1項の規定による変更の認定を含みます。）を受けていること。
② 農業経営基盤強化促進法第14条の4第1項の規定による青年等就農計画の認定（同法第14条の5第1項の規定による変更の認定を含みます。）を受けていること。
③ 農業経営基盤強化促進法第6条第1項に規定する基本構想に定められた同条第2項第2号に掲げる事項を満たしていること。

(3) 特例の対象となる農地等

受贈者が、特例の適用を受けることができる農地等は、次の要件の全てに該当する農地、採草放牧地（平成4年1月1日以後に贈与により取得した農地又は採草放牧地については、特定市街化区域農地等に該当するもの及び平成26年4月1日以後に贈与により取得した農地については、利用意向調査（農地法第32条第1項又は第33条第1項の規定による同法第32条第1項に規定する利用意向調査をいいます。）に係るもののうち一定のものを除きます。）又は準農地です（ただし、準農地についてはイの要件は除かれます。）。

イ　農地及び採草放牧地は、贈与者が農業の用に供していたものであること。

この農地及び採草放牧地は、農地法第2条第1項に規定する農地、採草放牧地をいいます。また、この農地及び採草放牧地には、農地法第43条第1項の規定により農作物の栽培を耕作に該当するものとみなして適用する同法第2条第1項に規定する農地並びにこれらの農地の上に存する地上権、永小作権、賃借権及び使用貸借による権利も含まれますので、他人から、その借りている農地及び採草放牧地の権利を贈与によって取得し農業を営む受贈者（小作人）も、この特例の適用を受けることができます。

贈与者が贈与の時において現に農業の用に供していない農地又は採草放牧地は含まれませんが、次に掲げる土地は、それぞれ次に掲げる事由の生ずる直前において、農地又は採草放牧地で、その者が農業の用に供していた場合に限り、その農業の用に供している農地又は採草放牧地に該当するものとして取り扱われます。〔またその農地又は採草放牧地が次に掲げる土地に該当することとなった場合であっても、その土地は、その者の農業の用に供している農地又は採草放牧地に該当するものとして取り扱われます。〕（措通70の4－12）。
(1) 災害、疾病等のためやむを得ず一時的に農業の用に供されていない土地
(2) 土地改良法による土地改良事業若しくは土地区画整理法による土地区画整理事業等のため農業の用に供することができない土地

第七章第一節《農地についての贈与税の納税猶予及び免除の特例》

（3）　国又は地方公共団体等の行う事業のため一時的に農業の用に供することができない土地で、かつ、その時期が、例えば、気温、積雪その他の自然条件により概ね農作物の作付ができない期間、連作の害を防ぐため休耕している期間に当たる場合などその土地の農業上の利用を害さないと認められるもの

　　特例を受ける「農地」、「採草放牧地」の定義については、相続税の納税猶予制度の説明（第四編第八章第一節の1の（3）（797ページ））を参照してください。

ロ　この特例の適用対象となる財産は、農地にあっては全部、採草放牧地にあっては、採草放牧地及び従前採草放牧地の面積の合計の3分の2以上の面積、準農地にあっては、準農地及び従前準農地の面積の合計の3分の2以上の面積の土地が推定相続人の1人に贈与された場合におけるその贈与された農地等であること（措令40の6③⑤）。

　　したがって、贈与者が準農地を有している場合には、準農地の3分の2以上についても併せて贈与しないと贈与税の納税猶予が適用されないことになります。

　　上記の従前採草放牧地とは、次のものをいいます。

（イ）　対象年（農地等を贈与した年をいいます。）の前年以前において、その贈与者が推定相続人に贈与した採草放牧地のうち相続時精算課税の適用を受けるもの

（ロ）　対象年において、その贈与者がその贈与以外の贈与により採草放牧地の贈与をしている場合におけるその採草放牧地

　　また、従前準農地は上記に準じます。

ハ　贈与税の期限内申告書に添付する納税猶予税額の計算書（1304ページ参照）に、この特例の適用を受ける旨の記載をした農地等であること。

　　ただし、その記載に当たっては、

（イ）　農地、採草放牧地は、受贈者がその農業の用に供するものであること。

（ロ）　準農地は(イ)の農地、採草放牧地とともに、この特例の適用を受けようとするものであること。

　　などの規制が設けられています。

　　特例を受ける「準農地」の定義については、相続税の納税猶予制度の説明を参照してください。

　（注）　相続時精算課税との関係

　　　　相続時精算課税適用者又は農地等の贈与の年中の農地等以外の財産の贈与について相続時精算課税選択届出書を提出しようとする者が、特定贈与者又はその年中に相続時精算課税の適用を受けようとする贈与をした者から贈与により取得した農地等について、納税猶予の適用を受ける場合には、その農地等については相続時精算課税の適用を受けることはできません（措法70の4③）。

－1188－

第七章第一節《農地についての贈与税の納税猶予及び免除の特例》

2 申 告 手 続

（1） 期限内申告要件

農地等に対する贈与税の納税猶予は、贈与税の期限内申告書に納税猶予の適用を受けたい旨を記載し、

① 提供しようとする担保の種類、数量、価額及びその所在場所の明細を記載した書類

　　ただし、その担保が保証人の保証であるときは、個人の場合は、その保証人の住所、氏名及びその資産状態の明細を記載した書類。法人の場合は、本店又は主たる事務所の所在地、名称及びその資産状態の明細を記載した書類

② 担保の提供に関する書類

③ 贈与者が、贈与の日まで引き続き3年以上農業を営んでいた者である旨の受贈農地等の所在地を管轄する農業委員会の証明書

④ 受贈者が、贈与者の推定相続人であることを証明する書類（戸籍謄本など）及び「1（2）受贈者の範囲」の農業委員会の書類

⑤ 贈与事実がわかる書類（贈与契約書など）

⑥ 贈与を受けた農地等の地目、面積及びその所在場所その他の明細を記載した書類並びに当該農地等のうちに次に掲げる農地等がある場合には、それぞれ次に定める書類

　イ　農地法第43条第1項により農作物の栽培を耕作に該当するものとみなして適用する農地……同法第43条第2項に規定する農作物栽培高度化施設の用に供されているものである旨を証する農地の所在地を管轄する農業委員会の書類

　ロ　都市営農農地等……農地又は採草放牧地に該当する旨を証する都市営農農地等の所在地を管轄する市長又は特別区の区長の書類の写し

　ハ　準農地……準農地に該当する旨の市町村長の証明書

⑦ 贈与者が1の（1）に該当する旨を明らかにする次の事項の記載がある書類

　イ　その贈与年の前年以前に農地を推定相続人に贈与していないこと（贈与している場合は、相続時精算課税の適用を受けるものでないこと）

　ロ　その贈与年にその贈与以外の贈与により農地等の贈与をしていないこと

　ハ　ⓐの面積がⓑの面積及びⓒの面積の合計の3分の2以上となること

　　ⓐ　贈与した採草放牧地又は準農地の面積

　　ⓑ　贈与の日まで農業の用に供していた採草放牧地又は準農地の面積

　　ⓒ　従前採草放牧地又は従前準農地の面積

を添付して所轄税務署長に提出します（措法70の4㉖、措規23の7③）。

　（注）　修正申告等に係る贈与税額の納税猶予

　　　　納税猶予の規定は、農地等の贈与に係る贈与税についての期限後申告、修正申告又は更正に係る税額については、適用がありません。

　　　　ただし、修正申告又は更正があった場合で、その修正申告又は更正が期限内申告に係る特例適用農地等の評価又は税額計算の誤りのみに基づいてされるときにおけるその修正申告又は更正により納付すべき贈与税額（附帯税を除きます。）については、当初からこの規定の適用があることとして取り扱っています。

　　　　この場合において、その修正申告又は更正により納税猶予を受ける贈与税の本税の額とその本税に係る利子税の額に相当する担保については、その修正申告書の提出の日又はその更正に係る通知書が発せられた日の翌日から起算して1月を経過する日までに提供しなければなりません（措通70の4-18）。

（2） 納税猶予に係る担保提供と納税猶予継続届出書

納税猶予に係る担保提供と納税猶予継続届出書の提出については、従来は、特例適用農地等のうちに都市営農農地等を有しない者に限り、その特例適用農地等の全部を担保に提供すれば、3年ごとの

－1189－

第七章第一節《農地についての贈与税の納税猶予及び免除の特例》

納税猶予継続届出書の提出を要しないものとされていました。

しかし、平成7年度の税制改正で、特例適用農地等のうちに都市営農農地等を有しない者が特例適用農地等の全部を担保に提供した場合でも、都市営農農地等を有する者と同様に、3か年ごとの納税猶予継続届出書の提出を要することとされました。

したがって、平成7年1月1日以後に贈与により取得した農地等について、この納税猶予の特例の適用を受ける場合は、次の要件を満たすことが必要となりました（措法70の4①㉗）。

① 贈与税の申告書の提出期限までに納税猶予に係る贈与税額（納税猶予期間中の利子税の額を含みます（措通70の4－17）。）に相当する担保を提供すること

② 納税猶予に係る贈与税の全部につき納税猶予期限が確定するまでの間、贈与税の申告書の提出期限の翌日から起算して3年を経過するごとの日までに、引き続き特例の適用を受けたい旨及び農業経営に関する事項を記載した納税猶予継続届出書を提出すること

　(注)　納税猶予継続届出書の提出期間は、当該3年を経過するごとの日の属する月の前々月の初日から当該3年を経過するごとの日までの期間として取り扱われます（措通70の4－96）。

なお、納税猶予継続届出書については、その提出期限までに提出されなかった場合においても、その提出がなかったことについて、納税地の所轄税務署長がやむを得ない事情があると認め、かつ、必要な書類を添付して納税猶予継続届出書が提出されたときは、期限内に提出されたものとみなすこととされています（措法70の4㉘）。

3　特例の適用を受ける場合の贈与税の計算

この特例の適用は、前記1の要件に該当する農地等に限られます。

したがって、同年中に贈与を受けた財産が、その農地等のみの場合には、その全部の税額について納税猶予が適用できます。

しかし、同年中にその農地等とともに他の財産の贈与も受けている場合は、次により計算します。

(1)　{（農地等の価額）＋（農地等以外の財産の価額）}－基礎控除額＝課税価格

　　課税価格×税率（速算表適用）＝納付税額……A

(2)　Aのうち、通常の納期限に納付すべき税額＝{（農地等以外の財産の価額）－基礎控除額}×税率（速算表適用）……B

(3)　Aのうち、納税猶予される税額＝A－B

　(注)　農地等以外の農業用財産の取扱いについて（措通70の4－15、昭35直資15 二3、昭53直資2－2別紙2）

　　　農地等の贈与があった場合には、原則として、農地等以外の農業用財産についても、その農地等とともに贈与があったものとして取り扱われます。

　　　ただし、棚卸資産以外の農業用財産で、特に書面で贈与を留保する旨の申出があり、かつ、その財産の所有者について相続があった場合に、その者の相続財産に算入することを了承したものなどについては、贈与がなかったものとして取り扱っています。

　　　なお、これら農地等以外の農業用財産については、納税猶予の特例は、適用されません。

〔計算例〕　令和6年中に父から贈与を受けた財産の価額が500万円で、このうち、この特例の適用を受ける農地等の価額が300万円の場合（1304ページの計算書様式参照）〔直系尊属からの贈与〕

(1)　その年分の贈与税額

　　課税価格　500万円－110万円＝390万円

　　納付税額　　　　　　　　　　485,000円

(2)　納期限内に納付すべき贈与税額

　　課税価格　（500万円－300万円）－110万円＝90万円

　　納付税額　　　　　　　　　　9万円

(3)　納税猶予される贈与税額　485,000円－9万円＝395,000円

第七章第一節《農地についての贈与税の納税猶予及び免除の特例》

4　納税猶予分の贈与税に係る納税猶予とその打切り等

（1）　納税猶予の期限

　　納税猶予の期限は、原則として、その「贈与者の死亡の日」となります（措法70の4①）。

　　ただし、次の（2）及び（3）又は（5）に述べる特例農地等の譲渡等又は特例農地等についての買取りの申出等の事実が生じた場合には、それぞれの事由に応じて贈与税の全部又は一部について納税猶予が打ち切られることとなります。ただし、受贈者が農業者年金基金法に基づく特例付加年金（改正前の農業者年金基金法による経営移譲年金を含みます。）の支給を受けるために、自己の推定相続人のうちの1人に対し、特例農地等につき使用貸借に関する権利を設定して経営移譲を行った場合又は特例農地等を農用地利用集積等促進計画の定めるところによる賃借権等の設定に基づいて貸し付け、その貸し付けた農地等に代わるものとして受贈者の農業の用に供する農地等を農用地利用集積等促進計画の定めるところによる賃借権等の設定に基づいて借り受けた場合には、一定の条件のもとに（2）及び（3）に述べる特例農地等の任意譲渡や農業経営の廃止には該当しないものとして、納税猶予の打切りは行われないこととされています（詳細な取扱いは（7）及び（8）に説明しています。）。

　　また、受贈者が任意に納税猶予の適用をやめる場合の期限は、受贈者が猶予税額及び当該税額に係る利子税の額の全部を納付してその旨を記載した「贈与税の納税猶予取りやめ届出書」の提出があった日となります。

　　なお、届出書の提出があった後に贈与税等の全部の納付があったときは、この届出書は、当該贈与税等の全部の納付があった日に提出されたものとして取り扱われています（措通70の4-35）。

（2）　納税猶予分の贈与税の全部について納税猶予が打ち切られる場合

　　上記（1）に述べた納税猶予の期限までの間に、次表の事実が生じた場合には、猶予税額の全部について納税猶予が打ち切られ、次表のそれぞれに掲げる期限までに、受贈者は、その猶予税額の全部を納付しなければなりません（措法70の4①ただし書、㉚㉛）。

	事　　実	期　　限
①	特例農地等の面積の20％を超えて任意に譲渡等した場合	その事実が生じた日の翌日から2月を経過する日
②	特例農地等に係る農業経営を廃止した場合	その事実が生じた日の翌日から2月を経過する日
③	贈与者の推定相続人に該当しないこととなった場合	その事実が生じた日の翌日から2月を経過する日
④	3年ごとの継続適用の届出書を提出しなければならない人がその期限（3年を経過するごとの日）までに提出しなかった場合	届出書の提出期限の翌日から2月を経過する日
⑤	担保（猶予税額に相当する担保の提供）の変更命令に応じなかった場合	猶予期限の繰上げに係る通知書に記載した猶予期限

　　①の「**任意に譲渡等した場合**」とは、収用交換等による譲渡等、及び（5）に述べる買取りの申出等があった農地等の譲渡等（以下これらの譲渡等を「**収用交換等による譲渡等**」といいます。）以外の一般の売買による譲渡等（贈与、転用、地上権・永小作権・使用貸借による権利若しくは賃借権の設定若しくは耕作の放棄又はこれらの権利の消滅等も含みます。）をした場合をいいます。

　イ　上表の①にいう任意譲渡等した場合の面積割合は、次の算式によります（措法70の4①一）。

$$\frac{（今回の「任意譲渡等」の面積）＋（前回までに「任意譲渡等」された面積の合計）}{\left(\begin{array}{c}今回の「任意譲渡等」の直前\\における特例農地等の面積\end{array}\right)＋\left(\begin{array}{c}前回までに「譲渡等」され\\た特例農地等の面積の合計\end{array}\right)}$$

　　なお、上記算式によって20％を超えるかどうかを計算するに当たっての留意点は、相続税の納税猶予の場合と全く同様ですから、第四編第八章第一節「農地についての相続税の納税猶予制度の特

－1191－

第七章第一節《農地についての贈与税の納税猶予及び免除の特例》

例」４の(２)（806ページ）を参照してください。

ロ　上表の①に規定する100分の20を超えるかどうかの計算は、次に掲げる場合に応じ、それぞれ次に掲げる算式によって行うこととなります（措通70の４−26）。

　〈イ〉　既往において(４)の①のハ若しくは(５)のロの③の規定に該当する農地又は採草放牧地（以下「代替取得農地等」といいます。）を取得していない場合又は(４)の②に規定する代替農地等で、同②のハの規定に該当する農地若しくは採草放牧地（以下「付替農地等」といいます。）を農業の用に供いていない場合

$$\frac{B+C}{A}$$

　〈ロ〉　既往において(４)の①のハの規定に該当する代替取得農地等を取得している場合

$$\frac{B+C}{A+(F-D+E)}$$

　〈ハ〉　既往において、付替農地等を農業の用に供している場合

$$\frac{B+C}{A+(F-D'+E')}$$

　〈ニ〉　既往において(５)のロの③の規定に該当する代替取得農地等を取得している場合

$$\frac{B+C}{A+(F-D''+E'')}$$

(注)　算式中の符号は、次のとおりです。

　　Ａ……特例適用農地等の受贈時の面積をいいます。

　　Ｂ……今回譲渡等（収用交換等による譲渡等を除きます。）した特例適用農地等の面積をいいます。

　　Ｃ……既往において譲渡等（収用交換等による譲渡等を除きます。）した特例適用農地等の面積をいい、この面積は、(４)の①のイの規定により譲渡等がなかったものとみなされるものの面積を除き、同①のロの規定により譲渡等されたものとみなされるものの面積を含みます。

　　Ｄ……既往において(４)の①のイの規定により譲渡等がなかったものとみなされた特例適用農地等の面積をいい、次の算式によって計算します。

$$譲渡等した特例適用農地等の面積 \times \frac{譲渡等の対価の額のうち、代替取得農地等の取得に充てる見込金額}{譲渡等した特例適用農地等の対価の額}$$

　　Ｅ……Ｄの面積のうち、(４)の①のロの規定により、その後譲渡等されたものとみなされた特例適用農地等の面積をいい、次の算式によって計算します。

$$Ｄの面積 \times \frac{Ｄの面積に係る譲渡等の対価の額のうち代替取得農地等の取得に充てられなかった金額}{Ｄの面積に係る譲渡等の対価の額}$$

　　Ｆ……代替取得農地等又は付替農地等の面積をいいます。

　　Ｄ'……既往において(４)の②のイの規定により譲渡等がなかったものとみなされた特例適用農地等の面積をいい、次の算式により計算します。

$$譲渡等をした特例適用農地等の面積 \times \frac{譲渡等の対価の額に相当する代替農地等の価額}{譲渡等をした特例適用農地等の対価の額}$$

　　Ｅ'……Ｄ'の面積のうち、(４)の②のロの規定により譲渡等がされたものとみなされた特例適用農地等の面積をいい、次の算式により計算します。

$$Ｄ'の面積 \times \frac{代替農地等の価額のうち農業の用に供していない部分に相当する価額}{Ｄ'の面積に係る譲渡等の対価の額}$$

　　Ｄ''……既往において(５)のロの①の規定により譲渡等がなかったものとみなされた特例農地等の面積をいい、次の算式によって計算します。

−1192−

第七章第一節《農地についての贈与税の納税猶予及び免除の特例》

$$
譲渡等をする見込みで \atop ある特例農地等の面積 \times \frac{譲渡等の対価の見積額のうち代替取得農地等の取得に充てる見込金額}{譲渡等をする見込みである特例農地等の対価の見積額}
$$

E″……D′の面積のうち、(5)の**ロ**の②の規定によりその後買取りの申出等があったものとみなされた特例農地等の面積をいい、次の算式により計算します。

$$
D″の面積 \times \frac{D″の面積に係る譲渡等の対価の額のうち代替取得農地等の取得に充てられなかった金額}{D″の面積に係る譲渡等の対価の額}
$$

〔計算例1〕

既往において代替取得農地等を取得していない場合

① 贈与により取得した特例適用農地等の受贈時の面積　　　　　　　　　10ヘクタール
② 今回譲渡等(収用交換等による譲渡等を除きます。)をした特例適用農地等の面積　2ヘクタール
③ 既往において譲渡等(収用交換等による譲渡等を除きます。)をした特例適用農地等の面積

　　　　　　　　　　　　　　　　　　　　　　　　　　　　　　　　0.5ヘクタール

（計算）

イ　「A」の数値（①）　　　　　10ヘクタール
ロ　「B」の数値（②）　　　　　2ヘクタール
ハ　「C」の数値（③）　　　　　0.5ヘクタール
ニ　100分の20を超えるかどうかの計算

$$
\frac{B+C}{A} = \frac{2+0.5}{10} = \frac{2.5}{10} > \frac{20}{100}
$$

この場合には、20%を超えることとなり、措置法第70条の4第1項第1号の規定に該当し、納税猶予の全部が打ち切られます。

〔計算例2〕

既往において(4)の①のハの規定に該当する代替取得農地等を取得している場合

① 贈与により取得した特例適用農地等の受贈時の面積　　　　　　　　　20ヘクタール
② 既往において譲渡等をした特例適用農地等の面積　　　　　　　　　　4ヘクタール
　　うち収用交換等による譲渡等に係る特例適用農地等の面積　　　　　0.5ヘクタール
　　差引　　　　　　　　　　　　　　　　　　　　　　　　　　　　　3.5ヘクタール
③ ②のうち(4)の①のイの規定により譲渡等がなかったものとみなされた特例適用農地等の面積

　　　　　　　　　　　　　　　　　　　　　　　　　　　　　　　　3ヘクタール
④ ③のうち(4)の①のロの規定により譲渡等があったものとみなされた特例適用農地等の面積

　　　　　　　　　　　　　　　　　　　　　　　　　　　　　　　　2ヘクタール
⑤ 代替取得農地等の面積　　　　　　　　　　　　　　　　　　　　　2.5ヘクタール
⑥ 今回譲渡等をした特例適用農地等の面積　　　　　　　　　　　　　1ヘクタール
　　うち収用交換等による譲渡等に係る特例適用農地等の面積　　　　　0
　　差引　　　　　　　　　　　　　　　　　　　　　　　　　　　　　1ヘクタール

（計算）

イ　「A」の数値（①）　　　　　　20ヘクタール
ロ　「B」の数値（⑥）　　　　　　1ヘクタール
ハ　「C」の数値（②－③＋④＝3.5－3＋2）　　2.5ヘクタール
ニ　「D」の数値（③）　　　　　　3ヘクタール
ホ　「E」の数値（④）　　　　　　2ヘクタール
ヘ　「F」の数値（⑤）　　　　　　2.5ヘクタール

－1193－

第七章第一節《農地についての贈与税の納税猶予及び免除の特例》

ト　100分の20を超えるかどうかの計算

$$\frac{B+C}{A+(F-D+E)}=\frac{1+2.5}{20+(2.5-3+2)}=\frac{3.5}{21.5}<\frac{20}{100}$$

この場合には、20％以下となり措置法第70条の4第1項第1号の規定には該当しません。

〔計算例3〕

既往において（5）のロの③の規定に該当する代替取得農地等を取得している場合

① 贈与により取得した特例適用農地等の受贈時の面積　　　　　　　　　　　20ヘクタール

② 既往において買取りの申出等があった特定農地等の面積　　　　　　　　　 4ヘクタール

　　うち譲渡等に係る特定農地等の面積　　　　　　　　　　　　　　　　　3.5ヘクタール

③ ②のうち（5）のロの①の規定により譲渡等がなかったものとみなされた特定農地等の面積

　　　　　　　　　　　　　　　　　　　　　　　　　　　　　　　　　　　3ヘクタール

④ ③のうち（5）のロの②の規定により買取りの申出等があったものとみなされた特定農地等の面積

　　　　　　　　　　　　　　　　　　　　　　　　　　　　　　　　　　　1ヘクタール

⑤ 代替取得農地等の面積　　　　　　　　　　　　　　　　　　　　　　　　 4ヘクタール

⑥ 今回譲渡等をした特例適用農地等の面積　　　　　　　　　　　　　　　　4.5ヘクタール

　　うち収用交換等による譲渡等に係る特例適用農地等の面積　　　　　　　　　　　 0

　　差引　　　　　　　　　　　　　　　　　　　　　　　　　　　　　　　4.5ヘクタール

（計算）

イ　「A」の数値（①）　　　　　20ヘクタール

ロ　「B」の数値（⑥）　　　　　4.5ヘクタール

ハ　「C」の数値　0

ニ　「D″」の数値（③）　　　　 3ヘクタール

ホ　「E″」の数値（④）　　　　 1ヘクタール

ヘ　「F」の数値（⑤）　　　　　4ヘクタール

ト　100分の20を超えるかどうかの計算

$$\frac{B+C}{A+(F-D''+E'')}=\frac{4.5+0}{20+(4-3+1)}=\frac{4.5}{22}>\frac{20}{100}$$

この場合には、20％を超えることとなり、措置法第70条の4第1項第1号の規定に該当し、納税猶予の全部が打ち切られます。

（3）　納税猶予分の贈与税の一部について納税猶予が打ち切られる場合

上記（1）に述べた納税猶予の期限までの間に、次表の事実が生じた場合には、猶予税額のうち、その事実に対応する部分に相当する額の納税猶予が打ち切られ、その事実の生じた日の翌日から2か月を経過する日に猶予期限が到来しますので、受贈者は、その対応する猶予税額について、その期限までに納付しなければなりません（措法70の4④）。

なお、平成4年1月1日以後の贈与により取得した特例農地等につき買取りの申出等があった場合の納税猶予の一部打切り又は買換え等の特例については、（5）で説明します。

①	特例農地等の面積の20％以下の部分について、任意に譲渡等した場合
②	特例農地等につき収用交換等による譲渡等をした場合
③	贈与税の申告書の提出期限から10年を経過する日において「未開発の準農地」がある場合

上表③の「未開発の準農地」の定義については、第四編第八章第一節の4の（3）（810ページ）を参照してください。

また、（3）又は（5）のイの規定により納税猶予税額の一部について、納税猶予の期限が確定する場

－1194－

第七章第一節《農地についての贈与税の納税猶予及び免除の特例》

合における贈与税の額の計算は、次の算式により行うこととなります（措通70の4－37）。

$$納税猶予の適用を受けた贈与税の額（A） \times \frac{譲渡等又は買取りの申出等があった特例適用農地等の贈与時の価額（B）}{贈与により取得したすべての特例適用農地等の贈与時の価額の合計額}$$

- **（注1）** 上記算式中の（A）の金額は、措法第70条の4第1項の規定による納税猶予の適用を受けた当初の納税猶予税額をいいます。したがって、その後その納税猶予税額の一部について納税猶予の期限が確定している場合であっても、当初の納税猶予税額によることとなります。
- **（注2）** 上記算式中の（B）の金額は、譲渡等又は買取りの申出等があった特例適用農地等が代替取得農地等又は付替農地等である場合には、次の算式により計算した金額によります。

$$贈与により取得した特例適用農地等で買換え又は付替えの承認に係る譲渡等があったものの贈与時の価額 \times \frac{（C）のうち代替取得農地等の取得に充てられた金額又は付替農地等の価額}{贈与により取得した特例適用農地等で買換え又は付替えの承認に係る譲渡等の対価の額（C）}$$

（4） 特例農地等の買換えの場合の納税猶予の継続

① 特例農地等を譲渡等した場合において、譲渡等の日から1年以内に、その対価の額の全部又は一部をもって農地又は採草放牧地（三大都市圏の特定市の特例適用農地等を収用交換等のために譲渡した場合には、譲渡後1年以内に農地等に該当することとなる見込みのある土地）を取得する見込みであることについて税務署長の承認を受けたときにおける任意譲渡等の20％の範囲及び譲渡等があった特例農地に係る納税猶予の適用については、次の定めによることとされています（措法70の4⑮）。

イ 買換えについて税務署長が承認した譲渡等はなかったものとされます。

ロ 譲渡等があった日から1年を経過する日において、税務署長が承認した譲渡等の対価の額のうち、農地又は採草放牧地の取得に充てられていない対価の額に相当する特例農地等は、1年を経過する日に譲渡等があったものとされます。

ハ 譲渡等があった日から1年を経過する日までに、税務署長が承認した譲渡等の対価で、農地又は採草放牧地を取得した場合には、その取得した農地又は採草放牧地は、特例農地等として譲渡等はなかったものとみなされ、納税猶予を継続して受けることができます。

- **（注1）** 仲介料、登記費用等の費用（措通70の4－69）

  上記①又は（5）のロの規定による買換えの承認を受けている場合においてこれらの規定に規定する特例適用農地等の譲渡等又は農地若しくは採草放牧地の取得に要した仲介料、登記費用等の費用があるときは、次により取り扱われます。

  （1） ①又は（5）のロに規定する特例適用農地等の譲渡等について仲介料、登記費用等の費用を要した場合には、その譲渡等の対価の額からその譲渡等に要した費用の額を控除した金額をもって①のロ及びハ又は（5）のロの②及び③に規定する「譲渡等の対価の額」とします。

  （2） ①のハ又は（5）のロの③に規定する農地又は採草放牧地の取得について仲介料、登記費用等の費用を要した場合には、その費用の額は、その農地又は採草放牧地の取得に充てられたものとします。

- **（注2）** 農地又は採草放牧地と同時に農地又は採草放牧地以外の財産を取得した場合（措通70の4－70）

  ①又は（5）のロの規定による買換えの承認を受けている場合において、農地又は採草放牧地の取得と同時に農地又は採草放牧地以外の財産を取得したときは、譲渡等した特例適用農地等の対価の額は、まず農地又は採草放牧地の取得に充てられたものとして取り扱われます。

- **（注3）** 譲渡等の対価の額を超過する農地又は採草放牧地の取得があった場合（措通70の4－71）

  ①のハ又は（5）のロの③の規定の適用に当たり、譲渡等した特例適用農地等の対価の額を超える対価で、農地又は採草放牧地の取得があった場合には、その取得した農地又は採草放牧地のうち、次の算式により計算した部分がこれらの規定の適用を受ける特例農地等として取り扱われます。

  この場合において、その部分の面積については、分筆等により特定することが必要です。

$$A \times \frac{C}{B}$$

－1195－

上記算式中

　　　Aは、取得した農地又は採草放牧地の面積

　　　Bは、取得した農地又は採草放牧地の対価の額

　　　（（**注1**）により取得に要した費用の額を含みます。）

　　　Cは、譲渡等をした特例適用農地等の対価の額

　　　（（**注1**）により譲渡等に要した費用の額を除きます。）

（**注4**）　交換又は換地処分により農地又は採草放牧地を取得した場合（措通70の4−33）

　　　　特例適用農地等について交換又は換地処分が行われた場合で、その交換又は換地処分が所得税法第58条《固定資産の交換の場合の譲渡所得の特例》又は措法第33条の3《換地処分等に伴い資産を取得した場合の課税の特例》の規定により所得税の課税上譲渡がなかったものとみなされたときであっても、その交換又は換地処分は、（**2**）の①又は（**3**）の規定による譲渡等に該当することとなります。

　　　　したがって、その交換又は換地処分により取得した農地又は採草放牧地につき、①の規定の適用を受ける場合には、その交換又は換地処分があった日から1月以内に③の規定による代替農地等の取得に関する承認申請書の提出を要することとなります。

②　平成26年4月1日以後の譲渡については、三大都市圏の特定市の特例農地等を収用交換等のために譲渡した場合において、譲渡後1年以内に、特例農地等以外の農地等又は譲渡後1年以内に農地等に該当することとなる土地（その譲渡があった日において納税猶予適用者が有していたものに限り、譲渡をした特例農地等に係る贈与を受けた日前において有していたものを除きます。以下「代替農地等」といいます。）で、譲渡時における価額がその譲渡対価の額の全部又は一部に相当するものを譲渡をした特例農地等に代わるものとして農業の用に供する見込みであることにつき、税務署長の承認を受けたときは、次のとおりとされました（措法70の4⑯）。

　　イ　その譲渡はなかったものとみなされます。

　　ロ　譲渡後1年を経過する日において、その譲渡対価の額の全部又は一部に相当する価額の代替農地等が農業の用に供されていない場合には、譲渡した特例農地等のうち、その農業の用に供されていないものに相当する部分については、その日において譲渡がされたものとみなされます。

　　ハ　譲渡後1年を経過する日までに、その譲渡対価の額の全部又は一部に相当する価額の代替農地等が農業の用に供された場合には、その農業の用に供された代替農地等は、特例農地等とみなされます。

③　買換えについて税務署長の承認を受けるための手続

　　　上記①に掲げる税務署長の承認を受けようとする場合には、その譲渡等があった日から1か月以内に、①に規定する譲渡に係る農地等についてその規定の適用を受けようとする旨及び次の事項を記載した承認申請書を納税地の所轄税務署長に提出しなければなりません（措令40の6㉙）。

　　イ　申請者の氏名及び住所

　　ロ　その譲渡等に係る特例農地等の明細、その特例農地等の贈与者からの贈与の時における価額（譲渡した農地等が代替取得農地等である場合には、（**3**）の（**注2**）の算式により計算した価額）、及びその譲渡等の対価の額

　　ハ　取得しようとする農地又は採草放牧地の明細、取得予定年月日及び取得価額の見積額

　　ニ　その他参考となるべき事項

　　なお、この申請書の提出があった日から1か月以内に税務署長が、その申請の承認又は却下の処分をしないときは、その申請の承認があったものとみなされます（措令40の6㉚）。

（5）　買取りの申出等があった場合の納税猶予の一部打切り及び買換え等の承認を受けた場合の納税猶予の継続（平成4年1月1日以後の贈与により取得した農地等について適用）

イ　納税猶予の一部打切り

　　上記（1）に述べた納税猶予の期限〔同日前に（2）による納税猶予の全部打切りがあった場合には、その事実があった日〕が到来するまでの間に、次の①又は②の事実（以下、「**買取りの申出等**」といい

−1196−

ます。）が生じた場合には、納税猶予税額のうち、買取りの申出等があった農地等に対応する納税猶予税額について納税猶予が打ち切られ、買取りの申出等があった日の翌日から２か月を経過する日（買取りの申出等があった後その２か月を経過する日以前に農地等の受贈者が死亡した場合には、その受贈者の相続人が受贈者の死亡による相続があったことを知った日の翌日から６か月を経過する日）に納税猶予期限が到来します。この場合の納税猶予の期限が確定する税額の計算については、（3）を参照してください（措法70の4⑤）。

① 特例農地等のうちに都市営農農地等がある場合において、その都市営農農地等について次に掲げる場合に該当したとき

  イ 生産緑地法第10条（同法第10条の５の規定により読み替えて適用する場合を含みます。）又は第15条第１項の規定による買取りの申出があった場合

  ロ 生産緑地法第10条の６第１項の規定による指定の解除があった場合

② 特例農地等が都市計画の決定又は変更（平成３年改正前の旧生産緑地法に基づく第二種生産緑地地区に関する都市計画の失効を含みます。）により、新たに特定市街化区域農地等に該当することとなったとき（市街化区域への編入又は生産緑地地区外への編入）（その変更により田園住居地域内にある農地又は地区計画農地保全条例による制限を受ける区域内にある農地でなくなった場合を除きます。）

（注1） 買取りの申出等があった農地等についてその後譲渡等があった場合には、その譲渡等は納税猶予の期限が確定する贈与税の額を計算するときの譲渡等には含まれないことに注意してください（措通70の4－31）。

（注2） 都市営農農地等である特例適用農地等について、特定生産緑地の指定がされなかった場合及び指定期限日までに特定生産緑地の指定の期限の延長がされなかった場合であっても、これらの場合はイに該当しないため、納税猶予の期限は確定しないことに注意してください。

    ただし、これらの場合に該当する農地又は採草放牧地については、都市営農農地等に該当しないこととなるため、その農地又は採草放牧地を贈与により取得してもこの特例の適用はありません（措通70の4－37の2）。

ロ 買取りの申出等に係る特定農地等の買換え又は都市営農農地等に該当予定につき税務署長の承認を受けた場合の納税猶予の継続

特例農地等につき買取りの申出等があった日から１年以内にその買取りの申出等があった都市営農農地等若しくは特定市街化区域農地等に係る農地若しくは採草放牧地（以下ロにおいて「特定農地等」といいます。）の全部又は一部の譲渡等をする見込みであり、かつ、その譲渡等があった日から１年以内に譲渡等の対価の全部又は一部をもって特例対象となる農地又は採草放牧地を取得する見込みであること、又は買取りの申出等があった日から１年以内にイの②に該当することとなった農地等の全部又は一部が都市営農農地等に該当することとなる見込みであることにつき、税務署長の承認を受けたときは、上記のイにかかわらず、その承認を受けた買取りの申出等に係る特定農地等については、次に掲げるところにより承認内容どおりの買換取得農地等又は都市営農農地等に該当することとなった農地等に対応する納税猶予税額について納税猶予の継続が認められます（措法70の4⑰）。

① 税務署長が承認した買取りの申出等に係る農地等の譲渡等又は買取りの申出等はなかったものとされます。

② 買取りの申出等があった日から１年を経過する日までに税務署長の承認に係る譲渡等をしなかった場合又は都市営農農地等に該当する見込みの農地等が都市営農農地等に該当することとならなかった場合、及び同日において税務署長が承認した譲渡等の対価のうち、農地又は採草放牧地の取得に充てられていない金額があるときは、これらに該当する部分の買取りの申出等に係る特定農地等は、その１年を経過する日において買取りの申出等があったものとされます（同日から２月を経過する日が納税猶予の期限とされます。）。

③ 買取りの申出等があった日から１年を経過する日までに都市営農農地等に該当することとなった

－1197－

農地等又は税務署長が承認した譲渡等の対価で農地又は採草放牧地を取得したときのその代替取得農地等は、特例農地等として引き続き納税猶予を受けることができます。

なお、贈与税の納税猶予の適用を受けた生前一括贈与に係る農地等につき、上記イの①又は②に掲げる事実が生じたことにより、贈与税についての上記に準ずる税務署長の承認を受けている場合において、その贈与者が買取りの申出等があった日から１年以内に死亡したことによりその農地等が相続により取得したものとみなされて相続税の納税猶予の適用対象とされる場合には、その農地等についての買取りの申出等及び贈与税に係る税務署長の承認は、相続税の納税猶予に係る特例農地等についての買取りの申出等又は税務署長の承認とみなされます（措令40の7⑳）。したがって、買取りの申出等があった日から１年以内にその農地等が都市営農農地等に該当することとなった場合又は税務署長の承認に係る代替取得農地等を取得した場合には、これらの農地等は相続税の納税猶予の対象となる特例農地等とみなされ、相続税の納税猶予が継続されることになります。

ハ　税務署長の承認を受けるための手続

上記のロに掲げる税務署長の承認を受けようとする場合は、その買取りの申出等があった日から１か月以内に、次の事項を記載した承認申請書を納税地の所轄税務署長に提出しなければなりません（措令40の6㊱）。

① 申請者の氏名及び住所

② その買取りの申出等に係る特例農地等の明細、その特例農地等の贈与者からの贈与の時における価額（代替取得農地等である場合には、（3）の（注2）の算式により計算した価額）

③ 買取りの申出等の内容及びその年月日

④ 買取りの申出等があった特例農地等を譲渡等及び取得をする見込みの場合には、その譲渡等の予定年月日及び対価の見積額並びに代替取得農地等の明細、取得予定年月日並びに取得価額の見積額

⑤ 買取りの申出等があった日から１年以内に特例農地等が都市営農農地等に該当することとなる見込みの場合には、その該当することとなる予定年月日

⑥ その他参考となるべき事項

なお、この申請書の提出があった日から１か月以内に、税務署長がその申請の承認又は却下の処分をしないときは、その申請の承認があったものとみなされます（措令40の6㊲）。

また、この承認申請書について税務署長の承認を受けた農地等の受贈者は、後日取得した代替取得農地等又は都市営農農地等に該当する旨、都市営農農地等に該当する場合には都市営農農地等に該当する旨を証する市長又は東京都特別区の区長の書類（又はその写し）を添付した所定の届出書を承認申請に係る所轄税務署長に提出しなければなりません（措規23の7㉕㉖）。

（6）　納税猶予を受ける旨の申告書の提出前に買取りの申出等があった場合

贈与により取得した農地又は採草放牧地について納税猶予の適用を受ける旨の贈与税の申告書の提出前に（5）のイに規定する買取りの申出等があった場合の納税猶予の適用については、次のように取り扱われます（措通70の4－22）。

① 買取りの申出等があった場合でも納税猶予が受けられることとされ、この場合の納税猶予税額は、買取りの申出等がなかったものとした場合の金額からその買取りの申出等があった農地又は採草放牧地の価額に対応する贈与税額として（3）の規定に準じて計算した金額を控除した金額とされます。

② ①の場合において、次のいずれかの場合に該当するときは、申告書の提出期限までに申請書の提出があった場合に限り、その買取りの申出等について（5）のロの規定が適用されます。

イ 買取りの申出等に係る都市営農農地等若しくは特定市街化区域農地等に係る農地若しくは採草放牧地の譲渡等をし、かつ、その譲渡等に係る対価の全部若しくは一部をもって、申告書の提出期限までに農地若しくは採草放牧地を取得している場合又は買取りの申出等があった日から１年以内に譲渡等をする見込み（申告書の提出期限までに譲渡等をしている場合を含みます。）であり、かつ、その譲渡等があった日から１年以内に農地若しくは採草放牧地を取得する見込みである場合

－1198－

ロ　都市計画の決定又は変更等により特定市街化区域農地等となったものに係る農地若しくは採草
放牧地の全部若しくは一部が申告書の提出期限までに都市営農農地等に該当することとなった場
合又は都市計画の決定又は変更等があった日から1年以内に都市営農農地等に該当することとな
る見込みである場合

（注）　上記①又は②により納税猶予の適用が受けられない贈与税については、(5)のイの①のイに係る部分に
ついても、贈与税の延納を受けることができます。

（7）　特例付加年金等を受給するため特例農地等につき使用貸借による権利の設定があった場合

贈与により農地等を取得し贈与税の納税猶予の適用を受けている者が、独立行政法人農業者年金基
金法の規定に基づく特例付加年金（同法附則第6条第3項によりなお効力を有するものとされる農業
者年金基金法の一部を改正する法律《平成13年法律第39号》附則第8条第1項の経営移譲年金を含み
ます。）の支給を受けるため、その者の推定相続人に対し特例農地等につき使用貸借による権利を設定
して農業経営を移譲した場合で、その設定の日から2月以内に所轄の税務署長に所要の要件を満たし
ていることについての届出書（届出書の様式は1203ページ）の提出があった場合には、継続して贈与
税の納税猶予の適用が受けられます（措法70の4⑥）。

イ　納税猶予の継続適用を受けられる使用貸借による権利の設定

贈与税の納税猶予の継続適用が認められる使用貸借による権利（以下「**使用貸借権**」といいます。）
の設定は、次の要件の全てに該当していることが必要です（措法70の4⑥）。

① 後継者たる推定相続人の要件

使用貸借権の設定を受ける後継者は、受贈者の推定相続人のうちの1人の者であることを要する
こととしているほか、次の全ての要件に該当することについて農業委員会が証明していることが必
要です（措法70の4⑥、措令40の6⑮）。

イ　使用貸借権の設定を受けた日における年齢が18歳以上であること。

ロ　使用貸借権の設定を受けた日まで引き続き3年以上農業に従事していたこと。

ハ　使用貸借権の設定を受けた日後速やかにその農地及び採草放牧地に係る農業経営を行うと認
められること。

なお、この農業委員会の証明は、使用貸借権の設定をした受贈者の申請に基づいて、その農地等
の所在地を管轄する農業委員会が、その推定相続人が上記イ～ハの要件の全てに該当することを明
らかにする事実を記載した書類により行うことになっています（措規23の7⑦）。

② 使用貸借権の設定の要件

納税猶予の継続適用対象となる使用貸借権の設定は、上記①の要件に該当する受贈者の推定相続
人に対し、納税猶予の継続適用を受けようとする使用貸借権の設定の時の直前において受贈者が有
する農地等（措法第70条の4第1項に規定する農地、採草放牧地及び準農地をいいます。）で贈与税
の納税猶予の適用を受けているものの全てについて行われていることが必要です（措法70の4⑥、
措令40の6⑯）。

③ 受贈者の要件

農地等の経営移譲につき納税猶予の継続適用を受けるには、上記の①及び②の要件に該当する使
用貸借権の設定を行うほか、受贈者が、設定に関し次の要件に該当することが必要とされています
（措法70の4⑥、措令40の6⑰、措規23の7⑧）。

イ　使用貸借権の設定後、受贈者が遅滞なく独立行政法人農業者年金基金法の規定に基づく特例
付加年金の支給を受けるためその受贈者が農業を営む者でなくなったことを証する独立行政法
人農業者年金基金法施行規則第27条の届出（同法附則第6条第3項によりなお効力を有するも
のとされる農業者年金基金法の一部を改正する法律附則第8条第2項によりなお従前の例によ
ることとされる同法による改正前の農業者年金基金法の規定に基づく経営移譲年金の支給を受
ける場合は、同法第34条第1項の請求）をしていること。

－1199－

第七章第一節《農地についての贈与税の納税猶予及び免除の特例》

　　　ロ　使用貸借権の設定をした受贈者がその設定に係る農地等につき、その設定を受けた推定相続
　　　　人が営むこととなる農業に従事する見込みであること。
ロ　納税猶予の継続適用を受けるための手続
　　受贈者が特例付加年金等の受給のため行った使用貸借権の設定について納税猶予の打切りを受け
　ず、猶予の継続適用を受けるためには、その使用貸借権の設定及び受贈者が上記の要件に該当してい
　る事実その他の所要の事項を記載した届出書に所要の書類を添付して、設定の日から２か月を経過す
　る日までに納税地の所轄税務署長に提出しなければならないことになっています（措法70の４⑥）。
　　なお、この提出がないと納税猶予の継続適用は受けられないことになっていますので注意する必要
　があります。
　　この届出書の記載事項及び添付書類は、次のとおりです。
　　届出書の記載事項（措規23の７⑨）
　　　〈イ〉　届出者の氏名及び住所又は居所
　　　〈ロ〉　推定相続人の氏名及び住所又は居所並びに受贈者との続柄
　　　〈ハ〉　届出者が受贈農地等を贈与により取得した年月日
　　　〈ニ〉　使用貸借権が受贈農地等の全てについて設定されている旨及び設定をした年月日
　　　〈ホ〉　使用貸借権の設定を受けた農地等の地目、面積及びその所在場所その他の明細
　　　〈ヘ〉　届出者がイの③の要件の全てを満たしている旨及びその事実の明細
　　　〈ト〉　その他参考となるべき事項
　　届出書に添付する書類（措規23の７⑩）
　　　〈イ〉　使用貸借権の設定を受けた者が受贈者の推定相続人に該当することを証する書類（戸籍謄
　　　　本等）及びその推定相続人に係るイの①に述べた農業委員会の書類
　　　〈ロ〉　使用貸借権の設定に係る契約書の写しその他その事実を証する書類
　　　〈ハ〉　イの③のイの届出に係る書類の写しその他その届出がされていることを証する書類（独立
　　　　行政法人農業者年金基金法附則第６条第３項の規定によりなおその効力を有するものとされる
　　　　農業者年金基金法の一部を改正する法律附則第８条第２項の規定によりなお従前の例によるこ
　　　　ととされる同法による改正前の農業者年金基金法の規定に基づく経営移譲年金の支給を受ける
　　　　場合は、同法第34条第１項の請求に係る書類の写しその他その請求がされていることを証する
　　　　書類）及び受贈者が推定相続人の営む農業に従事することを証する農業委員会の書類
ハ　使用貸借権の譲渡等があった場合
　　贈与税の納税猶予の継続適用を受ける使用貸借権の設定があった後その設定を受けた推定相続人が
　その使用貸借権の譲渡等又は農業経営の廃止をした場合には、受贈者がその譲渡等又は廃止をしたも
　のとみなし、その推定相続人が受贈者の推定相続人でなくなった場合には、受贈者が贈与者の推定相
　続人でなくなったものとみなして、納税猶予が打ち切られます。以下これらの場合について説明します。
① 推定相続人が使用貸借権を譲渡等した場合
　　推定相続人がイで述べたところにより設定を受けた使用貸借権を譲渡等した場合には、受贈者が
　その使用貸借権を譲渡等したものとみなされます（措法70の４⑦一）。
　　したがって、後継者が使用貸借権の譲渡等を行った場合において、次の算式により計算した割合
　が20％を超えれば、受贈者の受贈農地等の全てについて納税猶予が打ち切られることになり、その
　割合が20％以下であれば、譲渡等をした使用貸借権に係る農地等の部分に対応する贈与税額の納税
　猶予が打ち切られることになって、その事実が生じてから２か月以内にそれぞれの税額を納付しな
　ければならないことになります（措法70の４①、④、⑦）。

第七章第一節《農地についての贈与税の納税猶予及び免除の特例》

$$\frac{\left(\begin{array}{l}\text{今回推定相続人が「使用貸}\\\text{借権等の任意譲渡等」した}\\\text{面積}\end{array}\right)+\left(\begin{array}{l}\text{前回までに受贈者が「任意譲渡等」した農地等の}\\\text{面積と推定相続人が「任意譲渡等」した使用貸借}\\\text{権等に係る農地等の面積との合計}\end{array}\right)}{\left(\begin{array}{l}\text{今回の「使用貸借権等の任}\\\text{意譲渡等」の直前における}\\\text{農業供用中の農地等の面積}\end{array}\right)+\left(\begin{array}{l}\text{前回までに受贈者が「譲渡等」した農地等の面積}\\\text{と推定相続人が「譲渡等」した使用貸借権等に係}\\\text{る農地等の面積との合計}\end{array}\right)}$$

(注) 算式による計算に当たって留意すべき事項は、次のとおりです。

① 推定相続人の「使用貸借権等の任意譲渡等」には、次のものは含まれません（措法70の4①一、措令40の6⑱一）。

〈イ〉 措法第33条の4第1項に規定する収用交換等による使用貸借権の譲渡等

〈ロ〉 受贈者が使用貸借権の設定された農地等を譲渡等したことに伴う使用貸借権の譲渡等（底地の譲渡等と重複して譲渡等した面積に算入されるからです。）

② 「使用貸借権の任意譲渡等」の直前における農業供用中の農地等の面積」については、措法第70条の4第6項の規定の適用を受けた受贈者の推定相続人の農業の用に供されている農地等の面積によります（措令40の6⑱一）。

③ 前回までに推定相続人が「譲渡等」した使用貸借権には、①の〈ロ〉の使用貸借権の譲渡等は含まれません（措令40の6⑱一）。

④ 推定相続人が使用貸借権の設定に係る農地等につきその転用をした場合には、受贈者がその転用をしたものとみなされます（措令40の6⑱四）。

② 推定相続人が農業経営の廃止をした場合及び死亡した場合

推定相続人が設定を受けた使用貸借権に係る農地等に係る農業経営の廃止をした場合には、受贈者が農業経営の廃止をしたものとみなされます（措法70の4①二、⑦一）。したがって、その廃止によって受贈者の受贈農地等のすべてについて納税猶予が打ち切られ、その事実が生じてから2か月以内に猶予税額の全部を納付しなければならないことになります（措法70の4①⑦一）。

推定相続人が死亡した場合には、その農業経営が廃止されることになるので、納税猶予も打ち切られることになりますが、次の場合には特例が設けられています。

〈イ〉 他の推定相続人等が新たに使用貸借権の設定を受けて農業経営を開始した場合には、納税猶予が継続されます。この場合は、新たに使用貸借権の設定を受けた他の推定相続人等が**イ**の①の要件に該当すること、及びその新たな使用貸借権の設定についての**ロ**の届出書を死亡の日から2か月以内に提出しなければなりません（措令40の6⑱二、措規23の7⑪～⑬）。

〈ロ〉 受贈者が自らその農地等についての農業経営を再開した場合にも、納税猶予が継続されます。

すなわち、贈与者の死亡の日前に使用貸借権の設定を受けた推定相続人が死亡した場合において、その者が使用していた農地等につき、当初の受贈者により速やかに農業経営が開始され、かつ、その開始についての届出書が推定相続人の死亡の日から2か月を経過する日までに受贈者の納税地の所轄税務署長に提出されたときは、納税猶予は継続されます（措令40の6⑱三、措規23の7⑭）。

③ 推定相続人に該当しないこととなった場合

使用貸借権の設定を受けた推定相続人が養子縁組の解消等により受贈者の推定相続人に該当しないこととなった場合には、受贈者が贈与者の推定相続人に該当しなくなったものとみなされます（措法70の4⑦二）。したがって、推定相続人に該当しなくなったことによって受贈者の受贈農地等のすべてについて納税猶予が打ち切られ、その事実が生じてから2か月以内に猶予税額の全部を納付しなければならないことになります。

④ 使用貸借に係る農地等の買換えがあった場合

（7）の規定の適用を受けている受贈者及び被設定者が、納税猶予の適用を受ける農地又は採草放牧地につき買取りの申出等があった場合において、その買取りの申出等に係る農地等及びその農地

－1201－

第七章第一節《農地についての贈与税の納税猶予及び免除の特例》

等に設定されている使用貸借による権利の全部又は一部の譲渡等をする見込みであるときには、その受贈者が、その譲渡等の対価の全部又は一部をもって農地又は採草放牧地を取得する見込みであり、かつ、その取得に係る農地又は採草放牧地の全てについて、その被設定者に対しその取得の日から2か月以内に再び使用貸借による権利を設定する旨並びにその被設定者の氏名及び住所を付記した(5)のハの申請書を提出し承認を受けたときに限り、その取得に係る農地又は採草放牧地に相当する譲渡農地等に設定されている使用貸借による権利の譲渡等はなかったものとして取り扱われます（措通70の4－48）。

(8)　特例適用農地等を農用地利用集積等促進計画の定めるところによる賃借権等の設定により貸し付けた場合（贈与税の借換え特例）

農地等についての贈与税の納税猶予の適用を受けている者（以下「受贈者」といいます。）が、納税猶予の適用を受けている農地又は採草放牧地（以下「特例適用農地等」といいます。）の全部又は一部を農地中間管理事業の推進に関する法律第18条第8項に規定する農用地利用集積等促進計画の定めるところによる使用貸借による権利又は賃借権（以下「賃借権等」といいます。）の設定に基づいて貸し付けた場合において、その貸し付けた農地等（以下「貸付特例適用農地等」といいます。）に代わるものとして受贈者の農業の用に供する農地等を農用地利用集積等促進計画の定めるところによる賃借権等の設定に基づいて借り受けたときには、一定の要件を満たす場合に限り、その貸付特例適用農地等に係る賃借権等の設定はなかったものとみなされ、継続して贈与税の納税猶予の適用が受けられます（以下この制度を「贈与税の借換え特例」といいます。）（措法70の4⑧）。

イ　適用要件

贈与税の納税猶予の継続適用が認められるためには、次の要件のすべてに該当していることが必要です（措法70の4⑧、措令40の6㉑、措規23の7⑮）。

①　受贈者が、貸付特例適用農地等に代わるものとして農用地利用集積等促進計画の定めるところによる賃借権等の設定に基づいて借り受けている農地又は採草放牧地（以下「借受代替農地等」といいます。）の面積がその貸付特例適用農地等の面積の80%以上であること

②　借受代替農地等に係る賃借権等の設定をした日がその借受代替農地等に係る貸付特例適用農地等に係る賃借権等の設定をした日以前2か月以内の日であること

③　貸付特例適用農地等に係る賃借権等の存続期間の満了日が貸付特例適用農地等に係るすべての借受代替農地等に係る賃借権等の存続期間の満了日以前の日であること

④　借受代替農地等につきロの規定により届け出たものであること

ロ　納税猶予の継続適用を受けるための手続

受贈者が貸付特例適用農地等に係る賃借権等の設定をし、借受代替農地等を借り受けた場合において、納税猶予の継続適用を受けるためには、貸付特例適用農地等についてこの(8)の規定の適用を受ける旨及びイの要件を満たすものである旨並びに所要の事項を記載した借換届出書に所要の書類を添付して、貸付特例適用農地等に係る賃借権等の設定をした日から2か月以内に納税地の所轄税務署長に提出しなければならないことになっています（措法70の4⑨、措令40の6㉒）。

【借換届出書の記載事項】（措規23の7⑯）

①　届出者の氏名及び住所

②　貸付特例適用農地等に係る事項で次に掲げるもの

〈イ〉　貸付特例適用農地等（貸付特例適用農地等に係る農用地利用集積計画の定めるところによる賃借権等の設定に基づき貸し付けた農地又は採草放牧地が2以上ある場合には、それぞれの農地又は採草放牧地をいいます。以下②において同じ。）の所在、地番、地目及び面積

〈ロ〉　貸付特例適用農地等に係る贈与者の氏名、住所及び贈与者から贈与によりその貸付特例適用農地等を取得した年月日

〈ハ〉　貸付特例適用農地等が贈与税の納税猶予の適用を受けている農地又は採草放牧地の一部で

－1202－

第七章第一節《農地についての贈与税の納税猶予及び免除の特例》

特例農地等についての使用貸借による権利の設定に関する届出書

※欄は記入しないでください。

令和＿＿年＿＿月＿＿日

＿＿＿＿＿＿税務署長

〒

届出者住所 ＿＿＿＿＿＿＿＿＿＿＿＿＿＿

氏名 ＿＿＿＿＿＿＿＿＿＿＿＿＿＿
（電話番号　　　　　－　　　　－　　　　）

　農業者年金基金法の規定に基づく特例付加年金又は経営移譲年金の支給を受けるため租税特別措置法第70条の4第1項の規定の適用を受けている農地等につき＿＿＿＿＿＿＿＿＿＿に対し使用貸借による権利の設定をしたので届け出ます。

推定相続人	住所		氏名		届出者との続柄	
届出者が贈与者から農地等を取得した年月日			平成 令和　　　　年　　　月　　　日			

1　使用貸借による権利の設定は、租税特別措置法第70条の4第1項の規定の適用を受ける農地等のすべてについて行われており、その権利設定の日は、令和＿＿年＿＿月＿＿日です。

2　使用貸借による権利の設定をした農地等の明細は、別紙のとおりです。

3　私は、令和＿＿年＿＿月＿＿日付で農業を営む者でなくなったことの届出又は農業者年金の請求をしております。

4　私は、推定相続人＿＿＿＿＿＿＿＿＿＿の営む農業経営に従事しております。

添付書類

○　＿＿＿＿＿＿＿＿＿＿が届出者の推定相続人であることを証する書類（戸籍の謄本又は抄本）

○　推定相続人の適格証明書（農業委員会の証明書）

○　使用貸借による権利設定の契約書の写しその他その事実を証する書類（農地法第3条の許可書の写し）

○　農業を営む者でなくなったことの届出書の写しその他その届出がされていることを証する書類
　　又は
　農業者年金経営移譲年金裁定請求書の写しその他その請求がされていることを証する書類（農業協同組合の証明書）

○　届出者が推定相続人の営む農業経営に従事していることを証する書類（農地等の所在地の農業委員会の証明書）

関与税理士		電話番号	

※	通信日付印の年月日	（確認）	猶予整理簿	審査	整理簿番号
	年　月　日				

（資12－22－A4統一）　（令3.3）

（※様式は変更する場合がありますのでご注意ください。）

第七章第一節《農地についての贈与税の納税猶予及び免除の特例》

ある場合には、納税猶予の適用を受けている農地又は採草放牧地の全部の面積
③　貸付特例適用農地等に係る借受代替農地等の賃借権等の設定に関する事項で次に掲げるもの
（貸付特例適用農地等に係る借受代替農地等が2以上ある場合には、それぞれの借受代替農地等
の賃借権等の設定に関する事項。以下同じ。）
〈イ〉　借受代替農地等の所在、地番、地目及び面積
〈ロ〉　借受代替農地等に係る農用地利用集積等促進計画の農地中間管理事業の推進に関する法律
第18条第8項に規定する公告があった年月日
〈ハ〉　借受代替農地等に係る農用地利用集積等促進計画において定められている借受代替農地等
に係る賃借権等の設定を行った者の氏名及び住所
〈ニ〉　借受代替農地等に係る賃借権等の種類、設定をした日及び存続期間
④　貸付特例適用農地等に係る借受代替農地等の全てに係る土地の面積の合計の貸付特例適用農地
等に係る土地の面積に対する割合
⑤　その他参考となるべき事項

【借換届出書に添付する書類】（措規23の7⑰）
①　貸付特例適用農地等に係る農用地利用集積等促進計画につき農地中間管理事業の推進に関する
法律第18条第8項の規定による公告をした者のその公告をした旨及び公告の年月日を証する書類
②　借受代替農地等に係る農用地利用集積等促進計画につき農地中間管理事業の推進に関する法律
第18条第8項の規定による公告をした者のその公告をした旨及びその公告の年月日を証する書類
③　借換届出書に記載した貸付特例適用農地等に係る賃借権等の設定に関する事項、貸付特例適用
農地等に係る農用地利用集積等促進計画の定めるところによる賃借権等の設定に基づき貸し付け
た農地又は採草放牧地が2以上ある場合には、それぞれの農地又は採草放牧地に係る賃借権等の
設定に関する事項及び借受代替農地等に係る賃借権等の設定に関する事項を明らかにする書類並
びに**【借換届出書の記載事項】**の④に規定する割合の計算の明細を記載した書類
なお、借換届出書は、農用地利用集積等促進計画の定めるところによる賃借権等の設定に基づき貸
し付けた特例適用農地等が2以上ある場合には、同計画において定められている賃借権等の存続期間
（始期及び終期）が同一であるものごとに提出しなければなりません。また、2以上の農用地利用集
積等促進計画によりその貸付けが行われた場合には、それぞれの農用地利用集積等促進計画ごとに、
かつ、その貸付けに係る賃借権等の存続期間が同一であるものごとに借換届出書を提出しなければな
りません（措通70の4－57）。
（注）　イの面積要件及び期間要件の判定も借換届出書ごとに行うことに留意してください。

ハ　賃借権等の設定があったものとして納税猶予が打ち切られる場合
貸付特例適用農地等につき、次に掲げる場合のいずれかに該当することとなった場合には、それぞ
れに掲げる日から2か月を経過する日に納税猶予期限が確定します（措法70の4⑩）。
①　貸付特例適用農地等に係る借受代替農地等のすべてに係る土地の面積の合計（受贈者の農業の
用に供されていない土地の面積を除きます。）の貸付特例適用農地等に係る土地の面積に対する割
合が80％未満となった場合〔（②に掲げる場合を除きます。）〕……その事実が生じた日
（注）　80％以上の割合要件を満たす限りにおいては、借受代替農地等の一部に係る賃借権等が消滅した場
合であっても、納税猶予期限は確定しません（措通70の4－63）。（②に掲げる場合を除きます。）
②　貸付特例適用農地等に係る借受代替農地等の全部又は一部につき耕作の放棄があった場合……
その借受代替農地等について農地法第36条第1項の規定による勧告があった日
（注）　②の場合には、貸付特例適用農地等の全部について賃借権等のあったものとして、納税猶予の期限
が確定します（措通70の4－63の2）。
③　貸付特例適用農地等を借り受けた者（農地中間管理事業の推進に関する法律第2条第4項に規
定する農地中間管理機構が借り受けた者である場合には、その農地中間管理機構から借り受けた

－1204－

第七章第一節《農地についての贈与税の納税猶予及び免除の特例》

者）がその貸付特例適用農地等の全部又は一部につき、農地等としてその者の農業の用に供していない場合（当該貸付特例適用農地等につき耕作の放棄があった場合を含みます。）……その受贈者がその事実が生じたことを知った日

（注） 受贈者が自己の都合により貸付特例適用農地等の全部又は一部に係る賃借権等を解約した場合は、③に該当します（措通70の４−64）。

ニ　再借受代替農地等を借り受けた場合又は賃借権等を消滅させた場合の納税猶予の継続

ハの①又は③に該当する場合であっても、受贈者が、それぞれに掲げる日から２か月を経過する日までに、次に掲げる措置を講じ、納税地の所轄税務署長に対し、一定の事項を記載した変更の借換え特例の届出書に一定の書類を添付して提出した場合には、引き続き納税猶予が継続されます（措法70の４⑪、措令40の６㉓）。

① 自己の農業の用に供する農地等を新たに農用地利用集積等促進計画の定めるところによる賃借権等の設定に基づいて借り受けたこと（その借受けに係る農地等の賃借権等の存続期間の満了の日が、その農地等に係る貸付特例適用農地等に係る賃借権等の存続期間の満了の日以後であるものに限ります。）により80％以上の割合要件を満たすこととなったとき

② その貸付特例適用農地等の全部に係る賃借権等を消滅させたとき

ホ　１年ごとの継続届出書の提出

この贈与税の借換え特例の適用を引き続き受けようとする受贈者は、納税地の所轄税務署長に対し、借換届出書ごとにそれを提出した日の翌日から起算して１年を経過するごとの日まで（以下「期限内」といいます。）に、貸付特例適用農地等に係る賃借権等の設定に関する事項その他一定の事項を記載した継続届出書に一定の書類を添付して提出しなければなりません（措法70の４⑫）。

なお、継続届出書が期限内に提出されなかった場合には、その提出期限の翌日から２か月を経過する日に納税猶予期限が確定します。

ただし、その継続届出書が期限内に提出されなかったことについて納税地の所轄税務署長がやむを得ない事情があると認める場合において、その提出があったときにはこの限りではありません（措法70の４⑬）。

ヘ　賃借権等が消滅した場合の届出書の提出

貸付特例適用農地等につき、次に掲げるいずれかの場合に該当することとなった場合には、受贈者は納税地の所轄税務署長に対し、それぞれに掲げる賃借権等が消滅した日から２か月以内に一定の事項を記載した届出書（以下「終了届出書」といいます。）を提出しなければなりません（措令40の６㉗）。

① 貸付特例適用農地等に係る賃借権等の存続期間が満了したことによりその賃借権等が消滅した場合

② 貸付特例適用農地等に係る賃借権等の存続期間の満了前にその賃借権等の解約が行われたことによりその賃借権等が消滅した場合

（注） ヘに該当する場合において、受贈者が納税地の所轄税務署長に対し、前記ニの変更の届出書を提出する場合には、終了届出書の提出は要しません（措通70の４−65（注））。

（9）　一時的道路用地等の用に供するための地上権等の設定

農地等について贈与税の納税猶予の適用を受けている受贈者が、その農地等に係る贈与者の死亡の日前にその農地等の全部又は一部を一時的道路用地等の用に供するために地上権、賃借権又は使用貸借による権利（民法第269条の２第１項の地上権の設定を除きます。以下（9）において「**地上権等**」といいます。）の設定に基づき貸付けを行った場合において、その貸付けに係る期限（以下「**貸付期限**」といいます。）の到来後遅滞なく一時的道路用地等の用に供していた農地等をその受贈者の農業の用に供する見込みであることにつき、納税地の所轄税務署長の承認を受けたときには、次によります（措法70の４⑱）。

① 上記の承認に係る地上権等の設定は、なかったものとして納税猶予が継続されます。

−1205−

第七章第一節《農地についての贈与税の納税猶予及び免除の特例》

②	その受贈者が、その貸付期限から2か月を経過する日までに一時的道路用地等の用に供されていた農地等の全部又は一部をその受贈者の農業の用に供していない場合には、その農地等のうち、その受贈者の農業の用に供していない部分は、同日において地上権等の設定があったものとして納税猶予が打ち切られます。
③	一時的道路用地等の用に供されている農地等の全部又は一部のうちに準農地がある場合は、その準農地については贈与税の申告書の提出期限から10年を経過する日又は貸付期限から2か月を経過する日のいずれか遅い日までに農地若しくは採草放牧地としてその受贈者の農業の用に供されていないときは、納税猶予が打ち切られます。

(注1)　「一時的道路用地等」とは、道路法による道路に関する事業、河川法が適用される河川に関する事業、鉄道事業法による鉄道事業者がその鉄道事業で一般の需要に応ずるものの用に供する施設に関する事業その他これらの事業に準ずる事業としてその事業に係る主務大臣が認定したもののために一時的に使用する道路、水路、鉄道その他の施設の用地で代替性のないものとして主務大臣が認定したものをいいます（措法70の4⑱）。

(注2)　一時的道路用地等に係る事業が、道路に関する事業、河川に関する事業及び鉄道事業である場合には、事業に係る主務大臣の認定は要しません。ただし、その場合でも一時的道路用地等として地上権等の設定に基づき貸し付けられる特例適用農地等が代替性のない施設の用地であることの主務大臣の認定は必要とされます（措通70の4－73）。

(注3)　一時的道路用地等の用に供するための地上権等の設定に基づく貸付けは、その一時的道路用地等に係る事業の施行者に対して行わなければなりません。したがって、その事業の施行者から業務を請け負った業者等に対してその貸付けを行った場合には、（9）の適用はありません（措通70の4－74）。

イ　所轄税務署長の承認を受けるための手続

　（9）の所轄税務署長の承認を受けようとする受贈者は、一時的道路用地等の用に供するため地上権等の設定に基づき貸し付けた農地等についてこの特例の適用を受けようとする旨の申請書で、地上権等の設定に基づき貸し付けた農地等の明細、その貸し付けた農地等を自己の農業の用に供する予定年月日その他一定の事項を記載したものに、所要の書類を添付して、その貸付けを行った日から1か月以内に、納税地の所轄税務署長に提出しなければなりません（措令40の6㊴）。

　なお、上記の申請書の提出があった場合において、その提出の日から1か月以内に申請の承認又は却下の処分がなかったときは、申請の承認があったものとみなされます（措令40の6㊶㉚）。

ロ　1年ごとの継続貸付届出書の提出

　（9）の適用を受ける受贈者は、所轄税務署長の承認を受けた日の翌日から起算して1年を経過するごとの日までに、一時的道路用地等の用に供されている農地等に係る地上権等の設定に関する事項その他一定の事項を記載した届出書（継続貸付届出書）を納税地の所轄税務署長に提出しなければなりません（措法70の4⑲）。

　なお、継続貸付届出書がその提出期限までに提出されなかった場合には、その提出期限の翌日から2か月を経過する日に地上権等の設定があったものとして納税猶予期限が確定します。

　ただし、その継続貸付届出書がその提出期限までに提出されなかったことについて、納税地の所轄税務署長がやむを得ない事情があると認める場合において、その提出があったときはこの限りではありません（措法70の4⑳）。

ハ　地上権等が消滅した場合の届出書の提出

　（9）の適用を受けている受贈者は、一時的道路用地等の用に供されている農地等につき、貸付期限の到来により地上権等が消滅した場合又はその貸付期限の到来前に地上権等の解約が行われたことにより地上権等が消滅した場合には、その消滅した旨、その農地等を受贈者の農業の用に供している旨その他一定の事項を記載した届出書に、農業委員会の証明書でその受贈者の農業の用に供されている旨を証するものその他の書類を添付し、これを地上権等が消滅した日から2か月以内に、納税地の所

轄税務署長に提出しなければなりません（措令40の6㊹）。

ニ　事業の施行の遅延により貸付期限が延長される場合の届出書の提出

　（9）の適応を受けている農地等を一時的道路用地等の用に供している場合において、一時的道路用地等に係る事業の施行の遅延により貸付期限が延長されることとなったときは、受贈者は、引き続き（9）の適用を受けようとする旨、貸付期限の延長に係る農地等の明細等を記載した届出書に、貸付期限を延長する事情の詳細を記載したその事業の施行者の書類その他一定の書類を添付して、これを貸付期限の到来する日から1か月以内に、納税地の所轄税務署長に提出しなければなりません（措令40の6㊻）。

(10)　営農困難時貸付けの特例の概要

　受贈者が、障害、疾病その他の事由により贈与税の納税猶予の適用を受ける農地等についてその受贈者の農業の用に供することが困難な状態となった場合（特定貸付けができない一定の場合に限ります。）において、その農地等について地上権、永小作権、使用貸借による権利又は賃借権の設定（民法第269条の2第1項の地上権の設定を除きます。以下「権利設定」といいます。）に基づく貸付け（以下「営農困難時貸付け」といいます。）を行ったときは、その営農困難時貸付けを行った日から2か月以内に、営農困難時貸付けを行っている旨の届出書を納税地の所轄税務署長に提出した場合には、営農困難時貸付けを行った農地等（以下「営農困難時貸付農地等」といいます。）に係る権利設定はなかったものと、農業経営は廃止していないものとみなされます（措法70の4㉒）。

イ　営農困難な状態

　(10)の農業の用に供することが困難な状態は、受贈者（贈与税の申告書の提出期限において既に次に掲げる事由が生じていた者は除かれます。）に次に掲げる事由が生じている状態とされます（措令40の6�51）。

① 　当該受贈者が精神保健及び精神障害者福祉に関する法律第45条第2項の規定により精神障害者保健福祉手帳（精神保健及び精神障害者福祉に関する法律施行令（昭和25年政令第155号）第6条第3項に規定する障害等級が1級である者として記載されているものに限ります。）の交付を受けていること

② 　当該受贈者が身体障害者福祉法（昭和24年法律第28号）第15条第4項の規定により身体障害者手帳（身体上の障害の程度が1級又は2級である者として記載されているものに限ります。）の交付を受けていること

③ 　当該受贈者が介護保険法第19条第1項の規定により同項に規定する要介護認定（同項の要介護状態区分が要介護認定等に係る介護認定審査会による審査及び判定の基準等に関する省令（平成11年厚生省令第58号）第1条第1項第5号に掲げる区分に該当するものに限ります。）を受けていること

④ 　当該受贈者が当該提出期限後に農業に従事することを不可能にさせる故障として農林水産大臣が財務大臣と協議して定めるものを有するに至ったことにつき、市町村長又は特別区の区長の認定を受けていること

　(注) 　提出期限後に新たに当該事由が生じた者並びに②の身体障害者手帳の交付を受けている者のうち、提出期限後に身体障害者手帳に記載された身体上の障害の程度が2級から1級に変更された者及び身体上の障害の程度が1級又は2級である障害が当該身体障害者手帳に新たに記載された者は適用対象となります。

ロ　特定貸付けができない一定の場合

　特定貸付けができない一定の場合とは、次の①又は②のいずれかに該当する場合です（措令40の6 52）。

① 　(10)の適用を受けようとする農地等が農地中間管理事業の推進に関する法律第8条第1項の都道府県知事の認可を受けた同法第2条第3項に規定する農地中間管理事業を行う同条第4項に規定する農地中間管理機構が存する場合における当該農地中間管理機構の同条第3項に規定する事

第七章第一節《農地についての贈与税の納税猶予及び免除の特例》

業実施地域に存しない場合

② 贈与税の納税猶予の適用を受ける受贈者が特定貸付けの申込みを行った日後1年を経過する日までに特定貸付けを行うことができなかった場合（その1年を経過する日まで引き続き特定貸付けの申込みを行っている場合に限ります。）

ハ 営農困難時貸付けの範囲

営農困難時貸付けは、次の特定貸付けにより行われるものでなければなりません（措法70の4の2①、措令40の6⑩）。

① 賃借権等の設定による貸付けであって農地中間管理事業の推進に関する法律第2条第3項に規定する農地中間管理事業（同項第7号に掲げる業務を行う事業を除きます。）のために行われるもの

ニ 権利消滅の場合の納税猶予の継続等

(10)の適用を受ける営農困難時貸付農地等につき耕作の放棄又は地上権、永小作権、使用貸借による権利若しくは賃借権の消滅（以下「権利消滅」といいます。）があった場合には、その営農困難時貸付農地等（営農困難時貸付農地等のうち耕作の放棄又は権利消滅があった部分に限ります。）は、次の取扱い（当該営農困難時貸付農地等に係る耕作の放棄があった場合には、①は除かれます。）によることとされています（措法70の4㉓）。

① 権利消滅があった時において、営農困難時貸付農地等についての権利設定があったものとみなされます。

② 営農困難時貸付農地等について、新たな営農困難時貸付けを行った場合又は(10)の適用を受ける受贈者の農業の用に供した場合において、その耕作の放棄又は権利消滅があった日から2か月以内に、新たな営農困難時貸付けを行っている旨又は受贈者の農業の用に供している旨その他一定の事項を記載した届出書を納税地の所轄税務署長に提出したときに限り、その営農困難時貸付農地等のうち、新たな営農困難時貸付けを行った部分又は受贈者の農業の用に供した部分については、その耕作の放棄又は①の権利設定及び新たな営農困難時貸付けに係る権利設定はなかったものと、農業経営は廃止していないものとみなされます。

③ (10)の適用を受ける受贈者がその耕作の放棄又は権利消滅があった日の翌日から1年を経過する日（以下「延長期日」といいます。）までに新たな営農困難時貸付けを行う見込みであることにつき、耕作の放棄又は権利消滅があった日から2か月以内に納税地の所轄税務署長に承認の申請をした場合において、税務署長の承認を受けたときに限り、その承認に係る営農困難時貸付農地等については、その耕作の放棄及び①の権利設定はなかったものと、農業経営は廃止していないものとみなされます。

④ ③の承認を受けた受贈者が、その承認に係る営農困難時貸付農地等について、新たな営農困難時貸付けを行った場合又は受贈者の農業の用に供した場合において、これらの場合に該当することとなった日から2か月以内に、新たな営農困難時貸付けを行っている旨又は当該受贈者の農業の用に供している旨その他一定の事項を記載した届出書を納税地の所轄税務署長に提出しなければなりません。この場合において、営農困難時貸付農地等のうち、新たな営農困難時貸付けを行った部分については、新たな営農困難時貸付けに係る権利設定はなかったものと、農業経営は廃止していないものとみなされます。

⑤ ③の承認に係る営農困難時貸付農地等のうち、④の届出書に係る部分以外の部分にあっては③の承認に係る延長期日において、延長期日前に受贈者の農業の用に供した場合（④の届出書の提出がなかった場合に限ります。）における当該受贈者の農業の用に供した部分にあっては当該受贈者の農業の用に供した日において、それぞれ権利設定があったものとみなされます。

－1208－

第七章第一節《農地についての贈与税の納税猶予及び免除の特例》

(11) 贈与税の納税猶予を適用している場合の特定貸付けの特例

イ 制度の概要

農地についての贈与税の納税猶予を適用している「猶予適用者」(**注1**)が、贈与者の死亡の日前に特例農地等(市街化区域内農地等を除きます。)のうち農地又は採草放牧地の全部又は一部について農地中間管理事業の推進に関する法律第2条第3項に規定する農地中間管理事業(同項第7号に掲げる業務を行う事業を除きます。)のために行われる使用貸借による権利又は賃借権(以下(11)において「賃借権等」といいます。)の設定による貸付け(以下(11)において「特定貸付け」といいます。)を行った場合において、特定貸付けを行った日から2か月以内に、特定貸付けを行っている旨その他の事項を記載した届出書を納税地の所轄税務署長に提出した場合には、特定貸付けを行った農地又は採草放牧地の全部又は一部(以下(11)において「特定貸付農地等」といいます。)に係る賃借権等の設定はなかったものと、農業経営は廃止していないものとみなされます(措法70の4の2①)。

(**注1**) 「猶予適用者」とは、贈与税の納税猶予の適用を受ける受贈者をいいます。

(**注2**) この特例の適用を受けるためには、次に掲げる事項を記載した届出書に、(**注3**)の書類を添付し、これをその行った特定貸付けごとに提出する必要があります(措令40の6の2①、措規23の7の2①)。

  イ 特例農地等のうち農地又は採草放牧地の全部又は一部について、特定貸付けを行っている旨及び適用を受けようとする旨

  ロ 届出者の氏名及び住所又は居所

  ハ 特定貸付農地等の所在、地番、地目及び面積

  ニ 特定貸付けを行った年月日

  ホ 特定貸付農地等を借り受けた者の氏名及び住所若しくは居所又は名称及び本店若しくは主たる事務所の所在地

  ヘ 特定貸付けに係る賃借権等の存続期間

  ト 特定貸付農地等に係る贈与者の氏名及び住所又は居所並びに贈与者から贈与により特定貸付農地等を取得した年月日

  チ その他参考となるべき事項

(**注3**) 届出書に添付する必要のある書類は次に掲げる場合の区分に応じそれぞれ次に定める書類です(措規23の7の2②)。

  イ ロに掲げる場合以外の場合……特定貸付農地等について猶予適用者が特定貸付けを行った年月日を証する農地中間管理事業の推進に関する法律第2条第4項に規定する農地中間管理機構の書類並びにその特定貸付けにつき農地法第3条第1項第14号の2の届出を受理した旨及び届出を受理した年月日を証する特定貸付農地等の所在地を管轄する農業委員会の書類

  ロ 特定貸付農地等について猶予適用者が行った特定貸付けが農地中間管理事業の推進に関する法律第18条第8項に規定する農用地利用集積等促進計画の定めるところにより行われる場合……特定貸付農地等に係る農用地利用集積等促進計画につき同条第7項の規定による公告をした者の当該公告をした旨及び当該公告の年月日を証する書類

ロ 特定貸付けの期限が到来した場合の手続

特定貸付農地等の貸付けに係る期限(当該期限の到来前に特定貸付けに係る賃借権等の消滅があった場合には、当該消滅の日。以下(11)において「貸付期限」といいます。)が到来した場合において、猶予適用者は、貸付期限から2か月以内に、貸付期限が到来した特定貸付農地等について、新たな特定貸付けを行っている旨又は当該猶予適用者の農業の用に供している旨その他の事項を記載した届出書を納税地の所轄税務署長に提出した場合には、貸付期限が到来した特定貸付農地等のうち新たな特定貸付けを行った部分については、新たな特定貸付けに係る賃借権等の設定はなかったものと、農業経営は廃止していないものとみなされます(措法70の4の2③)。

ハ 2か月以内に新たな特定貸付けを行うことができない場合の手続

猶予適用者が貸付期限の翌日から1年を経過する日(以下「貸付猶予期日」といいます。)までに新たな特定貸付けを行う見込みであることにつき、その貸付期限から2か月以内に納税地の所轄税務署

—1209—

第七章第一節《農地についての贈与税の納税猶予及び免除の特例》

長に承認の申請をし、当該税務署長の承認を受けた場合には、貸付期限の翌日から1年を経過する日まで納税猶予が継続され、その間に特定貸付農地等について新たな特定貸付けを行えばよいことになります（措法70の4の2④）。

二　特定貸付けの期限を延長した場合の手続

ハの承認を受けた猶予適用者が特定貸付農地等について新たな特定貸付けを行った日又は猶予適用者の農業の用に供した日から2か月以内に新たな特定貸付けを行っている旨又は猶予適用者の農業の用に供している旨その他の事項を記載した届出書を納税地の所轄税務署長に提出した場合には、承認を受けた特定貸付農地等のうち新たな特定貸付けを行った部分については、新たな特定貸付けに係る賃借権等の設定はなかったものと、農業経営は廃止していないものとみなされます（措法70の4の2⑤）。

5　納税猶予分の贈与税に係る利子税の納付

（1）　納税猶予が打ち切られた場合の利子税の納付

納税猶予を受けている贈与税について、納税猶予が打ち切られ、その猶予税額の全部又は一部の納付を要することとなった場合には、本来、申告期限において納付すべきであった贈与税の納付が、それまで延期されていたのと同様ですから、申告期限からの利子税を併せて納付しなければならないことになっています。

この利子税については、次に掲げるいずれかの場合に該当する納税猶予分の贈与税の額を基礎として、贈与税の申告書の提出期限の翌日から、その猶予期限までの期間に応じ、年3.6％の割合で計算します（措法70の4㉟）。

なお、平成21年12月14日以前の期間については、年6.6％の割合で計算します（平成21年改正法附則66⑨）。

① 　特例農地等の20％を超える面積を任意譲渡等した場合、特例農地等に係る農業経営を廃止した場合、贈与者の推定相続人に該当しないこととなった場合、又は受贈者が納税猶予の適用を受けることをやめる旨の届出書を提出した場合（措法70の4①ただし書）……それまで納税猶予されている贈与税の全額

② 　特例農地等の全部又は一部について譲渡等があった場合（上記①に該当する場合を除きます。）、又は申告期限から10年を経過した日において未開発の準農地がある場合（措法70の4④）……譲渡特例農地等及びその未開発の準農地に係る納税猶予分の贈与税の額

③ 　特例農地等について買取りの申出等があった場合…その買取りの申出等があった特例農地等に係る納税猶予分の贈与税の額（買換えの承認等を受けて納税猶予が継続される部分を除きます。）（措法70の4⑤⑰）

④ 　3年ごとの継続適用の届出書を提出しなければならない人が提出期限までに提出しなかった場合（措法70の4㉚）……納税猶予に係る贈与税の全額

⑤ 　税務署長の担保変更命令に応じないため、納税猶予の期限が繰り上げられた場合（措法70の4㉛）……納税猶予に係る贈与税の全額

　　（注）　　上記①から⑤までの場合、納税猶予を受けてきた贈与税はその納税猶予が打ち切られ納付することとなりますが、その納付に当たっては、4（5）の**イ**の②《都市計画の決定又は変更等により特定市街化区域農地等に該当することとなった場合》により納税猶予の期限が到来した納税猶予税額を除き、相続税法で定める延納は認められません（措法70の4㉝）。

（2）　利子税の割合の特例

〈平成26年1月1日以後〉

（1）に規定する利子税の年3.6％の割合は、（1）の規定にかかわらず、各年の**特例基準割合**（※）が年7.3％の割合に満たない場合には、その年中においては、その利子税の割合に当該特例基準割合が年

－1210－

7.3％の割合のうちに占める割合を乗じて計算した割合（その割合に0.1％未満の端数があるときは、これを切り捨てます。）とされます（措法93⑤）。

$$\left[\text{年3.6\%} \times \frac{\text{特例基準割合}}{\text{年7.3\%}}\right] = \frac{\text{利子税の}}{\text{特例割合}}$$

> ※　平成26年1月1日以後の期間について、「特例基準割合」とは、各年の前々年の10月から前年の9月までの各月における銀行の新規の短期貸出約定平均金利の合計を12で除して得た割合（その割合に0.1％未満の端数があるときは、これを切り捨てます。）として各年の前年の12月15日までに財務大臣が告示する割合に、年1％の割合を加算した割合となります（措法93②、平25改法附90①）。

〈令和3年1月1日以後〉

（1）に規定する利子税の年3.6％の割合は、（1）の規定にかかわらず、各年の**利子税特例基準割合**（※）が年7.3％の割合に満たない場合には、その年中においては、その利子税の割合に当該利子税特例基準割合が年7.3％の割合のうちに占める割合を乗じて計算した割合（その割合に0.1％未満の端数があるときはこれを切り捨てます。）とされます（措法93⑤、96①）。

$$\left[\text{年3.6\%（又は年6.6\%）} \times \frac{\text{利子税特例基準割合}}{\text{年7.3\%}}\right] = \frac{\text{利子税の}}{\text{特例割合}}$$

（2）の規定の適用がある場合における利子税の額の計算において、その計算の過程における金額に1円未満の端数が生じたときは、これを切り捨てます（措法96②）。

> ※　令和3年1月1日以後の期間について、「利子税特例基準割合」とは、平均貸付割合（各年の前々年の9月から前年の8月までの各月における短期貸付けの平均利率（当該各月において銀行が新たに行った貸付け（貸付期間が1年未満のものに限ります。）に係る利率の平均をいいます。）の合計を12で除して計算した割合として各年の前年の11月30日までに財務大臣が告示する割合をいいます。）に年0.5％の割合を加算した割合となります（措法93②）。

（3）　収用交換等により特例農地等を譲渡した場合の利子税の特例

農地等の納税猶予の特例の適用を受けていた受贈者が、特例農地等の全部又は一部につき租税特別措置法第33条の4第1項《収用交換等の場合の譲渡所得等の特別控除》に規定する収用交換等による譲渡をしたことにより、納税猶予額を納付（納税猶予期限の確定）することとなった場合には、その受贈者の納付すべき利子税の額は、（1）により計算した額（（2）の適用がある場合は、（2）の特例割合により計算した額）の2分の1に相当する金額（平成26年4月1日から令和8年3月31日までの間に特例農地等を収用交換等により譲渡した場合には、零）とされます（措法70の8①）。

この利子税の特例は、受贈者が、この特例の適用を受けたい旨及び次に掲げる事項を記載した届出書に、公共事業施行者の農地等につき収用交換等による譲渡を受けたことを証する書類（次の②に掲げる事項の記載のあるものに限ります。）を添付して、納税の猶予に係る期限までに納税地の所轄税務署長に提出した場合（税務署長においてやむを得ない事情があると認める場合には、その届出書をその期限後に提出した場合を含みます。）に限り適用されます（措法70の8②、措規23の13①、②）。（この届出書の様式は、1084ページのとおりです。）

①　届出者の氏名及び住所又は居所

②　収用交換等による譲渡をした特例農地等の地目、面積及びその所在場所その他の明細並びにその収用交換等による譲渡をした年月日

③　②の農地等の譲渡先の名称及び所在地

④　その他参考となるべき事項

> （注）　納税の猶予に係る期限後に届出書を提出する場合には、その届出書に上記①から④までに掲げる事項のほかその届出書をその期限までに提出することできなかった事情の詳細を記載しなければなりません（措規23の13③）。

—1211—

6 納税猶予を受けている贈与税の免除

（1） 贈与者が死亡した場合

農地等の生前一括贈与による贈与税の納税猶予を受けている者についてその贈与者が死亡した場合には、それまで納税猶予を受けていた農地等に係る贈与税は免除されます。しかし、その農地等は贈与者から相続（受贈者が相続の放棄をしているときは遺贈）によって取得したものとみなされますので、相続税が課税されます（措法70の4㉞）。

この場合の相続税の課税価格計算の基礎に算入される農地等の価額は、贈与者の死亡の日における価額によることとされています（措法70の5①）。

なお、その特例農地等のうちに4の（4）又は（5）のロに述べた税務署長の承認を受けて、1年以内に買換え取得している農地、採草放牧地があるときは、その買換えにより取得した農地等は贈与者から相続により取得した農地等とみなされます（措法70の5②）。

また、贈与税を免除することにより、当該農地等は、別途、受贈者が贈与者から相続又は遺贈により取得したものとみなすこととされていますので、相続税の納税猶予制度（措法70の6①）につながることになります。

このような事実が生じたときは、死亡した贈与者に係る受贈者は免除を受けようとする旨等を記載した届出書を、その死亡の日後遅滞なく、贈与税の納税地の所轄税務署長に提出しなければなりません（措令40の6㉞）。

（2） 受贈者が死亡した場合

贈与税の納税猶予を受けた受贈者が贈与者よりも先に死亡した場合には、その納税猶予を受けている贈与税額を免除することになっています（措法70の4㉞）。ここで、免除される贈与税額とは、あくまでも、それまで納税猶予を受けていた贈与税額です。

この場合、受贈者の死亡の日前に特例農地等の譲渡、転用又は贈与又は買取りの申出等があったことにより、納税猶予が打ち切られて納付すべきこととなった贈与税は免除されません。受贈者が贈与者よりも先に死亡した場合は、贈与者又は死亡した受贈者の相続人（包括受遺者を含みます。）は免除を受けようとする旨等を記載した届出書を遅滞なく所轄税務署長に提出しなければなりません（措令40の6㉞）。

7 農業委員会等の通知義務

（1） 農林水産大臣又は都道府県知事、市町村長若しくは農業委員会は、納税猶予の適用を受ける特例農地等について、その所有権の移転、その使用及び収益を目的とする権利の設定、移転若しくは消滅、転用（採草放牧地の農地への転用、準農地の採草放牧地又は農地への転用を除きます。）、その耕作の放棄又は買取りの申出等に関して、法令の規定に基づいて許可、あっせん、通知、届出の受理その他の行為をしたことによって、これらの事実を知った場合には、遅滞なく、これらの事実が生じたことを国税庁長官又はその特例農地等の所在地の所轄税務署長に対し、書面をもって通知をしなければならないこととなっています（措法70の4㊱、措規23の7㊸）。

（2） 農業委員会（農業委員会が設置されていない市町村にあっては市町村長）は、贈与税の納税猶予を受けている受贈者が、その贈与税の申告書の提出期限の翌日から10年を経過する日において有している納税猶予に係る準農地の全部について、利用の形態その他の現況を、その10年経過日から1月を経過する日までに、準農地の所在地の所轄税務署長に書面をもって通知しなければならないことになっています（措法70の4㊲、措規23の7㊹）。

第七章第一節《農地についての贈与税の納税猶予及び免除の特例》

8 一定の農業生産法人に対し農地等につき使用貸借による権利の設定をした場合の納税猶予の継続（平成7年改正に伴う経過措置）

2の(2)で説明しましたように平成7年度の税制改正で、平成7年1月1日以後の贈与により農地等を取得して贈与税の納税猶予を受けようとする者については、たとえ特例適用農地等の全てを担保に供した場合でも、3年ごとの納税猶予継続届出書の提出が義務付けられました。これは個人の農業経営者の近代化を図るとともに、制度の適正な運用に資することを目的とするものです。

ところで、この改正は、平成6年12月31日以前の贈与により農地等を取得し、贈与税の納税猶予を受けている者については、適用がありません。そこで、これらの者についても農業経営の近代化を促進する観点から、平成7年改正前の規定により贈与税の納税猶予の適用を受けている者が、一定の農業生産法人に特例農地等の全てを使用貸借させた場合は、3年ごとの納税猶予継続届出書の提出を要件として、引き続き納税猶予の適用を認めるという経過措置が設けられました。

（1） 経過措置の概要

平成6年12月31日以前の贈与により取得した農地等について、平成7年改正前の規定により贈与税の納税猶予の適用を受けている者（以下「受贈者」といいます。）が、平成7年4月1日から平成14年3月31日までの間で、かつ、その農地等の贈与者の死亡の日前に農業協同組合法等の一部を改正する等の法律（平成27年法律第63号）第3条の規定による改正前の農地法第2条第3項に規定する農業生産法人で一定の要件に該当するもの（以下「旧特定農業生産法人」といいます。）に対し納税猶予の適用を受けている農地等の全てにつき使用貸借による権利の設定をした場合は、その設定はなかったものとして、納税猶予が継続されます（平7改措法附36③、平7改措令附28④）。

（注1） 受贈者が、4の(7)《特例付加年金等を受給するために特例農地等につき使用貸借による権利の設定があった場合》の規定により推定相続人の1人に対して特例適用農地等につき使用貸借による権利の設定をし、同(7)の規定の適用を受けているときは、その推定相続人の死亡に伴い受贈者が再び農業経営を開始した場合を除き、この経過措置の適用を受けることはできません（旧特定農業生産法人通達1）。

（注2） 上記の「納税猶予の適用を受けている農地等の全て」とは、その権利の設定の直前において受贈者が有する農地等のうち、平成7年改正前の規定による納税猶予の適用を受けるもの（代替取得農地等を含みます。）をいい、受贈者が有する農地等であっても特例適用農地等以外のもの及び特例適用農地等であっても、4の(8)（1202ページ）に規定する貸付特例適用農地等、4の(9)（1205ページ）に規定する一時的道路用地等の用に供されている農地等及びその受贈者が既に転用をした土地は、これに含まれません（旧特定農業生産法人通達5）。

（2） 「旧特定農業生産法人」の意義

（1）に規定する「旧特定農業生産法人」とは、次に掲げる要件の全てに該当する農業生産法人であることにつき、受贈者の申請に基づき農業生産法人の所在地を管轄する農業委員会（農業委員会を置かない市町村にあっては、市町村長）が証明したものをいいます（平7改措令附28③、平7改措規附14②）。

① この経過措置の適用を受けようとする受贈者がその農業生産法人の理事、業務執行権を有する社員又は取締役（代表権を有しない者を除きます。）（以下「代表者」といいます。）となっていること。

② その受贈者が農業生産法人の農業協同組合法等の一部を改正する等の法律（平成27年法律第63号）第3条の規定による改正前の農地法第2条第3項第2号ニに規定する常時従事者である組合員、社員又は株主（1年間のうちその農業生産法人の行う同項第1号に規定する農業に従事する日数が150日以上であり、かつ、その農業に必要な農作業に主として従事すると認められる者に限ります。以下「常時従事者である構成員」といいます。）となっていること。

（注） ②の「その農業に必要な農作業に主として従事する」とは、受贈者が、(4)に規定する特定農地所有適格法人の行う農業に従事する日数の過半をその農業に必要な農作業に従事することをいいます。なお、「農作業」とは、耕うん、整地、播種、施肥、病虫害防除、水の管理、給餌その他の耕作又は養畜に直接

-1213-

第七章第一節《農地についての贈与税の納税猶予及び免除の特例》

必要な作業をいい、耕作又は養畜の事業に必要な帳簿の記帳、集金等はこれに含まれません（旧特定農業生産法人通達２）。

（３）　納税猶予の継続適用を受けるための手続・

（１）の規定は、使用貸借による権利の設定をしたことについての届出書に次に掲げる事項を記載し、かつ、一定の書類を添付してその設定の日から２か月を経過する日までに受贈者の納税地の所轄税務署長に提出した場合に限り適用されます（平７改措法附36③、平７改措規附14③）。

① 届出者の氏名及び住所又は居所

② （１）の規定の適用を受けようとする農地等につき使用貸借による権利の設定を受けて農業経営を行う旧特定農業生産法人の名称及び所在地

③ ①の届出者が②の農地等を贈与により取得した年月日

④ ②の使用貸借による権利の設定が納税猶予の適用を受けている農地等の全てについて行われたものである旨及びその設定を行った年月日

⑤ 受贈者から②の旧特定農業生産法人が使用貸借による権利の設定を受けた②の農地等の地目、面積及びその所在場所その他の明細

⑥ ②の農業生産法人が（２）の①及び②に掲げる要件の全てに該当する旨及びその事実の明細

⑦ その他参考となるべき事項

（注１） 上記の届出書に添付すべき書類は、次に掲げる書類とされています（平７改措規附14④）。

イ 上記②の使用貸借による権利の設定を受けた旧特定農業生産法人の所在地を管轄する農業委員会のその旧特定農業生産法人が（２）の①及び②に掲げる要件の全てに該当することを明らかにする事実を記載した書類

ロ 上記②の農地等につき旧特定農業生産法人に対して行われた使用貸借による権利の設定に係る契約書の写しその他その事実を証する書類

（注２） （３）に規定する「その設定の日」とは、使用貸借による権利の設定につき農地法第３条第１項の規定による許可があった日をいうものとされます。この場合に、農地又は採草放牧地が旧特定農業生産法人の所在地のある市町村の区域内にあるものとその他の区域内にあるものとに分かれていること等により、複数の許可を要するものであり、かつ、その許可があった日が異なるときは、これらの許可のあった日のうち最も遅い日をもってその設定の日として取り扱われます（旧特定農業生産法人通達３）。

（注３） （１）の規定の適用を受けようとする受贈者が（３）に規定する届出書（以下「使用貸借による権利の設定に関する届出書」といいます。）を使用貸借による権利の設定の日から２か月を経過する日まで（以下（３）において「期限内」といいます。）に提出した場合には、使用貸借による権利の設定に関する届出書に係る記載又は添付すべき書類に不備があるときであっても、その不備が軽微なもので速やかに補完されると認められるときには、（１）の規定が適用されます（旧特定農業生産法人通達４）。

※ 受贈者が使用貸借による権利の設定に関する届出書を期限内に提出しなかった場合は、（１）の規定の適用は受けられず、その贈与税の納税猶予税額の全部について納税猶予の期限が確定することになります。

（４）　特定農地所有適格法人が合併により消滅し、又は分割をした場合

（１）の規定の適用を受ける使用貸借による権利の設定を受けている農地法第２条第３項に規定する農地所有適格法人で一定のもの（以下「**特定農地所有適格法人**」といいます。）が合併により消滅し、又は分割をした場合において、その受贈者が、その合併に係る法人税法第２条第12号に規定する合併法人又はその分割に係る同条第12号の３に規定する分割承継法人がその使用貸借による権利の全部を引き継ぎ、かつ、特定農地所有適格法人に該当することについての届出書に次に掲げる事項を記載してこれをその合併又はその分割の日から２か月を経過する日までに受贈者の納税地の所轄税務署長に提出したときは、その合併法人又はその分割承継法人が（１）の規定の適用を受ける使用貸借による権利の設定を受けている特定農地所有適格法人とみなされます（平７改措法附36④、平７改措規附14⑤）。

① 届出者の氏名及び住所又は居所

② その合併により消滅し、又はその分割をした特定農地所有適格法人及びその合併に係る合併法人

－1214－

第七章第一節《農地についての贈与税の納税猶予及び免除の特例》

又はその分割に係る分割承継法人の名称及び所在地

③　その合併又は分割が行われた年月日

④　その合併により消滅し、又はその分割をした特定農地所有適格法人からその合併に係る合併法人又はその分割に係る分割承継法人が使用貸借による権利を引き継いだ農地等の地目、面積及びその所在場所その他の明細

⑤　その合併に係る合併法人又はその分割に係る分割承継法人が（5）の①及び②に掲げる要件の全てに該当する旨及びその事実の明細

⑥　その他参考となるべき事項

　(注1)　上記の届出書には、次に掲げる書類を添付する必要があります（平7改措規附14⑥）。

　　　イ　その合併により消滅し、又はその分割をした特定農地所有適格法人からその合併に係る合併法人又はその分割に係る分割承継法人が使用貸借による権利の全部を引き継いだことを証する書類

　　　ロ　その合併に係る合併法人又はその分割に係る分割承継法人が（2）の①及び②に掲げる要件の全てに該当することを明らかにする事実を記載したその合併法人又はその分割承継法人の所在地を管轄する農業委員会の書類

　　　ハ　その合併に係る合併法人又はその分割に係る分割承継法人の登記事項証明書その他のその合併法人又はその分割承継法人に該当することを証する書類

　(注2)　（4）に規定する「その合併又はその分割の日」とは、合併法人又は分割承継法人の本店所在地において合併の登記又は設立の登記若しくは変更の登記を完了した日をいうものとされます（旧特定農業生産法人通達7）。

　(注3)　（4）の規定の適用を受けようとする受贈者が（4）に規定する届出書を合併又は分割の日から2か月を経過する日まで（以下（4）において「期限内」といいます。）に提出した場合には、その届出書に係る記載又は添付すべき書類に不備があるときであっても、その不備が軽微なもので速やかに補完されると認められるときには、（4）の規定が適用されます（旧特定農業生産法人通達8）。

　　　※　受贈者が届出書を期限内に提出しなかった場合は、（4）の規定の適用は受けられず、その贈与税の納税猶予税額の全部について納税猶予の期限が確定することになります。

(5)　「特定農地所有適格法人」の意義

（4）に規定する「特定農地所有適格法人」とは、次に掲げる要件の全てに該当する農地所有適格法人であることにつき、受贈者の申請に基づき農地所有適格法人の所在地を管轄する農業委員会（農業委員会を置かない市町村にあっては、市町村長）が証明したものをいいます（平7改措令附28③、平7改措規附14②）。

①　この経過措置の適用を受けようとする受贈者がその農地所有適格法人の理事、業務執行権を有する社員又は取締役（代表権を有しない者を除きます。）（以下「代表者」といいます。）となっていること。

②　その受贈者が農業生産法人の農地法第2条第3項第2号ニに規定する常時従事者である組合員、社員又は株主（1年間のうちその農業生産法人の行う同項第1号に規定する農業に従事する日数が150日以上であり、かつ、その農業に必要な農作業に主として従事すると認められる者に限ります。以下「常時従事者である構成員」といいます。）となっていること。

(6)　特定農地所有適格法人が使用貸借による権利の譲渡等をした場合等

（1）の規定の適用を受ける使用貸借による権利の設定をした受贈者が、その設定をした後その設定に係る農地等を引き続き特定農地所有適格法人に使用させている場合において、次の事実が生じたときは、それぞれ次に掲げるものとみなして、納税猶予の期限の確定等が行われます（平7改措法附36⑤）。

①　その農地等について使用貸借による権利の設定を受けている特定農地所有適格法人（「被設定者」といいます。）がその有する権利の譲渡等（その農地等につき民法第269条の2第1項の地上権の設定があった場合においてその被設定者がその農地等を耕作又は養畜の用に供しているときにおける

—1215—

第七章第一節《農地についての贈与税の納税猶予及び免除の特例》

設定を除きます。)をした場合若しくはその農地等の転用をした場合又はその農地等に係る農業経営の廃止をした場合には、その譲渡等若しくは転用又は廃止をした日においてその受贈者がこれらの行為をしたものとみなされます。

② 被設定者が特定農地所有適格法人に該当しないこととなった場合(特定の場合を除きます。)には、(1)の規定にかかわらず、その該当しないこととなった日において使用貸借による権利の設定をしたものとみなされます。

(注) 上記②の「特定の場合」とは、受贈者が老齢、疾病その他やむを得ない事由として税務署長が認める事由により常時従事者である構成員に該当しないこととなった場合(その受贈者が引き続いてその被設定者の代表者である場合に限ります。)において、やむを得ない事由により常時従事者である構成員に該当しないこととなった旨の届出書に次に掲げる事項を記載して、その該当しないこととなった日から1月を経過する日までにその受贈者の納税地の所轄税務署長に提出した場合をいいます。この場合は特定農地所有適格法人に該当しない場合とはされず、納税猶予が継続されることになります(平7改措令附28⑤、平7改措規附14⑦)。

イ 届出者の氏名及び住所又は居所

ロ ①の届出者が常時従事者である構成員に該当しないこととなったやむを得ない事由

※ 上記の届出書がその期限までに提出されなかった場合でも、税務署長が期限内に提出がなかったことについてやむを得ない事情があると認めた場合において、上記のイ及びロに掲げる事項のほか、その事情の詳細を記載した届出書がその税務署長に提出されたときは、期限内にその届出書が提出されたものとみなされます(平7改措令附28⑥、平7改措規附14⑧)。

(7) 一時的道路用地等の用に供するために地上権等を設定した場合

(1)の規定の適用を受ける使用貸借による権利の設定をした受贈者が、その設定に係る農地等の全部又は一部について、4の(9)《一時的道路用地等の用に供するための地上権等の設定》に規定する一時的道路用地等の用に供するためにその使用貸借による権利を消滅させ、かつ、その用に供するために地上権、賃借権又は使用貸借による権利の設定(民法第269条の2第1項の地上権の設定を除きます。以下「地上権等の設定」といいます。)に基づき貸付けを行った場合において、その貸付けに係る期限(以下「貸付期限」といいます。)の到来後遅滞なく一時的道路用地等の用に供していた農地等について特定農地所有適格法人に対し使用貸借による権利の設定を行う見込みであることにつき、(注1)で定めるところにより、納税地の所轄税務署長の承認を受けた場合は、次に定めるところによります(平7改措法附36⑥)。

① その承認に係る使用貸借による権利の消滅及び地上権等の設定は、なかったものとみなされ、納税猶予が継続されます。

② その受贈者が、貸付期限から2か月を経過する日までに一時的道路用地等の用に供されていた農地等の全部又は一部について、特定農地所有適格法人に対し使用貸借による権利の設定を行っていない場合には、同日において地上権等の設定があったものとみなされ、納税猶予が打ち切られます。

(注1) 上記の税務署長の承認を受けようとする受贈者は、一時的道路用地等の用に供するため地上権等の設定に基づき貸付けを行った農地等について(7)の適用を受けようとする旨の申請書で、地上権等の設定により貸し付けた農地等の明細、その貸し付けた農地等を特定農地所有適格法人の農業の用に供する予定年月日その他一定の事項を記載したものに、一定の書類を添付して、その貸付けを行った日から1か月以内に、納税地の所轄税務署長に提出しなければなりません(平7改措令附28⑦⑧)。

(注2) (7)の規定は、平成13年4月1日以後に(1)の規定の適用を受ける農地等の全部又は一部について(7)に規定する使用貸借による権利を消滅させ、かつ、(7)に規定する地上権等の設定に基づき貸付けを行う場合におけるその農地等に係る贈与税について適用されます(平13改法附32)。

イ 毎1年ごとの継続貸付届出書の提出

(7)の規定の適用を受ける受贈者は、(7)の承認を受けた日の翌日から起算して毎1年を経過するごとの日までに、(注)で定めるところにより、一時的道路用地等の用に供されている農地等に係る地上権等の設定に関する事項その他一定の事項を記載した届出書(ロにおいて「継続貸付届出書」とい

第七章第一節《農地についての贈与税の納税猶予及び免除の特例》

います。）を納税地の所轄税務署長に提出する必要があります（平7改措法附36⑦）。

(注) イの規定により受贈者が提出する継続貸付届出書には、一時的道路用地等に係る事業の施行者のその継続貸付届出書に係る期限の2か月前において一時的道路用地等の用に供されている農地等について引き続き借り受けている旨及びその事業を引き続き施行している旨を証する書類で一定の事項を記載したものを添付しなければなりません（平7改措令附28⑩）。

ロ 継続貸付届出書が提出されなかった場合の納税猶予の打切り

イに規定する継続貸付届出書がその提出期限までに納税地の所轄税務署長に提出されなかった場合には、その提出期限の翌日から2か月を経過する日に一時的道路用地等の用に供されている農地等に係る地上権等の設定があったものとして、納税猶予期限が確定します。ただし、その継続貸付届出書がその提出期限までに提出されなかったことについて、納税地の所轄税務署長がやむを得ない事情があると認める場合において、(注)で定めるところにより、継続貸付届出書が納税地の所轄税務署長に提出されたときは、この限りでありません（平7改措法附36⑧）。

(注) ロの規定により受贈者が提出する継続貸付届出書には、イに規定する事項のほか継続貸付届出書をイの期限までに提出することができなかった事情の詳細を記載し、かつ、イの(注)に規定する事業の施行者の書類を添付しなければなりません（平7改措令附28⑪）。

ハ 地上権等が消滅した場合の届出書の提出

(7)の適用を受けている受贈者は、一時的道路用地等の用に供されている農地等につき、貸付期限の到来により地上権等が消滅した場合又はその貸付期限の到来前に地上権等の解約が行われたことにより地上権等が消滅した場合には、その消滅した旨、その農地等を特定農地所有適格法人の農業の用に供している旨その他一定の事項を記載した届出書に、農業委員会の証明書でその特定農地所有適格法人の農業の用に供されている旨を証するものその他の書類を添付し、これを地上権等が消滅した日から2か月以内に、納税地の所轄税務署長に提出しなければなりません（平7改措令附28⑫）。

ニ 事業の施行の遅延により貸付期限が延長される場合の届出書の提出

(7)の適用を受けている農地等を一時的道路用地等の用に供している場合において、一時的道路用地等に係る事業の施行の遅延により貸付期限が延長されることとなったときは、受贈者は、引き続き(7)の適用を受けようとする旨、貸付期限の延長に係る農地等の明細等を記載した届出書に、貸付期限を延長する事情の詳細を記載したその事業の施行者の書類その他一定の書類を添付して、これを貸付期限の到来する日から1か月以内に、納税地の所轄税務署長に提出しなければなりません（平7改措令附28⑭）。

(8) 継続届出書の提出義務

(1)の特例の適用を受けるために「使用貸借に係る権利の設定に関する届出書」を提出した者は、次の区分に応じ、それぞれに掲げる日までに一定の事項を記載した「継続届出書」を納税地の所轄税務署長に提出する必要があります（平7改措法附36⑩）。

① 従来から3年ごとに継続届出書を提出していた場合　贈与税の申告書の提出期限の翌日から起算して毎3年を経過するごとの日

② 3年ごとの継続届出書を提出していなかった場合（特例適用農地等の全部を担保に供していた場合）　使用貸借による権利の設定に関する届出書を提出した日の翌日から起算して毎3年を経過するごとの日

なお、上記の継続届出書には、引き続いて納税猶予を受けたい旨、(1)の規定の適用を受ける農地等に係る(6)の①に規定する被設定者に使用させている所在地の異なる農地等ごとのその届出書の提出期限を含む事業年度開始の日前3年以内に開始した各事業年度における農業に係る生産及び出荷の状況並びに収入金額並びにその被設定者が特定農地所有適格法人に該当する事実の明細を記載する必要があります（平7改措令附28⑲）。

(注1) 上記の継続届出書を提出期限までに提出しない場合は、期限までに提出されなかったことについてやむを得ない事情があると認められる場合を除き、その提出期限の翌日から2か月を経過する日をもって納税

－1217－

第七章第一節《農地についての贈与税の納税猶予及び免除の特例》

の猶予の期限とされ、猶予税額の納付を要することになります。

（注2）　上記②の継続届出書の提出期限は、その使用貸借による権利の設定に関する届出書を提出した日の翌日から起算して毎3年を経過するごとの日の属する月の前々月の初日から当該3年を経過するごとの日までの期間として取り扱われます（旧特定農業生産法人通達10）。

※　特例適用農地等の一部を担保に供していた受贈者又は特例適用農地等のうちに都市営農農地等を有する受贈者については、(1)の規定の適用を受けた場合であっても、贈与税の申告書の提出期限の翌日から起算して毎3年を経過するごとの日までに平成7年改正前の規定による継続届出書を提出する必要があります。

（9）　特例適用農地等の買換えがあった場合

（1）の規定の適用を受けている受贈者及び被設定者が、特例適用農地等及び特例適用農地等に設定されている使用貸借による権利の譲渡等をした場合において、被設定者に帰属すべき使用貸借による権利の譲渡等の対価の額がないときには、その受贈者が承認申請書に、その譲渡等の対価の全部又は一部をもって代替取得農地等に該当する農地又は採草放牧地を取得する見込みであり、かつ、その代替取得農地等のすべてについて、その被設定者に対してその取得の日から2か月以内に再び使用貸借による権利を設定する旨並びにその被設定者の名称及び所在地を付記して税務署長の承認を受けたときに限り、その代替取得農地等に相当する譲渡等をした特例適用農地等に設定されている使用貸借による権利の譲渡等はなかったものとして取り扱われます（旧特定農業生産法人通達12）。

（10）　特定農地等の買換えがあった場合

（1）の規定の適用を受けている受贈者及び被設定者が、贈与税の納税猶予の適用を受ける農地又は採草放牧地につき4の(5)（1196ページ）のイの買取りの申出等があった場合において、その買取りの申出等に係る同(5)のロに規定する特定農地等（以下「特定農地等」といいます。）及びその特定農地等に設定されている使用貸借による権利の全部又は一部を譲渡する見込みであり、かつ、被設定者に帰属すべき使用貸借による権利の譲渡等の対価の額がないときには、その受贈者が同(5)のハに規定する承認申請書に、その譲渡等の対価の額の全部又は一部をもって代替取得農地等に該当する農地又は採草放牧地を取得する見込みであり、その代替取得農地等のすべてについて、その被設定者に対してその取得の日から2か月以内に再び使用貸借による権利を設定する旨並びにその被設定者の名称及び所在地を付記して税務署長の承認を受けたときに限り、その代替取得農地等に相当する譲渡等をした特定農地等に設定されている使用貸借による権利の譲渡等はなかったものとして取り扱われます（旧特定農業生産法人通達13）。

（11）　被設定者による農地等の転用

被設定者が使用貸借による権利の設定を受けた特例適用農地等を転用したことにより、(6)の①の規定により受贈者がその転用をしたものとみなされる場合において、その転用が被設定者の耕作若しくは養畜の事業に係る施設又はこれらの事業に従事する使用人の宿舎の敷地にするための転用であるときは、その転用は、納税猶予期限の確定事由とならない転用に該当します（旧特定農業生産法人通達15）。

（注）　被設定者の耕作若しくは養畜の事業に係る施設の敷地にするための転用には、農畜産物を原料又は材料として製造又は加工、農畜産物の販売等に係る施設、農業と併せ行う林業に係る施設及びこれらの事業に従事する使用人の宿舎の敷地にするための転用は含まれません。

（12）　受贈者に係る特例適用農地等の贈与者が死亡した場合

（1）の規定の適用を受けた受贈者に係る贈与者が死亡したときは、使用貸借による権利が設定された特例適用農地等又は(7)の適用を受ける一時的道路用地等の用に供されている農地等につきその受贈者が相続又は遺贈により取得したものとみなされますが、前者については、その受贈者については、第四編第八章第一節の1の(2)（795ページ）に規定する農業相続人に該当しないこと、後者については、平成7年改正措令附則第28条第18項の規定により、その農地等が措置法令第40条の7第6項《相続税の納税猶予の対象から除かれる農地等》に規定する農地等に該当することから、相続税の納税猶

－1218－

予の特例の適用はありません（旧特定農業生産法人通達16）。

9　一定の農業生産法人に対し特例適用農地等につき使用貸借による権利の設定をした場合の納税猶予の継続（平成17年4月1日以後に使用貸借による権利の設定をしたものに適用）

（1）　制度の概要

イ　特例適用農地等についての使用貸借権の設定をした場合の納税猶予の特例

　平成17年3月31日までに農地等の贈与を受けた受贈者（以下「受贈者」といいます。）が、贈与税の納税猶予の特例の適用を受けている場合において、平成17年4月1日から平成23年6月30日までの間で、かつ、その農地等の贈与に係る贈与者の死亡の日前に、農業協同組合法等の一部を改正する等の法律（平成27年法律第63号）第3条の規定による改正前の農地法第2条第3項に規定する農業生産法人で一定の要件を満たすもの（ロにおいて「旧特定農業生産法人」といいます。）に対し、その特例適用農地等の全て（貸付特例適用農地等を除きます。）について使用貸借による権利の設定を行い、その設定をしたことについての届出書がその設定をした日から2か月を経過する日までに受贈者の納税地の所轄税務署長に提出されたときは、その使用貸借による権利の設定は、なかったものとして、納税猶予が継続されます（平17改所法等附55③）。

ロ　借受代替農地等についての使用貸借権の設定をした場合の納税猶予の特例

　平成17年改正前の4の（8）（旧措法70の4⑧）の規定の適用を受けている受贈者が、平成17年4月1日から平成23年6月30日までの間で、かつ、その農地等の贈与に係る贈与者の死亡の日前に、旧特定農業生産法人に対し、4の（8）の規定の適用を受ける貸付特例適用農地等に係る借受代替農地等の全てについて使用貸借による権利の設定を行い、その設定をしたことについての届出書がその設定をした日から2か月を経過する日までに受贈者の納税地の所轄税務署長に提出されたときは、その借受代替農地等がその旧特定農業生産法人の農業の用に供されているときに限り、その借受代替農地等が受贈者の農業の用に供されているものとして、納税猶予が継続されます（平17改所法等附55⑤）。

（注1）　イの使用貸借による権利の設定をしなければならないこととされる特例適用農地等は、使用貸借による権利の設定の時の直前において受贈者が有する農地等で贈与税の納税猶予の特例の適用を受けているものの全て（次の（注2）の適用を受ける場合には、その借受代替農地等に係る貸付特例適用農地等を除きます。）です（平17改措令附33④）。

（注2）　平成17年改正前の4の（8）に規定する貸付特例適用農地等に係る借受代替農地等がある場合には、次に掲げるところにより、その借受代替農地等の全てについて使用貸借による権利の設定をしなければなりません（平17改措令附33⑦⑧）。

（1）　借受代替農地等の全てについて、一の旧特定農業生産法人に対し使用貸借による権利の設定をすること

（2）　受贈者が平成17年改正前の贈与税の納税猶予の特例の適用を受ける農地等（貸付特例適用農地等を除きます。）を有している場合には、イにより使用貸借による権利の設定を受ける旧特定農業生産法人に対し使用貸借による権利の設定をすること

（3）　借受代替農地等に係る貸付特例適用農地等に係る賃借権等の存続期間が満了する場合において、その満了の日から1か月を経過する日までに上記（1）の旧特定農業生産法人に対しその貸付特例適用農地等につき使用貸借による権利の設定を行うことについて、あらかじめ同法人の同意を得ていること

（4）　借受代替農地等の全てに係る使用貸借による権利の存続期間の満了の日が、その借受代替農地等に係る貸付特例適用農地等に係る使用貸借による権利又は賃借権の存続期間の満了の日以後の日であること

（5）　ロの適用を受けようとする受贈者が平成17年改正前の贈与税の納税猶予の特例の適用を受ける農地等（貸付特例適用農地等を除きます。）を有している場合には、その受贈者は、その農地等の全てについてイの適用を受けること

（6）　イ及びロに規定する使用貸借による権利の設定は、同一の日に行われること

―1219―

第七章第一節《農地についての贈与税の納税猶予及び免除の特例》

（注3）　ロの適用を受けた借受代替農地等に係る貸付特例適用農地等についての賃借権等の存続期間が満了した場合には、その貸付特例適用農地等であった農地等（既に納税猶予期限が確定したものを除きます。）について、その存続期間の満了の日から2か月を経過する日までに、ロの規定により使用貸借による権利の設定を受けた旧特定農業生産法人に対し使用貸借による権利を設定したときは、その農地等は、イの適用を受ける農地等とみなされます（平17改所法等附55⑦）。

（注4）　（1）の納税猶予の継続の特例の適用を受けた後、農地等の贈与に係る贈与者が死亡したときは、贈与税の納税猶予税額については免除されますが、その受贈者は農業相続人（措令40の7②各号）に該当しないため、相続税の納税猶予の特例の適用を受けることはできません。

（2）　「旧特定農業生産法人」の意義

（1）の「旧特定農業生産法人」とは、次に掲げる要件の全てを満たす農業協同組合法等の一部を改正する等の法律（平成27年法律第63号）第3条の規定による改正前の農地法第2条第3項に規定する農業生産法人であることにつき農業委員会（農業委員会を置かない市町村にあっては、市町村長）が証明したものをいいます（平17改所法等附55③、平17改措令附33③）。

イ　農業生産法人が、次に掲げるいずれかに該当すること

①　農業経営基盤強化促進法第13条第1項に規定する認定農業者である農業生産法人（「認定法人」）であること

②　農業経営基盤強化促進法第23条第7項の規定により認定農業者とみなされる同条第4項に規定する特定農業法人である農業生産法人（「認定特定農業法人」）であること

ロ　受贈者が農業生産法人の理事、業務を執行する社員又は取締役（認定法人である場合には、代表権を有するものに限ります。）となっていること

ハ　受贈者が農業生産法人の旧農地法第2条第3項第2号ニに規定する常時従事者である組合員、社員又は株主（以下「常時従事者である構成員」といいます。）で、次に掲げる組合員、社員又は株主の区分に応じそれぞれ次に定める要件の全てを満たすものであること

①　認定法人の組合員、社員又は株主

（イ）　受贈者が認定法人の行う農業に従事する日数が、1年間のうち150日以上であること

（ロ）　受贈者が認定法人の行う農業に必要な農作業に従事する日数が、1年間のうち60日以上であること

②　認定特定農業法人の組合員、社員又は株主

（イ）　受贈者が認定特定農業法人の行う農業に従事する日数が、1年間のうち、次に掲げる日数のいずれか多い日数以上であること

　　i　認定特定農業法人の耕作又は養畜の事業の用に供している農地又は採草放牧地の面積に1ヘクタール当たりにおいて1年間に農業に従事することが必要な日数（以下「必要農業従事日数」といいます。）として33日（平成17年農林水産省告示第654号）を乗じて得た日数を認定特定農業法人の構成員の数で除して得た日数（その日数が150日を超えているときは150日とし、60日未満のときは60日とします。）

　　ii　受贈者が（1）のイ及びロにより使用貸借による権利の設定をする農地等の面積に必要農業従事日数（33日）を乗じて得た日数（その日数が150日を超えているときは150日とします。）

（ロ）　受贈者が認定特定農業法人の行う農業に必要な農作業に従事する日数が、1年間のうち60日以上であること

（3）　納税猶予期限の確定事由に該当する場合

（1）の納税猶予の継続の特例の適用を受けた受贈者が、その権利を設定した後その設定に係る農地等を引き続き農地法第2条第3項に規定する農地所有適格法人で一定のもの（以下「**特定農地所有適格法人**」といいます。）に使用させている場合における納税猶予期限の確定事由については、次のとおりとされます（平17改所法等附55④、⑥、⑩二）。

（注）　（1）の適用を受ける使用貸借による権利の設定を受けている特定農地所有適格法人が合併により消滅

－1220－

し、又は分割をした場合には、その合併に係る合併法人又はその分割に係る分割承継法人が使用貸借による権利の全部を引き継ぎ、かつ、特定農地所有適格法人に該当するときには、その旨の届出書をその合併又は分割の日から2か月を経過する日までに受贈者の納税地の所轄税務署長に提出することにより、その合併法人又は分割承継法人が(1)の納税猶予の継続の特例の適用を受ける特定農地所有適格法人とみなされ、納税猶予が継続されます（平17改所法等附55⑨）。

イ （1）のイにより使用貸借による権利が設定された農地等

（イ） 農地等につき使用貸借による権利の設定を受けている特定農地所有適格法人が、その使用貸借による権利の譲渡等（その農地等につき民法第269条の2第1項の地上権の設定があった場合においてその被設定者がその農地等を耕作又は養畜の用に供しているときにおける設定を除きます。ロの(イ)において同じです。）をした場合若しくは農地等の転用をした場合又は農地等に係る農業経営を廃止した場合には、これらの行為が特定農業生産法人により行われた日において、受贈者がこれらの行為をしたものとみなされ、納税猶予期限が確定します（平17改所法等附55④一）。

（ロ） 農地等につき使用貸借による権利の設定を受けている特定農地所有適格法人が特定農地所有適格法人に該当しないこととなった場合（（2）のいずれかの要件を満たさないこととなった場合をいい、特別の場合（**注1**）を除きます。）には、その該当しないこととなった日において使用貸借による権利の設定をしたものとみなされ、納税猶予期限が確定します（平17改所法等附55④二）。

（ハ） 受贈者が、（1）のイの適用を受ける使用貸借による権利の設定に係る農地等の全部又は一部について、平成17年改正前の4の(9)（旧措法70の4⑯）に規定する一時的道路用地等（以下「一時的道路用地等」といいます。）の用に供するため、その使用貸借による権利を消滅させ、かつ、その用に供するために地上権、賃借権又は使用貸借による権利の設定（民法第269条の2第1項の地上権の設定を除きます。以下「地上権等の設定」といいます。）に基づき貸付けを行った場合にも、その貸付けに係る期限の到来後遅滞なくその一時的道路用地等の用に供していた農地等についてその特定農地所有適格法人に対し使用貸借による権利の設定を行う見込みであることにつき、受贈者の納税地の所轄税務署長の承認を受けたときは、その承認に係る使用貸借による権利の消滅及び地上権等の設定は、なかったものとみなされ、納税猶予が継続されます（平17改所法等附55⑩一）が、その貸付けに係る期限から2か月を経過する日までに特定農地所有適格法人に対し使用貸借による権利の設定を行っていない場合には、その日において地上権等の設定があったものとみなされ、納税猶予期限が確定します（平17改所法等附55⑩二）。

（注1）イ 受贈者が常時従事者である構成員に該当しないこととなったことにより、特定農地所有適格法人に該当しないこととなったときに納税猶予期限が確定する場合でも、常時従事者である構成員に該当しないこととなった事由が受贈者の老齢、疾病その他やむを得ない事由として税務署長が認める事由によるものであり、かつ、受贈者が引き続いて特定農地所有適格法人の理事等であるときには、やむを得ない事由により常時従事者である構成員に該当しないこととなった旨の届出書を常時従事者である構成員に該当しないこととなった日から1か月を経過する日までに受贈者の納税地の所轄税務署長に提出したとき（なお、特定農地所有適格法人に該当するものとされ、納税猶予が継続されます。ロ～ニも同じ。）（平17改措令附33⑤一）

　　　　ロ 認定法人に係る農業経営基盤強化促進法第12条第1項の認定を受けた農業経営改善計画（変更の認定があったときは、その変更後の計画）の有効期間が満了したことにより、特定農地所有適格法人に該当しないこととなったときに納税猶予期限が確定する場合でも、その満了の日から2か月を経過する日までに、その認定法人が新たに同項の認定を受け、認定農業者となった旨の届出書を受贈者の納税地の所轄税務署長に提出したとき（平17改措令附33⑤二）

　　　　ハ 認定特定農業法人に係る農業経営基盤強化促進法第23条第1項の認定を受けた特定農用地利用規程（変更の認定があったときは、その変更後の規程）の有効期間が満了したことにより、特定農業生産法人に該当しないこととなったときに納税猶予期限が確定する場合でも、その満了の日から2か月を経過する日までに、その認定特定農業法人が新たに同項の認定を受け、特定農業法人として定められた旨の届出書を受贈者の納税地の所轄税務署長に提出したとき（平17改措令附33⑤三）

−1221−

ニ　認定特定農業法人に係る農業経営基盤強化促進法第23条第1項の認定を受けた特定農用地利用規程（変更の認定があったときは、その変更後の規程）の有効期間が満了したことにより、特定農地所有適格法人に該当しないこととなったときに納税猶予期限が確定する場合でも、その満了の日から2か月を経過する日までに、その認定特定農業法人が新たに同法第12条第1項の認定を受け、認定農業者となった旨の届出書を受贈者の納税地の所轄税務署長に提出したとき（平17改措令附33⑤四）

（注2）イ　上記(ハ)の税務署長の承認を受ける場合には、一時的道路用地等の用に供するために地上権等の設定に基づき貸付けを行った日から1か月以内に、受贈者の納税地の所轄税務署長にその旨の申請書を提出しなければなりません（平17改措令附33⑳）。

　　　　ロ　上記(ハ)の承認を受ける受贈者は、承認を受けた日の翌日から起算して1年を経過するごとの日までに、一定の事項を記載した継続貸付届出書を受贈者の納税地の所轄税務署長に提出しなければなりません（平17改所法等附55⑪、平17改措令附33㉒）。

ロ　(1)のロにより使用貸借による権利が設定された借受代替農地等

（イ）　借受代替農地等につき使用貸借による権利の設定を受けている特定農地所有適格法人が、その使用貸借による権利の譲渡等をした場合若しくは借受代替農地等の転用をした場合又は借受代替農地等に係る農業経営を廃止した場合には、これらの行為が特定農地所有適格法人により行われた日において、受贈者がこれらの行為をしたものとみなされ、その借受代替農地等に係る貸付特例適用農地等について納税猶予期限が確定します（平17改所法等附55⑥一）。

（ロ）　借受代替農地等につき使用貸借による権利の設定を受けている特定農地所有適格法人が特定農地所有適格法人に該当しないこととなった場合（（2）のいずれかの要件を満たさないこととなった場合をいい、特別の場合（**注**）を除きます。）には、その該当しないこととなった日において賃借権等の設定をしたものとみなされ、借受代替農地等に係る貸付特例適用農地等について納税猶予期限が確定します（平17改所法等附55⑥二）。

（ハ）　借受代替農地等に係る貸付特例適用農地等についての賃借権等の存続期間が満了した場合において、受贈者が、その貸付特例適用農地等であった農地等の全て（既に納税猶予期限が確定した農地等を除きます。）について、その存続期間の満了の日から2か月を経過する日までにその特定農地所有適格法人に対し使用貸借による権利の設定をしないときは、その経過する日において賃借権等の設定をしたものとみなされ、その貸付特例適用農地等について納税猶予期限が確定します（平17改所法等附55⑥三、平17改措令附33⑪）。

（注）　**イ**の（**注1**）と同じです（平17改措令附33⑨）。

（4）　「特定農地所有適格法人」の意義

　（3）の「特定農地所有適格法人」とは、次に掲げる要件の全てを満たす農地法第2条第3項に規定する農地所有適格法人であることにつき農業委員会（農業委員会を置かない市町村にあっては、市町村長）が証明したものをいいます（平17改所法等附55④、平17改措令附33③）。

イ　農地所有適格法人が、次に掲げるいずれかに該当すること

　①　農業経営基盤強化促進法第13条第1項に規定する認定農業者である農地所有適格法人（「認定法人」）であること

　②　農業経営基盤強化促進法第23条第7項の規定により認定農業者とみなされる同条第4項に規定する特定農業法人である農地所有適格法人（「認定特定農業法人」）であること

ロ　受贈者が農地所有適格法人の理事、業務を執行する社員又は取締役（認定法人である場合には、代表権を有するものに限ります。）となっていること

ハ　受贈者が農地所有適格法人の農地法第2条第3項第2号ニに規定する常時従事者である組合員、社員又は株主（以下「常時従事者である構成員」といいます。）で、次に掲げる組合員、社員又は株主の区分に応じそれぞれ次に定める要件の全てを満たすものであること

　①　認定法人の組合員、社員又は株主

　　（イ）　受贈者が認定法人の行う農業に従事する日数が、1年間のうち150日以上であること

－1222－

第七章第一節《農地についての贈与税の納税猶予及び免除の特例》

　　（ロ）　受贈者が認定法人の行う農業に必要な農作業に従事する日数が、１年間のうち60日以上であること

　②　認定特定農業法人の組合員、社員又は株主

　　（イ）　受贈者が認定特定農業法人の行う農業に従事する日数が、１年間のうち、次に掲げる日数のいずれか多い日数以上であること

　　　ⅰ　認定特定農業法人の耕作又は養畜の事業の用に供している農地又は採草放牧地の面積に１ヘクタール当たりにおいて１年間に農業に従事することが必要な日数（以下「必要農業従事日数」といいます。）として33日（平成17年農林水産省告示第654号）を乗じて得た日数を認定特定農業法人の構成員の数で除して得た日数（その日数が150日を超えているときは150日とし、60日未満のときは60日とします。）

　　　ⅱ　受贈者が（１）の**イ**及び**ロ**により使用貸借による権利の設定をする農地等の面積に必要農業従事日数（33日）を乗じて得た日数（その日数が150日を超えているときは150日とします。）

　　（ロ）　受贈者が認定特定農業法人の行う農業に必要な農作業に従事する日数が、１年間のうち60日以上であること

（5）　継続届出書の提出義務

　（1）の納税猶予の継続の特例の適用を受けた受贈者については、贈与税の申告書の提出期限の翌日から起算して３年を経過するごとの日までに、引き続いて贈与税の納税猶予の特例の適用を受けたい旨並びにその使用貸借による権利の設定をした農地等又は借受代替農地等に係る特定農地所有適格法人の農業経営に関する事項及び特定農地所有適格法人に該当する事実の明細を記載した届出書を提出しなければなりません（平17改所法等附55⑭）。

　（注）　使用貸借による権利の設定前において特例適用農地等の全部を担保に供していることにより継続届出書の提出を要しないものとされていた受贈者については、上記により提出すべきこととなる継続届出書の提出期限は、特定農地所有適格法人に対し使用貸借による権利の設定をしたことについての届出書の提出期限の翌日から起算して３年を経過するごとの日までとなります（平17改措令附33㉝一、二、㉞一、二）。

−1223−

第七章第二節《個人の事業用資産についての贈与税の納税猶予及び免除》

第二節　個人の事業用資産についての贈与税の納税猶予及び免除

1　特例適用の要件

　特定事業用資産を有していた個人として（1）に掲げる者（既に特例の適用に係る贈与をしているものを除きます。以下「**贈与者**」といいます。）が特例事業受贈者にその事業に係る特定事業用資産の全て（特定事業用資産の全部又は一部が数人の共有に属する場合には、その贈与者以外の者が有していた共有持分に係る部分を除きます。）の贈与（平成31年1月1日から令和10年12月31日までの間の贈与で、最初の特例の適用に係る贈与及びその贈与の日その他特例の適用を受けようとする者が贈与の時前に相続又は遺贈により取得した特定事業用資産に係る事業と同一の事業に係る他の資産について第四編第八章第四節の1の特例の適用を受けようとする場合又は受けている場合における最初の同1の特例規定の適用に係る相続の開始の日から1年を経過する日までの贈与に限ります。）をした場合には、特例事業受贈者のその贈与の日の属する年分の贈与税で贈与税の申告書の提出により納付すべきものの額のうち、特定事業用資産でその贈与税の申告書に特例の適用を受けようとする旨の記載があるもの（以下「**特例受贈事業用資産**」といいます。）に係る納税猶予分の贈与税額に相当する贈与税については、その年分の贈与税の申告書の提出期限までに納税猶予分の贈与税額に相当する担保を提供した場合に限り、その贈与者（特例受贈事業用資産がその贈与者の7の（1）（③に係る部分に限ります。）の適用に係るものである場合における特例受贈事業用資産に係る納税猶予分の贈与税額に相当する贈与税については、特例の適用を受けていた者として（2）に掲げるものに特例受贈事業用資産に係る特定事業用資産の贈与をした者。）の死亡の日まで、その納税が猶予されます（措法70の6の8①、措令40の7の8②）。

（1）　贈与者の範囲

　特定事業用資産を有していた贈与者とは、次に掲げる場合の区分に応じそれぞれに定める者です（措令40の7の8①）。

① 　特定事業用資産を有していた者が特例の適用に係る贈与（贈与をした者の死亡により効力を生ずる贈与を除きます。）の時前において特定事業用資産に係る事業（2の①に掲げる事業をいいます。）を行っていた者である場合……次に掲げる要件の全てを満たす者

　イ　その贈与の時において所得税の納税地の所轄税務署長に当該事業を廃止した旨の届出書を提出していること又はその贈与に係る贈与税の申告書の提出期限までに届出書を提出する見込みであること。

　ロ　その事業について、その贈与の日の属する年、その前年及びその前々年の所得税法第2条《定義》第1項第37号に規定する確定申告書を同項第40号に規定する青色申告書（租税特別措置法第25条の2第3項の規定の適用に係るものに限ります。）により所得税の納税地の所轄税務署長に提出していること。

② 　①に掲げる場合以外の場合……次に掲げる要件の全てを満たす者

　イ　①の贈与の直前において、①に掲げる者と生計を一にする親族（特例の適用を受けようとする者がその贈与の時前に相続又は遺贈（贈与をした者の死亡により効力を生ずる贈与を含みます。）により取得した特定事業用資産に係る事業と同一の事業に係る他の資産について第四編第八章第四節の1の特例の適用を受けようとする場合又は受けている場合には、同1に掲げる被相続人（以下「被相続人」といいます。）で同1の（1）の①に掲げる者の相続の開始の直前において、その者と生計を一にしていたその者の親族）であること。

　ロ　①に掲げる者の特例の適用に係る贈与の時（特例の適用を受けようとする者がその贈与の時前に相続又は遺贈により取得した特定事業用資産に係る事業と同一の事業に係る他の資産について

－1224－

第七章第二節《個人の事業用資産についての贈与税の納税猶予及び免除》

第四編第八章第四節の1の特例の適用を受けようとする場合又は受けている場合には、同1に掲げる被相続人で同1の（1）の①に掲げる者の相続の開始の時）後に特定事業用資産の贈与をしていること。

（2）特例の適用を受けていた者の範囲

特例の適用を受けていた者とは、次に掲げる場合の区分に応じそれぞれに定める者です（措令40の7の8③）。

① 贈与者に対する贈与が、その贈与をした者の7の（1）（③に係る部分に限ります。）の適用に係るもの（以下「免除対象贈与」といいます。）である場合……特例受贈事業用資産に係る特定事業用資産の免除対象贈与をした者のうち最初に特例の適用を受けた者

② ①に掲げる場合以外の場合……贈与者

2 用語の意義

本節における用語の意義は、次のとおりです（措法70の6の8②）。

① **特定事業用資産**

贈与者（贈与者と生計を一にする配偶者その他の親族及び特例の適用を受けようとする者（特定事業用資産に係る事業と同一の事業に係る他の資産について第四編第八章第四節の1の特例の適用を受けようとする者又は受けている者に限ります。）の同1の特例の適用に係る被相続人（同1の（1）の①に掲げる者であってその被相続人の相続の開始の直前においてその贈与者と生計を一にしていたその贈与者の親族であるものに限ります。）を含みます。）の事業（不動産貸付業、駐車場業及び自転車駐車場業を除きます。）の用に供されていた次に掲げる資産（贈与者の贈与の日の属する年の前年分の事業所得（所得税法第27条第1項に規定する事業所得をいいます。）に係る青色申告書（同法第2条第1項第40号に規定する青色申告書をいい、租税特別措置法第25条の2第3項の規定の適用に係るものに限ります。）の貸借対照表に計上されているものに限ります。）の区分に応じそれぞれ次に掲げるものをいいます（措令40の7の8④⑤）。

イ 宅地等（土地又は土地の上に存する権利をいい、（1）に掲げる建物又は構築物の敷地の用に供されているもののうち（2）に掲げるものに限ります。）……その宅地等の面積の合計のうち400平方メートル以下の部分

ロ 建物（贈与の直前において、贈与者の事業の用に供されていた建物のうち棚卸資産に該当しない建物とし、その建物のうちにその事業の用以外の用に供されていた部分があるときは、贈与者のその事業の用に供されていた部分に限ります。）……その建物の床面積の合計のうち800平方メートル以下の部分（措令40の7の8⑦）

ハ 減価償却資産（所得税法第2条第1項第19号に規定する減価償却資産をいい、ロに掲げるものを除きます。）……地方税法第341条第4号に規定する償却資産、自動車税又は軽自動車税において営業用の標準税率が適用される自動車その他これらに準ずる減価償却資産で（3）に掲げるもの

② **特例事業受贈者**

贈与者から特例の適用に係る贈与により特定事業用資産の取得をした個人で、次に掲げる要件の全てを満たす者をいいます。

イ その個人が、当該贈与の日において18歳以上であること。

ロ その個人が、中小企業における経営の承継の円滑化に関する法律（平成20年法律第33号）第2条に規定する中小企業者であって同法第12条第1項の経済産業大臣（同法第17条の規定に基づく政令の規定により経済産業大臣の権限に属する事務を都道府県知事が行うこととされている場合にあっては、当該都道府県知事）の認定（中小企業における経営の承継の円滑化に関する法律施行規則（平成21年経済産業省令第22号。以下「円滑化省令」といいます。）第6条第16項第7号又は第9号の事由に係るものに限ります。以下**「特例円滑化法認定」**といいます。）を受けていること（措規23の8

-1225-

の8④)。

ハ　その個人が、贈与の日まで引き続き3年以上にわたり特定事業用資産に係る事業（特定事業用資産に係る事業と同種又は類似の事業に係る業務（特定事業用資産に係る事業に必要な知識及び技能を習得するための学校教育法第1条に規定する高等学校、大学、高等専門学校その他の教育機関における修学を含みます。）を含みます。）に従事していたこと（措規23の8の8⑤）。

ニ　その個人が、贈与の時から贈与の日の属する年分の贈与税の申告書の提出期限（提出期限前にその個人が死亡した場合には、その死亡の日。ホにおいて同じです。）まで引き続き特定事業用資産の全てを有し、かつ、自己の事業の用に供していること。

ホ　その個人が、贈与の日の属する年分の贈与税の申告書の提出期限において、所得税法第229条の規定により特定事業用資産に係る事業について開業の届出書を提出していること及び同法第143条の承認（同法第147条の規定により承認があったものとみなされる場合の承認を含みます。）を受けていること。

ヘ　その個人の当該特定事業用資産に係る事業が、贈与の時において、資産保有型事業、資産運用型事業及び風俗営業等の規制及び業務の適正化等に関する法律（昭和23年法律第122号）第2条第5項に規定する性風俗関連特殊営業のいずれにも該当しないこと。

ト　その個人が、贈与者の事業を確実に承継すると認められる要件として円滑化省令第17条第1項の確認（同項第3号に係るものに限るものとし、円滑化省令第18条第7項の規定による変更の確認を受けたときは、その変更後のものとする。）を受けた者であることを満たしていること（措規23の8の8⑥）

（注）　平成31年1月1日から令和4年3月31日までの間に贈与をする場合における2の②のイの規定については、同イ中「18歳」とあるのは、「20歳」とされます（平31改法附79⑦）。

③　**納税猶予分の贈与税額**

次のイ又はロに掲げる場合の区分に応じイ又はロに定める金額をいいます。

イ　ロに掲げる場合以外の場合……特例受贈事業用資産の価額（贈与者から特例受贈事業用資産の贈与とともに特例受贈事業用資産に係る債務を引き受けた場合には、（4）に掲げる価額）を特例事業受贈者に係るその年分の贈与税の課税価格とみなして、相続税法第21条の5及び第21条の7の規定を適用して計算した金額

ロ　特例受贈事業用資産が相続税法第21条の9第3項の規定の適用を受けるものである場合……特例受贈事業用資産の価額を特例事業受贈者に係るその年分の贈与税の課税価格とみなして、相続税法第21条の12及び第21条の13の規定を適用して計算した金額

④　**資産保有型事業**

個人の特定事業用資産に係る事業の資産状況を確認する期間として（6）に掲げる期間内のいずれかの日において、次のイ及びハに掲げる金額の合計額に対するロ及びハに掲げる金額の合計額の割合が100分の70以上となる事業をいいます。

イ　その日における当該事業に係る貸借対照表に計上されている総資産の帳簿価額の総額

ロ　その日における当該事業に係る貸借対照表に計上されている特定資産（現金、預貯金その他の資産であって円滑化省令第1条第26項第2号イからホまでに掲げるものをいいます。）の帳簿価額の合計額（措規23の8の8⑧）

ハ　その日以前5年以内において、その個人と（7）に掲げる特別の関係がある者（以下「**特別関係者**」といいます。）がその個人から受けた必要経費不算入対価等（特別関係者に対して支払われた対価又は給与の金額であってその個人の所得税法第27条第2項に規定する事業所得の金額の計算上、必要経費に算入されないものとして（8）に掲げるものをいいます。）の合計額

⑤　**資産運用型事業**

（9）に掲げる期間内のいずれかの年における事業所得に係る総収入金額に占める特定資産の運用収

－1226－

入の合計額の割合が100分の75以上となる事業をいいます。

（1）　特定事業用資産の対象となる建物又は構築物

特定事業用資産の対象となる建物又は構築物は、次に掲げる建物又は構築物以外の建物又は構築物です（措規23の8の8①）。

① 温室その他の建物で、その敷地が耕作（農地法第43条第1項の規定により耕作に該当するものとみなされる農作物の栽培を含みます。）の用に供されるもの

② 暗渠その他の構築物で、その敷地が耕作の用又は耕作若しくは養畜のための採草若しくは家畜の放牧の用に供されるもの

（2）　建物又は構築物の敷地の用に供されているもののうち特定事業用資産の対象となるもの

2の①のイに掲げる建物又は構築物の敷地の用に供されているもののうち特定事業用資産の対象となるものは、特例の適用に係る贈与（その贈与が1の（1）の②に掲げる者からのものである場合にあっては1の（1）の①に掲げる者からの贈与とし、贈与の時前に相続又は遺贈により取得した資産について第四編第八章第四節の1の特例の適用を受けようとする者又は受けている者に限ります。）の被相続人（同1の特例の適用を受けようとする場合又は受けている場合にあっては最初の同1の特例の適用に係る相続の開始とされます。）の直前において、2の①に掲げる贈与者の事業の用に供されていた宅地等（土地又は土地の上に存する権利をいいます。）のうち所得税法第2条第1項第16号に規定する棚卸資産に該当しない宅地等とし、その宅地等のうちにその事業の用以外の用に供されていた部分があるときは、贈与者のその事業の用に供されていた部分に限られます（措令40の7の8⑥）。

（3）　一定の減価償却資産の範囲

2の①のハに掲げる減価償却資産とは、次に掲げる資産（主として趣味又は娯楽の用に供する目的で保有するものを除くものとし、その資産のうちに特定事業用資産に係る事業の用以外の用に供されていた部分があるときは、その事業の用に供されていた部分に限ります。）です（措規23の8の8②）。

① 所得税法施行令第6条第8号及び第9号に掲げる資産

② 自動車税又は軽自動車税において営業用の標準税率が適用される自動車以外の自動車で次に掲げるもの

イ 自動車登録規則（昭和45年運輸省令第7号）別表第二の自動車の範囲欄の1、2、4及び6に掲げるもの

ロ 道路運送車両法施行規則別表第二の四の自動車の用途による区分欄の1及び3に掲げるもの

ハ イ及びロ並びに③に掲げる自動車以外の自動車（その自動車の取得価額が500万円を超える場合には、その自動車の1の規定の適用に係る贈与の時における価額に500万円がその自動車の取得価額のうちに占める割合を乗じて計算した金額に対応する部分に限ります。）

③ 地方税法第442条第4号に規定する原動機付自転車、同条第5号に規定する軽自動車（二輪のものに限る。）及び同条第6号に規定する小型特殊自動車（四輪以上のもののうち、乗用のもの及び営業用の標準税率が適用される貨物用のものを除きます。）

（4）　贈与者から特例受贈事業用資産の贈与とともに特例受贈事業用資産に係る債務を引き受けた場合の価額

2の③のイに掲げる贈与者から特例受贈事業用資産の贈与とともに特例受贈事業用資産に係る債務を引き受けた場合の価額は、①に掲げる金額から②に掲げる金額を控除した残額を特例受贈事業用資産の価額から控除した金額に相当する価額です（措令40の7の8⑧）。

① 当該特例受贈事業用資産の贈与とともに引き受けた債務の金額

② ①の債務の金額のうち当該特例受贈事業用資産に係る事業に関するものと認められるもの以外の債務（その事業に関するもの以外の債務であることが金銭の貸付けに係る消費貸借に関する契約書その他の書面により明らかにされているものに限ります。）の金額

－1227－

第七章第二節《個人の事業用資産についての贈与税の納税猶予及び免除》

（5）　特例受贈事業用資産が土地等及び家屋等である場合の価額

（4）の特例受贈事業用資産が土地及び土地の上に存する権利並びに家屋及びその附属設備又は構築物である場合において（4）の価額を計算するときにおける（4）の特例受贈事業用資産の価額は、（4）の債務の引受けがないものとした場合における価額とされます（措令40の7の8⑨）。

（6）　事業の資産状況を確認する期間

2の④に掲げる事業の資産状況を確認する期間は、特例受贈事業用資産の贈与の日の属する年の前年1月1日から特例事業受贈者の猶予中贈与税額に相当する贈与税の全部につき1、4の(2)、5、6の(1)又は6の(2)による納税の猶予に係る期限が確定する日までの期間とされます。ただし、特例事業受贈者の事業活動のために必要な資金を調達するための資金の借入れ、その事業の用に供していた資産の譲渡又は当該資産について生じた損害に基因した保険金の取得その他事業活動上生じた偶発的な事由でこれらに類するものが生じたことにより当該期間内のいずれかの日において当該特例受贈事業用資産に係る事業に係る貸借対照表に計上されている2の④のロに掲げる特定資産の割合（同④のイ及びハに掲げる金額の合計額に対する同④のロ及びハに掲げる金額の合計額の割合をいいます。）が100分の70以上となった場合には、その事由が生じた日から同日以後6か月を経過する日までの期間を除くものとされます（措令40の7の8⑭、措規23の8の8⑦）。

（7）　特別関係者の範囲

2の④のハに掲げる特別関係者とは、次に掲げる者とされます（措令40の7の8⑮）。

①　その個人の親族

②　その個人と婚姻の届出をしていないが事実上婚姻関係と同様の事情にある者

③　その個人の使用人

④　その個人から受ける金銭その他の資産によって生計を維持している者（①から③までに掲げる者を除きます。）

⑤　②から④までに掲げる者と生計を一にするこれらの者の親族

⑥　次に掲げる会社

イ　その個人（①から⑤までに掲げる者を含みます。）が有する会社の株式等（株式又は出資をいいます。）に係る議決権の数の合計が、その会社に係る総株主等議決権数（総株主（株主総会において決議をすることができる事項の全部につき議決権を行使することができない株主を除きます。）又は総社員の議決権の総数をいいます。）の100分の50を超える数である場合におけるその会社

ロ　その個人及びイに掲げる会社が有する他の会社の株式等に係る議決権の数の合計が、当該他の会社に係る総株主等議決権数の100分の50を超える数である場合における当該他の会社

ハ　その個人及びイ又はロに掲げる会社が有する他の会社の株式等に係る議決権の数の合計が、当該他の会社に係る総株主等議決権数の100分の50を超える数である場合における当該他の会社

（8）　必要経費に算入されないもの

2の④のハに掲げる必要経費に算入されないものとは、同④のハの個人の特定事業用資産に係る事業に従事したことその他の事由により同④のハに掲げる特別関係者がその個人から支払を受けた対価又は給与（最初の特例の適用に係る贈与の時（その贈与の時前に相続又は遺贈により取得したその事業と同一の事業に係る他の資産について第四編第八章第四節の1の特例の適用を受けようとする場合又は受けている場合には、最初の同1の特例の適用に係る相続の開始の時）前に受けたもの及びその事業に従事したことによりその個人の使用人（（7）の①又は②に掲げる者に該当するものを除きます。）が支払を受けたものを除きます。）の金額であって、所得税法第56条又は第57条の規定により当該個人の事業に係る同法第27条第2項に規定する事業所得の金額の計算上必要経費に算入されるもの以外のものとされます（措令40の7の8⑯）。

（9）　特定事業用資産に係る事業の資産の運用状況を確認する期間

2の⑤に掲げる特定事業用資産に係る事業の資産の運用状況を確認する期間とは、特例受贈事業用資

産の贈与の日の属する年の前年1月1日から特例事業受贈者の猶予中贈与税額に相当する贈与税の全部につき1又は4の(2)、5、6の(1)若しくは6の(2)による納税の猶予に係る期限が確定する日の属する年の前年12月31日までの期間とされます。ただし、特例事業受贈者の、事業活動のために必要な資金を調達するための2の④のロに掲げる特定資産の譲渡その他事業活動上生じた偶発的な事由でこれに類するものが生じたことによりその期間内のいずれかの年における所得税法第27条第1項に規定する事業所得に係る総収入金額に占める特定資産の運用収入の割合が100分の75以上となった場合には、その年1月1日からその翌年12月31日までの期間を除きます（措令40の7の8⑰、措規23の8の8⑨）。

3　適用を受けるための手続

　1の規定は、特例の適用を受けようとする特例事業受贈者のその贈与者から贈与により取得をした事業の用に供される資産に係る贈与税の申告書に、その資産の全部若しくは一部につき特例の適用を受けようとする旨の記載がない場合又はその資産の明細、納税猶予分の贈与税額の計算に関する明細及び次に掲げる事項を記載した書類の添付がない場合には、適用されません（措法70の6の8⑧、措規23の8の8⑭）。

① 贈与者から贈与により取得した次に掲げる特定事業用資産の区分に応じそれぞれ次に定める書類
　イ　2の①のハに掲げる資産（同①のハに掲げる償却資産に限ります。）……その資産についての地方税法第393条の規定による通知に係る通知書の写しその他の書類（同法第341条第14号に規定する償却資産課税台帳に登録をされている次に掲げる事項が記載されたものに限ります。）
　　a　その資産の所有者の住所及び氏名
　　b　その資産の所在、種類、数量及び価格
　ロ　2の①のハに掲げる資産（自動車に限ります。）並びに2の(3)の②及び③に掲げる資産……道路運送車両法第58条第1項の規定により交付を受けた自動車検査証（その贈与の日において効力を有するものに限ります。）の写し又は地方税法第20条の10《納税証明書の交付》の規定により交付を受けたこれらの資産に係る同条の証明書の写しその他の書類でこれらの資産が自動車税及び軽自動車税において営業用の標準税率が適用されていること又は同(3)の②若しくは同(3)の③に掲げる資産に該当することを明らかにするもの
　ハ　2の(3)の①に掲げる資産（所得税法施行令第6条第9号ロ及びハに掲げる資産に限ります。）……その資産が所在する敷地が耕作の用に供されていることを証する書類
② 贈与に係る契約書の写しその他のその贈与の事実を明らかにする書類
③ 贈与により特定事業用資産を取得した者がその贈与の日まで引き続き3年以上にわたり2の②のハに掲げる事業に従事していた旨及びその事実の詳細を記載した書類
④ 円滑化省令第7条第14項の認定書（円滑化省令第6条第16項第7号又は第9号の事由に係るものに限ります。）の写し及び円滑化省令第7条第10項（同条第12項において準用する場合を含みます。）の申請書の写し
⑤ 円滑化省令第17条第5項の確認書の写し及び同条第4項の申請書の写し
⑥ 贈与により特定事業用資産（2の①のイ又はロに掲げるものに限ります。）を取得した日の属する年中において、特例事業受贈者に係る贈与者から贈与により特定事業用資産を取得した他の特例の適用を受けようとする者がいる場合には、その特例事業受贈者が特例の適用を受けるものの選択についてのその者の同意を証する書類
⑦ 特例受贈事業用資産の全部又は一部が贈与者の7の(1)（③に係る部分に限ります。）の適用に係る贈与（以下「免除対象贈与」といいます。）により取得をしたものである場合には、1の(2)のそれぞれに掲げる場合の区分に応じそれぞれに掲げる者に特例受贈事業用資産の贈与をした者ごとの特例受贈事業用資産の明細及び贈与をした年月日を記載した書類
⑧ その他参考となるべき書類

第七章第二節《個人の事業用資産についての贈与税の納税猶予及び免除》

4　納税猶予期間中の継続届出書の提出

（1）　継続届出書の提出

　特例事業受贈者は、贈与の日の属する年分の贈与税の申告書の提出期限の翌日から猶予中贈与税額に相当する贈与税の全部につき1、4の（2）、5、6の（1）又は6の（2）による納税の猶予に係る期限が確定する日までの間に特例贈与報告基準日（特定申告期限の翌日から3年を経過するごとの日をいいます。）が存する場合には、届出期限（特例贈与報告基準日の翌日から3か月を経過する日をいいます。）までに、引き続いて特例の適用を受けたい旨及び次に掲げる事項（6の（4）の適用があった場合には、第八章の5の（1）の⑤から⑫の事項に準ずる事項）を記載した届出書に①に掲げる書類を添付して、納税地の所轄税務署長に提出しなければなりません（措法70の6の8⑨、措令40の7の8㉘、措規23の8の8⑯）。

①　特例事業受贈者の氏名及び住所

②　贈与者から特例受贈事業用資産の取得をした年月日

③　特例受贈事業用資産に係る事業の所在地

④　その届出書を提出する直前の特例贈与報告基準日の属する年の前年以前の各年（特例贈与報告基準日の直前の特例贈与報告基準日の属する年の前年以前の各年を除きます。）における1の事業に係る所得税法第27条《事業所得》第1項に規定する事業所得の総収入金額

⑤　基準日における猶予中贈与税額

⑥　基準日において特例事業受贈者が有する特例受贈事業用資産の明細及び特例事業受贈者に係る贈与者の氏名

⑦　特例受贈事業用資産に係る事業に係る次に掲げる事項

　イ　基準日の属する年の前年12月31日における2の④のイからハまでに掲げる額、これらの明細及び同④の割合

　ロ　基準日の属する年の前年における2の⑤の総収入金額、運用収入の合計額、これらの明細及び同⑤の割合

　ハ　基準日の直前の特例贈与報告基準日（その基準日が最初の特例贈与報告基準日である場合には、1に掲げる贈与税の申告書の提出期限。以下（1）において同じです。）の翌日から当該基準日までの間に2の（6）のただし書又は2の（9）のただし書に掲げる場合に該当することとなった場合には、次に掲げる事項

　　（イ）　2の（6）のただし書又は2の（9）のただし書に掲げる事由の詳細及びこれらの事由の生じた年月日

　　（ロ）　2の（6）のただし書の割合を100分の70未満に減少させた事情又は2の（9）のただし書の割合を100分の75未満に減少させた事情の詳細及びこれらの事情の生じた年月日

⑧　基準日の直前の特例贈与報告基準日の翌日から基準日までの間に特例事業受贈者につき6の（2）の規定により納税の猶予に係る期限が確定した猶予中贈与税額がある場合には、6の（2）に該当した旨及び該当した日並びに猶予中贈与税額及びその計算の明細

⑨　基準日において特例事業受贈者が有する特例受贈事業用資産の全部又は一部が贈与者の免除対象贈与により取得をしたものである場合（基準日の直前の特例贈与報告基準日の翌日から当該基準日までの間に特例受贈事業用資産の明細につき変更があった場合に限ります。）には、基準日における特例受贈事業用資産の明細

⑩　7の（4）の適用を受けた場合（基準日の直前の特例贈与報告基準日の翌日から基準日までの間に再計算免除贈与税の額の通知があった場合に限ります。）には、その旨、認可決定日及び再計算免除贈与税の額

⑪　その他参考となるべき事項

−1230−

第七章第二節《個人の事業用資産についての贈与税の納税猶予及び免除》

① **継続届出書の添付書類**

（1）に掲げる添付書類は、特例受贈事業用資産に係る次に掲げる書類（6の(4)の適用があった場合には、第八章の5の(1)の①及び②の書類に準ずる書類）です（措規23の8の8⑮）。

イ　その基準日における3に掲げる書類

ロ　その基準日の属する年の前年以前3年内の各年における特例受贈事業用資産に係る事業に係る次に掲げる書類（特例事業受贈者が営む事業が特例受贈事業用資産に係る事業のみである場合には、（イ）に掲げる書類を除きます。）

　　（イ）　その事業に係る貸借対照表及び損益計算書

　　（ロ）　特例受贈事業用資産とその他の資産の内訳を記載した書類で特例受贈事業用資産がイの貸借対照表に計上されていることを明らかにするもの

ハ　その他参考となるべき書類

② **期間の末日が基準日後に到来する場合**

2の(6)のただし書又は2の(9)のただし書に掲げる期間（6の(4)の適用があった場合には、第八章の2の⑧のただし書又は同2の⑨のただし書の期間に準ずる期間）の末日が基準日後に到来する場合には、（1）の届出書に（1）の⑦のハの（ロ）に掲げる事項（6の(4)の適用があった場合には、第八章の5の(1)の⑦のニのbに掲げる事項に準ずる事項）を記載することを要しません。この場合において、特例事業受贈者は、その期間の末日から2か月を経過する日（同日がその届出書に係る届出期限前に到来する場合には、その届出期限）までに次に掲げる事項（6の(4)の適用があった場合には、第八章の5の(1)の⑦の(注)に掲げる事項に準ずる事項）を記載した書類を納税地の所轄税務署長に提出しなければなりません（措規23の8の8⑰）。

イ　特例事業受贈者の氏名及び住所

ロ　特例受贈事業用資産に係る事業の所在地

ハ　（1）の⑦のハの（ロ）に掲げる事項

（2）　継続届出書が提出されなかった場合

（1）の届出書が届出期限までに納税地の所轄税務署長に提出されない場合には、届出期限における猶予中贈与税額に相当する贈与税については、届出期限の翌日から2か月を経過する日をもって納税の猶予に係る期限とされます（措法70の6の8⑪）。

5　担保の変更の命令に応じない場合等の納税猶予期限の繰上げ

税務署長は、次に掲げる場合には、猶予中贈与税額に相当する贈与税に係る1の規定による納税の猶予に係る期限を繰り上げることができます。この場合においては、国税通則法第49条第2項及び第3項の規定を準用することになります（措法70の6の8⑫）。

①　特例事業受贈者が担保について国税通則法第51条第1項の規定による命令に応じない場合

②　特例事業受贈者から提出された4の(1)の届出書に記載された事項と相違する事実が判明した場合

6　納税猶予の打切り

（1）　納税猶予の打切り

特例事業受贈者、特例受贈事業用資産又は当該特例受贈事業用資産に係る事業について次のいずれかに掲げる場合に該当することとなった場合には、次に掲げる日から2か月を経過する日をもって納税の猶予に係る期限とされます（措法70の6の8③）。

①　特例事業受贈者がその事業を廃止した場合又は特例事業受贈者について破産手続開始の決定があった場合……その事業を廃止した日又はその決定があった日

②　その事業が資産保有型事業、資産運用型事業又は風俗営業等の規制及び業務の適正化等に関する法律第2条第5項に規定する性風俗関連特殊営業のいずれかに該当することとなった場合……その

－1231－

第七章第二節《個人の事業用資産についての贈与税の納税猶予及び免除》

該当することとなった日

③　特例事業受贈者のその年のその事業に係る事業所得の総収入金額が零となった場合……その年の12月31日

④　特例受贈事業用資産の全てが特例事業受贈者のその年の事業所得に係る青色申告書の貸借対照表に計上されなくなった場合……その年の12月31日

⑤　特例事業受贈者が所得税法第150条第1項の規定により同法第143条の承認を取り消された場合又は同法第151条第1項の規定による青色申告書の提出をやめる旨の届出書を提出した場合……その承認が取り消された日又はその届出書の提出があった日

⑥　特例事業受贈者が特例の適用を受けることをやめる旨を記載した届出書を納税地の所轄税務署長に提出した場合……その届出書の提出があった日

（2）　納税猶予税額の一部確定

　特例受贈事業用資産の全部又は一部が特例事業受贈者の事業の用に供されなくなった場合（（1）のそれぞれに掲げる場合及びその事業の用に供することが困難になった場合として①に掲げる場合を除きます。）には、納税猶予分の贈与税額（既に（2）の適用があった場合には、（2）の適用があった特例受贈事業用資産の価額に対応するものとして③に掲げるところにより計算した金額を除きます。以下**「猶予中贈与税額」**といいます。）のうち、その事業の用に供されなくなった部分に対応する部分の額として④に掲げるところにより計算した金額に相当する贈与税については、その事業の用に供されなくなった日から2か月を経過する日をもって納税の猶予に係る期限とされます（措法70の6の8④）。

①　事業の用に供することが困難になった場合

　（2）に掲げる事業の用に供することが困難になった場合とは、特例受贈事業用資産の陳腐化、腐食、損耗その他これらに準ずる事由により特例受贈事業用資産を廃棄した場合です。この場合において、特例受贈事業用資産の全部又は一部の廃棄をした特例事業受贈者は、次に掲げる事項を記載した届出書にその廃棄をしたことが確認できる書類として②に掲げる書類を添付し、これをその廃棄をした日から2か月以内に納税地の所轄税務署長に提出しなければなりません（措令40の7の8⑱）。

イ　特例事業受贈者の氏名及び住所

ロ　その廃棄をした特例受贈事業用資産の明細及び特例受贈事業用資産の贈与者からの贈与の時における価額

ハ　特例受贈事業用資産の廃棄の委託をした場合には、その委託を受けた事業者の氏名又は名称及び住所又は事業所の所在地

ニ　その他参考となるべき事項

②　廃棄をしたことが確認できる書類

　廃棄をしたことが確認できる書類とは、特例受贈事業用資産の次に掲げる場合の区分に応じそれぞれに掲げる書類です（措規23の8の8⑩）。

イ　特例受贈事業用資産の廃棄を委託した場合……廃棄に要した費用の支出に係る領収書の写し並びに廃棄の委託を受けた事業者が交付する書類の写しでその委託に係る特例受贈事業用資産の明細及び特例事業受贈者がその事業者に特例受贈事業用資産の廃棄を委託した旨が記載されているもの

ロ　特例受贈事業用資産の廃棄を委託しない場合……廃棄に要した機具の明細、機具に係る賃借料その他廃棄の方法の詳細を記載した書類

③　特例受贈事業用資産の価額に対応するものとして計算した金額

　特例受贈事業用資産の価額に対応するものとして計算した金額は、納税猶予分の贈与税額のうち（2）に掲げる場合に該当したことにより納税の猶予に係る期限が確定したものの合計額です（措令40の7の8⑲）。

④　事業の用に供されなくなった部分に対応する部分の額として計算した金額

　（2）に掲げる事業の用に供されなくなった部分に対応する部分の額として計算した金額は、その事

－1232－

業の用に供されなくなった時の直前における納税猶予分の贈与税額（既に（２）に掲げる場合に該当したことにより納税の猶予に係る期限が確定した贈与税の金額を除きます。）に、イに掲げる金額がロに掲げる金額に占める割合を乗じて計算した金額です（措令40の７の８⑳）。

イ　その事業の用に供されなくなった特例受贈事業用資産の贈与の時における価額

ロ　その事業の用に供されなくなった時の直前においてその事業の用に供されていた全ての特例受贈事業用資産の贈与の時における価額

（３）　特例受贈事業用資産の譲渡である場合の納税猶予税額の一部確定

（２）の場合において、（２）の事業の用に供されなくなった事由が特例受贈事業用資産の譲渡であるときは、その譲渡があった日から１年以内に譲渡の対価の額の全部又は一部をもって特例事業受贈者の事業の用に供される資産（２の①のイ若しくはロに掲げる資産又は２の①のハに掲げる資産に限ります。）を取得する見込みであることにつき、①に掲げるところにより、納税地の所轄税務署長の承認を受けたときにおける（２）の規定の適用については、次に掲げるところによります（措法70の６の８⑮）。

①　その承認に係る特例受贈事業用資産は、③の取得の日まで特例事業受贈者の事業の用に供されていたものとみなされます。

②　その譲渡があった日から１年を経過する日において、その承認に係る譲渡の対価の額の全部又は一部がその事業の用に供される資産の取得に充てられていない場合には、その譲渡に係る特例受贈事業用資産のうちその充てられていないものに対応するものとして③に掲げる部分は、同日において当該事業の用に供されなくなったものとみなされます。

③　その譲渡があった日から１年を経過する日までにその承認に係る譲渡の対価の額の全部又は一部が当該事業の用に供される資産の取得に充てられた場合には、その取得をした資産は、特例受贈事業用資産とみなされます。

①　税務署長の承認を受けようとする場合

（３）の税務署長の承認を受けようとする特例事業受贈者は、（３）の譲渡に係る特例受贈事業用資産について（３）の適用を受けようとする旨及び次に掲げる事項を記載した申請書を当該譲渡があった日から１か月以内に納税地の所轄税務署長に提出しなければなりません（措令40の７の８㉑）。

イ　申請者の氏名及び住所

ロ　その譲渡に係る特例受贈事業用資産の明細、特例受贈事業用資産の贈与者からの贈与の時における価額及びその譲渡の対価の額

ハ　その譲渡があった日から１年以内に（３）の事業の用に供される資産に該当することとなる見込みのある資産の明細、取得予定年月日及び取得価額の見積額

ニ　その他参考となるべき事項

②　申請の承認に係るみなし規定

①の規定による申請書の提出があった場合において、その提出があった日から１か月以内に当該申請の承認又は却下の処分がなかったときは、その申請の承認があったものとみなされます（措令40の７の８㉒）。

③　事業の用に供される資産の取得に充てられなかったものに対応する部分

（３）の②に掲げる事業の用に供される資産の取得に充てられなかったものに対応する部分は、（３）の②の譲渡に係る特例受贈事業用資産のうち、その譲渡の対価でその譲渡があった日から１年を経過する日までに（３）の②事業の用に供される資産の取得に充てられなかったものの額がその譲渡の対価の額のうちに占める割合を、その譲渡に係る特例受贈事業用資産の贈与者からの贈与の時における価額に乗じて計算した金額に相当する部分とされます（措令40の７の８㉓）。

④　書類の記載事項

特例受贈事業用資産の譲渡につき（３）の税務署長の承認を受けた特例事業受贈者は、その譲渡があ

—1233—

第七章第二節《個人の事業用資産についての贈与税の納税猶予及び免除》

った日から１年を経過する日までにその承認に係る（３）の譲渡の対価の額の全部又は一部を（３）の③に掲げる事業の用に供される資産の取得に充てた場合には、その取得後遅滞なく、次に掲げる事項を記載した書類を税務署長に提出しなければなりません（措規23の８の８⑪）。

イ　その書類を提出する者の氏名及び住所

ロ　その承認に係る譲渡があった日及びその譲渡の対価の額

ハ　その取得をした資産の２の①のイからハまでの区分、その所在その他の明細並びにその取得年月日及び取得価額

ニ　その他参考となるべき事項

（４）　現物出資による全ての特例受贈事業用資産の移転である場合の納税猶予税額の一部確定

（２）の場合において、（２）の事業の用に供されなくなった事由が特定申告期限（特例事業受贈者の最初の特例の適用に係る贈与の日の属する年分の贈与税の申告書の提出期限又は最初の第四編第八章第四節の１の特例の適用に係る相続に係る同１に掲げる相続税の申告書の提出期限のいずれか早い日をいいます。）の翌日から５年を経過する日後の会社の設立に伴う現物出資による全ての特例受贈事業用資産の移転であるときは、特例受贈事業用資産の移転につき、①に掲げるところにより、納税地の所轄税務署長の承認を受けたときにおける（２）の適用については、その承認に係る移転はなかったものと、現物出資により取得した株式又は持分は特例受贈事業用資産と、それぞれみなされます（措法70の６の８⑥）。

①　申請書の記載事項

（４）の税務署長の承認を受けようとする特例事業受贈者は、（４）の移転に係る特例受贈事業用資産について（４）の規定の適用を受けようとする旨及び次に掲げる事項を記載した申請書に②の書類を添付し、これを移転があった日から１か月以内に納税地の所轄税務署長に提出しなければなりません（措令40の７の８㉕）。

イ　申請者の氏名及び住所

ロ　その移転に係る特例受贈事業用資産の明細、特例受贈事業用資産の贈与者からの贈与の時における価額並びにその移転により設立された会社の名称、本店の所在地及び定款に記載された特例受贈事業用資産の出資の額

ハ　その移転により取得をした株式等の明細、取得年月日及び取得時の価額

ニ　その他参考となるべき事項

②　申請書の添付書類

申請書の添付書類は、（４）の会社又は特例受贈事業用資産に係る事業に係る次に掲げる書類です（措規23の８の８⑫）。

イ　承継会社の定款の写し

ロ　承継会社の登記事項証明書（法人番号等の提供により、添付の省略が可能です。）

ハ　４の（１）に掲げる事項に準ずる事項を記載した書類及び４の（１）に規定する書類に準ずる書類

ニ　その他参考となるべき書類

（５）　利子税の納付

特例事業受贈者は、次の表の左欄に掲げる場合に該当する場合には、同表の中欄に掲げる金額を基礎とし、特例事業受贈者が特例の適用を受けるために提出する贈与税の申告書の提出期限の翌日から同表の右欄に掲げる日までの期間に応じ、年3.6パーセントの割合を乗じて計算した金額に相当する利子税を、同表の中欄に掲げる金額に相当する贈与税に併せて納付しなければなりません（措法70の６の８㉕）。

イ　（１）の適用があった場合（ニからヘまでの左欄に掲げる場合に該	猶予中贈与税額	（１）による納税の猶予に係る期限

－1234－

当する場合を除きます。)		
ロ （2）の適用があった場合（ニからヘまでの左欄に掲げる場合に該当する場合を除きます。）	（2）により納税の猶予に係る期限が確定する猶予中贈与税額	（2）による納税の猶予に係る期限
ハ　4の（2）の適用があった場合（ニの左欄に掲げる場合に該当する場合を除きます。）	4の（2）により納税の猶予に係る期限が確定する猶予中贈与税額	4の（2）による納税の猶予に係る期限
ニ　5の適用があった場合	5により納税の猶予に係る期限が繰り上げられる猶予中贈与税額	5により繰り上げられた納税の猶予に係る期限
ホ　7の（2）の①又は②の適用があった場合（ニの左欄に掲げる場合に該当する場合を除きます。）	7の（2）の①のイ及びロに掲げる金額の合計額又は7の（2）の②のロに掲げる金額	これらに掲げる場合に該当することとなった日から2か月を経過する日
ヘ　7の（3）の①又は②の適用があった場合（ニの左欄に掲げる場合に該当する場合を除きます。）	7の（3）の①のイ及びロに掲げる金額の合計額又は7の（3）の②のイ及びロに掲げる金額の合計額	これらに掲げる場合に該当することとなった日から2か月を経過する日
ト　7の（4）の適用があった場合（ニの左欄に掲げる場合に該当する場合を除きます。）	7の（4）の②に掲げる金額	7の（4）による納税の猶予に係る期限

7　納税猶予税額の免除

（1）　贈与者等の死亡等による納税猶予税額の免除

　特例事業受贈者又は特例事業受贈者に係る贈与者が次の①から④に掲げる場合のいずれかに該当することとなった場合（その該当することとなった日前に猶予中贈与税額に相当する贈与税の全部につき4の（2）、5、6の（1）又は6の（2）による納税の猶予に係る期限が確定した場合を除きます。）には、それぞれに掲げる贈与税が免除されます。この場合において、特例事業受贈者又は特例事業受贈者の相続人（包括受遺者を含みます。）は、その該当することとなった日から同日（③に掲げる場合に該当することとなった場合にあっては、③の特例受贈事業用資産の贈与を受けた者が特例受贈事業用資産について特例の適用に係る贈与税の申告書を提出した日）以後6か月を経過する日（「**免除届出期限**」といいます。）までに、①に掲げるところにより、次のイからニに掲げる事項（6の（4）の適用があった場合には、第八章の9の（1）のイからハに掲げる事項に準ずる事項）を記載した届出書を納税地の所轄税務署長に提出しなければなりません（措法70の6の8⑭、措令40の7の8㉚、措規23の8の8⑳）。

①	贈与者の死亡の時以前に特例事業受贈者が死亡した場合	猶予中贈与税額に相当する贈与税
②	贈与者が死亡した場合	贈与者の死亡の直前における猶予中贈与税額に、贈与者が贈与をした特例受贈事業用資産の贈与の時における価額（贈与者が（1）（③に係る部分に限ります。）の適用に係る贈与をした特例受贈事業用資産の価額を除きます。）

		が贈与者の死亡の直前に特例受贈事業用資産に係る事業の用に供されていた特例受贈事業用資産の贈与の時における価額のうちに占める割合を乗じて計算した金額に相当する贈与税
③	特定申告期限の翌日から５年を経過する日後に、特例事業受贈者が特例受贈事業用資産の全てにつき特例の適用に係る贈与をした場合	猶予中贈与税額に相当する贈与税
④	特例事業受贈者がその有する特例受贈事業用資産に係る事業を継続することができなくなった場合（その事業を継続することができなくなったことについて③に掲げるやむを得ない理由がある場合に限ります。）	猶予中贈与税額に相当する贈与税

イ　表の①に該当するものとして（１）により贈与税の免除を受けようとする場合……次に掲げる事項
　（イ）　（１）の届出書を提出する者の氏名及び住所
　（ロ）　死亡した特例事業受贈者の氏名及び住所並びにその死亡した年月日並びに特例事業受贈者との続柄
　（ハ）　特例受贈事業用資産に係る事業の所在地
　（ニ）　（１）による贈与税の免除を受けようとする旨及びその免除を受けようとする贈与税の額
　（ホ）　その他参考となるべき事項
ロ　表の②に該当するものとして（１）により贈与税の免除を受けようとする場合……次に掲げる事項
　（イ）　イの（イ）及び（ハ）に掲げる事項
　（ロ）　表の②の死亡した贈与者の氏名及び住所並びにその死亡した年月日並びにその贈与者との続柄
　（ハ）　（１）による贈与税の免除を受けようとする旨並びにその免除を受けようとする贈与税の額及びその計算の明細
　（ニ）　（ロ）の贈与者の死亡の直前における特例受贈事業用資産の明細
　（ホ）　その他参考となるべき事項
ハ　表の③に該当するものとして（１）により贈与税の免除を受けようとする場合……次に掲げる事項
　（イ）　イの（イ）、（ハ）及び（ニ）に掲げる事項
　（ロ）　表の③の贈与により特例受贈事業用資産の取得をした者の氏名及び住所並びにその取得をした年月日
　（ハ）　その他参考となるべき事項
ニ　表の④に該当するものとして（１）により贈与税の免除を受けようとする場合……次に掲げる事項
　（イ）　イの（イ）、（ハ）及び（ニ）に掲げる事項
　（ロ）　特例事業受贈者が③に掲げる事由のいずれに該当するかの別及びその該当することとなった年月日
　（ハ）　その他参考となるべき事項

① **免除届出書の提出**
　特例事業受贈者又は特例事業受贈者の相続人（包括受遺者を含みます。）は、（１）の届出書を提出する場合には、（１）の①から④に掲げる場合のいずれかに該当することとなった日の直前の特例贈与報

告基準日（特例の用に係る贈与税の申告書の提出期限の翌日から同日以後３年を経過する日までの間に（１）の①から④に掲げる場合のいずれかに該当することとなった場合において、その期間内に特例贈与報告基準日がないときは、贈与税の申告書の提出期限）の翌日からその該当することとなった日までの間における特例事業受贈者又は特例受贈事業用資産に係る事業が６の（１）又は６の（２）のそれぞれに掲げる場合に該当する事由の有無、次に掲げる事項（６の（４）の適用があった場合には、第八章の９の（１）の①の事項に準ずる事項）を明らかにする②に掲げる書類を届出書に添付しなければなりません（措令40の７の８㉙、措規23の８の８⑱）。

イ　（１）の①から④に掲げる場合のいずれに該当するかの別

ロ　特例事業受贈者の氏名及び住所

ハ　贈与者から特例の適用に係る贈与により特例受贈事業用資産の取得をした年月日

ニ　その死亡等の日（（１）の①から④に掲げる場合のいずれかに該当することとなった日をいいます。）の属する年の前年以前の各年（その死亡等の日の直前の特例贈与報告基準日の属する年の前年以前の各年を除きます。）における特例受贈事業用資産に係る事業に係る総収入金額

ホ　その死亡等の日における猶予中贈与税額

ヘ　その死亡等の日において特例事業受贈者が有する特例受贈事業用資産の明細及び特例事業受贈者に係る贈与者の氏名

ト　特例受贈事業用資産に係る事業に係る次に掲げる事項

　（イ）　その死亡等の日の属する年の前年12月31日における２の④のイからハまでに掲げる額、これらの明細及び同④の割合

　（ロ）　その死亡等の日の属する年の前年における２の⑤の総収入金額、運用収入の合計額、これらの明細及び同⑤の割合

　（ハ）　その死亡等の日の直前の特例贈与報告基準日（直前の特例贈与報告基準日がない場合には、１に掲げる贈与税の申告書の提出期限。チ及び②のイにおいて同じです。）の翌日からその死亡等の日までの間に２の（６）のただし書又は２の（９）のただし書に規定する場合に該当することとなった場合には、これらの規定に規定する事由の詳細及びこれらの事由の生じた年月日（これらの事由が生じた日からその死亡等の日までの間に２の（６）のただし書の割合が100分の70未満となった場合又は２の（９）のただし書の割合が100分の75未満となった場合には、これらの事由の詳細及びこれらの事由の生じた年月日並びにこれらの割合を減少させた事情の詳細及びこれらの事情の生じた年月日）

チ　その死亡等の日の直前の特例贈与報告基準日の翌日からその死亡等の日までの間に特例事業受贈者につき６の（１）又は６の（２）により納税の猶予に係る期限が確定した猶予中贈与税額がある場合には、６の（１）のそれぞれ又は６の（２）のいずれの場合に該当したかの別及び該当した日並びに猶予中贈与税額及びその計算の明細

リ　その死亡等の日において特例事業受贈者が有する特例受贈事業用資産の全部又は一部が贈与者の免除対象贈与により取得をしたものである場合には、その死亡等の日における特例受贈事業用資産の明細

ヌ　その他参考となるべき事項

② **免除届出書の添付書類**

　①に掲げる添付書類は、特例事業受贈者に係る次に掲げる書類（６の（４）の適用があった場合には、第八章の９の（１）の②の書類に準ずる書類）です（措規23の８の８⑲）。

イ　その死亡等の日の直前の特例贈与報告基準日の属する年からその死亡等の日の属する年の前年までの各年における特例受贈事業用資産に係る事業に係る次に掲げる書類（特例事業受贈者が営む事業が特例受贈事業用資産に係る事業のみである場合には、（イ）に掲げる書類を除きます。）

　（イ）　当該事業に係る貸借対照表及び損益計算書

　（ロ）　当該特例受贈事業用資産とその他の資産の内訳を記載した書類で当該特例受贈事業用資産が

第七章第二節《個人の事業用資産についての贈与税の納税猶予及び免除》

（イ）の貸借対照表に計上されていることを明らかにするもの

ロ　納税地の所轄税務署長と（1）の②の贈与者の死亡に係る相続税の納税地の所轄税務署長とが異なる場合において、免除届出期限までに円滑化省令第13条第12項の確認書の交付を受けているときは、その確認書の写し

ハ　特例事業受贈者が（1）の④に掲げる場合に該当する場合には、その該特例事業受贈者の精神障害者保健福祉手帳の写し、身体障害者手帳の写し又は介護保険の被保険者証の写しその他の書類で特例事業受贈者が③に掲げる事由のいずれかに該当することとなったこと及びその該当することとなった年月日を明らかにするもの

ニ　その他参考となるべき書類

③　**事業を継続することができなくなったやむを得ない理由**

（1）の④に掲げるやむを得ない理由は、贈与税の申告書の提出期限後に特例事業受贈者が次に掲げる事由のいずれかに該当することとなったことです（措規23の8の8㉑）。

イ　精神保健及び精神障害者福祉に関する法律（昭和25年法律第123号）第45条第2項の規定により精神障害者保健福祉手帳（精神保健及び精神障害者福祉に関する法律施行令（昭和25年政令第155号）第6条第3項に規定する障害等級が1級である者として記載されているものに限ります。）の交付を受けたこと。

ロ　身体障害者福祉法（昭和24年法律第283号）第15条第4項の規定により身体障害者手帳（身体上の障害の程度が1級又は2級である者として記載されているものに限ります。）の交付を受けたこと。

ハ　介護保険法第19条第1項の規定による同項に規定する要介護認定（同項の要介護状態区分が要介護認定等に係る介護認定審査会による審査及び判定の基準等に関する省令第1条第1項第5号に掲げる区分に該当するものに限ります。）を受けたこと。

（2）　特例受贈事業用資産の全部を譲渡等したとき又は特例受贈事業用資産に係る事業を廃止したときの納税猶予税額の免除

特例事業受贈者が次に掲げる場合のいずれかに該当することとなった場合（その該当することとなった日前に猶予中贈与税額に相当する贈与税の全部につき4の(2)、5、6の(1)又は6の(2)による納税の猶予に係る期限が確定した場合を除きます。）において、特例事業受贈者は、それぞれに掲げる贈与税の免除を受けようとするときは、その該当することとなった日から2か月を経過する日までに、免除を受けたい旨、免除を受けようとする贈与税に相当する金額（「**免除申請贈与税額**」といいます。）及びその計算の明細、①に掲げる事項を記載した申請書（その免除の手続に必要な書類として②に掲げる書類を添付したものに限ります。）を納税地の所轄税務署長に提出しなければなりません（措法70の6の8⑯）。

①　特例事業受贈者が特例受贈事業用資産の全てについて、特例事業受贈者の特別関係者以外の者のうちの1人の者として③に掲げるものに対して譲渡若しくは贈与（以下「譲渡等」といいます。）をした場合又は民事再生法（平成11年法律第225号）の規定による再生計画（同法第196条第4号に規定する住宅資金特別条項を定めた再生計画並びに同法第221条第1項に規定する小規模個人再生及び同法第239条第1項に規定する給与所得者等再生に係る再生計画を除きます。）の認可の決定に基づきその再生計画（法人税法施行令第24条の2第1項に規定する事実（一般に公表された債務処理を行うための手続についての準則が、産業競争力強化法第135条第1項に規定する中小企業再生支援協議会が定めたものである場合に限ります。）が生じた場合にあっては、債務処理計画（法人税法施行令第24条の2第1項第1号から第3号まで及び第4号又は第5号に掲げる要件に該当する債務処理に関する計画です。））を遂行するために譲渡等をした場合において、次に掲げる金額の合計額が譲渡等の直前における猶予中贈与税額に満たないとき……猶予中贈与税額からその合計額を控除した残額に相当する贈与税（措令40の7の8㉞）

イ　譲渡等があった時における譲渡等をした特例受贈事業用資産の時価に相当する金額（その金額

－1238－

第七章第二節《個人の事業用資産についての贈与税の納税猶予及び免除》

が当渡等をした特例受贈事業用資産の譲渡等の対価の額より低い金額である場合には、譲渡等の対価の額)

ロ　譲渡等があった日以前5年以内において、特例事業受贈者の特別関係者が特例事業受贈者から受けた必要経費不算入対価等の合計額

② 特例事業受贈者について破産手続開始の決定があった場合……イに掲げる金額からロに掲げる金額を控除した残額に相当する贈与税

イ　破産手続開始の決定の直前における猶予中贈与税額

ロ　破産手続開始の決定があった日以前5年以内において、特例事業受贈者の特別関係者が特例事業受贈者から受けた必要経費不算入対価等の合計額

①　免除申請書の記載事項

免除申請書には、次に掲げる事項を記載する必要があります（措規23の8の8㉓）。

イ　免除申請書を提出する者の氏名及び住所

ロ　贈与税の免除を受けようとする旨並びに免除を受けようとする贈与税の額及びその計算の明細

ハ　ロの免除が（2）のいずれに該当するかの別並びにその該当することとなった事情の詳細及びその事情が生じた年月日

ニ　その他参考となるべき事項

②　免除申請書の添付書類

免除申請書には、次に掲げる書類を添付する必要があります（措規23の8の8㉔）。

イ　（2）の①に該当するものとして贈与税の免除を受けようとする場合……次に掲げる書類

　（イ）　次に掲げる場合の区分に応じそれぞれ次に定める書類

　　a　（2）の①の1人の者に対して譲渡等をする場合……譲渡等があったことを明らかにする書類、譲渡等を受けた者が③に掲げる者に該当することを明らかにする書類並びにその者の氏名又は名称及び住所又は所在地が確認できる書類

　　b　再生計画又は債務処理計画を遂行するために譲渡等をする場合……次に掲げる計画の区分に応じそれぞれ次に定める書類

　　（a）　再生計画……特例事業受贈者に係る再生計画（民事再生法（平成11年法律第225号）第174条第1項の規定により認可の決定がされたものに限ります。）の写し及び当該再生計画の認可の決定があったことを証する書類

　　（b）　債務処理計画……特例事業受贈者に係る債務処理計画（債務処理計画に係る法人税法施行令第24条の2第1項第1号に規定する一般に公表された債務処理を行うための手続についての準則が、産業競争力強化法第135条第1項に規定する中小企業再生支援協議会が定めたものである場合に限ります。）の写し及び債務処理計画が成立したことを証する書類

　（ロ）　譲渡等の直前における猶予中贈与税額、（2）の①のイに掲げる金額及び（2）の①のロに掲げる合計額を記載した書類

　（ハ）　その他参考となるべき事項を記載した書類

ロ　（2）の②に該当するものとして贈与税の免除を受けようとする場合……次に掲げる書類

　（イ）　特例事業受贈者について破産手続開始の決定があったことを証する書類

　（ロ）　（2）の②のイに掲げる猶予中贈与税額及び（2）の②のロに掲げる合計額を記載した書類

　（ハ）　その他参考となるべき事項を記載した書類

③　特例事業受贈者の特別関係者以外の者のうちの1人の者

（2）の①に掲げる特例事業受贈者の特別関係者以外の者のうちの1人の者とは、次に掲げる者をいいます（措令40の7の8㉝）。

イ　譲渡等の時において、所得税法第143条の承認（同法第147条の規定により承認があったものとみなされる場合の承認を含みます。）を受けている個人

－1239－

ロ　持分の定めのある法人（医療法人を除きます。）

ハ　持分の定めのない法人（一般社団法人（公益社団法人を除きます。）及び一般財団法人（公益財団法人を除きます。）を除きます。）

（3）　その他の場合による納税猶予税額の免除

　特例事業受贈者が次に掲げる場合のいずれかに該当することとなった場合（特例事業受贈者の特例受贈事業用資産に係る事業の継続が困難な事由として①に掲げる事由が生じた場合に限るものとし、その該当することとなった日前に猶予中贈与税額に相当する贈与税の全部につき4の（2）、5、6の（1）又は6の（2）による納税の猶予に係る期限が確定した場合を除きます。）において、特例事業受贈者は、次の①又は②に掲げる贈与税の免除を受けようとするときは、その該当することとなった日から2か月を経過する日までに、免除を受けたい旨、免除を受けようとする贈与税に相当する金額（「**免除申請贈与税額**」といいます。）及びその計算の明細、②に掲げる事項を記載した申請書（免除の手続に必要な書類として③に掲げる書類を添付したものに限ります。）を納税地の所轄税務署長に提出しなければなりません（措法70の6の8⑰）。

①　特例事業受贈者が特例事業受贈者の特別関係者以外の者に対して特例受贈事業用資産の全ての譲渡等をした場合において、次に掲げる金額の合計額が譲渡等の直前における猶予中贈与税額に満たないとき……猶予中贈与税額からその合計額を控除した残額に相当する贈与税

　イ　譲渡等の対価の額（その額が譲渡等をした時における譲渡等をした特例受贈事業用資産の時価に相当する金額の2分の1以下である場合には、その2分の1に相当する金額）を贈与により取得をした特例受贈事業用資産の贈与の時における価額とみなして、2の③により計算した金額

　ロ　譲渡等があった日以前5年以内において、特例事業受贈者の特別関係者が特例事業受贈者から受けた必要経費不算入対価等の合計額

②　特例受贈事業用資産に係る事業の廃止をした場合において、次に掲げる金額の合計額が当該廃止の直前における猶予中贈与税額に満たないとき……猶予中贈与税額からその合計額を控除した残額に相当する贈与税

　イ　当該廃止の直前における特例受贈事業用資産の時価に相当する金額を贈与により取得をした特例受贈事業用資産の贈与の時における価額とみなして、2の③により計算した金額

　ロ　当該廃止の日以前5年以内において、特例事業受贈者の特別関係者が特例事業受贈者から受けた必要経費不算入対価等の合計額

①　事業の継続が困難な事由

　特例受贈事業用資産に係る事業の継続が困難な事由とは、次に掲げる事由です（措令40の7の8㉟、措規23の8の8㉕）。

イ　特例事業受贈者又はその事業が（3）に掲げる場合のいずれかに該当することとなった日の属する年の前年以前3年内の各年（以下「直前3年内の各年」といいます。）のうち2以上の年において、その事業に係る所得税法第27条第2項に規定する事業所得の金額が零未満であること。

ロ　直前3年内の各年のうち2以上の年において、その事業に係る各年の所得税法第27条第1項に規定する事業所得に係る総収入金額が、その各年の前年の総収入金額を下回ること。

ハ　特例事業受贈者が心身の故障その他の事由により特例受贈事業用資産に係る事業に従事することができなくなったこと。

②　免除申請書の記載事項

　免除申請書には、次に掲げる事項を記載する必要があります（措規23の8の8㉖）。

イ　免除申請書を提出する者の氏名及び住所

ロ　贈与税の免除を受けようとする旨並びに免除を受けようとする贈与税の額及びその計算の明細

ハ　（3）に掲げる場合に該当することとなった事情の詳細及びその事情が生じた年月日

ニ　（3）の①のイの譲渡等の対価の額

－1240－

ホ　①に掲げる事由のいずれに該当するかの別及びそれぞれに掲げる事由が生じることとなった事情の詳細

ヘ　その他参考となるべき事項

③　免除申請書の添付書類

免除申請書には、次に掲げる書類を添付する必要があります（措規23の8の8㉗）。

イ　（3）の①の譲渡等に係る契約書の写しその他の書類で(3)に掲げる場合のいずれかに該当することとなったことを証するもの

ロ　②のニの対価の額を証する書類

ハ　貸借対照表、損益計算書その他の書類で①に掲げる事由のいずれに該当するかを明らかにするもの

ニ　（3）の①の譲渡等又は（3）の②の事業の廃止の直前における猶予中贈与税額、（3）のそれぞれのイに掲げる金額及び（3）のそれぞれのロに掲げる合計額を記載した書類

ホ　その他参考となるべき事項を記載した書類

（4）　特例事業受贈者について再生計画の認可の決定があった場合の免除

特例事業受贈者について民事再生法の規定による再生計画の認可の決定があった場合（再生計画の認可の決定に準ずる(2)の①に掲げる事実が生じた場合を含みます。）において、特例事業受贈者の有する資産につき①に掲げる評定が行われたとき（認可の決定があった日（(2)の①に掲げる事実が生じた場合にあっては、債務処理計画が成立した日。以下「認可決定日」といいます。）以後通知が発せられた日前に猶予中贈与税額に相当する贈与税の全部につき4の(2)、5、6の(1)又は6の(2)による納税の猶予に係る期限が確定した場合を除くものとし、再生計画を履行している特例事業受贈者にあっては、監督委員又は管財人が選任されている場合に限ります。）は、②の再計算猶予中贈与税額をもって特例受贈事業用資産に係る猶予中贈与税額とされます。この場合において、②に掲げる金額に相当する贈与税については、通知が発せられた日から2か月を経過する日をもって納税の猶予に係る期限とし、猶予中贈与税額から次に掲げる金額の合計額を控除した残額に相当する贈与税（「**再計算免除贈与税**」といいます。）については、免除されます（措法70の6の8⑱）。

①	再計算猶予中贈与税額
②	認可決定日以前5年以内において、特例事業受贈者の特別関係者が特例事業受贈者から受けた必要経費不算入対価等の合計額

①　評定の範囲

（4）に掲げる評定とは、次に掲げる事実の区分に応じそれぞれに掲げる評定です（措令40の7の8㊱）。

イ　民事再生法の規定による再生計画の認可の決定があったこと……特例事業受贈者が有する特例受贈事業用資産について再生計画の認可の決定があった時の価額により行う評定

ロ　（4）に掲げる(2)の①に掲げる事実……特例事業受贈者が法人税法施行令第24条の2第1項第1号イに規定する事項に従って行う同項第2号の資産評定

②　再計算猶予中贈与税額の意義

（4）に掲げる「再計算猶予中贈与税額」とは、特例受贈事業用資産（猶予中贈与税額に対応する部分に限ります。）の認可決定日における価額を贈与により取得をした特例受贈事業用資産の贈与の時における価額とみなして、2の③により計算した金額をいいます（措法70の6の8⑲）。

③　特例の適用要件

（4）の規定は、（4）の適用を受けようとする特例事業受贈者が、認可決定日から2か月を経過する日までに、（4）の適用を受けたい旨、再計算猶予中贈与税額及びその計算の明細、④に掲げる事項を

記載した申請書（認可の決定があった再生計画（債務処理計画を含みます。）に関する⑤に掲げる書類を添付したものに限ります。）を納税地の所轄税務署長に提出する必要があります（措法70の6の8⑳）。

④　**免除申請書の記載事項**

　免除申請書には、次に掲げる事項を記載する必要があります（措規23の8の8㉘）。

イ　③の申請書を提出する者の氏名及び住所

ロ　（4）に掲げる場合に該当することとなった事情の詳細及びその事情が生じた年月日

ハ　その他参考となるべき事項

⑤　**免除申請書の添付書類**

　免除申請書には、次に掲げる書類を添付する必要があります（措規23の8の8㉙）。

イ　民事再生法の規定による再生計画の認可の決定があった場合……次に掲げる書類

　（イ）　特例事業受贈者に係る再生計画（民事再生法第174条第1項の規定により認可の決定がされたものに限ります。）の写し及びその再生計画の認可の決定があったことを証する書類

　（ロ）　特例事業受贈者の有する資産及び負債につき①の①に掲げる評定に基づいて作成された貸借対照表

　（ハ）　その他参考となるべき事項を記載した書類

ロ　（2）の①に掲げる事実が生じた場合……次に掲げる書類

　（イ）　特例事業受贈者に係る（2）の②のイの（イ）のbの（b）の書類

　（ロ）　法人税法施行規則第8条の6第1項第1号中「内国法人、その役員及び株主等（株主等となると見込まれる者を含む。）並びに」とあるのを「特例事業受贈者及び」と、「当該内国法人」とあるのを「当該特例事業受贈者」と読み替えた場合における同号に掲げる者が作成した書類で特例事業受贈者に係る債務処理計画が（2）の①に掲げるものである旨を証するもの

　（ハ）　その他参考となるべき事項を記載した書類

8　個人の事業用資産についての贈与税の納税猶予及び免除に係る相続時精算課税適用者の特例

　贈与により特例受贈事業用資産を取得した特例事業受贈者が贈与者の直系卑属である推定相続人以外の者（その贈与者の孫を除き、その年1月1日において18歳以上である者に限ります。）であり、かつ、その贈与者が同日において60歳以上の者である場合には、その贈与により特例受贈事業用資産を取得した特例事業受贈者については、相続税法第21条の9（第六章第一節）の規定を準用します（措法70の2の7①）。

（1）　特例受贈事業用資産の取得の時前に特例贈与者からの贈与により取得した財産がある場合

　特例事業受贈者が贈与者（その年1月1日において60歳以上の者に限ります。）からの贈与により特例受贈事業用資産を取得した場合において、特例受贈事業用資産の取得の時前に当該贈与者からの贈与により取得した財産については、8の規定の適用はないものとされています（措法70の2の7②）。

（2）　贈与税の納税猶予の期限確定・免除の場合の贈与者から取得した財産

　8において準用する相続税法第21条の9（第六章第一節の2の（1））の相続時精算課税選択届出書を提出した特例事業受贈者が、猶予中贈与税額に相当する贈与税の全部につき納税の猶予に係る期限が確定した場合又は免除された場合においても、贈与者からの贈与により取得した財産については、8において準用する相続税法第21条の9第3項（第六章第一節の2の（2））の規定の適用があるものとされます（措法70の2の7③）。

（3）　相続時精算課税適用者が贈与者の推定相続人でなくなった場合

　8において準用する相続時精算課税選択届出書を提出した特例事業受贈者については相続税法第21条の9第3項（第六章第一節の2の（2））の規定の適用を受ける財産を取得した相続時精算課税適用

第七章第二節《個人の事業用資産についての贈与税の納税猶予及び免除》

者と、贈与者については相続税法第21条の９第３項（第六章第一節の２の(2)）の規定の適用を受ける財産の贈与をした特定贈与者とそれぞれみなして、相続税法その他相続税又は贈与税に関する法令の規定を適用します（措法70の２の７④）。

（4）相続税法その他の法令の規定の適用

　8において準用する相続時精算課税選択届出書に係る贈与をした者からの贈与により取得する財産については、相続税法第21条の９第３項（第六章第一節の２の(2)（1160ページ））の規定の適用を受ける財産とみなして、相続税法その他相続税又は贈与税に関する法令の規定を適用します（措令40の４の７①）。

－1243－

第八章　非上場株式等についての贈与税の納税猶予及び免除

1　制度の概要

　円滑化法認定を受けた一定の会社（以下「**認定贈与承継会社**」といいます。）の**非上場株式等**（議決権に制限のないものに限ります。）を有していた一定の個人（認定贈与承継会社の非上場株式等について既にこの特例の適用に係る贈与をしているものを除きます。以下「**贈与者**」といいます。）が経営承継受贈者に認定贈与承継会社の非上場株式等の贈与（次の①又は②の場合の区分に応じそれぞれに掲げる贈与をいいます。）をした場合には、非上場株式等のうち一定のもの（以下「**対象受贈非上場株式等**」といいます。）に係る納税猶予分の贈与税額に相当する贈与税については、贈与税の申告書の提出期限までに一定の担保を提供した場合に限り、贈与者の死亡の日まで、納税が猶予されます（措法70の7①）。

① 　A≦Bの場合……A以上の数又は金額に相当する非上場株式等の贈与
② 　A＞Bの場合……Bの全ての贈与
　A：贈与の直前における認定贈与承継会社の議決権に制限のない発行済株式又は出資の総数又は総額×2/3－贈与の直前において経営承継受贈者が有していたその認定贈与承継会社の非上場株式等の数又は金額
　B：贈与の直前において贈与者が有していた認定贈与承継会社の非上場株式等の数又は金額

（注1） 「非上場株式等」とは、次に掲げる株式等をいいます（措法70の7②二、措規23の9⑦⑧）。
　　① 　その会社の株式に係る会社の株式の全てが、次の掲げる要件を満たす株式
　　　イ 　金融商品取引所に上場されていないこと。
　　　ロ 　金融商品取引所への上場の申請がされていないこと。
　　　ハ 　金融商品取引所に類するものであって、外国に所在するものに上場がされていないこと又はその上場の申請がされていないこと。
　　　ニ 　金融商品取引法第67条の11第1項に規定する店頭売買有価証券登録原簿に登録がされていないこと又はその登録の申請がされていないこと。
　　　ホ 　店頭売買有価証券登録原簿に類するものであって、外国に備えられるものに登録がされていないこと又はその登録の申請がされていないこと。
　　② 　合名会社、合資会社又は合同会社の出資のうち上記①のハ又はホに掲げる要件を満たすもの
（注2） 非上場株式等は、議決権に制限のない株式等に限られていることから、次に掲げる株式等は含まれません（措通70の7－1）。
　　a 　会社の株主総会又は社員総会（以下「株主総会等」といいます。）において議決権を行使できる事項の全部又は一部について制限がある株式等
　　b 　会社の株主総会等において議決権を行使できる事項の全部又は一部について制限がある株主又は社員の有する株式等

（1）　納税猶予が受けられる者（経営承継受贈者の範囲）

　納税猶予の適用を受けることのできる「経営承継受贈者」とは、贈与者から納税猶予の適用に係る贈与により認定贈与承継会社の非上場株式等の取得をした個人で、次に掲げる要件の全てを満たす者をいいます（措法70の7②三、措規23の9⑨⑩）。

① 　贈与の日において18歳以上であること。
② 　贈与の時において、認定贈与承継会社の代表権（制限が加えられた代表権を除きます。）を有していること。

－1244－

第八章《非上場株式等についての贈与税の納税猶予及び免除》

③　贈与の時において、次の算式を満たすこと。

　　Ｂ／Ａ　＞　50／100

　　　Ａ：認定贈与承継会社に係る総株主等議決権数（総株主又は総社員の議決権の数をいいます。
　　　　以下同じ。）

　　　Ｂ：その個人及びその個人の同族関係者等の有する認定贈与承継会社の非上場株式等の議決権の
　　　　数の合計

（注）　上記の「その個人の同族関係者等」とは、次に掲げる者をいいます（措令40の8⑪）。

　　　イ　その個人の親族

　　　ロ　その個人と婚姻の届出をしていないが事実上婚姻関係と同様の事情にある者

　　　ハ　その個人の使用人

　　　ニ　その個人から受ける金銭その他の資産によって生計を維持している者（イからハに掲げる者を除きま
　　　　す。）

　　　ホ　ロからニに掲げる者と生計を一にするこれらの者の親族

　　　ヘ　次に掲げる会社

　　　　a　その個人（イからホに掲げる者を含みます。）が有する会社の株式等に係る議決権の数の合計が、そ
　　　　　の会社に係る総株主等議決権数の100分の50を超える数である場合におけるその会社

　　　　b　その個人及びaに掲げる会社が有する他の会社の株式等に係る議決権の数の合計が、当該他の会社に
　　　　　係る総株主等議決権数の100分の50を超える数である場合における当該他の会社

　　　　c　その個人及びa又はbに掲げる会社が有する他の会社の株式等に係る議決権の数の合計が、当該他の
　　　　　会社に係る総株主等議決権数の100分の50を超える数である場合における当該他の会社

④　その贈与の時において、その個人が有する認定贈与承継会社の非上場株式等に係る議決権の数が、
　その個人の同族関係者等のうちいずれの者が有する認定贈与承継会社の非上場株式等に係る議決権
　の数をも下回らないこと。

⑤　その個人が、その贈与の時からその贈与に係る贈与税の申告書の提出期限（提出期限前にその個
　人が死亡した場合には、その死亡の日）まで引き続きその贈与により取得をした認定贈与承継会社
　の対象受贈非上場株式等の全てを有していること。

⑥　その個人が、その贈与の日まで引き続き3年以上にわたり認定贈与承継会社の役員であること。

　　（注）　役員である期間については、その個人が対象贈与の日からさかのぼって直近3年間、継続して、認定贈
　　　　与承継会社が株式会社の場合にはその役員（取締役、会計参与及び監査役をいいます。）としての地位を、
　　　　持分会社の場合にはその業務を執行する社員としての地位を有することをいいます（措通70の7－13）。

　　　※1　直近3年間において、その地位を有しない期間がある場合には、⑥の要件は満たさないことになり
　　　　ます。

　　　※2　その地位は、直近3年間においてその地位のいずれかを有していれば、同一の地位を有する必要は
　　　　ありません。

⑦　その個人が、認定贈与承継会社の非上場株式等について、「非上場株式等についての贈与税の納税
　猶予及び免除の特例」（第九章・措法70の7の5）、「非上場株式等についての相続税の納税猶予及び
　免除の特例」（第四編第十章第一節・措法70の7の6）又は「非上場株式等の特例贈与者が死亡した
　場合の相続税の納税猶予及び免除の特例」（同章第二節の2・措法70の7の8）の適用を受けていな
　いこと。

（2）　贈与者の範囲

　納税猶予の適用に係る「贈与者」とは、その贈与の時前に認定贈与承継会社の代表権（制限が加え
られた代表権を除きます。）を有していた個人で、次に掲げる要件の全てを満たすものをいいます（措
令40の8①）。

①　その贈与の直前（その個人がその贈与の直前に代表権を有しない場合には、その個人が代表権を
　有していた期間内のいずれかの時及びその贈与の直前）において、次の算式を満たすこと。

　　Ｂ／Ａ　＞　50／100

　　　Ａ：認定贈与承継会社に係る総株主等議決権数

－1245－

第八章《非上場株式等についての贈与税の納税猶予及び免除》

　　　Ｂ：その個人及びその個人の同族関係者等の有する認定贈与承継会社の非上場株式等の議決権の
　　　　数の合計

② 　その贈与の直前（その個人がその贈与の直前に代表権を有しない場合には、その個人が代表権を
　有していた期間内のいずれかの時及びその贈与の直前）において、その個人が有する認定贈与承継
　会社の非上場株式等に係る議決権の数が、その個人の同族関係者等（経営承継受贈者となる者を除
　きます。）のうちいずれの者が有する非上場株式等に係る議決権の数をも下回らないこと。

③ 　その贈与の時において、その個人が認定贈与承継会社の代表権を有していないこと。

（３）　認定贈与承継会社の範囲

　　納税猶予の適用に係る「認定贈与承継会社」とは、中小企業における経営の承継の円滑化に関する
法律（以下「円滑化法」といいます。）第２条に規定する中小企業者のうち、円滑化法第12条第１項の
経済産業大臣（同法第17条の規定に基づく政令の規定により都道府県知事が行うこととされている場
合にあっては、その都道府県知事）の認定（以下「円滑化法認定」といいます。）を受けた会社で、贈
与の時において、次に掲げる要件の全てを満たすものをいいます（措法70の７②一）。

① 　その会社の常時使用従業員（**注１**）の数が１人以上であること。

　（注１）　「常時使用従業員」とは、会社の従業員であって、次に掲げるいずれかの者とされています（措規23
　　　の９④）。

　　　　厚生年金保険法第９条、船員保険法第２条第１項、健康保険法第３条第１項又は高齢者の医療の確保に
　　　関する法律第50条に規定する被保険者のうち、一定の者

　（注２）　経営承継受贈者の親族であっても、**（注１）**に掲げる者に該当すれば、その親族は、常時使用従業員に
　　　該当することになります（措通70の７－10）。

② 　その会社が、資産保有型会社又は資産運用型会社（事業実態があるものを除きます。）に該当しな
　いこと。

　（注１）　「資産保有型会社」とは、資産状況確認期間（贈与の日の属する事業年度の直前の事業年度の開始の日
　　　から猶予中贈与税額（※）の全部につき納税の猶予に係る期限が確定する日までの期間のうち一定の期間
　　　をいいます。**（注２）**において同じです。）中のいずれかの日において、次の算式を満たす会社をいいます
　　　【形式要件】（措法70の７②八、措令40の８⑲～㉑、措規23の９⑭⑮）。

　（※）　「猶予中贈与税額」とは、納税猶予分の贈与税額から、既に一部確定した税額を除いたものをいい
　　　ます（措法70の７②七ロ）。

$$\frac{B+C}{A+C} \geqq \frac{70}{100}$$

　　　　Ａ：そのいずれかの日におけるその会社の総資産の貸借対照表に計上されている帳簿価額の総額

　　　　Ｂ：そのいずれかの日におけるその会社の特定資産（有価証券、不動産、現預金、ゴルフ会員権、貴金
　　　　　属等をいいます。以下同じ。）の帳簿価額の合計額

　　　　Ｃ：そのいずれかの日以前５年以内において、経営承継受贈者及び経営承継受贈者の同族関係者等が
　　　　　その会社から受けた次のⅰ及びⅱに掲げる額の合計額

　　　　　ⅰ：その会社から受けたその会社の株式等に係る剰余金の配当又は利益の配当（贈与の時前に受
　　　　　　けたものを除きます。）の額

　　　　　ⅱ：その会社から支給された給与（贈与の時前に支給されたものを除きます。）の額のうち、法人
　　　　　　税法第34条《役員給与の損金不算入》又は第36条《過大な使用人給与の損金不算入》の規定によ
　　　　　　りその会社の各事業年度の所得の金額の計算上損金の額に算入されないこととなる金額

　（注２）　「資産運用型会社」とは、資産状況確認期間中に終了するいずれかの事業年度（贈与の日の属する事業
　　　年度の直前の事業年度を含みます。）において次の算式を満たす会社をいいます【形式要件】（措法70の７
　　　②九、措令40の８㉒、措規23の９⑯）。

$$\frac{B}{A} \geqq \frac{75}{100}$$

　　　　Ａ：そのいずれかの事業年度における総収入金額

　　　　Ｂ：そのいずれかの事業年度における特定資産の運用収入の合計額

　（注３）　次の全ての要件に該当する場合には、事業実態があることとされ、資産保有型会社又は資産運用型会社

－1246－

第八章《非上場株式等についての贈与税の納税猶予及び免除》

に該当しないものとされます【事業実態要件】（措令40の8⑥、措規23の9⑤）。

 イ　会社の事業が贈与の日まで3年以上継続して、商品販売等の業務又は役務提供で継続して対価を得て行われるものを行っていること。

 ロ　贈与の時において、親族外従業員の数が5人以上であること。

 ハ　贈与の時において、親族外従業員が勤務している事務所、店舗等を所有し又は賃借していること。

  等

③　その会社（特定会社）の株式等及びその特定会社と特別の関係がある会社（以下「特別関係会社」といいます。）のうちその特定会社と密接な関係を有する会社（以下「特定特別関係会社」といいます。）の株式等が、非上場株式等に該当すること。

（注1）　「特別関係会社」とは、円滑化法認定を受けた会社並びに円滑化法認定を受けた会社の代表権を有する者及びその代表権を有する者と次に掲げる特別の関係がある者（への(ハ)に掲げる会社を除きます。）が有する他の会社の株式等に係る議決権の数の合計が、当該他の会社に係る総株主等議決権数の50％を超える数である場合における当該他の会社とされています（措令40の8⑦）。

 イ　代表権を有する者の親族

 ロ　代表権を有する者と婚姻の届出をしていないが事実上婚姻関係と同様の事情にある者

 ハ　代表権を有する者の使用人

 ニ　代表権を有する者から受ける金銭その他の資産によって生計を維持している者（イからハに掲げる者を除きます。）

 ホ　ロからニに掲げる者と生計を一にするこれらの者の親族

 ヘ　次に掲げる会社

  (イ)　代表権を有する者（円滑化法認定を受けた会社及びイからホに掲げる者を含みます。以下(ロ)及び(ハ)において同じ。）が有する会社の株式等に係る議決権の数の合計が、その会社に係る総株主等議決権数の50％を超える数である場合におけるその会社

  (ロ)　代表権を有する者及び(イ)に掲げる会社が有する他の会社の株式等に係る議決権の数の合計が、当該他の会社に係る総株主等議決権数の50％を超える数である場合における当該他の会社

  (ハ)　代表権を有する者及び(イ)又は(ロ)に掲げる会社が有する他の会社の株式等に係る議決権の数の合計が、当該他の会社に係る総株主等議決権数の50％を超える数である場合における当該他の会社

（注2）　「特定特別関係会社」とは、イ及びホの「の親族」を「と生計を一にする親族」と読み替えたものとなります（措令40の8⑧）。

④　その会社及び特定特別関係会社が、風俗営業会社（風俗営業等の規制及び業務の適正化等に関する法律第2条第5項に規定する性風俗関連特殊営業に該当する事業を営む会社をいいます。）に該当しないこと。

⑤　その会社の特別関係会社が外国会社に該当する場合には、その会社の常時使用従業員の数が5人以上であること。

⑥　その会社の贈与の日の属する事業年度の直前の事業年度（その贈与の日がその贈与の日の属する事業年度の末日である場合には、その贈与の日の属する事業年度及びその事業年度の直前の事業年度）における総収入金額が、零を超えること（措令40の8⑩一）。

⑦　その会社が発行する会社法第108条第1項第8号に掲げる事項についての定めがある種類の株式をその会社に係る経営承継受贈者以外の者が有していないこと（措令40の8⑩二）。

⑧　その会社の特定特別関係会社が、円滑化法第2条に規定する中小企業者に該当すること（措令40の8⑩三）。

（4）　納税猶予の対象となる対象受贈非上場株式等

　納税猶予の対象となる対象受贈非上場株式等とは、贈与により取得をした非上場株式等（議決権に制限のないものに限ります。以下同じ。）のうち、贈与税の申告書に納税猶予の適用を受けようとする旨の記載があるもので、その贈与の時における認定贈与承継会社の発行済株式又は出資（議決権に制限のない株式等に限ります。）の総数又は総額の3分の2（その贈与の直前においてその贈与に係る経

－1247－

第八章《非上場株式等についての贈与税の納税猶予及び免除》

営承継受贈者が有していた認定贈与承継会社の非上場株式等があるときは、総数又は総額の３分の２から経営承継受贈者が有していた認定贈与承継会社の非上場株式等の数又は金額を控除した残数又は残額）に達するまでの部分とされます。（措令40の８②）。

　具体的には、次の表の左欄に掲げる場合の区分に応じ、それぞれ、中欄に掲げる贈与（以下「対象贈与」といいます。）及び右欄に掲げる株式の数又は出資の金額に達するまでの部分をいうこととされています（措通70の７－２）。

区　分	対象贈与	対象受贈非上場株式等
①　$A＋B≧C×\frac{2}{3}$ の場合	$C×\frac{2}{3}－B$ 以上の贈与	$C×\frac{2}{3}－B$
②　$A＋B＜C×\frac{2}{3}$ の場合	Aの全部の贈与	A

（注１）　上記算式中の符号は次のとおりです。
　　　　A：贈与者が贈与税の納税猶予の適用に係る贈与の直前に有していた非上場株式等の数又は金額
　　　　B：経営承継受贈者がその贈与の直前に有していた非上場株式等の数又は金額
　　　　C：その贈与の時における認定贈与承継会社の発行済株式又は出資（議決権に制限のない株式等に限ります。）の総数又は総額

（注２）　同一年中に、異なる贈与者から同一の認定贈与承継会社に係る非上場株式等を贈与により取得をした場合、異なる贈与者から複数の認定贈与承継会社に係る非上場株式等を贈与により取得をした場合及び同一の贈与者から複数の認定贈与承継会社に係る非上場株式等を贈与により取得をした場合の対象贈与及び対象受贈非上場株式等に該当するかどうかの判定は、それぞれの認定贈与承継会社及び贈与ごとに行うこととされています。

（注３）　①又は②により計算された株式の数又は出資の金額のうち、贈与税の申告書に贈与税の納税猶予の適用を受ける旨の記載がある部分が対象受贈非上場株式等に該当することになります。

2　適用を受けるための手続

（1）　期限内申告

　納税猶予の適用を受けるためには、贈与税の申告書を申告期限内に提出し、その申告書に非上場株式等の全部若しくは一部につき納税猶予の適用を受けようとする旨を記載し、その非上場株式等の明細及び納税猶予分の贈与税額の計算に関する明細その他次に掲げる事項を記載した書類を添付しなければなりません（措法70の７⑧、措規23の９㉔）。

①　贈与税の納税猶予の適用に係る贈与の時における認定贈与承継会社の定款の写し

②　贈与の直前及びその贈与の時における認定贈与承継会社の株主名簿の写しその他の書類で認定贈与承継会社の全ての株主又は社員の氏名又は名称及び住所又は所在地並びにこれらの者が有する認定贈与承継会社の株式等に係る議決権の数が確認できるもの

③　贈与に係る契約書の写しその他のその贈与の事実を明らかにする書類

④　円滑化省令第７条第14項の認定書の写し及び円滑化省令第７条第２項の申請書の写し

⑤　対象受贈非上場株式等の全部又は一部が免除対象贈与により取得をしたものである場合には、対象受贈非上場株式等の贈与をした者ごとの対象受贈非上場株式等の数又は金額の内訳等や贈与年月日を記載した書類

⑥　現物出資等資産に該当するものがある場合には、認定贈与承継会社の資産の価額の合計額等、現物出資等資産の明細等を記載した書類

⑦　その他参考となるべき書類

①　贈与者が贈与税の申告期限前に死亡した場合

　贈与者が、贈与税の申告書の提出期限前に、かつ、受贈者による申告書の提出前に死亡した場合（②及び③に掲げる場合を除きます。）における納税猶予の適用については、次に掲げることとされています（措通70の７－３）。

－1248－

第八章《非上場株式等についての贈与税の納税猶予及び免除》

イ　贈与者が対象贈与をした日の属する年に死亡した場合

（イ）　受贈者が（ロ）以外の者である場合

a　受贈者が贈与者の死亡に係る相続又は遺贈により財産を取得したとき

対象贈与により取得をした認定贈与承継会社の非上場株式等については、相続税法第21条の2第4項の規定に該当する場合には贈与税の課税価格の計算の基礎に算入されないので、贈与税の納税猶予の適用はありません。

b　受贈者が贈与者の死亡に係る相続又は遺贈により財産を取得しなかったとき

受贈者が、対象贈与により取得をした認定贈与承継会社の非上場株式等について贈与税の納税猶予の適用を受ける旨の贈与税の申告書を提出したとき（贈与税の納税猶予の適用に係る要件を満たしている場合に限ります。）は、申告書は、贈与税の納税猶予の適用のある申告書となります。

（ロ）　受贈者が贈与者に係る相続時精算課税適用者（相続時精算課税の適用を受けようとする者を含みます。）である場合

対象贈与により取得をした認定贈与承継会社の非上場株式等については、贈与税の課税価格の計算の基礎に算入されますが、相続税法第28条第4項の規定により贈与税の申告は不要のため贈与税の納税猶予は適用されません。

ロ　贈与者が対象贈与をした日の属する年の翌年に死亡した場合

上記イの（イ）のbを準用します。

② **対象贈与に係る贈与者の前の贈与者が贈与税の申告期限前に死亡した場合**

納税猶予の適用を受けようとする経営承継受贈者に係る贈与者の前の贈与者が、対象贈与に係る贈与税の申告書の提出期限前に、かつ、経営承継受贈者によるその申告書の提出前に死亡した場合における納税猶予の適用については、経営承継受贈者が、対象贈与により取得をした認定贈与承継会社の非上場株式等について納税猶予の適用を受ける旨の贈与税の申告書を提出したとき（納税猶予の適用に係る要件を満たしている場合に限ります。）は、当該申告書は、納税猶予の適用のある申告書となります（措通70の7－3の2）。

この場合において、贈与税の納税猶予の適用要件のうち担保の提供については、その提供を要しないものとし、贈与税の免除の規定の適用に当たっては、当該申告書の提出があった時に免除の効果が生ずるものとして取り扱われます。

（注）　「前の贈与者」とは、次に掲げる場合の区分に応じそれぞれに定める者に認定贈与承継会社の非上場株式等の贈与をした者をいいます。

イ　贈与者に対する1又は第九章の1の適用に係る贈与が、その贈与をした者の免除対象贈与である場合………対象受贈非上場株式等に係る認定贈与承継会社の非上場株式等の免除対象贈与をした者のうち最初に1又は第九章の1の適用を受けた者

ロ　イに掲げる場合以外の場合……贈与者

③ **納税猶予の適用を受けている贈与者が贈与税の申告期限前に死亡した場合**

贈与者が、対象受贈非上場株式等又は特例対象受贈非上場株式等の贈与の日の属する年に死亡した場合において、その贈与に係る経営承継受贈者が本制度の適用を受けるためには、贈与税の申告書の提出を要します（措通70の7－3の3）。

なお、贈与者の相続の開始に係る相続税については、本制度の適用を受けた対象受贈非上場株式等又は特例対象受贈非上場株式等には、相続税法第19条《相続開始前<u>7年以内</u>に贈与があった場合の相続税額》、第21条の15及び第21条の16《相続時精算課税に係る相続税の課税価格及び税額の計算》の規定の適用がありません。

（注）　<u>　　　</u>線部分の規定は、令和5年12月31日以前の贈与については、3年以内となります。

－1249－

第八章《非上場株式等についての贈与税の納税猶予及び免除》

④　対象贈与に係る受贈者が贈与税の申告期限前に死亡した場合

　　受贈者が、対象贈与を受けた日の属する年の中途において死亡した場合又は贈与税の申告書の提出期限前に申告書を提出しないで死亡した場合において、受贈者の相続人（包括受遺者を含みます。）が対象贈与に係る認定贈与承継会社の非上場株式等について納税猶予の適用を受ける旨の贈与税の申告書を提出したとき（納税猶予の適用に係る要件を満たしている場合に限ります。）は、その申告書は、納税猶予の適用のある申告書として取り扱うこととされています。

　　この場合において、贈与税の納税猶予の適用要件のうち担保の提供については、その提供を要しないものとし、贈与税の免除の規定の適用に当たっては、申告書の提出があった時に免除の効果が生ずるものとして取り扱われます（措通70の7－4）。

（2）　担保の提供方法

　　納税猶予の適用を受けようとする経営承継受贈者が行う担保の提供については、国税通則法施行令第16条《担保の提供手続》に定める手続によるほか、認定贈与承継会社（株券不発行会社又は持分会社であるものに限ります。）の対象受贈非上場株式等を担保として提供する場合には、経営承継受贈者が対象受贈非上場株式等を担保として提供することを約する書類その他次の書類を納税地の所轄税務署長に提出する方法によることとされています（措令40の8③、措規23の9①）。

①	株券不発行会社である認定贈与承継会社	イ　経営承継受贈者が対象受贈非上場株式等である株式に質権の設定をすることについて承諾した旨を記載した書類 ロ　イの経営承継受贈者の印に係る印鑑証明書 ハ　認定贈与承継会社が交付した会社法第149条第1項の書面及び認定贈与承継会社の代表権を有する者の印に係る印鑑証明書
②	持分会社である認定贈与承継会社	イ　経営承継受贈者が対象受贈非上場株式等である出資の持分に質権の設定をすることについて承諾した旨を記載した書類 ロ　イの経営承継受贈者の印に係る印鑑証明書 ハ　認定贈与承継会社がイの質権の設定について承諾したことを証する書類で次に掲げるいずれかのもの （イ）　質権の設定について承諾した旨が記載された公正証書 （ロ）　質権の設定について承諾した旨が記載された私署証書で登記所又は公証人役場において日付のある印章が押されているもの及び認定贈与承継会社の印に係る印鑑証明書 （ハ）　質権の設定について承諾した旨が記載された書類で内容証明を受けたもの及び認定贈与承継会社の印に係る印鑑証明書

（注）　認定贈与承継会社（株券不発行会社又は持分会社であるものに限ります。）の対象受贈非上場株式等が担保として提供されている場合において、担保が解除されたときは、経営承継受贈者が対象受贈非上場株式等を担保として提供することを約する書類、上表の①のイ及びハ又は②のイ及びハに掲げる書類が返還されます（措令40の8④、措規23の9②）。

（3）　担保の変更等

　　納税猶予の適用を受けようとする経営承継受贈者が納税猶予分の贈与税額につき対象受贈非上場株

－1250－

第八章《非上場株式等についての贈与税の納税猶予及び免除》

式等の全てを担保として提供した場合には、対象受贈非上場株式等の価額の合計額が納税猶予分の贈与税額に満たないときであっても、納税猶予分の贈与税額に相当する担保が提供されたものとみなされます。ただし、その後において、次に掲げる場合に該当する場合には、この限りでありません（措法70の7⑥、措令40の8㉝）。

① 提供された担保の全部又は一部につき変更があった場合

② 担保として提供された対象受贈非上場株式等に係る認定贈与承継会社が、対象受贈非上場株式等に係る株券を発行する旨の定款の定めを廃止する定款の変更をした場合

③ 担保として提供された対象受贈非上場株式等に係る認定贈与承継会社（株券不発行会社であるものに限ります。）が、対象受贈非上場株式等に係る株券を発行する旨の定款の定めを設ける定款の変更をした場合

> **(注)** ①の「担保の全部又は一部につき変更があった場合」とは、例えば、次のようなものをいいます（措通70の7－30）。
>
> イ 担保として提供された対象受贈非上場株式等に係る認定贈与承継会社が合併により消滅した場合
>
> ロ 担保として提供された対象受贈非上場株式等に係る認定贈与承継会社が株式交換等により他の会社の株式交換完全子会社等になった場合
>
> ハ 担保として提供された対象受贈非上場株式等に係る認定贈与承継会社が組織変更した場合
>
> ニ 担保として提供された対象受贈非上場株式等である株式の併合又は分割があった場合
>
> ホ 担保として提供された対象受贈非上場株式等に係る認定贈与承継会社が会社法第185条《株式無償割当て》に規定する株式無償割当てをした場合
>
> ヘ 担保として提供された対象受贈非上場株式等に係る認定贈与承継会社の名称変更があったことその他の事由により担保として提供された対象受贈非上場株式等に係る株券の差替えの手続が必要となった場合
>
> ト 担保財産の変更等が行われたため、対象受贈非上場株式等の全てが担保として提供されていないこととなった場合
>
> チ 担保として提供された対象受贈非上場株式等について、一定の要件に該当しないこととなった場合

① 特定事由により担保の全部又は一部を解除することがやむを得ないと認められる場合

対象受贈非上場株式等（担保として提供されたものに限ります。）に係る認定贈与承継会社について合併（合併により認定贈与承継会社が消滅する場合に限ります。）、株式交換その他の事由（以下「特定事由」といいます。）が生じ、又は生ずることが確実であると認められ、かつ、その提供された担保の全部又は一部を解除することがやむを得ないと認められる場合において、対象受贈非上場株式等に係る経営承継受贈者が特定事由が生じた後遅滞なく対象受贈非上場株式等の全部又は一部を再び担保として提供することが確実であると見込まれるときは、税務署長は、経営承継受贈者の申請に基づき、その提供された担保の全部又は一部を解除することができます。この場合において、（3）のただし書の規定の適用については、次に掲げるところによります（措令40の8㉞）。

イ 当該担保の解除は、なかったものとみなされます。

ロ 経営承継受贈者が、対象受贈非上場株式等の全部又は一部について、特定事由が生じた日から2か月を経過する日までに再び担保として提供しなかった場合には、同日において国税通則法第51条第1項《担保の変更等》の規定による命令に応じなかったものとみなされます。

② 申請書の提出

①の申請は、特定事由が生じた日から1か月を経過する日までに、対象受贈非上場株式等について①の適用を受けようとする旨、担保の解除を受けようとする理由、担保の解除を受けようとする対象受贈非上場株式等の数又は金額及び特定事由が生じた日又は生ずると見込まれる日を記載した申請書に次に掲げる書類を添付したものをもってしなければなりません（措令40の8㉟、措規23の9㉒㉓）。

イ ①の適用を受けようとする経営承継受贈者が特定事由が生じた日から2か月を経過する日までに対象受贈非上場株式等を再び担保として提供することを約する書類

ロ 合併契約書、株式交換契約書若しくは株式移転計画書の写し又は登記事項証明書その他の書類で

イの特定事由が生じた日又は生ずると見込まれる日を明らかにする書類

ハ　その他参考となるべき書類

3　納税猶予分の贈与税額の計算

（1）　認定承継会社が１社である場合の納税猶予分の贈与税額の計算

　対象受贈非上場株式等の価額を経営承継受贈者に係るその年分の贈与税の課税価格とみなして、相続税法第21条の５《贈与税の基礎控除》及び第21条の７《贈与税の税率》の規定（措置法第70条の２の４《贈与税の基礎控除の特例》及び第70条の２の５《直系尊属から贈与を受けた場合の贈与税の税率の特例》の規定を含みます。）を適用して計算した金額をいいます（措法70の７②五）。

（2）　認定承継会社が２社以上である場合の納税猶予分の贈与税額の計算

　対象受贈非上場株式等を経営承継受贈者に贈与（贈与をした者の死亡により効力を生ずる贈与を除きます。）した贈与者又は対象受贈非上場株式等に係る認定贈与承継会社が２以上ある場合における納税猶予分の贈与税額の計算においては、対象受贈非上場株式等に係る経営承継受贈者がその年中において納税猶予の適用に係る贈与により取得をした全ての認定贈与承継会社の対象受贈非上場株式等の価額の合計額が経営承継受贈者に係るその年分の贈与税の課税価格とみなされます（措令40の８⑭）。

4　納税猶予期間中の継続届出書の提出

（1）　継続届出書の提出

　納税猶予の適用を受ける経営承継受贈者は、贈与税の申告書の提出期限の翌日から猶予中贈与税額に相当する贈与税の全部につき納税猶予に係る期限が確定する日までの間に**経営贈与報告基準日**が存する場合には、届出期限（**第１種贈与基準日**の翌日から５か月を経過する日及び**第２種贈与基準日**の翌日から３か月を経過する日をいいます。）までに、引き続いて贈与税の納税猶予の適用を受けたい旨及び次に掲げる事項等を記載した届出書に①に掲げる書類を添付して、納税地の所轄税務署長に提出しなければなりません（措法70の７⑨、措令40の８㊱、措規23の９㉗）。

① 経営承継受贈者の氏名及び住所

② 贈与者から納税猶予の適用に係る贈与により対象受贈非上場株式等の取得をした年月日

③ 対象受贈非上場株式等に係る認定贈与承継会社の名称及び本店の所在地

④ その届出書を提出する日の直前の経営贈与報告基準日までに終了する各事業年度（経営贈与報告基準日の直前の経営贈与報告基準日及び贈与税の申告書の提出期限までに終了する事業年度を除きます。）における総収入金額

⑤ その経営贈与報告基準日における猶予中贈与税額

⑥ その経営贈与報告基準日において経営承継受贈者が有する対象受贈非上場株式等の数又は金額及び当該経営承継受贈者に係る贈与者の氏名

⑦ その経営贈与報告基準日が**経営贈与承継期間**後である場合には、認定贈与承継会社に係る次に掲げる事項

　イ　報告基準日の属する事業年度の直前の事業年度末における資本金の額及び準備金の額又は出資の総額

　ロ　報告基準日の属する事業年度の直前の事業年度末における１の**(3)**の②の**(注１)**のAからCまでに掲げる額、これらの明細及び割合

　ハ　報告基準日の属する事業年度の直前の事業年度における１の**(3)**の②の**(注２)**のA、Bの総収入金額、運用収入の合計額、これらの明細及び割合

⑧ 報告基準日の直前の経営贈与報告基準日（報告基準日が最初の経営贈与報告基準日である場合には、贈与税の申告書の提出期限）の翌日から報告基準日までの間に認定贈与承継会社が商号の変更をした場合、本店の所在地を変更した場合、合併により消滅した場合、株式交換等により他の会社

第八章《非上場株式等についての贈与税の納税猶予及び免除》

の株式交換完全子会社等となった場合、会社分割をした場合、組織変更をした場合又は解散をした
場合には、その旨

⑨　その他参考となるべき事項

（注1）　「経営贈与報告基準日」とは、第1種贈与基準日又は第2種贈与基準日をいいます。

（注2）　「第1種贈与基準日」とは、経営贈与承継期間のいずれかの日で、贈与税の申告書の提出期限の翌日か
ら1年を経過するごとの日をいいます。

（注3）　「第2種贈与基準日」とは、経営贈与承継期間の末日の翌日から猶予中贈与税額の全部につき納税の猶
予に係る期限が確定する日までの期間のいずれかの日で、経営贈与承継期間の末日の翌日から3年を経過
するごとの日をいいます。

（注4）　「経営贈与承継期間」とは、納税猶予の適用に係る贈与税の申告書の提出期限の翌日から次に掲げる日
のいずれか早い日又は納税猶予の適用を受ける経営承継受贈者若しくは経営承継受贈者に係る贈与者の
死亡の日の前日のいずれか早い日までの期間をいいます。

イ　経営承継受贈者の最初の納税猶予の適用に係る贈与税の申告書の提出期限の翌日以後5年を経過す
る日

ロ　経営承継受贈者の最初の「非上場株式等についての相続税の納税猶予及び免除」（第四編第九章第一
節・措法70の7の2）の適用に係る相続に係る相続税の申告書の提出期限の翌日以後5年を経過する日

① 継続届出書の添付書類

（1）に掲げる添付書類は、対象受贈非上場株式等に係る認定贈与承継会社に係る次に掲げる書類（そ
の経営贈与報告基準日が、経営贈与承継期間内である場合にはロに掲げる書類を除き、経営贈与承継
期間後である場合にはニに掲げる書類を除きます。）です（措規23の9㉕）。

イ　その経営贈与報告基準日における定款の写し

ロ　登記事項証明書

ハ　その経営贈与報告基準日における株主名簿の写しその他の書類で株主又は社員の氏名又は名称及
び住所又は所在地並びにこれらの者が有する株式等に係る議決権の数が確認できる書類（認定贈与
承継会社が証明したものに限ります。）

ニ　円滑化省令第12条第2項の報告書の写し及び当該報告書に係る同条第37項の確認書の写し

ホ　その経営贈与報告基準日（以下「報告基準日」といいます。）の直前の経営贈与報告基準日（報告
基準日が最初の経営贈与報告基準日である場合には、本制度の適用に係る贈与の日の属する年分の
贈与税の申告書の提出期限）の翌日から報告基準日までの間に会社分割又は組織変更があった場合
には、会社分割に係る吸収分割契約書若しくは新設分割計画書の写し又は組織変更に係る組織変更
計画書の写し

ヘ　その他参考となるべき事項

② 合併又は株式交換等があった場合の添付書類の追加

経営承継受贈者は、その有する対象受贈非上場株式等に係る認定贈与承継会社について報告基準日
の直前の経営贈与報告基準日の翌日から報告基準日までの間に合併又は株式交換等があった場合に
は、次に掲げる書類（経営贈与承継期間内に合併又は株式交換等があった場合には、イに掲げる書類
を除き、経営贈与承継期間後に合併又は株式交換があった場合にはロのbに掲げる書類を除きます。）
を①の書類とあわせて継続届出書に添付しなければなりません（措規23の9㉖）。

イ　合併又は株式交換等に係る合併契約書又は株式交換契約書若しくは株式移転計画書の写し

ロ　次に掲げる書類（合併又は株式移転により合併承継会社又は交換等承継会社が設立される場合に
は、合併又は株式移転がその効力を生ずる直前に係るものを除きます。）

a　合併又は株式交換等がその効力を生ずる日における合併承継会社又は交換等承継会社の株主名簿
その他の書類で合併承継会社又は交換等承継会社の全ての株主又は社員の氏名又は名称及び住所又
は所在地並びにこれらの者が有する認定贈与承継会社の株式等に係る議決権の数が確認できる書類

b　合併又は株式交換等に係る円滑化省令第12条第9項又は第10項の報告書の写し及びその報告書

－1253－

第八章《非上場株式等についての贈与税の納税猶予及び免除》

に係る同条第37項の確認書の写し

（2） 継続届出書が提出されなかった場合

（1）の届出書が届出期限までに納税地の所轄税務署長に提出されない場合には、届出期限における猶予中贈与税額に相当する贈与税については、届出期限の翌日から2か月を経過する日（届出期限の翌日から2か月を経過する日までの間に贈与税に係る経営承継受贈者が死亡した場合には、経営承継受贈者の相続人が経営承継受贈者の死亡による相続の開始があったことを知った日の翌日から6か月を経過する日）をもって贈与税の納税猶予に係る期限とされます（措法70の7⑪）。

5　担保の変更の命令に応じない場合等の納税猶予期限の繰上げ

税務署長は、次に掲げる場合には、猶予中贈与税額に相当する贈与税の納税猶予に係る期限を繰り上げることができます。この場合においては、国税通則法第49条第2項及び第3項《納税の猶予の取消し》の規定を準用することになります（措法70の7⑫）。

① 経営承継受贈者が担保について国税通則法第51条第1項《担保の変更等》の規定による命令に応じない場合

② 経営承継受贈者から提出された4の（1）の届出書に記載された事項と相違する事実が判明した場合

6　経営贈与承継期間内における納税猶予の打切り

（1） 経営贈与承継期間内の納税猶予の全部確定

経営贈与承継期間内に納税猶予の適用を受ける経営承継受贈者又は対象受贈非上場株式等に係る認定贈与承継会社について次のいずれかに該当することとなった場合には、次に掲げる日から2か月を経過する日（それぞれに掲げる日からその2か月を経過する日までの間に経営承継受贈者が死亡した場合には、経営承継受贈者の相続人（包括受遺者を含みます。）が経営承継受贈者の死亡による相続の開始があったことを知った日の翌日から6か月を経過する日）をもって贈与税の納税猶予に係る期限とされます（措法70の7③）。

① 経営承継受贈者がその有する対象受贈非上場株式等に係る認定贈与承継会社の代表権を有しないこととなった場合（代表権を有しないこととなったことについて次に掲げるやむを得ない理由がある場合を除きます。）……その有しないこととなった日（措規23の9⑰）

　イ　精神保健及び精神障害者福祉に関する法律第45条第2項の規定により精神障害者保健福祉手帳（精神保健及び精神障害者福祉に関する法律施行令第6条第3項に規定する障害等級が1級である者として記載されているものに限ります。）の交付を受けたこと。

　ロ　身体障害者福祉法第15条第4項の規定により身体障害者手帳（身体上の障害の程度が1級又は2級である者として記載されているものに限ります。）の交付を受けたこと。

　ハ　介護保険法第19条第1項の規定による同項に規定する要介護認定（同項の要介護状態区分が要介護認定等に係る介護認定審査会による審査及び判定の基準等に関する省令第1条第1項第5号に掲げる区分に該当するものに限ります。）を受けたこと。

　ニ　イからハに掲げる事由に類すると認められること。

② 従業員数確認期間（認定贈与承継会社の非上場株式等について納税猶予の適用を受けるために提出する最初の贈与税の申告書の提出期限の翌日から同日以後5年を経過する日（経営承継受贈者又は経営承継受贈者に係る贈与者が同日までに死亡した場合には、その死亡の日の前日）までの期間をいいます。）内に存する各基準日（その提出期限の翌日から1年を経過するごとの日をいいます。）における認定贈与承継会社の常時使用従業員の数の合計を従業員数確認期間の末日において従業員数確認期間内に存する基準日の数で除して計算した数が、常時使用従業員の雇用が確保されているものとして贈与の時における常時使用従業員の数に100分の80を乗じて計算した数（その数に1人未

－1254－

第八章《非上場株式等についての贈与税の納税猶予及び免除》

満の端数があるときは、これを切り捨てた数とし、最初の本制度の適用に係るその贈与の時における常時使用従業員の数が１人のときは１人とします。）を下回る数となった場合……従業員数確認期間の末日（措令40の8㉓）

(注) 贈与の時後に次の事由が生じたときは、次のそれぞれに掲げる数に調整割合（その事由がその効力を生ずる日から従業員数確認期間の末日までの間に存する基準日の数を従業員数確認期間内に存する基準日の数で除して得た割合をいいます。）を乗じて計算した数と贈与の時における認定贈与承継会社の常時使用従業員の数とを合計した数として②の計算を行います（措規23の9⑱）。

　　a　吸収合併（認定贈与承継会社が消滅する場合に限ります。）……吸収合併がその効力を生ずる直前における吸収合併により存続する会社及び吸収合併により消滅する会社（認定贈与承継会社を除きます。）の常時使用従業員の数

　　b　新設合併……新設合併がその効力を生ずる直前における新設合併により消滅する会社（認定贈与承継会社を除きます。）の常時使用従業員の数

　　c　株式交換（認定贈与承継会社が株式交換完全子会社等となる場合に限ります。）……株式交換がその効力を生ずる直前における株式交換に係る交換等承継会社の常時使用従業員の数

③　次の算式を満たすこととなった場合……その満たすこととなった日

　　Ｂ／Ａ≦50／100

　　Ａ：認定贈与承継会社の総株主等議決権数

　　Ｂ：経営承継受贈者及びその経営承継受贈者と同族関係等のある者の有する議決権の数（認定贈与承継会社に係るものに限ります。）の合計

④　経営承継受贈者の同族関係者等のうちいずれかの者が、経営承継受贈者が有する認定贈与承継会社の非上場株式等に係る議決権の数を超える数の非上場株式等に係る議決権を有することとなった場合……その有することとなった日

⑤　経営承継受贈者が対象受贈非上場株式等の一部の譲渡又は贈与（以下「譲渡等」といいます。）をした場合……譲渡等をした日

⑥　経営承継受贈者が対象受贈非上場株式等の全部の譲渡等をした場合（対象受贈非上場株式等に係る認定贈与承継会社が株式交換又は株式移転（以下「株式交換等」といいます。）により他の会社の株式交換完全子会社等となった場合を除きます。）……その譲渡等をした日

⑦　認定贈与承継会社が会社分割をした場合（会社分割に際して吸収分割承継会社等の株式等を配当財産とする剰余金の配当があった場合に限ります。）……会社分割がその効力を生じた日

⑧　認定贈与承継会社が組織変更をした場合（組織変更に際して認定贈与承継会社の株式等以外の財産の交付があった場合に限ります。）……組織変更がその効力を生じた日

⑨　認定贈与承継会社が解散をした場合（合併により消滅する場合を除きます。）又は会社法その他の法律の規定により解散をしたものとみなされた場合……解散をした日又はそのみなされた解散の日

⑩　認定贈与承継会社が資産保有型会社又は資産運用型会社（事業実態がないものに限ります。）に該当することとなった場合……その該当することとなった日（措令40の8㉔）

⑪　認定贈与承継会社の事業年度における総収入金額が零となった場合……事業年度終了の日（措規23の9⑥）

⑫　認定贈与承継会社が、会社法第447条第1項若しくは第626条第1項の規定により資本金の額の減少をした場合又は同法第448条第1項の規定により準備金の額の減少をした場合（同法第309条第2項第9号イ及びロに該当する場合、認定贈与承継会社が減少をする資本金の額の全部を準備金とする場合又は減少をする準備金の額の全部を資本金とする場合若しくは会社法第449条第1項ただし書に該当する場合を除きます。）……資本金の額の減少又は当該準備金の額の減少がその効力を生じた日（措規23の9⑲）

⑬　経営承継受贈者が納税猶予の適用を受けることをやめる旨を記載した届出書を納税地の所轄税務署長に提出した場合……届出書の提出があった日

－1255－

第八章《非上場株式等についての贈与税の納税猶予及び免除》

⑭　認定贈与承継会社が合併により消滅した場合（適格合併をした場合を除きます。）……合併がその効力を生じた日（措規23の9⑳）

⑮　認定贈与承継会社が株式交換等により他の会社の株式交換完全子会社等となった場合（適格交換等をした場合を除きます。）……株式交換等がその効力を生じた日（措規23の9㉑）

⑯　認定贈与承継会社の株式等が非上場株式等に該当しないこととなった場合……その該当しないこととなった日

⑰　認定贈与承継会社又は認定贈与承継会社の特定特別関係会社が風俗営業会社**(注)**に該当することとなった場合……その該当することとなった日

　　(注)　「風俗営業会社」とは、風俗営業等の規制及び業務の適正化等に関する法律第2条第5項に規定する性風俗関連特殊営業に該当する事業を営む会社をいい、「その該当することとなった日」とは、風営法第27条第1項、第31条の2第1項、第31条の7第1項、第31条の12第1項又は第31条の17第1項の届出書を提出した日とされています（措通70の7-26）。

⑱　認定贈与承継会社が発行する会社法第108条第1項第8号に掲げる事項についての定めがある種類の株式を認定贈与承継会社に係る経営承継受贈者以外の者が有することとなったとき……その有することとなった日（措令40の8㉕一）

⑲　認定贈与承継会社（株式会社であるものに限ります。）が対象受贈非上場株式等の全部又は一部の種類を株主総会において議決権を行使することができる事項につき制限のある株式に変更した場合……その変更した日（措令40の8㉕二）

⑳　認定贈与承継会社（持分会社であるものに限ります。）が定款の変更により認定贈与承継会社に係る経営承継受贈者が有する議決権の制限をした場合……その制限をした日（措令40の8㉕三）

㉑　贈与者が対象受贈非上場株式等に係る認定贈与承継会社の代表権を有することとなった場合……その有することとなった日（措令40の8㉕四）

（2）　経営贈与承継期間内の納税猶予税額の一部確定

　経営贈与承継期間内に納税猶予の適用を受ける経営承継受贈者又は対象受贈非上場株式等に係る認定贈与承継会社について次の表の左欄に掲げる場合に該当することとなった場合には、同表の中欄に掲げる金額に相当する贈与税については、同表の右欄に掲げる日から2か月を経過する日（同表の右欄に掲げる日から2か月を経過する日までの間に経営承継受贈者が死亡した場合には、経営承継受贈者の相続人が経営承継受贈者の死亡による相続の開始があったことを知った日の翌日から6か月を経過する日）をもって納税の猶予に係る期限とされます（措法70の7④、措令40の8㉖㉗）。

イ　経営承継受贈者がその有する対象受贈非上場株式等に係る認定贈与承継会社の代表権を有しないこととなった場合において、経営承継受贈者が対象受贈非上場株式等の一部につき納税猶予の適用に係る贈与をしたとき	贈与の直前における猶予中贈与税額に、その贈与をした対象受贈非上場株式等の数又は金額がその贈与の直前における特例受贈非上場株式等の数又は金額に占める割合を乗じて計算した金額（計算した金額に100円未満の端数があるとき、又はその全額が100円未満であるときは、その端数金額又はその全額を切り捨てます。）	その贈与をした日
ロ　認定贈与承継会社が適格合併をした場合又は適格交換等をした場合において、対象受贈非上場株式等に係る経営承継受贈者が、適格合併をした場合における合併又は適格交換等をした場合における株式交換等に際して、吸収合併存続会社等及び他の会社（認定贈与承継会社が株式	認定贈与承継会社が適格合併をした場合における合併又は適格交換等をした場合における株式交換等がその効力を生ずる直前における猶予中贈与税額に、合併又は株式交換等に際して吸収合併存続会社等又は左欄の他の会社が交付しなければならない株式等以外の金銭その他の資産の額が合併前純資産額又は交換	その合併又はその株式交換等がその効力を生じ

－1256－

第八章《非上場株式等についての贈与税の納税猶予及び免除》

交換等により他の会社の株式交換完全子会社等となった場合における当該他の会社をいいます。）の株式等以外の金銭その他の資産の交付を受けたとき	等前純資産額に占める割合を乗じて計算した金額（計算した金額に100円未満の端数があるとき、又はその全額が100円未満であるときは、その端数金額又はその全額を切り捨てます。）	た日

7　経営贈与承継期間後の納税猶予の打切り

　経営贈与承継期間の末日の翌日から猶予中贈与税額に相当する贈与税の全部につき納税猶予に係る期限が確定する日までの間において、納税猶予の適用を受ける経営承継受贈者又は対象受贈非上場株式等に係る認定贈与承継会社について次の①から⑥に該当することとなった場合には、それぞれに定める贈与税については、それぞれに定める日から2か月を経過する日（次に定める日から2か月を経過する日までの間に経営承継受贈者が死亡した場合には、経営承継受贈者の相続人が経営承継受贈者の死亡による相続の開始があったことを知った日の翌日から6か月を経過する日）が納税猶予に係る期限とされます（措法70の7⑤、措令40の8㉘〜㉜）。

	6の(1)の⑥又は⑨から⑬までに掲げる場合	猶予中贈与税額	6の(1)の⑥又は⑨から⑬までに定める日
①			
②	経営承継受贈者が対象受贈非上場株式等の一部の譲渡等をした場合	猶予中贈与税額のうち、譲渡等をした対象受贈非上場株式等の数又は金額に対応する部分の額（猶予中贈与税額に、次の算式により計算した割合を乗じて得た金額をいいます。）〔算式〕$$\frac{譲渡等をした対象受贈非上場株式等の数又は金額}{譲渡等の直前における対象受贈非上場株式等の数又は金額}$$	譲渡等をした日
③	認定贈与承継会社が合併により消滅した場合	猶予中贈与税額（合併に際して吸収合併存続会社等の株式等の交付があった場合には、株式等の価額に対応する部分（猶予中贈与税額に、次の算式により計算した割合を乗じて得た金額をいいます。）の額を除きます。）〔算式〕$$\frac{合併前純資産額−合併に際して吸収合併存続会社等が消滅する認定贈与承継会社の全ての株主等に対して交付しなければならない金銭等の額}{合併前純資産額}$$	合併がその効力を生じた日
④	認定贈与承継会社が株式交換等により他の会社の株式交換完全子会社等となった場合	猶予中贈与税額（株式交換等に際して当該他の会社の株式等の交付があった場合には、株式等の価額に対応する部分（猶予中贈与税額に、次の算式により計算した割合を乗じて得た金額をいいます。）の額を除きます。）	株式交換等がその効力を生じた日

第八章《非上場株式等についての贈与税の納税猶予及び免除》

		〔算式〕 交換等前純資産額－株式交換等に際して当該他の会社が株式交換完全子会社等の全ての株主等に対して交付しなければならない金銭等の額 ──────────────────── 交換等前純資産額	
⑤	6の(1)の⑦に該当した場合	猶予中贈与税額のうち、会社分割に際して認定贈与承継会社から配当された吸収分割承継会社等の株式等の価額に対応する部分の額（猶予中贈与税額に、次の算式により計算した割合を乗じて得た金額をいいます。） 〔算式〕 配当分純資産額（※） ──────────── 分割前純資産額 （※）承継純資産額× 会社分割に際して、認定贈与承継会社から認定贈与承継会社の全ての株主等に対して配当された吸収分割承継会社等の株式等の数又は金額 ──────────────────── 会社分割に際して、吸収分割承継会社等から認定贈与承継会社が交付を受けた吸収分割承継会社等の株式等の数又は金額	会社分割がその効力を生じた日
⑥	6の(1)の⑧に該当した場合	猶予中贈与税額のうち、組織変更に際して認定贈与承継会社から交付された認定贈与承継会社の株式等以外の財産の価額に対応する部分の額（猶予中贈与税額に、次の算式により計算した割合を乗じて得た金額をいいます。） 〔算式〕 組織変更に際して認定贈与承継会社から認定贈与承継会社の全ての株主等に対して交付された金銭等の額 ──────────────────── 組織変更前純資産額	組織変更がその効力を生じた日

8 納税猶予税額の免除

（1）贈与者等の死亡等による納税猶予税額の免除

　納税猶予の適用を受ける経営承継受贈者又は経営承継受贈者に係る贈与者が、次のいずれかに掲げる場合（「死亡等」といいます。）に該当する場合には、その贈与税は、免除されます。

　この場合において、経営承継受贈者又は経営承継受贈者の相続人は、その該当することとなった日から同日（③に該当する場合には、対象受贈非上場株式等の贈与を受けた者が対象受贈非上場株式等について納税猶予の適用に係る贈与税の申告書を提出した日）以後6か月（②に該当する場合には、10か月）を経過する日（「**免除届出期限**」といいます。）までに、①に掲げるところにより、次のイからハに掲げる事項を記載した届出書（「**免除届出書**」といいます。）を納税地の所轄税務署長に提出しなければなりません（措法70の7⑮、措令40の8㊳㊴、措規23の9㉜）。

①	贈与者の死亡の時以前に経営承継	猶予中贈与税額に相当する贈与税

	受贈者が死亡した場合	
②	贈与者が死亡した場合	贈与者の死亡の直前における猶予中贈与税額に、贈与者が贈与をした対象受贈非上場株式等の数又は金額が贈与者の死亡の直前における対象受贈非上場株式等の数又は金額のうちに占める割合を乗じて計算した金額に相当する贈与税
③	経営贈与承継期間の末日の翌日以後に、経営承継受贈者が対象受贈非上場株式等につき贈与税の納税猶予の適用に係る贈与をした場合	贈与の直前における猶予中贈与税額に、贈与をした対象受贈非上場株式等の数又は金額が当該贈与の直前における対象受贈非上場株式等の数又は金額のうちに占める割合を乗じて計算した金額に相当する贈与税

イ　表の①に掲げる場合……次に掲げる事項

　(イ)　（1）の届出書を提出する者の氏名及び住所又は居所

　(ロ)　死亡した経営承継受贈者の氏名及び住所並びにその死亡した年月日並びに当該経営承継受贈者との続柄

　(ハ)　認定贈与承継会社の商号

　(ニ)　（1）による贈与税の免除を受けようとする旨及び当該免除を受けようとする贈与税の額

　(ホ)　その他参考となるべき事項

ロ　表の②に掲げる場合……次に掲げる事項

　(イ)　イの(イ)及び(ハ)に掲げる事項

　(ロ)　死亡した贈与者の氏名及び住所並びにその死亡した年月日並びに当該贈与者との続柄

　(ハ)　（1）による贈与税の免除を受けようとする旨並びに当該免除を受けようとする贈与税の額及びその計算の明細

　(ニ)　贈与者の死亡の直前における対象受贈非上場株式等の内訳等

　(ホ)　その他参考となるべき事項

ハ　表の③に掲げる場合……次に掲げる事項

　(イ)　イの(イ)及び(ハ)並びにロの(ハ)に掲げる事項

　(ロ)　贈与により対象受贈非上場株式等の取得をした者の氏名及び住所

　(ハ)　その他参考となるべき事項

①　免除届出書の提出

　納税猶予の適用を受ける経営承継受贈者又は経営承継受贈者の相続人（包括受遺者を含みます。）は、免除届出書を提出する場合には、次に掲げる事項等を明らかにする書類を添付しなければなりません（措令40の8㊲、措規23の9㉚）。

①　（1）の表の①から③までのいずれに該当するかの別

②　経営承継受贈者の氏名及び住所

③　贈与者から贈与により対象受贈非上場株式等の取得をした年月日

④　対象受贈非上場株式等に係る認定贈与承継会社の名称及び本店の所在地

⑤　その死亡等の日までに終了する各事業年度（その死亡等の日の直前の経営贈与報告基準日及び贈与税の申告書の提出期限までに終了する事業年度を除きます。）における認定贈与承継会社の総収入金額

⑥　その死亡等の日における猶予中贈与税額

⑦　その死亡等の日において経営承継受贈者が有する対象受贈非上場株式等の数又は金額及び経営承継受贈者に係る贈与者の氏名

⑧　その他参考となるべき事項

第八章《非上場株式等についての贈与税の納税猶予及び免除》

② 免除届出書の添付書類

添付書類は、次のとおりです（措規23の9㉛）。

イ　その死亡等の日における定款の写し

ロ　登記事項証明書（その死亡等の日以後に作成されたものに限ります。）（経営贈与承継期間内の場合は不要です。）

ハ　その死亡等の日における株主名簿の写しその他の書類で株主又は社員の氏名又は名称及び住所又は所在地並びにこれらの者が有する株式等に係る議決権の数が確認できる書類（認定贈与承継会社が証明したものに限ります。）

ニ　円滑化省令第12条第6項若しくは第12項の報告書の写し及びその報告書に係る同条第37項の確認書の写し又は円滑化省令第13条第2項の申請書の写し及びその申請書に係る同条第12項の確認書の写し（経営贈与承継期間後の場合は不要です。）

ホ　納税地の所轄税務署長と(1)の表の②の贈与者の死亡に係る相続税の納税地の所轄税務署長とが異なる場合において免除届出期限までに円滑化省令第13条第12項の確認書の交付を受けているときは、その確認書の写し（経営贈与承継期間内の場合は不要です。）

ヘ　その死亡等の日の直前の経営贈与報告基準日の翌日からその死亡等の日までの間に会社分割又は組織変更があった場合には、会社分割に係る吸収分割契約書若しくは新設分割計画書の写し又は組織変更に係る組織変更計画書の写し

ト　その死亡等の日の直前の経営贈与報告基準日の翌日からその死亡等の日までの間に合併又は株式交換等があった場合には、合併又は株式交換等に係る4の(1)の②の書類

チ　その他参考となるべき事項

（2）　その他の場合による納税猶予税額の免除

納税猶予の適用を受ける経営承継受贈者又は対象受贈非上場株式等に係る認定贈与承継会社が次に掲げる場合のいずれかに該当し、それぞれ次に掲げる贈与税の免除を受けようとするときは、その該当することとなった日から2か月を経過する日（その該当することとなった日から2か月を経過する日までの間に経営承継受贈者が死亡した場合には、経営承継受贈者の相続人が経営承継受贈者の死亡による相続の開始があったことを知った日の翌日から6か月を経過する日。「申請期限」といいます。）までに、その免除を受けたい旨、免除を受けようとする贈与税に相当する金額（「免除申請贈与税額」といいます。）及びその計算の明細、①に掲げる事項を記載した申請書（その免除の手続に必要な書類として②に掲げる書類を添付したものに限ります。）を納税地の所轄税務署長に提出しなければなりません（措法70の7⑯）。

① 経営贈与承継期間後に、経営承継受贈者が対象受贈非上場株式等に係る認定贈与承継会社の非上場株式等の全部の譲渡等をした場合（経営承継受贈者の同族関係者以外の者のうち、持分の定めのある法人（医療法人を除きます。）又は個人で、③に掲げる一定の要件を満たす者に対して行う場合又は民事再生法の規定による再生計画若しくは会社更生法の規定による更生計画の認可の決定等を受け、その再生計画若しくはその更生計画に基づきその非上場株式等を消却するために行うときに限り、④に掲げる場合に該当する場合を除きます。）において、次に掲げる金額の合計額が譲渡等の直前における猶予中贈与税額に満たないとき……猶予中贈与税額からその合計額を控除した残額に相当する贈与税（措令40の8㊵㊶）

イ　譲渡等の直前において贈与者から対象受贈非上場株式等に係る認定贈与承継会社の発行済株式又は出資（議決権があるものに限ります。）の総数又は総額の全てを贈与により取得したものとした場合の認定贈与承継会社の株式又は出資の1単位当たりの価額に、譲渡等の直前において経営承継受贈者が有していた対象受贈非上場株式等の数又は金額を乗じて得た金額（その金額が譲渡等をした対象受贈非上場株式等の譲渡等の対価の額より小さい金額である場合には、譲渡等の対価の額）（措規23の9㊱）

－1260－

ロ　譲渡等があった日以前5年以内において、経営承継受贈者及び経営承継受贈者と生計を一にする者が認定贈与承継会社から受けた剰余金の配当等の額その他認定贈与承継会社から受けた次に掲げる金額の合計額（措令40の8㊷㉑）

（イ）　その会社から受けたその会社の株式等に係る剰余金の配当又は利益の配当（贈与の時前に受けたものを除きます。）の額

（ロ）　その会社から支給された給与（債務の免除による利益その他の経済的な利益を含み、贈与の時前に支給されたものを除きます。）の額のうち、法人税法第34条《役員給与の損金不算入》又は第36条《過大な使用人給与の損金不算入》の規定により認定贈与承継会社の各事業年度の所得の金額の計算上損金の額に算入されないこととなる金額

②　経営贈与承継期間後に、対象受贈非上場株式等に係る認定贈与承継会社について破産手続開始の決定又は特別清算開始の命令があった場合……次のイに掲げる金額からロに掲げる金額を控除した残額に相当する贈与税

イ　認定贈与承継会社の解散（会社法その他の法律の規定により解散をしたものとみなされる場合の当該解散を含みます。ロにおいて同じです。）の直前における猶予中贈与税額

ロ　認定贈与承継会社の解散前5年以内において、経営承継受贈者及び経営承継受贈者と生計を一にする者が認定贈与承継会社から受けた剰余金の配当等の額その他認定贈与承継会社から受けた次に掲げる金額の合計額（措令40の8㊷㉑）

（イ）　その会社から受けたその会社の株式等に係る剰余金の配当又は利益の配当（贈与の時前に受けたものを除きます。）の額

（ロ）　その会社から支給された給与（債務の免除による利益その他の経済的な利益を含み、贈与の時前に支給されたものを除きます。）の額のうち、法人税法第34条又は第36条の規定により認定贈与承継会社の各事業年度の所得の金額の計算上損金の額に算入されないこととなる金額

③　経営贈与承継期間後に、対象受贈非上場株式等に係る認定贈与承継会社が合併により消滅した場合（吸収合併存続会社等が経営承継受贈者と同族関係者以外のものであり、かつ、合併に際して吸収合併存続会社等の株式等の交付がない場合に限ります。）において、次に掲げる金額の合計額が、合併がその効力を生ずる直前における猶予中贈与税額に満たないとき……猶予中贈与税額からその合計額を控除した残額に相当する贈与税

イ　合併がその効力を生ずる直前において贈与者から対象受贈非上場株式等に係る認定贈与承継会社の発行済株式又は出資（議決権があるものに限ります。）の総数又は総額の全てを贈与により取得したものとした場合の認定贈与承継会社の株式又は出資の1単位当たりの価額に、その効力を生ずる直前において経営承継受贈者が有していた対象受贈非上場株式等の数又は金額を乗じて得た金額（その金額が合併対価（吸収合併存続会社等が合併に際して消滅する認定贈与承継会社の株主又は社員に対して交付する財産をいいます。）の額より小さい金額である場合には、合併対価の額）（措規23の9㊱）

ロ　合併がその効力を生ずる日以前5年以内において、経営承継受贈者及び経営承継受贈者と生計を一にする者が認定贈与承継会社から受けた剰余金の配当等の額その他認定贈与承継会社から受けた次に掲げる金額の合計額（措令40の8㊷㉑）

（イ）　その会社から受けたその会社の株式等に係る剰余金の配当又は利益の配当（贈与の時前に受けたものを除きます。）の額

（ロ）　その認定贈与承継会社から支給された給与（債務の免除による利益その他の経済的な利益を含み、贈与の時前に支給されたものを除きます。）の額のうち、法人税法第34条又は第36条の規定により認定贈与承継会社の各事業年度の所得の金額の計算上損金の額に算入されないこととなる金額

④　経営贈与承継期間後に、対象受贈非上場株式等に係る認定贈与承継会社が株式交換等により他の

第八章《非上場株式等についての贈与税の納税猶予及び免除》

会社の株式交換完全子会社等となった場合（当該他の会社が経営承継受贈者と特別の関係がある者以外のものであり、かつ、株式交換等に際して当該他の会社の株式等の交付がない場合に限ります。）において、次に掲げる金額の合計額が株式交換等がその効力を生ずる直前における猶予中贈与税額に満たないとき……猶予中贈与税額からその合計額を控除した残額に相当する贈与税

イ　株式交換等がその効力を生ずる直前において贈与者から対象受贈非上場株式等に係る認定贈与承継会社の発行済株式又は出資（議決権があるものに限ります。）の総数又は総額の全てを贈与により取得したものとした場合の認定贈与承継会社の株式又は出資の１単位当たりの価額に、その効力を生ずる直前において経営承継受贈者が有していた対象受贈非上場株式等の数又は金額を乗じて得た金額（その金額が交換等対価（当該他の会社が株式交換等に際して株式交換完全子会社等となった認定贈与承継会社の株主に対して交付する財産をいいます。）の額より小さい金額である場合には、交換等対価の額）（措規23の9㊱）

ロ　株式交換等がその効力を生ずる日以前５年以内において、経営承継受贈者及び経営承継受贈者と生計を一にする者が認定贈与承継会社から受けた剰余金の配当等の額その他当該認定贈与承継会社から受けた次に掲げる金額の合計額（措令40の8㊷㉑）

（イ）　認定贈与承継会社から受けたその会社の株式等に係る剰余金の配当又は利益の配当（贈与の時前に受けたものを除きます。）の額

（ロ）　その会社から支給された給与（債務の免除による利益その他の経済的な利益を含み、贈与の時前に支給されたものを除きます。）の額のうち、法人税法第34条又は第36条の規定により認定贈与承継会社の各事業年度の所得の金額の計算上損金の額に算入されないこととなる金額

① **免除申請書の記載事項**

免除申請書には、次に掲げる事項を記載する必要があります（措規23の9㉝）。

イ　免除申請書を提出する者の氏名及び住所又は居所

ロ　贈与税の免除を受けようとする旨並びに免除を受けようとする贈与税の額及びその計算の明細

ハ　ロの免除が（2）の①から④のいずれの規定に基づくものであるかの別並びにそれぞれに掲げる場合に該当することとなった事情の詳細及びその事情が生じた年月日

ニ　その他参考となるべき事項

② **免除申請書の添付書類**

免除申請書には、次に掲げる書類を添付する必要があります（措規23の9㉞）。

イ　（2）の①に該当するものとして贈与税の免除を受けようとする場合……次に掲げる書類

（イ）　次に掲げる場合の区分に応じそれぞれ次に定める書類

a　③に掲げる一定の者に対してその譲渡等をする場合……その譲渡等があったことを明らかにする書類、譲渡等後の認定贈与承継会社の登記事項証明書（譲渡等後に作成されたものに限ります。）及び譲渡等後の認定贈与承継会社の株主名簿の写しその他の書類で認定贈与承継会社の全ての株主又は社員の氏名又は名称及び住所又は所在地並びにこれらの者が有する認定贈与承継会社の株式等に係る議決権の数が確認できる書類（認定贈与承継会社の証明したものに限ります。）

b　再生計画、更生計画又は債務処理計画に基づき対象受贈非上場株式等を消却するために譲渡等をする場合……譲渡等後の認定贈与承継会社の株主名簿の写しその他の書類で認定贈与承継会社の全ての株主又は社員の氏名又は名称及び住所又は所在地が確認できる書類（認定贈与承継会社の証明したものに限ります。）並びに次に掲げる計画の区分に応じそれぞれ次に定める書類

（a）　再生計画……認定贈与承継会社に係る再生計画（民事再生法第２条第３号に規定する再生計画で同法第174条第１項の規定により認可の決定がされたものに限ります。）の写し及び再生計画の認可の決定があったことを証する書類

－1262－

第八章《非上場株式等についての贈与税の納税猶予及び免除》

（ｂ）　更生計画……認定贈与承継会社に係る更生計画（会社更生法第２条第２項に規定する更生計画で同法第199条第１項の規定により認可の決定がされたものに限ります。）の写し及び更生計画の認可の決定があったことを証する書類

（ｃ）　債務処理計画……認定贈与承継会社に係る債務処理計画の写し及び債務処理計画が成立したことを証する書類

（ロ）　譲渡等の直前における猶予中贈与税額、（２）の①のイの金額及び同①のロの合計額を記載した書類

（ハ）　その他参考となるべき事項を記載した書類

ロ　（２）の②に該当するものとして贈与税の免除を受けようとする場合

（イ）　認定贈与承継会社について破産手続開始の決定又は特別清算開始の命令があったことを証する書類

（ロ）　（２）の②のイの猶予中贈与税額及び同②のロの合計額を記載した書類

（ハ）　その他参考となるべき事項を記載した書類

ハ　（２）の③に該当するものとして贈与税の免除を受けようとする場合

（イ）　合併があったことを明らかにする書類

（ロ）　合併がその効力を生ずる日の直前における猶予中贈与税額、（２）の③のイの金額及び同③のロの合計額を記載した書類

（ハ）　その他参考となるべき事項を記載した書類

ニ　（２）の④に該当するものとして贈与税の免除を受けようとする場合

（イ）　株式交換等があったことを明らかにする書類

（ロ）　株式交換等がその効力を生ずる日の直前における猶予中贈与税額、（２）の④のイの金額及び同④のロの合計額を記載した書類

（ハ）　その他参考となるべき事項を記載した書類

③　一定の要件を満たす者（認定贈与承継会社の経営を実質的に支配する者）

　（２）の①に掲げる一定の要件を満たす者は、譲渡等があった後の認定贈与承継会社の経営を実質的に支配する者として、次に掲げる要件の全てを満たす者をいいます（措令40の８⑩、措規23の９㉟）。

イ　（２）の①の譲渡等後において、ある者及びその者の同族関係者の有する認定贈与承継会社の非上場株式等に係る議決権の数の合計が、認定贈与承継会社の総株主等議決権数の100分の50を超える数を有すること。

ロ　イの譲渡等後において、イの者が有する認定贈与承継会社の非上場株式等の議決権の数が、その者と同族関係者のうちいずれの者が有する認定贈与承継会社の非上場株式等に係る議決権の数をも下回らないこと。

ハ　イの譲渡等後において、イの者（その者が持分の定めのある法人（医療法人を除きます。）である場合には、その法人の会社法第329条第１項に規定する役員又は業務を執行する社員その他これらに類する者でその法人の経営に従事している者）が認定贈与承継会社の代表権を有すること。

（３）　非上場株式等の贈与の日の属する年にその贈与者が死亡した場合

　贈与税の納税猶予の適用を受けようとする経営承継受贈者が贈与者（贈与税の納税猶予の適用を受けている経営承継受贈者に限ります。）からの贈与（贈与者の（１）（表の③に係る部分に限ります。）の規定の適用に係る贈与に限ります。）により贈与者に係る対象受贈非上場株式等の取得をしている場合において、贈与の日の属する年に贈与者の相続が開始したときは、対象受贈非上場株式等については、相続税法第19条《相続開始前<u>７年以内</u>に贈与があった場合の相続税額》、第21条の15及び第21条の16《相続時精算課税に係る相続税の課税価格及び税額の計算》の規定は、適用されません（措令40の８㉞）。

（注）　＿＿線部分の規定は、令和５年12月31日以前の贈与については、３年以内となります。

－1263－

第八章《非上場株式等についての贈与税の納税猶予及び免除》

9 利子税の納付

　贈与税の納税猶予の適用を受けた経営承継受贈者は、次の表の左欄に掲げる場合に該当する場合には、同表の中欄に掲げる金額を基礎とし、経営承継受贈者が贈与税の納税猶予の適用を受けるために提出する贈与税の申告書の提出期限の翌日から同表の右欄に掲げる日（同表のイからハまで又はへからチまでの右欄に掲げる日以前2か月以内に経営承継受贈者が死亡した場合には、経営承継受贈者の相続人が経営承継受贈者の死亡による相続の開始があったことを知った日の翌日から6か月を経過する日）までの期間に応じ、年3.6パーセントの割合を乗じて計算した金額に相当する利子税を、同表の中欄に掲げる金額に相当する贈与税にあわせて納付しなければなりません（措法70の7㉗）。

イ　6の(1)の適用があった場合（ホの左欄に掲げる場合に該当する場合を除きます。）	猶予中贈与税額	6の(1)に掲げる日から2か月を経過する日
ロ　6の(2)の適用があった場合（ホの左欄に掲げる場合に該当する場合を除きます。）	6の(2)の表のイ及びロの中欄に掲げる猶予中贈与税額	6の(2)の表のイ及びロの右欄に掲げる日から2か月を経過する日
ハ　7の規定の適用があった場合（ホからチまでの左欄に掲げる場合に該当する場合を除きます。）	7の表の①から⑥の中欄に掲げる猶予中贈与税額	7の表の①から⑥の右欄に掲げる日から2か月を経過する日
ニ　4の(2)の適用があった場合（ホの左欄に掲げる場合に該当する場合を除きます。）	猶予中贈与税額	4の(2)による納税の猶予に係る期限
ホ　5の適用があった場合	5により納税の猶予に係る期限が繰り上げられる猶予中贈与税額	5により繰り上げられた納税の猶予に係る期限
ヘ　8の(2)の①の適用があった場合（ホの左欄に掲げる場合に該当する場合を除きます。）	8の(2)の①のイ及びロに掲げる金額の合計額	8の(2)の①の譲渡等をした日から2か月を経過する日
ト　8の(2)の②の適用があった場合（ホの左欄に掲げる場合に該当する場合を除きます。）	8の(2)の②のロに掲げる金額	8の(2)の②の認定贈与承継会社が解散をした日から2か月を経過する日
チ　8の(2)の③又は④の適用があった場合（ホの左欄に掲げる場合に該当する場合を除きます。）	8の(2)の③のイ及びロ又は8の(2)の④のイ及びロに掲げる金額の合計額	8の(2)の③又は④の合併又は株式交換等がその効力を生じた日から2か月を経過する日

　なお、贈与税の納税猶予の適用を受けた経営承継受贈者が上表のハからチまでの左欄に掲げる場合に該当する場合（同表のニ又はホの左欄に掲げる場合に該当する場合にあっては、経営贈与承継期間後にこれらの規定に規定する場合に該当することとなった場合に限ります。）における利子税の計算については、「年3.6パーセント」とあるのは、「年3.6パーセント（経営贈与承継期間については、年零パーセント）」とされます（措法70の7㉘）。

－1264－

第八章《非上場株式等についての贈与税の納税猶予及び免除》

10　その他の規定

（1）　他の納税猶予との重複適用の排除

　贈与税の納税猶予は、贈与者から贈与により取得をした非上場株式等に係る会社の株式等について、贈与税の納税猶予の適用を受けている他の経営承継受贈者又は「非上場株式等を相続した場合の相続税の納税猶予及び免除」（第四編第九章第一節・措法70の7の2）の適用を受けている経営承継相続人等若しくは「非上場株式等の贈与者が死亡した場合の相続税の課税の特例」（第四編第九章第二節・措法70の7の4）の規定の適用を受けている経営相続承継受贈者がある場合（贈与税の納税猶予の適用を受けようとする者がその経営承継相続人若しくはその経営相続承継受贈者又は8の（1）（表の③に係る部分に限ります。）若しくは第四編第九章第一編の8の（1）の表の②の贈与によりその会社の株式等を取得した者である場合を除きます。）には、その非上場株式等については適用されません（措法70の7⑦）。

（2）　納税の猶予がされた場合の相続税法の規定の適用関係

　経営承継受贈者が贈与税の納税猶予がされた場合における相続税法の規定の適用については、次によります（措法70の7⑬九、十）。

イ　納税猶予の適用を受ける経営承継受贈者が8の（1）又は（2）により猶予中贈与税額の全部又は一部の免除を受けた場合において、対象受贈非上場株式等（相続税法第21条の9《相続時精算課税の選択》第3項（措置法第70条の2の6《相続時精算課税適用者の特例》第1項、同法第70条の2の7第1項又は同法第70条の3《特定の贈与者から住宅取得等資金の贈与を受けた場合の相続時精算課税適用者の特例》第1項において準用する場合を含みます。次のロにおいて同じ。）の規定の適用を受けるものに限ります。）の贈与者の相続が開始したときは、対象受贈非上場株式等のうち免除を受けた猶予中贈与税額に対応する部分については、相続税法第21条の14から第21条の16までの規定は、適用されません。

ロ　贈与税の納税猶予の適用を受ける経営承継受贈者の贈与税の納税猶予の適用に係る贈与が8の（1）（表の③に係る部分に限ります。）の規定の適用に係る贈与（相続税法第21条の9《相続時精算課税の選択》第3項の規定の適用を受ける対象受贈非上場株式等に係る贈与に限ります。以下このロにおいて「第二贈与」といいます。）であり、かつ、対象受贈非上場株式等が第二贈与者（その第二贈与をした者をいいます。以下このロにおいて同じ。）が第一贈与者（第二贈与前に第二贈与者に対象受贈非上場株式等の贈与をした者をいいます。）からの贈与により取得をしたものである場合には、その第二贈与者が死亡したときにおける経営承継受贈者が第二贈与により取得をした対象受贈非上場株式等については、相続税法第21条の14から第21条の16までの規定は、適用されません。

（3）　現物出資等がある場合の適用除外

　対象受贈非上場株式等に係る認定贈与承継会社が納税猶予の適用を受けようとする経営承継受贈者及び経営承継受贈者の同族関係者から現物出資又は贈与により取得をした資産（贈与前3年以内に取得をしたものに限ります。ロにおいて「現物出資等資産」といいます。）がある場合において、贈与があった時における、イに掲げる金額に対するロに掲げる金額の割合が100分の70以上であるときは、経営承継受贈者については、贈与税の納税猶予は適用されません（措法70の7㉙）。

イ　認定贈与承継会社の資産の価額の合計額

ロ　現物出資等資産の価額（認定贈与承継会社が贈与があった時において現物出資等資産を有していない場合には、その贈与があった時に有しているものとしたときにおける現物出資等資産の価額）の合計額

（4）　雇用確保要件を満たせなかった場合における納税猶予税額に対する延納の利用

　雇用確保要件が満たされなかったために猶予期限が確定した場合における猶予税額（確定税額）について、延納が利用できます。

－1265－

第八章《非上場株式等についての贈与税の納税猶予及び免除》

① 納税猶予税額の納付について、猶予期限までに納付することを困難とする事由がある場合には、延納制度の利用が可能です（措法70の7⑬十一）。

② 延納申請期限は、経営贈与承継期間の末日から5か月を経過する日とされます（措法70の7⑬十二前段）。

③ 納税猶予期限の翌日から上記②の延納申請期限までの間については、年6.6％(**注**)の利子税の納付が必要とされます（措法70の7⑬十二後段）。

④ 延納期間は5年間です。

(**注**) この利子税の割合については、利子税の割合の特例（措法93⑤）が適用されます。

－1266－

第九章　非上場株式等についての贈与税の納税猶予及び免除の特例

1　制度の概要

　特例経営承継受贈者が、**特例認定贈与承継会社**の非上場株式等（議決権に制限のないものに限ります。以下同じ。）を有していた一定の個人（特例認定贈与承継会社の非上場株式等について既に特例の適用に係る贈与をしているものを除きます。以下**「特例贈与者」**といいます。）から特例認定贈与承継会社の非上場株式等を贈与（平成30年1月1日から令和9年12月31日までの間の最初の特例の適用に係る贈与及びその贈与の日から特例経営贈与承継期間の末日までの間**(注)**に贈与税の申告書の提出期限が到来する贈与に限ります。）により取得した場合において、その贈与が次の①又は②の贈与であるときは、特例対象受贈非上場株式等に係る納税猶予分の贈与税額に相当する贈与税については、その納税猶予分の贈与税額に相当する担保を提供した場合に限り、特例贈与者（特例対象受贈非上場株式等が経営承継受贈者又は特例経営承継受贈者である特例贈与者の免除対象贈与（特例対象受贈非上場株式等について受贈者がこの特例の適用を受ける場合における贈与をいいます。以下1において同じ。）により取得したものである場合における贈与税については、免除対象贈与をした最初の経営承継受贈者又は特例経営承継受贈者にその特例対象受贈非上場株式等の贈与をした者）の死亡の日まで、その納税が猶予されます（措法70の7の5①）。

(注)　この特例の適用を受ける前に「非上場株式等についての相続税の納税猶予制度の特例」（第四編第十章第一節・措法70の7の6）の適用を受けている者については、平成30年1月1日から令和9年12月31日までの間の最初の相続税の納税猶予制度の特例（措法70の7の6）の適用に係る相続の開始の日から特例経営贈与承継期間の末日まの間となります（措令40の8の5②）。

①　特例経営承継受贈者が1人である場合……イ又はロに掲げる贈与の場合の区分に応じそれぞれイ又はロに定める贈与

　イ　A≦Bの場合　……　A以上の数又は金額に相当する非上場株式等の贈与

　ロ　A＞Bの場合　……　Bの全ての贈与

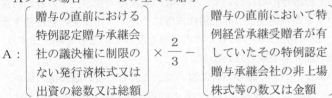

　B：贈与の直前において特例贈与者が有していた特例認定贈与承継会社の非上場株式等の数又は金額

②　特例経営承継受贈者が2人又は3人である場合……その贈与後におけるいずれの特例経営承継受贈者の有する特例認定贈与承継会社の非上場株式等の数又は金額が特例認定贈与承継会社の発行済株式又は出資の総数又は総額の10分の1以上となる贈与であって、かつ、贈与後におけるいずれの特例経営承継受贈者の有する特例認定贈与承継会社の非上場株式等の数又は金額が特例贈与者の有する特例認定贈与承継会社の非上場株式等の数又は金額を上回る贈与

（1）　特例認定贈与承継会社の範囲

　中小企業者のうち特例円滑化法認定（円滑化法第12条第1項第1号の認定で円滑化省令第6条第1項第11号又は第13号の事由に係るものをいいます。）を受けた会社であって、一般贈与税猶予制度と同

第九章《非上場株式等についての贈与税の納税猶予及び免除の特例》

様の要件を満たすものをいいます（措法70の7の5②一・二、措令40の8の5⑤～⑨）。

なお、特例円滑化法認定を受けるためには、認定経営革新等支援機関の指導及び助言を受けて特例承継計画を作成し、これについて、令和8年3月31日までに都道府県知事の確認を受ける必要があります（円滑化省令6①十一・十三、7⑥十、⑧、16、17）。したがって、同日後に贈与を受けた非上場株式等について、この特例の適用を受けるためには、同日前に特例承継計画の都道府県知事の確認を受けておく必要があります。

(注1) 認定経営革新等支援機関とは、中小企業等経営強化法の規定による認定を受けた税務、金融及び企業財務に関する専門的知識や支援に係る実務経験が一定レベル以上の個人、法人、中小企業支援機関等（税理士、公認会計士、金融機関、商工会等）であって、中小企業に対して専門性の高い支援事業を行うものをいいます。

(注2) 特例承継計画とは、中小企業者の経営を確実に承継するための具体的な計画であって、これには、後継者（最大で3人まで）、後継者が非上場株式等を取得するまでの計画及び後継者が非上場株式等を取得してから5年間の経営計画を定める必要があります。

（2） 特例経営承継受贈者の範囲

特例贈与者から贈与税の納税猶予の特例の適用に係る贈与により特例認定贈与承継会社の非上場株式等の取得をした個人で、次に掲げる要件の全てを満たす者（その者が2人又は3人以上ある場合には、特例認定贈与承継会社が定めた2人又は3人までに限ります。）をいいます（措法70の7の5②六）。

① その贈与の日において18歳以上であること。

(注) ——線部分の規定は、令和4年3月31日以前は、「18歳」とあるのは「20歳」とされます（平31改法附1十一ロ）。

② その贈与の時において、特例認定贈与承継会社の代表権（制限が加えられた代表権を除きます。）を有していること。

③ その贈与の時において、次の算式を満たすこと。

B／A＞50／100

A：特例認定贈与承継会社に係る総株主等議決権数（総株主又は総社員の議決権の数をいいます。）

B：その個人及びその個人の同族関係者等の有する当該特例認定贈与承継会社の非上場株式等の議決権の数の合計

④ 次に掲げる場合の区分に応じそれぞれ次に定める要件を満たしていること。

イ その個人が1人の場合……その贈与の時において、その者の議決権の数が、その者の同族関係者等（既に同一の会社についてこの特例及び「非上場株式等についての相続税の納税猶予及び免除の特例」（第四編第十章第一節・措法70の7の6）等の適用を受けている者を除きます。）のうちいずれの者が有する議決権の数をも下回らないこと。

ロ その個人が2人又は3人の場合……その贈与の時において、これらの者の議決権の数が、総株主等議決権数の100分の10以上であること及びこれらの者の同族関係者等（既に同一の会社についてこの特例及び「非上場株式等についての相続税の納税猶予及び免除の特例」（第四編第十章第一節・措法70の7の6）等の適用を受けている者を除きます。）のうちいずれの者が有する議決権の数をも下回らないこと。

⑤ その個人が、その贈与の時からその贈与の日の属する年分の贈与税の申告書の提出期限（提出期限前にその個人が死亡した場合には、その死亡の日）まで引き続きその贈与により取得をした特例認定贈与承継会社の特例対象受贈非上場株式等の全てを有していること。

なお、同一の会社について、一般贈与税猶予制度とこの特例を重複して適用することはできません（措法70の7の5②六ト）。また、特例経営承継受贈者は、都道府県知事の確認を受けた特例承継計画に定められた特例後継者である必要があります（措法70の7の5②六チ、措規23の12の2⑪）。

—1268—

第九章《非上場株式等についての贈与税の納税猶予及び免除の特例》

（3） 特例贈与者の範囲

「特例贈与者」とは、次に掲げる場合の区分に応じそれぞれに定める者です（措令40の8の5①）。

① 最初の贈与に係る贈与者……特例の適用に係る贈与の時前において、特例認定贈与承継会社の代表権（制限が加えられた代表権を除きます。イ及びロにおいて同じ。）を有していた個人で、次に掲げる要件の全てを満たすもの

イ その贈与の直前（その個人がその贈与の直前において特例認定贈与承継会社の代表権を有しない場合には、その個人が代表権を有していた期間内のいずれかの時及びその贈与の直前）において、その個人及びその同族関係者の有する特例認定贈与承継会社の非上場株式等に係る議決権の数の合計が、その特例認定贈与承継会社の総株主等議決権数の100分の50を超える数であること。

ロ その贈与の直前（その個人がその贈与の直前において特例認定贈与承継会社の代表権を有しない場合には、その個人が代表権を有していた期間内のいずれかの時及びその贈与の直前）において、その個人が有する特例認定贈与承継会社の非上場株式等に係る議決権の数が、その個人の同族関係者（特例認定贈与承継会社の特例経営承継受贈者となる者を除きます。）のうちいずれの者が有する非上場株式等に係る議決権の数をも下回らないこと。

ハ その贈与の時において、その個人が特例認定贈与承継会社の代表権を有していないこと。

② 2回目以降の贈与に係る贈与者……特例認定贈与承継会社の非上場株式等を有していた個人で、贈与の時において特例認定贈与承継会社の代表権を有していないもの

イ 特例認定贈与承継会社の非上場株式等について、この特例、「非上場株式等についての相続税の納税猶予及び免除の特例」（第四編第十章第一節・措法70の7の6）又は「非上場株式等の特例贈与者が死亡した場合の相続税の納税猶予及び免除の特例」（第四編第十章第二節の2・措法70の7の8）の適用を受けている者

ロ ①に掲げる者からこの特例の適用に係る贈与により特例認定贈与承継会社の非上場株式等の取得をしている者でその贈与に係る贈与税の申告期限が到来していないため、まだその申告をしていないもの

ハ 特例被相続人から「非上場株式等についての相続税の納税猶予及び免除の特例」（第四編第十章第一節・措法70の7の6）の規定の適用に係る相続又は遺贈により当該特例認定贈与承継会社の非上場株式等の取得をしている者でその相続に係る相続税の申告期限が到来していないため、まだその申告をしていないもの

（4） 特例対象受贈非上場株式等の贈与の意義等

贈与税の納税猶予の特例の適用対象となる非上場株式等の贈与とは、次に掲げる場合の区分に応じ、それぞれに定める贈与（以下「**特例対象贈与**」といいます。）をいいます（措通70の7の5－3）。

なお、特例対象贈与は、平成30年1月1日から令和9年12月31日までの間の最初の贈与税の納税猶予の特例の適用に係る贈与及びその贈与の日から特例経営贈与承継期間の末日までの間に贈与税の申告書の提出期限が到来する贈与に限られます。

① 特例経営承継受贈者が1人である場合……次に掲げる贈与

イ $A+B \geqq C \times \frac{2}{3}$ の場合には、$C \times \frac{2}{3} - B$ 以上の贈与

ロ $A+B < C \times \frac{2}{3}$ の場合には、Aの全部の贈与

② 特例経営承継受贈者が2人又は3人である場合……次のイ及びロを満たす贈与

イ $D \geqq C \times \frac{1}{10}$

ロ $D > E$

(**注1**) 上記算式中の符号は次のとおりです。

A：特例贈与者が1の規定の適用に係る贈与の直前に有していた特例認定贈与承継会社の非上場株式等の数又は金額

B：特例経営承継受贈者が当該贈与の直前に有していた特例認定贈与承継会社の非上場株式等の数又

－1269－

第九章《非上場株式等についての贈与税の納税猶予及び免除の特例》

は金額

C：当該贈与の時における特例認定贈与承継会社の発行済株式又は出資（議決権に制限のない株式等に限ります。）の総数又は総額

D：当該贈与直後におけるそれぞれの特例経営承継受贈者の有する特例認定贈与承継会社の非上場株式等の数又は金額

E：当該贈与直後における特例贈与者の有する特例認定贈与承継会社の非上場株式等の数又は金額

（注2）　上記①又は②のいずれの場合に該当するかは、同一の特例贈与者から同一の特例認定贈与承継会社の非上場株式等を贈与税の納税猶予の特例の適用に係る贈与により取得した特例経営承継受贈者の数によることとなります。

（5）　納税猶予分の贈与税額の計算

納税猶予分の贈与税額の計算は、一般贈与税納税制度と同様です（措令40の8の5⑮⑯）。

（6）　特例経営贈与承継期間

「特例経営贈与承継期間」は、この特例の適用を受けるための最初の贈与に係る贈与税の申告書の提出期限（先に「非上場株式等についての相続税の納税猶予及び免除の特例」（第四編第十章第一節・措法70の7の6）の適用を受けている場合には、その最初の相続に係る相続税の申告書の提出期限）から5年間とされています（措法70の7の5②七）。

2　納税猶予期限が確定する場合（猶予税額の全部又は一部の納付）

一般贈与税納税制度を準用していますので、これと同様の場合に納税猶予期限が確定しますが、雇用確保要件（5年間平均で8割確保）については準用していません。したがって、特例経営贈与承継期間の5年間の平均の常時使用従業員数が贈与時の常時使用従業員数の8割を下回った場合であっても、これのみをもって納税猶予期限が確定することはありません（措法70の7の5③）。

ただし、この場合には、その8割を下回った理由について、都道府県知事の確認を受けなければなりません。この際、特例経営贈与承継期間の末日の翌日から4か月を経過する日までに、その8割を下回った理由について、認定経営革新等支援機関の所見の記載があり、かつ、この理由が経営状況の悪化である場合又はその認定経営革新等支援機関が正当と認められないと判断した場合には、その認定経営革新等支援機関による経営力の向上に係る指導及び助言を受けた旨の記載のある報告書の写しを都道府県知事に提出しなければなりません（円滑化省令20①③⑭）。

そして、特例経営承継受贈者は、納税地の所轄税務署長に対し、特例経営贈与承継期間の末日に係る継続届出書に上記の報告書の写し及び都道府県知事の確認書の写しを添付して提出しなければなりません（措法70の7の5⑥、措規23の12の2⑰五）。これらの書類の添付がない継続届出書が提出されたときには、納税猶予期限は確定し、猶予税額の全部を納付する必要があります（措法70の7の5⑧）。

3　納税猶予税額の免除

（1）　時価（相続税評価額）の2分の1までの部分に対応する猶予税額の免除

この特例の適用を受ける特例経営承継受贈者又は特例対象受贈非上場株式等に係る特例認定贈与承継会社が次の①から④までのいずれかに掲げる場合に該当することとなった場合（その特例認定贈与承継会社の事業の継続が困難な事由として一定の事由（注）が生じた場合に限ります。）において、その特例経営承継受贈者は、その①から④までの贈与税の免除を受けようとするときは、その該当することとなった日から2か月を経過する日（その該当することとなった日からその2か月を経過する日までの間に特例経営承継受贈者が死亡した場合には、その特例経営承継受贈者の相続人がその特例経営承継受贈者の死亡による相続の開始があったことを知った日の翌日から6か月を経過する日。以下「申請期限」といいます。）までに、免除を受けたい旨、免除を受けようとする贈与税に相当する金額及びその計算の明細その他の事項を記載した申請書（免除の手続に必要な書類その他の書類を添付したものに限ります。）を納税地の所轄税務署長に提出しなければなりません（措法70の7の5⑫）。

－1270－

第九章《非上場株式等についての贈与税の納税猶予及び免除の特例》

① 特例経営贈与承継期間の末日の翌日以後に、特例経営承継受贈者が特例対象受贈非上場株式等の全部又は一部の譲渡等をした場合（その特例経営承継受贈者の同族関係者以外の者に対して行う場合に限ります。）において、次に掲げる金額の合計額がその譲渡等の直前における猶予中贈与税額（その譲渡等をした特例対象受贈非上場株式等の数又は金額に対応する部分の額に限ります。）に満たないとき……その猶予中贈与税額からその合計額を控除した残額に相当する贈与税

  イ 譲渡等の対価の額（その額がその譲渡等をした時における譲渡等をした数又は金額に対応する特例対象受贈非上場株式等の相続税評価額の2分の1以下である場合には、相続税評価額の2分の1に相当する金額）をこの特例の適用に係る贈与により取得をした特例対象受贈非上場株式等のその贈与の時における価額とみなして計算した納税猶予分の贈与税額

  ロ 譲渡等があった日以前5年以内において、特例経営承継受贈者及びその特例経営承継受贈者の同族関係者がその特例認定贈与承継会社から受けた剰余金の配当等の額とその特例認定贈与承継会社から受けた法人税法の規定により過大役員給与等とされる金額との合計額

② 特例経営贈与承継期間の末日の翌日以後に、特例対象受贈非上場株式等に係る特例認定贈与承継会社が合併により消滅した場合（吸収合併存続会社等が特例経営承継受贈者の同族関係者以外のものである場合に限ります。）において、次に掲げる金額の合計額がその合併がその効力を生ずる直前における猶予中贈与税額に満たないとき……その猶予中贈与税額からその合計額を控除した残額に相当する贈与税

  イ 合併対価（吸収合併存続会社等が合併に際して消滅する特例認定贈与承継会社の株主又は社員に対して交付する財産をいいます。）の額（その額がその合併がその効力を生ずる直前における特例対象受贈非上場株式等の相続税評価額の2分の1以下である場合には、相続税評価額の2分の1に相当する金額）をこの特例の適用に係る贈与により取得をした特例対象受贈非上場株式等のその贈与の時における価額とみなして計算した納税猶予分の贈与税額

  ロ 合併がその効力を生ずる日以前5年以内において、特例経営承継受贈者及びその特例経営承継受贈者の同族関係者がその特例認定贈与承継会社から受けた剰余金の配当等の額とその特例認定贈与承継会社から受けた法人税法の規定により過大役員給与等とされる金額の合計額

③ 特例経営贈与承継期間の末日の翌日以後に、特例対象受贈非上場株式等に係る特例認定贈与承継会社が株式交換等により他の会社の株式交換完全子会社等となった場合（当該他の会社が特例経営承継受贈者の同族関係者以外のものである場合に限ります。）において、次に掲げる金額の合計額が株式交換等がその効力を生ずる直前における猶予中贈与税額に満たないとき……その猶予中贈与税額からその合計額を控除した残額に相当する贈与税

  イ 交換等対価（当該他の会社が株式交換等に際して株式交換完全子会社等となった特例認定贈与承継会社の株主に対して交付する財産をいいます。）の額（その額がその株式交換等がその効力を生ずる直前における特例対象受贈非上場株式等の相続税評価額の2分の1以下である場合には、相続税評価額の2分の1に相当する金額）をこの特例の適用に係る贈与により取得をした特例対象受贈非上場株式等のその贈与の時における価額とみなして計算した納税猶予分の贈与税額

  ロ 株式交換等がその効力を生ずる日以前5年以内において、特例経営承継受贈者及びその特例経営承継受贈者の同族関係者がその特例認定贈与承継会社から受けた剰余金の配当等の額とその特例認定贈与承継会社から受けた法人税法の規定により過大役員給与等とされる金額の合計額

④ 特例経営贈与承継期間の末日の翌日以後に、特例対象受贈非上場株式等に係る特例認定贈与承継会社が解散をした場合において、次に掲げる金額の合計額がその解散の直前における猶予中贈与税額に満たないとき……その猶予中贈与税額からその合計額を控除した残額に相当する贈与税

  イ 解散の直前における特例対象受贈非上場株式等の相続税評価額をこの特例の適用に係る贈与により取得をした特例対象受贈非上場株式等のその贈与の時における価額とみなして計算した納税猶予分の贈与税額

第九章《非上場株式等についての贈与税の納税猶予及び免除の特例》

　　ロ　解散の日以前5年以内において、特例経営承継受贈者及びその特例経営承継受贈者の同族関係者がその特例認定贈与承継会社から受けた剰余金の配当等の額及びその特例認定贈与承継会社から受けた法人税法の規定により過大役員給与とされる金額の合計額

　（注）　上記(1)の「特例認定贈与承継会社の事業の継続が困難な事由として一定の事由」とは、次のいずれか（特例認定贈与承継会社が解散をした場合にあっては、ホを除きます。）に該当する場合をいいます（措令40の8の5㉒、措規23の12の2㉓〜㉖）。

　　イ　直前事業年度（特例経営承継受贈者又は特例認定贈与承継会社が上記①から④までのいずれかに該当することとなった日の属する事業年度の前事業年度をいいます。）及びその直前の3事業年度（直前事業年度の終了の日の翌日以後6か月を経過する日後に上記①から④までのいずれかに該当することとなった場合には2事業年度）のうち2以上の事業年度において、特例認定贈与承継会社の経常損益金額（会社計算規則第91条第1項に規定する経常損益金額をいいます。）が零未満であること。

　　ロ　直前事業年度及びその直前の3事業年度（直前事業年度の終了の日の翌日以後6か月を経過する日後に上記①から④までのいずれかに該当することとなった場合には、2事業年度）のうち2以上の事業年度において、各事業年度の平均総収入金額（総収入金額（会社計算規則第88条第1項第4号に掲げる営業外収益及び同項第6号に掲げる特別利益以外のものに限ります。）を総収入金額に係る事業年度の月数で除して計算した金額をいいます。以下同じ。）が、各事業年度の前事業年度の平均総収入金額を下回ること。

　　ハ　次に掲げる事由のいずれか（直前事業年度の終了の日の翌日以後6か月を経過する日後に上記①から④までのいずれかに該当することとなった場合には、下記(イ)に掲げる事由）に該当すること。

　　（イ）　特例認定贈与承継会社の直前事業年度の終了の日における負債（利子（特例経営承継受贈者の同族関係者に対して支払うものを除きます。）の支払の基因となるものに限ります。（ロ）において同じです。）の帳簿価額が、直前事業年度の平均総収入金額に6を乗じて計算した金額以上であること。

　　（ロ）　特例認定贈与承継会社の直前事業年度の前事業年度の終了の日における負債の簿価額が、その事業年度の平均総収入金額に6を乗じて計算した金額以上であること。

　　ニ　次に掲げる事由のいずれかに該当すること。

　　（イ）　判定期間（直前事業年度の終了の日の1年前の日の属する月から同月以後1年を経過する月までの期間をいいます。）における業種平均株価（※）が、前判定期間（判定期間の開始前1年間をいいます。（ロ）において同じ。）における業種平均株価を下回ること。

　　（ロ）　前判定期間における業種平均株価が、前々判定期間（前判定期間の開始前1年間をいいます。）における業種平均株価を下回ること。

　　（※）　業種平均株価とは、判定期間、前判定期間又は前々判定期間に属する各月における上場株式平均株価（金融商品取引法第130条の規定により公表された上場会社の株式の毎日の最終の価格を利用して算出した価格の平均値をいい、具体的には、非上場株式等の相続税評価額の算定に用いるために国税庁において公表する業種目別株価となります。）を合計した数を12で除して計算した価格をいいます。

　　ホ　特例経営承継受贈者（上記①から③までのいずれかに該当することとなった時において特例認定贈与承継会社の役員又は業務を執行する社員であった者に限ります。）が心身の故障その他の事由により当該特例認定贈与承継会社の業務に従事することができなくなったこと。

（2）　実際の譲渡等の価額が相続税評価額の2分の1を下回った場合の納税猶予

　（1）の①から③までに該当する場合で、かつ、次の①から③までに該当する場合において、特例経営承継受贈者が下記(3)の適用を受けようとするときは、（1）にかかわらず、申請期限までに(1)の①から③までのそれぞれの①及び②に掲げる金額の合計額に相当する担保を提供した場合で、かつ、その申請期限までにこの特例の適用を受けようとする旨、その金額の計算の明細その他の事項を記載した申請書を納税地の所轄税務署長に提出した場合に限り、再計算対象猶予税額（（1）の①に該当する場合には猶予中贈与税額のうちその譲渡等をした特例対象受贈非上場株式等の数又は金額に対応する部分の額をいい、（1）の②又は③に該当する場合には猶予中贈与税に相当する金額をいいます。）からその合計額を控除した残額を免除し、その合計額（（1）の①に該当する場合には、その合計額に猶予中贈与税額からその再計算対象猶予税額を控除した残額を加算した金額）を猶予中贈与税額とすることができます（措法70の7の5⑬）。

－1272－

第九章《非上場株式等についての贈与税の納税猶予及び免除の特例》

① （1）の①の対価の額がその譲渡等をした時における特例対象受贈非上場株式等の相続税評価額の2分の1以下である場合
② （1）の②の合併対価の額が合併がその効力を生ずる直前における特例対象受贈非上場株式等の相続税評価額の2分の1以下である場合
③ （1）の③の交換等対価の額が株式交換等がその効力を生ずる直前における特例対象受贈非上場株式等の相続税評価額の2分の1以下である場合

（3）　実際の譲渡等の価額が相続税評価額の2分の1を下回った場合の猶予税額の免除

（1）の①から③までに該当することとなった日から2年を経過する日において、（2）により猶予中贈与税額とされた金額に相当する贈与税の納税の猶予に係る期限及び免除については、次に掲げる場合の区分に応じそれぞれ次に定めるところによります（措法70の7の5⑭）。

① 次に掲げる会社がその2年を経過する日においてその事業を継続している場合（注1）……特例再計算贈与税額（注2）（上記（2）の②又は③に該当する場合には、その合併又は株式交換等に際して交付された株式等以外の財産の価額に対応する部分の額に限ります。）に相当する贈与税については、その2年を経過する日から2か月を経過する日（その2年を経過する日からその2か月を経過する日までの間に特例経営承継受贈者が死亡した場合には、その特例経営承継受贈者の相続人がその特例経営承継受贈者の死亡による相続の開始があったことを知った日の翌日から6か月を経過する日。以下「再申請期限」といいます。）をもって納税猶予に係る期限となりますので、この贈与税及び納税猶予期間に対応する利子税を納付しなければなりません。また、上記（2）により猶予贈与税額とされた金額から特例再計算贈与税額を控除した残額に相当する贈与税については免除することとされました。
　イ （2）の①の場合におけるその譲渡等をした特例対象受贈非上場株式等に係る会社
　ロ （2）の②の場合におけるその合併に係る吸収合併存続会社等
　ハ （2）の③の場合におけるその株式交換等に係る株式交換完全子会社等

② ①のイからハまでの会社がその2年を経過する日において事業を継続していない場合……（2）により猶予中贈与税額とされた金額（（2）の①に該当する場合にはその譲渡等をした特例対象受贈非上場株式等の数又は金額に対応する部分の額に、（2）の②又は③に該当する場合にはその合併又は株式交換等に際して交付された株式等以外の財産の価額に対応する部分の額に限ります。）に相当する贈与税については、再申請期限をもって納税猶予に係る期限となりますので、この贈与税及び納税猶予期間に対応する利子税を納付しなければなりません。

(注1)　「事業を継続している場合」とは、次の要件の全てを満たす場合をいいます（措令40の8の5㉛、措規23の12の2㉚）。
　　i　商品の販売その他の業務を行っていること
　　ii　（1）の①から③までに該当することとなった時の直前における特例認定贈与承継会社の常時使用従業員のうちその総数の2分の1に相当する数（その数に1人未満の端数があるときはこれを切り捨てた数とし、その該当することとなった時の直前における常時使用従業員の数が1人のときは1人とします。）以上の者が、その該当することとった時から上記の2年を経過する日まで引き続き（1）の①から③までに掲げる会社の常時使用従業員であること
　　iii　iiの常時使用従業員が勤務している事務所、店舗、工場その他これらに類するものを所有し、又は賃借していること
(注2)　「特例再計算贈与税額」とは、実際の譲渡等の対価の額、合併対価の額又は交換等対価の額に相当する金額を贈与により取得をした特例対象受贈非上場株式等のその贈与の時における価額とみなして計算した納税猶予分の贈与税額に、それぞれ（1）の①のロ、（2）の②又は（3）の②に掲げる金額を加算した金額をいいます（措法70の7の5⑮）。

（4）　贈与税の免除に係る手続

（3）の①により贈与税の免除を受けようとする特例経営承継受贈者は、再申請期限までに、免除を受けたい旨、免除を受けようとする贈与税に相当する金額及びその計算の明細その他の事項を記載し

－1273－

第九章《非上場株式等についての贈与税の納税猶予及び免除の特例》

た申請書（その免除の手続に必要な書類その他の書類を添付したものに限ります。）を納税地の所轄税務署長に提出しなければなりません（措法70の7の5⑯）。

（5） 免除申請書を提出した特例経営承継受贈者への通知

税務署長は、（1）から（3）までの申請書の提出があった場合において、これらの申請書に記載された事項について調査を行い、これらの申請書に係る贈与税の免除をし、又はこれらの申請書に係る申請の却下をします。この場合において、税務署長は、これらの申請書に係る申請期限又は再申請期限の翌日から起算して6か月以内に、その免除をした贈与税の額又はその却下をした旨及びその理由を記載した書面により、これをこれらの申請書を提出した特例経営承継受贈者に通知するものとされています（措法70の7の5⑰）。

4　非上場株式等についての贈与税の納税猶予及び免除の特例に係る相続時精算課税適用者の特例

贈与により贈与税の納税猶予の特例の適用に係る特例対象受贈非上場株式等を取得した特例経営承継受贈者が特例贈与者の推定相続人以外の者（その特例贈与者の孫を除き、その年1月1日において18歳以上である者に限ります。）であり、かつ、その特例贈与者が同日において60歳以上の者である場合には、その贈与により特例対象受贈非上場株式等を取得した特例経営承継受贈者については、相続税法第21条の9《相続時精算課税の選択》（第六章第一節）の規定を準用します（措法70の2の8により読み替えて準用する措法70の2の7①）。

（1） 特例対象受贈非上場株式等の取得の時前に当例贈与者からの贈与により取得した財産がある場合

特例経営承継受贈者が特例贈与者（その年1月1日において60歳以上の者に限ります。）からの贈与により特例対象受贈非上場株式等を取得した場合において、特例対象受贈非上場株式等の取得の時前に特例贈与者からの贈与により取得した財産については、4の規定の適用はないものとされています（措法70の2の8により読み替えて準用する措法70の2の7②）。

（2） 贈与税の納税猶予の期限確定・免除の場合の特例贈与者から取得した財産

4において準用する相続税法第21条の9第2項（第六章第一節の2の（1））の相続時精算課税選択届出書を提出した特例経営承継受贈者が、猶予中贈与税額に相当する贈与税の全部につき納税の猶予に係る期限が確定した場合又は免除された場合においても、特例贈与者からの贈与により取得した財産については、4において準用する相続税法第21条の9第3項（第六章第一節の2の（2））の規定の適用があるものとされます（措法70の2の8により読み替えて準用する措法70の2の7③）。

（3） 相続時精算課税適用者が特定贈与者の推定相続人でなくなった場合

4において準用する相続時精算課税選択届出書を提出した特例経営承継受贈者については相続税法第21条の9第3項（第六章第一節の2の（2））の規定の適用を受ける財産を取得した相続時精算課税適用者と、特例贈与者について相続税法第21条の9第3項（第六章第一節の2の（2））の規定の適用を受ける財産の贈与をした特定贈与者とそれぞれみなして、相続税法その他相続税又は贈与税に関する法令の規定を適用します（措法70の2の8により読み替えて準用する措法70の2の7④）。

（4） 相続税法その他の法令の規定の適用

4において準用する相続時精算課税選択届出書に係る贈与をした者からの贈与により取得する財産については、相続税法第21条の9第3項（第六章第一節の2の（2））の規定の適用を受ける財産とみなして、相続税法その他相続税又は贈与税に関する法令の規定を適用します（措令40の4の8により読み替えて準用する措令40の4の7①）。

第十章　医療法人の持分に係る経済的利益について
の贈与税の納税猶予及び免除

第一節　医療法人の持分に係る経済的利益についての贈与税の納税猶予及び免除

1　適用の要件

　認定医療法人（平成26年改正医療法施行日（平成26年10月１日）から令和８年12月31日までの間に厚生労働大臣認定を受けた医療法人に限ります。）の持分を有する個人（以下「贈与者」といいます。）がその持分の全部又は一部の放棄をしたことにより、その認定医療法人の持分を有する他の個人（以下「受贈者」といいます。）に対して贈与税が課される場合には、その受贈者のその放棄があった日の属する年分の贈与税で贈与税の申告書の提出により納付すべきものの額のうち、その放棄により受けた利益（以下「経済的利益」といいます。）の価額でその贈与税の申告書に特例の適用を受けようとする旨の記載があるものに係る納税猶予分の贈与税額に相当する贈与税については、贈与税の申告期限までにその納税猶予分の贈与税額に相当する担保を提供した場合に限り、認定移行計画（**注１**）に記載された移行期限（**注２**）まで、その納税が猶予されます（措法70の７の９①）。

- **（注１）**　認定移行計画とは、持分なし医療法人に移行するための取組みの内容などが記載された計画で厚生労働大臣の認定を受けたものをいいます。
- **（注２）**　移行期限とは、認定移行計画に記載された持分なし医療法人に移行する期限をいい、認定の日から３年以内とされています。

（1）　税額の計算

　納税猶予分の贈与税額と納付税額の計算は次のとおりです（措法70の７の９①）。

① 　１の経済的利益及びそれ以外の受贈財産について通常の贈与税額を算出します。

② 　１の経済的利益の価額を受贈者に係るその年分の贈与税の課税価格とみなして、相続税法第21条の５及び第21条の７の規定（租税特別措置法第70条の２の４及び第70条の２の５の規定を含みます。）を適用して計算した金額が納税猶予分の贈与税額となります。

- **（注１）**　贈与者又は認定医療法人が２以上ある場合における納税猶予分の贈与税額は、経済的利益に係る受贈者がその年中において贈与者による放棄により受けた全ての認定医療法人の経済的利益の価額の合計額をその受贈者に係るその年分の贈与税の課税価格とみなして計算することになります（措令40の８の９⑤）。
  　この場合、それぞれの贈与者及び認定医療法人ごとの納税猶予分の贈与税額は、納税猶予分の贈与税額に、贈与者及び認定医療法人の異なるものごとの経済的利益の価額がみなされたその年分の贈与税の課税価格に占める割合を乗じて計算した金額となります（措令40の８の９⑥）。
- **（注２）**　次に掲げる者が、その者に係る相続税法第21条の９《相続時精算課税の選択》第５項に規定する特定贈与者が認定医療法人の持分を放棄したことにより経済的利益についてこの特例の適用を受ける場合には、その経済的利益については、相続税法第２章第３節《相続時精算課税》の規定は、適用されません（措法70の７の９③）。
  - イ　相続税法第21条の９第５項に規定する相続時精算課税適用者
  - ロ　特例の適用に係る認定医療法人の持分について特定贈与者による放棄があった日の属する年中において、特定贈与者から贈与を受けた特例の適用を受ける経済的利益以外の財産について相続税法第21条の９第２項の届出書を提出する者

（2）　申告書の提出期限までの間に払戻しを受けた場合又は譲渡等をした場合の不適用

　特例の適用を受けようとする受贈者が、贈与者による認定医療法人の持分の放棄があった日から経

－1275－

第十章《医療法人の持分に係る経済的利益についての贈与税の納税猶予及び免除》

済的利益に係る贈与税の申告期限までの間に認定医療法人の持分に基づき出資額に応じた払戻しを受けた場合若しくはその持分の譲渡をした場合又は第二節《医療法人の持分に係る経済的利益についての贈与税の税額控除》の1の適用を受ける場合には、本節の1の規定は、適用されません（措法70の7の9④）。

（3） 申告手続

特例の適用を受けようとする受贈者の経済的利益に係る贈与税の申告書に、特例の適用を受けようとする旨の記載がない場合又はその持分の明細及び納税猶予分の贈与税額の計算に関する明細その他一定の書類（**注**）の添付がない場合には、適用されません（措法70の7の9⑧）。

（**注**） （3）の一定の書類とは、次に掲げるものをいいます（措規23の12の6④）。

　　イ　特例の適用に係る贈与者による認定医療法人の持分の放棄の時において認定医療法人が厚生労働大臣認定を受けていることを証する書類

　　ロ　認定医療法人の認定移行計画の写し

　　ハ　贈与者による認定医療法人の持分の放棄の直前及びその放棄の時における認定医療法人の出資者名簿の写し

　　ニ　（2）に規定する場合に該当しない旨を記載した書類

　　ホ　その他参考となるべき書類

（4） 贈与者が贈与税の申告期限前に死亡した場合

経済的利益に係る贈与者が、経済的利益に係る贈与税の申告書の提出期限前に、かつ、受贈者によるその申告書の提出前に死亡した場合における1の適用については、次のとおりです（措通70の7の9－3）。

① 贈与者が認定医療法人の持分の放棄をした日の属する年に死亡した場合……受贈者が贈与者の死亡に係る相続又は遺贈により財産を取得した場合であっても、受贈者が贈与者による持分の放棄により受けた経済的利益について1の適用を受けるときには、経済的利益については7により相続税法第19条《相続開始前<u>7年</u>以内に贈与があった場合の相続税額》第1項の規定の適用がないことから、同法第21条の2第4項の規定《第四編第四章第五節》の適用もありません。

（**注**） 　<u>　　</u>線部分の規定は、令和5年12月31日以前に贈与により取得する財産に係る相続税については、「7年」とあるのは、「3年」とします（令5改法附19①）。

② 贈与者が認定医療法人の持分の放棄をした日の属する年の翌年に死亡した場合……受贈者が贈与者の死亡に係る相続又は遺贈により財産を取得した場合であっても、受贈者が贈与者による持分の放棄により受けた経済的利益について1の適用を受けるときには、経済的利益については7により相続税法第19条《相続開始前<u>7年</u>以内に贈与があった場合の相続税額》第1項の規定の適用がないことから、経済的利益の価額は相続税の課税価格に加算されません。

（**注1**） 　<u>　　</u>線部分の規定は、令和5年12月31日以前に贈与により取得する財産に係る相続税については、「7年」とあるのは、「3年」とします（令5改法附19①）。

（**注2**） 受贈者が、贈与者による持分の放棄により受けた経済的利益について1の適用を受ける場合には、贈与者の死亡に係る相続税の申告書の提出期限において、経済的利益に係る贈与税の申告書の提出期限が到来していないときであっても、経済的利益の価額は当該贈与者の死亡に係る相続税の課税価格に加算されません。

（5） 受贈者が贈与税の申告期限前に死亡した場合

贈与者が認定医療法人の持分の全部又は一部の放棄をしたことにより経済的利益を受けた受贈者が、経済的利益を受けた日の属する年の中途において死亡した場合又は経済的利益に係る贈与税の申告書の提出期限前に当該申告書を提出しないで死亡した場合において、受贈者の相続人（包括受遺者を含みます。）が経済的利益について1の適用を受ける旨の贈与税の申告書を提出したとき（1の適用に係る要件を満たしている場合に限ります。）は、その申告書は、1の適用のある申告書となります（措通70の7の9－4）。

この場合において、受贈者の相続人が2人以上あるときには、その相続人は相続税法第27条第5項

－1276－

第十章《医療法人の持分に係る経済的利益についての贈与税の納税猶予及び免除》

の規定により贈与税の申告書を共同して提出することができます。

　なお、その相続人が２人以上ある場合には、各相続人はそれぞれ１の適用を選択することができます。

2　担保の提供

　特例の適用を受けようとする受贈者が行う担保の提供については、国税通則法施行令第16条に定める手続によるほか、認定医療法人の持分を担保として提供する場合には、持分を担保として提供することを約する書類のほか、次に掲げる書類を納税地の所轄税務署長に提出する方法によることができます（措令40の8の9①、措規23の12の6①）。

①　認定医療法人の持分に質権の設定をすることについて承諾した旨を記載した書類（受贈者が自署し、自己の印を押しているものに限ります。）

②　受贈者の印に係る印鑑証明書

③　認定医療法人が質権の設定について承諾したことを証する書類で次に掲げるいずれかのもの

　イ　その質権の設定について承諾した旨が記載された公正証書

　ロ　その質権の設定について承諾した旨が記載された私署証書で登記所又は公証人役場において日付のある印が押されているもの（認定医療法人の印を押しているものに限ります。）及び認定医療法人の印に係る印鑑証明書

　ハ　その質権の設定について承諾した旨が記載された書類（認定医療法人の印を押しているものに限ります。）で郵便法第48条第1項の規定により内容証明を受けたもの及び認定医療法人の印に係る印鑑証明書

3　免除規定

　認定医療法人の認定移行計画に記載された移行期限までに次のいずれかに掲げる場合に該当することとなった場合には、次の①又は②の金額に相当する贈与税は、免除されます（措法70の7の9⑪）。

①　受贈者が有している認定医療法人の持分の全てを放棄した場合……納税猶予分の贈与税額の全額

②　認定医療法人が基金拠出型医療法人への移行をする場合において、受贈者が有している認定医療法人の持分の一部を放棄し、その残余の部分をその基金拠出型医療法人の基金として拠出したとき……納税猶予分の贈与税額から4の（2）で納付することとなる金額を控除した残額

　(注1)　認定医療法人の持分の放棄は、厚生労働大臣が定める書類を認定医療法人に提出して行うこととなります（措規23の12の6③）。

　(注2)　基金拠出型医療法人とは、平成18年医療法等改正法附則第10条の3第2項第1号ハに規定する基金拠出型医療法人をいいます（措法70の7の9②六）。

　(注3)　納税猶予分の贈与税額の免除を受けようとする場合には、次の①～④に掲げる事項を記載した届出書に、一定の書類（注4）を添付して、贈与税の納税地の所轄税務署長に提出しなければなりません（措令40の8の9⑪）。

　　①　届出書を提出する者の氏名及び住所

　　②　3の①による贈与税の免除を受けようとする旨

　　③　免除を受ける贈与税の額（3の②の場合にあっては、免除を受ける贈与税の額及びその計算の明細）

　　④　その他参考となるべき事項

　(注4)　(注3)の一定の書類とは、次の書類をいいます（措規23の12の6⑤）。

　　①　3の①に該当することとなった場合……次に掲げる書類

　　　イ　受贈者が認定医療法人の持分の放棄をする際に認定医療法人に提出した（注1）の書類（認定医療法人が受理した年月日の記載があるものに限ります。）の写し

　　　ロ　受贈者による認定医療法人の持分の放棄の直前及び放棄の時における認定医療法人の出資者名簿の写し

　　②　3の②に該当することとなった場合……次に掲げる書類

－1277－

第十章《医療法人の持分に係る経済的利益についての贈与税の納税猶予及び免除》

　　ロ　①に掲げる書類
　　ロ　３の②の基金拠出型医療法人の定款(認定医療法人から基金拠出型医療法人への移行のための医療
　　　　法第54条の９第３項の規定による都道府県知事の認可を受けたものに限ります。)の写し
　　ハ　免除を受ける贈与税の額及びその計算の明細の根拠を明らかにする書類

4　納付

（1）　納税猶予分の贈与税額の全額の猶予期限が確定する場合

　特例の適用を受ける受贈者又は特例の適用に係る認定医療法人について次の①から⑥までに該当することとなった場合には、納税猶予分の贈与税額に相当する贈与税については、それぞれ①から⑥までの日から２か月を経過する日（それぞれの日から２か月を経過する日までの間に受贈者が死亡した場合には、その受贈者の相続人が受贈者の死亡による相続の開始があったことを知った日の翌日から６か月を経過する日）をもって納税の猶予に係る期限とされます（措法70の７の９⑤）。

①　受贈者が贈与税の申告期限から認定医療法人の認定移行計画に記載された移行期限までの間に認定医療法人の持分に基づき出資額に応じた払戻しを受けた場合……その払戻しを受けた日

②　受贈者が贈与税の申告期限から認定医療法人の認定移行計画に記載された移行期限までの間に認定医療法人の持分の譲渡をした場合……その譲渡をした日

③　認定医療法人の認定移行計画に記載された移行期限までに平成18年医療法等改正法附則第10条の２に規定する新医療法人への移行をしなかった場合……その移行期限

④　認定医療法人の認定移行計画について平成18年医療法等改正法附則第10条の４第２項の規定により厚生労働大臣認定が取り消された場合……その厚生労働大臣認定が取り消された日

⑤　認定医療法人が解散をした場合（合併により消滅をする場合を除きます。）……その解散をした日

⑥　認定医療法人が合併により消滅をした場合（合併により医療法人を設立する場合において受贈者が持分に代わる金銭その他の財産の交付を受けないときその他一定の場合(注)を除きます。）……その消滅をした日

（注）　上記⑥のその他一定の場合とは、次に掲げる場合です（措令40の８の９⑧）。
　　イ　合併により医療法人を設立する場合において、受贈者が合併により消滅する認定医療法人の持分に代わる金銭その他の財産の交付を受けないとき
　　ロ　合併後存続する医療法人が合併により平成18年医療法等改正法附則第10条の２に規定する新医療法人となる場合において、受贈者が合併により消滅する認定医療法人の持分に代わる金銭その他の財産の交付を受けないとき

（2）　納税猶予分の贈与税額の一部の猶予期限が確定する場合

　認定医療法人が認定移行計画に記載された移行期限までに基金拠出型医療法人への移行をする場合において、受贈者が有する認定医療法人の持分の一部を放棄し、その残余の部分を当該基金拠出型医療法人の平成18年医療法等改正法附則第10条の３第２項第１号ハに規定する基金（以下「基金」といいます。）として拠出したときは、納税猶予分の贈与税額のうち基金として拠出した額に対応する部分の金額に相当する贈与税については、基金拠出型医療法人への移行のための定款の変更に係る医療法第50条第１項の規定による都道府県知事の認可があった日から２か月を経過する日（認可があった日から２か月を経過する日までの間に受贈者が死亡した場合には、受贈者の相続人が受贈者の死亡による相続の開始があったことを知った日の翌日から６か月を経過する日）をもって納税の猶予に係る期限とされます（措法70の７の９⑥）。

（注）　基金として拠出した額に対応する贈与税額は次のとおり計算します（措令40の８の９⑨）。
　　（算式）

$$
\text{納税猶予分の贈与税額} \times \frac{\text{基金拠出額} - \text{拠出時の持分の価額} \times \left[1 - \text{納税猶予割合} \right]}{\text{拠出時の持分の価額} \times \text{納税猶予割合}}
$$

－1278－

第十章《医療法人の持分に係る経済的利益についての贈与税の納税猶予及び免除》

※上記の算式中の「納税猶予割合」とは、贈与者による放棄により受けた経済的利益の価額がその経済的利益の価額と贈与者による放棄の直前において受贈者が有していた認定医療法人の持分の価額との合計額に占める割合をいいます（措令40の8の9⑩）。

（3）　担保の変更命令に従わない場合

税務署長は、受贈者が2の担保について国税通則法第51条第1項の規定による命令に応じない場合には、納税猶予分の贈与税額に相当する贈与税に係る納税の猶予に係る期限を繰り上げ、納付を求めることができるとされています（措法70の7の9⑨）。

5　利子税の納付

4により納税猶予分の贈与税額の全部又は一部を納付する受贈者は、その納付する贈与税額を基礎とし、贈与税申告期限の翌日から4の納税の猶予に係る期限までの期間に応じ、年6.6%の割合を乗じて計算した金額に相当する利子税を、4の贈与税に併せて納付しなければなりません（措法70の7の9⑫）。

（注）　上記の利子税の割合（6.6%）は、利子税の割合の特例が適用されます（措法93）。

6　納税義務の承継

認定医療法人の認定移行計画に記載された移行期限までに受贈者が死亡した場合には、その受贈者に係る納税猶予分の贈与税額に係る納付の義務は、その受贈者の相続人に承継されます（措法70の7の9⑬）。

なお、相続人が複数いる場合に各相続人が承継する割合は、次のとおりです（措令40の8の9⑫）。

①　3又は5に該当することとなったときまでに死亡した受贈者が有していた認定医療法人の持分が共同相続人又は包括受遺者によって分割されている場合……その共同相続人又は包括受遺者が相続又は遺贈により取得した認定医療法人の持分の価額が死亡した受贈者が有していた認定医療法人の持分の価額のうちに占める割合

②　①以外の場合……国税通則法第5条第2項に規定する相続分

7　7年加算

贈与者が特例の適用に係る贈与者による認定医療法人の持分の放棄の時から7年以内に死亡した場合には、特例の適用に係る経済的利益の価額については、相続税法第19条《相続開始前7年以内に贈与があった場合の相続税額》第1項の規定は、適用されません（措令40の8の9⑮）。

（注）　＿＿＿線部分の規定は、令和5年12月31日以前に贈与により取得する財産に係る相続税については、「7年」とあるのは、「3年」とします（令5改法附19①）。

第二節　医療法人の持分に係る経済的利益についての贈与税の税額控除

1　適用の要件

認定医療法人（平成26年改正医療法施行日（平成26年10月1日）から令和8年12月31日までの間に厚生労働大臣認定を受けた医療法人に限ります。）の持分を有する贈与者がその持分の全部又は一部の放棄をしたことにより、その持分がその認定医療法人の持分を有する受贈者に帰属することとなり、その持分の増加という経済的利益について受贈者に対して贈与税が課される場合において、受贈者が贈与者による放棄の時から経済的利益に係る贈与税の申告期限までの間に、その認定医療法人の持分の全部又は一部を放棄したときは、その受贈者の贈与税については、通常の計算による贈与税額（経済的利益及びそれ以外の受贈財産について相続税法第21条の5から第21条の8までの規定（租税特別措置法第70条の2の4及び第70条の2の5の規定を含みます。）を適用して計算した金額）から放棄相

－1279－

当贈与税額を控除した残額を申告期限までに納付すべき贈与税額となります（措法70の7の10①）。

　　　（注1）　受贈者が、贈与者による認定医療法人の持分の放棄があった日から経済的利益に係る贈与税の申告期限までの間に、認定医療法人の持分に基づき出資額に応じた払戻しを受けた場合又はその持分の譲渡をした場合には、特例の適用はありません（措法70の7の10④）。

　　　　　なお、特例の適用を受ける経済的利益については、相続時精算課税制度は適用できません（措法70の7の6③）。

　　　（注2）　認定医療法人の持分の全部又は一部の放棄は、厚生労働大臣が定める書類をその認定医療法人に提出してするものとされています（措規23の12の7①）。

（1）　贈与者が贈与税の申告期限前に死亡した場合

　1の贈与者が、経済的利益に係る贈与税の申告書の提出期限前に、かつ、受贈者による申告書の提出前に死亡した場合における1の適用については、次のとおりです（措通70の7の10－2）。

①　贈与者が認定医療法人の持分の放棄をした日の属する年に死亡した場合……受贈者が贈与者の死亡に係る相続又は遺贈により財産を取得した場合であっても、受贈者が贈与者による持分の放棄により受けた経済的利益について1の適用を受けるときには、経済的利益については4により相続税法第19条《相続開始前7年以内に贈与があった場合の相続税額》第1項の規定の適用がないことから、同法第21条の2第4項《第四編第四章第五節》の適用もありません。

　　（注）　　　　線部分の規定は、令和5年12月31日以前の贈与については、3年以内となります。

②　贈与者が認定医療法人の持分の放棄をした日の属する年の翌年に死亡した場合……受贈者が贈与者の死亡に係る相続又は遺贈により財産を取得した場合であっても、受贈者が贈与者による持分の放棄により受けた経済的利益について1の適用を受けるときには、経済的利益については4により相続税法第19条《相続開始前7年以内に贈与があった場合の相続税額》第1項の規定の適用がないことから、経済的利益の価額は相続税の課税価格に加算されません。

　　（注1）　　　　線部分の規定は、令和5年12月31日以前の贈与については、3年以内となります。

　　（注2）　受贈者が、贈与者による持分の放棄により受けた経済的利益について1の適用を受ける場合には、贈与者の死亡に係る相続税の申告書の提出期限において、経済的利益に係る贈与税の申告書の提出期限が到来していないときであっても、経済的利益の価額は贈与者の死亡に係る相続税の課税価格に加算されません。

（2）　受贈者が贈与税の申告期限前に死亡した場合

　贈与者が認定医療法人の持分の全部又は一部の放棄をしたことにより経済的利益を受けた受贈者が、認定医療法人の持分の全部又は一部を放棄した後、経済的利益を受けた日の属する年の中途において死亡した場合又は経済的利益に係る贈与税の申告書の提出期限前に当該申告書を提出しないで死亡した場合において、受贈者の相続人（包括受遺者を含みます。）が経済的利益について1の適用を受ける旨の贈与税の申告書を提出したとき（1の適用に係る要件を満たしている場合に限ります。）は、その申告書は、1の適用のある申告書となります（措通70の7の10－3）。

　この場合において、受贈者の相続人が2人以上あるときには、その相続人は相続税法第27条第5項の規定により贈与税の申告書を共同して提出することができます。

　なお、その相続人が2人以上ある場合には、各相続人はそれぞれ1の適用を選択することができます。

2　放棄相当贈与税額

　放棄相当贈与税額は、次のとおりです（措法70の7の10②、措令40の8の10①②）。

①　受贈者が有している認定医療法人の持分の全てを放棄した場合には、第一節の1の（1）により計算した金額となります。

②　認定医療法人が基金拠出型医療法人への移行をする場合において、受贈者が有する認定医療法人の持分の一部を放棄し、その残余の部分をその基金拠出型医療法人の基金として拠出したときは、

第十章《医療法人の持分に係る経済的利益についての贈与税の納税猶予及び免除》

①により計算した金額に次のイに掲げる金額がロに掲げる金額に占める割合（その割合が１を超える場合には、１とします。）を乗じて計算した金額となります。

イ　認定医療法人の持分のうち放棄をした部分に対応する部分のその放棄の直前における金額

ロ　その放棄の直前において受贈者が有していた認定医療法人の持分の価額に相当する金額に〈イ〉に掲げる価額が〈イ〉と〈ロ〉の合計額に占める割合を乗じて計算した金額

〈イ〉　贈与者による放棄により受けた経済的利益の価額

〈ロ〉　〈イ〉の放棄の直前において受贈者が有していた認定医療法人の持分の価額

3　申告手続

特例の適用を受けようとする受贈者の経済的利益に係る贈与税の申告書に、その経済的利益について特例の適用を受けようとする旨の記載がない場合又はその経済的利益に係る持分の明細及び放棄相当贈与税額の計算に関する明細その他一定の書類**(注)**の添付がない場合には、適用されません（措法70の７の10⑤）。

(注)　3の一定の書類は、次のとおりです（措規23の12の７②）。

①　2の①に該当することとなった場合……次に掲げる書類

イ　第一節の１の(3)の(注)のイからハまで及びホに掲げる書類

ロ　1の(**注1**)に該当しない旨を記載した書類

ハ　特例の適用を受ける受贈者が認定医療法人の持分の放棄をする際に認定医療法人に提出した1の(**注2**)の書類（認定医療法人がその書類を受理した年月日の記載があるものに限ります。）の写し

ニ　特例の適用を受ける受贈者による認定医療法人の持分の放棄の直前及び放棄の時における認定医療法人の出資者名簿の写し

②　2の②に該当することとなった場合……次に掲げる書類

イ　①に定める書類

ロ　2の②の基金拠出型医療法人の定款（認定医療法人から基金拠出型医療法人への移行のための医療法第54条の９第３項の規定による都道府県知事の認可を受けたものに限ります。）の写し

ハ　1の放棄相当贈与税額の計算の明細の根拠を明らかにする書類

4　7年加算

贈与者が特例の適用に係る贈与者による認定医療法人の持分の放棄の時から<u>7年</u>以内に死亡した場合には、特例の適用に係る経済的利益の価額については、相続税法第19条《相続開始前<u>7年</u>以内に贈与があった場合の相続税額》第１項の規定は、適用されません（措令40の８の10③）。

(注)　<u>　　</u>線部分の規定は、令和５年12月31日以前に贈与により取得する財産に係る相続税については、「7年」とあるのは、「3年」とします（令５改正附19①）。

第三節　個人の死亡に伴い贈与又は遺贈があったものとみなされる場合の特例

1　制度の概要

第四編第十章第一節《医療法人の持分についての相続税の納税猶予及び免除》の１の経過措置医療法人の持分を有する個人の死亡に伴い経過措置医療法人の持分を有する他の個人の当該持分の価額が増加した場合には、その持分の価額の増加による経済的利益に係る相続税法第９条本文の規定の適用については、同条本文中「贈与（当該行為が遺言によりなされた場合には、遺贈）」とあるのは、「贈与」と読み替えられ、遺言により経済的利益を受けた場合であっても贈与税が課税されます（措法70の７の11①）。

（※第四編第四章第四節の１《みなし遺贈財産》（706ページ）参照）

－1281－

第十章《医療法人の持分に係る経済的利益についての贈与税の納税猶予及び免除》

　また、その経済的利益については、相続税法第19条《相続開始前7年以内に贈与があった場合の相続税額》第1項の規定は、適用されず、相続税の課税対象ではなく贈与税の課税対象となります。

　（注1）　＿＿＿線部分の規定は、令和5年12月31日以前に贈与により取得する財産に係る相続税については、「7年」とあるのは、「3年」とします（令5改法附19①）。

　（注2）　1の規定は、経済的利益を受けた他の個人が本章第一節《医療法人の持分に係る経済的利益についての贈与税の納税猶予及び免除》又は第二節《医療法人の持分に係る経済的利益についての贈与税の税額控除》の特例の適用を選択した場合を除き、適用されません（措法70の7の11③）。

2　認定医療法人である場合の経済的利益

　1の前段に規定する場合において、経過措置医療法人が経済的利益に係る贈与税の申告期限において認定医療法人（平成26年改正医療法施行日（平成26年10月1日）から令和8年12月31日までの間に厚生労働大臣認定を受けた医療法人に限ります。）であるときは、1の他の個人は、経済的利益について、本章第一節《医療法人の持分に係る経済的利益についての贈与税の納税猶予及び免除》又は第二節《医療法人の持分に係る経済的利益についての贈与税の税額控除》の特例の適用を受けることができます。

　この場合において、1の死亡した個人は第一節《医療法人の持分に係る経済的利益についての贈与税の納税猶予及び免除》の贈与者と、他の個人は受贈者とみなされます（措法70の7の11②）。

3　申告書の記載

　特例の適用を受けようとする受贈者は、本章第一節《医療法人の持分に係る経済的利益についての贈与税の納税猶予及び免除》又は第二節《医療法人の持分に係る経済的利益についての贈与税の税額控除》の特例の適用を選択する旨をこれらの規定の適用に係る贈与税の申告書に記載しなければなりません（措令40の8の11③）。

第四節　医療法人の持分の放棄があった場合の贈与税の課税の特例

1　制度の概要

　認定医療法人（医療法等の一部を改正する法律（平成29年法律第57号）附則第1条第2号に掲げる規定の施行の日（平成29年10月1日）から令和8年12月31日までの間に厚生労働大臣認定を受けた医療法人に限ります。以下同じ。）の持分を有する個人が当該持分の全部又は一部の放棄（認定医療法人がその移行期限までに新医療法人（平成18年医療法等改正法附則第10条の2に規定する新医療法人をいいます。以下同じ。）への移行をする場合における当該移行の基因となる放棄に限るものとし、当該個人の遺言による放棄を除きます。）をしたことにより認定医療法人が経済的利益を受けた場合であっても、認定医療法人が受けた経済的利益については、贈与税は課されません（措法70の7の14①）。

2　持ち戻し課税

　この特例の適用を受けた認定医療法人が、その適用に係る贈与税の申告書の提出期限から認定医療法人が新医療法人への移行をした日から起算して6年を経過する日までの間に、平成18年医療法等改正法附則第10条の4第2項又は第3項の規定により厚生労働大臣認定が取り消された場合には、その認定医療法人を個人とみなして、これに1の経済的利益について贈与税が課されます。この場合において、その認定医療法人は、厚生労働大臣認定が取り消された日の翌日から2か月以内に、特例の適用を受けた年分の贈与税についての修正申告書を提出し、かつ、その期限内に修正申告書の提出により納付すべき税額を納付しなければなりません（措法70の7の14②）。

　（注）　持ち戻し課税を行う場合の贈与税額の計算方法については、認定医療法人に係る持分が放棄されたことに

－1282－

第十章《医療法人の持分に係る経済的利益についての贈与税の納税猶予及び免除》

より受けた経済的利益について、その放棄をした者の異なるごとに、放棄をした者の各１人のみから経済的利益を受けたものとみなして算出した場合の贈与税額の合計額をもって認定医療法人の納付すべき贈与税額とし（措令40の８の14①）、この場合における相続税法第１条の４《贈与税の納税義務者》の規定の適用については、認定医療法人は日本国籍を有し、その住所はその主たる事務所の所在地にあるものとみなされます（措令40の８の14②）。

3　適用手続

この特例の適用を受けるためには、この特例の適用を受けようとする認定医療法人に係る贈与税の申告書を期限内に提出し、その申告書に特例の適用を受けようとする旨を記載し、認定医療法人が認定医療法人の持分を有する個人がその持分の放棄をしたことにより受けた経済的利益についての明細その他の一定の書類の添付がある場合に限り、適用されます（措法70の７の14⑤）。

第十一章　贈与税の申告と納税

　贈与税は、所得税や相続税などと同じように、申告納税を建前としています。すなわち、贈与により財産を取得した人は、それらの財産についての課税価格と税額を自分で計算し、定められた期限までに一定の事項を記載した申告書を税務署長に提出するとともに、税金を納付しなければなりません。

　もし間違った申告書を提出したり、定められた期限までに申告書を提出しなかった場合には、税務署長から更正又は決定を受けることになり、本税のほかに加算税や延滞税を納めなければなりません。しかし、定められた期限までに申告しなかった場合でも、税務署長から決定の通知を受けるまでは期限後の申告書を提出することが認められております。また、提出した申告書に誤りがあった場合には、更正の請求や修正申告をすることができます。

　なお、災害その他やむを得ない理由で、定められた期限までに申告書を提出することができない場合には、一定の要件のもとに、その期限を延長することができます。

　税金は金銭で一時に納付するのが原則ですが、贈与税は贈与を受けた財産に対して課税されるもので、いわゆる財産税の性格をもっているため、一時に多額の金銭を納めることが困難な場合も少なくありません。そこで贈与税については、納期限までに、又は納付すべき日に金銭で納付することが困難なときは、税務署長の許可を受けて年賦で延納できる制度が設けられています。

第一節　申告書の提出及び期限内申告

1　申告書を提出しなければならない者

　贈与により財産を取得した者は、次に掲げる場合に該当するときには、その年中に贈与を受けた財産について、翌年の2月1日から3月15日まで（同年1月1日から3月15日までに納税管理人の届出をしないで日本国内に住所及び居所を有しないこととなるときは、その住所及び居所を有しないこととなる日まで）に、課税価格、贈与税額など所定の事項を記載した贈与税の申告書を住所地の所轄税務署長に提出しなければなりません（相法28①、相規17①）。

（1）　個人の場合

　その年の1月1日から12月31日までの1年間を通じて、個人から、贈与により取得した財産の合計の価額が110万円を超える場合

　また、贈与により取得した財産が相続時精算課税の適用を受ける（又は受けようとする）ものである場合（相続時精算課税に係る基礎控除額の控除後に贈与税の課税価格がある場合に限ります。）（この場合は、贈与税額がない場合でも申告は必要です。）

（2）　人格のない社団や財団又は公益法人の場合

　代表者又は管理者の定めのある人格のない社団や財団又は公益法人（贈与税の課税対象とされるもの）が、1人の贈与者から110万円を超える価額の財産の贈与を受けた場合

　なお、贈与者が2人以上ある場合は、各贈与者からの贈与財産価額が110万円を超えるものだけについて申告することになります。また、この場合、110万円を超える財産の贈与者が2人以上いるときは、贈与者1人ごとに申告書を作成して贈与税額を算出し、その合計額を記入して申告するようになっています（相法66）。

（3）　特殊な場合

　贈与税の申告書を提出しなければならない人が、次に掲げる事由に該当することとなった場合には、その人の相続人又は包括受遺者は、その相続の開始があったことを知った日の翌日から10か月以内に、その死亡した人に係る贈与税の申告書をその死亡した人の納税地の所轄税務署長に提出しなければな

－1284－

りません（相法28②）。

イ　年の中途において死亡した人が、その年の1月1日から死亡の日までに贈与によって取得した財産について納めるべき税額があるとき。

ロ　相続時精算課税適用者が年の中途で死亡した場合に、その年1月1日から死亡の日までに相続時精算課税の適用を受ける財産を贈与により取得していたとき（相続時精算課税に係る基礎控除額の控除後に贈与税の課税価格がある場合に限ります。）。

ハ　贈与によって財産を取得した人が、その年分の贈与税の申告書を提出しなければならない場合において、その申告書の提出期限前にその申告書を提出しないで死亡した場合

　なお、この場合において、申告書の提出義務を承継することになる相続人などが納税管理人の届出をしないでその提出期限内に日本国内に住所及び居所を有しないこととなるときは、その住所及び居所を有しないこととなる日までに申告しなければならないことになっています。

（注）　相続時精算課税の特定贈与者が年の中途で死亡した場合
　　　その年のその特定贈与者からの贈与により取得した財産については、贈与税の申告書の提出を要しません（相法28④）。

2　申告書の提出期限

　贈与税の申告書は、原則として、翌年の2月1日から3月15日までの間に、納税者の住所地を管轄する税務署長に提出しなければなりません。この期限までに提出された申告書を期限内申告書といいます。しかし、災害その他のやむを得ない理由によって、贈与税の申告書をその提出期限までに提出することができないと認められるときは、相続税の申告書の提出期限の延長の場合と同様に、その提出期限を延長することができることになっています（通則法11）。

※特定非常災害により措置法69条の7の適用を受ける場合については、第五章第一節の4の（2）を参照してください。

3　申告書に記載すべき事項

　贈与税の申告書に記載しなければならない事項は、特定贈与者ごとの課税価格、相続時精算課税に係る基礎控除額、税額及び特定贈与者以外の者に係る課税価格、税額並びにこれらの税額の合計額、受贈年月日、受贈者及び贈与者の住所、氏名、贈与をした者が特定贈与者である場合にはその旨並びに相続時精算課税選択届出書の提出をした税務署の名称及びその年分の各贈与者別に贈与を受けた財産の種類、数量、価格、所在場所の明細などですが、これらの事項については、いずれも所定の申告用紙に印刷されていますから、それに従って記載すればよいことになっています（相法28①、相規17①）。

第二節　期限後申告

　期限内申告書を提出すべき義務のある者は、期限内申告書の提出期限後においても、税務署長の課税価格及び贈与税額の決定の通知があるまでは、期限内に提出すべきであった贈与税の申告書を、その期限後においても提出することができます（通則法18）。この申告書を、期限後申告書といいます。

　この期限後の申告については、原則として贈与税の本税額のほかに無申告加算税（納付すべき税額の15％〔※平成29年1月1日以後に法定申告期限が到来する場合には、その提出が調査対象税目、調査対象期間等の一定の事項の通知（以下「調査通知」といいます。）から決定予知までの場合には、10％とされます。〕。50万円超の部分は5％加算）がかかります。

　ただし、申告書を提出しなかったことについて正当な理由がある場合には、この無申告加算税はかかりません（通則法66①②）。

-1285-

第十一章第二節《期限後申告》

　なお、令和６年１月１日以後に法定申告期限が到来する場合には、国税通則法第66条第１項に該当する場合において、加算後累積納付税額（その計算の基礎となった事実のうちに同項各号に規定する申告、更正又は決定前の税額の計算の基礎とされていなかったことについて当該納税者の責めに帰すべき事由がないと認められるものがあるときは、その事実のみに基づいて同項各号に規定する申告、更正又は決定があったものとした場合におけるその申告、更正又は決定に基づき同法第35条第２項の規定により納付すべき税額を計算し、その金額を控除した税額）が300万円を超えるときは、同法第66条第１項及び第２項の規定にかかわらず、加算後累積納付税額を次に掲げる税額に区分してそれぞれの税額にそれぞれの割合（期限後申告書又は同法第66条第１項第２号の修正申告書の提出が、その申告に係る国税についての調査があったことにより当該国税について更正又は決定があるべきことを予知してされたものでないときは、その割合から５％を減じた割合）を乗じて計算した金額の合計額から累積納付税額を次に掲げる税額に区分してそれぞれの税額にそれぞれの割合を乗じて計算した金額の合計額を控除した金額とします（通則法66②③④、通令27⑥）。

① 50万円以下の部分に相当する税額　　　　　　　　15％
② 50万円を超え300万円以下の部分に相当する税額　　20％
③ 300万円を超える部分に相当する税額　　　　　　　30％

　　(注)　「加算後累積納付税額」とは、通則法第66条第１項第２号の修正申告書の提出又は更正があったとき、その国税に係る累積納付税額を加算した金額をいいます。
　　　　「累積納付税額」とは、同条第１項第２号の修正申告書の提出又は更正前にされたその国税についての次に掲げる納付すべき税額の合計額をいう（同条第７項において準用する同法第65条第５項（第１号に係る部分に限る。）の規定の適用があったときは、同法第65条第５項の規定により控除すべきであった金額を控除した金額とする。）。
　　　① 期限後申告書の提出又は同法第25条の規定による決定に基づき同法第35条第２項の規定により納付すべき税額
　　　② 修正申告書の提出又は更正に基づき同法第35条第２項の規定により納付すべき税額

　また、平成29年１月１日以後に法定申告期限が到来する場合には、期限後申告があった日の前日から起算して５年前までの間に、贈与税について無申告加算税（決定予知によるものに限ります。）又は重加算税を課されたことがあるときは、無申告加算税の割合又は重加算税の割合についてそれぞれの割合に10％加算されます（通則法66⑥一）。

※令和６年１月１日以後に法定申告期限が到来する場合には、期限後申告（調査があったことにより当該国税について決定を予知してされたものでない場合において、調査通知が行われたものを除きます。）に係る国税の課税期間の初日の属する年の前年及び前々年に課税期間が開始した当該国税の属する税目について、無申告加算税（同法同条第８項の規定の適用があるものを除きます。）若しくは第68条第２項の重加算税（以下「特定無申告加算税等」といいます。）を課されたことがあり、又は特定無申告加算税等に係る賦課決定をすべきと認めるときは、無申告加算税の割合又は重加算税の割合についてそれぞれ10％加算されます（通則法66⑥二、68④二）。

　期限後申告が、その申告に係る贈与税について調査があったことにより、決定があることを予知してされたものでないときは〔※平成29年１月１日以後に法定申告期限が到来する場合には、調査通知前のものに限ります。〕、納付すべき税額の５％になり、更に期限内申告書の提出の意思があったと認められ（第四編第十二章第二節参照）、かつ法定申告期限から１か月以内に期限後申告書が提出されたときは無申告加算税は課されません（通則法66⑧⑨）。

　なお、贈与税の申告書の提出期限後において、遺産の分割などの一定の事由（相法32一〜六）が生じたために相続又は遺贈による財産を取得しないこととなったため贈与税の申告書を提出しなければならないこととなった者は、贈与税の期限後申告書を提出することができます（相法30②）。

第十一章第四節《更正の請求》

第三節 修 正 申 告

期限内申告書又は期限後申告書を提出した後において、その申告に係る課税価格及び贈与税額に不足額があることや申告書に記載した純損失等の金額が過大であることに気が付いたときは、税務署長の更正の通知があるまでは、前に申告した課税価格及び贈与税額について修正すべき事項その他所定の事項を記載した申告書を納税地の所轄税務署長に対し提出することができます（通則法19）。この申告書を修正申告書といいます。

（注） 「純損失等の金額」には、相続時精算課税に係る贈与税の特別控除の適用を受けて控除した金額がある場合におけるその金額の合計額を2,500万円から控除した残額も含まれます（通則法２六ハ）。

また、申告により既に確定した贈与税額が、遺産の分割などの一定の事由（相法32一～六）により相続又は遺贈による財産を取得しないこととなったため贈与税額に不足額を生じた場合には、贈与税の修正申告書を提出することができます（相法31④）。

なお、過大に申告した場合の減額訂正については、更正の請求という手続によることになっています（第四節参照）。

修正申告書は、自己の提出した申告書に係る課税価格及び贈与税額に不足額がある場合に提出することができるほか、税務署長の更正又は決定を受けた者の課税価格及び贈与税額に不足額がある場合においても提出することができることになっています。

修正申告書の提出期限については、特別の定めが設けられていませんから、いつでも提出することができ、また修正申告書を提出することができる者が死亡したときは、その者の相続人又は包括受遺者が死亡した者に係る贈与税について修正申告書を提出することができることになっています。

この修正申告をした場合に、修正申告により増加した税額に対しては、原則として、①期限内申告書の提出があった場合は過少申告加算税（増加税額の10％〔※平成29年１月１日以後に法定申告期限が到来する場合には、調査通知から更正予知までの場合には、５％とされます。〕。ただし、期限内申告税額と50万円とのうち、いずれか多い方の金額を超える部分の増加税額については15％〔※平成29年１月１日以後に法定申告期限が到来する場合には、調査通知から更正予知までの場合には、10％とされます。〕）が課され、②期限後申告書の提出があった場合は無申告加算税（増加税額の15％〔※平成29年１月１日以後に法定申告期限が到来する場合には、調査通知から更正予知までの場合には、10％とされます。〕。累積納付税額が50万円超の部分は、その超える部分は５％加算（※））が課されます。ただし、この加算税についても正当な理由がある場合には、その正当な理由があると認められる部分については課されないことになっています（通則法65①②④、66①②⑦）。

平成29年１月１日以後に法定申告期限が到来する場合には、修正申告があった日の前日から起算して５年前の日までの間に、贈与税について無申告加算税（更正予知によるものに限ります。）又は重加算税を課されたことがあるときは、無申告加算税の割合（15％、20％）又は重加算税の割合（35％、40％）についてそれぞれの割合に10％加算されます（通則法68④一）。

また、修正申告書に係る申告又は更正について、第二節※と同様です。

なお、修正申告がその申告に係る贈与税について、調査があったことにより更正があることを予知してされたものでないときは〔※平成29年１月１日以後に法定申告期限が到来する場合には、調査通知前のものに限ります。〕、その申告に係る過少申告加算税は課されませんし、その申告に係る無申告加算税は納付すべき税額の５％になります（通則法65⑥、66⑧）。

第四節 更 正 の 請 求

既に述べたように、贈与税も申告納税制度を採用しています。すなわち、贈与により財産を取得し

－1287－

た人が、自分で課税価格や贈与税額を計算し、自主的に申告と納税を行うわけですが、課税価格や税額を誤って過大に申告した場合とか一定の事由によって申告額に異動を生じたような場合で一定の要件を具備しているときは、更正の請求という手続により、先に計算し、申告した額を訂正できることになっています。

贈与税について更正の請求をすることができる場合は、次のとおりです（通則法23、相法32）。

1 更正の請求ができる場合

（1） 一般の場合の更正の請求

納税申告書（期限内申告書、期限後申告書又は修正申告書）を提出した者は、これらの申告書に記載した課税価格又は贈与税額の計算が法律どおり計算されていなかったこと、又はその計算に誤りがあったことにより、その申告によって納付すべき贈与税額が過大である場合、申告書に記載した純損失等の金額が過少である場合又は、申告書に純損失等の金額の記載がなかった場合は、法定申告期限から6年以内に限って納税地の所轄税務署長に対して、その課税価格又は贈与税額の更正を行うべき旨の請求ができます（相法32②、通則法23①）。

（2） 特別な事由が生じた場合の更正の請求

贈与税について申告書を提出した者又は決定を受けた者は、第四編第十二章第四節2（917ページ）の表内の（3）及び（6）に掲げる事由や、贈与税の課税価格計算の基礎に算入した財産のうち、相続又は遺贈により財産を取得した者が相続開始の年においてその相続に係る被相続人から受けた贈与により取得した財産の価額で相続税法第19条（相続開始前<u>7年</u>以内に贈与があった場合の相続税額）の規定により相続税の課税価格に加算されるものがあったことにより、その申告又は決定に係る課税価格及び贈与税額（その申告書を提出した後又はその決定を受けた後修正申告書の提出又は更正があった場合には、その修正申告書又は更正に係る課税価格及び贈与税額）が過大となったときは、それらの事由が生じたことを知った日の翌日から4か月以内に限って、納税地の所轄税務署長に対して、その課税価格又は税額について更正の請求をすることができます（相法32①、相令8①②③）。

（注）　＿＿＿線部分の規定は、令和5年12月31日以前に贈与により取得する財産に係る相続税については、「7年」とあるのは、「3年」とします（令5改法附19①）。

2 更正の請求の手続

更正の請求をしようとする者は、その更正の請求の目的となる課税価格又は贈与税額及びその更正後の課税価格又は贈与税額、その更正の請求をする理由、その請求をするに至った事情の詳細等を記載した更正の請求書を、納税地の所轄税務署長に対して提出しなければなりません（通則法23③）。

また、申告書を提出した者や、更正又は決定を受けた者が死亡した場合においては、その者の相続人又は包括受遺者が死亡した者に代わって、更正の請求をすることができます（通則法19①）。

3 更正の請求があった場合の税務署長の処理

更正の請求があった場合においては、税務署長は、その更正の請求に係る課税価格又は税額の更正をすべきであるかどうかを調査し、その調査したところに基づいて請求の理由があると認めるときは、これを更正し、その理由がないと認めるときは、その理由のない旨を、その請求をした者に通知しなければならないことになっています（通則法23④）。

更正の請求があった場合においても、原則として税金の徴収は猶予されませんが、税務署長が相当の理由があると認める場合は、その税額の全部又は一部の徴収を猶予することができます（通則法23⑤）。

第五節　税金の納付

　贈与税の期限内申告書を提出した者は、その申告書の提出期限（この期限が同時に納期限となります。）までに、また期限後申告書を提出した者は、その提出の日までに、それぞれの申告書に記載された税額を金銭で国に納付しなければなりません。また、修正申告書を提出した者は、その申告書を提出した日に、その修正申告により増加した税額を納めなければなりません（相法33、通則法35）。

　法定の納期限までに税金を納付しなかった場合は、納付が遅れた期間に応じて、延滞税を本税と一緒に納付しなければなりません。

　この延滞税は、未納税金につき、法定納期限の翌日から納付のあった日までの日数に応じ、その未納の税額に年7.3％の割合を乗じて計算します。ただし、納期限の翌日から2か月を経過する日の翌日以後の期間については年14.6％の割合で計算します（通則法60②）。

　（注）　上記の延滞税の「年7.3％」の割合については、特例が設けられていますので、第四編第十二章第五節の（注）（918ページ）を参照してください。

　なお、期限後申告又は修正申告をした場合の加算税については、税務署長から送達された賦課決定通知書に記載された金額を、その通知書が発せられた日の翌日から起算して1か月を経過する日までに、納めることになっています（通則法35③）。

第六節　納税についてのその他の特例

　税金は納期限までに納付することが原則ですから、期限までに完納しないときは、先に述べたように、余分な延滞税などを納めなくてはなりません。しかし、納税者が災害を受けたり、病気にかかったような場合には、期限までに納付するのは容易なことではありません。そこで、このような特別な事情が生じた場合の特例措置として、税法ではいろいろな制度を設けています。

1　納期限の延長

　災害その他やむを得ない理由により、納期限までに納税することができないと認められるときは、国税庁長官、国税局長、税務署長等は、その理由のやんだ日から2か月以内に限り、その納期限を延長することができます（通則法11、通則令3）。

2　納税の猶予

　災害により、納税者がその財産に相当な損失を受けた場合には、災害のやんだ日から2か月以内に、所定の申請書を税務署長に提出すれば、その財産の損失の程度に応じ、納期限から1年以内の期間を限り、税金の全部又は一部について納税の猶予を受けることができます（通則法46①）。

　また、納税者がその財産について災害を受けたり、盗難にあったり、又は納税者やその人と同居している親族が病気にかかったり負傷したりしたことなどにより、税金を一時に納めることができなくなった場合にも、その納めることができない税金については、税務署長に担保を提供して所定の申請書を提出すれば、1年以内の期間を限り、納税の猶予を受けることができます（通則法46②）。

　なお、納税の猶予の場合には、その期間に対応する部分の延滞税は免除される場合もあります（通則法63）。

3　災害により被害を受けた場合の贈与税の軽減・免除

　贈与税の納税義務者が、贈与により取得した財産について地震その他の災害により被害を受けた場合は、次の特例の適用を受けることができます。

（1） 贈与税の申告書の提出期限前に被害を受けた場合

　贈与税の納税義務者が、災害により、贈与により取得した財産について、贈与税の期限内申告書の提出期限前に被害を受けた場合において次の①又は②の要件のいずれかに該当するときは、その者の納付すべき贈与税については、その財産の価額は、その被害を受けた部分の価額（保険金、損害賠償金等により補てんされた金額を除きます。以下**（2）**までにおいて同じ。）を控除して計算することができます（災免法6②、災免令12②）。

① 　災害により被害を受けた部分の価額が贈与税の課税価格の計算の基礎となるべき財産の価額の10分の1以上であること。

② 　動産（金銭及び有価証券を除きます。）、不動産（土地及び土地の上に存する権利を除きます。）及び立木（以下これらの財産を「**動産等**」といいます。）について災害により被害を受けた部分の価額が贈与税の課税価格の計算の基礎となるべき動産等の価額の10分の1以上であること。

> （**注**）　贈与税の期限内申告書に、被害を受けた財産について被害を受けた部分の価額を控除した価額により課税価格及び贈与税額を記載するとともに、その財産の被害の状況その他一定の事項を記載した計算明細書を添付して提出する必要があります（災免法6②、災免令12③）。

（2） 贈与税の申告書の提出期限後に被害を受けた場合

　贈与税の納税義務者が、災害により、贈与により取得した財産について、贈与税の期限内申告書の提出期限後に被害を受けた場合において次の①又は②の要件のいずれかに該当するときは、その者が被害を受けた日以後に納付すべき贈与税額（延滞税、利子税、加算税及び納付済税額は除かれます。）のうち、次の算式により計算した税額の免除を受けることができます（災免法4、災免令11①）。

① 　災害により被害を受けた部分の価額が贈与税の課税価格の計算の基礎となった財産の価額の10分の1以上であること。

② 　動産等について災害により被害を受けた部分の価額が贈与税の課税価格の計算の基礎となった動産等の価額の10分の1以上であること。

$$\text{被害のあった日以後} \atop \text{に納付すべき税額} \times \frac{\text{被害を受けた部分の価額}}{\text{贈与税の課税価格の計算の基礎となった財産の価額}} = \text{免除税額}$$

> （**注**）　**（2）**の特例の適用を受けるには、免除を受けようとする旨、被害の状況及び被害を受けた部分の価額その他一定の事項を記載した免除承認申請書を、災害のやんだ日から2か月以内に、納税地の所轄税務署長に提出しなければなりません（災免法4、災免令11②）。

第七節　連帯納付の義務

　贈与税は、贈与により財産を取得した者が、それぞれ納税義務を負っていますが、納税の義務をこれらの者だけに限定してしまうことは租税確保上適当でない問題も生ずることが予想されますので、次に掲げる者についてそれぞれ連帯納付の義務を負わせています。

1　財産を贈与した者の連帯納付の義務

　財産を贈与した者は、その贈与により財産を取得した者のその年分の贈与税額のうち、贈与した財産の価額に対応する部分の金額として、次の贈与財産の区分に応じそれぞれに定める金額について、贈与した財産の価額に相当する金額を限度として、連帯納付の義務があります（相法34④、相令11）。

① 　相続時精算課税の適用を受ける財産　その贈与により財産を取得した者のその取得した年分においてその財産について相続時精算課税に係る贈与税の規定により計算された贈与税額

② 　①の財産以外のもの　その贈与により財産を取得した者のその取得した年分の贈与税額（その財産について相続時精算課税の贈与税課税により計算された贈与税額がある場合には、その贈与税額

を除きます。）にその財産の価額がその年分の贈与税の課税価格（その財産について相続時精算課税
に係る贈与税の課税価格がある場合には、その課税価格を除きます。）に算入された財産の価額のう
ちに占める割合を乗じて算出した金額

　この規定による連帯納付の責めに基づいて贈与税の納付があった場合においては、贈与を受けた者
が贈与をした者から債務（租税債務）の肩代わりを受けたことになり、原則として納付された贈与税
額相当の贈与が更に行われたことになるのですが、その納付が贈与により財産を取得した者がその取
得した財産を費消するなどにより資力を喪失して贈与税を納付することが困難であることによりなさ
れたときは、この贈与はなかったものとして取り扱われます（相基通34－3）。

2　贈与税を課税された財産を贈与等により取得した者の連帯納付の義務

　贈与税の課税価格の計算の基礎となった財産について、贈与、遺贈又は寄附行為による移転があっ
た場合は、その贈与若しくは遺贈によって財産を取得した者又は寄附行為によって設立された法人は、
贈与をした者の納付すべき贈与税額のうち、その贈与等を受けた財産の価額に対応する部分の金額に
ついて、その受けた利益の価額に相当する金額を限度として、連帯納付の義務があります（相法34
③）。

第八節　延　　　納

　贈与税は、贈与によって取得した財産の価額を課税標準として課される租税であり、その納付は、
金銭で一時に納付することを原則としています。しかし、既に述べたように贈与税が相続税の補完税
として設けられ、財産税の性格をもっていますので、金銭以外のものが課税財産となった場合におい
ては、金銭をもって一時に多額の贈与税を納付することは非常に困難となる場合もあります。そこで、
贈与税についても相続税と同様に一定の条件のもとに延納の制度が認められています（相法38③）。な
お、贈与税には、物納制度はありません。

　しかし、贈与税の場合は相続税の場合とは若干差異があり、次のようになっています。

　　（注）　延納担保、延納税額に対する利子税（税率は、原則として年6.6％とされますが、特例割合が適用され
　　　　る場合があります。）の計算方法等については、「第四編　相続税、第十二章　相続税の申告と納税、第
　　　　八節　延納」を参照してください。

1　延　納　の　要　件

　贈与税の延納は、納税義務者の申請により、次の要件に該当した場合に限り認められます。

　すなわち、①納付すべき贈与税額が10万円を超え、②年賦延納期間が5年以内で、③納期限までに、
又は納付すべき日に金銭で納付することを困難とする事由がある場合に、④その納付を困難とする金
額を限度に認められることになっています（相法38③、相令12②）。この場合、延納税額が100万円超
であるか、延納期間が4年以上にわたるときは、延納税額に相当する担保を提供しなければなりませ
ん（相法38④）。

　なお、平成4年の改正により、相続税の延納要件と贈与税の延納要件とは、延納期間（相続税の場
合は原則5年で一定の条件を満たしているときは最長40年間、贈与税の場合は最長5年間）を除き、
同じになりました。

　しかし、贈与税の延納の期間及び分納税額は、相続税とは異なり延納年割額に関する規定（相法38
②）は適用されませんので、納税義務者の申請に基づきその実情によって5年の範囲内において適宜
に定められることになっています（相基通38－10）。

－1291－

第十一章第八節《延納》

2　延納の申請手続

　贈与税の延納を申請しようとする者は、延納を求めようとする贈与税の納期限までに、又は納付すべき日に、金銭で納付することを困難とする金額及びその困難とする理由、延納を求めようとする税額及び期間、分納税額及びその納期限、その他所定の事項を記載した延納申請書に担保の提供に関する書類（担保提供関係書類）を添え、これを納税地の所轄税務署長に提出しなければならないことになっています。延納申請書が提出された場合は、税務署長は、その申請書の提出期限の翌日から起算して、原則として３か月以内に許可又は却下します（相法39②㉙）。

　　（注）　「金銭で納付することを困難とする金額」の算出方法（相基通38−２）は第四編第十二章**第八節**１参照。

　延納の許可を受けた者は、その後の資力の状況の変化等により延納の条件について変更を求めようとする場合においては、相続税の場合と同様にその変更を求めようとする条件その他所定の事項を記載した申請書をその延納の許可をした税務署長に提出することができることになっています。延納条件変更申請書が提出された場合は、税務署長は、その申請から１か月以内に許可又は却下します（相法39㉚㉛）。なお、延納の許可があった場合に提供する担保の種類及び担保提供の手続等については、相続税の延納の場合と同じですから説明を省略しますが、第四編第十二章第八節（921ページ）を参照してください。

第十二章　贈与税の更正及び決定

1　更正又は決定

　既に述べましたように、贈与税も申告納税制度を採用していますから、納税者は定められた期限までに正しい申告書を提出し、申告税額を正しく納税すれば、それによって納税の義務はなくなります。しかし、実際には、適正な申告が行われていない場合があります。また、申告義務がありながら定められた期限までに申告書の提出がない場合や、その提出された申告書について、誤りがある場合があります。このような場合に、税務署長は、課税価格、贈与税額を調査し、その調査したところと申告額が異なるときはその申告額を更正し、また、申告書の提出がないときは、その調査に基づいて決定することができることになっています。更正、決定により納付すべきこととなる税額は、更正通知書、決定通知書の発せられた日の翌日から起算して1か月以内に納付することとされています（通則法35②）。

　また、税務署長は、次に該当する場合においては、その申告書の提出期限前であっても、期限内申告書を提出する義務があると認められる者が申告書を提出しない場合においては、その課税価格及び贈与税額を決定することができることになっています（相法35②）。

（1）　年の中途で死亡した者が、その年の1月1日から死亡の日までに、贈与により取得した財産の価額のうち、贈与税の課税価格の計算の基礎に算入することによって納付すべき贈与税額があるため、その死亡した者の相続人又は包括受遺者が贈与税の申告書を提出しなければならない場合においては、その死亡の日の翌日から10か月を経過したとき。

（2）　年の中途で死亡した相続時精算課税適用者が、その年1月1日から死亡の日までに相続時精算課税の適用を受ける財産を贈与により取得していたため、その死亡した相続時精算課税適用者の相続人又は包括受遺者が贈与税の申告書を提出しなければならない場合においては、その死亡の日の翌日から10か月を経過したとき。

（3）　贈与税の申告書を提出しなければならない者が、死亡したため、その者の相続人又は包括受遺者が贈与税の申告書を提出しなければならない場合においては、その死亡した者について定められている贈与税の申告書の提出期限を経過したとき。

2　特別な場合の更正、決定

　税務署長は、第五章第一節1の（5）《相続開始の年に被相続人から贈与された財産がある場合》の適用を受けていた者が、遺産の分割などの一定の事由（相法32一～六）が生じたことにより相続又は遺贈による財産を取得しないこととなったため新たに贈与税の申告書を提出しなければならなくなった場合又は既に確定した贈与税額に不足を生じた場合には、その者の贈与税の課税価格又は贈与税額の更正又は決定をすることになります。ただし、これらの事由が生じた日から1年を経過した日と、次の「3　更正、決定等の期間制限の特則」の規定により更正や決定ができないこととなる日のいずれか遅い日以後にはできないこととされています（相法35⑤）。

3　更正、決定等の期間制限の特則

　更正や決定については、国税通則法第70条に一定の期間制限が定められており（第四編第十三章第五節参照）、無制限にはできないこととされています。

　しかし税務署長は、贈与税について上記の規定にかかわらず、次の①から③までの更正若しくは決定（以下「更正決定」といいます。）又は賦課決定をそれぞれに定める期限又は日から6年を経過する

-1293-

第十二章《贈与税の更正及び決定》

日まですることができます（相法37①）。

① 贈与税についての更正決定　その更正決定に係る贈与税の申告書の提出期限

② 上記①の更正決定に伴い国税通則法第19条第1項《修正申告》に規定する課税標準等又は税額等に異動を生ずべき贈与税に係る更正決定　その更正決定に係る贈与税の申告書の提出期限

③ 上記①及び②の更正決定若しくは期限後申告書若しくは修正申告書の提出又はこれらの更正決定若しくは提出に伴い異動を生ずべき贈与税に係る更正決定若しくは期限後申告書若しくは修正申告書の提出に伴い、これらの贈与税に係る国税通則法第69条《加算税の税目》に規定する加算税についてする賦課決定　その納税義務の成立の日

ただし、更正をすることができないこととなる日前6か月以内にされた更正の請求に係る更正又はその更正に伴い贈与税に係る加算税についてする賦課決定は、更正の請求があった日から6か月を経過する日まですることができます（相法37②）。

〔※令和2年4月1日以後に無申告加算税の納税義務の成立の日が到来する場合においては、賦課決定をすることができないこととなる日前3か月以内にされた贈与税の期限後申告書の提出に伴い贈与税に係る無申告加算税についてする賦課決定は、期限後申告書の提出があった日から3か月を経過する日まで、することができます（相法37③、令2改法附41）。〕

なお、更正又は決定に関する事項、更正又は決定の処分について不服がある場合の救済手続等及び同族会社の行為又は計算の否認等については、相続税の場合と全く同じですから第四編（相続税）第十三章（956ページ）を参照してください。

-1294-

第十三章　贈与税の申告書の書き方

1　贈与税の申告書の書き方

　贈与税の申告書には「**第一表**」、「**第一表の二（住宅取得等資金の非課税の計算明細書）**」と「**第二表（相続時精算課税の計算明細書）**」があります。使用する贈与税の申告書については、次の表のとおりとなっています。

申告の内容	使用する申告書
暦年課税のみを申告する人	第一表
相続時精算課税のみを申告する人	第一表と第二表
暦年課税と相続時精算課税の両方を申告する人	第一表と第二表
住宅取得等資金の非課税と暦年課税を申告する人	第一表と第一表の二
住宅取得等資金の非課税と相続時精算課税を申告する人	第一表、第一表の二と第二表

（注1）　第一表の二は、1枚に記載できる贈与者は2人ですので、贈与者が3人以上の場合には複数枚を使用することになります
（注2）　第二表は、特定贈与者ごとに作成するため、特定贈与者が複数いる場合には、その人数分の枚数を使用することになります。

（1）　「取得した財産の明細」・「左の特定贈与者から取得した財産の明細」

　申告書第一表「取得した財産の明細」欄及び申告書第二表「左の特定贈与者から取得した財産の明細」欄には、贈与を受けた財産の明細を、財産の別に、例えば、土地は各筆ごと及び利用区分ごと、家屋は各棟ごと及び利用区分ごと、有価証券は各銘柄ごとに、次によって記入します。

イ　「種類、細目、利用区分・銘柄等」欄
　（イ）　「種類」、「細目」欄には、贈与を受けた財産について、次ページの表により、各財産の種類と細目を記入します。
　（ロ）　「利用区分・銘柄等」欄には、その財産の種類、細目に応じ、次ページの表により、その利用区分、銘柄等を記入します。
ロ　「所在場所等」欄
　　各財産の所在場所等を記入します。この場合、次に掲げる財産については、それぞれ次の事柄を記入します。

第十三章《贈与税の申告書の書き方》

取得した財産の種類、細目、利用区分・銘柄等の記載要領

種　類	細　目			利　用　区　分　・　銘　柄　等
土　地 （土地の上に存する権利を含みます。）	田			自用地、貸付地、賃借権（耕作権）、永小作権の別
	畑			
	宅地			自用地、貸宅地、貸家建付地、借地権、居住建物(注)の敷地の用に供される土地などの別
	山林			普通山林、保安林の別（これらの山林の地上権又は賃借権であるときは、その旨）
	その他の土地			原野、牧場、池沼、鉱泉地、雑種地の別（これらの土地の地上権、賃借権、温泉権又は引湯権であるときは、その旨）
家　屋	家屋（構造及び用途）、構築物			家屋については自用家屋、貸家、居住建物(注)の別、構築物については駐車場、養魚池、広告塔などの別
事業(農業)用財産	機械、器具、農機具その他の減価償却資産			機械、器具、農機具、自動車、船舶などについてはその名称と年式、牛馬等についてはその用途と年齢、果樹についてはその樹種と樹齢、営業権についてはその事業の種目と商号など
	商品、製品、半製品、原材料、農産物等			商品、製品、半製品、原材料、農産物等の別に、その合計額を「財産の価額」欄に記入し、それらの明細は、適宜の用紙に記載して添付してください。
	売掛金			
	その他の財産			電話加入権、受取手形、その他その財産の名称。なお、電話加入権については、その加入局と電話番号
有価証券	株式、出資	上場株式等		その銘柄
		取引相場のない株式、出資	配当還元方式によったもの	
			その他の方式によったもの	
	公債、社債			
	証券投資信託、貸付信託の受益証券			
現金、預貯金等				現金、普通預金、当座預金、定期預金、通常貯金、定額貯金、定期積金、金銭信託などの別及び贈与の目的
家庭用財産				その名称と銘柄
その他の財産（利益）	生命保険金等			
	立木			その樹種と樹齢（保安林であるときは、その旨）
	その他			1　事業に関係ない自動車、特許権、著作権、電話加入権、貸付金、書画・骨とうなどの別 2　自動車についてはその名称と年式、電話加入権については、その加入局と電話番号、書画・骨とうなどについてはその名称と作者名など 3　著しく低い価額の対価で財産を譲り受けた場合など贈与によって取得したものとみなされる財産（生命保険金等を除きます。）については、その財産（利益）の内容

(注)　「居住建物」とは、配偶者居住権の目的となっている建物をいいます。

第十三章《贈与税の申告書の書き方》

- (イ)　売掛金………………………相手方の住所又は所在地及び氏名又は名称
- (ロ)　船舶、自動車…………登録機関の名称及び登録番号
- (ハ)　有価証券………………発行法人の所在地と名称　なお、公債及び上場有価証券で保護預り、保証金の代用、担保などとして提供されているものについては、その提供先証券会社などの所在地と名称
- (ニ)　預貯金等………………預金、貯金、金銭信託については預入先店舗などの所在地及び名称
- (ホ)　生命保険金……………支払保険会社の所在地及び名称
- (ヘ)　その他の債権…………債務者の住所又は所在地及び氏名又は名称

　　　(注)　贈与税の納税猶予の適用を受ける農地等については、農地等の贈与税の納税猶予税額の計算書の「Ⅰ　納税猶予の適用を受ける農地等の明細」欄にその明細を記入し、この「所在場所等」欄には、「(措置法第70条の４第１項適用分別添計算書のとおり)」と記入します。

ハ　「数量、固定資産税評価額」欄

- (イ)　「数量」欄には、面積、株数などを記入します。
- (ロ)　「固定資産税評価額」欄には、固定資産税評価額を基として評価することになっている土地と家屋の固定資産税評価額を記入します。

ニ　「単価、倍数」欄

- (イ)　「単価」欄には、１平方メートル当たり、１株当たりなどその財産の単位当たりの価額を記載します（固定資産税評価額を基として評価する土地と家屋については記入を要しません。）。
- (ロ)　「倍数」欄には、固定資産税評価額を基として評価する土地及び家屋について、固定資産税評価額に掛ける一定の倍率を記入します。
- (注１)　「取得した財産の明細」等の欄に書ききれない場合には、適宜の用紙に記載して申告書をちょう付してください。
- (注２)　申告書第一表 Ⅰ　暦年課税分 欄には、暦年課税に係る贈与財産がない場合には記入する必要はありません。

（２）　「財産を取得した年月日、財産の価額」

申告書第一表及び申告書第二表の「財産を取得した年月日」欄には、贈与により財産を取得した年月日を記入します。

申告書第一表及び申告書第二表の「財産の価額」欄には、（１）の財産の価額を記入します。

- (注)　申告書第一表 Ⅰ　暦年課税分 欄には、暦年課税に係る贈与財産がない場合には記入する必要はありません。

（３）　「①から⑳」・「㉖から㉞」・「㉟から㊷」

申告書第一表の「①から⑳」欄、申告書第二表の「㉖から㉞」欄及び申告書第一表の二の「㉟から㊹」欄には、各欄に記載されている事項を基として計算した金額を記入します。

- (注１)　申告書第一表の①から⑩欄には、暦年課税に係る贈与財産がない場合には記入する必要はありません。
- (注２)　申告書第一表の⑪・⑫欄には、相続時精算課税に係る贈与財産がない場合には記入する必要はありません。

　　　⑮欄には、農地等の贈与税の納税猶予の適用を受ける場合に記入します。

2　農地等の贈与税の納税猶予税額の計算書の書き方

（１）　「Ⅰ　納税猶予の適用を受ける農地等の明細」

この欄には、納税猶予の特例の適用を受ける農地等の明細を田、畑、採草放牧地又は準農地の順で、各筆ごとに、次によって記入してください。

イ　「田・畑、採草放牧地、準農地の別」欄

－1297－

第十三章《贈与税の申告書の書き方》

この欄には、農地等の細目について、贈与を受けた日現在の現況に応じ、田、畑、採草放牧地又は準農地の別を記入してください。

ロ 「地上権、永小作権、使用貸借による権利、賃借権（耕作権）の場合のその別」欄

この欄には、他人から借り受けて農業の用に供している農地等について、地上権、永小作権、使用貸借による権利又は賃借権（耕作権）の別を記入してください。

ハ 「所在場所」欄

この欄には、農地等の所在場所を登記事項証明書等の表示に従って、地番まで記入してください。

ニ 「面積、固定資産税評価額」欄

A 「面積」欄には、田、畑、採草放牧地及び準農地の各筆ごとの面積を記入してください。

なお、田、畑、採草放牧地及び準農地ごとにそれぞれ「計」を付すとともに、「合計」欄には、それらの合計面積を記入してください。

B 「固定資産税評価額」欄には、固定資産税評価額を基として評価することになっている農地等について、その固定資産税評価額を記入してください。

ホ 「単価、倍数」欄

A 「単価」欄には、固定資産税評価額を基として評価することになっていない農地等について、その1平方メートル当たりの価額を記入してください。

B 「倍数」欄には、固定資産税評価額を基として評価することになっている農地等について、その固定資産税評価額に掛ける一定の倍率を記入してください。

ヘ 「価額」欄

この欄には、田、畑、採草放牧地及び準農地の各筆ごとの価額を記入してください。

なお、田、畑、採草放牧地及び準農地ごとにそれぞれ「計」を付すとともに、Ⓐの「合計」欄にそれらの合計額を記入してください。

（2） 「Ⅱ 納税猶予税額の計算」

「①」から「㉒」までの各欄には、それぞれ該当する各欄に記載されている事項を基として計算した金額を記入してください。

－1298－

第十三章《贈与税の申告書の書き方》

〔申告書の記載例　その１（暦年課税（一般税率及び特例税率）を適用する場合）〕

令和 05 年分贈与税の申告書（兼贈与税の額の計算明細書）　　FD4751

第一表（令和4年分以降用）（住宅取得等資金の非課税の申告は申告書第一表の二又は第一表の三と、相続時精算課税の申告は申告書第二表と、一緒に提出してください。）

税務署長　6年 2月16日提出　提出用

住所	〒XXX-XXXX（電話 XXX-XXX-XXXX）××市○○町○番×号
フリガナ	コウノ　タロウ
氏名	甲野　太郎
生年月日	3 5 6 0 8 1 6
職業	自営業

整理番号　／　名簿
補完
申告書提出　年　月　日
災害等延長　年　月　日
出国年月日
死亡年月日

私は、租税特別措置法第70条の2の5第1項又は第3項の規定による直系尊属から贈与を受けた場合の贈与税の税率（特例税率）の特例の適用を受けます。

i 特例贈与財産分

贈与者の住所	××市○○町○番×号
フリガナ氏名	コウノ　ハナコ　甲野　花子　続柄 2
生年月日	3 2 1 1 1 0 4

種類：現金・預貯金等　細目：現金・預貯金等　利用区分・銘柄等：現金
所在場所等：××市○○町○番×号
財産を取得した年月日：令和 05 年 09 月 28 日
価額：3 0 0 0 0 0 0

特例贈与財産の価額の合計額（課税価格）①　3 0 0 0 0 0 0

ii 一般贈与財産分

贈与者の住所	××市○○町○番×号
フリガナ氏名	コウノ　ハルオ　甲野　春夫　続柄 8
生年月日	3 4 8 1 2 2 4

種類：有価証券　細目：上場株式等　利用区分・銘柄等：○○株式会社
所在場所等：△△市○○区××町○番△号　△△証券△△支店
数量 500株　単価 3,000
財産を取得した年月日：令和 05 年 01 月 14 日
価額：1 5 0 0 0 0 0

一般贈与財産の価額の合計額（課税価格）②　1 5 0 0 0 0 0

配偶者控除額③

【合計欄】（単位：円）　暦年課税分（③の控除後の課税価格）

暦年課税分の課税価格の合計額（①＋②－③）	④	4 5 0 0 0 0 0
基礎控除額	⑤	1 1 0 0 0 0 0
⑤の控除後の課税価格（④－⑤）	⑥	3 4 0 0 0 0 0
⑥に対する税額	⑦	4 1 6 6 6 6
外国税額の控除額	⑧	
医療法人持分税額控除額	⑨	
差引税額（⑦－⑧－⑨）	⑩	4 1 6 6 6 6
相続時精算課税分の課税価格の合計額	⑪	
相続時精算課税分の差引税額の合計額	⑫	

III 合計

課税価格の合計額（①＋②＋⑪）	⑬	4 5 0 0 0 0 0
差引税額の合計額（納付すべき税額）（⑩＋⑫）	⑭	4 1 6 6 00
農地等納税猶予税額	⑮	0 0
株式等納税猶予税額	⑯	0 0
特例株式等納税猶予税額	⑰	0 0
医療法人持分納税猶予税額	⑱	0 0
事業用資産納税猶予税額	⑲	0 0
申告期限までに納付すべき税額（⑭－⑮－⑯－⑰－⑱－⑲）	⑳	4 1 6 6
差引税額の合計額（納付すべき税額）	㉑	0 0
納税猶予税額の合計額	㉒	0 0
申告期限までに納付すべき税額	㉓	0 0
差引税額の合計額（納付すべき税額）（㉑－⑭）	㉔	0 0
申告期限までに納付すべき税額の増加額（㉓－⑳）	㉕	0 0

作成税理士の事務所所在地・署名・電話番号

（注） 贈与税の申告書は、令和５年分の申告書を掲載しています。令和６年分の申告書は変更される場合があります（次ページ以降同じ。）。

－1299－

第十三章《贈与税の申告書の書き方》

贈与税（暦年課税）の税額の計算明細

（注）この計算明細は、贈与税（暦年課税）の税額を算出するために使用するものですので、税務署に提出する必要はありません。

> 国税庁ホームページの「確定申告書等作成コーナー」では、贈与税の申告書が作成できます。画面の案内に沿って金額等を入力すれば、贈与税額などが自動で計算されますので、ご利用ください。

令和5年分以降用（特例贈与財産と一般贈与財産の両方を取得した場合用）

● 特例贈与財産と一般贈与財産の両方を贈与により取得した場合（申告書第一表の①欄及び②欄の両方に金額の記載がある場合）

「特例税率」及び「一般税率」の両方を適用して計算します。

特例贈与財産の価額の合計額 （申告書第一表の①の金額）	Ⓐ	3,000,000 円
一般贈与財産の価額の合計額 （申告書第一表の②の金額）	Ⓑ	1,500,000 円
配偶者控除額 （申告書第一表の③の金額）	Ⓒ	0 円
暦年課税分の課税価格の合計額【Ⓐ＋Ⓑ－Ⓒ】 （申告書第一表の④の金額）	Ⓓ	4,500,000 円
基礎控除額	Ⓔ	1,100,000 円
Ⓔの控除後の課税価格【Ⓓ－Ⓔ】 （申告書第一表の⑥の金額）	Ⓕ	3,400,000 円
Ⓕの金額に「**特例税率**」を適用した税額 ※ 下記の【速算表（特例贈与財産用）】を使用して計算します。	Ⓖ	410,000 円
特例贈与財産に対応する税額 【Ⓖ×Ⓐ／Ⓓ】	Ⓗ	273,333 円
Ⓕの金額に「**一般税率**」を適用した税額 ※ 下記の【速算表（一般贈与財産用）】を使用して計算します。	Ⓘ	430,000 円
一般贈与財産に対応する税額 【Ⓘ×（Ⓑ－Ⓒ）／Ⓓ】	Ⓙ	143,333 円
税額（Ⓗ＋Ⓙ） （申告書第一表の⑦に転記します。）	Ⓚ	416,666 円

（例）特例贈与財産 5,000,000 円及び一般贈与財産 10,000,000 円を取得した場合

特例贈与財産の価額（Ⓐ）と一般贈与財産の価額（Ⓑ）の合計額（Ⓓ）から基礎控除額（Ⓔ）を控除した課税価格（Ⓕ）に【速算表（特例贈与財産用）】及び【速算表（一般贈与財産用）】を使用して計算した税額（Ⓖ・Ⓘ）について、それぞれ(1)及び(2)のとおり按分計算し、その合計額（Ⓚ）を計算します。

(1) 特例贈与財産に対応する税額（Ⓖ及びⒽ欄の計算）

Ⓕ13,900,000 円×40%（特例税率）－1,900,000 円（控除額）＝Ⓖ3,660,000 円

Ⓖ3,660,000 円×（Ⓐ5,000,000 円／Ⓓ15,000,000 円）＝Ⓗ1,220,000 円（注）1円未満の端数があるときは、その端数金額を切り捨てます。

(2) 一般贈与財産に対応する税額（Ⓘ及びⒿ欄の計算）

Ⓕ13,900,000 円×45%（一般税率）－1,750,000 円（控除額）＝Ⓘ4,505,000 円

Ⓘ4,505,000 円×{（Ⓑ10,000,000 円－Ⓒ0 円）／Ⓓ15,000,000 円}＝Ⓙ3,003,333 円（注）1円未満の端数があるときは、その端数金額を切り捨てます。

(3) 贈与税額の計算（Ⓚ欄の計算）

Ⓗ1,220,000 円＋Ⓙ3,003,333 円＝Ⓚ4,223,333 円

【速算表（特例贈与財産用）】

贈与により財産を取得した人（贈与を受けた年の1月1日において18歳以上の人に限ります。）が、直系尊属（父母や祖父母など）から贈与により取得した財産（「特例贈与財産」といいます。）に係る贈与税の額は、「特例税率」を適用して計算します。

基礎控除後の課税価格	2,000 千円以下	4,000 千円以下	6,000 千円以下	10,000 千円以下	15,000 千円以下	30,000 千円以下	45,000 千円以下	45,000 千円超
特例税率	10%	15%	20%	30%	40%	45%	50%	55%
控除額（特例税率）	－	100 千円	300 千円	900 千円	1,900 千円	2,650 千円	4,150 千円	6,400 千円

＜ご注意ください！＞ 「特例税率」の適用を受ける場合で、次の①又は②のいずれかに該当するときは、贈与税の申告書とともに、贈与により財産を取得した人の戸籍の謄本又は抄本その他の書類でその人の氏名、生年月日及びその人が贈与者の直系卑属に該当することを証する書類を提出する必要があります。ただし、過去の年分において同じ贈与者からの贈与について「特例税率」の適用を受けるために当該書類を提出している場合には、申告書第一表の「過去の贈与税の申告状況」欄に、その提出した年分及び税務署名を記入します（当該書類を重ねて提出する必要はありません。）。
①「特例贈与財産」のみの贈与を受けた場合で、その財産の価額から基礎控除額（1,100 千円）を差し引いた後の課税価格が 3,000 千円を超えるとき
②「一般贈与財産」と「特例贈与財産」の両方の贈与を受けた場合で、その両方の財産の価額の合計額から基礎控除額（1,100 千円）を差し引いた後の課税価格※が 3,000 千円を超えるとき
※「一般贈与財産」について配偶者控除の特例の適用を受ける場合には、基礎控除額（1,100 千円）と配偶者控除額を差し引いた後の課税価格となります。

【速算表（一般贈与財産用）】

「特例税率」の適用がない贈与により取得した財産（「一般贈与財産」といいます。）に係る贈与税の額は、「一般税率」を適用して計算します。

基礎控除後の課税価格	2,000 千円以下	3,000 千円以下	4,000 千円以下	6,000 千円以下	10,000 千円以下	15,000 千円以下	30,000 千円以下	30,000 千円超
一般税率	10%	15%	20%	30%	40%	45%	50%	55%
控除額（一般税率）	－	100 千円	250 千円	650 千円	1,250 千円	1,750 千円	2,500 千円	4,000 千円

第十三章《贈与税の申告書の書き方》

〔申告書の記載例 その２（相続時精算課税を適用する場合）〕

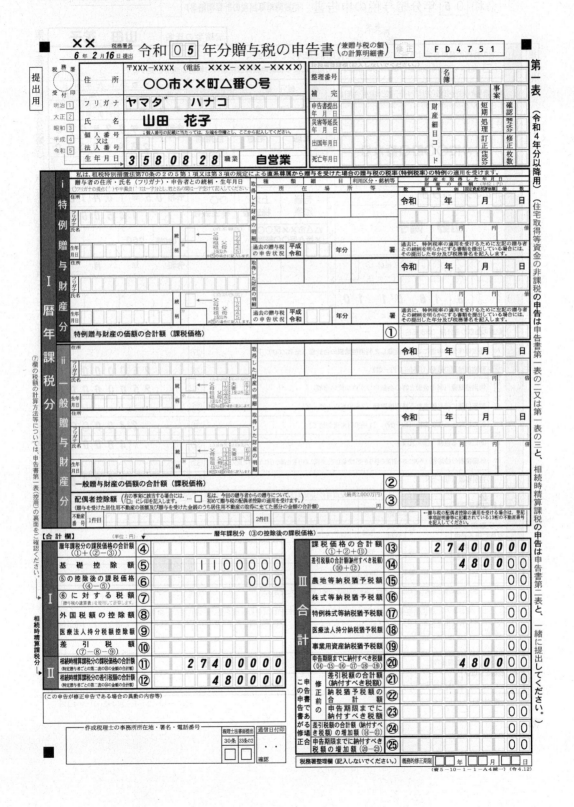

第十三章《贈与税の申告書の書き方》

令和 05 年分贈与税の申告書 （相続時精算課税の計算明細書）

FD4737

受贈者の氏名　**山田　花子**

第二表 （令和４年分以降用）（第二表は、必要な添付書類とともに申告書第一表と一緒に提出してください。）

提出用

次の特例の適用を受ける場合には、□の中にレ印を記入してください。

□ 私は、租税特別措置法第70条の３第１項の規定による**相続時精算課税選択の特例**の適用を受けます。

（単位：円）

相続時精算課税分

特定贈与者の住所・氏名(フリガナ)・申告者との続柄・生年月日	種類	細目	利用区分・銘柄等	財産を取得した年月日			
	所在場所等			財産の価額			
				数量	単価	固定資産税評価額	倍数
住所 ××市○○町○番×号	土地	宅地	自用地	令和 **05** 年 **07** 月 **07** 日			
					25950000		
	○○市××町△番			86.50㎡	300,000	円	倍
フリガナ ヤマノ　ヨウコ	有価証券	上場株式等	○○株式会社	令和 **05** 年 **10** 月 **12** 日			
氏名 山野　陽子					**1450000**		
	△△市××区○○町×番△号○○証券××支店			5,000株	290	円	倍
続柄 **4** 父①、母②、祖父③、祖母④、1〜5以外⑤				令和 年 月 日			
生年月日 **3 16 01 10** 明治①、大正②、昭和③、平成④				円	円	倍	

財産の価額の合計額（課税価格）	㉖	**27400000**

特別控除額の計算	過去の年分の申告において控除した特別控除額の合計額（最高2,500万円）	㉗	**0**
	特別控除額の残額（2,500万円－㉗）	㉘	**25000000**
	特別控除額（㉖の金額と㉘の金額のいずれか低い金額）	㉙	**25000000**
	翌年以降に繰り越される特別控除額（2,500万円－㉗－㉙）	㉚	**0**
税額の計算	㉙の控除後の課税価格（㉖－㉙）【1,000円未満切捨て】	㉛	**24000000**
	㉛に対する税額（㉛×20%）	㉜	**480000**
	外国税額の控除額（外国にある財産の贈与を受けた場合で、外国の贈与税を課せられたときに記入します。）	㉝	
	差引税額（㉜－㉝）	㉞	**480000**

上記の特定贈与者からの贈与により取得した財産に係る過去の相続時精算課税分の贈与税の申告状況	申告した税務署名	控除を受けた年分	受贈者の住所及び氏名（「相続時精算課税選択届出書」に記載した住所・氏名と異なる場合にのみ記入します。）
	署	平成 令和 年分	
	署	平成 令和 年分	
	署	平成 令和 年分	
	署	平成 令和 年分	

↑--- （注）上記の欄に記入しきれないときは、適宜の用紙に記載し提出してください。

◎ 上記に記載された特定贈与者からの贈与について初めて相続時精算課税の適用を受ける場合には、申告書第一表及び第二表と一緒に「相続時精算課税選択届出書」を必ず提出してください。なお、同じ特定贈与者から翌年以降財産の贈与を受けた場合には、「相続時精算課税選択届出書」を改めて提出する必要はありません。

※ 税務署整理欄	整理番号		名簿		届出番号		－	
	財産細目コード			確認				

＊ 欄には記入しないでください。

（資５－10－２－１－Ａ４統一）（令4.12）

－1302－

第十三章《贈与税の申告書の書き方》

令和5年分贈与税の申告書（住宅取得等資金の非課税の計算明細書）［修正］ F D 4 7 4 9

受贈者の氏名 ☐☐☐☐☐☐☐☐

第一表の二（令和5年分用）（第一表の二は、必要な添付書類とともに申告書第一表と一緒に提出してください。）

提出用

住宅取得等資金の非課税分

次の住宅取得等資金の非課税の適用を受ける人は、☐の中にレ印を記入してください。

☐ 私は、租税特別措置法第70条の2第1項の規定による住宅取得等資金の非課税の適用を受けます。(注1)　　（単位：円）

贈与者の住所・氏名（フリガナ）・申告者との続柄・生年月日	取得した財産の所在場所等	住宅取得等資金を取得した年月日 住宅取得等資金の金額
住所　フリガナの濁点（゛）や半濁点（゜）は一字分とし、姓と名の間は一字空けて記入してください。		令和　　年　　月　　日
フリガナ ☐☐☐☐☐☐☐☐☐☐☐☐☐☐		
氏名　続柄 （直系尊属）父1、母2、祖父3、祖母4、上記以外5 ※5の場合に記入します。		令和　　年　　月　　日
生年月日 明治1、大正2、昭和3、平成4	住宅取得等資金の合計額　㉟	

贈与者の住所・氏名（フリガナ）・申告者との続柄・生年月日	取得した財産の所在場所等	住宅取得等資金を取得した年月日 住宅取得等資金の金額
住所　フリガナの濁点（゛）や半濁点（゜）は一字分とし、姓と名の間は一字空けて記入してください。		令和　　年　　月　　日
フリガナ ☐☐☐☐☐☐☐☐☐☐☐☐☐☐		
氏名　続柄 （直系尊属）父1、母2、祖父3、祖母4、上記以外5 ※5の場合に記入します。		令和　　年　　月　　日
生年月日 明治1、大正2、昭和3、平成4	住宅取得等資金の合計額　㊱	

非課税限度額の計算	住宅資金非課税限度額（1,000万円又は500万円）（注2）	㊲	
	令和4年分の贈与税の申告で非課税の適用を受けた金額	㊳	
	住宅資金非課税限度額の残額（㊲－㊳）	㊴	
贈与者別の非課税の適用を受ける金額の計算	㉟のうち非課税の適用を受ける金額	㊵	
	㊱のうち非課税の適用を受ける金額	㊶	
	非課税の適用を受ける金額の合計額（㊵＋㊶）（㊴の金額を限度とします。）	㊷	
贈与税の課税価格に算入される金額の計算	㉟のうち課税価格に算入される金額（㉟－㊵）（㉟に係る贈与者の「財産の価額」欄（申告書第一表又は第二表）にこの金額を転記します。）	㊸	
	㊱のうち課税価格に算入される金額（㊱－㊶）（㊱に係る贈与者の「財産の価額」欄（申告書第一表又は第二表）にこの金額を転記します。）	㊹	

不動産番号等の明細

新築・取得・増改築等をした住宅用の家屋等の登記事項証明書等に記載されている13桁の不動産番号等を記入してください。
※不動産番号等の記載されている書類の写しを添付した場合には下記の記入を省略することができます。

不動産の種別	所在及び家屋番地又は地番		不動産番号	
☐土地 ☐建物				
☐土地 ☐建物				
☐土地 ☐建物				

(注1)　住宅取得等資金の非課税の適用を受ける人で、令和5年分の所得税及び復興特別所得税の確定申告書を提出した人は次の欄を記入し、提出していない人は合計所得金額を明らかにする書類を贈与税の申告書に添付する必要があります（令和5年分の所得税に係る合計所得金額が2,000万円超（新築若しくは取得又は増改築等をした住宅用の家屋の床面積が50㎡未満である場合は1,000万円超）の場合には、住宅取得等資金の非課税の適用を受けることができません。）。

所得税及び復興特別所得税の確定申告書を提出した年月日	・　・	提出した税務署	税務署

(注2)　新築若しくは取得又は増改築等をした住宅用の家屋が、一定の省エネルギー性、耐震性又はバリアフリー性を満たす住宅用の家屋（租税特別措置法施行令第40条の4の2第8項の規定により証明がされたものをいいます。）である場合は「1,000万円」と、それ以外の住宅用の家屋である場合は「500万円」となります。

(注3)　住宅取得等資金の非課税又は住宅取得等資金の贈与を受けた場合の相続時精算課税選択の特例（以下、これらを「住宅取得等資金の贈与の特例」といいます。）の適用を受ける人が、所得税の住宅借入金等特別控除の適用を受ける場合には、住宅借入金特別控除額の計算上、住宅の取得等又は住宅の増改築等の対価等の額から住宅取得等資金の贈与の特例の適用を受けた部分の金額を差し引く必要がありますのでご注意ください。

＊ 税務署整理欄	整理番号		名簿		確認	

＊欄には記入しないでください。

（資5－10－1－3－A4統一）（令5.12）

－1303－

第十三章《贈与税の申告書の書き方》

農地等の贈与税の納税猶予税額の計算書

贈与者の氏名 _____　　　受贈者の氏名 _____

生 年 月 日（明・大・昭・平　　年　　月　　日）

提出用

私（受贈者）は、租税特別措置法第70条の4第1項の規定による農地等についての贈与税の納税猶予の適用を受けます。

（平成27年分以降用）

○農地等の明細についてこの計算書に書ききれない場合には、この計算書を追加して記入してください。

Ⅰ　納税猶予の適用を受ける農地等の明細

田・畑採草放牧地準農地の別	地上権、永小作権、使用貸借による権利、賃借権（耕作権）の場合のその別	所　在　場　所	面　積／固定資産税評価額	単　価／倍　数	価　額
			㎡／円	円／倍	円
合　計			㎡		Ⓐ

Ⅱ　納税猶予税額の計算（農地等以外の財産に対する贈与税額の計算）

A　農地等以外の財産として、一般贈与財産又は特例贈与財産のどちらか一方のみを贈与により取得している場合

農地等以外の財産の課税価格（申告書第一表の④の金額－上欄のⒶの金額）	①	円	差引税額の合計額（申告書第一表の⑭の金額）	⑤		円／00
基礎控除額	②	1,100,000	相続時精算課税分の差引税額の合計額（申告書第一表の⑫の金額）	⑥		
農地等以外の財産の基礎控除後の課税価格（①－②）（1,000円未満の端数は切り捨てます。また、この金額が1,000円未満のときは、その金額を切り捨てます。）	③	,000	農地等以外の財産に対する贈与税額（④＋⑥）（100円未満の端数は切り捨てます。また、この金額が100円未満のときは、その金額を切り捨てます。）	⑦		00
③に対する税額（申告書第一表（控用）の裏面の速算表を使用して、一般税率又は特例税率により計算します。）	④	00	納税猶予税額（⑤－⑦）	⑧		00

B　農地等以外の財産として、一般贈与財産及び特例贈与財産の両方を贈与により取得している場合

農地等以外の財産（特例贈与財産）の価額の合計額（納税猶予の適用を受ける農地等が特例贈与財産である場合には、「申告書第一表の①の金額」から「上欄のⒶの金額」を差し引いた金額となります。）	⑨		農地等以外の財産（特例贈与財産）に対応する税額（⑮×⑨／⑫）	⑯		円
農地等以外の財産（一般贈与財産）の価額の合計額（納税猶予の適用を受ける農地等が一般贈与財産である場合には、「申告書第一表の②の金額」から「上欄のⒶの金額」を差し引いた金額となります。）	⑩		⑭の金額に「一般税率」を適用した税額（申告書第一表（控用）の裏面の速算表を使用して、一般税率により計算します。）	⑰		
配偶者控除額（申告書第一表の③の金額）	⑪		農地等以外の財産（一般贈与財産）に対応する税額（⑰×（⑩－⑪）／⑫）	⑱		
農地等以外の財産の課税価格の合計額（⑨＋⑩－⑪）	⑫		差引税額の合計額（申告書第一表の⑭の金額）	⑲		00
基礎控除額	⑬	1,100,000	相続時精算課税分の差引税額の合計額（申告書第一表の⑫の金額）	⑳		
農地等以外の財産の基礎控除後の課税価格（⑫－⑬）（1,000円未満の端数は切り捨てます。また、この金額が1,000円未満のときは、その金額を切り捨てます。）	⑭	,000	農地等以外の財産に対する贈与税額（⑯＋⑱＋⑳）（100円未満の端数は切り捨てます。また、この金額が100円未満のときは、その金額を切り捨てます。）	㉑		00
⑭の金額に「特例税率」を適用した税額（申告書第一表（控用）の裏面の速算表を使用して、特例税率により計算します。）	⑮		納税猶予税額（⑲－㉑）	㉒		00

（資5－11－1－A4統一）（令3.10）

－1304－

第六編
相続税、贈与税の財産評価

〈はじめに〉

　相続や贈与などによって取得した財産は、購入した財産などと違って対価を支払うことはありませんので、その財産の価額がいくらであるかを算定することは大変困難です。相続税や贈与税などの税額は、財産の価額がいくらであるかによって決まるのですから、その基となる「財産の評価」は、それぞれの負担に直接影響する極めて重要なことです。

　しかし、相続税法には地上権や永小作権（相法23）、定期金に関する権利（相法24）等、特定の財産については具体的にその価額の評価方法が定められていますが、その他大部分の財産（土地、家屋、有価証券等）については、その財産を相続、遺贈又は贈与によって取得した時（課税時期といいます。）における時価による（相法22）と定めているのみで、具体的な評価方法は定められていません。

　そこで、国税庁においては、納税者の便宜や内部的な統一を図るため、「財産評価基本通達」（以下「評価基本通達」といいます。）を定め、これに基づいて、評価することにしています。

　この評価基本通達及びこれに関連する法制の最近の動きは次のとおりです。

【平成22年度の改正】

　平成22年度の改正においては、定期金に関する権利の評価方法が改正されました。

　この改正により、定期金給付事由が発生している定期金に関する権利については、①解約返戻金の金額、②定期金に代えて一時金の給付を受けることができる場合には一時金の金額又は③給付を受けるべき金額の１年当たりの平均額を基に一定の方法で計算した金額（予定利率による金額）のうちいずれか多い金額により評価することとされました。また、定期金給付事由が発生していない定期金に関する権利（生命保険契約を除きます。）については、原則として解約返戻金の金額により評価することとされました。

　また、取引相場のない株式等の評価について、法人税法における清算所得課税が廃止され、清算中の法人についても通常の所得金額に対する課税が行われることとされたことに伴い、純資産価額方式における「評価差額に対する法人税額等に相当する金額」の算定上の「法人税、事業税、道府県民税及び市町村民税の税率の合計に相当する割合」を42％から45％に改正することとされました。

【平成24年度の改正】

　取引相場のない株式等の評価（純資産価額方式における法人税額等相当額）について、平成23年度の税制改正において法人税の税率が改正されたこと及び復興特別法人税が創設されたことに伴い、純資産価額方式における「評価差額に対する法人税額等に相当する金額」の算定に用いる「法人税、事業税、道府県民税及び市町村民税の税率の合計に相当する割合」を45％から42％に改正することとされました。

【平成25年度の改正】

　取引相場のない株式等の評価（大会社の株式保有割合による株式保有特定会社の判定基準）について、東京高等裁判所平成25年２月28日判決があったことを受け、現下の上場会社の株式等の保有状況等に基づき、評価通達189（２）における大会社の株式保有割合による株式保有特定会社の判定基準を「25％以上」から「50％以上」に改正することとされました。

　なお、本改正に係る改正後の評価通達（大会社の判定基準）は、平成25年５月27日以後に相続、遺贈又は贈与（以下「相続等」といいます。）により取得した財産を評価する場合に適用するほか、本改正が判決に伴うものであり、過去の相続税等についても、国税通則法第23条第２項第３号の規定に基づき更正の請求をすることができることを踏まえ、平成25年５月27日以後に相続税等の申告をする者が、平成25年５月27日前に相続等により取得した財産を評価する場合にも適用することができます。

【平成26年度の改正】

　取引相場のない株式等の評価（純資産価額方式における法人税額等相当額）について、平成26年度の税制改正において復興特別法人税が廃止（平成26年４月１日以後に開始する事業年度から適用）さ

れ、併せて地方法人税の創設並びに事業税、地方法人特別税、道府県民税及び市町村民税の税率の改正が行われた（平成26年10月１日以後に開始する事業年度から適用）ことに伴い、純資産価額方式における「評価差額に対する法人税額等に相当する金額」の算定に用いる「法人税（復興特別法人税を含みます。）、事業税（地方法人特別税を含みます。）、道府県民税及び市町村民税の税率の合計に相当する割合」を42％から40％に改正することとされました。

また、平成27年１月１日以後に相続、遺贈又は贈与により取得する気配相場等のある株式の評価等について所要の改正が行われるとともに、上場新株予約権及び受益証券発行信託証券等の評価が定められました。

【平成27年度の改正】

取引相場のない株式等の評価（純資産価額方式における法人税額等相当額）について、平成27年度の税制改正において法人税率の改正が行われたことに伴い、純資産価額方式における「評価差額に対する法人税額等に相当する金額」の算定に用いる「法人税（地方法人税を含みます。）、事業税（地方法人特別税を含みます。）、道府県民税及び市町村民税の税率の合計に相当する割合」を40％から38％に改正することとされました。

【平成28年度の改正】

平成28年度税制改正において、法人税率の改正が行われたことに伴い、純資産価額方式における「評価差額に対する法人税額等に相当する金額」の算定に用いる「法人税（地方法人税を含む。）、事業税（地方法人特別税を含む。）、道府県民税及び市町村民税の税率の合計に相当する割合」を38％から37％に改正するなど所要の改正が行われました。

また、利付公社債の評価等について、「源泉徴収されるべき所得税の額に相当する金額」に含むこととしている「特別徴収されるべき道府県民税」に利子割の額のみならず配当割の額に相当する金額も含まれるよう改正されるとともに、割引発行の公社債の評価について、割引発行の公社債の差益金額につき源泉徴収されるべき所得税の額に相当する金額がある場合には、その金額を控除した金額によって評価することとされました。

【平成29年度の改正】

取引相場のない株式の評価については、類似業種比準方式の場合の類似業種の株価について、現行に課税時期の属する月以前２年間平均を加え、類似業種の配当金額、利益金額、簿価純資産価額については、連結決算を反映させたものとしたほか、これらの比重を１：３：１から１：１：１に改めることとされました。また、会社規模の判定基準における大会社及び中会社の総資産価額、従業員数及び直前期末前１年間における取引金額が、近年の上場会社の実態に合わせて見直されました。

森林の立木の評価では、近年の林業を取り巻く環境の変化を踏まえ、森林の主要樹種である杉及びひのきの標準価額を引き下げるとともに、松、くぬぎ及び雑木を森林の主要樹種以外の立木に改め、原則として、売買実例価額や精通者意見価格等を参酌して評価することとされました。

災害が発生した際の税制が常設化されたことに伴い、特定非常災害発生時の財産の評価方法が措置法通達に定められるとともに、特定非常災害発生日以後に取得した財産の評価方法が個別通達で定められました。

また、以下の改正は、平成30年１月１日以後の相続、遺贈又は贈与により取得した財産の評価に適用されます。

〔地積規模の大きな宅地の評価の新設及び広大地の評価の廃止〕

相続税等の財産評価の適正化を図るため、相続税法の時価主義の下、実態を踏まえて、広大地の評価について、各土地の個性に応じて形状・面積に基づき評価を行うとともに、適用要件が明確化されることとなりました。

〔株式保有特定会社の判定基準の見直し〕

評価会社が株式保有特定会社に該当するか否かについて、現行の「株式及び出資」に「新株予約権

－1308－

付社債」を加えて、株式等保有特定会社の判定基準とすることとなりました。

また、これに伴い「Ｓ１＋Ｓ２」方式による評価における計算方法等についても一部改正されました。

【平成30年度の改正】

近年、土砂災害特別警戒区域の指定件数が増加していることを踏まえ、土砂災害特別警戒区域内にある宅地の評価に当たり、その宅地に占める土砂災害特別警戒区域内となる部分の地積の割合に応じて一定の減額補正を行うこととされました。

平成31年１月１日以後に相続、遺贈又は贈与により取得した財産の評価に適用されます。

【平成31年度（令和元年度）の改正】

民法の改正（民法及び家事事件手続法の一部を改正する法律）により配偶者居住権が創設され、これに対応し、配偶者居住権等の評価方法が規定されました。

令和２年４月１日以後の相続又は遺贈により取得した財産の評価に適用されます。

【令和２年度の改正】

特定生産緑地のうち、時価で買い取るべき旨の申出を行った日から起算して３か月を経過しているものについては、行為制限が解除され、一般の農地等と同様の評価方法により評価する必要があるため、特定生産緑地を時価で買い取るべき旨の申出を行った日から起算して３か月を経過しているものについては、生産緑地の評価の定めの適用対象ではないことが明らかにされるとともに、旧第二種生産緑地地区に係る旧生産緑地について、その都市計画が全て失効していることを踏まえ、関係する記述が削除されました。

令和２年１月１日以後の相続、遺贈又は贈与により取得した財産の評価に適用されます。

【令和３年度の改正】

都市計画道路予定地の区域内にある宅地の価額を評価する場合において、その宅地のうちの都市計画道路予定地の区域内となる部分が都市計画道路予定地の区域内となる部分でないものとしたときの価額に乗じる補正率を定める表について、容積率の区分の整理及びこれに伴う補正率の見直しが行われました。

電話加入権の価額については、売買実例価額、精通者意見価格等を参酌して評価することとされました。

漁業法第36条《農林水産大臣による漁業の許可》に規定する漁業及び同法第57条《都道府県知事による漁業の許可》に規定する漁業等を営むことのできる権利の価額は、営業権の価額に含めて評価することとされました。

令和３年１月１日以後に相続、遺贈又は贈与により取得した財産の評価に適用されます。

また、以下の改正は、令和３年３月１日以後に相続、遺贈又は贈与により取得した財産の評価に適用されます。

評価会社が有する資産の中に、現物出資若しくは合併により著しく低い価額で受け入れた資産又は株式交換若しくは株式移転により著しく低い価額で受け入れた株式（現物出資等受入れ資産）がある場合には、その現物出資、合併、株式交換又は株式移転（現物出資等）の時のその資産の価額（相続税評価額）とその現物出資等による受入れ価額（帳簿価額）との差額（現物出資等受入れ差額）に対する法人税額等相当額は、純資産価額の計算上控除しないこととしているが、株式交付により著しく低い価額で受け入れた株式がある場合も同様とすることとされました。

【令和５年度の改正】

取引相場のない株式（出資）の評価明細書の記載方法等について、表示単位未満の金額に係る端数処理の取扱いが明確化されました。

居住用の区分所有財産について、一室の区分所有権等に係る敷地利用権の価額及び一室の区分所有権等に係る区分所有権の価額にそれぞれ一定の補正率を乗じて計算した価額により評価することとさ

－1309－

れました。

令和6年1月1日以後の相続、遺贈又は贈与により取得した財産の評価に適用されます。

第一章　土地及び土地の上に存する権利

第一節　通　　則

1　土地の評価上の区分

　土地の価額は、①宅地、②田、③畑、④山林、⑤原野、⑥牧場、⑦池沼、⑧鉱泉地、⑨雑種地の地目の別に評価します。ただし、一体として利用されている一団の土地が2以上の地目からなる場合（例えば、ゴルフ練習場のように雑種地〔駐車場とゴルフ練習場〕と宅地〔建物敷地〕など）には、その一団の土地は、そのうちの主たる地目からなるものとして、その一団の土地ごとに評価します。

　なお、市街化調整区域（都市計画法第7条《区域区分》第3項に規定する「市街化調整区域」をいいます。以下同じ。）以外の都市計画区域（同法第4条《定義》第2項に規定する「都市計画区域」をいいます。以下同じ。）で市街地的形態を形成する地域において、宅地に比準して評価する市街地農地（生産緑地を除きます。）、市街地山林、市街地原野又は第八節の2《雑種地の評価》（1361ページ）の本文の定めにより評価する宅地と状況が類似する雑種地のいずれか2以上の地目の土地が隣接しており、その形状、地積の大小、位置等からみてこれらを一団として評価することが合理的と認められる場合には、その一団の土地ごとに評価します（評基通7）。

- **（注）**　地目の判定は、不動産登記事務取扱手続準則（平成17年2月25日付民二第456号法務省民事局長通達）第68条及び第69条に準じて行います。ただし、④の「山林」には、同準則第68条の「(20)保安林」を含み、また⑨の「雑種地」には、同準則第68条の「(12)墓地」から「(23)雑種地」まで（「(20)保安林」を除きます。）に掲げるものを含みます。

2　地目及び地積の判定

　土地の価額は、土地の地目の別に、その単位（1㎡）当たりの価額（単価）に地積を乗じて求めますが、その地目及び地積は、登記簿上に表示されているものが必ずしも評価上の土地の実際の利用区分及び地積と一致しているとは限らないので、登記簿上の表示にかかわらず、地目については、課税時期の現況によって判定し、地積については、課税時期における実際の面積によって評価します（評基通7、8）。

- **（注）**　地目別の土地の評価の単位については、それぞれの地目ごとに第二節以下において説明していますので、第二節～第八節を参照してください。

3　土地の上に存する権利の評価上の区分

　土地の上に存する権利の価額は、次に掲げる権利の別に評価します（評基通9）。

① 　地上権（民法第269条の2《地下又は空間を目的とする地上権》第1項の地上権（以下「**区分地上権**」といいます。）及び借地借家法第2条《定義》に規定する借地権に該当するものを除きます。以下同じ。）
② 　区分地上権
③ 　永小作権
④ 　区分地上権に準ずる地役権（地価税法施行令第2条《借地権等の範囲》第1項に規定する地役権をいいます。以下同じ。）
⑤ 　借地権（借地借家法第22条《定期借地権》、第23条《事業用定期借地権等》、第24条《建物譲渡特約付借地権》及び第25条《一時使用目的の借地権》に規定する借地権（以下「**定期借地権等**」といいます。）に該当するものを除きます。以下同じ。）

−1311−

第一章第一節《土地及び土地の上に存する権利の評価の通則》

⑥　定期借地権等

⑦　耕作権（農地法第2条《定義》第1項に規定する農地又は採草放牧地の上に存する賃借権〔同法第18条《農地又は採草放牧地の賃貸借の解約等の制限》第1項本文の規定の適用がある賃借権に限ります。〕をいいます。以下同じ。）

⑧　温泉権（引湯権を含みます。）

⑨　賃借権（⑤の借地権、⑥の定期借地権等、⑦の耕作権及び⑧の温泉権に該当するものを除きます。以下同じ。）

⑩　占用権（地価税法施行令第2条第2項に規定する権利をいいます。以下同じ。）

4　たな卸資産である土地

土地、家屋その他の不動産のうち不動産業者等が所有しているたな卸資産に該当するものについては、この章に定める評価方法によらず、第五章の第二節「たな卸商品等」について定める評価方法を準用して評価します（評基通4−2）。

5　国外にある財産の邦貨換算

外貨建てによる財産及び国外にある財産の邦貨換算は、原則として、納税義務者の取引金融機関が公表する課税時期における最終の為替相場（邦貨換算を行う場合の外国為替の売買相場のうち、いわゆる対顧客直物電信買相場又はこれに準ずる相場をいいます。また、課税時期にその相場がない場合には、課税時期前の相場のうち、課税時期に最も近い日の相場とします。）によります（評基通4−3）。

なお、外貨建てによる債務を邦貨換算する場合には、「対顧客直物電信買相場」を「対顧客直物電信売相場」と読み替えて適用することに留意してください。

6　基準年利率の適用

本章以下に定める財産の評価において適用する年利率は、別に定めるものを除き、年数又は期間に応じ、日本証券業協会において売買参考統計値が公表される利付国債に係る複利利回りを基に計算した年利率（以下**基準年利率**といいます。）によることとし、その基準年利率は、短期（3年未満）、中期（3年以上7年未満）及び長期（7年以上）に区分し、各月ごとに次のように定められます（評基通4−4）。

（単位：％）

区分	年数又は期間	令和6年1月	2月	3月	4月	5月	6月	7月	8月	9月	10月	11月	12月
短期	1年	0.01	0.01	0.10	0.10	0.25	0.25						
	2年												
中期	3年	0.10	0.25	0.25	0.25	0.50	0.50						
	4年												
	5年												
	6年												
長期	7年以上	1.00	1.00	1.00	1.00	1.00	1.50						

（注1）　課税時期の属する月の年数又は期間に応ずる基準年利率を用いることに留意してください。

（注2）　上記基準年利率は、法令解釈通達として3か月ごとに公表されます。詳しくは、国税庁ホームページ（https://www.nta.go.jp/）をご覧ください。

−1312−

7　国外財産の評価

国外にある財産の価額についても、本章以下に定める評価方法により評価することとされています。

なお、本章以下の定めによって評価することができない財産については、本章以下に定める評価方法に準じて、又は売買実例価額、精通者意見価格等を参酌して評価します（評基通5－2）。

(注)　本章以下の定めによって評価することができない財産については、課税上弊害がない限り、その財産の取得価額を基にその財産が所在する地域若しくは国におけるその財産と同一種類の財産の一般的な価格動向に基づき時点修正して求めた価額又は課税時期後にその財産を譲渡した場合における譲渡価額を基に課税時期現在の価額として算出した価額により評価することができます。

8　負担付贈与又は低額譲渡により取得した土地等又は家屋等の贈与税の評価の特例

負担付贈与及び低額譲渡に係る土地建物等の贈与税の課税上の評価については本章及び第二章の評価基本通達の定めにかかわらず、下記のとおり取り扱います（負担通）。

イ　土地及び土地の上に存する権利（以下「土地等」といいます。）並びに家屋及びその附属設備又は構築物（以下「家屋等」といいます。）のうち、負担付贈与又は個人間の対価を伴う取引により取得したものの価額は、その取得時における通常の取引価額に相当する金額によって評価します。

ただし、贈与者又は譲渡者が取得又は新築した土地等又は家屋等に係る取得価額が課税時期における通常の取引価額に相当すると認められる場合には、その取得価額に相当する金額によって評価することができます。

(注)　「取得価額」とは、取得に要した金額並びに改良費及び設備費の額の合計額をいい、家屋等については、その合計額から、第五章第一節の2（1378ページ）によって計算した取得の時から課税時期までの期間の償却費の額の合計額又は減価の額を控除した金額をいいます。

ロ　イの対価を伴う取引による土地等又は家屋等の取得が相続税法第7条に規定する「著しく低い価額の対価で財産の譲渡を受けた場合」又は相続税法第9条に規定する「著しく低い価額の対価で利益を受けた場合」に当たるかどうかは、個々の取引について取引の事情、取引当事者間の関係等を総合勘案し、実質的に贈与を受けたと認められる金額があるかどうかにより判定することとなります。

(注1)　その取引における対価の額が取引に係る土地等又は家屋等の取得価額を下回る場合には、その土地等又は家屋等の価額が下落したことなど合理的な理由があると認められるときを除き、「著しく低い価額の対価で財産の譲渡を受けた場合」又は「著しく低い価額の対価で利益を受けた場合」に該当するものとされます。

(注2)　負担付贈与等により取得した上場株式や気配相場等のある株式の評価方法については、第七章第一節の2（1385ページ）又は同章第二節（1390ページ）をご参照ください。

第二節　宅地 （小規模宅地等についての相続税の課税価格の特例…第四編第六章第一節の3（726ページ）参照。）

1　評　価　の　単　位

（1）　1画地ごとの評価

宅地の価額は、1画地の宅地（利用の単位となっている1区画の宅地をいいます。以下同じ。）ごとに評価します。宅地の上に存する権利についても同様です（評基通7－2(1)）。

なお、「1画地の宅地」は、必ずしも1筆の宅地からなるとは限らず、2筆以上の宅地からなる場合もあり、1筆の宅地が2画地以上の宅地として利用されている場合もあることに留意してください（評基通7－2(注)1）。

すなわち、宅地は土地台帳に登録されている1筆単位とか所有者単位で評価するのでなく、利用単

位ごとに評価します。

例えば、甲の所有している一つの宅地が、数筆に分かれていても、その全部を自己の居住用に使用している場合等であれば、1筆ごとに評価するのでなく、その数筆の宅地を1画地として評価します。また、乙の所有している1筆の宅地を、その半分は自分が使用し、他の半分を丙に貸している場合には、それぞれ利用状況が異なりますので、その利用単位ごとに評価することになります。

（2） 分割が著しく不合理な場合の評価単位

贈与、遺産分割等による宅地の分割が親族間等で行われた場合において、例えば、分割後の画地が宅地として通常の用途に供することができないなど、その分割が著しく不合理であると認められるときは、その分割前の画地を「1画地の宅地」として評価します（評基通7－2（1）（注））。

2 評価の方式

宅地の評価の方式には、路線価方式と倍率方式とがあります。

すなわち、市街地的形態を形成する地域にある宅地については、原則として路線（不特定多数の通行の用に供されている道路をいいます。）に面する標準的な画地を有する宅地の価額（路線価）を基として評価し、その他の地域にある宅地については、固定資産税評価額に一定の倍率を乗じて評価することになっています（評基通11、13、14、21、21－2）。

（1） 路線価方式による評価

路線価は、宅地の価額がおおむね同一と認められる一連の宅地が面している路線ごとに設定されます。そして、この路線価は、①その路線のほぼ中央にあって、②その一連の宅地に共通した地勢にあり、③その路線だけに接しており、④その路線に面している宅地の標準的な間口距離及び奥行距離を有するく形又は正方形の宅地について、近傍の売買実例価額、地価公示法による公示価格、不動産鑑定士等による鑑定評価額（不動産鑑定士又は不動産鑑定士補が国税局長の委嘱により鑑定評価した価額をいいます。以下同じ。）、精通者意見価格等を基として国税局長がその路線ごとに評定した1㎡当たりの価額です（評基通14）。

（注） ④の「標準的な間口距離及び奥行距離」には、それぞれ付表1「奥行価格補正率表」に定める補正率（以下「奥行価格補正率」といいます。）及び付表6「間口狭小補正率表」に定める補正率（以下「間口狭小補正率」といいます。）がいずれも1.00であり、かつ、付表7「奥行長大補正率表」に定める補正率（以下「奥行長大補正率」といいます。）の適用を要しないものが該当します。

路線価方式により評価する宅地の価額は、その宅地の面する路線に付された路線価を基とし、その宅地の奥行距離に応じる奥行価格補正、側方路線影響加算、二方路線影響加算、三方又は四方路線影響加算、不整形地等の修正等の加算減算を行って算出した価額によって評価します。

ただし、評価する土地が「地積規模の大きな宅地（**ヘ**（1322ページ）参照）」に該当する場合には、これらの補正率による調整や不整形地等の修正をした後に、規模格差補正率及び地積を乗じて評価しますので、注意してください。

路線価は、国税庁ホームページで御覧いただけます（財産評価基準書　路線価図・評価倍率表（https://www.rosenka.nta.go.jp/））。

【特定路線価】

路線価地域内において、相続税又は贈与税の課税上、路線価の設定されていない道路のみに接している宅地を評価する必要がある場合には、その道路を路線とみなしてその宅地を評価するための路線価（以下「特定路線価」といいます。）の設定を税務署長に申請することができます。

特定路線価は、その特定路線価を設定しようとする道路に接続する路線及びその道路の付近の路線に設定されている路線価を基に、その道路の状況、次の地区区分の別等を考慮して税務署長が評定した1㎡当たりの価額をいいます（評基通14－3）。

（注1） 特定路線価の設定を申請する場合は「特定路線価設定申出書」に物件案内図、地形図その他の書類を添付して税務署長に提出します。なお、「特定路線価設定申出書」は、国税庁ホームページ（https://www.

－1314－

nta.go.jp/）から出力することができます。

(注2) 特定路線価は、路線価の設定されていない道路のみに接している宅地を評価するための路線価ですから、路線価の設定されていない道路と路線価の設定されている道路とに接している宅地の評価に当たっては、その路線価の設定されていない道路に設定された特定路線価についての「側方路線影響加算」、「二方路線影響加算」又は「三方又は四方路線影響加算」の適用はないことに留意してください。

【地区区分】

路線価方式により評価する地域（以下「**路線価地域**」といいます。）については、宅地の利用状況がおおむね同一と認められる一定の地域ごとに、国税局長が次に掲げる地区を定めるものとされ、奥行価格補正率等も、この地区区分ごとに定められています（評基通14－2）。

① ビル街地区
② 高度商業地区
③ 繁華街地区
④ 普通商業・併用住宅地区
⑤ 普通住宅地区
⑥ 中小工場地区
⑦ 大工場地区

イ 奥行価格補正

一方のみが路線に接する宅地の価額は、路線価にその宅地の奥行距離に応じた「奥行価格補正率」（1329ページの付表1参照）を乗じて求めた価額にその宅地の地積を乗じて計算した価額によって評価します（評基通15）。

〔**計算例1**〕普通商業・併用住宅地区における計算例

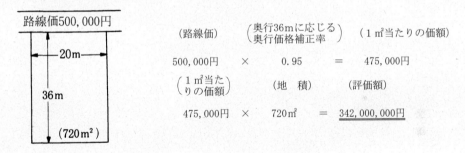

(注1) 路線価図での路線価の表示は、千円単位ですので、上記の500,000円は「500」としています。
(注2) 例えば、下図のように一の路線に2以上の路線価が付されている場合には、それぞれの路線価に接する距離により加重平均した価額を基に評価します。

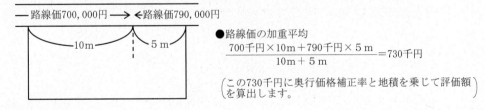

ロ 側方路線影響加算

正面と側方に路線がある宅地（通常「角地」と呼ばれています。）は、一方のみが路線に接する宅地より利用価値が高いと考えられますから、

(イ) 正面路線（原則として、奥行価格補正後の1㎡当たりの価額の高い方の路線をいいます。以下同じ。）の路線価に基づいて計算した1㎡当たりの価額と

(ロ) 側方路線（正面路線以外の路線をいいます。）の路線価を正面路線の路線価とみなして計算した１㎡当たりの価額に側方路線影響加算率（1330ページの付表２参照）を乗じて計算した価額の合計額にその宅地の地積を乗じて計算した価額によって評価します（評基通16）。

〔**計算例２**〕 普通商業・併用住宅地区における計算例

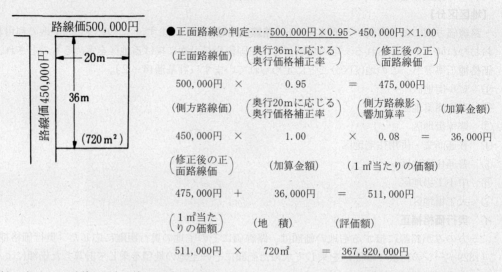

●正面路線の判定……500,000円×0.95＞450,000円×1.00

$\begin{pmatrix}\text{正面路線価}\end{pmatrix}$ $\begin{pmatrix}\text{奥行36mに応じる}\\\text{奥行価格補正率}\end{pmatrix}$ $\begin{pmatrix}\text{修正後の正}\\\text{面路線価}\end{pmatrix}$

500,000円 × 0.95 ＝ 475,000円

$\begin{pmatrix}\text{側方路線価}\end{pmatrix}$ $\begin{pmatrix}\text{奥行20mに応じる}\\\text{奥行価格補正率}\end{pmatrix}$ $\begin{pmatrix}\text{側方路線影}\\\text{響加算率}\end{pmatrix}$ $\begin{pmatrix}\text{加算金額}\end{pmatrix}$

450,000円 × 1.00 × 0.08 ＝ 36,000円

$\begin{pmatrix}\text{修正後の正}\\\text{面路線価}\end{pmatrix}$ （加算金額） （１㎡当たりの価額）

475,000円 ＋ 36,000円 ＝ 511,000円

$\begin{pmatrix}\text{１㎡当た}\\\text{りの価額}\end{pmatrix}$ （地　積） （評価額）

511,000円 × 720㎡ ＝ 367,920,000円

（**注**） なお、正面路線と側方路線の地区区分が異なる場合は、正面路線（上記の〔**計算例２**〕では路線価500,000円）の属する地区の奥行価格補正率や側方路線影響加算率等を適用して評価します。

〔**計算例3**〕 普通住宅地区における準角地（次の図のように一系統の路線の屈折部の内側に位置する宅地）の計算例

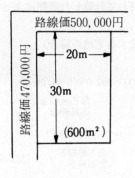

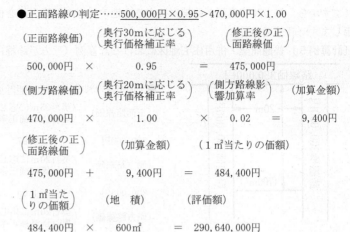

●正面路線の判定……500,000円×0.95＞470,000円×1.00

（正面路線価）　（奥行30mに応じる奥行価格補正率）　（修正後の正面路線価）

500,000円　×　0.95　＝　475,000円

（側方路線価）　（奥行20mに応じる奥行価格補正率）　（側方路線影響加算率）　（加算金額）

470,000円　×　1.00　×　0.02　＝　9,400円

（修正後の正面路線価）　（加算金額）　（1㎡当たりの価額）

475,000円　＋　9,400円　＝　484,400円

（1㎡当たりの価額）　（地　積）　（評価額）

484,400円　×　600㎡　＝　290,640,000円

ハ　二方路線影響加算

　正面と裏面に路線がある宅地は、一方のみが路線に接する宅地より利用価値が高いと考えられますから、
（イ）　正面路線の路線価に基づき計算した1㎡当たりの価額と
（ロ）　裏面路線（正面路線以外の路線をいいます。）の路線価を正面路線価とみなして計算した1㎡当たりの価額に二方路線影響加算率（1330ページの付表3参照）を乗じて計算した価額
の合計額にその宅地の地積を乗じて計算した価額によって評価します（評基通17）。

〔**計算例4**〕 普通住宅地区における計算例

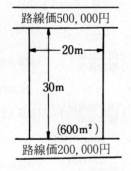

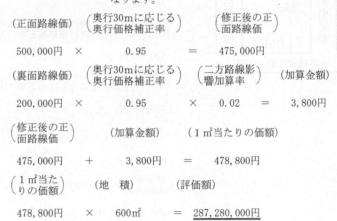

●正面路線の判定……奥行距離は同じですから路線価の高い方が正面路線になります。

（正面路線価）　（奥行30mに応じる奥行価格補正率）　（修正後の正面路線価）

500,000円　×　0.95　＝　475,000円

（裏面路線価）　（奥行30mに応じる奥行価格補正率）　（二方路線影響加算率）　（加算金額）

200,000円　×　0.95　×　0.02　＝　3,800円

（修正後の正面路線価）　（加算金額）　（1㎡当たりの価額）

475,000円　＋　3,800円　＝　478,800円

（1㎡当たりの価額）　（地　積）　（評価額）

478,800円　×　600㎡　＝　287,280,000円

二　三方又は四方路線影響加算

　三方又は四方が路線に接する宅地は、二方が路線に接する宅地よりも更に利用価値が高いと考えられますから、側方及び裏面が路線に接する宅地の場合の計算方法を併用して計算した価額によって評価します（評基通18）。

〔**計算例5**〕　普通商業・併用住宅地区における計算例（三方が路線に接する宅地の場合）

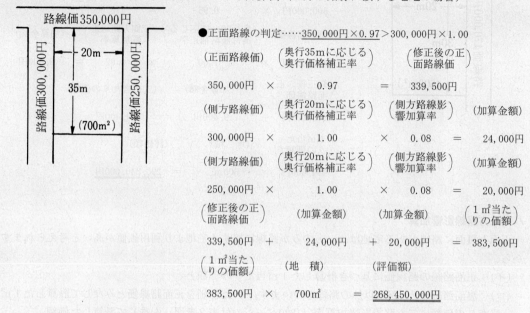

〔**計算例6**〕　普通商業・併用住宅地区における計算例（四方が路線に接する宅地の場合）

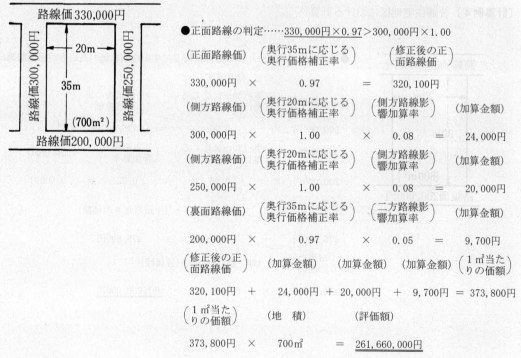

ホ　不整形地

　不整形地（三角地を含みます。以下同じ。）の価額は、次の(イ)から(ニ)までのいずれかの方法によりイからニまでの定めによって計算した価額に、その不整形の程度、位置及び地積の大小に応じ、付表４「地積区分表」（1330ページ参照）に掲げる地区区分及び地積区分に応じた付表５「不整形地補正率表」（1331ページ参照）に定める補正率（以下「不整形地補正率」といいます。）を乗じて計算した価額により評価します（評基通20）。

(イ)　次図のように不整形地を区分して求めた整形地を基として計算する方法

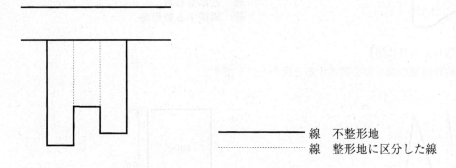

──── 線　不整形地
‥‥‥ 線　整形地に区分した線

(ロ)　次図のように不整形地の地積を間口距離で除して算出した計算上の奥行距離を基として求めた整形地により計算する方法

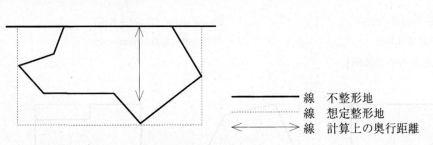

──── 線　不整形地
‥‥‥ 線　想定整形地
◀───▶ 線　計算上の奥行距離

(注)　ただし、計算上の奥行距離は、不整形地の全域を囲む、正面路線に面するく形又は正方形の土地（以下「想定整形地」といいます。）の奥行距離を限度とします。

(ハ)　次図のように不整形地に近似する整形地（以下「近似整形地」といいます。）を求め、その設定した近似整形地を基として計算する方法

──── 線　不整形地
‥‥‥ 線　近似整形地

(注)　近似整形地は、近似整形地からはみ出す不整形地の部分の地積と近似整形地に含まれる不整形地以外の部分の地積がおおむね等しく、かつ、その合計地積ができるだけ小さくなるように求めます（以下(ニ)において同じ。）。

(ニ) 次図のように近似整形地（①）を求め、隣接する整形地（②）と合わせて全体の整形地の価額の計算をしてから、隣接する整形地（②）の価額を差し引いた価額を基として計算する方法

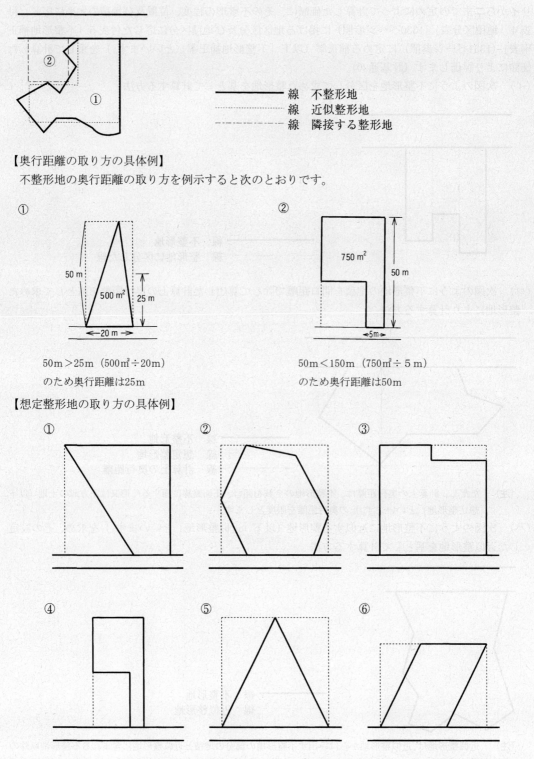

第一章第二節《宅地の評価》

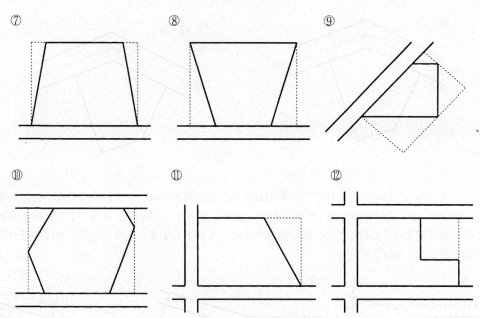

※下記の⑬から⑯までは、左の例（〇）が相当、右の例（×）は不相当。

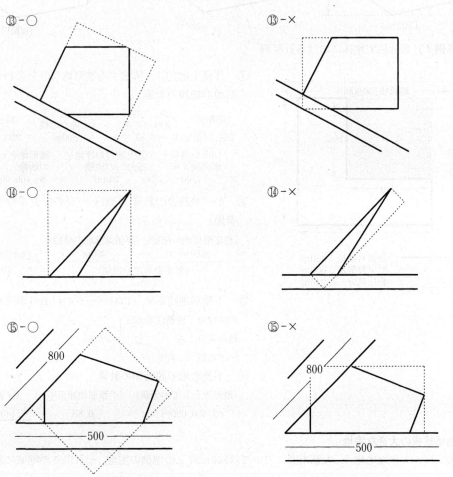

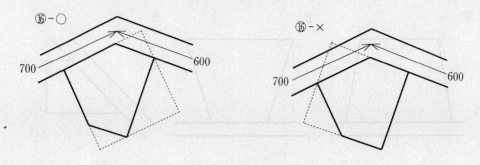

また、次図のように屈折路に接する不整形地に係る想定整形地は、いずれかの路線からの垂線によって（次図⑰、⑱）又は路線に接する両端を結ぶ直線によって（次図⑲）、評価しようとする宅地の全域を囲む長方形又は正方形のうち、最も面積の小さいものとします。したがって、次図の場合には、⑲が想定整形地となります。

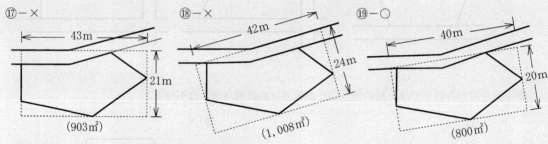

〔計算例7〕 普通住宅地区における計算例

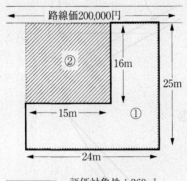

① 評価土地（①）と隣接する整形地（②）を合わせた整形地の価額の計算

$$\underset{(路線価)}{200,000円} \times \underset{\substack{(25mの奥行\\価格補正率)}}{0.97} \times \underset{\substack{(①土地と②\\土地の地積)}}{600㎡} - \underset{(路線価)}{200,000円}$$
$$\times \underset{\substack{(16mの奥行\\価格補正率)}}{1.00} \times \underset{\substack{(②土地（かげ地）\\部分）の地積)}}{240㎡} = \underset{\substack{(整形地として\\の価額)}}{68,400,000円}$$

② かげ地割合の計算（1331ページの付表5の**(注2)**参照）

$$\frac{\overset{(想定整形地の地積)}{600㎡} - \overset{(評価対象地の地積)}{360㎡}}{\underset{(想定整形地の地積)}{600㎡}} = \underset{40\%}{(かげ地割合)}$$

③ 不整形地補正率（1331ページの付表5参照）

地区区分：普通住宅地区
地積区分：A 　　　　　⇨ 0.85
かげ地割合：40％

④ 不整形地の評価額の計算

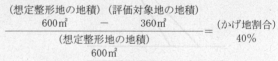

ヘ 地積規模の大きな宅地

地積規模の大きな宅地（三大都市圏においては500㎡以上の地積の宅地、それ以外の地域においては

第一章第二節《宅地の評価》

1,000㎡以上の地積の宅地をいい、次の(イ)から(ハ)までのいずれかに該当するものを除き、以下「地積規模の大きな宅地」といいます。)で普通商業・併用住宅地区及び普通住宅地区として定められた地域に所在するものの価額は、**イ**から**ホ**までの定めにより計算した価額に、その宅地の地積の規模に応じ、次の算式により求めた規模格差補正率を乗じて計算した価額によって評価します(評基通20－2)。

(イ)　市街化調整区域（都市計画法第34条第10号又は第11号の規定に基づき宅地分譲に係る同法第4条《定義》第12項に規定する開発行為を行うことができる区域を除く。）に所在する宅地

(ロ)　都市計画法第8条《地域地区》第1項第1号に規定する工業専用地域に所在する宅地

(ハ)　容積率（建築基準法（昭和25年法律第201号）第52条《容積率》第1項に規定する建築物の延べ面積の敷地面積に対する割合をいう。）が10分の40（東京都の特別区（地方自治法（昭和22年法律第67号）第281条《特別区》第1項に規定する特別区をいう。）においては10分の30）以上の地域に所在する宅地

（算式）

$$規模格差補正率 = \frac{Ⓐ \times Ⓑ + Ⓒ}{地積規模の大きな宅地の地積（Ⓐ）} \times 0.8$$

上の算式中の「Ⓑ」及び「Ⓒ」は、地積規模の大きな宅地が所在する地域に応じ、それぞれ次に掲げる表のとおりとなります。

①　三大都市圏に所在する宅地

地積㎡　　　　地区区分　　記号	普通商業・併用住宅地区、普通住宅地区	
	Ⓑ	Ⓒ
500以上　1,000未満	0.95	25
1,000 〃　3,000 〃	0.90	75
3,000 〃　5,000 〃	0.85	225
5,000 〃	0.80	475

㋺　三大都市圏以外の地域に所在する宅地

地積㎡　　　　地区区分　　記号	普通商業・併用住宅地区、普通住宅地区	
	Ⓑ	Ⓒ
1,000以上　3,000未満	0.90	100
3,000 〃　5,000 〃	0.85	250
5,000 〃	0.80	500

（注1）　上記算式により計算した規模格差補正率は、小数点以下第2位未満を切り捨てます。

（注2）　「三大都市圏」とは、次の地域をいいます。

　　　イ　首都圏整備法（昭和31年法律第83号）第2条《定義》第3項に規定する既成市街地又は同条第4項に規定する近郊整備地帯

　　　ロ　近畿圏整備法（昭和38年法律第129号）第2条《定義》第3項に規定する既成都市区域又は同条第4項に規定する近郊整備区域

　　　ハ　中部圏開発整備法（昭和41年法律第102号）第2条《定義》第3項に規定する都市整備区域

〔**計算例8**〕　三大都市圏内に所在する面積750㎡の宅地

　　　　　　他の地積規模の大きな宅地の評価の適用要件は満たしているとします。

－1323－

第一章第二節《宅地の評価》

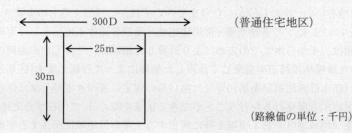

（普通住宅地区）

（路線価の単位：千円）

1　規模格差補正率

$$\frac{750㎡ \times 0.95 + 25}{750㎡} \times 0.8 = 0.78$$

2　評価額

　　（路線価）　（奥行価格補正率）　（面積）　（規模価格補正率）
　　300,000円　×　0.95　×　750㎡　×　0.78　＝　166,725,000円

〔計算例9〕三大都市圏以外の地域内に所在する面積1,500㎡の畑

1　他の地積規模の大きな宅地の評価の適用要件は満たしているとします。

2　宅地造成費として、整地（1㎡当たり600円）を要するものとします。

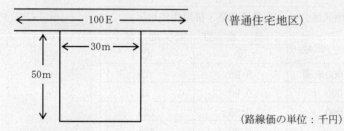

（普通住宅地区）

（路線価の単位：千円）

1　規模格差補正率

$$\frac{1,500㎡ \times 0.90 + 100}{1,500㎡} \times 0.8 = 0.77$$

2　1㎡当たりの価額

　　（路線価）（奥行価格補正率）（規模価格補正率）（整地費）
　　(100,000円　×　0.89　×　0.77)　－　600円　＝　67,930円

3　市街地農地の評価額

　　67,930円　×　1,500㎡　＝　101,895,000円

（注）　市街地農地等については、「地積規模の大きな宅地の評価」を適用した後、宅地造成費相当額を別途控除して評価します。

ト　無道路地

　　無道路地の価額は、実際に利用している路線の路線価に基づきホの不整形地の評価又はヘの地積規模の大きな宅地の評価の定めによって計算した価額からその価額の100分の40の範囲内において相当と認める金額を控除した価額によって評価します。この場合において、100分の40の範囲内において相当と認める金額は、無道路地について建築基準法その他の法令において規定されている建築物を建築するために必要な道路に接すべき最小限の間口距離の要件（以下「接道義務」といいます。）に基づき最小限度の通路を開設する場合のその通路に相当する部分の価額（路線価に地積を乗じた価額）とします（評基通20－3）。

（注1）　無道路地とは、道路に接しない宅地（接道義務を満たしていない宅地を含みます。）をいいます。

－1324－

(注2) ホの定めにより、付表5「不整形地補正率表」の(注3)の計算をするに当たっては、無道路地が接道義務に基づく最小限度の間口距離を有するものとして間口狭小補正率を適用します。

〔計算例10〕普通住宅地区における計算例

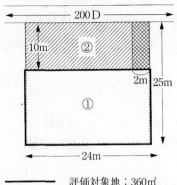

　　　　評価対象地：360㎡
　　　　想定整形地：600㎡
　　　　蔭地部分　：240㎡
　　　　通路相当部分：20㎡

① 無道路地(①)と前面土地(②)を合わせた土地の価額の計算

$$\underset{(路線価)}{200,000円} \times \underset{\substack{(25mの奥行\\価格補正率)}}{0.97} \times \underset{\substack{(①土地と②土地\\の地積)}}{600㎡} - \underset{(路線価)}{200,000円}$$
$$\times \underset{\substack{(10mの奥行\\価格補正率)}}{1.00} \times \underset{\substack{(②土地(かげ地\\部分)の地積)}}{240㎡} = \underset{\substack{(整形地として\\の価額)}}{68,400,000円}$$

② 不整形地としての価額の計算

$$\underset{\substack{(整形地とし\\ての価額)}}{68,400,000円} \times \underset{\substack{(不整形地補\\正率(注))}}{0.76} = \underset{\substack{(不整形地と\\しての価額)}}{51,984,000円}$$

(注) 　$\underset{\substack{(不整形地\\補正率*)}}{0.85} \times \underset{\substack{(間口狭小\\補正率)}}{0.90} = 0.76$

　　　　$\underset{\substack{(間口狭小\\補正率)}}{} \times \underset{\substack{(奥行長大\\補正率)}}{}$
　　　$<\quad 0.90 \times 0.90$
　　　　　　　　　　(小数点第2位未満切捨て、下限0.6)**

＊　地区区分：普通住宅地区　⎫
　　地積区分：A　　　　　　 ⎬ ⇒ 0.85
　　かげ地割合：40％　　　　 ⎭

＊＊　1331ページの付表5の(注3)参照。

③ 通路相当部分の価額の計算

$$\underset{(路線価)}{200,000円} \times \underset{(通路相当部分の地積)}{20㎡} = \underset{(通路相当部分の価額)}{4,000,000円}$$
$$\underset{(通路相当部分の価額)}{4,000,000円} < \underset{(不整形地としての価額)}{51,984,000円} \times 0.4$$
　　　　　　　　　　　　　　　　　　　　　(最大40％減額)

④ 無道路地の評価額の計算

$$\underset{\substack{(不整形地と\\しての価額)}}{51,984,000円} - \underset{\substack{(通路相当部\\分の価額)}}{4,000,000円} = \underset{(評価額)}{\underline{47,984,000円}}$$

チ　間口が狭小な宅地等

　次に掲げる宅地(不整形地及び無道路地を除きます。)の価額は、イからニまでにより計算した1㎡当たりの価額にそれぞれ次に掲げる補正率表に定める補正率を乗じて求めた価額にこれらの宅地の地積を乗じて計算した価額によって評価します。この場合において、地積が大きいもの等にあっては、近傍の宅地の価額との均衡を考慮し、それぞれの補正率表に定める補正率を適宜修正することができます(評基通20-4)。

　なお、ヘの適用がある場合には、このチにより評価した価額に、ヘの規模格差補正率を乗じて計算した価額によって評価します。

(イ) 間口が狭小な宅地　付表6「間口狭小補正率表」(1332ページ参照)
(ロ) 奥行が長大な宅地　付表7「奥行長大補正率表」(1332ページ参照)

〔**計算例11**〕普通住宅地区における計算例

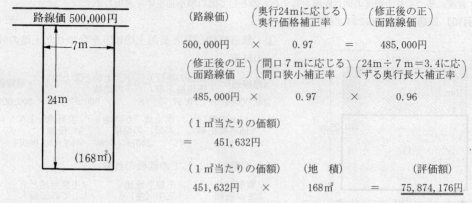

（１㎡当たりの価額）
＝　　451,632円

（１㎡当たりの価額）　　（地　積）　　　（評価額）
　451,632円　　×　　168㎡　　＝　75,874,176円

【間口距離の取り方の具体例】
　特殊な形状の宅地の間口距離の取り方を例示すると次のようになります。

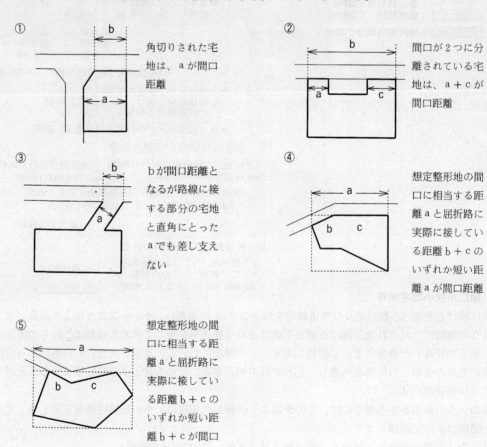

リ　がけ地等を有する宅地
　がけ地等で通常の用途に供することができないと認められる部分を有する宅地（ヌの定めにより評価するものを除きます。）の価額は、その宅地のうちに存するがけ地等ががけ地等でないとした場合の価額に、その宅地の総地積に対するがけ地部分等通常の用途に供することができないと認められる部分の地積の割合に応じて付表8「がけ地補正率表」（1333ページ参照）に定める補正率を乗じて計算し

—1326—

た価額によって評価します（評基通20－5）。

〔**計算例12**〕 普通住宅地区における計算例

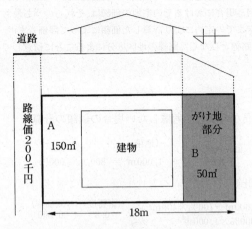

① がけ地等でないとした場合の価額の計算

（路線価）　（18mの奥行価格補正率）　（地積）
200,000円 × 1.00 × 200㎡ = 40,000,000円

② がけ地補正率

$$\frac{50㎡（がけ地地積）}{200㎡（総地積）} = \underset{0.25}{（がけ地割合）} \Rightarrow \underset{0.92}{（がけ地補正率）}$$

（方位：南）

③ がけ地等を有する宅地の評価額の計算

（がけ地補正率）　（評価額）
40,000,000円× 0.92 = 36,800,000円

ヌ　土砂災害特別警戒区域内にある宅地

　土砂災害特別警戒区域内（土砂災害警戒区域等における土砂災害防止対策の推進に関する法律（平成12年法律第57号）第9条《土砂災害特別警戒区域》第1項に規定する土砂災害特別警戒区域の区域内をいいます。以下同じです。）となる部分を有する宅地の価額は、その宅地のうちの土砂災害特別警戒区域内となる部分が土砂災害特別警戒区域内となる部分でないものとした場合の価額に、その宅地の総地積に対する土砂災害特別警戒区域内となる部分の地積の割合に応じて付表9「特別警戒区域補正率表」（1333ページ参照）に定める補正率を乗じて計算した価額によって評価します。（評基通20－6）

ル　容積率の異なる2以上の地域にわたる宅地

　路線価は、その路線に接する標準的な宅地の容積率（建築基準法第52条《容積率》に規定する建築物の延べ面積の敷地面積に対する割合をいいます。以下同じ。）等を勘案して定められていますので、1画地の宅地のうちの正面路線に接する部分の容積率が高く、その他の部分の容積率が低い場合などは、正面路線の路線価を基にその宅地全体を評価すると、容積率の低い部分については、高く評価しすぎることになります。

　そこで、このような容積率の異なる2以上の地域にわたる宅地の価額は、**イからヌ**までの定めにより評価した価額から、その価額に次の算式により計算した割合を乗じて計算した金額を控除した価額によって評価します。この場合において適用する「容積率が価額に及ぼす影響度」は【地区区分】に定める地区に応じて下表のとおりとします（評基通20－7）。

$$\left\{1-\frac{容積率の異なる部分の各部分に適用される容積率にその各部分の地積を乗じて計算した数値の合計}{正面路線に接する部分の容積率×宅地の総地積}\right\} × 容積率が価額に及ぼす影響度$$

○　容積率が価額に及ぼす影響度

地　区　区　分	影響度
高度商業地区、繁華街地区	0.8
普通商業・併用住宅地区	0.5
普通住宅地区	0.1

（注1）　上記算式により計算した割合は、小数点以下第3位未満を四捨五入して求めます。

（注2）　正面路線に接する部分の容積率が他の部分の容積率よりも低い宅地のように、この算式により計算した

割合が負数となるときは適用しません。

(注3) 2以上の路線に接する宅地について正面路線の路線価に奥行価格補正率を乗じて計算した価額からその価額に上記算式により計算した割合を乗じて計算した金額を控除した価額が、正面路線以外の路線の路線価に奥行価格補正率を乗じて計算した価額を下回る場合におけるその宅地の価額は、それらのうち最も高い価額となる路線を正面路線とみなしてイからヌまでの定めにより計算した価額によって評価します。なお、イからヌまでの定めの適用については、正面路線とみなした路線の地区区分によることに留意してください。

〔計算例13〕 高度商業地区における計算例

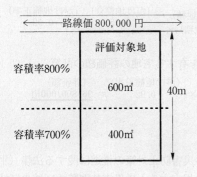

① 容積率が異なることを考慮しない場合の価額の計算

（路線価）　（40mの奥行価格補正率）　（地積）
800,000円 × 1.00 × 1,000㎡ ＝ 800,000,000円

② 減価率の計算

$$\left(1 - \frac{800\% \times 600㎡ + 700\% \times 400㎡}{800\% \times 1,000㎡}\right) \times \underset{0.8}{(影響度)} = \underset{0.040}{(減価率)}$$

③ 容積率の異なる2以上の地域にわたる宅地の評価額の計算

（①の価額）　（①の価額）　（②の減価率）　（評価額）
800,000,000円 － 800,000,000円 × 0.040 ＝ <u>768,000,000円</u>

《路線価図における地区区分及び借地権割合の表示記号》

路線価図の上では、地区区分及び借地権割合は、次の記号で表示されています。

1　地区区分の路線価図への表示記号及びその適用範囲

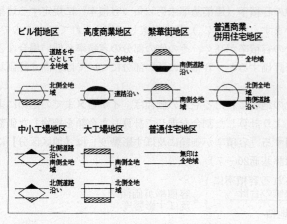

2　借地権割合の路線価図への表示記号

記号	借地権割合	記号	借地権割合
A	90%	E	50%
B	80%	F	40%
C	70%	G	30%
D	60%		

(注) 大阪国税局管内に「ビル街地区」はありません。

付表1　　　　　　　　　　　　　　　**奥行価格補正率表**

奥行距離（メートル）＼地区区分	ビル街地区	高度商業地区	繁華街地区	普通商業・併用住宅地区	普通住宅地区	中小工場地区	大工場地区
4未満	0.80	0.90	0.90	0.90	0.90	0.85	0.85
4以上 6未満		0.92	0.92	0.92	0.92	0.90	0.90
6 〃 8 〃	0.84	0.94	0.95	0.95	0.95	0.93	0.93
8 〃 10 〃	0.88	0.96	0.97	0.97	0.97	0.95	0.95
10 〃 12 〃	0.90	0.98	0.99	0.99	1.00	0.96	0.96
12 〃 14 〃	0.91	0.99	1.00	1.00		0.97	0.97
14 〃 16 〃	0.92	1.00				0.98	0.98
16 〃 20 〃	0.93					0.99	0.99
20 〃 24 〃	0.94					1.00	1.00
24 〃 28 〃	0.95				0.97		
28 〃 32 〃	0.96		0.98		0.95		
32 〃 36 〃	0.97		0.96	0.97	0.93		
36 〃 40 〃	0.98		0.94	0.95	0.92		
40 〃 44 〃	0.99		0.92	0.93	0.91		
44 〃 48 〃	1.00		0.90	0.91	0.90		
48 〃 52 〃		0.99	0.88	0.89	0.89		
52 〃 56 〃		0.98	0.87	0.88	0.88		
56 〃 60 〃		0.97	0.86	0.87	0.87		
60 〃 64 〃		0.96	0.85	0.86	0.86	0.99	
64 〃 68 〃		0.95	0.84	0.85	0.85	0.98	
68 〃 72 〃		0.94	0.83	0.84	0.84	0.97	
72 〃 76 〃		0.93	0.82	0.83	0.83	0.96	
76 〃 80 〃		0.92	0.81	0.82			
80 〃 84 〃		0.90	0.80	0.81	0.82	0.93	
84 〃 88 〃		0.88		0.80			
88 〃 92 〃		0.86			0.81	0.90	
92 〃 96 〃	0.99	0.84					
96 〃 100 〃	0.97	0.82					
100 〃	0.95	0.80			0.80		

付表2　　　　側方路線影響加算率表

地区区分	加算率 角地の場合	加算率 準角地の場合
ビ ル 街 地 区	0.07	0.03
高 度 商 業 地 区 繁 華 街 地 区	0.10	0.05
普通商業・併用住宅地区	0.08	0.04
普 通 住 宅 地 区 中 小 工 場 地 区	0.03	0.02
大 工 場 地 区	0.02	0.01

付表3　二方路線影響加算率表

地区区分	加算率
ビ ル 街 地 区	0.03
高 度 商 業 地 区 繁 華 街 地 区	0.07
普通商業・併用住宅地区	0.05
普 通 住 宅 地 区 中 小 工 場 地 区 大 工 場 地 区	0.02

(注) 準角地とは、右図のように一系統の路線の屈折部の内側に位置するものをいいます。

付表4　　　　　　　　　　　　地積区分表

地区区分＼地積区分	A	B	C
高 度 商 業 地 区	1,000㎡未満	1,000㎡以上 1,500㎡未満	1,500㎡以上
繁 華 街 地 区	450㎡未満	450㎡以上 700㎡未満	700㎡以上
普通商業・併用住宅地区	650㎡未満	650㎡以上 1,000㎡未満	1,000㎡以上
普 通 住 宅 地 区	500㎡未満	500㎡以上 750㎡未満	750㎡以上
中 小 工 場 地 区	3,500㎡未満	3,500㎡以上 5,000㎡未満	5,000㎡以上

第一章第二節《宅地の評価》

付表5　　　　　　　　　　　　　　　不整形地補正率表

地区区分／地積区分／かげ地割合	高度商業地区、繁華街地区、普通商業・併用住宅地区、中小工場地区			普 通 住 宅 地 区		
	A	B	C	A	B	C
10%以上	0.99	0.99	1.00	0.98	0.99	0.99
15% 〃	0.98	0.99	0.99	0.96	0.98	0.99
20% 〃	0.97	0.98	0.99	0.94	0.97	0.98
25% 〃	0.96	0.98	0.99	0.92	0.95	0.97
30% 〃	0.94	0.97	0.98	0.90	0.93	0.96
35% 〃	0.92	0.95	0.98	0.88	0.91	0.94
40% 〃	0.90	0.93	0.97	0.85	0.88	0.92
45% 〃	0.87	0.91	0.95	0.82	0.85	0.90
50% 〃	0.84	0.89	0.93	0.79	0.82	0.87
55% 〃	0.80	0.87	0.90	0.75	0.78	0.83
60% 〃	0.76	0.84	0.86	0.70	0.73	0.78
65% 〃	0.70	0.75	0.80	0.60	0.65	0.70

（注1）　不整形地の地区区分に応ずる地積区分は、付表4「地積区分表」によります。

（注2）　かげ地割合は次の算式により計算した割合によります。

$$「かげ地割合」＝\frac{想定整形地の地積－不整形地の地積}{想定整形地の地積}$$

（注3）　間口狭小補正率の適用がある場合においては、この表により求めた不整形地補正率に間口狭小補正率を乗じて得た数値を不整形地補正率とします。ただし、その最小値はこの表に定める不整形地補正率の最小値（0.60）とします。

　　　　また、奥行長大補正率の適用がある場合においては、選択により、不整形地補正率を適用せず、間口狭小補正率に奥行長大補正率を乗じて得た数値によって差し支えありません。

（注4）　大工場地区にある不整形地については、原則として不整形地補正を行いませんが、地積がおおむね9,000㎡程度までのものについては、付表4「地積区分表」及びこの表に掲げる中小工場地区の区分により不整形地としての補正を行って差し支えありません。

－1331－

【不整形地補正率の計算例】（注3）の場合

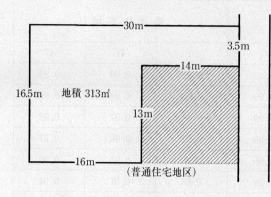

○想定整形地の地積　16.5m×30m＝495㎡

○かげ地割合　$\dfrac{495㎡－313㎡}{495㎡} = \dfrac{182㎡}{495㎡} ≒ 36.77\%$

○不整形地補正率　0.79

① 不整形地補正率を適用して評価する方法

　　$\left(\begin{array}{l} 地積区分　A（普通住宅地区） \\ かげ地割合　36.77\% \end{array} \right)$

　不整形地補正率　　間口狭小補正率
　　0.88　　　×　　　0.90

　＝0.79（小数点第2位未満切捨て）

② 間口狭小補正率と奥行長大補正率を適用して評価する方法

　間口狭小補正率　　奥行長大補正率
　　0.90　　　×　　　0.90　　＝　0.81

③ ①と②のいずれか低い方

　0.81＞0.79⇒0.79

付表6　　　　　　　　　　　間口狭小補正率表

間口距離 （メートル） \ 地区区分	ビル街地区	高度商業地区	繁華街地区	普通商業・併用住宅地区	普通住宅地区	中小工場地区	大工場地区
4未満	—	0.85	0.90	0.90	0.90	0.80	0.80
4以上　6未満	—	0.94	1.00	0.97	0.94	0.85	0.85
6 〃　8 〃	—	0.97		1.00	0.97	0.90	0.90
8 〃　10 〃	0.95	1.00			1.00	0.95	0.95
10 〃　16 〃	0.97					1.00	0.97
16 〃　22 〃	0.98						0.98
22 〃　28 〃	0.99						0.99
28 〃	1.00						1.00

付表7　　　　　　　　　　　奥行長大補正率表

奥行距離／間口距離 \ 地区区分	ビル街地区	高度商業地区 繁華街地区 普通商業・併用住宅地区	普通住宅地区	中小工場地区	大工場地区
2以上　3未満	1.00	1.00	0.98	1.00	1.00
3 〃　4 〃		0.99	0.96	0.99	
4 〃　5 〃		0.98	0.94	0.98	
5 〃　6 〃		0.96	0.92	0.96	
6 〃　7 〃		0.94	0.90	0.94	
7 〃　8 〃		0.92		0.92	
8 〃		0.90		0.90	

第一章第二節《宅地の評価》

付表8 **がけ地補正率表**

がけ地地積／総地積 ＼ がけ地の方位	南	東	西	北
0.10以上	0.96	0.95	0.94	0.93
0.20 〃	0.92	0.91	0.90	0.88
0.30 〃	0.88	0.87	0.86	0.83
0.40 〃	0.85	0.84	0.82	0.78
0.50 〃	0.82	0.81	0.78	0.73
0.60 〃	0.79	0.77	0.74	0.68
0.70 〃	0.76	0.74	0.70	0.63
0.80 〃	0.73	0.70	0.66	0.58
0.90 〃	0.70	0.65	0.60	0.53

(注) がけ地の方位については次により判定します。

1 がけ地の方位は、斜面の向きによります。

2 ２方位以上のがけ地がある場合は、次の算式により計算した割合をがけ地補正率とします。

$$\frac{\left(\begin{array}{c}\text{総地積に対する}\\\text{がけ地部分の全}\\\text{地積の割合に応}\\\text{ずるA方位のが}\\\text{け地補正率}\end{array}\times\begin{array}{c}\text{A方位の}\\\text{がけ地の}\\\text{地積}\end{array}+\begin{array}{c}\text{総地積に対する}\\\text{がけ地部分の全}\\\text{地積の割合に応}\\\text{ずるB方位のが}\\\text{け地補正率}\end{array}\times\begin{array}{c}\text{B方位の}\\\text{がけ地の}\\\text{地積}\end{array}+\cdots\cdots\right)}{\text{がけ地部分の全地積}}$$

3 この表に定められた方位に該当しない「東南斜面」などについては、がけ地の方位の東と南に応ずるがけ地補正率を平均して求めることとして差し支えありません。

付表9 **特別警戒区域補正率表**

特別警戒区域の地積／総地積	補正率
0.10以上	0.90
0.40 〃	0.80
0.70 〃	0.70

(注) がけ地補正率の適用がある場合においては、この表により求めた補正率にがけ地補正率を乗じて得た数値を特別警戒区域補正率とします。ただし、その最小値は0.50とします。

（2） 倍率方式による評価

前述の(1)以外の宅地の評価は、評価する宅地の固定資産税評価額に地価事情の類似する地域ごとに、その地域にある宅地の売買実例価額、公示価格、不動産鑑定士等による鑑定評価額、精通者意見価格等を基として国税局長の定める倍率を乗じて計算した金額によって評価します（評基通21、21－2）。倍率方式により評価する地域を**倍率地域**といいます。ただし、倍率地域に所在する(1)のへの地積規模の大きな宅地（(3)の大規模工場用地を除きます。）の価額については、この(2)により評価した価額が、その宅地が標準的な間口距離及び奥行距離を有する宅地であるとした場合の１平方メートル当たりの価額を(1)の路線価とし、かつ、その宅地が普通住宅地区に所在するものとして(1)のへに準じて計算した価額を上回る場合には、(1)のへに準じて計算した価額により評価します。

この場合の固定資産税評価額とは、固定資産税の税額計算の基礎となった課税標準額ではなく、地

－1333－

第一章第二節《宅地の評価》

方税法第381条の規定により土地課税台帳又は土地補充課税台帳に登録された基準年度の価格又は比準価格をいいます。その価格は市(区)役所又は町村役場で、また、その価格に乗ずる倍率は、国税庁ホームページで御覧いただけます（財産評価基準書　路線価図・評価倍率表（https://www.rosenka.nta.go.jp/））。

（3）　大規模工場用地の評価

　大規模工場用地（一団の工場用地の地積が5万㎡以上のものをいいますが、路線価地域においては、大工場地区として定められた地域に所在するものに限ります。）の評価については、次のイ又はロによります。ただし、その地積が20万㎡以上のものの価額は、次により計算した価額の100分の95に相当する価額によって評価します（評基通22、22－2）。

イ　路線価地域にあるもの

　　正面路線の路線価×大規模工場用地の地積＝評価額

　　大規模工場用地の価額は、正面路線の路線価に大規模工場用地の地積を乗じて評価します（側方や裏面に路線がある場合であっても側方路線影響加算等の画地調整は一切行わず、また、地形が不整形地であっても、原則として、それに伴うしんしゃくは行いません。）。

ロ　倍率地域にあるもの

　　大規模工場用地の固定資産税評価額×倍率＝評価額

(注1)　「一団の工場用地」とは、工場、研究開発施設等の敷地の用に供されている宅地及びこれらの宅地に隣接する駐車場、福利厚生施設等の用に供されている一団の土地をいいます。なお、その土地が、不特定多数の者の通行の用に供されている道路、河川等により物理的に分離されている場合には、その分離されている一団の工場用地ごとに評価することに留意してください（評基通22－2（注））。

(注2)　上記の「路線価」及び「倍率」は、その大規模工場用地がその路線（倍率を定める場合は、その大規模工場用地の価格に及ぼす影響が最も高いと認められる路線）だけに接していて地積がおおむね5万㎡のく形又は正方形の宅地として、売買実例価額、公示価格、不動産鑑定士等による鑑定評価額、精通者意見価格等を基に国税局長が定めています（評基通22－3）。

3　利用状況などに応じた評価額の修正

（1）　余剰容積率の移転がある場合の宅地の評価

　「余剰容積率の移転」とは、容積率の制限に満たない延べ面積の建築物が存する宅地(A)に、区分地上権、地役権、賃借権等の建築物の建築に関する制限を付し、これによりこの宅地以外の宅地(B)に容積率の制限を超える延べ面積の建築物を建築することをいいます。この場合において、宅地(A)を「余剰容積率を移転している宅地」、宅地(B)を「余剰容積率の移転を受けている宅地」といいます（評基通23－2）。

　余剰容積率を移転している宅地又は余剰容積率の移転を受けている宅地の評価は、次のイ又はロの区分に従い、それぞれ次に掲げるところによります。

イ　余剰容積率を移転している宅地の価額は、原則として、2の(1)《路線価方式による評価》又は(2)《倍率方式による評価》により評価したその宅地の価額（以下(1)において「自用地価額」といいます。）を基に、設定されている権利の内容、建築物の建築制限の内容等を勘案して評価します。ただし、次の算式により計算した金額によって評価することができます（評基通23(1)）。

$$\text{余剰容積率を移転している宅地の自用地価額} \times \left(1 - \frac{\text{収受した区分地上権設定等の対価の額}}{\text{区分地上権の設定等の直前における余剰容積率を移転している宅地の通常の取引価格}} \right) = \text{余剰容積率を移転している宅地の評価額}$$

ロ　余剰容積率の移転を受けている宅地の価額は、原則として、その宅地の自用地価額を基に、容積率の制限を超える延べ面積の建築物を建築するために設定している権利の内容、建築物の建築状況等を勘案して評価します。ただし、次の算式により計算した金額によって評価することができます

－1334－

（評基通23（2））。

$$
\begin{array}{l}
\text{余剰容積率の移転} \\
\text{を受けている宅地} \\
\text{の自用地価額}
\end{array}
\times
\left[
1 + \cfrac{\text{支払った区分地上権設定等の対価の額}}{\begin{array}{c}\text{区分地上権の設定等の直前における余剰容積}\\\text{率の移転を受けている宅地の通常の取引価額}\end{array}}
\right]
=
\begin{array}{l}
\text{余剰容積率の移} \\
\text{転を受けている} \\
\text{宅地の評価額}
\end{array}
$$

（注）　余剰容積率を有する宅地に設定された区分地上権等は、独立した財産として評価するのではなく、余剰容積率の移転を受けている宅地の価額に含めて評価します。

（2）　私道の用に供されている宅地

　私道の用に供されている宅地は、2の（1）又は（2）によって評価した価額の30％に相当する金額によって評価します。この場合において、その私道が不特定多数の者の通行の用に供されているときは、その私道の価額は評価しません（評基通24）。

（注）　私道の部分に特定路線価を設定した場合、その私道の価額は、特定路線価を基に計算した価額の30％相当額により評価しても差し支えありません。なお、この場合は、間口狭小補正や奥行長大補正などの画地調整は行いません。

（3）　土地区画整理事業施行中の宅地

　土地区画整理事業（土地区画整理法第2条《定義》第1項又は第2項に規定する土地区画整理事業をいいます。）の施行地区内にある宅地について同法第98条《仮換地の指定》の規定に基づき仮換地が指定されている場合におけるその宅地の価額は、2の（1）又は（2）若しくは上記（2）により計算したその仮換地の価額に相当する価額によって評価します。

　ただし、その仮換地の造成工事が施行中で、その工事が完了するまでの期間が1年を超えると見込まれる場合の仮換地の価額に相当する価額は、その仮換地について造成工事が完了したものとして、上記により評価した価額の100分の95に相当する金額によって評価します（評基通24-2）。

（注）　仮換地が指定されている場合であっても、次の事項のいずれにも該当するときには、従前の宅地の価額により評価します。

　　1　土地区画整理法第99条《仮換地の指定の効果》第2項の規定により、仮換地について使用又は収益を開始する日を別に定めるとされているため、その仮換地について使用又は収益を開始することができないこと。

　　2　仮換地の造成工事が行われていないこと。

（4）　造成中の宅地

　造成中の宅地の価額は、①その土地の造成工事着手直前の地目により評価した課税時期における価額に②課税時期までにその造成工事に投下された費用の額の80％相当額を加算した金額によって評価します。この場合、②の課税時期までに投下された費用の額については、課税時期の価額に引き直した金額によります（評基通24-3）。

（5）　農業用施設用地

　農業振興地域の整備に関する法律第8条第2項第1号に規定する農用地区域（以下「農用地区域」といいます。）内又は市街化調整区域内に存する農業用施設（農業振興地域の整備に関する法律第3条第3号及び第4号に規定する施設をいいます。）の用に供されている宅地（以下（5）において「農業用施設用地」といいます。）の価額は、その宅地が農地であるとした場合の1平方メートル当たりの価額（その付近にある農地について第五節の2の（1）又は（2）（1351ページ参照）に定める純農地又は中間農地の評価方式によって評価した1平方メートル当たりの価額を基として評価します。）に、その農地を課税時期においてその農業用施設の用に供されている宅地とする場合に通常必要と認められる1平方メートル当たりの造成費に相当する金額として、整地、土盛り又は土止めに要する費用の額がおおむね同一と認められる地域ごとに国税局長の定める金額を加算した金額に、その宅地の地積を乗じて計算した金額によって評価します。

第一章第二節《宅地の評価》

$$\text{農業用施設用地の評価額} = \left[\begin{array}{l}\text{付近の農地の1㎡当たり}\\\text{の固定資産税評価額}\end{array} \times \text{農地の倍率} + \begin{array}{l}1㎡当たりの\\\text{造成費相当額}\end{array}\right] \times \text{地積}$$

ただし、その農業用施設用地の位置、都市計画法の規定による建築物の建築に関する制限の内容等により、その付近にある宅地（農業用施設用地を除きます。）の価額に類似する価額で取引されると認められることから、上記の方法によって評価することが不適当であると認められる農業用施設用地（農用地区域内に存するものを除きます。）については、その付近にある宅地（農業用施設用地を除きます。）の価額に比準して評価することとされます（評基通24－5）。

農業用施設用地の評価額＝宅地価額（※）×宅地の倍率×地積

※　付近の宅地1㎡当たりの固定資産税評価額を基とし、その近傍宅地とその農業用施設用地との位置、形状等の条件の差を考慮して求めたその農業用施設用地の価額をいいます。

（注1）　農用地区域内又は市街化調整区域内に存する農業用施設の用に供されている雑種地の価額については、（5）の定めに準じて評価することに留意してください。

（注2）　大阪国税局管内における上記の「1平方メートル当たりの造成費に相当する金額」は、1352ページの**〈参考〉**の「表1　平坦地の宅地造成費」の金額を用いて算定します。

（6）　セットバックを必要とする宅地

建築基準法第42条第2項に規定する道路に面しており、将来、建物の建替え時等に同法の規定に基づき道路敷きとして提供しなければならない部分を有する宅地の価額は、その宅地について道路敷きとして提供する必要がないものとした場合の価額から、その価額に次の算式により計算した割合を乗じて計算した金額を控除した価額によって評価します（評基通24－6）。

（算式）

$$\dfrac{\begin{array}{l}\text{将来、建物の建替え時等に道路敷きとして}\\\text{提供しなければならない部分の地積}\end{array}}{\text{宅地の総地積}} \times 0.7$$

（7）　都市計画道路予定地の区域内にある宅地

都市計画道路予定地の区域内（都市計画法第4条第6項に規定する都市計画施設のうちの道路の予定地の区域内をいいます。）となる部分を有する宅地の価額は、その宅地のうちの都市計画道路予定地の区域内となる部分が都市計画道路予定地の区域内となる部分でないものとした場合の価額に、次表の地区区分、容積率、地積割合の別に応じて定める補正率を乗じて計算した価額によって評価します（評基通24－7）。

地区区分 / 地積割合	ビル街地区、高度商業地区		繁華街地区、普通商業・併用住宅地区				普通住宅地区、中小工場地区、大工場地区		
容積率	700%未満	700%以上	300%未満	300%以上400%未満	400%以上500%未満	500%以上	200%未満	200%以上300%未満	300%以上
30%未満	0.88	0.85	0.97	0.94	0.91	0.88	0.99	0.97	0.94
30%以上60%未満	0.76	0.70	0.94	0.88	0.82	0.76	0.98	0.94	0.88
60%以上	0.60	0.50	0.90	0.80	0.70	0.60	0.97	0.90	0.80

（注）　地積割合とは、その宅地の総地積に対する都市計画道路予定地の部分の地積の割合をいいます。

（8）　文化財建造物及びその敷地である宅地

次の表の左欄の文化財建造物である家屋及びその敷地である宅地については、それが文化財建造物でないものとして評価した場合の価額から、その価額に次表の文化財建造物の種類に応じた同表の右欄の割合を乗じて計算した金額を控除して評価します（評基通24－8、89－2）。

－1336－

文化財建造物の種類	控除割合
重 要 文 化 財	0.7
登 録 有 形 文 化 財	0.3
伝 統 的 建 造 物	0.3

なお、文化財建造物である構築物及びその敷地である土地についても上記と同様に評価します（評基通83－3、97－2）。

（9） 利用価値の著しく低下している宅地

次のように、その利用価値が付近にある他の宅地の利用状況からみて、著しく低下していると認められる宅地については、その宅地の利用価値が低下していないものとして評価した価額から、利用価値が低下していると認められる部分の面積に対応する価額に10％を乗じて計算した金額を控除した価額によって評価しても差し支えありません（ただし、路線価又は倍率が、利用価値の著しく低下している状況を考慮して付されている場合には、このしんしゃくは行いません。）。

利用価値が著しく低下していると認められるものとは具体的には以下のような宅地をいいます。

① 道路より高い位置にある宅地又は低い位置にある宅地でその付近にある宅地に比し著しく高低差のあるもの

② 地盤に甚だしい凹凸がある宅地

③ 震動の甚だしい宅地

④ ①②③以外の宅地で、騒音、日照阻害（建築基準法第56条の2に定める日影時間を超える時間の日照阻害のある場合）、臭気、忌み等により、その取引金額に影響を受けると認められるもの

(10) 土地信託に係る信託受益権の評価

相続、贈与等により土地信託に係る受益権を取得した場合には、その取得のときにおいてその信託受益権の目的となっている信託財産である土地等を取得したものとして、その信託財産の評価額を課税価格に算入することになります。

4 貸宅地・貸家建付地

（1） 貸 宅 地

宅地の上に存する権利の目的となっている宅地の評価は、次の区分に従って、それぞれに定めるところにより行います。

イ 借地権の目的となっている宅地

（イ） 借地権の目的となっている宅地（（ロ）以下に述べる貸宅地を除きます。）の価額は、次の算式により計算した金額によって評価します。なお、借地権の取引慣行のない地域においては、借地権割合を100分の20として次の計算を行います（評基通25（1））。

　　　その宅地の自用地としての価額×（1－借地権割合）

（注） 「**自用地としての価額**」とは、2、3の（2）、（3）、（6）から（8）（文化財建造物の敷地である宅地の評価）までにより評価した価額をいいます。以下同じ。

　　　ただし、借地権の目的となっている宅地の売買実例価額その他を基として評定した価額の宅地の自用地としての価額に対する割合（「貸宅地割合」といいます。）がおおむね同一と認められる地域ごとに国税局長が貸宅地割合を定めている地域においては、その宅地の自用地としての価額に貸宅地割合を乗じて計算した金額によって評価します（評基通25（1）ただし書）。

（ロ） 相続又は贈与等の時において「**相当の地代**」（その土地の自用地としての価額の課税時期の属する年以前3年間の平均額のおおむね6％に相当する年間地代をいいます。）に相当する地代が支払われている貸宅地の評価額は、その土地の自用地としての価額の80％相当額とされます。ただし、通常支払われる権利金に満たない金額の権利金を収受している場合又は特別の経済的利益（**注**

第一章第二節《宅地の評価》

1）を受けている場合の貸宅地の評価額は、次の算式により計算した相当の地代調整貸宅地価額となります。（ただし、その計算した金額がその土地の自用地としての価額の80%相当額を超える場合は、その80%相当額を評価額とします。）（昭和60年6月5日付直資2－58、直評9、平成3年12月18日付課資2－51、課評2－7改正）

$$
\begin{pmatrix} 自用地とし \\ ての価額 \end{pmatrix} - \begin{pmatrix} 自用地とし \\ ての価額 \end{pmatrix} \times \left\{ \begin{matrix} 借地権 \\ 割\ 合 \end{matrix} \times \left(1 - \cfrac{\begin{matrix}実際に支払って \\ いる地代の年額\end{matrix} - \begin{matrix}通常の地 \\ 代の年額\end{matrix}}{\begin{matrix}相当の地 \\ 代の年額\end{matrix} - \begin{matrix}通常の地 \\ 代の年額\end{matrix}} \right) \right\}
$$

（注1） 借地権の設定に伴う通常の場合の金銭の貸付けの条件に比し特に有利な条件による金銭の貸付けその他経済的な利益をいいます。

（注2） （ハ）の（注1）（注2）は上記の計算にも適用します。

その土地の貸借につき法人税基本通達13－1－7の規定による「土地の無償返還に関する届出書」が提出されている場合のその貸宅地の評価額は、その土地の自用地としての価額の80%相当額とされます。（ただし、「土地の無償返還に関する届出書」が使用貸借契約に係る土地について提出されている場合には、その使用貸借に係る貸宅地の評価額は、その土地の自用地としての価額によります。）（同上通達）

（ハ）　相続又は贈与等の時において支払われている地代の年額が「相当の地代」には満たないが、その地域において通常支払われる地代の額《**通常の地代の年額**》を超えると認められるような場合の貸宅地の評価額は、原則として上記（ロ）の算式により計算した地代調整貸宅地価額となります。（ただし、その計算した金額が自用地としての価額の80%相当額を超える場合は、当該80%相当額を評価額とします。）（同上通達）

（注1）　上記算式中の「**相当の地代の年額**」は、実際に支払っている権利金の額又は供与した特別の経済的利益の額がある場合であっても、これに関係なく、その土地の自用地としての価額の課税時期の属する年以前3年間の平均額のおおむね6%相当額によります。

（注2）　「**通常の地代の年額**」が不明のときは、その土地の自用地としての価額から借地権割合による借地権価額を控除した金額（底地価額）の課税時期の属する年以前3年間の平均額に対して6%を「通常の地代の年額」とみなして計算してもよいことになっています。

〔計算例〕　①　土地の自用地としての価額の
　　　　　　　　　過去3年間の平均額　　　　　10,000万円
　　　　　　②　土地の自用地としてのその年
　　　　　　　　　の価額　　　　　　　　　　　11,000万円
　　　　　　③　借地権割合　　　　　　　　　　　80%
　　　　　　④　相当の地代の年額（①×6%）　　600万円
　　　　　　⑤　通常の地代の年額　　　　　　　120万円
　　　　　　⑥　実際に支払っている地代の年額　240万円

$$
11{,}000万円 \times \left\{ 1 - 0.8 \times \left(1 - \cfrac{240万円 - 120万円}{600万円 - 120万円} \right) \right\} = 4{,}400万円（貸宅地評価額）
$$

（ニ）　上記の（ロ）及び（ハ）の（　　）書に該当して貸宅地の評価額を自用地としての価額の80%相当額によって評価する場合において、その土地が被相続人が同族関係者となっている同族会社に貸し付けられている土地であるときのその会社の株式の評価計算上、その土地の自用地としての価額の20%相当額を借地権の価額として会社の純資産価額に算入します。

ロ　定期借地権等の目的となっている宅地（ハの特例の対象となる宅地を除きます。）

定期借地権等の目的となっている宅地の価額は、次の算式により計算した金額によって評価します（評基通25（2））。

－1338－

$$\text{その宅地の自用地としての価額} - \left[\begin{array}{l}\text{〔第四節 2 に掲げる定期借地権等の価額〕と}\\\text{〔その宅地の自用地としての価額に下記の}\\\text{定期借地権等の残存期間に応じる割合を乗}\\\text{じて計算した金額〕のうち多い方の金額}\end{array}\right.$$

（イ）　残存期間が 5 年以下のもの　　　　　　100分の 5

（ロ）　残存期間が 5 年を超え10年以下のもの　100分の10

（ハ）　残存期間が10年を超え15年以下のもの　100分の15

（ニ）　残存期間が15年を超えるもの　　　　　100分の20

ハ　一般定期借地権の目的となっている宅地の評価の特例

借地借家法第 2 条第 1 号に規定する借地権で同法第22条《定期借地権》の規定の適用を受けるもの（以下「一般定期借地権」といいます。第四節の 2 《定期借地権等》の①参照）の目的となっている宅地（借地権割合が70%～30%である地域にあるものに限ります。）で平成10年 1 月 1 日以後に相続、遺贈又は贈与により取得したものについては、課税上弊害がない限り、当分の間、ロの規定にかかわらず、次の（イ）により評価します（平成10年 8 月25日付課評 2 － 8 、課資 1 －13、平成11年 7 月26日付課評 2 －14、課資 1 －11改正）。

（イ）　一般定期借地権の目的となっている宅地の評価

借地権割合の地域区分のうち、次の（ロ）に定める地域区分に存する一般定期借地権の目的となっている宅地の価額は、次の算式により計算した金額によって評価します。

$$\begin{array}{l}\text{一般定期借地権の目的と}\\\text{なっている宅地の価額}\end{array} = \begin{array}{l}\text{課税時期における自}\\\text{用地としての価額}\end{array} - \begin{array}{l}\text{一般定期借地権の価額}\\\text{に相当する金額（※）}\end{array}$$

（※）一般定期借地権の価額に相当する金額＝

$$\begin{array}{l}\text{課税時期における自}\\\text{用地としての価額}\end{array} \times （1 －底地割合）\times \frac{\begin{array}{l}\text{課税時期におけるその一般定期借地権の}\\\text{残存期間年数に応ずる基準年利率による}\\\text{複利年金現価率}\end{array}}{\begin{array}{l}\text{一般定期借地権の設定期間年数に応ずる}\\\text{基準年利率による複利年金現価率}\end{array}}$$

（注）　基準年利率については、第一節 6 を参照してください。

（ロ）　底地割合

（イ）の算式中の「底地割合」は、一般定期借地権の目的となっている宅地のその設定の時における価額が、その宅地の自用地としての価額に占める割合をいい、借地権割合の地域区分に応じ、次に定める割合によります。

【底地割合】

借 地 権 割 合			底地割合
	路線価図	評価倍率表	
地域区分	C	70%	55%
	D	60%	60%
	E	50%	65%
	F	40%	70%
	G	30%	75%

（注 1 ）　借地権割合及びその地域区分は、各国税局長が定める「財産評価基準書」において、各路線価図についてはAからGの表示により、評価倍率表については数値により表示されています。

（注 2 ）　借地権割合の地域区分がA地域、B地域及び評価基本通達27《借地権の評価》ただし書に定める「借地権の設定に際しその設定の対価として通常権利金その他の一時金を支払うなど借地権の取引慣行があると認められる地域以外の地域」に存する一般定期借地権の目的となっている宅地の価額は、前記ロに定める評価方法により評価します。

第一章第二節《宅地の評価》

（ハ）　課税上弊害があるかどうかの判定

　「課税上弊害がない」場合とは、一般定期借地権の設定等の行為が専ら税負担回避を目的としたものでない場合をいうほか、この特例の定めによって評価することが著しく不適当と認められることのない場合をいい、個々の設定等についての事情、取引当事者間の関係等を総合勘案してその有無を判定します。

　なお、一般定期借地権の借地権者が次に掲げる者に該当する場合には、「課税上弊害がある」ものとされます。

①　一般定期借地権の借地権設定者（以下「借地権設定者」といいます。）の親族

②　借地権設定者とまだ婚姻の届出をしないが事実上婚姻関係と同様の事情にある者及びその親族でその者と生計を一にしているもの

③　借地権設定者の使用人及び使用人以外の者で借地権設定者から受ける金銭その他の財産によって生計を維持しているもの並びにこれらの者の親族でこれらの者と生計を一にしているもの

④　借地権設定者が法人税法第2条第15号に規定する役員（以下「会社役員」といいます。）となっている会社

⑤　借地権設定者、その親族、上記②及び③に掲げる者並びにこれらの者と法人税法第2条第10号に規定する政令で定める特殊の関係にある法人を判定の基礎とした場合に同号に規定する同族会社に該当する法人

⑥　上記④又は⑤に掲げる法人の会社役員又は使用人

⑦　借地権設定者が、借地借家法第15条《自己借地権》の規定により、自ら一般定期借地権を有することとなる場合の借地権設定者

　（注）　親族とは、配偶者、6親等内の血族及び3親等内の姻族をいいます。

ニ　地上権の目的となっている宅地

　地上権の目的となっている宅地の価額は、次の算式により計算した金額によって評価します（評基通25（3））。

　　その宅地の自用地としての価額－第三節に掲げる地上権の価額

ホ　区分地上権の目的となっている宅地

　区分地上権の目的となっている宅地の価額は、次の算式により計算した金額によって評価します（評基通25（4））。

　　その宅地の自用地としての価額－第四節3に掲げる区分地上権の価額

ヘ　区分地上権に準ずる地役権の目的となっている承役地である宅地

　区分地上権に準ずる地役権の目的となっている承役地である宅地の価額は、次の算式により計算した金額によって評価します（評基通25（5））。

　　その宅地の自用地としての価額－第四節4に掲げる区分地上権に準ずる地役権の価額

　（注）　上記**ホ**及び**ヘ**の場合において、倍率地域にある区分地上権の目的となっている宅地又は区分地上権に準ずる地役権の目的となっている承役地である宅地の自用地としての価額は、その宅地の固定資産税評価額が地下鉄のずい道の設置、特別高圧架空電線の架設がされていること等に基づく利用価値の低下を考慮したものである場合には、その宅地の利用価値の低下がないものとして評価した価額とします。

　　なお、宅地以外の土地を倍率方式により評価する場合の土地の自用地としての価額についても、同様に取り扱われます（評基通25－2）。

ト　土地の上に存する権利が競合する場合の宅地

　土地の上に存する権利が競合する場合の宅地の価額は、次の区分に従い、それぞれの算式により計算した金額によって評価します（評基通25－3）。

（イ）　借地権、定期借地権等又は地上権及び区分地上権の目的となっている宅地の価額

－1340－

$$\text{その宅地の自用}\atop\text{地としての価額} - \left(\text{第四節3に掲げる}\atop\text{区分地上権の価額} + {\text{第四節5①に掲げる借地権、定期借地権等又}\atop\text{は地上権及び区分地上権が設定されている場}\atop\text{合の借地権、定期借地権等又は地上権の価額}}\right)$$

(注) 定期借地権がハ「一般定期借地権の目的となっている宅地の評価の特例」に定める宅地に係る一般定期借地権であるときは、第四節5①の定期借地権等の価額をハに定める「一般定期借地権の価額に相当する金額」により計算してください。

(ロ) 区分地上権及び区分地上権に準ずる地役権の目的となっている承役地である宅地の価額

$$\text{その宅地の自用}\atop\text{地としての価額} - \left(\text{第四節3に掲げる}\atop\text{区分地上権の価額} + {\text{第四節4に掲げる区分地上}\atop\text{権に準ずる地役権の価額}}\right)$$

(ハ) 借地権、定期借地権等又は地上権及び区分地上権に準ずる地役権の目的となっている承役地である宅地の価額

$$\text{その宅地の自用}\atop\text{地としての価額} - \left({\text{第四節4に掲げる}\atop\text{区分地上権に準ず}\atop\text{る地役権の価額}} + {\text{第四節5②に掲げる区分地上権に準ずる地役}\atop\text{権が設定されている承役地に借地権、定期借}\atop\text{地権等又は地上権が設定されている場合の借}\atop\text{地権、定期借地権等又は地上権の価額}}\right)$$

(注) 定期借地権がハ「一般定期借地権の目的となっている宅地の評価の特例」に定める宅地に係る一般定期借地権であるときは、第四節5②の定期借地権等の価額をハに定める「一般定期借地権の価額に相当する金額」により計算してください。

なお、国税局長が貸宅地割合を定めている地域に存する借地権の目的となっている宅地の価額を評価する場合には、イの(イ)のただし書の定めにより評価した価額から、その価額に第四節3の区分地上権の割合又は同4の区分地上権に準ずる地役権の割合を乗じて計算した金額を控除した金額によって評価することに注意してください。

（2）　貸家建付地

(イ) 貸家（第二章第一節の2（1370ページ）に定める借家権の目的となっている家屋をいいます。以下同じ。）の敷地の用に供されている宅地（以下「**貸家建付地**」といいます。）の価額は、(ロ)の貸家建付地を除き、次の算式により計算した価額によって評価します（評基通26）。

$$\text{宅地の自用地}\atop\text{としての価額} - \left(\text{宅地の自用地}\atop\text{としての価額} \times \text{その宅地の}\atop\text{借地権割合} \times \text{その宅地上にある}\atop\text{家屋の借家権割合} \times \text{賃貸}\atop\text{割合}\right) = \text{貸家建付地}\atop\text{の　価　額}$$

この算式における「借地権割合」及び「賃貸割合」は、それぞれ次によります。

(一) 「借地権割合」は、第四節1の定めによるその宅地の借地権割合（借地権の取引慣行のない地域にある宅地の場合は、100分の20とします。(ロ)において同じ。）によります。

(二) 「賃貸割合」は、その貸家に係る各独立部分（構造上区分された数個の部分の各部分をいいます。以下同じ。）がある場合に、その各独立部分の賃貸の状況に基づいて、次の算式により計算した割合によります。

$$\frac{\text{Aのうち課税時期において賃貸されている各独立部分の床面積の合計}}{\text{当該家屋の各独立部分の床面積の合計（A）}}$$

(注1) 上記算式の「各独立部分」とは、建物の構成部分である隔壁、扉、階層（天井及び床）等によって他の部分と完全に遮断されている部分で、独立した出入口を有するなど独立して賃貸その他の用に供することができるものをいいます。したがって、例えば、ふすま、障子又はベニヤ板等の堅固でないものによって仕切られている部分及び階層で区分されていても、独立した出入口を有しない部分は「各独立部分」には該当しません。

なお、外部に接する出入口を有しない部分であっても、共同で使用すべき廊下、階段、エレベーター等の共用部分のみを通って外部と出入りすることができる構造となっているものは、上記の「独立した出入口を有するもの」に該当します。

(注2) 上記算式の「賃貸されている各独立部分」には、継続的に賃貸されていた各独立部分で、課税時期において、一時的に賃貸されていなかったと認められるものを含むこととして差し支えありません。

第一章第三節《地上権の評価》

〔計算例〕

　　　貸家の目的に供している宅地の自用地としての価額……100万円

　　　借地権割合……70%　　借家権割合……30%　　賃貸割合……100%

　　　　100万円－（100万円×0.7×0.3×1.0）＝79万円…………貸家建付地の評価額

（ロ）　区分地上権又は区分地上権に準ずる地役権の目的となっている貸家建付地の価額は、次の算
　　式により計算した価額によって評価します（評基通26－2）。

$$\begin{array}{l}（1）の定めにより評価し \\ たその区分地上権又は区 \\ 分地上権に準ずる地役権 \\ の目的となっている宅地 \\ の価額（A）\end{array} － A × \begin{array}{l}その宅地の \\ 借地権割合\end{array} × \begin{array}{l}その地上にある家 \\ 屋の借家権割合\end{array} × \begin{array}{l}（イ）の（ニ）の定め \\ によるその家屋に \\ 係る賃貸割合\end{array}$$

〈参考〉使用貸借に係る貸家建付地の評価（昭和48年11月1日付直資2－189、直所2－76、直法2－92）

①　土地を使用貸借により借り受けた者が、その土地の上に建物を建て、その建物を他人に賃貸した
　場合における土地所有者の死亡に係るその土地の評価

　　上記のような場合におけるその建物賃借人の敷地利用権は、建物所有者（土地使用借者）の敷
　地利用権から独立したものではなく、建物所有者の敷地利用権に従属し、その範囲内において行使
　されるにすぎないものであると解されています。

　　したがって、土地の使用借権者である建物所有者の敷地利用権の価額を零として取り扱うことと
　した以上、その建物賃借人の有する敷地利用権の価額についても零として取り扱うことは当然であ
　り、また、その土地自体の価額も自用地として評価します。

②　父が所有していた貸家とその敷地のうち、貸家のみを贈与され、その敷地を使用貸借で借り受け
　ていた場合において、父が死亡した場合のその土地の評価

　　建物の贈与前において、建物所有者である父と建物賃借人の間で締結された建物の賃貸借契約は、
　その建物所有者が土地所有者でもあることから、その建物賃借人は土地所有者の権能に属する土地
　の使用権をも有していることとなります。

　　建物の贈与により、賃貸している建物の所有者に異動があり、新たな建物所有者の敷地利用権が
　使用貸借に基づくものになるなど、その権能が従来の建物所有者の敷地利用権の権能と異なるもの
　になったとしても、建物の贈与以前に有していた建物賃借人の敷地利用権の権能には変動がないと
　考えられますから、この場合の敷地の価額は、建物贈与前と同様に、貸家建付地として評価します。

第三節　地　上　権

　地上権（建物の所有を目的とする地上権及び民法第269条の2の規定による区分地上権を除きます
（相基通23－1）。）については相続税法において、その評価方法が規定されています。すなわち、相
続税法第23条に、地上権は、その権利の残存期間に応じて、その権利の目的となっている土地の課税
時期においてこれらの権利が設定されていないとした場合の価額に、次に定める割合を乗じて算出し
た金額によって評価することとされています。

残存期間が10年以下のもの	100分の5
残存期間が10年を超え15年以下のもの	100分の10
残存期間が15年を超え20年以下のもの	100分の20
残存期間が20年を超え25年以下のもの	100分の30
残存期間が25年を超え30年以下のもの 　　及び地上権で存続期間の定めのないもの	100分の40
残存期間が30年を超え35年以下のもの	100分の50
残存期間が35年を超え40年以下のもの	100分の60

－1342－

第一章第四節《借地権、定期借地権等、区分地上権及び区分地上権に準ずる地役権の評価》

残存期間が40年を超え45年以下のもの	100分の70
残存期間が45年を超え50年以下のもの	100分の80
残存期間が50年を超えるもの	100分の90

なお、借地借家法に規定する借地権に該当する地上権については、次の第四節を参照してください。

第四節　借地権、定期借地権等、区分地上権及び区分地上権に準ずる地役権

1　借　地　権

借地権の価額は、借地権の目的となっている宅地の自用地としての価額に地域ごとに定める一定の割合を乗じて評価します。この場合の一定の割合を借地権割合といい、地域によりこの割合が定められ、その割合は路線価図等の財産評価基準書により公表されていますから、評価に当たり、個々の宅地の借地権割合が何％であるかは財産評価基準書により確認してください。

ただし、借地権の設定に際しその設定の対価として通常権利金その他の一時金を支払うなど借地権の取引慣行があると認められる地域以外の地域にある借地権は、評価しません（評基通27）。

　　(注)　財産評価基準書は、国税庁ホームページで御覧いただけます（財産評価基準書　路線価図・評価倍率表（https://www.rosenka.nta.go.jp/））。

借地権の設定に際しその設定の対価として通常権利金その他の一時金を支払う慣行のある地域において当該権利金の支払に代え「**相当の地代**」（第二節の 4 《貸宅地・貸家建付地》の**(1)のイの（ロ）**に同じ。）が支払われている場合などは、次により借地権の価額を評価します（昭和60年 6 月 5 日付直資 2 −58、直評 9 ）。

イ　相続又は贈与等の時において「**相当の地代**」に相当する地代が支払われている場合、又はその土地の貸借について、法人税基本通達13− 1 − 7 による「土地の無償返還に関する届出書」が提出されている場合の借地権の評価額はないものとされます。

ロ　相続又は贈与等の時において支払われている地代の年額が「相当の地代」には満たないが通常の地代の年額を超える場合の借地権の評価額は、次の算式により計算した金額とされます。

$$\text{その土地の課税時期の自用地としての価額} \times \left\{ \text{借地権割合} \times \left(1 - \frac{\text{実際に支払っている地代の年額} - \text{通常の地代の年額}}{\text{相当の地代の年額} - \text{通常の地代の年額}} \right) \right\}$$

　　(注)　算式中の「相当の地代の年額」、「通常の地代の年額」の意味は、第二節 4 の**(1)のイの（ハ）**の**（注 1 ）**及び**（注 2 ）**参照。

　　　　上記の算式により特別な評価計算で評価された借地権の価額は、6 以下に述べる貸家建付借地権や転貸借地権等の評価額を計算する際の借地権価額ともなります。

〔計算例〕① 　土地の自用地としての価額

　　　　　　　の過去 3 年間の平均額　　　　　10,000万円

　　　　　② 　土地の自用地としてのその年

　　　　　　　の価額　　　　　　　　　　　　11,000万円

　　　　　③ 　借地権割合　　　　　　　　　　　80％

　　　　　④ 　相当の地代の年額（①× 6 ％）　　600万円

　　　　　⑤ 　実際に支払っている地代の年額　　240万円

　　　　　⑥ 　通常の地代の年額　　　　　　　　120万円

$$11,000\text{万円} \times \left\{ 0.8 \times \left(1 - \frac{240\text{万円} - 120\text{万円}}{600\text{万円} - 120\text{万円}} \right) \right\} = 6,600\text{万円}$$

第一章第四節《借地権、定期借地権等、区分地上権及び区分地上権に準ずる地役権の評価》

2　定期借地権等

　定期借地権等とは、平成4年8月1日から施行された借地借家法に規定されているもので、次に掲げるものがあります。

①　定期借地権（同法第22条）　　通常、一般定期借地権と称されるもので、存続期間を50年以上とし、期間の更新ができない旨及び借地契約終了時に建物の買取請求をしない旨の特約を付したものをいいます。利用目的に制限はありませんが借地人は借地契約終了時に建物を撤去する必要があります。

②　事業用定期借地権等（同法第23条）　　存続期間を10年以上50年未満とした事業用建物（居住の用に供するものを除きます。）の所有を目的とするものです。存続期間を10年以上30年未満とした場合には、存続期間の満了とともに借地関係は終了し、建物の買取請求もできません。また、存続期間を30年以上50年未満とした場合には、期間の更新ができない旨及び借地契約終了時に建物の買取請求をしない旨の特約を付すことができます。

③　建物譲渡特約付借地権（同法第24条）　　借地契約設定後30年以上経過した日に借地権を消滅させるため、地主が借地人から建物を買い取ることをあらかじめ定めておくもので、利用目的に制限はなく、借地権消滅後は借家関係に移行します。

　（注）　「一時使用目的の借地権」（同法第25条）も定期借地権等の範囲に含めて取り扱うこととしています。

　定期借地権等の価額は、原則として、課税時期において借地権者に帰属する経済的利益及びその存続期間を基として評定した価額によって評価します。

　ただし、課税上弊害がない限り、簡便法として、次の算式により計算した金額によって評価します（評基通27－2）。

$$\text{その定期借地権等の目的となっている宅地の課税時期における自用地としての価額} \times \frac{\text{定期借地権等の設定のときにおける借地権者に帰属する経済的利益の総額}}{\text{定期借地権等の設定の時におけるその宅地の通常の取引価額}} \times \frac{\text{課税時期におけるその定期借地権等の残存期間年数に応ずる基準年利率による複利年金現価率}}{\text{定期借地権等の設定期間年数に応ずる基準年利率による複利年金現価率}}$$

　（注1）　定期借地権の設定時と課税時期とで借地人に帰属する経済的利益に特段の変化がある場合（明確に自然発生的な差額地代が生じている場合や権利金の追加払いがある場合など）に、簡便法によることは、課税上弊害がありますから、原則的方法により評価します。

　（注2）　基準年利率については、第一節6を参照してください。

【定期借地権等の設定のときにおける借地権者に帰属する経済的利益の総額】

　上記算式における「定期借地権等の設定のときにおける借地権者に帰属する経済的利益の総額」は、次に掲げる金額の合計額とされます（評基通27－3）。

①　定期借地権等の設定に際し、借地権者から借地権設定者に対し、権利金、協力金、礼金などその名称のいかんを問わず借地契約の終了の時に返還を要しないものとされる金銭の支払い又は財産の供与がある場合

　　　課税時期において支払われるべき金額又は供与すべき財産の価額に相当する金額

②　定期借地権等の設定に際し、借地権者から借地権設定者に対し、保証金、敷金などその名称のいかんを問わず、借地契約の終了の時に返還を要するものとされる金銭等（以下「保証金等」といいます。）の預託があった場合において、その保証金等につき基準年利率未満の約定利率による利息の支払いがあるとき又は無利息のとき

　　　次の算式により計算した金額

－1344－

第一章第四節《借地権、定期借地権等、区分地上権及び区分地上権に準ずる地役権の評価》

$$
\begin{pmatrix} \text{保証金等の} \\ \text{額に相当す} \\ \text{る金額} \end{pmatrix} - \begin{pmatrix} \text{保証金等の} & \text{定期借地権等の設定期間年数} \\ \text{額に相当す} \times \text{に応ずる基準年利率による複} \\ \text{る金額} & \text{利現価率} \end{pmatrix}
$$

$$
- \begin{pmatrix} \text{保証金等の} & \text{基準年利率未満の約} & \text{定期借地権等の設定期間年数} \\ \text{額に相当す} \times \text{定利率} \times \text{に応ずる基準年利率による複} \\ \text{る金額} & & \text{利年金現価率} \end{pmatrix}
$$

（注）　基準年利率については、第一節6を参照してください。

③　定期借地権等の設定に際し、実質的に贈与を受けたと認められる差額地代の額がある場合

　　　次の算式により計算した金額

$$
\text{差額地代の額} \times \begin{pmatrix} \text{定期借地権等の設定期間年数} \\ \text{に応ずる基準年利率による複} \\ \text{利年金現価率} \end{pmatrix}
$$

（注1）　実質的に贈与を受けたと認められる差額地代の額がある場合に該当するかどうかは、個々の取引におい
　　　　て取引の事情、取引当事者間の関係等を総合勘案して判断します。

（注2）　「差額地代の額」とは、同種同等の他の定期借地権等における地代の額とその定期借地権等の設定契約
　　　　において定められた地代の額（①又は②に掲げる金額がある場合には、その金額に定期借地権等の設定期
　　　　間年数に応ずる基準年利率による年賦償還率を乗じて得た額を地代の前払いに相当する金額として毎年
　　　　の地代の額に加算した後の額）との差額をいいます。

（注3）　上記算式中の基準年利率については、第一節6を参照（複利現価率は1517ページ参照）してください。

〔計算例1〕　権利金の支払いがある場合の定期借地権の価額（定期借地権設定後5年経過後に相続が
　　　　　　開始したものとします。）

　　　①　定期借地権の設定期間　　　　　　　　　　　　　50年
　　　②　課税時期　　　　　　　　　　　　　　　　令和6年4月15日
　　　③　課税時期におけるその宅地の自
　　　　　用地としての価額（相続税評価額）　　　　4,000万円
　　　④　定期借地権の設定の時における
　　　　　その宅地の通常の取引価額　　　　　　　　5,000万円
　　　⑤　支払われた権利金の額（返還不要）　　　　　800万円
　　　⑥　同種同等の他の定期借地権におけ
　　　　　る地代（通常地代）　　　　　　　　　　　年120万円
　　　⑦　約定地代（支払地代）　　　　　　　　　　年　30万円

【借地権者に帰属する経済的利益の総額】

（通常地代）　　　（権利金）　　　　　　　　（支払地代）　（差額地代）
120万円 － （800万円×0.026（※）＋30万円） ＝ 692,000円

　　　※＝設定期間50年に応じた年1.00%の年賦償還率

（差額地代）　　　　　　　　（権利金）　　（経済的利益の総額）
692,000円 × 39.196（※） ＋ 800万円 ＝ 35,123,632円

　　　※＝設定期間50年に応じた年1.00%の複利年金現価率

【定期借地権の価額】

$$
\underset{\text{（自用地価額）}}{4{,}000\text{万円}} \times \underset{\text{（通常の取引価額）}}{\frac{\overset{\text{（経済的利益の総額）}}{35{,}123{,}632\text{円}}}{5{,}000\text{万円}}} \times \underset{\begin{pmatrix}\text{設定期間50年に応じた年}\\1.00\%\text{の複利年金現価率}\end{pmatrix}}{\frac{\overset{\begin{pmatrix}\text{残存期間45年に応じた年}\\1.00\%\text{の複利年金現価率}\end{pmatrix}}{36.095}}{39.196}}
$$

　　　　＝ 25,875,854円（定期借地権の価額）

－1345－

第一章第四節《借地権、定期借地権等、区分地上権及び区分地上権に準ずる地役権の評価》

〔計算例2〕 保証金の預託がある場合の定期借地権の価額（定期借地権設定後10年経過後に相続が開始したものとします。）

① 定期借地権の設定期間　　　　　　　　　　　　　　50年

② 課税時期　　　　　　　　　　　　　令和6年4月15日

③ 課税時期におけるその宅地の自
用地としての価額（相続税評価額）　　　6,400万円

④ 定期借地権の設定の時における
その宅地の通常の取引価額　　　　　　　8,000万円

⑤ 預託された保証金の額（無利息・
借地契約終了時に返還）　　　　　　　　2,000万円

⑥ 差額地代　　　　　　　　　　　　　　　　　　0

【借地権者に帰属する経済的利益の総額】

$$\underset{\text{(保証金)}}{2,000万円} - (\underset{\text{(保証金)}}{2,000万円} \times 0.608(※)) = \underset{\text{(経済的利益の総額)}}{7,840,000円}$$

※＝設定期間50年に応じた年1.00％の複利現価率

【定期借地権の価額】

$$\underset{\text{(自用地価額)}}{6,400万円} \times \frac{\underset{\text{(経済的利益の総額)}}{7,840,000円}}{\underset{\text{(通常の取引価額)}}{8,000万円}} \times \frac{\overset{\substack{\text{残存期間40年に応じた年} \\ \text{1.00％の複利年金現価率}}}{32.835}}{\underset{\substack{\text{(設定期間50年に応じた年} \\ \text{1.00％の複利年金現価率)}}}{39.196}}$$

＝ 5,254,136円（定期借地権の価額）

3　区分地上権

区分地上権とは、民法第269条の2《地下又は空間を目的とする地上権》第1項に規定する地上権をいいます。この区分地上権は、地下又は空間の上下の範囲を定めて工作物の所有を目的として設定されるもので、通常、鉄道や道路のためのトンネルの所有を目的とするものが多いようです。

区分地上権の価額は、その区分地上権の目的となっている宅地の自用地としての価額に、その区分地上権の設定契約の内容に応じた土地利用制限率を基とした割合（以下「**区分地上権の割合**」といいます。）を乗じて計算した金額によって評価します。

この場合において、地下鉄等のトンネルの所有を目的として設定した区分地上権を評価するときにおける区分地上権の割合は、100分の30とすることができます（評基通27-4）。

$$\underset{\substack{\text{区分地上権の目的となってい} \\ \text{る宅地の自用地としての価額}}}{} \times 区分地上権の割合＝区分地上権の価額$$

(注1) 区分地上権が1画地の宅地の一部分に設定されているときは、「その区分地上権の目的となっている宅地の自用地としての価額」は、1画地の宅地の自用地としての価額のうち、その区分地上権が設定されている部分の地積に対応する価額となることに注意してください。

(注2) 倍率地域にある宅地で、その宅地の固定資産税評価額が地下鉄のトンネル等の設置に基づく利用価値の低下を考慮したものである場合は、その宅地の利用価値の低下がないものとして評価した価額を自用地としての価額として上記の計算をします（評基通25-2）。

上記の「**土地利用制限率**」とは、公共用地の取得に伴う損失補償基準細則別記2《土地利用制限率算定要領》に定める土地利用制限率をいいます。

次に土地利用制限率の計算の仕方を例示しておきます。

－1346－

第一章第四節《借地権、定期借地権等、区分地上権及び区分地上権に準ずる地役権の評価》

【計算例】
　区分地上権の設定がないとした場合には、地上8階、地下2階の店舗、事務所用ビルが建築できる。
　区分地上権が設定されていることにより、その宅地は地下2階以下が利用できず、また荷重制限のため5階建のビルしか建築できない（6階から8階までと地下2階が利用できなくなる。）。

$$\text{土地利用制限率} = \frac{\text{区分地上権の設定により利用できなくなった部分の建物階層別利用率の合計}}{\text{区分地上権の設定がない場合に建築可能な建物階層別利用率の合計}}$$

$$= \frac{32.9+33.0+36.9+33.1}{32.9+33.0+36.9+40.1+42.8+44.1+61.5+100.0+55.7+33.1} = \frac{135.9}{480.1}$$

$$= 0.28306 \cdots\cdots 0.283$$

(注)　実際の土地利用制限率の計算では、最有効階層の上空又は地下の利用価値も考慮に入れることとされていますが、ここでは省略しています。

宅地の自用地としての価額を1億円とすれば、区分地上権の価額は次のようになります。

　1億円×28.3％＝28,300,000円（区分地上権の価額）

【建物階層別利用率表】（公共用地の取得に伴う損失補償基準細則別記2の別表第2）

階層		A群	B群	C群			D群
	9	32.8		30.0	30.0	30.0	
	8	32.9		30.0	30.0	30.0	
	7	33.0		30.0	30.0	30.0	
	6	36.9	67.4	30.0	30.0	30.0	
	5	40.1	70.0	30.0	30.0	30.0	
	4	42.8	72.7	30.0	30.0	30.0	
	3	44.1	75.4	60.0	30.0	30.0	
	2	61.5	79.4	70.0	70.0	30.0	
	1	100.0	100.0		100.0		100.0
地下	1	55.7	52.9		60.0		
	2	33.1			40.0		

(注)　この表の数値は、次の区分により適用します。
　A群は「下階が店舗で上階に行くに従い事務所（例外的に更に上階に行くと住宅となる場合もある。）使用となるもの」
　B群は「全階事務所として使用されているもの」
　C群は「下階が事務所（又は店舗）で、大部分の上階が住宅として使用されているもの」
　D群は「全階住宅に使用されているもの」

第一章第四節《借地権、定期借地権等、区分地上権及び区分地上権に準ずる地役権の評価》

4 区分地上権に準ずる地役権

区分地上権に準ずる地役権とは、特別高圧架空電線の架設、高圧ガス導管の敷設等を目的として地下又は空間について上下の範囲を定めて設定された地役権で、建造物の設置を制限するものをいいます。

区分地上権に準ずる地役権の価額は、その区分地上権に準ずる地役権の目的となっている承役地である宅地の自用地としての価額に、その区分地上権に準ずる地役権の設定契約の内容に応じた土地利用制限率（3参照）を基とした割合（以下「**区分地上権に準ずる地役権の割合**」といいます。）を乗じて計算した金額によって評価します。

この場合において、区分地上権に準ずる地役権の割合は、次に掲げるその承役地に係る制限の内容の区分に従い、それぞれ次に掲げる割合とすることができるものとされています（評基通27－5）。

① 家屋の建築が全くできない場合　100分の50又はその区分地上権に準ずる地役権が借地権であるとした場合にその承役地に適用される借地権割合のいずれか高い割合

② 家屋の構造、用途等に制限を受ける場合　100分の30

$$
\text{区分地上権に準ずる地役権の価額}\left\{
\begin{array}{l}
\left(\begin{array}{l}\text{家屋の建築が全}\\\text{くできない場合}\end{array}\right) \cdots\cdots \begin{array}{l}\text{承役地の自用地}\\\text{としての価額}\end{array}\times\frac{50}{100}\left(\begin{array}{l}\text{又は借地権割合の}\\\text{いずれか高い割合}\end{array}\right)\\[4mm]
\left(\begin{array}{l}\text{家屋の構造、用途等}\\\text{に制限を受ける場合}\end{array}\right) \cdots\cdots \begin{array}{l}\text{承役地の自用地}\\\text{としての価額}\end{array}\times\frac{30}{100}
\end{array}\right.
$$

（**注**）　承役地である宅地が倍率地域にある場合で、その宅地の固定資産税評価額が特別高圧架空電線の架設等に基づく利用価値の低下を考慮したものである場合は、その宅地の利用価値の低下がないものとして評価した価額を承役地の自用地としての価額として上記の計算を行います（評基通25－2）。

5 土地の上に存する権利が競合する場合の借地権等

土地の上に存する権利が競合する場合の借地権、定期借地権等又は地上権の価額は、次に掲げる区分に従い、それぞれ次の算式により計算した金額によって評価します（評基通27－6）。

① 借地権、定期借地権等又は地上権及び区分地上権が設定されている場合の借地権、定期借地権等又は地上権の価額

$$
\begin{array}{l}\text{1《借地権》により評価した借地権の価額、2《定}\\\text{期借地権等》により評価した定期借地権等の価額又}\\\text{は第三節《地上権》により評価した地上権の価額}\end{array}\times\left(1-\begin{array}{l}\text{区分地上}\\\text{権の割合}\end{array}\right)
$$

② 区分地上権に準ずる地役権が設定されている承役地に借地権、定期借地権等又は地上権が設定されている場合の借地権、定期借地権等又は地上権の価額

$$
\begin{array}{l}\text{1《借地権》により評価した借地権の価額、2《定}\\\text{期借地権等》により評価した定期借地権等の価額又}\\\text{は第三節《地上権》により評価した地上権の価額}\end{array}\times\left(1-\begin{array}{l}\text{区分地上権に準ず}\\\text{る地役権の割合}\end{array}\right)
$$

6 貸家建付借地権等

貸家の敷地の用に供されている借地権の価額又は定期借地権等の価額は、次の算式により計算した価額によって評価します（評基通28）。

$$
\begin{array}{l}\text{1若しくは5の定めにより評価}\\\text{したその借地権の価額又は2若}\\\text{しくは5の定めにより評価した}\\\text{その定期借地権等の価額（A）}\end{array}-\text{A}\times\begin{array}{l}\text{その宅地の上}\\\text{にある家屋の}\\\text{の借家権割合}\end{array}\times\begin{array}{l}\text{その家屋}\\\text{に係る賃}\\\text{貸割合}\end{array}
$$

なお、その地域が、借地権の取引慣行のない地域である場合は、その貸家建付借地権の価額は、評価しません（評基通27ただし書）。

－1348－

第一章第四節《借地権、定期借地権等、区分地上権及び区分地上権に準ずる地役権の評価》

〈参考〉 借地権割合等に応ずる評価割合早見表（賃貸割合100%の場合）						
借 地 割 合 等		評 価 対 象 と 求 め る 評 価 割 合				
借家権割合	借地権割合	貸 宅 地	貸家建付地	貸家建付借地権	転貸借地権	転 借 権
％	90％	10％	73％	63％	9％	81％
	80	20	76	56(※)	16	64
	70	30	79	49	21	49
30	60	40	82	42	24	36
	50	50	85	35	25	25
	40	60	88	28	24	16
	30	70	91	21	21	9

※56％＝（1×0.8）－（1×0.8×0.3×1.0）＝0.8－0.24＝0.56

(注1) この表は1のイ又はロに述べた「相当の地代」が支払われている場合等には使用できません（借地権割合の調整が必要となります。）。

(注2) 貸宅地は、評基通25(1)ただし書の「貸宅地割合」を適用しないものです。

(注3) 自用地としての価額×上表の評価割合＝評価額

7 転貸借地権

転貸されている借地権の価額は、その借地権が転貸されていないものとして1又は5により評価したその借地権の価額から、8により評価したその借地権に係る転借権の価額を控除した金額によって評価します（評基通29）。

借地権の価額を1により評価している場合についての計算式を算式で示せば、次のようになります。

$$\left(\begin{matrix}宅地の自用地\\としての価額\end{matrix}×\begin{matrix}その宅地の\\借地権割合\end{matrix}\right)-\left(\begin{matrix}宅地の自用地\\としての価額\end{matrix}×\begin{matrix}その宅地の\\借地権割合\end{matrix}×\begin{matrix}その宅地の\\借地権割合\end{matrix}\right)=\begin{matrix}転貸借地\\権の価額\end{matrix}$$

なお、その地域が借地権の取引慣行のない地域である場合は、その転貸借地権の価額は評価しません（評基通27ただし書）。

8 転借権（転借借地権）

借地権の目的となっている宅地の転借権（以下「転借権」といいます。）の価額は、次の算式1により計算した価額によって評価します（評基通30）。

（算式1）

$$\begin{matrix}1又は5の定めにより評\\価したその借地権の価額\end{matrix}×\begin{matrix}左の借地権の評価の\\基とした借地権割合\end{matrix}$$

ただし、その転借権が貸家の敷地の用に供されている場合の転借権の価額は、次の算式2により計算した価額によって評価します。

（算式2）

$$\begin{matrix}上記算式1により計算\\した転借権の価額（A）\end{matrix}-A×\begin{matrix}その宅地の上にある\\家屋の借家権割合\end{matrix}×\begin{matrix}その家屋に係\\る賃貸割合\end{matrix}$$

なお、その地域が借地権の取引慣行のない地域である場合は、その転借権の価額は評価しません（評

－1349－

第一章第四節《借地権、定期借地権等、区分地上権及び区分地上権に準ずる地役権の評価》

基通27ただし書)。

9 借家人の有する宅地等に対する権利

借家人がその借家の敷地である宅地等に対して有する権利の価額は、原則として、次に掲げる場合の区分に応じ、それぞれ次に掲げる算式により計算した価額によって評価します。ただし、これらの権利が権利金等の名称をもって取引される慣行のない地域にある場合は評価しないこととされています（評基通31)。

イ その権利が借家の敷地である宅地又はその宅地に係る借地権に対するものである場合

$$
\begin{array}{l}
\text{1又は5により評価したその} \\
\text{借家の敷地である宅地に係る} \\
\text{借地権の価額}
\end{array}
\times
\begin{array}{l}
\text{借家権割合} \\
\text{(第二章第一節の2 (1371ページ) 参照)}
\end{array}
\times \text{賃借割合}
$$

ロ その権利がその借家の敷地である宅地に係る転借権に対するものである場合

$$
\begin{array}{l}
\text{8により評価したその借家の敷地} \\
\text{である宅地に係る転借権の価額}
\end{array}
\times \text{借家権割合} \times \text{賃借割合}
$$

10 使用貸借に係る土地の評価

原則として、個人間における使用貸借に係る土地又は借地権の評価は、これらの土地等の上にある建物等が自用であるか貸付けに係るものであるかの区分に関係なく、すべて、自用のものであるとした場合の価額により評価することとなっています。

ただし、使用貸借が開始される以前に、既に、貸家建付地として評価するのが相当であった土地等（貸家のみを贈与し、その敷地は使用貸借とした場合の土地など）を、相続又は贈与により取得した場合の評価については、借家人の有する宅地等に対する権利（評基通31）は、使用貸借の開始前後を通じて変更を来たさないと考えられますので、貸家建付地等として評価します。

(第二節4の(2)《貸家建付地》の〈参考〉を参照)

－1350－

第五節　農地及び農地の上に存する権利

1　評価の単位

　田及び畑（以下「農地」といいます。）の価額は、1枚の農地（耕作の単位となっている1区画の農地をいいます。以下同じ。）ごとに評価します。農地の上に存する権利についても同様です。

　ただし、市街地周辺農地、2の（4）の本文の定めにより宅地に比準して評価する市街地農地及び同（5）の生産緑地は、それぞれを利用の単位となっている一団の農地ごとに評価します。この場合において、第二節の1の（2）《分割が著しく不合理な場合の評価単位》に該当するときは、これを準用します（評基通7－2（2））。

　（注）　「1枚の農地」は、必ずしも1筆の農地からなるとは限らず、2筆以上の農地からなる場合もあり、また、1筆の農地が2枚以上の農地として利用されている場合もあることに留意してください（評基通7－2（注）2）。

　農地の評価については、①純農地、②中間農地、③市街地周辺農地、④市街地農地の種類に従って評価します（評基通34）。評価しようとする農地が、この種類のうち、いずれの種類に該当するかは、財産評価基準書でご確認ください。

2　農　　地

（1）　純農地

　純農地とは、①農用地区域（農業振興地域の整備に関する法律第8条《市町村の定める農業振興地域整備計画》第2項第1号に規定する「農用地区域」をいいます。）内にある農地、②市街化調整区域（都市計画法第7条《区域区分》第3項に規定する「市街化調整区域」をいいます。）内にある農地のうち、第1種農地又は甲種農地に該当する農地、③上記①及び②に該当する農地以外の農地のうち、第1種農地に該当する農地（その農地の近傍農地の売買実例価額等に照らし第2種農地又は第3種農地に準ずる農地と認められるものは除きます。）をいいます。ただし、（4）の市街地農地に該当する農地を除きます（評基通36）。

　純農地については、倍率方式によって評価します（評基通37）。この評価方法は、評価する農地の固定資産税評価額に地域ごとに定める一定の倍率を乗じて計算した金額によって評価する方法です。この一定の倍率は財産評価基準書（評価倍率表）により公表されています。

　（注）　甲種農地、第1種農地、第2種農地及び第3種農地の用語の意義は、平成21年12月11日付21経営第4530号・21農振第1598号「『農地法の運用について』の制定について」農林水産省経営局長・農村振興局長連名通知において定められているものと同じです（評基通34（注）2）。

（2）　中間農地

　中間農地とは、①第2種農地に該当する農地、②第2種農地以外の農地のうち、近傍農地の売買実例価額、精通者意見価格等に照らし、第2種農地に準ずる農地と認められるものをいいます。ただし、（4）の市街地農地に該当する農地を除きます（評基通36－2）。

　このような農地については、その農地の固定資産税評価額に地域ごとに定める一定の倍率を乗じて計算した金額によって評価します（評基通38）。この一定の倍率は財産評価基準書（評価倍率表）により公表されています。

（3）　市街地周辺農地

　市街地周辺農地とは、①第3種農地に該当する農地、②第3種農地以外の農地のうち、近傍農地の売買実例価額、精通者意見価格等に照らし、第3種農地に準ずる農地と認められるものをいいます。ただし、（4）の市街地農地に該当する農地を除きます（評基通36－3）。

　このような農地は、市街地に近接する地域にあって宅地化の傾向が強く、農地としての価額より、

第一章第五節《農地及び農地の上に存する権利の評価》

宅地の価額に類似する価額で取引されていますので、いわゆる「宅地比準方式」といって、付近にある宅地の価額を基として道路からの距離や形状などを考慮し、その農地が宅地であるとした場合の1㎡当たりの価額を求め、その価額からその農地を宅地に転用するとした場合に通常必要と認められる1㎡当たりの造成費に相当する金額（以下「**宅地造成費相当額**」といいます。）を差し引いた残額に地積を乗じて計算した金額の80％に相当する金額によって評価します（評基通39）。

なお、評価の方法を算式で示すと次のようになります。

$$\left[\left\{ \begin{array}{l} その農地が宅地であるとし \\ た場合の1㎡当たりの価額 \end{array} - \begin{array}{l} 1㎡当たりの \\ 宅地造成費相当額 \end{array} \right\} \times 地積 \right] \times 0.8$$

宅地造成費相当額は、国税局ごとに異なりますので、物件所在地を所轄する国税局の財産評価基準書により確認してください。

（市街地農地等の評価明細書は、1369ページ参照）

〈参考・大阪国税局管内の令和6年分宅地造成費相当額・一部編者補正〉

◎**この表の数字は毎年見直しが行われますので、令和6年以外の年分については使用できません。**

大阪国税局管内の令和6年分の宅地造成費相当額は、評価する土地の立地条件に応じ、次の表1又は表2により計算します。

表1　平坦地の宅地造成費（令和6年分）

工事費目		造 成 区 分	金　　額
整地費	整 地 費	整地を必要とする面積1平方メートル当たり	700円
	伐採・抜根費	伐採・抜根を必要とする面積1平方メートル当たり	1,000円
	地 盤 改 良 費	地盤改良を必要とする面積1平方メートル当たり	1,900円
土　盛　費		他から土砂を搬入して土盛りを必要とする場合の土盛り体積1立方メートル当たり	7,200円
土　止　費		土止めを必要とする場合の擁壁の面積1平方メートル当たり	76,600円

（留意事項）

1　「整地費」とは、①凹凸がある土地の地面を地ならしするための工事費又は②土盛工事を要する土地について、土盛工事をした後の地面を地ならしするための工事費をいいます。

2　「伐採・抜根費」とは、樹木が生育している土地について、樹木を伐採し、根等を除去するための工事費をいいます。したがって、整地工事によって樹木を除去できる場合には、造成費に本工事費を含めません。

3　「地盤改良費」とは、湿田など軟弱な表土で覆われた土地の宅地造成に当たり、地盤を安定させるための工事費をいいます。

4　「土盛費」とは、道路よりも低い位置にある土地について、宅地として利用できる高さ（原則として道路面）まで搬入した土砂で埋め立て、地上げする場合の工事費をいいます。

5　「土止費」とは、道路よりも低い位置にある土地について、宅地として利用できる高さ（原則として道路面）まで地上げする場合に、土盛りした土砂の流出や崩壊を防止するために構築する擁壁工事費をいいます。

〔平坦地の宅地造成費の計算例〕

○　規模、形状

面積「400㎡」、一面が道路に面した間口20m、奥行20mの土盛り1mを必要とする画地で、道路面を除いた三面について土止めを必要とする正方形の土地である場合

－1352－

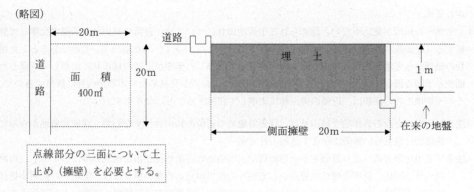

○宅地造成費の計算

平坦地	整地費	整　地　費	（整地を要する面積）　　　　（1㎡当たりの整地費） 　　400　㎡　×　　　　　700　円	⑥	円 280,000
		伐採・抜根費	（伐採・抜根を要する面積）　（1㎡当たりの伐採・抜根費） 　　　　㎡　×　　　　　　　円	⑦	円
		地盤改良費	（地盤改良を要する面積）　　（1㎡当たりの地盤改良費） 　　　　㎡　×　　　　　　　円	⑧	円
	土　盛　費		（土盛りを要する面積）（平均の高さ）（1㎡当たりの土盛費） 　　400　㎡　×　1 m　×　　7,200　円	⑨	円 2,880,000
	土　止　費		（擁壁面の長さ）（平均の高さ）（1㎡当たりの土止費） 　　60　m　×　1 m　×　76,600　円	⑩	円 4,596,000
	合　計　額　の　計　算		⑥＋⑦＋⑧＋⑨＋⑩	⑪	円 7,756,000
	1 ㎡当たりの計算		⑪　÷　①	⑫	円 19,390
傾斜地	傾斜度に係る造成費		（傾斜度）　　　　度	⑬	円
	伐　採　・　伐　根　費		（伐採・抜根を要する面積）　（1㎡当たりの伐採・抜根費） 　　　　㎡　×　　　　　　　円	⑭	円
	1 ㎡当たりの計算		⑬＋（⑭÷①）	⑮	円

※①は地積（㎡）（編者）

表2　傾斜地の宅地造成費（令和6年分）

傾　斜　度	金　　　額
3度超　5度以下	21,300円/㎡
5度超　10度以下	25,500円/㎡
10度超　15度以下	41,700円/㎡
15度超　20度以下	59,200円/㎡
20度超　25度以下	65,500円/㎡
25度超　30度以下	70,200円/㎡

（留意事項）

1　「傾斜地の宅地造成費」の金額は、整地費、土盛費、土止費の宅地造成に要するすべての費用を含めて算定したものです。
　　なお、この金額には、伐採・抜根費は含まれていないことから、伐採・抜根を要する土地については、「平坦地の宅地造成費」の「伐採・抜根費」の金額を基に算出し加算します。
2　傾斜度3度以下の土地については、「平坦地の宅地造成費」の額により計算します。
3　傾斜度については、原則として、測定する起点は評価する土地に最も近い道路面の高さとし、傾斜の頂点（最下点）は、評価する土地の頂点（最下点）が奥行距離の最も長い地点にあるものとして判

定します。
4 宅地への転用が見込めないと認められる市街地山林については、近隣の純山林の価額に比準して評価する（評価基本通達49（市街地山林の評価））こととしています。したがって、宅地であるとした場合の価額から宅地造成費に相当する金額を控除して評価した価額が近隣の純山林に比準して評価した価額を下回る場合には、経済合理性の観点から宅地への転用が見込めない市街地山林に該当するので、その市街地山林の価額は、近隣の純山林に比準して評価することになります。

（注1）比準元となる具体的な純山林は、評価対象地の近隣の純山林、すなわち、評価対象地からみて距離的に最も近い場所に所在する純山林です。

（注2）宅地比準方式により評価する市街地農地、市街地周辺農地及び市街地原野等についても、市街地山林と同様、経済合理性の観点から宅地への転用が見込めない場合には、宅地への転用が見込めない市街地山林の評価方法に準じて、その価額は、純農地又は純原野の価額により評価することになります。

　　なお、市街地周辺農地については、市街地農地であるとした場合の価額の100分の80に相当する金額によって評価する（評価基本通達39（市街地周辺農地の評価））ことになっていますが、これは、宅地転用が許可される地域の農地ではあるが、まだ現実に許可を受けていないことを考慮したものですので、純農地の価額に比準して評価する場合には、80％相当額に減額する必要はありません。

〔傾斜地の宅地造成費の計算例〕
○　規模、形状
　　　面積「480㎡」、道路の地表に対し傾斜度9度の土地　全面積について伐採・伐根を要する場合
（略図）

○宅地造成費の計算

平坦地	整地費	整 地 費	（整地を要する面積）　　　　（1㎡当たりの整地費） 　　　　㎡　×　　　　　　円	⑥	円
		伐採・抜根費	（伐採・抜根を要する面積）　（1㎡当たりの伐採・抜根費） 　　　　㎡　×　　　　　　円	⑦	円
		地盤改良費	（地盤改良を要する面積）　　（1㎡当たりの地盤改良費） 　　　　㎡　×　　　　　　円	⑧	円
	土　盛　費		（土盛りを要する面積）（平均の高さ）（1㎡当たりの土盛費） 　　㎡　×　　　m　×　　　円	⑨	円
	土　止　費		（擁壁面の長さ）　　（平均の高さ）（1㎡当たりの土止費） 　　m　×　　　m　×　　　円	⑩	円
	合 計 額 の 計 算		⑥＋⑦＋⑧＋⑨＋⑩	⑪	円
	1㎡当たりの計算		⑪÷①	⑫	円
傾斜地	傾斜度に係る造成費		（傾斜度）　　　　9度	⑬	円 25,500
	伐採・伐根費		（伐採・抜根を要する面積）　（1㎡当たりの伐採・抜根費） 　480　　㎡　×　　1,000　　円	⑭	円 480,000
	1㎡当たりの計算		⑬＋（⑭÷①）	⑮	円 26,500

※①は地積（㎡）（編者）

第一章第五節《農地及び農地の上に存する権利の評価》

（4） 市街地農地

　市街地農地とは、①農地法第4条《農地の転用の制限》又は第5条《農地又は採草放牧地の転用のための権利移動の制限》に規定する許可（以下「転用許可」といいます。）を受けた農地、②市街化区域（都市計画法第7条第1項の市街化区域と定められた区域をいいます。）内にある農地、及び③農地法等の一部を改正する法律附則第2条第5項の規定によりなお従前の例によるものとされる改正前の農地法第7条第1項第4号の規定によって、転用許可を要しない農地として、都道府県知事の指定を受けたものをいいます（評基通36－4）。

　このような市街地農地については、前記の市街地周辺農地の場合と同様の方法（「宅地比準方式」）によって評価しますが、造成費に当たる金額だけを差し引いた金額で評価します。つまり、市街地周辺農地のように20%の減額は行いません（評基通40）。

　なお、評価の方法を算式で示すと、次のようになります。

$$\left\{\begin{array}{l}\text{その農地が宅地であるとし}\\\text{た場合の1㎡当たりの価額}\end{array} - \begin{array}{l}1㎡当たりの\\\text{宅地造成費相当額}\end{array}\right\} \times \text{地積}$$

　ただし、市街化区域内にある市街地農地のうち、倍率方式により評価することと定められている地域内にある市街地農地の価額は、その農地の固定資産税評価額に倍率を乗じて計算した金額によって評価します。

　（注）　その農地が宅地であるとした場合の1平方メートル当たりの価額については、その農地が宅地であるとした場合において地積規模の大きな宅地の適用対象となるとき（第二節の2の（2）「倍率方式による評価」ただし書において地積規模の大きな宅地の評価を準用するときを含みます。）には、地積規模の大きな宅地の評価を適用して計算することになります。

（5） 生産緑地

　生産緑地（生産緑地法第2条《定義》第3号に規定する生産緑地のうち、課税時期において同法第10条《生産緑地の買取りの申出》の規定（同法第10条の5《特定生産緑地の買取りの申出》の規定により読み替えて適用される場合を含みます。以下同じです。）により市町村長に対し生産緑地を時価で買い取るべき旨の申出（以下「買取りの申出」といいます。）を行った日から起算して3月を経過しているもの以外のものをいいます。以下同じ。）の価額は、その生産緑地が生産緑地でないものとして評価した価額から、その価額に次に掲げる生産緑地の別にそれぞれ次に掲げる割合を乗じて計算した金額を控除した金額によって評価します（評基通40－3）。

イ　課税時期において市町村長に対し買取りの申出をすることができない生産緑地

課税時期から買取りの申出をすることができることとなる日までの期間	割　　合
5年以下のもの	100分の10
5年を超え10年以下のもの	100分の15
10年を超え15年以下のもの	100分の20
15年を超え20年以下のもの	100分の25
20年を超え25年以下のもの	100分の30
25年を超え30年以下のもの	100分の35

ロ　課税時期において市町村長に対し買取りの申出が行われていた生産緑地又は買取りの申出をすることができる生産緑地　　100分の5

3　貸し付けられている農地

　耕作権、永小作権等の目的となっている農地は、次に掲げる区分に従い、それぞれ次に掲げるところにより評価します（評基通41）。

イ　耕作権の目的となっている農地の価額は、2の(1)から(5)までにより評価したその農地の価額（以下8までにおいて「**自用地としての価額**」といいます。）から、5で評価した耕作権の価額を控

第一章第五節《農地及び農地の上に存する権利の評価》

除した金額によって評価します。

ロ　永小作権の目的となっている農地の価額は、その農地の自用地としての価額から、**6**で評価した永小作権の価額を控除した金額によって評価します。

ハ　区分地上権の目的となっている農地の価額は、その農地の自用地としての価額から、**7**で評価した区分地上権の価額を控除した金額によって評価します。

ニ　区分地上権に準ずる地役権の目的となっている農地の価額は、その農地の自用地としての価額から、**7**で評価した区分地上権に準ずる地役権の価額を控除した金額によって評価します。

なお、農用地利用増進法第7条〔現行農業経営基盤強化促進法第19条〕の規定による公告があった農用地利用増進計画〔現行農用地利用集積計画〕の定めるところによって設定された賃貸借に基づき貸し付けられている農地及び10年以上の期間の定めのある賃貸借により貸し付けられている農地の価額は、その農地の自用地としての評価額からその5％相当額を控除した金額により評価します。ただし、当該賃貸借に係る賃借権の価額については、相続税又は贈与税の課税価格に算入しません（昭和56年6月9日付直評10、直資2−70）。

4　土地の上に存する権利が競合する場合の農地

土地の上に存する権利が競合する場合の農地の価額は、次に掲げる区分に従い、それぞれ次の算式により計算した金額によって評価します（評基通41−2）。

イ　耕作権又は永小作権及び区分地上権の目的となっている農地の価額

$$\text{その農地の自用地としての価額} - \left(\begin{array}{c} \textbf{7}\text{により評価した} \\ \text{区分地上権の価額} \end{array} + \begin{array}{c} \textbf{8}\text{のイにより評価した耕作権} \\ \text{の価額又は永小作権の価額} \end{array} \right)$$

ロ　区分地上権及び区分地上権に準ずる地役権の目的となっている承役地である農地の価額

$$\text{その農地の自用地としての価額} - \left(\begin{array}{c} \textbf{7}\text{により評価した} \\ \text{区分地上権の価額} \end{array} + \begin{array}{c} \textbf{7}\text{により評価した区分地上} \\ \text{権に準ずる地役権の価額} \end{array} \right)$$

ハ　耕作権又は永小作権及び区分地上権に準ずる地役権の目的となっている承役地である農地の価額

$$\text{その農地の自用地としての価額} - \left(\begin{array}{c} \textbf{7}\text{により評価した区分地上} \\ \text{権に準ずる地役権の価額} \end{array} + \begin{array}{c} \textbf{8}\text{のロにより評価した耕作権} \\ \text{の価額又は永小作権の価額} \end{array} \right)$$

5　耕　作　権

耕作権の価額は、次に掲げる農地の区分により、それぞれ次のように評価します。

イ　純農地及び中間農地の耕作権

その農地の価額に一定の割合（耕作権割合）を乗じて計算した金額によって評価します（評基通42（1））。この場合の耕作権割合は現在50％と定められています（評基通別表1）。

ロ　市街地周辺農地、市街地農地の耕作権

市街地周辺農地、市街地農地に係る耕作権の価額は、その農地が転用される場合において通常支払われるべき離作料の額、その農地の付近にある宅地に係る借地権の価額などを参酌して求めた金額によって評価します（評基通42（2））。

この場合の耕作権の価額が不明の場合には、その農地の価額に100分の40を乗じて計算した金額によって評価します（大阪国税局管内の農地に限ります。）。

6　永小作権

永小作権の価額は、この権利が設定されている土地の価額（その永小作権が設定されていないとした場合の価額をいいます。）にその権利を相続や遺贈又は贈与により取得した時におけるその権利の残存期間に応じて定められた割合を乗じて算出した金額によって評価します（相法23）。この割合については、地上権の割合と同じですから「第三節　地上権」に掲げる割合を参照してください。

−1356−

なお、存続期間の定めのない永小作権の価額は、存続期間を30年（別段の慣習があるときは、それによります。）とみなし、上記地上権の割合により評価します（評基通43）。

7 農地に係る区分地上権及び区分地上権に準ずる地役権

農地に係る区分地上権の価額は、第四節の3に準じて評価します（評基通43－2）。また、農地に係る区分地上権に準ずる地役権の価額は、その区分地上権に準ずる地役権の目的となっている承役地である農地の自用地としての価額を基とし、第四節の4に準じて評価します（評基通43－3）。

8 土地の上に存する権利が競合する場合の耕作権又は永小作権

土地の上に存する権利が競合する場合の耕作権又は永小作権の価額は、次の区分に従い、それぞれ次の算式により計算した金額によって評価します（評基通43－4）。

イ 耕作権又は永小作権及び区分地上権が設定されている場合の耕作権又は永小作権の価額

$$\left.\begin{array}{l}\text{5により評価した耕作権の価額又は}\\\text{6により評価した永小作権の価額}\end{array}\right\} \times \left(1 - \frac{\text{7により評価した区分地上権の価額}}{\text{その農地の自用地としての価額}}\right)$$

ロ 区分地上権に準ずる地役権が設定されている承役地に耕作権又は永小作権が設定されている場合の耕作権又は永小作権の価額

$$\left.\begin{array}{l}\text{5により評価した耕作権の価額又は}\\\text{6により評価した永小作権の価額}\end{array}\right\} \times \left(1 - \frac{\text{7により評価した区分地上権に準ずる地役権の価額}}{\text{その農地の自用地としての価額}}\right)$$

9 農業投資価格

昭和50年の相続税法の改正により「農地の納税猶予制度」が創設され、上記の相続税評価額と農業投資価格の差額部分に対する相続税額は、その納税を猶予し、その農地につき、申告期限から一定期間（例えば平成4年1月1日以後の相続又は遺贈により取得した農地等のうち相続時において都市営農農地等であった農地等を有する農業相続人にあっては、死亡の日まで）農業経営を継続した場合は、その猶予税額を免除されることになっています。

上記「農地の納税猶予制度」の適用を受ける農地の価額は、農業投資価格を基準として計算した価額によることとなっています。この農業投資価格は、恒久的に耕作の用に供されるべき土地として自由な取引が行われるものとした場合におけるその取引について通常成立すると認められる価格として国税局長が決定した価格のことをいいます。令和6年分の農業投資価格は別表1のイ（1516ページ参照）のとおりです。

（注）「農地の納税猶予制度」の詳細については第四編第八章又は第五編第七章をご覧ください。

第六節 山林及び山林の上に存する権利

1 評価の単位

山林の価額は、1筆（地方税法第341条《固定資産税に関する用語の意義》第10号に規定する土地課税台帳又は同条第11号に規定する土地補充課税台帳に登録された1筆をいいます。以下同じ。）の山林ごとに評価します。山林の上に存する権利についても同様です。

ただし、2の(3)の本文の定めにより宅地比準方式で評価する市街地山林は、利用の単位となっている一団の山林ごとに評価します。この場合において、第二節の1の(2)《分割が著しく不合理な場合の評価単位》に該当するときは、これを準用します（評基通7－2(3)）。

なお、山林に限らず、宅地、農地などについても実測面積と公簿面積とに差異がある場合には、実測面積によることは、既に述べたところですが、特に山林については、宅地、農地などに比較して、台帳面積と実際面積との格差（縄延び）が大きい場合が多いので、十分注意する必要があります。

－1357－

第一章第六節《山林及び山林の上に存する権利》

2 山　　林

（1）純　山　林

　評価する山林の固定資産税評価額に地域ごとに定める一定の倍率を乗じて計算した金額によって評価します（評基通47）。

　この一定の倍率は財産評価基準書（評価倍率表）により公表されています。

（2）　中間山林（市街地付近又は別荘地帯等にある山林をいいます。）

　評価する山林の固定資産税評価額に地域ごとに定める一定の倍率を乗じて計算した金額によって評価します（評基通48）。

　この一定の倍率は財産評価基準書（評価倍率表）により公表されています。

（3）　市街地山林（宅地のうちに介在する山林をいいます。）

　市街地周辺農地などの場合と同様に、その取引価額は、山林としてではなく宅地としての価額に近いのが一般的です。

　したがって、宅地比準方式といって、その山林の付近の宅地の評価額を基として、「その山林が宅地であるとした場合の１㎡当たりの価額」を求め、その価額からその山林を宅地造成するとした場合に通常必要と認められる造成費相当額（第五節２の（3）の「市街地周辺農地」の項参照）を差し引いた残額に地積を乗じた金額によって評価します（評基通49）。

　ただし、倍率方式により評価することと定められている地域内にある市街地山林の価額は、その山林の固定資産税評価額に倍率を乗じて計算した金額によって評価します。

　なお、その市街地山林について宅地への転用が見込めないと認められる場合には、その山林の価額は近隣の純山林の価額に比準して評価します。（宅地転用が見込めないと認められる場合とは、その山林を上記本文により評価した場合の価額が近隣の純山林の価額に比準して評価した価額を下回る場合、又はその山林が急傾斜地等のため宅地造成ができないと認められる場合をいいます。）

　（注）　その山林が宅地であるとした場合の１平方メートル当たりの価額については、その山林が宅地であるとした場合において地積規模の大きな宅地の適用対象となるとき（第二節の２の（2）「倍率方式による評価」ただし書において地積規模の大きな宅地の評価を準用するときを含みます。）には、地積規模の大きな宅地の評価を適用して計算することになります。

（4）　保安林等

　森林法その他の法令により、土地の利用又は立木の伐採について制限を受けている山林（（5）により評価するものを除きます。）の価額は、（1）から（3）までの規定により評価した価額（その山林が保安林として指定されており、かつ、倍率方式により評価すべきものに該当するときは、その山林の付近にある山林について（1）から（3）までの規定で評価した価額に比準して評価した価額とします。）から、その価額にその山林にある立木についての伐採制限の程度に応じ、一定の割合を乗じて計算した金額を差し引いた金額で評価します（評基通50、123）。

　この一定の割合は第四章第二節の「4　保安林等の立木」を参照してください。

（5）　特別緑地保全地区内にある山林

　都市緑地法第12条に規定する特別緑地保全地区（首都圏近郊緑地保全法及び近畿圏の保全区域の整備に関する法律に規定する近郊緑地特別保全地区を含みます。以下「特別緑地保全地区」といいます。）内にある山林（林業を営むために立木の伐採が認められる山林で、かつ、純山林に該当するものを除きます。）の価額は、（1）から（3）までの規定により評価した価額から、その価額に80％を乗じて計算した金額を控除した金額によって評価します（評基通50－2）。

3　貸し付けられている山林

賃借権、地上権等の目的となっている山林の評価は、次によります（評基通51）。

－1358－

第一章第六節《山林及び山林の上に存する権利》

（1） 賃借権の目的となっている山林の価額は、山林の自用地としての価額（2により評価した価額をいいます。）から賃借権の価額（8により評価した価額をいいます。）を控除した金額によって評価します。

（2） 地上権の目的となっている山林の価額は、山林の自用地としての価額から地上権の価額（6により評価した価額をいいます。）を控除した金額によって評価します。

（3） 区分地上権の目的となっている山林の価額は、山林の自用地としての価額から区分地上権の価額（7により評価した価額）を控除した金額によって評価します。

（4） 区分地上権に準ずる地役権の目的となっている承役地である山林の価額は、山林の自用地としての価額から区分地上権に準ずる地役権の価額（7により評価した価額）を控除した金額によって評価します。

4 土地の上に存する権利が競合する場合の山林

土地の上に存する権利が競合する場合の山林の価額は、次に掲げる区分に従い、それぞれ次の算式により計算した金額によって評価します（評基通51－2）。

（1） 賃借権又は地上権及び区分地上権の目的となっている山林の価額

$$\text{その山林の自用地としての価額} - \left(\text{7で評価した区分地上権の価額} + \text{9の(1)で評価した賃借権又は地上権の価額}\right)$$

（2） 区分地上権及び区分地上権に準ずる地役権の目的となっている承役地である山林の価額

$$\text{その山林の自用地としての価額} - \left(\text{7で評価した区分地上権の価額} + \text{7で評価した区分地上権に準ずる地役権の価額}\right)$$

（3） 賃借権又は地上権及び区分地上権に準ずる地役権の目的となっている承役地である山林の価額

$$\text{その山林の自用地としての価額} - \left(\text{7で評価した区分地上権に準ずる地役権の価額} + \text{9の(2)で評価した賃借権又は地上権の価額}\right)$$

5 分収林契約に基づいて貸し付けられている山林

立木の伐採又は譲渡による収益を一定の割合により分収することを目的として締結された分収林契約（所得税法施行令第78条《用語の意義》に規定する「分収造林契約」又は「分収育林契約」をいいます。以下同じ。）に基づいて設定された地上権又は賃借権の目的となっている山林の価額は、その分収林契約により定められた山林の所有者に係る分収割合に相当する部分の山林の自用地としての価額と、その他の部分の山林について3又は4により評価した価額との合計額によって評価します（評基通52）。

（注1） 上記の「分収林契約」には、旧公有林野等官行造林法（大正9年法律第7号）第1条《趣旨》の規定に基づく契約も含まれます。

（注2） 上記の定めを算式によって示せば、次のとおりです。

$$\left(\begin{array}{c}\text{その山林の自用地}\\ \text{としての価額(A)}\end{array} \times \begin{array}{c}\text{山林所有者の}\\ \text{分収割合(B)}\end{array}\right) + \left((A) - \begin{array}{c}\text{地上権又は賃}\\ \text{借権の価額}\end{array}\right) \times (1 - (B)) = \begin{array}{c}\text{分収林契約に係}\\ \text{る山林の価額}\end{array}$$

6 山林に係る地上権

山林に係る地上権の価額は、その地上権の目的となっている山林の自用地としての価額に、その権利の残存期間に応じ、相続税法第23条に定める割合を乗じて算出した金額によって評価します（前述「第三節　地上権」参照）。

なお、立木一代限りとして設定された地上権などのようにその残存期間が不確定な地上権にあっては、課税時期の現況により、立木の伐採に至るまでの期間をもってその残存期間とします（評基通53）。

また、分収林契約に基づき設定された地上権の価額は、その地上権が分収林契約に基づかないで設定されたものとした場合の価額に、その地上権者の有する分収割合を乗じて算出した金額によって評価します（評基通55）。

－1359－

第一章第七節《原野、牧場、池沼及び鉱泉地の評価》

7 山林に係る区分地上権及び区分地上権に準ずる地役権

山林に係る区分地上権の価額は、第四節の3に準じて評価します（評基通53-2）。また、山林に係る区分地上権に準ずる地役権の価額は、その区分地上権に準ずる地役権の目的となっている承役地である山林の自用地としての価額を基とし、第四節の4に準じて評価します（評基通53-3）。

8 山林に係る賃借権

山林に係る賃借権の価額は、次に掲げる区分に従って評価します。

（1） 純山林に係る賃借権の価額は、その賃借権の残存期間に応じ、地上権の評価に準じて評価します。この場合、契約に係る賃借権の残存期間がその権利の目的となっている山林の上に存する立木の現況に照らし更新されることが明らかであると認められるときは、その契約に係る賃借権の残存期間に、更新によって延長されると認められる期間を加算した期間をもって賃借権の残存期間とします（評基通54(1)）。

（2） 中間山林に係る賃借権の価額は、賃貸借契約の内容、利用状況等に応じ、上記（1）又は次の（3）の定めにより求めた価額によって評価します（評基通54(2)）。

（3） 市街地山林に係る賃借権の価額は、その山林の付近にある宅地に係る借地権の価額などを参酌して求めた金額によって評価します（評基通54(3)）。

（4） 分収林契約に基づき設定された賃借権の価額は、その賃借権が分収林契約に基づかないで設定されたものとした場合の価額に、その賃借権者の有する分収割合を乗じて算出した金額によって評価します（評基通55）。

9 土地の上に存する権利が競合する場合の賃借権又は地上権

土地の上に存する権利が競合する場合の賃借権又は地上権の価額は、次に掲げる区分に従い、それぞれ次の算式により計算した金額によって評価します（評基通54-2）。

（1） 賃借権又は地上権及び区分地上権が設定されている場合の賃借権又は地上権の価額

$$\begin{pmatrix} 8により評価した賃借 \\ 権の価額又は6により \\ 評価した地上権の価額 \end{pmatrix} \times \left(1 - \frac{7により評価した区分地上権の価額}{その山林の自用地としての価額} \right)$$

（2） 区分地上権に準ずる地役権が設定されている承役地に賃借権又は地上権が設定されている場合の賃借権又は地上権の価額

$$\begin{pmatrix} 8により評価した賃借 \\ 権の価額又は6により \\ 評価した地上権の価額 \end{pmatrix} \times \left(1 - \frac{7により評価した区分地上権に準ずる地役権の価額}{その山林の自用地としての価額} \right)$$

第七節 原野、牧場、池沼及び鉱泉地

原野、牧場、池沼及び鉱泉地について、それぞれの評価方法を定めていますから、個々の該当事例については、国税庁ホームページ（https://www.nta.go.jp/）をご覧ください。

第八節　雑種地及び雑種地の上に存する権利

1　評価の単位

　雑種地とは、宅地、農地、山林、原野、牧場、池沼、鉱泉地以外の土地で、例えば、遊園地、運動場、ゴルフ場、競馬場、野球場、発電所敷地、テニスコート、ドック、引込線敷地、鉄塔敷地、鉄軌道用地などをいいます。

　雑種地の価額は、利用の単位となっている一団の雑種地（同一の目的に供されている雑種地をいいます。）ごとに評価します。雑種地の上に存する権利についても同様です。

　ただし、市街化調整区域以外の都市計画区域で市街地的形態を形成する地域において、2の本文の定めにより評価する宅地と状況が類似する雑種地が2以上の評価単位により一団となっており、その形状、地積の大小、位置等からみてこれらを一団として評価することが合理的と認められる場合には、その一団の雑種地ごとに評価します。この場合において、第二節の1の**(2)**《分割が著しく不合理な場合の評価単位》（1314ページ参照）に該当するときは、これを準用します（評基通7-2(7)）。

(注)　いずれの用にも供されていない一団の雑種地については、その全体を「利用の単位となっている一団の雑種地」とすることに留意してください（評基通7-2(注)3）。

2　雑種地の評価

　雑種地の価額は、原則として、その雑種地と状況が類似する付近の土地について第七節までに定めるところにより評価した1㎡当たりの価額を基とし、その土地とその雑種地との位置、形状等の条件の差を考慮して評定した価額に、その雑種地の地積を乗じて計算した金額によって評価します。

　例えば、市街化調整区域内の雑種地について、状況が類似する付近の土地が宅地であるため、宅地の価額を基に評価する場合には、建築規制等に基づくしんしゃくが必要です。この場合、一般的な市街化調整区域内の雑種地であり、原則として建物の建築が禁止されている区域である場合には、「区分地上権に準ずる地役権の評価」（評基通27-5）の規定に準じてしんしゃく割合（減価率）を50%とするのが相当と認められます。また、店舗等の建築が可能な幹線道路沿いや市街化区域との境界付近については、上記規定の家屋の構造、用途等に制限を受ける場合の減価率30%をしんしゃく割合とするのが相当と認められます。ただし、この地域のうち、例えば、周囲に郊外店舗等が建ち並び、雑種地であっても宅地価格と同等の取引が行われている実態があると認められる場合には、しんしゃく割合は0%とするのが相当と考えられます。

　なお、その雑種地を倍率方式により評価することとされている地域にある雑種地の価額は、その雑種地の固定資産税評価額に定められた倍率を乗じて計算した金額によって評価します（評基通82）。

3　ゴルフ場の用に供されている土地

　ゴルフ場の用に供されている土地（以下「ゴルフ場用地」といいます。）は、次に掲げる区分に従い、それぞれ次に掲げるところにより評価します（評基通83）。

イ　市街化区域及びそれに近接する地域にあるゴルフ場用地の価額

　　市街化区域及びそれに近接する地域にあるゴルフ場用地の価額は、そのゴルフ場用地が宅地であるとした場合の1㎡当たりの価額にそのゴルフ場用地の地積を乗じて計算した金額の100分の60に相当する金額から、そのゴルフ場用地を宅地に造成する場合において通常必要と認められる1㎡当たりの造成費に相当する金額として国税局長の定める金額にそのゴルフ場用地の地積を乗じて計算した金額を控除した価額によって評価します。なお、この場合における宅地造成費の金額は、市街地農地等の評価に係る宅地造成費の金額です。

（宅地であるとした場合の1㎡当たりの価額×地積×60％）－（1㎡当たりの造成費×地積）
＝ゴルフ場用地の評価額

(注) そのゴルフ場用地が宅地であるとした場合の1㎡当たりの価額は、そのゴルフ場用地が路線価地域にある場合には、そのゴルフ場用地の周囲に付されている路線価をそのゴルフ場用地に接する距離によって加重平均した金額によることができ、倍率地域にある場合には、そのゴルフ場用地の1㎡当たりの固定資産税評価額（固定資産税評価額を土地課税台帳又は土地補充課税台帳に登録された地積で除して求めた額）にゴルフ場用地ごとに不動産鑑定士等による鑑定評価額、精通者意見価格等を基として国税局長の定める倍率を乗じて計算した金額によることができます。

ロ イ以外の地域にあるゴルフ場用地の価額

イ以外の地域にあるゴルフ場用地の価額は、そのゴルフ場用地の固定資産税評価額に、一定の地域ごとに不動産鑑定士等による鑑定評価額、精通者意見価格等を基として国税局長の定める倍率を乗じて計算した金額によって評価します。

〔計算例〕市街化区域及びそれに近接する地域における計算例

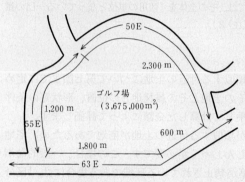

① 宅地であるとした場合の1㎡当たりの価額の計算

$$\frac{1,800m×63,000円+1,200m×55,000円+2,300m×50,000円+600m×63,000円}{1,800m+1,200m+2,300m+600m}=$$

$$\frac{332,200,000円}{5,900m}=56,305円$$

② 1㎡当たりの造成費　　12,200円と仮定します。

③ 評価額

(56,305円×3,675,000㎡×60％) － (12,200円×3,675,000㎡) ＝79,317,525,000円

なお、上記イ又はロの定めの適用があるゴルフ場用地は、原則として、ホール数が18ホール以上であり、コースの総延長をホール数で除して得た数値（以下「ホールの平均距離」といいます。）が100m以上あるもの（総面積が10万㎡未満のものを除きます。）及び18ホール未満のものであっても、ホールの数が9ホール以上あり、かつホールの平均距離がおおむね150m以上のものを対象としています。したがって、いわゆるミニゴルフ場は含まないことに注意する必要があります。

4　遊園地等の用に供されている土地

遊園地、運動場、競馬場その他これらに類似する施設（以下「遊園地等」といいます。）の用に供されている土地の価額は、原則として、2に準じて評価します。

ただし、その規模等の状況からゴルフ場用地と同様に評価することが相当と認められる遊園地等の用に供されている土地の価額は、3に準じて評価することとされます。この場合において、3のイに定める造成費に相当する金額については、第六節の2の(3)《市街地山林》の定めにより国税局長が定める金額とされます（評基通83－2）。

(注) 規模等の状況からゴルフ場用地と同様に評価することが相当と認められる遊園地等の用に供されている土地とは、その遊園地等の地積がおおむね10万平方メートル以上のものをいいます。

第一章第八節《雑種地及び雑種地の上に存する権利の評価》

5　鉄軌道用地

　鉄道又は軌道の用に供する土地（以下「鉄軌道用地」といいます。）の価額は、その鉄軌道用地に沿接する土地の価額の３分の１に相当する金額によって評価します。この場合における「その鉄軌道用地に沿接する土地の価額」は、その鉄軌道用地をその沿接する土地の地目、価額の相違等に基づいて区分し、その区分した鉄軌道用地に沿接するそれぞれの土地の価額を考慮して評定した価額の合計額によります（評基通84）。

6　貸し付けられている雑種地

　賃借権、地上権等の目的となっている雑種地の価額は、次に掲げる区分に従い、それぞれ次に掲げるところにより評価します（評基通86）。
（１）　賃借権の目的となっている雑種地の価額は、原則として、**2**から**5**までにより評価した雑種地の価額（以下第八節において「**自用地としての価額**」といいます。）から、**8**により評価したその賃借権の価額を控除した金額によって評価します。
　　　ただし、その賃借権の価額が、次に掲げる賃借権の区分に従いそれぞれ次に掲げる金額を下回る場合には、その雑種地の自用地としての価額から次に掲げる金額を控除した金額によって評価します。
　　イ　地上権に準ずる権利として評価することが相当と認められる賃借権（例えば、賃借権の登記がされているもの、設定の対価として権利金その他の一時金の授受のあるもの、堅固な構築物の所有を目的とするものなどがこれに該当します。）
　　　　その雑種地の自用地としての価額に、その賃借権の残存期間に応じ次に掲げる割合を乗じて計算した金額
　　　（イ）　残存期間が５年以下のもの　　　　　　　100分の5
　　　（ロ）　残存期間が５年を超え10年以下のもの　　100分の10
　　　（ハ）　残存期間が10年を超え15年以下のもの　　100分の15
　　　（ニ）　残存期間が15年を超えるもの　　　　　　100分の20
　　ロ　イに該当する賃借権以外の賃借権
　　　　その雑種地の自用地としての価額に、その賃借権の残存期間に応じイに掲げる割合の２分の１に相当する割合を乗じて計算した金額
（２）　地上権の目的となっている雑種地の価額は、その雑種地の自用地としての価額から第三節《地上権》の規定により評価したその地上権の価額を控除した金額によって評価します。
（３）　区分地上権の目的となっている雑種地の価額は、その雑種地の自用地としての価額から**9**により評価したその区分地上権の価額を控除した金額によって評価します。
（４）　区分地上権に準ずる地役権の目的となっている承役地である雑種地の価額は、その雑種地の自用地としての価額から**9**により評価したその区分地上権に準ずる地役権の価額を控除した金額によって評価します。
（**注**）　上記（１）又は（２）において、賃借人又は地上権者がその雑種地の造成を行っている場合には、その造成が行われていないものとして**2**により評価した価額から、その価額を基として**8**に準じて評価したその賃借権の価額又は第三節の規定により評価した地上権の価額を控除した金額によって評価します。

7　土地の上に存する権利が競合する場合の雑種地

　土地の上に存する権利が競合する場合の雑種地の価額は、次に掲げる区分に従い、それぞれ次の算式により計算した金額によって評価します（評基通86－2）。
　イ　賃借権又は地上権及び区分地上権の目的となっている雑種地の価額

－1363－

第一章第八節《雑種地及び雑種地の上に存する権利の評価》

$$\genfrac{}{}{0pt}{}{\text{その雑種地}}{\text{の自用地と}}_{\text{しての価額}} - \left(\genfrac{}{}{0pt}{}{\textbf{9}\text{により評価した}}{\text{区分地上権の価額}} + \genfrac{}{}{0pt}{}{\textbf{10}\text{のイにより評価した賃}}{\text{借権又は地上権の価額}}\right)$$

ロ　区分地上権及び区分地上権に準ずる地役権の目的となっている承役地である雑種地の価額

$$\genfrac{}{}{0pt}{}{\text{その雑種地}}{\text{の自用地と}}_{\text{しての価額}} - \left(\genfrac{}{}{0pt}{}{\textbf{9}\text{により評価した}}{\text{区分地上権の価額}} + \genfrac{}{}{0pt}{}{\textbf{9}\text{により評価した区分地上}}{\text{権に準ずる地役権の価額}}\right)$$

ハ　賃借権又は地上権及び区分地上権に準ずる地役権の目的となっている承役地である雑種地の価額

$$\genfrac{}{}{0pt}{}{\text{その雑種地の自用}}{\text{地としての価額}} - \left(\genfrac{}{}{0pt}{}{\textbf{9}\text{により評価した区分地上}}{\text{権に準ずる地役権の価額}} + \genfrac{}{}{0pt}{}{\textbf{10}\text{のロにより評価した賃}}{\text{借権又は地上権の価額}}\right)$$

8　雑種地に係る賃借権

　雑種地に係る賃借権の価額は、原則として、その賃貸借契約の内容、利用の状況等を勘案して評定した価額によって評価します。ただし、次に掲げる区分に従い、それぞれ次に掲げるところにより評価することができます（評基通87）。

イ　地上権に準ずる権利として評価することが相当と認められる賃借権（例えば、賃借権の登記がされているもの、設定の対価として権利金その他の一時金の授受のあるもの、堅固な構築物の所有を目的とするものなどがこれに該当します。）の価額は、その雑種地の自用地としての価額に、その賃借権の残存期間に応じその賃借権が地上権であるとした場合に適用される第三節《地上権》に規定する割合（以下「法定地上権割合」といいます。）又はその賃借権が借地権であるとした場合に適用される借地権割合のいずれか低い割合を乗じて計算した金額によって評価します。

$$\genfrac{}{}{0pt}{}{\text{雑種地の自用地}}{\text{としての価額}} \times \genfrac{}{}{0pt}{}{\text{残存期間に応じた法定地上権割合と}}{\text{借地権割合のいずれか低い方の割合}}$$

ロ　イに掲げる賃借権以外の賃借権の価額は、その雑種地の自用地としての価額に、その賃借権の残存期間に応じその賃借権が地上権であるとした場合に適用される法定地上権割合の２分の１に相当する割合を乗じて計算した金額によって評価します。

$$\text{雑種地の自用地としての価額} \times \text{残存期間に応じた法定地上権割合} \times \frac{1}{2}$$

9　雑種地に係る区分地上権及び区分地上権に準ずる地役権

　雑種地に係る区分地上権の価額は、第四節の3《区分地上権》に準じて評価します（評基通87－2）。また、雑種地に係る区分地上権に準ずる地役権の価額は、その区分地上権に準ずる地役権の目的となっている承役地である雑種地の自用地としての価額を基とし、第四節の4《区分地上権に準ずる地役権》に準じて評価します（評基通87－3）。

10　土地の上に存する権利が競合する場合の賃借権又は地上権

　土地の上に存する権利が競合する場合の賃借権又は地上権の価額は、次に掲げる区分に従い、それぞれ次の算式により計算した金額によって評価します（評基通87－4）。

イ　賃借権又は地上権及び区分地上権が設定されている場合の賃借権又は地上権の価額

$$\genfrac{}{}{0pt}{}{\textbf{8}\text{により評価した賃借権の価額}}{\text{又は第三節の規定により評価し}}_{\text{た地上権の価額}} \times \left(1 - \genfrac{}{}{0pt}{}{\textbf{9}\text{により評価した区分地上権の価額}}{\text{その雑種地の自用地としての価額}}\right)$$

ロ　区分地上権に準ずる地役権が設定されている承役地に賃借権又は地上権が設定されている場合の賃借権又は地上権の価額

－1364－

第一章第八節《雑種地及び雑種地の上に存する権利の評価》

$$\text{8により評価した賃借権の価額}\atop\text{又は第三節の規定により評価し}\atop\text{た地上権の価額}\times\left(1-\frac{\text{9により評価した区分地上権に準ずる地役権の価額}}{\text{その雑種地の自用地としての価額}}\right)$$

11 占用権

占用権の価額は、次に掲げる区分に従い、それぞれに掲げる算式で計算した金額で評価します（評基通87－5）。

イ　取引事例のある占用権

占用権の目的となっている土地の価額×国税局長が定める割合（占用権割合）

ロ　イ以外の占用権で、地下街又は家屋の所有を目的とする占用権

占用権の目的となっている土地の価額×借地権割合×$\dfrac{1}{3}$

ハ　イ及びロ以外の占用権

$$\text{占用権の目的となっ}\atop\text{ている土地の価額}\times\left(\text{占用権の残存期間に応じて占用権が地上権で}\atop\text{あるとした場合に適用される法定地上権割合}\right)\times\frac{1}{3}$$

（注） 上記ハの「占用権の残存期間」は、占用の許可に係る占用の期間が、占用の許可に基づき所有する工作物、過去における占用の許可の状況、河川等の工事予定の有無等に照らし実質的に更新されることが明らかであると認められる場合には、その占用の許可に係る占用権の残存期間に実質的な更新によって延長されると認められる期間を加算した期間をもってその占用権の残存期間とします。

なお、占用の許可に基づき所有する家屋が貸家に該当する場合の占用権の価額は、次の算式により計算した価額によって評価します（評基通87－7）。

$$\text{上記により評価したそ}\atop\text{の占用権の価額（A）}-A\times\text{その家屋に係}\atop\text{る借家権割合}\times\text{その家屋に係}\atop\text{る賃貸割合}$$

12 占用権の目的となっている土地

占用権の目的となっている土地の価額は、その占用権の目的となっている土地の付近にある土地について、評価基本通達の定めるところにより評価した1㎡当たりの価額を基とし、その土地とその占用権の目的となっている土地との位置、形状等の条件差及び占用の許可の内容を勘案した価額に、その占用の許可に係る土地の面積を乗じて計算した金額によって評価します（評基通87－6）。

13 都市公園の用地として貸し付けられている土地

都市公園法第2条第1項第1号に規定する公園又は緑地（堅固な公園施設が設置されているもので、面積が500㎡以上のものに限ります。）の用に供されている土地として貸し付けられているもので、次の要件を備えているものについては、その土地が都市公園の用地として貸し付けられていないものとして評価した価額から、その価額に100分の40を乗じて計算した金額を控除した金額によって評価します（平成4年4月22日付課評2－4、課資2－122）。

（1）　土地所有者と地方公共団体との土地貸借契約に次の事項の定めがあること

イ　貸付けの期間が20年以上であること

ロ　正当な事由がない限り貸付けを更新すること

ハ　土地所有者は、貸付けの期間の中途において正当な事由がない限り土地の返還を求めることはできないこと

（2）　相続税又は贈与税の申告期限までに、その土地について権原を有することとなった相続人又は受贈者全員から当該土地を引き続き公園用地として貸し付けることに同意する旨の申出書が提出さ

－1365－

れていること

なお、この取扱いの適用を受けるに当たっては、その土地が都市公園の用地として貸し付けられている土地に該当する旨の地方公共団体の証明書（上記（2）に掲げた申出書の写しの添付があるものに限ります。）を所轄税務署長に提出する必要があります。

14　特定市民農園の用地として貸し付けられている土地

特定市民農園（次の各基準のいずれにも該当する借地方式による市民農園であって、都道府県及び政令指定都市が設置するものは農林水産大臣及び国土交通大臣から、その他の市町村が設置するものは都道府県知事からその旨の認定書の交付を受けたものをいいます。）の用地として貸し付けられている土地は、その土地が特定市民農園の用地として貸し付けられていないものとして評価した価額から、その価額に100分の30を乗じて計算した金額を控除した金額によって評価します（平成6年12月19日付課評2－15、課資2－212）。

（1）　地方公共団体が設置する市民農園整備促進法第2条第2項の市民農園であること

（2）　地方自治法第244条の2第1項に規定する条例で設置される市民農園であること

（3）　その市民農園の区域内に設けられる施設が、市民農園整備促進法第2条第2項第2号に規定する市民農園施設のみであること

（4）　その市民農園の区域内に設けられる建築物の建築面積の総計が、その市民農園の敷地面積の100分の12を超えないこと

（5）　その市民農園の開設面積が500㎡以上であること

（6）　市民農園の開設者である地方公共団体がその市民農園を公益上特別の必要がある場合その他正当な事由なく廃止（特定市民農園の要件に該当しなくなるような変更を含みます。）しないこと

　　　なお、この要件については「特定市民農園の基準に該当する旨の認定申請書」への記載事項とします。

（7）　土地所有者と地方公共団体との土地貸借契約に次の事項の定めがあること

　イ　貸付期間が20年以上であること

　ロ　正当な事由がない限り貸付けを更新すること

　ハ　土地所有者は、貸付けの期間の中途において正当な事由がない限り土地の返還を求めることはできないこと

なお、この取扱いの適用を受けるに当たっては、その土地が、課税時期において特定市民農園の用地として貸し付けられている土地に該当する旨の地方公共団体の長の証明書（相続税又は贈与税の申告期限までに、その土地について権原を有することとなった相続人、受遺者又は受贈者全員からその土地を引き続き特定市民農園の用地として貸し付けることに同意する旨の申出書の添付があるものに限ります。）を所轄税務署長に提出する必要があります。

第一章第八節《雑種地及び雑種地の上に存する権利の評価》

≪参考１≫　土地及び土地の上に存する権利の評価明細書

土地及び土地の上に存する権利の評価明細書（第１表）			局(所)	署	年分	ページ

(住居表示)	(	)	所有者	住　所 (所在地)		使用者	住　所 (所在地)		（令和六年分以降用）
所在地番				氏　名 (法人名)			氏　名 (法人名)		

地　　目	地　積	路　　　　線　　　　価				地形図及び参考事項
宅地　山林 田 畑　雑種地 （　　　）	㎡	正面 円	側方 円	側方 円	裏面 円	

間口距離	m	利用区分	自用地　私　道 貸宅地　貸家建付借地権 貸家建付地　転貸借地権 借地権　（　　　　　）	地区区分	ビル街地区　普通住宅地区 高度商業地区　中小工場地区 繁華街地区　大工場地区 普通商業・併用住宅地区
奥行距離	m				

			(1㎡当たりの価額)円	
自 用 地 １ 平 方 メ ｜ ト ル 当 た り の 価 額	1　一路線に面する宅地 （正面路線価）　　　　　　　（奥行価格補正率） 　　円　×			A
	2　二路線に面する宅地 　　（A）　　　　［側方・裏面 路線価］（奥行価格補正率）　　　［側方・二方 路線影響加算率］ 　　円　＋　（　　円　×　　　×　0.　　　）		(1㎡当たりの価額)円	B
	3　三路線に面する宅地 　　（B）　　　　［側方・裏面 路線価］（奥行価格補正率）　　　［側方・二方 路線影響加算率］ 　　円　＋　（　　円　×　　　×　0.　　　）		(1㎡当たりの価額)円	C
	4　四路線に面する宅地 　　（C）　　　　［側方・裏面 路線価］（奥行価格補正率）　　　［側方・二方 路線影響加算率］ 　　円　＋　（　　円　×　　　×　0.　　　）		(1㎡当たりの価額)円	D
	5-1　間口が狭小な宅地等 　　（AからDまでのうち該当するもの）（間口狭小補正率）（奥行長大補正率） 　　円　×　（　.　　×　　.　　　）		(1㎡当たりの価額)円	E
	5-2　不　整　形　地 　　（AからDまでのうち該当するもの）　不整形地補正率※ 　　円　×　　　0. 　※不整形地補正率の計算 　（想定整形地の間口距離）（想定整形地の奥行距離）（想定整形地の地積） 　　　m　×　　　m　＝　　　㎡ 　（想定整形地の地積）（不整形地の地積）（想定整形地の地積）（かげ地割合） 　（　　㎡　－　　㎡）÷　　㎡　＝　　　％ 　（不整形地補正率表の補正率）（間口狭小補正率）（小数点以下2位未満切捨て） 　　0.　　×　　.　　＝　0.　　①　　［不整形地補正率 　（奥行長大補正率）（間口狭小補正率）　　　　　　①、②のいずれか低い 　　0.　　×　　.　　＝　0.　　②　　率、0.6を下限とする。］ 　　　　　　　　　　　　　　　　　　　　　　　0.		(1㎡当たりの価額)円	F
	6　地積規模の大きな宅地 　　（AからFまでのうち該当するもの）　規模格差補正率※ 　　円　×　　　0. 　※規模格差補正率の計算 　（地積（Ⓐ））　（Ⓑ）　（Ⓒ）　（地積（Ⓐ））　（小数点以下2位未満切捨て） 　｛（　㎡×　　＋　　）÷　　㎡｝× 0.8　＝　0.		(1㎡当たりの価額)円	G
	7　無　道　路　地 　　（F又はGのうち該当するもの）　　　　（※） 　　円　×　（　1　－　0.　　） 　※割合の計算（0.4を上限とする。）　（F又はGのうち 　（正面路線価）　（通路部分の地積）　該当するもの）　（評価対象地の地積） 　　円　×　　　㎡　÷　（　円　×　　　㎡）＝ 0.		(1㎡当たりの価額)円	H
	8-1　がけ地等を有する宅地　〔南　、東　、西　、北〕 　　（AからHまでのうち該当するもの）　　（がけ地補正率） 　　円　×		(1㎡当たりの価額)円	I
	8-2　土砂災害特別警戒区域内にある宅地 　　（AからHまでのうち該当するもの）　　特別警戒区域補正率※ 　　円　×　　0. 　※がけ地補正率の適用がある場合の特別警戒区域補正率の計算（0.5を下限とする。） 　　　　　　　　　　　　　〔南　、東　、西　、北〕 　（特別警戒区域補正率表の補正率）（がけ地補正率）（小数点以下2位未満切捨て） 　　0.　　×　0.　　＝　0.		(1㎡当たりの価額)円	J
	9　容積率の異なる2以上の地域にわたる宅地 　　（AからJまでのうち該当するもの）　（控除割合（小数点以下3位未満四捨五入）） 　　円　×　（　1　－　0.　　）		(1㎡当たりの価額)円	K
	10　私　　　道 　　（AからKまでのうち該当するもの） 　　円　×　　0.3		(1㎡当たりの価額)円	L

自用地の評価額	自用地1平方メートル当たりの価額 （AからLまでのうちの該当記号） （　　）　　　　　　　円	地　　積 ㎡	総　　　　　　　額 （自用地1㎡当たりの価額）×（地　積） 円	M

(注) 1 5-1の「間口が狭小な宅地等」と5-2の「不整形地」は重複して適用できません。
　　 2 5-2の「不整形地」の「AからDまでのうち該当するもの」欄の価額について、AからDまでの欄で計算できない場合には、（第2表）の「備考」欄等で計算してください。
　　 3 「がけ地等を有する宅地」であり、かつ、「土砂災害特別警戒区域内にある宅地」である場合については、8-1の「がけ地等を有する宅地」欄ではなく、8-2の「土砂災害特別警戒区域内にある宅地」欄で計算してください。

(資4-25-1-A4統一)

※　この評価明細書は、国税庁のホームページ（https://www.nta.go.jp/）から出力して使用することができます。

－1367－

第一章第八節《雑種地及び雑種地の上に存する権利の評価》

土地及び土地の上に存する権利の評価明細書（第2表）

セットバックを必要とする宅地の評価額	（自用地の評価額） 円 － （ （自用地の評価額） 円 × （該当地積） $\dfrac{㎡}{（総地積）㎡}$ × 0.7 ）			（自用地の評価額） 円	N
都市計画道路予定地の区域内にある宅地の評価額	（自用地の評価額） 円 × 0. （補正率）			（自用地の評価額） 円	O
大規模工場用地等の評価額	○ 大規模工場用地等 （正面路線価） 円 × （地積）㎡ （地積が20万㎡以上の場合は0.95）			円	P
	○ ゴルフ場用地等 （宅地とした場合の価額）（地積） （ 円 × ㎡×0.6） － （ （1㎡当たりの造成費） 円× （地積）㎡）			円	Q
区分所有財産に係る敷地利用権の評価額	（自用地の評価額） 円 × （敷地利用権（敷地権）の割合） ———————			（自用地の評価額） 円	R
	居住用の区分所有財産 （自用地の評価額） 円 × 0. （区分所有補正率）			（自用地の評価額） 円	S

	利用区分	算 式	総 額	記号
総額計算による価額	貸宅地	（自用地の評価額） 円 × （1－0. （借地権割合） ）	円	T
	貸家建付地	（自用地の評価額又はV） 円 × （1－0. （借地権割合） ×0. （借家権割合） × $\dfrac{㎡}{㎡}$ （賃貸割合））	円	U
	目的となっている土地（　権の　）	（自用地の評価額） 円 × （1－0. （　割合） ）	円	V
	借地権	（自用地の評価額） 円 × 0. （借地権割合）	円	W
	貸家建付借地権	（W，ADのうちの該当記号） （　） 円 × （1－0. （借家権割合） × $\dfrac{㎡}{㎡}$ （賃貸割合））	円	X
	転貸借地権	（W，ADのうちの該当記号） （　） 円 × （1－0. （借地権割合） ）	円	Y
	転借権	（W，X，ADのうちの該当記号） （　） 円 × 0. （借地権割合）	円	Z
	借家人の有する権利	（W，Z，ADのうちの該当記号） （　） 円 × 0. （借家権割合） × $\dfrac{㎡}{㎡}$ （賃借割合））	円	AA
	（　権）	（自用地の評価額） 円 × （　割合）	円	AB
	権利が競合する場合の競合する権利	（T，Vのうちの該当記号） （　） 円 × （1－0. （　割合） ）	円	AC
	他の権利と競合する場合の競合する権利	（W，ABのうちの該当記号） （　） 円 × （1－0. （　割合） ）	円	AD
備考				

（注）　区分地上権と区分地上権に準ずる地役権とが競合する場合については、備考欄等で計算してください。

（資4－25－2－A4統一）

※　この評価明細書は、国税庁のホームページ（https://www.nta.go.jp/）から出力して使用することができます。

第一章第八節《雑種地及び雑種地の上に存する権利の評価》

≪参考２≫　市街地農地等の評価明細書

市 街 地 農 地 等 の 評 価 明 細 書

市 街 地 農 地　　市 街 地 山 林
市街地周辺農地　　市 街 地 原 野

（平成十八年分以降用）

所 在 地 番						
現 況 地 目				① 地 積		㎡
評価の基とした宅地の1平方メートル当たりの評価額	所 在 地 番			③ （ 評 価 額 ）		
	② 評価額の計算内容					円
評価する農地等が宅地であるとした場合の1平方メートル当たりの評価額	④ 評価上考慮したその農地等の道路からの距離、形状等の条件に基づく評価額の計算内容			⑤ （ 評 価 額 ）		
						円

宅地造成費の計算	平坦地	整地費	整 地 費	（ 整 地 を 要 す る 面 積 ）　　　　（ 1 ㎡ 当たりの整地費 ） ㎡ ×　　　　　　　　円	⑥	円
			伐採・抜根費	（伐採・抜根を要する面積）　　　　（ 1 ㎡当たりの伐採・抜根費 ） ㎡ ×　　　　　　　　円	⑦	円
			地 盤 改 良 費	（地盤改良を要する面積）　　　　（ 1 ㎡当たりの地盤改良費 ） ㎡ ×　　　　　　　　円	⑧	円
		土 盛 費		（ 土 盛りを要する面積 ）（ 平均の高さ ）（ 1 ㎡当たりの土盛費 ） ㎡ ×　　　　m ×　　　　円	⑨	円
		土 止 費		（ 擁 壁 面 の 長 さ ）（ 平均の高さ ）（ 1 ㎡当たりの土止費 ） m ×　　　　m ×　　　　円	⑩	円
		合 計 額 の 計 算		⑥ ＋ ⑦ ＋ ⑧ ＋ ⑨ ＋ ⑩	⑪	円
		1 ㎡当たりの計算		⑪ ÷ ①	⑫	円
	傾斜地	傾斜度に係る造成費		（ 傾 斜 度 ）　　　　　　度	⑬	円
		伐 採 ・ 抜 根 費		（伐採・抜根を要する面積）　　　　（ 1 ㎡当たりの伐採・抜根費 ） ㎡ ×　　　　　　　　円	⑭	円
		1 ㎡当たりの計算		⑬　 ＋ （ ⑭ ÷ ① ）	⑮	円

市 街 地 農 地 等 の 評 価 額	（ ⑤ － ⑫ （ 又 は ⑮ ） ）× ① （注） 市街地周辺農地については、さらに0.8を乗ずる。	円

（注） 1　「②評価額の計算内容」欄には、倍率地域内の市街地農地等については、評価の基とした宅地の固定資産税評価額及び倍率を記載し、路線価地域内の市街地農地等については、その市街地農地等が宅地である場合の画地計算の内容を記載してください。なお、画地計算が複雑な場合には、「土地及び土地の上に存する権利の評価明細書」を使用してください。

2　「④評価上考慮したその農地等の道路からの距離、形状等の条件に基づく評価額の計算内容」欄には、倍率地域内の市街地農地等について、「③評価額」欄の金額と「⑤評価額」欄の金額とが異なる場合に記載し、路線価地域内の市街地農地等については記載の必要はありません。

3　「傾斜地の宅地造成費」に加算する伐採・抜根費は、「平坦地の宅地造成費」の「伐採・抜根費」の金額を基に算出してください。

（資4－26－Ａ4統一）

※　この評価明細書は、国税庁のホームページ（https://www.nta.go.jp/）から出力して使用することができます。

第二章　家屋、借家権及び構築物

第一節　家屋及び借家権

家屋及び借家権の価額は、原則として一棟の家屋ごとに評価します（評基通88、94）。

その評価は次のように計算します。

なお、家屋及び構築物のうち、不動産業者又は家屋建売業者等の所有に係るたな卸資産に該当するものについては、この章に定める評価方法によらず、第五章「動産」の第二節「たな卸商品等」について定める評価方法を準用して評価することになります（評基通4－2）。

◎　**負担付贈与又は低額譲渡に係る建物等の贈与税の評価の特例**……第一章第一節の8（1313ページ）参照。

1　家　　　屋

家屋の価額は、評価する家屋の固定資産税評価額（地方税法第381条《固定資産課税台帳の登録事項》の規定により家屋課税台帳若しくは家屋補充課税台帳に登録された基準年度の価格又は比準価格をいいます。以下第一節において同じ。）に一定の倍率を乗じて計算します（評基通89）。

この場合の一定の倍率は、1.0とされており（評基通別表1）、原則として、固定資産税評価額そのままの金額によって評価することになります。

課税時期において現に建築中の家屋の価額は、その家屋の費用現価（課税時期までに投下された建築費用の額を同時期の価額に引き直した額をいいます。）の70％に相当する金額によって評価します（評基通91）。納税者が直営で建築中の家屋のほか、他に請け負わせて建築中の家屋にもこの評価方法を適用します。

なお、増改築等により家屋の状況に応じた固定資産税評価額が付されていない家屋の価額は、増改築等に係る部分以外の部分に対応する固定資産税評価額に、当該増改築等に係る部分の価額として、当該増改築等に係る家屋と状況の類似した付近の家屋の固定資産税評価額を基としてその付近の家屋との構造、経過年数、用途等の差を考慮して評定した価額（状況の類似した付近の家屋がない場合には、その増改築等に係る部分の再建築価額から課税時期までの間における償却費相当額を控除した価額の70％に相当する金額）を加算した価額（課税時期から申告期限までの間に、その家屋の課税時期の状況に応じた固定資産税評価額が付された場合には、その固定資産税評価額）により評価します。

(注)　居住用の区分所有財産のうち一定のものについては、一室の区分所有権等に係る価額に一定の補正率を乗じて計算した価額によって評価します（令和5年9月28日付課評2－74、課資2－16）。補正率等については、第九章「居住用の区分所有財産の評価」をご参照ください。

また、文化財建造物である家屋の評価（評基通89－2）は、第一章第二節3の(8)参照。

なお、附属設備等は次のように評価します（評基通92）。

(1)　家屋と構造上一体となっている設備

家屋の所有者が有する電気設備（ネオンサイン、投光器、スポットライト、電話機、電話交換機及びタイムレコーダー等を除きます。）、ガス設備、衛生設備、給排水設備、温湿度調整設備、消火設備、避雷針設備、昇降設備、じんかい処理設備等で、その家屋に取り付けられ、その家屋と構造上一体となっているものについては、その家屋の価額に含めて評価します。

(2)　門、塀等の設備

門、塀、外井戸、屋外じんかい処理設備等の附属設備の価額は、その附属設備の再建築価額（課

－1370－

税時期においてその財産を新たに建築又は設備するために要する費用の額の合計額をいいます。）から、建築の時から課税時期までの期間（その期間に１年未満の端数があるときは、その端数は１年とします。）の償却費の額の合計額又は減価の額を控除した金額の70％に相当する金額によって評価します。この場合における償却方法は、定率法（所得税法施行令第120条の２第１項第１号イ（２）又は法人税法施行令第48条の２第１項第１号イ（２）に規定する定率法をいいます。）によるものとし、その耐用年数は減価償却資産の耐用年数等に関する省令（以下「耐用年数省令」といいます。）に規定する耐用年数によります。

（３）庭園設備

　　庭園設備（庭木、庭石、あずまや、庭池等をいいます。）の価額は、その庭園設備の調達価額（課税時期においてその財産をその財産の現況により取得する場合の価額をいいます。）の70％に相当する金額によって評価します。

　(注)　課税時期の属する年において新築した家屋などのように、固定資産課税台帳に登録されていない家屋については、その家屋の付近にある家屋で、構造用途が同一のものの固定資産税評価額を基として適正に評定した価額をもって便宜上その家屋の固定資産税評価額としても差し支えありません。

　《貸家の価額》

　　貸家の価額は、次の算式により計算した価額によって評価します（評基通93）。

　　　上記の規定により評価し　　　　　　その家屋に係　その家屋に係
　　　たその家屋の価額（A）　－ A × る借家権割合 × る賃貸割合

　(注)　「賃貸割合」の意義については、第一章第二節の４の(2)の(イ)の(二)（1341ページ）参照。

２　借家権

　借家権の価額は、次の算式により計算した価額によって評価します。ただし、この権利が権利金等の名称をもって取引される慣行のない地域にあるものについては、評価しません（評基通94）。

　　　１の定めにより評価したその借家　　その家屋に係　その家屋に係
　　　権の目的となっている家屋の価額 × る借家権割合 × る賃借割合

　上記算式における「借家権割合」及び「賃借割合」は、それぞれ次によります。

（一）　「借家権割合」は、国税局長の定める割合によります。

　　借家権割合は、財産評価基準書（評価倍率表）において公表されており、大阪国税局管内の令和６年分の借家権割合は、30％です。

（二）　「賃借割合」は、次の算式により計算した割合によります。

$$\frac{\text{Aのうち賃借している各独立部分の床面積の合計}}{\text{その家屋の各独立部分の床面積の合計（A）}}$$

　(注)　「各独立部分」の意義については、第一章第二節の４の(2)の(イ)の(二)（1341ページ）参照。

第二節　構　築　物

　広告塔、橋、ガソリンスタンド、プールなどの構築物（土地又は家屋と一括して評価するものを除きます。）の価額は、原則として、１個の構築物ごとに評価します。ただし、２個以上の構築物でそれらを分離した場合においては、それぞれの利用価値を著しく低下させると認められるものにあっては、それらを一括して評価します（評基通96）。

　構築物の価額は、その構築物の再建築価額から、建築の時から課税時期までの期間（その期間に１年未満の端数があるときは、その端数は１年とします。）の償却費の額の合計額又は減価の額の合計額を控除した金額の70％に相当する金額によって評価します。この場合における償却方法は、定率法により、その耐用年数は、耐用年数省令に規定する耐用年数によります（評基通97）。

－1371－

第三章　果　樹　等

1　評価の単位

　果樹その他これに類するもの（以下「果樹等」といいます。）は、樹種ごとに、幼齢樹（成熟樹に達しない樹齢のもの）及び成熟樹（その収穫物による収支が均衡する程度の樹齢に達したもの）に区分し、それらの区分に応ずる樹齢ごとに評価します（評基通98）。

2　果樹等の評価

　果樹等の価額は、育成樹齢の区分に従い、それぞれ次に掲げるところによります（評基通99）。

（1）　幼齢樹

　幼齢樹の価額は、植樹の時から課税時期までの期間に要した苗木代、肥料代、薬剤費等の現価の合計額の70％に相当する金額によって評価します。

（2）　成熟樹

　成熟樹の価額は、植樹の時から成熟の時までの期間に要した苗木代、肥料代、薬剤費等の現価の合計額から、成熟の時から課税時期までの期間（その期間に1年未満の端数があるときは、その端数は1年とします。）の償却費の額の合計額を控除した金額の70％に相当する金額により評価します。この場合における償却方法は、所得税法施行令第120条の2第1項第1号又は法人税法施行令第48条の2第1項第1号に規定する定額法によるものとし、その耐用年数は耐用年数省令に規定する耐用年数によります。

3　屋敷内にある果樹等

　屋敷内にある果樹等及び畑の境界にある果樹等でその数量が少なく、かつ、収益を目的として所有するものでないものについては、評価しないこととしています（評基通110）。

第四章　立　竹　木

第一節　評価の単位

　立木及び立竹の価額は、次に掲げる区分に従い、それぞれ次の単位ごとに評価します（評基通111）。
（1）　森林の立木‥‥‥‥‥‥‥‥‥‥‥‥‥‥‥‥‥‥‥樹種及び樹齢を同じくする一団地の立木
（2）　森林の立木以外の立木（（3）に該当する立木を除きます。）‥‥‥1本の立木
（3）　庭園にある立竹木‥‥‥‥‥‥‥‥‥‥‥‥‥‥‥‥その庭園にある立竹木の全部
（4）　立竹（（3）に該当する立木を除きます。）‥‥‥‥‥‥‥一団地にある立竹

第二節　立木の評価

1　森林の主要樹種の立木の評価

　森林の主要樹種の立木の価額は、主要樹種（杉及びひのきをいいます。）についての樹齢別の標準価

－1372－

額に、その森林についての地味級（地味の肥せき）、立木度（立木の密度）及び地利級（立木の搬出の便否）に応じ、それぞれ、別に定める割合を連乗して求めた金額にその森林の地積を乗じて計算した金額によって評価します。この場合において、岩石、がけ崩れ等による不利用地があるときは、その不利用地の地積を除外した地積をその森林の地積とします（評基通113）。

これを算式に示すと、次のとおりです。

標準価額×地味級の割合×立木度の割合×地利級の割合×地積＝立木の価額

（1）　標準価額

標準価額は、原則として、林業地帯ごとに定めます（評基通114）。

森林の主要樹種の立木の標準価額は、標準状態にある森林の立木について、次に掲げる樹齢別の区分に従い、それぞれに掲げる1ヘクタール当たりの価額とします。この場合における「標準状態にある森林の立木」とは、①小出し距離が約300m、小運搬距離が約30kmの地点にあって、②地味級が中級、③立木度が密である森林の立木をいいます（評基通115）。

イ　標準伐期における立木の標準価額

標準伐期における立木の標準価額は、標準状態にある森林の立木の売買実例価額を基とし、精通者意見価格、最寄りの原木市場又は製材工場等における素材価額等を参酌して定める価額によることとされています（評基通115(1)）。

（注）　この標準価額は、財産評価基準書により公表しています。

ロ　樹齢1年以下の立木の標準価額

樹齢1年以下の立木の標準価額は、標準状態にある森林の立木の通常の費用現価の70％に相当する金額によることになっています。この金額は、杉49,000円、ひのき60,000円と定めています（評基通別表2の1）。

なお、費用現価の計算の基となる費用の額は、次に掲げる費用の額からその費用について国及び地方公共団体から交付される補助金の額相当額を控除した金額とされます（評基通115(2)イ）。

①　苗木代又は苗木掘取荷造費の額

②　苗木運搬費の額

③　地ごしらえ費の額

④　植付費の額

⑤　植付後1年間に支出する次の費用の2分の1に相当する金額

下刈費、つる切費、肥料代、鳥獣虫害予防費、防火線修繕費、管理人給料、自家労賃相当額、雑費等の額

ハ　樹齢1年を超えm年未満の立木の標準価額

樹齢1年を超えm年*未満の立木の標準価額は、次に掲げる算式により算出した金額によることになっています（評基通115(2)ロ）。

*（mの値は、杉は37、ひのきは33。以下同じ。）

$$A_i＝C×1.001^{i-1}＋補助金相当額×\frac{m年の標準価額}{標準伐期の標準価額}×\frac{(i-1)^2}{(m-1)^2}$$

上の算式中の符号は、それぞれ次によります。

A_i＝樹齢i年（1年を超えm年未満）における立木の標準価額

C　＝上記ロの①から⑤に掲げる費用の額（ただし、⑤についてはその費用の全額とします。）からその費用について国及び地方公共団体から交付される補助金の額に相当する金額を控除した金額の70％に相当する金額

［この金額は、杉51,000円、ひのき64,000円と定めています（評基通別表2の2）。］

補助金相当額＝Cの金額を計算する場合に控除した補助金の額に相当する金額の70％に相当する金額

第四章《立竹木の評価》

　　　［この金額は、杉205,000円、ひのき258,000円と定めています（評基通別表２の３）。］
　　ｍ年の標準価額＝下記ニの標準価額
　　標準伐期の標準価額＝評基通別表２（主要樹種の森林の立木の標準価額表等）の「６　標準伐期に
　　　ある森林の立木の標準価額表」を基として算出した金額
　　　［この金額は、杉489,000円、ひのき819,000円と定めています（評基通別表２の４）。］
　ニ　樹齢ｍ年の立木の標準価額
　　樹齢ｍ年の立木の標準価額は、樹齢ｍ年の標準状態にある森林の立木の売買実例価額を基とし、精
　通者意見価格、原木市場又は製材工場等における素材価額等を参酌して定める価額によることになっ
　ています（評基通115(2)ハ）。
　　　［この金額は、杉98,000円、ひのき119,000円と定められています（評基通別表２の５）。］
　ホ　樹齢ｍ年を超え標準伐期に達するまでの立木の標準価額
　　樹齢ｍ年を超え標準伐期に達するまでの立木の標準価額は、次に掲げる算式により算出した金額に
　よることになっています（評基通115(2)ニ）。

$$A_i = (A_n - A_m) \times \frac{(i-m)^2}{(n-m)^2} + A_m$$

　　上の算式中の符号は、それぞれ次によります。
　　A_i＝樹齢ｉ年（ｍ年を超え標準伐期まで）における立木の標準価額
　　A_n＝イの標準価額（標準伐期における立木の標準価額）
　　A_m＝ニの標準価額（樹齢ｍ年における立木の標準価額）
　　ｎ＝標準伐期
　ヘ　標準伐期を超え標準伐期の２倍の樹齢までの立木の標準価額
　　標準伐期を超え標準伐期の２倍の樹齢までの立木の標準価額は、標準伐期における立木の標準価額
　を基とし、その樹齢に応じる年利1.5％の利率による複利終価（1517ページ参照）の額を基として定め
　る額によります（評基通115(3)）。
　ト　標準伐期の２倍を超える樹齢の立木の標準価額
　　標準伐期の２倍を超える樹齢の立木の標準価額は、事情精通者の意見を参酌して定めます（同上）。

（２）　地味級、立木度及び地利級

　イ　地味級
　　地味級の割合は、原則として、樹種に応じて、それぞれ地味級判定表（1376ページの付表９参照）
　に定めています（地味級判定表に定めていない樹種又は樹齢の立木については、原則として1.0としま
　す。）。ただし、植栽本数、間伐回数等を著しく異にする林業地帯又は立木の生育度合を異にする林業
　地帯にある立木で、この地味級判定表に定める地味級の割合によることが実情に適しないと認められ
　る場合は、国税局長の定める割合（必要に応じて作成する地味級判定表を含みます。）により地味級を
　判定してもよいことになっています（評基通118）。
　ロ　立木度
　　立木度の判定は、次によります。なお、立木度の割合は、①「密」に該当するものについては1.0、
　②「中庸」に該当するものにあっては0.8、③「疎」に該当するものにあっては0.6です（評基通119）。
　（イ）　植林した山林については、森林の立木の間隔の大小に関係なく、おおむね、その立木度は密と
　　することとし、自然林についてはおおむね中庸とします。
　（ロ）　岩石、がけ崩れ等による不利用地が散在していてその不利用地の地積をその森林の地積から除
　　外することができない森林については、植林した森林はおおむねその立木度は中庸とし、自然林は
　　おおむね疎とします。
　ハ　地利級
　　地利級の判定は、地利級判定表（1377ページの付表10参照）によって行います（評基通121）。

－1374－

第四章《立竹木の評価》

　なお、地味級、立木度及び地利級の各割合を連乗した数値が「総合等級表」となります（1377ページの付表11参照）。

2　森林の主要樹種以外の立木の評価

　森林の主要樹種以外の立木の価額は、原則として、売買実例価額、精通者意見価格等を参酌して評価します。

　ただし、国税局長が標準価額を定めている樹種については、森林の主要樹種に準じて評価します（評基通117）。

3　森林の立木以外の立木の評価

　森林の立木以外の立木（庭園にある立木を除きます。）の価額は、売買実例価額、精通者意見価格等を参酌して評価します（評基通122）。

　なお、庭園にある立竹木については、庭園設備と一括して評価することになりますから、第二章第一節の1の（3）「庭園設備」を参照してください（評基通125）。

4　保安林等の立木

　森林法その他の法令に基づき伐採の禁止又は制限を受ける立木（下記（注）の規定により評価するものを除きます。）の価額は、一般の立木の評価の例に従って評価した価額を基とし、伐採関係の区分に応じて定めた次の割合を乗じて計算した金額を控除した価額によって評価します（評基通123）。

法令に基づき定められた伐採関係の区分	控　除　割　合
一　　部　　皆　　伐	0.3
択　　　　　　　　伐	0.5
単　木　選　伐	0.7
禁　　　　　　　　伐	0.8

（注）　特別緑地保全地区内にある立木

　　　　特別緑地保全地区（第一章第六節2の（5）参照）内にある立木（林業を営むために伐採が認められる立木を除きます。）の価額は、一般の立木の評価の例に従って評価した価額から、その価額に80％を乗じて計算した金額を控除した金額によって評価します（評基通123－2）。

5　立　竹　の　評　価

　立竹（庭園にある立竹を除きます。）の価額は、売買実例価額、精通者意見価格等を参酌して評価します（評基通124）。

　なお、庭園にある立竹については上記3を参照してください。

6　分収林契約に係る造林者の有する立木の評価及び費用負担者、土地所有者の分収期待権の評価

　分収林契約に基づき、その造林に係る立木の全部を造林を行った者（2人以上ある場合には、それらのすべての者）が所有する旨が約されている場合においては、その造林に係る立木の価額は、一般の例によって評価した価額にその造林を行った者の分収割合を乗じて算出した金額によって評価します。

　また、分収林契約に係る費用負担者及び土地所有者が有する分収期待権、すなわち、分収林契約に基づき、造林に係る立木を伐採し又は譲渡した場合において、費用負担者又は土地所有者が取得することとなるその伐採又は譲渡による利益を受けるべき権利については、その造林された立木の価額に、

－1375－

第四章《立竹木の評価》

それぞれこれらの者の分収割合を乗じて計算した金額によって評価します（評基通126、127）。

7　相続税の課税対象となる立木の評価

　相続又は遺贈（包括遺贈又は被相続人からの相続人に対する遺贈に限ります。）により取得した立木の価額は、以上により評価した課税時期における立木の評価額の85％相当額によって評価することとされています（相法26）。なお、この15％控除の特例は、上記6の「分収林契約に係る費用負担者及び土地所有者の有する分収期待権の評価」に当たっても適用されます（評基通127（注））。

付表9

地 味 級 判 定 表

(1)　杉の平均1本当たりの立木材積による地味級判定表

地味級 樹齢	上級	中　　級		下　級	地味級 樹齢	上級	中　　級		下　級
年	m³超	m³以下	m³以上	m³未満	年	m³超	m³以下	m³以上	m³未満
15（14〜17）	0.07	0.07〜0.05		0.05	45（43〜47）	0.48	0.48〜0.34		0.34
20（18〜22）	0.13	0.13〜0.09		0.09	50（48〜52）	0.54	0.54〜0.38		0.38
25（23〜27）	0.20	0.20〜0.14		0.14	55（53〜57）	0.60	0.60〜0.42		0.42
30（28〜32）	0.27	0.27〜0.19		0.19	60（58〜62）	0.65	0.65〜0.46		0.46
35（33〜37）	0.34	0.34〜0.24		0.24	65（63〜67）	0.70	0.70〜0.49		0.49
40（38〜42）	0.41	0.41〜0.29		0.29	70（68〜70）	0.74	0.74〜0.52		0.52
地味級の割合	1.3	1.0		0.6	地味級の割合	1.3	1.0		0.6

(2)　ひのきの平均1本当たりの立木材積による地味級判定表

地味級 樹齢	上級	中　　　　級		下　級	地味級 樹齢	上級	中　　　　級		下　級
年	㎥超	㎥以下	㎥以上	㎥未満	年	㎥超	㎥以下	㎥以上	㎥未満
15（14〜17）	0.05	0.05〜0.03		0.03	45（43〜47）	0.37	0.37〜0.26		0.26
20（18〜22）	0.10	0.10〜0.07		0.07	50（48〜52）	0.41	0.41〜0.29		0.29
25（23〜27）	0.16	0.16〜0.11		0.11	55（53〜57）	0.45	0.45〜0.31		0.31
30（28〜32）	0.22	0.22〜0.15		0.15	60（58〜62）	0.48	0.48〜0.33		0.33
35（33〜37）	0.27	0.27〜0.19		0.19	65（63〜67）	0.51	0.51〜0.36		0.36
40（38〜42）	0.32	0.32〜0.22		0.22	70（68〜70）	0.54	0.54〜0.38		0.38
地味級の割合	1.3	1.0		0.6	地味級の割合	1.3	1.0		0.6

第四章《立竹木の評価》

付表10　地　利　級　判　定　表

（距離単位はキロメートル）

小出し距離 ＼ 小運搬距離	10以内	20以内	30以内	40以内	50以内	60以内	70以内	80以内	90以内	100以内	100超
0.1以内	1級(1.2)					3級(1.0)					
0.2以内	2級(1.1)								5級(0.8)		
0.3以内	3級(1.0)			4級(0.9)						6級(0.7)	
0.4以内	5級(0.8)			6級(0.7)					8級(0.5)		
0.5以内	6級(0.7)			7級(0.6)			8級(0.5)		9級(0.4)		
0.6以内	7級(0.6)						9級(0.4)				
0.7以内	8級(0.5)				9級(0.4)		10級(0.3)			11級(0.2)	
0.8以内	9級(0.4)			10級(0.3)			11級(0.2)				
0.8 超				12級(0.1)							

（注）　小出し距離とは、立木を伐倒し、ケーブルを架設して搬出することを想定した場合におけるケーブルの起点から終点（ケーブルの終点を以下「集材場所」といいます。）までの距離をいい、小運搬距離とは、集材場所から最寄りの原木市場又は製材工場等までの距離をいいます。

付表11　総　合　等　級　表　（地味級、立木度及び地利級の各割合を連乗した数値）

立木度 ＼ 地利級 ＼ 地味級	密			庸			疎		
	上	中	下	上	中	下	上	中	下
1	1.56	1.20	0.72	1.24	0.96	0.57	0.93	0.72	0.43
2	1.43	1.10	0.66	1.14	0.88	0.52	0.85	0.66	0.39
3	1.30	1.00	0.60	1.04	0.80	0.48	0.78	0.60	0.36
4	1.17	0.90	0.54	0.93	0.72	0.43	0.70	0.54	0.32
5	1.04	0.80	0.48	0.83	0.64	0.38	0.62	0.48	0.28
6	0.91	0.70	0.42	0.72	0.56	0.33	0.54	0.42	0.25
7	0.78	0.60	0.36	0.62	0.48	0.28	0.46	0.36	0.21
8	0.65	0.50	0.30	0.52	0.40	0.24	0.39	0.30	0.18
9	0.52	0.40	0.24	0.41	0.32	0.19	0.31	0.24	0.14
10	0.39	0.30	0.18	0.31	0.24	0.14	0.23	0.18	0.10
11	0.26	0.20	0.12	0.20	0.16	0.09	0.15	0.12	0.07
12	0.13	0.10	0.06	0.10	0.08	0.04	0.07	0.06	0.03

第五章　動　産

第一節　一　般　動　産

1　評価の単位

　一般動産の価額は、原則として、1個又は1組ごとに評価します。ここでいう一般動産とは、機械及び装置、器具、工具、備品、車両運搬具や一般家庭用の家具、じゅう器等をいいますが、次のものは、ここでいう一般動産とは別にそれぞれ評価方法が定められています。

（1）　家屋と構造上一体となっている暖房装置、冷房装置、昇降装置、昇降設備、電気設備、給排水設備、消火設備、浴槽設備等の附属設備…………………………家屋の価額に含めて評価します。

（2）　たな卸商品等………………………………………………第二節参照

（3）　牛　馬　等……………………………………………………第三節参照

（4）　書画骨とう品…………………………………………………第四節参照

（5）　船　　　舶……………………………………………………第五節参照

　また、その評価は、原則として1個又は1組ごとに評価するのですが、家庭用動産、農耕用動産、旅館用動産等にあっては、1個又は1組の価額が5万円以下のものについては、それぞれ一括して、一世帯、一農家、一旅館等ごとに評価することができます（評基通128）。

2　一般動産の評価

　一般動産の価額は、原則として、売買実例価額、精通者意見価格等を参酌して評価しますが、売買実例価額、精通者意見価格等が明らかでない動産については、それと同種、同規格の新品の課税時期における小売価額相当額から、その動産の製造の時から課税時期までの期間（1年未満の端数は、1年とします。）の償却費の額の合計額又は減価の額を控除した金額によって評価します（評基通129）。

　なお、以上の場合、償却費の額等の計算を行うについての耐用年数等は、その動産が事業に使用されているか否かを問わず、次によることとされています（評基通130）。

（1）　耐　用　年　数

　耐用年数は、耐用年数省令に規定する耐用年数によります。

（2）　償　却　方　法

　償却方法は、定率法によります。

第二節　たな卸商品等

1　たな卸商品等

　たな卸商品等とは、商品、製品、生産品、原材料、半製品、仕掛品及びその他これらに準ずる動産、すなわち、消耗品、貯蔵品、副産物、作業くず、補助原材料等の事業用動産をいいます（評基通132）。

　また、前にも述べたとおり、不動産業者などが所有している販売を目的とする土地、家屋その他の不動産はたな卸資産に該当すると認められますので、土地、家屋等の各章で述べた評価方法によって評価するのではなく、たな卸商品についての評価方法に準じて評価します（評基通4－2）。

第五章《動産の評価》

2 評 価 の 方 法

たな卸商品等は、次の（1）から（3）までの区分に従って評価します。ただし、これらの方法で個々に評価することが困難な場合には、所得税法施行令第99条《たな卸資産の評価の方法》又は法人税法施行令第28条《たな卸資産の評価の方法》に定める方法、すなわち、個別法、先入先出法、総平均法、移動平均法、最終仕入原価法、売価還元法、低価法のうち、その企業が所得金額の計算上選定している方法によって評価することができます（評基通133）。

（1） 商品、製品及び生産品

商品、製品及び生産品の価額は、その商品等の販売業者等が課税時期において販売する場合の価額から、その価額のうちに含まれる販売業者等に帰属すべき適正利潤の額、課税時期後販売の時までにその販売業者等が負担すると認められる経費（予定経費）の額及びその商品等について納付すべき消費税額(地方消費税額を含みます。以下同じ。)を控除した金額によって評価します(評基通133（1）（4）)。

（2） 原 材 料

原材料の価額は、その原材料を使用する製造業者が課税時期においてこれを購入する場合の仕入価額に、引取りなどに要する運賃その他の経費の額を加算した金額によって評価します（評基通133（2））。

（3） 半製品及び仕掛品

半製品、仕掛品の価額は、製造業者がその半製品又は仕掛品の原材料を課税時期において購入する場合における仕入価額に、その原材料の引取り、加工等に要する運賃、加工費その他の経費の額を加算した金額によって評価します（評基通133（3））。

第三節 牛 馬 等

牛馬等とは、牛、馬、犬、鳥、魚等をいいますが、これらの評価は、原則として、種類別、用途別（例えば、使役用、搾乳用、種付用、愛がん用等の別）、年齢別等に応じて次により評価します。

（1） 販売業者が販売の目的をもって所有するもの及び産とく（子牛）の価額は、たな卸商品等の評価方法に従って評価します。

（2） （1）以外のものについては、売買実例価額、精通者意見価格等を参酌して評価します（評基通134）。

第四節 書画、骨とう品

書画、骨とう品の価額は、売買実例価額、精通者意見価格等を参酌して評価します。

ただし、販売業者が販売の目的をもって有する書画、骨とう品の価額は、たな卸商品等の評価方法により評価します（評基通135）。

第五節 船 舶

船舶の価額は、原則として売買実例価額、精通者意見価格等を参酌して評価します。ただし、売買実例価額、精通者意見価格等が明らかでない船舶については、その船舶と同種同型の船舶を課税時期において新造する場合の価額から、その船舶の建造の時から課税時期までの期間（その期間に1年未満の端数があるときは、その端数は1年とします。）の償却費の額の合計額又は減価の額を控除した価額によって評価します。この場合における経過年数に応じる償却額の計算に当たっては、その償却方法は定率法によるものとし、その耐用年数は耐用年数省令に規定する耐用年数によります（評基通136）。

-1379-

第六章　無体財産権

1　特許権及びその実施権

　特許権の価額は、その特許権に基づいて将来受ける補償金の額の基準年利率《第一章**第一節**第6参照》による複利現価の額（複利現価率は1517ページ参照）の合計額によって評価します（評基通140）。

　しかし、将来受けると認められる補償金の額の合計額が50万円に満たないものは評価しません（評基通144）。

　また、特許権又はその実施権の取得者が自らその特許発明を実施している場合には、特許権又はその実施権の価額は、その者の営業権の価額に含めて評価します（評基通145）。

2　実用新案権、意匠権及びそれらの実施権

　実用新案権、意匠権及びそれらの実施権の価額は、特許権及びその実施権の方法を準用して評価します（評基通146）。

3　商標権及びその使用権

　商標権及びその使用権の価額も2と同様に、特許権及びその実施権の方法を準用して評価します（評基通147）。

4　著作権、著作隣接権及び出版権

　著作権の価額は、著作者の別に一括して評価します。

　しかし、個々の著作物に係る著作権について評価する場合には、その著作権ごとに評価します（評基通148）。

　なお、評価の方法を算式で示すと、次のようになります。

　　　年平均印税収入の額×0.5×評価倍率

　上記の算式の「年平均印税収入の額」、「評価倍率」は次のとおりです。

（1）　年平均印税収入の額

　年平均印税収入の額は、課税時期の属する年の前年以前3年間の印税収入の額の年平均額とします。

　しかし、個々の著作物に係る著作権について評価する場合には、その著作権に係る課税時期の属する年の前年以前3年間の印税収入の額の年平均額とします（評基通148（1））。

（2）　評価倍率

　評価倍率は、課税時期後における各年の印税収入の額が「年平均印税収入の額」であるものとして、著作物について精通している者の意見等を基として推算したその印税収入期間に対応する基準年利率《第一章第一節6参照》による複利年金現価率（1517ページ参照）とします（評基通148（2））。

　著作隣接権の価額は、著作権の評価方法を準用して評価します（評基通154-2）。

　出版権の価額は、出版業を営んでいる者の有するものについては、営業権の価額に含めて評価し、その他の者の有するものにあっては評価しません（評基通154）。

5　電話加入権

　電話加入権の価額は、売買実例価額、精通者意見価格等を参酌して評価します（評基通161）。

第六章《無体財産権の評価》

6 営業権

営業権の価額は、次の算式によって計算した金額によって評価します（評基通165）。

（平均利益金額）×0.5－（標準企業者報酬額）－（総資産価額）×0.05＝（超過利益金額）

（超過利益金額）×（営業権の持続年数（原則として、10年とします。）に応ずる基準年利率による複利年金現価率）＝（営業権の価額）

（注）　医師、弁護士等のようにその者の技術、手腕又は才能等を主とする事業に係る営業権で、その事業者の死亡と共に消滅するものは、評価しません。

なお、上記の算式の「平均利益金額」、「所得の金額」、「企業者報酬の額」、「総資産価額」の計算は次のとおりです。

（1）　平均利益金額

平均利益金額は、課税時期の属する年の前年以前3年間（法人である場合は、課税時期の直前期末以前3年間とします。）における所得の金額の合計額の3分の1に相当する金額（その金額が、課税時期の属する年の前年（法人にあっては、課税時期の直前期末以前1年間とします。）の所得の金額を超える場合には、課税時期の属する年の前年の所得の金額とします。）とします（評基通166(1)）。

この場合における所得の金額は、所得税法第27条《事業所得》第2項に規定する事業所得の金額（法人にあっては、法人税法第22条第1項に規定する所得の金額に損金に算入された繰越欠損金の控除額を加算した金額とします。）とし、その所得の金額の計算の基礎に次に掲げる金額が含まれているときは、これらの金額は、いずれもなかったものとみなして計算した場合の所得の金額とします。

イ　非経常的な損益の額

ロ　借入金等に対する支払利子の額及び社債発行差金の償却費の額

ハ　青色事業専従者給与額又は事業専従者控除額（法人にあっては、損金に算入された役員給与の額）

（2）　標準企業者報酬額

標準企業者報酬額は、次に掲げる平均利益金額の区分に応じ、次に掲げる算式により計算した金額とします（評基通166(2)）。

平均利益金額の区分	標準企業者報酬額
1億円以下	平均利益金額×0.3 ＋1,000万円
1億円超　　3億円以下	〃　　　×0.2 ＋2,000 〃
3　〃　　　5　〃	〃　　　×0.1 ＋5,000 〃
5　〃	〃　　　×0.05＋7,500 〃

（注）　平均利益金額が5,000万円以下の場合は、標準企業者報酬額が平均利益金額の2分の1以上の金額となるので、165《営業権の評価》に掲げる算式によると、営業権の価額は算出されません。

（3）　総資産価額

総資産価額は、評価基本通達に定めるところによって評価した課税時期（法人の場合は、課税時期直前に終了した事業年度の末日とします。）における企業の総資産の価額とします（評基通166(3)）。

7 漁業権

漁業権の価額は次により評価します（評基通163、164）。

（1）　漁業法の規定に基づく漁業権の価額は、営業権の価額に含めて評価します。

（2）　漁業法第36条に規定する漁業及び同法第57条に規定する漁業等を営むことのできる権利の価額も、営業権の価額に含めて評価します。

第六章《無体財産権の評価》

8　鉱業権、租鉱権及び採石権

　これらの評価方法の説明は省略しますが、評価を必要とする場合は、国税庁のホームページ（https://www.nta.go.jp/）をご覧ください。

第六章《無体財産権の評価》

営 業 権 の 評 価 明 細 書

被相続人等の氏名		相続開始等の年月日	・ ・

事業所所在地又は本店所在地		事業の内容		商号又は屋号	
氏名又は法人名					

（平成二十年分以降用）

平均利益金額の計算

年分又は事業年度	① 事業所得の金額又は所得の金額（繰越欠損金の控除額を加算した金額）	② 非経常的な損益の額	③ 支払利子等の額	④ 青色事業専従者給与額等又は損金に算入された役員給与の額	⑤（①±②+③+④）
					⑦　　　　　円
					㋺
前年分又は直前事業年度					㋩

$$（㋑+㋺+㋩）× \frac{1}{3} = \quad\quad 円 ··· ⑥$$

平均利益金額　（㋩の金額と⑥の金額のうちいずれか低い方の金額）　＝　　　　　　円 ··· ⑦

標準企業者報酬額の計算

標準企業者報酬額　（標準企業者報酬額表に掲げる平均利益金額の区分に応じ、同表に掲げる算式により計算した金額）

（⑦の金額）

【標準企業者報酬額表】

平均利益金額の区分	標準企業者報酬額の算式
1億円以下	平均利益金額×0.3+10,000,000円
1億円超　3億円以下	平均利益金額×0.2+20,000,000円
3億円超　5億円以下	平均利益金額×0.1+50,000,000円
5億円超	平均利益金額×0.05+75,000,000円

$$円 × 0.\_\_\_ + \_\_\_,000,000 円$$

$$= \quad\quad 円 ··· ⑧$$

総資産価額の計算

科　　目	相続税評価額	科　　目	相続税評価額
	円		円
		合　　　計　⑨	

（平均利益金額（⑦））	（標準企業者報酬額（⑧））	（総資産価額（⑨））	（超過利益金額（⑩））

$$\_\_\_ 円 × 0.5 - \_\_\_ 円 - \left[\_\_\_ 円 × 0.05 \right] = \_\_\_ 円$$

（超 過 利 益 金 額（⑩））	（営業権の持続年数に応ずる基準年利率による複利年金現価率※）	（営 業 権 の 価 額）

$$\_\_\_ 円 × \_\_\_ = \_\_\_ 円$$

※ 営業権の持続年数は、原則として、10年とします。

（注）　医師、弁護士等のようにその者の技術、手腕又は才能等を主とする事業に係る営業権で、その事業者の死亡とともに消滅するものは、評価しません。

（資4−29−A4統一）

※　この評価明細書は、国税庁のホームページ（https://www.nta.go.jp/）から出力して使用することができます。

−1383−

第七章　株式及び出資

株式の評価上の区分

　株式及び株式に関する権利の価額は、それらの銘柄の異なるごとに、次の区分に従い、その１株又は１個ごとに評価します（評基通168）。

① **上場株式**（金融商品取引所（金融商品取引法第２条第16項に規定する金融商品取引所をいいます。）に上場されている株式をいいます。）

② **気配相場等のある株式**（次のイ及びロに掲げる株式をいいます。）

　イ　**登録銘柄**（日本証券業協会の内規によって登録銘柄として登録されている株式をいいます。）及び**店頭管理銘柄**（日本証券業協会の内規によって店頭管理銘柄として指定されている株式をいいます。）

　ロ　**公開途上にある株式**（金融商品取引所が株式の上場を承認したことを明らかにした日から上場の日の前日までのその株式（登録銘柄を除きます。）及び日本証券業協会が株式を登録銘柄として登録することを明らかにした日から登録の日の前日までのその株式（店頭管理銘柄を除きます。）をいいます。）

③ **取引相場のない株式**（上記の①及び②に掲げる株式以外の株式をいいます。）

④ **株式の割当てを受ける権利**（株式の割当基準日の翌日から株式の割当ての日までの間における株式の割当てを受ける権利をいいます。）

⑤ **株主となる権利**（株式の申込みに対して割当てがあった日の翌日（会社の設立に際し発起人が引受けをする株式にあっては、その引受けの日）から会社の設立登記の日の前日（会社成立後の株式の割当ての場合にあっては、払込期日（払込期間の定めがある場合には払込みの日））までの間における株式の引受けに係る権利をいいます。）

⑥ **株式無償交付期待権**（株式無償交付の基準日の翌日から株式無償交付の効力が発生する日までの間における株式の無償交付を受けることができる権利をいいます。）

⑦ **配当期待権**（配当金交付の基準日の翌日から配当金交付の効力が発生する日までの間における配当金を受けることができる権利をいいます。）

⑧ **ストックオプション**（会社法（平成17年法律第86号）第２条第21号に規定する新株予約権（以下本章において「新株予約権」といいます。）が無償で付与されたもののうち、次の⑨に該当するものを除いたものをいいます。ただし、その目的たる株式が上場株式又は気配相場等のある株式であり、かつ、課税時期が権利行使可能期間内にあるものに限ります。）

⑨ **上場新株予約権**（会社法第277条の規定により無償で割り当てられた新株予約権のうち、金融商品取引所に上場されているもの及び上場廃止後権利行使可能期間内にあるものをいいます。）

第一節　上　場　株　式

1　原則的評価方法

　2に該当しない上場株式の価額は、その株式が上場されている金融商品取引所の公表する課税時期の最終価格と、課税時期の属する月以前3か月間の毎日の最終価格の各月の平均額（以下「**最終価格の月平均額**」といいます。）のうち最も低い価格とを比較し、そのいずれか低い方の価格によって評価します（評基通169(1)）。ただし次の点にご注意ください。

イ　その株式が国内の二以上の金融商品取引所に上場されているときは、納税義務者が選択した金融商品取引所の公表する価格とします。

ロ　課税時期の属する月中に新株権利落等があった場合などの最終価格及び最終価格の月平均額については、次の3及び4の特例により計算します。

2　負担付贈与等により取得した上場株式の評価

　負担付贈与又は個人間の対価を伴う取引により取得した上場株式の価額は、その株式が上場されている金融商品取引所の公表する課税時期の最終価格によって評価し、過去3か月の株価の変動は、勘案しません。なお、この場合の「課税時期の最終価格」の算定に当たっては、上記1のイ及びロの取扱いに準じて評価します（評基通169(2)）。

3　最終価格の特例

（1）　課税時期が権利落又は配当落（以下「**権利落等**」といいます。）の日から株式の割当て、株式の無償交付又は配当金交付（以下「**株式の割当て等**」といいます。）の基準日までの間にある場合は、その権利落等の日の前日以前の最終価格のうち、課税時期に最も近い日の最終価格をもって課税時期の最終価格とします（評基通170）。なお、これを図によって例示しますと、次のようになります。

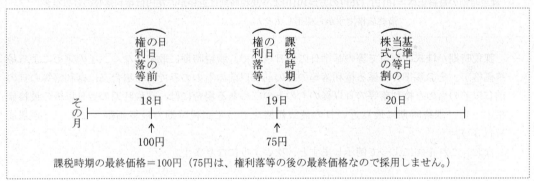

（2）　課税時期に最終価格がない上場株式については、上記(1)の権利落等の場合の特例の適用があるものを除き、次に掲げる場合に応じ、それぞれ次に掲げる最終価格をもって課税時期の最終価格とします（評基通171）。

イ　次のロ又はハに掲げる場合以外の場合には、課税時期の前日以前の最終価格又は翌日以後の最終価格のうち課税時期に最も近い日の最終価格（最終価格が二つある場合には、その平均額）をもって課税時期の最終価格とします（評基通171(1)）。

なお、これを図によって例示しますと、次のようになります。

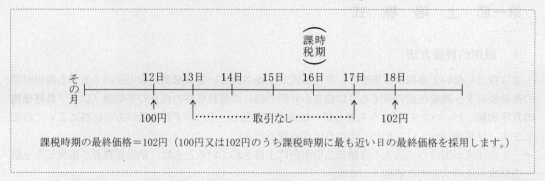

ロ　課税時期が権利落等の日の前日以前で、課税時期に取引がなく、イの定めによる最終価格が、権利落等の日以後のもののみである場合、又は権利落等の日の前日以前のものと権利落等の日以後のものとの二つある場合には、課税時期の前日以前の最終価格のうち、課税時期に最も近い日の最終価格をもって課税時期の最終価格とします（評基通171(2)）。

なお、これを図によって例示しますと、次のようになります。

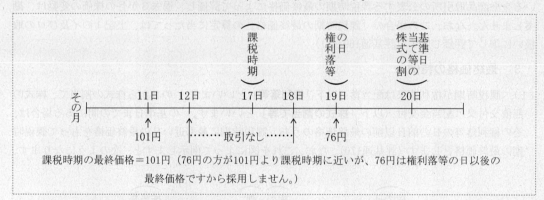

ハ　課税時期が株式の割当て等の基準日の翌日以後で、課税時期に取引がなく、イの定めによる最終価格が、その基準日に係る権利落等の日の前日以前のもののみである場合又は権利落等の日の前日以前のものと権利落等の日以後のものとの二つある場合には、課税時期の翌日以後の最終価格のうち、課税時期に最も近い日の最終価格をもって課税時期の最終価格とします（評基通171(3)）。

なお、これを図によって例示しますと、次のようになります。

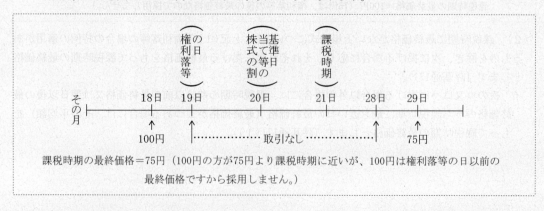

なお、上記のロ及びハに該当する上場株式の最終価格の月平均額については、次の4の定めがありますのでご注意ください。

4　月平均額の特例

上場株式を評価する場合における最終価格の月平均額は、課税時期の属する月以前3か月間に権利落等があった場合、それぞれ次に掲げる平均額をもって最終価格の月平均額とします（評基通172）。

（1）　課税時期が、株式の割当て等の基準日以前である場合において、その権利落等の日が属する月の最終価格の月平均額は、その月の初日からその権利落等の日の前日（配当落の場合にはその月の末日）までの毎日の最終価格の平均額とします（ただし、次の（2）に該当するものを除きます。）（評基通172（1））。なお、これを図によって例示しますと、次のようになります。

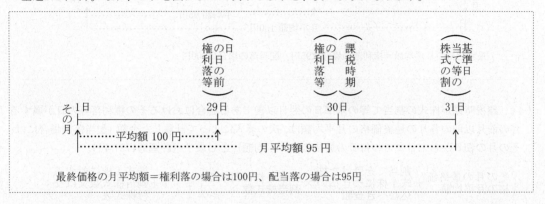

（2）　課税時期が株式の割当て等の基準日以前で、その権利落等の日が課税時期の属する月の初日以前である場合における課税時期の属する月の最終価格の月平均額は、次の算式によって計算した金額（配当落の場合には、課税時期の属する月の初日から末日までの毎日の最終価格の平均額）をもって課税時期の属する月の最終価格の平均額とします（評基通172（2））。

$$\begin{pmatrix}課税時期の属する\\月の最終価格の月\\平均額\end{pmatrix} \times \begin{pmatrix}1+ 割当株式数又は交\\付株式数\end{pmatrix} - \begin{pmatrix}割当てを受けた株\\式1株につき払い\\込むべき金額\end{pmatrix} \times \begin{pmatrix}株式1株に対する\\割当株式数\end{pmatrix}$$

なお、これを図によって例示しますと、次のようになります。

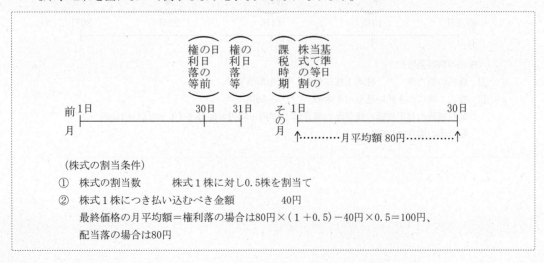

（3） 課税時期が株式の割当て等の基準日の翌日以後である場合におけるその権利落等の日が属する月の最終価格の月平均額は、その権利落等の日（配当落の場合はその月の初日）からその月の末日までの毎日の最終価格の平均額とします（評基通172(3)）。

なお、これを図によって例示しますと、次のようになります。

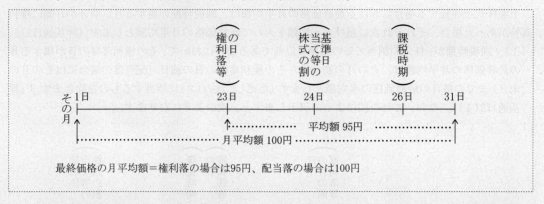

（4） 課税時期が株式の割当て等の基準日の翌日以後である場合におけるその権利落等の日が属する月の前月以前の各月の最終価格の月平均額は、次の算式によって計算した金額（配当落の場合には、その月の初日から末日までの毎日の最終価格の平均額）とします（評基通172(4)）。

$$\left(\begin{array}{c}\text{その月の最終価}\\\text{格の月平均額}\end{array} + \begin{array}{c}\text{割当てを受けた株}\\\text{式1株につき払い}\\\text{込むべき金額}\end{array} \times \begin{array}{c}\text{株式1株に対する}\\\text{割当株式数}\end{array}\right) \div \left(1 + \begin{array}{c}\text{株式1株に対する}\\\text{割当株式数又は交}\\\text{付株式数}\end{array}\right)$$

なお、これを図によって例示しますと、次のようになります。

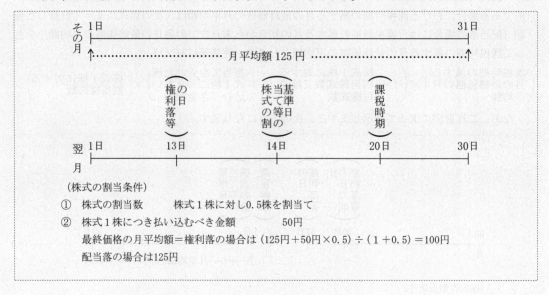

― 1388 ―

第七章第一節《上場株式の評価》

上 場 株 式 の 評 価 明 細 書

銘　柄	取引所等の名称	課税時期の最終価格		最終価格の月平均額			評価額 ①の金額又は①から④までのうち最も低い金額	増資による権利落等の修正計算その他の参考事項
		月日	① 価額	課税時期の属する月 ② 月	課税時期の属する月の前月 ③ 月	課税時期の属する月の前々月 ④ 月		
			円	円	円	円	円	

記載方法等

1　**「取引所等の名称」**欄には、課税時期の最終価格等について採用した金融商品取引所名及び市場名を記載します（例えば、東京証券取引所のプライム市場の場合は「東Ｐ」、名古屋証券取引所のメイン市場の場合は「名Ｍ」など）。

2　**「課税時期の最終価格」**の**「月日」**欄には、課税時期を記載します。ただし、課税時期に取引がない場合等には、課税時期の最終価格として採用した最終価格についての取引月日を記載します。

3　**「最終価格の月平均額」**の**「②」**欄、**「③」**欄及び**「④」**欄には、それぞれの月の最終価格の月平均額を記載します。ただし、最終価格の月平均額について増資による権利落等の修正計算を必要とする場合には、修正計算後の最終価格の月平均額を記載するとともに、修正計算前の最終価格の月平均額をかっこ書きします。

4　**「評価額」**欄には、負担付贈与又は個人間の対価を伴う取引により取得した場合には、「①」欄の金額を、その他の場合には、「①」欄から「④」欄までのうち最も低い金額を記載します。

5　各欄の金額は、各欄の表示単位未満の端数を切り捨てます。

（資４－30－Ａ４標準）

第二節　気配相場等のある株式

気配相場等のある株式は、次の1及び2に掲げる区分に応じ、それぞれに掲げる方法により評価します（評基通174）。

1　登録銘柄及び店頭管理銘柄

イ　原則的評価方法

登録銘柄及び店頭管理銘柄のうちロに該当しないものの価額は、日本証券業協会の公表する**課税時期の取引価格**（その取引価格が高値と安値の双方について公表されている場合には、その平均額とします。以下この節において同じ。）によって評価します。ただし、その取引価格が課税時期の属する月以前3か月間の毎日の取引価格の各月ごとの平均額（以下「**取引価格の月平均額**」といいます。）のうち最も低い価額を超える場合には、その最も低い価額によって評価します。

ロ　負担付贈与等により取得した登録銘柄等の株式の評価

負担付贈与又は個人間の対価を伴う取引により取得した登録銘柄及び店頭管理銘柄の株式の価額は日本証券業協会の公表する課税時期の取引価格によって評価します。

（**注**）　上記の「取引価格」及び「取引価格の月平均額」の算定については、3、4及び6の特例にご注意ください。

2　公開途上にある株式

公開途上にある株式は、次のイ及びロの区分に従い、それぞれに掲げる方法により評価します。

イ　株式の上場又は登録に際して、株式の公募又は売出し（以下「**公募等**」といいます。）が行われる場合における公開途上にある株式の価額は、その株式の公開価格（金融商品取引所又は日本証券業協会の内規によって行われるブックビルディング方式又は競争入札方式のいずれかの方式により決定される公募等の価格をいいます。）によって評価します。

ロ　株式の上場又は登録に際して、公募等が行われない場合における公開途上にある株式の価額は、課税時期以前の取引価格等を勘案して評価します。

3　気配相場等のある株式の取引価格の特例——課税時期が権利落等の日から株式の割当て等の基準日までの間にある場合

1により登録銘柄及び店頭管理銘柄の株式の価額を評価する場合において、課税時期が権利落等の日から株式の割当て等の基準日までの間にあるときは、その権利落等の日の前日以前の取引価格（課税時期の属する月以前3か月以内の取引価格に限ります。）のうち課税時期に最も近い日の取引価格をもって「課税時期の取引価格」とします（評基通175）。

4　気配相場等のある株式の取引価格の特例——課税時期に取引価格がない場合

1により登録銘柄及び店頭管理銘柄の株式の価額を評価する場合において、課税時期に取引価格がない株式については、3の特例が適用されるものを除き、次の(一)又は(二)に掲げる場合に応じ、それぞれに掲げる取引価格又は修正した価格をもって「課税時期の取引価格」とします（評基通176）。

(一)　(二)以外の場合——課税時期の前日以前の取引価格のうち課税時期に最も近い日の取引価格（課税時期の属する月以前3か月以内の取引価格に限るものとします。）

(二)　課税時期が株式の割当て等の基準日の翌日以後に到来し、かつ、課税時期の前日以前の取引価格のうち課税時期に最も近い日の取引価格（課税時期の属する月以前3か月以内の取引価格に限るものとします。以下4において同じ。）がその基準日に係る権利落等の日の前日以前のものである場

第七章第二節《気配相場等のある株式の評価》

合——課税時期に最も近い日の取引価格を次のイ又はロの算式によって修正した価格

イ　課税時期に最も近い日の取引価格が権利落の日の前日以前のものである場合

$$\frac{課税時期に最も近い日の取引価格＋\left(\begin{array}{c}割当てを受けた株式1株につき払い込むべき金額\end{array}×\begin{array}{c}株式1株に対する割当株式数\end{array}\right)}{1＋株式1株に対する割当株式数又は交付株式数}$$

ロ　課税時期に最も近い日の取引価格が配当落の日の前日以前のものである場合

　　課税時期に最も近い日の取引価格－株式1株に対する予想配当の金額

5　気配相場等のある株式の評価の特例（3及び4により取引価格が算定できないもの）

　1により登録銘柄及び店頭管理銘柄の株式の価額を評価する場合において、その株式が次の(一)又は(二)に該当するものである場合には、その株式の価額は、課税時期以前の取引価格等を勘案して評価します（評基通177）。

(一)　課税時期が権利落等の日から株式の割当て等の基準日までの間に到来したため、その権利落等の日の前日以前の取引価格のうち課税時期に最も近い日の取引価格によって評価する場合において、その課税時期に最も近い日の取引価格が、課税時期の属する月以前3か月以内にないもの

(二)　(一)に該当する場合を除き、課税時期の取引価格がないため、課税時期の前日以前の取引価格のうち課税時期に最も近い日の取引価格によって評価する場合において、その取引価格が、課税時期の属する月以前3か月以内にないもの

6　登録銘柄及び店頭管理銘柄の取引価格の月平均額の特例

　1により登録銘柄及び店頭管理銘柄の価額を評価する場合において、課税時期の属する月以前3か月間に権利落等がある場合における取引価格の月平均額については、上場株式についての月平均額の特例（第一節の「4　月平均額の特例」）を準用して計算します。この場合においては同4の説明中「最終価格の月平均額」は、「取引価格の月平均額」と、また「毎日の最終価格の平均額」は、「毎日の取引価格の平均額」と読み替えるものとします（評基通177－2）。

－1391－

第七章第三節《取引相場のない株式の評価》

第三節　取引相場のない株式

取引相場のない株式とは、全国の各金融商品取引所に上場されている株式及び気配相場等のある株式以外の株式をいい、その株式の評価額は、その発行会社の規模等又は株主の会社支配の程度に基づいて、それぞれに適用すべき評価の方法を定めています（評基通178）。

1　評価上の区分

取引相場のない株式の評価は、その株式を取得した株主が、同族株主等であるか、それ以外の株主であるか、また同族株主等のうち少数株式所有者であるかどうかなどにより、また同族株主等である場合には、更に、その株式の発行会社（以下「評価会社」といいます。）の規模が、大会社であるか、中会社であるか、又は小会社であるかの区分により、また発行会社（評価会社）が4から9の「特定の評価会社」に該当するかどうかにより、それぞれ評価方法を異にしています（評基通178）。

> **（注）**　「同族株主等」、「同族株主等以外の株主」という用語は、評基通にはありませんが、以下の説明を容易にするために、便宜上使用します。

（1）　同族株主等、同族株主以外の株主等の区分

イ　「同族株主等」とは次に該当する者（ロに該当する者を除きます。）をいいます。

（イ）　同族株主

（ロ）　同族株主のいない会社の株主で、議決権割合15％以上（株式を取得したことに伴って15％以上となった場合を含みます。）のグループに属する株主

ロ　「同族株主以外の株主等」とは、次に該当する者をいいます。

（イ）　同族株主のいる会社の同族株主以外の株主

（ロ）　中心的な同族株主（議決権割合25％以上のグループの株主）のいる会社の株主のうち中心的な同族株主以外の同族株主でその株式取得後の議決権割合が5％未満である者（2《評価の方式》の（注3）の役員を除きます。）

（ハ）　同族株主のいない会社の株主のうち、議決権割合15％未満の株主グループに属する株主

（ニ）　中心的な株主（単独で議決権割合10％以上）がおり、かつ、同族株主のいない会社の株主で、議決権割合が15％以上の株主グループに属する株主のうちその株式取得後の議決権割合が5％未満である者（2《評価の方式》の（注3）の役員を除きます。）

> **（注1）**　「**同族株主**」とは、課税時期における評価会社の株主のうち、株主の1人とその同族関係者である株主の有する評価会社の議決権の合計数が評価会社の議決権総数の30％以上を占める場合のその株主とその同族関係者をいいます。
>
> 　　ただし、評価会社の株主のうちに、株主の1人とその同族関係者の有する議決権の合計数が、評価会社の議決権総数の50％超を占めるグループがある場合には、その50％超を占めるグループの株主だけが「同族株主」となり、その他の株主はたとえ30％以上のグループに属する場合であっても、「同族株主」とはなりません（評基通188（1））。評価会社の議決権総数の50％超を有する法人株主がある場合のその他の30％以上のグループに属する株主も同族株主とはなりません。
>
> **（注2）**　「**株主グループ**」とは、株主の1人及びその同族関係者のグループをいいますが、この場合の「**同族関係者**」とは、法人税法施行令第4条に定める特殊の関係のある個人又は法人をいいます。
>
> **（注3）**　以上に述べた「議決権割合」、「議決権総数」又は「同族株主等」の判定に当たっては次のように取り扱われます。
>
> 　　（一）　評価会社が自己株式を有する場合の議決権総数　評価会社が自己株式を有する場合には、その自己株式に係る議決権の数は0として計算した議決権の数をもって評価会社の議決権総数とします（評基通188-3）。
>
> 　　（二）　議決権を有しないこととされる株式がある場合の議決権総数等　評価会社の株主のうちに会社法第308条第1項（旧商法第241条第3項）の規定により評価会社の株式につき議決権を有しないこととされる会社があるときは、その会社の有する評価会社の議決権の数は0として計算した議決権の数をもっ

－1392－

て評価会社の議決権総数とします（評基通188－４）。

```
（参　考）
会社法第308条　株主（株式会社がその総株主の議決権の４分の１以上を有することその他の事由を
　　通じて株式会社がその経営を実質的に支配することが可能な関係にあるものとして法務省令で
　　定める株主を除く。）は、株主総会において、その有する株式１株につき１個の議決権を有する。
　　ただし、単元株式数を定款で定めている場合には、１単元の株式につき１個の議決権を有する。
```

（三）　種類株式がある場合の議決権総数等…………評価会社が会社法第108条第１項の事項について内容
の異なる種類の株式（以下「種類株式」といいます。）を発行している場合における議決権の数又は議
決権総数の判定に当たっては、種類株式のうち株主総会の一部の事項について議決権を行使できない株
式に係る議決権の数を含めるものとします（評基通188－５）。

　　また、「取得請求権付株式を発行している場合」や「全部取得条項付株式を発行している場合」は次
により判定します。

〈取得請求権付株式を発行している場合〉

・普通株式の一単元の株式の数は100株とする。

・株主甲は、株主乙の同族関係者にならない。

・株主乙の所有する取得請求権付株式の一単元の株式の数は20株であり、取得請求権を行使するこ
　とにより、取得請求権付株式１株と引換えに、普通株式10株を取得する。

・「その他」は、株主甲又は株主乙の同族関係者にならない少数株主である。

株式数等／株主	株式の種類	所有株式数		議決権の数		同族株主判定	普通株式転換後の株式数	議決権の数		同族株主判定
			割合		割合				割合	
甲	普通株式	株 12,000	% 60.0	個 120	% 37.5	○	株 12,000	個 120	% 25.5	×
	種類株式	1,000	5.0	50	15.6		10,000	100	21.3	
乙	普通株式	4,000	20.0	40	12.5	×	4,000	40	8.5	○
	種類株式	2,000	10.0	100	31.3		20,000	200	42.6	
その他	普通株式	1,000	5.0	10	3.1	×	1,000	10	2.1	×
合　計		20,000	100.0	320	100.0		47,000	470	100.0	

【判定結果】

　　取得請求権行使前の議決権の数により判定すれば、株主甲の議決権総数に占める議決権の数の割合が
53.1％（＝37.5％＋15.6％）となるため、株主甲が同族株主となりますが、権利行使後の議決権の数で
判定すれば、株主乙の議決権総数に占める議決権の数の割合が51.1％（＝8.5％＋42.6％）となるため、
株主乙が同族株主となります。

　　したがって、この場合には、「株主甲」及び「株主乙」のいずれもが同族株主になります。

〈全部取得条項付株式を発行している場合〉

・普通株式の一単元の株式の数は100株とする。

・株主甲は、株主乙の同族関係者にならない。

・株主乙の所有する種類株式は、会社が株主総会の決議により、全部の株式を取得することができ
　る全部取得条項付株式であり、一単元の株式の数は100株である。

・「その他」は、株主甲又は株主乙の同族関係者にならない少数株主である。

第七章第三節《取引相場のない株式の評価》

株主＼株式数等	株式の種類	所有株式数		議決権の数		同族株主判定	普通株式転換後の株式数	議決権の数		同族株主判定
		株	割合 %	個	割合 %		株	個	割合 %	
甲	普通株式	7,500	37.5	75	37.5	×	7,500	75	71.4	○
乙	普通株式	2,000	10.0	20	10.0	○	2,000	20	19.0	×
	種類株式	9,500	47.5	95	47.5		0	0	—	
その他	普通株式	1,000	5.0	10	5.0	×	1,000	10	9.6	×
合　計		20,000	100.0	200	100.0		10,500	105	100.0	

【判定結果】
　　　乙の有する種類株式を会社が取得する前の議決権の数により判定すれば、株主乙の議決権総数に占める議決権の数の割合が57.5％（＝10.0％＋47.5％）となるため、株主乙が同族株主となります。種類株式（全部取得条項付株式）を会社が取得した後の議決権の数で判定すれば、株主甲の議決権総数に占める議決権の数の割合が71.4％となるため、株主甲が同族株主となります。
　　　したがって、この場合は、「株主甲」及び「株主乙」のいずれもが同族株主になります。
（注4）　評価会社の株主のうちに投資育成会社（中小企業投資育成株式会社法に基づいて設立された中小企業投資育成株式会社をいいます。）があるときの「同族株主等」の判定に当たっては、次のように取り扱います（評基通188－6）。
　（一）　その投資育成会社が同族株主に該当し、かつ、その投資育成会社以外に同族株主に該当する株主がいない場合には、その投資育成会社は同族株主に該当しないものとして適用します。
　（二）　その投資育成会社が、中心的な同族株主又は中心的な株主に該当し、かつ、その投資育成会社以外に中心的な同族株主又は中心的な株主に該当する株主がいない場合には、その投資育成会社は中心的な同族株主又は中心的な株主に該当しないものとして適用します。
　（三）　上記（一）及び（二）において、評価会社の議決権総数（＊）からその投資育成会社の有する評価会社の議決権の数（＊）を控除した数をその評価会社の議決権総数（＊）とした場合に同族株主に該当することとなる者があるときは、その同族株主に該当することとなる者以外の株主が取得した株式については、上記（一）及び（二）にかかわらず、「同族株主以外の株主等が取得した株式」に該当するものとします。
　　　＊　「議決権総数」及び「議決権の数」には、（注3）の（三）の「株主総会の一部の事項について議決権を行使できない株式に係る議決権の数」を含めます。

（2）　会社の規模による区分

　　評価会社が大会社か、中会社か、又は小会社に該当するかは、課税時期における総資産価額、従業員数及び取引金額を判定基準とし、その営む業種の別により次表のとおり定められています（この判定は、後掲の「取引相場のない株式の評価明細書」の第1表の2（1415ページ参照）の「判定基準」の欄により行います。）。

　　このように会社規模による区分をしているのは、上場会社と同規模のような大法人と、個人企業の規模と余り変わらないような法人とを同じ方法で評価することは、実態に即さないと考えられるからです（評基通178）。

規模区分	区　分　の　内　容		総資産価額（帳簿価額によって計算した金額）及び従業員数	直前期末以前1年間における取引金額
大会社	従業員数が70人以上の会社又は右のいずれかに該当する会社	卸売業	20億円以上（従業員数が35人以下の会社を除く。）	30億円以上
		小売・サービス業	15億円以上（従業員数が35人以下の会社を除く。）	20億円以上
		卸売業、小売・サービス業以外	15億円以上（従業員数が35人以下の会社を除く。）	15億円以上

－1394－

第七章第三節《取引相場のない株式の評価》

			総資産価額（帳簿価額）	取引金額
中会社	従業員数が70人未満の会社で右のいずれかに該当する会社（大会社に該当する会社を除く。）	卸 売 業	7,000万円以上（従業員数が5人以下の会社を除く。）	2 億 円 以 上 30 億 円 未 満
		小売・サービス業	4,000万円以上（従業員数が5人以下の会社を除く。）	6,000 万 円 以 上 20 億 円 未 満
		卸売業、小売・サービス業以外	5,000万円以上（従業員数が5人以下の会社を除く。）	8,000 万 円 以 上 15 億 円 未 満
小会社	従業員数が70人未満の会社で右のいずれにも該当する会社	卸 売 業	7,000万円未満又は従業員数が5人以下	2 億 円 未 満
		小売・サービス業	4,000万円未満又は従業員数が5人以下	6,000 万 円 未 満
		卸売業、小売・サービス業以外	5,000万円未満又は従業員数が5人以下	8,000 万 円 未 満

(**注1**) 総資産価額（帳簿価額によって計算した金額）とは、課税時期の直前に終了した事業年度の末日（以下「**直前期末**」といいます。）におけるその会社の帳簿価額による総資産価額をいいます。この場合、その会社が固定資産の減価償却額の計算を間接法によって行っているときは、減価償却累計額を控除したものになります。なお、売掛金等に対する貸倒引当金は、総資産価額の計算上は控除しません。

(**注2**) 従業員数は、直前期末以前1年間においてその期間継続して評価会社に勤務していた従業員（就業規則等で定められた1週間当たりの労働時間が30時間未満である従業員を除きます。以下「**継続勤務従業員**」といいます。）の数に、直前期末以前1年間において評価会社に勤務していた従業員（継続勤務従業員を除きます。）のその1年間における労働時間の合計時間数を従業員1人当たりの年間平均労働時間数（1,800時間とされます。）で除して求めた数を加算した数をいいます。

$$従業員数＝\begin{array}{c}直前期末以前1年間\\の継続勤務従業員の\\数\end{array}＋\dfrac{継続勤務従業員以外の従業員の直前期末以前1年間における労働時間の合計時間数}{1,800時間}$$

なお、上記の従業員には、社長、理事長並びに法人税法施行令第71条《使用人兼務役員とされない役員》第1項第1号、第2号及び第4号に掲げる役員（代表取締役、副社長、専務取締役、専務理事、常務取締役、常務理事その他これらの者に準ずる役員、監査役及び監事をいいます。）は含まれません。

(**注3**) 直前期末以前1年間における取引金額とは、その期間における会社の目的とする事業による収入金額をいいます。この場合、金融業・証券業についての収入金額は収入利息及び収入手数料をいいます。

(**注4**) 評価会社が「卸売業」、「小売・サービス業」又は「卸売業、小売・サービス業以外」のいずれの業種に該当するかは、（**注3**）の直前期末以前1年間における取引金額に基づいて判定し、その取引金額のうちに2以上の業種に係る取引金額が含まれている場合には、それらの取引金額のうち最も多い取引金額に係る業種によって判定します。

2 評価の方式

1に述べました株主の態様と評価方式との関係は次表のようになりますが、会社の規模に応じ、評価対象の株式が、次ページの「取引相場のない株式の評価方法」の表内の算式のうちのどの算式にあてはまるかをみて、それぞれ定められた評価方法に従って計算します（評基通179、188、188－2）。

4から9までに述べる「特定の評価会社」の発行した株式（下表の「特例的評価方式」が適用される株主の取得した株式を除きます。）については、下表にかかわらず次ページの「取引相場のない株式の評価方法」の表の「原則的評価方式」は適用されず、4から9までに述べる評価方法が適用されます。

第七章第三節《取引相場のない株式の評価》

株主の態様と評価方式の関係

株 主 の 態 様					評 価 方 式
同族株主のいる会社	同族株主	株式取得後の議決権割合5％以上			原 則 的 評 価 方 式 （純資産価額方式による評価額については、20％の評価減の特例が適用される場合があります。）
		株式取得後の議決権割合5％未満	中心的な同族株主がいない場合		
			中心的な同族株主がいる場合	中心的な同族株主	
				役員である株主又は役員となる株主	
				そ の 他	特 例 的 評 価 方 式 （配 当 還 元 方 式）
	同 族 株 主 以 外 の 株 主				
同族株主のいない会社	議決権割合の合計が15％以上のグループに属する株主	株式取得後の議決権割合5％以上			原 則 的 評 価 方 式 （純資産価額方式による評価額については、20％の評価減の特例が適用されます。）
		株式取得後の議決権割合5％未満	中心的な株主がいない場合		
			中心的な株主がいる場合	役員である株主又は役員となる株主	
				そ の 他	特 例 的 評 価 方 式 （配 当 還 元 方 式）
	議決権割合の合計が15％未満のグループに属する株主				

（注1）　「**中心的な同族株主**」とは、課税時期において同族株主の1人とその株主の配偶者、直系血族、兄弟姉妹及び一親等の姻族（親族関係については、678ページの「親族の図解」を参照）並びにこれらの者の**特殊関係会社**の有する評価会社の議決権の合計数がその会社の議決権総数の25％以上である場合におけるその株主をいいます。

（注2）　「**中心的な株主**」とは、課税時期において株主の1人及びその同族関係者の有する評価会社の議決権の合計数がその会社の議決権総数の15％以上である株主グループのうち、いずれかのグループに単独でその会社の議決権総数の10％以上の議決権を有している株主がいる場合におけるその株主をいいます。

（注3）　「**役員**」とは、社長、理事長並びに法人税法施行令第71条第1項第1号、第2号及び第4号の代表取締役、代表執行役、代表理事、副社長、専務、常務その他これらに準ずる職制上の地位を有する役員並びに会計参与、監査役及び監事をいい、評価対象となる株式等の取得後相続税、贈与税の法定申告期限までにこれらの役員となる者を含みます。

（注4）　「**特殊関係会社**」とは、（注1）に掲げた者と法人税法施行令第4条第2項から第4項及び第6項に定める特殊の関係のある会社のうち、（注1）に掲げた者が有する議決権の合計数がその会社の議決権総数の25％以上である会社をいいます。

取引相場のない株式の評価方法（特定の評価会社の株式以外のもの）

	原 則 的 評 価 方 式	配 当 還 元 方 式
大会社	○類似業種比準方式 　次の算式によって計算した金額によって評価します。 　ただし、納税義務者の選択により、「中会社」の欄の（注2）の純資産価額（相続税評価額）により、評価することができます。 $A \times \left(\dfrac{\frac{B}{B} + \frac{C}{C} + \frac{D}{D}}{3} \right) \times 0.7 \times \dfrac{\text{直前期末の1株当たりの資本金等の額}}{50円} = \text{類似業種比準価額}$	○配当還元方式 　次の算式によって計算した金額によって評価します。 $\dfrac{\text{その株式に係る年配当金額}}{10\%} \times \dfrac{\text{その株式の1株当たりの資本金等の額}}{50円}$ （注1）年配当金額は、評価会社の直前期末以前2年間の各事業年度の配当金額の合計額の2分の1相当額を50円換算株式数（直前期末の資本金等の額÷50円）で除して計算します。

－1396－

第七章第三節《取引相場のない株式の評価》

中 会 社	○類似業種比準方式と純資産価額方式との併用方式 　次の算式によって評価します。 　（類似業種比準価額×L）＋｛純資産価額×（1－L）｝ 　**（注1）** 中会社の場合は、類似業種比準価額の計算に当たっては、「大会社」の欄の算式中の「0.7」は「0.6」とします。 　**（注2）** 純資産価額は、類似業種比準方式のうちの⑩と異なり、評価会社の課税時期現在における資産を評価基本通達により評価換えした金額の合計額から、同時期現在の負債の合計額及び評価差額に対する法人税額等に相当する金額（評価差額の37％相当額）を控除した金額によります。 　**（注3）** Lは、次の（1）のとおり評価会社の総資産価額及び従業員数又は取引金額に応じた割合によります。 　**（注4）** 類似業種比準価額を納税義務者の選択により（注2）の純資産価額（相続税評価額）として計算しても差し支えありません。	**（注2）** 1株当たりの資本金等の額は評価会社の直前期末における資本金等の額を発行済株式数で除して計算します。 **（注3）** 年配当金額が2円50銭未満又は無配のものに係る年配当金額は2円50銭とします。 　したがって、1株当たりの資本金等の額の2分の1相当額が最低評価額となります。 **（注4）** 配当還元方式により計算した評価額が原則的評価方式により計算した評価額を超える場合には、原則的評価方式により評価します（評基通188－2ただし書）。
小 会 社	○純資産価額方式 　ただし、納税者の選択により、次の算式による併用方式により評価することができます。 　（類似業種比準価額×0.5）＋（純資産価額×0.5） 　**（注）** 小会社の場合は、類似業種比準価額の計算に当たっては、「大会社」の欄の算式中の「0.7」は「0.5」とします。	
摘　　要	上記算式の符号は、それぞれ次によります（評基通180、181、182、183）。 A…類似業種の株価（課税時期の属する月以前3か月間の各月の株価のうち最も低いもの。ただし、納税義務者の選択により、類似業種の前年平均株価又は課税時期の属する月以前2年間の平均株価によることができます。） B…課税時期の属する年に適用すべき類似業種の1株当たりの配当金額 C…課税時期の属する年に適用すべき類似業種の1株当たりの年利益金額 D…課税時期の属する年に適用すべき類似業種の1株当たりの純資産価額（帳簿価額により計算した金額） Ⓑ…評価会社の1株当たりの配当金額 　直前期末以前2年間の剰余金の配当金額の合計×½÷発行済株式数 Ⓒ…評価会社の1株当たりの利益金額 　（直前期末以前1年間又は2年間の平均値の低い方）÷発行済株式数 Ⓓ…評価会社の1株当たりの純資産価額 　（直前期末の資本金等の額及び利益積立金額の合計額）÷発行済株式数 　**（注）** A〜Dの類似業種が小分類に区分されているものにあっては、その小分類の種目と中分類の種目とを選択適用でき、小分類に区分されていない業種については中分類の種目と大分類の種目との選択適用ができます。またⒷⒸⒹの発行済株式数は次によります（計算の詳細は次の3の（1）参照）。 　　直前期末の資本金等の額÷50円＝発行済株式数	

（1）　「L」の割合

　上表の「L」は評価会社の直前期末における総資産価額（帳簿価額によって計算した金額）及び1の（2）《会社の規模による区分》の（**注2**）で計算した従業員数又は直前期末以前1年間における取引金額に応じて、それぞれ次に定める割合のうち、いずれか大きい方の割合とします。ただし、小会社の株式の評価に当たっては、Lの割合は0.50とします（評基通179）。

イ　総資産価額（帳簿価額によって計算した金額）及び従業員数に応ずる割合

－1397－

卸　売　業	小売・サービス業	卸売業、小売・サービス業以外	割　合
4億円以上20億円未満（従業員数が35人以下の会社を除く。）	5億円以上15億円未満（従業員数が35人以下の会社を除く。）	5億円以上15億円未満（従業員数が35人以下の会社を除く。）	0.90
2億円以上4億円未満（従業員数が20人以下の会社を除く。）	2億5,000万円以上5億円未満（従業員数が20人以下の会社を除く。）	2億5,000万円以上5億円未満（従業員数が20人以下の会社を除く。）	0.75
7,000万円以上2億円未満（従業員数が5人以下の会社を除く。）	4,000万円以上2億5,000万円未満（従業員数が5人以下の会社を除く。）	5,000万円以上2億5,000万円未満（従業員数が5人以下の会社を除く。）	0.60

（注）　複数の区分に該当する場合には、上位の区分に該当するものとします。

ロ　直前期末以前1年間における取引金額に応ずる割合

卸　売　業	小売・サービス業	卸売業、小売・サービス業以外	割　合
7億円以上30億円未満	5億円以上20億円未満	4億円以上15億円未満	0.90
3億5,000万円以上7億円未満	2億5,000万円以上5億円未満	2億円以上4億円未満	0.75
2億円以上3億5,000万円未満	6,000万円以上2億5,000万円未満	8,000万円以上2億円未満	0.60

（2）　評価会社の事業が該当する業種目の判定

　評価会社の事業が該当する業種目は、直前期末以前1年間における取引金額に基づいて判定した業種目によります。

　なお、その取引金額のうちに2以上の業種目に係る取引金額が含まれている場合のその評価会社の事業が該当する業種目は、取引金額全体のうちに占める業種目別の取引金額の割合（以下（2）において「業種目別の割合」といいます。）が50％を超える業種目とし、その割合が50％を超える業種目がない場合には、次に掲げる場合に応じたそれぞれの業種目とします（評基通181－2）。

イ　評価会社の事業が一つの中分類の業種目中の2以上の類似する小分類の業種目に属し、それらの業種目別の割合の合計が50％を超える場合……その中分類の中にある類似する小分類の「その他の〇〇業」

【例示】

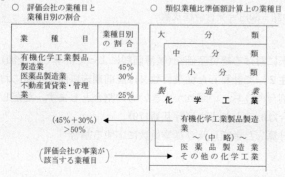

ロ　評価会社の事業が一つの中分類の業種目中の2以上の類似しない小分類の業種目に属し、それらの業種目別の割合の合計が50%を超える場合（イに該当する場合を除きます。）……その中分類の業種目

【例示】

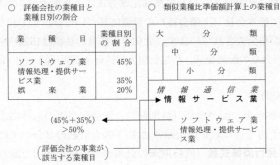

ハ　評価会社の事業が一つの大分類の業種目中の2以上の類似する中分類の業種目に属し、それらの業種目別の割合の合計が50%を超える場合……その大分類の中にある類似する中分類の「その他の○○業」

【例示】

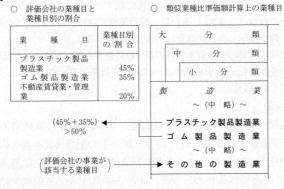

ニ　評価会社の事業が一つの大分類の業種目中の2以上の類似しない中分類の業種目に属し、それらの業種目別の割合の合計が50%を超える場合（ハに該当する場合を除きます。）……その大分類の業種目

【例示】

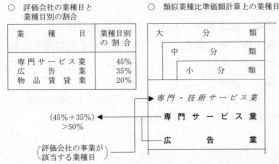

ホ　イからニのいずれにも該当しない場合……大分類の業種目の中の「その他の産業」

第七章第三節《取引相場のない株式の評価》

3　計　算　要　領

（1）　類似業種比準方式

同族株主等（少数株式所有者のうち特定の者を除きます。1396ページの「取引相場のない株式の評価方法」の表参照。）の取得した大会社の株式の評価方法は類似業種比準方式によりますが、この算式の中のＡ、Ｂ、Ｃ及びＤの数値は業種ごとに標本会社（上場会社）の数値に基づいて算出しており、これらの金額については２か月ごとに国税庁から公表されています。令和６年６月の数値は1522ページ以下の別表２のとおりです。評価会社の１株当たりの配当金額、利益金額及び純資産価額（Ⓑ、Ⓒ、Ⓓ）の計算は次によります（評基通183）。

Ⓑ　（評価会社の１株当たりの配当金額）

直前期末以前２年間のその会社の剰余金の配当金額（特別配当、記念配当等の名称による配当金額のうち、将来毎期継続することが予想できない金額を除きます。）の合計額の２分の１に相当する金額を、直前期末における**50円換算発行済株式数**（直前期末の資本金等の額を50円で除して計算した数をいいます。以下Ⓒ、Ⓓにおいて同じ。）で除して計算した金額とします。

直前期末以前２年間の年配当金額の合計額×½÷50円換算発行済株式数

（注１）　上記の「剰余金の配当金額」は、各事業年度中に配当金交付の効力が発生した剰余金の配当金額（資本金等の額の減少によるものを除きます。）を基として計算します。

（注２）　**資本金等の額**は、法人税法第２条《定義》第16号に規定する資本金等の額（直前期末の資本金等の額は、法人税申告書別表五(一)『利益積立金額及び資本金等の額の計算に関する明細書』の「差引翌期首現在資本金等の額」の「差引合計額」欄の金額とします。）をいい、**発行済株式数**は、自己株式（会社法113④）を有する場合にはその自己株式の数を控除した株式数をいいます。（以下同じ。）

（注３）　資本金等の額から取得した自己株式に対応する資本金等の額（取得資本金額）を控除した結果、資本金等の額が負数（マイナス）となる場合でも、「取引相場のない株式の評価明細書」（第４表）には、マイナスのまま計算することに留意してください。

Ⓒ　（評価会社の１株当たりの利益金額）

直前期末以前１年間の法人税の課税所得金額（固定資産売却益、保険差益等の非経常的な利益の金額を除きます。）に、その所得の計算上益金に算入されなかった剰余金の配当（資本金等の額の減少によるものを除きます。）等の金額（所得税額に相当する金額を除きます。）及び損金に算入された繰越欠損金の控除額を加算した金額（その金額が負数のときは、０とします。）を、直前期末における50円換算発行済株式数で除して計算した金額とします。

ただし、納税義務者の選択により、直前期末以前２年間の各事業年度について、それぞれ法人税の課税所得金額を基として上記に準じて計算した金額の合計額（その合計額が負数のときは、０とします。）の２分の１に相当する金額を直前期末における50円換算発行済株式数で除して計算した金額とすることができます。

Ⓓ　（評価会社の１株当たりの純資産価額〔帳簿価額によって計算した金額〕）

直前期末の資本金等の額及び法人税法第２条《定義》第18号に規定する利益積立金額（法人税申告書別表五(一)の「差引翌期首現在利益積立金額」の「差引合計額」）の合計額を、直前期末における50円換算発行済株式数で除して計算した金額とします。

（注）　利益積立金額が負数である場合には、資本金等の額からその負数に相当する金額を控除した金額が純資産価額となりますが、その控除後の金額が、負数になるときは０とします。

－1400－

第七章第三節《取引相場のない株式の評価》

（2） 純資産価額方式

中会社及び小会社の同族株主等（少数株式所有者のうち特定の者を除きます。1396ページの「取引相場のない株式の評価方法」の表参照。）が取得した株式を評価する場合の1株当たり純資産価額（相続税評価額によって計算した金額）は、課税時期現在（注1）の評価会社の各資産を帳簿価額によらず、評価基本通達に定める要領により評価換えした価額（＊1及び＊2の特例に注意）の合計額（以下この項で「相続税評価額による総資産価額」といいます。）から課税時期現在の各負債の合計額及び次のイの金額からロの金額を控除した残額について計算される「評価差額に対する法人税額等に相当する金額」（注2）を控除した金額を、課税時期における自己株式（会社法第113条第4項に規定する自己の株式をいいます。）控除後の発行済株式数（注3）で除して計算した金額とします（評基通185）。

イ　課税時期における相続税評価額による総資産価額から課税時期の各負債の金額の合計額を控除した金額
ロ　課税時期における相続税評価額による総資産価額の計算の基とした各資産の帳簿価額の合計額から課税時期の各負債の金額の合計額を控除した金額

$$\frac{\left[\begin{array}{c}\text{相続税評価額}\\\text{による総資産価額}\end{array}\right]-\left[\begin{array}{c}\text{負債の}\\\text{合計額}\end{array}\right]-\left[\begin{array}{c}\text{評価差額}\\\text{の37\%相当額}\end{array}\right]}{\text{課税時期の発行済株式数（自己株式を除く。）}}=\begin{array}{c}\text{1株当たり}\\\text{純資産価額}\end{array}$$

＊1　評価会社が所有する一室の区分所有権等に係る敷地利用権及び区分所有権の評価

令和5年9月28日付課評2－74ほか1課共同「居住用の区分所有財産の評価について」（法令解釈通達）（第九章参照）は、令和6年1月1日以後に相続、遺贈又は贈与（以下「相続等」といいます。）により取得した財産の評価について適用されるところ、相続等により取得した財産が取引相場のない株式の場合であっても、その株式を令和6年1月1日以後に取得した場合は、その取引相場のない株式の評価を純資産価額方式によって評価する場合における1株当たりの純資産価額（相続税評価額によって計算した金額）の計算上、評価会社が所有する一室の区分所有権等に係る敷地利用権及び区分所有権については、同通達が適用されます。

ただし、取引相場のない株式を純資産価額方式によって評価する場合における1株当たりの純資産価額（相続税評価額によって計算した金額）の計算において、評価会社が課税時期前3年以内に取得等した一室の区分所有権等に係る敷地利用権及び区分所有権の価額については、評価基本通達185《純資産価額》括弧書により、「課税時期における通常の取引価額に相当する金額」によって評価されます。

＊2　評価会社が課税時期前3年以内に取得等した土地等及び家屋等の価額の特例

取引相場のない株式・出資の評価に関して、土地等及び家屋等の「相続税評価額」を計算する場合には、その土地等及び家屋等の中に評価会社が課税時期前3年以内に取得又は新築した土地等又は家屋等があるときは、その土地等又は家屋等については、評価基本通達に定める土地等及び家屋等の評価方法にはよらず、課税時期におけるその土地等又は家屋等の「通常の取引価額」に相当する金額をもって「相続税評価額」とします。ただし、その土地等又は家屋等の評価会社における帳簿価額が課税時期における「通常の取引価額」に相当すると認められる場合には、その帳簿価額によって評価しても差し支えありません。なお、この場合の「土地等」とは、土地及び土地の上に存する権利をいい、「家屋等」とは、家屋及びその附属設備又は構築物をいいます。また「取得」には売買による取得のほか現物出資による受入れ等を含みます。

> この特例は、4以下において説明する「総資産価額（相続税評価額によって計算した金額）」及び評価会社の「1株当たり純資産価額」を算定するに当たって土地等及び家屋等の「相続税評価額」を計算する場合のすべての場合において適用します。

＊3　評価会社の有する取引相場のない株式の「1株当たり純資産価額」の特例

評価会社の株式を評価するに当たり、その有する各資産を「評価基本通達に定める要領により評価替え」する場合において、その資産のうちに「他の会社」が発行した取引相場のない株式があるときは、その株式の相続税評価額の算定の基礎となる発行会社の「1株当たり純資産価額（相続税評価額によって

－1401－

計算した金額）」は、「評価差額に対する法人税額等に相当する金額」（評価差額の37％相当額）を控除しないで計算した金額によります。具体的には、次の算式により計算した金額となります（評基通186－3）。

$$\frac{\boxed{\begin{array}{l}\text{取引相場のない株式の発行会社の課税}\\\text{時期における総資産の相続税評価額}\end{array}} - \boxed{\begin{array}{l}\text{左の発行会社の課税時期に}\\\text{おける負債の金額の合計額}\end{array}}}{\begin{array}{l}\text{取引相場のない株式の発行会社の課税時期の発行済}\\\text{株式総数（自己株式を控除した株式数による。）}\end{array}} = \begin{array}{l}\text{発行会社の1株当}\\\text{たり純資産価額}\end{array}$$

なお、評価会社の有する資産の中に、出資又は転換社債型新株予約権付社債（第八章の1の（4）のハの（ロ）（1484ページ）に定める転換社債をいいます。）がある場合のその出資又は転換社債型新株予約権付社債の1口当たり純資産価額を計算する場合においてもこれに準じます。

> この特例は、「5 **株式等保有特定会社の株式の評価**」で株式等の保有割合を計算する場合の「株式等の価額の合計額（相続税評価額によって計算した金額）」の計算及び「総資産価額（相続税評価額によって計算した金額）」の計算等においても、その保有株式等が取引相場のない株式等である場合のその評価の基礎となる1株当たり純資産価額を算定する場合にも適用されます。

ただし、株式の取得者とその同族関係者の有する議決権の合計数（**注4**）が評価会社の議決権総数（**注4**）の50％以下である場合のその取得者の株式については、上記により計算した1株当たりの純資産価額の80％相当額（1円未満切捨て）を純資産価額とします（この特例は、大会社の株式を純資産価額で計算する場合及び中会社の評価算式中の「類似業種比準価額」に代えて使用する純資産価額（1396ページの「取引相場のない株式の評価方法」の表、中会社の（**注4**）参照）については適用されません。）。

上記の各負債の金額の合計額の計算をする場合において、貸倒引当金、退職給与引当金、納税引当金及びその他の引当金、準備金並びに繰延税金負債に相当する金額は、負債に該当しないものとします。

なお、次の（イ）から（ニ）までに掲げる金額は、帳簿に負債としての記載がない場合であっても、課税時期現在に未払いとなっているものは負債として取り扱います（評基通186、1434ページの記載要領(3)参照）。

（イ）　未納公租公課、未払利息等の簿外負債の金額

（ロ）　課税時期以前に賦課期日のあった固定資産税及び都市計画税の税額

（ハ）　被相続人の死亡により、相続人その他の者に支給することが確定した退職手当金、功労金、その他これらに準ずる給与の金額

（ニ）　課税時期の属する事業年度に係る法人税額（地方法人税額を含みます。）、消費税額（地方消費税額を含みます。）、事業税額（特別法人事業税額を含みます。）、都道府県民税額及び市町村民税額のうち、その事業年度開始の日から課税時期までの期間に対応する金額（次の（**注1**）のなお書参照）

（**注1**）　評価会社が課税時期現在において仮決算を行っていないため、課税時期の資産及び負債の金額が明確でない場合において、直前期末から課税時期までの間に資産及び負債について著しく増減がないと認められるときの「1株当たり純資産価額（相続税評価額によって計算した金額）」の計算に当たっては、①相続税評価額については、直前期末現在の資産及び負債を対象として、課税時期に適用されるべき財産評価基準を適用して計算した金額（＊2に述べた不動産を除きます。）、②帳簿価額については、直前期末の資産及び負債の帳簿価額を基として計算することとしても差し支えありません。

　　　なお、この場合に帳簿に負債として記載がない場合でも次の金額は、負債として取り扱うことになっています（この場合には上記の（ニ）の金額を負債としない代わりに直前期分の法人税、事業税、都道府県民税及び市町村民税として確定した金額は、（イ）の未納公租公課として負債に含めることになります。）。

　　　イ　未納公租公課、未払利息等の金額

　　　ロ　直前期末日以前に賦課期日のあった固定資産税及び都市計画税の税額のうち、未払いとなっている金額

　　　ハ　直前期末日後から課税時期までに確定した剰余金の配当等の金額

　　　ニ　被相続人の死亡により、相続人その他の者に支給することが確定した退職手当金、功労金その他これらに準ずる給与の金額

（**注2**）　「評価差額に対する法人税額等に相当する金額」とは、具体的には、次の算式で計算した金額によります（評基通186－2）。

第七章第三節《取引相場のない株式の評価》

$$\left\{\begin{array}{l}\left[\begin{array}{ll}\text{課税時期における相続税評} & \text{課税時期における相続税評価額によっ}\\\text{価額による総資産価額}\quad A & \text{て計算した各負債の金額の合計額}\quad B\end{array}\right]\\[2mm]\underbrace{-\left[\begin{array}{l}\text{Aの価額の計算の基とした各資産}\\\text{の帳簿価額の合計額}\quad C\,(※1)\end{array}\underbrace{-\begin{array}{l}\text{Bの価額の計算の基とした各}\\\text{負債の帳簿価額の合計額}\quad D\end{array}}_{(※2)}\right]}_{(※3)}\end{array}\right\}\times 37\%$$

(※1)　評価会社の有する各資産の中に、現物出資若しくは合併により著しく低い価額で受け入れた資産又は会社法第2条第31号の規定による株式交換、会社法第2条第32号の規定による株式移転若しくは会社法第2条第32号の2の規定による株式交付により著しく低い価額で受け入れた株式（以下「**現物出資等受入れ資産**」といいます。）がある場合には、次に掲げる算式で計算した現物出資等受入れ差額をCの金額に加算します（これは現物出資等受入れ差額については、法人税額等相当額の控除の対象としない趣旨の規定です。）。

$$\left(\begin{array}{l}\text{現物出資、合併、株式交換、株式移転又は株式交付の}\\\text{ときにおける現物出資等受入れ資産の相続税評価額}\end{array}\right)-\left(\begin{array}{l}\text{現物出資等受入れ}\\\text{資産の帳簿価額}\end{array}\right)=\begin{array}{l}\text{現物出資等}\\\text{受入れ差額}\end{array}$$

$$\left(\begin{array}{l}\text{現物出資等受入れ資産が合併により著しく低い価額で受け入れた資産（以下「合併受入}\\\text{れ資産」といいます。）である場合において、合併受入れ資産に係る上記算式の相続税評}\\\text{価額が、合併受入れ資産に係る被合併会社の帳簿価額を超えるときには、その帳簿価額}\\\text{にとどめて計算します。}\end{array}\right)$$

なお、「現物出資等受入れ差額」は、現物出資、合併、株式交換、株式移転又は株式交付の時における現物出資等受入れ資産の相続税評価額が課税時期における現物出資等受入れ資産の相続税評価額を上回る場合には、次により計算した金額とします。

$$\left(\begin{array}{l}\text{課税時期における現物出資等}\\\text{受入れ資産の相続税評価額}\end{array}\right)-\left(\begin{array}{l}\text{現物出資等受入れ}\\\text{資産の帳簿価額}\end{array}\right)$$

【現物出資等受入れ資産の割合が20％以下の場合の加算の不適用】

「現物出資等受入れ差額」の加算は、課税時期における相続税評価額による総資産価額に占める現物出資等受入れ資産の価額（課税時期の相続税評価額）の合計額の割合が20％以下である場合には、適用しません（法人税額等相当額の控除の対象とします。）。

(※2)　（C－D）がマイナスの場合は、これを0とします。

(※3)　｛（A－B）－（C－D）｝がマイナスの場合は、これを0とします。

(注3)　1株当たりの純資産価額（相続税評価額によって計算した金額）の計算を行う場合の「発行済株式数」は、直前期末における発行済株式数ではなく、課税時期における発行済株式数（自己株式を控除した株式数）です（評基通185（注）1）。

(注4)　「議決権の合計数」及び「議決権総数」には、1の(1)のロの(注3)の(三)の「株主総会の一部の事項について議決権を行使できない株式に係る議決権の数」を含めます（評基通185(注)2）。

（3）　配当還元方式

同族株主以外の株主及び少数株式所有者のうちの特定の者（1396ページの「取引相場のない株式の評価方法」の表参照）が取得した株式の評価方法に適用する配当還元方式の計算は、前掲のとおり、次の算式によります（評基通188－2）。

$$\frac{\text{その株式に係る年配当金額}}{10\%}\times\frac{\text{その株式の1株当たりの資本金等の額}}{50\text{円}}$$

「その株式に係る年配当金額」は、評価会社の課税時期直前期末以前2年間の剰余金の配当金額（特別配当、記念配当等の名称による配当金額のうち、将来毎期継続することが予想できない金額を除きます。）の合計額の2分の1相当額を直前期末の50円換算発行済株式数（直前期末資本金等の額÷50円）で除して計算した金額をいいます。

(注)　「その株式に係る年配当金額」は、**(1)類似業種比準方式**の「Ⓑ（評価会社の1株当たりの配当金額）」をいいます。

この場合年配当金額が2円50銭未満又は無配のものに係る年配当金額は2円50銭とします。

また、「その株式の1株当たりの資本金等の額」は直前期末の評価会社の資本金等の額を直前期末の

－1403－

発行済株式数（自己株式数控除後）で除して計算した数をいいます。

　なお、配当還元方式により計算した評価額が、原則的評価方式（1396ページの「取引相場のない株式の評価方法」の表の左欄参照）により計算した評価額を超える場合には、原則的評価方式によって計算した金額によって評価します。

（4）　直前期末後に増資等があった場合の修正

　前述の計算要領によって評価した場合において、その株式が次に掲げる場合に該当するときは、その価額をそれぞれ次の算式によって修正した金額によって評価します。

イ　類似業種比準価額の修正（評基通184）……後掲「評価明細書第４表」の「比準価額の修正」欄で修正します。

（イ）　直前期末の翌日から課税時期までの間に配当金交付の効力が発生した場合

　　（類似業種比準価額）－（株式１株に対して受けた配当の金額）

（ロ）　直前期末の翌日から課税時期までの間に株式の割当て等の効力が発生した場合

$$\left\{\binom{類似業種}{比準価額}+\binom{割当てを受けた株}{式１株につき払い}_{込んだ金額}\times\binom{株式１株に}{対する割当}_{株式数}\right\}\div\left\{1+\binom{株式１株に対す}{る割当株式数又}_{は交付株式数}\right\}$$

ロ　課税時期において株式の割当てを受ける権利等が発生している場合の修正（評基通187）……後掲「評価明細書第３表」の「株式の価額の修正」欄で修正します。

　イにおいては、直前期末の翌日から課税時期までの間に増資に係る払込期日が到来した場合等につき、類似業種比準価額の修正を要することを述べましたが、株式の割当てを受ける権利等の発生している場合においては、その株式の割当てを受ける権利や配当期待権等は株式に関する権利として別途評価されるため、その権利の基となる株式（1396ページの「取引相場のない株式の評価方法」の表の「原則的評価方式」によって評価する株式に限ります。）についても、当然に修正を必要とします。したがって、次に該当する場合は以下に述べる算式により修正した金額をもって株式の割当てを受ける権利等が発生している株式の評価額とします。

（イ）　課税時期が配当金交付の基準日の翌日から、配当金交付の効力が発生する日までの間にある場合

　　（原則的評価方式による評価額）－（株式１株に対して受ける予想配当の金額）

（ロ）　課税時期が株式の割当ての基準日、株式の割当てのあった日又は株式無償交付の基準日のそれぞれ翌日からこれらの株式の効力が発生する日までの間にある場合

$$\left\{\binom{原則的評価方式}{による評価額}+\binom{割当てを受けた株}{式１株につき払い}_{込むべき金額}\times\binom{株式１株に}{対する割当}_{株式数}\right\}\div\left\{1+\binom{株式１株に対す}{る割当株式数又}_{は交付株式数}\right\}$$

4　比準要素数１の会社の株式の評価

（1）　比準要素数１の会社の意義

　比準要素数１の会社とは、３の（1）で説明した評価基本通達183の（1）、（2）及び（3）に定める「１株当たりの配当金額」、「１株当たりの利益金額」及び「１株当たりの純資産価額（帳簿価額によって計算した金額）」のそれぞれの金額のうち、いずれか２が０であり、かつ、直前々期末を基準にして３の（1）で説明した評価基本通達183の（1）、（2）及び（3）の定めに準じそれぞれの金額を計算した場合に、それぞれの金額のうち、いずれか２以上が０である評価会社（次の５から９に該当する株式等保有特定会社、土地保有特定会社、開業後３年未満の会社等及び開業前又は休業中の会社や清算中の会社を除きます。）をいいます（評基通189（1））。

　なお、４から９の「特定の評価会社」に該当するかどうかの判定は、後掲「評価明細書」の第２表によって行います。また、評価額は第６表で計算します。

　　（注）　配当金額及び利益金額については、直前期末以前３年間の実績を反映して判定することになることに留

－1404－

意してください。

（2） 比準要素数１の会社の株式の評価の原則

比準要素数１の会社の株式の価額は、３の「**（2）　純資産価額方式**」により計算した「１株当たりの純資産価額（相続税評価額によって計算した金額）」によって評価します（この場合において、その株式の取得者とその同族関係者（１の(1)の（**注２**）参照）の有する株式に係る議決権の合計数（**注**）が比準要素数１の会社の議決権総数（**注**）の50％以下であるときには、「１株当たりの純資産価額（相続税評価額によって計算した金額）」の80％相当額をその評価額とします。）。

（**注**）　「議決権の合計数」及び「議決権総数」には、１の(1)の（**注３**）の(三)の「株主総会の一部の事項について議決権を行使できない株式に係る議決権の数」を含めます（評基通185(注)２）。

ただし、上記の比準要素数１の会社の株式の価額は、納税義務者の選択により、「Ｌの割合」を0.25として、次の算式により計算した金額によって評価することができます。この場合においても、１株当たりの純資産価額（相続税評価額によって計算した金額）は、前述のとおりです。

$$
\substack{類似業種\\比準価額} \times 0.25 + \substack{１株当たりの純資産価額（相続税\\評価額によって計算した金額）} \times （1-0.25）
$$

上記のただし書により、比準要素数１の会社の株式について類似業種比準方式と純資産価額方式との併用方式により評価する場合の類似業種比準価額の算式は、次のとおりとなります。

① 比準要素が利益金額のみの場合

$$
A \times \frac{\dfrac{Ⓒ}{C}}{3} \times 0.7
$$

A＝類似業種の株価
C＝類似業種の年利益金額
Ⓒ＝評価会社の利益金額

※　上記算式中の「0.7」は、中会社については「0.6」、小会社については「0.5」とします。

② 比準要素が配当金額のみの場合又は簿価純資産価額のみの場合

$$
A \times \frac{\dfrac{Ⓑ}{B} 又は \dfrac{Ⓓ}{D}}{3} \times 0.7
$$

A＝類似業種の株価
B、D＝類似業種の配当金額、簿価純資産価額
Ⓑ、Ⓓ＝評価会社の配当金額、簿価純資産価額

※　上記算式中の「0.7」は、中会社については「0.6」、小会社については「0.5」とします。

なお、「２　評価の方式」の表の「配当還元方式」を適用できる株主については、上記の純資産価額方式によらず、３の「**（3）　配当還元方式**」に掲げる配当還元方式により比準要素数１の会社の株式を評価することになります（ただし、配当還元方式により評価した金額が、上記本文又はただし書の定めによって評価した金額を超える場合には、上記本文又はただし書（納税義務者が選択した場合に限ります。）の定めにより計算した金額によって評価します。）（評基通189－２）。

（**注**）　直前期末を基とした配当金額、利益金額及び簿価純資産価額の全てがゼロである会社（比準要素数０の会社）の株式については、比準できる要素が全くないことから、純資産価額方式により評価します（７参照）。

上記の「比準要素数１の会社の株式」、５の「株式等保有特定会社の株式」、６の「土地保有特定会社の株式」、７の「開業後３年未満の会社等の株式」、８の「開業前又は休業中の会社の株式」及び９の「清算中の会社の株式」を総称して評価基本通達では「**特定の評価会社の株式**」と呼びます。

5　株式等保有特定会社の株式の評価

（1）　株式等保有特定会社の意義

株式等保有特定会社とは、課税時期において評価会社の有する各資産を、評価基本通達の定めに従い評価した価額（以下「**総資産価額（相続税評価額によって計算した金額）**」といいます。（**注２**）参照）のうちに占める株式、出資及び新株予約権付社債（会社法第２条第22号に規定するもの）の価額の合計額（以下５において「**株式等の価額の合計額（相続税評価額によって計算した金額）**」といいます。）の割合が、50％以上である評価会社（６から９までに該当する土地保有特定会社、開業後３年未満の会社

－1405－

第七章第三節《取引相場のない株式の評価》

等及び開業前又は休業中の会社や清算中の会社を除きます。）をいいます（評基通189（2））。

```
────────────────【株式等保有特定会社の範囲】────────────────

        株式等の価額の合計額
        ─────────────── ≧50％（相続税評価額による）
          総資産価額

  (注) この割合の算定に当たっては、（注2）及び（注3）に留意してください。

─────────────────────────────────────────────────────
```

(注1) 評価会社が株式等保有特定会社であるかどうかを判定する場合において、課税時期前において合理的な理由もなく評価会社の資産構成に変動があり、その変動が株式等保有特定会社と判定されることを免れるためのものと認められるときは、その変動がなかったものとして上記の判定をします。

(注2) 株式等の保有割合を判定する場合における「総資産価額（相続税評価額によって計算した金額）」の計算に当たっては、3の「（2）**純資産価額方式**」の＊2の特例「評価会社が課税時期前3年以内に取得等した土地等及び家屋等の価額の特例」が適用されることにご注意ください。

(注3) 株式等の保有割合を判定する場合における「株式等の価額の合計額（相続税評価額によって計算した金額）」については、その株式等の発行会社を評価会社とみなしてその会社の規模等に応じて評価基本通達（3の「（2）**純資産価額方式**」の＊2及び＊3並びにこの5から7までの特定の評価会社の株式の評価に関する取扱いを含みます。）に従って評価した金額によります。したがって、その株式の評価上の区分、発行会社の規模等及び特定の評価会社に該当するか否かにより、その評価方法が異なることになります（1409ページの（注）の図解参照）。

（2） 株式等保有特定会社の株式の評価の原則…（計算例は1467ページ計算例6）

　株式等保有特定会社の株式の価額は、原則として、3の「（2） **純資産価額方式**」で計算した「1株当たり純資産価額（相続税評価額によって計算した金額)」によって評価します。ただし、株式等保有特定会社の株式の取得者とその同族関係者（1の（1）の（注2）参照）の有する株式に係る議決権の合計数（注1）がその株式等保有特定会社の議決権総数（注1）の50％以下である場合のその取得者の株式については、上記の「1株当たり純資産価額（相続税評価額によって計算した金額)」の80％相当額をその評価額とします（評基通189-3）。

(注1) 「議決権の合計数」及び「議決権総数」には、1の（1）の（注3）の（三）の「株主総会の一部の事項について議決権を行使できない株式に係る議決権の数」を含めます（評基通185(注）2）。

(注2) 上記の「1株当たり純資産価額（相続税評価額によって計算した金額)」の計算に当たっては、3の「（2）**純資産価額方式**」の＊2及び＊3の特例《3年以内取得不動産の「通常取引価額」による評価及び保有株式のうち取引相場のない株式の1株当たり純資産価額の算定に当たっての「法人税額等相当額の控除」の不適用》が適用されることにご注意ください。

　なお、納税義務者の選択により、この評価方法に代えて次の（3）に述べる「S₁＋S₂方式」を適用することもできます。

　また、「2　評価の方式」の表の「配当還元方式」を適用できる株主については、この（2）及び（3）にかかわらず3の「（3）　配当還元方式」に掲げる配当還元方式により株式等保有特定会社の株式を評価します（ただし配当還元方式により評価した金額が（2）又は（3）により評価した金額を超えることとなるときは、（2）又は（3）（納税義務者が選択した場合に限ります。）により評価します。）（評基通189-3）。

（3） 株式等保有特定会社の株式の評価の特例…（計算例は1467ページ参照）

　株式等保有特定会社の株式の価額は、納税義務者の選択により、上記（2）に述べた評価方法に代えて次の「S₁の金額」と「S₂の金額」との合計額によって評価することができます（評基通189-3）。以下この評価方法を「S₁＋S₂方式」と呼ぶこととします。

－1406－

第七章第三節《取引相場のない株式の評価》

| S_1の金額 | （株式等及び受取配当金等を除いて計算した場合の原則的評価方法による評価額） |

　S_1の金額は、株式等保有特定会社の各資産のうち、株式、出資及び新株予約権付社債がなく、また、類似業種比準額を計算するときの評価会社の1株当たり配当金額（⑧）、1株当たり利益金額（©）、1株当たりの純資産価額（帳簿価額によって計算した金額）（⑩）並びに直前期末の利益積立金額のうち、受取配当金等収受割合〔受取配当金等÷受取配当金等とその他の営業利益の合計額〕に対応する部分がないものとみなして、「**2　評価の方式**」の表の「原則的評価方式」欄に掲げる会社の規模別評価法を適用して評価した場合における株式等保有特定会社の株式の評価額によります。ただし、評価会社の株式が4の「**(1)　比準要素数1の会社の意義**」の要件（同(1)のかっこ書の要件を除きます。）にも該当する場合には、大会社、中会社又は小会社の区分にかかわらず、4の「**(2)　比準要素数1の会社の株式の評価の原則**」に定める「1株当たりの純資産価額（相続税評価額によって計算した金額）」又は同(2)のただし書の算式に準じて計算した金額とします（この場合、4の(2)の本文のかっこ書（80%相当額を評価額とする定め）、ただし書の※及びなお書の定めは適用しません。）。

　これらの場合には、同表の「類似業種比準方式」の算式及び3の「**(2)　純資産価額方式**」における「1株当たり純資産価額（相続税評価額によって計算した金額）」の計算について、次のような修正を加えた上で、「原則的評価方式」を適用して評価額を算定することとなります。「評価明細書」の第7表及び第8表によりこの計算を行います。

イ　S_1の金額を計算するときの類似業種比準価額の算式

　「**2　評価の方式**」の表の「類似業種比準方式」に掲げる算式に代えて次の算式を適用することになります。

$$A \times \left[\frac{\dfrac{ⓑ-ｂ}{B} + \dfrac{ⓒ-ｃ}{C} + \dfrac{ⓓ-ｄ}{D}}{3} \right] \times 0.7$$

（注1）　上記算式中の「0.7」は、中会社の株式を評価する場合は「0.6」、小会社の株式を評価する場合は「0.5」とします。

（注2）　上記算式中のA、B、C、D及びⓑ、ⓒ、ⓓは、「**2　評価の方式**」の表の「摘要」欄の符号の説明と同じです。また、ｂ、ｃ、ｄは次によります。

「ｂ」＝3の「**(1)　類似業種比準方式**」のⓑ（評価会社の1株当たりの配当金額）に掲げる算式（ただし書に掲げる算式を含みます。）により計算した評価会社の「1株当たりの配当金額」に、直前期末以前2年間の受取配当金等の額（法人から受ける剰余金の配当（株式又は出資に係るものに限るものとし、資本金等の額の減少によるものを除きます。）、利益の配当、剰余金の分配（出資に対するものに限ります。）及び新株予約権付社債に係る利息の額をいいます。以下同じ。）の合計額が、当該合計額と直前期末以前2年間の営業利益の金額の合計額（その営業利益の金額に受取配当金等の額が含まれている場合には、その受取配当金等の額の合計額を控除した金額によります。）との合計額のうちに占める割合（その割合が1を超える場合には1を限度とします。以下この割合を「**受取配当金等収受割合**」といいます。）を乗じて計算した金額。

| ｂ＝ⓑ×受取配当金等収受割合（＊） |

　（＊）受取配当金等収受割合＝$\dfrac{\text{直前期末以前2年間の受取配当金等の合計額（X）}}{\text{X＋直前期末以前2年間の営業利益の金額の合計額}}$

第七章第三節《取引相場のない株式の評価》

「ⓒ」＝3の「(1)　類似業種比準方式」のⓒ（評価会社の1株当たりの利益金額）により計算した評価会社の「1株当たりの利益金額」に受取配当金等収受割合を乗じて計算した金額。

$$ⓒ＝Ⓒ×受取配当金等収受割合$$

「ⓓ」＝次の(イ)及び(ロ)に掲げる金額の合計額（上記算式中のⒹの金額を限度とします。）

　　(イ)　3の「(1)　類似業種比準方式」のⒹ（評価会社の1株当たりの純資産価額〔帳簿価額によって計算した金額〕）により計算した評価会社の「1株当たりの純資産価額〔帳簿価額によって計算した金額〕」に、評価会社の直前期末の総資産価額（帳簿価額によって計算した金額）のうちに占める株式等の帳簿価額の合計額の割合を乗じて計算した金額。

　　(ロ)　評価会社の直前期末における法人税法第2条《定義》第18号に規定する利益積立金額に相当する金額を直前期末における発行済株式数（1株当たりの資本金等の額が50円以外の金額である場合には、直前期末における資本金等の額を50円で除して計算した数によります。）で除して求めた金額に受取配当金等収受割合を乗じて計算した金額（利益積立金額に相当する金額が負数である場合には、この金額を0とします。）

$$ⓓ＝\left\{Ⓓ×\frac{直前期末の株式等の帳簿価額}{直前期末の簿価総資産価額}＋\frac{直前期末の利益積立金額}{直前期末の発行済株式数※}\right\}×受取配当金等収受割合$$

（注）ⓓ＞Ⓓ⇨ⓓ＝Ⓓ

　　※　「直前期末の発行済株式数」は、50円換算発行済株式数によります。

ロ　S₁の金額を計算するときの「1株当たり純資産価額」の計算

① 　株式等保有特定会社が中会社又は小会社に該当する場合には、S₁の金額は、「1株当たり純資産価額」と類似業種比準価額との併用方式により算定されることになりますが、この場合の1株当たりの純資産価額を計算するときの株式等保有特定会社の各資産は、株式等以外の資産（以下**「その他資産」**といいます。）によります。「評価差額に対する法人税額等に相当する金額」の計算に当たっても同様です。したがって、S₁の金額を計算するときの「1株当たり純資産価額」の計算は次の算式によります。

$$\frac{課税時期のその他資産の相続税評価額－課税時期現在の負債の合計額－評価差額に対する法人税額等相当額（＊）}{課税時期における発行済株式数（自己株式数控除後）}＝1株当たり純資産価額$$

（＊）評価差額に対する法人税額等相当額＝$\left\{\overbrace{\left(\underbrace{課税時期のその他資産の相続税評価額の合計額－課税時期の負債の合計額}\right)－\left(課税時期のその他資産の帳簿価額の合計－課税時期の負債の合計額\right)}^{評価差額}\right\}×37\%$

② 　S₁の金額を算定する場合の1株当たり純資産価額は、3の「(2)　純資産価額方式」の本文ただし書の80％相当額を評価額とする定めは適用しません。

③ 　3の「(2)　純資産価額方式」の＊2の特例「評価会社が課税時期前3年以内に取得等した土地等及び家屋等の価額の特例」は、S₁の金額を算定する場合の1株当たり純資産価額の計算においても適用します。

S₂の金額 （株式等の相続税評価額）

　S₂の金額は(1)において述べました「株式等の価額の合計額（相続税評価額によって計算した金額）」((1)の(注3)により計算します。)からその計算の基とした株式等の帳簿価額の合計額を控除した残額（その残額がゼロ又は負数のときは0とします。）に37％（評価差額に対する法人税額に相当する金額に定める割合。以下同じ。）を乗じて計算した金額を上記「株式等の価額の合計額（相続税評価額によって計算した金額）」から控除し、その控除後の金額を課税時期における株式等保有特定会社の発行済株式数（自己株式を有する場合は、自己株式の数を控除した株式数）で除して得た金額とします。

$$S_2 = \frac{株式等の相続税評価額 - \overbrace{(株式等の相続税評価額 - 株式等の帳簿価額)}^{\text{0又はマイナスのときは0とする}} \times 37\%}{課税時期における株式等保有特定会社の発行済株式数（自己株式数控除後）}$$

(注)　上記の「株式等の相続税評価額」は、その発行会社を「評価会社」とみて評価基本通達により評価した金額によります。したがって、3の「(2)**純資産価額方式**」の＊2及び＊3の特例《課税時期前3年以内に取得した不動産の「通常の取引価額」による評価及び保有する取引相場のない株式の純資産価額を計算するに当たっての「評価差額に対する法人税額等相当額の控除」の不適用》は、上記算式中の株式等が取引相場のない株式等であり、その発行会社が前3年以内に取得した不動産がある場合、又はその発行会社が他の会社（第三の会社）の発行した取引相場のない株式等を保有している場合の当該発行会社の株式等の1株当たり純資産価額の計算においても適用します（下図参照）。また、その発行会社が特定の評価会社の場合にはそれぞれ特定の評価の方法を適用して計算した金額によります。

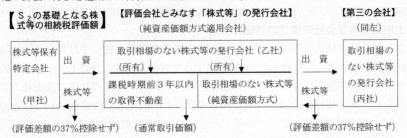

6　土地保有特定会社の株式の評価

(1)　土地保有特定会社の意義

　土地保有特定会社とは、課税時期において評価会社の有する各資産を評価基本通達の定めに従い評価した価額の合計額のうちに占める土地等（土地及び土地の上に存する権利をいいます。）の価額の合計額の割合（土地保有割合）が、次表に掲げる会社の区分に応じ、それぞれ70％以上又は90％以上である評価会社をいいます（この判定は、後掲の「取引相場のない株式の評価明細書」の第2表（1424ページ）の「3　土地保有特定会社」の欄により行います。）。

　なお、小会社で次表に掲げる総資産価額の要件に該当しないもの及び7から9までに該当する開業後3年未満の会社等、開業前又は休業中の会社及び清算中の会社を除きます（評基通189(3)）。

　※　次表の会社の規模区分の判定は、1の「(2)　**会社の規模による区分**」によります。

第七章第三節《取引相場のない株式の評価》

【土地保有特定会社の範囲】

会 社 の 規 模 区 分		相続税評価額による土地等の価額 / 相続税評価額による総資産価額（土 地 保有割合）
大　　会　　社		70％以上
中　　会　　社		90％以上
小　　会　　社 （直前期末の帳簿価額による総資産価額が右欄の要件に該当する会社に限る。）	卸売業の場合　　　　20億円以上 小売・サービス業の場合 　　　　　　　　15億円以上 上記以外の業種の場合 　　　　　　　　15億円以上	70％以上
	卸売業の場合 　　7,000万円以上20億円未満 小売・サービス業の場合 　　4,000万円以上15億円未満 上記以外の業種の場合 　　5,000万円以上15億円未満	90％以上

（注1）　評価会社が土地保有特定会社であるかどうかを判定する場合において、課税時期前において合理的理由もなく評価会社の資産構成に変動があり、その変動が土地保有特定会社と判定されることを免れるためのものと認められるときは、その変動がなかったものとして上記の判定をします。

（注2）　土地保有割合を判定する場合における「相続税評価額による総資産価額」及び「相続税評価額による土地等の価額」の計算に当たっては、3の「(2)純資産価額方式」の＊2及び＊3の特例《3年以内取得不動産の「通常の取引価額」による評価の特例及び保有する取引相場のない株式の1株当たり純資産価額の計算に当たっての「法人税額等相当額の控除」の不適用》が適用されることにご注意ください。

（2）　土地保有特定会社の株式の評価の原則

　土地保有特定会社の株式の価額は、3の「(2)　**純資産価額方式**」で計算した「1株当たり純資産価額（相続税評価額によって計算した金額)」によって評価します。ただし、土地保有特定会社の株式の取得者とその同族関係者（1の(1)の**（注2）**参照）の有する株式に係る議決権の合計数がその土地保有特定会社の議決権総数の50％以下である場合のその取得者の株式については上記の「1株当たり純資産価額（相続税評価額によって計算した金額)」の80％相当額をその評価額とします。

（注1）　「議決権の合計数」及び「議決権総数」には、1の(1)の**（注3）**の（三）の「株主総会の一部の事項について議決権を行使できない株式に係る議決権の数」を含みます（評基通185(注)2)。

（注2）　上記の「1株当たり純資産価額(相続税評価額によって計算した金額)」の計算に当たっては、3「**(2)純資産価額方式**」の＊2及び＊3の特例《3年以内取得不動産の「通常取引価額」による評価及び保有株式のうち取引相場のない株式の1株当たり純資産価額の算定に当たっての「法人税額等相当額の控除」の不適用》が適用されることにご注意ください。

　なお、「2　**評価の方式**」の表の「配当還元方式」を適用できる株主については、上記の純資産価額方式にかかわらず、3の「**(3)　配当還元方式**」に掲げる配当還元方式により土地保有特定会社の株式を評価します（ただし配当還元方式により評価した金額が上記の純資産価額により評価した金額を超えることとなるときは、純資産価額により評価した金額によります。)（評基通189－4)。

7　開業後3年未満の会社等の株式の評価

（1）　開業後3年未満の会社等の意義

　「開業後3年未満の会社等」とは、次のイとロのいずれかに該当する評価会社（8及び9に該当する開業前又は休業中の会社及び清算中の会社を除きます。）をいいます（評基通189(4)）。

イ　開業後3年未満であるもの

ロ　3の「(1)　**類似業種比準方式**」の®、©、®で説明しました「評価会社の1株当たりの配当金

－1410－

額」、「評価会社の１株当たりの利益金額」、「評価会社の１株当たりの純資産価額〔帳簿価額によっ
て計算した金額〕」〔直前期末基準〕のそれぞれの金額《比準３要素》がいずれも０であるもの

（注） 配当金額及び利益金額については、直前期末以前２年間の実績を反映して判定することにご留意ください。

（２） 開業後３年未満の会社等の株式の評価方法

「開業後３年未満の会社等」の発行する株式の評価は、６の土地保有特定会社の株式の評価方法と
同じです。つまり大会社、中会社及び小会社の区分にかかわらず、類似業種比準価額を全く加味しな
いで、評価会社の「１株当たり純資産価額（相続税評価額によって計算した金額）」（株式の取得者が
議決権割合50％以下の株主グループに属する者である場合には、その80％相当額）により評価します。
ただし、配当還元方式を適用することのできる株主の取得した株式については、６で述べたとおり、
配当還元方式による評価額とのいずれか低い金額によって評価することができます（詳細は６の取扱
いに準じますので、６の**（２）**を参照してください。）（評基通189－４）。

8　開業前又は休業中の会社の株式の評価

開業前又は休業中の評価会社の株式は、３の「**（２） 純資産価額方式**」で計算した評価会社の「１
株当たり純資産価額（相続税評価額によって計算した価額）」によって評価します（この場合には、議
決権割合50％以下の株主グループに属する株式の取得者についても１株当たり純資産価額の80％相当
額による評価の特例は適用されません。）（評基通189－５）。

9　清算中の会社の株式の評価

清算中の評価会社の株式は、清算の結果分配を受ける見込みの金額（２回以上にわたり分配を受け
る見込みの場合には、そのそれぞれの金額）について、課税時期から分配を受けると見込まれる日ま
での期間の年数（１年未満の端数は切上げ）に応ずる基準年利率**（注）**による複利現価の額（２回以上
にわたり分配を受ける見込みの場合には、その合計額）によって評価します（評基通189－６）。

しかし、分配を行わず、長期にわたり清算中のままになっているような会社については、清算の結
果分配を受ける見込みの金額や分配を受けると見込まれる日までの期間の算定が困難であると認めら
れることから、１株当たりの純資産価額（相続税評価額によって計算した金額）によって評価します。

（注） 令和６年１月１日以後の相続、遺贈又は贈与（以下、「相続等」といいます。）により取得した財産の評価
については、「令和６年分の基準年利率について（法令解釈通達）」をご確認ください。

10　株式の割当てを受ける権利等の発生している特定の評価会社の株式の価額の修正

「**4　比準要素数１の会社の株式の評価**」から「**8　開業前又は休業中の会社の株式の評価**」まで
の評価要領により、これらの会社（特定の評価会社）の株式を評価する場合（配当還元方式により評
価する場合を除きます。）において、その株式が３の「**（４）直前期末後に増資等があった場合の修正**」
のロの(イ)又は(ロ)に掲げる場合に該当するときは、その評価額を同(イ)又は(ロ)に掲げる算式に準
じて修正した金額によって評価します（評基通189－７）。

11　計算上の参考事項

（１） 類似業種の区分は、原則として「日本標準産業分類」の大分類、中分類、小分類を基礎として
いますので、業種の選定に問題がある場合は「日本標準産業分類」によって判定してください。
（２） 計算例を次に６例掲げておきますから、参考にしてください。
（３） 評価明細書の各欄の金額の記載に当たり、表示単位未満の端数を切り捨てることにより０となる場
合は、端数を切り捨てることなく、原則として分数により記載します。詳細は「〔参考３〕取引相場
のない株式（出資）の評価明細書の記載方法等（令和６年１月１日以降用）」をご参照ください。

取引相場のない株式（出資）の評価明細書の記載例

（編者注）　以下の計算例は、「取引相場のない株式（出資）の評価明細書の記載方法等」に基づき、仮の数値及び日付等を用いて各事例を簡略化して作成しています。

計算例1　大会社の同族株主等（少数株式所有者に該当しない。）の場合（類似業種比準方式と純資産価額方式の低い方）

A　設　　例

1　会社名　　　　　　　　△△鋼機株式会社（建設機械製造）

2　課税時期　　　　　　　令和6年5月30日

3　直前期末（1年決算）令和6年3月31日

4　直前期末の資本金等の額　　7千万円（発行済株式数　14万株）

5　課税時期の資本金等の額　　7千万円（発行済株式数　14万株）

6　1株当たりの資本金等の額　　　500円

7　直前期の配当金額　7,000千円、直前々期の配当金額　10,500千円、直前々期の前期の配当金額8,400千円

8　会社の規模の判定要素　　①　直前期末の総資産価額（帳簿価額）　　　　　1,215,600千円

　　　　　　　　　　　　　　②　直前期末以前1年間における継続勤務従業員数65人、継続勤務従業員以外の従業員の労働時間の合計時間数8,280時間

　　　　　　　　　　　　　　③　直前期末以前1年間の取引金額　　　　　4,577,100千円

　　　　　　　　　　　　　　④　評価会社の業種　　　　　卸売業、小売・サービス業以外の業種

9　直前期の利益金額　90,100千円（直前々期の利益金額は125,600千円）……非経常的利益は含まれていない。

10　直前期末の純資産価額（帳簿価額）　　251,500千円（直前々期末の純資産価額250,000千円）

11　株主総会　　　令和6年5月21日

　　この株主総会において、7,000千円（1株当たり50円）の配当金（資本等の減少によるものはない。）の支払が決議された。

12　類似業種の株価及び配当金額等

　　イ　中分類業種目……生産用機械器具製造業（№35）

　　　A　5月171円　4月165円　3月173円　令和5年平均149円　令和6年5月以前2年間の平均153円のうちの最低金額＝149円　B　2.7円　C　13円　D　181円

　　ロ　小分類業種目……その他の生産用機械器具製造業（№37）

　　　A　5月153円　4月158円　3月161円　令和5年平均136円　令和6年5月以前2年間の平均142円のうちの最低金額＝136円　B　2.3円　C　12円　D　171円

　　（注）　イ及びロのAからDの金額は、実際の値とは異なります。

13　増資払込期日　　　令和6年7月2日（増資割当ての基準日　令和6年5月21日　割当比率1：1　払込金額1株につき250円株主割当て）

14　評価会社の土地は15年前に取得したものである。

15　評価会社は、自己株式を保有しておらず、種類株式は発行していない（普通株式のみ）。単元株制度を採用している（1単元＝100株）。

B　計算要領

1　会社規模　　　　大会社

2　類似業種比準価額

（1）　Ⓑ、Ⓒ及びⒹの計算

　　70,000千円÷50円＝1,400,000株（50円換算発行済株式数）

－1412－

＠ $\dfrac{(7,000千円＋10,500千円)÷2}{1,400,000株}＝6.2円$

ⓒ 90,100千円÷1,400,000株＝64円

ⓓ 251,500千円÷1,400,000株＝179円

（2） 類似業種比準価額の計算

　イ　中分類業種目による場合

$$\left(\dfrac{6.2円}{2.7円}＋\dfrac{64円}{13円}＋\dfrac{179円}{181円}\right)÷3＝2.73（小数点以下２位未満切捨て。各分数の値も同じ。）$$

　　　149円×2.73×0.7＝284円70銭(10銭位未満切捨て)

　ロ　小分類業種目による場合

$$\left(\dfrac{6.2円}{2.3円}＋\dfrac{64円}{12円}＋\dfrac{179円}{171円}\right)÷3＝3.02（小数点以下２位未満切捨て。各分数の値も同じ。）$$

　　　136円×3.02×0.7＝287円50銭(10銭位未満切捨て)

　ハ　類似業種の業種目の選定

　　　287円50銭＞284円70銭　よって中分類業種目(No.35)による。

（3）　１株当たりの比準価額

$$284円70銭×\dfrac{500円}{50円}＝2,847円　（円位未満切捨て）$$

（4）　類似業種比準価額の修正

　　　配当金の確定による修正　　2,847円－50円＝2,797円

（5）　１株当たりの純資産価額（第５表⑪）6,890円

（6）　原則的評価方式による１株当たり評価額

　　　（4）2,797円＜（5）6,890円　∴2,797円

3　株式の価額の修正

　課税時期が増資割当基準日の翌日から払込期日の間に当たるため株式の割当てを受ける権利が発生していることによる修正

　(2,797円＋250円×１株)÷(１株＋１株)＝1,523円　（円位未満切捨て）

4　株式の割当てを受ける権利の評価

　1,523円－250円＝1,273円

取引相場のない株式（出資）の評価明細書の記載例

第1表の1　評価上の株主の判定及び会社規模の判定の明細書

整理番号 □□□

会　社　名	（電話 6942-2917） △△鋼機株式会社	本店の所在地	大阪市〇〇区〇〇町14-8		
代表者氏名	日本　太郎	事業内容	取扱品目及び製造、卸売、小売等の区分	業種目番号	取引金額の構成比
課税時期	令和 6 年　5 月　30 日		建設機械製造	37	100%
直前期	自　5 年　4 月　1 日 至　6 年　3 月　31 日				

1．株主及び評価方式の判定

氏名又は名称	続柄	会社における役職名	⑦株式数（株式の種類）	⑧議決権数	⑨議決権割合（⑧/④）
日本　太郎	納税義務者	代表取締役	100,000	1,000	71
日本　一郎	長男	常務取締役	10,000	100	7
日本　花子	妻	監査役	14,000	140	10
	自己株式				
納税義務者の属する同族関係者グループの議決権の合計数				②1,240	⑤（②/④）88
筆頭株主グループの議決権の合計数				③1,240	⑥（③/④）88
評価会社の発行済株式又は議決権の総数			①140,000	④1,400	100

判定基準：納税義務者の属する同族関係者グループの議決権割合（⑤の割合）を基として、区分します。

区分基準 ⑤の割合	筆頭株主グループの議決権割合（⑥の割合）			株主の区分
	50%超の場合	30%以上50%以下の場合	30%未満の場合	
	50%超	30%以上	15%以上	同族株主等
	50%未満	30%未満	15%未満	同族株主等以外の株主

判定：同族株主等（原則的評価方式等）　　同族株主等以外の株主（配当還元方式）

「同族株主等」に該当する納税義務者のうち、議決権割合（⑨の割合）が5%未満の者の評価方式は、「2．少数株式所有者の評価方式の判定」欄により判定します。

2．少数株式所有者の評価方式の判定

項　目	判　定　内　容
判定要素 氏名	
㋑役員	である（原則的評価方式等）・でない（次の㋺へ）
㋺納税義務者が中心的な同族株主	である（原則的評価方式等）・でない（次の㋩へ）
㋩納税義務者以外に中心的な同族株主（又は株主）	がいる（配当還元方式）・がいない（原則的評価方式等）（氏名　　　）
判定	原則的評価方式等　・　配当還元方式

取引相場のない株式（出資）の評価明細書の記載例

第1表の2　評価上の株主の判定及び会社規模の判定の明細書（続）

会社名 △△鋼機株式会社

（取引相場のない株式（出資）の評価明細書）

（令和六年一月一日以降用）

3．会社の規模（Lの割合）の判定

判定要素	項　目	金　額	項　目	人　数
	直前期末の総資産価額 （帳簿価額）	千円 **1,215,600**	直前期末以前1年間 における従業員数	**69.6** 人
	直前期末以前1年間 の取引金額	千円 **4,577,100**		〔従業員数の内訳〕 （継続勤務従業員数）＋（継続勤務従業員以外の従業員の労働時間の合計時間数） **65**人 ＋ （**8,280**時間）／1,800時間

ⓘ　直前期末以前1年間における従業員数に応ずる区分

70人以上の会社は、大会社（ⓗ及びⓘは不要）

70人未満の会社は、ⓗ及びⓘにより判定

判定基準	ⓗ　直前期末の総資産価額（帳簿価額）及び直前期末以前1年間における従業員数に応ずる区分				ⓘ　直前期末以前1年間の取引金額に応ずる区分			会社規模とLの割合（中会社）の区分	
	総資産価額（帳簿価額）			従業員数	取　引　金　額				
	卸売業	小売・サービス業	卸売業、小売・サービス業以外		卸売業	小売・サービス業	卸売業、小売・サービス業以外		
	20億円以上	15億円以上	15億円以上	㉟人超	30億円以上	20億円以上	（15億円以上）	大会社	
	4億円以上 20億円未満	5億円以上 15億円未満	（5億円以上 15億円未満）	35人超	7億円以上 30億円未満	5億円以上 20億円未満	4億円以上 15億円未満	0.90	中
	2億円以上 4億円未満	2億5,000万円以上 5億円未満	2億5,000万円以上 5億円未満	20人超 35人以下	3億5,000万円以上 7億円未満	2億5,000万円以上 5億円未満	2億円以上 4億円未満	0.75	会
	7,000万円以上 2億円未満	4,000万円以上 2億5,000万円未満	5,000万円以上 2億5,000万円未満	5人超 20人以下	2億円以上 3億5,000万円未満	6,000万円以上 2億5,000万円未満	8,000万円以上 2億円未満	0.60	社
	7,000万円未満	4,000万円未満	5,000万円未満	5人以下	2億円未満	6,000万円未満	8,000万円未満	小会社	

・「会社規模とLの割合（中会社）の区分」欄は、ⓗ欄の区分（「総資産価額（帳簿価額）」と「従業員数」とのいずれか下位の区分）とⓘ欄（取引金額）の区分とのいずれか上位の区分により判定します。

判定	（大会社）	中　会　社			小　会　社	
		Lの割合				
		0.90	0.75	0.60		

4．増（減）資の状況その他評価上の参考事項

1、直前期末以後における増資に関する事項
　　増資年月日　　　　　　令和6年7月2日
　　増資金額　　　　　　　70,000千円
　　増資内容　　　　　　　1：1（払込金額1株につき250円株主割当）
　　増資後の資本金額　　　140,000千円

2、直前期分の配当金
　　支払基準日　　令和6年3月31日　　効力発生日　　令和6年5月21日
　　資本金等の額の減少に伴うもの　なし

取引相場のない株式（出資）の評価明細書の記載例

取引相場のない株式（出資）の評価明細書の記載方法等

　取引相場のない株式（出資）の評価明細書は、相続、遺贈又は贈与により取得した取引相場のない株式及び持分会社の出資等並びにこれらに関する権利の価額を評価するために使用します。

　なお、この明細書は、第１表の１及び第１表の２で納税義務者である株主の態様の判定及び評価会社の規模（Ｌの割合）の判定を行い、また、第２表で特定の評価会社に該当するかどうかの判定を行い、それぞれについての評価方式に応じて、第３表以下を記載し作成します。

　また、この明細書は、各表の記載方法等に定めるところにより記載するものとし、各欄の金額は、各表の記載方法等に定めがあるものを除き、各欄の表示単位未満の端数を切り捨てて記載します。

（注）１　各欄の金額の記載に当たっては、上記に定めるもののほか、次のことに留意してください。

　　⑴　各欄の金額のうち、他の欄から転記するものについては、転記元の金額をそのまま記載します。

　　⑵　各欄の金額のうち、各表の記載方法等において、表示単位未満の端数を切り捨てることにより０となる場合に、次のイ又はロ（各表の記載方法等には、これらを区分して表記しています。）により記載することとされているものについては、当該端数を切り捨てず、分数により記載します。ただし、納税義務者の選択により、当該金額については、小数により記載することができます。

　　　　当該金額を小数により記載する場合には、小数点以下の金額のうち、次のイ又はロの区分に応じ、それぞれイ又はロに掲げる株式数の桁数に相当する数の位未満の端数を切り捨てたものを当該各欄に記載します（端数処理の例参照）。

　　イ　分数等（課税時期基準）

　　　　課税時期現在の発行済株式数（第１表の１の「1.　株主及び評価方式の判定」の「評価会社の発行済株式又は議決権の総数」欄の①の株式数（評価会社が課税時期において自己株式を有する場合には、その自己株式の数を控除したもの）をいいます。）

　　ロ　分数等（直前期末基準）

　　　　直前期末の発行済株式数（第４表の「1.　１株当たりの資本金等の額等の計算」の「直前期末の発行済株式数」欄の②の株式数（評価会社が直前期末において自己株式を有する場合には、その自己株式の数を控除したもの）をいいます。）

　　（端数処理の例）第４表の④の金額を計算する場合

1.１株当たりの資本金 等の額等の計算	直前期末の 資本金等の額		直前期末の 発行済株式数		直前期末の 自己株式数		1株当たりの資本金等の額 （①÷（②-③））	
	①	千円	②	株	③	株	④	円
	3,000		4,500,000		0		0.6666666	

　　④の金額の計算　3,000千円 ÷ （4,500,000株－０株）＝ 0.66666666……

　　　この場合、発行済株式数（②－③ ＝ 4,500,000 株）が７桁であるため、その桁数（小数点以下７位）未満の端数を切り捨てた金額を④の金額として記載します。

２　評価会社が一般の評価会社（特定の評価会社に該当しない会社をいいます。）である場合には、第６表以下を記載する必要はありません。

３　評価会社が「清算中の会社」に該当する場合には、適宜の様式により計算根拠等を示してください。

－1416－

取引相場のない株式（出資）の評価明細書の記載例

第１表の１　評価上の株主の判定及び会社規模の判定の明細書

1　この表は、評価上の株主の区分及び評価方式の判定に使用します。評価会社が「開業前又は休業中の会社」に該当する場合には、「１．株主及び評価方式の判定」欄及び「２．少数株式所有者の評価方式の判定」欄を記載する必要はありません。

　　なお、この表のそれぞれの「判定基準」欄及び「判定」欄は、該当する文字を〇で囲んで表示します。

2　「事業内容」欄の「取扱品目及び製造、卸売、小売等の区分」欄には、評価会社の事業内容を具体的に記載します。「業種目番号」欄には、別に定める類似業種比準価額計算上の業種目の番号を記載します（類似業種比準価額を計算しない場合は省略しても差し支えありません。）。「取引金額の構成比」欄には、評価会社の取引金額全体に占める事業別の構成比を記載します。

（注）「取引金額」は直前期末以前１年間における評価会社の目的とする事業に係る収入金額（金融業・証券業については収入利息及び収入手数料）をいいます。

3　「１．株主及び評価方式の判定」の「判定要素（課税時期現在の株式等の所有状況）」の各欄は、次により記載します。

⑴　「氏名又は名称」欄には、納税義務者が同族株主等の原則的評価方式等（配当還元方式以外の評価方式をいいます。）を適用する株主に該当するかどうかを判定するために必要な納税義務者の属する同族関係者グループ（株主の１人とその同族関係者のグループをいいます。）の株主の氏名又は名称を記載します。

　　この場合における同族関係者とは、株主の１人とその配偶者、６親等内の血族及び３親等内の姻族等をいいます（付表「同族関係者の範囲等」参照）。

⑵　「続柄」欄には、納税義務者との続柄を記載します。

⑶　「会社における役職名」欄には、課税時期又は法定申告期限における役職名を、社長、代表取締役、副社長、専務、常務、会計参与、監査役等と具体的に記載します。

⑷　「㋑　株式数（株式の種類）」の各欄には、相続、遺贈又は贈与による取得後の株式数を記載します（評価会社が会社法第108条第１項に掲げる事項について内容の異なる２以上の種類の株式（以下「種類株式」といいます。）を発行している場合には、次の⑸のニにより記載します。なお、評価会社が種類株式を発行していない場合には、株式の種類の記載を省略しても差し支えありません。）。

　　「㋺　議決権数」の各欄には、各株式数に応じた議決権数（個）を記載します（議決権数は㋑株式数÷１単元の株式数により計算し、１単元の株式数に満たない株式に係る議決権数は切り捨てて記載します。なお、会社法第188条に規定する単元株制度を採用していない会社は、１株式＝１議決権となります。）。

　　「㋩　議決権割合（㋺／④）」の各欄には、評価会社の議決権の総数（④欄の議決権の総数）に占める議決権数（それぞれの株主の㋺欄の議決権数）の割合を１％未満の端数を切り捨てて記載します（「納税義務者の属する同族関係者グループの議決権の合計数（⑤（②／④））」欄及び「筆頭株主グループの議決権の合計数（⑥（③／④））」欄は、各欄において、１％未満の端数を切り捨てて記載します。なお、これらの割合が50％超から51％未満までの範囲内にある場合には、１％未満の端数を切り上げて「51％」と記載します。）。

⑸　次に掲げる場合には、それぞれ次によります。

−1417−

イ 相続税の申告書を提出する際に、株式が共同相続人及び包括受遺者の間において分割されていない場合

　　「⑦　株式数（株式の種類）」欄には、納税義務者が有する株式（未分割の株式を除きます。）の株式数の上部に、未分割の株式の株式数を㋐と表示の上、外書で記載し、納税義務者が有する株式の株式数に未分割の株式の株式数を加算した数に応じた議決権数を「⑪　議決権数」に記載します。また、「納税義務者の属する同族関係者グループの議決権の合計数（⑤（②／④））」欄には、納税義務者の属する同族関係者グループが有する実際の議決権数（未分割の株式に応じた議決権数を含みます。）を記載します。

ロ 評価会社の株主のうちに会社法第308条第1項の規定によりその株式につき議決権を有しないこととされる会社がある場合

　　「氏名又は名称」欄には、その会社の名称を記載します。

　　「⑦　株式数（株式の種類）」欄には、議決権を有しないこととされる会社が有する株式数を㋭と表示の上、記載し、「⑪　議決権数」欄及び「㋬　議決権割合（⑪／④）」欄は、「－」で表示します。

ハ 評価会社が自己株式を有する場合

　　「⑦　株式数（株式の種類）」欄に会社法第113条第4項に規定する自己株式の数を記載します。

ニ 評価会社が種類株式を発行している場合

　　評価会社が種類株式を発行している場合には、次のとおり記載します。

　　「⑦　株式数（株式の種類）」欄の各欄には、納税義務者が有する株式の種類ごとに記載するものとし、上段に株式数を、下段に株式の種類を記載します（記載例参照）。

　　「⑪　議決権数」の各欄には、株式の種類に応じた議決権数を記載します（議決権数は⑦株式数÷その株式の種類に応じた1単元の株式数により算定し、1単元に満たない株式に係る議決権数は切り捨てて記載します。）。

　　「㋬　議決権割合（⑪／④）」の各欄には、評価会社の議決権の総数（④欄の議決権の総数）に占める議決権数（それぞれの株主の⑪欄の議決権数で、2種類以上の株式を所有している場合には、記載例のように、各株式に係る議決権数を合計した数）の割合を1％未満の端数を切り捨てて記載します（「納税義務者の属する同族関係者グループの議決権の合計数（⑤（②／④））」欄及び「筆頭株主グループの議決権の合計数（⑥（③／④））」欄は、各欄において、1％未満の端数を切り捨てて記載します。なお、これらの割合が50％超から51％未満までの範囲内にある場合には、1％未満の端数を切り上げて「51％」と記載します。）。

（記載例）

氏名又は名称	続柄	会社における役職名	⑦ 株式数 （株式の種類）	⑪ 議決権数	㋬ 議決権割合 （⑪／④）
財務　一郎	納税義務者	社長	株 10,000,000 （普通株式）	個 10,000	％ 14
〃	〃	〃	2,000,000 （種類株式A）	4,000	

4 「1．株主及び評価方式の判定」の「判定基準」欄及び「判定」欄の各欄は、該当する文字を○で囲んで表示します。

　　なお、「判定」欄において、「同族株主等」に該当した納税義務者のうち、議決権割合（㋬の割合）

が５％未満である者については、「２．少数株式所有者の評価方式の判定」欄により評価方式の判定を行います。

　　また、評価会社の株主のうちに中小企業投資育成会社がある場合は、財産評価基本通達188-6（（投資育成会社が株主である場合の同族株主等））の定めがありますので、留意してください。

5　「２．少数株式所有者の評価方式の判定」欄は、「判定要素」欄に掲げる項目の「⊖　役員」、「⊕　納税義務者が中心的な同族株主」及び「⊘　納税義務者以外に中心的な同族株主（又は株主）」の順に次により判定を行い、それぞれの該当する文字を○で囲んで表示します（「判定内容」欄の括弧内は、それぞれの項目の判定結果を表します。）。

　　なお、「役員」、「中心的な同族株主」及び「中心的な株主」については、付表「同族関係者の範囲等」を参照してください。

⑴　「⊖　役員」欄は、納税義務者が課税時期において評価会社の役員である場合及び課税時期の翌日から法定申告期限までに役員となった場合に「である」とし、その他の者については「でない」として判定します。

⑵　「⊕　納税義務者が中心的な同族株主」欄は、納税義務者が中心的な同族株主に該当するかどうかの判定に使用しますので、納税義務者が同族株主のいない会社（⑥の割合が 30％未満の場合）の株主である場合には、この欄の判定は必要ありません。

⑶　「⊘　納税義務者以外に中心的な同族株主（又は株主）」欄は、納税義務者以外の株主の中に中心的な同族株主（納税義務者が同族株主のいない会社の株主である場合には、中心的な株主）がいるかどうかを判定し、中心的な同族株主又は中心的な株主がいる場合には、下段の氏名欄にその中心的な同族株主又は中心的な株主のうち１人の氏名を記載します。

第１表の２　評価上の株主の判定及び会社規模の判定の明細書　（続）

1　「３．会社の規模（Ｌの割合）の判定」の「判定要素」の各欄は、次により記載します。なお、評価会社が「開業前又は休業中の会社」に該当する場合及び「開業後３年未満の会社等」に該当する場合には、「3.　会社の規模（Ｌの割合）の判定」欄を記載する必要はありません。

⑴　「直前期末の総資産価額（帳簿価額）」欄には、直前期末における各資産の確定決算上の帳簿価額の合計額を記載します。

　（注）1　固定資産の減価償却累計額を間接法によって表示している場合には、各資産の帳簿価額の合計額から減価償却累計額を控除します。

　　　　2　売掛金、受取手形、貸付金等に対する貸倒引当金は控除しないことに留意してください。

　　　　3　前払費用、繰延資産、税効果会計の適用による繰延税金資産など、確定決算上の資産として計上されている資産は、帳簿価額の合計額に含めて記載します。

　　　　4　収用や特定の資産の買換え等の場合において、圧縮記帳引当金勘定に繰り入れた金額及び圧縮記帳積立金として積み立てた金額並びに翌事業年度以降に代替資産等を取得する予定であることから特別勘定に繰り入れた金額は、帳簿価額の合計額から控除しないことに留意してください。

⑵　「直前期末以前１年間における従業員数」欄には、直前期末以前１年間においてその期間継続して評価会社に勤務していた従業員（就業規則等で定められた１週間当たりの労働時間が 30 時間未満である従業員を除きます。以下「継続勤務従業員」といいます。）の数に、直前期末以前１年間

において評価会社に勤務していた従業員（継続勤務従業員を除きます。）のその１年間における労働時間の合計時間数を従業員１人当たり年間平均労働時間数(1,800時間)で除して求めた数を加算した数を記載します。

　（注）1　上記により計算した評価会社の従業員数が、例えば5.1人となる場合は従業員数「５人超」に、4.9人となる場合は従業員数「５人以下」に該当します。

　　　　2　従業員には、社長、理事長並びに法人税法施行令第71条((使用人兼務役員とされない役員))第１項第１号、第２号及び第４号に掲げる役員は含まないことに留意してください。

⑶　「**直前期末以前１年間の取引金額**」欄には、直前期の事業上の収入金額（売上高）を記載します。
　この場合の事業上の収入金額とは、その会社の目的とする事業に係る収入金額（金融業・証券業については収入利息及び収入手数料）をいいます。

　（注）　直前期の事業年度が１年未満であるときには、課税時期の直前期末以前１年間の実際の収入金額によることとなりますが、実際の収入金額を明確に区分することが困難な期間がある場合は、その期間の収入金額を月数あん分して求めた金額によっても差し支えありません。

⑷　評価会社が「**卸売業**」、「**小売・サービス業**」又は「**卸売業、小売・サービス業以外**」のいずれの業種に該当するかは、直前期末以前１年間の取引金額に基づいて判定し、その取引金額のうちに２以上の業種に係る取引金額が含まれている場合には、それらの取引金額のうち最も多い取引金額に係る業種によって判定します。

⑸　「**会社規模とＬの割合（中会社）の区分**」欄は、㋑欄の区分（「総資産価額（帳簿価額）」と「従業員数」とのいずれか下位の区分）と㋺欄（取引金額）の区分とのいずれか上位の区分により判定します。

　（注）　大会社及びＬの割合が0.90の中会社の従業員数はいずれも「35人超」のため、この場合の㋑欄の区分は、「総資産価額（帳簿価額）」欄の区分によります。

2　「**４．増（減）資の状況その他評価上の参考事項**」欄には、次のような事項を記載します。
⑴　課税時期の直前期末以後における増（減）資に関する事項
　　　例えば、増資については、次のように記載します。
　　　　　増資年月日　　　　　令和○年○月○日
　　　　　増資金額　　　　　　○○○　　千円
　　　　　増資内容　　　　　　１：0.5（１株当たりの払込金額50円、株主割当）
　　　　　増資後の資本金額　　○○○　　千円
⑵　課税時期以前３年間における社名変更、増（減）資、事業年度の変更、合併及び転換社債型新株予約権付社債（財産評価基本通達197⑷に規定する転換社債型新株予約権付社債、以下「転換社債」といいます。）の発行状況に関する事項
⑶　種類株式に関する事項
　　　例えば、種類株式の内容、発行年月日、発行株式数等を、次のように記載します。
　　　　　種類株式の内容　　　議決権制限株式
　　　　　発行年月日　　　　　令和○年○月○日
　　　　　発行株式数　　　　　○○○○○株
　　　　　発行価額　　　　　　１株につき○○円（うち資本金に組み入れる金額○○円）
　　　　　１単元の株式の数　　○○○株
　　　　　議決権　　　　　　　○○の事項を除き、株主総会において議決権を有しない。

転換条項　　　　　令和〇年〇月〇日から令和〇年〇月〇日までの間は株主からの請求により普通株式への転換可能（当初の転換価額は〇〇円）

償還条項　　　　　なし

残余財産の分配　　普通株主に先立ち、1株につき〇〇円を支払う。

(4)　剰余金の配当の支払いに係る基準日及び効力発生日

(5)　剰余金の配当のうち、資本金等の額の減少に伴うものの金額

(6)　その他評価上参考となる事項

取引相場のない株式（出資）の評価明細書の記載例

[付　表]　同族関係者の範囲等

項　目		内　　容
同族株主等の判定	同族関係者	1　個人たる同族関係者（法人税法施行令第4条第1項） 　⑴　株主等の親族（親族とは、配偶者、6親等内の血族及び3親等内の姻族をいう。） 　⑵　株主等と婚姻の届出をしていないが事実上婚姻関係と同様の事情にある者 　⑶　個人である株主等の使用人 　⑷　上記に掲げる者以外の者で個人である株主等から受ける金銭その他の資産によって生計を維持しているもの 　⑸　上記⑵、⑶及び⑷に掲げる者と生計を一にするこれらの者の親族 2　法人たる同族関係者（法人税法施行令第4条第2項～第4項、第6項） 　⑴　株主等の1人が他の会社(同族会社かどうかを判定しようとする会社以外の会社。以下同じ。)を支配している場合における当該他の会社 　　ただし、同族関係会社であるかどうかの判定の基準となる株主等が個人の場合は、その者及び上記1の同族関係者が他の会社を支配している場合における当該他の会社（以下、⑵及び⑶において同じ。）。 　⑵　株主等の1人及びこれと特殊の関係のある⑴の会社が他の会社を支配している場合における当該他の会社 　⑶　株主等の1人並びにこれと特殊の関係のある⑴及び⑵の会社が他の会社を支配している場合における当該他の会社 　(注)　1　上記⑴から⑶に規定する「他の会社を支配している場合」とは、次に掲げる場合のいずれかに該当する場合をいう。 　　　　イ　他の会社の発行済株式又は出資（自己の株式又は出資を除く。）の総数又は総額の50%超の数又は金額の株式又は出資を有する場合 　　　　ロ　他の会社の次に掲げる議決権のいずれかにつき、その総数（当該議決権を行使することができない株主等が有する当該議決権の数を除く。）の50%超の数を有する場合 　　　　　①　事業の全部若しくは重要な部分の譲渡、解散、継続、合併、分割、株式交換、株式移転又は現物出資に関する決議に係る議決権 　　　　　②　役員の選任及び解任に関する決議に係る議決権 　　　　　③　役員の報酬、賞与その他の職務執行の対価として会社が供与する財産上の利益に関する事項についての決議に係る議決権 　　　　　④　剰余金の配当又は利益の配当に関する決議に係る議決権 　　　　ハ　他の会社の株主等（合名会社、合資会社又は合同会社の社員（当該他の会社が業務を執行する社員を定めた場合にあっては、業務を執行する社員）に限る。）の総数の半数を超える数を占める場合 　　　　2　個人又は法人との間で当該個人又は法人の意思と同一の内容の議決権を行使することに同意している者がある場合には、当該者が有する議決権は当該個人又は法人が有するものとみなし、かつ、当該個人又は法人（当該議決権に係る会社の株主等であるものを除く。）は当該議決権に係る会社の株主等であるものとみなして、他の会社を支配しているかどうかを判定する。 　⑷　上記⑴から⑶の場合に、同一の個人又は法人の同族関係者である2以上の会社が判定しようとする会社の株主等（社員を含む。）である場合には、その同族関係者である2以上の会社は、相互に同族関係者であるものとみなされる。

取引相場のない株式（出資）の評価明細書の記載例

項　目		内　　　容
少数株式所有者の評価方法の判定	役　員	社長、理事長のほか、次に掲げる者（法人税法施行令第71条第1項第1号、第2号、第4号） (1)　代表取締役、代表執行役、代表理事 (2)　副社長、専務、常務その他これらに準ずる職制上の地位を有する役員 (3)　取締役（指名委員会等設置会社の取締役及び監査等委員である取締役に限る。）、会計参与及び監査役並びに監事
	中心的な同族株主	同族株主のいる会社の株主で、課税時期において同族株主の1人並びにその株主の配偶者、直系血族、兄弟姉妹及び1親等の姻族（これらの者の同族関係者である会社のうち、これらの者が有する議決権の合計数がその会社の議決権総数の25％以上である会社を含む。）の有する議決権の合計数がその会社の議決権総数の25％以上である場合におけるその株主
	中心的な株　主	同族株主のいない会社の株主で、課税時期において株主の1人及びその同族関係者の有する議決権の合計数がその会社の議決権総数の15％以上である株主グループのうち、いずれかのグループに単独でその会社の議決権総数の10％以上の議決権を有している株主がいる場合におけるその株主

取引相場のない株式（出資）の評価明細書の記載例

第2表　特定の評価会社の判定の明細書　　　　会社名　△△鋼機株式会社

（令和六年一月一日以降用）

（取引相場のない株式（出資）の評価明細書）

1. 比準要素数1の会社	判　定　要　素						判定基準	(1)欄のいずれか2の判定要素が0であり、かつ、(2)欄のいずれか2以上の判定要素が0	
	(1)直前期末を基とした判定要素			(2)直前々期末を基とした判定要素					
	第4表の⑪の金額	第4表の⑮の金額	第4表の⑯の金額	第4表の⑫の金額	第4表の⑰の金額	第4表の⑱の金額		である（該当）・でない（非該当）	
	円　銭 6 2 0	円 64	円 179	円　銭 6 7 0	円 89	円 178	判定	該　当 ・ 非該当	

2. 株式等保有特定会社	判　　定　　要　　素			判定基準	③の割合が50%以上である	③の割合が50%未満である
	総資産価額（第5表の①の金額）	株式等の価額の合計額（第5表の④の金額）	株式等保有割合（②/①）			
	① 千円 2,385,700	② 千円 72,200	③ % 3	判定	該　当 ・ 非該当	

3. 土地保有特定会社	判　　定　　要　　素						
	総資産価額（第5表の①の金額）	土地等の価額の合計額（第5表の⑥の金額）	土地保有割合（⑤/④）	会社の規模の判定（該当する文字を○で囲んで表示します。）			
	④ 千円 2,385,700	⑤ 千円 1,250,000	⑥ % 52	大会社 ・ 中会社 ・ 小会社			

土地保有特定会社の判定基準：

判定基準会社の規模	大会社	中会社	小会社（総資産価額（帳簿価額）が次の基準に該当する会社）	
			・卸売業　20億円以上　・小売・サービス業　15億円以上　・上記以外の業種　15億円以上	・卸売業　7,000万円以上20億円未満　・小売・サービス業　4,000万円以上15億円未満　・上記以外の業種　5,000万円以上15億円未満
⑥の割合	70%以上　70%未満	90%以上　90%未満	70%以上　70%未満	90%以上　90%未満
判　定	該当　非該当	該当　非該当	該当　非該当	該当　非該当

4. 開業後3年未満の会社等

| (1) 開業後3年未満の会社 | 判　定　要　素 | 判定基準 | 課税時期において開業後3年未満である | 課税時期において開業後3年未満でない |
| | 開業年月日　昭43年7月1日 | 判定 | 該　当 | 非該当 |

(2) 比準要素数0の会社	直前期末を基とした判定要素			判定基準	直前期末を基とした判定要素がいずれも0	
	判定要素 第4表の⑪の金額	第4表の⑮の金額	第4表の⑯の金額		である（該当）・でない（非該当）	
	円　銭 6 2 0	円 64	円 179	判定	該　当 ・ 非該当	

| 5. 開業前又は休業中の会社 | 開業前の会社の判定 | 休業中の会社の判定 | 6. 清算中の会社 | 判　　定 | |
| | 該当　非該当 | 該当　非該当 | | 該当　非該当 | |

7. 特定の評価会社の判定結果	1. 比準要素数1の会社　　　　2. 株式等保有特定会社
	3. 土地保有特定会社　　　　　4. 開業後3年未満の会社等
	5. 開業前又は休業中の会社　　6. 清算中の会社
	該当する番号を○で囲んでください。なお、上記の「1. 比準要素数1の会社」欄から「6. 清算中の会社」欄の判定において2以上に該当する場合には、後の番号の判定によります。

－1424－

取引相場のない株式（出資）の評価明細書の記載例

第2表　特定の評価会社の判定の明細書

1　この表は、評価会社が特定の評価会社に該当するかどうかの判定に使用します。

　　評価会社が特定の評価会社に明らかに該当しないものと認められる場合には、記載する必要はありません。また、配当還元方式を適用する株主について、原則的評価方式等の計算を省略する場合（原則的評価方式等により計算した価額が配当還元価額よりも高いと認められる場合）には、記載する必要はありません。

　　なお、この表のそれぞれの「判定基準」欄及び「判定」欄は、該当する文字を○で囲んで表示します。

2　「1.　比準要素数1の会社」欄は、次により記載します。

　　なお、評価会社が「3.　土地保有特定会社」から「6.　清算中の会社」のいずれかに該当する場合には、記載する必要はありません。

　(1)　「判定要素」の「(1)　直前期末を基とした判定要素」及び「(2)　直前々期末を基とした判定要素」の各欄は、当該各欄が示している第4表の「2.　比準要素等の金額の計算」の各欄の金額を記載します。

　(2)　「判定基準」欄は、「(1)　直前期末を基とした判定要素」欄の判定要素のいずれか2が0で、かつ、「(2)　直前々期末を基とした判定要素」欄の判定要素のいずれか2以上が0の場合に、「である（該当）」を○で囲んで表示します。

　(注)　「(1)　直前期末を基とした判定要素」欄の判定要素がいずれも0である場合は、「4.　開業後3年未満の会社等」欄の「(2)　比準要素数0の会社」に該当することに留意してください。

3　「2.　株式等保有特定会社」及び「3.　土地保有特定会社」の「総資産価額」欄等には、課税時期における評価会社の各資産を財産評価基本通達の定めにより評価した金額（第5表の①の金額等）を記載します。ただし、1株当たりの純資産価額（相続税評価額）の計算に当たって、第5表の記載方法等の2の(4)により直前期末における各資産及び各負債に基づいて計算を行っている場合には、当該直前期末において計算した第5表の当該各欄の金額により記載することになります（これらの場合、株式等保有特定会社及び土地保有特定会社の判定時期と純資産価額及び株式等保有特定会社のS₂の計算時期を同一とすることに留意してください。）。

　　なお、「2.　株式等保有特定会社」欄は、評価会社が「3.　土地保有特定会社」から「6.　清算中の会社」のいずれかに該当する場合には記載する必要はなく、「3.　土地保有特定会社」欄は、評価会社が「4.　開業後3年未満の会社等」から「6.　清算中の会社」のいずれかに該当する場合には、記載する必要はありません。

　(注)　「2.　株式等保有特定会社」の「株式等保有割合」欄の③の割合及び「3.　土地保有特定会社」の「土地保有割合」欄の⑥の割合は、1％未満の端数を切り捨てて記載します。

4　「4.　開業後3年未満の会社等」の「(2)　比準要素数0の会社」の「判定要素」の「直前期末を基とした判定要素」の各欄は、当該各欄が示している第4表の「2.　比準要素等の金額の計算」の各欄の金額（第2表の「1.　比準要素数1の会社」の「判定要素」の「(1)　直前期末を基とした判定要素」の各欄の金額と同一となります。）を記載します。

　　なお、評価会社が「(1)　開業後3年未満の会社」に該当する場合には、「(2)　比準要素数0の会社」の各欄は記載する必要はありません。

　　また、評価会社が「5.　開業前又は休業中の会社」又は「6.　清算中の会社」に該当する場合には、「4.　開業後3年未満の会社等」の各欄は、記載する必要はありません。

5　「5.　開業前又は休業中の会社」の各欄は、評価会社が「6.　清算中の会社」に該当する場合には、記載する必要はありません。

－1425－

取引相場のない株式（出資）の評価明細書の記載例

第3表　一般の評価会社の株式及び株式に関する権利の価額の計算明細書　会社名　△△鋼機株式会社

（令和六年一月一日以降用）

（取引相場のない株式（出資）の評価明細書）

1 原則的評価方式による価額	1株当たりの価額の計算の基となる金額	類似業種比準価額（第4表の㉖、㉗又は㉘の金額）① 円 **2,797**		1株当たりの純資産価額（第5表の⑪の金額）② 円 **6,890**			1株当たりの純資産価額の80%相当額（第5表の⑫の記載がある場合のその金額）③ 円

	1株当たりの価額の計算	区　分	1 株 当 た り の 価 額 の 算 定 方 法			1 株 当 た り の 価 額
		大会社の株式の価額	次のうちいずれか低い方の金額（②の記載がないときは①の金額）　イ　①の金額　ロ　②の金額			④ 円 **2,797**
		中会社の株式の価額の計算	（①と②とのいずれか低い方の金額 × L の割合）+（②の金額（③の金額があるときは③の金額）×（1 － L の割合））　0.　　　　　　　　0.			⑤ 円
		小会社の株式の価額	次のうちいずれか低い方の金額　イ　②の金額（③の金額があるときは③の金額）　ロ　（①の金額 × 0.50）+（イの金額 × 0.50）			⑥ 円

	株式の価額の修正	課税時期において配当期待権の発生している場合	株式の価額　[④、⑤又は⑥の金額]	－	1株当たりの配当金額　　円　　銭	修正後の株式の価額 ⑦ 円
		課税時期において株式の割当てを受ける権利、株主となる権利又は株式無償交付期待権の発生している場合	株式の価額　(④、⑤又は⑥（⑦があるときは⑦）の金額)	割当株式1株当たりの払込金額 **250** 円 ×	1株当たりの割当株式数 **1** 株) ÷	1株当たりの割当株式数又は交付株式数（1株+ **1** 株） 修正後の株式の価額 ⑧ 円 **1,523**

2 配当還元方式による価額	1株当たりの資本金等の額、発行済株式数等	直前期末の資本金等の額 ⑨ 千円	直前期末の発行済株式数 ⑩ 株	直前期末の自己株式数 ⑪ 株	1株当たりの資本金等の額を50円とした場合の発行済株式数（⑨÷50円）⑫ 株	1株当たりの資本金等の額（⑨÷（⑩-⑪））⑬ 円

	直前期末以前2年間の配当金額	事業年度	⑭ 年 配 当 金 額	⑮ 左のうち非経常的な配当金額	⑯ 差引経常的な年配当金額（⑭ － ⑮）	年平均配当金額
		直前期	千円	千円	㋑ 千円	⑰（㋑+㋺）÷2 千円
		直前々期	千円	千円	㋺ 千円	

	1株(50円)当たりの年配当金額	年平均配当金額（⑰の金額）÷ ⑫の株式数 = ⑱　　円　　銭	この金額が2円50銭未満の場合は2円50銭とします。
	配当還元価額	⑱の金額 / 10% × ⑬の金額 / 50円 = ⑲ 円	⑳ 円　　⑲の金額が、原則的評価方式により計算した価額を超える場合には、原則的評価方式により計算した価額とします。

3 株式に関する権利の価額（1及び2に共通）	配当期待権	1株当たりの予想配当金額（　円　銭）－ 源泉徴収されるべき所得税相当額（　円　銭）	㉑ 円　銭	**4. 株式及び株式に関する権利の価額**（1. 及び2. に共通）	
	株式の割当てを受ける権利（割当株式1株当たりの価額）	⑧（配当還元方式の場合は⑳）の金額 **250** 円 － 割当株式1株当たりの払込金額	㉒ 円 **1,273**	株式の評価額	円 **1,523**
	株主となる権利（割当株式1株当たりの価額）	⑧（配当還元方式の場合は⑳）の金額（課税時期後にその株主となる権利につき払い込むべき金額があるときは、その金額を控除した金額）	㉓ 円	株式に関する権利の評価額	円
	株式無償交付期待権（交付される株式1株当たりの価額）	⑧（配当還元方式の場合は⑳）の金額	㉔ 円		（円　銭）**1,273**

－1426－

取引相場のない株式（出資）の評価明細書の記載例

第3表　一般の評価会社の株式及び株式に関する権利の価額の計算明細書

1　この表は、一般の評価会社の株式及び株式に関する権利の評価に使用します（特定の評価会社の株式及び株式に関する権利の評価については、「第6表　特定の評価会社の株式及び株式に関する権利の価額の計算明細書」を使用します。）。

2　「1.　原則的評価方式による価額」の各欄は、次により記載します。

　⑴　「1株当たりの価額の計算」欄の⑤及び⑥の各金額について、表示単位未満の端数を切り捨てることにより0となる場合は、分数等（課税時期基準）により記載します。

　⑵　「株式の価額の修正」の各欄は、次により記載します。

　　イ　「課税時期において配当期待権の発生している場合」欄の⑦及び「課税時期において株式の割当てを受ける権利、株主となる権利又は株式無償交付期待権の発生している場合」欄の⑧の各金額について、表示単位未満の端数を切り捨てることにより0となる場合は、分数等（課税時期基準）により記載します。

　　ロ　「1株当たりの割当株式数」及び「1株当たりの割当株式数又は交付株式数」は、1株未満の株式数を切り捨てずに実際の株式数を記載します。

3　「2.　配当還元方式による価額」欄は、第1表の1の「1.　株主及び評価方式の判定」欄又は「2.少数株式所有者の評価方式の判定」欄の判定により納税義務者が配当還元方式を適用する株主に該当する場合に、次により記載します。

　⑴　「1株当たりの資本金等の額、発行済株式数等」の各欄は、次により記載します。

　　イ　「直前期末の資本金等の額」欄の⑨の金額は、法人税申告書別表五（一）（（利益積立金額及び資本金等の額の計算に関する明細書））（以下「別表五（一）」といいます。）の「差引翌期首現在資本金等の額」の「差引合計額」欄の金額を記載します。

　　ロ　「1株当たりの資本金等の額」欄の⑬の金額について、表示単位未満の端数を切り捨てることにより0となる場合は、分数等（直前期末基準）により記載します。

　⑵　「直前期末以前2年間の配当金額」欄は、評価会社の年配当金額の総額を基に、第4表の記載方法等の3の⑴に準じて記載します。

　⑶　「配当還元価額」の各欄は、次により記載します。

　　イ　⑲の金額について、表示単位未満の端数を切り捨てることにより0となる場合は、分数等（直前期末基準）により記載します。

　　ロ　⑳の金額の記載に当たっては、原則的評価方式により計算した価額が配当還元価額よりも高いと認められる場合には、「1.　原則的評価方式による価額」欄の計算を省略しても差し支えありません。

4　「3.　株式に関する権利の価額」欄の㉒及び㉓の各金額について、表示単位未満の端数を切り捨てることにより0となる場合は、分数等（課税時期基準）により記載します。

5　「4.　株式及び株式に関する権利の価額」の各欄は、次により記載します。

　⑴　「株式の評価額」欄には、「①」欄から「⑳」欄までにより計算したその株式の価額を記載します。

　⑵　「株式に関する権利の評価額」欄には、「㉑」欄から「㉔」欄までにより計算した株式に関する権利の価額を記載します。

　　なお、株式に関する権利が複数発生している場合には、それぞれの金額ごとに別に記載します（配当期待権の価額は、円単位で円未満2位（銭単位）により記載します。）。

−1427−

取引相場のない株式（出資）の評価明細書の記載例

第4表　類似業種比準価額等の計算明細書

会社名　△△鋼機株式会社

（取引相場のない株式（出資）の評価明細書）（令和六年一月一日以降用）

1. 1株当たりの資本金等の額等の計算

	直前期末の資本金等の額①	直前期末の発行済株式数②	直前期末の自己株式数③	1株当たりの資本金等の額（①÷（②－③））④	1株当たりの資本金等の額を50円とした場合の発行済株式数（①÷50円）⑤
	70,000 千円	140,000 株	株	500 円	1,400,000 株

2. 比準要素等の金額の計算

1株(50円)当たりの年配当金額

直前期末以前2（3）年間の年平均配当金額

事業年度⑥	年配当金額	⑦左のうち非経常的な配当金額	⑧差引経常的な年配当金額（⑥－⑦）	年平均配当金額	
直前期	7,000 千円	0 千円	⑦ 7,000 千円	⑨（⑦+⑥）÷2 千円 8,750	比準要素数1の会社・比準要素数0の会社の判定要素の金額 ⑨/⑤ 6円2銭 ⑨ 6円7銭
直前々期	10,500 千円	0 千円	10,500 千円	⑩（⑥+⑪）÷2 千円 9,450	1株(50円)当たりの年配当金額 ⑧ 6円20銭
直前々期の前期	8,400 千円	0 千円	8,400 千円		

1株(50円)当たりの年利益金額

直前期末以前2（3）年間の利益金額

事業年度	⑪法人税の課税所得金額	⑫非経常的な利益金額	⑬受取配当等の益金不算入額	⑭左の所得税額	⑮損金算入した繰越欠損金の控除額	⑯差引経常利益金額（⑪－⑫+⑬－⑭+⑮）	比準要素数1の会社・比準要素数0の会社の判定要素の金額
直前期	90,100 千円	0 千円	0 千円	千円	0 千円	90,100 千円	⑯又は（⑯+⑰）÷2 ©₁ 64円 ©₂ 89円
直前々期	125,600 千円	0 千円	0 千円	千円	0 千円	125,600 千円	1株(50円)当たりの年利益金額 © 64円
直前々期の前期	千円	千円	千円	千円	千円	千円	

1株(50円)当たりの純資産価額

直前期末（直前々期末）の純資産価額

事業年度	⑰資本金等の額	⑱利益積立金額	⑲純資産価額（⑰+⑱）	比準要素数1の会社・比準要素数0の会社の判定要素の金額
直前期	70,000 千円	181,500 千円	251,500 千円	⑲/⑤ ⒟₁ 179円 ⒟₂ 178円
直前々期	70,000 千円	180,000 千円	250,000 千円	1株(50円)当たりの純資産価額 ⒟ 179円

3. 類似業種比準価額の計算

生産用機械器具製造業（No. 35）

類似業種の株価		区分	1株(50円)当たりの年配当金額	1株(50円)当たりの年利益金額	1株(50円)当たりの純資産価額	1株(50円)当たりの比準価額
課税時期の属する月	5月 ⑳ 171	評価会社	Ⓑ 6円2銭	© 64円	⒟ 179円	㉒×㉓×0.7 ※
課税時期の属する月の前月	4月 ㉑ 165	類似業種	B 2円7銭	C 13円	D 181円	※中会社は0.6 小会社は0.5 とします。
課税時期の属する月の前々月	3月 ㉒ 173	要素別比準割合	Ⓑ/B 2.29	©/C 4.92	⒟/D 0.98	
前年平均株価	149	比準割合	（Ⓑ/B+©/C+⒟/D）÷3 = 2.73			㉒ 284円7銭
課税時期の属する月以前2年間の平均株価	153					
A（⑳、㉑、㉒、㉓及び㉔のうち最も低いもの）	149					

その他の生産用機械器具製造業（No. 37）

類似業種の株価		区分	1株(50円)当たりの年配当金額	1株(50円)当たりの年利益金額	1株(50円)当たりの純資産価額	1株(50円)当たりの比準価額
課税時期の属する月	5月 ⑳ 153	評価会社	Ⓑ 6円2銭	© 64円	⒟ 179円	㉓×㉔×0.7 ※
課税時期の属する月の前月	4月 ㉑ 158	類似業種	B 2円3銭	C 12円	D 171円	※中会社は0.6 小会社は0.5 とします。
課税時期の属する月の前々月	3月 ㉒ 161	要素別比準割合	Ⓑ/B 2.69	©/C 5.33	⒟/D 1.04	
前年平均株価	136	比準割合	（Ⓑ/B+©/C+⒟/D）÷3 = 3.02			㉓ 287円5銭
課税時期の属する月以前2年間の平均株価	142					
A（⑳、㉑、㉒、㉓及び㉔のうち最も低いもの）	136					

1株当たりの比準価額	比準価額（㉒と㉓とのいずれか低い方の金額）× ④の金額/50円	㉔ 2,847

比準価額の修正

直前期末の翌日から課税時期までの間に配当金交付の効力が発生した場合	比準価額（㉔の金額）－ 1株当たりの配当金額 50円00銭	修正比準価額 ㉕ 2,797
直前期末の翌日から課税時期までの間に株式の割当て等の効力が発生した場合	比準価額（㉔（㉕があるときは㉕）の金額）＋ 割当株式1株当たりの払込金額 円 銭 × 1株当たりの割当株式数 株）÷（1株+ 1株当たりの割当株式数又は交付株式数 株）	修正比準価額 ㉖ 円

－1428－

取引相場のない株式（出資）の評価明細書の記載例

第4表　類似業種比準価額等の計算明細書

1　この表は、評価会社の「類似業種比準価額」の計算を行うために使用します。

2　「1.　1株当たりの資本金等の額等の計算」の「1株当たりの資本金等の額」欄の④の金額について、表示単位未満の端数を切り捨てることにより0となる場合は、分数等（直前期末基準）により記載します。

3　「2.　比準要素等の金額の計算」の各欄は、次により記載します。

⑴　「1株（50円）当たりの年配当金額」の「**直前期末以前2（3）年間の年平均配当金額**」欄は、評価会社の剰余金の配当金額を基に次により記載します。

　イ　「⑥　年配当金額」欄には、各事業年度中に配当金交付の効力が発生した剰余金の配当（資本金等の額の減少によるものを除きます。）の金額を記載します。

　ロ　「⑦　左のうち非経常的な配当金額」欄には、剰余金の配当金額の算定の基となった配当金額のうち、特別配当、記念配当等の名称による配当金額で、将来、毎期継続することが予想できない金額を記載します。

　ハ　「直前期」欄の記載に当たって、1年未満の事業年度がある場合には、直前期末以前1年間に対応する期間に配当金交付の効力が発生した剰余金の配当金額の総額を記載します。

　　　なお、「直前々期」及び「直前々期の前期」の各欄についても、これに準じて記載します。

⑵　「1株（50円）当たりの年配当金額」の「Ⓑ」欄は、「**比準要素数1の会社・比準要素数0の会社の判定要素の金額**」の「Ⓑ」欄の金額を記載します。

⑶　「1株（50円）当たりの年利益金額」の「**直前期末以前2（3）年間の利益金額**」欄は、次により記載します。

　イ　「⑫　非経常的な利益金額」欄には、固定資産売却益、保険差益等の非経常的な利益の金額を記載します。この場合、非経常的な利益の金額は、非経常的な損失の金額を控除した金額（負数の場合は0）とします。

　ロ　「直前期」欄の記載に当たって、1年未満の事業年度がある場合には、直前期末以前1年間に対応する期間の利益の金額を記載します。この場合、実際の事業年度に係る利益の金額をあん分する必要があるときは、月数により行います。

　　　なお、「直前々期」及び「直前々期の前期」の各欄についても、これに準じて記載します。

⑷　「1株（50円）当たりの年利益金額」の「**比準要素数1の会社・比準要素数0の会社の判定要素の金額**」の「Ⓒ」欄及び「Ⓒ」欄は、それぞれ次により記載します。

　イ　「Ⓒ」欄は、⊖の金額（ただし、納税義務者の選択により、⊖の金額と㋩の金額との平均額によることができます。）を⑤の株式数で除した金額を記載します。

　ロ　「Ⓒ」欄は、㋩の金額（ただし、納税義務者の選択により、㋩の金額と㋬の金額との平均額によることができます。）を⑤の株式数で除した金額を記載します。

　（注）　1　Ⓒ又はⒸの金額が負数のときは、0とします。

　　　　　2　「直前々期の前期」の各欄は、上記のロの計算において、㋩の金額と㋬の金額との平均額によらない場合には記載する必要はありません。

－1429－

⑸　「1株（50円）当たりの年利益金額」の「ⓒ」欄には、㊁の金額を⑤の株式数で除した金額を記載します。ただし、納税義務者の選択により、直前期末以前2年間における利益金額を基として計算した金額（（㊁＋㊧）÷2）を⑤の株式数で除した金額をⓒの金額とすることができます。

（注）　ⓒの金額が負数のときは、0とします。

⑹　「1株（50円）当たりの純資産価額」の「**直前期末（直前々期末）の純資産価額**」の「⑰　**資本金等の額**」欄は、第3表の記載方法等の3の⑴のイに基づき記載します。また、「⑱　**利益積立金額**」欄には、別表五（一）の「差引翌期首現在利益積立金額」の「差引合計額」欄の金額を記載します。

⑺　「1株（50円）当たりの純資産価額」の「**比準要素数1の会社・比準要素数0の会社の判定要素の金額**」の「Ⓓ₁」欄及び「Ⓓ₂」欄は、それぞれⓗ及び㊉の金額を⑤の株式数で除した金額を記載します。

（注）　Ⓓ₁及びⓓ₂の金額が負数のときは、0とします。

⑻　「1株（50円）当たりの純資産価額」の「Ⓓ」欄は、「**比準要素数1の会社・比準要素数0の会社の判定要素の金額**」の「Ⓓ₁」欄の金額を記載します。

4　「**3.　類似業種比準価額の計算**」の各欄は、次により記載します。

⑴　「**類似業種と業種目番号**」欄には、第1表の1の「事業内容」欄に記載された評価会社の事業内容に応じて、別に定める類似業種比準価額計算上の業種目及びその番号を記載します。

　　この場合において、評価会社の事業が該当する業種目は直前期末以前1年間の取引金額に基づいて判定した業種目とします。

　　なお、直前期末以前1年間の取引金額に2以上の業種目に係る取引金額が含まれている場合の業種目は、業種目別の割合が50％を超える業種目とし、その割合が50％を超える業種目がない場合は、次に掲げる場合に応じたそれぞれの業種目とします。

イ　評価会社の事業が一つの中分類の業種目中の2以上の類似する小分類の業種目に属し、それらの業種目別の割合の合計が50％を超える場合

　　その中分類の中にある類似する小分類の「その他の〇〇業」

ロ　評価会社の事業が一つの中分類の業種目中の2以上の類似しない小分類の業種目に属し、それらの業種目別の割合の合計が50％を超える場合（イに該当する場合は除きます。）

　　その中分類の業種目

ハ　評価会社の事業が一つの大分類の業種目中の2以上の類似する中分類の業種目に属し、それらの業種目別の割合の合計が50％を超える場合

　　その大分類の中にある類似する中分類の「その他の〇〇業」

ニ　評価会社の事業が一つの大分類の業種目中の2以上の類似しない中分類の業種目に属し、それらの業種目別の割合の合計が50％を超える場合（ハに該当する場合を除きます。）

　　その大分類の業種目

ホ　イからニのいずれにも該当しない場合

　　大分類の業種目の中の「その他の産業」

取引相場のない株式（出資）の評価明細書の記載例

（注）

$$業種目別の割合 = \frac{業種目別の取引金額}{評価会社全体の取引金額}$$

また、類似業種は、業種目の区分の状況に応じて、次によります。

業種目の区分の状況	類　似　業　種
上記により判定した業種目が小分類に区分されている業種目の場合	小分類の業種目とその業種目の属する中分類の業種目とをそれぞれ記載します。
上記により判定した業種目が中分類に区分されている業種目の場合	中分類の業種目とその業種目の属する大分類の業種目とをそれぞれ記載します。
上記により判定した業種目が大分類に区分されている業種目の場合	大分類の業種目を記載します。

⑵ 「類似業種の株価」及び「比準割合の計算」の各欄には、別に定める類似業種の株価A、1株（50円）当たりの年配当金額B、1株（50円）当たりの年利益金額C及び1株（50円）当たりの純資産価額Dの金額を記載します。

⑶ 「比準割合の計算」欄の要素別比準割合及び比準割合は、それぞれ小数点以下2位未満を切り捨てて記載します。

⑷ 「比準割合の計算」の「比準割合」欄の比準割合（㉑及び㉔）は、「1株（50円）当たりの年配当金額」、「1株（50円）当たりの年利益金額」及び「1株（50円）当たりの純資産価額」の各欄の要素別比準割合を基に、次の算式により計算した割合を記載します。

$$比準割合 = \frac{\dfrac{Ⓑ}{B} + \dfrac{Ⓒ}{C} + \dfrac{Ⓓ}{D}}{3}$$

⑸ 「1株（50円）当たりの比準価額」欄は、評価会社が第1表の2の「3. 会社の規模（Lの割合）の判定」欄により、中会社に判定される会社にあっては算式中の「0.7」を「0.6」、小会社に判定される会社にあっては算式中の「0.7」を「0.5」として計算した金額を記載します。

⑹ 「1株当たりの比準価額」欄の㉖の金額について、表示単位未満の端数を切り捨てることにより0となる場合は、分数等（直前期末基準）により記載します。

⑺ 「比準価額の修正」の各欄は、次により記載します。

イ 「直前期末の翌日から課税時期までの間に配当金交付の効力が発生した場合」欄の㉗の金額について、表示単位未満の端数を切り捨てることにより0となる場合は、分数等（直前期末基準）により記載します。

ロ 「直前期末の翌日から課税時期までの間に株式の割当て等の効力が発生した場合」欄の㉘の金額について、表示単位未満の端数を切り捨てることにより0となる場合は、分数等（課税時期基準）により記載します。

ハ 「1株当たりの割当株式数」及び「1株当たりの割当株式数又は交付株式数」は、1株未満の株式数を切り捨てずに実際の株式数を記載します。

（注） ⑴の類似業種比準価額計算上の業種目及びその番号、並びに、⑵の類似業種の株価A、1株（50円）当たりの年配当金額B、1株（50円）当たりの年利益金額C及び1株（50円）当たりの純資産価額Dの金額については、該当年分の「令和〇年分の類似業種比準価額計算上の業種目及び業種目別株価等について（法令解釈通達）」で御確認の上記入してください。

なお、当該通達については、国税庁ホームページ【https://www.nta.go.jp】上で御覧いただけます。

－1431－

取引相場のない株式（出資）の評価明細書の記載例

第5表　1株当たりの純資産価額（相続税評価額）の計算明細書　　会社名　△△鋼機株式会社

（取引相場のない株式（出資）の評価明細書）

（令和六年一月一日以降用）

1. 資産及び負債の金額（課税時期現在）

資産の部				負債の部			
科　目	相続税評価額	帳簿価額	備考	科　目	相続税評価額	帳簿価額	備考
	千円	千円			千円	千円	
現　　金	6,300	6,300		支払手形	407,600	407,600	
預　　金	276,500	276,500		買掛金	75,500	75,500	
受取手形	125,600	125,600		短期借入金	278,400	278,400	
売掛金	274,400	274,400		未払金	15,300	15,300	
貸付金	7,700	7,700		前受金	8,700	8,700	
前渡金	1,700	1,700		預り金	3,900	3,900	
仮払金	8,900	8,900		長期借入金	100,000	100,000	
製　　品	20,000	20,000		仮受金	20,900	20,900	
仕掛品	155,200	155,200		未納税金	50,000	50,000	
貯蔵材料	27,000	27,000		役員賞与	5,000	5,000	
建　　物	60,900	60,900		配当金	7,000	7,000	
機械設備	60,000	60,000		退職金	25,000	25,000	
工具器具	7,500	7,500					
備　　品	6,800	6,800					
土　　地	1,250,000	122,700					
有価証券	72,200	54,400	上場株				
未収保険金	25,000	25,000					
合　計　①	2,385,700	② 1,240,600		合　計　③	997,300	④ 997,300	
株式等の価額の合計額　㋑	72,200	㋺ 54,400					
土地等の価額の合計額　㋩	1,250,000						
現物出資等受入れ資産の価額の合計額　㊁	0	㋭ 0					

2. 評価差額に対する法人税額等相当額の計算

相続税評価額による純資産価額　（①－③）	⑤	1,388,400 千円
帳簿価額による純資産価額　（（②＋㊁－㋭－④）、マイナスの場合は0）	⑥	243,300 千円
評価差額に相当する金額　（⑤－⑥、マイナスの場合は0）	⑦	1,145,100 千円
評価差額に対する法人税額等相当額　（⑦×37%）	⑧	423,687 千円

3. 1株当たりの純資産価額の計算

課税時期現在の純資産価額（相続税評価額）　（⑤－⑧）	⑨	964,713 千円
課税時期現在の発行済株式数　（第1表の1の①－自己株式数）	⑩	140,000 株
課税時期現在の1株当たりの純資産価額（相続税評価額）　（⑨÷⑩）	⑪	6,890 円
同族株主等の議決権割合（第1表の1の⑤の割合）が50%以下の場合　（⑪×80%）	⑫	円

取引相場のない株式（出資）の評価明細書の記載例

第5表　1株当たりの純資産価額（相続税評価額）の計算明細書

1　この表は、「1株当たりの純資産価額（相続税評価額）」の計算のほか、株式等保有特定会社及び土地保有特定会社の判定に必要な「総資産価額」、「株式等の価額の合計額」及び「土地等の価額の合計額」の計算にも使用します。

2　「**1．資産及び負債の金額（課税時期現在）**」の各欄は、課税時期における評価会社の各資産及び各負債について、次により記載します。

⑴　「**資産の部**」の「**相続税評価額**」欄には、課税時期における評価会社の各資産について、財産評価基本通達の定めにより評価した価額（以下「相続税評価額」といいます。）を次により記載します。

イ　課税時期前3年以内に取得又は新築した土地及び土地の上に存する権利（以下「土地等」といいます。）並びに家屋及びその附属設備又は構築物（以下「家屋等」といいます。）がある場合には、当該土地等又は家屋等の相続税評価額は、課税時期における通常の取引価額に相当する金額（ただし、その土地等又は家屋等の帳簿価額が課税時期における通常の取引価額に相当すると認められる場合には、その帳簿価額に相当する金額）によって評価した価額を記載します。この場合、その土地等又は家屋等は、他の土地等又は家屋等と「科目」欄を別にして、「課税時期前3年以内に取得した土地等」などと記載します。

ロ　取引相場のない株式、出資又は転換社債（財産評価基本通達197-5（（転換社債型新株予約権付社債の評価））の⑶のロに定めるものをいいます。）の価額を純資産価額（相続税評価額）で評価する場合には、評価差額に対する法人税額等相当額の控除を行わないで計算した金額を「相続税評価額」として記載します（なお、その株式などが株式等保有特定会社の株式などである場合において、納税義務者の選択により、「S_1＋S_2」方式によって評価する場合のS_2の金額の計算においても、評価差額に対する法人税額等相当額の控除は行わないで計算することになります。）。この場合、その株式などは、他の株式などと「科目」欄を別にして、「法人税額等相当額の控除不適用の株式」などと記載します。

ハ　評価の対象となる資産について、帳簿価額がないもの（例えば、借地権、営業権等）であっても相続税評価額が算出される場合には、その評価額を「相続税評価額」欄に記載し、「帳簿価額」欄には0と記載します。

ニ　評価の対象となる資産で帳簿価額のあるもの（例えば、借家権、営業権等）であっても、その課税価格に算入すべき相続税評価額が算出されない場合には、「相続税評価額」欄に0と記載し、その帳簿価額を「帳簿価額」欄に記載します。

ホ　評価の対象とならないもの（例えば、財産性のない創立費、新株発行費等の繰延資産、繰延税金資産）については、記載しません。

ヘ　「株式等の価額の合計額」欄の㋐の金額は、評価会社が有している（又は有しているとみなされる）株式、出資及び新株予約権付社債（会社法第2条第22号に規定する新株予約権付社債をいいます。）（以下「株式等」といいます。）の相続税評価額の合計額を記載します。この場合、次のことに留意してください。

（ｲ）　所有目的又は所有期間のいかんにかかわらず、全ての株式等の相続税評価額を合計します。

（ﾛ）　法人税法第12条（（信託財産に属する資産及び負債並びに信託財産に帰せられる収益及び費

－1433－

用の帰属））の規定により評価会社が信託財産を有するものとみなされる場合（ただし、評価会社が明らかに当該信託財産の収益の受益権のみを有している場合を除きます。）において、その信託財産に株式等が含まれているときには、評価会社が当該株式等を所有しているものとみなします。

(ハ)　「出資」とは、「法人」に対する出資をいい、民法上の組合等に対する出資は含まれません。

ト　「土地等の価額の合計額」欄の◯の金額は、上記のへに準じて評価会社が所有している（又は所有しているとみなされる）土地等の相続税評価額の合計額を記載します。

チ　**「現物出資等受入れ資産の価額の合計額」**欄の○の金額は、各資産の中に、現物出資、合併、株式交換、株式移転又は株式交付により著しく低い価額で受け入れた資産（以下「現物出資等受入れ資産」といいます。）がある場合に、現物出資、合併、株式交換、株式移転又は株式交付の時におけるその現物出資等受入れ資産の相続税評価額の合計額を記載します。ただし、その相続税評価額が、課税時期におけるその現物出資等受入れ資産の相続税評価額を上回る場合には、課税時期におけるその現物出資等受入れ資産の相続税評価額を記載します。

また、現物出資等受入れ資産が合併により著しく低い価額で受け入れた資産（以下「合併受入れ資産」といいます。）である場合に、合併の時又は課税時期におけるその合併受入れ資産の相続税評価額が、合併受入れ資産に係る被合併会社の帳簿価額を上回るときは、その帳簿価額を記載します。

(注)　「相続税評価額」の「合計」欄の①の金額に占める課税時期における現物出資等受入れ資産の相続税評価額の合計の割合が20%以下の場合には、「現物出資等受入れ資産の価額の合計額」欄は、記載しません。

(2)　**「資産の部」**の**「帳簿価額」**欄には、「資産の部」の「相続税評価額」欄に評価額が記載された各資産についての課税時期における税務計算上の帳簿価額を記載します。

(注)1　固定資産に係る減価償却累計額、特別償却準備金及び圧縮記帳に係る引当金又は積立金の金額がある場合には、それらの金額をそれぞれの引当金等に対応する資産の帳簿価額から控除した金額をその固定資産の帳簿価額とします。

2　営業権に含めて評価の対象となる特許権、漁業権等の資産の帳簿価額は、営業権の帳簿価額に含めて記載します。

(3)　**「負債の部」**の**「相続税評価額」**欄には、評価会社の課税時期における各負債の金額を、**「帳簿価額」**欄には、「負債の部」の「相続税評価額」欄に評価額が記載された各負債の税務計算上の帳簿価額をそれぞれ記載します。この場合、貸倒引当金、退職給与引当金、納税引当金及びその他の引当金、準備金並びに繰延税金負債に相当する金額は、負債に該当しないものとします。

なお、次の金額は、帳簿に負債としての記載がない場合であっても、課税時期において未払いとなっているものは負債として「相続税評価額」欄及び「帳簿価額」欄のいずれにも記載します。

イ　未納公租公課、未払利息等の金額

ロ　課税時期以前に賦課期日のあった固定資産税及び都市計画税の税額

ハ　被相続人の死亡により、相続人その他の者に支給することが確定した退職手当金、功労金その他これらに準ずる給与の金額

ニ　課税時期の属する事業年度に係る法人税額（地方法人税額を含みます。）、消費税額（地方消費税額を含みます。）、事業税額（特別法人事業税額を含みます。）、道府県民税額及び市町村民

税額のうち、その事業年度開始の日から課税時期までの期間に対応する金額

(4) 1株当たりの純資産価額（相続税評価額）の計算は、上記(1)から(3)の説明のとおり課税時期における各資産及び各負債の金額によることとしていますが、評価会社が課税時期において仮決算を行っていないため、課税時期における資産及び負債の金額が明確でない場合において、直前期末から課税時期までの間に資産及び負債について著しく増減がないため評価額の計算に影響が少ないと認められるときは、課税時期における各資産及び各負債の金額は、次により計算しても差し支えありません。このように計算した場合には、第2表の「2. 株式等保有特定会社」欄及び「3. 土地保有特定会社」欄の判定における総資産価額等についても、同様に取り扱われることになりますので、これらの特定の評価会社の判定時期と純資産価額及び株式等保有特定会社のS₂の計算時期は同一となります。

イ 「**相続税評価額**」欄については、直前期末の資産及び負債の課税時期の相続税評価額

ロ 「**帳簿価額**」欄については、直前期末の資産及び負債の帳簿価額

(注) 1 イ及びロの場合において、帳簿に負債としての記載がない場合であっても、次の金額は、負債として取り扱うことに留意してください。

(1) 未納公租公課、未払利息等の金額

(2) 直前期末日以前に賦課期日のあった固定資産税及び都市計画税の税額のうち、未払いとなっている金額

(3) 直前期末日後から課税時期までに確定した剰余金の配当等の金額

(4) 被相続人の死亡により、相続人その他の者に支給することが確定した退職手当金、功労金その他これらに準ずる給与の金額

2 被相続人の死亡により評価会社が生命保険金を取得する場合には、その生命保険金請求権（未収保険金）の金額を「資産の部」の「相続税評価額」欄及び「帳簿価額」欄のいずれにも記載します。

3 「**2. 評価差額に対する法人税額等相当額の計算**」欄の「**帳簿価額による純資産価額**」及び「**評価差額に相当する金額**」がマイナスとなる場合は、0と記載します。

4 「**3. 1株当たりの純資産価額の計算**」の各欄は、次により記載します。

(1) 「**課税時期現在の発行済株式数**」欄は、課税時期における発行済株式の総数を記載しますが、評価会社が自己株式を有している場合には、その自己株式の数を控除した株式数を記載します。

(2) 「**課税時期現在の1株当たりの純資産価額（相続税評価額）**」欄及び「**同族株主等の議決権割合（第1表の1の⑤の割合）が50%以下の場合**」欄の各金額について、表示単位未満の端数を切り捨てることにより0となる場合は、分数等（課税時期基準）により記載します。

(3) 「**同族株主等の議決権割合（第1表の1の⑤の割合）が50%以下の場合**」欄は、納税義務者が議決権割合（第1表の1の⑤の割合）50%以下の株主グループに属するときにのみ記載します。

(注) 納税義務者が議決権割合50%以下の株主グループに属するかどうかの判定には、第1表の1の記載方法等の3の(5)に留意してください。

取引相場のない株式（出資）の評価明細書の記載例

計算例2　中会社の同族株主等（少数株式所有者に該当しない。）で純資産価額の特例計算の適用を受ける場合（類似業種比準方式と純資産価額方式の併用方式）

A　設　　例
1　会社名　　　　　株式会社ミセスモール（婦人服小売）
2　課税時期　　　令和6年5月30日
3　直前期末（1年決算）　　令和6年3月31日
4　直前期末の資本金等の額　10,000千円（発行済株式数　2万株）
5　課税時期の資本金等の額　10,000千円（発行済株式数　2万株）
6　1株当たりの資本金等の額　500円
7　直前期の配当金額　2,000千円、直前々期の配当金額　1,600千円、直前々期の前期の配当金額 1,200千円
8　会社の規模の判定要素
　①　直前期末の総資産価額（帳簿価額）　　　59,680千円
　②　直前期末以前1年間における継続勤務従業員数24人、継続勤務従業員以外の従業員の労働時間の合計時間数14,400時間
　③　直前期末以前1年間の取引金額　　　485,500千円
　④　評価会社の業種　　　　　　　　　小売業
9　直前期の利益金額　35,000千円（直前々期の利益金額28,400千円、直前々期の前期の利益金額29,000千円）……非経常的利益は含まれていない。
10　直前期末の純資産価額（帳簿価額）　　46,000千円（直前々期末の純資産価額45,000千円）
11　課税時期現在の純資産価額（評価差額に対する法人税額等に相当する金額控除後の金額）
　（注）　評価会社は、課税時期現在における仮決算をしていないため、直前期末の資産及び負債並びに相続開始により確定した受取保険金と退職金を基として計算した。なお、所有土地は16年前に取得。
　　　　（297,237千円－48,680千円）－（74,680千円－48,680千円）＝222,557千円
　　　　222,557千円×0.37＝82,346千円
　　　　297,237千円－48,680千円－82,346千円＝166,211千円
12　株主総会　　　　　　　令和6年5月21日
　この株主総会において2,000千円（1株当たり100円）の配当金（資本等の減少によるものはない。）の支払が決議された。
13　評価会社は、自己株式を保有しておらず、種類株式は発行していない（普通株式のみ）。また、議決権数については、単元株制度は採用していない。
14　類似業種の株価及び配当金額等の平均値
　イ　大分類業種目……小売業（No.79）
　　A　5月215円　4月212円　3月210円　令和5年平均209円　令和6年5月以前2年間の平均217円
　　のうちの最低金額＝209円
　　B　3.9円　C　27円　D　197円
　ロ　中分類業種目……織物・衣服・身の回り品小売業（No.81）
　　A　5月266円　4月268円　3月257円　令和5年平均229円　令和6年5月以前2年間の平均245円
　　のうちの最低金額＝229円
　　B　4.0円　C　37円　D　219円
　　（注）　イ及びロのAからDの金額は、実際の値とは異なります。

B　計算要領
1　会社規模　　　中会社（Lの割合は4参照）
2　類似業種比準価額の計算
　（1）　Ⓑ、Ⓒ及びⒹの計算
　　10,000千円÷50円＝20万株（50円換算発行済株式数）
　　Ⓑ　$\dfrac{(2,000千円＋1,600千円)÷2}{200,000株}＝9円$
　　Ⓒ　$(35,000千円＋28,400千円)×\dfrac{1}{2}÷200,000株＝158円$

－1436－

取引相場のない株式（出資）の評価明細書の記載例

    Ⓓ　46,000千円÷200,000株＝230円

（2）　類似業種比準価額……3,462円（計算式省略。1442ページ参照）

（3）　類似業種比準価額の修正……配当金の確定による修正　　3,462円－100円＝3,362円

3　課税時期現在の1株当たりの純資産価額　　166,211千円÷20,000株＝8,310円

議決権割合50%以下の株主グループに属するため特例計算による修正　　8,310円×0.8＝6,648円

4　Lの割合

（1）　総資産価額（帳簿価額によるもの）による割合0.6と直前期末以前1年間における従業員数による割合0.75のうち下位の割合………………………………0.60

（2）　直前期末以前1年間の取引金額に応ずる割合…………0.75

（3）　Lの割合………………（1）と（2）のうち上位の割合　0.75

5　株式の評価額　（3,362円（※）×0.75）＋{6,648円×（1－0.75）}＝4,183円

        ※　4,183円＜8,310円　∴4,183円による

取引相場のない株式（出資）の評価明細書の記載例

第1表の1　評価上の株主の判定及び会社規模の判定の明細書

整理番号 [　　　]

（令和六年一月一日以降用）

（取引相場のない株式（出資）の評価明細書）

会社名	（電話 **6942-○○××**） **株式会社 ミセスモール**	本店の所在地	**大阪市○○区○○町15-1**		
代表者氏名	**日本 五郎**	取扱品目及び製造、卸売、小売等の区分		業種目番号	取引金額の構成比
課税時期	**令和 6 年　5 月　30 日**	事業内容	**婦人服小売**	**81**	**100** %
直前期	自　**5** 年 **4** 月 **1** 日 至　**6** 年 **3** 月 **31** 日				

1．株主及び評価方式の判定

判定要素（課税時期現在の株式等の所有状況）

氏名又は名称	続柄	会社における役職名	㋑株式数（株式の種類）	㋺議決権数	㋩議決権割合（㋺/④）
			株	値	%
山川太郎	納税義務者	**専務取締役**	**5,000**	**5,000**	**25**
山川和子	妻	**—**	**3,000**	**3,000**	**15**
自己株式					
納税義務者の属する同族関係者グループの議決権の合計数			②　**8,000**	⑤（②/④）**40**	
筆頭株主グループの議決権の合計数			③　**9,000**	⑥（③/④）**45**	
評価会社の発行済株式又は議決権の総数			①　**20,000**	④　**20,000**	100

判定基準

納税義務者の属する同族関係者グループの議決権割合（⑤の割合）を基として、区分します。

区分	筆頭株主グループの議決権割合（⑥の割合）			株主の区分
	50%超の場合	30%以上50%以下の場合	30%未満の場合	
⑤の割合	50%超	(30%以上)	15%以上	同族株主等
	50%未満	30%未満	15%未満	同族株主等以外の株主

判定

(同族株主等)（原則的評価方式等）	同族株主等以外の株主（配当還元方式）

「同族株主等」に該当する納税義務者のうち、議決権割合（㋩の割合）が5%未満の者の評価方式は、「2．少数株式所有者の評価方式の判定」欄により判定します。

2．少数株式所有者の評価方式の判定

判定要素

項　目	判　定　内　容
氏　名	
㋥役　員	である〔原則的評価方式等〕・でない（次の㋭へ）
㋭納税義務者が中心的な同族株主	である〔原則的評価方式等〕・でない（次の㋬へ）
㋬納税義務者以外に中心的な同族株主（又は株主）	がいる(配当還元方式)・がいない〔原則的評価方式等〕（氏名　　　　　）
判　定	原則的評価方式等　・　配当還元方式

取引相場のない株式（出資）の評価明細書の記載例

第1表の2　評価上の株主の判定及び会社規模の判定の明細書（続）　　会社名 **株式会社ミセスモール**

（取引相場のない株式（出資）の評価明細書）

（令和六年一月一日以降用）

3．会社の規模（Lの割合）の判定

項　　目	金　　額	項　　目	人　　数
直前期末の総資産価額 （帳簿価額）	千円 **59,680**	直前期末以前1年間 における従業員数	**32** 人
直前期末以前1年間 の取引金額	千円 **485,500**		［従業員数の内訳］ 継続勤務従業員数 / 継続勤務従業員以外の従業員の労働時間の合計時間数 （**24** 人）＋ （**14,400** 時間）／ 1,800時間

判定要素

㋑　直前期末以前1年間における従業員数に応ずる区分　　70人以上の会社は、大会社（㋺及び㋩は不要）

70人未満の会社は、㋺及び㋩により判定

判定基準

㋺　直前期末の総資産価額（帳簿価額）及び直前期末以前1年間における従業員数に応ずる区分				㋩　直前期末以前1年間の取引金額に応ずる区分			会社規模とLの割合（中会社）の区分	
総資産価額（帳簿価額）			従業員数	取引金額				
卸売業	小売・サービス業	卸売業、小売・サービス業以外		卸売業	小売・サービス業	卸売業、小売・サービス業以外		
20億円以上	15億円以上	15億円以上	35人超	30億円以上	20億円以上	15億円以上	大会社	
4億円以上 20億円未満	5億円以上 15億円未満	5億円以上 15億円未満	35人超	7億円以上 30億円未満	5億円以上 20億円未満	4億円以上 15億円未満	0.90	中会社
2億円以上 4億円未満	2億5,000万円以上 5億円未満	2億5,000万円以上 5億円未満	20人超 35人以下	3億5,000万円以上 7億円未満	2億5,000万円以上 5億円未満	2億円以上 4億円未満	0.75	中会社
7,000万円以上 2億円未満	4,000万円以上 2億5,000万円未満	5,000万円以上 2億5,000万円未満	5人超 20人以下	2億円以上 3億5,000万円未満	6,000万円以上 2億5,000万円未満	8,000万円以上 2億円未満	0.60	中会社
7,000万円未満	4,000万円未満	5,000万円未満	5人以下	2億円未満	6,000万円未満	8,000万円未満	小会社	

・「会社規模とLの割合（中会社）の区分」欄は、㋺欄の区分（「総資産価額（帳簿価額）」と「従業員数」とのいずれか下位の区分）と㋩欄（取引金額）の区分とのいずれか上位の区分により判定します。

判定

大会社	中会社			小会社	
	Lの割合				
	0.90	0.75	0.60		

4．増（減）資の状況その他評価上の参考事項

直前期分の配当金の支払基準日　令和6年3月31日

効力発生日　令和6年5月21日

資本金等の額の減少に伴うもの：なし

－1439－

取引相場のない株式（出資）の評価明細書の記載例

第2表　特定の評価会社の判定の明細書

会社名　**株式会社ミセスモール**

（令和六年一月一日以降用）

（取引相場のない株式（出資）の評価明細書）

1．比準要素数1の会社

判　定　要　素						判定基準	(1)欄のいずれか2の判定要素が0であり、かつ、(2)欄のいずれか2以上の判定要素が0
(1)直前期末を基とした判定要素			(2)直前々期末を基とした判定要素				である（該当）・でない（非該当）
第4表の⑮の金額	第4表の⑯の金額	第4表の⑰の金額	第4表の⑮₂の金額	第4表の⑯₂の金額	第4表の⑰₂の金額	判定	該　当　・　非該当
円　銭 9 0₀	円 158	円 230	円　銭 7 0₀	円 143	円 225		

2．株式等保有特定会社

判　定　要　素			判定基準	③の割合が50%以上である・③の割合が50%未満である
総資産価額（第5表の①の金額）	株式等の価額の合計額（第5表の⑦の金額）	株式等保有割合（②／①）		
① 千円 297,237	② 千円 0	③ % 0	判定	該　当　・　非該当

3．土地保有特定会社

判　定　要　素			会社の規模の判定（該当する文字を○で囲んで表示します。）
総資産価額（第5表の①の金額）	土地等の価額の合計額（第5表の㋺の金額）	土地保有割合（⑤／④）	
④ 千円 297,237	⑤ 千円 218,200	⑥ % 73	大会社・中会社・小会社

判定基準	会社の規模	大　会　社	中　会　社	小　会　社 （総資産価額（帳簿価額）が次の基準に該当する会社）	
				・卸売業　20億円以上 ・小売・サービス業　15億円以上 ・上記以外の業種　15億円以上	・卸売業　7,000万円以上20億円未満 ・小売・サービス業　4,000万円以上15億円未満 ・上記以外の業種　5,000万円以上15億円未満
	⑥の割合	70%以上	70%未満	90%以上	90%未満	70%以上	70%未満	90%以上	90%未満
	判　　定	該　当	非該当	該　当	非該当	該　当	非該当	該　当	非該当

4．開業後3年未満の会社等

(1) 開業後3年未満の会社

判　定　要　素	判定基準	課税時期において開業後3年未満である	課税時期において開業後3年未満でない
開業年月日 昭43年 9月 1日	判定	該　当	非　該　当

(2) 比準要素数0の会社

直前期末を基とした判定要素			判定基準	直前期末を基とした判定要素がいずれも0
第4表の⑮の金額	第4表の⑯の金額	第4表の⑰の金額		である（該当）・でない（非該当）
円　銭 9 0₀	円 158	円 230	判定	該　当　・　非　該　当

5．開業前又は休業中の会社

開業前の会社の判定	休業中の会社の判定
該　当・非該当	該　当・非該当

6．清算中の会社

判　　定
該　当　・　非該当

7．特定の評価会社の判定結果

1．比準要素数1の会社	2．株式等保有特定会社
3．土地保有特定会社	4．開業後3年未満の会社等
5．開業前又は休業中の会社	6．清算中の会社

該当する番号を○で囲んでください。なお、上記の「1．比準要素数1の会社」欄から「6．清算中の会社」欄の判定において2以上に該当する場合には、後の番号の判定によります。

－1440－

取引相場のない株式（出資）の評価明細書の記載例

第3表　一般の評価会社の株式及び株式に関する権利の価額の計算明細書　　会社名 **株式会社ミセスモール**

（令和六年一月一日以降用）

（取引相場のない株式（出資）の評価明細書）

	1株当たりの価額の計算の基となる金額	類似業種比準価額（第4表の㉖、㉗又は㉘の金額）①	1株当たりの純資産価額（第5表の⑪の金額）②	1株当たりの純資産価額の80％相当額（第5表の⑫の記載がある場合のその金額）③
		3,362 円	**8,310** 円	**6,648** 円

1 原則的評価方式による価額

1株当たりの価額の計算

区分	1株当たりの価額の算定方法	1株当たりの価額
大会社の株式の価額	次のうちいずれか低い方の金額（②の記載がないときは①の金額）　イ　①の金額　ロ　②の金額	④　　　円
中会社の株式の価額	（①と②とのいずれか低い方の金額　× Lの割合 0.**75**）+（②の金額（③の金額があるときは③の金額）×（1− Lの割合 0.**75**））	⑤　**4,183** 円
小会社の株式の価額	次のうちいずれか低い方の金額　イ　②の金額（③の金額があるときは③の金額）　ロ　（①の金額 × 0.50）+（イの金額 × 0.50）	⑥　　　円

株式の価額の修正

課税時期において配当期待権の発生している場合	株式の価額 [④、⑤又は⑥の金額] − 1株当たりの配当金額　　円　　銭	修正後の株式の価額 ⑦　　　円
課税時期において株式の割当てを受ける権利、株主となる権利又は株式無償交付期待権の発生している場合	株式の価額 （（④、⑤又は⑥（⑦があるときは⑦）の金額）+ 割当株式1株当たりの払込金額　円 × 1株当たりの割当株式数　株）÷（1株+ 1株当たりの割当株式数又は交付株式数　株）	修正後の株式の価額 ⑧　　　円

2 配当還元方式による価額

1株当たりの資本金等の額、発行済株式数等	直前期末の資本金等の額 ⑨　　千円	直前期末の発行済株式数 ⑩　　株	直前期末の自己株式数 ⑪　　株	1株当たりの資本金等の額を50円とした場合の発行済株式数（⑨÷50円）⑫	1株当たりの資本金等の額（⑨÷（⑩−⑪））⑬

直前期末以前2年間の配当金額	事業年度	⑭ 年配当金額	⑮ 左のうち非経常的な配当金額	⑯ 差引経常的な年配当金額（⑭−⑮）	年平均配当金額
	直前期	千円	千円 ㋑	千円	⑰（㋑+㋺）÷2　千円
	直前々期	千円	千円 ㋺	千円	

1株（50円）当たりの年配当金額	年平均配当金額（⑰の金額）÷⑫の株式数 = ⑱　　円　　銭	この金額が2円50銭未満の場合は2円50銭とします。

配当還元価額	⑱の金額/10% × ⑬の金額/50円 = ⑲　　円	⑳　　円	⑲の金額が、原則的評価方式により計算した価額を超える場合には、原則的評価方式により計算した価額とします。

3 株式に関する権利の価額

配当期待権	1株当たりの予想配当金額（　　円　　銭）− 源泉徴収されるべき所得税相当額（　　円　　銭）	㉑　　円　　銭
株式の割当てを受ける権利（割当株式1株当たりの価額）	⑧（配当還元方式の場合は⑳）の金額 − 割当株式1株当たりの払込金額　円	㉒　　円
株主となる権利（割当株式1株当たりの価額）	⑧（配当還元方式の場合は⑳）の金額（課税時期後にその株主となる権利につき払い込むべき金額があるときは、その金額を控除した金額）	㉓　　円
株式無償交付期待権（交付される株式1株当たりの価額）	⑧（配当還元方式の場合は⑳）の金額	㉔　　円

4. 株式及び株式に関する権利の価額（1. 及び2. に共通）

株式の評価額	**4,183** 円
株式に関する権利の評価額	（　円　　銭）円

−1441−

取引相場のない株式（出資）の評価明細書の記載例

第4表　類似業種比準価額等の計算明細書

会社名　**株式会社ミセスモール**

（取引相場のない株式（出資）の評価明細書）　令和六年一月一日以降用

1. 1株当たりの資本金等の額等の計算

	①直前期末の資本金等の額	②直前期末の発行済株式数	③直前期末の自己株式数	④1株当たりの資本金等の額（①÷（②－③））	⑤1株当たりの資本金等の額を50円とした場合の発行済株式数（①÷50円）
	10,000 千円	20,000 株	株	500 円	200,000 株

2. 比準要素等の金額の計算

1株（50円）当たりの年配当金額

直前期末以前2（3）年間の年平均配当金額

事業年度	⑥年配当金額	⑦左のうち非経常的な配当金額	⑧差引経常的な年配当金額（⑥－⑦）	年平均配当金額
直前期	2,000 千円	0 千円	2,000 千円	⑨（⑦+⑥）÷2　1,800 千円
直前々期	1,600 千円	0 千円	1,600 千円	
直前々期の前期	1,200 千円	0 千円	1,200 千円	⑩（⑥+⑥）÷2　1,400 千円

比準要素数1の会社・比準要素数0の会社の判定要素の金額
- ⑨/⑤　Ⓑ₁　9円 0銭
- ⑩/⑤　Ⓑ₂　7円 0銭
- 1株（50円）当たりの年配当金額Ⓑの金額　9円 00銭

1株（50円）当たりの年利益金額

直前期末以前2（3）年間の利益金額

事業年度	⑪法人税の課税所得金額	⑫非経常的な利益金額	⑬受取配当等の益金不算入額	⑭左の所得税額	⑮損金算入した繰越欠損金の控除額	⑯差引利益金額（⑪－⑫+⑬－⑭+⑮）
直前期	35,000 千円	0 千円	0 千円	0 千円	0 千円	35,000 千円
直前々期	28,400 千円	0 千円	0 千円	0 千円	0 千円	28,400 千円
直前々期の前期	29,000 千円	0 千円	0 千円	0 千円	0 千円	29,000 千円

比準要素数1の会社・比準要素数0の会社の判定要素の金額
- ⑯又は（⑯+⑯）÷2／⑤　Ⓒ₁　158円
- ⑯又は（⑯+⑯）÷2／⑤　Ⓒ₂　143円
- 1株（50円）当たりの年利益金額Ⓒ　158円

1株（50円）当たりの純資産価額

直前期末（直前々期末）の純資産価額

事業年度	⑰資本金等の額	⑱利益積立金額	⑲純資産価額（⑰+⑱）
直前期	10,000 千円	36,000 千円	46,000 千円
直前々期	10,000 千円	35,000 千円	45,000 千円

比準要素数1の会社・比準要素数0の会社の判定要素の金額
- ⑲/⑤　Ⓓ₁　230円
- ⑲/⑤　Ⓓ₂　225円
- 1株（50円）当たりの純資産価額Ⓓの金額　230円

3. 類似業種比準価額の計算

類似業種と業種目番号　小売業（No. 79）

類似業種の株価		区分	Ⓑ1株（50円）当たりの年配当金額	Ⓒ1株（50円）当たりの年利益金額	Ⓓ1株（50円）当たりの純資産価額	1株（50円）当たりの比準価額
課税時期の属する月	⑤5月 215 円	評価会社	Ⓑ 9円 0銭	Ⓒ 158円	230円	⑳×㉑×0.7
課税時期の属する月の前月	㋺4月 212 円	類似業種	B 3円 9銭	C 27円	D 197円	※中会社は0.6 小会社は0.5 とします。
課税時期の属する月の前々月	㋩3月 210 円	要素別比準割合	Ⓑ/B 2.30	Ⓒ/C 5.85	Ⓓ/D 1.16	
前年平均株価	㋥209 円	比準割合	\(\dfrac{Ⓑ/B + Ⓒ/C + Ⓓ/D}{3}\) =		㉑3.10	㉒388円 7銭
課税時期の属する月以前2年間の平均株価	㋭217 円					
A（⑰㋺㋩㋥及び㋭のうち最も低いもの）	⑳209 円					

類似業種と業種目番号　織物・衣服・身の回り品小売業（No. 81）

類似業種の株価		区分	Ⓑ1株（50円）当たりの年配当金額	Ⓒ1株（50円）当たりの年利益金額	Ⓓ1株（50円）当たりの純資産価額	1株（50円）当たりの比準価額
課税時期の属する月	⑤5月 266 円	評価会社	Ⓑ 9円 0銭	Ⓒ 158円	230円	㉓×㉓×0.7
課税時期の属する月の前月	㋺4月 268 円	類似業種	B 4円 0銭	C 37円	D 219円	※中会社は0.6 小会社は0.5 とします。
課税時期の属する月の前々月	㋩3月 257 円	要素別比準割合	Ⓑ/B 2.25	Ⓒ/C 4.27	Ⓓ/D 1.05	
前年平均株価	㋥229 円	比準割合	\(\dfrac{Ⓑ/B + Ⓒ/C + Ⓓ/D}{3}\) =		㉔2.52	㉕346円 2銭
課税時期の属する月以前2年間の平均株価	㋭245 円					
A（⑰㋺㋩㋥及び㋭のうち最も低いもの）	㉓229 円					

比準価額の計算

1株当たりの比準価額	比準価額（㉒と㉕とのいずれか低い方の金額）× ④の金額/50円	㉖ 3,462 円

比準価額の修正

直前期末の翌日から課税時期までの間に配当金交付の効力が発生した場合	比準価額（㉖の金額）－ 1株当たりの配当金額 100円 00銭	修正比準価額 ㉗ 3,362 円
直前期末の翌日から課税時期までの間に株式の割当て等の効力が発生した場合	比準価額（㉖（㉗があるときは㉗）の金額）＋ 割当株式1株当たりの払込金額 円 銭 × 1株当たりの割当株式数 株 ÷（1株＋ 1株当たりの割当株式数又は交付株式数 株）	修正比準価額 ㉘ 円

－1442－

取引相場のない株式（出資）の評価明細書の記載例

第5表　1株当たりの純資産価額（相続税評価額）の計算明細書　　会社名　**株式会社ミセスモール**

（取引相場のない株式（出資）の評価明細書）

（令和六年一月一日以降用）

1. 資産及び負債の金額（課税時期現在）

資産の部				負債の部			
科　目	相続税評価額	帳簿価額	備考	科　目	相続税評価額	帳簿価額	備考
	千円	千円			千円	千円	
現　　金	987	987		支払手形	5,700	5,700	
預　　金	19,500	19,500		買掛金	5,500	5,500	
受取手形	2,600	2,600		預り金	3,280	3,280	
売掛金	11,700	11,700		仮受金	5,700	5,700	
未収金	700	700		未納税金	8,500	8,500	
前渡金	250	250		直前期の利益のうち役員賞与確定額	3,000	3,000	
商　　品	15,250	15,250		配当確定額	2,000	2,000	
建　　物	10,200	5,600		相続人に支給が確定した退職金	15,000	15,000	
什器備品	2,460	2,000					
土　　地	218,200	870					
電話加入権	390	223					
未収保険金	15,000	15,000					
合　計	① 297,237	② 74,680		合　計	③ 48,680	④ 48,680	
株式等の価額の合計額	㋑ 0	㋺ 0					
土地等の価額の合計額	㋩ 218,200						
現物出資等受入れ資産の価額の合計額	㋥ 0	㋭ 0					

2. 評価差額に対する法人税額等相当額の計算

相続税評価額による純資産価額　　（①－③）	⑤	248,557 千円
帳簿価額による純資産価額　　（（②＋㋩－㋭－④）、マイナスの場合は0）	⑥	26,000 千円
評価差額に相当する金額　　（⑤－⑥、マイナスの場合は0）	⑦	222,557 千円
評価差額に対する法人税額等相当額　　（⑦×37%）	⑧	82,346 千円

3. 1株当たりの純資産価額の計算

課税時期現在の純資産価額（相続税評価額）　　（⑤－⑧）	⑨	166,211 千円
課税時期現在の発行済株式数　　（（第1表の1の①）－自己株式数）	⑩	20,000 株
課税時期現在の1株当たりの純資産価額（相続税評価額）　　（⑨÷⑩）	⑪	8,310 円
同族株主等の議決権割合（第1表の1の⑤の割合）が50%以下の場合　　（⑪×80%）	⑫	6,648 円

－1443－

取引相場のない株式（出資）の評価明細書の記載例

計算例3　中会社の同族株主等で土地保有特定会社のために純資産価額方式の適用を受ける場合
（純資産価額方式）

A　設　　例

1　会社名　　　　株式会社コスモ商店（スーパーマーケット）

2　課税時期　　令和6年4月30日

3　直前期末（1年決算）令和6年3月31日

4　直前期末の資本金等の額　10,000千円（発行済株式数　2万株）

5　課税時期の資本金等の額　10,000千円（発行済株式数　2万株）

6　1株当たりの資本金等の額　500円

7　直前期の配当金額　2,000千円、直前々期の配当金額　1,600千円、直前々期の前期の配当金額
1,200千円

8　会社の規模の判定要素

①　直前期末の総資産価額（帳簿価額）　　　　59,680千円

②　直前期末以前1年間における継続勤務従業員数26人、継続勤務従業員以外の従業員の労働時間の合
計時間数7,700時間

③　直前期末以前1年間の取引金額　　　　485,500千円

④　評価会社の業種　　　　　　　　　　　　小売業

9　直前期の利益金額　35,000千円（直前々期の利益金額28,400千円、直前々期の前期の利益金額29,000
千円）……非経常的利益は含まれていない。

10　直前期末の純資産価額（帳簿価額）　46,000千円（直前々期末の純資産価額45,000千円）

11　課税時期現在の純資産価額（評価差額に対する法人税額等に相当する金額控除後の金額）

（注）　評価会社は、課税時期現在における仮決算をしていないため、直前期末の資産及び負債並びに相
続開始により確定した受取保険金と退職金を基として計算した。なお、所有土地は10年前に取得し
ている。

（2,382,237千円－133,680千円）－（159,680千円－133,680千円）＝2,222,557千円

2,222,557千円×0.37＝822,346千円

2,382,237千円－133,680千円－822,346千円＝1,426,211千円

12　株主総会　　　　令和6年4月23日

この株主総会において2,000千円（1株当たり100円）の配当金（資本等の減少によるものはない。）
の支払が決議された。

13　評価会社は、自己株式を保有しておらず、種類株式は発行していない（普通株式のみ）。また議決権数につ
いては、単元株制度は採用していない。

B　計算要領

1　評価会社は土地保有特定会社に該当するので類似業種比準価額の計算はしない。

2　課税時期現在の純資産価額　1,426,211千円÷20,000 株＝71,310円

取引相場のない株式（出資）の評価明細書の記載例

第1表の1　評価上の株主の判定及び会社規模の判定の明細書

整理番号 □□□

（令和六年一月一日以降用）

（取引相場のない株式（出資）の評価明細書）

会社名	（電話**942-○○××**） **株式会社コスモ商店**	本店の所在地	**生駒市××町10-5**		
代表者氏名	**山田 太郎**	事業内容	取扱品目及び製造、卸売、小売等の区分	業種目番号	取引金額の構成比
課税時期	**6**年 **4**月 **30**日		**スーパーマーケット**	**80**	**100**%
直前期	自 **5**年 **4**月 **1**日 至 **6**年 **3**月 **31**日				

1．株主及び評価方式の判定

判定要素（課税時期現在の株式等の所有状況）

氏名又は名称	続柄	会社における役職名	㋑株式数 （株式の種類）	㋺議決権数	㋩議決権割合 （㋺/④）
山田太郎	納税義務者	**代表取締役**	**6,000**株	**6,000**個	**30**%
山田和子	妻	**—**	**6,000**	**6,000**	**30**
自己株式					
納税義務者の属する同族関係者グループの議決権の合計数				②**12,000**	⑤（②/④）**60**
筆頭株主グループの議決権の合計数				③**12,000**	⑥（③/④）**60**
評価会社の発行済株式又は議決権の総数			①**20,000**	④**20,000**	100

納税義務者の属する同族関係者グループの議決権割合（⑤の割合）を基として、区分します。

判定基準の割合

区分	筆頭株主グループの議決権割合（⑥の割合）			株主の区分
	50%超の場合	30%以上50%以下の場合	30%未満の場合	
⑤の割合	50%超	30%以上	15%以上	同族株主等
	50%未満	30%未満	15%未満	同族株主等以外の株主

判定

同族株主等 （原則的評価方式等）	同族株主等以外の株主 （配当還元方式）

「同族株主等」に該当する納税義務者のうち、議決権割合（㋩の割合）が5%未満の者の評価方式は、「2．少数株式所有者の評価方式の判定」欄により判定します。

2．少数株式所有者の評価方式の判定

項目	判定内容

判定要素

氏名	
㋥役員	である〔原則的評価方式等〕・でない（次の㋭へ）
㋭納税義務者が中心的な同族株主	である〔原則的評価方式等〕・でない（次の㋬へ）
㋬納税義務者以外に中心的な同族株主（又は株主）	がいる（配当還元方式）・がいない〔原則的評価方式等〕　（氏名）

判定：原則的評価方式等　・　配当還元方式

-1445-

取引相場のない株式（出資）の評価明細書の記載例

第1表の2　評価上の株主の判定及び会社規模の判定の明細書（続）　　会社名 **株式会社コスモ商店**

（取引相場のない株式（出資）の評価明細書）　　　　　　　　　　　　　　　　　　　　　　令和六年一月一日以降用

3．会社の規模（Lの割合）の判定

判定要素	項　目	金　額	項　目	人　数
	直前期末の総資産価額 （帳簿価額）	千円 **59,680**	直前期末以前1年間における従業員数	**30.2** 人 〔従業員数の内訳〕 継続勤務従業員数（ **26**人）＋ 継続勤務従業員以外の従業員の労働時間の合計時間数（ **7,700** 時間）／1,800時間
	直前期末以前1年間の取引金額	千円 **485,500**		

㋑　直前期末以前1年間における従業員数に応ずる区分	70人以上の会社は、大会社（㋺及び㋩は不要）
	70人未満の会社は、㋺及び㋩により判定

判定基準	㋺　直前期末の総資産価額（帳簿価額）及び直前期末以前1年間における従業員数に応ずる区分				㋩　直前期末以前1年間の取引金額に応ずる区分			会社規模とLの割合（中会社）の区分
	総資産価額（帳簿価額）			従業員数	取引金額			
	卸売業	小売・サービス業	卸売業、小売・サービス業以外		卸売業	小売・サービス業	卸売業、小売・サービス業以外	
	20億円以上	15億円以上	15億円以上	35人超	30億円以上	20億円以上	15億円以上	大会社
	4億円以上 20億円未満	5億円以上 15億円未満	5億円以上 15億円未満	35人超	7億円以上 30億円未満	5億円以上 20億円未満	4億円以上 15億円未満	0.90　中会社
	2億円以上 4億円未満	2億5,000万円以上 5億円未満	2億5,000万円以上 5億円未満	⟨20人超 35人以下⟩	3億5,000万円以上 7億円未満	⟨2億5,000万円以上 5億円未満⟩	2億円以上 4億円未満	0.75
	7,000万円以上 2億円未満	⟨4,000万円以上 2億5,000万円未満⟩	5,000万円以上 2億5,000万円未満	5人超 20人以下	2億円以上 3億5,000万円未満	6,000万円以上 2億5,000万円未満	8,000万円以上 2億円未満	0.60
	7,000万円未満	4,000万円未満	5,000万円未満	5人以下	2億円未満	6,000万円未満	8,000万円未満	小会社

・「会社規模とLの割合（中会社）の区分」欄は、㋺欄の区分（「総資産価額（帳簿価額）」と「従業員数」とのいずれか下位の区分）と㋩欄（取引金額）の区分とのいずれか上位の区分により判定します。

判定	大会社	中会社			小会社	
		Lの割合				
		0.90	0.75	0.60		

4．増（減）資の状況その他評価上の参考事項

直前期分の配当金の支払基準日　令和6年3月31日
効力発生日　令和6年4月23日
資本金等の額の減少に伴うもの：なし

取引相場のない株式（出資）の評価明細書の記載例

第2表　特定の評価会社の判定の明細書

会社名　**株式会社コスモ商店**

（取引相場のない株式（出資）の評価明細書）

（令和六年一月一日以降用）

1. 比準要素数1の会社

判定要素						判定基準	
(1)直前期末を基とした判定要素			(2)直前々期末を基とした判定要素			⑴欄のいずれか2の判定要素が0であり、かつ、⑵欄のいずれか2以上の判定要素が0 である（該当）・(でない)（非該当）	
第4表の⑨の金額	第4表の⑩の金額	第4表の⑪の金額	第4表の⑨の金額	第4表の⑩の金額	第4表の⑪の金額		
円 銭 9 0	円 158	円 230	円 銭 7 0	円 143	円 225	判定　該当・(非該当)	

2. 株式等保有特定会社

判定要素			判定基準	
総資産価額（第5表の①の金額）	株式等の価額の合計額（第5表の⑦の金額）	株式等保有割合（②/①）	③の割合が50%以上である	③の割合が50%未満である
① 千円 2,382,237	② 千円 0	③ % 0	判定　該当・(非該当)	

3. 土地保有特定会社

判定要素			会社の規模の判定
総資産価額（第5表の①の金額）	土地等の価額の合計額（第5表の㋬の金額）	土地保有割合（⑤/④）	（該当する文字を〇で囲んで表示します。）
④ 千円 2,382,237	⑤ 千円 2,218,200	⑥ % 93	大会社・(中会社)・小会社

	小会社
	（総資産価額（帳簿価額）が次の基準に該当する会社）

判定基準　会社の規模	大会社	中会社	小会社
			・卸売業 20億円以上 / 7,000万円以上20億円未満
			・小売・サービス業 15億円以上 / 4,000万円以上15億円未満
			・上記以外の業種 15億円以上 / 5,000万円以上15億円未満

⑥の割合	70%以上	70%未満	(90%以上)	90%未満	70%以上	70%未満	90%以上	90%未満
判定	該当	非該当	(該当)	非該当	該当	非該当	該当	非該当

4. 開業後3年未満の会社等

(1) 開業後3年未満の会社

判定要素	判定基準	課税時期において開業後3年未満である	課税時期において開業後3年未満でない
開業年月日　昭53年8月1日	判定	該当	(非該当)

(2) 比準要素数0の会社

判定要素	直前期末を基とした判定要素			判定基準	直前期末を基とした判定要素がいずれも0 である（該当）・(でない)（非該当）	
	第4表の⑨の金額	第4表の⑩の金額	第4表の⑪の金額			
	円 銭 9 0	円 158	円 230	判定　該当・(非該当)		

5. 開業前又は休業中の会社

開業前の会社の判定		休業中の会社の判定	
該当	(非該当)	該当	(非該当)

6. 清算中の会社

判定	
該当	(非該当)

7. 特定の評価会社の判定結果

1. 比準要素数1の会社　　　　2. 株式等保有特定会社

③. 土地保有特定会社　　　　4. 開業後3年未満の会社等

5. 開業前又は休業中の会社　　6. 清算中の会社

該当する番号を〇で囲んでください。なお、上記の「1. 比準要素数1の会社」欄から「6. 清算中の会社」欄の判定において2以上に該当する場合には、後の番号の判定によります。

—1447—

取引相場のない株式（出資）の評価明細書の記載例

第4表　類似業種比準価額等の計算明細書

会社名　**株式会社コスモ商店**

（令和六年一月一日以降用）

1. 1株当たりの資本金等の額等の計算

	① 直前期末の資本金等の額	② 直前期末の発行済株式数	③ 直前期末の自己株式数	④ 1株当たりの資本金等の額（①÷（②－③））	⑤ 1株当たりの資本金等の額を50円とした場合の発行済株式数（①÷50円）
	10,000 千円	20,000 株	株	500 円	200,000 株

2. 比準要素等の金額の計算

1株（50円）当たりの年配当金額

事業年度	⑥ 年配当金額	⑦ 左のうち非経常的な配当金額	⑧ 差引経常的な年配当金額（⑥－⑦）	年平均配当金額	比準要素数1の会社・比準要素数0の会社の判定要素の金額		
直前期	2,000 千円	0 千円	㋑ 2,000 千円	⑨（㋑＋㋺）÷2 1,800 千円	⑨/⑤	⑧1 9 円 0 銭	
直前々期	1,600 千円	0 千円	㋺ 1,600 千円	⑩（㋺＋㋩）÷2 1,400 千円	⑩/⑤	⑧2 7 円 0 銭	
直前々期の前期	1,200 千円	0 千円	㋩ 1,200 千円		1株（50円）当たりの年配当金額 ⑧	⑧ 9 円 00 銭	

1株（50円）当たりの年利益金額

事業年度	⑪ 法人税の課税所得金額	⑫ 非経常的な利益金額	⑬ 受取配当等の益金不算入額	⑭ 左の所得税額	⑮ 損金算入した繰越欠損金の控除額	⑯ 差引利益金額（⑪－⑫＋⑬－⑭＋⑮）	比準要素数1の会社・比準要素数0の会社の判定要素の金額	
直前期	35,000 千円	0 千円	0 千円	0 千円	0 千円	㋥ 35,000 千円	⑯又は（㋥＋㋭）÷2 ⓒ1 158	
直前々期	28,400 千円	0 千円	0 千円	0 千円	0 千円	㋭ 28,400 千円	⑯又は（㋭＋㋬）÷2 ⓒ2 143	
直前々期の前期	29,000 千円	0 千円	0 千円	0 千円	0 千円	㋬ 29,000 千円	1株（50円）当たりの年利益金額 ⓒ 158	

1株（50円）当たりの純資産価額

事業年度	⑰ 資本金等の額	⑱ 利益積立金額	⑲ 純資産価額（⑰＋⑱）	比準要素数1の会社・比準要素数0の会社の判定要素の金額	
直前期	10,000 千円	36,000 千円	㋠ 46,000 千円	㋠/⑤ ⓓ1 230 円	
直前々期	10,000 千円	35,000 千円	㋝ 45,000 千円	㋝/⑤ ⓓ2 225 円	
				1株（50円）当たりの純資産価額 ⓓ 230 円	

3. 類似業種比準価額の計算

1株（50円）当たりの比準価額の計算

	類似業種と業種目番号			区分	1株（50円）当たりの年配当金額	1株（50円）当たりの年利益金額	1株（50円）当たりの純資産価額	1株（50円）当たりの比準価額
類似業種の株価	（No.　）			評価会社	⑧ 円 銭 0	ⓒ 円	ⓓ 円	⑳×㉑×0.7　※
	課税時期の属する月	月 ㋧ 円		類似業種 B	円 銭 0	C 円	D 円	※ 中会社は0.6 小会社は0.5 とします。
	課税時期の属する月の前月	月 ㋨ 円		要素別比準割合	⑧/B	ⓒ/C	ⓓ/D	
	課税時期の属する月の前々月	月 ㋩ 円		比準割合	\(\dfrac{\frac{⑧}{B}+\frac{ⓒ}{C}+\frac{ⓓ}{D}}{3}\) ＝ ㉑			㉒ 円 銭 0
	前年平均株価	㋥ 円						
	課税時期の属する月以前2年間の平均株価	㋠ 円						
	A（㋧、㋨、㋩、㋥及び㋠のうち最も低いもの）	⑳ 円						

	類似業種と業種目番号			区分	1株（50円）当たりの年配当金額	1株（50円）当たりの年利益金額	1株（50円）当たりの純資産価額	1株（50円）当たりの比準価額
類似業種の株価	（No.　）			評価会社	⑧ 円 銭 0	ⓒ 円	ⓓ 円	㉓×㉔×0.7　※
	課税時期の属する月	月 ㋧ 円		類似業種 B	円 銭 0	C 円	D 円	※ 中会社は0.6 小会社は0.5 とします。
	課税時期の属する月の前月	月 ㋨ 円		要素別比準割合	⑧/B	ⓒ/C	ⓓ/D	
	課税時期の属する月の前々月	月 ㋩ 円		比準割合	\(\dfrac{\frac{⑧}{B}+\frac{ⓒ}{C}+\frac{ⓓ}{D}}{3}\) ＝ ㉔			㉕ 円 銭 0
	前年平均株価	㋥ 円						
	課税時期の属する月以前2年間の平均株価	㋠ 円						
	A（㋧、㋨、㋩、㋥及び㋠のうち最も低いもの）	㉓ 円						

1株当たりの比準価額

1株当たりの比準価額	比準価額（㉒と㉕とのいずれか低い方の金額） × ④の金額／50円	㉖ 円

比準価額の修正

直前期末の翌日から課税時期までの間に配当金交付の効力が発生した場合	比準価額（㉖の金額） － 1株当たりの配当金額　円　銭	修正比準価額 ㉗ 円
直前期末の翌日から課税時期までの間に株式の割当て等の効力が発生した場合	比準価額（㉖（㉗があるときは㉗）の金額） ＋ 割当株式1株当たりの払込金額　円　銭 × 1株当たりの割当株式数　株 ÷（1株＋1株当たりの割当株式数又は交付株式数　株）	修正比準価額 ㉘ 円

取引相場のない株式（出資）の評価明細書の記載例

第5表　1株当たりの純資産価額（相続税評価額）の計算明細書　会社名　株式会社コスモ商店

（取引相場のない株式（出資）の評価明細書）

（令和六年一月一日以降用）

1. 資産及び負債の金額（課税時期現在）

資産の部				負債の部			
科目	相続税評価額	帳簿価額	備考	科目	相続税評価額	帳簿価額	備考
	千円	千円			千円	千円	
現　　金	987	987		支払手形	5,700	5,700	
預　　金	19,500	19,500		買掛金	5,500	5,500	
受取手形	2,600	2,600		預り金	3,280	3,280	
売掛金	11,700	11,700		仮受金	5,700	5,700	
未収金	700	700		未納税金	8,500	8,500	
前渡金	250	250		直前期の利益のうち役員賞与確定額	3,000	3,000	
商　　品	15,250	15,250		配当確定額	2,000	2,000	
建　　物	10,200	5,600		相続人に支給が確定した退職金	100,000	100,000	
什器備品	2,460	2,000					
土　　地	2,218,200	870					
電話加入権	390	223					
未収保険金	100,000	100,000					
合　計	① 2,382,237	② 159,680		合　計	③ 133,680	④ 133,680	
株式等の価額の合計額	㋑ 0	㋺ 0					
土地等の価額の合計額	㋩ 2,218,200						
現物出資等受入れ資産の価額の合計額	㊁ 0	㋭ 0					

2. 評価差額に対する法人税額等相当額の計算

		千円
相続税評価額による純資産価額　（①－③）	⑤	2,248,557
帳簿価額による純資産価額　（（②＋㋩－㋭－④）、マイナスの場合は0）	⑥	26,000
評価差額に相当する金額　（⑤－⑥、マイナスの場合は0）	⑦	2,222,557
評価差額に対する法人税額等相当額　（⑦×37%）	⑧	822,346

3. 1株当たりの純資産価額の計算

課税時期現在の純資産価額（相続税評価額）　（⑤－⑧）	⑨	1,426,211 千円
課税時期現在の発行済株式数　（（第1表の1の①）－自己株式数）	⑩	20,000 株
課税時期現在の1株当たりの純資産価額（相続税評価額）　（⑨÷⑩）	⑪	71,310 円
同族株主等の議決権割合（第1表の1の⑤の割合）が50%以下の場合　（⑪×80%）	⑫	円

－1449－

取引相場のない株式（出資）の評価明細書の記載例

第6表　特定の評価会社の株式及び株式に関する権利の価額の計算明細書　　会社名 株式会社コスモ商店

（取引相場のない株式（出資）の評価明細書）

（令和六年一月一日以降用）

1 純資産価額方式等による価額	1株当たりの価額の計算の基となる金額	類似業種比準価額（第4表の㉖、㉗又は㉘の金額）① 円	1株当たりの純資産価額（第5表の⑪の金額）② 71,310 円	1株当たりの純資産価額の80％相当額（第5表の⑫の記載がある場合のその金額）③ 円

	1株当たりの価額の計算	株式の区分	1株当たりの価額の算定方法等	1株当たりの価額
		比準要素数1の会社の株式	次のうちいずれか低い方の金額　イ ②の金額（③の金額があるときは③の金額）　ロ （①の金額 × 0.25）＋（イの金額 × 0.75）	④ 円
		株式等保有特定会社の株式	（第8表の㉗の金額）	⑤ 円
		土地保有特定会社の株式	（②の金額（③の金額があるときはその金額））	⑥ 71,310 円
		開業後3年未満の会社等の株式	（②の金額（③の金額があるときはその金額））	⑦ 円
		開業前又は休業中の会社の株式	（②の金額）	⑧ 円

	株式の価額の修正	課税時期において配当期待権の発生している場合	株式の価額（④、⑤、⑥、⑦又は⑧の金額） － 1株当たりの配当金額　　円　　銭	修正後の株式の価額 ⑨ 円
		課税時期において株式の割当てを受ける権利、株主となる権利又は株式無償交付期待権の発生している場合	株式の価額（④、⑤、⑥、⑦又は⑧（⑨があるときは⑨）の金額）＋ 割当株式1株当たりの払込金額　円 × 1株当たりの割当株式数　株 ）÷（1株＋1株当たりの割当株式数又は交付株式数　株 ）	修正後の株式の価額 ⑩ 円

2 配当還元方式による価額	1株当たりの資本金等の額、発行済株式数等	直前期末の資本金等の額⑪ 千円	直前期末の発行済株式数⑫ 株	直前期末の自己株式数⑬ 株	1株当たりの資本金等の額を50円とした場合の発行済株式数（⑪ ÷ 50円）⑭ 株	1株当たりの資本金等の額（⑪ ÷（⑫－⑬））⑮ 円
	直前期末以前2年間の年配当金額	事業年度	⑯ 年配当金額	⑰ 左のうち非経常的な配当金額	⑱ 差引経常的な年配当金額（⑯ － ⑰）	年平均配当金額
		直前期	千円	千円 ㋑	千円	⑲ （㋑＋㋺）÷2　千円
		直前々期	千円	千円 ㋺	千円	
	1株（50円）当たりの年配当金額	年平均配当金額（⑲の金額） ÷ ⑭の株式数 ＝		⑳ 円　　銭		この金額が2円50銭未満の場合は2円50銭とします。
	配当還元価額	⑳の金額／10% × ⑮の金額／50円 ＝		㉑ 円	㉒ 円	㉑の金額が、純資産価額方式等により計算した価額を超える場合には、純資産価額方式等により計算した価額とします。

3 株式に関する権利の価額（1.及び2.に共通）	配当期待権	1株当たりの予想配当金額（　円　銭）－ 源泉徴収されるべき所得税相当額（　円　銭）	㉓ 円　銭	4. 株式及び株式に関する権利の価額（1.及び2.に共通）
	株式の割当てを受ける権利（割当株式1株当たりの価額）	⑩（配当還元方式の場合は㉒）の金額 － 割当株式1株当たりの払込金額　円	㉔ 円	株式の評価額 71,310 円
	株主となる権利（割当株式1株当たりの価額）	⑩（配当還元方式の場合は㉒）の金額（課税時期後にその株主となる権利につき払い込むべき金額があるときは、その金額を控除した金額）	㉕ 円	株式に関する権利の評価額 円（　円　銭）
	株式無償交付期待権（交付される株式1株当たりの価額）	⑩（配当還元方式の場合は㉒）の金額	㉖ 円	

－1450－

取引相場のない株式（出資）の評価明細書の記載例

第6表　特定の評価会社の株式及び株式に関する権利の価額の計算明細書

1　この表は、特定の評価会社の株式及び株式に関する権利の評価に使用します（一般の評価会社の株式及び株式に関する権利の評価については、「第3表　一般の評価会社の株式及び株式に関する権利の価額の計算明細書」を使用します。）。

2　「1.　純資産価額方式等による価額」の各欄は、次により記載します。

　(1)　「1株当たりの価額の計算」欄の④の金額について、表示単位未満の端数を切り捨てることにより0となる場合は、分数等（課税時期基準）により記載します。

　(2)　「株式の価額の修正」の各欄は、次により記載します。

　　イ　「課税時期において配当期待権の発生している場合」欄の⑨及び「課税時期において株式の割当てを受ける権利、株主となる権利又は株式無償交付期待権の発生している場合」欄の⑩の各金額について、表示単位未満の端数を切り捨てることにより0となる場合は、分数等（課税時期基準）により記載します。

　　ロ　「1株当たりの割当株式数」及び「1株当たりの割当株式数又は交付株式数」は、第3表の記載方法等の2の(2)のロに準じて記載します。

3　「2.　配当還元方式による価額」欄は、第1表の1の「1.　株主及び評価方式の判定」欄又は「2.　少数株式所有者の評価方式の判定」欄の判定により納税義務者が配当還元方式を適用する株主に該当する場合に、次により記載します。

　(1)　「1株当たりの資本金等の額、発行済株式数等」の「1株当たりの資本金等の額」欄の⑮の金額について、表示単位未満の端数を切り捨てることにより0となる場合は、分数等（直前期末基準）により記載します。

　(2)　「直前期末以前2年間の配当金額」欄は、第4表の記載方法等の3の(1)に準じて記載します。

　(3)　「配当還元価額」の各欄は、次により記載します。

　　イ　㉑の金額について、表示単位未満の端数を切り捨てることにより0となる場合は、分数等（直前期末基準）により記載します。

　　ロ　㉒の金額の記載に当たっては、純資産価額方式等により計算した価額が配当還元価額よりも高いと認められる場合には、「1.　純資産価額方式等による価額」欄の計算を省略しても差し支えありません。

4　「3.　株式に関する権利の価額」欄の㉔及び㉕の各金額について、表示単位未満の端数を切り捨てることにより0となる場合は、分数等（課税時期基準）により記載します。

5　「4.　株式及び株式に関する権利の価額」の各欄は、第3表の記載方法等の5に準じて記載します。

－1451－

取引相場のない株式（出資）の評価明細書の記載例

計算例4　小会社の同族株主等（少数株式所有者に該当しない。）で純資産価額の特例計算の適用を受けない場合（類似業種比準方式と純資産価額方式の併用方式を選択適用）

A　設　　例

1　会社名　　　　　大手町薬品株式会社（医薬品小売）

2　課税時期　　　　令和6年4月30日

3　直前期末（1年決算）令和6年3月31日

4　直前期末の資本金等の額　10,000千円（発行済株式数　2万株）

5　課税時期の資本金等の額　10,000千円（発行済株式数　2万株）

6　1株当たりの資本金等の額　500円

7　直前期の配当金額　1,400千円、直前々期の配当金額　1,200千円、直前々期の前期の配当金額
　　1,000千円

8　会社の規模の判定要素

　①　直前期末の総資産価額（帳簿価額）　45,500千円

　②　直前期末以前1年間における継続勤務従業員数3人、継続勤務従業員以外の従業員の労働時間の合計時間数2,200時間

　③　直前期末以前1年間の取引金額　　　55,000千円

　④　評価会社の業種　　　　　　　　　小売業

9　直前期の利益金額　11,000千円（直前々期の利益金額14,400千円）……非経常的利益は含まれていない。

10　直前期末の純資産価額（帳簿価額）　17,600千円（直前々期末の純資産価額17,200千円）

11　課税時期現在の純資産価額（評価差額に対する法人税額等に相当する金額控除後の金額）

　（注）　評価会社は、課税時期現在における仮決算をしていないため、直前期末の資産及び負債を基として計算した。

　　　　（245,680千円－18,400千円）－（45,500千円－18,400千円）＝200,180千円

　　　　200,180千円×0.37＝74,066千円

　　　　245,680千円－18,400千円－74,066千円＝153,214千円

12　株主総会　　　　　　　令和6年5月20日

　　この株主総会において1,400千円（1株当たり70円）の配当金（資本等の減少によるものはない。）の支払が決議された。

13　評価会社は、自己株式を保有しておらず、種類株式は発行していない（普通株式のみ）。また議決権数については、単元株制度は採用していない。

14　類似業種の株価及び配当金額等の平均値

　イ　中分類業種目……その他の小売業（No.84）

　　A　4月215円　3月212円　2月210円　令和5年平均209円　令和6年4月以前2年間の平均213円
　　　のうちの最低金額＝209円

　　B　3.9円　C　27円　D　197円

　ロ　小分類業種目……医薬品小売業（No.85）

　　A　4月266円　3月268円　2月257円　令和5年平均229円　令和6年4月以前2年間の平均245円
　　　のうちの最低金額＝229円

　　B　4.0円　C　37円　D　219円

　（注）　**イ及びロにおける数値は、仮定の数値であることにご留意ください。**

B　計算要領

1　会社規模　　小会社

2　類似業種比準価額の計算

（1）　Ⓑ、Ⓒ及びⒹの計算

　　　10,000千円÷50円＝200,000株（50円換算発行済株式数）

取引相場のない株式（出資）の評価明細書の記載例

   Ⓑ $\dfrac{(1,400千円＋1,200千円) \div 2}{200,000株}$＝6.5円

   Ⓒ 11,000千円÷200,000株＝55円

   Ⓓ 17,600千円÷200,000株＝88円

（2）　類似業種比準価額……1,328円（計算式省略。1458ページ参照）

3　課税時期現在の純資産価額　153,214千円÷20,000株＝7,660円

  類似業種比準価額＜純資産価額のため純資産価額によらず、併用方式を選択することとする。

4　株式の評価額　(1,328円×0.5)＋(7,660円×0.5)＝4,494円

5　配当期待権の発生していることによる株式の価額の修正　4,494円－70円＝4,424円

6　配当期待権の価額　70円－14円29銭＝55円71銭

—1453—

取引相場のない株式（出資）の評価明細書の記載例

第1表の1　評価上の株主の判定及び会社規模の判定の明細書

整理番号 □

（取引相場のない株式（出資）の評価明細書）

（令和六年一月一日以降用）

会社名	（電話 6942-○○○○） 大手町薬品株式会社	本店の所在地	大阪市○○区××町7-8
代表者氏名	大手町 一郎	事業内容	取扱品目及び製造、卸売、小売等の区分　／　業種目番号　／　取引金額の構成比 **医薬品小売**　　**85**　　**100**%
課税時期	**6** 年 **4** 月 **30** 日		
直前期	自 **5** 年 **4** 月 **1** 日 至 **6** 年 **3** 月 **31** 日		

1．株主及び評価方式の判定

判定要素（課税時期現在の株式等の所有状況）

氏名又は名称	続柄	会社における役職名	㋑株式数（株式の種類）	㋺議決権数	議決権割合（㋺/④）
大手町一郎	納税義務者	**代表取締役**	株 **10,000**	個 **10,000**	% **50**
大手町隆子	妻	**—**	**2,000**	**2,000**	**10**
自己株式					

	②	⑤ (②/④)
納税義務者の属する同族関係者グループの議決権の合計数	**12,000**	**60**
筆頭株主グループの議決権の合計数	③ **12,000**	⑥ (③/④) **60**
評価会社の発行済株式又は議決権の総数	① **20,000**　④ **20,000**	100

判定基準

納税義務者の属する同族関係者グループの議決権割合（⑤の割合）を基として、区分します。

区分	筆頭株主グループの議決権割合（⑥の割合）			株主の区分
	（50%超の場合）	30%以上50%以下の場合	30%未満の場合	
⑤の割合	（50%超）	30%以上	15%以上	同族株主等
	50%未満	30%未満	15%未満	同族株主等以外の株主

判定

（同族株主等）（原則的評価方式等）	同族株主等以外の株主（配当還元方式）

「同族株主等」に該当する納税義務者のうち、議決権割合（㋺の割合）が5%未満の者の評価方式は、「2．少数株式所有者の評価方式の判定」欄により判定します。

2．少数株式所有者の評価方式の判定

項　目	判　定　内　容
氏　名	
㋬役員	である〔原則的評価方式等〕・でない（次の㋑へ）
㋠納税義務者が中心的な同族株主	である〔原則的評価方式等〕・でない（次の㋩へ）
㋩納税義務者以外に中心的な同族株主（又は株主）	がいる（配当還元方式）・がいない〔原則的評価方式等〕 （氏名　　　　　　　）
判　定	原則的評価方式等　・　配当還元方式

—1454—

取引相場のない株式（出資）の評価明細書の記載例

第1表の2　評価上の株主の判定及び会社規模の判定の明細書（続）　会社名　大手町薬品株式会社

（取引相場のない株式（出資）の評価明細書）

（令和六年一月一日以降用）

3．会社の規模（Lの割合）の判定

判定要素	項　目	金　額	項　目	人　数
	直前期末の総資産価額（帳簿価額）	45,500 千円	直前期末以前1年間における従業員数	4.2 人
	直前期末以前1年間の取引金額	55,000 千円		［従業員数の内訳］継続勤務従業員数（ 3 人）＋継続勤務従業員以外の従業員の労働時間の合計時間数（ 2,200 時間）／1,800時間

㋑　直前期末以前1年間における従業員数に応ずる区分　70人以上の会社は、大会社（㋺及び㋩は不要）

70人未満の会社は、㋺及び㋩により判定

判定基準	㋺　直前期末の総資産価額（帳簿価額）及び直前期末以前1年間における従業員数に応ずる区分				㋩　直前期末以前1年間の取引金額に応ずる区分			会社規模とLの割合（中会社）の区分	
	総　資　産　価　額（帳簿価額）			従業員数	取　引　金　額				
	卸　売　業	小売・サービス業	卸売業、小売・サービス業以外		卸　売　業	小売・サービス業	卸売業、小売・サービス業以外		
定	20億円以上	15億円以上	15億円以上	35人超	30億円以上	20億円以上	15億円以上	大　会　社	
	4億円以上 20億円未満	5億円以上 15億円未満	5億円以上 15億円未満	35人超	7億円以上 30億円未満	5億円以上 20億円未満	4億円以上 15億円未満	0.90	中
基	2億円以上 4億円未満	2億5,000万円以上 5億円未満	2億5,000万円以上 5億円未満	20人超 35人以下	3億5,000万円以上 7億円未満	2億5,000万円以上 5億円未満	2億円以上 4億円未満	0.75	会
	7,000万円以上 2億円未満	4,000万円以上 2億5,000万円未満	5,000万円以上 2億5,000万円未満	5人超 20人以下	2億円以上 3億5,000万円未満	6,000万円以上 2億5,000万円未満	8,000万円以上 2億円未満	0.60	社
準	7,000万円未満	4,000万円未満	5,000万円未満	5人以下	2億円未満	6,000万円未満	8,000万円未満	小　会　社	

・「会社規模とLの割合（中会社）の区分」欄は、㋺欄の区分（「総資産価額（帳簿価額）」と「従業員数」とのいずれか下位の区分）と㋩欄（取引金額）の区分とのいずれか上位の区分により判定します。

判定		中　　　会　　　社			小　会　社	
	大　会　社	L　の　割　合				
		0.90	0.75	0.60		

4．増（減）資の状況その他評価上の参考事項

直前期分の配当金の支払基準日　令和6年3月31日
効力発生日　令和6年5月20日
資本金等の額の減少に伴うもの：なし

－1455－

取引相場のない株式（出資）の評価明細書の記載例

第2表　特定の評価会社の判定の明細書　　会社名 大手町薬品株式会社

（取引相場のない株式（出資）の評価明細書）

（令和六年一月一日以降用）

1. 比準要素数1の会社

	判　定　要　素						判定基準	(1)欄のいずれか2の判定要素が0であり、かつ、(2)欄のいずれか2以上の判定要素が0である（該当）・（でない）（非該当）
	(1)直前期末を基とした判定要素			(2)直前々期末を基とした判定要素				
	第4表の®_1の金額	第4表の©_1の金額	第4表の®_1の金額	第4表の®_2の金額	第4表の©_2の金額	第4表の®_2の金額	判定	該　当　・　非該当
	円　銭 6 5 0	円 55	円 88	円　銭 5 5 0	円 72	円 86		

2. 株式等保有特定会社

	判　定　要　素			判定基準	③の割合が50%以上である　・　③の割合が50%未満である
	総資産価額（第5表の①の金額）	株式等の価額の合計額（第5表の④の金額）	株式等保有割合（②／①）		
	① 千円 245,680	② 千円 0	③ % 0	判定	該　当　・　非該当

3. 土地保有特定会社

	判　定　要　素			
	総資産価額（第5表の①の金額）	土地等の価額の合計額（第5表の㋬の金額）	土地保有割合（⑤／④）	会社の規模の判定（該当する文字を○で囲んで表示します。）
	④ 千円 245,680	⑤ 千円 206,800	⑥ % 84	大会社・中会社・小会社

判定基準	会社の規模	大　会　社		中　会　社		小　会　社（総資産価額（帳簿価額）が次の基準に該当する会社）・卸売業 20億円以上 ・小売・サービス業 15億円以上 ・上記以外の業種 15億円以上	・卸売業 7,000万円以上20億円未満 ・小売・サービス業 4,000万円以上15億円未満 ・上記以外の業種 5,000万円以上15億円未満
	⑥の割合	70%以上	70%未満	90%以上	90%未満	70%以上	70%未満	90%以上	90%未満
	判　定	該当	非該当	該当	非該当	該当	非該当	該当	非該当

4. 開業後3年未満の会社等

(1) 開業後3年未満の会社

判　定　要　素	判定基準	課税時期において開業後3年未満である	課税時期において開業後3年未満でない
開業年月日 昭63年11月1日	判定	該　当	非　該　当

(2) 比準要素数0の会社

判定要素	直前期末を基とした判定要素			判定基準	直前期末を基とした判定要素がいずれも0である（該当）　・　（でない）（非該当）
	第4表の®_1の金額	第4表の©_1の金額	第4表の®_1の金額		
	円　銭 6 5 0	円 55	円 88	判定	該　当　・　非該当

5. 開業前又は休業中の会社

開業前の会社の判定	休業中の会社の判定
該当・非該当	該当・非該当

6. 清算中の会社

	判　　定
	該　当　・　非該当

7. 特定の評価会社の判定結果

1. 比準要素数1の会社	2. 株式等保有特定会社
3. 土地保有特定会社	4. 開業後3年未満の会社等
5. 開業前又は休業中の会社	6. 清算中の会社

該当する番号を○で囲んでください。なお、上記の「1．比準要素数1の会社」欄から「6．清算中の会社」欄の判定において2以上に該当する場合には、後の番号の判定によります。

—1456—

取引相場のない株式（出資）の評価明細書の記載例

第3表　一般の評価会社の株式及び株式に関する権利の価額の計算明細書　会社名 大手町薬品株式会社

（取引相場のない株式（出資）の評価明細書）

令和六年一月一日以降用

		類 似 業 種 比 準 価 額（第4表の㉖、㉗又は㉘の金額）	1株当たりの純資産価額（第5表の⑪の金額）	1株当たりの純資産価額の80％相当額（第5表の⑫の記載がある場合のその金額）
1株当たりの価額の計算の基となる金額		① 円 **1,328**	② 円 **7,660**	③ 円

	区 分	1 株 当 た り の 価 額 の 算 定 方 法	1 株 当 た り の 価 額
1 原則的評価方式による価額 ／ 1株当たりの価額の計算	大会社の株式の価額	次のうちいずれか低い方の金額（②の記載がないときは①の金額）　イ　①の金額　ロ　②の金額	④ 円
	中会社の株式の価額	（①と②とのいずれか低い方の金額 × Lの割合 0.）＋（②の金額（③の金額があるときは③の金額）×（1－Lの割合 0.））	⑤ 円
	小会社の株式の価額	次のうちいずれか低い方の金額　イ　②の金額（③の金額があるときは③の金額）　ロ　（①の金額 × 0.50）＋（イの金額 × 0.50）	⑥ 円 **4,494**

	株式の価額の修正			
	課税時期において配当期待権の発生している場合	株式の価額　［④、⑤又は⑥の金額］ －	1株当たりの配当金額 **70** 円 **00** 銭	修正後の株式の価額　⑦ 円 **4,424**
	課税時期において株式の割当てを受ける権利、株主となる権利又は株式無償交付期待権の発生している場合	株式の価額 ［（⑦があるときは⑦）④、⑤又は⑥の金額］＋	割当株式1株当たりの払込金額 円 × 1株当たりの割当株式数 株 ）÷（1株＋ 1株当たりの割当株式数又は交付株式数 株 ）	修正後の株式の価額　⑧ 円

2 配当還元方式による価額	1株当たりの資本金等の額、発行済株式数等	直前期末の資本金等の額 ⑨ 千円	直前期末の発行済株式数 ⑩ 株	直前期末の自己株式数 ⑪ 株	1株当たりの資本金等の額を50円とした場合の発行済株式数（⑨÷50円）⑫ 株	1株当たりの資本金等の額（⑨÷（⑩－⑪））⑬ 円
	直前期末以前2年間の配当金額 ／ 事業年度	⑭ 年 配 当 金 額	⑮ 左のうち非経常的な配当金額	⑯ 差引経常的な年配当金額（⑭－⑮）	年平均配当金額	
	直前期	千円	千円	㋑ 千円	⑰ （㋑＋㋺）÷2 千円	
	直前々期	千円	千円	㋺ 千円		
	1株（50円）当たりの年配当金額	年平均配当金額（⑰の金額）÷⑫の株式数 ＝	⑱ 円 銭	この金額が2円50銭未満の場合は2円50銭とします。		
	配当還元価額	⑱の金額 ／ 10% × ⑬の金額 ／ 50円 ＝	⑲ 円	⑳ 円	⑲の金額が、原則的評価方式により計算した価額を超える場合には、原則的評価方式により計算した価額とします。	

3 株式に関する権利の価額（1.及び2.に共通）	配当期待権	1株当たりの予想配当金額 **70** 円 **00** 銭 －（源泉徴収されるべき所得税相当額 **14** 円 **29** 銭）	㉑ **55** 円 **71** 銭	4.株式及び株式に関する権利の価額（1.及び2.に共通）
	株式の割当てを受ける権利（割当株式1株当たりの価額）	⑧（配当還元方式の場合は⑳）の金額 －　割当株式1株当たりの払込金額	㉒ 円	株式の評価額 ㉓ 円 **4,424**
	株主となる権利（割当株式1株当たりの価額）	⑧（配当還元方式の場合は⑳）の金額（課税時期後にその株主となる権利につき払い込むべき金額があるときは、その金額を控除した金額）	㉓ 円	
	株式無償交付期待権（交付される株式1株当たりの価額）	⑧（配当還元方式の場合は⑳）の金額	㉔ 円	株式に関する権利の評価額 （円　銭）**55円71銭**

－1457－

取引相場のない株式（出資）の評価明細書の記載例

第4表　類似業種比準価額等の計算明細書

会社名　**大手町薬品株式会社**

（取引相場のない株式（出資）の評価明細書）　（令和六年一月一日以降用）

1. 1株当たりの資本金等の額等の計算	直前期末の資本金等の額 ① 千円 **10,000**	直前期末の発行済株式数 ② 株 **20,000**	直前期末の自己株式数 ③ 株	1株当たりの資本金等の額（①÷（②－③）） ④ 円 **500**	1株当たりの資本金等の額を50円とした場合の発行済株式数（①÷50円） ⑤ 株 **200,000**

2. 比準要素等の金額の計算

1株(50円)当たりの年配当金額

事業年度	⑥ 年配当金額	⑦ 左のうち非経常的な配当金額	⑧ 差引経常的な年配当金額（⑥－⑦）	年平均配当金額	比準要素数1の会社・比準要素数0の会社の判定要素の金額
直前期	千円 **1,400**	千円 **0**	千円 **1,400**	⑨（㋑＋㋺）÷2 千円 **1,300**	⑨÷⑤ Ⓑ₁ **6**円 **5**銭
直前々期	千円 **1,200**	千円 **0**	千円 **1,200**		⑩÷⑤ Ⓑ₂ **5**円 **5**銭
直前々期の前期	千円 **1,000**	千円 **0**	千円 **1,000**	⑩（㋺＋㋩）÷2 千円 **1,100**	1株(50円)当たりの年配当金額（Ⓑ₁）の金額　Ⓑ **6**円 **50**銭

1株(50円)当たりの年利益金額

事業年度	⑪法人税の課税所得金額	⑫非経常的な利益金額	⑬受取配当等の益金不算入額	⑭左の所得税額	⑮損金算入した繰越欠損金の控除額	差引利益金額（⑪－⑫＋⑬－⑭＋⑮）	比準要素数1の会社・比準要素数0の会社の判定要素の金額
直前期	千円 **11,000**	千円 **0**	千円 **0**	千円 **0**	千円 **0**	㊁ 千円 **11,000**	㊁ 又は（㊁＋㋥）÷⑤ Ⓒ₁ **55**円
直前々期	千円 **14,400**	千円 **0**	千円 **0**	千円 **0**	千円 **0**	㋥ 千円 **14,400**	（㋥＋㋭）÷⑤ Ⓒ₂ **72**円
直前々期の前期	千円	千円	千円	千円	千円	㋭ 千円	1株(50円)当たりの年利益金額（Ⓒ）の金額　Ⓒ **55**円

1株(50円)当たりの純資産価額

事業年度	⑰ 資本金等の額	⑱ 利益積立金額	⑲ 純資産価額（⑰＋⑱）	比準要素数1の会社・比準要素数0の会社の判定要素の金額
直前期	千円 **10,000**	千円 **7,600**	㋬ 千円 **17,600**	㋬÷⑤ Ⓓ₁ **88**円
直前々期	千円 **10,000**	千円 **7,200**	㋣ 千円 **17,200**	㋣÷⑤ Ⓓ₂ **86**円
				1株(50円)当たりの純資産価額（Ⓓ₁）の金額　Ⓓ **88**円

3. 類似業種比準価額の計算

	類似業種と業種目番号 **その他の小売業**（No. **84**）		区分	1株(50円)当たりの年配当金額	1株(50円)当たりの年利益金額	1株(50円)当たりの純資産価額	1株(50円)当たりの比準価額
類似業種の株価	課税時期の属する月 **4**月 ㉑ **215**	比準割合の計算	評価会社	Ⓑ **6**円 **5**銭	Ⓒ **55**円	Ⓓ **88**円	⑳×㉓×0.7 ※
	課税時期の属する月の前月 **3**月 ㉒ **212**		類似業種 B	**3**円 **9**銭	C **27**円	D **197**円	中会社は0.6 小会社は0.5 とします。
	課税時期の属する月の前々月 **2**月 ㉓ **210**		要素別比準割合	Ⓑ/B **1.66**	Ⓒ/C **2.03**	Ⓓ/D **0.44**	
	前年平均株価 ㉔ **209**						
	課税時期の属する月以前2年間の平均株価 **213**		比準割合	$\dfrac{\frac{Ⓑ}{B}+\frac{Ⓒ}{C}+\frac{Ⓓ}{D}}{3}$ ㉑ ＝ **1.37**			㉒ **143**円 **1**銭
	A ㉑㉒㉓及び㉔のうち最も低いもの ⑳ **209**円						

	類似業種と業種目番号 **医薬品小売業**（No. **85**）		区分	1株(50円)当たりの年配当金額	1株(50円)当たりの年利益金額	1株(50円)当たりの純資産価額	1株(50円)当たりの比準価額
類似業種の株価	課税時期の属する月 **4**月 **266**	比準割合の計算	評価会社	Ⓑ **6**円 **5**銭	Ⓒ **55**	Ⓓ **88**	㉓×㉓×0.7 ※
	課税時期の属する月の前月 **3**月 **268**		類似業種 B	**4**円 **0**銭	C **37**	D **219**	中会社は0.6 小会社は0.5 とします。
	課税時期の属する月の前々月 **2**月 **257**		要素別比準割合	Ⓑ/B **1.62**	Ⓒ/C **1.48**	Ⓓ/D **0.40**	
	前年平均株価 **229**						
	課税時期の属する月以前2年間の平均株価 **245**		比準割合	$\dfrac{\frac{Ⓑ}{B}+\frac{Ⓒ}{C}+\frac{Ⓓ}{D}}{3}$ ㉔ ＝ **1.16**			㉕ **132**円 **8**銭
	A ㉑㉒㉓及び㉔のうち最も低いもの **229**円						

計算

1株当たりの比準価額	比準価額（㉒と㉕とのいずれか低い方の金額）　×　$\dfrac{④の金額}{50円}$	㉖ **1,328**円

比準価額の修正	直前期末の翌日から課税時期までの間に配当金交付の効力が発生した場合	比準価額（㉖の金額）　－　1株当たりの配当金額　円　　銭	修正比準価額 ㉗ 円
	直前期末の翌日から課税時期までの間に株式の割当て等の効力が発生した場合	比準価額（㉖（㉗があるときは㉗）の金額）＋割当株式1株当たりの払込金額　円　銭×1株当たりの割当株式数　株）÷（1株＋1株当たりの割当株式数又は交付株式数　株）	修正比準価額 ㉘ 円

取引相場のない株式（出資）の評価明細書の記載例

第5表　1株当たりの純資産価額（相続税評価額）の計算明細書　　会社名　**大手町薬品株式会社**

（取引相場のない株式（出資）の評価明細書）

（令和六年一月一日以降用）

1. 資産及び負債の金額（課税時期現在）

資産の部　科目	相続税評価額	帳簿価額	備考	負債の部　科目	相続税評価額	帳簿価額	備考
	千円	千円			千円	千円	
現　　金	987	987		支払手形	5,700	5,700	
預　　金	9,500	9,500		買掛金	5,500	5,500	
受取手形	2,600	2,600		未払金	900	900	
売掛金	10,700	10,700		仮受金	4,100	4,100	
未収金	700	700		未納税金	1,200	1,200	
前渡金	250	250		直前期の利益のうち役員賞与確定額	1,000	1,000	
商　　品	4,240	4,240					
仮払金	1,000	1,000					
建　　物	5,200	4,800					
什器備品	2,313	2,200					
土　　地	206,800	7,300					
電話加入権	390	223					
敷　　金	1,000	1,000					
合　計　①	245,680	② 45,500		合　計　③	18,400	④ 18,400	
株式等の価額の合計額　㋑	0	㋺ 0					
土地等の価額の合計額　㋩	206,800						
現物出資等受入れ資産の価額の合計額　㋥	0	㋭ 0					

2. 評価差額に対する法人税額等相当額の計算

相続税評価額による純資産価額　（①－③）	⑤	227,280	千円
帳簿価額による純資産価額　（（②＋㋩－㋭）－④）、マイナスの場合は0）	⑥	27,100	千円
評価差額に相当する金額　（⑤－⑥、マイナスの場合は0）	⑦	200,180	千円
評価差額に対する法人税額等相当額　（⑦×37%）	⑧	74,066	千円

3. 1株当たりの純資産価額の計算

課税時期現在の純資産価額（相続税評価額）　（⑤－⑧）	⑨	153,214	千円
課税時期現在の発行済株式数　（（第1表の1の①）－自己株式数）	⑩	20,000	株
課税時期現在の1株当たりの純資産価額（相続税評価額）　（⑨÷⑩）	⑪	7,660	円
同族株主等の議決権割合（第1表の1の⑤の割合）が50%以下の場合　（⑪×80%）	⑫		円

－1459－

取引相場のない株式（出資）の評価明細書の記載例

計算例5　小会社の同族株主等以外の株主の場合（配当還元方式）

A　設　　例

計算例4の大手町薬品株式会社に同じ。

　1　株式の所有割合　35％（他に50％以上を所有する株主グループがある。）

　2　配当金額　直前期1,400千円、直前々期1,200千円

　3　1株当たりの資本金等の額　500円

B　計算要領

イ　会社規模　小会社

ロ　配当還元価額の計算

$$\frac{(1,400千円＋1,200千円)}{2}＝1,300千円$$

1,300千円÷200,000株＝6円50銭

$$\frac{6円50銭}{10\%}\times\frac{500円}{50円}＝650円$$

ハ　原則的評価方式による評価額（持株割合50％未満の株主の80％評価を適用）

(1,328円×0.50)＋(7,660円×0.8×0.50)＝3,728円

配当期待権の発生による修正…3,728円－70円＝3,658円

ニ　株式の評価額　650円（ロによる評価額＜ハによる評価額）

ホ　配当期待権の価額　70円－14円29銭＝55円71銭

－1460－

取引相場のない株式（出資）の評価明細書の記載例

第1表の1　評価上の株主の判定及び会社規模の判定の明細書

整理番号 _____

（令和六年一月一日以降用）

（取引相場のない株式（出資）の評価明細書）

会社名	（電話 **6942-○○○○**）**大手町薬品株式会社**	本店の所在地	**大阪市○○区××町7-8**		
代表者氏名	**大手町　一郎**	取扱品目及び製造、卸売、小売等の区分	業種目番号	取引金額の構成比	
課税時期	**6** 年 **4** 月 **30** 日	事業内容	**医薬品小売**	**85**	**100** %
直前期	自 **5** 年 **4** 月 **1** 日　至 **6** 年 **3** 月 **31** 日				

1．株主及び評価方式の判定

判定要素（課税時期現在の株式等の所有状況）	氏名又は名称	続柄	会社における役職名	⑦ 株式数（株式の種類）	⑨ 議決権数	⑨ 議決権割合（⑨/④）
	関東　太郎	納税義務者	**専務取締役**	株 **7,000**	個 **7,000**	% **35**
	自己株式					
	納税義務者の属する同族関係者グループの議決権の合計数			② **7,000**	⑤（②/④） **35**	
	筆頭株主グループの議決権の合計数			③ **12,000**	⑥（③/④） **60**	
	評価会社の発行済株式又は議決権の総数			① **20,000**	④ **20,000**	100

判定基準

納税義務者の属する同族関係者グループの議決権割合（⑤の割合）を基として、区分します。

区分基準	筆頭株主グループの議決権割合（⑥の割合）			株主の区分
	(50%超の場合)	30%以上50%以下の場合	30%未満の場合	
⑤の割合	50%超	30%以上	15%以上	同族株主等
	(50%未満)	30%未満	15%未満	同族株主等以外の株主

判定　　同族株主等（原則的評価方式等）　　(同族株主等以外の株主（配当還元方式))

「同族株主等」に該当する納税義務者のうち、議決権割合（⑨の割合）が5%未満の者の評価方式は、「2．少数株式所有者の評価方式の判定」欄により判定します。

2．少数株式所有者の評価方式の判定

	項　目	判　定　内　容
判定要素	氏　名	
	㋩ 役　員	である〔原則的評価方式等〕・でない（次の㋠へ）
	㋠ 納税義務者が中心的な同族株主	である〔原則的評価方式等〕・でない（次の㋬へ）
	㋬ 納税義務者以外に中心的な同族株主（又は株主）	がいる（配当還元方式）・がいない〔原則的評価方式等〕（氏名　　　　　）
判　定		原則的評価方式等　・　配当還元方式

―1461―

取引相場のない株式（出資）の評価明細書の記載例

第1表の2　評価上の株主の判定及び会社規模の判定の明細書（続）　会社名 **大手町薬品株式会社**

（令和六年一月一日以降用）

（取引相場のない株式（出資）の評価明細書）

3．会社の規模（Lの割合）の判定

項　　目	金　　額	項　　目	人　　数
直前期末の総資産価額（帳簿価額）	千円 **45,500**	直前期末以前1年間における従業員数	**4.2** 人

[従業員数の内訳]

継続勤務従業員数 ＋ 継続勤務従業員以外の従業員の労働時間の合計時間数

直前期末以前1年間の取引金額	千円 **55,000**		**3** 人 ＋ （ **2,200** 時間） / 1,800時間

判定要素

⑥ 直前期末以前1年間における従業員数に応ずる区分
- 70人以上の会社は、大会社（㋑及び㋺は不要）
- 70人未満の会社は、㋑及び㋺により判定

判定基準

	㋑ 直前期末の総資産価額（帳簿価額）及び直前期末以前1年間における従業員数に応ずる区分				㋺ 直前期末以前1年間の取引金額に応ずる区分			会社規模とLの割合（中会社）の区分	
	総資産価額（帳簿価額）			従業員数	取引金額				
	卸売業	小売・サービス業	卸売業、小売・サービス業以外		卸売業	小売・サービス業	卸売業、小売・サービス業以外		
	20億円以上	15億円以上	15億円以上	35人超	30億円以上	20億円以上	15億円以上	大会社	
	4億円以上 20億円未満	5億円以上 15億円未満	5億円以上 15億円未満	35人超	7億円以上 30億円未満	5億円以上 20億円未満	4億円以上 15億円未満	0.90	中会社
	2億円以上 4億円未満	2億5,000万円以上 5億円未満	2億5,000万円以上 5億円未満	20人超 35人以下	3億5,000万円以上 7億円未満	2億5,000万円以上 5億円未満	2億円以上 4億円未満	0.75	
	7,000万円以上 2億円未満	⟨4,000万円以上 2億5,000万円未満⟩	5,000万円以上 2億5,000万円未満	5人超 20人以下	2億円以上 3億5,000万円未満	6,000万円以上 2億5,000万円未満	8,000万円以上 2億円未満	0.60	
	7,000万円未満	4,000万円未満	5,000万円未満	⟨5人以下⟩	2億円未満	⟨6,000万円未満⟩	8,000万円未満	小会社	

- 「会社規模とLの割合（中会社）の区分」欄は、㋑欄の区分（「総資産価額（帳簿価額）」と「従業員数」とのいずれか下位の区分）と㋺欄（取引金額）の区分とのいずれか上位の区分により判定します。

判定

大会社	中会社			⟨小会社⟩	
	Lの割合				
	0.90	0.75	0.60		

4．増（減）資の状況その他評価上の参考事項

直前期分の配当金の支払基準日　令和6年3月31日
効力発生日　令和6年5月20日
資本金等の額の減少に伴うもの：なし

取引相場のない株式（出資）の評価明細書の記載例

第2表　特定の評価会社の判定の明細書

会社名　**大手町薬品株式会社**

（取引相場のない株式（出資）の評価明細書）

（令和六年一月一日以降用）

1．比準要素数1の会社

判　定　要　素						判定基準		
(1)直前期末を基とした判定要素			(2)直前々期末を基とした判定要素			(1)欄のいずれか2の判定要素が0であり、かつ、(2)欄のいずれか2以上の判定要素が0である（該当）・**でない**（非該当）		
第4表の⑤の金額	第4表の⑤の金額	第4表の⑤の金額	第4表の⑤の金額	第4表の⑤の金額	第4表の⑤の金額			
円　銭 6　5 0	円 55	円 88	円　銭 5　5 0	円 72	円 86	判定	該当	（非該当）

2．株式等保有特定会社

判　定　要　素			判定基準		
総資産価額（第5表の①の金額）	株式等の価額の合計額（第5表の④の金額）	株式等保有割合（②／①）	③の割合が50%以上である	③の割合が50%未満である	
① 千円 245,680	② 千円 0	③ % 0	判定	該当	（非該当）

3．土地保有特定会社

判　定　要　素			会社の規模の判定（該当する文字を○で囲んで表示します。）
総資産価額（第5表の①の金額）	土地等の価額の合計額（第5表の⑥の金額）	土地保有割合（⑤／④）	
④ 千円 245,680	⑤ 千円 206,800	⑥ % 84	大会社・中会社・（小会社）

判定基準 会社の規模	大　会　社		中　会　社		小　会　社（総資産価額（帳簿価額）が次の基準に該当する会社）		
					・卸売業 20億円以上 ・小売・サービス業 15億円以上 ・上記以外の業種 15億円以上	・卸売業 7,000万円以上20億円未満 ・小売・サービス業 4,000万円以上15億円未満 ・上記以外の業種 5,000万円以上15億円未満	
⑥の割合	70%以上	70%未満	90%以上	90%未満	70%以上	70%未満	90%以上 （90%未満）
判定	該当	非該当	該当	非該当	該当	非該当	該当 （非該当）

4．開業後3年未満の会社等

(1) 開業後3年未満の会社

判定要素		判定基準	課税時期において開業後3年未満である	課税時期において開業後3年未満でない
開業年月日 昭63 年 11 月 1 日		判定	該当	（非該当）

(2) 比準要素数0の会社

直前期末を基とした判定要素			判定基準	直前期末を基とした判定要素がいずれも0
判定要素 第4表の⑤の金額	第4表の⑤の金額	第4表の⑤の金額		である（該当）・**でない**（非該当）
円　銭 6　5 0	円 55	円 88	判定	（非該当）

5．開業前又は休業中の会社

開業前の会社の判定		休業中の会社の判定	
該当	（非該当）	該当	（非該当）

6．清算中の会社

判　定	
該当	（非該当）

7．特定の評価会社の判定結果

1．比準要素数1の会社	2．株式等保有特定会社
3．土地保有特定会社	4．開業後3年未満の会社等
5．開業前又は休業中の会社	6．清算中の会社

該当する番号を○で囲んでください。なお、上記の「1．比準要素数1の会社」欄から「6．清算中の会社」欄の判定において2以上に該当する場合には、後の番号の判定によります。

－1463－

取引相場のない株式（出資）の評価明細書の記載例

第3表　一般の評価会社の株式及び株式に関する権利の価額の計算明細書

会社名　**大手町薬品株式会社**

（令和六年一月一日以降用）

		類似業種比準価額 （第4表の㉖、㉗又は㉘の金額）	1株当たりの純資産価額 （第5表の⑪の金額）	1株当たりの純資産価額の80％ 相当額（第5表の⑫の記載があ る場合のその金額）
1株当たりの 価額の計算の 基となる金額		①　　　　　　　　　円 **1,328**	②　　　　　　　　　円 **7,660**	③　　　　　　　　　円 **6,128**

1　原則的評価方式による価額

1株当たりの価額の計算	区分	1株当たりの価額の算定方法	1株当たりの価額
	大会社の 株式の価額	次のうちいずれか低い方の金額（②の記載がないときは①の金額） イ　①の金額 ロ　②の金額	④　　　　　　　円
	中会社の 株式の価額	（①と②とのいずれか　×　Lの割合）＋（②の金額（③の金額が　×　（1－Lの割合）） 　　低い方の金額　　　　0.　　　　　　　あるときは③の金額）　　　　　　0.	⑤　　　　　　　円
	小会社の 株式の価額	次のうちいずれか低い方の金額 イ　②の金額（③の金額があるときは③の金額） ロ　（①の金額　×　0.50）＋（イの金額　×　0.50）	⑥　　　　　　　円 **3,728**

株式の価額の修正

	株式の価額		1株当たりの 配当金額	修正後の株式の価額
課税時期において 配当期待権の発生 している場合	④、⑤又は⑥ の金額	－	70円　00銭	⑦　　　　　　円 **3,658**

	株式の価額	割当株式1株当 たりの払込金額	1株当たりの 割当株式数	1株当たりの 割当株式数又 は交付株式数	修正後の株式の価額
課税時期において株式 の割当てを受ける権利 、株主となる権利又は 株式無償交付期待権の 発生している場合	（④、⑤又は⑥ （⑦があるときは⑦） の金額 ＋	円	× 株	）÷（1株＋ 　　　　株	⑧　　　　　　円

2　配当還元方式による価額

1株当たりの 資本金等の額、 発行済株式数等	直前期末の 資本金等の額	直前期末の 発行済株式数	直前期末の 自己株式数	1株当たりの資本金等の 額を50円とした場合 の発行済株式数 （⑨÷50円）	1株当たりの 資本金等の額 （⑨÷（⑩－⑪））
	⑨　　　千円 **10,000**	⑩　　　株 **20,000**	⑪　　　株 	⑫　　　株 **200,000**	⑬　　　円 **500**

直前期末以前2年間 の配当金額	事業年度	⑭　年配当金額	⑮　左のうち非経常的な 配当金額	⑯　差引経常的な年配当金額 （⑭－⑮）	年平均配当金額
	直前期	千円 **1,400**	千円 **0**	イ　千円 **1,400**	⑰　（イ＋ロ）÷2　千円 **1,300**
	直前々期	千円 **1,200**	千円 **0**	ロ　千円 **1,200**	

1株（50円）当たり の年配当金額	年平均配当金額 （⑰の金額）　÷　⑫の株式数　＝	⑱	この金額が2円50銭未満 の場合は2円50銭としま す。
		6円　50銭	

配当還元価額	⑱の金額　×　⑬の金額 10%　　　　50円　＝	⑲ **650** 円	⑳ **650** 円	⑲の金額が、原則的評価 方式により計算した価額 を超える場合には、原則 的評価方式により計算し た価額とします。

3　株式に関する権利の価額（1及び2に共通）

	1株当たりの 予想配当金額	源泉徴収されるべき 所得税相当額			4．株式及び株式に関する 権利の価額 （1．及び2．に共通）
配当期待権	（　70円00銭　）	（　14円29銭　）	㉑　円　銭 **55　71**		
株式の割当てを受ける権利 （割当株式1株当たりの価額）	⑧（配当還元方式の 場合は⑳）の金額	割当株式1株当たりの 払込金額	㉒　円	株式の評価額	円 **650**
株主となる権利 （割当株式1株当たりの価額）	⑧（配当還元方式の場合は⑳）の金額 （課税時期後にその株主となる権利につき払い込むべ き金額があるときは、その金額を控除した金額）		㉓　円		（円　銭）
株式無償交付期待権 （交付される株式1株当たりの価額）	⑧（配当還元方式の場合は⑳）の金額		㉔　円	株式に関する 権利の評価額	**55円71銭**

－1464－

取引相場のない株式（出資）の評価明細書の記載例

第4表　類似業種比準価額等の計算明細書

会社名　**大手町薬品株式会社**

（取引相場のない株式（出資）の評価明細書）　（令和六年一月一日以降用）

1. 1株当たりの資本金等の額等の計算

	直前期末の資本金等の額	直前期末の発行済株式数	直前期末の自己株式数	1株当たりの資本金等の額（①÷（②−③））	1株当たりの資本金等の額を50円とした場合の発行済株式数（①÷50円）
	① **10,000** 千円	② **20,000** 株	③ 株	④ **500** 円	⑤ **200,000** 株

2. 比準要素等の金額の計算

1株（50円）当たりの年配当金額

直前期末以前2（3）年間の年平均配当金額

事業年度	⑥ 年配当金額	⑦ 左のうち非経常的な配当金額	⑧ 差引経常的な年配当金額（⑥−⑦）	年平均配当金額
直前期	**1,400** 千円	**0** 千円	⑨ **1,400** 千円	⑨（㋑＋㋺）÷2 **1,300** 千円
直前々期	**1,200** 千円	**0** 千円	㋺ **1,200** 千円	
直前々期の前期	**1,000** 千円	**0** 千円	㋩ **1,000** 千円	⑩（㋺＋㋩）÷2 **1,100** 千円

比準要素数1の会社・比準要素数0の会社の判定要素の金額

| | ⑨/⑤ | ㋑ **6** 円 **5** 銭 **0** |
| | ⑩/⑤ | ㋺ **5** 円 **5** 銭 **0** |

1株（50円）当たりの年配当金額　㋓（㋑）の金額　**6** 円 **50** 銭

1株（50円）当たりの年利益金額

直前期末以前2（3）年間の利益金額

事業年度	⑪法人税の課税所得金額	⑫非経常的な利益金額	⑬受取配当等の益金不算入額	⑭左の所得税額	⑮損金算入した繰越欠損金の控除額	⑯差引利益金額（⑪−⑫＋⑬−⑭＋⑮）
直前期	**11,000** 千円	**0** 千円	**0** 千円	**0** 千円	千円	⑰ **11,000** 千円
直前々期	**14,400** 千円	**0** 千円	**0** 千円	**0** 千円	千円	㋺ **14,400** 千円
直前々期の前期	千円	千円	千円	千円	千円	㋩ 千円

比準要素数1の会社・比準要素数0の会社の判定要素の金額

| | ⑰/⑤ 又は（⑰＋㋺）÷2/⑤ | ㋑ **55** 円 |
| | ㋺/⑤ 又は（㋺＋㋩）÷2/⑤ | ㋺ **72** 円 |

1株（50円）当たりの年利益金額　［⑰/⑤ 又は（⑰＋㋺）÷2/⑤ の金額］　ⓒ **55** 円

1株（50円）当たりの純資産価額

直前期末（直前々期末）の純資産価額

事業年度	⑰ 資本金等の額	⑱ 利益積立金額	⑲ 純資産価額（⑰＋⑱）
直前期	**10,000** 千円	**7,600** 千円	⑮ **17,600** 千円
直前々期	**10,000** 千円	**7,200** 千円	㋺ **17,200** 千円

比準要素数1の会社・比準要素数0の会社の判定要素の金額

| | ⑮/⑤ | ㋑ **88** 円 |
| | ㋺/⑤ | ㋺ **86** 円 |

1株（50円）当たりの純資産価額　⒟（㋑）の金額　ⓓ **88** 円

3. 類似業種比準価額の計算

その他の小売業 (No. 84)

1株（50円）当たりの株価		区分	1株（50円）当たりの年配当金額	1株（50円）当たりの年利益金額	1株（50円）当たりの純資産価額	1株（50円）当たりの比準価額
課税時期の属する月	4 月 ㋑ **215** 円	評価会社	㋑ **6** 円 **5** 銭 **0**	ⓒ **55** 円	ⓓ **88** 円	⑳×㉑×0.7
課税時期の属する月の前月	3 月 ㋺ **212** 円	類似業種	B **3** 円 **9** 銭 **0**	C **27** 円	D **197** 円	※中会社は0.6 小会社は0.5 とします。
課税時期の属する月の前々月	2 月 ㋩ **210** 円	要素別比準割合	㋑/B **1.66**	ⓒ/C **2.03**	ⓓ/D **0.44**	
前年平均株価	㋥ **209** 円	比準割合				
課税時期の属する月以前2年間の平均株価	㋭ **213** 円		⟨㋑/B＋ⓒ/C＋ⓓ/D⟩÷3		㉑ **1.37**	㉒ **143** 円 **1** 銭 **0**
A ㋑、㋺、㋩、㋥及び㋭のうち最も低いもの	⑳ **209** 円					

医薬品小売業 (No. 85)

1株（50円）当たりの株価		区分	1株（50円）当たりの年配当金額	1株（50円）当たりの年利益金額	1株（50円）当たりの純資産価額	1株（50円）当たりの比準価額
課税時期の属する月	4 月 ㋑ **266** 円	評価会社	㋑ **6** 円 **5** 銭 **0**	ⓒ **55** 円	ⓓ **88** 円	㉓×㉔×0.7
課税時期の属する月の前月	3 月 ㋺ **268** 円	類似業種	B **4** 円 **0** 銭 **0**	C **37** 円	D **219** 円	※中会社は0.6 小会社は0.5 とします。
課税時期の属する月の前々月	2 月 ㋩ **257** 円	要素別比準割合	㋑/B **1.62**	ⓒ/C **1.48**	ⓓ/D **0.40**	
前年平均株価	㋥ **229** 円	比準割合			㉔ **1.16**	㉕ **132** 円 **8** 銭 **0**
課税時期の属する月以前2年間の平均株価	㋭ **245** 円		⟨㋑/B＋ⓒ/C＋ⓓ/D⟩÷3			
A ㋑、㋺、㋩、㋥及び㋭のうち最も低いもの	㉓ **229** 円					

比準価額の計算

1株当たりの比準価額	比準価額（㉒と㉕とのいずれか低い方の金額） × ④の金額/50円	㉖ **1,328** 円

比準価額の修正	直前期末の翌日から課税時期までの間に配当金交付の効力が発生した場合	比準価額（㉖の金額） − 1株当たりの配当金額 円 銭	修正比準価額 ㉗ 円
	直前期末の翌日から課税時期までの間に株式の割当て等の効力が発生した場合	比準価額（㉖（㉗があるときは㉗）の金額）＋ 割当株式1株当たりの払込金額 円 銭 × 1株当たりの割当株式数 株）÷（1株＋ 1株当たりの割当株式数又は交付株式数 株）	修正比準価額 ㉘ 円

−1465−

取引相場のない株式（出資）の評価明細書の記載例

第5表　1株当たりの純資産価額（相続税評価額）の計算明細書　会社名 大手町薬品株式会社

（令和六年一月一日以降用）

1. 資産及び負債の金額（課税時期現在）

資産の部				負債の部			
科目	相続税評価額 千円	帳簿価額 千円	備考	科目	相続税評価額 千円	帳簿価額 千円	備考
現　金	987	987		支払手形	5,700	5,700	
預　金	9,500	9,500		買掛金	5,500	5,500	
受取手形	2,600	2,600		未払金	900	900	
売掛金	10,700	10,700		仮受金	4,100	4,100	
未収金	700	700		未納税金	1,200	1,200	
前渡金	250	250		直前期の利益のうち役員賞与確定額	1,000	1,000	
商　品	4,240	4,240					
仮払金	1,000	1,000					
建　物	5,200	4,800					
什器備品	2,313	2,200					
土　地	206,800	7,300					
電話加入権	390	223					
敷　金	1,000	1,000					
合　計	① 245,680	② 45,500		合　計	③ 18,400	④ 18,400	
株式等の価額の合計額	㋑ 0	㋺ 0					
土地等の価額の合計額	㋩ 206,800						
現物出資等受入れ資産の価額の合計額	㋥ 0	㋭ 0					

2. 評価差額に対する法人税額等相当額の計算

相続税評価額による純資産価額（①－③）	⑤	227,280	千円
帳簿価額による純資産価額（(②＋㋩－㋭)－④）、マイナスの場合は0）	⑥	27,100	千円
評価差額に相当する金額（⑤－⑥）、マイナスの場合は0）	⑦	200,180	千円
評価差額に対する法人税額等相当額（⑦×37%）	⑧	74,066	千円

3. 1株当たりの純資産価額の計算

課税時期現在の純資産価額（相続税評価額）（⑤－⑧）	⑨	153,214	千円
課税時期現在の発行済株式数（（第1表の1の①）－自己株式数）	⑩	20,000	株
課税時期現在の1株当たりの純資産価額（相続税評価額）（⑨÷⑩）	⑪	7,660	円
同族株主等の議決権割合（第1表の1の⑤の割合）が50%以下の場合（⑪×80%）	⑫	6,128	円

－1466－

取引相場のない株式（出資）の評価明細書の記載例

計算例6　大会社（株式等保有特定会社）の同族株主等の場合

A　設　　例

1　会社名　　　　　　　　日本株式会社

2　課税時期　　　　　　　令和6年4月30日

3　直前期末（1年分決算）令和6年3月31日

4　直前期末の資本金等の額　100,000千円（発行済株式数20万株）

5　課税時期の資本金等の額　100,000千円（同上）

6　1株当たりの資本金等の額　500円

7　直前期の配当金額　200万円、直前々期の配当金額　200万円

　　直前々期の前期の配当金額　200万円

8　会社の規模の判定要素

　①　直前期末の総資産価額（帳簿価額）　　　　　　320,000千円

　②　直前期末以前1年間における継続勤務従業員数18人、継続勤務従業員以外の従業員の労働時間の合計時間数2,200時間

　③　直前期末以前1年間の取引金額　　　　　　　　2,000,000千円

　④　評価会社の業種　　　　　　　　　　「卸売業、小売・サービス業以外」の業種

9　直前期の利益金額　10,000千円（直前々期の利益金額10,000千円）……非経常的利益は含まれていない。

10　直前期末の純資産価額（帳簿価額）　120,000千円（直前々期末は110,000千円）

11　株主総会　令和6年4月23日

　　この株主総会において2,000千円（1株当たり10円）の配当金（資本等の減少によるものではない。）の支払が決議された。

12　評価会社の資産内容

区　分	相続税評価額	直前期末の帳簿価額
株式等	8億円	2億円
その他の資産	1.2億円	1.2億円
負　債	2億円	2億円

（注）　現物出資により受け入れた株式等はない。

13　類似業種比準価額の計算要素

　A　類似業種の平均株価の最低値（仮定）　　　　　954円

　B　類似業種の1株当たり配当金額（〃）　　　　　4.0円

　C　類似業種の1株当たり年利益金額（〃）　　　　42円

　D　類似業種の1株当たり純資産価額（〃）　　　　226円

　Ⓑ　評価会社の1株当たり配当金額　　　　　　　　1円

　Ⓒ　評価会社の1株当たり利益金額　　　　　　　　5円

　Ⓓ　評価会社の1株当たり純資産価額　　　　　　　60円

14　評価会社の受取配当金等

　イ　直前期末以前2年間の受取配当金の合計額　　　1,500万円

　ロ　直前期末以前2年間の営業利益の合計額（イを除く）　500万円

　ハ　直前期末における利益積立金　　　　　　　　　2,000万円

15　株式等保有特定会社の判定

$$\frac{8億円}{8億円＋1.2億円}＝86\%≧50\%$$

（注）　「株式等の相続税評価額」は取引相場のない株式については、その発行会社の評価差額の37％相

－1467－

取引相場のない株式（出資）の評価明細書の記載例

当額を控除しないでその１株当たり純資産価額を計算します。

16　評価会社は、自己株式を保有しておらず、種類株式は発行していない（普通株式のみ）。単元株制度を採用している（１単元＝100株）。

B　計算要領

1　会社規模　大会社

2　株式等保有特定会社の株式の原則的評価法による評価額〔１株当たり純資産価額〕

イ　相続税評価額による純資産価額

（株式）（その他）（負債）

8億円＋1.2億円－２億円＝7.2億円

ロ　評価差額に対する法人税等相当額

①　評価差額

7.2億円－（3.2億円－２億円）＝６億円

②　法人税等相当額

６億円×37％＝２億2,200万円

ハ　評価会社の１株当たり純資産価額（相続税評価額により計算した金額）

720,000千円－222,000千円＝498,000千円

498,000千円÷200,000株＝2,490円

議決権割合50％以下の株主グループに属するため特例計算による修正

2,490円×0.8＝<u>1,992円</u>　Ａ

3　株式等保有特定会社の株式の「$S_1＋S_2$」方式による評価額

イ　受取配当金等収受割合

$$\frac{1,500万円}{1,500万円＋500万円}＝75\%$$

ロ　Ⓑ、Ⓒ、Ⓓのうち株式等に対応する金額

（ⓑ、ⓒ、ⓓ）の計算

ⓑ　１株当たり配当金のうち株式等対応額

１円×75％＝0.70円（10銭位未満切捨て）（ⓑ）

ⓒ　１株当たり利益金のうち株式等対応額

５円×75％＝３円（円未満切捨て）（ⓒ）

ⓓ　１株当たり純資産価額（帳簿価額）のうち株式等対応額（①＋②）

①　株式等対応簿価純資産価額

$$60円×\frac{２億円}{２億円＋1.2億円}＝37円（円未満切捨て）$$

②　株式等対応利益積立金額

（2,000万円÷200万株）×75％＝７円（円未満切捨て）

37円＋７円＝44円（ⓓ）

ハ　S_1の金額の計算

㋑　類似業種比準価額

$$954円×\left(\frac{\overset{ⓑ}{\dfrac{1円－0円70銭}{4.0円}}＋\overset{ⓒ}{\dfrac{5円－3円}{42円}}＋\overset{ⓓ}{\dfrac{60円－44円}{226円}}}{3}\right)×0.7$$

$$＝954円×\left(\frac{0.07＋0.04＋0.07}{3}\right)×0.7$$

$$＝954円×0.06×0.7＝40円$$

40円×500/50＝400円

配当金支払決定による修正　400円－10円＝<u>390円</u>

－1468－

取引相場のない株式（出資）の評価明細書の記載例

　　　㋺　純資産価額（保有株式等がないものとした場合）

　　　　（資産）　1.2億円－（負債）2億円＝△0.8億円

　　　　よって1株当たり純資産価額は0

　　　　S_1の金額＝㋑と㋺の低い方の金額＝ 0 Ｂ

　ニ　S_2の金額の計算（保有株式等の相続税評価額の評価会社株式1株当たり金額）

$$\frac{8億円－（8億円－2億円）×37\%}{20万株}＝2,890円 \boxed{C}$$

　ホ　「$S_1＋S_2$」方式による評価額

　　　Ｂ 0円＋Ｃ 2,890円＝2,890円 Ｄ

　ヘ　評価会社の1株当たり評価額

　　　Ａ 1,992円＜Ｄ 2,890円　∴1,992円

取引相場のない株式（出資）の評価明細書の記載例

第1表の1　評価上の株主の判定及び会社規模の判定の明細書

整理番号 □□□□□

（取引相場のない株式（出資）の評価明細書）

（令和六年一月一日以降用）

会社名	（電話　　　　　　　） 日本株式会社	本店の所在地			
代表者氏名	日本　一郎		取扱品目及び製造、卸売、小売等の区分	業種目番号	取引金額の構成比
課税時期	**6**年　**4**月　**30**日	事業内容			％
直前期	自 **5**年　**4**月　**1**日　至 **6**年　**3**月　**31**日				

1．株主及び評価方式の判定

判定要素（課税時期現在の株式等の所有状況）

氏名又は名称	続柄	会社における役職名	㋑株式数（株式の種類）	㋺議決権数	㋩議決権割合（㋺/④）
日本　一郎	納税義務者	社長	株 **80,000**	個 **800**	％ **40**
自己株式					
納税義務者の属する同族関係者グループの議決権の合計数			② **1,000**	⑤ **50** (②/④)	
筆頭株主グループの議決権の合計数			③ **1,000**	⑥ **50** (③/④)	
評価会社の発行済株式又は議決権の総数			① **200,000**	④ **2,000**	100

判定基準

納税義務者の属する同族関係者グループの議決権割合（⑤の割合）を基として、区分します。

区分基準	筆頭株主グループの議決権割合（⑥の割合）			株主の区分
	50%超の場合	ⓐ30%以上50%以下の場合	30%未満の場合	
⑤の割合	50%超	ⓐ30%以上	15%以上	同族株主等
	50%未満	30%未満	15%未満	同族株主等以外の株主

判定

ⓐ同族株主等（原則的評価方式等）　　同族株主等以外の株主（配当還元方式）

「同族株主等」に該当する納税義務者のうち、議決権割合（㋩の割合）が5%未満の者の評価方式は、「2.少数株式所有者の評価方式の判定」欄により判定します。

2．少数株式所有者の評価方式の判定

判定要素

項目	判定内容
氏名	
㊁役員	である（原則的評価方式等）・でない（次の㋭〜）
㋭納税義務者が中心的な同族株主	である（原則的評価方式等）・でない（次の㋬〜）
㋬納税義務者以外に中心的な同族株主（又は株主）	がいる（配当還元方式）・がいない（原則的評価方式等）（氏名　　　）

判定	原則的評価方式等　・　配当還元方式

－1470－

取引相場のない株式（出資）の評価明細書の記載例

第1表の2　評価上の株主の判定及び会社規模の判定の明細書（続）　　会社名　**日本株式会社**

（取引相場のない株式（出資）の評価明細書）

（令和六年一月一日以降用）

3．会社の規模（Lの割合）の判定

	項　　目	金　　額	項　　目	人　　数
判定要素	直前期末の総資産価額 （帳簿価額）	千円 **320,000**	直前期末以前1年間における従業員数	**19.2** 人 〔従業員数の内訳〕 （継続勤務従業員数）（継続勤務従業員以外の従業員の労働時間の合計時間数） **18** 人 ＋ （ **2,200** 時間）/ 1,800時間
	直前期末以前1年間の取引金額	千円 **2,000,000**		

㋑　直前期末以前1年間における従業員数に応ずる区分　　70人以上の会社は、大会社（㋺及び㋩は不要）
70人未満の会社は、㋺及び㋩により判定

	㋺　直前期末の総資産価額（帳簿価額）及び直前期末以前1年間における従業員数に応ずる区分				㋩　直前期末以前1年間の取引金額に応ずる区分			会社規模とLの割合（中会社）の区分	
判定基準	総資産価額（帳簿価額）			従業員数	取引金額				
	卸売業	小売・サービス業	卸売業、小売・サービス業以外		卸売業	小売・サービス業	卸売業、小売・サービス業以外		
	20億円以上	15億円以上	15億円以上	35人超	30億円以上	20億円以上	(15億円以上)	大会社	
	4億円以上 20億円未満	5億円以上 15億円未満	5億円以上 15億円未満	35人超	7億円以上 30億円未満	5億円以上 20億円未満	4億円以上 15億円未満	0.90	中会社
	2億円以上 4億円未満	2億5,000万円以上 5億円未満	(2億5,000万円以上 5億円未満)	20人超 35人以下	3億5,000万円以上 7億円未満	2億5,000万円以上 5億円未満	2億円以上 4億円未満	0.75	
	7,000万円以上 2億円未満	4,000万円以上 2億5,000万円未満	5,000万円以上 2億5,000万円未満	(5人超 20人以下)	2億円以上 3億5,000万円未満	6,000万円以上 2億5,000万円未満	8,000万円以上 2億円未満	0.60	
	7,000万円未満	4,000万円未満	5,000万円未満	5人以下	2億円未満	6,000万円未満	8,000万円未満	小会社	

・「会社規模とLの割合（中会社）の区分」欄は、㋺欄の区分（「総資産価額（帳簿価額）」と「従業員数」とのいずれか下位の区分）と㋩欄（取引金額）の区分とのいずれか上位の区分により判定します。

判定	中　　会　　社			小　会　社	
(大　会　社)	L　の　割　合				
	0.90	0.75	0.60		

4．増（減）資の状況その他評価上の参考事項

直前期分の配当金の支払基準日　令和6年3月31日
効力発生日　令和6年4月23日
資本金等の額の減少に伴うもの：なし

－1471－

取引相場のない株式（出資）の評価明細書の記載例

第2表　特定の評価会社の判定の明細書　　会社名　日本株式会社

（令和六年一月一日以降用）

（取引相場のない株式（出資）の評価明細書）

1. 比準要素数1の会社

	判　定　要　素						判定基準	(1)欄のいずれか2の判定要素が0であり、かつ、(2)欄のいずれか2以上の判定要素が0
	(1)直前期末を基とした判定要素			(2)直前々期末を基とした判定要素				である（該当）・でない（非該当）
	第4表の㋑の金額	第4表の㋺の金額	第4表の㋩の金額	第4表の㋭の金額	第4表の㋬の金額	第4表の㋥の金額		
	円銭	円	円	円銭	円	円	判定	該　当　・　非該当
	1 0	5	60	1 0	5	55		

2. 株式等保有特定会社

	判　定　要　素			判定基準	③の割合が50%以上である・③の割合が50%未満である
	総資産価額（第5表の①の金額）①	株式等の価額の合計額（第5表の㋑の金額）②	株式等保有割合（②／①）③		
	千円 920,000	千円 800,000	% 86	判定	該当　・　非該当

3. 土地保有特定会社

	判　定　要　素			会社の規模の判定（該当する文字を○で囲んで表示します。）
	総資産価額（第5表の①の金額）④	土地等の価額の合計額（第5表の㋬の金額）⑤	土地保有割合（⑤／④）⑥	
	千円 920,000	千円 0	% 0	大会社　・　中会社　・　小会社

判定基準 会社の規模	大　会　社	中　会　社	小　会　社（総資産価額（帳簿価額）が次の基準に該当する会社）	
			・卸売業 20億円以上　・小売・サービス業 15億円以上　・上記以外の業種 15億円以上	・卸売業 7,000万円以上20億円未満　・小売・サービス業 4,000万円以上15億円未満　・上記以外の業種 5,000万円以上15億円未満
⑥の割合	70%以上　70%未満	90%以上　90%未満	70%以上　70%未満	90%以上　90%未満
判　　定	該当　非該当	該当　非該当	該当　非該当	該当　非該当

4. 開業後3年未満の会社等

(1) 開業後3年未満の会社

判定要素		判定基準	課税時期において開業後3年未満である	課税時期において開業後3年未満でない
開業年月日	昭 57 年 7 月 1 日	判定	該　当	非　該　当

(2) 比準要素数0の会社

判定要素	直前期末を基とした判定要素			判定基準	直前期末を基とした判定要素がいずれも0
	第4表の㋑の金額	第4表の㋺の金額	第4表の㋩の金額		である（該当）　・　でない（非該当）
	円銭 1 0	円 5	円 60	判定	該　当　・　非該当

5. 開業前又は休業中の会社

開業前の会社の判定	休業中の会社の判定
該当　非該当	該当　非該当

6. 清算中の会社

判　　定
該　当　・　非該当

7. 特定の評価会社の判定結果

1. 比準要素数1の会社　　　②　株式等保有特定会社

3. 土地保有特定会社　　　4. 開業後3年未満の会社等

5. 開業前又は休業中の会社　　　6. 清算中の会社

該当する番号を○で囲んでください。なお、上記の「1. 比準要素数1の会社」欄から「6. 清算中の会社」欄の判定において2以上に該当する場合には、後の番号の判定によります。

—1472—

取引相場のない株式（出資）の評価明細書の記載例

第４表　類似業種比準価額等の計算明細書

会社名　**日本株式会社**

（取引相場のない株式（出資）の評価明細書）　　　　（令和六年一月一日以降用）

1.1株当たりの資本金等の額等の計算	直前期末の資本金等の額 ① 千円 **100,000**	直前期末の発行済株式数 ② 株 **200,000**	直前期末の自己株式数 ③ 株	1株当たりの資本金等の額（①÷（②－③）） ④ 円 **500**	1株当たりの資本金等の額を50円とした場合の発行済株式数（①÷50円） ⑤ 株 **2,000,000**

2．比準要素等の金額の計算

1株（50円）当たりの年配当金額

直前期末以前2（3）年間の年平均配当金額					比準要素数1の会社・比準要素数0の会社の判定要素の金額
事業年度 ⑥ 年配当金額	⑦ 左のうち非経常的な配当金額	⑧ 差引経常的な年配当金額（⑥－⑦）	年平均配当金額		⑨/⑤ ⑨a **1** 円 **0** 銭
直前期 **2,000** 千円	**0** 千円	⑦ **2,000** 千円	⑨（イ＋ロ）÷2 **2,000** 千円		⑩/⑤ ⑨b **1** 円 **0** 銭
直前々期 **2,000** 千円	**0** 千円	ロ **2,000** 千円			1株（50円）当たりの年配当金額 ⑧ の金額
直前々期の前期 **2,000** 千円	**0** 千円	ハ **2,000** 千円	⑩（ロ＋ハ）÷2 **2,000** 千円		⑧ **1** 円 **00** 銭

1株（50円）当たりの年利益金額

直前期末以前2（3）年間の利益金額						比準要素数1の会社・比準要素数0の会社の判定要素の金額
事業年度	⑪法人税の課税所得金額	⑫非経常的な利益金額	⑬受取配当等の益金不算入額	⑭左の所得税額	⑮損金算入した繰越欠損金の控除額	⑯差引利益金額（⑪－⑫＋⑬－⑭＋⑮）
直前期	**10,000** 千円	**0** 千円	**0** 千円	**0** 千円	**0** 千円	⑯ **10,000** 千円
直前々期	**10,000** 千円	**0** 千円	**0** 千円	**0** 千円	**0** 千円	⑰ **10,000** 千円
直前々期の前期	千円	千円	千円	千円	千円	⑳ 千円

⑯/⑤ 又は（⑯＋⑰）÷2 ⑪c **5** 円
⑰/⑤ 又は（⑰＋⑱）÷2 ⑪d **5** 円
1株（50円）当たりの年利益金額 [⑯/⑤ 又は（⑯＋⑰）÷2 の金額] © **5** 円

1株（50円）当たりの純資産価額

直前期末（直前々期末）の純資産価額				比準要素数1の会社・比準要素数0の会社の判定要素の金額
事業年度	⑰ 資本金等の額	⑱ 利益積立金額	⑲ 純資産価額（⑰＋⑱）	⑱/⑤ ⑪d **60** 円
直前期	**100,000** 千円	**20,000** 千円	⑲ **120,000** 千円	⑲/⑤ ⑫d **55** 円
直前々期	**100,000** 千円	**10,000** 千円	⑳ **110,000** 千円	1株（50円）当たりの純資産価額（⑲ の金額） Ⓓ **60** 円

3．類似業種比準価額の計算

1株（50円）当たりの比準価額の計算

類似業種と業種目番号		(No.　　)	区　分	1株（50円）当たりの年配当金額	1株（50円）当たりの年利益金額	1株（50円）当たりの純資産価額	1株（50円）当たりの比準価額
類似業種の株価	課税時期の属する月	㋑ 月 円	評価会社	⑧ 円 銭 0	© 円	Ⓓ 円	⑳×㉑×0.7 ※
	課税時期の属する月の前月	㋺ 月 円	類似業種 B	円 銭 0	C 円	D 円	※中会社は0.6 小会社は0.5 とします。
	課税時期の属する月の前々月	㋩ 月 円	要素別比準割合	⑧/B ．	©/C ．	Ⓓ/D ．	
	前年平均株価	㋥ 円	比準割合	㉑ (⑧/B＋©/C＋Ⓓ/D)/3 ＝ ．			㉒ 円 銭 0
	課税時期の属する月以前2年間の平均株価	A ⑳ 円 [㋑㋺㋩㋥及び㋭のうち最も低いもの]					

類似業種と業種目番号		(No.　　)	区　分	1株（50円）当たりの年配当金額	1株（50円）当たりの年利益金額	1株（50円）当たりの純資産価額	1株（50円）当たりの比準価額
類似業種の株価	課税時期の属する月	㋬ 月 円	評価会社	⑧ 円 銭 0	© 円	Ⓓ 円	㉓×㉔×0.7 ※
	課税時期の属する月の前月	㋭ 月 円	類似業種 B	円 銭 0	C 円	D 円	※中会社は0.6 小会社は0.5 とします。
	課税時期の属する月の前々月	㋠ 月 円	要素別比準割合	⑧/B ．	©/C ．	Ⓓ/D ．	
	前年平均株価	㋷ 円	比準割合	㉔ (⑧/B＋©/C＋Ⓓ/D)/3 ＝ ．			㉕ 円 銭 0
	課税時期の属する月以前2年間の平均株価	A ⑳ 円 [㋬㋭㋠㋷及び㋦のうち最も低いもの]					

1株当たりの比準価額	比準価額（㉒と㉕とのいずれか低い方の金額）　×　④の金額／50円	㉖ 円

比準価額の修正	直前期末の翌日から課税時期までの間に配当金交付の効力が発生した場合	比準価額（㉖の金額）－ 1株当たりの配当金額 円 銭	修正比準価額 ㉗ 円
	直前期末の翌日から課税時期までの間に株式の割当て等の効力が発生した場合	比準価額（㉖（㉗があるときは㉗）の金額）＋ 割当株式1株当たりの払込金額 円 銭 × 1株当たりの割当株式数 株 ÷（1株＋ 1株当たりの割当株式数又は交付株式数 株）	修正比準価額 ㉘ 円

－1473－

取引相場のない株式（出資）の評価明細書の記載例

第5表　1株当たりの純資産価額（相続税評価額）の計算明細書　会社名　日本株式会社

（取引相場のない株式（出資）の評価明細書）

（令和六年一月一日以降用）

1. 資産及び負債の金額（課税時期現在）

資産の部				負債の部			
科　目	相続税評価額	帳簿価額	備考	科　目	相続税評価額	帳簿価額	備考
株　式	800,000 千円	200,000 千円		借入金	190,000 千円	190,000 千円	
その他の資産	120,000	120,000		その他の負債	10,000	10,000	
合　計	① 920,000	② 320,000		合　計	③ 200,000	④ 200,000	
株式等の価額の合計額	㋑ 800,000	㋺ 200,000					
土地等の価額の合計額	㋩ 0						
現物出資等受入れ資産の価額の合計額	㋥ 0	㋭ 0					

2. 評価差額に対する法人税額等相当額の計算

相続税評価額による純資産価額（①－③）	⑤	720,000 千円
帳簿価額による純資産価額（（②＋㋥－㋭－④）、マイナスの場合は0）	⑥	120,000 千円
評価差額に相当する金額（⑤－⑥、マイナスの場合は0）	⑦	600,000 千円
評価差額に対する法人税額等相当額（⑦×37%）	⑧	222,000 千円

3. 1株当たりの純資産価額の計算

課税時期現在の純資産価額（相続税評価額）（⑤－⑧）	⑨	498,000 千円
課税時期現在の発行済株式数（（第1表の1の①－自己株式数）	⑩	200,000 株
課税時期現在の1株当たりの純資産価額（相続税評価額）（⑨÷⑩）	⑪	2,490 円
同族株主等の議決権割合（第1表の1の⑤の割合）が50%以下の場合（⑪×80%）	⑫	1,992 円

－1474－

取引相場のない株式（出資）の評価明細書の記載例

第6表　特定の評価会社の株式及び株式に関する権利の価額の計算明細書　　会社名 **日本株式会社**

（令和六年一月一日以降用）

（取引相場のない株式（出資）の評価明細書）

1　純資産価額方式等による価額

	類似業種比準価額 （第4表の㉖、㉗又は㉘の金額）	1株当たりの純資産価額 （第5表の⑪の金額）	1株当たりの純資産価額の80％相当額（第5表の⑫の記載がある場合のその金額）
1株当たりの価額の計算の基となる金額	① 円	② 円	③ 円

1株当たりの価額の計算

株式の区分	1株当たりの価額の算定方法等	1株当たりの価額
比準要素数1の会社の株式	次のうちいずれか低い方の金額 イ　②の金額（③の金額があるときは③の金額） ロ　（①の金額 × 0.25）＋（イの金額 × 0.75）	④ 円
株式等保有特定会社の株式	（第8表の㉗の金額）	⑤ **1,992**
土地保有特定会社の株式	（②の金額（③の金額があるときはその金額））	⑥ 円
開業後3年未満の会社等の株式	（②の金額（③の金額があるときはその金額））	⑦ 円
開業前又は休業中の会社の株式	（②の金額）	⑧ 円

株式の価額の修正

	株式の価額		1株当たりの配当金額	修正後の株式の価額
課税時期において配当期待権の発生している場合	［④、⑤、⑥、⑦又は⑧の金額］	－	円　　銭	⑨ 円
課税時期において株式の割当てを受ける権利、株主となる権利又は株式無償交付期待権の発生している場合	［④、⑤、⑥、⑦又は⑧（⑨があるときは⑨）の金額］ ＋	割当株式1株当たりの払込金額 × 1株当たりの割当株式数 ÷（1株＋ 1株当たりの割当株式数又は交付株式数） 円　　株　　株		⑩ 円

2　配当還元方式による価額

	直前期末の資本金等の額	直前期末の発行済株式数	直前期末の自己株式数	1株当たりの資本金等の額を50円とした場合の発行済株式数（⑪÷50円）	1株当たりの資本金等の額（⑪÷（⑫－⑬））
1株当たりの資本金等の額、発行済株式数等	⑪ 千円	⑫ 株	⑬ 株	⑭ 株	⑮ 円

直前期末以前2年間の配当金額	事業年度	⑯　年配当金額	⑰　左のうち非経常的な配当金額	⑱　差引経常的な年配当金額（⑯－⑰）	年平均配当金額
	直前期	千円	㋑ 千円	千円	⑲（㋑＋㋺）÷2 千円
	直前々期	千円	㋺ 千円	千円	

1株(50円)当たりの年配当金額	年平均配当金額（⑲の金額）÷⑭の株式数　＝	⑳ 円　　銭	この金額が2円50銭未満の場合は2円50銭とします。

配当還元価額	⑳の金額/10% × ⑮の金額/50円 ＝	㉑ 円	㉒ 円	㉑の金額が、純資産価額方式等により計算した価額を超える場合には、純資産価額方式等により計算した価額とします。

3　株式に関する権利の価額（1.及び2.に共通）

配当期待権	1株当たりの予想配当金額（　円　銭） － 源泉徴収されるべき所得税相当額（　円　銭）	㉓ 円　　銭
株式の割当てを受ける権利（割当株式1株当たりの価額）	⑩（配当還元方式の場合は㉒）の金額 － 割当株式1株当たりの払込金額 円	㉔ 円
株主となる権利（割当株式1株当たりの価額）	⑩（配当還元方式の場合は㉒）の金額（課税時期後にその株主となる権利につき払い込むべき金額があるときは、その金額を控除した金額）	㉕ 円
株式無償交付期待権（交付される株式1株当たりの価額）	⑩（配当還元方式の場合は㉒）の金額	㉖ 円

4　株式及び株式に関する権利の価額（1.及び2.に共通）

株式の評価額	**1,992** 円
株式に関する権利の評価額	円（　円　銭）

－1475－

取引相場のない株式（出資）の評価明細書の記載例

第7表　株式等保有特定会社の株式の価額の計算明細書

会社名　**日本株式会社**

（取引相場のない株式（出資）の評価明細書）（令和六年一月一日以降用）

1. S₁の金額

	事業年度	① 直 前 期	② 直前々期	合計(①+②)	受取配当金等収受割合 (⑦÷(⑦+⑦)) ※小数点以下3位未満切り捨て
受取配当金等収受割合の計算	受取配当金等の額	7,500 千円	7,500 千円	⑦ 15,000 千円	⑦ 0.75
	営業利益の金額	2,500 千円	2,500 千円	5,000 千円	

金額

	1株(50円)当たりの年配当金額(第4表の⑤)	⑤の金額(③×⑦)	⑤-⑤の金額(③-④)	
⑤-⑤の金額	③ 1 円 0 銭	④ 7 円 0 銭	⑤ 3 円 0 銭	
	1株(50円)当たりの年利益金額(第4表の⑥)	⑥の金額(⑥×⑦)	⑥-⑥の金額(⑥-⑦)	
⑥-⑥の金額	⑥ 5 円	⑦ 3 円	⑧ 2 円	

	(イ)の金額	1株(50円)当たりの純資産価額(第4表の⑱)	直前期末の株式等の帳簿価額の合計額	直前期末の総資産価額(帳簿価額)	(イ)の金額 (⑨×(⑩÷⑪))
⑪-⑭の金額	(イ) ⑨ 60 円	⑩ 200,000 千円	⑪ 320,000 千円	⑫ 37 円	
	(ロ)の金額	利益積立金額(第4表の⑱の「直前期」欄の金額)	1株当たりの資本金等の額を50円とした場合の発行済株式数(第4表の⑤の株式数)	(ロ)の金額 ((⑬÷⑭)×⑦)	
	(ロ) ⑬ 20,000 千円		⑭ 2,000,000 株	⑮ 7 円	

	⑭の金額(⑫+⑮)	⑪-⑭の金額(⑨-⑯)	(注) 1 ⑦の割合は、1を上限とします。
	⑯ 44 円	⑰ 16 円	2 ⑯の金額は、⑪の金額(⑨の金額)を上限とします。

（類似業種比準価額の計算）1株50円当たりの比準価額

類似業種と業種目番号	(No.×××)	比準割合の計算	区分	1株(50円)当たりの年配当金額	1株(50円)当たりの年利益金額	1株(50円)当たりの純資産価額	1株(50円)当たりの比準価額
類似業種の株価 課税時期の属する月	⑨ 4 月 954 円		評価会社	⑤ 0 円 3 銭	⑧ 2 円	⑰ 16 円	⑱ × ⑲ × 0.7
課税時期の属する月の前月	⑦ 3 月 990 円		類似業種 B	4 円 0 銭	C 42 円	D 226 円	※ 中会社は0.6 小会社は0.5 とします。
課税時期の属する月の前々月	⑦ 2 月 1,000 円		要素別比準割合	⑤/B 0.07	⑧/C 0.04	⑰/D 0.07	
前年平均株価	⑦ 1,050 円						
課税時期の属する月以前2年間の平均株価	⑦ 980 円		比準割合	$\frac{\frac{⑤}{B}+\frac{⑧}{C}+\frac{⑰}{D}}{3}$ =		⑲ 0.06	⑳ 40 円 0 銭
A ⑨、⑦、⑦及び⑦のうち最も低いもの	⑱ 954 円						

（類似業種比準価額の計算の修正計算）1株50円当たりの比準価額の計算

類似業種と業種目番号	(No.)	比準割合の計算	区分	1株(50円)当たりの年配当金額	1株(50円)当たりの年利益金額	1株(50円)当たりの純資産価額	1株(50円)当たりの比準価額
類似業種の株価 課税時期の属する月	⑨ 月 円		評価会社	⑤ 円 銭 0	⑧ 円	⑰ 円	㉑ × ㉒ × 0.7
課税時期の属する月の前月	⑦ 月 円		類似業種 B	円 銭	C 円	D 円	※ 中会社は0.6 小会社は0.5 とします。
課税時期の属する月の前々月	⑦ 月 円		要素別比準割合	⑤/B ·	⑧/C ·	⑰/D ·	
前年平均株価	⑦ 円						
課税時期の属する月以前2年間の平均株価	⑦ 円		比準割合	$\frac{\frac{⑤}{B}+\frac{⑧}{C}+\frac{⑰}{D}}{3}$ =		㉒	㉓ 円 銭 0
A ⑨、⑦、⑦及び⑦のうち最も低いもの	㉑ 円						

（比準価額の修正計算）

1株当たりの比準価額	比準価額 (⑳と㉓とのいずれか低い方の金額) × 第4表の④の金額 / 50円	㉔ 400 円
直前期末の翌日から課税時期までの間に配当金交付の効力が発生した場合	比準価額 (㉔の金額) − 1株当たりの配当金額 10 円 00 銭	修正比準価額 ㉕ 390 円
直前期末の翌日から課税時期までの間に株式の割当等の効力が発生した場合	比準価額 (㉔(㉕があるときは㉕)の金額) + 割当株式1株たりの払込金額 円 銭 × 1株当たりの割当株式数 株 ÷ (1株+ 割当株式数又は交付株式数 株)	修正比準価額 ㉖ 円

取引相場のない株式（出資）の評価明細書の記載例

第7表　株式等保有特定会社の株式の価額の計算明細書

1　この表は、評価会社が株式等保有特定会社である場合において、その株式の価額を「$S_1 + S_2$」方式によって評価するときにおいて、「S_1」における類似業種比準価額の修正計算を行うために使用します。

2　「1.　S_1の金額（類似業種比準価額の修正計算）」の各欄は、次により記載します。

⑴　「**受取配当金等収受割合の計算**」の各欄は、次により記載します。

　イ　「**受取配当金等の額**」欄は、直前期及び直前々期の各事業年度における評価会社の受取配当金等の額（法人から受ける剰余金の配当（株式又は出資に係るものに限るものとし、資本金等の額の減少によるものを除きます。）、利益の配当、剰余金の分配（出資に係るものに限ります。）及び新株予約権付社債に係る利息の額をいいます。）の総額を、それぞれの各欄に記載し、その合計額を「合計」欄に記載します。

　ロ　「**営業利益の金額**」欄は、イと同様に、各事業年度における評価会社の営業利益の金額（営業利益の金額に受取配当金等の額が含まれている場合には、受取配当金等の額を控除した金額）について記載します。

　ハ　「①　直前期」及び「②　直前々期」の各欄の記載に当たって、1年未満の事業年度がある場合には、第4表の記載方法等の3の⑴のハに準じて記載します。

　ニ　「**受取配当金等収受割合**」欄は、小数点以下3位未満の端数を切り捨てて記載します。

⑵　「**直前期末の株式等の帳簿価額の合計額**」欄の⑩の金額は、直前期末における株式等の税務計算上の帳簿価額の合計額を記載します（第5表を直前期末における各資産に基づいて作成しているときは、第5表の㋺の金額を記載します。）。

⑶　「**1株（50円）当たりの比準価額の計算**」欄、「**1株当たりの比準価額**」欄及び「**比準価額の修正**」欄は、第4表の記載方法等の4に準じて記載します。

－1477－

取引相場のない株式（出資）の評価明細書の記載例

第8表　株式等保有特定会社の株式の価額の計算明細書（続）　　会社名　日本株式会社

（取引相場のない株式（出資）の評価明細書）

（令和六年一月一日以降用）

1．S₁の金額

純資産価額（相続税評価額）の修正計算

相続税評価額による純資産価額（第5表の⑤の金額）	課税時期現在の株式等の価額の合計額（第5表の④の金額）	差引（①－②）
① 720,000 千円	② 800,000 千円	③ 0 千円

帳簿価額による純資産価額（第5表の⑥の金額）	株式等の帳簿価額の合計額（第5表の④＋（㋺－㋥）の金額）(注)	差引（④－⑤）
④ 120,000 千円	⑤ 200,000 千円	⑥ 0 千円

評価差額に相当する金額（③－⑥）	評価差額に対する法人税額等相当額（⑦×37%）	課税時期現在の修正純資産額（相続税評価額）（③－⑧）
⑦ 0 千円	⑧ 0 千円	⑨ 0 千円

課税時期現在の発行済株式数（第5表の⑩の株式数）	課税時期現在の修正後の1株当たりの純資産価額（相続税評価額）（⑨÷⑩）	(注) 第5表の㋺及び㋥の金額に株式等以外の資産に係る金額が含まれている場合には、その金額を除いて計算します。
⑩ 200,000 株	⑪ 0 円	

1株当たりのS₁の金額の計算の基となる金額

修正後の類似業種比準価額（第7表の㉔、㉕又は㉖の金額）	修正後の1株当たりの純資産価額（相続税評価額）（⑪の金額）	
⑫ 390 円	⑬ 0 円	

1株当たりのS₁の金額の計算

区分		1株当たりのS₁の金額の算定方法	1株当たりのS₁の金額
比準要素数1である会社のS₁の金額		次のうちいずれか低い方の金額　イ ⑬の金額　ロ （⑫の金額 × 0.25）＋（⑬の金額 × 0.75）	⑭ 円
上記以外の会社	大会社のS₁の金額	次のうちいずれか低い方の金額（⑬の記載がないときは⑫の金額）　イ ⑫の金額　ロ ⑬の金額	⑮ 0 円
	中会社のS₁の金額	（⑫と⑬とのいずれか低い方の金額 × Lの割合 0.）＋（⑬の金額 ×（1－ Lの割合 0.））	⑯ 円
	小会社のS₁の金額	次のうちいずれか低い方の金額　イ ⑬の金額　ロ （⑫の金額 × 0.50）＋（⑬の金額 × 0.50）	⑰ 円

2．S₂の金額

課税時期現在の株式等の価額の合計額（第5表の④の金額）	株式等の帳簿価額の合計額（第5表の⑫＋（㋺－㋥）の金額）(注)	株式等に係る評価差額に相当する金額（⑱－⑲）	⑳の評価差額に対する法人税額等相当額（⑳×37%）
⑱ 800,000 千円	⑲ 200,000 千円	⑳ 600,000 千円	㉑ 222,000 千円

S₂の純資産価額相当額（⑱－㉑）	課税時期現在の発行済株式数（第5表の⑩の株式数）	S₂の金額（㉒÷㉓）	(注) 第5表の㋺及び㋥の金額に株式等以外の資産に係る金額が含まれている場合には、その金額を除いて計算します。
㉒ 578,000 千円	㉓ 200,000 株	㉔ 2,890 円	

3．株式等保有特定会社の株式の価額

1株当たりの純資産価額（第5表の⑪の金額（第5表の⑫の金額があるときはその金額））	S₁の金額とS₂の金額との合計額（（⑭、⑮、⑯又は⑰）＋㉔）	株式等保有特定会社の株式の価額（㉕と㉖とのいずれか低い方の金額）
㉕ 1,992 円	㉖ 2,890 円	㉗ 1,992 円

—1478—

取引相場のない株式（出資）の評価明細書の記載例

第8表　株式等保有特定会社の株式の価額の計算明細書（続）

1　この表は、評価会社が株式等保有特定会社である場合において、その株式の価額を「S_1+S_2」方式によって評価するときのS_1における純資産価額の修正計算及び1株当たりのS_1の金額の計算並びにS_2の金額の計算を行うために使用します。

2　「1.　S_1の金額（続）」の各欄は、次により記載します。

　⑴　「**純資産価額（相続税評価額）の修正計算**」の「課税時期現在の修正後の1株当たりの純資産価額（相続税評価額）」欄の⑪の金額について、表示単位未満の端数を切り捨てることにより0となる場合は、分数等（課税時期基準）により記載します。

　⑵　「**1株当たりのS_1の金額の計算**」欄の⑭、⑯及び⑰の各金額について、表示単位未満の端数を切り捨てることにより0となる場合は、分数等（課税時期基準）により記載します。

3　「2.　S_2の金額」の各欄は、次により記載します。

　⑴　「**課税時期現在の株式等の価額の合計額**」欄の⑱の金額は、課税時期における株式等の相続税評価額を記載しますが、第5表の記載方法等の2の⑴のロに留意するほか、同表の記載方法等の2の⑷により株式等保有特定会社の判定時期と純資産価額の計算時期が直前期末における決算に基づいて行われている場合には、S_2の計算時期も同一とすることに留意してください。

　⑵　「**株式等に係る評価差額に相当する金額**」欄の⑳の金額は、株式等の相続税評価額と帳簿価額の差額に相当する金額を記載しますが、その金額が負数のときは、0と記載することに留意してください。

　⑶　「**S_2の金額**」欄の㉔の金額について、表示単位未満の端数を切り捨てることにより0となる場合は、分数等（課税時期基準）により記載します。

4　「**3.　株式等保有特定会社の株式の価額**」欄の㉖の金額について、表示単位未満の端数を切り捨てることにより0となる場合は、分数等（課税時期基準）により記載します。

－1479－

第七章第四節《株式の割当てを受ける権利等の評価》

第四節　株式の割当てを受ける権利等の評価

1　株式の割当てを受ける権利の評価

　株式の割当てを受ける権利の価額は、その株式の割当てを受ける権利の発生している株式について、上場株式、気配相場等のある株式及び取引相場のない株式の区分ごとに評価基本通達の定めにより評価した価額（取引相場のない株式については第三節《取引相場のない株式》の3の**(4)**「直前期末後に増資等があった場合の修正」のロ（評基通187）（1404ページ）又は同節の「**10　株式の割当てを受ける権利等の発生している特定の評価会社の株式の価額の修正**」（1411ページ）による修正後の価額とし、発行日決済取引が行われるものは、その割当てを受けた株式について上場株式の評価の定めにより評価した価額）から割当てを受けた株式1株について払い込むべき金額を控除した価額によって評価します（評基通190）。

2　株主となる権利の評価

　株主となる権利の評価は、次のとおりです（評基通191）。

（1）　会社設立の場合

　課税時期以前にその株式1株について払い込んだ金額によって評価します。

（2）　その他の場合

　株主となる権利の発生している株式について、上場株式、気配相場等のある株式及び取引相場のない株式の区分ごとに評価基本通達の定めにより評価した価額（取引相場のない株式については第三節の3の**(4)**のロ（評基通187）（1404ページ）又は同節の「**10　株式の割当てを受ける権利等の発生している特定の評価会社の株式の価額の修正**」（1411ページ）による修正後の価額とし、発行日決済取引が行われるものはその割当てを受けた株式について上場株式の評価の定めにより評価した価額）に相当する価額によって評価します。ただし、課税時期の翌日以後その株主となる権利について、払い込むべき金額がある場合には、その割当てを受けた株式1株につき払い込むべき金額を控除した価額によって評価することになります。

3　株式無償交付期待権の評価

　株式無償交付期待権の発生している株式について、上場株式、気配相場等のある株式及び取引相場のない株式の区分ごとに評価基本通達の定めにより評価した価額（取引相場のない株式については第三節の3の**(4)**のロ（評基通187）（1404ページ）又は同節の「**10　株式の割当てを受ける権利等の発生している特定の評価会社の株式の価額の修正**」（1411ページ）による修正後の価額とし、発行日決済取引が行われるものはその株式について上場株式の評価の定めにより評価した価額）に相当する価額によって評価します（評基通192）。

4　配当期待権の評価

　配当期待権の価額は、課税時期後に受けると見込まれる①予想配当の金額から、②その金額につき源泉徴収されるべき所得税の額に相当する金額（特別徴収されるべき道府県民税の額に相当する金額を含む。以下同じ。）を控除した金額によって評価します（評基通193）。

5　ストックオプションの評価

　その目的となっている株式が上場株式又は気配相場等のある株式であり、かつ、課税時期が権利行使可能期間内にあるストックオプションの価額は、課税時期におけるその株式の価額から権利行使価額を控除した金額に、ストックオプション1個の行使により取得することができる株式数を乗じて計算した金額（その金額が負数のときは、0とする。）によって評価します。この場合の「課税時期におけるその株式の価額」は、第一節《上場株式》（評基通169～172）又は第二節《気配相場等のある株式》

－1480－

（評基通174〜177－2）の定めによって評価します（評基通193－2）。

6　上場新株予約権の評価

上場新株予約権の評価は、次のとおりです（評基通193－3）。

（1）　新株予約権が上場期間内にある場合

①　②に該当しない上場新株予約権の価額は、その新株予約権が上場されている金融商品取引所の公表する課税時期の最終価格（課税時期に金融商品取引所の公表する最終価格がない場合には、課税時期前の最終価格のうち、課税時期に最も近い日の最終価格とします。以下同じ。）と上場期間中の新株予約権の毎日の最終価格の平均額のいずれか低い価額によって評価します。

②　負担付贈与又は個人間の対価を伴う取引により取得した上場新株予約権の価額は、その新株予約権が上場されている金融商品取引所の公表する課税時期の最終価格によって評価します。

（2）　上場廃止された新株予約権が権利行使可能期間内にある場合

課税時期におけるその目的たる株式の価額から権利行使価額を控除した金額に、新株予約権1個の行使により取得することができる株式数を乗じて計算した金額（その金額が負数のときは、0とします。以下同じ。）によって評価します。この場合の「課税時期におけるその目的たる株式の価額」は、第一節《上場株式》（評基通169〜172）の定めによって評価します（以下同じ。）。

ただし、新株予約権の発行法人による取得条項が付されている場合には、課税時期におけるその目的たる株式の価額から権利行使価額を控除した金額に、新株予約権1個の行使により取得することができる株式数を乗じて計算した金額と取得条項に基づく取得価格のいずれか低い金額によって評価します。

第五節　持分会社及び協同組合の出資の評価

会社法に規定する持分会社の出資持分の価額は、取引相場のない株式についての評価方法を準用して評価します（評基通194）。

（注）　旧有限会社は株式会社として存続することとされるので、旧有限会社の出資は株式に該当することとなります。（編者）

しかし、これは出資持分自体の評価ですから、その出資持分を定款の定めに従って相続や贈与により承継した場合に限られます。したがって、同じ出資持分であっても、その出資持分を有する人が死亡したことに起因して退社し、相続人がその出資に係るいわゆる「持分払戻請求権」を取得した場合は、これに該当しません。この場合には、その評価の対象となる財産が持分の払戻しを受けることができる債権にほかなりませんから、その払戻しを受けると見込まれる金額、つまり、その会社の課税時期におけるその持分の割合に相当する純資産価額によって評価することになります。

つぎに、農業協同組合や漁業協同組合などのように、組合員のために最大の奉仕をすることを目的として営利を目的とした事業を行わない組合等に対する出資の価額は、原則として払込済出資金額に相当する金額によって評価します（評基通195）。

また、企業組合、漁業生産組合などのように、いわゆる組合員に対するサービス的業務でなく、商業、工業、漁業などそれ自体が1個の企業体として営利を目的として事業を行うことができる組合等に対する出資を評価するときは、その組合等の課税時期における出資1口当たりの純資産価額（相続税評価額によって計算した金額）によって評価します（評基通196）。

第六節　医療法人の出資の評価

医療法人の出資の評価方法は従来は純資産価額（ただし、医療法人の出資の評価については、純資産価額方式における株式の取得者と同族関係者の有する議決権の合計数が議決権総数の50％以下であ

－1481－

第七章第六節《医療法人の出資の評価》

る場合の80％評価の適用はありません。）によっていましたが、昭和59年７月の改正により一般の会社と同様に類似業種比準方式も、採用することができるようになりました。また、平成２年９月及び平成12年６月の改正により第三節《取引相場のない株式》の４から９までに述べた「特定の評価会社」に該当する医療法人の出資については、４から９までに述べたそれぞれの評価方法が準用されます。

この場合において、第三節《取引相場のない株式》の４の(1)の「比準要素数１の会社の株式」（1404ページ）に相当する医療法人に対する出資は、「１株当たりの利益金額」又は「１株当たりの純資産価額（帳簿価額によって計算した金額）」のそれぞれの金額のうち、いずれかが０であり、かつ、直前々期末を基準にしてそれぞれの金額を計算した場合に、それぞれの金額のうち、いずれか１以上が０である評価対象の医療法人の出資をいいます。なお、医療法人は、配当が禁止されていることから類似業種比準価額の算式は次のようになります（評基通194－２）。

(一) 特定の評価会社以外の医療法人の1396ページの「取引相場のない株式の評価方法」の表の類似業種比準方式の算式

$$\text{A} \times \left(\frac{\dfrac{\textcircled{C}}{\text{C}} + \dfrac{\textcircled{D}}{\text{D}}}{2} \right) \times 0.7 \times \frac{\text{Y}}{50\text{円}} = 類似業種比準価額$$

ただし、上記算式中の「0.7」は、中会社に相当する医療法人に対する出資を評価する場合には「0.6」、小会社に相当する医療法人に対する出資を評価する場合には「0.5」とします。

(二) 株式等保有特定会社に該当する医療法人の第三節《取引相場のない株式》の５の(3)の「イ　S_1の金額を計算するときの類似業種比準価額の算式」（1407ページ）に掲げる算式

$$\text{A} \times \left(\frac{\dfrac{\textcircled{C}-\textcircled{c}}{\text{C}} + \dfrac{\textcircled{D}-\textcircled{d}}{\text{D}}}{2} \right) \times 0.7 \times \frac{\text{Y}}{50\text{円}} = S_1の金額$$

ただし、上記算式中の「0.7」は、中会社に相当する医療法人に対する出資を評価する場合には「0.6」、小会社に相当する医療法人に対する出資を評価する場合には「0.5」とします。

上記算式中の符号は一般法人と同様で次の金額を意味します。

「A」＝類似業種の株価

「$\textcircled{C}$」＝医療法人の直前期末以前１年間における出資１口当たりの利益金額（又は直前期末以前２年間のその平均額）

「$\textcircled{D}$」＝医療法人の直前期末における出資１口当たりの純資産価額（帳簿価額によって計算した金額）

「C」＝課税時期の属する年の類似業種の１株当たりの年利益金額

「D」＝課税時期の属する年の類似業種の１株当たりの純資産価額（帳簿価額によって計算した金額）

「出資１口」……直前期末の出資金額を50円で除して得た数を１口とする。

「Y」……出資１口当たりの実際の出資金額

また、比準する類似業種は「その他の産業（No.113）」とします。

ただし、会社規模を判定する際の業種は「小売・サービス業」として判定します。

なお、純資産価額方式によって評価する場合の評価差額から控除する法人税等に相当する金額（評価明細書第５表の⑧欄の金額）は、普通法人と同様に評価差額に37％（評価差額に対する法人税額に相当する金額に定める割合）を乗じて計算します。

－1482－

第八章　公　社　債

1　公　社　債

　公社債は、銘柄の異なるごとに、次のように区分し、それぞれの実態に応じた評価方法によって評価することになっていますが、その価額は、券面額100円当たりの価額に公社債の券面額を100で除した数を乗じて計算した金額によって評価します（評基通197）。

① 利付公社債
② 割引発行の公社債
③ 元利均等償還が行われる公社債
④ 転換社債型新株予約権付社債

（1）　利付公社債の評価

　利付公社債の評価は、次に掲げる区分に従い、それぞれに掲げるところによります（評基通197－2）。

イ　金融商品取引所に上場されている利付公社債

　その公社債が上場されている金融商品取引所の公表する課税時期の最終価格（日本証券業協会において売買参考統計値が公表される銘柄として選定された公社債である場合には、日本証券業協会の公表する課税時期の平均値と最終価格のうちいずれか低い金額とします。また、課税時期に最終価格及び平均値のいずれもない場合には、課税時期前の最終価格又は平均値のうち、課税時期に最も近い日の最終価格又は平均値とし、その日に最終価格又は平均値のいずれもある場合には、いずれか低い金額とします。（2）において同じ。）と源泉所得税相当額控除後の既経過利息の額との合計額によって評価します。

　この場合において、その公社債が国内の2以上の金融商品取引所に上場されている場合には、原則として、東京証券取引所としますが、納税義務者の選択により納税地の最寄りの金融商品取引所とすることができます。以下同様です。

（注）　上記の「源泉所得税相当額控除後の既経過利息の額」とは、課税時期において利払期が到来していない利息のうち、課税時期現在の既経過分に相当する金額からその金額につき源泉徴収されるべき所得税の額に相当する金額（特別徴収されるべき道府県民税の額及び「東日本大震災からの復興のための施策を実施するために必要な財源の確保に関する特別措置法」に定める復興特別所得税に相当する金額を含みます。以下同じ。）を控除した金額をいいます（（1）及び（4）において同じ。）。

ロ　日本証券業協会において売買参考統計値が公表される銘柄として選定された利付公社債（金融商品取引所に上場されている利付公社債を除きます。）

　その公社債について日本証券業協会から公表された課税時期の平均値（課税時期に平均値がない場合には、課税時期前の平均値のうち、課税時期に最も近い日の平均値とします。（2）において同じ。）と源泉所得税相当額控除後の既経過利息の額との合計額によって評価します。

ハ　イ又はロに掲げる利付公社債以外の利付公社債

　その公社債の発行価額と源泉所得税相当額控除後の既経過利息の額との合計額によって評価します。

（注）　利付公社債について、金融商品取引所の公表する最終価格及び日本証券業協会の公表する平均値は、既経過利息の額を含まない金額（いわゆる裸値段）であることに留意してください（編者注）。

（2）　割引発行の公社債の評価

　割引発行の公社債の評価は、次に掲げる区分に従い、それぞれに掲げるところによります（評基通197－3）。

イ　金融商品取引所に上場されている割引発行の公社債

　　その公社債が上場されている金融商品取引所の公表する課税時期の最終価格によって評価します。

ロ　日本証券業協会において売買参考統計値が公表される銘柄として選定された割引発行の公社債（金融商品取引所に上場されている割引発行の公社債及び割引金融債を除きます。）

　　その公社債の課税時期の平均値によって評価します。

ハ　イ又はロに掲げる割引発行の公社債以外の割引発行の公社債

　　その公社債の発行価額に、券面額と発行価額との差額に相当する金額に発行日から償還期限までの日数に対する発行日から課税時期までの日数の割合を乗じて計算した金額を加算した金額によって評価します。

　　なお、これを算式によって示しますと、次のようになります。

$$（発行価額）＋〔（券面額）－（発行価額）〕×\frac{発行日から課税時期までの日数}{発行日から償還期限までの日数}$$

　（注）　課税時期において割引発行の公社債の差益金額につき源泉徴収されるべき所得税の額に相当する金額がある場合には、上記の区分に従って評価した金額からその差益金額につき源泉徴収されるべき所得税の額に相当する金額を控除した金額によって評価します。

（3）　元利均等償還が行われる公社債の評価

　元利均等償還が行われる公社債の価額は、相法第24条《定期金に関する権利の評価》第1項第1号の規定による有期定期金に関する権利の評価方法（第十一章）に準じて計算した金額によって評価します（評基通197－4）。

（4）　転換社債型新株予約権付社債の評価

　転換社債型新株予約権付社債（平成14年3月31日以前に発行された転換社債を含め、以下「転換社債」といいます。）の評価は、次に掲げる区分に従い、それぞれ次に掲げるところによります（評基通197－5）。

イ　金融商品取引所に上場されている転換社債

　　その転換社債が上場されている金融商品取引所の公表する課税時期の最終価格（課税時期に金融商品取引所の公表する最終価格がない場合には、課税時期前の最終価格のうち、課税時期に最も近い日の最終価格とします。）と源泉所得税相当額控除後の既経過利息の額（注）との合計額によって評価します。

　（注）　（1）のイの（注）参照。（編者注）

ロ　日本証券業協会において店頭転換社債として登録された転換社債

　　その転換社債について日本証券業協会の公表する課税時期の最終価格（課税時期に日本証券業協会の公表する最終価格がない場合には、課税時期前の最終価格のうち、課税時期に最も近い日の最終価格とします。）と源泉所得税相当額控除後の既経過利息の額との合計額によって評価します。

ハ　イ又はロに掲げる転換社債以外の転換社債

　（イ）　（ロ）に該当しない転換社債

　　　その転換社債の発行価額と源泉所得税相当額控除後の既経過利息の額との合計額によって評価します。

　（ロ）　転換社債の発行会社の株式の価額が、その転換社債の転換価格（転換比率によって定められているものについては、その転換比率を基として計算した転換価格に相当する金額をいいます。以下（4）において同じ。）を超える場合の転換社債

　　　次の算式により計算した金額によって評価します。

$$転換社債の発行会社の株式の価額×\frac{100円}{その転換社債の転換価格}$$

第八章《公社債の評価》

　上の算式中の転換社債の発行会社の株式の価額は、その株式が上場株式又は気配相場のある株式である場合には、その株式について、第七章第一節《上場株式》（評基通169～172）又は第二節《気配相場等のある株式》（評基通174～177－2）で述べた評価方法によって評価した課税時期における株式1株当たりの価額をいい、その株式が取引相場のない株式である場合には、その株式について第七章第三節《取引相場のない株式》（評基通178～189－7）で述べた評価方法により評価した課税時期における株式1株当たりの価額を基として、次の算式によって修正した金額とします。

$$\frac{N+P \times Q}{1+Q}$$

　上の算式中の「N」、「P」及び「Q」は、それぞれ次によります。

「N」＝株式評価の定めによって評価したその転換社債の発行会社の課税時期における株式1株当たりの価額

「P」＝その転換社債の転換価格

「Q」＝次の算式によって計算した未転換社債のすべてが株式に転換されたものとした場合の増資割合

$$\frac{\dfrac{転換社債のうち課税時期において株式に転換されていないものの券面総額}{その転換社債の転換価格}}{課税時期における発行済株式数}$$

（注）　転換社債の発行会社の株式が取引相場のない株式である場合の転換社債の価額についての計算例を示しますと、次のようになります。

　　　課税時期の発行済株式数　　　　　　　　　　　　500,000株
　　　転換社債の発行総額　　　　　　　　　　　18,000,000円
　　　転換価格　　　　　　　　　　　　　　　　　　150円
　　　課税時期までに株式に転換した転換社債の券面総額　　3,000,000円
　　　評価基本通達の定めにより評価した課税時期における
　　　株式1株当たりの価額　　　　　　　　　　　　　186円

　　　以上における転換社債の価額（券面額100円当たりの価額）は、次のように120円となります。

　1　株式の価額が転換価格を超えるかどうかの判定

　（1）　Q（増資割合）の計算

$$\frac{\dfrac{18,000,000円 - 3,000,000円}{150円}}{500,000株} = 0.2$$

　（2）　株式の価額

$$\frac{186円 + 150円 \times 0.2}{1+0.2} = 180円$$

　（3）　判　定

　　　　株式の価額180円が転換価格150円を超えることとなります。

　2　転換社債の価額

$$180円 \times \frac{100円}{150円} = \underline{120円}$$

－1485－

2 貸付信託受益証券

貸付信託の受益証券の価額は、次に掲げるところにより評価します（評基通198）。

（1）課税時期において貸付信託設定日（その貸付信託の信託契約取扱期間終了の日をいいます。）から1年以上を経過している貸付信託の受益証券

その証券の受託者が課税時期においてその証券を買い取るとした場合における次の算式により計算した金額となります。

$$\text{元本の額}+\begin{pmatrix}\text{既 経 過}\\\text{収益の額}\end{pmatrix}-\begin{pmatrix}\text{既経過収益の額につき源泉徴収され}\\\text{るべき所得税の額に相当する金額}\end{pmatrix}-\text{買取割引料}$$

（2）（1）に掲げる貸付信託の受益証券以外の貸付信託の受益証券

（1）の算式に準じて計算した金額

3 証券投資信託受益証券

証券投資信託の受益証券の評価は、次に掲げる区分に従い、それぞれ次に掲げるところによります（評基通199）。

（1）中期国債ファンド、ＭＭＦ（マネー・マネージメント・ファンド）等の日々決算型の証券投資信託の受益証券の場合には、課税時期において解約請求又は買取請求（以下3において「解約請求等」といいます。）により、証券会社等から支払を受けることができる価額として、次の算式により計算した金額によって評価します。

$$\begin{pmatrix}1\text{口当た}\\\text{りの基準}\\\text{価額}\end{pmatrix}\times\text{口数}+\begin{pmatrix}\text{再投資されて}\\\text{いない未収分}\\\text{配金（A）}\end{pmatrix}-\begin{pmatrix}\text{Aにつき源泉徴収さ}\\\text{れるべき所得税の額}\\\text{に相当する金額}\end{pmatrix}-\begin{pmatrix}\text{信託財産留保額及び解}\\\text{約手数料（消費税額に}\\\text{相当する額を含む。）}\end{pmatrix}$$

（2）上記（1）以外の証券投資信託の受益証券の場合には、課税時期において解約請求等により、証券会社等から支払を受けることができる価額として、次の算式により計算した金額によって評価します。この場合において、例えば、1万口当たりの基準価額が公表されているものについては、次の算式の「課税時期の1口当たりの基準価額」を「課税時期の1万口当たりの基準価額」と、「口数」を「口数を1万で除して求めた数」と読み替えて計算した金額とします。

なお、課税時期の基準価額がない場合には、課税時期前の基準価額のうち、課税時期に最も近い日の基準価額を課税時期の基準価額として計算します。

$$\begin{pmatrix}\text{課税時期の}\\1\text{口当たり}\\\text{の基準価額}\end{pmatrix}\times\text{口数}-\begin{pmatrix}\text{課税時期において解約請求等}\\\text{した場合に源泉徴収されるべ}\\\text{き所得税の額に相当する金額}\end{pmatrix}-\begin{pmatrix}\text{信託財産留保額及び解}\\\text{約手数料（消費税額に}\\\text{相当する額を含む。）}\end{pmatrix}$$

（注）金融商品取引所に上場されている証券投資信託の受益証券については、第七章第一節《上場株式》の定めに準じて評価します。また、証券投資信託証券に係る金銭分配期待権の価額は、第七章第四節の4《配当期待権の評価》に準じて評価します。

第八章《公社債の評価》

4　個人向け国債

　個人向け国債は、課税時期において中途換金した場合に取扱機関から支払を受けることができる価額により評価します。

　具体的には、次に掲げる算式により計算した金額によって評価します。

（算式）額面金額　＋　経過利子相当額　－　中途換金調整額

　なお、上記算式の経過利子相当額及び調整額相当額は、源泉所得税相当額控除前（税引前）のものです。

第九章　居住用の区分所有財産の評価

　令和6年1月1日以後に相続、遺贈又は贈与により取得した「居住用の区分所有財産」（いわゆる分譲マンション）の価額は、新たに定められた個別通達（令和5年9月28日付課評2－74ほか1課共同「居住用の区分所有財産の評価について」（法令解釈通達））により評価します。

1　居住用の区分所有財産の評価方法

（1）概　要

　居住用の区分所有財産（一室の区分所有権等）（注1）の価額は、次の算式のとおり評価します。ただし、次の（2）に掲げるものについては、この個別通達の適用はありません。

- （注1）　「居住用の区分所有財産（一室の区分所有権等）」とは、一棟の区分所有建物（区分所有者が存する家屋で、居住の用に供する専有部分（注2）のあるものをいいます。以下同じです。）に存する居住の用に供する専有部分（注2）一室に係る区分所有権（家屋部分）及び敷地利用権（土地部分）をいいます。以下同じです。
- （注2）　「居住の用に供する専有部分」とは、一室の専有部分について、構造上、主として居住の用途に供することができるものをいい、原則として、登記簿上の種類に「居宅」を含むものがこれに該当します。以下同じです。

（算式）（自用の場合）

価額 ＝ 区分所有権の価額（①）　×　敷地利用権の価額（②） ①　従来の区分所有権の価額[※] × 区分所有補正率（2の（3）参照） 　　※ 家屋の固定資産税評価額 × 1.0 ②　従来の敷地利用権の価額[※] × 区分所有補正率（2の（3）参照） 　　※ 路線価を基とした1㎡当たりの価額 × 地積 　　　（ 固定資産税評価額 × 評価倍率 ）　× 敷地権の割合（共有持分の割合）

　なお、居住用の区分所有財産が貸家及び貸家建付地である場合のその貸家及び貸家建付地の評価並びに小規模宅地等の特例の適用については、この個別通達の適用後の価額（上記①及び②の価額）を基に行うこととなります。

（2）この個別通達の適用がないもの

- ・構造上、主として居住の用途に供することができるもの以外のもの（事業用のテナント物件など）
- ・区分建物の登記がされていないもの（一棟所有の賃貸マンションなど）
- ・地階（登記簿上「地下」と記載されているものをいいます。以下同じです。）を除く総階数が2以下のもの（総階数2以下の低層の集合住宅など）
- ・一棟の区分所有建物に存する居住の用に供する専有部分一室の数が3以下であって、その全てを区分所有者又はその親族の居住の用に供するもの（いわゆる二世帯住宅など）
- ・たな卸商品等に該当するもの
  - （注）　借地権付分譲マンションの敷地の用に供されている「貸宅地（底地）」の評価をする場合などにも、この個別通達の適用はありません。

第九章《居住用の区分所有財産の評価》

2 区分所有補正率の計算方法

区分所有補正率は、「（1） 評価乖離率」、「（2） 評価水準」、「（3） 区分所有補正率」の順に、次のとおり計算します。

（1） 評価乖離率

> 評価乖離率 ＝ A ＋ B ＋ C ＋ D ＋ 3.220

A……　一棟の区分所有建物の築年数※ × △ 0.033

　　※　建築の時から課税時期までの期間（1年未満の端数は1年）

B……　一棟の区分所有建物の総階数指数※ × 0.239（小数点以下第4位切捨て）

　　※　総階数（地階を含みません。）を33で除した値（小数点以下第4位切捨て、1を超える場合は1）

C……　一室の区分所有権等に係る専有部分の所在階※ × 0.018

　　※　専有部分がその一棟の区分所有建物の複数階にまたがる場合（いわゆるメゾネットタイプの場合）には、階数が低い方の階

　　　　なお、専有部分の所在階が地階である場合には、零階とし、Cの値は零

D……　一室の区分所有権等に係る敷地持分狭小度 × △ 1.195（小数点以下第4位切上げ）

> 敷地持分狭小度
> （小数点以下第4位切上げ）　＝ 敷地利用権の面積※ ÷ 専有部分の面積（床面積）

　　※　敷地利用権の面積は、次の区分に応じた面積（小数点以下第3位切上げ）

　　①　一棟の区分所有建物に係る敷地利用権が敷地権である場合

　　　　一棟の区分所有建物の敷地の面積 × 敷地権の割合

　　②　上記①以外の場合

　　　　一棟の区分所有建物の敷地の面積 × 敷地の共有持分の割合

（注）　評価乖離率が零又は負数の場合には、区分所有権及び敷地利用権の価額は評価しません（評価額を零とします。）（敷地利用権については、下記（3）の（注）の場合を除きます。）。

（2） 評価水準

> 評価水準（評価乖離率の逆数） ＝ 1 ÷ 評価乖離率

（3） 区分所有補正率

区　分	区分所有補正率
評価水準 ＜ 0.6	評価乖離率 × 0.6
0.6 ≦ 評価水準 ≦ 1	補正なし（従来の評価額で評価）
1 ＜ 評価水準	評価乖離率

（注）　区分所有者が一棟の区分所有建物に存する全ての専有部分及び一棟の区分所有建物の敷地のいずれも単独で所有している場合には、敷地利用権に係る区分所有補正率は1を下限とします（区分所有権に係る区分所有補正率には下限はありません。）。

第九章《居住用の区分所有財産の評価》

3 居住用の区分所有財産の評価額の計算例

【1 事例の概要】

相 続 開 始 日：令和6（2024）年7月1日

法 定 相 続 人：妻、子2人

相続税がかかる財産：居住用の区分所有財産（自用）**(注)**、有価証券1,200万円、預貯金3,000万円

債 務 ・ 葬 式 費 用：2,319,400円

(注) 居住用の区分所有財産に関する事項は、次のとおりです。

種　　　　　類：居宅（❶）

築　　年　　数：15年（平成22（2010）年4月1日
〜令和6（2024）年7月1日）（❷）

総　階　　数：11階（❸）

所　在　　階：3階（❹）

専有部分の面積：59.69㎡（❺）

敷 地 の 面 積：3,630.30㎡（❻）

敷地権の割合：1150000分の6319（❼）

敷地利用権の面積※：19.95㎡

従来の区分所有権の価額：5,000,000円

従来の敷地利用権の価額：10,000,000円

※ 敷地利用権の面積は、次により計算します。

　　（敷地の面積❻）　　（敷地権の割合❼）

　　3,630.30 ㎡ × $\dfrac{6,319}{1,150,000}$

　　= 19.95 ㎡

《居住用の区分所有財産の登記事項証明書》

| 表 題 部 | （一棟の建物の表示） | | 調製 | 余白 | 所在図番号 | 余白 |

所　在　●●●一丁目　1234番地　　余白

建物の名称　●●●マンション　　余白

① 構　造	② 床 面 積 ㎡	原因及びその日付〔登記の日付〕
鉄筋コンクリート造陸屋根地下1階付11階建 ❸	1階 1100 07 2階 1100 07 3階 1100 07 （中 略） 11階 1100 07 地下1階 65 92	〔平成22年4月18日〕

表 題 部 （敷地権の目的である土地の表示）

①土地の符号	② 所 在 及 び 地 番	③地目	④ 地 積 ㎡	登 記 の 日 付
1	●●●一丁目 1234番	宅地	❻ 3630 30	平成22年4月18日

表 題 部 （専有部分の建物の表示）　　不動産番号 1234567890123

家屋番号　●●●一丁目 1234番の301　　余白

建物の名称　301　　余白

① 種類	② 構　造	③ 床 面 積 ㎡	原因及びその日付〔登記の日付〕
居宅 ❶	鉄筋コンクリート造1階建	3階部分 ❺ 59 69	平成22年4月1日新築 ❷ 〔平成22年4月18日〕

表 題 部 （敷地権の表示）

①土地の符号	②敷地権の種類	③ 敷 地 権 の 割 合	原因及びその日付〔登記の日付〕
1	所有権	❼ 1150000分の6319	平成22年4月1日敷地権 〔平成22年4月18日〕

【2 居住用の区分所有財産の評価額の計算】

（1） 評価乖離率

　　評価乖離率 = A＋B＋C＋D＋3.220

　　　　　　　 = 2.457

（2） 評価水準

　　評価水準 = 1 ÷ 2.457

　　　　　　 = 0.4070004070…

（3） 区分所有補正率

　　評価水準（0.4070004070…） < 0.6

　　区分所有補正率 = 評価乖離率 × 0.6

　　　　　　　　　 = 2.457 × 0.6

　　　　　　　　　 = <u>1.4742</u>

＜A〜Dの計算＞

① Aの計算

　A = 15 年 × △0.033 = <u>△0.495</u>

② Bの計算

　総階数指数 = 11 階 ÷ 33 = 0.333

　B = 0.333 × 0.239 = <u>0.079</u>

③ Cの計算

　C = 3 階 × 0.018 = <u>0.054</u>

④ Dの計算

　敷地持分狭小度 = 19.95 ㎡ ÷ 59.69 ㎡

　　　　　　　　 = 0.335

　D = 0.335 × △1.195 = <u>△0.401</u>

【区分所有権の価額】

（従来の区分所有権の価額）　　（区分所有補正率）　　（区分所有権の価額）

　　5,000,000円　　　×　　1.4742　　=　　7,371,000円

【敷地利用権の価額】

（従来の敷地利用権の価額）　　（区分所有補正率）　　（敷地利用権の価額）

　　10,000,000円　　　×　　1.4742　　=　　14,742,000円

第九章《居住用の区分所有財産の評価》

居住用の区分所有財産の評価に係る区分所有補正率の計算明細書

（住居表示） 所 在 地 番	（	）	（令和六年一月一日以降用）
家 屋 番 号			

区分所有補正率の計算	A	① 築年数（注1） 年			①×△0.033
	B	② 総階数（注2） 階	③ 総階数指数（②÷33） （小数点以下第4位切捨て、1を超える場合は1）		③×0.239 （小数点以下第4位切捨て）
	C	④ 所在階（注3） 階			④×0.018
	D	⑤ 専有部分の面積 ㎡	⑥ 敷地の面積 ㎡	⑦ 敷地権の割合（共有持分の割合）	
		⑧ 敷地利用権の面積（⑥×⑦） （小数点以下第3位切上げ） ㎡	⑨ 敷地持分狭小度（⑧÷⑤） （小数点以下第4位切上げ）		⑨×△1.195 （小数点以下第4位切上げ）
	⑩ 評価乖離率（A＋B＋C＋D＋3.220）				
	⑪ 評 価 水 準 （ 1 ÷ ⑩ ）				
	⑫ 区 分 所 有 補 正 率（注4・5）				
備考					

(注1) 「① 築年数」は、建築の時から課税時期までの期間とし、1年未満の端数があるときは1年として計算します。

(注2) 「② 総階数」に、地階（地下階）は含みません。

(注3) 「④ 所在階」について、一室の区分所有権等に係る専有部分が複数階にまたがる場合は階数が低い方の階とし、一室の区分所有権等に係る専有部分が地階（地下階）である場合は0とします。

(注4) 「⑫ 区分所有補正率」は、次の区分に応じたものになります（補正なしの場合は、「⑫ 区分所有補正率」欄に「補正なし」と記載します。）。

区 分	区 分 所 有 補 正 率※
評 価 水 準 ＜ 0.6	⑩ × 0.6
0.6 ≦ 評 価 水 準 ≦ 1	補正なし
1 ＜ 評 価 水 準	⑩

※ 区分所有者が一棟の区分所有建物に存する全ての専有部分及び一棟の区分所有建物の敷地のいずれも単独で所有（以下「全戸所有」といいます。）している場合には、敷地利用権に係る区分所有補正率は1を下限とします。この場合、「備考」欄に「敷地利用権に係る区分所有補正率は1」と記載します。

　　　ただし、全戸所有している場合であっても、区分所有権に係る区分所有補正率には下限はありません。

(注5) 評価乖離率が0又は負数の場合は、区分所有権及び敷地利用権の価額を評価しないこととしていますので、「⑫ 区分所有補正率」欄に「評価しない」と記載します（全戸所有している場合には、評価乖離率が0又は負数の場合であっても、敷地利用権に係る区分所有補正率は1となります。）。

(資4－25－4－A4統一)

第十章　配偶者居住権等の評価

1　配偶者居住権の価額

　配偶者居住権の価額は、イに掲げる価額からイに掲げる価額にロに掲げる数及びハに掲げる割合を乗じて得た金額を控除した残額です（相法23の2①、相規12の4）。

イ　その配偶者居住権の目的となっている建物の相続開始の時におけるその配偶者居住権が設定されていないものとした場合の時価（その建物の一部が賃貸の用に供されている場合又は被相続人がその相続開始の直前においてその建物をその配偶者と共有していた場合には、その建物のうちその賃貸の用に供されていない部分又はその被相続人の持分の割合に応ずる部分の価額として（1）で計算した金額）

ロ　その配偶者居住権が設定された時における①に掲げる年数を②に掲げる年数で除して得た数（①又は②に掲げる年数が零以下である場合には、零）

　①　その配偶者居住権の目的となっている建物の耐用年数（所得税法の規定に基づいて定められている耐用年数に準ずる（2）の年数をいいます。②において同じ。）から建築後の経過年数（6か月以上の端数は1年とし、6か月に満たない端数は切り捨てます。②において同じ。）及びその配偶者居住権の存続年数（その配偶者居住権が存続する（3）の年数をいいます。ハにおいて同じ。）を控除した年数

　②　①の建物の耐用年数から建築後の経過年数を控除した年数

ハ　その配偶者居住権が設定された時におけるその配偶者居住権の存続年数に応じ、法定利率に1を加えた数をロの①に規定する配偶者居住権の存続年数で累乗して得た数をもって1を除して得た割合（当該割合に小数点以下3位未満の端数があるときは、これを四捨五入します。）

（注1）　（「配偶者居住権が設定された時」の意義）

　　　　　　1のロ及びハ並びに（3）イ及びロに規定する「配偶者居住権が設定された時」とは、民法第1028条第1項各号《配偶者居住権》に掲げる場合の区分に応じ、それぞれ次に定める時をいうこととされています（相基通23の2－2）。

　　　　　　イ　民法第1028条第1項第1号の規定に該当する場合……遺産の分割が行われた時
　　　　　　ロ　民法第1028条第1項第2号の規定に該当する場合……相続開始の時

（注2）　（相続開始前に増改築がされた場合の「建築後の経過年数」の取扱い）

　　　　　　1のロの①及び②に規定する「経過年数」は、相続開始前に増改築がされた場合であっても、増改築部分を区分することなく、新築時からの経過年数によることとされています（相基通23の2－3）。

（注3）　1のハの「法定利率」は、配偶者居住権が設定された時における民法第404条《法定利率》の規定に基づく利率をいうこととされています（相基通23の2－4）。

（1）　建物の一部が賃貸の用に供されている場合等の配偶者居住権の価額

　1のイに規定する金額は、次に掲げる場合の区分に応じそれぞれに定める金額です（相令5の7①）。

イ　配偶者居住権の目的となっている建物（以下本章において「居住建物」といいます。）の一部が賃貸の用に供されている場合（ハに掲げる場合を除きます。）　　　①に掲げる価額に②に掲げる割合を乗じて計算した金額

　①　その居住建物の相続開始の時におけるその配偶者居住権が設定されておらず、かつ、その賃貸の用に供されていないものとした場合の時価

　②　その居住建物の床面積のうちにその賃貸の用に供されている部分以外の部分の床面積の占める割合

ロ　被相続人が居住建物を相続開始の直前においてその配偶者と共有していた場合（ハに掲げる場合

－1492－

第十章《配偶者居住権等の評価》

を除きます。）　　①に掲げる価額に②に掲げる割合を乗じて計算した金額

①　その居住建物の相続開始の時における配偶者居住権が設定されていないものとした場合の時価

②　その被相続人が有していたその居住建物の持分の割合

ハ　居住建物の一部が賃貸の用に供されており、かつ、被相続人がその居住建物を相続開始の直前においてその配偶者と共有していた場合　　イの①に掲げる価額にイの②に掲げる割合及びロの②に掲げる割合を乗じて計算した金額

（2）　耐用年数に準ずる年数

1のロの①に掲げる耐用年数に準ずる年数は、所得税法施行令第129条《減価償却資産の耐用年数、償却率等》に規定する耐用年数のうち配偶者居住権の目的となっている建物の全部が住宅用であるものとした場合におけるその建物に係る減価償却資産の耐用年数等に関する省令（昭和40年大蔵省令第15号）に定める耐用年数に1.5を乗じて計算した年数（6か月以上の端数は1年とし、6か月に満たない端数は切り捨てます。）です（相令5の7②、相規12の2）。

（3）　配偶者居住権が存続する年数

1のロの①に掲げる配偶者居住権が存続する年数は、次に掲げる場合の区分に応じそれぞれに定める年数（6か月以上の端数は1年とし、6か月に満たない端数は切り捨てます。）です（相令5の7③、相規12の3）。

イ　配偶者居住権の存続期間が配偶者の終身の間とされている場合　　当該配偶者居住権が設定された時における当該配偶者の平均余命（厚生労働省の作成に係る完全生命表に掲げる年齢及び性別に応じた平均余命をいいます。ロにおいて同じ。）

ロ　イに掲げる場合以外の場合　　遺産の分割の協議若しくは審判又は遺言により定められた配偶者居住権の存続期間の年数（当該年数が当該配偶者居住権が設定された時における配偶者の平均余命を超える場合には、当該平均余命）

（注）　「完全生命表」は、配偶者居住権が設定された時の属する年の1月1日現在において公表されている最新のものによります（相基通23の2－5）。

（4）　一時的な空室がある場合の「賃貸の用に供されている部分」の範囲

本章に規定する「時価」は、評価基本通達の定めにより算定した価額によりますが、2及び4に規定する「時価」を算定する場合において、第一章第二節の4の（2）《貸家建付地》（イ）の（注2）（1341ページ）の定めにより、継続的に賃貸されていた各独立部分で、課税時期において一時的に賃貸されていなかったと認められるものを「賃貸されている各独立部分」に含むこととしたときは、（1）のイの②及び3の（2）のイの②に規定する「その居住建物の床面積のうちにその賃貸の用に供されている部分以外の部分の床面積の占める割合」についても、その各独立部分は「賃貸の用に供されている部分」に含めて算定することになります（相基通23の2－1）。

2　居住建物の価額

居住建物の価額は、その建物の相続開始の時におけるその配偶者居住権が設定されていないものとした場合の時価から1により計算したその配偶者居住権の価額を控除した残額です（相法23の2②）。

3　居住建物の敷地の用に供される土地を使用する権利の価額

居住建物の敷地の用に供される土地（土地の上に存する権利を含みます。以下本章において同じ。）をその配偶者居住権に基づき使用する権利の価額は、イに掲げる価額からロに掲げる金額を控除した残額です（相法23の2③）。

イ　その土地の時価

ロ　イに掲げる価額に1のハに掲げる割合を乗じて得た金額

－1493－

第十章《配偶者居住権等の評価》

（1） その土地の時価

3のイのその土地の時価は、相続開始の時におけるその配偶者居住権が設定されていないものとした場合の時価（その建物の一部が賃貸の用に供されている場合又は被相続人がその相続開始の直前においてその土地を他の者と共有し、若しくはその建物をその配偶者と共有していた場合には、その建物のうちその賃貸の用に供されていない部分に応ずる部分又はその被相続人の持分の割合に応ずる部分の価額として（2）で計算した金額）です。

（2） 建物の一部が賃貸の用に供されている場合等の建物の敷地の用に供される土地を使用する権利の価額

（1）に規定する金額は、次に掲げる場合の区分に応じそれぞれに掲げる金額です（相令5の7④）。

イ 居住建物の一部が賃貸の用に供されている場合（ハに掲げる場合を除きます。） ①に掲げる価額に②に掲げる割合を乗じて計算した金額

① その居住建物の敷地の用に供される土地（土地の上に存する権利を含む。以下（2）において同じ。）の相続開始の時における配偶者居住権が設定されておらず、かつ、その居住建物がその賃貸の用に供されていないものとした場合の時価

② その居住建物の床面積のうちにその賃貸の用に供されている部分以外の部分の床面積の占める割合

ロ 被相続人が居住建物の敷地の用に供される土地を相続開始の直前において他の者と共有し、又は居住建物をその配偶者と共有していた場合（ハに掲げる場合を除きます。） ①に掲げる価額に②に掲げる割合を乗じて計算した金額

① その土地のその相続開始の時における配偶者居住権が設定されていないものとした場合の時価

② その被相続人が有していたその土地又はその居住建物の持分の割合（その被相続人がその土地の持分及びその居住建物の持分を有していた場合には、これらの持分の割合のうちいずれか低い割合）

ハ 居住建物の一部が賃貸の用に供されており、かつ、被相続人がその居住建物の敷地の用に供される土地を相続開始の直前において他の者と共有し、又はその居住建物をその配偶者と共有していた場合 イの①に掲げる価額にイの②に掲げる割合及びロの②に掲げる割合を乗じて計算した金額

4 居住建物の敷地の用に供される土地の価額

居住建物の敷地の用に供される土地の価額は、その土地の相続開始の時におけるその配偶者居住権が設定されていないものとした場合の時価から3により計算した権利の価額を控除した残額です（相法23の2④）。

5 配偶者居住権の設定後に相続若しくは遺贈又は贈与により取得したその居住建物及びその建物の敷地の用に供される土地のその取得の時の価額

配偶者居住権の設定後に相続若しくは遺贈又は贈与により取得したその居住建物及びその建物の敷地の用に供される土地（土地の上に存する権利を含みます。）のその取得の時の価額は、本章の規定に準じて計算します。

この場合において、1に規定する「その配偶者居住権の価額」又は3に規定する「権利の価額」は、その居住建物又はその建物の敷地の用に供される土地を相続若しくは遺贈又は贈与により取得した時に配偶者居住権の設定があったものとして計算します（相基通23の2－6）。

第十章《配偶者居住権等の評価》

【配偶者居住権に関する民法の規定】

第八章　配偶者の居住の権利

第一節　配偶者居住権

〔配偶者居住権〕

第1028条　被相続人の配偶者（以下この章において単に「配偶者」という。）は、被相続人の財産に属した建物に相続開始の時に居住していた場合において、次の各号のいずれかに該当するときは、その居住していた建物（以下この節において「居住建物」という。）の全部について無償で使用及び収益をする権利（以下この章において「配偶者居住権」という。）を取得する。ただし、被相続人が相続開始の時に居住建物を配偶者以外の者と共有していた場合にあっては、この限りでない。

一　遺産の分割によって配偶者居住権を取得するものとされたとき。

二　配偶者居住権が遺贈の目的とされたとき。

② 居住建物が配偶者の財産に属することとなった場合であっても、他の者がその共有持分を有するときは、配偶者居住権は、消滅しない。

③ 第903条第4項の規定は、配偶者居住権の遺贈について準用する。

〔審判による配偶者居住権の取得〕

第1029条　遺産の分割の請求を受けた家庭裁判所は、次に掲げる場合に限り、配偶者が配偶者居住権を取得する旨を定めることができる。

一　共同相続人間に配偶者が配偶者居住権を取得することについて合意が成立しているとき。

二　配偶者が家庭裁判所に対して配偶者居住権の取得を希望する旨を申し出た場合において、居住建物の所有者の受ける不利益の程度を考慮してもなお配偶者の生活を維持するために特に必要があると認めるとき（前号に掲げる場合を除く。）。

〔配偶者居住権の存続期間〕

第1030条　配偶者居住権の存続期間は、配偶者の終身の間とする。ただし、遺産の分割の協議若しくは遺言に別段の定めがあるとき、又は家庭裁判所が遺産の分割の審判において別段の定めをしたときは、その定めるところによる。

〔配偶者居住権の登記等〕

第1031条　居住建物の所有者は、配偶者（配偶者居住権を取得した配偶者に限る。以下この節において同じ。）に対し、配偶者居住権の設定の登記を備えさせる義務を負う。

② 第605条の規定は配偶者居住権について、第605条の4の規定は配偶者居住権の設定の登記を備えた場合について準用する。

〔配偶者による使用及び収益〕

第1032条　配偶者は、従前の用法に従い、善良な管理者の注意をもって、居住建物の使用及び収益をしなければならない。ただし、従前居住の用に供していなかった部分について、これを居住の用に供することを妨げない。

② 配偶者居住権は、譲渡することができない。

③ 配偶者は、居住建物の所有者の承諾を得なければ、居住建物の改築若しくは増築をし、又は第三者に居住建物の使用若しくは収益をさせることができない。

④ 配偶者が第1項又は前項の規定に違反した場合において、居住建物の所有者が相当の期間を定めてその是正の催告をし、その期間内に是正がされないときは、居住建物の所有者は、当該配偶者に対する意思表示によって配偶者居住権を消滅させることができる。

〔居住建物の修繕等〕

第1033条　配偶者は、居住建物の使用及び収益に必要な修繕をすることができる。

② 居住建物の修繕が必要である場合において、配偶者が相当の期間内に必要な修繕をしないときは、居住建物の所有者は、その修繕をすることができる。

③ 居住建物が修繕を要するとき（第1項の規定により配偶者が自らその修繕をするときを除く。）、又は居住建物

－1495－

第十章《配偶者居住権等の評価》

について権利を主張する者があるときは、配偶者は、居住建物の所有者に対し、遅滞なくその旨を通知しなければならない。ただし、居住建物の所有者が既にこれを知っているときは、この限りでない。

〔居住建物の費用の負担〕

第1034条 配偶者は、居住建物の通常の必要費を負担する。

② 第583条第2項の規定は、前項の通常の必要費以外の費用について準用する。

〔居住建物の返還等〕

第1035条 配偶者は、配偶者居住権が消滅したときは、居住建物の返還をしなければならない。ただし、配偶者が居住建物について共有持分を有する場合は、居住建物の所有者は、配偶者居住権が消滅したことを理由としては、居住建物の返還を求めることができない。

② 第599条第1項及び第2項並びに第621条の規定は、前項本文の規定により配偶者が相続の開始後に附属させた物がある居住建物又は相続の開始後に生じた損傷がある居住建物の返還をする場合について準用する。

〔使用貸借及び賃貸借の規定の準用〕

第1036条 第597条第1項及び第3項、第600条、第613条並びに第616条の2の規定は、配偶者居住権について準用する。

第二節　配偶者短期居住権

〔配偶者短期居住権〕

第1037条 配偶者は、被相続人の財産に属した建物に相続開始の時に無償で居住していた場合には、次の各号に掲げる区分に応じてそれぞれ当該各号に定める日までの間、その居住していた建物（以下この節において「居住建物」という。）の所有権を相続又は遺贈により取得した者（以下この節において「居住建物取得者」という。）に対し、居住建物について無償で使用する権利（居住建物の一部のみを無償で使用していた場合にあっては、その部分について無償で使用する権利。以下この節において「配偶者短期居住権」という。）を有する。ただし、配偶者が、相続開始の時において居住建物に係る配偶者居住権を取得したとき、又は第891条の規定に該当し若しくは廃除によってその相続権を失ったときは、この限りでない。

一　居住建物について配偶者を含む共同相続人間で遺産の分割をすべき場合　遺産の分割により居住建物の帰属が確定した日又は相続開始の時から6箇月を経過する日のいずれか遅い日

二　前号に掲げる場合以外の場合　第3項の申入れの日から6箇月を経過する日

② 前項本文の場合においては、居住建物取得者は、第三者に対する居住建物の譲渡その他の方法により配偶者の居住建物の使用を妨げてはならない。

③ 居住建物取得者は、第1項第1号に掲げる場合を除くほか、いつでも配偶者短期居住権の消滅の申入れをすることができる。

〔配偶者による使用〕

第1038条 配偶者（配偶者短期居住権を有する配偶者に限る。以下この節において同じ。）は、従前の用法に従い、善良な管理者の注意をもって、居住建物の使用をしなければならない。

② 配偶者は、居住建物取得者の承諾を得なければ、第三者に居住建物の使用をさせることができない。

③ 配偶者が前2項の規定に違反したときは、居住建物取得者は、当該配偶者に対する意思表示によって配偶者短期居住権を消滅させることができる。

〔配偶者居住権の取得による配偶者短期居住権の消滅〕

第1039条 配偶者が居住建物に係る配偶者居住権を取得したときは、配偶者短期居住権は、消滅する。

〔居住建物の返還等〕

第1040条 配偶者は、前条に規定する場合を除き、配偶者短期居住権が消滅したときは、居住建物の返還をしなければならない。ただし、配偶者が居住建物について共有持分を有する場合は、居住建物取得者は、配偶者短期居住権が消滅したことを理由としては、居住建物の返還を求めることができない。

② 第599条第1項及び第2項並びに第621条の規定は、前項本文の規定により配偶者が相続の開始後に附属させた物がある居住建物又は相続の開始後に生じた損傷がある居住建物の返還をする場合について準用する。

－1496－

第十章《配偶者居住権等の評価》

〔使用貸借等の規定の準用〕

第1041条　第597条第３項、第600条、第616条の２、第1032条第２項、第1033条及び第1034条の規定は、配偶者短
　期居住権について準用する。

第十章《配偶者居住権等の評価》

≪参考≫　配偶者居住権等の評価明細書

配偶者居住権等の評価明細書

<table>
<tr><td rowspan="2">所有者</td><td>建物</td><td colspan="3">（被相続人氏名）　①持分割合＿＿＿＿</td><td colspan="2">（配偶者氏名）　持分割合＿＿＿＿</td><td colspan="2">所在地番（住居表示）（　　　　　　　）</td><td rowspan="6">（令和五年一月一日以降用）</td></tr>
<tr><td>土地</td><td colspan="3">（被相続人氏名）　②持分割合＿＿＿＿</td><td colspan="2">（共有者氏名）　持分割合＿＿＿＿</td><td colspan="2">（共有者氏名）　持分割合＿＿＿＿</td></tr>
<tr><td rowspan="4">居住建物の内容</td><td>建物の耐用年数</td><td colspan="7">（建物の構造）※裏面《参考1》参照</td><td>年③</td></tr>
<tr><td>建築後の経過年数</td><td colspan="7">（建築年月日）　　　　（配偶者居住権が設定された日）
＿＿＿年＿＿月＿＿日 から ＿＿＿年＿＿月＿＿日…＿＿＿年 〔6月以上の端数は1年 6月未満の端数は切捨て〕</td><td>年④</td></tr>
<tr><td rowspan="2">建物の利用状況等</td><td colspan="7">建物のうち賃貸の用に供されている部分以外の部分の床面積の合計</td><td>㎡⑤</td></tr>
<tr><td colspan="7">建物の床面積の合計</td><td>㎡⑥</td></tr>
<tr><td rowspan="2">配偶者居住権の存続年数等</td><td colspan="8">〔存続期間が終身以外の場合の存続年数〕
（配偶者居住権が設定された日）　　　　（存続期間満了日）　　Ⓐ
＿＿＿年＿＿月＿＿日 から ＿＿＿年＿＿月＿＿日…＿＿＿年〔6月以上の端数は1年 6月未満の端数は切捨て〕</td><td>存続年数（Ⓒ）
年⑦</td></tr>
<tr><td colspan="8">〔存続期間が終身の場合の存続年数〕
（配偶者居住権が設定された日における配偶者の満年齢）　　（平均余命）Ⓑ　※裏面《参考2》参照
＿＿＿歳（生年月日＿＿＿年＿＿月＿＿日、性別＿＿）…＿＿＿年 Ⓒ〔ⒶとⒷのいずれか短い年とし、Ⓐがない場合はⒷの年数〕＿＿＿年</td><td>複利現価率
※裏面《参考3》参照
0.</td></tr>
<tr><td rowspan="6">評価の基礎となる価額</td><td rowspan="3">建物</td><td colspan="7">賃貸の用に供されておらず、かつ、共有でないものとした場合の相続税評価額</td><td>円⑨</td></tr>
<tr><td colspan="7">共有でないものとした場合の相続税評価額</td><td>円⑩</td></tr>
<tr><td colspan="7">相続税評価額　（⑩の相続税評価額）　　　（①持分割合）
＿＿＿＿＿円 × ＿＿＿＿＿</td><td>円⑪
（円未満切捨て）</td></tr>
<tr><td rowspan="3">土地</td><td colspan="7">建物が賃貸の用に供されておらず、かつ、土地が共有でないものとした場合の相続税評価額</td><td>円⑫</td></tr>
<tr><td colspan="7">共有でないものとした場合の相続税評価額</td><td>円⑬</td></tr>
<tr><td colspan="7">相続税評価額　（⑬の相続税評価額）　　　（②持分割合）
＿＿＿＿＿円 × ＿＿＿＿＿</td><td>円⑭
（円未満切捨て）</td></tr>
</table>

○配偶者居住権の価額

（⑪の相続税評価額）	（⑤賃貸以外の床面積 ⑥居住建物の床面積）	（①持分割合）	円⑮（円未満四捨五入）
＿＿＿＿円 ×	＿＿㎡／＿＿㎡ ×	＿＿＿＿	
（⑮の金額）　　　（⑮の金額）	（③耐用年数−④経過年数−⑦存続年数 ③耐用年数−④経過年数）（注）分子又は分母が零以下の場合は零。	（⑧複利現価率）	配偶者居住権の価額　円⑯（円未満四捨五入）
＿＿＿円 − ＿＿＿円 ×	＿＿／＿＿	× 0.	

○居住建物の価額

（⑪の相続税評価額）　　（⑯配偶者居住権の価額）	円⑰
＿＿＿円 − ＿＿＿円	

○配偶者居住権に基づく敷地利用権の価額

（⑭の相続税評価額）	（⑤賃貸以外の床面積 ⑥居住建物の床面積）	（①と②のいずれか低い持分割合）	円⑱（円未満四捨五入）
＿＿＿＿円 ×	＿＿㎡／＿＿㎡ ×	＿＿＿＿	
（⑱の金額）　　　（⑱の金額）		（⑧複利現価率）	敷地利用権の価額　円⑲（円未満四捨五入）
＿＿＿円 − ＿＿＿円		× 0.	

○居住建物の敷地の用に供される土地の価額

（⑭の相続税評価額）　　（⑲敷地利用権の価額）	円⑳
＿＿＿円 − ＿＿＿円	

備考	

（注）土地には、土地の上に存する権利を含みます。

（資4−25−3−A4統一）

※　この評価明細書は、国税庁のホームページ（https://www.nta.go.jp/）から出力して使用することができます。

第十一章　定期金に関する権利

　定期金に関する権利の価額は、定期金の給付事由の発生しているものと、給付事由の発生していないものとの別に応じそれぞれ次のように評価します。

1　定期金給付事由が発生しているもの

（1）　有期定期金

　　有期定期金については、次に掲げる金額のうちいずれか多い金額によって評価します（相法24①一）。

　イ　契約に関する権利を取得した時においてその契約を解約するとしたならば支払われるべき解約返戻金の金額

　ロ　定期金に代えて一時金の給付を受けることができる場合には、その契約に関する権利を取得した時において一時金の給付を受けるとしたならば給付されるべき一時金の金額

　ハ　契約に関する権利を取得した時におけるその契約に基づき定期金の給付を受けるべき残りの期間に応じ、その契約に基づき給付を受けるべき金額の1年当たりの平均額に、その契約に係る予定利率による複利年金現価率（複利の計算で年金現価を算出するための割合として財務省令で定めるものをいいます。）を乗じて得た金額

（2）　無期定期金

　　無期定期金については、次に掲げる金額のうちいずれか多い金額によって評価します（相法24①二）。

　イ　契約に関する権利を取得した時においてその契約を解約するとしたならば支払われるべき解約返戻金の金額

　ロ　定期金に代えて一時金の給付を受けることができる場合には、その契約に関する権利を取得した時においてその一時金の給付を受けるとしたならば給付されるべきその一時金の金額

　ハ　契約に関する権利を取得した時における、その契約に基づき給付を受けるべき金額の1年当たりの平均額を、その契約に係る予定利率で除して得た金額

（3）　終身定期金

　　終身定期金については、次に掲げる金額のうちいずれか多い金額によって評価します（相法24①三）。

　イ　契約に関する権利を取得した時においてその契約を解約するとしたならば支払われるべき解約返戻金の金額

　ロ　定期金に代えて一時金の給付を受けることができる場合には、その契約に関する権利を取得した時においてその一時金の給付を受けるとしたならば給付されるべきその一時金の金額

　ハ　契約に関する権利を取得した時におけるその目的とされた者に係る余命年数として政令で定めるものに応じ、その契約に基づき給付を受けるべき金額の1年当たりの平均額に、その契約に係る予定利率による複利年金現価率を乗じて得た金額

　　（注1）　上記（1）のハ及び（3）のハの「給付を受けるべき金額の1年当たりの平均額」は、これらの規定の定期金給付契約に基づき1年間に給付を受けるべき定期金の金額によります。

　　　　　ただし、次に掲げる場合における「給付を受けるべき金額の1年当たりの平均額」については、それぞれ次によるものとします（評基通200）。

　　　イ　有期定期金に係る定期金給付契約のうち、年金により給付を受ける契約（年1回一定の金額が給付されるものに限ります。）以外の契約の場合……その定期金給付契約に係る給付期間（定期金給付契約に関する権利を取得した時におけるその契約に基づき定期金の給付を受けるべき残りの期間をいいます。以下同じ。）に給付を受けるべき金額の合計額を当該給付期間の年数（その年数に1年未満の端数があるときは、その端数は、切り上げます。）で除して計算した金額

－1499－

ロ　終身定期金に係る定期金給付契約のうち、１年間に給付を受けるべき定期金の金額が毎年異な
　　　　　る契約の場合……その定期金給付契約に関する権利を取得した時後当該契約の目的とされた者に
　　　　　係る余命年数の間に給付を受けるべき金額の合計額を当該余命年数で除して計算した金額
　（注２）　定期金給付契約に関する権利を取得した日が定期金の給付日（その契約に基づき定期金の給付を
　　　　受けた日又は給付を受けるべき日をいいます。）である場合における、上記（１）から（３）（（２）のハ
　　　　を除きます。）の適用に当たっては、その権利を取得した日に給付を受けた、又は受けるべき定期金
　　　　の額が含まれます（評基通200－２）。

　　ただし、終身定期金に関する権利を取得した者が相続税の申告期限までに死亡し、その死亡に
　よって定期金の給付が終了した場合には、その定期金に関する権利の価額は、実際に給付を受け
　た金額又は受けるべき金額によって評価します（相法24②）。

　　なお、権利者に一定期間、かつ、その者の生存中、定期金を給付するものは、有期定期金とし
　て評価した金額又は終身定期金として評価した金額のいずれか少ない方の金額によって評価しま
　す（相法24③）。

　　また、権利者の生存中定期金を給付し、かつ、その者が死亡したときは遺族などに継続して定
　期金を給付するものは、有期定期金として評価した金額又は終身定期金として評価した金額のい
　ずれか多い方の金額によって評価します（相法24④）。なお、一時金として受け取った場合にはそ
　の受取金額によって評価します（相法24①四）。

（注）　平均余命

　　　　（３）のハの余命年数は、厚生労働省が男女別、年齢別に作成する完全生命表に掲載されている「平均
　　余命」（１年未満の端数は切り捨てます。）によります。この場合、完全生命表（定期金給付契約に関す
　　る権利を取得した時の属する年の１月１日現在公表されている最新のもの）にあてはめる終身定期金に
　　係る定期金給付契約の目的とされた者の年齢は、定期金に関する権利を取得した時点での満年齢です（相
　　令５の８、相規12の６、評基通200－３）。

　　　　なお、「完全生命表」は厚生労働省が国勢調査等を基に５年ごとに作成しているもので、厚生労働省ホ
　　ームページ（https://www.mhlw.go.jp/）に公表されています。

２　定期金給付事由が発生していないもの

　　給付事由が発生していない定期金に関する権利の価額は、次に掲げる場合の区分に応じ評価し
　ます（相法25、相規12の７、評基通200－４）。

（１）　その契約に解約返戻金を支払う旨の定めがない場合

　　次に掲げる場合の区分に応じ、それぞれ次に定める金額に、100分の90を乗じて得た金額
　イ　契約に係る掛金又は保険料が一時に払い込まれた場合

　　その掛金又は保険料の払込開始の時からその契約に関する権利を取得した時までの経過期間
　につき、その掛金又は保険料の払込金額に対し、その契約に係る予定利率の複利による計算を
　して得た元利合計額

　（算式）

　定期金給付契約に係る
　掛金又は保険料の金額　×複利終価率

　複利終価率＝（１＋r）^{n}
　＊小数点以下第３位未満の端数があるときは、その端数は、四捨五入します。
　※上記算式中の「r」及び「n」は、それぞれ次によります。
　　「r」＝当該定期金給付契約に係る予定利率
　　「n」＝当該定期金給付契約に係る掛金又は保険料の払込開始の時から当該契約に関する権利を取得
　　　　　した時までの期間（「経過期間」といいます。）の年数（その年数に１年未満の端数があるとき
　　　　　は、その端数は、切り捨てます。）

第十一章《定期金に関する権利の評価》

ロ　イに掲げる場合以外の場合

　　経過期間に応じ、その経過期間に払い込まれた掛金又は保険料の金額の1年当たりの平均額（**注1**）に、その契約に係る予定利率による複利年金終価率（**注2**）を乗じて得た金額

（**注1**）「経過期間に払い込まれた掛金又は保険料の金額の1年当たりの平均額」は、経過期間に払い込まれた掛金又は保険料の額の合計額を経過期間の年数（その年数に1年未満の端数があるときは、その端数は、切り上げます。）で除して計算した金額によります。

　　　　年1回一定の金額の掛金又は保険料が払い込まれる契約の場合の「経過期間に払い込まれた掛金又は保険料の金額の1年当たりの平均額」は、当該定期金給付契約に基づき1年間に払い込まれた掛金又は保険料の金額によっても差し支えありません（評基通200－5）。

（**注2**）　複利年金終価率 $= \dfrac{(1+r)^n - 1}{r}$

　　　＊小数点以下第3位未満の端数があるときは、その端数は四捨五入します。

　　　※上記算式中の「r」及び「n」は、それぞれ次によります。

　　　　「r」＝当該定期給付契約に係る予定利率

　　　　「n」＝当該定期給付契約に係る掛金又は保険料の払込開始の時から当該契約に関する権利を取得した時までの期間（「払込済期間」といいます。）の年数（その年数に1年未満の端数があるときは、その端数は、切り上げます。）

（2）（1）以外の場合

　　契約に関する権利を取得した時においてその契約を解約するとしたならば支払われるべき解約返戻金の金額

第十二章　生命保険契約に関する権利

　生命保険契約に関する権利で、相続開始の時においてまだ保険事故が発生していないものの価額は、相続開始の時において当該契約を解除するとした場合に支払われることとなる解約返戻金の額（解約返戻金のほかに支払われることとなる前納保険料の金額、剰余金の分配額等がある場合にはこれらの金額を加算し、解約返戻金の額につき源泉徴収されるべき所得税の額に相当する金額がある場合には当該金額を減算した金額）によって評価します（評基通214）。

　　　相続開始時において解約するとした場合
　　　に支払われる解約返戻金の額（前納保険　　－　源泉徴収されるべき所得税の額
　　　料の金額、剰余金の分配額等を含む。）

　＊１　生命保険契約とは、相法３①一（第四編第四章第二節１）の生命保険契約をいいます。
　＊２　被相続人が生命保険契約の契約者である場合において、当該生命保険契約の契約者に対する貸付金若
　　　しくは保険料の振替貸付けに係る貸付金又は未払込保険料の額（いずれもその元利合計金額とします。）
　　　があるときは、当該契約者貸付金等の額について債務控除の適用があります。

第十三章　信　託　受　益　権

　信託の利益を受ける権利の評価は、次に掲げる区分に従い、それぞれ次に掲げるところによります（評基通202）。

1　元本と収益との受益者が同一人である場合

　信託財産をその種類に応じ、評価基本通達の定めによって評価した課税時期の価額によって評価します。

2　元本と収益との受益者が元本及び収益の一部を受ける場合

　評価基本通達の定めによって評価した課税時期の信託財産の価額にその受益割合を乗じて計算した価額によって評価します。

3　元本の受益者と収益の受益者が異なる場合

（1）　元本を受益する場合
　　評価基準通達の定めによって評価した課税時期における信託財産の価額から（2）により評価した収益受益者に帰属する信託の利益を受ける権利の価額を控除した価額によって評価します。
（2）　収益を受益する場合
　　課税時期の現況において推算した受益者が将来受けるべき利益の価額ごとに課税時期からそれぞれの受益の時期までの期間に応ずる基準年利率《第一章第一節６参照》による複利現価率を乗じて計算した金額の合計額によって評価します。

－1502－

第十四章　その他の財産

1　預　貯　金

　預貯金の価額は、課税時期における預入高と課税時期現在において解約するとした場合に既経過利子の額として支払を受けることができる金額から、その金額につき源泉徴収されるべき所得税の額に相当する金額を控除した金額との合計額によって評価します。

　ただし、定期預金、定期郵便貯金及び定額郵便貯金以外の預貯金については、課税時期現在の既経過利子が少額なものに限って、既経過利子は加算せずに同時期現在の預入高によって評価します（評基通203）。

　　（注）　外貨預金等の邦貨換算は、原則として、納税義務者の取引金融機関（取引金融機関が特定されている外貨預金等の場合は、その取引金融機関）の公表する課税時期における最終の為替相場（邦貨換算を行う場合の外国為替の売買相場のうち、いわゆる対顧客直物電信買相場（TTB）又はこれに準ずる相場をいいます。また、課税時期にその相場がない場合には、課税時期前の相場のうち、課税時期に最も近い日の相場とします。）によります。

　　　　なお、外貨建預金等で、先物外国為替契約（課税時期において選択権を行使していない選択権付為替予約を除きます。）を締結していることによりその財産についての為替相場が確定している場合には、その確定している為替相場によります（評基通4−3）。

2　貸付金債権

　貸付金、売掛金、未収入金、預貯金以外の預け金、仮払金、その他これらに類するもの（以下「貸付金債権等」といいます。）の価額は、次に掲げる元本の価額と利息の価額との合計額によって評価します（評基通204）。

（1）　貸付金債権等の元本の価額は、その返済されるべき金額

（2）　貸付金債権等に係る利息の価額は、課税時期現在の既経過利息として支払を受けるべき金額

　なお、貸付金債権等の評価を行う場合において、その債権金額の全部又は一部が、課税時期において、次に掲げる金額に該当するときその他その回収が不可能又は著しく回収困難であると見込まれる場合には、それらの金額は元本の価額に算入しません（評基通205）。

イ　債務者について次に掲げる事実が発生している場合における債務者に対して有する貸付金債権等の金額（その金額のうち、質権及び抵当権によって担保されている部分の金額を除きます。）

①　手形交換所（これに準ずる機関を含みます。）において取引の停止処分を受けたとき

②　会社更生法の規定による更生手続開始の決定があったとき

③　民事再生法の規定による再生手続開始の決定があったとき

④　会社法の規定による特別清算開始の命令があったとき

⑤　破産法の規定による破産手続開始の決定があったとき

⑥　業況不振のため又はその営む事業について重大な損失を受けたため、その事業を廃止し又は6か月以上休業しているとき

ロ　更生計画認可の決定、再生計画認可の決定、特別清算に係る協定の認可の決定又は法律の定める整理手続によらないいわゆる債権者集会の協議により、債権の切捨て、棚上げ、年賦償還等の決定があった場合、次に掲げる金額

①　これらの決定があった日現在における債務者に対して有する債権のうち、その決定により切り捨てられる部分の金額

②　弁済までの据置期間が決定後5年を超える場合の債権の金額

−1503−

第十四章《その他の財産の評価》

③　年賦償還等の決定により割賦弁済されることとなった債権の金額のうち、課税時期後5年経過した日後に弁済されることとなる金額

ハ　当事者間の契約により債権の切捨て、棚上げ、年賦償還等が行われた場合において、それが金融機関のあっせんに基づくものであるなど、真正に成立したものと認められるものであるときにおけるその債権の金額のうちロに掲げる金額に準ずる金額

3　受取手形等

受取手形又はこれに類するものの価額は、支払期限の到来しているもの、及び課税時期から6か月を経過する日までの間に支払期限の到来するものについては、その券面額によって評価し、その他のものについては、課税時期において銀行などの金融機関で割引を行った場合に回収することができると認められる金額によって評価します（評基通206）。

4　無尽又は頼母子に関する権利

無尽又は頼母子に関する権利の価額は、課税時期までの掛金総額によって評価します（評基通207）。

5　未収法定果実

課税時期において、既に収入すべき期限が到来しているもので同時期においてまだ収入していない地代、家賃その他の賃貸料、貸付金の利息等の法定果実の価額は、その収入すべき法定果実の金額によって評価します（評基通208）。

6　未収天然果実

課税時期において、その後3か月以内に収穫することが予想される果実、立毛等の天然果実は、その天然果実の発生の基因となった財産とは別に評価するものとし、その価額は、課税時期における現況に応じ、収穫時において予想されるその天然果実の販売価額の70％に相当する金額の範囲内で相当と認められる価額によって評価します（評基通209）。

7　ゴルフ会員権

ゴルフ会員権（以下「会員権」といいます。）の価額は、次に掲げる区分に従い、それぞれ次に掲げるところにより評価します。

なお、株式の所有を必要とせず、かつ、譲渡できない会員権で、返還を受けることができる預託金等（以下「預託金等」といいます。）がなく、ゴルフ場施設を利用して、単にプレーができるだけのものについては評価しません（評基通211）。

①	取引相場のある会員権	課税時期における通常の取引価格の70％に相当する金額によって評価します。この場合において、取引価格に含まれない預託金等があるときは、次に掲げる金額との合計額によって評価します。		
		イ	課税時期において直ちに返還を受けることができる預託金等	ゴルフクラブの規約等に基づいて課税時期において返還を受けることができる金額
		ロ	課税時期から一定の期間を経過した後に返還を受ける	ゴルフクラブの規約等に基づいて返還を受けることができる金額の課税時期から返還

－1504－

		ことができる預託金等	を受けることができる日までの期間（その期間が1年未満であるとき又はその期間に1年未満の端数があるときは、これを1年とします。）に応ずる基準年利率《第一章第一節6参照》による複利現価の額
②	取引相場のない会員権	イ　株主でなければゴルフクラブの会員（以下「会員」といいます。）となれない会員権 　その会員権に係る株式について、第七章の定めにより評価した課税時期における株式の価額に相当する金額によって評価します。 ロ　株主であり、かつ、預託金等を預託しなければ会員となれない会員権 　その会員権について、株式と預託金等に区分し、それぞれ次に掲げる金額の合計額によって評価します。	

（イ）	株式の価額	イに掲げた方法を適用して計算した金額
（ロ）	預託金等	①のイ又はロに掲げた方法を適用して計算した金額

ハ　預託金等を預託しなければ会員となれない会員権
　　①のイ又はロに掲げた方法を適用して計算した金額によって評価します。

8　抵当証券

抵当証券の価額は、次に掲げるところにより評価します（評基通212）。

①　金融商品取引法第2条第9項に規定する金融商品取引業者（以下「金融商品取引業者」といいます。）の販売する抵当証券又は同条第12項に規定する金融商品仲介業者（以下「金融商品仲介業者」といいます。）が媒介等を行う抵当証券

金融商品取引業者又は金融商品仲介業者が課税時期においてその抵当証券を買い戻すとした場合における次の算式により計算した金額により評価します。

$$\begin{array}{l}\text{元本の額（金融商品取引業}\\\text{者又は金融商品仲介業者が}\\\text{課税時期において買い戻す}\\\text{価額を別に定めている場合}\\\text{はその金額）}\end{array} + \begin{array}{l}\text{既経過利}\\\text{息の額}\end{array} - \begin{array}{l}\text{既経過利息の額につき}\\\text{源泉徴収されるべき所}\\\text{得税の額に相当する金}\\\text{額}\end{array} - \begin{array}{l}\text{解　約}\\\text{手数料}\end{array}$$

　(注)　当該抵当証券のうち、金融商品取引業者又は金融商品仲介業者による買戻しが履行されないと見込まれるものは、②により評価します。

②　①に掲げる抵当証券以外の抵当証券

　2《貸付金債権》の定めに準じて評価した金額によります。

9　不動産投資信託証券等

不動産投資法人の投資証券及び不動産投資信託の受益証券（以下「不動産投資信託証券」といいます。）のうち、証券取引所に上場されているものの価額は、1口ごとに評価するものとし、第七章第一節《上場株式》（評基通169〜172）の定めと同様に評価します。また、不動産投資信託証券に係る投資口の分割等に伴う無償交付期待権の価額は、第七章第四節の3《株式無償交付期待権の評価》（評基通192）に準じて評価し、不動産投資信託証券に係る金銭分配期待権の価額（利益超過分配金の額を含み

ます。）は、同節の**4**《配当期待権の評価》（評基通193）に準じて評価します（評基通213）。

（注） 　金銭分配期待権の価額には、利益からの分配である「利益分配金」の額だけでなく、出資の払戻し（利益を上回る金銭の分配）である「利益超過分配金」の額が含まれることに留意してください。

10　受益証券発行信託証券等

受益証券発行信託の受益証券（以下「受益証券発行信託証券」といいます。）のうち、上場されているものの価額は、1口ごとに評価するものとし、第七章第一節《上場株式》（評基通169〜172）の定めに準じて評価します。また、受益証券発行信託証券に係る金銭分配期待権の価額は、第七章第四節の**4**《配当期待権の評価》（評基通193）に準じて評価します（評基通213−2）。

第十五章　特定非常災害発生時の財産評価関係

1　特定非常災害の発生直後の価額

　特定非常災害の発生直後の価額としての金額とは、次に掲げる財産の区分に応じ、それぞれに掲げる金額をいいます。

　　（注）　「特定非常災害」とは、特定非常災害の被害者の権利利益の保全等を図るための特別措置に関する法律第2条第1項の規定により特定非常災害として指定された非常災害をいいます。
　　　　　「**特定土地等及び特定株式等に係る相続税の課税価格の計算の特例**」については第四編第六章第一節の5を、「**特定土地等及び特定株式等に係る贈与税の課税価格の計算の特例**」については第五編第五章第一節の4を参照してください。

（1）特定土地等

　特定土地等の特定非常災害の発生直後の価額については、課税時期における現況が特定非常災害の発生直後も継続していたものとみなして、当該特定土地等を評価した価額となります。

　したがって、特定土地等について、課税時期から特定非常災害の発生直後までの間に区画形質、権利関係の変更等があった場合でも、これらの事由は考慮しないことになります。

　なお、特定非常災害の発生直後の価額については、国税局長が、特定地域内の一定の地域ごとに特定土地等の特定非常災害の発生直後の価額を算出するための率（以下「調整率」といいます。）を別途定めている場合には、特定非常災害発生日の属する年分の路線価及び倍率に調整率を乗じたものを当該年分の路線価及び倍率として評価することができます（措通69の6・69の7共－2）。

※　「調整率」は、国税庁ホームページに掲載されています（財産評価基準書　路線価図・評価倍率表（https://www.rosenka.nta.go.jp/））。

　　（注1）　課税時期が特定非常災害発生日の属する年の前年中にある場合であっても、特定非常災害発生日の属する年分の路線価及び倍率に調整率を乗じたものを基に評価することとなります。
　　　　　　また、特定土地等を倍率方式により評価する場合の固定資産税評価額についても、特定非常災害発生日の属する年分の相続税評価額を計算する際に用いる固定資産税評価額によります。
　　（注2）　正面路線価の判定は、路線価に「調整率」を乗じたものに奥行価格補正率を乗じて計算した金額により判定します。

【参考1】調整率を用いた評価方法の具体的な計算例

1　路線価方式

　　所在：○○市▲▲町　宅地

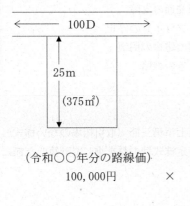
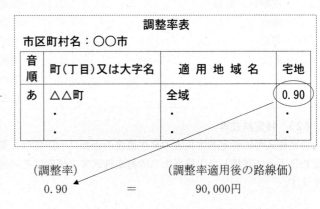

(調整率適用後の路線価)　(奥行25mに応ずる奥行価格補正率)　(1㎡当たりの価額)
　　90,000円　　×　　　0.97　　　＝　　87,300円
(1㎡当たりの価額)　　　　(地積)　　　　　(自用地の価額)
　　87,300円　　×　　　375㎡　　＝　　32,737,500円

2　倍率方式

所在：〇〇市◆◆町　宅地

令和〇〇年分の評価倍率　1.1

令和〇〇年度の
固定資産税評価額　5,000,000円

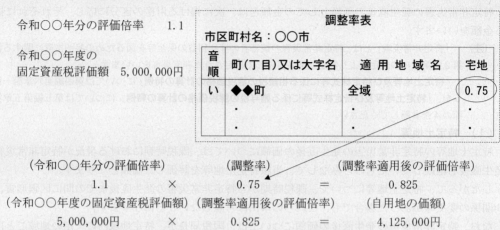

(令和〇〇年分の評価倍率)　(調整率)　　(調整率適用後の評価倍率)
　　　1.1　　　×　　　0.75　　＝　　　0.825
(令和〇〇年度の固定資産税評価額)　(調整率適用後の評価倍率)　(自用地の価額)
　　5,000,000円　　×　　0.825　　＝　　4,125,000円

【参考2】災害減免法第6条《相続税又は贈与税の計算》との関係について

　特定非常災害に係る特例は、特定非常災害による経済的な評価損に配慮した特例であり、災害減免法による減免措置は、特定非常災害による物理的な損失を対象としたものといえることから、特定土地等については、その損失の内容に応じて、特定非常災害に係る特例と災害減免法第6条の減免措置の両方が適用される場合があります。

　この場合、特定非常災害に係る特例を適用して路線価等に調整率を乗じて計算した金額を基として評価した価額から、災害減免法第6条を適用して「被害を受けた部分の価額」を控除した額を課税価格に算入すべき価額とすることとなります。

災害減免法	特定非常災害に係る特例
物理的な損失 →　土地そのものの形状が変わったことに伴う損失 　具体例 　・地割れ、亀裂 　・陥没 　・隆起 　・海没	経済的な損失 →　左記以外の損失（地価下落） 　具体例 　・街路の破損 　・鉄道交通の支障 　・ライフラインの停止 　・周囲の建物の倒壊 　・がれきの堆積 　・塩害

（2）　特定株式等

　特定株式等の特定非常災害の発生直後の価額については、第七章第三節《取引相場のない様式》の定めによって評価した1株当たりの特定株式等の価額にその特定株式等の数を乗じて計算した額によります。

第十五章《特定非常災害発生時の財産評価関係》

　また、特定株式等が第七章第三節の１「評価上の区分」における「同族株主等か否か」及び「評価対象法人の規模等」は課税時期における当該特定株式等に係る評価会社の現況により判定します。

　なお、同章同節の４から９の「**特定の評価会社の株式**」のいずれに該当するかどうかは、同様に課税時期における当該特定株式等に係る評価会社の現況により判定します。

　ただし、次に掲げる場合には、それぞれに従って計算した額となります（措通69の６・69の７共－４）。

イ　類似業種比準方式によって評価する場合

　評価会社の「１株当たりの配当金額」、「１株当たりの利益金額」及び「１株当たりの純資産価額（帳簿価額によって計算した金額）」を次に掲げるところにより計算した金額によって評価した１株当たりの特定株式等の価額

①　「１株当たりの配当金額」

　　次の②により計算した「１株当たりの利益金額」に次に掲げる割合を乗じて計算した金額

$$
\frac{評基通183（1）に定めるところにより計算した直前期末以前2年間の評価会社の剰余金の配当金額の合計額}{評基通183（2）に定めるところにより計算した直前期末以前2年間の評価会社の法人税の課税所得金額を基として計算した利益金額の合計額}
$$

②　「１株当たりの利益金額」

　　評基通183（2）に定めるところにより計算した「１株当たりの利益金額」と特定非常災害の発生直後の状況に基づいて合理的に見積もった特定非常災害発生日の属する事業年度の末日以前１年間における所得金額を基として計算した利益金額の見積額（以下「見積利益金額」といいます。）を直前期末における発行済株式数（１株当たりの資本金等の額が50円以外の金額である場合には、直前期末における資本金等の額を50円で除して計算した数によります。以下同じ。）で除して計算した金額との合計額（その金額が負数のときは０とします。）の２分の１に相当する金額

　　なお、見積利益金額とは、特定非常災害の発生直後の状況に基づいて合理的に見積もった被災事業年度の所得金額を基として計算した利益金額の見積額をいい、具体的には、次のとおり計算します。

　イ　評価対象法人が相続税等の申告期限までに決算を了している場合

　　被災事業年度の所得金額を基として計算した利益金額が把握できるときには、その利益金額によります。

　ロ　評価対象法人が相続税等の申告期限までに決算を了していない場合

　　合理的に見積もった被災事業年度の所得金額を基として計算した利益金額とします。この場合には、評価明細書に見積利益金額の計算過程のわかる書類を添付します。

③　「１株当たりの純資産価額（帳簿価額によって計算した金額）」

　　評基通183（3）に定める「１株当たりの純資産価額（帳簿価額によって計算した金額）」。ただし、上記②の見積利益金額が欠損となる場合には、次に掲げる金額の合計額を直前期末における発行済株式数で除して計算した金額とします。

　（イ）　評基通183（3）に定める直前期末における資本金等の額

　（ロ）　評基通183（3）に定める法人税法（昭和40年法律第34号）第２条《定義》第18号に規定する利益積立金額に相当する金額（法人税申告書別表五（一）「利益積立金額及び資本金等の額の計算に関する明細書」の差引翌期首現在利益積立金額の差引合計額）

　（ハ）　上記②に定める見積利益金額

　（**注**）　上記の（イ）から（ハ）の合計額が負数となる場合には、その金額を０とすることに留意してください。

－1509－

第十五章《特定非常災害発生時の財産評価関係》

ロ　純資産価額方式によって評価する場合

課税時期において特定地域内にあった動産等（評価会社が特定非常災害発生日において保有していたものに限ります。）の状況が特定非常災害の発生直後の現況にあったものとみなして特定非常災害の発生直後におけるその動産等の価額を評価した場合の各資産の価額の合計額が、評基通185に定める「課税時期における各資産をこの通達の定めるところにより評価した価額の合計額」であるものとして評価した1株当たりの特定株式等の価額

なお、評価会社が保有する株式等については、「特定地域内にある一定の動産」から有価証券は除かれており、「特定株式等」には該当しないこととなるため、当該評価会社が保有する取引相場のない株式の相続税評価額は**「特定非常災害発生直後の価額」**によることができません（措令40の2の<u>3</u>①、措通69の6・69の7共－1（7））。

（注1）　評価会社が課税時期前3年以内に取得又は新築した土地及び土地の上に存する権利並びに家屋及びその附属設備又は構築物の価額については、特定非常災害の発生直後におけるこれらの資産の価額として評価することができます。

（注2）　上記<u>　　</u>下線部については、公益信託に関する法律（令和6年法律第30号）の施行の日以後、「40の2の3」が「40の3」とされます。（令6改措令附1三）

特定株式等を純資産価額方式で評価する場合において、評価会社が保有していた特定地域内の土地等を評価する場合と、相続人等が相続等により取得した特定土地等を評価する場合では取扱いが異なることがあります。具体的には次表のとおりです。

（参考）特定株式等の評価における土地等の評価と特定土地等の評価の異同

	特定株式等を純資産価額方式で評価する場合における評価会社が保有していた特定地域内の土地等（**注1**）の評価	特定土地等（**注1**）の評価
評　価　単　位	特定非常災害の発生直後の状況	課税時期の現況 （特定非常災害の発生日前）
権　利　関　係	特定非常災害の発生直後の状況	課税時期の現況 （特定非常災害の発生日前）
課税時期から特定非常災害までの区画形質の変更	特定非常災害の発生直後の状況により評価	考慮しないで評価
路　線　価　等	特定非常災害発生日の属する年分の路線価等　×　調整率	特定非常災害発生日の属する年分の路線価等　×　調整率
特定非常災害による物理的な損失	土地等の評価で個別に減額（**注2**）	災害減免法第6条《相続税又は贈与税の計算》により減額

（注1）　特定非常災害発生日において保有していたものに限ります。

（注2）　特定非常災害により地割れ等が生じたことにより土地そのものの形状が変わったことによる損失（物理的な損失）が生じている土地等については、通常、一定の費用を投下することにより特定非常災害発生前の状態に復帰することから、特定非常災害による物理的な損失がないものとした場合の土地等の価額から原状回復費用相当額を控除して評価することができます。

なお、この場合の原状回復相当額については、例えば、①原状回復費用の見積額の100分の80に相当する金額、又は②市街地農地等を宅地に転用する場合において通常必要とされる宅地造成費相当額から算定した金額とする方法が考えられます。

ハ　配当還元方式で評価する場合

「その株式に係る年配当金額」を上記（2）イ①によって計算した金額（ただし、その金額が2円50銭未満のものにあっては2円50銭とします。）により評価した1株当たりの特定株式等の価額

－1510－

第十五章《特定非常災害発生時の財産評価関係》

2 特定非常災害発生日以後に相続等により取得した財産の評価

「特定非常災害発生日以後に相続等により取得した財産の価額」は、次のとおり評価します（平成29年４月12日付課評２－10、課資２－４）。

（1） 特定地域内にある土地等の評価

特定非常災害発生日以後その年の12月31日までの間に相続等により取得した特定地域内にある土地等の価額は、「1　**特定非常災害発生直後の価額**」に準じて評価することができます。この場合におけるその土地等の状況は、課税時期の現況によることになります。

なお、当該土地等が、特定非常災害により物理的な損失を受けた場合には、特定非常災害発生直後の価額に準じて評価した価額から、その原状回復費用相当額を控除した価額により評価します。

　（注）　特定地域外にある土地等の価額は、課税時期の現況に応じ評基通の定めにより評価することになりますが、当該土地等が、特定非常災害により物理的な損失を受けた場合には、課税時期の現況に応じて、その原状回復費用相当額を控除した価額により評価することができます。

（参考）特定非常災害発生日以後に取得した特定地域内にある土地等の評価方法と特定非常災害に係る特例の適用を受ける特定土地等の評価方法の異同

	特定非常災害に係る特例の適用を受ける特定土地等	特定非常災害発生日以後に取得	
		特定地域内の土地等	特定地域外の土地等
地　　　目 評価単位 権利関係	課税時期の現況 （特定非常災害発生日前）	課税時期の現況 （特定非常災害発生日以後）	
路線価等	特定非常災害発生日の属する年分の路線価等　×調整率	特定非常災害発生日の属する年分の路線価等　×調整率	特定非常災害発生日の属する年分の路線価等
特定非常災害による物理的な損失	災害減免法第６条《相続税又は贈与税の計算》により減額	土地等の評価で個別に減額（注）	

　（注）　特定非常災害により地割れ等が生じたことにより土地そのものの形状が変わったことによる損失（物理的な損失）が生じている土地等については、通常、一定の費用を投下することで特定非常災害発生前の状態に復帰することから、特定非常災害による物理的な損失がないものとした場合の土地等の価額から原状回復費用相当額を控除して評価することができます。

イ　海面下に没した土地等の評価

特定非常災害により海面下に没した土地については、その状態が一時的なものである場合を除き、評価しません。

ロ　被災した造成中の宅地の評価

造成中の宅地の評価については、第一章第二節の３の「**（4）　造成中の宅地**」に定める「課税時期までにその造成工事に投下された費用の額」を課税時期に引き直した合計額を、次に掲げる額の合計額として計算した金額によって評価します。

① 特定非常災害の発生直前まで投下したその宅地の造成に係る費用現価のうち、被災後においてなおその効用を有すると認められる金額に相当する額

② 特定非常災害の発生直後から課税時期までに投下したその宅地の造成に係る費用現価

　（注）　①の「被災後においてなおその効用を有すると認められる金額に相当する額」は、被災後の現況に応じ、通常の造成工事の進行度合いなどと比較考量して見積もった金額によることとなります。

－1511－

第十五章《特定非常災害発生時の財産評価関係》

ハ　応急仮設住宅の敷地の用に供するため使用貸借により貸し付けられている土地の評価

応急仮設住宅の敷地の用に供するために関係都道府県又は関係市町村（特別区を含みます。）の長に使用貸借により貸し付けられている土地については、その土地の自用地としての価額からその使用貸借に係る使用権の残存期間が第一章第二節の４の(１)の「**ロ　定期借地権等の目的となっている宅地**」に定める(イ)から(ニ)までの残存期間のいずれに該当するかに応じてそれぞれに定める割合を乗じて計算した金額を控除した金額によって評価します。

（２）　被災した家屋の評価

被災後の現況に応じた固定資産税評価額が付されていない家屋については、次の金額の合計額により評価することができます。

①　第二章第一節の「**１　家屋**」により評価した特定非常災害の発生直前の家屋の価額から、地方税法第367条《固定資産税の減免》の規定に基づき条例に定めるところによりその被災した家屋に適用された固定資産税の軽減又は免除の割合を乗じて計算した金額を控除した金額

　（注）　特定非常災害の発生に伴い地方税法等において固定資産税の課税の免除等の規定が別途定められた場合についても同様に取り扱います。

②　特定非常災害の発生直後から課税時期までに投下したその被災した家屋の修理、改良等に係る費用現価の100分の70に相当する金額

　（参考）「災害被害者に対する地方税の減免措置等について（平成12年自治省事務次官通知）」に定める家屋の固定資産税の軽減又は免除の割合

　　　　　　（損害の程度）　　　　　　　　　　　（軽減又は免除の割合）
　　①　全壊、流出、埋没、復旧不能等………………………全部
　　②　10分の６以上の価値減……………………………10分の８
　　③　10分の４以上10分の６未満の価値減……………10分の６
　　④　10分の２以上10分の４未満の価値減……………10分の４

イ　液状化現象により被害を受けた家屋の評価

課税時期までに液状化現象により傾いた家屋の原状回復を実施している場合については、その費用が多額に上ることから、上記①により計算した金額と原状回復費用の合計額の100分の70に相当する金額の合計額が被災直前の家屋の評価額を超える可能性があります。

このように、被災した家屋を被災直前の状態に戻しただけであるにもかかわらず、評価額が特定非常災害の発生直前の家屋の価額を上回ることとなる場合には、特定非常災害の発生直前の固定資産税評価額により評価して差し支えありません。

ただし、家屋の価値を増すような工事（増改築等）が行われた場合には、その当該工事の費用現価の100分の70に相当する金額を加算することとなります。

〔計算例〕

　（イ）　特定非常災害の発生直前の固定資産税評価額　3,000千円
　（ロ）　被災した家屋に適用された固定資産税の軽減の割合　10分の４
　（ハ）　修理、改良等に係る費用現価　4,000千円
　　　　うち、増改築等に該当する部分　1,000千円

　⑴　上記①により計算した金額
　　　3,000千円×1.0倍－（3,000千円×0.4）＝1,800千円
　⑵　修理・改良等の費用
　　　4,000千円×0.7＝2,800千円
　　a　増改築等に該当しない部分
　　　　（4,000千円－1,000千円）×0.7＝2,100千円
　　b　a以外の部分（増改築等に該当する部分）

－1512－

1,000千円×0.7＝700千円

(3) 被災した家屋について修理、改良等を行っている場合の家屋の価額

（限度額の計算）

1,800千円＋2,100千円＝3,900千円

3,900千円＞3,000千円（特定非常災害の発生直前の家屋の価額が限度）

（価額）

3,000千円×1.0倍＋700千円＝3,700千円

ロ　被災した建築中の家屋

建築中の家屋の価額は、その家屋の費用現価の70％に相当する金額によって評価しますが、被災した建築中の家屋については、上記「その家屋の費用現価」を次に掲げる額の合計額として計算した金額によって評価します。

① 特定非常災害の発生直前までに投下したその家屋の費用現価のうち、被災後においてなおその効用を有すると認められる金額に相当する額

② 特定非常災害の発生直後から課税時期までに投下したその家屋の費用現価

（注）　①の「被災後においてなおその効用を有すると認められる金額に相当する額」は、被災後の現況に応じ、通常の造成工事の進行度合いなどと比較考量して見積もった金額によることとなります。

（3）　株式の評価

イ　類似業種比準方式

特定地域内に保有する資産の割合が高い法人の株式等を類似業種比準方式により評価する場合において、課税時期が特定非常災害発生日から同日の属する事業年度の末日までの間にあるときには、1(2)の「**イ　類似業種比準方式によって評価する場合**」に準じて評価します。

ロ　純資産価額方式

評価会社を純資産価額方式により評価することとなる場合については、評価会社の各資産のうちに、課税時期前3年以内に取得又は新築した特定地域内の土地等並びに家屋及びその附属設備又は構築物（以下「家屋等」といいます。）で、かつ、評価会社が特定非常災害発生日前に取得又は新築したものがあるときには、課税時期が特定非常災害発生日から起算して3年を経過する日までの間にあるときに限り、その土地等及び家屋等の価額については、課税時期における通常の取引価額に相当する金額によらず課税時期における相続税評価額により評価することができます。

ハ　配当還元方式

特定地域内に保有する資産の割合が高い法人の株式等を配当還元方式により評価する場合において、課税時期が特定非常災害発生日から同日の属する事業年度の末日までの間にあるときには、1(2)の「**ハ　配当還元方式で評価する場合**」に準じて評価します。

別表 1 イ　令和 6 年分農業投資価格
　　　　　ロ　複利表

別表 2　類似業種比準価額計算上の業種目及び業種目別株価等（令和 6 年分）

〔**参考**〕国外財産調書制度

〔別表1〕

イ　令和6年分農業投資価格

（10アール当たり）

国税局	適用地域		農業投資価格			国税局	適用地域	農業投資価格		
			田	畑	採草放牧地			田	畑	採草放牧地
			千円	千円	千円	名古屋	愛　知　県	千円 850	千円 640	千円 —
札幌	北海道	中央ブロック	300	128	50		三　　重　　県	720	520	—
		南ブロック	236	117	45	大阪	滋　賀　県	730	470	—
		北ブロック	169	55	21		京　都　府	700	450	—
		東ブロック	169	73	27		大　阪　府	820	570	—
仙台	青　森　県		380	170	—		兵　庫　県	770	500	—
	岩　手　県		420	200	—		奈　良　県	720	460	—
	宮　城　県		520	255	—		和　歌　山　県	680	500	—
	秋　田　県		445	160	—	広島	鳥　取　県	610	370	—
	山　形　県		510	220	—		島　根　県	520	295	—
	福　島　県		510	240	—		岡　山　県	670	400	—
関東信越	茨　城　県		660	625	—		広　島　県	630	360	—
	栃　木　県		620	535	—		山　口　県	610	290	—
	群　馬　県		790	660	—	高松	徳　島　県	680	330	—
	埼　玉　県		840	790	—		香　川　県	695	360	—
	新　潟　県		620	265	—		愛　媛　県	665	340	—
	長　野　県		730	490	—		高　知　県	579	271	—
東京	千　葉　県		740	730	490	福岡	福　岡　県	720	420	—
	東　京　都		900	840	510		佐　賀　県	670	380	—
	神　奈　川　県		830	800	510		長　崎　県	530	320	—
	山　梨　県		700	530	280	熊本	熊　本　県	690	400	—
金沢	富　山　県		580	240	—		大　分　県	500	310	—
	石　川　県		570	260	—		宮　崎　県	520	370	—
	福　井　県		550	240	—		鹿　児　島　県	450	360	—
名古屋	岐　阜　県		720	520	—	沖縄	沖　縄　県	220	230	·
	静　岡　県		810	610	—					

（注） 札幌国税局の適用地域ブロックの管轄区域は

中央ブロック　下記以外の税務署

南ブロック　函館、八雲、江差、室蘭、苫小牧、浦河

北ブロック　名寄、紋別、稚内、留萌

東ブロック　釧路、網走、北見、帯広、根室、十勝池田をいいます。

複 利 表

ロ 複利表

この複利表は、課税時期の属する月が令和6年1月〜6月の場合に適用する。

複　　利　　表（令和6年1月分）

区分	年数	年0.01%の 複利年金現価率	年0.01%の 複利現価率	年0.01%の 年賦償還率	年1.5%の 複利終価率	区分	年数	年1%の 複利年金現価率	年1%の 複利現価率	年1%の 年賦償還率	年1.5%の 複利終価率
短期	1	1.000	1.000	1.000	1.015		36	30.108	0.699	0.033	1.709
	2	2.000	1.000	0.500	1.030		37	30.800	0.692	0.032	1.734
区分	年数	年0.1%の 複利年金現価率	年0.1%の 複利現価率	年0.1%の 年賦償還率	年1.5%の 複利終価率		38	31.485	0.685	0.032	1.760
							39	32.163	0.678	0.031	1.787
中期	3	2.994	0.997	0.334	1.045		40	32.835	0.672	0.030	1.814
	4	3.990	0.996	0.251	1.061		41	33.500	0.665	0.030	1.841
	5	4.985	0.995	0.201	1.077		42	34.158	0.658	0.029	1.868
	6	5.979	0.994	0.167	1.093		43	34.810	0.652	0.029	1.896
区分	年数	年1%の 複利年金現価率	年1%の 複利現価率	年1%の 年賦償還率	年1.5%の 複利終価率		44	35.455	0.645	0.028	1.925
							45	36.095	0.639	0.028	1.954
	7	6.728	0.933	0.149	1.109		46	36.727	0.633	0.027	1.983
	8	7.652	0.923	0.131	1.126		47	37.354	0.626	0.027	2.013
	9	8.566	0.914	0.117	1.143		48	37.974	0.620	0.026	2.043
	10	9.471	0.905	0.106	1.160		49	38.588	0.614	0.026	2.074
	11	10.368	0.896	0.096	1.177		50	39.196	0.608	0.026	2.105
	12	11.255	0.887	0.089	1.195		51	39.798	0.602	0.025	2.136
	13	12.134	0.879	0.082	1.213		52	40.394	0.596	0.025	2.168
	14	13.004	0.870	0.077	1.231	長	53	40.984	0.590	0.024	2.201
	15	13.865	0.861	0.072	1.250		54	41.569	0.584	0.024	2.234
	16	14.718	0.853	0.068	1.268		55	42.147	0.579	0.024	2.267
	17	15.562	0.844	0.064	1.288		56	42.720	0.573	0.023	2.301
	18	16.398	0.836	0.061	1.307	期	57	43.287	0.567	0.023	2.336
長	19	17.226	0.828	0.058	1.326		58	43.849	0.562	0.023	2.371
	20	18.046	0.820	0.055	1.346		59	44.405	0.556	0.023	2.407
	21	18.857	0.811	0.053	1.367		60	44.955	0.550	0.022	2.443
	22	19.660	0.803	0.051	1.387		61	45.500	0.545	0.022	2.479
期	23	20.456	0.795	0.049	1.408		62	46.040	0.540	0.022	2.517
	24	21.243	0.788	0.047	1.429		63	46.574	0.534	0.021	2.554
	25	22.023	0.780	0.045	1.450		64	47.103	0.529	0.021	2.593
	26	22.795	0.772	0.044	1.472		65	47.627	0.524	0.021	2.632
	27	23.560	0.764	0.042	1.494		66	48.145	0.519	0.021	2.671
	28	24.316	0.757	0.041	1.517		67	48.659	0.513	0.021	2.711
	29	25.066	0.749	0.040	1.539		68	49.167	0.508	0.020	2.752
	30	25.808	0.742	0.039	1.563		69	49.670	0.503	0.020	2.793
	31	26.542	0.735	0.038	1.586		70	50.169	0.498	0.020	2.835
	32	27.270	0.727	0.037	1.610						
	33	27.990	0.720	0.036	1.634						
	34	28.703	0.713	0.035	1.658						
	35	29.409	0.706	0.034	1.683						

(注)　1　複利年金現価率、複利現価率及び年賦償還率は小数点以下第4位を四捨五入により、複利終価率は小数点以下第4位を切捨てにより作成している。

　　　2　複利年金現価率は、定期借地権等、著作権、営業権、鉱業権等の評価に使用する。

　　　3　複利現価率は、定期借地権等の評価における経済的利益（保証金等によるもの）の計算並びに特許権、信託受益権、清算中の会社の株式及び無利息債務等の評価に使用する。

　　　4　年賦償還率は、定期借地権等の評価における経済的利益（差額地代）の計算に使用する。

　　　5　複利終価率は、標準伐期齢を超える立木の評価に使用する。

—1517—

複　利　表

複　利　表 （令和6年2月分）

区分	年数	年0.01%の複利年金現価率	年0.01%の複利現価率	年0.01%の年賦償還率	年1.5%の複利終価率
短期	1	1.000	1.000	1.000	1.015
	2	2.000	1.000	0.500	1.030

区分	年数	年0.25%の複利年金現価率	年0.25%の複利現価率	年0.25%の年賦償還率	年1.5%の複利終価率
中期	3	2.985	0.993	0.335	1.045
	4	3.975	0.990	0.252	1.061
	5	4.963	0.988	0.202	1.077
	6	5.948	0.985	0.168	1.093

区分	年数	年1%の複利年金現価率	年1%の複利現価率	年1%の年賦償還率	年1.5%の複利終価率
長期	7	6.728	0.933	0.149	1.109
	8	7.652	0.923	0.131	1.126
	9	8.566	0.914	0.117	1.143
	10	9.471	0.905	0.106	1.160
	11	10.368	0.896	0.096	1.177
	12	11.255	0.887	0.089	1.195
	13	12.134	0.879	0.082	1.213
	14	13.004	0.870	0.077	1.231
	15	13.865	0.861	0.072	1.250
	16	14.718	0.853	0.068	1.268
	17	15.562	0.844	0.064	1.288
	18	16.398	0.836	0.061	1.307
	19	17.226	0.828	0.058	1.326
	20	18.046	0.820	0.055	1.346
	21	18.857	0.811	0.053	1.367
	22	19.660	0.803	0.051	1.387
	23	20.456	0.795	0.049	1.408
	24	21.243	0.788	0.047	1.429
	25	22.023	0.780	0.045	1.450
	26	22.795	0.772	0.044	1.472
	27	23.560	0.764	0.042	1.494
	28	24.316	0.757	0.041	1.517
	29	25.066	0.749	0.040	1.539
	30	25.808	0.742	0.039	1.563
	31	26.542	0.735	0.038	1.586
	32	27.270	0.727	0.037	1.610
	33	27.990	0.720	0.036	1.634
	34	28.703	0.713	0.035	1.658
	35	29.409	0.706	0.034	1.683

区分	年数	年1%の複利年金現価率	年1%の複利現価率	年1%の年賦償還率	年1.5%の複利終価率
	36	30.108	0.699	0.033	1.709
	37	30.800	0.692	0.032	1.734
	38	31.485	0.685	0.032	1.760
	39	32.163	0.678	0.031	1.787
	40	32.835	0.672	0.030	1.814
	41	33.500	0.665	0.030	1.841
	42	34.158	0.658	0.029	1.868
	43	34.810	0.652	0.029	1.896
	44	35.455	0.645	0.028	1.925
	45	36.095	0.639	0.028	1.954
	46	36.727	0.633	0.027	1.983
	47	37.354	0.626	0.027	2.013
	48	37.974	0.620	0.026	2.043
	49	38.588	0.614	0.026	2.074
	50	39.196	0.608	0.026	2.105
長	51	39.798	0.602	0.025	2.136
	52	40.394	0.596	0.025	2.168
	53	40.984	0.590	0.024	2.201
	54	41.569	0.584	0.024	2.234
	55	42.147	0.579	0.024	2.267
	56	42.720	0.573	0.023	2.301
期	57	43.287	0.567	0.023	2.336
	58	43.849	0.562	0.023	2.371
	59	44.405	0.556	0.023	2.407
	60	44.955	0.550	0.022	2.443
	61	45.500	0.545	0.022	2.479
	62	46.040	0.540	0.022	2.517
	63	46.574	0.534	0.021	2.554
	64	47.103	0.529	0.021	2.593
	65	47.627	0.524	0.021	2.632
	66	48.145	0.519	0.021	2.671
	67	48.659	0.513	0.021	2.711
	68	49.167	0.508	0.020	2.752
	69	49.670	0.503	0.020	2.793
	70	50.169	0.498	0.020	2.835

（注）　1　複利年金現価率、複利現価率及び年賦償還率は小数点以下第4位を四捨五入により、複利終価率は小数点以下第4位を切捨てにより作成している。

　　　　2　複利年金現価率は、定期借地権等、著作権、営業権、鉱業権等の評価に使用する。

　　　　3　複利現価率は、定期借地権等の評価における経済的利益（保証金等によるもの）の計算並びに特許権、信託受益権、清算中の会社の株式及び無利息債務等の評価に使用する。

　　　　4　年賦償還率は、定期借地権等の評価における経済的利益（差額地代）の計算に使用する。

　　　　5　複利終価率は、標準伐期齢を超える立木の評価に使用する。

複　利　表

複　利　表 （令和6年3・4月分）

区分	年数	年0.1%の複利年金現価率	年0.1%の複利現価率	年0.1%の年賦償還率	年1.5%の複利終価率
短期	1	0.999	0.999	1.001	1.015
短期	2	1.997	0.998	0.501	1.030

区分	年数	年0.25%の複利年金現価率	年0.25%の複利現価率	年0.25%の年賦償還率	年1.5%の複利終価率
中期	3	2.985	0.993	0.335	1.045
中期	4	3.975	0.990	0.252	1.061
中期	5	4.963	0.988	0.202	1.077
中期	6	5.948	0.985	0.168	1.093

区分	年数	年1%の複利年金現価率	年1%の複利現価率	年1%の年賦償還率	年1.5%の複利終価率
長期	7	6.728	0.933	0.149	1.109
	8	7.652	0.923	0.131	1.126
	9	8.566	0.914	0.117	1.143
	10	9.471	0.905	0.106	1.160
	11	10.368	0.896	0.096	1.177
	12	11.255	0.887	0.089	1.195
	13	12.134	0.879	0.082	1.213
	14	13.004	0.870	0.077	1.231
	15	13.865	0.861	0.072	1.250
	16	14.718	0.853	0.068	1.268
	17	15.562	0.844	0.064	1.288
	18	16.398	0.836	0.061	1.307
	19	17.226	0.828	0.058	1.326
	20	18.046	0.820	0.055	1.346
	21	18.857	0.811	0.053	1.367
長期	22	19.660	0.803	0.051	1.387
	23	20.456	0.795	0.049	1.408
	24	21.243	0.788	0.047	1.429
	25	22.023	0.780	0.045	1.450
	26	22.795	0.772	0.044	1.472
	27	23.560	0.764	0.042	1.494
	28	24.316	0.757	0.041	1.517
	29	25.066	0.749	0.040	1.539
	30	25.808	0.742	0.039	1.563
	31	26.542	0.735	0.038	1.586
	32	27.270	0.727	0.037	1.610
	33	27.990	0.720	0.036	1.634
	34	28.703	0.713	0.035	1.658
	35	29.409	0.706	0.034	1.683

区分	年数	年1%の複利年金現価率	年1%の複利現価率	年1%の年賦償還率	年1.5%の複利終価率
	36	30.108	0.699	0.033	1.709
	37	30.800	0.692	0.032	1.734
	38	31.485	0.685	0.032	1.760
	39	32.163	0.678	0.031	1.787
	40	32.835	0.672	0.030	1.814
	41	33.500	0.665	0.030	1.841
	42	34.158	0.658	0.029	1.868
	43	34.810	0.652	0.029	1.896
	44	35.455	0.645	0.028	1.925
	45	36.095	0.639	0.028	1.954
	46	36.727	0.633	0.027	1.983
	47	37.354	0.626	0.027	2.013
	48	37.974	0.620	0.026	2.043
	49	38.588	0.614	0.026	2.074
	50	39.196	0.608	0.026	2.105
長期	51	39.798	0.602	0.025	2.136
	52	40.394	0.596	0.025	2.168
	53	40.984	0.590	0.024	2.201
	54	41.569	0.584	0.024	2.234
	55	42.147	0.579	0.024	2.267
期	56	42.720	0.573	0.023	2.301
	57	43.287	0.567	0.023	2.336
	58	43.849	0.562	0.023	2.371
	59	44.405	0.556	0.023	2.407
	60	44.955	0.550	0.022	2.443
	61	45.500	0.545	0.022	2.479
	62	46.040	0.540	0.022	2.517
	63	46.574	0.534	0.021	2.554
	64	47.103	0.529	0.021	2.593
	65	47.627	0.524	0.021	2.632
	66	48.145	0.519	0.021	2.671
	67	48.659	0.513	0.021	2.711
	68	49.167	0.508	0.020	2.752
	69	49.670	0.503	0.020	2.793
	70	50.169	0.498	0.020	2.835

（注）　1　複利年金現価率、複利現価率及び年賦償還率は小数点以下第4位を四捨五入により、複利終価率は小数点以下第4位
　　　　　を切捨てにより作成している。

　　　　2　複利年金現価率は、定期借地権等、著作権、営業権、鉱業権等の評価に使用する。

　　　　3　複利現価率は、定期借地権等の評価における経済的利益（保証金等によるもの）の計算並びに特許権、信託受益権、
　　　　　清算中の会社の株式及び無利息債務等の評価に使用する。

　　　　4　年賦償還率は、定期借地権等の評価における経済的利益（差額地代）の計算に使用する。

　　　　5　複利終価率は、標準伐期齢を超える立木の評価に使用する。

複 利 表

複　利　表（令和6年5月分）

区分	年数	年0.25%の 複利年金現価率	年0.25%の 複利現価率	年0.25%の 年賦償還率	年1.5%の 複利終価率	区分	年数	年1%の 複利年金現価率	年1%の 複利現価率	年1%の 年賦償還率	年1.5%の 複利終価率
短期	1	0.998	0.998	1.003	1.015		36	30.108	0.699	0.033	1.709
	2	1.993	0.995	0.502	1.030		37	30.800	0.692	0.032	1.734
							38	31.485	0.685	0.032	1.760

区分	年数	年0.5%の 複利年金現価率	年0.5%の 複利現価率	年0.5%の 年賦償還率	年1.5%の 複利終価率		39	32.163	0.678	0.031	1.787
中期	3	2.970	0.985	0.337	1.045		40	32.835	0.672	0.030	1.814
	4	3.950	0.980	0.253	1.061		41	33.500	0.665	0.030	1.841
	5	4.926	0.975	0.203	1.077		42	34.158	0.658	0.029	1.868
	6	5.896	0.971	0.170	1.093		43	34.810	0.652	0.029	1.896

区分	年数	年1%の 複利年金現価率	年1%の 複利現価率	年1%の 年賦償還率	年1.5%の 複利終価率		44	35.455	0.645	0.028	1.925
							45	36.095	0.639	0.028	1.954
長期	7	6.728	0.933	0.149	1.109		46	36.727	0.633	0.027	1.983
	8	7.652	0.923	0.131	1.126		47	37.354	0.626	0.027	2.013
	9	8.566	0.914	0.117	1.143		48	37.974	0.620	0.026	2.043
	10	9.471	0.905	0.106	1.160		49	38.588	0.614	0.026	2.074
							50	39.196	0.608	0.026	2.105
	11	10.368	0.896	0.096	1.177						
	12	11.255	0.887	0.089	1.195		51	39.798	0.602	0.025	2.136
	13	12.134	0.879	0.082	1.213		52	40.394	0.596	0.025	2.168
	14	13.004	0.870	0.077	1.231	長	53	40.984	0.590	0.024	2.201
	15	13.865	0.861	0.072	1.250		54	41.569	0.584	0.024	2.234
							55	42.147	0.579	0.024	2.267
	16	14.718	0.853	0.068	1.268		56	42.720	0.573	0.023	2.301
長	17	15.562	0.844	0.064	1.288	期	57	43.287	0.567	0.023	2.336
	18	16.398	0.836	0.061	1.307		58	43.849	0.562	0.023	2.371
	19	17.226	0.828	0.058	1.326		59	44.405	0.556	0.023	2.407
	20	18.046	0.820	0.055	1.346		60	44.955	0.550	0.022	2.443
	21	18.857	0.811	0.053	1.367						
	22	19.660	0.803	0.051	1.387		61	45.500	0.545	0.022	2.479
期	23	20.456	0.795	0.049	1.408		62	46.040	0.540	0.022	2.517
	24	21.243	0.788	0.047	1.429		63	46.574	0.534	0.021	2.554
	25	22.023	0.780	0.045	1.450		64	47.103	0.529	0.021	2.593
							65	47.627	0.524	0.021	2.632
	26	22.795	0.772	0.044	1.472		66	48.145	0.519	0.021	2.671
	27	23.560	0.764	0.042	1.494		67	48.659	0.513	0.021	2.711
	28	24.316	0.757	0.041	1.517		68	49.167	0.508	0.020	2.752
	29	25.066	0.749	0.040	1.539		69	49.670	0.503	0.020	2.793
	30	25.808	0.742	0.039	1.563		70	50.169	0.498	0.020	2.835
	31	26.542	0.735	0.038	1.586						
	32	27.270	0.727	0.037	1.610						
	33	27.990	0.720	0.036	1.634						
	34	28.703	0.713	0.035	1.658						
	35	29.409	0.706	0.034	1.683						

（注）　1　複利年金現価率、複利現価率及び年賦償還率は小数点以下第4位を四捨五入により、複利終価率は小数点以下第4位を切捨てにより作成している。

　　　　2　複利年金現価率は、定期借地権等、著作権、営業権、鉱業権等の評価に使用する。

　　　　3　複利現価率は、定期借地権等の評価における経済的利益（保証金等によるもの）の計算並びに特許権、信託受益権、清算中の会社の株式及び無利息債務等の評価に使用する。

　　　　4　年賦償還率は、定期借地権等の評価における経済的利益（差額地代）の計算に使用する。

　　　　5　複利終価率は、標準伐期齢を超える立木の評価に使用する。

複　利　表 （令和6年6月分）

区分	年数	年0.25%の複利年金現価率	年0.25%の複利現価率	年0.25%の年賦償還率	年1.5%の複利終価率	区分	年数	年1.5%の複利年金現価率	年1.5%の複利現価率	年1.5%の年賦償還率	年1.5%の複利終価率
短期	1	0.998	0.998	1.003	1.015		36	27.661	0.585	0.036	1.709
	2	1.993	0.995	0.502	1.030		37	28.237	0.576	0.035	1.734
							38	28.805	0.568	0.035	1.760

区分	年数	年0.5%の複利年金現価率	年0.5%の複利現価率	年0.5%の年賦償還率	年1.5%の複利終価率						
							39	29.365	0.560	0.034	1.787
	3	2.970	0.985	0.337	1.045		40	29.916	0.551	0.033	1.814
中期	4	3.950	0.980	0.253	1.061		41	30.459	0.543	0.033	1.841
	5	4.926	0.975	0.203	1.077		42	30.994	0.535	0.032	1.868
	6	5.896	0.971	0.170	1.093		43	31.521	0.527	0.032	1.896
							44	32.041	0.519	0.031	1.925

区分	年数	年1.5%の複利年金現価率	年1.5%の複利現価率	年1.5%の年賦償還率	年1.5%の複利終価率						
							45	32.552	0.512	0.031	1.954
	7	6.598	0.901	0.152	1.109		46	33.056	0.504	0.030	1.983
	8	7.486	0.888	0.134	1.126		47	33.553	0.497	0.030	2.013
	9	8.361	0.875	0.120	1.143		48	34.043	0.489	0.029	2.043
	10	9.222	0.862	0.108	1.160		49	34.525	0.482	0.029	2.074
							50	35.000	0.475	0.029	2.105
	11	10.071	0.849	0.099	1.177						
	12	10.908	0.836	0.092	1.195		51	35.468	0.468	0.028	2.136
	13	11.732	0.824	0.085	1.213	長	52	35.929	0.461	0.028	2.168
	14	12.543	0.812	0.080	1.231		53	36.383	0.454	0.027	2.201
	15	13.343	0.800	0.075	1.250		54	36.831	0.448	0.027	2.234
							55	37.271	0.441	0.027	2.267
	16	14.131	0.788	0.071	1.268						
	17	14.908	0.776	0.067	1.288		56	37.706	0.434	0.027	2.301
長	18	15.673	0.765	0.064	1.307	期	57	38.134	0.428	0.026	2.336
	19	16.426	0.754	0.061	1.326		58	38.556	0.422	0.026	2.371
	20	17.169	0.742	0.058	1.346		59	38.971	0.415	0.026	2.407
							60	39.380	0.409	0.025	2.443
	21	17.900	0.731	0.056	1.367						
	22	18.621	0.721	0.054	1.387		61	39.784	0.403	0.025	2.479
期	23	19.331	0.710	0.052	1.408		62	40.181	0.397	0.025	2.517
	24	20.030	0.700	0.050	1.429		63	40.572	0.391	0.025	2.554
	25	20.720	0.689	0.048	1.450		64	40.958	0.386	0.024	2.593
							65	41.338	0.380	0.024	2.632
	26	21.399	0.679	0.047	1.472						
	27	22.068	0.669	0.045	1.494		66	41.712	0.374	0.024	2.671
	28	22.727	0.659	0.044	1.517		67	42.081	0.369	0.024	2.711
	29	23.376	0.649	0.043	1.539		68	42.444	0.363	0.024	2.752
	30	24.016	0.640	0.042	1.563		69	42.802	0.358	0.023	2.793
							70	43.155	0.353	0.023	2.835
	31	24.646	0.630	0.041	1.586						
	32	25.267	0.621	0.040	1.610						
	33	25.879	0.612	0.039	1.634						
	34	26.482	0.603	0.038	1.658						
	35	27.076	0.594	0.037	1.683						

(注)　1　複利年金現価率、複利現価率及び年賦償還率は小数点以下第4位を四捨五入により、複利終価率は小数点以下第4位を切捨てにより作成している。

　　　2　複利年金現価率は、定期借地権等、著作権、営業権、鉱業権等の評価に使用する。

　　　3　複利現価率は、定期借地権等の評価における経済的利益（保証金等によるもの）の計算並びに特許権、信託受益権、清算中の会社の株式及び無利息債務等の評価に使用する。

　　　4　年賦償還率は、定期借地権等の評価における経済的利益（差額地代）の計算に使用する。

　　　5　複利終価率は、標準伐期齢を超える立木の評価に使用する。

類似業種比準価額計算上の業種目及び業種目別株価等（令和6年分）

〔別表２〕

別　紙

類似業種比準価額計算上の業種目及び業種目別株価等（令和6年分）

(単位：円)

業　種　目					B 配当金額	C 利益金額	D 簿価純資産価額	A（株価）		
大　分　類								令和5年平均	5年11月分	5年12月分
中　分　類		番号	内　　　　容							
小　分　類										
建　　設　　業		1			10.6	51	467	371	393	397
	総　合　工　事　業	2			9.0	46	411	305	323	324
		建築工事業（木造建築工事業を除く）	3	鉄骨鉄筋コンクリート造建築物、鉄筋コンクリート造建築物、無筋コンクリート造建築物及び鉄骨造建築物等の完成を請け負うもの	11.1	73	458	368	376	373
		その他の総合工事業	4	総合工事業のうち、3に該当するもの以外のもの	8.4	39	398	288	309	311
	職　別　工　事　業	5	下請として工事現場において建築物又は土木施設等の工事目的物の一部を構成するための建設工事を行うもの		13.0	50	540	447	449	452
	設　備　工　事　業	6			13.6	63	578	498	535	544
		電　気　工　事　業	7	一般電気工事業及び電気配線工事業を営むもの	9.0	39	589	340	373	388
		電気通信・信号装置工事業	8	電気通信工事業、有線テレビジョン放送設備設置工事業及び信号装置工事業を営むもの	6.8	30	248	270	287	286
		その他の設備工事業	9	設備工事業のうち、7及び8に該当するもの以外のもの	18.2	86	658	651	696	704

(注)　「Ａ（株価）」は、業種目ごとに令和6年分の標本会社の株価を基に計算しているので、標本会社が令和5年分のものと異なる業種目などについては、令和5年11月分及び12月分の金額は、令和5年分の評価に適用する令和5年11月分及び12月分の金額とは異なることに留意してください。また、令和5年平均及び課税時期の属する月以前2年間の平均株価についても、令和6年分の標本会社を基に計算しています。

(※最新のものは国税庁ホームページ(https://www.nta.go.jp)でご覧になれます。)

類似業種比準価額計算上の業種目及び業種目別株価等（令和６年分）

類似業種比準価額計算上の業種目及び業種目別株価等(令和6年分)

(単位：円)

業　　種　　目			番号	A（株価）【上段：各月の株価、下段：課税時期の属する月以前２年間の平均株価】											
大　分　類				令和6年1月分	2月分	3月分	4月分	5月分	6月分	7月分	8月分	9月分	10月分	11月分	12月分
	中　分　類														
		小　分　類														
建　　設　　業			1	422	436	455	454	453	455	467	441				
				352	357	362	367	373	378	384	389				
	総　合　工　事　業		2	343	347	357	353	354	351	362	344				
				290	293	297	300	304	308	312	315				
		建築工事業（木造建築工事業を除く）	3	395	402	409	411	412	411	418	397				
				358	360	363	365	368	371	374	376				
		その他の総合工事業	4	329	332	344	338	339	335	347	330				
				272	276	280	283	287	291	295	298				
	職　別　工　事　業		5	483	486	494	489	485	499	504	467				
				440	442	444	447	449	453	456	457				
	設　備　工　事　業		6	584	622	663	671	665	673	693	652				
				467	475	485	495	506	516	527	537				
		電　気　工　事　業	7	416	442	461	477	468	470	467	451				
				322	328	334	342	349	357	364	370				
		電気通信・信号装置工事業	8	296	298	311	312	299	292	307	297				
				267	268	269	271	273	274	275	276				
		その他の設備工事業	9	757	812	874	879	877	892	928	863				
				605	617	630	644	659	673	689	703				

－1523－

類似業種比準価額計算上の業種目及び業種目別株価等（令和6年分）

類似業種比準価額計算上の業種目及び業種目別株価等(令和6年分)

(単位：円)

業　　　　　種　　　　　目					B 配当金額	C 利益金額	D 簿価純資産価額	A（株価）		
大分類	中分類	小分類	番号	内　　　　　容				令和5年平均	5年11月分	5年12月分
製　造　業			10		7.8	40	377	400	421	424
	食料品製造業		11		7.6	33	426	611	650	645
		畜産食料品製造業	12	部分肉・冷凍肉、肉加工品、処理牛乳・乳飲料及び乳製品等の製造を行うもの	8.0	34	351	458	460	453
		パン・菓子製造業	13	パン、生菓子、ビスケット類・干菓子及び米菓等の製造を行うもの	8.2	42	623	1,501	1,578	1,563
		その他の食料品製造業	14	食料品製造業のうち、12及び13に該当するもの以外のもの	7.4	31	401	444	485	482
	飲料・たばこ・飼料製造業		15	清涼飲料、酒類、茶、コーヒー、氷、たばこ、飼料及び有機質肥料の製造を行うもの	6.9	26	343	400	436	437
	繊　維　工　業		16	製糸、紡績糸、織物、ニット生地、網地、フェルト、染色整理及び衣服の縫製など繊維製品の製造を行うもの	5.4	30	327	309	340	340
	パルプ・紙・紙加工品製造業		17	木材、その他の植物原料及び古繊維からパルプ及び紙の製造を行うもの並びにこれらの紙から紙加工品の製造を行うもの	4.1	21	303	166	178	181
	印刷・同関連業		18	印刷業、製版業、製本業、印刷物加工業及び印刷関連サービス業を営むもの	4.7	28	327	217	222	226

(注)　「A（株価）」は、業種目ごとに令和6年分の標本会社の株価を基に計算しているので、標本会社が令和5年分のものと異なる業種目などについては、令和5年11月分及び12月分の金額は、令和5年分の評価に適用する令和5年11月分及び12月分の金額とは異なることに留意してください。また、令和5年平均及び課税時期の属する月以前2年間の平均株価についても、令和6年分の標本会社を基に計算しています。

類似業種比準価額計算上の業種目及び業種目別株価等（令和6年分）

類似業種比準価額計算上の業種目及び業種目別株価等(令和6年分)

(単位：円)

業種目 大分類 中分類 小分類	番号	A（株価）【上段：各月の株価、下段：課税時期の属する月以前2年間の平均株価】											
		令和6年1月分	2月分	3月分	4月分	5月分	6月分	7月分	8月分	9月分	10月分	11月分	12月分
製　造　業	10	445 382	462 386	476 391	469 396	471 401	478 406	488 412	451 415				
食料品製造業	11	656 585	670 590	674 595	659 600	662 605	671 610	688 616	663 620				
畜産食料品製造業	12	463 449	468 450	471 451	472 453	479 455	479 456	489 457	472 459				
パン・菓子製造業	13	1,544 1,419	1,570 1,432	1,591 1,444	1,506 1,453	1,510 1,462	1,542 1,472	1,587 1,484	1,514 1,491				
その他の食料品製造業	14	500 426	513 431	514 435	512 440	513 445	519 451	531 456	516 460				
飲料・たばこ・飼料製造業	15	466 387	471 391	452 395	448 399	474 404	494 410	511 415	505 421				
繊　維　工　業	16	365 295	364 298	377 302	367 306	363 311	365 315	368 319	352 322				
パルプ・紙・紙加工品製造業	17	191 159	195 160	201 162	202 164	199 166	197 169	202 171	190 173				
印刷・同関連業	18	234 210	240 211	242 213	244 215	248 217	259 220	262 223	245 225				

−1525−

類似業種比準価額計算上の業種目及び業種目別株価等（令和6年分）

類似業種比準価額計算上の業種目及び業種目別株価等(令和6年分)

（単位：円）

業　種　目					B 配当金額	C 利益金額	D 簿価純資産価額	A（株価）		
大分類								令和5年平均	5年11月分	5年12月分
中分類		番号	内　　容							
小分類										
(製造業)										
化　学　工　業	19				9.9	40	408	471	483	485
	有機化学工業製品製造業	20	工業原料として用いられる有機化学工業製品の製造を行うもの		8.5	40	348	382	404	405
	油脂加工製品・石けん・合成洗剤・界面活性剤・塗料製造業	21	脂肪酸・硬化油・グリセリン、石けん・合成洗剤、界面活性剤、塗料、印刷インキ、洗浄剤・磨用剤及びろうそくの製造を行うもの		5.2	22	331	220	234	236
	医薬品製造業	22	医薬品原薬、医薬品製剤、生物学的製剤、生薬・漢方製剤及び動物用医薬品の製造を行うもの		16.8	66	603	836	860	873
	その他の化学工業	23	化学工業のうち、20から22に該当するもの以外のもの		8.5	34	358	402	406	403
プラスチック製品製造業	24	プラスチックを用い、押出成形機、射出成形機等の各種成形機により成形された押出成形品、射出成形品等の成形製品の製造を行うもの及び同製品に切断、接合、塗装、蒸着めっき、バフ加工等の加工を行うもの並びにプラスチックを用いて成形のために配合、混和を行うもの及び再生プラスチックの製造を行うもの			5.7	28	307	217	228	225
ゴ　ム　製　品　製　造　業	25	天然ゴム類、合成ゴムなどから作られたゴム製品、すなわち、タイヤ、チューブ、ゴム製履物、ゴム引布、ゴムベルト、ゴムホース、工業用ゴム製品、更生タイヤ、再生ゴム、その他のゴム製品の製造を行うもの			15.1	61	587	484	529	536

（注）　「A（株価）」は、業種目ごとに令和6年分の標本会社の株価を基に計算しているので、標本会社が令和5年分のものと異なる業種目などについては、令和5年11月分及び12月分の金額は、令和5年分の評価に適用する令和5年11月分及び12月分の金額とは異なることに留意してください。また、令和5年平均及び課税時期の属する月以前2年間の平均株価についても、令和6年分の標本会社を基に計算しています。

－1526－

類似業種比準価額計算上の業種目及び業種目別株価等（令和6年分）

類似業種比準価額計算上の業種目及び業種目別株価等(令和6年分)

(単位：円)

業種目 大分類 中分類 小分類	番号	A（株価）【上段：各月の株価、下段：課税時期の属する月以前2年間の平均株価】											
		令和6年1月分	2月分	3月分	4月分	5月分	6月分	7月分	8月分	9月分	10月分	11月分	12月分
(製造業)													
化 学 工 業	19	499 467	501 468	511 470	497 472	496 474	505 476	529 479	507 481				
有機化学工業製品製造業	20	423 369	437 371	461 375	458 379	472 383	488 389	467 394	419 397				
油脂加工製品・石けん・合成洗剤・界面活性剤・塗料製造業	21	243 210	255 212	261 215	256 218	257 221	259 223	266 226	246 228				
医 薬 品 製 造 業	22	892 837	883 840	893 842	859 843	841 845	852 848	927 851	915 854				
その他の化学工業	23	416 399	416 399	425 400	415 401	416 403	427 405	442 407	422 408				
プラスチック製品製造業	24	236 208	238 210	243 212	242 214	238 216	236 218	239 220	217 220				
ゴ ム 製 品 製 造 業	25	570 438	592 448	606 459	615 471	608 481	602 490	598 499	541 505				

類似業種比準価額計算上の業種目及び業種目別株価等(令和6年分)

(単位:円)

業種目					B 配当金額	C 利益金額	D 簿価純資産価額	A(株価)		
大分類				内容				令和5年平均	5年11月分	5年12月分
	中分類		番号							
		小分類								
(製造業)										
	窯業・土石製品製造業		26		7.5	39	341	323	336	338
		セメント・同製品製造業	27	セメント、生コンクリート及びコンクリート製品等の製造を行うもの	4.1	23	242	185	199	208
		その他の窯業・土石製品製造業	28	窯業・土石製品製造業のうち、27に該当するもの以外のもの	9.2	47	390	390	403	401
	鉄鋼業		29	鉱石、鉄くずなどから鉄及び鋼の製造を行うもの並びに鉄及び鋼の鋳造品、鍛造品、圧延鋼材、表面処理鋼材等の製造を行うもの	6.5	51	413	264	296	295
	非鉄金属製造業		30	鉱石（粗鉱、精鉱）、金属くずなどを処理し、非鉄金属の製錬及び精製を行うもの、非鉄金属の合金製造、圧延、抽伸、押出しを行うもの並びに非鉄金属の鋳造、鍛造、その他の基礎製品の製造を行うもの	6.1	37	327	257	256	248
	金属製品製造業		31		5.9	32	367	229	236	237
		建設用・建築用金属製品製造業	32	鉄骨、建設用金属製品、金属製サッシ・ドア、鉄骨系プレハブ住宅及び建築用金属製品の製造を行うもの並びに製缶板金業を営むもの	4.7	35	331	208	211	213
		その他の金属製品製造業	33	金属製品製造業のうち、32に該当するもの以外のもの	6.4	30	383	238	247	247
	はん用機械器具製造業		34	はん用的に各種機械に組み込まれ、あるいは取付けをすることで用いられる機械器具の製造を行うもの。例えば、ボイラ・原動機、ポンプ・圧縮機器、一般産業用機械・装置の製造など	8.4	48	408	368	394	402

(注)　「Ａ（株価）」は、業種目ごとに令和6年分の標本会社の株価を基に計算しているので、標本会社が令和5年分のものと異なる業種目などについては、令和5年11月分及び12月分の金額は、令和5年分の評価に適用する令和5年11月分及び12月分の金額とは異なることに留意してください。また、令和5年平均及び課税時期の属する月以前2年間の平均株価についても、令和6年分の標本会社を基に計算しています。

類似業種比準価額計算上の業種目及び業種目別株価等（令和6年分）

類似業種比準価額計算上の業種目及び業種目別株価等(令和6年分)

（単位：円）

業種目 大分類 / 中分類 / 小分類			番号	A（株価）【上段：各月の株価、下段：課税時期の属する月以前2年間の平均株価】											
				令和6年1月分	2月分	3月分	4月分	5月分	6月分	7月分	8月分	9月分	10月分	11月分	12月分
(製造業)															
窯業・土石製品製造業			26	354 303	377 307	391 312	388 317	396 323	405 328	405 334	371 338				
	セメント・同製品製造業		27	225 173	237 176	237 180	236 184	239 188	246 192	254 195	235 198				
	その他の窯業・土石製品製造業		28	416 366	444 370	465 376	461 382	473 388	483 395	479 401	437 405				
鉄鋼業			29	312 240	328 245	336 251	330 257	332 262	324 267	325 272	298 275				
非鉄金属製造業			30	258 250	261 251	263 252	270 253	276 255	282 256	282 258	263 259				
金属製品製造業			31	249 221	259 222	267 225	273 227	271 230	274 232	276 235	260 237				
	建設用・建築用金属製品製造業		32	233 205	241 206	247 207	248 208	247 210	256 212	255 215	253 217				
	その他の金属製品製造業		33	257 228	267 230	276 233	284 235	281 238	281 241	286 244	263 246				
はん用機械器具製造業			34	418 346	437 351	460 357	460 364	460 370	477 378	487 385	442 390				

−1529−

類似業種比準価額計算上の業種目及び業種目別株価等（令和6年分）

類似業種比準価額計算上の業種目及び業種目別株価等(令和6年分)

(単位：円)

業　種　目					B	C	D	A（株価）		
大　分　類					配当金額	利益金額	簿価純資産価額	令和5年平均	5年11月分	5年12月分
	中　分　類		番号	内　　　容						
		小　分　類								
(製 造 業)										
生産用機械器具製造業			35		8.2	47	319	462	496	512
		金属加工機械製造業	36	金属工作機械、金属加工機械、金属工作機械用・金属加工機械用部分品・附属品（金型を除く）及び機械工具（粉末や金業を除く）の製造を行うもの	6.0	33	301	278	285	281
		その他の生産用機械器具製造業	37	生産用機械器具製造業のうち、36に該当するもの以外のもの	8.8	51	324	513	554	575
業務用機械器具製造業			38	業務用及びサービスの生産に供される機械器具の製造を行うもの	8.9	49	373	536	566	591
電子部品・デバイス・電子回路製造業			39		6.7	46	319	417	443	450
		電子部品製造業	40	抵抗器、コンデンサ、変成器及び複合部品の製造、音響部品、磁気ヘッド及び小形モータの製造並びにコネクタ、スイッチ及びリレーの製造を行うもの	7.2	45	362	414	458	471
		電子回路製造業	41	電子回路基板及び電子回路実装基板の製造を行うもの	2.4	23	157	177	201	205
		その他の電子部品・デバイス・電子回路製造業	42	電子部品・デバイス・電子回路製造業のうち、40及び41に該当するもの以外のもの	7.8	55	345	499	514	518

(注)　「A（株価）」は、業種目ごとに令和6年分の標本会社の株価を基に計算しているので、標本会社が令和5年分のものと異なる業種目などについては、令和5年11月分及び12月分の金額は、令和5年分の評価に適用する令和5年11月分及び12月分の金額とは異なることに留意してください。また、令和5年平均及び課税時期の属する月以前2年間の平均株価についても、令和6年分の標本会社を基に計算しています。

−1530−

類似業種比準価額計算上の業種目及び業種目別株価等（令和6年分）

類似業種比準価額計算上の業種目及び業種目別株価等(令和6年分)

(単位:円)

業　　種　　目			番号	A（株価）【上段：各月の株価、下段：課税時期の属する月以前2年間の平均株価】											
大　分　類				令和6年1月分	2月分	3月分	4月分	5月分	6月分	7月分	8月分	9月分	10月分	11月分	12月分
	中　分　類														
		小　分　類													
(製　造　業)															
生産用機械器具製造業			35	546 436	590 444	634 453	640 463	658 473	648 484	637 494	530 500				
	金属加工機械製造業		36	294 273	293 273	303 274	304 275	304 276	299 278	303 279	266 280				
	その他の生産用機械器具製造業		37	615 481	671 490	725 502	732 514	755 527	743 540	729 553	602 560				
業務用機械器具製造業			38	649 490	708 501	723 514	678 525	669 535	687 546	723 559	693 570				
電子部品・デバイス・電子回路製造業			39	472 398	488 402	490 407	475 412	472 417	509 422	544 430	483 435				
	電子部品製造業		40	497 398	520 404	513 411	505 417	506 424	585 433	661 446	602 455				
	電子回路製造業		41	214 165	221 168	219 170	219 173	223 177	239 181	242 185	213 188				
	その他の電子部品・デバイス・電子回路製造業		42	542 476	556 480	564 484	541 488	533 492	548 496	566 502	494 503				

類似業種比準価額計算上の業種目及び業種目別株価等（令和6年分）

（単位：円）

業　　　種　　　目				B [配当金額]	C [利益金額]	D [簿価純資産価額]	A（株価）		
大分類／中分類／小分類		番号	内　　　容				令和5年平均	5年11月分	5年12月分
(製造業)									
電気機械器具製造業		43		7.8	50	446	567	581	564
	発電用・送電用・配電用電気機械器具製造業	44	発電機・電動機・その他の回転電気機械、変圧器類（電子機器用を除く）、電力開閉装置、配電盤・電力制御装置及び配線器具・配線附属品の製造を行うもの	13.9	67	854	636	758	740
	電気計測器製造業	45	電気計測器、工業計器及び医療用計測器の製造を行うもの	5.9	30	219	344	359	361
	その他の電気機械器具製造業	46	電気機械器具製造業のうち、44及び45に該当するもの以外のもの	6.3	54	402	661	630	603
情報通信機械器具製造業		47	通信機械器具及び関連機器、映像・音響機械器具並びに電子計算機及び附属装置の製造を行うもの	8.8	40	411	352	371	371
輸送用機械器具製造業		48		7.2	36	418	274	302	292
	自動車・同附属品製造業	49	自動車（二輪自動車を含む）、自動車車体・附随車及び自動車部分品・附属品の製造を行うもの	7.6	35	429	246	271	260
	その他の輸送用機械器具製造業	50	輸送用機械器具製造業のうち、49に該当するもの以外のもの	5.3	38	372	394	435	432
その他の製造業		51	製造業のうち、11から50に該当するもの以外のもの	8.5	41	364	397	412	414

（注）　「A（株価）」は、業種目ごとに令和6年分の標本会社の株価を基に計算しているので、標本会社が令和5年分のものと異なる業種目などについては、令和5年11月分及び12月分の金額は、令和5年分の評価に適用する令和5年11月分及び12月分の金額とは異なることに留意してください。また、令和5年平均及び課税時期の属する月以前2年間の平均株価についても、令和6年分の標本会社を基に計算しています。

類似業種比準価額計算上の業種目及び業種目別株価等（令和6年分）

類似業種比準価額計算上の業種目及び業種目別株価等（令和6年分）

(単位：円)

業　種　目			番号	A（株価）【上段：各月の株価、下段：課税時期の属する月以前2年間の平均株価】											
大　分　類				令和6年1月分	2月分	3月分	4月分	5月分	6月分	7月分	8月分	9月分	10月分	11月分	12月分
	中　分　類														
		小　分　類													
（製　造　業）															
電気機械器具製造業			43	601 551	630 557	635 563	618 567	624 572	626 576	613 577	558 576				
	発電用・送電用・配電用電気機械器具製造業		44	839 567	993 589	971 609	891 627	898 645	928 664	900 682	816 696				
	電気計測器製造業		45	393 326	400 330	434 336	425 341	440 347	439 353	451 360	385 363				
	その他の電気機械器具製造業		46	617 669	608 669	606 669	613 667	612 667	605 662	583 653	546 643				
情報通信機械器具製造業			47	386 347	395 349	414 352	416 354	425 358	438 362	452 367	433 370				
輸送用機械器具製造業			48	310 260	328 263	344 267	343 272	342 276	338 280	343 285	312 287				
	自動車・同附属品製造業		49	277 231	295 234	307 238	307 242	296 246	292 250	296 253	267 255				
	その他の輸送用機械器具製造業		50	453 388	474 390	506 395	502 400	541 407	541 415	549 422	510 428				
そ　の　他　の　製　造　業			51	435 376	444 380	463 385	459 390	458 395	471 400	481 406	452 410				

-1533-

類似業種比準価額計算上の業種目及び業種目別株価等（令和6年分）

類似業種比準価額計算上の業種目及び業種目別株価等(令和6年分)

(単位:円)

業　　　　種　　　　目					B 配当金額	C 利益金額	D 簿価純資産価額	A（株価）		
大　分　類			番号	内　　　　　　容				令和5年平均	5年11月分	5年12月分
中　分　類										
小　分　類										
電気・ガス・熱供給・水道業			52		6.8	43	404	650	470	454
情　報　通　信　業			53		8.6	50	285	721	715	715
	情　報　サ　ー　ビ　ス　業		54		9.6	56	291	792	803	800
		ソフトウェア業	55	受託開発ソフトウェア業、組込みソフトウェア業、パッケージソフトウェア業及びゲームソフトウェア業を営むもの	9.7	56	284	825	844	845
		情報処理・提供サービス業	56	受託計算サービス業、計算センター、タイムシェアリングサービス業、マシンタイムサービス業、データエントリー業、パンチサービス業、データベースサービス業、市場調査業及び世論調査業を営むもの	8.8	48	246	679	662	640
	インターネット附随サービス業		57	インターネットを通じて、情報の提供や、サーバ等の機能を利用させるサービスを提供するもの、音楽、映像等を配信する事業を行うもの及びインターネットを利用する上で必要なサポートサービスを提供するもの	6.7	37	207	618	577	576
	映像・音声・文字情報制作業		58	映画、ビデオ又はテレビジョン番組の制作・配給を行うもの、レコード又はラジオ番組の制作を行うもの、新聞の発行又は書籍、定期刊行物等の出版を行うもの並びにこれらに附帯するサービスの提供を行うもの	4.3	41	286	506	531	585
	その他の情報通信業		59	情報通信業のうち、54から58に該当するもの以外のもの	11.6	61	612	696	663	652

(注)　「A（株価）」は、業種目ごとに令和6年分の標本会社の株価を基に計算しているので、標本会社が令和5年分のものと異なる業種目などについては、令和5年11月分及び12月分の金額は、令和5年分の評価に適用する令和5年11月分及び12月分の金額とは異なることに留意してください。また、令和5年平均及び課税時期の属する月以前2年間の平均株価についても、令和6年分の標本会社を基に計算しています。

類似業種比準価額計算上の業種目及び業種目別株価等（令和６年分）

（単位：円）

業　種　目			番号	A（株価）【上段：各月の株価、下段：課税時期の属する月以前２年間の平均株価】											
大　分　類				令和6年1月分	2月分	3月分	4月分	5月分	6月分	7月分	8月分	9月分	10月分	11月分	12月分
	中　分　類														
		小　分　類													
電気・ガス・熱供給・水道業			52	478 / 569	488 / 571	553 / 575	526 / 580	528 / 584	560 / 590	549 / 594	520 / 596				
情　報　通　信　業			53	742 / 706	756 / 710	776 / 714	736 / 716	724 / 718	734 / 721	769 / 725	729 / 726				
	情　報　サ　ー　ビ　ス　業		54	821 / 765	836 / 771	853 / 777	810 / 780	794 / 783	799 / 787	841 / 792	798 / 794				
		ソ フ ト ウ ェ ア 業	55	863 / 788	881 / 796	902 / 804	857 / 809	839 / 814	843 / 819	890 / 826	845 / 828				
		情報処理・提供サービス業	56	673 / 682	683 / 682	681 / 680	645 / 677	623 / 675	628 / 675	649 / 674	606 / 669				
	インターネット附随サービス業		57	612 / 629	630 / 629	668 / 630	627 / 627	630 / 628	655 / 630	679 / 632	634 / 631				
	映像・音声・文字情報制作業		58	621 / 500	611 / 506	577 / 511	534 / 513	505 / 515	497 / 517	522 / 520	550 / 522				
	その他の情報通信業		59	688 / 677	695 / 680	706 / 683	693 / 684	678 / 685	671 / 686	703 / 688	667 / 688				

類似業種比準価額計算上の業種目及び業種目別株価等(令和6年分)

(単位:円)

業　　　種　　　目				B [配当金額]	C [利益金額]	D [簿価純資産価額]	A（株価）		
大　分　類		番号	内　　　　　容				令和5年平均	5 年11月分	5 年12月分
中　分　類									
小　分　類									
運 輸 業 ， 郵 便 業		60		7.7	62	465	305	322	331
	道 路 貨 物 運 送 業	61	自動車等により貨物の運送を行うもの	6.3	48	411	291	308	313
	水　　　運　　　業	62	海洋、沿海、港湾、河川、湖沼において船舶により旅客又は貨物の運送を行うもの（港湾において、はしけによって貨物の運送を行うものを除く）	19.9	166	576	335	358	387
	運輸に附帯するサービス業	63	港湾運送業、貨物運送取扱業（集配利用運送業を除く）、運送代理店、こん包業及び運輸施設提供業等を営むもの	5.6	44	488	262	267	276
	その他の運輸業，郵便業	64	運輸業，郵便業のうち、61から63に該当するもの以外のもの	5.1	43	449	345	368	373

(注)　「A（株価）」は、業種目ごとに令和6年分の標本会社の株価を基に計算しているので、標本会社が令和5年分のものと異なる業種目などについては、令和5年11月分及び12月分の金額は、令和5年分の評価に適用する令和5年11月分及び12月分の金額とは異なることに留意してください。また、令和5年平均及び課税時期の属する月以前2年間の平均株価についても、令和6年分の標本会社を基に計算しています。

類似業種比準価額計算上の業種目及び業種目別株価等（令和6年分）

類似業種比準価額計算上の業種目及び業種目別株価等(令和6年分)

(単位:円)

業種目			番号	A（株価）【上段：各月の株価、下段：課税時期の属する月以前2年間の平均株価】											
大分類				令和6年1月分	2月分	3月分	4月分	5月分	6月分	7月分	8月分	9月分	10月分	11月分	12月分
	中分類														
		小分類														
運輸業，郵便業			60	352	355	359	358	372	380	385	364				
				292	296	299	303	307	312	317	320				
	道路貨物運送業		61	333	329	341	359	394	417	426	408				
				276	279	283	287	293	300	307	313				
	水運業		62	445	448	437	410	437	431	434	413				
				328	334	339	343	349	352	357	360				
	運輸に附帯するサービス業		63	287	293	294	293	290	290	292	270				
				251	253	256	258	260	263	265	267				
	その他の運輸業，郵便業		64	387	394	396	391	392	393	398	376				
				329	333	337	341	345	349	353	355				

—1537—

類似業種比準価額計算上の業種目及び業種目別株価等（令和6年分）

類似業種比準価額計算上の業種目及び業種目別株価等(令和6年分)

(単位:円)

業　種　目 大分類		番号	内　　　容	B〔配当金額〕	C〔利益金額〕	D〔簿価純資産価額〕	A（株価）		
中分類 小分類							令和5年平均	5年11月分	5年12月分
卸　　売　　業		65		*9.1*	*57*	*442*	*399*	*421*	*425*
各 種 商 品 卸 売 業		66	各種商品の仕入卸売を行うもの。例えば、総合商社、貿易商社など	15.5	92	535	494	560	546
繊 維・衣 服 等 卸 売 業		67	繊維品及び衣服・身の回り品の仕入卸売を行うもの	6.9	26	518	247	270	274
飲 食 料 品 卸 売 業		68		4.8	40	333	353	407	405
	農畜産物・水産物卸売業	69	米麦、雑穀・豆類、野菜、果実、食肉及び生鮮魚介等の卸売を行うもの	3.0	28	263	196	208	209
	食 料・飲 料 卸 売 業	70	砂糖・味そ・しょう油、酒類、乾物、菓子・パン類、飲料、茶類及び牛乳・乳製品等の卸売を行うもの	6.5	52	400	502	596	591
建築材料, 鉱物・金属材料等卸売業		71		10.9	70	536	377	393	408
	化 学 製 品 卸 売 業	72	塗料、プラスチック及びその他の化学製品の卸売を行うもの	14.1	78	665	459	470	486
	その他の建築材料, 鉱物・金属材料等卸売業	73	建築材料, 鉱物・金属材料等卸売業のうち、72に該当するもの以外のもの	10.2	68	507	358	375	391

(注)　「A（株価）」は、業種目ごとに令和6年分の標本会社の株価を基に計算しているので、標本会社が令和5年分のものと異なる業種目などについては、令和5年11月分及び12月分の金額は、令和5年分の評価に適用する令和5年11月分及び12月分の金額とは異なることに留意してください。また、令和5年平均及び課税時期の属する月以前2年間の平均株価についても、令和6年分の標本会社を基に計算しています。

類似業種比準価額計算上の業種目及び業種目別株価等(令和6年分)

（単位：円）

業　種　目			番号	A（株価）【上段：各月の株価、下段：課税時期の属する月以前2年間の平均株価】											
大分類	中分類	小分類		令和6年1月分	2月分	3月分	4月分	5月分	6月分	7月分	8月分	9月分	10月分	11月分	12月分
卸　売　業			65	448 376	461 381	479 387	470 392	463 398	461 403	472 408	429 412				
	各種商品卸売業		66	601 433	640 446	691 460	709 475	720 490	694 504	705 520	609 531				
	繊維・衣服等卸売業		67	285 235	297 238	301 241	311 245	316 249	321 253	333 258	297 261				
	飲食料品卸売業		68	416 338	415 342	419 346	413 351	405 355	411 360	421 364	385 366				
		農畜産物・水産物卸売業	69	213 188	213 190	213 192	212 194	214 195	218 197	220 198	209 199				
		食料・飲料卸売業	70	609 480	607 487	616 493	603 500	588 508	593 515	612 522	553 525				
	建築材料, 鉱物・金属材料等卸売業		71	443 359	469 364	504 371	474 377	476 384	471 390	472 396	423 400				
		化学製品卸売業	72	522 435	541 440	549 446	567 454	588 462	598 471	613 480	563 487				
		その他の建築材料, 鉱物・金属材料等卸売業	73	425 342	453 347	493 354	453 360	450 366	442 372	440 377	391 380				

類似業種比準価額計算上の業種目及び業種目別株価等（令和6年分）

類似業種比準価額計算上の業種目及び業種目別株価等(令和6年分)

(単位:円)

業　　種　　目					B 配当金額	C 利益金額	D 簿価純資産価額	A（株価）		
大　分　類			番号	内　　　　容				令和5年平均	5年11月分	5年12月分
	中　分　類									
		小　分　類								
(卸売業)										
機械器具卸売業			74		10.8	64	473	458	475	481
	産業機械器具卸売業		75	農業用機械器具、建設機械・鉱山機械、金属加工機械及び事務用機械器具等の卸売を行うもの	8.6	56	464	447	474	482
	電気機械器具卸売業		76		12.0	69	481	472	473	475
	その他の機械器具卸売業		77	機械器具卸売業のうち、75及び76に該当するもの以外のもの	12.1	67	470	446	478	492
その他の卸売業			78	卸売業のうち、66から77に該当するもの以外のもの	7.0	48	342	370	374	373

(注)　「A（株価）」は、業種目ごとに令和6年分の標本会社の株価を基に計算しているので、標本会社が令和5年分のものと異なる業種目などについては、令和5年11月分及び12月分の金額は、令和5年分の評価に適用する令和5年11月分及び12月分の金額とは異なることに留意してください。また、令和5年平均及び課税時期の属する月以前2年間の平均株価についても、令和6年分の標本会社を基に計算しています。

類似業種比準価額計算上の業種目及び業種目別株価等（令和6年分）

類似業種比準価額計算上の業種目及び業種目別株価等(令和6年分)

(単位：円)

業　種　目			A（株価）【上段：各月の株価、下段：課税時期の属する月以前2年間の平均株価】											
大　分　類		番号	令和6年1月分	2月分	3月分	4月分	5月分	6月分	7月分	8月分	9月分	10月分	11月分	12月分
中　分　類														
小　分　類														
(卸 売 業)														
機 械 器 具 卸 売 業		74	508 430	526 435	547 442	539 448	521 454	520 460	538 466	489 470				
	産業機械器具卸売業	75	516 424	534 430	566 437	571 445	553 452	557 459	563 467	531 472				
	電気機械器具卸売業	76	498 434	512 439	528 446	510 452	490 457	485 462	520 468	450 470				
	その他の機械器具卸売業	77	518 430	540 435	555 441	543 446	531 451	529 456	529 460	499 464				
そ の 他 の 卸 売 業		78	382 349	380 352	380 355	382 358	379 361	376 364	385 366	360 368				

類似業種比準価額計算上の業種目及び業種目別株価等(令和6年分)

(単位：円)

業　　種　　目			番号	内　　　　　容	B 配当金額	C 利益金額	D 簿価純資産価額	A（株価）		
大分類	中分類	小分類						令和5年平均	5年11月分	5年12月分
小　　売　　業			79		6.8	43	310	456	469	477
	各種商品小売業		80	百貨店、デパートメントストア、総合スーパーなど、衣・食・住にわたる各種の商品の小売を行うもの	3.5	26	288	280	284	283
	織物・衣服・身の回り品小売業		81	呉服、服地、衣服、靴、帽子、洋品雑貨及び小間物等の商品の小売を行うもの	9.5	66	351	738	736	759
	飲食料品小売業		82		5.5	33	286	355	374	379
	機械器具小売業		83	自動車、自転車、電気機械器具など（それぞれの中古品を含む）及びその部分品、附属品の小売を行うもの	8.5	54	337	339	337	336
	その他の小売業		84		7.5	45	345	540	577	595
		医薬品・化粧品小売業	85	医薬品小売業、調剤薬局及び化粧品小売業等を営むもの	7.6	58	395	756	814	836
		その他の小売業	86	小売業（無店舗小売業を除く）のうち、80から83及び85に該当するもの以外のもの	7.5	40	329	458	484	500
	無店舗小売業		87	店舗を持たず、カタログや新聞・雑誌・テレビジョン・ラジオ・インターネット等で広告を行い、通信手段によって個人からの注文を受け商品を販売するもの、家庭等を訪問し個人への物品販売又は販売契約をするもの、自動販売機によって物品を販売するもの及びその他の店舗を持たないで小売を行うもの	4.0	30	191	356	336	326

(注)　「A（株価）」は、業種目ごとに令和6年分の標本会社の株価を基に計算しているので、標本会社が令和5年分のものと異なる業種目などについては、令和5年11月分及び12月分の金額は、令和5年分の評価に適用する令和5年11月分及び12月分の金額とは異なることに留意してください。また、令和5年平均及び課税時期の属する月以前2年間の平均株価についても、令和6年分の標本会社を基に計算しています。

類似業種比準価額計算上の業種目及び業種目別株価等(令和6年分)

(単位:円)

業種目			番号	A（株価）【上段：各月の株価、下段：課税時期の属する月以前2年間の平均株価】											
大分類	中分類	小分類		令和6年1月分	2月分	3月分	4月分	5月分	6月分	7月分	8月分	9月分	10月分	11月分	12月分
小　売　業			79	486 439	490 442	505 446	495 450	489 454	495 457	504 461	500 464				
	各種商品小売業		80	289 269	295 271	297 273	305 275	302 278	312 281	323 283	306 285				
	織物・衣服・身の回り品小売業		81	739 688	743 695	763 702	731 707	722 712	719 715	722 717	737 718				
	飲食料品小売業		82	408 344	427 348	440 353	437 357	434 362	445 367	448 372	441 376				
	機械器具小売業		83	348 336	348 337	354 339	360 341	362 343	369 344	381 346	366 346				
	その他の小売業		84	602 522	601 526	625 531	610 536	596 542	602 548	615 554	616 558				
		医薬品・化粧品小売業	85	830 736	815 740	838 745	796 750	780 756	765 762	759 765	763 766				
		その他の小売業	86	514 441	516 444	540 448	536 454	522 460	539 465	560 472	560 478				
	無店舗小売業		87	334 345	335 345	344 346	329 345	331 345	334 346	340 346	327 345				

類似業種比準価額計算上の業種目及び業種目別株価等（令和６年分）

類似業種比準価額計算上の業種目及び業種目別株価等(令和6年分)

（単位：円）

業種目				番号	内容	B 配当金額	C 利益金額	D 簿価純資産価額	A（株価）		
大分類	中分類	小分類							令和5年平均	5年11月分	5年12月分
金融業，保険業				88		5.7	35	266	266	289	289
	銀行業			89		2.7	18	247	92	105	103
	金融商品取引業，商品先物取引業			90	金融商品取引業、商品先物取引業及び商品投資顧問業等を営むもの（金融商品取引所及び商品取引所を除く）	7.5	59	292	312	345	351
	その他の金融業，保険業			91	金融業，保険業のうち、89及び90に該当するもの以外のもの	10.3	50	283	585	616	618
不動産業，物品賃貸業				92		7.5	48	314	363	379	389
	不動産取引業			93	不動産の売買、交換又は不動産の売買、貸借、交換の代理若しくは仲介を行うもの	6.5	47	262	265	280	275
	不動産賃貸業・管理業			94	不動産の賃貸又は管理を行うもの	8.0	42	331	455	471	491
	物品賃貸業			95	産業用機械器具、事務用機械器具、自動車、スポーツ・娯楽用品及び映画・演劇用品等の物品の賃貸を行うもの	10.4	65	422	519	532	558

(注)　「A（株価）」は、業種目ごとに令和６年分の標本会社の株価を基に計算しているので、標本会社が令和５年分のものと異なる業種目などについては、令和５年11月分及び12月分の金額は、令和５年分の評価に適用する令和５年11月分及び12月分の金額とは異なることに留意してください。また、令和５年平均及び課税時期の属する月以前２年間の平均株価についても、令和６年分の標本会社を基に計算しています。

-1544-

類似業種比準価額計算上の業種目及び業種目別株価等（令和6年分）

類似業種比準価額計算上の業種目及び業種目別株価等(令和6年分)

(単位：円)

業　種　目 大　分　類 中　分　類 小　分　類	番号	A（株価）【上段：各月の株価、下段：課税時期の属する月以前2年間の平均株価】

大分類 / 中分類 / 小分類	番号	令和6年1月分	2月分	3月分	4月分	5月分	6月分	7月分	8月分	9月分	10月分	11月分	12月分
金融業，保険業	88	304 249	319 253	341 258	338 263	339 269	349 274	370 280	337 285				
銀行業	89	106 83	109 85	120 87	119 89	125 91	128 94	131 96	120 98				
金融商品取引業，商品先物取引業	90	380 291	398 297	424 304	426 311	430 319	447 327	499 337	448 344				
その他の金融業，保険業	91	645 556	681 563	722 572	711 581	697 590	715 600	744 611	687 617				
不動産業，物品賃貸業	92	400 347	400 350	403 354	407 358	413 362	419 366	424 370	396 373				
不動産取引業	93	286 254	286 256	292 259	301 261	301 264	302 267	311 270	286 272				
不動産賃貸業・管理業	94	499 433	504 438	501 442	500 446	535 452	563 459	555 466	530 470				
物品賃貸業	95	573 492	564 496	557 501	551 505	535 509	526 513	542 516	497 518				

—1545—

類似業種比準価額計算上の業種目及び業種目別株価等（令和6年分）

類似業種比準価額計算上の業種目及び業種目別株価等(令和6年分)

（単位：円）

業　　種　　目					B 配当金額	C 利益金額	D 簿価純資産価額	A（株価）		
大　分　類			番号	内　　　　容				令和5年平均	5年11月分	5年12月分
	中　分　類									
		小　分　類								
専門・技術サービス業			96		6.6	42	212	456	420	424
	専門サービス業		97	法務に関する事務、助言、相談、その他の法律的サービス、財務及び会計に関する監査、調査、相談のサービス、税務に関する書類の作成、相談のサービス及び他に分類されない自由業的、専門的なサービスを提供するもの（純粋持株会社を除く）	10.8	52	227	805	725	737
	広　　告　　業		98	依頼人のために広告に係る総合的なサービスを提供するもの及び広告媒体のスペース又は時間を当該広告媒体企業と契約し、依頼人のために広告を行うもの	6.0	48	217	416	380	374
宿泊業，飲食サービス業			99		3.4	25	165	514	563	561
	飲　　食　　店		100		3.4	22	150	521	585	583
		食堂，レストラン（専門料理店を除く）	101	主食となる各種の料理品をその場所で提供するもの（専門料理店、そば・うどん店、すし店など特定の料理をその場所で飲食させるものを除く）	1.1	14	80	290	317	330
		専門料理店	102	日本料理店（そば・うどん店、すし店を除く）、料亭、中華料理店、ラーメン店及び焼肉店等を営むもの	5.0	28	174	664	750	747
		その他の飲食店	103	飲食店のうち、101及び102に該当するもの以外のもの。例えば、そば・うどん店、すし店、酒場・ビヤホール、バー、キャバレー、ナイトクラブ、喫茶店など	2.6	17	149	449	504	497
	その他の宿泊業，飲食サービス業		104	宿泊業，飲食サービス業のうち、100から103に該当するもの以外のもの	3.5	36	223	490	482	479

（注）　「A（株価）」は、業種目ごとに令和6年分の標本会社の株価を基に計算しているので、標本会社が令和5年分のものと異なる業種目などについては、令和5年11月分及び12月分の金額は、令和5年分の評価に適用する令和5年11月分及び12月分の金額とは異なることに留意してください。また、令和5年平均及び課税時期の属する月以前2年間の平均株価についても、令和6年分の標本会社を基に計算しています。

－1546－

類似業種比準価額計算上の業種目及び業種目別株価等（令和6年分）

類似業種比準価額計算上の業種目及び業種目別株価等（令和6年分）

（単位：円）

業種目 大分類 / 中分類 / 小分類			番号	A（株価）【上段：各月の株価、下段：課税時期の属する月以前2年間の平均株価】											
				令和6年1月分	2月分	3月分	4月分	5月分	6月分	7月分	8月分	9月分	10月分	11月分	12月分
専門・技術サービス業			96	441 478	467 476	479 475	460 471	448 469	445 468	452 466	409 462				
	専門サービス業		97	767 866	826 859	830 854	767 842	730 833	728 828	743 823	650 810				
	広告業		98	374 438	387 435	399 432	393 428	384 425	380 422	382 418	357 413				
宿泊業，飲食サービス業			99	609 476	614 484	622 493	623 502	604 510	599 518	600 525	570 531				
	飲食店		100	639 477	642 487	651 497	654 508	635 518	634 527	634 536	606 543				
		食堂，レストラン（専門料理店を除く）	101	342 257	336 262	327 267	331 272	334 277	335 282	333 287	314 291				
		専門料理店	102	840 601	846 616	863 631	876 647	831 661	830 675	827 688	783 698				
		その他の飲食店	103	529 424	533 430	539 436	531 443	530 449	529 455	533 461	521 466				
	その他の宿泊業，飲食サービス業		104	498 471	513 474	516 478	508 481	493 484	475 485	479 487	439 486				

—1547—

類似業種比準価額計算上の業種目及び業種目別株価等（令和６年分）

類似業種比準価額計算上の業種目及び業種目別株価等(令和６年分)

(単位:円)

業　　種　　目				B 配当金額	C 利益金額	D 簿価純資産価額	A（株価）		
大分類 中分類 小分類	番号	内　　　容					令和5年平均	5 年 11月分	5 年 12月分
生活関連サービス業, 娯楽業	105			6.7	46	303	904	871	876
生活関連サービス業	106	個人に対して身の回りの清潔を保持するためのサービスを提供するもの及び個人を対象としてサービスを提供するもののうち他に分類されないもの。例えば、洗濯業、理容業、美容業及び浴場業並びに旅行業、家事サービス業、衣服裁縫修理業など		4.5	36	227	434	427	428
娯　楽　業	107	映画、演劇その他の興行及び娯楽を提供し、又は休養を与えるもの並びにこれに附帯するサービスを提供するもの		9.8	61	413	1,586	1,514	1,526
教　育，学　習　支　援　業	108			9.5	42	218	523	488	470
医　療，福　祉	109	保健衛生、社会保険、社会福祉及び介護に関するサービスを提供するもの（医療法人を除く）		7.5	48	257	601	556	555
サービス業(他に分類されないもの)	110			16.2	91	417	1,019	994	1,043
職業紹介・労働者派遣業	111	労働者に職業をあっせんするもの及び労働者派遣業を営むもの		15.6	105	405	1,198	1,226	1,260
その他の事業サービス業	112	サービス業（他に分類されないもの）のうち、111に該当するもの以外のもの		16.6	82	425	894	833	891
そ　の　他　の　産　業	113	1から112に該当するもの以外のもの		8.0	46	348	473	482	487

(注)　「Ａ（株価）」は、業種目ごとに令和６年分の標本会社の株価を基に計算しているので、標本会社が令和５年分のものと異なる業種目などについては、令和５年11月分及び12月分の金額は、令和５年分の評価に適用する令和５年11月分及び12月分の金額とは異なることに留意してください。また、令和５年平均及び課税時期の属する月以前２年間の平均株価についても、令和６年分の標本会社を基に計算しています。

類似業種比準価額計算上の業種目及び業種目別株価等（令和6年分）

（単位：円）

業種目			番号	A（株価）【上段：各月の株価、下段：課税時期の属する月以前2年間の平均株価】											
大分類				令和6年1月分	2月分	3月分	4月分	5月分	6月分	7月分	8月分	9月分	10月分	11月分	12月分
	中分類														
		小分類														
生活関連サービス業, 娯楽業			105	926 881	925 884	927 888	932 891	928 896	947 901	990 909	941 912				
	生活関連サービス業		106	442 419	440 421	438 423	442 425	439 427	449 430	462 433	437 435				
	娯楽業		107	1,627 1,550	1,627 1,556	1,635 1,562	1,644 1,567	1,637 1,575	1,667 1,585	1,755 1,599	1,672 1,604				
教育, 学習支援業			108	473 529	468 527	477 525	456 522	474 521	469 519	463 517	453 512				
医療, 福祉			109	562 608	568 605	563 604	544 601	527 598	520 595	526 592	474 585				
サービス業（他に分類されないもの）			110	1,087 1,037	1,098 1,037	1,109 1,039	1,095 1,040	1,064 1,042	1,050 1,045	1,075 1,048	995 1,043				
	職業紹介・労働者派遣業		111	1,313 1,196	1,353 1,202	1,389 1,212	1,383 1,218	1,296 1,225	1,240 1,232	1,263 1,238	1,117 1,233				
	その他の事業サービス業		112	930 926	921 923	915 920	895 916	902 915	918 916	944 916	911 911				
その他の産業			113	508 457	521 461	536 465	524 469	521 473	526 477	540 482	505 484				

〔参考〕国外財産調書制度

《参考》

○内国税の適正な課税の確保を図るための国外送金等に係る調書の提出等に関する法律〈抜粋〉

第三章　国外財産に係る調書の提出等

（国外財産調書の提出）

第5条　居住者（所得税法第2条第1項第3号に規定する居住者をいい、同項第4号に規定する非永住者を除く。次条第7項において同じ。）は、その年の12月31日においてその価額の合計額が5,000万円を超える国外財産を有する場合には、財務省令で定めるところにより、その者の氏名及び住所又は居所並びに当該国外財産の種類、数量及び価額その他必要な事項を記載した調書（以下「国外財産調書」という。）を、その年の翌年の6月30日までに、次の各号に掲げる者の区分に応じ当該各号に定める場所の所轄税務署長に提出しなければならない。ただし、同日までに当該国外財産調書を提出しないで死亡し、又は同法第2条第1項第42号に規定する出国をしたときは、この限りでない。

一　その年分の所得税の納税義務がある者　その者の所得税の納税地

二　前号に掲げる者以外の者　その者の住所地（国内に住所がないときは、居所地）

②　相続の開始の日の属する年（以下この項、次条及び第6条の2において「相続開始年」という。）の12月31日においてその価額の合計額が5,000万円を超える国外財産を有する相続人（遺贈（贈与をした者の死亡により効力を生ずる贈与を含む。以下同じ。）により財産を取得した者を含む。次条及び第6条の2において同じ。）は、相続開始年の年分の国外財産調書については、その相続又は遺贈により取得した国外財産（次条第3項から第5項までにおいて「相続国外財産」という。）を除外したところにより、前項の規定を適用することができる。この場合において、同項中「国外財産を」とあるのは、「国外財産（次項に規定する相続国外財産（同項に規定する相続開始年に取得したものに限る。）を除く。）を」とする。

③　前項に定めるもののほか、国外財産の所在及び価額に関する事項その他第1項の規定の適用に関し必要な事項は、政令で定める。

（国外財産に係る過少申告加算税又は無申告加算税の特例）

第6条　国外財産に関して生ずる所得で政令で定めるものに対する所得税（以下この条において「国外財産に係る所得税」という。）又は国外財産に対する相続税に関し修正申告書若しくは期限後申告書の提出又は更正若しくは決定（以下この条及び第6条の3において「修正申告等」という。）があり、国税通則法第65条又は第66条の規定の適用がある場合において、提出期限（前条第1項の提出期限をいう。以下この条において同じ。）内に税務署長に提出された国外財産調書に当該修正申告等の基因となる国外財産についての同項の規定による記載があるときは、同法第65条又は第66条の過少申告加算税の額又は無申告加算税の額は、これらの規定にかかわらず、これらの規定により計算した金額から当該過少申告加算税の額又は無申告加算税の額の計算の基礎となるべき税額（その税額の計算の基礎となるべき事実で当該修正申告等の基因となる国外財産に係るもの以外のもの又は隠蔽し、若しくは仮装されたもの〔以下この項において「国外財産に係るもの以外の事実等」という。〕があるときは、当該国外財産に係るもの以外の事実等に基づく税額として政令で定めるところにより計算した金額を控除した税額。第3項において同じ。）に100分の5の割合を乗じて計算した金額を控除した金額とする。

②　前項の国外財産調書は、次の各号に掲げる場合の区分に応じ当該各号に定める国外財産調書とする。

−1550−

〔参考〕国外財産調書制度

一　前項の修正申告等が所得税に関するものである場合　当該修正申告等に係る年分の国外財
　産調書（当該年分のその年の中途において当該修正申告等の基因となる国外財産を有しないこ
　ととなった場合における当該国外財産にあっては、当該年分の前年分の国外財産調書）

二　前項の修正申告等が相続税に関するものである場合　次に掲げる国外財産調書のいずれか

　イ　当該相続税に係る被相続人（遺贈をした者を含む。イ及び第4項第2号イにおいて同じ。）
　　の相続開始年の前年分の国外財産調書（被相続人がその提出期限までに相続開始年の前年分
　　の国外財産調書を提出しないで死亡した場合にあっては、被相続人の相続開始年の前々年分
　　の国外財産調書）

　ロ　当該相続税に係る相続人の相続開始年の年分の国外財産調書

　ハ　当該相続税に係る相続人の相続開始年の翌年分の国外財産調書

③　国外財産に係る所得税又は国外財産に対する相続税に関し修正申告等（死亡した者に係るもの
　を除く。）があり、国税通則法第65条又は第66条の規定の適用がある場合において、次に掲げる
　場合のいずれかに該当するときは、これらの規定の過少申告加算税の額又は無申告加算税の額
　は、これらの規定にかかわらず、これらの規定により計算した金額に、当該過少申告加算税の額
　又は無申告加算税の額の計算の基礎となるべき税額に100分の5の割合を乗じて計算した金額を
　加算した金額とする。

一　前条第1項（同条第2項の規定により読み替えて適用する場合を含む。）の規定により税務
　署長に提出すべき国外財産調書について提出期限内に提出がない場合（当該国外財産調書の提
　出期限の属する年の前年の12月31日において相続国外財産を有する者（その価額の合計額が
　5,000万円を超える国外財産で相続国外財産以外のものを有する者を除く。）の責めに帰すべき
　事由がない場合を除く。）

二　提出期限内に税務署長に提出された国外財産調書に記載すべき当該修正申告等の基因とな
　る国外財産についての記載がない場合（当該国外財産調書に当該修正申告等の基因となる国外
　財産について記載すべき事項のうち重要なものの記載が不十分であると認められる場合を含
　むものとし、当該国外財産調書に記載すべき当該修正申告等の基因となる相続国外財産につい
　ての記載がない場合（当該相続国外財産を有する者の責めに帰すべき事由がない場合に限る。）
　を除く。）

④　前項の国外財産調書は、次の各号に掲げる場合の区分に応じ当該各号に定める国外財産調書と
　する。

一　前項の修正申告等が所得税に関するものである場合　当該修正申告等に係る年分の国外財
　産調書（当該年分のその年の中途において当該修正申告等の基因となる国外財産を有しないこ
　ととなった場合における当該国外財産にあっては当該年分の前年分の国外財産調書とし、当該
　修正申告等の基因となる相続国外財産（相続開始年に取得したものに限る。）にあっては相続
　開始年の年分の国外財産調書を除く。）

二　前項の修正申告等が相続税に関するものである場合　次に掲げる国外財産調書の全て

　イ　当該相続税に係る被相続人の相続開始年の前年分の国外財産調書（被相続人がその提出期
　　限までに相続開始年の前年分の国外財産調書を提出しないで死亡した場合にあっては、被相
　　続人の相続開始年の前々年分の国外財産調書）

　ロ　当該相続税に係る相続人の相続開始年の年分の国外財産調書

　ハ　当該相続税に係る相続人の相続開始年の翌年分の国外財産調書

⑤　第3項の修正申告等が相続税に関するものである場合には、次に掲げる者については、同項の
　規定は、適用しない。

一　当該相続税に係る相続人で前条第1項（同条第2項の規定により読み替えて適用する場合を
　含む。）の規定により税務署長に提出すべき相続開始年の翌年分の国外財産調書がないもの

［参考］国外財産調書制度

二　当該相続税に係る相続人で相続開始年の翌年の12月31日において当該修正申告等の基因となる相続国外財産を有しないもの

⑥　前条第１項（同条第２項の規定により読み替えて適用する場合を含む。）の規定により提出すべき国外財産調書が提出期限後に提出され、かつ、修正申告等があった場合において、当該国外財産調書の提出が、当該国外財産調書に係る国外財産に係る所得税又は国外財産に対する相続税についての調査があったことにより当該国外財産に係る所得税又は国外財産に対する相続税について更正又は決定があるべきことを予知してされたものでないときは、当該国外財産調書は提出期限内に提出されたものとみなして、第１項又は第３項の規定を適用する。

⑦　国外財産に係る所得税又は国外財産に対する相続税に関し修正申告等があり、国税通則法第65条又は第66条の規定の適用がある居住者が、当該修正申告等があった日前に、国税庁、国税局又は税務署の当該職員から第２項又は第４項に規定する国外財産調書に記載すべき国外財産の取得、運用又は処分に係る書類として財務省令で定める書類（その作成又は保存に代えて電磁的記録の作成又は保存がされている場合における当該電磁的記録を含む。）又はその写しの提示又は提出を求められた場合において、その提示又は提出を求められた日から60日を超えない範囲内においてその提示又は提出の準備に通常要する日数を勘案して当該職員が指定する日までにその提示又は提出をしなかったとき（当該居住者の責めに帰すべき事由がない場合を除く。）における第１項又は第３項の規定の適用については、次に定めるところによる。

一　第１項の規定は、適用しない。

二　第３項中「100分の５」とあるのは「100分の10（第１号に掲げる場合に該当することにつき同号の国外財産調書の提出期限の属する年の前年の12月31日において相続国外財産を有する者（その価額の合計額が5,000万円を超える国外財産で相続国外財産以外のものを有する者を除く。）の責めに帰すべき事由がない場合又は第２号に掲げる場合のうち同号の国外財産調書に記載すべき当該修正申告等の基因となる相続国外財産についての記載がない場合（当該相続国外財産を有する者の責めに帰すべき事由がない場合に限る。）には、100分の５）」と、同項第１号中「場合（当該国外財産調書の提出期限の属する年の前年の12月31日において相続国外財産を有する者（その価額の合計額が5,000万円を超える国外財産で相続国外財産以外のものを有する者を除く。）の責めに帰すべき事由がない場合を除く。）」とあるのは「場合」と、同項第２号中「含むものとし、当該国外財産調書に記載すべき当該修正申告等の基因となる相続国外財産についての記載がない場合（当該相続国外財産を有する者の責めに帰すべき事由がない場合に限る。）を除く」とあるのは「含む」とする。

⑧　第２項及び第４項から前項までに定めるもののほか、第１項又は第３項の規定及び国税通則法第68条の規定の適用がある場合の過少申告加算税、無申告加算税及び重加算税の額の計算の基礎となるべき税額の計算その他第１項及び第３項の規定の適用に関し必要な事項は、政令で定める。

第三章の二　財産債務に係る調書の提出等

（財産債務調書の提出）

第６条の２　次に掲げる申告書を提出すべき者又は提出することができる者は、当該申告書に記載すべきその年分の総所得金額（所得税法第22条第２項に規定する総所得金額をいう。次項において同じ。）及び山林所得金額（同条第３項に規定する山林所得金額をいう。次項において同じ。）の合計額が2,000万円を超え、かつ、その年の12月31日においてその価額の合計額が３億円以上の財産又はその価額の合計額が１億円以上の国外転出特例対象財産（同法第60条の２第１項に規定する有価証券等並びに同条第２項に規定する未決済信用取引等及び同条第３項に規定する未決済デリバティブ取引に係る権利をいう。次項及び次条第２項第１号において同じ。）を有する

—1552—

［参考］国外財産調書制度

場合には、財務省令で定めるところにより、その者の氏名、住所又は居所及び個人番号（個人番号を有しない者にあっては、氏名及び住所又は居所）並びにその者が同日において有する財産の種類、数量及び価額並びに債務の金額その他必要な事項を記載した調書（以下「財産債務調書」という。）を、その年の翌年の6月30日までに、その者の所得税の納税地の所轄税務署長に提出しなければならない。ただし、同日までに当該財産債務調書を提出しないで死亡したときは、この限りでない。

一　所得税法第120条第1項（同法第166条において準用する場合を含む。）の規定による申告書（同法第124条第1項（同法第166条において準用する場合を含む。）の規定に該当して提出すべきものを除く。）

二　所得税法第122条第1項（同法第166条において準用する場合を含む。）の規定による申告書（その年分の同法第89条の規定を適用して計算した場合の所得税の額の合計額が配当控除（同法第92条第3項に規定する配当控除をいう。第4号において同じ。）の額を超える場合における当該申告書に限る。）

三　所得税法第127条第1項（同法第166条において準用する場合を含む。）の規定による申告書

四　所得税法第127条第2項（同法第166条において準用する場合を含む。）の規定による申告書（その年の1月1日から同項の出国の時までの間の同法第89条の規定を適用して計算した場合の所得税の額の合計額が配当控除の額を超える場合における当該申告書に限る。）

② 相続開始年の年分の前項各号に掲げる申告書に記載すべき総所得金額及び山林所得金額の合計額が2,000万円を超え、かつ、相続開始年の12月31日においてその価額の合計額が3億円以上の財産又はその価額の合計額が1億円以上の国外転出特例対象財産を有する相続人は、相続開始年の年分の財産債務調書については、その相続又は遺贈により取得した財産又は債務（第4項及び次条第2項において「相続財産債務」という。）を除外したところにより、前項の規定を適用することができる。この場合において、同項中「の財産」とあるのは「の財産（相続又は遺贈により取得した財産（相続開始年に取得したものに限る。以下この項において同じ。）を除く。）」と、「権利をいう。次項及び次条第2項第1号において同じ」とあるのは「権利をいい、相続又は遺贈により取得した財産を除く」とする。

③ 所得税法第2条第1項第3号に規定する居住者（第1項（前項の規定により読み替えて適用する場合を含む。以下この項において同じ。）の規定により財産債務調書を提出すべき者を除く。）は、その年の12月31日においてその価額の合計額が10億円以上の財産を有する場合には、第1項の規定にかかわらず、財務省令で定めるところにより、財産債務調書を、その年の翌年の6月30日までに、次の各号に掲げる者の区分に応じ当該各号に定める場所の所轄税務署長に提出しなければならない。この場合においては、同項ただし書の規定を準用する。

一　その年分の所得税の納税義務がある者　その者の所得税の納税地

二　前号に掲げる者以外の者　その者の住所地（国内に住所がないときは、居所地）

④ 相続開始年の12月31日においてその価額の合計額が10億円以上の財産を有する相続人は、相続開始年の年分の財産債務調書については、相続財産債務を除外したところにより、前項の規定を適用することができる。この場合において、同項中「の財産」とあるのは、「の財産（相続又は遺贈により取得した財産（相続開始年に取得したものに限る。）を除く。）」とする。

⑤ 第5条第1項（同条第2項の規定により読み替えて適用する場合を含む。）の規定の適用がある場合における国外財産に係る財産債務調書に記載すべき事項（当該国外財産の価額を除く。）については、第1項（第2項の規定により読み替えて適用する場合を含む。）又は第3項（前項の規定により読み替えて適用する場合を含む。）の規定にかかわらず、当該財産債務調書への記載を要しないものとする。

⑥ 第2項及び前2項に定めるもののほか、財産の所在及び価額に関する事項その他第1項又は第

－1553－

［参考］国外財産調書制度

3項の規定の適用に関し必要な事項は、政令で定める。

（財産債務に係る過少申告加算税又は無申告加算税の特例）

第6条の3　第6条第1項及び第2項の規定は、財産（前条第5項の規定により財産債務調書への記載を要しない国外財産を除く。以下この項及び次項第3号において同じ。）若しくは債務に関して生ずる所得で政令で定めるものに対する所得税（次項において「財産債務に係る所得税」という。）又は財産に対する相続税に関し修正申告等があり、国税通則法第65条又は第66条の規定の適用がある場合において、提出期限（前条第1項又は第3項の提出期限をいう。次項において同じ。）内に税務署長に提出された財産債務調書に当該修正申告等の基因となる財産又は債務についての前条第1項又は第3項の規定による記載があるときについて準用する。

②　第6条第3項及び第4項（第1号に係る部分に限る。）の規定は、財産債務に係る所得税に関し修正申告等（死亡した者に係るものを除く。）があり、国税通則法第65条又は第66条の規定の適用がある場合において、次に掲げる場合のいずれかに該当するときについて準用する。

一　前条第1項（同条第2項の規定により読み替えて適用する場合を含む。）の規定により税務署長に提出すべき財産債務調書について提出期限内に提出がない場合（当該財産債務調書の提出期限の属する年の前年の12月31日において相続財産債務を有する者（その価額の合計額が3億円以上の財産で相続若しくは遺贈により取得した財産以外のもの又はその価額の合計額が1億円以上の国外転出特例対象財産で相続若しくは遺贈により取得した財産以外のものを有する者を除く。）の責めに帰すべき事由がない場合を除く。）

二　前条第3項（同条第4項の規定により読み替えて適用する場合を含む。）の規定により税務署長に提出すべき財産債務調書について提出期限内に提出がない場合（当該財産債務調書の提出期限の属する年の前年の12月31日において相続財産債務を有する者（その価額の合計額が10億円以上の財産で相続又は遺贈により取得した財産以外のものを有する者を除く。）の責めに帰すべき事由がない場合を除く。）

三　提出期限内に税務署長に提出された財産債務調書に記載すべき当該修正申告等の基因となる財産又は債務についての記載がない場合（当該財産債務調書に当該修正申告等の基因となる財産又は債務について記載すべき事項のうち重要なものの記載が不十分であると認められる場合を含むものとし、当該財産債務調書に記載すべき当該修正申告等の基因となる相続財産債務についての記載がない場合（当該相続財産債務を有する者の責めに帰すべき事由がない場合に限る。）を除く。）

③　第6条第6項及び第8項の規定は、前2項の規定を適用する場合について準用する。

第五章　罰則

（罰則）

第10条　国外財産調書に偽りの記載をして税務署長に提出したときは、その違反行為をした者は、1年以下の懲役又は50万円以下の罰金に処する。

②　正当な理由がなくて国外財産調書をその提出期限までに税務署長に提出しなかったときは、その違反行為をした者は、1年以下の懲役又は50万円以下の罰金に処する。ただし、情状により、その刑を免除することができる。

〔参考〕国外財産調書制度

○内国税の適正な課税の確保を図るための国外送金等に係る調書の提出等に関する法律施行令

〈抜粋〉

第三章　国外財産に係る調書の提出等

（国外財産調書の提出に関し必要な事項）

第10条　法第５条第１項の国外財産の所在については、相続税法第10条第１項及び第２項の規定の定めるところによる。

② 　相続税法第10条第１項第８号に掲げる社債、株式、出資又は有価証券その他財務省令で定める財産（以下この項において「有価証券等」という。）が、金融商品取引業者等（第４条第１項第４号に掲げる金融商品取引業者、金融商品取引法第２条第11項に規定する登録金融機関又は投資信託及び投資法人に関する法律（昭和26年法律第198号）第２条第11項に規定する投資信託委託会社をいい、外国においてこれらの者が行う業務と同種類の業務を行う者を含む。以下この項において同じ。）の営業所又は事務所に開設された口座に係る振替口座簿（社債、株式等の振替に関する法律（平成13年法律第75号）に規定する振替口座簿をいい、外国におけるこれに類するものを含む。）に記載若しくは記録がされ、又は当該口座に保管の委託がされているものである場合には、当該有価証券等の所在については、前項の規定にかかわらず、当該口座が開設された金融商品取引業者等の営業所又は事務所の所在による。

③ 　前項の規定による国外財産の所在の判定は、法第５条第１項に規定するその年の12月31日（次項及び第５項において「その年の12月31日」という。）における現況による。

④ 　法第５条第１項の国外財産の価額は、当該国外財産のその年の12月31日における時価又は時価に準ずるものとして財務省令で定める価額による。

⑤ 　前項の規定による国外財産の価額が外国通貨で表示される場合における当該国外財産の価額の本邦通貨への換算は、その年の12月31日における外国為替の売買相場により行うものとする。

⑥ 　相続又は包括遺贈により取得した国外財産について国外財産調書（法第５条第１項に規定する国外財産調書をいう。以下同じ。）を提出する場合において、当該相続又は包括遺贈により取得した国外財産の全部又は一部が共同相続人又は包括受遺者によってまだ分割されていないときは、その分割されていない国外財産については、各共同相続人又は包括受遺者が民法（第904条の２を除く。）の規定による相続分又は包括遺贈の割合に従って当該国外財産を取得したものとしてその価額を計算するものとする。

⑦ 　前各項に定めるもののほか、国外財産の所在及び国外財産調書の書式その他国外財産調書の提出に係る手続に関し必要な事項は、財務省令で定める。

（国外財産に係る過少申告加算税又は無申告加算税の特例の対象となる所得の範囲等）

第11条　法第６条第１項に規定する国外財産に関して生ずる所得で政令で定めるものは、次に掲げる所得とする。

一　国外財産から生ずる所得税法第23条第１項に規定する利子所得

二　国外財産から生ずる所得税法第24条第１項に規定する配当所得

三　国外財産の貸付けによる所得

四　国外財産の譲渡による所得

五　前各号に掲げるもののほか、国外財産に基因して生ずる所得で財務省令で定めるもの

② 　法第６条第１項に規定する国外財産に係るもの以外の事実等に基づく税額として政令で定めるところにより計算した金額は、国税通則法第65条又は第66条の過少申告加算税の額又は無申告加算税の額の計算の基礎となるべき税額（以下この条、次条第２項及び第12条の３第５項において「過少申告加算税等基礎税額」という。）のうち次の各号に掲げる場合（次項から第６項まで

－1555－

〔参考〕国外財産調書制度

又は第12条の3第5項の規定の適用がある場合を除く。）の区分に応じ当該各号に定める税額の
合計額とする。

一　法第6条第1項に規定する税額の計算の基礎となるべき事実（以下第4項まで並びに第12条
の3第3項及び第5項第1号において「税額の計算の基礎となるべき事実」という。）で法第
6条第1項に規定する国外財産に係るもの以外の事実（国税通則法第68条第1項又は第2項
（これらの規定が同条第4項の規定により適用される場合を含む。）に規定する隠蔽し、又は
仮装されていない事実（以下この条並びに第12条の3第3項及び第5項において「隠蔽仮装さ
れていない事実」という。）に係るものに限る。以下この号及び次項において「国外財産に係
るもの以外の事実」という。）がある場合　当該国外財産に係るもの以外の事実のみに基づい
て修正申告等（法第6条第1項に規定する修正申告等をいう。以下この条、次条及び第12条の
3第5項において同じ。）があったものとした場合における当該修正申告等に基づき国税通則
法第35条第2項の規定により納付すべき税額

二　税額の計算の基礎となるべき事実で隠蔽し、又は仮装された事実（次項、第4項第2号及び
第12条の3第5項第2号において「隠蔽仮装された事実」という。）がある場合　国税通則法
第68条第1項、第2項又は第4項（同条第1項又は第2項の重加算税に係る部分に限る。次条
第2項において同じ。）の規定により過少申告加算税又は無申告加算税に代えて重加算税を課
する場合における当該過少申告加算税又は無申告加算税の額の計算の基礎となるべき税額

③　100分の5控除特例規定、100分の5加算特例規定又は100分の10加算特例規定の適用がある場
合において、税額の計算の基礎となるべき事実で100分の5控除特例規定、100分の5加算特例規
定又は100分の10加算特例規定の適用がある国外財産以外の国外財産に係る事実（隠蔽仮装され
ていない事実に係るものに限る。以下この項において「特例適用国外財産以外の国外財産に係る
事実」という。）があるとき（次項から第6項まで又は第12条の3第5項の規定の適用がある場
合を除く。）は、過少申告加算税等基礎税額（隠蔽仮装された事実があるときは、当該隠蔽仮装
された事実に基づく税額として前項第2号の規定に準じて計算した金額を控除した税額）から当
該特例適用国外財産以外の国外財産に係る事実のみに基づいて修正申告等があったものとした
場合における当該修正申告等に基づき国税通則法第35条第2項の規定により納付すべき税額（国
外財産に係るもの以外の事実があるときは、当該特例適用国外財産以外の国外財産に係る事実及
び当該国外財産に係るもの以外の事実のみに基づいて修正申告等があったものとした場合にお
ける当該修正申告等に基づき同項の規定により納付すべき税額）を控除した税額を100分の5控
除特例適用対象税額、100分の5加算特例適用対象税額又は100分の10加算特例適用対象税額とす
る。

④　100分の5控除特例規定の適用があり、かつ、100分の5加算特例規定又は100分の10加算特例
規定の適用がある場合（第6項又は第12条の3第5項の規定の適用がある場合を除く。）には、
まず、100分の5加算特例規定又は100分の10加算特例規定の適用がある国外財産に係る事実（隠
蔽仮装されていない事実に係るものに限る。以下この項において「加算特例適用国外財産に係る
事実」という。）のみに基づいて修正申告等があったものとした場合における当該修正申告等に
基づき国税通則法第35条第2項の規定により納付すべき税額（第1号に掲げる事実があるとき
は、加算特例適用国外財産に係る事実及び同号に掲げる事実のみに基づいて修正申告等があった
ものとした場合における当該修正申告等に基づき同項の規定により納付すべき税額から同号に
定める税額を控除した税額）を加算特例適用対象税額とし、次に、過少申告加算税等基礎税額（次
の各号に掲げる事実があるときは、当該各号に定める税額の合計額を控除した税額）から当該加
算特例適用対象税額を控除した税額を100分の5控除特例適用対象税額とする。

一　税額の計算の基礎となるべき事実で100分の5控除特例規定、100分の5加算特例規定又は
100分の10加算特例規定の適用がある国外財産に係るもの以外の事実（隠蔽仮装されていない

-1556-

事実に係るものに限る。以下この号において「特例適用国外財産に係るもの以外の事実」とい
　　う。）　当該特例適用国外財産に係るもの以外の事実のみに基づいて修正申告等があったものと
　　した場合における当該修正申告等に基づき国税通則法第35条第2項の規定により納付すべ
　　き税額
　二　隠蔽仮装された事実　当該隠蔽仮装された事実に基づく税額として第2項第2号の規定に
　　準じて計算した税額
⑤　100分の5加算特例規定の適用があり、かつ、100分の10加算特例規定の適用がある場合（次項
　又は第12条の3第5項の規定の適用がある場合を除く。）には、まず、100分の10加算特例規定の
　適用がある国外財産に係る事実（隠蔽仮装されていない事実に係るものに限る。以下この項、次
　項及び第12条の3第5項において「100分の10加算特例適用国外財産に係る事実」という。）のみ
　に基づいて修正申告等があったものとした場合における当該修正申告等に基づき国税通則法第
　35条第2項の規定により納付すべき税額（前項第1号に掲げる事実があるときは、100分の10加
　算特例適用国外財産に係る事実及び同号に掲げる事実のみに基づいて修正申告等があったもの
　とした場合における当該修正申告等に基づき同条第2項の規定により納付すべき税額から同号
　に定める税額を控除した税額）を100分の10加算特例適用対象税額とし、次に、過少申告加算税
　等基礎税額（前項各号に掲げる事実があるときは、当該各号に定める税額の合計額を控除した税
　額）から当該100分の10加算特例適用対象税額を控除した税額を100分の5加算特例適用対象税額
　とする。
⑥　100分の5控除特例規定、100分の5加算特例規定及び100分の10加算特例規定の適用がある場
　合（第12条の3第5項の規定の適用がある場合を除く。）には、まず、100分の10加算特例適用国
　外財産に係る事実のみに基づいて修正申告等があったものとした場合における当該修正申告等
　に基づき国税通則法第35条第2項の規定により納付すべき税額（第4項第1号に掲げる事実があ
　るときは、100分の10加算特例適用国外財産に係る事実及び同号に掲げる事実のみに基づいて修
　正申告等があったものとした場合における当該修正申告等に基づき同条第2項の規定により納
　付すべき税額から同号に定める税額を控除した税額）を100分の10加算特例適用対象税額とし、
　次に、100分の5加算特例規定の適用がある国外財産に係る事実（隠蔽仮装されていない事実に
　係るものに限る。以下この項及び第12条の3第5項において「100分の5算特例適用国外財産に
　係る事実」という。）及び100分の10加算特例適用国外財産に係る事実のみに基づいて修正申告等
　があったものとした場合における当該修正申告等に基づき同法第35条第2項の規定により納付
　すべき税額から当該100分の10加算特例適用対象税額を控除した税額（同号に掲げる事実がある
　ときは、100分の5加算特例適用国外財産に係る事実、100分の10加算特例適用国外財産に係る事
　実及び同号に掲げる事実のみに基づいて修正申告等があったものとした場合における当該修正
　申告等に基づき同項の規定により納付すべき税額から当該100分の10加算特例適用対象税額及び
　同号に定める税額の合計額を控除した税額）を100分の5加算特例適用対象税額とし、次に、過
　少申告加算税等基礎税額（第4項各号に掲げる事実があるときは、当該各号に定める税額の合計
　額を控除した税額）から当該100分の5加算特例適用対象税額及び当該100分の10加算特例適用対
　象税額の合計額を控除した税額を100分の5控除特例適用対象税額とする。
⑦　この条において、次の各号に掲げる用語の意義は、当該各号に定めるところによる。
　一　100分の5控除特例規定　法第6条第1項の規定をいう。
　二　100分の5加算特例規定　法第6条第3項（同条第7項第2号の規定により読み替えて適用
　　する場合（同号の規定により読み替えられた同条第3項の規定により同項の過少申告加算税の
　　額又は無申告加算税の額の計算の基礎となるべき税額に100分の5の割合を乗じて計算した金
　　額を加算する場合に該当する場合に限る。）を含む。）の規定をいう。
　三　100分の10加算特例規定　法第6条第7項第2号の規定により読み替えられた同条第3項

〔参考〕国外財産調書制度

（同項の規定により同項の過少申告加算税の額又は無申告加算税の額の計算の基礎となるべき税額に100分の10の割合を乗じて計算した金額を加算する場合に該当する場合に限る。）の規定をいう。

四　100分の5控除特例適用対象税額　法第6条第1項に規定する過少申告加算税の額又は無申告加算税の額の計算の基礎となるべき税額をいう。

五　100分の5加算特例適用対象税額　100分の5加算特例規定に規定する過少申告加算税の額又は無申告加算税の額の計算の基礎となるべき税額をいう。

六　100分の10加算特例適用対象税額　100分の10加算特例規定に規定する過少申告加算税の額又は無申告加算税の額の計算の基礎となるべき税額をいう。

七　加算特例適用対象税額　100分の5加算特例適用対象税額又は100分の10加算特例適用対象税額をいう。

（死亡した者に係る修正申告等の場合の国外財産に係る過少申告加算税又は無申告加算税の特例の規定が適用される場合における国外財産調書等の取扱い）

第12条　法第6条第1項に規定する国外財産に係る所得税につき所得税法第124条又は第125条の規定の適用があり、かつ、当該国外財産につき国外財産調書を提出しないで死亡したことにより法第5条第1項ただし書の規定の適用がある場合において、その死亡した者に係る修正申告等があったときにおける法第6条の規定の適用については、次に定めるところによる。

一　法第6条第2項第1号に定める国外財産調書は、当該死亡した者の死亡した日の属する年の前々年分の国外財産調書とする。

二　法第6条第4項第1号に定める国外財産調書は、当該死亡した者の死亡した日の属する年の前々年分の国外財産調書（当該修正申告等の基因となる法第5条第2項に規定する相続国外財産で相続開始年（同項に規定する相続開始年をいう。以下この号において同じ。）に取得したものにあっては、相続開始年の年分の国外財産調書を除く。）とする。

②　法第6条第1項又は第3項（同条第7項第2号の規定により読み替えて適用する場合を含む。以下この条において同じ。）の規定及び国税通則法第68条第1項、第2項又は第4項の規定の適用があり、同条第1項、第2項又は第4項の規定により過少申告加算税又は無申告加算税に代えて重加算税を課する場合において、同法第65条又は第66条の過少申告加算税の額又は無申告加算税の額の計算の基礎となるべき事実（法第6条第1項又は第3項の規定の適用がある国外財産に係る事実を含む。）で隠蔽し、又は仮装されていないものに基づくことが明らかであるものがあるときは、当該重加算税の額の計算の基礎となるべき税額は、過少申告加算税等基礎税額から当該隠蔽し、又は仮装されていない事実のみに基づいて修正申告等があったものとした場合における当該修正申告等に基づき国税通則法第35条第2項の規定により納付すべき税額を控除した税額とする。

③　前2項に定めるもののほか、法第6条第1項又は第3項の規定の適用がある場合における国税通則法第32条第3項に規定する賦課決定通知書の記載事項その他過少申告加算税又は無申告加算税の特例に係る手続に関し必要な事項は、財務省令で定める。

第三章の二　財産債務に係る調書の提出等

（財産債務調書の提出に関し必要な事項）

第12条の2　第10条第1項から第3項までの規定は、法第6条の2第1項及び第3項の財産の所在について準用する。この場合において、第10条第3項中「第5条第1項」とあるのは、「第6条の2第1項又は第3項」と読み替えるものとする。

②　法第6条の2第1項及び第3項の財産の価額は当該財産の同条第1項又は第3項に規定する

その年の12月31日における時価又は時価に準ずるものとして財務省令で定める価額により、同条第1項及び第3項の債務の金額は同日における現況による。

③　第10条第5項の規定は、前項の規定による財産の価額及び債務の金額について準用する。

④　第10条第6項の規定は、相続又は包括遺贈により取得した財産又は承継した債務について財産債務調書（法第6条の2第1項に規定する財産債務調書をいう。以下同じ。）を提出する場合について準用する。

⑤　次の各号に掲げる規定の適用がある場合における法第6条の2第1項及び第2項に規定する総所得金額及び山林所得金額の合計額は、当該合計額に当該各号に定める金額を加算した金額とする。

一　租税特別措置法（昭和32年法律第26号）第8条の4第1項の規定　同項に規定する上場株式等に係る配当所得等の金額（同法第37条の12の2第1項又は第5項の規定の適用がある場合にあっては、これらの規定の適用後の金額）

二　租税特別措置法第28条の4第1項の規定　同項に規定する土地等に係る事業所得等の金額

三　租税特別措置法第31条第1項（同法第31条の2又は第31条の3の規定により適用される場合を含む。以下この号において同じ。）の規定　同項に規定する長期譲渡所得の金額（同法第33条の4第1項、第34条第1項、第34条の2第1項、第34条の3第1項、第35条第1項、第35条の2第1項又は第35条の3第1項の規定により控除される金額がある場合にあっては、当該長期譲渡所得の金額から当該控除される金額を控除した金額）

四　租税特別措置法第32条第1項（同条第2項において準用する場合を含む。以下この号において同じ。）の規定　同条第1項に規定する短期譲渡所得の金額（同法第33条の4第1項、第34条第1項、第34条の2第1項、第34条の3第1項又は第35条第1項の規定により控除される金額がある場合にあっては、当該短期譲渡所得の金額から当該控除される金額を控除した金額）

五　租税特別措置法第37条の10第1項の規定　同項に規定する一般株式等に係る譲渡所得等の金額（同法第37条の13の3第7項の規定の適用がある場合にあっては、同項の規定の適用後の金額）

六　租税特別措置法第37条の11第1項の規定　同項に規定する上場株式等に係る譲渡所得等の金額（同法第37条の12の2第5項又は第37条の13の3第4項若しくは第7項の規定の適用がある場合にあっては、これらの規定の適用後の金額）

七　租税特別措置法第37条の12第1項の規定　同項に規定する一般株式等の譲渡に係る国内源泉所得の金額

八　租税特別措置法第37条の12第3項の規定　同項に規定する上場株式等の譲渡に係る国内源泉所得の金額

九　租税特別措置法第41条の14第1項の規定　同項に規定する先物取引に係る雑所得等の金額（同法第41条の15第1項の規定の適用がある場合にあっては、同項の規定の適用後の金額）

（中　略）

⑥　前項各号に掲げる規定の適用がある場合における法第6条の2第1項第2号及び第4号の所得税の額の合計額は、当該合計額に当該各号に掲げる規定を適用して計算した場合の所得税の額を加算した額とする。

⑦　次の各号に掲げる規定の適用がある場合における法第6条の2第1項第2号及び第4号の配当控除の額は、当該配当控除の額に当該各号に掲げる規定により控除される金額を加算した額とする。

一　租税特別措置法第41条の2の2第1項の規定

二　租税特別措置法第41条の3の3第1項の規定

〔参考〕国外財産調書制度

⑧　前各項に定めるもののほか、財産の所在及び財産債務調書の書式その他財産債務調書の提出に係る手続に関し必要な事項は、財務省令で定める。

（財産債務に係る過少申告加算税又は無申告加算税の特例の対象となる所得の範囲等）

第12条の3　法第6条の3第1項に規定する財産又は債務に関して生ずる所得で政令で定めるものは、次に掲げる所得とする。

一　財産（法第6条の3第1項に規定する財産をいう。以下この条において同じ。）から生ずる所得税法第23条第1項に規定する利子所得

二　財産から生ずる所得税法第24条第1項に規定する配当所得

三　財産の貸し付けによる所得

四　財産の譲渡による所得

五　債務の免除による所得

六　前各号に掲げるもののほか、財産又は債務に基因して生ずる所得で財務省令で定めるもの

②　第11条第2項の規定は、法第6条の3第1項において準用する法第6条第1項の規定を適用する場合（次項から第5項までの規定の適用がある場合を除く。）について準用する。

③　第11条第3項の規定は、法第6条の3第1項において準用する法第6条第1項又は法第6条の3第2項において準用する法第6条第3項の規定の適用がある場合において、税額の計算の基礎となるべき事実で法第6条の3第1項又は第2項の規定の適用がある財産又は債務以外の財産又は債務に係る事実（隠蔽仮装されていない事実に係るものに限る。）があるとき（次項又は第5項の規定の適用がある場合を除く。）について準用する。

④　第11条第4項の規定は、法第6条の3第1項において準用する法第6条第1項の規定の適用があり、かつ、法第6条の3第2項において準用する法第6条第3項の規定の適用がある場合（次項の規定の適用がある場合を除く。）について準用する。

⑤　法第6条第1項又は第3項（同条第7項第2号の規定により読み替えて適用する場合を含む。）の規定の適用があり、かつ、法第6条の3第1項又は第2項の規定の適用がある場合には、まず、100分の10加算特例適用国外財産に係る事実のみに基づいて修正申告等があったものとした場合における当該修正申告等に基づき国税通則法第35条第2項の規定により納付すべき税額（第1号に掲げる事実があるときは、100分の10加算特例適用国外財産に係る事実及び同号に掲げる事実のみに基づいて修正申告等があったものとした場合における当該修正申告等に基づき同項の規定により納付すべき税額から同号に定める税額を控除した税額）を第11条第7項第6号に規定する100分の10加算特例適用対象税額（以下この項において「100分の10加算特例適用対象税額」という。）とし、次に、100分の5加算特例適用国外財産に係る事実、法第6条の3第2項の規定の適用がある財産又は債務に係る事実（隠蔽仮装されていない事実に係るものに限る。以下この項において「100分の5加算特例適用財産債務に係る事実」という。）及び100分の10加算特例適用国外財産に係る事実のみに基づいて修正申告等があったものとした場合における当該修正申告等に基づき国税通則法第35条第2項の規定により納付すべき税額から当該100分の10加算特例適用対象税額を控除した税額（第1号に掲げる事実があるときは、100分の5加算特例適用国外財産に係る事実、100分の5加算特例適用財産債務に係る事実、100分の10加算特例適用国外財産に係る事実及び同号に掲げる事実のみに基づいて修正申告等があったものとした場合における当該修正申告等に基づき同項の規定により納付すべき税額から当該100分の10加算特例適用対象税額及び同号に定める税額の合計額を控除した税額）を法第6条第3項（同条第7項第2号の規定により読み替えて適用する場合（同号の規定により読み替えられた同条第3項の規定により同項の過少申告加算税の額又は無申告加算税の額の計算の基礎となるべき税額に100分の5の割合を乗じて計算した金額を加算する場合に該当する場合に限る。）及び法第6条の3第2項において

〔参考〕国外財産調書制度

準用する場合を含む。）に規定する過少申告加算税の額又は無申告加算税の額の計算の基礎となるべき税額（以下この項において「100分の5加算特例適用対象税額」という。）とし、次に、過少申告加算税等基礎税額（次の各号に掲げる事実があるときは、当該各号に定める税額の合計額を控除した税額）から当該100分の5加算特例適用対象税額及び当該100分の10加算特例適用対象税額を控除した税額を法第6条第1項（法第6条の3第1項において準用する場合を含む。）に規定する過少申告加算税の額又は無申告加算税の額の計算の基礎となるべき税額とする。

一　税額の計算の基礎となるべき事実で法第6条第1項又は第3項（同条第7項第2号の規定により読み替えて適用する場合を含む。）の規定の適用がある国外財産及び法第6条の3第1項又は第2項の規定の適用がある財産又は債務に係るもの以外の事実（隠蔽仮装されていない事実に係るものに限る。以下この号において「特例適用国外財産及び財産債務に係るもの以外の事実」という。）　当該特例適用国外財産及び財産債務に係るもの以外の事実のみに基づいて修正申告等があったものとした場合における当該修正申告等に基づき国税通則法第35条第2項の規定により納付すべき税額

二　隠蔽仮装された事実　当該隠蔽仮装された事実に基づく税額として第2項において準用する第11条第2項第2号の規定に準じて計算した税額

　（死亡した者に係る修正申告等の場合の財産債務に係る過少申告加算税又は無申告加算税の特例の規定が適用される場合における財産債務調書等の取扱い）

第12条の4　第12条の規定は、法第6条の3第1項において準用する法第6条第1項又は法第6条の3第2項において準用する法第6条第3項の規定の適用がある場合について準用する。

〇内国税の適正な課税の確保を図るための国外送金等に係る調書の提出等に関する法律施行規則
　〈抜粋〉

第三章　国外財産に係る調書の提出等

（国外財産調書の記載事項等）

第12条　国外財産調書（法第5条第1項に規定する国外財産調書をいう。第6項において同じ。）には、同条第1項本文の規定に該当する者の氏名及び住所又は居所のほか、別表第一に定めるところにより、当該者の有する国外財産の種類、数量、価額（令第10条第4項に規定する国外財産の価額をいう。同表において同じ。）及び所在（令第10条第1項及び第2項並びに次項及び第3項の規定による国外財産の所在をいう。同表において同じ。）その他必要な事項を記載しなければならない。

②　法第5条第1項の国外財産の所在について令第10条第1項の規定により相続税法第12条第1項の規定の定めるところによる場合又は令第10条第2項の規定による場合は、同法第10条第1項第5号に規定する保険金には保険（共済を含む。別表第一及び別表第三において同じ。）の契約に関する権利を、同項第8号に規定する株式には株式に関する権利（株式を無償又は有利な価額で取得することができる権利その他これに類する権利を含む。）を、それぞれ含むものとする。

③　法第5条第1項の国外財産の所在については、令第10条第1項及び第2項並びに前項に定めるもののほか、次の各号に規定する場所による。ただし、第2号から第4号までに規定する財産に係る有価証券が金融商品取引業者等（同条第2項に規定する金融商品取引業者等をいう。以下この項において同じ。）の営業所又は事務所に開設された口座に係る同条第2項に規定する振替口座簿に記載若しくは記録がされ、又は当該口座に保管の委託がされているものである場合には、当該有価証券の所在については、当該各号の規定にかかわらず、当該口座が開設された金融商品

－1561－

取引業者等の営業所又は事務所の所在による。

一 預託金又は委託証拠金その他の保証金（相続税法第10条第1項第4号に掲げる財産を除く。以下この号において「預託金等」という。）については、当該預託金等の受入れをした営業所又は事務所の所在

二 有価証券（金融商品取引法第2条第1項第16号に掲げる有価証券、同項第17号に掲げる有価証券（同項第16号に掲げる有価証券の性質を有するものに限る。）及び同項第19号に掲げる有価証券をいい、同条第2項の規定によりこれらの有価証券とみなされる権利を含む。）については、当該有価証券の発行者（同条第5項に規定する発行者をいう。）の本店又は主たる事務所の所在

三 民法第667条第1項に規定する組合契約、匿名組合契約その他これらに類する契約に基づく出資については、これらの契約に基づいて事業を行う主たる事務所、事業所その他これらに準ずるものの所在

四 信託に関する権利（相続税法第10条第1項第9号及び前3号に規定する財産を除く。）については、当該信託の引受けをした営業所、事務所その他これらに準ずるものの所在

五 所得税法第60条の2第2項に規定する未決済信用取引等及び同条第3項に規定する未決済デリバティブ取引に係る権利については、これらの取引に係る契約の相手方である金融商品取引業者等の営業所、事務所その他これらに類するものの所在

六 相続税法第10条第1項及び第2項並びに前項並びに前各号に規定する財産以外の財産については、当該財産を有する者の住所（住所を有しない者にあっては、居所）の所在

④ 令第10条第2項に規定する財務省令で定める財産は、相続税法第10条第1項第7号及び第9号に掲げる財産並びに同条第2項に規定する財産に係る有価証券とする。

⑤ 令第10条第4項に規定する時価に準ずるものとして財務省令で定める価額は、法第5条第1項に規定するその年の12月31日における国外財産の見積価額（当該国外財産が、その年分の事業所得（所得税法第27条第1項に規定する事業所得をいう。以下この項、別表第一及び別表第三において同じ。）の金額の計算の基礎となった所得税法第2条第1項第16号に規定する棚卸資産である場合にあっては当該棚卸資産の評価額とし、同項第40号に規定する青色申告書を提出する者の不動産所得（同法第26条第1項に規定する不動産所得をいう。別表第一及び別表第三において同じ。）、事業所得又は山林所得（同法第32条第1項に規定する山林所得をいう。別表第一及び別表第三において同じ。）に係る同法第2条第1項第19号に規定する減価償却資産である場合にあっては同日における当該減価償却資産の償却後の価額とする。）とする。

⑥ 国外財産調書の書式は、別表第二による。

⑦ 国税庁長官は、別表第二の書式について必要があるときは、所要の事項を付記すること又は一部の事項を削ることができる。

（国外財産に係る過少申告加算税又は無申告加算税の特例の対象となる所得の範囲）

第13条 令第11条第1項第5号に規定する国外財産に基因して生ずる所得で財務省令で定めるものは、次に掲げる所得とする。

一 国外財産が発行法人から与えられた所得税法施行令第84条第3項の規定が適用される同項各号に掲げる権利である場合における当該権利の行使による株式の取得に係る所得

二 国外財産が所得税法施行令第183条第3項に規定する生命保険契約等に関する権利である場合における当該生命保険契約等に基づき支払を受ける一時金又は年金に係る所得

三 国外財産が特許権、実用新案権、意匠権若しくは商標権又は著作権その他これらに類するもの（以下この号及び第16条第3号において「特許権等」という。）である場合における当該特許権等の使用料に係る所得

［参考］国外財産調書制度

　四　令第11条第1項第1号から第4号まで及び前3号に掲げるもののほか、国外財産に基因して
　　生ずるこれらに類する所得

（国外財産の取得、運用又は処分に係る書類）
第13条の2　法第6条第7項に規定する財務省令で定める書類は、次の各号に掲げる国外財産の区
　分に応じ当該各号に定める書類（同項の居住者が通常保存し、又は取得することができると認め
　られるものに限る。）とする。
　一　土地又は建物　当該土地又は建物の取得、貸付け（他人に当該土地又は建物を使用させるこ
　　とを含む。）又は譲渡に関する事項が記載された書類
　二　預貯金（所得税法第2条第1項第10号に規定する預貯金をいう。以下この号において同じ。）
　　　当該預貯金の預入、利子（これに類するものを含む。）の受領、払出し又は譲渡に関する事
　　項が記載された書類
　三　有価証券（所得税法第2条第1項第17号に規定する有価証券をいう。以下この号において同
　　じ。）　当該有価証券の取得若しくは同法第60条の2第4項に規定する譲渡又は当該有価証券
　　に係る同法第23条第1項に規定する利子等、同法第24条第1項に規定する配当等その他これら
　　に類するものの受領に関する事項が記載された書類
　四　匿名組合契約（所得税法第60条の2第1項に規定する匿名組合契約をいう。以下この号にお
　　いて同じ。）の出資の持分　当該匿名組合契約の出資の持分の取得若しくは譲渡又は当該匿名
　　組合契約に基づいて受ける利益の分配に関する事項が記載された書類
　五　未決済信用取引等（所得税法第60条の2第2項に規定する未決済信用取引等をいう。以下こ
　　の号において同じ。）又は未決済デリバティブ取引（同条第3項に規定する未決済デリバティ
　　ブ取引をいう。以下この号において同じ。）に係る権利　当該未決済信用取引等又は未決済デ
　　リバティブ取引に関する事項が記載された書類
　六　貸付金　金銭の貸付け又は当該貸付金の利子の受領若しくは譲渡に関する事項が記載され
　　た書類
　七　前各号に掲げる国外財産以外の国外財産　当該国外財産の取得、運用又は処分に関する事項
　　が記載された書類

（国外財産に係る過少申告加算税又は無申告加算税の特例の適用がある場合における賦課決定
通知書の記載事項）
第14条　法第6条第1項又は第3項（同条第7項第2号の規定により読み替えて適用する場合を含
　む。以下この条において同じ。）の規定の適用がある場合における過少申告加算税又は無申告加
　算税に係る国税通則法第32条第3項に規定する賦課決定通知書には、当該過少申告加算税又は無
　申告加算税について法第6条第1項又は第3項の規定の適用がある旨を付記するものとする。

第四章　財産債務に係る調書の提出等

（財産債務調書の記載事項等）
第15条　財産債務調書（法第6条の2第1項に規定する財産債務調書をいう。第5項において同
　じ。）には、同条第1項本文又は第3項前段の規定に該当する者の氏名、住所又は居所及び個人
　番号（個人番号を有しない者にあっては、氏名及び住所又は居所）のほか、別表第三に定めると
　ころにより、その者の有する財産の種類、数量、価額（令第12条の2第2項に規定する財産の価
　額をいう。同表において同じ。）及び所在（令第12条の2第1項において準用する令第10条第1
　項及び第2項並びに次項において準用する第12条第2項及び第3項の規定による財産の所在を
　いう。同表において同じ。）並びに債務の金額（令第12条の2第2項に規定する債務の金額をい

－1563－

〔参考〕国外財産調書制度

う。同表において同じ。）その他必要な事項を記載しなければならない。

② 第12条第２項及び第３項の規定は、法第６条の２第１項及び第３項の財産の所在について準用する。

③ 第12条第４項の規定は、令第12条の２第１項において準用する令第10条第２項に規定する財務省令で定める財産について準用する。

④ 第12条第５項の規定は、財産に係る令第12条の２第２項に規定する時価に準ずるものとして財務省令で定める価額について準用する。この場合において、第12条第５項中「第５条第１項」とあるのは、「第６条の２第１項又は第３項」と読み替えるものとする。

⑤ 財産債務調書の書式は、別表第四による。

⑥ 第12条第７項の規定は、別表第四の書式について準用する。

　（財産債務に係る過少申告加算税又は無申告加算税の特例の対象となる所得の範囲）

第16条 令第12条の３第１項第６号に規定する財産又は債務に基因して生ずる所得で財務省令で定めるものは、次に掲げる所得とする。

一　財産（法第６条の３第１項に規定する財産をいう。以下この条において同じ。）が発行法人から与えられた所得税法施行令第84条第３項の規定が適用される同項各号に掲げる権利である場合における当該権利の行使による株式の取得に係る所得

二　財産が所得税法施行令第183条第３項に規定する生命保険契約等に関する権利である場合における当該生命保険契約等に基づき支払を受ける一時金又は年金に係る所得

三　財産が特許権等である場合における当該特許権等の使用料に係る所得

四　債務の免除以外の事由により債務が消滅した場合におけるその消滅した債務に係る所得

五　令第12条の３第１項第１号から第５号まで及び前各号に掲げるもののほか、財産又は債務に基因して生ずるこれらに類する所得

　（財産債務に係る過少申告加算税又は無申告加算税の特例の適用がある場合における賦課決定通知書の記載事項）

第17条 法第６条の３第１項又は第２項の規定の適用がある場合における過少申告加算税又は無申告加算税に係る国税通則法第32条第３項に規定する賦課決定通知書には、当該過少申告加算税又は無申告加算税について法第６条の３第１項又は第２項の規定の適用がある旨を付記するものとする。

別表第一（第12条関係）　国外財産調書の記載事項

区　　分	記　載　事　項	備　　考
(一)土地	用途別及び所在別の地所数、面積及び価額	（1）庭園その他土地に附設したものを含む。 （2）用途別は、一般用及び事業用の別とする。
(二)建物	用途別及び所在別の戸数、床面積及び価額	（1）附属設備を含む。 （2）用途別は、一般用及び事業用の別とする。
(三)山林	用途別及び所在別の面積及び価額	（1）林地は、土地に含ませる。 （2）用途別は、一般用及び事業用の別とする。
(四)現金	用途別及び所在別の価額	用途別は、一般用及び事業用の別とする。
(五)預貯金	種類別、用途別及び所在別の価額	（1）種類別は、当座預金、普通預金、定期預金等の別とする。

－1564－

〔参考〕国外財産調書制度

		（2）用途別は、一般用及び事業用の別とする。
（六）有価証券	種類別、用途別及び所在別の数量及び価額並びに取得価額（特定有価証券にあっては、種類別、用途別及び所在別の数量及び価額）	（1）種類別は、株式、公社債、投資信託、特定受益証券発行信託、貸付信託等の別及び銘柄の別とする。 （2）用途別は、一般用及び事業用の別とする。
（七）匿名組合契約の出資の持分	種類別、用途別及び所在別の数量及び価額並びに取得価額	（1）種類別は、匿名組合の別とする。 （2）用途別は、一般用及び事業用の別とする。
（八）未決済信用取引等に係る権利	種類別、用途別及び所在別の数量及び価額並びに取得価額	（1）種類別は、信用取引及び発行日取引の別並びに銘柄の別とする。 （2）用途別は、一般用及び事業用の別とする。
（九）未決済デリバティブ取引に係る権利	種類別、用途別及び所在別の数量及び価額並びに取得価額	（1）種類別は、先物取引、オプション取引、スワップ取引等の別及び銘柄の別とする。 （2）用途別は、一般用及び事業用の別とする。
（十）貸付金	用途別及び所在別の価額	用途別は、一般用及び事業用の別とする。
（十一）未収入金（受取手形を含む。）	用途別及び所在別の価額	用途別は、一般用及び事業用の別とする。
（十二）書画骨とう及び美術工芸品	種類別、用途別及び所在別の数量及び価額（1点10万円未満のものを除く。）	（1）種類別は、書画、骨とう及び美術工芸品の別とする。 （2）用途別は、一般用及び事業用の別とする。
（十三）貴金属類	種類別、用途別及び所在別の数量及び価額	（1）種類別は、金、白金、ダイヤモンド等の別とする。 （2）用途別は、一般用及び事業用の別とする。
（十四）（四）、（九）及び（十）に掲げる財産以外の動産	種類別、用途別及び所在別の数量及び価額（1個又は1組の価額が10万円未満のものを除く。）	（1）種類別は、（四）、（十二）及び（十三）に掲げる財産以外の動産について、適宜に設けた区分とする。 （2）用途別は、一般用及び事業用の別とする。
（十五）その他の財産	種類別、用途別及び所在別の数量及び価額	（1）種類別は、（一）から（十四）までに掲げる財産以外の財産について、預託金、保険の契約に関する権利等の適宜に設けた区分とする。 （2）用途別は、一般用及び事業用の別とする。

備考　一　この表に規定する「事業用」とはその者の不動産所得、事業所得又は山林所得を生ずべき事業又は業務の用に供することをいい、「一般用」とは当該事業又は業務以外の用に供することをいうこと。

　　　二　この表に規定する「預貯金」、「有価証券」、「公社債」、「投資信託」、「特定受益証券発行信託」又は「貸付信託」とは、所得税法第二条第一項に規定する預貯金、有価証券、公社債、投資信託、特定受益証券発行信託又は貸付信託をいうこと。

　　　三　この表に規定する「取得価額」については、法第6条の2第5項の規定により同条第1

[参考] 国外財産調書制度

項に規定する財産債務調書への記載を要しないものとされる場合に記載すること。

　四　この表に規定する「特定有価証券」とは所得税法施行令第170条第1項に規定する有価証券をいい、「匿名組合契約の出資の持分」とは所得税法第60条の2第1項に規定する匿名組合契約の出資の持分をいい、「未決済信用取引等」とは同条第2項に規定する未決済信用取引等をいい、「未決済デリバティブ取引」とは同条第3項に規定する未決済デリバティブ取引をいうこと。

別表第三（第15条関係）　財産債務調書の記載事項

区　　分		記　載　事　項	備　　考
財産	(一)土地	用途別及び所在別の地所数、面積及び価額	(1)庭園その他土地に附設したものを含む。 (2)用途別は、一般用及び事業用の別とする。
	(二)建物	用途別及び所在別の戸数、床面積及び価額	(1)附属設備を含む。 (2)用途別は、一般用及び事業用の別とする。
	(三)山林	用途別及び所在別の面積及び価額	(1)林地は、土地に含ませる。 (2)用途別は、一般用及び事業用の別とする。
	(四)現金	用途別及び所在別の価額	用途別は、一般用及び事業用の別とする。
	(五)預貯金	種類別、用途別及び所在別の価額	(1)種類別は、当座預金、普通預金、定期預金等の別とする。 (2)用途別は、一般用及び事業用の別とする。
	(六)有価証券	種類別、用途別及び所在別の数量及び価額並びに取得価額（特定有価証券にあっては、種類別、用途別及び所在別の数量及び価額）	(1)種類別は、株式、公社債、投資信託、特定受益証券発行信託、貸付信託等の別及び銘柄の別とする。 (2)用途別は、一般用及び事業用の別とする。
	(七)匿名組合契約の出資の持分	種類別、用途別及び所在別の数量及び価額並びに取得価額	(1)種類別は、匿名組合の別とする。 (2)用途別は、一般用及び事業用の別とする。
	(八)未決済信用取引等に係る権利	種類別、用途別及び所在別の数量及び価額並びに取得価額	(1)種類別は、信用取引及び発行日取引の別並びに銘柄の別とする。 (2)用途別は、一般用及び事業用の別とする。
	(九)未決済デリバティブ取引に係る権利	種類別、用途別及び所在別の数量及び価額並びに取得価額	(1)種類別は、先物取引、オプション取引、スワップ取引等の別及び銘柄の別とする。 (2)用途別は、一般用及び事業用の別とする。
	(十)貸付金	用途別及び所在別の価額	用途別は、一般用及び事業用の別とする。
	(十一)未収入金(受取手形を含む。)	用途別及び所在別の価額	用途別は、一般用及び事業用の別とする。
	(十二)書画骨とう及び美術工芸品	種類別、用途別及び所在別の数量及び価額（一点10万円未満のものを除く。）	(1)種類別は、書画、骨とう及び美術工芸品の別とする。 (2)用途別は、一般用及び事業用の別とする。

－1566－

[参考] 国外財産調書制度

	（十三）貴金属類	種類別、用途別及び所在別の数量及び価額	（1）種類別は、金、白金、ダイヤモンド等の別とする。 （2）用途別は、一般用及び事業用の別とする。
	（十四）（四）、（十二）及び（十三）に掲げる財産以外の動産	種類別、用途別及び所在別の数量及び価額（1個又は一組の価額が10万円未満のものを除く。）	（1）種類別は、（四）、（十二）及び（十三）に掲げる財産以外の動産について、適宜に設けた区分とする。 （2）用途別は、一般用及び事業用の別とする。
	（十五）その他の財産	種類別、用途別及び所在別の数量及び価額	（1）種類別は、（一）から（十四）までに掲げる財産以外の財産について、預託金、保険の契約に関する権利等の適宜に設けた区分とする。 （2）用途別は、一般用及び事業用の別とする。
債務	（十六）借入金	用途別及び所在別の金額	用途別は、一般用及び事業用の別とする。
	（十七）未払金（支払手形を含む。）	用途別及び所在別の金額	用途別は、一般用及び事業用の別とする。
	（十八）その他の債務	種類別、用途別及び所在別の数量及び金額	（1）種類別は、（十六）及び（十七）に掲げる債務以外の債務について、前受金、預り金等の適宜に設けた区分とする。 （2）用途別は、一般用及び事業用の別とする。

備考　一　この表に規定する「事業用」とはその者の不動産所得、事業所得又は山林所得を生ずべき事業又は業務の用に供することをいい、「一般用」とは当該事業又は業務以外の用に供することをいうこと。

　　　二　この表に規定する「預貯金」、「有価証券」、「公社債」、「投資信託」、「特定受益証券発行信託」又は「貸付信託」とは、所得税法第2条第1項に規定する預貯金、有価証券、公社債、投資信託、特定受益証券発行信託又は貸付信託をいうこと。

　　　三　この表に規定する「特定有価証券」とは所得税法施行令第170条第1項に規定する有価証券をいい、「匿名組合契約の出資の持分」とは所得税法第60条の2第1項に規定する匿名組合契約の出資の持分をいい、「未決済信用取引等」とは同条第2項に規定する未決済信用取引等をいい、「未決済デリバティブ取引」とは同条第3項に規定する未決済デリバティブ取引をいうこと。

主 要 項 目 の 五 十 音 順 索 引

この索引は、本書に解説された資産税関係主要用語を譲渡所得・山林所得・相続税・贈与税・
評価関係に分類し、各用語のあとにその分類をかっこ書きして解説ページを表示しました。

【ア】【イ】

青色事業専従者（山林）……………………… 659
青色申告者の純損失の繰越控除（山林）……… 668
遺産に係る基礎控除（相続）………………… 757
遺産分割協議書（相続）……………………… 1013
移設困難な機械装置の補償金（譲渡）………… 243
一時的道路用地等（相続）…………………… 818
　　〃　　　　　（贈与）…………………… 1205
一括償却資産（譲渡）………………………… 15
一般課税長期譲渡所得金額（譲渡）………… 142
移転補償金（譲渡）…………………………… 244
遺留分（相続）………………………………… 682
医療法人の出資の評価（評価）……………… 1481
医療法人の持分の放棄があった場合の贈与税
　の課税の特例（贈与）……………………… 1282
医療法人の持分に係る経済的利益についての
　贈与税の納税猶予及び免除（贈与）……… 1275
医療法人の持分に係る相続税の納税猶予及び
　免除（相続）………………………………… 903
印紙税額一覧表………………………………… 626

【ウ】【エ】【オ】

内訳書等の書き方（譲渡）…………………… 609
営業権（評価）………………………………… 1381
永小作権（評価）……………………………… 1356
営農困難時貸付け（相続）…………………… 819
　　〃　　　　　（贈与）…………………… 1207
Ｌの割合（評価）……………………………… 1397
延　納（譲渡）………………………………… 124
　〃　　（相続）……………………………… 921
　〃　　（贈与）……………………………… 1291
延納担保（相続）……………………………… 924
延納の利子税の特例（譲渡）………………… 129
　　〃　　　　　（相続）…………………… 930
　　〃　　　　　（贈与）…………………… 1291
奥行価格補正率（評価）……………………… 1329

【カ】

買換資産の取得価額（譲渡）

既成市街地等内の土地等の買換え…………… 546
　特定事業用資産の買換え…………………… 504
　特定の居住用財産の買換え………………… 469
買換資産の取得期限（譲渡）
　特定事業用資産の買換え…………………… 482
　特定の居住用財産の買換え………………… 460
買換資産の範囲（譲渡）
　居住用財産の買換え等の場合の譲渡損失の
　　損益通算及び繰越控除…………………… 595
　特定事業用資産の買換え…………………… 476
　特定の居住用財産の買換え………………… 458
概算経費控除（山林）………………………… 660
概算取得費控除（譲渡）……………………… 140
回収不能額等（譲渡）………………………… 58
買取り等の申出のあった日（譲渡）…… 241・265
買取りの申出等（相続）……………………… 812
　　〃　　　　（贈与）……………………… 1196
家　屋（評価）………………………………… 1370
確定優良住宅地等予定地（譲渡）…………… 157
がけ地（評価）……………………… 1326・1333
かげ地割合（評価）…………………………… 1331
加算対象期間（相続）………………………… 709
貸宅地（評価）………………………………… 1337
貸付事業用宅地等（相続）………… 727・736
貸付特例適用農地等（相続）………………… 815
　　〃　　　　　　（贈与）………………… 1202
貸家建付借地権等（評価）…………………… 1348
貸家建付地（評価）…………………………… 1341
課税価格（相続）……………………………… 723
家庭用動産（譲渡）…………………………… 31
株　式（評価）………………………………… 1384
株式交換・株式移転（譲渡）………………… 80
　　〃　　　　　　（評価）………………… 1403
株式等保有特定会社（評価）………………… 1405
株式等を対価とする株式の譲渡に係る譲渡所
　得等の課税の特例（譲渡）………………… 95
株式等に係る譲渡所得等（譲渡）…………… 69
株式の割当てを受ける権利（評価）………… 1480
借入金の利子（譲渡）………………………… 44
借受代替農地等（相続）……………………… 815
　　〃　　　　（贈与）……………………… 1202
仮換地等（譲渡）……………………………… 240
換地処分により土地等を譲渡した場合の課税

－1569－

の特例（譲渡）……………………………… 260

【キ】【ク】

企業者報酬（評価）………………………… 1381
議決権のない株式数（評価）……………… 1392
期限後申告（相続）………………………… 914
　〃　　　（贈与）…………………………… 1285
期限の延長（相続）………………………… 920
基準年利率（評価）………………………… 1312
既成市街地等（譲渡）……………… 528・537
既成市街地等内の土地等の買換え（譲渡）… 534
既成都市区域（譲渡）……………………… 529
基礎控除（相続）…………………………… 757
　〃　　（贈与）…………………… 1151・1162
寄附した財産の譲渡所得の特例（譲渡）… 562
教育費（贈与）……………………………… 1119
共同相続人（相続）………………………… 679
共有地の分割（譲渡）……………………… 14
共有持分の取扱い（贈与）………………… 1100
居住期限（譲渡）…………………………… 460
居住用財産の買換え等の場合の譲渡損失の損
　益通算及び繰越控除（譲渡）…………… 589
居住用財産の譲渡所得の特別控除（譲渡）… 420
居住用の区分所有財産（評価）…………… 1488
居住用不動産（贈与）……………………… 1152
近郊整備地帯等（譲渡）…………………… 537
金銭債権（譲渡）…………………………… 18
区分所有財産（評価）……………………… 1488
区分地上権（評価）………………………… 1346
区分地上権に準ずる地役権（評価）……… 1348

【ケ】

計画伐採に係る相続税の延納の特例（相続）… 934
軽減税率が適用される短期譲渡所得（譲渡）… 223
継続勤務従業員（評価）…………………… 1395
経費補償金（譲渡）………………………… 244
契約者貸付金等がある場合の保険金（相続）… 699
契約転換制度（相続）……………………… 698
　〃　　　（贈与）…………………………… 1102
契約に基づかない定期金に関する権利(相続)
　…………………………………………… 704
気配相場等のある株式（評価）…………… 1390
減価償却資産（譲渡）……………………… 15
減価償却資産の償却率表…………………… 637
限度面積要件（相続）……………………… 730
現物出資等受入れ資産（評価）…………… 1403
減耗資産の取得費（譲渡）………………… 50

【コ】

公益事業用財産（相続）…………………… 711
　〃　　　　　（贈与）……………………… 1120
公益法人等（贈与）………………………… 1094
公開途上にある株式（評価）……………… 1390
交換資産の時価（譲渡）…………………… 587
交換処分（譲渡）…………………………… 257
交換の特例（譲渡）………………… 509・546・584
公共事業用資産の買取り等の申出証明書（譲
　渡）………………………………………… 270
航空機騒音障害区域（譲渡）……………… 513
耕作権（評価）……………………………… 1356
公社債（評価）……………………………… 1483
更正、決定等の期間制限（相続）………… 958
　　〃　　　　　　　　（贈与）…………… 1293
更正及び決定（相続）……………………… 956
　〃　　　　（贈与）………………………… 1293
更正の請求（相続）………………………… 916
　〃　　　（贈与）…………………………… 1287
構築物（評価）……………………………… 1371
香　典（贈与）……………………………… 1121
国外勤務者の住所の判定（相続）………… 690
国外財産（評価）…………………………… 1313
国外転出をする場合の譲渡所得の特例等（譲
　渡）………………………………………… 28
個人の事業用資産についての相続税の納税猶
　予及び免除（相続）……………………… 847
個人の事業用資産についての贈与税の納税猶
　予及び免除（贈与）……………………… 1224
固定資産の交換（譲渡）…………………… 584
ゴルフ会員権（評価）……………………… 1504
ゴルフ場用地（評価）……………………… 1361
婚姻期間（贈与）…………………………… 1152
婚姻の取消し又は離婚（贈与）…………… 1100

【サ】

在外財産に対する相続税額の控除（相続）… 775
在外財産に対する贈与税額の控除（贈与）… 1158
災害損失（山林）…………………………… 658
　〃　　（譲渡）…………………………… 63
災害の場合の課税価格（相続）…………… 921
財産の名義変更（贈与）…………………… 1097
財産分与（譲渡）…………………………… 19
採草放牧地（相続）………………………… 797
再調査の請求（相続）……………………… 960
債務控除（相続）…………………………… 754
債務処理計画に基づき資産を贈与した場合の

50音順索引

課税の特例（譲渡）………………………… 583
債務の引受け（贈与）……………………… 1105
債務免除（贈与）…………………………… 1105
残地買収の対価（譲渡）……………………… 246
残地補償金（譲渡）………………………… 246
残地保全経費の補償金（譲渡）……………… 247
山　林（評価）……………………………… 1358
山林所得の金額（山林）……………………… 650
山林所得の税額速算表…………………… 625・645
山林所得の範囲（山林）……………………… 646
山林所得の必要経費（山林）………………… 653
山林の取得の時期（山林）…………………… 653
山林の納税猶予（相続）……………………… 831

【シ】

死因贈与（相続）…………………………… 683
　〃　　（贈与）…………………………… 1089
時　価（評価）……………………………… 1307
市街化調整区域（評価）……………………… 1351
市街地山林（評価）………………………… 1358
市街地周辺農地（評価）……………………… 1351
市街地農地（評価）………………………… 1355
事業譲渡類似の株式等の譲渡（譲渡）……… 219
自己株式（評価）…………………………… 1401
資産損失（譲渡）…………………………… 63
失権株主から受ける利益（贈与）…………… 1109
指定相続分（相続）………………………… 679
私　道（評価）……………………………… 1335
借地権（譲渡）……………………………… 22
　〃　（評価）……………………………… 1343
借地権の取得費（譲渡）………………… 51・53
借地権の無償返還（譲渡）…………………… 21
借家権（評価）……………………………… 1371
借家権の取得費（譲渡）……………………… 51
借家人補償金（譲渡）……………………… 245
収益補償金（譲渡）………………………… 244
従業員数（評価）…………………………… 1395
修正申告（相続）…………………………… 915
　〃　　（贈与）…………………………… 1287
住宅施設用地買収証明書（譲渡）…………… 277
住宅取得等資金の贈与を受けた場合の相続時
　精算課税の特例（贈与）………………… 1168
住宅増改築資金（贈与）………………… 1168・1178
収用交換等の場合の譲渡所得等の特別控除
　（譲渡）…………………………………… 263
収用証明書（譲渡）………………………… 275
収用証明書の区分一覧表（譲渡）…………… 300
収用等のあった日（譲渡）…………………… 242
収用等の場合の課税の特例（譲渡）………… 227

受益証券発行信託証券等（評価）…………… 1506
取得費（山林）……………………………… 653
　〃　（譲渡）……………………………… 37
主要樹種（評価）…………………………… 1372
種類株式（評価）…………………………… 1393
純山林（評価）……………………………… 1358
準事業（相続）……………………………… 727
純資産価額方式（評価）…………… 1397・1401
純農地（評価）……………………………… 1351
使用開始の日（借入金利子）（譲渡）……… 44
小会社（評価）…………………… 1395・1397
障害者控除（相続）………………………… 772
少額の減価償却資産（譲渡）………………… 15
小規模宅地等の特例（相続）………………… 726
上場新株予約権の評価（評価）……………… 1481
少数株式所有者（評価）…………… 1392・1401
使用貸借（贈与）…………………………… 1111
使用貸借権の設定と経営移譲年金（贈与）… 1199
譲　渡（譲渡）……………………………… 14
譲渡資産の範囲（譲渡）
　既成市街地等内の土地等の買換え………… 535
　居住用財産の買換え等の場合の譲渡損失の
　　損益通算及び繰越控除………………… 591
　特定居住用財産の譲渡損失の損益通算及び
　　繰越控除……………………………… 604
　特定事業用資産の買換え………………… 476
　特定の居住用資産の買換え……………… 454
譲渡所得（譲渡）…………………………… 3
譲渡所得の特別控除額（譲渡）……………… 33
譲渡損失（譲渡）…………………………… 225
譲渡代金の貸倒れ等（山林）………………… 667
　　〃　　　　　　（譲渡）………………… 57
譲渡担保（相続）…………………………… 725
譲渡の時期（譲渡）………………………… 36
譲渡費用（譲渡）…………………………… 55
昭和27年以前から所有している山林の取得費
　（山林）…………………………………… 653
昭和27年以前に取得した資産の取得費（譲渡）
　………………………………………… 49
書画、骨とう品（評価）……………………… 1379
所得税の速算表……………………………… 625
人格のない社団又は財団（相続）…………… 690
　　　〃　　　　　　　　（贈与）………… 1093
新株予約権（譲渡）………………………… 82
申告義務の承継（相続）……………………… 913
申告書の共同提出（相続）…………………… 912
申告書の提出期限（相続）…………………… 910
　　〃　　　　　（贈与）………………… 1285
申告書の提出義務者（相続）………………… 910
申告書の提出先（相続）……………………… 912

—1571—

50音順索引

申告書の添付書類（相続） ……………… 912
審査請求（相続） ………………………… 960
森林計画特別控除（山林） ……………… 662

【ス】

ストックオプション（譲渡） ……………… 82
　　〃　　　　　　（評価） ………… 1480

【セ】

生活に通常必要でない資産（譲渡） ……… 63
生活費（贈与） …………………………… 1119
税金の軽減・免除（相続） ……………… 921
制限納税義務者（相続） ………………… 689
　　〃　　　　　（贈与） ……………… 1092
制限納税義務者の債務控除（相続） …… 756
生産緑地地区（贈与） …………………… 1197
生命保険金（相続） ……………… 696・714
　　〃　　　（贈与） …………………… 1100
生命保険契約に関する権利（相続） …… 703
　　〃　　　　　　　　　　（評価） … 1502
接道義務（評価） ………………………… 1324
セットバックを必要とする宅地（評価） … 1336
選挙運動のための贈与（贈与） ………… 1121
選択特例対象宅地等（相続） …………… 726
占用権（評価） …………………………… 1365

【ソ】

葬式費用（相続） ………………………… 756
相次相続控除（相続） …………………… 774
総収入金額の収入すべき時期（山林） … 650
　　〃　　　　　　　　　　（譲渡） … 36
造成中の宅地（評価） …………………… 1335
相続があった年の贈与財産（贈与） …… 1121
相続開始前7年以内に被相続人から贈与を受
　けた財産（相続） ……………………… 708
相続財産に係る譲渡所得の課税の特例（譲渡）
　………………………………………… 555
相続財産の所在地（相続） ……………… 692
相続時精算課税（相続） ………………… 776
　　〃　　　　　（贈与） ……………… 1159
相続時精算課税
　課税価格（相続） ……………………… 779
　　〃　　（贈与） ……………………… 1162
　申　告（相続） ………………………… 792
　　〃　（贈与） ………………………… 1165
　特別控除（相続） ……………………… 779
　　〃　　（贈与） ……………………… 1162

相続時精算課税の基礎控除（贈与） …… 1162
相続税額の2割加算（相続） …………… 764
相続税の課税価格（相続） ……………… 722
相続税の課税財産（相続） ……………… 695
相続税の総額（相続） …………………… 757
相続税の速算表（相続） ………… 762・763
相続税の非課税財産（相続） …………… 711
相続人の不存在（相続） ………………… 681
相続の承認（相続） ……………………… 681
相続の放棄（相続） ……………………… 681
相続分（相続） …………………………… 679
想定整形地（評価） ……………………… 1319
相当の地代と借地権等の評価（評価） … 1337
贈与税額の控除（相続） ………………… 764
贈与税の課税価格（贈与） ……………… 1148
贈与税の軽減・免除（贈与） …………… 1289
贈与税の申告（贈与） …………………… 1284
贈与税の申告書（贈与） ………………… 1299
贈与税の申告書の書き方（贈与） ……… 1295
贈与税の税率表（贈与） ………… 1155・1156
贈与税の速算表（贈与） … 1155・1156・1157
贈与税の配偶者控除（贈与） …………… 1151
贈与等による場合の取得時期一覧表（譲渡） … 39
贈与とみなされる場合（贈与） ………… 1100
贈与による財産の取得時期（贈与） …… 1093
底地の収入金額、取得費（譲渡） ……… 37
訴訟費用（譲渡） ………………………… 43
損益通算（山林） ………………………… 667
　　〃　　（譲渡） ………………… 63・225
損失の繰越し（譲渡） …………… 63・225

【タ】

大会社（評価） ………………… 1394・1396
対価補償金（譲渡） ……………………… 244
大規模工場用地（評価） ………………… 1334
胎児が生れる前における共同相続人の相続分
　（相続） ………………………………… 724
代襲相続人の法定相続分（相続） ……… 679
代償財産を給付する債務の債務控除（相続） … 725
代償分割（譲渡） ………………………… 19
　　〃　　（相続） ……………………… 724
退職手当金等（相続） …………… 700・715
退職手当金等の受取人の判定（相続） … 702
代替資産（譲渡） ………………………… 250
代替資産の取得時期（譲渡） …………… 252
耐用年数表 ………………………………… 630
宅　地（評価） …………………………… 1313
宅地造成契約による土地の交換（譲渡） … 17
宅地造成費相当額（評価） ……………… 1352

—1572—

建物等（譲渡）……………………………… 135
棚卸資産（譲渡）………………………………… 15
棚卸商品（評価）………………………… 1378
短期譲渡所得（譲渡）………………………… 215

【チ】

地役権（譲渡）…………………………………… 22
地上権（贈与）………………………… 1187
　〃　（評価）…………………………… 1342
地積規模の大きな宅地（評価）……… 1322
地積区分表（評価）…………………… 1330
地味級（評価）………………………… 1374
中会社（評価）………………… 1395・1397
中間山林（評価）……………………… 1358
中間農地（評価）……………………… 1351
中高層耐火共同住宅（譲渡）………… 537
中心市街地整備推進機構（譲渡）…… 143
中心的な株主（評価）………………… 1396
長期譲渡所得（譲渡）………………… 135
直系尊属から教育資金の一括贈与を受けた場
　合の贈与税の非課税制度（贈与）… 1124
直系尊属から結婚・子育て資金の一括贈与を
　受けた場合の贈与税の非課税制度（贈与）
　…………………………………………… 1138
直系尊属から住宅取得等資金の贈与を受けた
　場合の贈与税の非課税制度（贈与）……… 1177
直系尊属から贈与を受けた場合の贈与税の税
　率の特例（贈与）…………………… 1156
地利級（評価）………………………… 1374
賃借権（贈与）………………………… 1187
　〃　（評価）………………… 1360・1364
賃借割合（評価）……………………… 1371
賃貸割合（評価）……………………… 1341

【テ】

低額譲渡（譲渡）………………………………… 20
低額譲渡等と買換えの特例（譲渡）
　特定事業用資産の買換え………………… 502
　特定の居住用財産の買換え……………… 463
低額譲受け（贈与）…………………… 1104
定期金に関する権利（相続）………… 703
　〃　　　　　　　（贈与）………… 1103
　〃　　　　　　　（評価）………… 1499
定期借地権等（評価）………………… 1344
定期贈与（贈与）……………………… 1089
抵当証券（評価）……………………… 1505
低未利用土地等を譲渡した場合の長期譲渡所
　得の特別控除（譲渡）……………… 449

適正な対価の要件（譲渡）…………… 224
鉄軌道用地（評価）…………………… 1363
転換社債（評価）……………………… 1484
転借権（評価）………………………… 1349
転貸借地権（譲渡）…………………………… 52
　〃　　　　（評価）………………… 1349
電話加入権（評価）…………………… 1380

【ト】

動　産（評価）………………………… 1378
投資育成会社（評価）………………… 1394
同族会社の行為計算の否認（譲渡）… 131
　〃　　　　　　　　　　　（相続）… 958
同族会社の募集株式引受権（贈与）… 1108
同族株主等（評価）…………………… 1392
特殊関係株主（譲渡）………………… 220
特則による更正請求（相続）………… 917
特則による修正申告又は期限後申告（相続）…… 915
特定遺贈（相続）……………………… 682
特定課税長期譲渡所得金額（譲渡）… 142
特定株式（譲渡）……………… 84・86・92
特定期間に取得をした土地等を譲渡した場合
　の長期譲渡所得の特別控除（譲渡）… 447
特定居住用財産の譲渡損失の損益通算及び繰
　越控除（譲渡）……………………… 602
特定居住用宅地等（相続）……… 727・733
特定計画山林（相続）………………… 747
特定公益信託（相続）………………… 717
　〃　　　　　（贈与）……………… 1120
特定市街化区域農地等（相続）……… 798
　〃　　　　　　　　　（贈与）…… 1185
特定事業の用地買収（譲渡）………… 335
特定事業用宅地等（相続）…………… 731
特定住宅地造成事業（譲渡）………… 351
特定受贈者（贈与）…………… 1168・1177
特定障害者の信託受益権に係る非課税制度
　（贈与）……………………………… 1122
特定新株予約権（譲渡）……………………… 82
特定贈与財産（相続）………………… 709
　〃　　　　　（贈与）……………… 1121
特定中小会社（譲渡）………………… 86・92
特定同族会社事業用宅地等（相続）……… 727・735
特定土地等及び特定株式等に係る課税価格の
　計算の特例（相続）………………… 753
　　　　　　　〃
　〃　　　　　　　（贈与）………… 1150
特定納税義務者（相続）……………… 689
特定の居住用財産の買換え等の特例（譲渡）…… 454
特定の交換分合の特例（譲渡）……… 549

特定の事業用資産の買換え（譲渡） …………… 473
特定の事業用資産の交換（譲渡） …………… 509
特定の事業用資産の指定地域一覧表（譲渡） … 511
特定の事業用資産の証明書一覧表（譲渡） …… 490
特定の美術品についての相続税の納税猶予及
　び免除（相続） …………………………… 842
特定の評価会社の株式（評価） …………… 1405
特定非常災害（譲渡）… 160・239・489・542・591
特定普通財産とその隣接する土地等の交換の
　場合の課税の特例（譲渡） ……………… 552
特定物納（相続） ………………………… 953
特定民間再開発事業（譲渡） ……………… 536
特定路線価（評価） ……………………… 1314
特別寄与料（相続） ……………………… 705
特別高圧架空電線（譲渡） ………………… 22
特別控除適用上の制限（譲渡） …………… 451
特別な経済的利益（譲渡） ………………… 23
特別な場合の更正・決定（相続） ………… 957
都市営農農地等（相続） ………………… 798
　　〃　　（贈与） ……………………… 1185
都市計画道路予定地の区域内にある宅地（評
　価） ……………………………………… 1336
都市公園用地（評価） …………………… 1365
土石等の譲渡による所得（譲渡） …… 19・47
土地及び土地の上に存する権利の評価明細書
　（評価） ………………………………… 1367
土地等（譲渡） …………………………… 135
土地保有特定会社（評価） ……………… 1409
土地利用制限率（評価） ………………… 1346
土地類似株式等（譲渡） ………………… 218
共稼ぎ夫婦の間の贈与（贈与） ………… 1100
取引相場のない株式（相続） …………… 924
　　〃　　（評価） ……………………… 1392

【ニ】【ネ】

２分の１課税（譲渡） …………………… 33
認定特定非営利活動法人（相続） ……… 720
年賦延納（贈与） ………………………… 1291
年賦償還率（評価） ………… 1345・1517・1518

【ノ】

納期限の特例（贈与） …………………… 1289
農業投資価格（相続） …………………… 804
　　〃　　（評価） ……………… 1357・1516
農業用施設用地（評価） ………………… 1335
農住組合法に基づく土地の交換分合（譲渡） … 549
納税義務者（相続） ……………………… 688
　　〃　　（贈与） ……………………… 1091

納税等についての特例（相続） ………… 920
納税の猶予（相続） ……………………… 920
　　〃　　（贈与） ……………………… 1289
農地等（相続） …………………………… 794
　　〃　　（贈与） ……………………… 1185
　　〃　　（評価） ……………………… 1351
農地等の生前贈与（贈与） ……………… 1185
農用地区域（評価） ……………………… 1351
延払条件付譲渡に係る所得税額の延納（譲渡）
　…………………………………………… 124

【ハ】

配偶者居住権等（評価） ………………… 1492
配偶者控除（贈与） ……………………… 1151
配偶者控除の手続（贈与） ……………… 1153
配偶者の税額の軽減（相続） …………… 765
配当還元方式（評価） …………… 1396・1403
配当期待権（評価） ……………………… 1480
倍率方式（評価） ………………………… 1333

【ヒ】

非課税口座内の少額上場株式等に係る譲渡所
　得等の非課税（譲渡） …………………… 115
非課税財産（相続） ……………………… 711
　　〃　　（贈与） ……………………… 1119
引き家補償金（譲渡） …………………… 243
被災事業用資産の損失（山林） ………… 669
　　〃　　（譲渡） ……………………… 63
比準要素数０の会社（評価） …………… 1405
比準要素数１の会社（評価） …………… 1404
非上場株式等についての相続税の納税猶予及
　び免除（相続） ………………………… 867
非上場株式等についての相続税の納税猶予及
　び免除の特例（相続） ………………… 894
非上場株式等についての贈与税の納税猶予及
　び免除（贈与） ………………………… 1244
非上場株式等についての贈与税の納税猶予及
　び免除の特例（贈与） ………………… 1267
被相続人の居住用家屋に係る譲渡所得の特別
　控除制度の特例（譲渡） ……………… 430
必要経費（山林） ………………… 653・660
評価差額（評価） ………………… 1401・1402

【フ】

複利現価率（評価） ……………………… 1517
複利表（評価） …………………………… 1517
不整形地（評価） ………………………… 1319

－1574－

不整形地補正率（評価）………………………… 1331
負担付贈与（贈与）………… 1089・1099・1148
　〃　　　（評価）………………………… 1385
物　　納（相続）………………………………… 940
物納できる財産（相続）………………………… 942
物納の許可要件（相続）………………………… 940
不動産等の売買又は貸付けのあっせん手数料
　の支払調書（譲渡）………………………… 274
不動産等の譲受けの対価の支払調書（譲渡）… 272
不動産の使用料等の支払調書（譲渡）………… 273
不服申立て（相続）……………………………… 960
扶養義務者（贈与）…………………………… 1119
分割等株式（譲渡）……………………………… 85
分収造林（育林）契約（山林）………………… 646
分収造林契約（評価）………………………… 1359

【ホ】

保安林（評価）………………………………… 1358
邦貨換算（評価）……………………………… 1312
包括遺贈（相続）………………………………… 682
法人から贈与を受けた財産（贈与）………… 1119
法定解除権（贈与）…………………………… 1098
法定相続分（相続）……………………………… 679
法定取消権（贈与）…………………………… 1098
補完税（贈与）………………………………… 1090
保険金の受取人の判定（相続）………………… 697
募集株式引受権（贈与）……………………… 1108
保証期間付定期金（贈与）…………………… 1103
保証期間付定期金に関する権利（相続）……… 703
保証債務（相続）………………………………… 755
保証債務の履行（山林）………………………… 666
　〃　　　　（譲渡）……………………… 60
本来の相続財産（相続）………………………… 695
本来の贈与（贈与）…………………………… 1096

【ミ】

未成年者口座内の少額上場株式等に係る譲渡
　所得等の非課税（譲渡）……………………… 119
未成年者控除（相続）…………………………… 771
みなし遺贈財産（相続）………………………… 706
みなし譲渡（譲渡）……………………………… 20
みなし相続財産（相続）………………………… 696
みなし贈与財産（贈与）……………………… 1100
未分割遺産の申告（相続）……………………… 913

【ム】【メ】

無申告加算税（相続）…………………………… 916
　〃　　　　（贈与）……………………… 1287
無制限納税義務者（相続）……………………… 688
　〃　　　　（贈与）……………………… 1091
無体財産権（評価）…………………………… 1380
無道路地（評価）……………………………… 1324
無利子の金銭貸与等（贈与）………………… 1111
面積制限（譲渡）………………………………… 487

【ユ】

遺　　言（相続）………………………………… 682
遊園地等（評価）……………………………… 1362
優良住宅地等の証明書類等の区分一覧表（譲
　渡）…………………………………………… 161
優良住宅地の造成等（譲渡）…………………… 142

【ヨ】

養育年金付こども保険（相続）………………… 699
容積率（評価）………………………………… 1327
余剰容積率（評価）…………………………… 1334

【リ】

利子税（譲渡）…………………………………… 129
　〃　（贈与）………………………………… 1291
利子税の特例（相続）…………………………… 827
　〃　　　　（贈与）……………………… 1210
立竹木（評価）………………………………… 1372
立木度（評価）………………………………… 1374
立木賦課金（山林）……………………………… 656
林地賦課金（山林）……………………………… 655

【ル】【レ】【ロ】

類似業種比準方式（評価）…………… 1396・1400
連帯債務（相続）………………………………… 755
連帯納付の義務（相続）………………………… 919
　〃　　　　（贈与）……………………… 1290
路線価方式（評価）…………………………… 1314

〈編　者〉
井上　浩二
信永　　弘

〈執筆者〉
稲田　　尚司
松田　貴志
北浦　武輔
樫原　啓大
山本　涼奈
甲斐　悠典
岡本　眞志
小澤　　正

令和6年11月改訂　資産税の取扱いと申告の手引

2024年12月13日　発行

編　者　　井上 浩二／信永　弘

発行者　　新木 敏克

発行所　　公益財団法人 納税協会連合会
　　　　　〒540-0012 大阪市中央区谷町1－5－4　電話（編集部）06（6135）4062

発売所　　株式会社 清文社
　　　　　大阪市北区天神橋2丁目北2－6（大和南森町ビル）
　　　　　〒530-0041　電話 06（6135）4050　FAX 06（6135）4059
　　　　　東京都文京区小石川1丁目3－25（小石川大国ビル）
　　　　　〒112-0002　電話 03（4332）1375　FAX 03（4332）1376
　　　　　URL https://www.skattsei.co.jp/

印刷：㈱広済堂ネクスト

■著作権法により無断複写複製は禁止されています。落丁本・乱丁本はお取り替えします。
■本書の内容に関するお問い合わせは編集部までFAX（06-6135-4063）又はe-mail（edit-w@skattsei.co.jp）でお願いします。
＊本書の追録情報等は、発売所（清文社）のホームページ（https://www.skattsei.co.jp）をご覧ください。

ISBN978-4-433-70414-8